U0110178

自由人（九）

自由人總目錄

動盪時代的印記——《自由人》三日刊始末

陳正茂（北台灣科學技術學院通識教育中心教授）

一、前言：《自由人》三日刊創刊之背景

民國三十八年是中國歷史上驚天動地的一年，隨著戡亂戰局的逆轉，中共席捲大陸，國府敗退遷台，真是國命如絲風雨飄搖的危急存亡之秋。處此動盪時代中，除大批軍民同胞隨政府播遷來台外；尚有一部分人士選擇避難香江，南下港九一隅，這些人當中，有不少是失意政客和知識份子。基本上，當年選擇避秦來港的知識份子，其心態上有兩種，一則對國、共兩黨均感不滿；再則係看上香港為自由民主之地，較能有揮灑發展的空間。此情勢考量，誠如雷嘯岑所言：「在一九四九－五〇年之間，因大陸淪陷，香港乃成了反共非共的中國人士望門投止的逋逃之藪」。

這些投奔港九的政治難民，以高級知識份子居多；兼以香港時為英屬自由之地，所以只要不違背港府法令，一般而言從事任何活動是百無禁忌，相當自由的。不僅可以高談政治問題，甚至於從事政治活動亦不加以限制。於是，「從大陸流亡到港九的高級知識份子群，乃相率呼朋引類，常舉行座談會，交換對國事意見，而美國國務院的巡迴大使吉塞普（Philip Jessup），斯時亦在香港鼓勵中國人組織『第三勢力』運動，目的以反共為主。」在此背景下，港九地區的自由民主人士，在美國幕後撐腰下，「各種座談會風起雲湧，熱鬧非凡；而諸多以反共為職志的大小刊物，更是應運而興，琳瑯滿目了。」所以，《自由人》三日刊，就是在此大時代氛圍下孕育而生的。

二、《自由人》三日刊誕生之經過

《自由人》三日刊醞釀誕生之經過，最早鼓吹者，一般而言，說法有二，一為由王雲五號召發起。據其《岫廬八十自述》書中提及：「自民國三十九年開始以來，由於中共匪幫建立偽政權，並先後獲得蘇俄、緬甸、印度、巴基斯坦及英國的承認，於是匪幫的勢力在香港突然大振，不少反共分子漸呈動搖態度。旅港有識之士深感囂風日長，漸使全港華人隨而動搖，乃相與集議挽救之道。我因在港主辦一個小規模出版事業（按：即華國出版社），尤以一貫堅持反共方針，遂由多數參加集議人士推任領導。由臨時的集會，變為固定的座談；其地點經常利用國民黨在銅鑼灣某街所租賃之四樓房屋一層。每次參

1 馬五，〈「自由人」之產生與夭折〉，見馬五（雷嘯岑）著，《政海人物面面觀》（香港：風屋書店出版，一九八六年十二月初版），頁二一二。又此種座談會多在週末舉行，也有人稱之為「週末座談會」或「星期六座談會」。見馬五先生著，《我的生活史》（台北：自由太平洋文化事業公司出版，民國五十四年三月一日初版），頁一六一。

加座談者，多至三十餘人，少亦一二十人，皆為文化界人士，或為舊日與政治有關係者，各政黨及無黨派人士皆有之。後來我以香港政府最忌政治性的集會，凡參加人數較多，尤易引起猜疑，動輒干涉。加以如此散漫的座談，亦未必能持久，因於某次座談中提議創辦一小型之定期刊物，每週或半週出版一次，既可藉此刊物益鞏固反共人士之維繫，且刊物一經向港政府註冊，則在刊物辦公處所舉行的座談，皆可諉稱編輯會議，可免港政府之干涉。此議一出，諸人咸表贊同，遂計劃如何組織與籌款。結果決辦三日刊，定名為自由人，其資金由參加坐談人士各自量力提供。我首先代表華國出版社提供港幣一千五百元，此外各發起人分別擔任，或一千，或五百不等；並經決定撰文者一律用真姓名，以明責任。其後，又決定委託香港時報代為印刷發行。因是，籌備進行益力，發起人等每星期至少集會一次，間或二次，一切進行甚為順利。」[2]

二為眾人集議，早有志於此，雷嘯岑即主此說。雷言：「這時候，即有原在大陸上服務新聞界的報人成舍我、陶百川、程滄波，協同青年黨人左舜生、民社黨人金侯成，以及國民黨人阮毅成、無黨無派的王雲五，外加香港時報社長許孝炎、新聞天地雜誌社社長卜少夫一干人等，於每週末午後在香港高士威道某號住宅中，舉行文化座談會。大家談來談去，得到一項結論，要辦一份刊物，以闡揚民主自由思想，在文化上進行反共鬥爭。……適韓戰爆發，預料東亞局勢將有變化，刊物必須及時問世，刊物取名「自由人」，由程滄波書寫報頭兼撰〈發刊詞〉，標題是〈我們要做自由人〉。」[3]

然由當事人之一的阮毅成事後追記，似乎《自由人》三日刊能草創成功，仍是由王雲五一手主導的。阮說：「民國三十九年十二月二十日，雲五先生在香港高士威道約大家茶敘，其中特別提及『今日我約諸位來，是想創辦一份反共的刊物，以正海外的視聽。間接幫助臺灣，說幾句公道話。我們讀書人，今日所能為國家效力的，也只有此途。』」[4]由阮之記載，合理推論，《自由人》三日刊能順利催生問世，王氏為登高呼籲之首倡者，可能性是很高的！

但就在王氏積極創辦《自由人》三日刊之際，突發一件暗殺事件，則頗值得一述；且對後來《自由人》三日刊的發展不無影響。事緣於三十九年十二月下旬，王氏在《自由人》三日刊諸人集會散會後，在香港寓所遭遇暗殺，幸子彈未命中，逃過一劫，這突如其來之舉，使王氏決定立即離港赴台定居。此事來台後，王氏曾將真相告訴繼我而來的成舍我。王氏謂：「到臺以後，除將此次提前來臺的秘密暗中告知兒女外，他人皆不使知。後來事過境遷，才漸漸透露給若干至好的朋友，首先是對於不久繼我而來的成舍我君；因為他覺得我向

2 王雲五，《岫廬八十自述》（台北：商務版，民國五十六年七月一日初版），頁一〇四～一〇五。

3 馬五，〈「自由人」之產生與夭折〉，同註一，頁二一二～二一三。又見馬之驌，《雷震與蔣介石》（台北：自立晚報社文化出版部出版，一九九三年十一月一版），頁八一。

4 阮毅成，〈王雲五先生與自由人三日刊〉，見蔣復璁等著，《王雲五先生與近代中國》（台北：商務版，民國七十六年六月初版），頁三〇～三一。有關《自由人》之發起，另有一說為萬麗鵑博士論文所言：「《自由人》為『自由中國協會』成員所辦之三日刊。」見萬麗鵑，〈一九五〇年代的中國第三勢力運動〉（台北：國立政治大學歷史研究所博士論文，民國九十年七月），頁一六四。但根據「自由人」社發起人之一的雷嘯岑回憶說：「自由中國協會」為當時在美國的胡適、蔣廷黻、曾琦等人所發起，胡、蔣、曾諸氏希望以『自由人』全體發起人為主幹，先在香港成立總會，台灣暨歐美各省都設立分會。嗣經提出座談會詳細研討，大家認為總會以設在台灣為妥，香港亦只設分會，庶合體制。結果不知如何，這個會沒有成立，終於流產了。」馬五，〈「自由人」之產生與夭折〉，同註一，頁二一四～二一六。故萬氏此說，恐不確。

來很少患病，在約定聯合宴客之日，我竟稱病缺席，舍我不免將信將疑。其後到我家探病，見我毫無病容，更不免懷疑。及我不別而赴臺，他懷疑益甚，所以在他來臺後，偶爾和我詳談及此，我也就不好意思對朋友有所隱瞞了。」[5]

上述言及之十二月下旬，實際上是民國三十九年十二月三十一日，除夕。阮氏說：是日「王雲五先生約在高士威道午餐，我應約前往，王臨時以腹瀉未到，由成舍我兄代作主人，謂『自由人』籌備事，大致已妥。」而四十年的元月三日，阮氏也說到是日，「應卜少夫、程滄波二兄之約，到高士威道二十二號四樓午膳。據滄波兄言，是日原應由王雲五先生作東，而王於當天上午，離港飛台，臨行前以電話托其代為主人。」[6]

王氏的不告而別倉促離港赴台，也使得後續有不少參與「自由人」社同仁跟進，紛紛來台，這對於原本人力吃緊資金短絀的《自由人》三日刊之發展，當然有不小的影響。至於《自由人》三日刊籌組的經過梗概，雖在王氏離港來台後，仍按部就班的進行。四十年元月十日下午，阮毅成與程滄波及左舜生又約至高士威道聚談。關於創辦刊物事，左舜生主張宜立即出版，卜少夫則以須現款收有相當數目，方能創刊。是月三十一日，雷震自台灣來，亦參加「自由人」社活動。會中大家一致決定《自由人》三日刊，於農曆年後出版。並在職務安排上初步有了規劃，即推程滄波撰〈發刊詞〉，以辦報經驗豐富的成舍我任總編輯，陶百川為副總編輯。又另推編輯委員十四人，分別是劉百閔、雷嘯岑、陶百川、彭昭賢、程滄波、陳石孚、許孝炎、張丕介、吳俊升、金侯城、成舍我、左舜生、王雲五、卜少夫。[7]

四十年二月九日，內定為總編輯的成舍我自香港致函王雲五，說到：「自由人半週刊已將登記手續辦妥，『館主』係由少夫出名，因渠後來未再提出不能兼任之困難，……編輯人經由弟以本名登記。股款雖交者仍不太多，但讀者則頗踴躍。……據弟觀察，維持六個月，在經濟上當可辦到。惟編輯方面，則危機太大，因主力軍如我兄及秋原兄均不在此，其他如滄波兄等不久亦將赴臺，（即弟本身亦恐將於三月間來臺）稿件來源，異常枯涸，然既已決定辦，弟亦只有勉力一試。」[8]尚未正式創刊，但資金人才捉襟見肘的窘境，已被成氏料中，這對好事多磨的《自由人》三日刊日後之發展，已埋下艱困之伏筆。

二月十四日，成舍我向雷震、洪蘭友等人報告，《自由人》三日刊已得港府核准登記，一俟台灣方面准予內銷，即行出版。二十八日，成舍我向「自由人」社同仁報告：台灣內銷事已辦好，《自由人》三日刊即將出版，並出示創刊號大樣。因與會者多係辦報老手，提供不少意見，而成舍我也很有風度，博採眾議，為慎重起見，同意改遲數日出版，以便從容改正，並呼籲社員踴躍撰稿以光篇幅。[9]可見在王氏離港後，《自由人》三日刊真正之台柱角色，已責無旁貸的落到成舍我肩上。

5 王壽南編，《王雲五先生年譜初稿》第二冊（台北：商務版，民國七十六年六月初版），頁七四三。

6 阮毅成，〈「自由人」參加記〉，《傳記文學》第四十三卷第六期（民國七十二年十二月），頁一四～一五。

7 見《自由人》創刊號（民國四十年三月七日）第一版的編輯委員會名單。《自由報二十年合集》（一）（香港：自由報社出版，民國六十年十月十日）。阮毅成說為十六人，疑有誤。見阮毅成，〈「自由人」參加記〉，同上註。

8 〈成舍我致王雲五函〉，同註五，頁七四六。

9 阮毅成，〈「自由人」參加記〉，同註六，頁一五。

三月七日，《自由人》三日刊正式創刊，社址位於香港德輔道中一四九號四樓。目前所知參與的發起人有王雲五、王新衡、王聿修、端木愷、程滄波、胡秋原、吳俊升、黃雪村、閻奉璋、樓桐孫、陳石孚、陳訓悆、陶百川、雷震、阮毅成、劉百閔、左舜生、雷嘯岑、徐道鄰、徐佛觀、陳克文、成舍我、金侯城、張丕界、彭昭賢、許孝炎、卜少夫、卜青茂、范爭波、陳方、張純鷗、張萬里、丁文淵等三十餘人。[10]

發刊後，一紙風行，各方咸予重視，發行之初，每期印八千份。為打開台灣銷路市場，內容安排方面，特別增加一些軟性文字，勿使論文過多，淪為說教。雷嘯岑即言：「『自由人』的作者確實很自由，各人所寫的文字題材雖相同，而見解不必一致，祇要不違背民主憲政與反共抗俄的大前提，儘可各抒己見，言人人殊，真有百家爭鳴，百花齊放的景象，……首任的『自由人』主編是成舍我兄，他包辦大陸通訊版，把大陸上的共報消息，參以陸續從國內逃到香港的難民所述情形，寫成有系統的通訊稿，可謂費苦心。」[11]

誠然如是，由於文章精彩，見解深入，內容多元，析論入理，所以出版後不久，南洋各地僑報即紛紛轉載《自由人》文章。故在香港一隅辦一刊物，無形中等於在數地辦了幾個刊物，影響所及，至為廣大。不僅如此，有關《自由人》所發揮的影響力，可以曾任該刊主編雷嘯岑之回憶為證，雷說：「自由人半週刊，頗受台灣以及海外；尤其是美國一般華僑的注意，原有的每週座談會照常舉行，參加的人亦陸續增多了，風聲所播，國際人士來到香港的，亦來參加我們的座談會，交換政治意見，如美聯社遠東特派員竇定，南韓內閣總理李範，日本工商與新聞界人士前來訪談者尤多，……唯有駐在香港鼓勵華人組織『第三勢力』的美國巡迴大使吉塞普，始終沒有接觸過，大概是他認為『自由人』半週刊這些人，多數係國民黨員，氣味不相投，我們亦以對『第三勢力』之說，不感興趣，因而絕交息游，毫無來往。」[12]

雷氏這段記載很重要，不只說明了《自由人》發刊後之影響力；也道出了《自由人》與「第三勢力」毫無瓜葛，這對坊間有不少人一直以為《自由人》是「第三勢力」刊物有澄清作用。《自由人》三日刊甫發行，負責盡職之成舍我隨即寫信給王雲五提到：「連日為自由人半週刊事，頭昏腦暈，尊函稽答，至為罪歉。現半週刊已於今日出版，附奉一份，即希鑒察。大著分兩期刊佈，並盼源源見賜。今後應如何改進之處，統希指示為荷。」[13]另針對其後外界對《自由人》諸多揣測，如與「自由中國協會」之關係等等，「自由人」社也在三月二十一日的高士威道聚會中也做出決議，大家皆一致表示，「自由人」應獨立組織，以別於其他團體，乃推定董事九人，以左舜生為董事長。監事三人，為金侯城、王雲五、雷儆寰。成舍我為社長兼總編輯，卜少夫為總經理。[14]

10「自由人」社成員，據筆者統計為此三十餘人，且各會員加入時間先後不一，有關會員名單散見於雷嘯岑、阮毅成等人之回憶文章及《雷震日記》中。

11 馬五先生著，《我的生活史》，同註一，頁一六一。

12 馬五，〈「自由人」之產生與夭折〉，見其著，《政海人物面面觀》，同註一，頁二一三～二一四。另萬麗鵑博士論文也提到，為打擊「第三勢力」運動，「國民黨亦透過黨報如《香港時報》、新加坡《中興日報》、美國《美洲日報》，及其所資助的報刊如《自由人》報、《民主評論》等，展開對第三勢力的文宣戰，此即是《香港時報》社長許孝炎所說的以『輿論對輿論』的鬥爭。」萬麗鵑，〈一九五〇年代的中國第三勢力運動〉，同註四，頁一六四～一六五。又見〈許孝炎意見〉，《總裁批簽》，台（四一）央秘字第〇〇八五號（一九五二年二月二十二日），黨史會藏。

13〈成舍我致王雲五函〉，同註五，頁七四七。

14 阮毅成，〈「自由人」參加記〉，同註六，頁一五。至於《自由人》與「自由中國協會」之關係，馬五在〈「自由人」之產生與夭折〉已言之甚為了稿源，三月二十二日總編輯成舍我又致函王雲五拉稿，其中說到：「自由人在香港銷路尚好，一般觀感亦不錯。惟共匪刊物正以全力抨擊，弟等亦一反過去自由派刊物置之不理的辦法，強烈反攻。臺灣發行未辦好，少夫兄不日來臺，或能有所改進。同人撰稿，此間仍不太踴躍，盼公能以日撰五千字之精神，多寫數篇，並乞即賜惠寄，無任感幸。又此間稿酬，公議千字港幣十元，前稿之款，已送託香港書局轉交。此數雖微細不足道，然吾輩合力創業，知識勞動之所獲，在道德標準上說，固遠勝於以吃人為業之共匪萬萬矣。盼尊稿如望歲，望即賜寄，以慰饑渴。」[15]除簡略報告社務外，重點仍是稿源問題，而此問題也是《自由人》三日刊以後長期揮之不去的夢魘。

三、《自由人》之命名與經費及發刊宗旨

華路藍縷，創業維艱，有關《自由人》之命名，似乎是由阮毅成所起。原本成舍我欲名為《自由中國》，因與台灣雷震負責的《自由中國》半月刊同名而不獲採納。故阮毅成認為可參考台灣趙君豪所辦之《自由談》，而稍改其為《自由人》，卒獲大家一致同意，名稱問題因此而敲定。[16]其實若從五〇年代的背景去觀察，刊物取名為《自由人》並不足為奇。蓋彼時海外正刮起一陣「自由中國反共運動」浪潮，其中尤以香港地區為最。為壯大「自由中國反共運動」，於是乎，海內外的一些知識份子刻意以「自由」二字為雜誌刊物名稱，以凸顯有別於大陸的獨裁極權。職係之故，各種以「自由」為名之刊物如《自由中國》、《自由陣線》、《自由談》、《自由世界》等雜誌，如雨後春筍般紛紛出籠，《自由人》三日刊之命名，應該是在此時代背景下而正名的，且的確有其時空的特殊意義存在。[17]

至於現實的經費來源問題，早在三十九年十二月二十日的聚會中，王雲五即定調說：「我要先與諸位約定，這是一份自由的刊物，所以，一不能接受外國的幫助，二不能接受政府的支援。同仁不但要寫稿，還要負擔經費。」[18]王氏之所以要如此約法三章，是要避免外界將《自由人》視為拿美國人錢所辦的「第三勢力」之刊物的疑慮或揣測；另外，不接受政府支援，也是想以獨立身分之姿，能在言論上暢所欲言，而不受政府掣肘，更不想貼上政府刊物之標籤。揆之《自由人》草創之初，因經費來源由各會員出資，確實能夠如此。例如在籌備階段，王雲五首捐港幣三千元，各會員至少認捐港幣一千元，所以誠如雷嘯岑言：「大家分途進行，未到一個月，即籌募到港幣一萬七千元了。」[19]

創刊經費有著落，但接下來長期的經費支出，恐怕就不是由會員認捐可解決。到最後仍不得不仰賴台灣國府的金錢支助，在《雷震日記》中即披露不少箇中內幕，茲舉日記一則為證。民國四十年五月二十五日：「雪公（按：指王世杰（字雪艇），時任總統府秘書長）

詳，同註一。

15 〈成舍我致王雲五函〉，同註五，頁七四七～七四八。為稿源及素質起見，成舍我亦曾寫信向阮毅成拉稿，信上提到：「在臺同人寫稿，原約每期供給八千字。希望以兄之熱忱毅力，催請同人，公誼私交，達此標準。」又說：「自由人聲譽，雖日有增進。惟經濟及稿件，均危機太大。現此間已只賸左（舜生）、許（孝炎）、雷（嘯岑），及弟共四人，稿荒萬分。如濫用一般投稿，則水準即無法維持。」阮毅成，〈「自由人」參加記〉，同註六，頁一六。可見身為主編的成舍我，為稿源及《自由人》之內容水準，真是心力交瘁，煞費苦心。

16 同註六，頁一四。

17 馬之驌，《雷震與蔣介石》，同註三。

18 同註六，頁一四。

19 同註一二，頁二一三。

來電話，可助《自由人》三千港幣，但不可明言，因《新聞天地》一再要求援助而未允許也。……《自由人》因經費困難，而負責又無專人，致有停頓之可能，由予（雷震）約集雲五、滄波、孝炎、毅成、端木愷、少夫諸君會商，由予等籌款接濟，每月假定虧二千五百元，至年底約為一萬七千五百港元，改組組織，推定成舍我為社長，左舜生代理董事長，予負臺北催稿及催款之責，總統府之三千元，由予負責，予另外再籌五百元。」[20]由《雷震日記》可知，創刊才二月餘之《自由人》，經費已拮据如此，而不得不靠政府補貼，在此情況下，其日後之文章言論，就頗受台灣國府當局之制約影響了。

另有關《自由人》之創刊宗旨，其實早在刊物出版以前，對於未來言論與編輯方針，「自由人」社同仁即做了幾點規約：（一）、發揚民主自由主義；（二）、發起人按期撰寫頭條論文，且須署出真姓名；（三）、文責各人自負，但須不違背民主自由思想暨反共救國的大原則；同時將全體發起人的姓名亦在報頭下面，表示集體責任。[21]創刊後，首由程滄波撰發刊詞，題為〈我們要做自由人〉，擲地有聲的強調：「我們今天大膽向全世界人類提出一個問題：便是世界人類，現在與將來，要不要做人？如果想做人，從什麼地方去著手奮鬥？……今天世界人類只有兩個壁壘，一個是『人的社會』之壁壘，一個是「非人社會」之壁壘。這兩個社會的磨擦，今天已到了白熱化的程度。『人的社會』中每一個人，是有人性，有人格，根據人性與人格，發揮其個性，以增加社會之幸福與個人之生活水準，從而增進世界的和平與人類的文明。反觀『一個非人社會』中，人除了具備人的形態外，沒有思想與靈魂。『非人社會』中，人只是一群動物，既不許其有人性，亦不讓其有人格，他們是奴隸、是機器。」

程滄波言：很不幸的，今天的中國大陸，全大陸數萬萬同胞一年來，即陷入共匪的非人社會中。因此我們和全世界愛好和平民主的人們，要發動正義的呼聲，救自己，救同胞，救人類。我們要揹著自由的大纛，叫著「做人」的口號，開始「自由人」的運動。爭自由，爭人性，發動全人類自由人性的力量，去打倒與剷除共產帝國主義反人性的非人社會。不殘殺，不掠奪，在不流血革命的原則下，使人人有飯吃。本此目的，以建立新中國新世界。所以，「從今天起，根據以上主張，我們謹以此小小刊物『自由人』，貢獻於全世界凡是不願做奴隸的人們，也就是我們這一群人，決心獻身於這一運動的開始。全世界和平民主的人士：我們要做人，我們要做自由人。每個人爭取了自由，世界才有民主和平，人類才有幸福與光明。」[22]我們要做人，我們要做自由人，起來，不願做奴隸的人們！程滄波這篇發刊詞，簡直是一篇慷慨激昂的宣示詞，代表全世界不願在「非人社會」生活下的自由人，向共產專制極權政權，發出堅決的怒吼。[23]

《自由人》三日刊，每星期出兩次，每次十六開一張。主編人規定由原先的「座談會」同仁輪流擔任，一年一換，為義務職，故內部人事組織極為簡單，只有一主編，一助理員和事務員，共三人而已。

---

[20]《雷震日記》（民國四十年五月二十五日），見傅正主編，《雷震全集》（三三）（台北：桂冠版，一九八九年八月初版），頁一〇〇～一〇一。

[21] 同註一二，頁二一三。吳相湘，〈成舍我為新聞自由奮鬥〉，見其著，《民國百人傳》第四冊（台北：傳記文學出版社印行，民國六十年元月初版），頁二七五。

[22] 程滄波，〈「自由人」發刊詞〉，見其著，《滄波文存》（台北：傳記文學出版社印行，民國七十二年三月十五日初版），頁一五七～一六〇。

[23] 阮毅成也說到，這是一篇代表知識份子愛國反共心聲的大文章，義正辭嚴，擲地有聲。同註六，頁一五。

該刊內容，第一版分「專論」、「時局漫談」、「自由談」各欄；第二版刊大陸共區消息；三版則記述港、台的社會新聞；四版是「副刊」。「專論」亦由座談會同仁分別撰寫，或徵用外界志同道合人士之作品；唯「時局漫談」和「自由談」二專欄，係由左舜生與雷嘯岑二氏負責包辦。《自由人》三日刊，因撰寫團隊堅強，且作者大多具有清望，故在海隅香港頗有號召力，銷路亦不壞；又可以銷台灣，雖無廣告收入，仍可勉強維持下去，在五〇年代的香港，可謂雜誌期刊界之奇葩。[24]

四、《自由人》的艱苦經營

平情言，《自由人》三日刊從四十年三月七日發行，到四十八年九月十三日停刊，維持約八年餘。這八年多的歲月，可謂艱辛撐持，多災多難。

首先為組織渙散不健全，於是才有民國四十年下半年的重組之舉。此中最大原因為「自由人」社大多數同仁均已離港在台，分別有：王雲五、王新衡、端木愷、程滄波、胡秋原、吳俊升、黃雪村、閻奉璋、樓桐孫、陳石孚、陶百川、陳訓悆、雷震，及阮毅成，幾乎佔了一半以上；而在港的僅有左舜生、金侯城、許孝炎、成舍我、劉百閔、卜少夫、雷嘯岑等人。其後在台參加的，又增加徐道鄰，共二十二人。為連絡方便起見，在台同仁乃公推王雲五為董事長，但又因刊物在港出版，故推左舜生為在港之代理董事長，就近處理刊物，成舍我則為社長。[25]

24 雷嘯岑：《憂患餘生之自述》（台北：傳記文學出版社印行，民國七十一年十月十五日初版），頁一七六。

25 同註二三，頁一六。

然因「自由人」社未有組織章程，也未在台辦理社團登記，所以才有民國四十一年一月十日，在台同仁在王新衡家為此商議之事。時適值端木愷甫自香港返台，報告港方同仁最近決定取消社長制，亦推左舜生代董事長，成舍我為總經理，劉百閔為總編輯。此事，在台「自由人」社同仁有不同意見，在三月七日及十五日的兩次餐敘商討論中，均決定仍採社長制，並仍推成舍我兄任社長。只是一個三十餘人的「自由人」社，就為了區區的刊物人事組織問題，港、台同仁即不同調，其他之事就可想而知了。所幸意見儘管有異，但同仁感情尚佳，阮毅成即言：「自由人在香港創辦之初，同仁常有餐會，交換意見。在臺同仁，於民國四十年七月十二日起，舉行聚餐或茶會，由同仁輪流作東，平均每兩週一次。除談自由人社各事外，亦泛論時局，交換見聞。」[26]

民國四十一年二月九日，「自由人」社在台同仁餐敘時，有鑒於《自由人》三日刊創刊已近一年，但組織與人事及編輯立論之困擾問題仍在，因此大家有必要提出意見交換，以尋求解決之道。席間程滄波首次提出編輯態度問題，但遭雷震反對。程又謂：「劉百閔不宜任總編輯，上次，此間同仁推成舍我任社長，何以改變？此間皆未知悉。」雷震與陶百川又認為，台方不宜干涉港方人事，雙方爭論甚久。最後由阮毅成提出折衷解決方案為：（一）、自由人本係超黨派立場。只知民主、自由、反共，不知其他。此後仍須守定此項立場。（二）、港方報刊如對台灣中華民國政府，有惡意攻訐，或無理批評，自由人不可自守中立，須起而加以駁斥。（三）、人事問題，另函在港之許孝炎查詢，不作決議。

26 同上註，頁一七。

眾皆贊成阮毅成之方法，並請其起草一函，致在香港之左舜生、許孝炎、成舍我、劉百閔、雷嘯岑諸人。阮函送各人簽名後發出，信中報告：「弟等今午聚餐，談及自由人編輯態度。回溯創辦之初，原屬超於黨派之外。……兄等在港主持，辛勞至佩，自亦必贊同弟等態度也。邇後港方報刊如對於臺灣中華民國政府惡意攻訐，或無理批評，自由人似不便自居中立，宜即加以駁斥。如有中國之聲作者來稿，希勿予以刊登，以嚴立場。再則，此間對第三方面各事，多持私人消息。語多片斷，難窺全貌。斯後尚懇時將各方動態，擇要見示。既可為撰稿時之參考，亦為知彼知己之一道。自由人素以民主反共為宗旨。署名：王雲五、程滄波、黃雪村、王新衡、樓桐孫、吳俊升、陳石孚、陶百川、雷震、阮毅成。」[27]

民國四十一年三月十五日，《自由人》創刊已屆滿一年，留台「自由人」社舉行全體會議。會議主席推王雲五擔任，其中：

（一）報告事項：（甲）、經費小組許孝炎報告——擬募集港幣三萬元（其中成舍我、許孝炎約洪蘭友，被分配擬向各紗廠募台幣一萬元）。（乙）、編輯小組成舍我報告：1、組織擬仍採現制，並請加推一人為必要時接替編務工作之用。2、發行擬請先行籌集基金以期達到日後之自給自足。3、編輯方針方面：積極在倡導民主自由，消極在反共抗俄，至對於台灣態度應仍許有批評，但不可損及自由中國之根本。4、在台同人集體意見推定專人執筆寄港，決登載第一版，並不易一字，如係個人稿件，在編輯方面擬請仍保有斟酌之權。5、每期需要稿件二萬四千字，在港同人無多未能盡任，在台同人時惠稿件。

（二）討論事項：（甲）、《自由人》三日刊社是否仍採社長制案。決議：仍採社長制，成舍我擔任社長。（乙）、《自由人》三日刊社費應如何加募案。決議：1、經費小組在進行籌募之港幣三萬元，於兩個月內籌足，作為基金，備日後擴充發行之用。2、另由經費小組加募港幣一萬元，作為最近數月經常費不足之需，在未募起前由許孝炎、成舍我負責維持現狀。3、加推樓桐孫、程滄波參加經費小組，並以王董事長雲五兼經費小組召集人。（丙）、《自由人》立論態度應如何確定案。決議：1、除積極的主張民主自由，消極的反共抗俄外，並須維護現行憲法倡導議會政治。2、凡外界對台灣有惡意攻擊影響國本時，應予駁斥，立場務須堅定，態度務須明確。3、除專門問題研究外，宜多載通訊及趣味性文字，理論文字及新聞性宜各佔三分之一。[28]此次會議至關重要，它為已紛擾年餘的《自由人》定調，但此為台方同仁之共識，港方同仁只是被動告知，並不見得完全同意，所以日後港、台雙方仍存有歧見。

其次更嚴重的是經費短絀，入不敷出，以至於時有停刊之議。這棘手問題其實打從創刊起即已浮現，只是苦撐待變，能維持多久算多久，但情況並沒改善且持續惡化中。四十一年六月十四日，王雲五、阮毅成與程滄波等聚會，商議如何應付《自由人》三日刊之困難。王雲五謂得左舜生與成舍我二君信，信上，成舍我堅辭社長，又每月不足港幣二千元。如無法解決，則自本月十八日起停刊。劉百閔則說香

27 〈阮毅成致左舜生諸氏函〉，見王壽南編，《王雲五先生年譜初稿》第二冊，同註五，頁七六八。

28 同註五，頁七七〇～七七一。

港紙價日跌，印刷係由《香港時報》代辦，印費可以欠付。以往亦每月虧空，並不自今日始。

對此，王雲五建議是否能改為月刊，移台出版，但眾意覺得移台出版，則《自由人》功用全失，仍宜繼續在港發行。最後決定由王雲五函復，請成舍我維持至七月底止。[29]是年十二月二日，「自由人」社同仁又再行會商，由王雲五主持，會中卜少夫表示願接辦，至少可免招致停刊命運。然未幾（十二月六日），卜少夫以有人表示異議，乃謂其《新聞天地社》同仁不贊成其再兼辦另一刊物，打消原意。王雲五即席宣布仍在港出版，推成舍我兄回港主持，並改為有給職。[30]成謙辭未果，旋即表示接受。後當場推定王雲五、程滄波、樓桐孫、胡秋原、陶百川、黃雪村為在臺撰述委員，程為召集人。另推成舍我、程滄波、胡秋原三人起草言論方針。王雲五、端木愷、王新衡為財務委員。香港方面撰稿委員，由成到港後約定人員擔任。事後，當事者之一的阮毅成，對是晚之會的結果表示很滿意，還稱為是《自由人》中興之會，同仁莫不興奮。但其後，主要的重點之一，《自由人》未來的言論方針並未草成。[31]四十二年三月十四日下午，「自由人」社同仁聚集在成舍我處，參加茶會。會中，成舍我出示香港許孝炎來信，謂自由人又不能維持。因已積欠《香港時報》印刷費港幣六千元，稿費十一期。且人力亦明顯不足，雷嘯岑將來台灣，左舜生又將赴日本旅行，主持無人，不如停刊。經同仁交換意見，仍認為不能停辦，並催成舍我兄速赴港負責。

因茲事體大，三月二十一日，「自由人」社另一要角阮毅成，也在家中約集在台同仁茶敘。會上，成舍我表示其有困難不願赴港，而港方近日來函，支持為難。眾意乾脆移台編印，仍推成舍我主持。[32]二十五日下午阮氏親訪成舍我，成表示三點立場：（一）、決不去香港。（二）、《自由人》如移台出版，願意主持。（三）、未移台前，可先在台編輯，寄港印行。同月二十八日下午，以《自由人》問

29 同註五，頁七七四。《自由人》經費之窘困，自創刊伊始至結束均如此，阮毅成即言：「我只記得在創刊第一年中，就賠去了港幣參萬參仟元。時歷八年半，為數甚為可觀。」這尚是距今三十多年前的幣值，如以現在幣值計算，則更為巨大。」阮毅成，〈王雲五先生與自由人三日刊〉，同註四，頁三四。到《自由人》停刊止，其經費仍入不敷出，茲舉結束前致王雲五等人之二信函為證。四十八年九月十一日許孝炎自港來信王雲五，報告「自由人」結束時經費情況。「雲五先生並轉鑄秋舍我儆寰滄波新衡秋原佩蘭少夫諸兄惠鑒：關於自由人停刊事，前經兄等決定函達克文。兄弟回港後，復經再三磋商，始於前日由在港各有關友人舉行特別會議決定停刊，並於本月十三日起實行。茲將會議紀錄抄奉敬祈鑒察。」「預計自由人可能收入之款（連登記費在內）約為乙萬四千餘元，支出除舊欠稿費約乙萬三千元；及克文兄之欠薪近九千三百元暫不計入外，此外薪工紙張印刷房租，今年稿費應退報費及空運費等，共計約為二萬乙千餘元，不敷之數約為七千餘元。倘預計可能收入之款有一部分不能收入時則虧欠之數將必更多，如何籌還以資結束頗費周章。而有把握之登記費乙萬元則尚待少夫兄回港簽字後始能提出備用。」又十二日社長陳克文亦致函王雲五。「岫公賜鑒：茲奉上『自由人』在港同人特別會議紀錄一份，請　察閱。『自由人』經濟情形截至本年九月十二日止，共欠債務三萬餘元，除登記費一萬元外，尚可能收回之款二千餘元，結束用費約五百餘元，並此奉告，統請轉知在台各位同人為禱。」見王壽南編，《王雲五先生年譜初稿》第三冊（台北：商務版，民國七十六年六月初版），頁一〇五二～一〇五三。

30 同註五，頁七七九。《自由人》主編是不支薪的，可見其艱困於一般。同為主編的雷嘯岑曾說：「首任主編人成舍我兄苦幹了一年之後，因為準備移家台灣，不能繼續盡義務了——主編人不支薪——大家公推下走承其乏，因係義務職，唯有接受而已。」馬五，〈「自由人」之產生與夭折〉，同註一，頁二一六。

31 同註五，頁七七九。

32 雷震日記當天即記載：「下午三時半至《自由人》座談會，阮毅成提議《自由人》表面在港，實際遷台，無一人反對。我內心不贊成，但不願表示，因《自由人》遷台完全失去效用。今日雲五未到，他們囑我報告。」《雷震日記》（民國四十二年三月二十一日），見傅正主編，《雷震全集》（三五）（台北：桂冠版，一九九〇年七月二十日初版），頁四八。

題緊迫，急待解決。「自由人」社同仁乃在端木愷家中餐敘。對《自由人》前途，共有四種主張：（一）、停刊。（二）、移台出版。（三）、在台編輯，寄港印行。（四）、推成舍我赴港主持。討論結果，決定用第四法，成亦首肯。然成謂：《自由人》除發行收入外，每月須虧四千元，此問題亟需解決。[33]

四月十八日，因港方同仁頻頻催促速做決定，眾議又思移台編印，王雲五亦同意移台出版，但謂須改為半月刊或月刊。三十日下午，成舍我與端木愷、阮毅成、王新衡、程滄波等人，又應王雲五約茶敘。時端木愷甫自港返，謂港方「自由人」社已無現款，勢不能繼續。因以由今日到會者商定：（一）、香港方面自五月十日起停刊。（二）、在台登記改為月刊，推王雲老為發行人，成舍我兄為總編輯。[34]然不久，港方同仁又變掛，五月十一日，阮毅成訪成舍我，成即謂卜少夫前日到台，攜有左舜生致王雲五函，主張《自由人》仍在港出版。

此事經緯，雷震在其日記亦提到：「見到雷嘯岑來函，對我們囑香港停刊，決議移臺辦月刊則大不以為然，來信措詞甚劣，決定去電並去函說明，以免誤會。」[35]雷嘯岑甚至為此來函欲辭去社長職務。

33 雷震日記載：「下午四時，在端木愷處討論《自由人》移台問題，王雲五、徐佛觀、端木愷及我均不贊成，程滄波、阮毅成、成舍我願移台，最後決定請成舍我至港辦至六月再說，因行政院之款發至六月底止，如停刊或移台亦須至六月底再說。」《雷震日記》（民國四十二年三月二十八日），見傅正主編，《雷震全集》（三五），同上註，頁五二。

34 這問題一直延伸至四十三年依舊如此。雷震日記：「《自由人》在港不易維持，決遷台辦週刊，由成舍我任社長，王雲五任發行人。」《雷震日記》（民國四十三年八月七日），見傅正主編，《雷震全集》（三五），同上註，頁三一四。

35 《雷震日記》（民國四十二年五月九日），見傅正主編，《雷震全集》（三五），同上註，頁七四。

《雷震日記》記載：「今日午間約來臺之《自由人》報有關各位來鄉午膳，除端木鑄秋、阮毅成、吳俊升、胡秋原外，到有十五人，即王新衡、樓桐孫、陶百川、張純鷗、陳訓悆、卜少夫、卜青茂、程滄波、范爭波、王雲五、成舍我、黃雪村、閻奉璋等及另約陳方。飯後討論雷嘯岑來函辭去社長職務一事，經決議慰留。」為此事，雷震感慨的說：「《自由人》發起人在臺者，不過十餘人，港方不過數人，兩方意見不合，終會扯垮。民主自由人士之不易合作，於此可見一班。」[36]

由於雷嘯岑堅決辭社長職務，八月一日，《自由人》在台同仁藉由茶敘機會，聽取甫自香港來台之劉百閔報告，劉謂：在港同仁意見為（一）、必須在港繼續出版。（二）、改推陳克文任社長。（三）、每月不足港幣八百元，在港有辦法可以籌得。王雲五說：「左舜生有信來，克文係其物色，本人絕對贊同。」眾亦皆表示贊成。但成舍我認為每月八百元之說，計算必有錯誤，至少每月亦需賠二千五百元，所以決定請王雲五再去函新社長，請重為估計。其實《自由人》經費之短絀，可由總其事的總編輯都不支薪一事更可看出，四十三年七月十日，左舜生自香港致函王雲五即說到：「弟意，自由人編輯者，原規定每月可支三百元，以舍我、百閔兩兄任編輯時，未支此款，後任編輯一年，亦即未支。」[37]如此窘境，要不是有台灣國府當局在幕後經費贊助，《自由人》三日刊能支撐八年餘，根本是不可能的。[38]

36 《雷震日記》（民國四十二年六月二日），見傅正主編，《雷震全集》（三五），同上註，頁八五。

37 〈左舜生致王雲五函〉，同註五，頁八二四。

38 雷震日記：「王雲五約『自由人』社在台同仁晚餐，以「自由人」在港經濟困難，重申移台出版，由成舍我任編輯之議。」《雷震日記》（民國最後為文章之尺度問題，除上述言及《自由人》三日刊甫創刊即面臨稿源不濟的困難外，更麻煩的為自從接受政府補助後，基本上，《自由人》的言論立場在相當程度上已受政府箝制。以至於在很多議題上，不僅不能秉公立論、暢所欲言；且須為政府妝抹門面，極力辯解。稍一不慎，隨即惹禍，遭致抗議。如民國四十一年六月一日，「自由人」社王新衡即訪阮毅成，談話重點就說到，《自由人》最近兩期，刊載左舜生〈論中國未來的政黨〉一文，有人表示不滿。[39]為避免誤會，乃一起同訪王雲五，請其以董事長身份，致函香港總編輯成舍我，請其勿再刊出此類文字。[40]

雖係如此，但言論自由乃是知識份子的普世價值觀，用強制力約束是沒用的。果然到民國四十四年又發生更嚴重的文字賈禍事件，差一點讓《自由人》無法在台銷售。事緣於是年三月二十三日，王雲五即接到司法行政部部長谷鳳翔來函，表示《自由人》三日刊，登載雷嘯岑文章，影響政府信譽，要求王雲五代向該社方面解釋。全函內容為：「頃閱本月二十三日自由人刊載『自由談』及『半週展望』雷嘯岑先生文內謂，揚子公司貪污案牽涉本部，曷勝駭異，此種無稽之詞，殊足影響政府信譽，茲特寄上函稿二份，送請　察閱，並祈賜檢一份轉致雷君查明更正，仍乞代向該報社方面照拂解釋為幸。」[41]

四十三年七月十一日），見傅正主編，《雷震全集》（三五），同註三二，頁三〇二。有關國民黨高層提供《自由人》之經費支援，尚可參閱〈對港澳政治活動之指示〉，見中國國民黨中央改造委員會第一六五次會議紀錄（一九五一年七月四日——附件），黨史會藏。

39 左舜生〈中國未來的政黨〉（上）、〈中國未來的政黨〉（下）二文分別發表在《自由人》第一二九期（民國四十一年五月二十八日）、《自由人》第一三〇期（民國四十一年五月三十一日）。

40 同註五，頁七七三。

41 雷嘯岑，〈半週展望〉，《自由人》第四二三期（民國四十四年三月

由於《自由人》所刊文章得罪當道，引起了國民黨中央黨部對《自由人》言論的不滿。三月二十六日，時任《中央日報》社長，亦是「自由人」社同仁的阮毅成至中央黨部參加宣傳政策指導小組會議時，即受到中央黨部秘書長張厲生的警告：「香港《自由人》三日刊，近日言論記載，愈益離奇，須採取停止進口處分。」幸阮毅成趕快緩頰，除報告《自由人》艱難創辦經過外，並謂：「現在台北各同仁，久未與聞港事。王雲老曾去函港方，請以後勿再刊載不妥文字。又以所載台省情形，與事實相距甚遠，曾通知港方，以後遇有記載台省情形稿件，先行寄台複閱。認為可用者，方予刊布，亦未承照辦。惟自由人參加者，多為各方知名之人。如忽予停止進口，恐反而使海外人士，對政府有所批評。不如一面先採取警告程序，依照出版法，由內政部為之。一面通知在台之董事長王雲五氏，促其改組。如再有違反政府法令之事發生，則採取停止進口處分。」[42]

為此，是晚十時，阮氏尚先訪成舍我，說明會議經過；再與成同訪王雲五，報告此事。王雲五似乎對此頗為不悅，乃決定於三月三十日下午五時，在端木愷家中，約集「自由人」社在台全體同仁會商。在三月三十日的決議中，提到《自由人》的現實問題，「本刊如不能銷台，勢必停刊。為避免使政府蒙受摧殘言論之嫌，希望政府妥慎處理，使其能繼續出版。在台同仁，願意退出。惟在港同仁意見如何，亦盼政府逕與洽商。」並推阮毅成與許孝炎二人將此項決議，轉達黃少谷，另函告在港同仁。[43]

二十三日）。雷文所寫之論揚子公司案，因涉及上海時期之揚子公司，對孔祥熙有所批評，遂奉命查辦。又〈谷鳳翔致王雲五函〉，同註五，頁八四七。

42 同註五，頁八四七～八四八。

43 同上註，頁八四九。

換言之，針對當局對《自由人》的不滿，「自由人」社在台同仁採取了委曲求全的態度，一方面願意退出，此舉可能有兩層深意，一為逼香港「自由人」社同仁，小心謹慎，莫再刊登批評政府之文章，否則與渠無關，二為多少有向政府交心之意，明哲保身，不想惹禍上身；再方面亦有請政府介入之意，希望儘量保留能讓《自由人》繼續在台銷售。[44]果然如此，四月七日，王雲五即致函總統府秘書長張群，說明「自由人」之情形，並建議將「自由人」社改組，由政府指定負責主持言論之人實行接辦。信的內容為：「惟是該刊經費本奇絀，全恃內銷而維持，一旦停止內銷，勢必停止刊行，外間不察，或不免對政府妄加揣測，弟愛護政府，耿耿此心，竊認為消極制裁，不如積極輔導，將該刊改組，由政府指定負責主持言論之人實行接辦，可變無用為有用，弟當力勸原發起各人，本擁護政府之初衷，竭誠合作。」[45]

一週後，以國民黨並無接手之意，在恐不能銷台的情況下，成舍我與王雲五、陶百川、徐道鄰、陳訓悆、程滄波、胡秋原、吳俊升、端木愷、黃雪村、阮毅成等決議：「茲因環境困難，經濟無法支持，決議停刊，由主席（王雲五）根據本決議徵求在港同人意見。」其後，在台同仁復在成舍我宅聚餐，決定在台同仁既已必須退出，而中央黨部又規定不得再與《香港時報》，發生關聯，則無地可以印刷，亦無處可再欠印刷費。外界聞知中央處分，亦必不願再行認指，環境困難如此，只可宣布停刊。並請王雲五函詢港方同仁意見，如港方同仁堅持續辦，在台同仁自不能再行參加。[46]

由於文章得罪當局，以致有禁止銷台之聲，在港負責《自由人》編輯工作之陳克文旋致函阮毅成、王雲五等人，表示「咎衍實無可辭」，「自由人停止出版，唯覺可惜，形勢如此，亦復無可如何，文與左劉兩公對此均無成見，惟此間尚有其他股東，又年來出錢出力者，頗不乏人，此事似不宜由文等三人遽作決定，即為港方同人之全體意見，擬於最近邀集會議，提出報告，徵求多數意見，再作正式答覆。」[47]但不久，事情又有變化，四月二十九日，一向敢言的左舜生，終於自香港來函，明確表示反對《自由人》停刊，並謂在港「自由人」社同人決暫予維持。信中言：

「雲老賜鑒：四月七日阮毅成兄來信，並附有留台同人退出決議一紙，十八日奉　公手書，知同人復有集議，以經濟環境關係，主張停刊；均已誦悉。此間於當地環境，已洞悉無遺；對　公等所採態度，並無不能諒解之處。惟念同本刊宗旨，一面在『堅決反共』，一面在『爭取民主』，四年以來，奉此週旋，雖不無一、二開罪他人之處，但大體上並未

44 《自由人》三日刊，國民黨中央嘗指示「扶助」之，以批判中共，擁護政府並同情國民黨為原則。故該刊早期立場為中間偏右，後來對國民黨的批評言論日益激烈，台灣當局乃禁止其輸入，並停止所有經費資助。故《自由人》能否銷台，對該刊影響至鉅。萬麗鵑，〈一九五〇年代的中國第三勢力運動〉，同註四，頁一六四。

45 〈王雲五致總統府秘書長張群函〉，同註四三。

46 同註五，頁八五〇。有關王雲五在此問題之角色，阮毅成有相當持平之看法，阮說：「雲五先生名為董事長，出錢出力，卻不便範圍各黨及無黨人士，一定均作統一的宣傳，致反而完全成為俗套，失去向海外為政府說話的影響力。於是在發刊期中，常常發生選稿欠當的問題。每次有問題發生，雲五先生首當其衝，常為他人所不諒解，致生煩惱。臺港兩地同仁，為此書信往返，謀求各種補救辦法，效果均不甚彰。」阮毅成，〈王雲五先生與自由人三日刊〉，同註四，頁三六。

47 〈陳克文致王雲五、阮毅成信〉，同註五，頁八五一～八五二。

> 逾越範圍。今赤燄正復高張，而民主亦勢非實現不可；大約在二、三月內或有變化，前途殊未可知！故此間同人，經過再三考慮，仍決定暫予維持，並囑舜代為奉復，即乞轉達諸友為荷。公等即不得已而必須退出，仍望不遺在遠，隨時予以指導，除宗旨不能犧牲以外，同人無不樂於接受。海天遙望，曷勝悲憤憂念之至！」[48]

從此以後，《自由人》三日刊似乎終於渡過了這段風風雨雨的歲月，儘管港、台大多數「自由人」社同仁情誼依舊，但經費、稿源、立論尺度等問題仍在。《自由人》三日刊即帶此痼疾，跌跌撞撞的支撐八年餘，在民國四十八年九月十三日宣佈停刊。[49]

五、結論——從《自由人》到《自由報》

無論如何，在五〇年代那段風雨飄搖的歲月，《自由人》能以香江一隅之地，在內外環境相當險惡的情況下，擎起「我們要做自由人」的大旗，反抗共產極權，與中共做誓不兩立的言論鬥爭，其勇氣和決心仍另人刮目相看的。另一方面，《自由人》雖義無反顧的支持台灣國府當局，但在恨鐵不成鋼的期待心理下，對台灣當局若干錯誤的舉措，仍一本忠言逆耳之立場，毫不留情的提出批判或建言，即使在經費斷炊的威脅下，亦不為所動，這份苦心孤詣之意，也令吾人感佩。

而此即所以《自由人》在發行的八年餘中，雖屢有遷台之議，但大多數同仁始終仍以在香港立足為佳之看法，因其言論立場較客觀中立，雖稍偏向國府，但非無原則的一面倒，兼以香港為基地，較少政府、政黨色彩之觀感，且因對國、共雙方均有批評，是以其在香港作用較大之故也。當然《自由人》之悲劇，除上文已詳述之經費、稿源、言論立場受到制約等外緣因素外，尚有深一層內緣因素存在，此即中國傳統知識份子屬性使然。知識份子主性強的「書生本色」，誰也不服誰之個性，長落人「秀才造反，三年不成」之譏，因渠主觀意識強，所以容易堅持己見，是其所是，不大能夠為大局著想，且因自視太高，未能屈己就人，所以較乏團隊精神。

這情況在「自由人」社這批高級知識份子間亦是如此，雷嘯岑曾舉一事證明之，在《自由人》是否遷台之際，「王雲五以董事長資格，致函於我，囑將自由人報遷赴臺北發行，且將繳存港府的押金萬元一併匯去。旋由代董事長左舜生召集在港同仁會商，決議仍在香港出版，但在臺北的同仁，亦可刊行臺灣版，然王雲五很不高興，說我不以他為對象，悻悻然嘖有煩言，殊堪詫異。未幾，許孝炎由臺北回港，主張自由人停刊，他怕我不贊成，先囑我莫持異議，我表示無所謂，而自由人三日刊，即於一九五八年九月十二日宣告停刊了。現代中國高級知識份子之沒有團隊精神，於此又得一實驗的證明，曷勝慨嘆！」[50]所以當年左舜生在《自由人》創辦之初，樂觀的夸談「自由人」社同仁可以組織聯合政府，永遠合作無間之見解，雷嘯岑說，實係幼稚幻想。文人相輕，自古而然，《自由人》三日刊的緣起緣滅，依然落得一個「殺雞聚會，打狗散場」的結局，這也是中國現代高級知識份子的悲劇，想來仍不禁令人浩歎！[51]

48 〈左舜生致王雲五函〉，同上註。

49 雷嘯岑說為四十八年九月十二日停刊，恐有誤。雷嘯岑，《憂患餘生之自述》，同註二四，頁一八二。

50 同上註。

51 馬五，〈「自由人」之產生與夭折〉，同註一，頁二二〇。其實雷嘯岑自己亦如是，當《自由人》剛成立時，「大家的情感很融洽，精神上團結

《自由人》雖然走入歷史停刊了，但未及五個月，一份延續《自由人》餘波的《自由報》在民國四十九年二月十七日，另起爐灶又在香港創刊了。《自由報》社址位於香港銅鑼灣高士威道二十號四樓，也是採取半週刊（三日刊）的形式，於每個星期三、六發行。社長為雷嘯岑，督印人黃行奮，出版第一期有由以本社同人署名撰寫的〈我們的志願和立場〉為發刊詞。該文強調「我們是一群崇尚自由主義的文化工作者。對社會生活篤信『人是生而平等的』這項義理，珍重個人的人格尊嚴；對政治生活認定『政府是為人民而存在的』，要求基本人權之確立與保障。……我們膺受著共產極權主義的荼毒，深感國破家亡之痛苦，流落海隅，於茲十載，內心上大家不期然而然地具有強烈的愛國情操和政治理想，要從文化思想方面，努力培育民主自由精神，發揚其潛能，成為救國救民的偉大力量。職是之故，本報的言論方針是國家至上，民生第一，我們的立場是超黨派的。」[52]

簡言之，民主、自由、愛國、反共乃為《自由報》創刊之四大宗旨，嚴格而言，此宗旨仍是延續《自由人》三日刊的精神而來。阮毅成曾說：「後來，雷嘯岑兄在香港出版自由報，乃係另一新刊物，與原來的自由人，完全無關。」[53]此話恐有商榷之餘地。《自由報》在《自由人》的基礎上，發行至民國六十幾年才結束，期間刊布了《香港自由報二十年合集》、《自由報》合訂本、《自由報二十週年年鑑》，影響力不在《自由人》之下。

無間，對任何事體決無爾詐我虞，或以多數箝制少數的作風。我（雷嘯岑）當時曾聲言：假使憑這種精神組織『聯合政府』，擔當國家政務，國事沒有不振興的。」馬五先生著，《我的生活史》，同註一，頁一六一。

52 本社同人，〈我們的志願和立場〉，《自由報二十年合集》（一九）（香港：自由報社出版，民國六十年十月十日）。

53 阮毅成，〈「自由人」參加記〉，同註六，頁一八。

自由人
THE FREEMAN
（第八六八期）
中華民國僑務委員會
登記證僑台新聞字第一零二號
中華郵政台字第五〇〇號
執照登記爲第一類新聞紙類
（半週刊每星期三　六出版）
每份港幣壹毫
台北市每份價台幣貳元
督印人：陳　文　華
地址：香港高士威道二十號四樓
20 CAUSEWAY RD. 3RD. FL.
HONG KONG
TEL. 771726
承印者：東南印務出版社
地　址：高士打道六十四號
台灣總經理處
台北市西寧南路壹壹零號二樓
電話：三〇三四六
台郵撥儲金戶九二五二
海外總經銷：文星書報發行公司
香港：怨頓道中二十六號A二樓

談本戰場與支戰場

王厚生

現時，大家都有一種看法，認為反共必須從大陸內部反起來，而且，也認為有此可能。這就是最近所謂大陸為反共本戰場、台灣海峽為支戰場的議論。這種議論在某一種意義上講是對的，即反共戰爭如能從大陸內部發生，則不僅可收事半功倍之效，且有更多的成功希望。但在另一種意義上講，這種議論也就不十分妥當。因為，至少它減輕了政府應負的反攻責任，或無形中轉移一般人的目光於大陸，而忽略對政府的督促及助長苟安的心理。

大陸不能成爲本戰場

我們身在大陸外的人，因爲考慮了中共的實力，以及我們自身的實力與環境，所以，覺得如大陸內部無反抗行動，要推翻中共政權，雖不是不可能，至少也是一件難能的工作，因而將大陸視爲反共的本戰場。可是，身陷大陸的同胞，他們的看法便會不同了。他們當然也會考慮本身和當地中共的實力，因而認爲反共的本戰場應在台灣海峽，大陸內部，在現階段，很難取得本戰場的地位。例如，西藏僧俗抗暴，雖是可歌可泣的大陸內部行動。但其主要火頭終不免被撲滅，所以，從大陸同胞的地位看來，所謂大陸本戰場，台海支戰場的議論是不能成立的。他們將認爲台海才是眞正的本戰場。關於這一點，我們在海外的人，特別是政府是不應該加以漠視的。

近日，華南正在鬧大水災，災民二百多萬，毀損房屋二十多萬間，農作物受損的更不可計數。這場水災，必將使華南地區在今後一年中，發生糧荒和疫癘，直接影響中共的財經計劃和出口貿易。在這種情況下，如能乘機反攻大陸，機會是太好了。但是，希望成千成萬的饑民在華南採取反共行動，縱有可能，如果台灣反共政府不能在沿海地區實行軍事進攻，則徒手的，或烏合的饑民行動，是難以成功的。可見所謂大陸爲本戰場、台海爲支戰場的議論，是說不通的。

立場不同觀點有異

星星之火，可以燎原。但星星之火將首先在大陸內部燃起，抑或在台灣海峽燃起，是不易確定的。惟就反共政府的職責來說，應該首先在台海燃起。不過，這裏有一個很現實的問題必須顧到，就是台灣反共政府對進攻大陸，能否自由行動的問題。或者因爲有此現實問題存在，所以才有大陸本戰場、台海支戰場的議論出來的。

關於這個問題，大陸內、外的人看法不同之外，在朝在野的看法，也可能是有所不同。在野的人，根據實際的情勢，覺得反共的戰場將來一定是在大陸上，但沒有自由中國反攻的行動，不易促進大陸上大規模反共革命的發生，以摧毀中共的政權。站在政府立場上，發言的自由，幅度便比較小，即使實際情勢的決定，大陸應爲反共的本戰場，有時也不應公開的宣傳。因爲如此，將是推卸政府一部分的反共責任，同時，也將自貶反共政府的重要性。這與政府尋求海內外同胞擁護與提高政府號召力的目的是背道而馳的。

有空論無行動的原因

我國古諺有云：「爲政不在多言。」但在民主憲政國家，政府應該容忍在野的人發表言論，不應加以禁止。更不應誤認在野人士的反對意見，都是搗蛋的。政府的意見，往往對民意機關表示，或由政府首長對新聞記者說出。我覺得十年以來，政府在這方面實在沒有做法。常以空言代替行動。並以空言安慰民心，以爲如此，即可維持政府的反共精神。過去，所謂幾年反攻，所謂反共救國會議；所謂大陸如有匈牙利式的革命發生政府即實行馳援等等，皆是以空言代替行動的實例。民主國家，如果只有言論，沒有行動，是不許可的。只作諾言，而不能兌現的政府，是得不到選民支持的。今天在台灣，政府即使空言連篇，亦並無被更換的危險。大概亦因爲有此安全感，以至毫無實際行動。而且空論也愈來愈多。如幾年反攻而變爲不以武力反攻，台海變成支戰場之類，都是隨便發空論的例子。

退一步說，就算台海是支戰場，也應有行動才對。但現在處於共方打來，我才還擊，我方決無主動出擊的事實。這種戰場有等於無。大陸的本戰場是未來的事，能否發生，發生在那裏，不易逆料。台海這個戰場是眼前現存的，眼前已存在的戰場，還不能有實際行動，寄望於未來的大陸戰場，豈非本末倒置？輕重失宜？

因此，要開闢大陸戰場，第一個條件，是先要在台海戰場有實際的行動。否則，「支戰場」沉寂，「本戰場」又如何去開闢？沉寂了的支戰場等於無戰場。必須對戰事有實際的行動，戰場的意義和作用才可顯現出來。

美國方面，已故自杜爾斯以下，抱有一種見解，認爲台灣今日所有的軍事力量只有二項用途：第一、防衛台澎金馬，使不淪落共方之手；第二、他日大陸如有匈牙利式革命爆發，則台灣的軍事力量將有很大的反攻作用。在現階段，大陸的革命難於發生，如共方陣營起變，大陸革命才能發生（羅柏遜之見解即如此）。台灣政界人士，似頗受美方這種見解的影響，然後亦想大陸先有革命，然後台海支援，有了此想法，然後引伸出大陸是本戰場的議論來。

如何開闢大陸戰場

美國人的立論，自有他們的根據，此根據還與我們的立論根據不同。一個反共的政府，如祗知期待大陸內部的武裝起義，本身按兵不動，總是有忝職守的。如果將來事實演變，大陸上並非本戰場，或者台灣竟成爲本戰場，政府這種討論是必然誤事的。

如果大陸是本戰場，又是否政府有今天的做法呢？抗暴運動發生在大陸人民的身上，他們的失望可想而知。但事實上政府有實際的反攻行動，大陸人民十年來眼巴巴等待，爭取廣大的同胞。這一戰場的開闢，何以又不在台海戰場，既無行動，政府在反攻大陸的意念上，又何能說得上在中共的刀尖下淺難，在中共的槍口下待？這豈是合理的事？要以政治思想爲主，以武力爲後盾，幾十萬訓練有素的大軍，只能担任支戰場的任務。政府在大陸上，並無一兵一卒，又如何去開闢戰場呢？政府今天所能做的，是爭取大陸民心，尤其重要的，是爭取共軍的反共行伍。

總而言之，只有空言論，沒有實際行動，這是反共政府的恥辱！

（六月廿五日）

半週述評

美國務院的人事更迭

杜爾斯國務卿逝世後，美國國務院的人事發生不小的變動。其最爲中國人士所關切者，當無過於主管遠東事務的助理國務卿羅伯遜因病辭職，由原來的副手帕森斯昇任。羅氏在任六年，有關中國方面政策都由他一手制定，如堅決支持自由中國與不承認中共政策，一向以羅氏主張最力。他不只久在東方服務，當過去軍調部時代曾親與中共有過長時期的周旋，因此他對於中國問題的認識和見解，有如他最近在國會作證和一再發表演說所表示的，都是根據他個人的親身體驗，不同於那些只能假手於間接情報的外交人員。繼任的帕森斯久隨羅伯遜工作，此次繼任新職也出於他的推薦，他的見解和主張不會與羅氏大相逕庭。我們惋惜羅氏的辭職，但從他的繼任人選，還可以感到相當安心。

檢討美國對華政策的演變

其實，美國現行對華政策，並非從杜爾斯羅伯遜就任後纔行制定。杜羅二氏始終堅持此項政策，不爲世變和輿論影響，固有足多，但最初從艾契遜白德華那種「俟塵埃之落定」，並期待台灣遭受中共侵佔政策轉變過來的，則當推羅伯遜的前任羅斯克。現在重新披閱八九年前羅斯克所發表有關中國問題的言論，在原則上與最近羅伯遜帕森斯的見解可說是一脈相承。我們不否認在美國現政權之下，諸如防衛協定的簽訂，與軍事協防的確立，都執行得有聲有色，但在原則上卻從上屆民主黨政權的最後幾年已在朝着這方面做。其促成這一轉變者，第一是韓戰的發生，第二是自由中國播遷台灣種種改革進步的表現。近年來韓戰的影響已漸被一般世人所遺忘（雖然美國政府政策仍基於對中共在韓從事侵略戰爭的反應），台灣自身的進步好像也缺少初期那樣的聲光，加以國際間逆流襲來，我們確也經歷了不少的驚濤駭浪。其所以至今仍得以保持原有態勢，並未發生重大變化者，則主要是中共的估惡表現使然。其軍事侵略企圖始終不肯斂跡，公然倒行逆施之間得大陸鼎沸，尤其是最近在西藏施行殘酷鎮壓的暴行，都使國際間姑息主義者難有抬頭的機會。

逆流低迷依然可慮

但即以美國而言，國務院對中國問題有相當認識，其對華政策一時也不虞發生變化，但在民間，則認識顯然不足。一部分知識階層與若干大資本家對共黨具有妥協意向，教會中亦存有對中共的幻想分子，去年的期中選舉，而不滿政府當局的保守。其實，美國當局在內政上保守傾向確多可議之處，其外交政策大體上不差，乃一批新進氣銳的自由派與邁外交政策也要求改變。如代替諾蘭出任加州參議員的恩格爾就是一例。恩格爾要求改變美國對中共政策的演說立即遭受兩黨議員的一致抨擊，實則確有不少人暗中表示贊同，而且他並非加州人的主張，其見解仍不出艾奇遜時代的幻想，其愚陋可哂。這種趨勢却十分可慮。一般說來，從韓戰發生到最近，我們過去是反日政策的先鋒，恃人者不久。可說相當幸運，得到許多有利機會。但我們不能永遠依恃美國當局的堅決與中共的荒謬來決定前途命運，總要靠我們自己。

李秋生

自由談

「有問題」之談

根據台北方面的報紙記載，最近本刊在台被檢扣，扣押期的原因，匪區所寫的「自由談」小品文字居然在「有問題」之列。我於深感榮幸之餘，曾經仔細檢察過自己是否確有觸犯國法或黨紀（我是不折不扣的國民黨黨員）的言詞，以致被禍爲「有問題」呢？思之思之，只有談過某些在海外偽造工作成績，在國內昧於宣傳技術，專事自我陶醉的話，然我是舉有實據而後忠告警惕的，並且很有分寸，只說及一切實的十分之一二而已。如果這就認爲「有問題」，扣上「文亂法」的罪名，那我寧願再犯一項「有問題」的災，謹檢查據稍多參考。

最近旅居香港的民社黨元老伍憲子先生病了，報上刊出消息，我自由中國政府當局頗爲關懷，致送了伍老先生一千元醫藥費云。我認爲這種宣傳又係無謂已極，而且是俗不堪的玩藝。政府倘念社會賢達，致送一點醫藥費，又有甚麼值得宣傳的價值呢？似此低能的作風，徒然損害別人的自尊心，結果除了惹人反感的副作用以外，會有什麼好處？而實際戰術乃若是之笨拙，以視毛共經常花費大量金錢從事統戰工作而漏孔不露，高下豈可以道里計乎？

我說此話，用意是希望自己人遇事警惕，能持「千慮一失」的心情，若又視爲「有問題」，非檢扣報紙不可，那就是扼殺言論了。匪區這個國民黨員已有卅七年的歷史，從來沒有對黨不起的地方，可以公開招告的。自信良心未泯，血性不衰，不屑於僞裝變節。香港尚存在，我筆猶存，爲正義而鳴不平，乃是我的自由人權，誰也禁止不了的！

馮丕先生

無軍職軍官退除役問題

·萬骨·

【台灣通訊】國家畢竟總算顧念到以前曾經付出過血汗參加北伐革命，抗日，而現在台灣沒有軍職的軍官們了。國防部最近公佈了一道命令文，辦理退除役手續，給予退除役金。這對無職軍官們的確是感到舒吐一口悶氣。

三十八年大陸淪陷以後，這些軍官們追隨政府來台，由於人事凍結，十年來一直無法舒展懷抱。他們大都身無長物，爲了生活，不得不拿出自己的勞力來工作——做小本生意的，擺雜誌攤，香烟攤，以至於踏三輪車做苦工的大有人在。他們默默不聲不響的活下去，等下去要等到一天反攻大陸，再參加最後一次聖戰。

他們在困苦中的確偷偷地悲痛過自己的處境。而現在，國家給予他們退除役金，雖則爲數甚微（一個少校級軍官，幹滿十年，可領到一次最高退除役金新台幣七千七百六十元），但這總比有勝於無。

依照國防部頒發的「怎樣辦理退除役」的小册子上說明：一次退除役金額在新台幣兩千元以下的，一次發給；兩千另一元到三千元的，分兩年支付，第一年發給一千元，其餘在第二年發清；三千另一元到四千元的分三年支付，第一年發給一千元，第二年發一千五百元，其餘在第三年發清，四千另一元到五千元的分四年支付，第一年第二年各發一千元，第三年發給一千五百元，其餘第四年發清；五千另一元以上的，平均分五年支付。

這種支付退除役金的辦法，很顯然是國家財政困難，才如此分期支付。如此支付，對受領退除役金的軍官們言，每年領到很小一個數字的金額，既不能派大用場（我係指做小本生意言），又不能供全年的伙食支出（現時在台灣，每個人每月最低生活費用——祇限吃的方面——就需一百八十元左右，若是有妻小三五人，一千元，一個月就吃光了）。

附帶說明：小册子上固然有個「爲了使各位不致因分期支付而吃斷……仍給予優厚的利息，於領現時本利同時給付。」

既然國家願付給這些軍官們退除役金未付的「優厚利息」，倒不如國家向銀行貸款，把利息付給銀行，而把退除役金一次付給這些可憐人，讓他們有餘總歸好好地自由運用，能夠在長時間裏維持到一個普通生活。

我們深深知道，國家這次對無軍職軍官辦理退除役絕對不過是一時救濟性的。所以在辦理手續上，我們希望政府能夠更趨合理儘可能做到盡善。

同時，這些軍官們過去爲了生活有很多迄今還在從事不合自己身份的職業，長久下去，在精神上與心靈上對他們是有着莫大的威脅，而且有許多人在時間中日漸衰老了，他們很可能自身的體力無法從事十分勞動的工作，所以政府也應該盡量一般退除役官兵們輔導就業。

當然，全面舉行輔導就業會產生很多困難（因爲台灣粥少僧多），但我們希望能夠照顧被退除役官兵輔導就業辦法，舉行特種考試，使他們先取得就業的資格，然後讓他們自己去找機會，自行幹適合於他們的才力，體力的職業。這種要求不是過分，政府只是舉辦一次特種考試就行了。

翻版與盜印

·馬周·

【台灣通訊】台灣出版界的貧乏，與整個社會經濟有關，寫稿的收入不如排字的，排字的收入不如印刷工人，要[illegible]

加以社會經濟的逆[illegible]買書的人卻沒有錢[illegible]另一方面則求版課[illegible]。中小學教課書和教材佔了書籍買賣[illegible]宗，至於學術上的或有價值的參考書是寥若晨星。除了公家辦的書局，和出[illegible]可以不計成本，出[illegible]

[illegible]

先是翻印舊小說

[illegible]賺了一大筆，因此，做了風起雲擁，於是華國出版社和商務印書館也合作出了一套史學[illegible]，世界書局也出了什麼叢書之類，較小的書局只好印印明史紀事本末，宋史紀事本末之類也還都有銷路，只是區區台灣，人口一千萬！

，這種一窩蜂的印書辦法，時日稍久，必然滯銷，於是大家把印書的路子又走向另一方向了！

繼而翻印近代作品

台灣出版界一枝獨秀的，是小說一類的軟性讀物，最近十年來也產生了一些作家，他們也很知道生意經，不願意受出版商的中間剝削，往往自寫，自印，自銷，其中文字好的，倒會實可以撈一筆，如寫「藍與黑」的王藍就因這本小說銷路好成了一個小康之局，但卻被不道德的書賈發現了，由翻印古書一變而爲盜印現代人的作品：此風一開，又形成了一窩蜂的形勢，小說被盜印的有十餘種之多（一）王藍：藍與黑（二）彭歌：尋父記（三）潘壘：金色年代（四）孟瑤：亂離人（五）徐鍾佩：十大小說家及其代表作（六）謝冰瑩：愛晚亭（七）張漱菡：意難忘（八）吳承達譯：我要活下去（九）陳香梅：無邊的旅程（十）林適存：加色的故事（十一）師範：沒有走完的路，其他居住香港的作家如南宮博，傑人，徐速，歐陽天的著作也被大量盜印，更有改頭換面盜印原爲而轉移視線的如孫恰著的「紅色上海八年」，竟被人將原書一字不動盜印以後，改換「徐速著八千里路雲和月」充作封面，加以推銷。現在這些盜印官司正在司法機關審理之中。

盡盜印之能事，書賈們看到市面上行銷較廣的書只要有利可圖，就加以盜印：如任東小著的「中國地理講授提綱」，爲學生們升學必讀的參考書，於是加以盜印，又如胡適之幾次返國，聲價一次高一次，於是書賈們也動了腦筋，把他的著作如「四十自述」、「胡適文存」、「胡適文選」之類大量翻印出來盜印行銷，在一窩蜂的形勢下也着實獲得點好處，於是胡博士開口了：「我國作家一向稿費版稅收入低微，生活清苦，好容易絞盡腦汁，嘔盡心血，產生一部創作，卻被別人輕而易舉地非法翻印，這簡直與扼殺著作人的生命無異」

目標終又移向洋書

據說，最近有關當局正在設法查禁，但是著作權法處罰太輕（最高罰金是銀元五百元即新台幣一千五百元，約合港幣二百元）在國內能否有效在禁，尙沒有分曉的時候，出版商又把盜印的目標移向洋書了，最近此間如報刊登廣告，預約「大英百科全書」的影印本，價錢較之原書定價低廉甚多，於是遠在美國的支加哥大英百科全書出版公司要和台灣的兩家書局打官司，但是因爲中國沒有參加「國際版權協定」，以致洋人吃了盜印的虧卻無法追究。台灣影印的韋氏大詞典預約價只是新台幣七十餘元，（不足港幣拾元）此風似尙方興未艾，於是台灣翻印盜印書籍之風，由死人頭上跑到活人頭上，現在轉到洋人頭上了！

「海外孤兒」的殷切期望

——對修憲與連任反應冷淡——

（西貢六月廿三日航訊）旅越華僑對於「修憲」與「總統連任」這兩個關係國家命脈的問題，都三緘其口，不願多發議論。一般僑胞的反應也相當冷淡。

僑胞之所以如此冷淡，不是沒有理由的。第一，憲法爲國家大法，國民必須絕對遵守，視同神聖條嚴。目下在台灣的立委或國代，均已不足「修憲」的法定人數，如談修憲，實無法解決技術上的困難，此乃鐵一般的事實。第二，如使增加臨時條款，也等於修憲。也要有一定的法定程序，否則仍屬違憲。現在「國大代表」與「立監委員」的任期，均已失效。如說總統必須改選，則這些民意代表，也必須改選了。否則他們的選舉權力，亦是非法的，違憲的。第三，蔣總統曾一再發表聲明，堅決反對修憲。老百姓對於國家元首光明磊落的襟懷，和高瞻遠矚的主張，只有衷心表示欽敬和擁戴，那有再提異議之理。

葫蘆裏賣甚麼？

然而，儘管蔣總統已經鄭重宣告：[illegible]可是聞一些國民黨人組織的團體，卻發出籲請修改憲法的通電，更有一個來自台北的國民黨報人，[illegible]持的[illegible]「大陸一日未光復，蔣總統不容高蹈」論調。

這位先生所持的理由是：「第一，[illegible]但在[illegible]時誠[illegible]豎個[illegible]在全[illegible]前哨[illegible]戰略[illegible]面臨[illegible]易師[illegible]勵及[illegible]精神[illegible]大陸[illegible]放，[illegible]澈底[illegible]離開他的領導全民，恢復國土的責任。」

僑胞所希望的

[illegible]

再者，旅越僑胞，這幾年來，多災多難，艱苦備嘗，[illegible]撫慰與庇護。故他們[illegible]的，乃希望祖國[illegible]民主，早日光復河山，[illegible]胞于水火之中。更[illegible]記了「海外孤兒」，[illegible]政策，切實維護僑胞[illegible]已。

[illegible]一般僑胞的觀點[illegible]祖國政府能對於反[illegible]從速完成。他們便[illegible]擁護。至於[illegible]當總統，[illegible]在僑胞[illegible]

[illegible]逆，進年遭受橫[illegible]風，今雖風[illegible]，以對祖國期[illegible]以「孤兒」[illegible]多不感覺興趣。此[illegible]值得吾人注意。今[illegible]爭取海外僑胞的[illegible]所不容忽視也。

（六月廿三日於西貢）　庸夫

台省地方教育座談會

·陳明·

（台北通訊）台灣省地方教育行政座談會，於本月十七、十八日連續舉行兩天，省教育廳長劉眞在閉幕致詞中強調國民教育的重要，希望各縣市今後不要好高騖遠爭辦高中，應集中全力，將國民教育辦好。台省地方教育經費，就省、縣而言，均已符合法定標準，但由於自然增班，仍鬧教室荒，鄉鎮公所又時常發生挪用省府爲增建教室的補助專款，因此劉廳長要求各縣市教育科局長切實負起監督的責任。

合省地方教育的問題固然很多，但歸結起來不外乎量與質的協調，以及人與權的劃分，座談會中四十四件提案，有涉及增設副校長者，有放寬偏僻地區中學及國校登記，以羅致中小學教師者，有發展初級農校改爲五年制者，有請增列教職員調整編制者，結果已送有關科室參考研究辦理。

此次座談會最值得報導的是：是有關國校學生暑假作業問題。因爲合省兒童平時受害於「惡性補習」之苦，假期亦然，得逢寒暑假，書商即印製大量暑（寒）假作業簿，銷售於校長教師學生之間，從中取利，兒童則苦不堪言，積非成是，習以爲常，沒想到劉氏當座談會臨時動議討論如何處理國校學生暑假作業時，透露蔣總統最近在某次餐會中曾向教育當局研究大、中、小學校的課業負担和假期問題。因此劉氏曾舉十八、九世紀化學家約翰、道爾頓少時研究桌子爲例，說到國校學童年齡尙幼，實宜讓其渡過輕鬆愉快的假期生活，與會者一致通過劉氏的建議。

（六月廿日）

台北見聞錄

·張小悅·

△自從中東國王相繼訪華，中東回教協會所發起興建的清眞寺，已積極動工，寺址在新生南路、和平東路口，西式圓頂，佔地甚廣，新生南路教堂林立，大都爲基督、天主所有，爾後該寺落成，莫汗莫德在此間亦有一席之地了。

△「守時運動」在今天確有需要，台北市政府最近與台北西區扶輪社合力推行，並成立推行「守時運動委員會」，由市長黃啓瑞兼任主委，他希望各界同胞能賜予合作。

△台北某聞名省中最近發生一樁怪事，乃某校長欲提升其文書組長而不滿省教廳人事室所派之職員至該校擔任人事主任，竟抗命教廳人事主管「任用私人」，一面向當局提出「辭呈」，表示「臨陣」。此舉在教育界內，尙屬罕見。

△台肥六廠一再延誤生產，爲社會人士所詬病，該廠創辦迄今六年，機械屢次故障，雖經立院有關機構調查，互推職責，最近監委曹啓文，繼續再將該廠生產問題向監院提出報告，認爲未與承建外商洽訂賠償條款，實屬失策，下文如何，尙待後解！

（六月廿二日）

小悅先生：大作中有二段只能忍痛刪掉了，因爲我們不能令台灣的長期定戶，因本刊屢遭檢扣而蒙受損失，此乃出於萬不得已，謹此致歉！（編者敬誌）

廣東中山縣的農民生活

最近，從鄉澳門的廣東省中山縣人民公社社員和幹部不斷冒險泅水逃抵澳門。記者爲了解大陸人民公社的生活情形，特訪問了其中的幾個人。其情況略誌如下：

被訪問人的姓名：

鄭娘方　女　三十六歲，中山縣三鄉公社社員

鄭唐珠　男　二十七歲，中山縣三鄉公社南村管理區生產小隊長

葉廣青　男　二十歲，中山縣沙溪公社社員

李宜根　男　廿三歲，中山縣沙溪公社社員

他們都是五月中旬用漁船，或泅水的方法，從中山縣逃抵澳門的。

這幾個人民公社的社員，談起了公社中食的情形。

公社裏的明文規定是：有勞動力的人每人每餐二兩半至三兩米（孩子一兩半至二兩），半斤番薯和一些豉油南乳之類的副食品，沒有魚，沒有肉，也沒有青菜。

中山縣三鄉人民公社的黨委會在今年三月間突然提出「保證農民吃得好，吃得飽」的口號，大家聽了心裏都有了一點高興，以爲至少可以吃得好點了。誰知黨委却是命令社社員貫徹一種新的作飯方法：把米先炒過，再和蕃薯粒（蕃薯切成的）混合和水放在鑊裏煮，煮至蕃薯粒剛熟時，用木棍把它攪勻，再用火焗。據說這樣做的飯營養價值抵得上正白米，符合黨建設社會主義的「又多又快又省」的總路綫。

一部分農民吃了這種沒有營養的飯以後，手腫面腫；他們說：「的確符合腫（總）路綫。」現在面腫手腫，以後脚腫身腫，處處都腫，死人唔慌唔又多又快！」

記者又問到他們關於菜的方面，中共會宣傳幾菜一湯，是不是眞的這樣，他們說：「是有菜有湯的，也有好幾個菜。」當問到他們都是些什麼菜的時候，他們說：「像蘇炸燒鵝、炒肉絲等等。」

他們的話不是前後矛盾了麼？他們接着解釋說：人民公社食堂的確每餐都有湯，但不是魚湯或肉湯，祇是用少量鹹菜泡多量的水的清湯；也的確有所謂魚肉，但是決不是眞正的魚肉。下面就是食堂菜色名稱及其烹調方法：

一、蘇炸燒鵝——先把紅蘿蔔切成一片片，再混以麵粉和水，然後放在鍋上乾烤，最後用醋煮，末了加些豆粉漿即成。

二、炒肉絲——先把蕃薯切成絲狀，用雞油炒，最後加少許水和米炸過的蕃薯絲，一炒便成。

三、紋大鱔——用熬鍋烤先熟，再用水煮，煮好後加些豆粉作漿即成。

這些令人啼笑皆非的「炒肉絲」，「紋大鱔」，「蘇炸燒鵝」等菜色不下十幾種。

公社是有工資發的，但每人每月只不過三元五元，這些錢，沒有人想買用的東西，都只想買吃的，社員們說：「吃到肚裏，就是我自己的了。」但是，供應糧食的糧站關門了，一切糧食復製品在市面上都買不到，所有副食品零售商店都沒有貨，那些零售商和小販，也都上山或下鄉去了，有錢也買不到吃的東西。以前賣各種日用品和副食品的供銷合作社，現在也只零售些鹽、醋和土烟。有上萬人口的中山黃圃鎭，一連幾個月沒有魚肉賣是平常事，鮮蛋和鹹蛋出去年十月開始到今天，一直沒有在市場上出現過，以前農民認爲又平又賤的沖菜和欖角，現在也很稀罕。只要供銷合作社偶然出現幾斤霉爛的鹹魚，但是也只要一眨眼工夫就被搶購一空。有一次，到了很多餅乾，大家搶着買，等到買到手一吃，原來是蕃薯粉做的。五月初，公共食堂宣佈可以讓社員帶回自己家去煮飯吃，叫「大集體小自由」。[illegible]前者要過四關：排長、連長、指導員、食堂出納；後者要過五關：醫生、排長、連長、營部、鋼鐵生產指揮部（因爲柴是煉鋼的燃料）。所以很少人領了回去自己煮的。

公社幹部並且利用食飯作爲懲罰社員的手段，動不動就不給飯吃。凡是未經請假而曠工的，早退的，遲到的，或工作質量不好的，都可能遭受這種不給飯吃的懲罰。中山三鄉公社第三連食堂一個中年婦人，因爲生病沒請假而曠工，食堂副排長竟把她已盛滿飯的碗搶掉，不給她吃飯。

公社社員由於消耗了大量體力而得不到起碼的補充，許多社員因此健康極壞，貧血和眼球炎的疾病很普遍。（大陸社供稿）

國際動態拾零

△美三軍火箭研究機關之重複，已够壞了。然最壞情形，尚不只此，僅一紅外綫研究，陸軍部即有五個不同機關，來分別研究。

△尼克遜訪蘇，有艾總統之弟密爾頓陪同前往，頗爲美三位專欄作家所不滿，因密爾頓是左傾的。但係出於尼克遜自己的請求，故無法反對。

△美國測驗蘇聯越洲彈的放射，不賴建在土耳其的長距離雷達。據說如蘇聯準備放射越洲飛彈以開始大戰的話，美國防部在事前可得到情報的。

△美×十五號太空船，業已試驗過六百次以上，有百分之八十五的時間，可以控制。但稍有錯誤，而失去控制，該太空船即會毀滅的。

△美聯合參謀長端寧，肺部動手術之後，不擬復職，決以陸軍參謀長萊麥尼茨繼任。但萊氏到任不久，資格不如海軍參謀長布克之老，艾總統爲顧到陸軍之優先權起見，仍將任命萊氏。

△尼克遜將邀艾總統指示，於訪蘇時向赫魯曉夫打聽十一位美國航空員的下落。其飛機係於去年九月，在亞美尼亞上空，爲蘇聯所擊落者。

·陶然·

竹幕秘聞

大陸的人禍

·田心·

目前大陸的人禍，首先當推人民公社。它拆散人們的家庭，它施行了所謂「吃飯不要錢」的制度以集體飢餓來强迫人們勞動；它要人民貢獻所有的人力、物力，異想天開地要叫人民公社大辦工業；沒收以前農業社所允許私有的樹木、雞鴨、與一切副業產品。

結果如何了呢？人民普遍的以消極怠工來作無言的反抗；廣東省委已經公佈糧食分配到戶，恢復口糧分配的私有制；六月十一日「人民日報」已經在作這樣的呼籲：人民公社的工廠可以緩辦的緩辦，可以不辦的不辦；大陸雞鴨似已有絕種之慮，迫得到香港以高價採購蛋類，由此可見，大陸之人禍不僅害及了全國同胞，而且已殃及牲畜。

在農村中的人禍，並不僅止于此而已，還有從五月以來「人民日報」每天都談到的「密植」。在一九五七年以前，對於密植的爭論，大致有三派意見，一派反對密植，一派認爲愈密愈好，另一派則認爲要合理密植；科學研究方面的農學家多數主張合理密植，當權者則主張愈密愈好。去年毛澤東鼓勵大躍進運動，在農業方面大搞試驗田，科學家說一畝田的密植不能超過十萬兜，試驗田由畝產一千多斤開始，捏造到畝產十六萬斤爲止。要這樣高產，就非密植不可，湖北某縣的一畝田據說產三萬六千斤，密植十三萬多兜，中共當局特地召集農學家到田頭，要他們自己否定每畝密植不能超過十萬兜的理論。至此，毛澤東欣然獲得了結論，認爲愈密愈好，農學家的結論是洋迷信要予以大力破除，從而在去年十二月六中全會要求推廣高產經驗、把中國農田要逐步減少到三分之一左右，其餘的三分之二讓它休息或加以美化。今春大力的推廣其愈密愈好的理論，結果許多農田弄到根本不長苗，白貼了種子。今年五月，愈密愈好的理論終于垮了台，六月十一日「人民日報」社論，不得不否定「少種高產多收」的口號從新喊出「多種多收」。

此外，我們且來談談學校中的人禍。去年中共要求「又紅又專」，要「搞臭個人主義」，强調勞動觀點，進行其集體主義的學習，喊出消滅二分、三分、一律達到五分（即滿分）、先進帶落後，互相幫助的口號；好像個個都衝鋒陷陣一般，分秒必爭，搞突擊、展開評比競賽，做習題分工合作、互相抄襲，鼓勵學生否定教師的講授，有些學生貢獻個人鑽研的便被斥爲走資[illegible]個人主義的道路，學校則大辦工廠，要學生放下書本參加勞動，弄到教師們聽憑學生胡爲，學生也心力交瘁一無所得。這一大套辦法現在也感覺行不通，已在普遍的批判中。

當然大陸的人禍，決不是這一篇小文章所能說得完，上述的一些只能認爲是一些例，這些例已足說明大陸人禍的爲害之烈。

大陸文壇透視

赫魯提倡一本書主義

一本書主義原是中共給丁玲加的一個罪名，丁玲在主持中共文學講習所時，曾對學生說，只要寫出一部好的作品，便可以成名。這話本來不錯，古往今來的作家，哪個不是如此？作品儘管多，却沒有一部好的，自然經不起時代考驗。西晉的張華、劉宋的沈約，作品都不少，但其成績和名望，比較和他們同時的詩人潘岳、左思差遠了。反之，蔡琰不是只有一首「悲憤詩」？高明不是只有一部「琵琶記」？曹雪芹不是只有一部「紅樓夢」？都是傑出的詩人、戲曲家、小說家。至於丁玲說這話的動機也並不錯，她是鼓勵學生注意「質量」。但是因爲丁玲反抗領導，好話就變成罪狀。因人廢言，中共本是如此。

不想今年五月二十五日蘇聯第三次作家代表大會閉幕之時，赫魯曉夫竟不知不覺地把中共給丁玲的罪名——一本書主義提倡起來。蘇聯作協在史大林時代，只於一九三四年開了一次成立大會，高爾基死後，法捷耶夫掌權，沒有再開過會。直至二十年後的一九五四年多，才開第二次大會，史死馬林科夫繼，法捷耶夫自殺，作協書記換的是蘇爾科夫。今年又隔了五年，在赫魯主持下，舉行了第三次大會，作協書記換成費定，把蘇爾科夫踢下來。一朝天子一朝臣，蘇聯作協二十五年的歷史，就是史馬赫三人新陳代謝的影子。閒話休題，現在蘇聯作協既是赫魯掌握的了，所以他在會上便以門外漢而大放厥辭起來。

赫魯的講話，一如其他共黨領袖，都是裹脚布式的又長又難聞。中譯文在中共報紙上列了一個半版面，我很吃力地把它讀完。其實內容空洞，他重述了過去共黨文藝政策那些爛調。如黨性原則啦，歌頌共產主義社會啦，描繪英雄啦，作家體驗生活啦等等，無非顯示他的「博學」，叫蘇聯文人驚異他的文學理論的「天才」。不過有一點不是爛調，就是提倡一本書主義。他說：作家的權利是不是要受一點限制呢？不，作家的權利一點也不受限制。只是有一種權利，我們必須剝奪他們，就是寫壞書的權利！於是他大呼：那怕蘇聯作家沒有寫壞書的權利，一是只寫一本書，得要好；是好，一本書沒關係；是的，只寫一本好書沒關係！——雖非原文，但大意和語氣絕對不錯的。這還不是提倡一本書主義嗎？當時中共派去與會的代表團長茅盾親耳聽到的，中譯文又在「光明日報」上刊載了，中共作家們看了不知作何感想？因爲丁玲一本書主義的批判再批判熱潮剛剛落下去不久。實際上赫魯這幾說，還不是有鑒於作品的質量不高，爲了求「好」，就不能不放棄「多」，這是他比中共聰明的地方。

廣東台山縣 饑民搶糧食

澳門消息：據從廣東台山縣來澳之農民透露，台山縣斗山公社的沖蔞鄉糧食倉庫，在四月下旬，曾被飢餓的農民湧入，將倉庫內的糧食搶去。中共出動該區公安部隊開槍鎭壓，[illegible]三十八人，[illegible]均爲農民。現在，[illegible]人人自危。（資）

開平縣人民爭食擠塌茶樓

據大陸來澳者談，廣東省開平縣新昌鎭，於「五一勞動節」曾發生塌樓慘劇，事緣爭食而起。

「五一」那天，各鄉鎭、公社不少單位都放了半天假，農民遂結隊湧到新昌鎭，因在飯堂中求得一飽。該鎭僅有宋棧茶樓及開昌餐廳兩家舖，排隊擠購飯食。宋棧茶樓是破舊建築物，一時人多擠擁，該茶樓之危樓遂告擠塌，當堂壓死兩人，壓傷十二人。（資）

瘟君夢

第三回：點石成鋼魔王施妙手　指鹿爲馬嘍囉建奇功

李富春接着說道：「最好事前個別說服一下。」

林伯渠搖搖頭：「沒有用的，政治委員中雖然有七個湖南人，劉少奇不必說了，上次邏羅榮桓都棄權，只有我們五個人靠得住。其餘的人，要是說服，第一個對象應是周恩來，但是他的脾氣你也該知道，他從來是既不反對誰，也不贊成誰，只要讓他吃一份，誰來他伺候誰。除非他看準了我們有勝利的把握，他不會公開表示意見的。」

毛澤東綱綱眉頭：「陳雲和李先念怎麼說？」

「陳雲表示他絕對擁護主席，不過，對於昨晚開會沒有他有點難過。」李富春說到這裏，沉吟一下又說道：「至於李先念……」

活曹操搶着說道：「李先念堅決反對，是吧！」

李富春奇道：「誰告訴你的，林老？」

林伯渠摸着三綹長鬚，陰森森的笑道：「孟子告訴我的。」

「那個孟子？」毛澤東，李富春都睜大了眼睛。

林伯渠更爲得意，一連摸了幾把鬍子，向毛澤東笑道：「主席讀過五經四書，不知道孟子嗎？就是戰國時代那個姓孟名軻字子輿的孟子。」

李富春只讀過三字經，恍惚記得有什麼「昔孟母，擇鄰處，子不學，斷機杼」的句子，就是說的孟子，他怎麼會認識活曹操呢？不過自己知道文化水準低，不敢開口，怕鬧笑話。

只聽毛澤東問道：「孟子不就是孔子的徒弟嗎？」

林伯渠臉上肌肉突然一聳，趕快用上牙齒咬着下嘴唇，點了點頭。

毛澤東笑道：「林老，孟子離開現在怕不有千把年，他怎麼會同你講話。你這一賣關子，我就變成了『蘇三起解』裏面的崇公道了，『你不說麼？我還明白，你這一說，我到反而胡塗了』。」毛澤東一念台詞，李富春也掌不住笑了。

林伯渠笑道：「主席聰明睿智，什麼不知道，只是剛才未想起來。孟子不是明白說過：『離婁之明，公輸子之巧，不以規矩，不能成方圓。』公輸子又名魯班，就是木匠的祖師，李先念作小木匠時，首先要向魯班祖師的牌位拜幾個頭，他師傅一定要把這幾句話傳給他，所以他就記住了。圓方的道理，一定要用矩尺。這樣的人忽然告訴他大躍進，就等於要他光棍一把斧頭把一棵大樹變成『東風牌』小汽車一樣，嚇也把他嚇死了，那有不反對之理，因此我才斷定他，李先念必然反對。」

林伯渠未說完，毛澤東已經忍不住笑，及至聽完，靠在太師椅上，仰面大笑起來。李富春一笑胸腔就痛，但是又不能不笑，只好俯在沙發扶手上笑。（四八）

岳騫

釋耒集

荀悅漢紀論井田之制曰：「井田之制，不宜于人衆之日，田廣人寡，苟可爲也，然欲廢之於寡，立之于衆，土地布列在豪强，卒而革之，並有怨心，則生紛亂，制度難行，由此觀之，若高祖初定天下，光武中興之後，人衆稀少，立之易矣，既未悉備井田之法，宜以口數限田，人得耕種，不得買賣，以贍貧弱，以防兼併，且爲制度張本，不亦善乎」，此言人口時少，可以行井田，論者以爲光武之時不行，因光武本身爲地主，以得天下之功臣，亦多爲地主之故。此就近事言之耳，後世朱熹爲大儒，言三代之世，治隆于上，俗美于下，原因在于井田與學校之完備，但朱子語類則曰：「先生與人論井田曰：當時須別有個道理，天下安有王畿千里之地，將鄉遂成國謂放上，今人制地，如豐鎬者，皆在山谷，亦多是小溪谷，不知將何措置」，于此見所謂井田云者，恐不免僅爲一種理想而已。辛亥革命以後，中山先生提出平均地權之主張，衍其說者，遂曰民生主義爲共產主義之實行，世俗人之見解，以爲共產主義，在促令人民經濟生活之平等，及余讀章炳麟先生，訄書定版籍第四十二，引中山先生言曰：「貧富斗絕者，革命之媒，雖然工商貧富之不可均，

私田與公耕

材也。栝人爲人勤墾，善蠶者圖其幅帛，其爲龍蛇象馬草樹雲氣山林海瀾燦火星辰人物舟車，變肢異態，于以綵飾綺璧一也，然或一日所成而直千錢，或一日所成而直過於萬金，傀步蠶者，與主海船者，其爲人將行一也，一以爲牛馬，一以爲宗主，是豈可同哉，彼工商廢居有巧拙，而欲均貧富，此天下之大愚也。」

荀悅所言：「卒而革之，並有怨言」，今人已不惜以流血之方式行之矣，舉國中百份九十以上之人民，聞鑼聲則下田工作，工具則持一瓦缶，就公社中領取一餐之食，黃昏犬黑，洗腳上床，一日所成之工值，遍中國之人皆同之，是貧富不可均者亦既均之矣。莊子曰：「大愚者終身不靈」，中山先生所謂天下之大愚者，實非共產黨人，而爲中國無量數之人民耳。陳登原國史舊聞，引丘懷瑾西防紀實，記西康省土司頭人，分田與農奴耕植之情形曰：「土司除分給土地，與其人民領墾之外，亦嘗指劃一區，以爲公耕之用。全部農奴，通力合作，總其事者，另設一小頭人，以司調配牛具，分佈種子……各莊戶當服役時，自備口糧，自春徂夏皆然，事後亦無工資，工作之時，不惟不怨，但見且笑且唱而已。」今大陸農民，自己無資格領墾，故亦無由自備口糧，其所耕者名曰公田，實則均共產黨人之私田而已。若工作時又復如西安農奴，且笑且唱，則實莊周之所云「終身不靈」者矣

曲齋

一篇日記 候車

佳問

（續上期）當它駛進站時，人羣發出了歡呼。像是歡迎一個偉人的蒞臨。車子駛了過來和我打個照面，我看清楚了，它像一個五官殘廢的人，沒有車燈，司機座前也沒有玻璃。至於兩旁的窗上呢？儘是伸出的人頭，手臂，甚至有的露出半個身子。車子擠得找不出其間的空隙。這時候，人們都做起準備登車的工作了。公務員挾緊皮包，學生揹好書包，小販挑起擔子，然後一擁而上。於是排在前面的人便喊了：

「排隊，排隊，守秩序。」

「不要擠，講一點公德」

「大家遵守公德一點。」

「他媽的，這麼淺道德。」

然後面的人們不理這一套，大家把車子圍住了，等了許久，卻沒有一個人上車，原因是：人太擠，車掌沒法開門。第一班車過了，人們嗟嘆着，悔恨着，[illegible]在那不平的路上去了。第二班車來的時候，太陽已高得很，還照沒有「客滿」，然而只擠上了四個。於是大家又嘆了一番，目送着四個幸運兒漸去了。

我問小明：「你還要上學？」

「怎麼不去？下午有課呀。」他嘟着嘴說。

「阿啟！你呢？老師會怎樣？」我又問阿啟。

「唉！」他受不了了。

「有什麼辦法？」

「總有一天……」

「又是一天……」小明說着把指頭放在鼻尖上，小指朝外，[illegible]

第三班車到了，我們幾個人終於上了車，[illegible]

這時，已經十點多鐘，猛然聽到一聲嘶吼，還踏在地上，我連忙喊「慢，慢，慢，……」

「車票！」我一看，兩手空空，什麼也沒有。那張車票大約是早已擠掉了。

「我掉了。」

「誰管你，買票去！」

「是，是……」

我跑到售票處，買好了票，便轉身快跑，好了，還追得上，只要最後一個乘客的一隻腿……

然而，車子開了。又是一陣大煙，像是蛇尾，[illegible]

今年，我又接到他一封信，說是那位朋友的車子，已經外銷了，還沒有，更重要求職了。

浪淘沙

崇基學院北樓夜坐　楊德良

窗外雨瀟瀟。滴碎芭蕉。無言獨坐思飄飄。恨別路遙音信斷，[illegible]回首人不寐，村犬聲遙。[illegible]夜來檢點夢相邀。南去烟波萬里，暗暗魂消。

鷓鴣天

寄懷北婆羅洲友人　前人

日暮花愁出火城。離君相送到長亭。[illegible]一曲陽關萬里情。[illegible]憶君有夢頻頻驚，馬鞍山上一灣月，偏向離人特地明。

注：火城北婆羅洲首府通稱亞庇（Jesselton）

粟海彈心錄

孫公

中華民國元月元日，西方人於十三，頗多忌諱，事乃巧合，而多難竟隨之。十一月初六日孫公由美抵滬，初八日至江甯，初十日各省都督府代表，舉孫公爲總統，[illegible]軍，袁世凱知大勢已不可爲，[illegible]與民國代表伍廷芳議和於上海，[illegible]優待清帝遜位後，建立共和政府，[illegible]和政體，未遽承諾，清第一軍統制段祺瑞，通電贊成共和，和議遂成定局。

十一月十三日，孫大總統就職於南京，即於是日改用陽曆，爲中[illegible]

武昌起義（四）

[illegible]變於武昌，猶將在外，君命有所不受，更何有於袁氏，[illegible]

[illegible]信乎周易，「用九，見群龍，无首，吉」。[illegible]

然天地之悠悠，亦自有其不可[illegible]民國肇造之際，孫黎勢同而睽，此其所以多難也，則毋寧謂爲人謀[illegible]不同而睽，不得[illegible]乖違之象，時事不得[illegible]方同而致睽，又故予稱周易睽卦[illegible]悲睽之心以求合[illegible]善道，委曲自[illegible]者，九二足也：[illegible]始遂終合[illegible]睽也，故自古睽[illegible]睽生於急，而亂生[illegible]

·阿介·

亡友齊廉周年祭

·田雨時·

齊廉先生字民瀛，軍事學家，行憲立法委員，造詣譯述至立法院國防委員會召集人。戰前曾手創軍學編譯社於首都南京。並經營兵學書店十數處。大陸淪陷後，編譯社遷至台灣，繼續發行軍事操典等著作，對新軍訓練貢獻良多。民國四十七年夏，病逝台中寓所。

當我知道你不幸消息時，已經在逝世的幾個月後，我無法追述這一消息當時對我是如何震動。我敬向你做幾萬里外的遙奠祭！

十年之別，竟成千古！我離[illegible]中，我們未能話別。[illegible]出，由滬去台，[illegible]你的二兒從大陸逃出，他轉達許多[illegible]久，適值我挨擠到[illegible]輪逃行。承他照料上船，我又托他向你致意，[illegible]別關懷，[illegible]知我這一大陸孤舟的風向，你總該會心的。[illegible]想我們能回[illegible]不料竟成永訣！這叫我如何能不悲痛呢！

[illegible]相識，不久就成了知己，你對我的認識，愛護[illegible]

你會傾述你沉痛的回憶：你離開軍事學校後，[illegible]參加革命，郭將軍殉難後，你也脫了軍衣，絕不肯向任何惡勢力低頭，[illegible]埋頭於編譯軍事操典，[illegible]稿子或校對，[illegible]大半版權[illegible]了，你的健康也在此時受了[illegible]房子裏寫稿子，[illegible]

[illegible]「家庭可以星散，操典的印刷紙型，運去台灣，[illegible]負所托。[illegible]在上海撤前兩天，把東西運走了。[illegible]你到台後，恢復了事業，對於十年來的新軍訓練，你的貢獻實在不小。現在，我敢說，自由中國每一個兵士幾乎無不讀過你所編譯的操典，也幾乎無一不知齊廉之名的。然而，你所受過去所吃的苦頭，所受的打擊，與所蒙的損失，是有幾人知道的呢？在高唱「好人好事運動」的社會中，人對你又曾有過甚麼獎勵呢！

你在軍事學術方面的成就，全憑你的刻苦自勵的精神。可惜，我太外行了。當你把所著「孫子兵法」一書贈給我時，我還笑你說：「別人是投筆從戎，而你卻是投戎從筆」！你當時只笑笑說：「生不逢辰。」

我和你，曾在立法院作過短期同事，我曾暫住你的家裏，風雨聯床，長夜縱談天下事。那時，正是東北各戰役前後，徐海[illegible]你的精闢的預言，料度有很多都實現了。使我對你的軍事學術更加欽佩。你曾以立法院國防委員會召集人的資格，對國家是盡過言責的，可惜大勢所趨，於事無補。我常想，像你這樣的軍事學人，[illegible]

[illegible]你是一個孝思純篤的人，愛子女，治家有情；你對朋友，重然諾，輕財帛，對於社會，打抱不平，對於人之急，這一切都不愧於古君子之風，而爲現世所罕見。我在幾萬里外，揮淚執筆，不能成章，[illegible]同時，我讀「海內存知己」句，更使我對你懷念不已。現在你已入土經年，不知何年何月，始能親到你的墳前大哭一場！痛快！痛快！（民國四十八年五月末，中華遙祭於大西洋岸）

東方的奇勒基寶

銀壇隨筆

李麗華在此評奇勒基寶時說：「他全身都是戲。」這句話是她和這位來港紅星，乘機接觸時，對新聞記者說的。

當時，很多人不明白：什麼叫「全身都是戲？」非在看到老小生王引「入門」才知道：戲是全身的，由頭到腳，舉手一投足，很自然地融合於劇情的發展中。動作的，看不出有什麼強硬扮的地方，這才算是戲！是高深卓越的演技。

我在「電影畫刊」先後介紹了胡蝶、周曼華、唐若青姊的藝術，一再強調藝術不會隨年齡老去，相反，只會進步。新進演員無論如何也趕不上，王引便是一個例子。[illegible]

王引本來是國片的老小生，在國外人看，上了年紀的人，演小生並不合適，西方人看奇勒基寶的年齡，覺得仍很年青，但中國人看王引已經年高；[illegible]

[illegible]演員。

·修衡·

自由人

THE FREEMAN

（第八六九期）

中華民國登記證 港政府註冊 香港郵政局登記認爲第一類新聞紙類 每份港幣壹毫 台北市售價新台幣貳元 督印人：陳文蔚 地址：香港高士威道二十號三樓 20 CAUSEWAY RD. 3RD. FL. HONG KONG TEL. 771726 承印者：東南印務出版社 地址：高士打道六十四號 台灣總經理處：台北市西寧南路壹零號二樓 電話：三〇三四六 台灣郵政信箱九二五二 海外總經銷：友聯書報發行公司 香港：彌敦道中二十六號A二樓

美國獨立紀念感言

伍憲子。

七月四日爲美國獨立紀念日，我今天執筆寫文，心中有無限感想。

抵抗暴政之精神

抗暴政，是人的常情，但人民往往受暴政壓迫，而不能抗，此原因甚多，而不能下大決心，爲其最大原因。或者因利害之見太明，偏知卓識受其所蔽，此是知識問題。有時偏知卓識看得極透，但孤掌難鳴，不能透入羣衆，羣衆不能團結，決心因而搖動，此是魄力問題。有時魄力充足，然環境不能就之，看近而不看遠，見小而不見大，爲小利而忘大害，雖有大勇，而大仁不足以驅策之，雖有決心，而徘徊不定，此是學養問題。我常執此以衡量美國獨立羣英，如華盛頓諸人，其知識足，魄力夠，學養亦能運用之，故能下大決心，抗英暴政。在當日情形，獨立羣英都是英國人，原無一定脫離英國之意，祖國多收殖民地幾個稅錢，亦不算十分強暴，但衡以人權平等之義，則氣不能平，理亦說不通，因此就激成義憤，下大決心抗暴，合知識魄力學養三者，以成大功。我們若僅以爭人權之知識，爲美國獨立之原因，以此讀美國歷史，未免短視。人權知識雖是前鋒，必須有拯救人類之仁心，然後能養成其團結羣衆之大勇，成功之要義在此。我們不要但爲人權之言所蔽，我們須留心一讀美國開國史。

適當之調和態度

美國獨立之初，僅有十三州，當然亦無所謂政黨，政黨之雛形亦未具，當一七七六年六月七日，十三州代表在費城會議，代表約翰亞丹等五人負責起草宣言，當時各州代表共五十六人簽字，其宣言中，當然要保障人權。但須知人權之能保障，在諸賢之具有互讓精神，諸賢之互讓精神，即美國立國精神。獨立之初，雖無政黨，而獨立政府組織之後，聯邦制憲之時，國權論與州權論相對壘，儼然成政黨雛形。從表面觀之，國權論與州權論似起紛爭，但互讓精神，當不能掩蔽。約翰亞丹與哈曼頓，同爲國權論健者，而亞丹終不以哈曼頓之極端集權爲然，力主調和。[illegible]則極端擁護州權論者，但不極端反對國權論。於是主權分有之說出，聯邦政府有主權，各州政府亦有主權。其後民主黨則擁護國權論者，然亦不反對州權，皆富於調和性，美國之立國精神在是，憲法之妙用亦在是，所以百餘年來，與日臻強盛。因爲如此，故各方皆有發展之機會，雖有爭執，藉此調劑，能得其平，所謂天賦人權，人類平等，乃收其效用，此諸賢之調劑態度，總其原因，皆受華盛頓賜之。

不貪權勢之高尚人格

美國第一任總統華盛頓，其人格之高尚，全世界皆欽仰之。乎富貴與權勢，皆人之所欲，但擺脫富貴尚容易，擺脫權勢則不容易，尤其是當國家艱難之際，需用人才之時，已握有權勢者，其才調必高人一等，其責任更不能諉卸，故貪富貴是庸人，貪權勢是豪傑，豪傑爲人心所歸，更容易做成其貪權勢之環境。然而竟能不貪，其人格倒高尚。夫以華盛頓，功勳之高，與其人望之重，雖連任第三任總統，不祇無人非議之，且人人期望之，然而華盛頓竟不肯連第三任，飄然退隱於蒙敝山，居心就是防當權者藉口爲國家人民之故，而貪戀權勢。當日獨立諸賢之能互讓，曾受華盛頓之感化。蓋民主政治最重要之事，以高尚人格感化，所謂少數哲人，能以大多數人民之公意爲依歸，夫是之謂民主。政治能擺脫一人之權勢，而不貪戀，以創立國家之規模，夫是之謂民主。華盛頓之人格，至今能令人敬仰，在此。

費城獨立廳之回憶

回憶二十四年前，予遊蹤所至，七月四日到費城，適值美國獨立紀念。美國獨立，費城實爲首義之區，今日之獨立廳，即當日十三州代表會議之地。獨立廳之旁，即費市廳。獨立廳之文件，與華盛頓之遺物，多陳列焉。有華盛頓所坐之長椅，另陳列一室中，室門用絲繩攔之，不許遊人入內，只許門前一觀而已。守衛之警員特別以禮待予，將攔繩解開，請予入內，並請予一坐，予以椅曾爲華盛頓所坐也，敬其人，因愛其座，亦欣然坐之。曉梁任公新大陸遊記，謂昔日李鴻章遊美，曾請坐獨立廳華盛頓之椅，守者不許，李鴻章不管，強坐之，夫以李鴻章之赫赫，尚須強坐，而始得坐，不如我當日坐之之自然也。是日天氣極涼，寒暑表僅七十六度，爲歷年七四節所無。予對於美國獨立紀念，深敬其當日之人才，尤深敬華盛頓，故遊獨立廳後，至今猶記憶之，雖事過境遷，歷史相隔已二十餘年，開國之風，仍縈繞腦中，美國之有今日，流傳百世，全賴華盛頓之流風餘韻猶未泯。然而美國開國至今一百八十餘年，表面觀之，由十三州而擴爲五十州，主盟世界，從表面觀之，當然強盛。但事實如何。

對當前局勢之感慨

今日共產黨，以世界革命爲號召，其視西方民主國家，從不置於與國之列，其視世界人民，亦從不以人類待之，並且殘害人性，不只對人民如此，對同黨亦然，共產黨之行爲，不特無人民，並且無朋友，當然不能建立強盛國家，並且不能組成親愛社會，共產黨之行爲，是殘酷孤獨。其所謂和平共存，簡直是欺騙手段，應視民主國家。今美國領導民主集團，與共產黨對抗，在知識方面？予佩服，其能看破共產黨之世界，可惜行爲方面，無大魄力，對全世界人類，更不能發揚仁心，以至知識有等於無，常存苟安之心，希望共產黨與民主國家眞能和平共存，頻頻與之談判，如最近日內瓦之四外長會議，經過六星期之時間，眞不知所謂。此無他，反共不能下大決心，故抗暴終無成功之日也。坐視世界人類日受共產黨之摧殘，而仍爲一時苟安之故，而與之周旋。古人所謂「一日縱敵，數世之患」，今美國之對蘇俄，不只一日縱敵也。蓋二十年於茲矣。今後美國何所恃而領導世界，調和之態度，只可對朋友言之，不能對死敵言之，美國希望與蘇俄調和，此不是獨立諸賢之調和之態度。華盛頓之遺風了矣，爲爭選舉之故，大選期已近，則爭權勢，未得者爭之，已得者患失，數年來美國總統競選之故，而縱大蘇俄，其原因就是爲貪權勢，而苟安。今後局面如何，予爲之憂心忡忡。今美國立國百餘年，資本制度太發達，外移民日多，品格複雜，宗教不足以制裁之，華爾街之富豪，兩院之議員，其知識程度有極低劣者，世界之形勢不知，敵友之情不知，而胡亂發言，往往爲親者所痛，仇者所快。今後如何領導世界，吾日希望之，大決心以抗暴，而終不知其何所挾持以致之。嗚呼，美國之遺風了矣，放眼一看世界人類受共產暴政之痛苦，盛頓人其中，興乎，……鄉下佬觀念之富豪奢侈之風，高談天下事，徒要人攜知識之把戲，或有希望也。則世界前途，當此美國獨立紀念之日，不禁感慨系之。

半週述評

從反攻到修憲

今天爲了修憲問題，官方竟與其平日所虛懷延致多方聯絡的民主人士（胡適之先生所稱的「反共民主黨人」）[illegible]

[illegible]但我們還在懷疑修憲問題是那麼不可分的；我們也不明白所謂「勸進派」的動機是否真的認爲將總統非再連任無人負起領導反攻復國的責任。

我們誠有感于今天修憲不修憲問題，竟如此這般地代替了反攻不反攻問題的重要性，在某一意義上，實在是一種後退的現象，當然我們也不能忽視修憲問題的重要。

從理論上言，憲法不是不可以修改的，現屆的國民大會也不是沒有修憲之權（既有權選舉總統，當然也有權修憲），但是爲了連任問題而修憲，就不是修憲而是就人事—無論是誰—抑或是就事，那就有兩樣。這不單純是一個合法不合法的問題，而主要的是一個尊重不尊重憲法的問題。不尊重憲法的後果，與不合法同樣的嚴重。改選總統，並非一定要舉出比現任總統更好爲先決條件。若能更不能以有沒有人比現任總統更好爲先決條件。

民意，且不論將來那一套製造民意的陳腐方式是否還應該拿出來播弄，如果要拿出民意來，那麼法寶人人有，巧妙不相同，爭論之點，就會落在何者是貨眞價實的「民意」問題了。這正是目前公是婆非的爭論結癥所在。在不可能有一個合理的表示民意方法以前，而報界與輿論又不被重視的情形下，唯有法理可依據。目前唯一依法有據無須借重于任何特別理由而存在的，祗有一部憲法，而且事實上這部憲法儘管有若干應加修改的地方，但就其大處而言（最大莫大于反攻復國）其適應性目前絕不致于嚴重到非修改不可的地步，爲將來根本計，爲什麼不儘可能地保存它那無可爭議，也無人否定的合法性呢？

非常時期與憲法

如果權威方面（即事實上有權力決定這問題的一些人物），認爲事實上總統非再連任不可，與其過于勉強解釋憲法而致損害憲法之尊嚴，倒不若，也祗有，斷然地採其非常時期方式，不論非常時期政府如何補充新血，甚至依照原班人馬，唯一重要的是政府應該眞正是一個反攻的政府，將全部力量集中于反攻行動大計，與人民約法三章，同時大開言論，廣納輿情，如果反攻有望，非常不非常，一切問題都不存在了，否則我們又何必鬧什麼修憲不修憲，連任不連任的問題呢？

達賴將何之

據路透社新德里電，盛傳達賴可能離開印度轉往南越尋求政治庇護，那是因爲印度（當然由于尼赫魯迎合中共立場）不可能允許他以流亡領袖資格，在印度境內組織西藏政府，而且，美聯社也發表了印度外交部發言人的公開宣言了。

據此西藏事件，達賴失望于自由中國之無法實際援助于先，今又失望于印度不許其活動於後，此後將何之？南越政府對之如何呢？此刻言之尚早，不過偌大自由世界竟不能支持一個反暴圖存的自由力量之存在，世界上「親痛仇快」的事，更有甚于此的嗎？

最近我蒙藏委員會當局，又在台灣呼籲以實力支援西藏。這是政府有關當局的呼籲。但我們要疑問的是：除了我們政府有實力可以支援外，再誰有實力支援的資格呢？美國嗎？顯已爲了怕戳而不願「多事」了。

說「不」的人

歐亞均有敢于說「不」的人，西德的阿丹諾與南韓的李承晚，其著者。西德今日于蘇聯及東德的抗議警告之下，在西柏林決然舉行總統選舉，這是阿丹諾敢于對共產集團說「不」的一項有力的表現。

在自由世界中，尤其在美援國家中，敢于對美國說「不」的人，在亞洲應數李承晚。李承晚在美國勸阻之下，一再強調以武力統一韓國，雖有人以爲近似高調，但如果不否認那是韓國人的願望，那麼，作爲一個代表國人意志的人，不該如此的嗎？他之值得鼓掌，是因爲一個國家的自救，美援固不可少，但爲了美援而忽略國人本身的願望，那是要不得的。

林伯雅。

自由談

難得的美國之聲

美總統艾森豪對記者說：「除非日內瓦外交會議有充分準備，認定高層會議值得舉行，否則隨便跟蘇俄舉行高層會議，殊屬無聊而無用，余亦不會參加這種無聊又無用的會議」。這話寫有如斬釘截鐵，堅定明確，頗與艾克平日八面玲瓏的言談不同。大概他是看清了俄酋赫魯歇夫的魔術，下決心不再受騙，又去搞甚末「日內瓦精神」的無聊玩藝，枉費唇舌與跋涉之勞吧！

對於艾克這項聲明最感覺失望沮喪的，我想不是俄酋赫魯歇夫，而是英首相麥美倫先生。麥氏自從訪俄歸來，即不斷地強調高層會議的必要，並且主張要隨時舉行，不限定於一次或兩次。若照麥氏這種搞法，各國的外交部長和大使皆可以裁撤，國際間一切重大問題，完全由幾位行政首領直接折衝處理，一年四季皆在高層會議中討生活。那末，美英法俄的行政首領，即不妨常川駐在日內瓦或其他的開會地點，以免往返奔波，豈不更爲方便乎？

赫魯雪再三要求舉行高層會議的目的，卻與麥美倫同床異夢，他是要藉此表演和平姿態，製造宣傳材料，煽惑西方國家的歧見，最後迫使西方不得不遷就俄帝的意見，把德國劃爲非核子武裝的中立地帶，以實現俄帝的安全感。然則麥美倫難道不理解俄帝這項陰謀嗎？曰：當然理解的，只因英國的傳統外交策略，決不願意歐洲有強大突出的國家存在，因而妨碍英國的生存發展前途，這就是所謂現實主義的基本因素，皆源於是也。

過去兩次世界大戰的發生，不僅張伯倫有此思想與作風而已。爲避免大戰發生，現實主義未嘗無用，問題在戰爭是否眞能避免？答案如其否定，由現實主義適所以促進戰爭的進度，可慨孰甚！艾森豪之言，不失爲高瞻遠矚的見解，難得難得。

馮平先生

立法院與湯頭風波

（台北航訊）關於中國醫藥學院涉嫌招生舞弊案，立法院格於請願法第四條：「人民對於依法提起訴訟之事項，不得請願」之規定，程序委員會即予以駁回。賴少魂之請願案於先，而林飄蒼在請願案中指責立法院「立法委員路公有因與覃勤或有同事之誼或受金錢誘惑或因請客設禮而予庇護」的威脅語句，此一「激將法」却發生無比之力量，立委們終於受理而議決三點，但有人說，

就法理言：依請願法第二條規定：「人民對國家政策公共利害，（或對其權益之維護）得（按其性質）向民意機關請願（或主管行政機關請願）」。就原有請願案中，既未要求立法院創立法律或政策，亦未要求變更法律或政策。相反的，即審查會的意見，都是要維護政策的，請有什麼決案可「查」可「議」而「決」呢？請願人所謂「破壞教育制度」（應向教育部請願）和「妨害兵役制度」（應向國防部請願）暨「勒索敲詐」（應向法院告訴），依請願法第四條的規定「人民對於依法應提起訴訟之事項，不得請願」。故曰：立法院枉法受理。況且賴少魂案經向台中地院依法控訴，立法院對司法機關審理中的案件，會不會因立院的議決而「干預審判」而枉法呢？

根據憲法第六十三條規定：「立法院有議決法律案及國家其他重要事項之權」。如林飄蒼請願案涉及政策制度，立法院自有權過問。但是請願案內容與憲法規定無關，復與立法院議事規則第十條及十三條之規定風馬牛耳，則立法院以大會議決方式行之，係根據何法呢？如果依據請願法第十條的規定：「地方民意機關代表人民請願」。則立法院的議決豈不成爲「代表人民」—「林飄蒼」—向政府請願嗎？立法院受理行政機關職權所屬的請願案，不是侵越行政權而自失立場嗎？成立非立法權的請願案，以及議決無條文的請願案，不是立法自失其立場嗎？

賴少魂和林飄蒼爲什麼要指訴覃勤藉機斂財，破壞教育和妨害兵役制度呢？其中不是沒有原因的。因賴林二人，均曾向覃勤介紹過學生，而且親筆所寫的函件，則爲他倆人今天訴訟的致命傷了。賴曾於四十七年介紹姓林姓邱兩學生前往投考，結果榜上無名，於是認爲覃這個人不夠交情，首先提出訴願於立院未成，再策勵林某請願，終達心願，同時賴又向法院控訴。林飄蒼復在報端公開指證，學生李某入學，花了九萬元，係由嚴孔彩等經手云云。因而嚴孔彩乃持報爲憑，在台北地院控訴林飄蒼誹謗名譽，本月二十二日開庭偵查。而林某委託辯護律師時，竟以「自由亞洲」爲證據，誠未有之笑話也。據說：學生李某本係林飄蒼介紹給覃勤，其親筆之介紹名片尚存在覃之手中。

覃勤在台北地院控訴「自由亞洲」發行人徐基行顯意誹謗，本月十三日開庭，覃親自出庭應訊，徐某不但未出庭，反託省議員陳大拔（省議員）向覃勤之太太胡克柔要求無條件的和解，致爲拒絕，若是下次徐基行再不出庭應訊，則將依法通緝了。

至於立院何以作如此議決呢？傳聞覃勤自「中國醫藥學院」正式招生後，立法委員曾介紹教職員及學生的函信如同雪片飛來，覃氏無法應付而婉言拒絕，故認爲此乃招怨之結果云云。不過無論如何，照情理言，若是該校和覃勤如有非法之事實，則奉張岳軍秘書長之命調查的十一個治安機關，應該等不到賴林的檢舉，立監兩院的策動，早就揭穿了。若就依法而言，我們實在不能同意立院的議決。（六月二十二日于台北）

・劍聲・

文藝社團動靜

台灣有三個文藝團體：中國青年寫作協會，中國文藝協會，台灣省婦女寫作協會。歷史比較久的是「文協」，活力比較多的是「青協」，「婦協」的特點限於女性。由於三個文藝社團都吸收會員，因此一個人常常是兩個以上文藝團體的會員。好在我們不限制會員的自由活動。據我看：「青協」是比較有朝氣的，年青的；例如：金門炮戰開始，作家上前線的是「青協」會員。其次，才是「文協」上前線。今年四月「青協」作家又訪問馬祖前線（見本刊楚軍的報導）於是，又引起「文協」作家的興趣，六月間訪問馬祖。現在，「青協」又特負起暑期青年戰鬥訓練文藝隊的訓練，歡迎新血輪的輸入。報名加入參加的很多，只是名額限一百五十人。

台灣文壇

翻印苦了作家

作家，在台灣是最苦的職業，沒有固定的收入，更談不上汽車洋房。他們把心血的結晶創作，印成單行本，實在不容易，大多數都是借貸。至於書籍能不能在市場上「暢銷」，還可以碰碰運氣。最糟糕的，新書出版半個月，銷路勉強對付過去，就被「翻印家」以生意眼的眼光翻印了。由於翻印的本錢少，賺的錢特別多。原版者無形的受嚴重的災害。

○舒羽○

花邊新聞

市長『親民』訪軍眷

昨夜，有位住在延平南路某軍眷區的朋友來訪，說了下面一段有趣的新聞：

前天上午，台北市市長黃啓瑞，率領大批有關市政建設的機關首長，如自來水廠，電燈公司，馬路工程，及市府所轄的有關人員，往台北監獄東側的軍眷住的巷內。此行究竟是來訪問，還是來視察，抑或避暑？沒有人知道。可是市長進入他們軍眷住的巷內，就轉身走了，既未走進一家軍眷住宅中去看看，也未訪問過一個軍眷的疾苦，只是問過一個軍眷的飲水與電燈的供應情形，以及溝渠是否有人每天清理，從沒有一個官員問過話。幸得陪同他們的人員，對於自來水與電燈的供應情形，都有所答。那位憲兵隊長，倒是笑容滿面，恭而有禮，慇懃相迎，寸步不離。並且還自掏腰包，買了一串很長的鞭炮，預先交由鄰長保管，等候市長大人駕到時燃放。市長來了，劉議長首先示範作用，熱烈鼓掌，高呼歡迎市長駕到，同時又叫獻花，鄰長忙說，有獻花之人，却無花可獻，於是免了獻花，只燃放鞭炮，一場歡迎父母官的場面，就是如此草草的結束。

市長走後，巷內的軍眷三三兩兩的互相討論，這個巷內，自光復以來的十四年間，從沒有一個當地國要人前來過，而今市長大人竟然破例駕臨，爲什麼？大家討論半天，沒有獲得結論。忽然間，有人提出似是而非的結論，是不是明年市長改選，先來表示一下「親民」姿態？這一結論，大家都認爲合乎邏輯，不禁連說：對！對！

另外有人接話了，如果市長大人是爲選舉連任而鋪路來此一遊，我決不投他的票，因爲他既不幫一件事，又不訪一個人，反累得我們大家打掃，拭拭壁，忙了一早晨，又是一個對！對！

・傍觀・

台灣傳說「蔬菜有毒」

○陶德○

（台灣通訊）台灣地區狹小，或許是由於人們的偏愛心理吧！經常傳出許多驚人聽聞的事件，譬如前此所傳「醬油有毒」、「原子魚輻射毒」、「僞藥」等等，均直接危害到人體的健康。最近，復傳出有所謂「蔬菜有毒」的說法，這種傳說似乎關係到每一個人的切身飲食上的問題。於是，也使乎鬧得滿城風雨，尤其是家庭主婦們，更覺得六神無主，在蔬菜之選擇上，不知如何是好了。

其實，蔬菜有毒的原因，並不是在台灣的水土關係，而是出於「人爲」的因素。根據農業專家的分析：其主要原因，是菜農施用殺虫藥不當，以致殘藥的毒性遺存，及至吸入人體後，發生對肝臟上的影響。但他們指出，這種影響是累積的，持續的，並不是立即就發生對人體有嚴重的危害。因此，他們也奉勸人們，大可不要恐慌，仍應繼續食用蔬菜，他們所持的主要理由是迄目前止，尚未發現任何有關因食用蔬菜中毒而致死的報告。

但是，這個問題發生後，並不是幾位專家的分析就能遏止人們驚懼的心理。因爲，跟著來的，將是一連串的與之相連的問題發生。譬如說菜農爲什麼要使用殺虫藥不當？農藥的使用有無管制？蔬菜進入市場後有否檢驗？對食用蔬菜的人有否指導其有關蔬菜消毒的方法等等，都是值得研究的。

無可否認的，菜農施用毒性久而烈的農藥來殺菜虫，省錢省力，蔬菜又長得大，這在菜農的本身利益言，原是無可厚非的，但專家們應該如何研究出一批殺虫最省力而最有效的藥劑來供給菜農使用，也是一個最迫切的問題。依據目前的情形，菜農們大都選用氯化合物的農藥來殺虫，這種藥劑的藥性很長，經常可維持至一年，最短亦達一月以上，以蔬菜收成期之短暫來說，經過施用這種藥劑的蔬菜在食入人體後，自然要影響人體的健康。因此，如何勸導菜農施用藥性短的藥劑來殺虫，或說明一種對菜農本身利益和蔬菜之絕對安全均能確保的農藥，供菜農使用，就要農業專家們動動腦筋了。

談到檢驗制度，那我們不得不佩服美國人。現在，美國每隔一個時間就發行一種食品有毒性分析的標準規範，在這本小冊子裏，詳列各種食物的毒性數字，並舉出超過多少毒性，即不能食用，低于多少比例，即屬安全可靠，這種小冊子遍及各家庭及各菜市場之檢驗所，以致人們稍予注意翻閱，即可注意防範了。同時，美國在各菜市場均設有蔬菜檢驗所，凡是蔬菜進入市場時，即予全部檢驗，發現不合規格的，立予焚化，這樣自然不必愁蔬菜有毒了。（六月十二日寄）

台灣的紡織事業（下）

○林嘯松○

（上續八六四期）台省的紡織事業是具有相當美好的遠景，只要能健全工廠設備，使其步入最現代化階段，精紡優良品質，有計劃的向外輸銷，筆者認爲發展紡織業之途徑：一是加強棉紡之擴充以及人造纖維之製造，務使紡織原料不虞匱乏。二是由土地銀行低利貸款農民，購買桑田桑苗及桑具等，並於每年春秋兩季收繭時期，辦理低利收購蠶繭貸款，以保存蠶絲業，改善乾繭儲藏設備，其他尚有數種貸款，還款期間較長，利息亦低，直接間接使蠶農減低生絲成本，增加收益，三是鼓勵外銷，以大量產製外銷品，並可向國際市場爭取銷路，筆者認爲有下列四個步驟：

第一：建立聯營外銷制度，這種制度是對於廠商間互相競銷情形，即可免除，今後此類聯營外銷辦法，目前紡織品在國外市場存在，且需加強實施。

第二：專供外銷之紡織品品質，應特提高，紡織品之國家，尤應提高產品學術，學生產與其他友邦市場則今後對外貿易，以應外銷爲主，一一般人士以爲外銷利潤較優厚，今後須加強外銷之機構，故主管檢驗之機構，應從嚴辦理檢驗業務，增加市場價值的標準，必須隨時重視國際市場動向，以期達到主要外貿國家的價格上，第三：目前台省紡織品所以能大量傾銷海外的原因，是由於成本低廉，其出口價格比國外同類產品低，使與我競銷的國家，亦無法在價格上與我競爭，如能在實際的底價上，以防止粗製濫造之紡織品混雜出口，以損害國際市場的良好信譽。第四：加強外國人士所樂愛穿用的紡織品。

台省所織造之九霞緞，被面緞，采芝緞，印花綢，雙面緞，以及其他各種絲織綢緞，與各種純係蠶絲織品外，除其中之九霞緞，雙面緞，朵芝綾則係蠶絲與人造絲交織品，印花綢則係人造絲織品，均爲外國人士所樂於購製，台省有關此類產製者，似應力圖提高，達到理想，其製品花式尤宜鮮艷雅觀，並能逐步加以改善，以開拓美術織錦銷美前途極遠。總之台省目前紡織業之不景氣象，由於市場過剩，外銷基礎未鞏固，各種困難，有待政府設法解決，加強指導工作，供給資金，爭取海外市場實爲當前急務。

國際動態拾零

△東德出席日內瓦代表，曾用種種方法，與西林市民，勃蘭德見面，均告失敗。有一次早晨四點鐘，勃蘭德突接緊急電話，從夢中被吵醒，謂東德新聞記者要求與之晤面，但不是對記者發表談話，乃是請其作重要宣言。勃蘭德乃將電話掛上不理，瑞士保安機關調查，知爲東德代表團的惡作劇，無非藉欲與反共著名人士接觸，以增加其冷戰宣傳。

△赫魯曉夫下一幕之戲劇化運動，爲直接要求與艾森豪，麥美倫，戴高樂見面，並指定時間與地點。其目的無非爲加深英美法之歧見！因爲麥美倫主張日內瓦外長會議即無成績，亦要開高峯會議，而艾森豪，戴高樂之態度則較強硬。

△如不獲開四強高峯會議，赫魯曉夫將召集所有共黨國家之高峯會議，預備包括南斯拉夫在內，必要時亞非國家亦將被邀請。據蘇聯在中立國家的外交代表所透露的消息，爲以大量蘇援爭取中立國家，而將亞非各國之原料，與蘇聯工業相聯繫。

△狄托已派代表至伊拉克，擬約加森今夏與彼一同在南國勃雷尼島上避暑，以便有所談判。

△英國防部長桑第斯，將允邀請訪問莫斯科。下月尼克遜將赴蘇，與赫魯曉夫晤面，故英國亦不甘冷落。

・陶然・

蘇俄在緬甸作顛覆活動

半年內發生的三件大事

·高雲天·

（緬甸通訊）蘇俄駐緬甸大使館新聞官柯那克夫於六月廿四日晨到美國駐緬大使館要求給予政治庇護，已成爲本年來，緬甸最轟動的新聞。六月廿七日中午柯那克夫在美國駐緬大使館會議廳舉行新聞記者招待會，對俄共中共互相勾結進行顛覆緬甸之活動，曾作含蓄之透露，緬甸朝野對此事已極爲重視。

塔斯社記者造謠事件

今年來，俄共人員在緬甸已發生了三件大事。第一件事是四月間蘇俄塔斯社記者科夫屠會可發出造謠電訊，說緬甸英文民族報等三家報館，接受美國的津貼美金三十萬元，任務是鼓吹促使緬甸政府加入東南亞公約。當此一消息傳出後，英文民族報主持人宇桑用，即登報通知塔斯社記者，囑其即予更正道歉，否則將進行控告賠償名譽損失美金三十萬元，該款則贈與達頓喇嘛作反共之經費。可是塔斯社記者置之不理，宇桑用即向緬甸法院進行訴告塔斯社記者，法院即傳訊該記者到庭審問，開庭二次，均拒不出席，暴露藐視緬甸司法的面目。此次柯那克夫招待記者時，記者詢該塔斯社記者之下落時，據稱該記者科夫屠會可，現仍住在蘇俄大使館，靜候緬甸政權的變動，待到情形好轉時，才離開緬甸。

俄使館人員毆擊記者

第二件事是俄使館人員毆擊緬記者。本年四月廿七日蘇俄駐緬武官史特里坤上校，因受俄共使館人員（包括俄共大使石布常在內）批評，服安眠藥自殺，被送至仰光緬甸中央醫院救治，當其恢復知覺後，即以英語高呼，要會見緬甸國防軍情報處長賴倫中校，可能是要求政治庇護。但緬甸醫師以爲其神經失常，不加注意，未予轉送，而其病室又有二俄共特務監視。廿八日晨四時，該武官趁機自醫院跳樓逃走，又被俄國大使館人員捉回大使館。直至五月三日，才被挾持上機返莫斯科。記者獲知此消息，均趕赴仰光孟加拉洞機場，準備採取新聞及拍攝鏡頭，是日上午七時，機場出現俄使館人員三四十人，最後三輛汽車到時，即見該武官史特里坤上校被挾持而來，即被俄共人員阻止，且毆擊記者，英緬文報記者被擊傷者七人，英緬文報記者爲洗雪此恥，乃於翌日（四日）自記者協會分乘三輛吉普車，手持「俄人滾出去」及「關閉蘇俄大使館」之布條，到蘇俄大使館進行抗議，高呼「俄人滾出去」口號，結果雙方演出大武行，混戰一團，以石頭椅子作武器，當時緬文時代報攝影記者貌敦埃，竟被俄人捕入使館不放，經緬甸特偵廳副廳長宇帕丹趕到調解後始獲釋，相機則被俄人扣留。是次緬記者被擊傷者亦有三四人。俄國駐外使領館人員之野蠻，實爲世界外交史上所罕見。據柯那克夫稱，史上校被挾持離緬事，乃由中共與俄大使館密商決定，當時中共駐緬武官擬出其自己之飛機運送史上校回國。且云史上校職位重要，有許多重要朋友，（指與緬共中共俄共之關係），他可以批閱許多重要文件，若他脫離俄共成功，必有許多事可告知緬甸當局者云。

新聞官要求政治庇護

此次柯那克夫之向美國駐緬大使館要求政治庇護，據其自己稱，乃早具抗共決心者。彼於六月廿七日之記者招待會中透露，緬共地下人員與俄使館曾有聯繫。緬甸高級官員中有協助蘇俄大使館之人。蘇俄在緬甸的計劃，乃欲建立共產黨政府，置緬甸人民於共產主義暴政之下。蘇俄政府，蘇俄大使館和其他共產國家及其大使館，所有一切活動均以此爲目的。當緬記者詢共企圖推翻緬甸政府，破壞緬甸獨立，及援助國際共產主義者，究爲那些人，請其將名字奉告時，彼答謂「本人已將名單呈報於貴國有關機關，因某種關係，本人不能在此發表」。記者詢共欲先顛覆緬甸者，究爲俄共抑中共時，彼稱：「此兩國密切保持合作，但依本人意見，中共佔居主要地位」。由柯那克夫所透露之消息與秘密，緬甸的友邦俄共，中共與其他共產國家，對緬甸的友誼，竟是將赤化顛覆緬甸爲其主要的目的，緬甸朝野到此時，才從夢中清醒過來。當然，目前的惴尼溫政府，對共產黨的眞面是了然於心的，但是緬甸大多數的政客和一般人民，在此以前是不會完全明瞭國際共黨，竟會以眞實的行動和計劃，來顛覆一個中立的友邦的。

柯那克夫其人

柯那克夫現年才廿七歲，出生於俄京莫斯科，畢業於莫斯科國際事務學院，已結婚，有了一位二歲大的孩兒，其妻子及父母均在蘇俄。他能說流利之緬語，國語，英語。彼於一九五七年五月間到緬研習緬文，於一九五七年九月下旬返國，在蘇俄外交部工作，至一九五八年五月出任駐緬大使館新聞官之職。以前從未出國。彼欲脫離俄共，乃早具決心者。此次逃奔之前，已接蘇俄當局訓令，調其任駐某個大使館武官，訓令中且指定須在六月廿六日離緬。彼乃于千鈞一髮之際，在六月廿三日秘密到美駐緬新聞處圖書館，向美國圖書館主任申述其投奔自由之志願，並請求會晤美駐緬大使，該館主任即通知美大使館，派一高級官員來館與其會晤，雙方談話約一小時之久。當時柯氏表示憎惡蘇俄共黨政府，請求美大使館給予政治庇護，美大使館官員約其翌晨再爲會談。翌晨，柯氏依約到美大使館請求政治庇護。

緬甸人民開始覺醒

緬甸在民主自由集團與共產極權集團之間，一向採取中立外交政策，將兩個集團的國家均引爲已友。可是最近一年來，俄共中共的所作所爲，已大露馬腳，已使緬甸朝野對其大失信心。

本年三月間西藏事件發生後，緬甸人民對中共之迫害宗教猙獰面目，已有新的認識，均以共產主義與佛教勢不兩立，紛紛集會抗議，並認爲過去中共對緬甸迎送佛骨，不過是騙人的勾當，以此迷惑緬甸人民而已。至於俄共，由於上列三事發生後，已使緬甸人民對俄共之野蠻，及其對緬甸之處心積慮顛覆活動，有了更深切的認識。所謂「和平五原則」，所謂「友邦」，原來如此！（六月廿八日寄于緬甸）

大陸文壇速寫　七弦

陳寅恪搔首呼天

回首燕都掌故花，花開花落隔天涯。天涯不是無歸意，
爭奈歸期抵死賒！
紅杏青松畫已陳，興亡遺恨尚如新。山河又送春歸去，
腸斷春花舊日人！

這是淹留在大陸上當代名聞世界的新文史學家陳寅恪先生於一九五四年所寫的兩首七絕。題爲「甲午嶺南春暮憶燕京崇效寺牡丹及青松紅杏卷子有作」。這幾年來，由毛澤東帶頭，每好哼幾首舊詩詞，於是中共的頭兒們，也都願效顰以捧場，附庸風雅起來，每有所作，大陸報刊和海外的尾巴，皆以先登爲快。可惜陳先生這兩首寫於五年前的七絕，則未見共報披露。筆者係由友聯出版社最近印行的陳先生「論再生緣」一書中摘抄的，細咀詩意，則處於暴政之下的一代學人，其心理之苦悶已隱約可見。

「論再生緣」一書是陳先生於一九五四年所作，可以說是他最新的著述。當他的「元白詩箋證稿」於一九五五年由中共文學書籍出版社重印出版之前，據該社在該書卷頭的「出版說明」中說，曾交由陳先生自己加以校正，那個時間當亦在一九五四年。或者即在校正舊著，引起了論再生緣的興趣，亦未可知。他說：「承平祿養，無所用心，忖文章之得失，與窮究之哀思。」陳先生未完成的著作，以他平生涉獵之廣，致力之深，當有很多足以藏之王府的舊稿，正待其繼續殺青問世，不意他卻「無所用心」，而獨垂青於此一妙齡女郎所寫之彈詞說部，可證這幾年來，他是怎樣的百無聊賴。

彈詞一體是中國獨有的一種文學形式，它和駢體辭賦七言排律一樣，都最善於利用漢字孤立單音的特長。陳先生欣賞這種體裁，因而聯想到中國駢文大家北朝的庾信和南宋的汪藻；他推究這類的美文之能夠產生，全在有一個思想自由的時代環境。他說：「六朝及天水一代思想最爲自由，故文章亦臻上乘。」又說：「再生緣一書，在彈詞體中，所以獨勝者，實由於端生之自由活潑思想，能運用其對偶韻律之詞語，有以致之也。故無自由之思想，則無優美之文學，舉此一例，可概其餘。此易見之眞理，世人竟不知之，可謂愚不可及矣！」陳先生可謂把大陸十年來無文學可言的主因一語道破了。

陳先生迭引「哀江南」賦中「天道周星，物極必反」及「再生緣」中「搔首呼天欲問天，問天天道可能還」之語，反覆致意，歸之於他與陳端生所同的「禪機早悟」。嗚呼！人窮而呼天，彼庾信滯留北朝，猶動鄉關之思，更何況如陳先生隱忍於精神虐殺之下者乎？

竹簾幽秘

這幾天來，對于總統連任問題，港台輿論爭辯得非常熱烈，我到並不想在中間湊熱鬧，但覺得有以研究中共的立場對於這一問題談一談的必要。

從總統連任說起

——且看中共的態度

·田心·

多少年來，中共一直視蔣先生爲第一號「人民公敵」，這是中國人所共知的事。但從去年十月開始，中共居然以「化敵爲友」的態度來對待蔣先生，這是中共對於台灣政策的歷史性轉變。

爲什麼有這種轉變呢？其背景是由於它在去年八九月間的對於台灣海峽軍事性威脅的失敗。這種威脅的目的是：迫使美軍退出台灣海峽，迫使美國放棄支持國軍作戰；至於說奪取金馬的目的，若果有之，那末只是爲了挽回面子而已，並非主要的。由于美國在台峽態度堅定，終皆自動的改爲隔日停轟。隨之，中共轉變其對台灣政策。

轉變以後中共對台政策的着眼點是：一、以軍事來威脅美軍退出台峽已不可能，想以拉攏國府結成統一戰線來迫使美軍退出台灣；二、恐怕在「兩個中國」的形勢被國際普遍確定以後，台灣再走上獨立的道路，增加其新行動的困難；三、恐懼台灣出現新的政治形勢，這種新的政治形勢的可能性當然很多，但在當前的情況下，決不會出現一個自動要求美軍撤出台灣投向中共懷抱的政府。因此，新的政治形勢的轉變過程，或者會出現短期不穩定的局面，但最終必然對于中共「解放台灣」的目的是不利的；所以中共也希望台局維持現狀，以便于他們從中作各種挑撥離間。

基于上述着眼，中共轉變了對台灣政策，對蔣先生的態度亦由「鬥爭」轉變爲「聯合」，這是「既聯合又鬥爭」的統一戰線中手段的變更，其原來目的則並未放棄。

最近，左翼報紙根據上述轉變後的中共政策，在修憲總統連任的問題上極力支持蔣先生連任，抨擊反對總統連任的輿論是「與美國的調門合拍的」。

我相信，以蔣先生的反共經驗，決不會對中共現階段的對台政策不認識；以蔣先生對於民主自由的理解，亦不至於不明白人民有反對的自由；同時不久以前他已經表示過了不宜修憲。但某些輿論以及某些政府官員的行動實在不能不引起我們的反感：有人說政府要化些錢在香港的一批「反對派」身上，本刊亦因有反對連任的文章而被扣。

更奇怪的，也還有人說反對連任的人充滿「洋奴思想」，「迎合美國國務院之意思」，這種缺乏風度的批評，居然也在號稱政治有進步的台灣出現，實非怪事！

其實我對於總統連任問題，絲毫無意見，但是總希望能做得民主點，合法點。

瘟君夢

岳騫

第三回：點石成鋼魔王施妙手　指鹿爲馬嘍囉建奇功

林伯渠却不笑，繼續說道：「像李先念這種人，只知道守着老洪子不能改進，根本就沒有資格當財政部長。」

李富春抬頭看看他，心裏在想，李先念不知在什麼地方得罪了活曹操了。

毛澤東却頗爲欣賞，非常注意在聽。

林伯渠又接着說道：「有非常之人然後有非常之事，中國假若不生了一個毛澤東，共產黨絕不會在中國成功的。試想一想，今天情形無論如何困難，比較在井岡上總好得多，主席只要拿出長征的勇氣來搞大躍進運動，那有不成功之理。」

這一席話說得毛澤東身心舒暢，連拍幾下大腿說道：「林老說的對，就這樣辦，我拚着主席不幹了，也要搞大躍進，誰反對有高崗的例子在。」

李富春看見毛澤東一臉殺氣，心裏有點畏怯，吞吞吐吐的說道：「主席應該信得過我，我骨頭化成灰也不敢反對主席，不過這個草案若是拿到政治局和人代會再不能通過怎麼辦呢？」

毛澤東一時不知怎麼回答，只是呆呆看着林伯渠。

活曹操不慌不忙，胸有成竹的說道：「我們既然知道政治局通不過，何必再拿到政治局去碰釘子，乾脆由主席召開一最高國務會議，宣佈一下就開始執行，任何人想反對也沒有辦法，等到變爲既成事實，再拿到政治局去討論，那時不通過也要通過了。」

毛澤東越聽越有理，咧開大口，嘻嘻地直笑。李富春心裏想活曹操的壞主意實在多，可是這樣一來，政治局的裂痕將更加擴大，最後鬧到中立的也要反對了。

這時毛澤東已低首看李富春的計劃，連聲讚道：「這個計劃很好，『以鋼爲綱』的辦法是絕對正確的，我們現在大躍進，就以鋼鐵爲主好了。」說過遞給林伯渠。

活曹操接過來看看，漫不經意地說：「鋼鐵訂的數額太少了，照目前的計劃今年產量應該翻一倍，才能稱得起大躍進，像這種樣每年增加二成，只是蝸牛在爬，那有一躍進的形勢。」

毛澤東連連點頭，用手指蘸茶在桌子上算了一下，喊道：「富春同志，你這原計劃今年產鋼五百三十五萬噸，翻一翻改爲一千零七十萬噸好了。」

李富春聽到這樣一翻，幾乎嚇得昏過去，哭喪着臉說道：「主席，這可不是開玩笑的，我們現有的鐵礦，煤礦及交通運輸力量，我都知道，那能產出這麼多的鋼。」（四九）

人事與天命

人事與天命之間的關係究竟如何呢？其實是無須多所辯證的。相信科學的人，一定認爲盡人事是現實性的，客觀的，準確的；相信天命的人，則又認爲，世事一切，皆非人之所能，實爲神之所爲，那是玄妙不可解的。如果世界上只有這兩類人，即只有相信人和相信天的兩類人，我想世事絕不會有太多的紛擾。問題是因爲有了一種第三類型的人，慣於在人事與天命之間耍花樣，既說要盡人事，卻又堅持一切待決於天，成功了，自居首功，失敗了委過於天，好在天不會說話，不會抗辯，自也不會與之理論。

自然界的變幻，在今日都可用科學求得正確的解答，天災，絕不是因爲天怒，天發脾氣。反之人禍卻皆出之於其謀不臧，必有釀禍的人爲因果關係。

自然界的變幻既已有科學的解釋了，則人間的世事，就更不能再說是天意了。

有人說共產黨竊據大陸是天意，滿清國民黨當年領導全國人民推翻滿清，也是天意，因爲大清的氣數盡了。如果到今天，還有人相信這種說法的話，大概其人必無現代知識的頭腦，如果今天也還有人相信成敗之間必有天意的話，該是患有嚴重的精神病的，否則豈能如此語無倫次！

因此，天命之說是不能成立的，氣數盡不盡也不是天決定的，而一切還是決定於人，決定在那些謀國的小部分人，如果這小部分人是崇尚民主的，他們會多聽人民的意見，如果是醉心宮廷政治的，就只有待決於一姓家族，比如清末之一切只聽從老佛爺的，就是民主政治之所以優於家族政治的真理了。

·小言·

釋耒集

崇尚與倒流

日前於本報見余玉書君所撰胡適之先生訪問記，述胡先生分析目前香港台灣文化界之倒流現象云：「香港和台灣，都是我國的邊疆地，故和外來的文化勢力接觸的機會多，由于民族本位意識的本能反應，所以對固有文化的崇尚特別顯著，由於特殊環境及局勢的影響，因此才有這種文化「倒流」的現象。」此類訪問記之文字，是否曾經胡先生同意，不得而知，但吾人亦不妨據之以申述若干老實之私見，依原文所示，則文化之所以倒流，實由于崇尚特別顯著之故，台灣情形如何，烟水滄茫，無由臆想，若云香港人對固有文化有特別顯著之崇尚，從而激成此文化倒流之現象，則事實上不敢同意，以我等所見，所謂特別崇尚者，除香港官署偶或有之之駢體文告或誄表，及一年一度，官紳服長袍馬褂入孔廟致祭之外，似尚不易再有何種特別崇尚之表現，然此等事實際與被治者居于香港之中國人毫無關係，夫以一殖民地之主宰，偶然合其殖民地之臣民，表現若干具有地方色彩之生活形式，「聊資一歡」，則我們非香港籍之中國人，亦僅能熟視無睹而止，實無所謂倒流也。竊以爲若干留學日久之人，西化已深，今見中國青年，讀中國書，寫毛筆字，室內無冷氣，出門仍徒兩足奔跑，或以爲此種落後之現象，均倒霉之中國文化有以釀成之，則深惡痛絕中國文化之心情，將不禁油然而生耳。

猶憶五四之後，以進步自命之知識份子，如吳稚暉、陳獨秀等，大都高談世界主義，而中山先生則仍講其民族主義如故，並反對青年人侈言世界主義，曾謂：「這個主義，照理講，不能說不好，從前中國智識階級，因爲有了世界主義的思想，所以滿清入關，全國就亡，康熙就是講世界主義的人，他說：舜東夷之人也，文王西夷之人也，都可以來中國做皇帝，世界上的國家，拿帝國主義把人征服了，便提倡世界主義，所以世界主義不是受屈民族所應講的」。今日香港之中文中學，每週英文授課十二小時，國文八小時，音樂均唱英文歌曲，舞蹈亦大率爲歐美之土風舞，英文教師受學校之禮遇，亦非國文先生可與比擬，畢業生總數，英文學校常較中文學校超出三份之一強，在此種形勢顯現象之下，而曰可以倒流，寧不類于癡人說夢乎？今日台灣人以爲大陸已亡于俄羅斯，而中共則又曰台灣方爲美國所佔領，受屈即誠是矣，而立場不同，即有此極端之爭論，試問以一毫無成見之中國人視之，此等爭論，其孰爲當乎？

曲齋

標語·口號

·歸舟·

口號的起原因無典籍可稽，不能斷定其始於何時，惟相信當在歷史上臣民對其皇帝高呼「萬歲」之時，便已有之。嚴格而言口號本身並不是一件壞事，真正的口號，往往能代表一種時代精神，和人民的願望。法國大革命時代的口號是「自由、平等、博愛」，鄭成功的口號是「反清復明」，康梁的口號是「維新變法」，孫中山的口號是「驅除韃虜恢復中華」，都是非常簡明響亮。入了民國以後，「打倒軍閥」「打倒帝國主義」的口號曾盛行一時。以後由於局勢的推移，始而有「消滅共匪」和「先安內後攘外」，接着就是轟轟烈烈的「打倒日本軍閥」和「抗戰到底」了。現在我們的口號是「反共抗俄」，含義雖極正確，惟氣魄已嫌不夠，至於以「光復」來替代「反攻」，則更不知是根據什麼心戰的戰略了。

標語和口號是有其血緣的關係，必先有了口號，始有形諸筆墨的標語。響亮而有力的口號，寫出來往往就是極上乘的標語。好的標語能夠緊抓住羣衆的注意力和情感，使其起一種共鳴，且對標語內容歷久不忘，所以標語的首要條件是簡單明瞭。在抗日戰爭時代，除了「抗戰到底」這一句代表作外，「抗戰必勝」和「建國必成」，也是極爲有力的標語，代表了戰時國人一致的信心和願望，與一般的八股式的說教標語不同。然而我一生最難忘的一句標語，卻不是一般人所曾注意到的。抗戰後期，我從曲江西入重慶，遵義是川黔公路的一個主站，縣北是婁山，上有婁山關，曲折蟠旋，形勢險要，俗稱「七十二彎」。在汽車爬越婁山關時，我們向上仰視，遙見峯上懸着用木板製的巨大無比的標語，每一個字至少有十五方尺大，從右到左，赫然寫着：「一寸山河一寸血！」我當時愛國的悲憤之情突然迸發，感動得眼眶都潤濕了，在那樣的一個大時代中，千言萬語，不都盡在那一句話中了麼？

共黨既以宣傳起家，呼口號和寫標語也一直是他們的看家本領；不過共產主義是千古的一大騙局，所以他們的口號和標語，也無一不是美麗謊言，像國際性的「和平共存」和大陸土製的「抗美援朝，保家衛國」等等。至於「一天等於二十年」，更是膾炙人口的笑話。這幾年來，中共乾脆的把標語和口號，來當作教育的手段和目的，而且已經把標語「躍進」到「大字報」了。南斯拉夫的耐特教授於去年訪問竹幕後，歸去寫了「中國紀遊」一文，其中有一段題爲「標語——標語」，記述中共的標語狂甚詳。他說北京大學的學生，曾寫了五十萬張攻擊浪費和頑固的標語，耐特先生還大驚小怪的講「一切東西上都貼滿了標語」！我不知道耗用五十萬張紙的本身，不正是「浪費和頑固」是什麼？

口號和標語都是亂世的產物，但願有一天我們不再聽見有人呼口號，不再看到有人寫標語。只可惜現在多的是寫標語的能手，而又有一人喜歡聽喊口號。奈何！

粟海彈心錄序

·阿公·

心不可得，而云彈者，從其名也，從其名，則人世之善惡是非功過，不能無間焉而有所可否，然則世之可可否否，又得無間焉者乎，從吾心也。從吾心而無間於心，則蒼蒼者天，芸芸者衆，六合之外，方寸之內，世無古今，事無巨細，庶幾可與俯仰而彈，若夫摻縉之或張或弛，謂得失而爲之辭者，撥理亂而走之正，如泣如歌，意無意之間，蝶飛花影，鳥迹大空，長林風發，滄海雲起，則亦適然無所容心於小大先後，而隨之取次也。民國四十八年己亥鈔較

阿公先生的「粟海彈心錄」，本刊已陸續登了若干則，甚得讀者歡迎。但爲甚麼要取名「彈心錄」呢？這恐怕也是讀者很想知道的。茲特將阿公先生的原序補錄如上。又本錄尚有續稿，稍俟當繼續刊出，謹此敬告讀者。（編者）

烏夜啼

·張華煥·

嘉樹巢鶯喚綠，香泥壘燕啣紅。乍晴日麗風柔軟，餘雨幻長虹。　翠篆留鴛錦，羅衣冷怯東風。鞦韆影落春遊倦，惆悵小樓空。

觀鄭翠裳遺作畫展

——王世昭——

今年六月十五日起，至十七日止，一共三日，老畫家鮑少游先生爲亡友鄭翠裳先生，開遺作畫展於香港花園道聖約翰禮拜堂副堂。爲了大雨，我住鄉下，最後一日，始得前往欣賞。

比至禮拜堂，我一面簽名，一面看鄭氏的遺作，覺到一陣悵惘，也覺到一陣歡喜。我覺到鄭先生的畫極其可愛，因畫想到鄭先生的爲人，自必也是極其可愛的。

鄭氏遺作共計六十點，有花鳥，有人物，有山水。山水雖意筆，亦見其工；而花鳥與人物，則全部是工筆。最大的畫幅，高可八尺，橫闊四尺餘，最小的畫幅，也有二尺高。

古人作工筆花鳥，多是小幅，而人物山水則不限。鄭氏的花鳥，在當代畫家中，恐怕甚無與比肩的，何以故？其幅面之大，我極少見；即有，也不過一幅半幅而已；而且，很少是工筆的。故鄭氏的創作特徵，以大見長，只此以大見長，已足見鄭氏創作時的氣魄心胸與工夫了。

鄭氏的花鳥創作，沒有一幅不是匠心獨運，也沒有一幅不是生趣盎然。有人問鮑先生：「鄭先生的花鳥畫，是怎樣畫出來的？」鮑先生答：「全部都是寫生的啊。」

至於人物，多是仕女，其中最佳的一幀，大概是「娉婷」了。娉婷一幀，是鄭氏在日本畢業得獎畫，當時評價爲第一；日本畫壇驚爲天才，亦爲中華民國爭到不少的榮譽與光寵也。至於山水，數量雖無多，但其中有一幀，兩肯指着說：「這一幀筆法妙不可言！」鮑思似是「古木幽亭」。我曾對鮑先生說：「我過去存有明人汪之瑞作黃山風景十二幀，其筆法略同鄭氏這一張畫。故鄭氏的山水創作，實已入元明，氣韻之佳，在當代畫家中，不多見的。」

總之，鄭氏的畫，設色明快，線條剛健，氣魄雄渾，雖近東洋，而接武中國；可算是香港罕遇的一次大畫展。

談羽扇

生活愈文明，人們取涼的設備如電扇冷氣等，也愈日漸發達，這時扇子的身價卻一落千丈，可是在過去的中國社會，拿扇子除取涼外還有其他作用，比如策士神仙們從容不迫的搖着羽扇，藉以表示自己胸中有神計妙算。

使用羽扇的年代，說起來很古了，張燕昌羽扇譜，「古今注謂其製作起自殷高宗。」周禮「巾車重翟」，大概是指官家出門的儀衛，猶現在出喪時的軍樂隊，前清官員下鄉的紅黑帽隊之類，「翟」是一種雉雞的羽毛，是樂隊裏最小的小脚色拿的。禮云：「翟者樂吏之賤者也」詩云：「右手秉翟」。濟公身穿破衣污服，手拿羽扇，表示出「窮相」來，貧窮與得道成仙相通，故能呼風喚雨，這可見拿羽扇的並不闊綽，可是一到諸葛亮手裏，他就搖着白羽扇指揮起三軍來了，這就造成了中國古代的羽扇階級，大概輔弼之臣，都是手搖羽扇的。

·南橋·

取材和編劇

銀壇隨筆

國語片年來已爲國際人士重視，那當然是演員、導演、編劇、剪輯以及有關人員密切配合。由此可以相信：攝製一部叫座片，條件並不簡單。演員陣容儘管堅強，導演手法儘管高明，劇本不行也難拍成好戲。有人曾經說過，香港的編劇人才實在太少，要從那些職業編劇者手中，去選擇一個好劇本，實在太難。

我曾接觸過很多編劇者，他們也有充分理由，找素材實在太難。因此，許多導演，歡喜自己去找題材；而且，自編自導至少比單單執導演筒「鎩號使命」好得多。

雖然，香港許多劇作家都是老練，他們的著作，沒有一個劇本不能拍攝；但在導演研究劇本時間上說，比起自編自導差得實在太遠；在演出過程中，導演很難得心應手；對演員配置，也要花費冗長時間，「卡司」也不見得會使劇作者滿意。

易文已是今日香港的名編導，他所以喜歡自編自導，一方面固然爲了電懋的產量、製品提高，同時也甚於珍惜、和爭取時間，不論國語片或粵語片，每月總得保持攝製二——三部新片原則。就過去紀錄看，他編導的素材，似乎都非一般劇作者所掘的目標。這理由很簡單，他們的生活圈有限。再說劇作者單憑一部小說、或一個故事去改編，沒有充分生活體驗，猶如閉門造車，不能合轍。

易文學貫中西，生活體驗豐富，且看他二十年來東西奔馳，又在畫本上、見聞中、和親身的經歷裏都有足夠的經驗，素材俯拾即是，特別是現實的題材，不需要多作思考。例如不久即將上映的電懋新片：香車美人便是他得心應手傑作。

修衡

中興大橋·科學館

台北市有兩種予人視覺與思想上極不調和的建築，一是橫跨北市兩縣的中興大橋，一是植物園內的科學館，前者是遠東第一座混凝土橋樑，橋上裝着新燈光，橋的欄杆也是直線形的，一切都是新型，在我國建築上，也可說是新的藝術商品，然而惟獨橋的兩端各塑着兩頭古典派的石獅子，添上死灰的顏色，而石獅子的風格可說是唐代藝術思想與建築思想上的產物，如今既沒有經過新的形式上的改革，便移用到現代建築上，使人有了不倫不類的感覺。

二是科學館，所謂科學也者，照理應當是一種新的思想作背景，在建築上，應當以一種超現實的風格出現，予人一種到太空去的感覺。然而科學館的建築，其式樣完全與北平天壇的建築一樣，充滿了濃濃的古典色彩，使人一看，便會感到像是文物歷史存列館一樣，把一個人的思想，帶回到十五六世紀去。

·廣湖生·

自由人
THE FREEMAN
（第八七〇期）
每份港幣壹毫
督印人：陳文華
地址：香港高士威道二十號四樓
20 CAUSEWAY RD. 3RD. FL. HONG KONG
TEL. 771726
承印者：東南印務出版社
台灣總經理處：台北市
電話：三〇三四六

對當前局勢的認識和希望

張六師

有害國家民族的混亂思想必須澄清，反共抗俄，反攻復國的民族統一陣綫必須團結。各黨各派必須有一個反共復國的共同國家存在，民族團結，才有實施民主與法治的空間；故誰能復國，誰即爲中國的民族英雄——自然會成爲國家元首。歷史上的復國英雄，都是「打」出來的，不是根據甚麼「法」產生的。

（一）

在强權抬頭，公理消沉，赤禍已深入西方內部，中國正面臨存亡關頭的今日，在台灣會有悲觀的反攻「公算論」，及請美國干涉內政的知識份子出現。現在在香港又有「護憲」與「修憲」的辯論，和「毀憲」，「變政」的主張。這種種議論，似乎涉及黨氣之爭的多，而眞正涉及反共復國的原則的少。

在這種議論龐雜的情形下，實足以影響到民心士氣。然而執政的國民黨方面，並不採取英國「海德公園」式的相對辯難，竟是隱忍不答，不免使人懷疑，是否理虧不敢做聲？或者是眞的不講民主，又或者是已無決心與信心以從事反攻復國了？否則應該有一段生龍活潑的朝氣才是。（編者按，黨報已發表文字）

在這樣瞎盲否塞的世界局勢之下，民主自由的敵人共黨不斷的咄咄進迫，今天殺人，明天綁架，軍事威脅，和平攻勢，地下滲透，公開叛亂……無所不用其極。愛好自由民主的中國人在這樣情勢之下，大家都懷着沉重的心情，到底要如何自處？對歷史，對下一代要如何交代？面對共產黨的挑戰，應該如何答復？這都不是安居台灣寶島而清談國事，或故作高調的那些士大夫，與夫好作不負責任言論的人所能想像得出的。

（二）

過去若干年來，我們早已毫不含糊的面對國際共黨挑戰，挺身而起。我們始終有一堅强的信念，中國是不會滅亡的。中國人也決不會被蘇俄暴力征服。中國文化更不會被斯拉夫民族的文化所同化或消滅。而且更相信我們這一代必定可以及身看見共黨極權暴政的覆亡。理由很簡單：

第一，一個人無論種族膚色如何，政治黨派如何，都具有人性的。這人性是不容忽視的。共黨漠視並違反這種人性，成爲一種殘暴的組織，甚至對他們的黨徒也不例外，安得而不敗。

第二，知識份子多是重視個人人格尊嚴的。一個人既有了自尊心，即不至甘心接受另一民族的奴役——不管奴役的方式，出自直接或間接。不論是明目張胆、或隱蔽於幕後。

第三，過去在政治上負過責任的，現在不論黨派，不論階層，大家經過歷史的鉅變之後，痛定思痛，必定會拋棄一切恩怨，拿出良心和血性來，作自我犧牲，專心一意的從事團結救亡的工作。

第四、中華民族四千多年的歷史，已屢次證明能在艱苦變亂中表現勇敢，沉着，吃苦，耐勞，機智，和不屈服的精神。而且能以本身的文化道德力量感化異族。我們相信中華民族到了今天，還是不會辱沒祖先的優良傳統的。

第五、莫斯科所製造的一切爲害人類的邪惡組織，和加諸中國大陸的一切暴政，現在已逐漸爲全世界所知曉。他們運用的辯證宣傳，也已無法掩飾其惡魔面目，共黨之爲人類公敵，已經是不辯而自明了。

基於上述原因，我認爲今天世界反共陣營已經產生了共同一致的信念，中國的知識份子與統治階層，必須從此齊一步驟，相忍爲國，團結互信，一致對付共產黨。

（三）

然而近兩三年來，海內外若干知識份子[illegible]人主張美國干涉中國內政。這種主張雖經各方的抨擊，顯示台灣言論自由與民主氣象，而不至發生了不得的劣影響。但到底是對反共有碍的。

說到這裏，我要順便說一說，國民黨是否「一黨專政」。如說專政，現在不是到處有在黨自由活動嗎？就算言，在實施憲政以前，中國軍隊中，已普遍容納非國民黨的人才了。擔青年黨籍的將級軍官可以數得出的就不少。

最近傳遍台灣的青年黨籍的議員李先生所說的，軍中『深夜叫起服役青年，用强烈燈光照眼，疲勞訊問，爲何不入黨』的海外通訊。一般人雖懷疑，執政的國民黨幹部，何以竟至如此愚笨？這樣拉人入黨，還有什麼價值？但政府既不明白宣佈眞象，當然有人以爲政府已默認是事實了。

（四）

基於上述種種事實，我認爲中華民國政府當局，乃至各黨各派的在野人士，大家應對今天的艱危局面，應該大家共同建立一個反共復國的共同綱領，以整齊步調，統一信念，澄清立場，掃除有利共黨的悲觀，退避，苟安，消極的思想。更要闡明軍事反攻，與政治反攻，是應該同時併進的。我們要知道，民主與法治，是復國建國所必需的條件，但不是用爲爭權奪利的。長期依賴外國，不作自力更生獨立戰鬥的打算，是惰性的心理，也必須澈底掃除。如此才能挺起胸膛，不至俯仰由人。

我們希望於政治上領導階層，是團結，[illegible]犧牲，「毀譽」[illegible]，迅速反攻的準備，實行反攻的諾言。誰能光復大陸，也自然成爲國家元首。歷史上就是民族英雄，都是「打」出來的復國英雄，不是由什麼「法」所產生的。當此前綫砲聲未停，內部若有人挑撥分化，是很危險的。在軍事上，陣前易帥，固然不相宜。但在政治上領導全面團結，也正需人才。至於各黨派不以對外立功，培養後起人才，也是不智的。

總之，過去大陸之失，就是民心士氣先受共黨分化打擊；以致共信喪失，我們今後還可以重蹈這覆轍嗎？

對於時局的看法

·司馬璐·

要救中國，當代忠誠謀國之士，從不同的角度，可能提出許多種不同的方案，見解儘管不盡相同，那是無妨的，祇要大家大目標一致，皆在爲國家利益與前途着想，一切問題最後皆能尋得解決的途徑。

任何人當然無法强求所有的意見有整齊劃一的定律，相反的，如果大家皆從國家的利益出發的爭論愈烈對於國家不僅無害，而且可以推動我們的國家進步。

重要的是，對一個問題的爭論，如果從私人的利害做出發，就易于意氣用事；如果從國家的利益做出發，就應該持之以心平氣和的態度，冷靜客觀的去研究問題，才是堂堂正正的政治家風度。

目前關于「護憲」與「改憲」之爭，我們希望，無論朝野對於這一問題都應該處之以極端謹慎的態度。

誠如李璜先生所說：「憲法並不是永遠不可以修改的」，同時李先生强調，在目前修「修憲」，國內外的情勢都是極不適宜的。（見「聯合評論」第四十四期李璜「爲了中華民國」一文）。

張君勱先生去年也說過：「自來修憲之舉，總有一種公然與必要的理由，同然之人心，其事起於公而不起於私，其動機極純正而非爲有所得，如是者方可成爲議題，而可公開討論，由是者，改憲之議，由於國大之無所事事，將因此以爲自己設官與風作浪之機關，此實以國事爲兒戲而已。（見四十七年一月三日張君勱「對於台灣改憲之忠告」一文）

由此可見，今天的海外自由人士，並非絕對反對「修憲」；因爲沒有一個國家的憲法是永遠一成不變的東西。但是問題是：

一、如非情勢特別必要，一個國家最好不輕談「改憲」，徒增糾紛，搖動國家的根本大法。

二、提出「修憲」者尤其不可給人一種惡劣的印象，他是基於少數人的「自私」的目的，而非從「公利」做出發的。

三、從「公利」出發，同時應該更進一步的考慮全盤的利害得失，是否利多于弊？是否能在不「修憲」的前提下，另闢途徑解決問題。

反對「修憲」對政府有利

我願政府當局首先認識一件事實，即今天反對「修憲」的主張，在基本上是對國家，對政府有利的。因爲：第一、作這種主張的人是堅持中華民國的法統地位的，在客觀上足以增强反共的聲勢；第二、中華民國政府既基于憲法的基礎而產生，則反對修憲，維護憲法之舉，在客觀上即足以表示强化政府的地位。所以倘有人以爲今天的反對「修憲」即屬于反對政府，這是一個莫大的誤會。

但是，另外有些人硬說政府和執政黨堅持「修憲」，這種說法也可能不是很公道的。

不錯，目前我們台灣有少數人主張「修憲」和總統三次連任。又有人說，這些「少數人」是接近官方的，因而他們的邏輯是，這可能就是「官方」的意見。但這個結論是不是下得過于草率了呢？殊不知今天在台灣「接近官方」的人士中，也可能有許多種不同的意見的！

今天在政府內部，還能夠容納「許多種不同的意見」同時存在的，在這一點，我覺得台灣總好過大陸的政權千萬倍。

我以爲今天在台灣「少數人」主張「修憲」的意見，並不足以代表「官方的意見」。假如說，我們一定需要尋出可以「正式代表官方意見」的，應該以那一些做根據呢？

（下轉第三版）

自由談

應盡力搭救達賴

馬五先生

當達賴喇嘛由西藏出奔到印度之際，尼赫魯一心以爲鴻鵠將至，大可藉此機會增進自己的身價，替印度提高國際地位，實現其向西藏高原垂釣赤色鯡魚的美夢了。他表面上以調人自居，對達賴待以賓之禮，准予政治庇護，內心裏卻視爲奇貨，要想利用達賴作爲向毛共討好索酬的一張王牌。假如毛共接受尼赫魯的「友好」政策，多少給他一些甜頭，尼氏必然會用種種方法，把達賴送還西藏，聽憑毛共宰制的。

詎料毛共竟不理會尼赫魯的好意，反而指斥其爲「擴張份子」，咄咄逼人，使尼氏大失所望，不知所措，然又不敢與毛共翻臉，毅然站在自由世界這邊，堂正義而奮鬥，轉而對達賴表示不友好的態度，聲言不承認達賴的流亡政府，當然的結論就是不許達賴在印度境內作政治活動。以此情形，萬一毛共再向尼赫魯加以威脅，他很可能犧牲達賴，以換取毛共對印度「和平共處」的諾言哩！

尼赫魯的「鯡魚夢」宣告破滅，這是注定的事，毫不足道。但我政府對於達賴的安全與自由，却應該特別注視，設法援救他脫離險境才是。即令他表示暫時不到台灣來，亦無所謂。我們的責任是第一步使他不被尼赫魯出賣，離開印度，第二步讓他繼續領導西藏人民的反共鬥爭。只管耕耘，不問收穫，決不計較工本。最忌是懷抱着狹隘心情，動則斤斤於表面的「忠貞」姿態，而不能出以涵攝萬彙，把所有的反共力量團結起來，致予敵人以挑撥分化，運用「政治瓦解」陰謀之餘地。假如達賴强調「西藏獨立」之說，亦屬無關宏旨。秦末天下豪傑併起，稱帝稱王，等到秦室覆亡之後，還不是江山一統，使有德者居之以君臨全國嗎？幹大事業而先唯細行末節是務，沒有不失敗的，念之哉！

半週述評

馬祖空戰的輝煌戰績

沉寂了九個月的台灣海峽，終於在馬祖上空爆發了火花！這火花是國府空軍擊落了五架米格機，傳說可能是屬於米格十九式。

米格十九式，是俄國戰鬥機中最優秀的一種，在去年台灣海峽大規模空戰之後，即已盛傳米格十九被調到大陸沿海第一綫了。但是始終未見露面。又據說，中共所以不惜將米格十九調上第一綫，是用來對付「響尾蛇」，但是此次國府空軍之獲勝，證實並未使用「響尾蛇」，可見中共儘管擁有較佳之機種，其奈技不如人何？同時也反映出國府空軍之訓練與作戰，確已表現了成績。

粉碎了共方的攻心之戰

進一層說，這次空戰的勝利，還有另一意義，就是給中共一週來對國府空軍的挑戰，予以致命的打擊！中共對外廣播放了以前被俘的國府空軍官員張迺軍、華錫鈞和鄭承璋，企圖以之作攻心戰術，但是也顯然完全失敗了。

[illegible]在？如果中共方面「廬山會議」確已有所決定的話，馬祖上空戰，是未來台灣海峽空戰的序幕！這便值得關切注意了。

辯論應有一定的風度

此外，還有一椿令人關切注意的事情，即台港兩地朝野雙方的文字論爭！民主政治是容許各持己見的，是允許各提主張的，也是容許互相批評的。但是雙方必須保持一種良好的風度。這才不違背民主的原則。因此亂扣帽子固是失態，即出言不遜，亦非論辯之道。隨便指摘提出相反意見者，謂爲「洋奴思想」，自然更不符合民主風度了。

另一方面，我們也希望官方言論機關的報導，能夠務求詳確，尤其是要顧到確實性。

報導應顧及新聞道德

根據香港工商日報七月四日台北通訊所載，胡適先生對於台灣某一家報紙變更他對左舜生先生所提十六點主張的批評意見，認爲是「語意已大有出入」！蓋胡先生當時的話，是說左文的「動機是愛國的」。並非如某報所載「他的動機可能不壞。」[illegible]句話，報導失實或隨意加以變更，影響是極大的。且可能造成左胡之間彼此之不歡。當然，我們無法在此忖測變更胡先生談話內容之眞正居心何在？當然，我們希望這是報導的偶然失實，如果是蓄意變更的話，那就未免有失新聞道德了！

。李金曄。

政治問題要用政治解決

（台北六月廿九日航訊）現在，由于國代與立委人數之不足，無論採取何種方式，都無法依法定程序，達成修憲或增加臨時條款的目的。但憲法既規定了總統任期，而現在的總統又是三十年來實際領導中國政治的重心。於是憲法尊嚴與現實政治的要求，發生了難解的糾結。

「國大代表全國聯誼會」於五月十日發表擁護蔣總統連任的聲明後，跟着台灣各地的議會團體，亦有表示擁護連任的主張。不過擁護連任，並不等於主張修改憲法，修憲則必須有一定的程序。對于修憲與連任問題，此間官方報紙，一向保持緘默，甚少評論。一般民間輿論認爲此時談修憲，既不是在憲法內增加人民的自由權利，也不是對政府權力與責任有所增減，若僅因人事有關的總統任期，而修改國家大法，似乎對憲法尊嚴有損。蔣總統一再聲言反對修改憲法，用意恐亦在此。

談修憲，有不容忽視的兩個基本事實：（一）這一部憲法是幾十年流血流汗的革命結晶，曾經全國國民代表通過。是民主自由的象徵，也是世界多數國家共同承認的中國正統之所寄。（二）今天全國人民所迫切期望於政府的，是切實施行這一部國運所寄的憲法，團結全國力量，造成一個自由民主，有朝氣，有作爲的強大力量。加速摧毀中共暴政，以完成復國建國的大任。因此，台北的民營報紙，希望執政的國民黨，能够在領導方式或作風上，一新天下人的耳目。眞正做到「公忠體國」，「天下爲公」。要信任全民，不要祇信任幹部。又有些報紙主張召開國是會議，認爲當前的總統任期問題，與其說是憲法問題，毋寧說是一項政治問題。要以政治的方法處理，來解決憲法與現實政治之間的矛盾。召開國是會議，即可達到此一目的。國是會議的議題甚至可以限於解決總統任期的憲法問題，及維護憲法統一體制的範圍。會議的方式與方法都可以有伸縮的餘地，主要目的在求取得海內外各黨派有反共非共力量的團結。使大家就總統任期與憲法問題取得一致的協議。

今天我們所面臨的問題，是修憲既不可行，不修憲又無法解決政治上的實際困難。如何在兩難中找出一條穩妥的途徑來解決。召開反共救國會議或國是會議，均不失爲可行途徑之一種。此則有賴海內外各方賢碩與政府當局，以最大的智慧，爲國家前途作最大的決擇了。（六月廿九日台北）

慶光

修憲連任似已成定局

◦聶磊◦

台灣的當局，對於港台的民營報刊，一向採用兩種方式：一是雖准發行，但限制或不准普銷；一是既不准發行，更不准其普遍銷流。

也許局勢太沉悶了！自「從大陸反攻大陸」的口號喊出之後，朦朧麻醉朦朧，使人昏昏欲睡。於是乎，海外的言論，更受大家的注意，偶爾出現有「漏網」的一二份，便爭相傳閱，蓋「雪夜閉門讀禁書」，本屬一快事也。

六月三日的「自由人」，摘錄轉載了左舜生氏寫在「聯合評論」上的一篇「再談蔣總統連任問題」的文章，他「既不贊成修憲，更不贊成增加臨時條款」，這確是持平的公論，八六二期和八六五期的「自由人」被檢扣之後，更激起了人們的同情。

但是！六月二十九日中央日報在第二版上轉載了左舜生在「聯合評論」上的「搶救中華民國時間已經不多了」的全文，並發表了一篇駁斥「左舜生的『改革規模』」的社論。於是當日的該報，一紙風行，大家讀后却恍然徹悟，該文不僅重申不贊成蔣先生不「修憲」，甚至主張蔣先生「毀憲」哩！

中央日報的社論，據說是經過第四組的縝密研究后寫出來的。國民黨內某些高級幹部，且認爲左氏的主張，是典型的黨派分贓底論調，爲要證實以往宣傳民主人士的不滿朝政，純係分一杯羹的意念作祟，就以左氏的論點作爲一個擴大宣傳的證據。於是乎，社論着重指出「這少數而又少數『民主人士』心目中的民主政治，不過是黨派會議，聯合政府，國共和談的那一套陳腐的口號」，以及「竟欲舉國家大法「和「毀之」，以組織所謂臨時政府」。

因爲抨擊左氏的「毀憲」，又不能不牽扯到總統連任問題，因爲憲法一百四十七條，已經限制蔣總統的任期無法再度延續。儘管某些人士，想通過增加「臨時條款」，來促其實現，但正如一般反對修憲連任的輿論所說，任何「修憲」或增加「臨時條款」，都是「毀憲」。大家也覺得，執政黨只知責人「毀憲」，而對於自己多數黨員主張的修憲或增加臨時條款，則不以「毀憲」目之，實非怪事！

七月一日，中央日報又再發表了第二篇題爲「左舜生的『臨時政府』」的社論，它重申對「改革規模」的評論，並特別強調左氏的「臨時政府」的錯誤所在。但字裏行間，不由不使人看出其對左氏的「毀憲」和總統的連任問題，予以聯繫說明，該文說：「憲法是百年大計，不能專爲戰爭與危難時期着想」，又說「蔣總統爲何堅決反對修憲，現在修憲與大法問題雖在各方面人士熱烈討論之中，但是我們要知道，蔣總統沒有以個人的出處打算，亦沒有對任何方面表示任何態度的義務，而只是爲了維護中華民國的法統，保持民主憲政的規模，保障台海基地人民生命與自由，結集一切反共力量，爲反攻大陸奪回國土而奮鬥。」實則這已充分表露了國民黨方面的態度，即國家既處戰爭與危難狀況，因而必須進行修憲，也必須將總統連任問題[illegible]，不能說空穴來風，無的放矢。

自蔣總統宣佈反對修憲後，海內外一致輿情，熱烈擁護，但官方的報刊，却保持沉默，直至今年一月一日，[illegible]「我們是[illegible]」的文章發表以後，敏感的人就[illegible]

現代的羅密歐與朱麗葉

◦丘式如◦

美國大兵米歇羅，二十二歲，夏威夷人，係一位原籍日本而轉籍的。他于年前被調台灣，駐紮台南，常到當地酒巴玩。在女羅中，有一位[illegible]，年廿一歲，叫做徐枝妹，略有姿色，米歇羅一見鍾情。服役期滿，要他于去年十二月八日集中台北機場，準備行裝離台返美。他以好[illegible]，與徐枝妹戀戀不捨，乃親送情郎北上，同住台北旅社，都不忍作勞燕分飛。雙方演成一幕[illegible]慘劇，米歇羅乃臨時改變返國初衷，當飛機起飛那天，趁美方忙着調度而疏于照顧時，脫離隊伍，溜之大吉，偷回台南市另營香巢，與徐孋同居於開山路六十八號，朝朝暮暮，軍令早已置諸腦後了。

[illegible]

和朱麗葉，自從兩個相識後，徐枝妹沒有再上酒巴陪酒，米歇羅也從未再去任何酒巴[illegible]

美軍方備好專機，預定于六月廿二日下午起解米歇羅赴菲律賓，再轉機押返美國受審。起解前，美軍憲兵隊，特准米歇羅與其情婦及出生甫十八天的嬰兒，以廿分鐘的時間，作最後的一面。台南美軍憲兵中隊長雷侯，於上午十時函電話台南市警局通知徐孋，在家等候。消息馬上傳到屏東高雄嘉義各縣，徐孋酒巴姊妹們，至少有五六十人，都從遠道趕來，候着徐孋的洋情郎。下午二時，雷侯帶一憲兵麥克啟新押着米歇羅來到陳家，人潮一湧而上，擠得水洩不通。一對異地情鴛在獲准關門細談二十分鐘後，在五六十位花枝招展的姐妹們陪眼淚的場面下，米歇羅被送上了征途。

左舜生言論引起的風波

◦諸葛小舍◦

左舜生先生六月十九日在「聯合評論」周刊上發表的那篇題爲「搶救中華民國的時間已經不多了」的文章後，已經在台北的言論界引起了軒然巨波！

左氏在這篇文章中提出十六點「改革原則」：包括政治、軍事、經濟、司法、教育、社會各方面的主張。而其中最重要的是十六點「改革原則」中主張援用「動員戡亂時期臨時條款」設立一個留台的「臨時政府」，和一個立法的臨時「最高民意機關」，以渡過這一段過渡期間搶救中華民國的任務。

中央日報的批評

首先中央日報於六月廿九日，及七月一日先後以「左舜生的改革規模」，與「左舜生的臨時政府」[illegible]的批評：前一篇社論[illegible]「全國國民依據憲法所選出的政府」，代之以臨時政府」；後一篇社論，該報提出了「臨時政府」產生之後遭遇的三個問題：第一，該報懷疑這個「臨時政府」，既不是地方政府，亦非中央政府，是否能够代表大陸各省的領土、人民，與主權？第二，「臨時政府」是內閣制，而「臨時最高民意機關」可能是採取多黨制的，既然如此，該報認爲多黨林立的議會政治是時常發生政爭，使政府不安定，既不安定，也就沒有對匪作戰的能力；第三，「臨時政府」將要渡過到那裏去的問題；該報預料有四種歸宿：（甲）完全倚賴國際保護而歸宿於國際托管；（乙）完全被北平奸匪侵掠而歸宿於淪陷與滅亡；（丙）在國際保護下與北平奸匪談判而歸宿於投降與爲擄；（丁）由於內部的顛覆而從「民主改造台灣」轉變爲「和平解放台灣」。因此，該報結論說：「我們反對一切抹煞事實，不負責任的斷送國家法統與民族命脈的那些奇妙的意見」。

新生報的批評

新生報於六月三十日以「不負責的批評」爲題，指責左氏「完全還是大陸失敗前夕那一套思想觀念，用民主政治的外表，包裹了『分贓政治』的內容」，因此，該報說左氏是：「至今仍高唱『聯合政府』那一套，無形中被共匪牽着鼻子走」。該報特別指出左氏在十六點「改革原則」中的「廢除一切特務機構」，和「裁減軍隊至卅萬人」是不對的。前者，該報舉出美國的聯邦調查局，及中央情報局都是所謂「特務機關」，而美國却不失爲一個典型的民主國家；後者，該報認爲反攻復國不應存有羅曼蒂克的幻想，別人要我們裁減軍隊，不可跟別人亂嚷。中國人要頭腦清醒，最後，該報對左氏所說「把過去十年的光陰輕輕『斷送』」的那些話，認爲是抹煞事實，太不公平了。

以上是代表黨方和官方的言論。此外，還有權威憲法學者的某些個人的批評，也有若干代表民意的談話，某些民青兩黨人士的駁斥等，都是針對左文大力抨擊，形成一個「圍剿」的態勢。

胡適之的批評

平心而論，左氏這篇文章所揭的十六點「改革原則」主張成立「臨時政府」，和臨時最高民意機關，誠然是個值得我們考慮的問題；[illegible]危的局面，是否可以這樣做？而做了以後，是否不至於陷入中央日報所預料的四種歸宿的命運？的確是一個值得慎思熟慮的問題。但左氏[illegible]代的民主[illegible]

[illegible]責任，同時也是一個在野黨的領袖，目擊時艱，提出他心中的改革計劃，有勇氣，這是書生愛國的本色。因此[illegible]胡適之說：「[illegible]管家都有批評的自由；左氏[illegible]人對于國家大問題，[illegible]意見」。[illegible]較爲公平寬厚的說法。

公論報的主張

在台北抨擊左文的言論，大有「一面倒」之勢，同時中央日報「又」基於「奇文共賞」之義，於六月廿九日轉載，所謂「奇文共賞」，以而「公論報」今日即以「公論奇文共賞」爲題，針對數日來黨方官方言論機關抨擊左文，而發表社論；該報認爲左文姑不論是否「奇文」，但自有各人算得出的「奇文」，但共賞人主觀的看法，就必得有共同欣賞的風度」，於是該報指出：第一，「共賞」決不是「讚揚」；第二，「共賞」決不是「戴帽」；第三，「共賞」決不是「圍剿」；第四，「共賞」決不是「搞統一」。總之，社論的結論說：「香港與台灣祗有一海之隔，如果「奇文共賞」一變而爲「隔海拍掌稱快」，正如果爲共匪所「奇文」的「共賞」，則大家既無「共賞」之前途，也決非自由中國之興隆也」。

左文所引起的這一場大風波，大概還有一段時期的波瀾，但筆者深信「短期內就會平息下來的。（七月三日於台北）

太空問題與太空技術之進展

淦克超。

現任哈佛大學天文台台長孟澤（Donald H. Menzel）博士，於大西洋月刊十一月號，發表一篇「天文學家在外層太空中的職注」一文，令人耳目一新。節錄如下：

美科學家的說法

「我們正生活在一個新的時代，外層太空（Outer space）時代。人造衛星係事實，「射月」一名詞，遲或早大有可能，現在即係即將實現之事。無人的實驗室即將抵達月球，甚至可以登陸金星及火星，向我們播送消息，如關於此等行星間的空氣層及其周圍空間的情狀。在最近的將來，人類本身將完成太空飛行，達到軌道而——更重要的是——安返地球。最後，人類將可確實登陸月球，並在月球上設立科學探測站。這些都不是想像中的幻想，而是人類征服太空之一套現代計劃，這計劃由世界各國的科學家，工程領袖，軍事首要作鄭重的討論。」

「新的火箭技術及新的燃料已使太空探險大大的簡化了。太空旅行的費用正迅速的降低了。」

固然，孟澤的話並不是前人沒有推測過的，但對於這位頗具權威的天文專家的話，我們不應視爲姑妄言之或科學小說，而應予以鄭重考慮。最可歎的是，人類的思想常落在科學技術的進展之後，故制度之於科學技術，頗有無從追之勢。

隨着太空技術之發展，許多有關太空的問題發生了。美國法學界對於這方面的研究甚積極。例如太空中的犯罪問題，太空中的財產權問題，實際上所有地球上的問題，太空中都有，再加太空中所特有的問題。國際太空法學者所撰的「太空法」，以處理太空中的問題及其他星球上有知識生物之關係。

太空航行責任問題

此外如太空航行之登記問題，軌道及無綫電週波之規定問題，以及責任問題，航行工具之……

須通過「反碎屑法」，規定人造衛星的無綫電機停止作用後，猶有一小型火箭將該衛星推出氣圈焚燬，因爲倘不如此，則太空中將充斥千百的人造衛星，既不可能追蹤，且威脅航行之障礙了。

更有墜落的人造衛星所造成的傷害或損害之責任。人造衛星早晚會落入氣圈，而害及人身或財產。一旦在原則上承認了責任，則傷害案將從太空陸續出現。

太空主權問題

關於太空主權問題，國際討論漸趨熱烈。國際太空航行協會古柏氏（John C. Cooper）於一九五八年三月在美國航空雜誌上評論，主張外層太空應像公海一樣自由。聯合國秘書長哈瑪紹和法律處處長沙赫德亦盼大會規定外層太空爲公物（Res communis）。

主權不應展至外層太空，亦與天文學的事實有關。地球除本身旋轉外，又以每小時六萬六千英里之速率繞行太陽。太陽系統則以每小時一百萬英里之速率在其系統內自轉。因此，空間的既定之點，經過某國上空僅歷時不到一秒鐘，而可在數分鐘內經過數國的上空。倘外層太空主權之要求爲不實際，次一問題應爲決定太空自何處起算，而視爲主權終止之處。有人提出想像中的標準，以決定裏層空間（inner space）——其起算點爲太陽引力超過地球引力之處，或高至天空仍保持蔚藍色之處，或高至從美國德克薩斯州上空投下之物體仍落至德州地面之處，但劃分之最普通的定義則爲地球的氣圈。（未完）

冀魯豫皖蘇五省 夏蝗爲害極嚴重

據六月二十三日「人民日報」消息，河南、山東、江蘇、安徽、河北五省，今年發生夏蝗爲害極爲嚴重。該報稱：「農業部在十六日到二十一日在河南省新鄉市召開了五省滅蝗會議，這五省今年發生夏蝗的面積有一百七十九個縣，共一千八百多萬畝。」該報又稱，爲了殲滅蝗虫，「已動員上千萬的羣衆」。

就江蘇省的情況看，「江蘇省豐縣發生蝗虫地區各人民公社，正調集勞力，圍殲蝗虫。今年江蘇全省夏蝗發生面積約二百三十多萬畝，現在大部分蝗蝻正處在三齡到四齡，東海等縣治蝗，防治面積已達三十萬畝。泗洪縣發生蝗虫的公社，先後組織了一部分勞力，在蝗蝻密度較大、密度較稀的蝗區，進行了人工捕打。峯山公社共組織了有一千五百多人的突擊隊。沛縣龍堌公社共有一萬多畝春田發現蝗虫，他們用三個辦法安排滅蝗所需用的勞力：（一）縣勞力每天抽出五百多人和半勞力編隊滅蝗；（二）一般勞力早晚或利用雨天突擊滅蝗；（三）在割麥休息時捕打。此外，還組織了十六個噴藥小組，以歇人不歇工具的辦法在蝗虫密度較大的地區集中圍殺。」

河南省則有四十八個縣，市發生夏蝗，面積達五百八十三萬多畝，其中以黃河兩岸的武陟、原陽、長垣、中牟、開封、東明等縣的黃河灘地及黃河沿岸的淺窪白寺坡滯洪區等地，蝗蝻密度較大，每市丈有蝗蝻二、三百只，嚴重的達萬只以上。都是羣居型飛蝗，迅速地往外擴散。

西藏動亂仍在繼續

竹幕幽秘

中共在西藏的「改革」

目前西藏的改革，以地區來說，僅止於江孜與拉薩兩區；以人來說，還只是清算逃離的卓業湾波（譯倉大戶貴族）帕拉土登頓登（按帕拉已逃印）。另外還有些拉薩與江孜的閑人被捕，照這種情況來看，「改革」的聲勢雖大，雨點却小。

今年「譫籍改收」一事可以注意。在西藏，寺院與貴族各佔十分之三，西藏地方政府佔十分之四，拉薩革命以後，西藏地方政府解散，官員貴族的土地大部份已逃印，若中共的控制力量能及于全藏，則將有十分之五以上的土地譫籍改收。而譫籍改收的辦法就具有土改的意義。但從「改革」的正面來說，還是未會展開。

據藏來中共對於西藏的報導，只說「基本平定」，顯然動亂還在繼續。不特如此，中共在藏幹部的意見至今似尚未統一。去年夏中共在大陸展開清算地方主義，在西藏也有一派「地方民族主義」，遭到范明等人的批判……

中共的態度與策略

在四月的「人民日報」上，中共曾猛烈攻擊印度擴張主義者，隨後又於五月六日，以「人民日報」編輯部的名義發表「西藏的革命和尼赫魯的哲學」的文章，用以來婉轉反擊尼赫魯的論點；隨後尼氏曾多次發表對於西藏的講話，達賴喇嘛亦於最近發表過攻擊中共的聲明，但中共絲毫沒有反應。

看來，中共目前對于西藏的政策是：埋頭致力于西藏內部的穩定，與作改革的準備工作，對外面的抨擊則暫時不理。

○田心。

對於時局的看法

・司馬璐・

（上接第一版）要回答這個問題，毫無疑問，我們當然應該以去年十二月廿三日蔣總統代表政府和執政黨的不主張修憲的表示爲根據，基于此點，反對「修憲」的意見，至少應該作爲政府與執政黨決策的基礎，一個主導的意見。

要一個政治「首腦會議」

目前在修憲問題上，台灣既可能有許多種不同的意見存在；同樣我們也要承認另一個事實，即在海外的自由人士中，意見也是不盡相同的。

例如前述所引用的張君勱先生和李璜先生的意見之外，左舜生先生提出的十六點「政治方案」，主張「澈底改革」，援用「動員戡亂時期臨時條款」，另行建立一個「臨時政府」一名「非常時期政府」（見「聯合評論」第四十四期，左舜生「搶救中華民國時間已經不多了」一文）左先生這一主張，實際上比台灣「少數人」的「修憲」之論更要激烈，根據左先生這一意見，主張「修憲論」者更可振振有詞了。

我們必須平心靜氣的指出，無論張君勱先生，李璜先生，以及若干主張「修憲」的人士，他們的意見儘管不盡相同，但爲國家謀解決問題的精神，都是值得尊敬的。當前的情勢，似乎有迫切舉行一個中國內部政治「首腦會議」的必要。無論「修憲」也好，「護憲」也好，我們國家政治首腦們就當前大局徹底作一檢討，當可能獲得一個較易于爲各方所接納的結論。假如說，蔣先生堅持不「修憲」「連任」，在蔣先生個人來說，自然有這個選擇的自由；但是，下一步怎麼辦，大家都有這個政治責任，在這個時期，早作一些安排，運用理智，拿出具體辦法，甚至提出人選來。總比意氣用事，自亂步伐爲佳。

文壇透視

七砍

我看了黃寶妹演「黃寶妹」

看香港尾巴報的影評，很顯然它有一個原則：只要是共黨的或海外左派的出品，不好也好；只要不是共黨的或海外左派的出品，好也不好；這是他們所謂馬列主義的立場，不能獨怪那些單單爲了塡飽肚皮便昧起良心顧口扯謊的影評家。

本欄上幾期提到過「黃寶妹」這部影片，它的特點是由眞人演眞事，女主角黃寶妹，即由中共全國勞動女模範，代表上海區參加「八大」（偽黨代表）上海棉紡十七廠車間女工黃寶妹本人來主演，場景就是該廠的車間，男女配角也是該車間的男女工人。去年上海天馬片廠攝製出來在大陸上演的時候，據中共電影刊物的報導，那是大躍進中的最佳電影，鼓舞並教育了不少的工人，眞是好得了不得。現在運到海外來賺外滙，尾巴影評更是吹捧得天花亂墜。我想，這類宣傳縱不可信，就算打一個折八扣吧，也許不致太壞。誰知看了之後，天公地道，眞還不只一折八扣，給它一個〇分，倒是客氣的呢。

故事和演技都不必提，只看香港那家影院只演了兩天，九龍那家雖又加多兩天，但上座不過二成。有些觀衆不待終場便告早退，就可知是如何了。這裏單說這位女模範的模範表現是些甚麼。首先是她成了模範以後，身任粗紗間工人小組組長，竟然連普通初學針綫的婦女人人全會的銜接綫頭兒都不會！那位片場女編劇去拜訪黃寶妹時，她正在向別的女工學習接綫頭兒。其次是一個技術差的女工使用老爺車，以致出白花太多，黃寶妹自動同她掉換車，白花便減少了些。再次是人家在一年、一月、七天才能辦到的消滅白點，黃寶妹在四個半鐘頭內就完成了。什麼叫白點？原來仍舊是接綫頭接不好弄出來的。黃寶妹的成功，是因爲她肯聽黨的話，黨的話又是什麼呢？影片上出現了一個像吸毒鬼樣的黨支書，向黃寶妹說：「你要創造性的研究！」就憑這個「創造性」，於是黃寶妹消滅了白點——也等於說把綫頭兒結好了。還有是黃寶妹要自己會修理機器，好出優級紗，只看她拿着鉗子在車上吃力掙撑，撑了半天沒有動，但這樣就把優級紗紡出來了，眞像變魔術那樣神奇。這就是黃寶妹！這就是全國勞動模範！這就是眞人演眞事！然而香港的中國觀衆「水平低」，看它不懂，有什麼辦法？

像這樣的影片，大陸同胞不願看也得掏出血汗錢去排隊購票，看了覺得不好也得堆上滿面笑容說：「眞好！眞好！我受到了一次深刻的教育！」如果像香港的同胞這樣根本不去看，或是不等完場而早退，更或像在下這樣說它不好，那麻煩就會跟着來了。

瘟君夢

第三回：點石成鋼魔王施妙手　指鹿爲馬嘍囉建奇功

毛澤東尚未開口，活曹操却懶了，指着李富春說道：「你又不是當小木匠出身，怎麼也這樣胆小。」

大凡有肺病的人，最易衝動，李富春從在陝北就受活曹操的侮，雖然他的爲人比較恬淡，凡事能作退一步想，但是怨憤總是免不了的，時間愈久，積怨也就愈深，現在經活曹操指着臉一駡，怒火上衝，不住口的咳嗽起來，而頰脹的像搽了胭脂一樣，倒在沙發裏有氣出無氣入，好似馬上就要完結，一句話也說不出了。

毛澤東却不理會，繼續看大躍進的「草案」，活曹操歪過頭看李富春倒在沙發裏只是乾嗆的慘狀，得意萬分，正想開口挖苦兩句，忽然毛澤東問道：「林老，這個大躍進草案實在不够躍進，我想按照富春同志擬的數字，酌量加一倍或者幾成，你看可不可以。」

活曹操連連點頭：「主席的看法那會錯，人本來有彈性，地也一樣的有彈性，大躍進的眞正目的是少消耗，多增產，今後關於人民的口糧，應該儘量的由多變少，由好變壞，吃米麥的改吃雜糧，吃雜糧改吃番薯，吃番薯就改吃野生植物，生產方面儘量提高，地力要儘量利用，現在的糧食收穫量，實在距離最高產量差的還遠，主席不記得去年王任霍等人在紅官縣搞的試驗田，曾經畝產三千多斤，一畝收成趕上十畝還多，就可以證明人和地都是有彈性的，問題是怎樣把這種彈性發揮到最高度。」

活曹操說的口沫四濺，毛澤東也聽得眉飛色舞，此時李富春的情緒已經平復了，咳嗽也止了，躺在沙發裏靜聽，聽到活曹操說到最後一句，突然插嘴問道：「林老，關于糧食，棉花大躍進的數字，我不敢駁你，因爲那還要等天決定，獨獨鋼鐵這一項，全國有多少鐵礦，有多少鋼廠，每天能出產多少，我總比你清楚，無論你怎樣努力，沒有生鐵怎能製出鋼。」

活曹操眼一瞪：「你怎麼專跟李先念學習，萬事不知道動腦筋，只是拚命的叫苦，怎麼沒有生鐵，你只知道有多少礦出多少鐵，你知不知道全國有多少人家，每家有幾口鍋，有幾把切菜刀，每家又有多少鑢刀，斧頭，犂，耙，鋤頭，甚至牆上的鐵釘，門上的搭環，那一件不是鐵作的，那一件不能煉鋼，只要能全部發掘出來，再翻一翻也沒有問題，你身爲國家計劃委員會的主任，一點也不肯用腦子計劃，你的肺有病，腦子沒有病喇！」

李春沒料到活曹操能想到煉鍋煉鋼，當時反而不知如何回答是好，毛澤東也覺得太離譜了，十分納罕的問道：「林老你不是同富春同志講笑話吧！」（五十）

岳騫

政治是什麼？

晚近以來，中國的學人和知識分子，有些是很厭惡談政治，而標榜清高的。認為談政治是「骯髒」的事，於是對此逐漸具戒心。另一方面，從事政黨工作的人，主要是在實際政治方面負有責任的政黨人物，則又頗輕視一些評論政治的學人和知識分子，譏之為欲分一杯羹。於是更使清議無從伸張了！

其實政治乃是「管理衆人的事」，是一種崇高的工作，一種責任，也是一種榮譽，並不是什麼特權利益。它既非一杯羹，也非一塊餅。是人人有份，人人都能批評。何況民主政治的實質，就是一種容許異見存在和容許批評的政治制度呢！

如果說，凡是對於政治和現實政治提出建議的人，都說之為是想了分一杯羹的，那末試問首先視政治為羹，用羹，代表政治的那些大人先生們，你們的觀念是不是太過骯髒呢？是不是你們先已視政治為羹，始而恐懼他人來談論呢？

老實說，凡是讀過政治學大綱的人，讀過三民主義的人，是應該了解民主政治的實際意義的。我們總會想起過國父的下述訓示，在英國的議會兩院裡，執政黨的黨員，會有譴責反對黨的批評和建議，是這一種的政治。

因此，奉勸視政治為羹的大人先生們，發這一類話的時候，最好先想想三民主義上的定義，否則覽天覺地嘴上掛著一部國父遺教，也未必就能表示你們懂得什麼叫作政治呢！ ◎小言◎

釋耒集

反殖民與反共產

前于報端，讀見星洲政治領袖所發表之談話，謂目星洲新政權，既反對殖民主義，同時亦反對共產主義，按此兩主義之發生，年代相距，雖將及一世紀，表面觀之，若相水火，而其源則同出于工業革命，而其所以造成大多數人之貧窮，使少數人得恣睢暴戾以生活之情形，又並無不同。殖民主義者，挾其優越之工業出品，隨宗教哲學及軍事裝備以俱來，戰爭之烟硝方消，教堂之尖塔隨起，通商口岸樓閣連雲，出海碼頭，巨舶如鯽，於是所謂落後地區者，少數城市，遂盛極繁榮，落後民族中之「先知先覺」，乃搖身一變而為淨商之買辦，如貴族豪門之豢奴悍僕，與其主人，相助為虐，以舐吸其同胞之血液，年月既久，薪已盡則火亦熄，此類落後民族中之多數人民，大率均已溺于半飢餓狀態之中，於是共產黨人，階級鬥爭，民族自決之主張，乃得乘時煽其兇燄，使此陷于半飢餓狀態之多數人如醉如狂，以爭取其所謂「解放」，此時上海之外灘，廣州之沙面，昔日殖民主義者，百年來所經營之無數崇樓，無數烟突，無數教堂尖塔，固已無一而不成為共產黨人之戰利品矣，唯一出于貧苦大衆意料之外者，則為飢餓之情形，轉較殖民主義得志之時代為尤甚，即併其在長期巧取豪奪下，所保有最可憐之遺籍，如一樣之破產，麼角零星之殖地，昔日賴以豢鵝豚，植蔬菜之場圃，並一一如沙面及外灘之崇樓，亦隨之以俱盡耳。是故無殖民主義，亦即無共產主義，反殖民主義者，勢必同時反共產主義，此兩主義，有任何之一雖存，則弱小民族終將永永為奴隸牛馬，故依賴殖民主義者之力量以反共產，或受共產主義者之驅遣以反殖民，均天地間至愚之行徑也，週來三十餘年，世界風雲，瞬息萬變，國際間無復有其是非，中經兩次大戰，糾紛轉愈出而愈多，無非由于此兩主義勾心鬥角，譎詭變幻之結果，依目前形勢以觀，戰爭僅時間之早晚而已，謂可以避免者，自寬之詞也。惟無論未來之變化將如何，一民族斷斷不能依存于外力之消長以求活，星洲政治領袖，頗自謂星洲為世界上唯一無民族問題之地區，此種論調，貌似開明，實極愚闇，夫無民族問題云者，實等于謂無民族立場，無民族立場，則無所謂星洲自身之利益，以如此之姿態，以求存活于殖民主義與共產主義之間，謂其可以無事，不過盲目之樂觀耳，星洲人口，以華人佔絕大多數，人皆知之，謂星洲無民族問題，事有類于掩耳而盜鈴，明明為一民族（民族之構成，不一定限于同一之血統，美國即是其例），而自甘放棄其立場，一而乃宣言曰反殖民，反共產，無乃色厲而內荏乎？如其不然，則排華者之巧說而已，而星洲之隱憂，其正在此乎？

曲齋

球場散記

◎恬辛◎

週末，我踏着輕鬆的步伐，跨進了××球場，準備把一週來繁忙的疲勞在這兒洗滌一淨，因為沒有甚麼賽事，也不像夜公園裡那麼喧擾，對於喜歡清靜的人，球場確是不可多得的消遣處。

這是一個露天的球場，晚風陣陣吹來，予人一種說不出的愉快，何況不用花錢買門票，更沒有黃牛向你遞來，但這說外行，也可「值回票價」，即使對於「波」毫無興趣，靜靜的坐在那兒，也會有置身於千軍萬馬之中的感覺。

一種罕有的安全感擁抱着我，使我忘懷了胯下的冷板凳。許多顧客，包括我，都是常客，面熟的老面孔——有些人已經是鬚髮皆白，但是看他們的不改其樂，有時候比大熊還要緊張，好像是一位老球員得失。

偉的球場權威，除了貨真價實的球迷外，倘有一部份樂迷，其他種種，很可能也有，球賽就要開始了，球員們魚貫出場，裁判的哨子響了，觀衆的情緒也跟着緊張起來，裁判像獵狗般的奔走，觀衆的眼球也一來一往的奔走。孩子們是另一批英雄，雖然他們並不按拍上陣，但是吶喊之聲，使人直覺得後生可畏，左右兩觀衆席上各有一組吶喊隊無形地構成了，紅隊與綠隊同樣擁有許多義務的擁護者，他們完全以赤子之心來為不相識的英雄們加油，因為他們之中有些欣賞紅隊五號的鈎射，又為綠隊隊長的籃下絕技叫絕。我不禁又起遐想：憂心下一代的民主政治的仁人，何不讓他們在這種場合施展一下機會教育呢！

我很欣賞觀衆們的熱情，但更喜歡他們的情緒尚未升至白熱狀態的吼叫，固然能更添熱鬧，然而勢必破壞了這一份怡心的享受；而且事過境遷以後，曾經身歷的每一個人大概都會有一陣寂寞之感湧起吧！——也許孩子們不會，他們會以一個甜夢結束今朝！

愉快的球賽，愉快的結局，除了歡隨一些灰塵與沙之外，沒有任何的損傷，沒有爆炸性的場面，裁判員笑着退出球場，觀衆們也很愉快，始終沒有人噴射汽水……

我不禁有點飄飄然，隨着人群湧出球門，一陣涼風迎面撲來，撫弄我鬆弛的肉，如果有人邀請我去那裡，我也願意再去那場之樂的！

「太太我被人綁票，今晚不能回來了！」

如夢令

◎吳石仙◎

歲月無言溜去，暗劃幾條紋路。藏眼角眉頭，一笑更添無數。知否？知否？那得青春長住！

書刊簡介

羅培爾．歐文

樓桐孫編著

樓桐孫先生編寫這一本歐文評傳的目的，他在序文中說：除了探究合作理論的根源外，還有一份苦心。便是要我們知道自己已不能不踏共產黨的覆轍，以求國民在自由的生活中可以反攻，對共產黨執行死刑的判決。

我覺得他說的第二項目的，在目前是特別有意義的。他編寫這本書在一九四七年以前，中共還沒有實行「人民公社」的時候。但早在一百三十多年前，十九世紀，歐文已經在新大陸創辦所謂「新和諧村」了。新和諧村的組織和生活方式和中共現在的「人民公社」是很相類似的。（參看本書第五章第四二節）。然而新和諧村的出現，不過短短兩年左右，便宣告破產。為甚麼失敗了呢？便因為新和諧村的組織是違反人性，也違反經濟原則的。本書第六章及第七章第五節，關於歐文新和諧村運動實施失敗的原因，有極深刻的和生動的描寫。而其中的實際情景又不啻是目前中共人民公社的預先報導。故中共人民公社的失敗，也就早已註定了。因此，本書是研究社會主義歷史，不可不讀的書，也是研究中共問題不可不讀的書。

文筆生動，趣味濃郁，組織謹嚴，而又剪裁得當，亦為本書的特色。讀者鮮有不希望一口氣讀完者。

台灣中國合作事業協會印行，為合作叢書之一。民國四十八年三月初版。（文遜）

香車與美人

銀壇隨筆

◎修衡◎

「香車美人」是一部反映現實「社會教育片」。由易文編導，葛蘭領銜演出；「卡司」齊整，張揚、雷震、劉恩甲、吳家驤、楊群、周萊儂、張仲文、張翠英等，觀衆對他們都很熟悉。

這部片子是電懋繼「青春兒女」、「龍翔鳳舞」這一類相似意義的新片之後，另一鉅製。明天開始在港九「皇后」、「東樂」聯映。

那是描寫一對年青新婚夫婦生活情趣。自婚後發展到甜蜜過程開始，發展當時翻波突出高潮，反映出源於婚變的無常舊面，刻劃出「物極必反」的宇宙定律。奇突的變幻和人心弦的曲折的情節，向後發展使人莫測，大感驚異。

在這戲裡，沒有一位青春少婦不羨慕香車的，年青的丈夫沒有不愛漂亮的太太。物質的誘惑，但會難免於迫切的生活條件。試問一對新婚夫婦在現社會的新婚夫婦，看到別人坐在私家車裏，傍着熙攘往來行人，爭先恐後擠上巴士、電車，沒有理由不想買架私家車坐坐。

然而仰視俯瞥，夫婦間的「可恥待遇」，只能勉強維持生活。這種精神上的虐待無形中削弱了夫婦間愛情，勢將顯然很難避免，各人都有個疙結，大家祇在肚子裏盤算。

任何人總有一個希望。有時候希望也會構成事實，但必須透過偶然的巧合，意外的機會。「香」片在這一方面，作了極大深刻的描繪，這具有的成就，那當然歸功於充分的生活體驗。不是「動人細緻」四個字概括得了。

演員表現的深刻，他們的戲路，根本就變了，特別如雷震，變得令人驚異，他不再像過去那麼呆板，以瀟灑、大方的商人姿態出現。

葛蘭和張揚的戲路也大大轉變。該片除了提供高度寬度的教育意義之外，編導演員和道具配音，無一不是構成「香」片最成功的條件。

廣東通志談叢

◎竹菴◎

屈大均（翁山）廣東新語，廣東文集序云「廣東居天下之南，故曰南中，亦曰南裔，火之所房，祝融在焉。天下之文明，至斯而極。故其發之也遲。始然於漢，熾於唐，於宋，至於明，乃照於四方焉。蓋今天下言文者，必稱廣東，蓋其地當日明之所交會，故陶唐曰南交，言乎日月之相交也。日在南，則月在北，月在南則日在北，上下相望，以為交生其地者，其人類多智而能文，固日月之精華所吐嚥而成者」。

上所云云，所以推揚廣東者，可謂至矣。或謂翁山是粵之番禺人，以鄉土之人，而談鄉土之事，溢美之言，固在意中，但近世新會梁任公（啟超）有「廣東在世界上的地位」一文，詳徵博引，列舉自唐以來，粵人對於世界史演進的貢獻，凡曾讀此文者，即知粵省不獨對於本國有重要性，而且在東亞方面，無論在經濟上，文化上，均佔重要的地位，茲以非本文範圍，故略言其概。

研究廣東史地的情形，書籍繁多，然古籍或詳於古而略於今，近著又或偏而不全，直至今日，關於廣東詳細的史料，確為具體而有系統者，仍未有能逾阮元在道光二年（一八二二）所纂修的廣東通志，是書凡三百三十四卷，共釘一百二十厚冊。

明代的廣東通志

粵省志書，在明代編纂者，共有三家：其一為明嘉靖十四年（一五三五）奉化戴璟所編纂的廣東通志。是書祇得四十卷，廣東之有志，以此為最先。其二則為香山人黃佐所纂的廣東通志，是書凡七十卷，成書於明嘉靖三十六年。（一五五七）其三則為南海人郭棐所修撰的廣東通志，書凡七十二卷。成書於萬歷二十九年（一六〇一）。

戴氏所修之志，在百年前，已極罕見，是以商務印書館出版之「中國地方志綜述」（上，中，下三冊）不列其名。國中公私人圖書目錄未見著錄。阮元指為幾佚，嶺南大學李景新廣東通志記，稱戴璟本已經失傳。但一九三九年，在香港舉行之廣東文物展覽會，有戴璟本陳列。是廣州南州書樓徐信符所珍藏。則最初之廣東通志，仍存天壤間也。迄今已廿年，此孤本之粵志，是否已歸湮滅散佚則未可知矣。（一）

自由人

THE FREEMAN
（第八七一期）

中華民國僑務委員會照發登記僑台敬新字第一零二號
中華郵政台字第五○○○號
執照登記為第一類新聞紙類
（半週刊每星期三、六出版）
每份港幣壹毫
台北市每份台幣貳元
督印人：陳文韜
地址：香港高士威道二十號四樓
20 CAUSEWAY RD. 3RD. FL. HONG KONG.
TEL. 771726
承印者：東南印務出版社
地址：高士打道六十四號
台灣總經理處
台北市西寧南路[illegible]號二樓
電話：三○三四六
台灣郵撥儲金戶九二五二
海外總經銷：友聯書報發行公司
香港：德輔道中二十六號A二樓

大陸的天災與人禍

金思愷

六月以來，從横掃大陸中部的一陣暴雨影響河南、河北、陝西三省麥收開始，接着，傳來了一連串的天災消息，包括：山東的兩次雹災，湖南、湖北、內蒙、福建等地的水災，遼寧、吉林的旱災，廣東、廣西的百年罕遇的特大洪水，河南、山東、江蘇、安徽、河北五省的蝗災。歷年汛期中心是七八月，今年水災還僅是一個開端。長江，黃河的水位現正在增漲中，自還不能對今年大陸的災情作一具體結論，但由此亦可預見今年大陸天災的嚴重。其中特別是廣東受禍最烈，據該省中共黨委第一書記陶鑄的報告，這次洪水淹沒了農田近六百萬畝，冲垮了水利工程二萬八千多處，受災人口二百萬，死亡失蹤二百十六人，傷二百○四人，塌屋二十萬間以上，誠為本年度人間少有的慘事。

人為因素擴大天災

廣東特大洪水的形成，基本原因固屬雨量特大，但陶鑄一口咬定這是「非人力所能挽回」的天災的說法，則完全是諉過卸責的遁辭；實際上，人為因素恰巧是使此次災害擴大到如此程度的主要原因。

一九五五年九月，陶鑄在中共廣東省第二次代表會議上的「堅決完成以農業為重點的廣東省第一個五年計劃」報告中說：「我們不是不適當的提倡過在山區擴大糧食耕地面積，無計劃的開荒，不但增產糧食的目的沒有達到，反而嚴重的破壞了森林與水土保持，以致年來山洪為害越來越大嗎？」（一九五五年九月二十四日南方日報）不難理解，廣東的山洪為害之所以越來越大，主要是由于濫行擴大耕地面積；陶鑄既然承認了這一點，那麼就該收縮這種耕地面積才對，但是事實却巧相反。廣東省的耕地面積：一九四九年是四，四四二‧二萬畝，一九五二年是五，○四八萬畝，一九五七年是五，五五二‧八萬畝，一九五九年為六，○○○萬畝（中共廣東省委書記趙紫陽一九五八年十二月在省農業社會主義先進單位代表會議上報告），可知一九五九年比一九四九年擴大了一，五五七‧八萬畝，其中約三分之一即四四七‧二萬畝是最近兩年所擴大的；這也就是說，陶鑄不但不以擴大耕地面積使山洪為害越來越大的經驗作為教訓，反而明知故犯的加速擴大耕地面積，根據他自己的邏輯，這當是今年的廣東洪水創出百年記錄的主要人為因素；豈強調特大雨量所能推諉卸責？我們固不願以天譴等迷信觀點來論述天災，但人禍會擴大天災之理顯已由陶鑄的言論證實了。

捏造成績造成災害

今年大陸人禍導致農業減產，並不僅止于此而已。去年中共中央強調「少種，高產，多收」的農業方針，亦給今春農業帶來了巨大的災害。

「少種高產多收」的農業方針是去年十二月中共六中全會所決定的，同時並且預期將大陸的耕地面積縮減到現有的三分之一，其餘的三分之二說是讓它輪休，種花草，美化農村。中共中央所以敢于決定這個「少種，高產，多收」方針的原因，是去年共幹搞試驗田，捏造出來了一些高產成績，從畝產千多斤起到十六萬斤止，毛澤東認為這種高產具有實際可能，於是欣然決定了這個「少種，高產，多收」的方針。

要使農田高產，根據毛澤東的說法是要實行他的「水、肥、土、種、密、保、工、管」八字憲法，在這八個字中，以「密」字與高產關係最大。在一九五七年以前，中共對於密植問題一直在「合理密植」與「愈密愈好」這兩方面爭論，主張合理密植的大多是科學家，可以作為代表的是江西省農業科學研究所副所長張岐山發表于一九五八年八月十四日光明日報的講話，認為每畝田的密植不能超過十萬兜。主張愈密愈好的是以毛澤東為首的一批蠻幹的狂熱者。因為農學家的話具有科學根據，主張愈密愈好的這批人在當時也無可奈何。

一九五八年，毛在鼓動大躍進的當兒，在農業方面也要求爭取高產，藉使各級幹部種試驗田創造典型；對於捏造的試驗田高產經驗的報導，特別強調愈密愈好這一點；根據其報導這種高產與密植間的關係可以擇要羅列如下：畝產一千五百斤的每畝密植二萬二千兜（一九五八年六月二十二日中國青年報）畝產三千二百斤的密植三萬六千兜（一九五八年七月十二日北平大公報），畝產一萬三千斤的密植十二萬五千兜（一九五八年九月「計劃經濟」月刊），畝產三萬六千斤的密植八十萬兜（一九五八年八月二十九日中國新聞社電訊稿），畝產十六萬斤的無法分清兜數（一九五八年十二月十日香港大公報）。他們為着強調說明農學家的科學結論已被試驗田的高產事實打破，特別驅使這些農學家到湖北省麻城建國第一社畝產三萬六千斤的試驗田田邊，要這些農學家以這一事實來批判自己所主張的「密植不能超過十萬兜」的科學結論的錯誤（一九五八年八月十四日光明日報）；同時，中共又喊出了打倒「科學迷信」、破除「洋迷信」等口號。這是毛在一九五八年自以為是的得意傑作。其荒唐之處，在中國歷史上似只有秦始皇派三千童男女到海上求仙的滑稽故事可以比擬。

人為災害不下天災

愈密愈好的捏造事實既已打倒「合理密植」的理論，於是在去年十二月，大膽的提出「少種、高產、多收」的方針。今春，各地普遍推廣試驗田愈密愈好的密植經驗，並將農產指標一般都提到高不可攀的程度。此時，科學家側目而視，有經驗的老農搖頭嘆息，有責任感的農民愁眉百結，只有那批懶漢與狂熱的共產黨徒興高采烈，以為共產主義指日可待。

執行愈密愈好的結果，許多苗倒伏腐爛，許多苗不長分蘖，許多苗只長不結，許多田待成熟而脫粒，許多地弄到顆粒無收；湖北有一畝麥池，下了一千斤種子，麥苗出土，細得像頭髮一樣，在前期就倒伏了（一九五九年五月十四日人民日報）。農民們付出了比往年多的種子，却獲得了減產的結果。以全國的範圍來觀察，這種人為災禍決不會少過今年上半年由于天災所遭的損害。

四月一日人民日報社論「論合理密植」，終于開始批判越密越好的錯誤思想；浙江「省長」周建人在四月「人代會」的講話中，又承認了密植應以十萬兜為度的科學結論（一九五九年十一期新華半月刊），越密越好的主張至此宣告垮台，科學終究還是科學，決不是一股蠻勁所能推翻的。

雖然去年試驗田的高產還未公開宣佈其全部為虛偽捏造，但在事實上我們至少可以說中共已經承認密植十萬兜以上的豐產成果是假的。

毛澤東不得不服輸了

另一方面，毛澤東在四月的「七中全會」上提出了「留有餘地、掌握主動」的工作方法，強調「包產要落實」，各地紛紛修改農產指標（一九五九年四月二十四日四川日報）。六月十一日人民日報社論，正式否定了「少種、高產、多收」的方針，轉而要求「多種多收」。社論並且說：「因為播種面積比去年減少較多，結果，總產量增加不多，或者沒有增加。這是應當引為教訓的。」至此，毛澤東正式服輸了！

自中共據有大陸以來，連年遭受了土改、三反、集體化、社會主義改造、以至于人民公社等的人為災禍以後，今年上半年又給大陸同胞災上加災，禍上加禍，其水深火熱的悲慘境況，眞似十八層地獄到了底。

明知不可為而為之，使得今年水災擴大到百年未見的程度；明知科學自有其根據，却不惜捏造數字以否定之，造成了人為的災禍；這些正說明獨裁者以犧牲人民生活及勞力作注，而與自然和科學作豪賭；而其暴烈，兇悍，殘忍的瘋狂表現，不知何時可得到了結。豪賭的後果，總是要輸的。今年中共對人民的計劃是更緊張了，人民普遍的消極怠工的反抗，是火山已經冒烟了，這座火山總爆發的時間大概也不會太遠了。

半週述評

赫酋又一恫嚇

當蘇俄副總理庫茲洛夫訪美和美國七個州長訪俄期間，俄酋赫魯曉夫又發出戰爭的恫嚇，而告前紐約州長哈里曼說，蘇聯將以飛彈應付柏林問題，並將此項武器大量運交中共內陸，以支持中共對台灣的行動。

赫酋這些威脅性的論調，已不止一次。長時期以來，它一面以戰爭恫嚇，去觸動世人的和平願望；一面又以「和平」的誘惑，去消沉世人的反共意志。其最終目的，是想不戰而勝；或促成高層會議，以實現其某種交易的企圖。

從另一方面看，目前赫魯曉夫的急不擇言：當是由于三項因素的影響。第一是柏林問題的陷于僵局，難以下台，因此，故出大言，以加強對十三日復會的日內瓦會議的壓力。第二，目前共黨的世界性活動正進入低潮，中東阿聯和伊拉克的先後反共，對共黨的打擊甚大，蘇方有重振聲威的必要。第三，是烏克蘭地下反共活動之趨于活躍，俄軍正出動傘兵鎮壓（維也納七月七日合衆社電），亦需要藉對外的強硬態度以掩飾其內部的危機。

不過艾森豪所反映的態度是頗堅定的，他明白表示他不擬與赫魯曉夫單獨談判世界局勢，並謂盟國保護在柏林權利的決心，是他們與蘇俄談判態度不能動搖的磐石。因之蘇俄的恫嚇，是收不到效果的。至於台灣海峽局勢，中華民國三軍已加強各種戒備，馬祖上空米格十七之受重大損失，已初步給予中共挑釁以有力的回答。

中共向西藏開刀

在達賴避居印度漸發生問題之時，中共對西藏已實行進一步的鎮壓。

據班禪、張國華、阿沛‧阿旺晉美等在「西藏自治區擴大會議」上的報告，中共將以全力「肅清西藏的殘餘叛亂份子，和充份發動群衆，在西藏全區實現社會改革」。據說根據目前情況，西藏的「民主改革」和「社會主義改革」分成兩個階段進行，而「民主改革」又分為兩個步驟：第一步是進行反叛亂，反烏拉差役制度和減租減息的「三反雙減」運動，第二步是分配土地。最後到「社會主義改革」時，則成立「人民公社」。

現階段中共在西藏的鎮壓行動，一是廣泛搜捕過激藏民；二是沒收原西藏地方政府，寺廟和貴族的土地；三是在各寺廟進行清算鬥爭。在此時機，我們希望達賴喇嘛能充份運用其影響力，對藏民發出號召，以與中共全面對抗。自由世界應給予達賴及一切反共的西藏軍民以有力支援，印度政府也不應過于短視，不應干涉達賴的活動。

應當停止的論爭

最近海外一、二自由人士和台灣二、三報紙發生了一次關於「毀憲」「護憲」問題的論爭。從好的方面說，這是民主政治的一種表現，表示了人們對國族前途的關心。從不好的方面說，這次論爭又暴露了我們反共陣營的重大缺點，表現出我們平日的希望和要求的「團結」，還有一段很遠的距離。同時有些所提的辦法，我覺得也非真正有利于反共復國的辦法，不過其中是非曲直，此處筆者不擬評論，而是希望到此為止，在政府方面應有接受批評的雅量，而在批評者方面也應當考慮週詳，不可流於偏激，以至引起反感。我相信大敵當前，國難深重，這一不愉快事件，是應該告一結束了。

金達凱

自由談

俄酋的老實話

俄共頭子赫魯歇夫告訴美國民主黨要人哈里曼，說是日內瓦會議中蘇俄外長葛羅米柯「只是講我們教他講的話，如果他違背，我們即開除他，另外換個講話的人來」。這是由衷之言，不特俄帝的外交代表確係如此，即西方國家的代表又何嘗不然呢？

不過，赫酋這番話必使英首相麥美倫大為狼狽洩氣，因為麥氏極力提倡無條件舉行高層會議的唯一理由，即認定祇有赫魯歇夫所說的話才算是決定性的意見，好像葛羅米柯之流的外交部長所發言論主張，乃是他個人說着玩兒似的，這不是笑話嗎？赫酋又聲明：他決不會贊成「不規定社會主義制度（即俄式共產主義制度）的任何統一德國方法」。這更是很坦白的心腹話，殆如咱們中國某些民主人士所謂「是甚麼就說甚麼」的態度，頗為難得，不啻是對於西方妥協主義者的當頭棒，可使他們沉沉的腦子清醒一下，不亦快哉！

俄共外長跟英美法各外長在會議席上所說的話，既是複誦其主子吩咐之詞，試問西方行政首長再跟赫酋舉行高層會議，又能致他改變既定方針，曲從西方的主張嗎？赫酋所能同意的德國統一方法，他已經據實敘述出來，即不規定統一後的德國實行共產化制度，就得劃為非核子武裝的中立地帶，二者必居其一，絕無商討之餘地。德國問題原是直接關係世界安危前途的癥結所在，赫酋對此問題的主意既然堅定明確如此，麥美倫認為高層會議將有創進真正和平生活的奇蹟出現，非幻想而何？

人言麥美倫之倡導高層會議，用意祇在對內取悅於選民，藉以爭取即將舉行的大選勝利。我總覺得一個政治家決不會這末無聊吧？現在看來，除却這項自私自利的作用以外，實在想不出其他的正當理由了。幸而美總統艾森豪尚能從大處設想，堅持着決不隨便參加高層會議的一貫主張，否則當年張伯倫所導演的慕尼赫悲劇即非重演不可，好危險呀！

馬五先生

國是會議不會開了

（台北簡訊）監察院國民黨黨部，於六月十八日下午，在該院議事廳舉行黨員大會。監委王宣担任主席，中央黨部也派委員倪文亞到會。首由該院黨部常務委員金越光報告有關本年五月中旬舉行的二中全會事項，報告中曾揭及院長于右任在二中全會開會之前，曾建議最高當局，不宜召開國是會議。因爲憲法明定立監兩院爲國會，而最高民意機關尚有國民大會，召開國是會議實於法無據的。如果召開而不成，則更爲不妙。[illegible]

此外倪文亞又報告[illegible]委員會的工作，[illegible]持。凡屬本黨籍的立監委員，必須出席參加，不得無故缺席。[illegible]黨部對於公務員加薪案，主張將不合理不公平的，應予以調整。對於[illegible]委員提高[illegible]待遇[illegible]考慮。倪氏並說，[illegible]的待遇，[illegible]。（六月廿九日台北）朱松年

爲全省十萬三輪車伕請命

〈台灣通訊〉

[illegible]

政府的一紙命令[illegible]可以消除糾紛的。事實上三輪車伕大都是窮苦力強，由於其職業比較低微，在社會上[illegible]相率成爲社會上的無業游民，[illegible]。這種後果，誠屬不堪[illegible]，因此對三輪車伕的問題，確實值得重視和誠懇合理的解決。

目前（七月三日）台北[illegible]三輪車伕[illegible]生活問題，提出三點辦法，輔導三輪車伕轉業[illegible]訓練班及向銀行[illegible]汽車公司，提案會討論通過後，決請政府研究，其建議辦法爲：（一）請政府撥款籌辦司機訓練班，免費訓練三輪車伕爲司機，以資轉業。（二）請政府通令公營事業機關，應儘量吸收轉業三輪車伕，使其參加生產，藉資救助。（三）請政府向銀行代洽貸款，輔導籌組計程汽車公司，使三輪車伕參加股東，逐步解決轉業。這三點辦法，都是相當有效的辦法，問題就看政府有否決心採行。以筆者考慮，第一點無不可行之困難，並且訓[illegible]

越南華僑申請延期居留

（西貢訊）越南各地華僑、爲適應目前環境需要，轉入越籍者，爲數頗衆，而不擬轉入越籍者，亦多呈文外僑署，申請長期或延期居留[illegible]稱：目前向外僑署申請長期或延期居留華僑，約有四千餘人，亦即現在仍未轉籍華僑，僅餘四千餘人。（寶）

從計程汽車談到三輪車伕的出路

林嘯松

自從台北市內有了計程汽車之後，曾引起三輪車伕爲維護職業而採取行動的許多糾紛，打司機毀汽車，一日數起，[illegible]伕都是靠個人[illegible]機也不用籌款設校[illegible]事周章，只須集中受訓的三輪車伕在部隊的訓練基地或車輛的訓練中心，嚴格訓練，經過技[illegible]試，即可完成此項[illegible]第二點更屬容易[illegible]須政府一紙命令即[illegible]事，問題是各公營[illegible]機關，也有不滿之[illegible]覺如何安插這許[illegible]及，確屬困難。第[illegible]請政府向銀行代洽貸款輔導籌組計程汽車公司，使三輪車伕參加股東，這原與第一點在理論與實際上都是相關密切，但這却需要有計劃有組織，同時更需要三輪車伕本身健全，不能完全依賴政府，要與政府密切合作。老實說在反共抗俄時期，政府應做的事項，確實很多，顧應不暇，倘使任何事情都只點在政府的肩頭，而當事人却反而坐待政府來解決問題，這也是很難的。譬如說由政府向銀行代洽貸款，原則上原無不可行之理，但這筆巨額的貸款以何方式貸出，怎樣運用有效，這些都需事先稠密計劃。依筆者看來，不如由省內大企業家組合計程汽車公司，購置省產或國外汽車，租與三輪車伕駕駛，其租車押金由政府向銀行代洽貸款，將來該款本息，由三輪車伕自行償還銀行，同時該項租車押金，即變更爲計程汽車公司之股金，由公司運用以增購汽車，若干年後計程汽車即不用再付租金，而籌爲三輪車伕所有，而且這辦法似甚合理，而且行之必有效果，與「耕者有其田」的道理完全相同，可以稱之爲「駕駛者有其車」，筆者不假深思，想到寫出，且以文字簡略，無法表達詳細內容，僅以此提供有關方面之參考而已。

總之，三輪車伕站在人羣社會中乃是一羣比較不幸運的，站在人道的立場也是值得社會人士皆予同情的。現在他們所賴的這個行業，已經受到時代淘汰了，他們已面臨了失業的邊緣，社會應該設法協助他們轉業，使他們能獲得一個可以維持最低生活的工作，尤其政府更應輔導他們，設法讓他們不致流爲社會上的無業游民，利導他們的勞力用於增加社會生產的事業。三輪車伕決不是社會的廢人，他們都是體質強壯，精力充沛，富於生命活力的一羣，如能因勢利導，即可有效的發揮其工作的力量。

台灣毛豬自高身價

·馬周·

台灣通訊

自從中國大陸實行人民公社，農家副產品的生產量急劇低落以後，香港的肉食供應曾經一度發生短缺的現象，於是台灣毛豬銷港也成了時髦的生意，在自由中國的貿易政策是不自由的，基於肥水不落外人田的原則，凡屬有利可圖的外銷貿易，都由政府機關統籌運銷，毛豬銷港，自難例外，這筆生意由台灣省物資局統籌辦理，據說在短短半年當中，就實撈了一筆，關於台灣省物資局爲了毛豬銷港，特別派了三個人駐在香港專門做毛豬生意，其用力之事，可以概見。

毛豬自從銷港以後，當然以港幣計價，這一下把台灣處在汚穢圈子中打轉的豬公豬婆變成身價十倍了！不但外銷去港的有一登龍門之感，即走向台灣屠宰場的也自高身價！在這半年之中，台灣的肉價由每台斤十三四元一躍而爲二十三四元，要以十斤白米的價格才換到一斤豬肉，小市民們不免有長歎歸來食無肉之嘆，而千門萬戶的主婦們徘徊於小菜場中，也有束手無策之感，本來食無肉並不是什麼「了不起」的大事，而況事關外匯貿易，更應咬緊牙關，遵行自由中國政府的「財經政策」。

可是豬肉漲價，影響到「每餐不忘」的大佬們的日常生活，在酒後茶餘的會議席上，對台灣省政府的主席周至柔氏談到此項毛豬自高身價的事，於是周氏回到台中，飭屬調閱卷宗一看，才知道從本年三月十五日起台灣實行豬肉限價，由物資局統籌供應台北市的消費市場，據說物資局既統籌有利可圖的外銷，當然不能坐視國內市場的豬肉價格扶搖直上而不顧，所以供應台北毛豬消費市場，是義不容辭之事，可是三個月供應的結果，據說賠了新台幣七百餘萬，（約合港幣一百萬元）而毛豬身價，並不因物資局賠錢而低落，却相反的已經迫近每台斤三十元的大關，於是跟隨着主婦們束手無策之後，主管機關如農林廳，糧食局也都束手無策，不得不另求解決之道。

在豬價上升之際，一般輿論以爲是外銷太多的結果，但官方却矢口否認：並且舉出統計數字爲證：據農林廳和糧食局的統計，台灣全省每年生產豬隻三、五七〇、〇〇〇頭，省內全年宰殺毛豬二、二〇〇、〇〇〇頭，外銷者不足二〇〇、〇〇〇頭，在供求方面應該綽有餘裕，於是一口咬定：豬肉漲價與外銷無關，而係由於「有人操縱」，單就上項統計數字而言：在常識上就有些問題，未經主管當局說明，（一）每年生產數字是否專指成豬而言，抑包括初出娘胎的乳豬在內？（二）宰殺的豬隻數字有沒有把飼戶自用和私宰的數字包括在內？（三）外銷的數字係全年估計數，還是半年來已經外銷的數字？如果這些問題沒有弄清楚，則上項統計數字是不足爲據的。

果然，台灣省物資局於賠累了七百萬元新台幣之餘，大呼吃不消，而肉食者流又實難不已！於是眞加檢討，首先發覺上項統計資料，根本上就發生動搖，據說上項產量數字係根據農會的資料，農會是根據飼戶的申報數字，其中有以少報多的情形，所以數字極不可靠，而且據熟悉台灣農村情形的台灣聯合報也肯定，豬肉上漲是由於供求不能配合，則外銷之影響國內市場價格，也不能說毫無關係了！

官方爲了減少當前的賠累，已將限價改爲議價，恢復議價的交易方式，將毛豬的高貴身價完全由消費者負担，這在消費者看來未免不大舒服，但因市場價格的合理化，再加上外銷的鼓勵，[illegible]毛豬[illegible]月，則[illegible]台灣的毛豬供應可趨正常。而況主管機關又訂了一套增產計劃，[illegible]果能如計增產，則毛豬供給可能趨於合理，到了那個時候，台灣毛豬[illegible]「自高」了！

翻印事件

·兆祥·

（台北通訊）內政部最近曾邀請許多專家，開會研究有關大英百科全書翻印的事情，據筆者所知，台北翻印該書有兩家書店。一家是文×書店，另一家是東×書報社。他們翻印的整套大英百科全書，標價台幣兩千多元，折合美金約四十多元，與原書每部三百多元美金比較，眞有天淵之別，難怪在台灣的美國人，也大量購買該書寄回美國。也因此，美國的書商大感肉痛了。

在我國的著作權法，一本書的出版，有效的登記時期爲廿年。就是說，一本書出版後廿年內，是隨時可以向內政部登記的。大英百科全書出版，至今已一百七十多年，（自然中間是經過許多修改的），在這一個多世紀的日子裏，該書並沒有向我內政部申請登記，自然不受著作權法的保障。又我國尚未參加國際出版法，因此，我國亦不受該法的約束。故翻譯百科全書，雖美國提出抗議！我國亦可不予理會。打官司，美商亦無勝訴的理由。從前上海商務印書館，曾因翻印韋氏大字典，以至與外商打官司，結果還是商務打贏了。

最近，聞我國駐美葉大使，曾有電報回台，說上次參加美國總統競選的民主黨人史蒂文生曾對他說，他對台北翻印大英百科全書這一件事感到極不愉快。原因是史氏乃該書出版社的董事呢。

總之，翻印大英百科全書這問題現在愈來愈複雜了。台北有關方面，也愈來愈覺得有從速設法解決的必要。將來到底如何且聽下回分解。（六月廿九日——台北）

官場隨筆

急中生智

語云：「英雄不問出身低」，只要自己創造出天下，照樣可以受人尊敬。但是而今，要想在官場混得「出人頭地」，那就要考問考問你受過些什麼「訓」沒有；只要是曾經受過一級「訓」的，可以說沒有不平步青雲的。抗日戰爭期間，某某訓練班結業的人員，於勝利後都變成不可一世的風雲人物，出任收復大員的也不在少數。只可惜，好景不常。有謂大陸之失與他們有關，此話當然未必盡然，不過足見「受訓」的功效，也並非百分之百的。

現在台灣的訓練也不少，有很多人還在託人謀求鑽營去受訓。因爲據說只要受訓結業，馬上都可以紅起來，只有少數才是例外。因此，某最高訓練機構，已決定將原有的三個月訓練期間改爲八個月。在三個月訓練期間的階段，有很多人是一訓再訓，三訓的，好處不祗是有吃有穿，有餉（帶薪受訓），並且還可以坐着等最好的出[illegible]

[illegible]

·關有·

國際動態拾零

·陶然·

[illegible]

大陸學校教育的怪現象

大陸各級學校，由於學生程度的普遍低落，已經形成教育工作中一種突出的矛盾。最近中共各報刊，亦針對這一問題，不斷發表文章，進行討論。討論範圍大致可以概括為下列幾個問題。

學生為什麼不敢讀書？

據六月十三日「光明日報」阮銘的一篇文章說：過去兩年，學校教育工作經過一系列激烈的政治思想運動，整風和反右派的鬥爭，接着貫徹了教育為工人階級的政治服務，教育與勞動生產相結合的方針。雖然解決了一個教育事業的政治方向問題，但如何提高教學質量卻又出現了新的矛盾。據說，在今天大陸各校師生當中，都存在着一種觀點，認為「學習是個人的事，只有政治服務和社會工作才是集體的事」，因此，不敢提倡學習，就心強調學習以後，人們會批判「只專不紅」的道路。同時，也有些人把讀書和資產階級的個人主義的目的聯繫在一起，因此，學生們也不敢理直氣壯的進行學習，不敢認真的接近書本，鑽研書本知識。

學校搞「評比競賽」

由於學生長期不敢讀書，教師也不敢強調學習，於是造成學生程度的急劇下降。為了挽救學生程度降低，中共又採取搞政治運動和生產運動的方式，在學校中大搞「評比競賽」和集體互助」運動。在「評比競賽」中，有人提出「苦戰八天，改變幾何面貌」，也有提出「苦戰一周，攻克物理堡壘」和「分秒必爭，三個月學完一年課程」等等口號的。集體互助，是組織全班學生，分成若干學習小組，下面分若干互助小組，規定學習好的同學，對學習不好的同學進行幫助，課餘絕大部分時間，是在互助小組內集體討論、集體複習、集體作習題。

必須改換腦筋

關於第一個問題，在阮銘的文章中，嚴厲地批評了一些只搞「政治思想運動」，只知搞「政治教育」而不懂教育，只顧目前熱鬧，不識長遠利益的「死腦筋」。但引語措詞非常有趣。原文說：「大家都知道，在蘇聯共青團第三次代表大會上，關於『青年團的任務』的講話，那時剛從前綫來到莫斯科的講話代表們，總想列寧的講話，是關於戰爭形勢的，然而列寧整個講話的中心卻是學習問題。代表們一面感到意外，一面感到必須改換腦筋，仔細地思索這個題目。在我們今天，學習雖然不是一個新題目，但經過兩年激烈的政治思想運動，不是也需要改換一下腦筋，用更加長遠一下眼光，來思索一下這個問題嗎？」阮銘指出：「今天歷史對青年提出的任務，是要成為技術革命和文化革命的戰士」，沒有「馬列主義的世界觀，和人生觀。」沒有「掌握科學技術的本領」，也不可能成為「建設社會主義的革命青年。」

關於評比競賽和集體互助，持反對意見的人最多，阮銘和李友濱（十一期「中國青年」半月刊）對於這一問題作如下的分析：

暫時強記不是辦法

一、科學文化知識的學習，是人類的思維過程，它的特點表現為：知識的積累，是一個循序漸進的長期積累過程，所以採取突擊競賽的方法，就違背了思維過程的客觀規律，不能夠使人獲得系統知識。一門課定三天突擊完，即使當時強記住了，很快地就會忘記。考試課也是一樣。

「多快好省」不踏實

二、有的小組在讀書做作業時，每人看一個章節，每人解一個習題，然後互相交流，這樣做，形式上是「多快好省」，實際每個人都不能真正透徹掌握全部知識。因為別人的思維，終究不能代替自己的思維。同時，在短期內要提高學習成績，要求每個學生的分數達到規定指標。這是強迫學生去做一些不合理也不可能的事。互助「包乾」的辦法，也只能使一部分人加重負擔，不能發揮自己的才能，而另一部分人雖十分勉強的跟上進度，所學的也不踏實。

由於搞「政治思想運動」，致令學生不敢接觸書本，教師不敢強調書本知識的作用，造成學生程度普遍降低以後，中共仍不知有所改變，而仍然要以「政治運動」的方式，急急地要從表面上改變學生的成績水平。這種「揠苗助長」的教育方式，美其名曰「培植人才」，實際上則是「摧殘人才」、「誤人子弟」。大陸不乏有經驗的教育家，而在「外行」領導下，長期以來，眼看着這一連串的荒謬措施，但亦無人敢予提出意見。目前，學生程度的低落到了十分嚴重的地步，使中共對未來建設感到人才恐慌，仍然不會把這一問題提出公開討論的。

竹幕秘

工業躍進產廢品

去年中共工業大躍進，創造出了「驚動」世界的數字，任誰對于這些數字都會懷疑，但中共一口咬定其躍進的成績。今年五月以來，「人民日報」不斷的發表工業質量低落的情況，雖然所發表的方式是經過安排的，使得我們無法作全面性的觀察，但根據他們所發表的百分比來看，去年工業產品的合格率，其自己所承認的是百分之八十，換句話說，有百分之二十是不合格的廢品。因為合格率很不易估定，出廠有合格率，國家驗收又有合格率，最後要用者有用在實地應用以後的合格率，即使中共本身，現階段要想準確說明去年大躍進時工業產品的真正合格率也是相當困難的，最後的合格率大概不會超過百分之六十。

質與量之間的矛盾

照毛澤東的觀點和主張，認為「有比較有鑑別」，好些」，所以就盡量擴大工業計劃數字，強迫企業來完成，結果就造成這種情況：「顧了這頭，顧不了那頭，要增產，要完成任務，只好抓產量」。這就是目前中共工業產品中的質與量之間的矛盾。

這種矛盾自始即存在的，不過特別是去年，大躍進正求數量的結果，更使得這種矛盾擴大了。今年四月中共七中全會時，情況已經發展到不得不處理的地步了，但毛澤東並不虛心的去解決這種矛盾。他在七中全會上還說：「要依照每一地區的歷史條件和環境條件，統籌全面，正確的決定我們的工作重心和工作秩序。開展增產，厲行節約的運動，是目前我們推進社會主義建設事業的中心環節，抓住了這個環節，一切事件就大大向前發展了。」（六月廿九日「人民日報」）顯然，在當時毛的思想中，增產還是第一，至少也得與優質齊頭並進，因此所展開的節約運動，注重于：（一）抓技術，（二）抓原材料，（三）抓思想。企圖以提高技術與解決原材料問題來使質與量齊頭並進，而根本不顧去解決工業生產中質與量間的主要矛盾。

工業政策的轉變

因為最主要的工業中的質與量間的矛盾沒有解決，優質運動始終展不開來，不合格的產品依然源源不斷的出廠。六月七日「人民日報」社論：「大力提高機械工業產品質量」一文認為：「既要提高產量，又要完成許多新品種的試製和生產任務，而這一切都必須建立在優質的基礎上」。儘管質的問題已很嚴重，還是不肯從量的方面去着眼緊縮。直到六月二十九日「人民日報」發表的河北省委第一書記林鐵的文章，才被逼而提出：「寧肯少些，但要好些」的口號，並且認為「在增產，優質，節約運動中。優質是中心環節，節約是必不可少的條件，要在提高質量的前提下和節約的基礎上，力求增產。」其工業政策才由追求數量轉而要求提高質量。其實呢，這是由「量變」到「質變」的實例，但是毛澤東在這方面卻一開始，就違背了唯物辯證法的三個基本原則。

看來，毛澤東還該好好地掌握辯證法學習一番哩！

。回心。

太空問題與太空技術之進展

（續上期）

數百年來，主權展至天空——並層太空——已在國際上樹立了。此理論源於羅馬，流布勒克斯敦在英國法中加以討論過。一九一九年

一九一九年巴黎公約的規定

的巴黎公約，曾規定「各國對於其領土上空有空氣的空間享有主權」。一九四四年的芝加哥公約亦使用同樣的文字，但不曾對「有空氣的空間」下定義。兩項公約的附件確認飛機為「任何機器，由空氣的反應，在氣圈中得到支持者」。為此有人推論：主權祇展至氣圈之限度。但此推論無裨實際，因為我們現在估算氣圈之限度自一百五十英里到六萬英里。又因人造衛星彈道飛彈或太空中平台，似均在距地面一千五百英里的上空，而氣圈極限，規定主權展至氣圈殊無意義。結果則祇有尋求較近的界綫了。哈萊相信本人發現距地面約五十三英里之處，空氣極稀薄，航空工具不能以空氣浮力，而需以源于離心力之速度，該速度是每小時一萬八千英里，可作為一條臨界綫（Critical Line）。古柏同意此臨界綫，卻以國際控制須推展到五十英里以外，俾實際不致陷于混亂。他提議設立「近地帶」于三百至六百英里之上空，各國仍維持其主權。哈萊所提的界綫被美國空軍所宣佈的計劃弄混了。美空軍將實驗飛機X十五號達兩倍于空氣所支持的飛機所達的高度，而超過「探險家第三」——運行時最接近地球之距離——一百一十英里——而可達那三個斯普特尼克之高度（一四五至一五〇英里）。但它之達此高度，好像汽車上山，藉一道路纔可上山坡。設想：X十五號能平飛每小時五千英里，而其最大部份藉空氣之支持，然後則藉火箭馬達向上升推進，最後牠就升入人造衛星的領域，更須返回地球，牠的能力已經耗盡了。這就是航空工具之重要性，使飛機和太空船之分別趨于模糊了。太空船首次載人的進到軌道，而大約是純粹以火箭推進的，更大的飛機會給人更舒適。而當于近地球時，自太空站以飛機改換，來轉為能經改進而自X十五號之太空船直可航行太空氣圈哩。

以上係若干太空技術之進展，許多奇迹都要出現，從趨勢看來，政治或國際政治可還是我們仍舊實際的看法，看人家「對月」，要等到人家在月球上設立了探測站，甚至成功了，我們優慢的科學軍事方面纔有所考慮，那不是推動我們的科學技術嗎？

。淦克超。

大陸文壇速寫　七刃

苦無接班的人

蘇共第三次作家代表大會報告，前任協會書記蘇爾科夫報告中提出急於培植文藝界第二代接班人的號召，原因是他們現在深深感到人才缺乏之苦。大陸的中共文藝界，在各文藝部門全有後繼無人之苦。在各次地方性的集會上，也特別注意到這個嚴重問題。

「解放」十年來，活躍在文壇，藝壇上的人，數來數去還是十年前或幾十年前的老人，不只是文藝、周揚、周立波、艾青、臧克家、田間、馮至等出鋒頭的人，要在大躍進中努力加工，就是老一代的郭沫若、田漢、夏衍、老舍、冰心等久已馳名的人，也仍然得不到休息。美術界也相同，雖然齊白石已死，也無人繼承他，徐悲鴻、于非闇等死後，畫壇上也只有葉淺予、谷元還幾個人支撐。電影界中的情形，經常在銀幕上號召的還是趙丹、白楊、王丹鳳、張伐、張翼、上官雲珠等，平劇經常在舞台上獻演的還是梅蘭芳、麒麟童、馬連良、譚富英、袁世海、裘盛戎、言慧珠、杜近芳、李少春、范瑞娟、傅全香、袁雪芬、小白玉霜、新鳳霞這幾人，甚至久已不演戲而亦不能再演戲的侯喜瑞、于連泉等，最近也被逼着出來登台。

為什麼這樣？一句話：後繼無人！

中共其實設立的培養文藝人才的機關學校很多，可惜十年來成績毫無，各部門全未產生出一個能夠接班的人。在從前，中共曾批判過去老藝人帶徒弟的辦法，也批判過富連成社那種老式的教授方法；中共的戲劇學校差不多都是聘的第一流的名藝人擔任教授，蕭長華、郝壽臣等一直就給中共的第二代藝人說戲；然而過去老藝人帶徒弟的方法和富連成的教授方法，卻能造就出許多接班人來，如今換了新的方法竟然造就不出來了！前幾天張君秋、裘盛戎在天津演戲，據共報說他們都收了徒弟，並極力贊揚他們這一舉動。為了培植接班人，不得不把過去扔掉的破鞋再拾起來穿上，不知這應該叫做什麼矛盾。

在丁玲主持文學講習所的時候，似乎還出現了幾個嶄露頭角的新作家，像谷峪、陳登科、嚴辰、劉賓雁、劉紹棠等，可是現在有的寫不出什麼，有的在反右派中已遭到清算；等於剛出土的幼芽，一面因缺乏養料或者中途而自己枯萎下去，一面遭到狂風暴雨或者被人踐踏而死。

不能產生接班人的真正原因在哪兒？還不是文藝的黨性原則作祟？我想茅盾、巴金等該肚裏有數的吧！

瘟君夢

第三回：點石成鋼　魔王施妙手　指鹿為馬　嘍囉建奇功

活曹操連連搖頭：「我那有心同他講笑話，事實確是如此，主席也許想到把鐵器都熔化了，怎麼吃飯，怎麼種田，實際上到了共產主義社會，各盡所能，各取所需，吃飯只有公共食堂，像現在這種各自為炊的情形，自然就不存在了，廚房用具，到時就變成了廢物，至於耕田器具，現在已開始用拖拉機，事實上已經沒有用，用這些器具煉鋼，一方面是廢物利用，一方面也加速實現社會主義，主席在莫斯科宣稱十五年趕上英國，假若按照這樣去作，也許三年就完成了。」

活曹操越說越高興，毛澤東雖然聚精會神的聽，卻始終不開口，顯然也有些遲疑。

活曹操摸摸鬍子，放低聲音說道：「還有一個好處，現在雖然全國人民百分之九十九擁護我們的黨，但是，也還有百分之一的反動份子，時時刻刻想起了，他們沒有槍只要有鐵就能造武器，現在把鐵燒光了，他們再想鬧只有用木棍，即使鬧起來也不能成功。」

活曹操說到這裏，毛澤東的興致來了，拍着手說道，「林老的知識是多方面的，秦始皇鑄金人十二，元朝要人民十戶合用一把菜刀，雖然目的都是防人民起義，但是不知改個名稱，未免太笨了。」

活曹操拈鬚笑道：「我常說主席聰明天縱，非人力所及，剛才講的這段話，真真正正的是帝王之學，一般只知鑽牛角尖的半知識份子，那能悟出這種大道理來。」

毛澤東站起來走了幾步，對着穿衣鏡摸摸臉，洋洋得意笑道：「林老，你的才是真堪作帝王之師，諸葛亮，徐茂功，劉伯溫那能比得了你。」

李富春躺在沙發上聽得噁心，暗暗罵道：「一對不要臉的東西，正是老鼠爬秤鈎，自己稱自己，這樣搞下去，最後看你怎麼收場。」

突然又聽活曹操說道：「記得井岡山時，我們曾經用石頭自行煉過鐵，這個辦法現在還可以通令全國施行，豈不比較熔舊鐵還要好。」

李富春聽到這裏，不由得冷笑一聲。

活曹操勾過頭看看，問道：「你笑什麼」？

李富春傲然答道：「聽到一連串的笑話怎能不笑呢？不錯，我們在井岡山曾經用小高爐自行煉過鐵，但那是鐵礦石，並不是所有石頭都能煉鐵，再說當時都盛出產煤，今天並不是全國到處都出產煤，所以要全國普遍用石頭煉鐵，我實在不能不笑。」

李富春好似拚出去了，講話態度非常強硬，活曹操雖然長於詭辯，也呆住了。（五一一）

岳騫

釋耒集

「無爲」與「風雅」

曲齋

無爲之說，雖云出于道家，但孔子亦曾曰：「無爲而治者其舜歟」？可見孔子亦未嘗不向往無爲，惟不肯積極主張之耳。至孟子遂大不然，故有曰：「堯舜之治天下，豈無所用其心哉！」漢初承秦之暴，一時民心厭亂，統治者爲順應此種趨勢，頗崇尚黃老無爲之治，上下賴以粗安。至漢武時，董仲舒倡爲正其誼不謀其利，明其道不計其功之說，雖不汲汲于功利，蓋亦知無爲之不足以爲治矣。班氏藝文志，敘錄諸子學術，以道家之說，爲君人南面之術，實指無爲而無不爲之義，南面之君，不以其德以安百姓，必用其術以制天下，則世運之升降可知，術之去法，一間而已，故老子與韓非同傳，司馬遷早已露其端倪矣。後世開基帝主，類皆雄猜險狠，殺人于談笑之間，而天下爲公之治，終不可復，未始非用術之故也。至若少數譏讒人，遭時艱處，欲苟存性命于亂世，以消虛淡泊自處，以示其忘情于得失，又或縱酒佯狂，率性而行，任誕自喜，使人知其不足以用世，以倖免于誅戮而已。此大抵均衰世之事，實非人性之本然，亦非眞無爲也。唐韓愈氏出，以此等事爲異端害道，作原道篇，以爲「古之所謂正心而誠意者，將以有爲也。」始正式提出有爲之主張，與孟子所云：「堯舜之治天下，豈無所用其心哉。」遙相呼應。北宋時，王荊公當國，變法圖強，司馬光爲諫議大夫，曾以退規之，安石報書云：『如君實責我以在位久，不能助上大有爲，以膏澤斯民，則某知罪矣，如曰今日當一切不事事，守前所爲而已，則非某之所敢知。』其後陳龍川之學，尤亟亟于事功之表見，所謂淸虛自守之說，僅於映敵之間，爲一二倦退之士大夫，于烟霞泉石之外，聊爲證獻而止，無復有人信其可以治國平天下也。

昨得一台灣青年來書，彼方就讀一省立學院，攻讀用技術之功課，是亦將以有爲之類也，因學校中仍以詩韻合璧，騈林摘艷爲教材，爲老師者日與諸生講論五言八韻之作法，厭薄之餘，用相質難，以爲一研究化學工程之技師，無由發爲一尋章覓句之才子，其意果有當乎，吾不得而知之，吾獨深惟，道德性命之說，固已無補南宋之偏安矣，有志之士，欲以一藝一能報國，爲其師者，不知所以栽成之，反倡攜詩詞中藻麗陳言，以相傳習，豈欲使此輩滿腔熱血之青年，相偕神遊于雙聲疊韻之國中，嘲風月，弄花草，異時反攻復國，使之以詩詞退敵乎，昔王陽明以爲詞辭記誦之學，其害過于佛老，不圖于今日見之也，以今日而論，無爲猶不過使人失望而已，以風雅自命，則不免于作嘔矣。

巴斯特納克談詩的創作

許冠三

最近這十年來，海外各地，特別是台、港兩地，出現了不少『新詩人』（這個詞有兩重意思，一是指寫詩的人，一是指新近成名的詩人）。並且有許多青年喜歡寫詩，這實在是可喜的現象。而最近這幾個月來，港台兩地報章雜誌上又刊載了不少討論新詩創作，品評新詩成就的文字，僅僅『自由人』報一家，就連續刊了好幾篇。這也不能不說是可喜的現象。

不過，就我這個百分之百的門外漢（我個人既不寫詩，也不從事詩的批評，）看，在我所談到的討論文字中，雖也有些好作品和可貴的意見，可是，絕大多數作品似乎未搔到癢處。適巧我最近在翻譯『齊伐哥醫生』，見到好幾段談詩的創作文字，覺得很有點意思，因此，我就想到將它們公諸報端。

「齊伐哥醫生」的作者雖然是以他這本小說得到一九五八年的諾貝爾文學獎金，並聞名世界，可是早在十月革命前後，他就是成名的俄羅斯青年詩人了，以下是巴斯特納克的原文。

× × ×

在寫下他突然想到的兩三節詩和幾個意象後，他完全浸沉在工作了，他感覺所謂靈感的逼近。和平常的情況相比，在這種時刻中決定藝術家創作的許多因素的關係顛倒過來了。主宰因素不在是藝術家所要表達的情意，而是他用來表達情意的語言。語言——美與意義的家庭象承附者——自己開始代他思想，說話，並且依照自身奔流的勢能和衝力，而不是音響，完全化爲音樂。然後，就像急流以它的運動冲刷石塊，運轉輪盤一樣，語言之流以它自身的法則，在詩篇中創造出節拍和韻律，以及其他不可勝數的關係，對詩來說，它們甚或格外重要，不過現在尚未發掘出來，未得到充分的承認，未曾定名。

在這種時刻中，尤利．安德里也維支覺得，工作的主要部分不是由他自己做的，而是由一種高高在上，指揮着他的君臨力量做的，可以說是由宇宙思想和詩篇底運動做的。同時，他覺得自己不過是這個運動所需要的偶然存在，這個運動的一個支點。

× × ×

他不耐煩地等待夜的降臨好恢復他中斷的寫作。

在譯明一行行速寫的符號時，他又經驗到平素常有的失望。昨夜這些草稿曾使他感動得下淚，有幾段手筆美妙得出奇，這他自己也驚異。此刻，在他看來，這幾段文字的寫得十分勉強，不只顯而易見，並且令人難受。

他生平一直在夢想寫下眞正的創作，經過情思熟慮，含蓄深遠的作品，完全不落時下裝腔作勢的俗套；他一生都在追求一種非常謹嚴，樸實的風格，以致讀者或聽者並不覺得自己曾費力消化，就能完全了解它的意義。他經常在爲一種不尚雕弄的樸實風格努力。可是，他現在却惶恐不安，因爲他發覺自己距這個理想還太遠。

昨夜，他嘗試用簡單到近乎幼稚並使人聯想到催眠曲的那種平易的語言，去表達他混雜着熱愛，忿懼，渴望和勇敢的情感，原則上力求這種情感作自我表白，幾乎不必借重語言。

他删掉昨夜的草稿，開始以原有的抒情詩風格寫下聖喬治和龍的傳說。起初他用寬闊的五音節長行，可是人爲韻律的拙劣做作使他煩惱，它們是與音節俱來，但與意義無關。他於是放棄這種大氣的音節，把每行删成四拍，就像你删去散文中的廢字一樣。工作現在是更困難了，但也做得更入神。結果生動活潑得多。不過，用字依然太多。他勉力把行子縮短。現在每行只得三音節了，同時，尤利．安德里也維支也覺得自己清醒多了，他站起身，心情興奮；在短音節的啓示下，塡入短詩行的適當字眼出現了。行中不常提到的事物撩起了具體意象，他聽見詩中馬兒的蹄聲得得，就像你聽見蕭邦某首民歌中有一匹馬在緩步前進。聖喬治正在無邊際的草原上奔馳。他能看見他，愈跑愈近，他的身影也愈來愈小，他運策如狂，但仍難上傾瀉的語句，它們總是自行落在適當的位置上。

× × ×

文中的他是指齊伐哥醫生。不過，這裏所寫的無疑是作爲詩人之巴斯特納克個人的創作經驗，以及他個人對於詩所持見解，如詩創作的要素，詩的內容與形式之關係，讀在詩中的意義等。

右列的行文，雖然只不過一千字稍稍出頭，然而，有關對創作的基本問題基本上都涉及到了。

（引文是根據美國版的英譯本（Panthem Books Inc. New York. N.Y. 1958）譯出。本書現正由作者與舜桓先生合譯。不久將由香港自由出版社印行）

題許涵青畫展

王韶生

碧鄉山水特鍾靈。師法無慚寅與瓚。

寫象莊嚴妝綵底。驚家共許小湖青。

八尺花驄入畫圖。不同韓幹較區區。

道人亦解憐神駿。踏遍天山夢有無。

象服靈披眼明。幽嫻貞靜自生成。

妖姬艷色雖殊衆。爭奈知迷下蔡城。

舊宮舞翩出敦煌。迴雪飄風透古香。

阿堵傳神留妙筆。麗容端合想雲裳。

序「五月花號」文集

李樸生

台灣大學的張俊英，余玉書兩君，師範大學的盧文敏、胡振海兩君，成功大學的朱韻成君，政治大學的鍾柏榆君（筆名星辰）都是僑生，所攻的學科各不同，都有文藝的興趣，常常寫些詩，散文，小說投稿台灣和香港的報刊。現在他們彙輯已發表的作品，顛名『五月花號』集出版。

五月花號（MAY FLOWER）是英國在一千六百二十年駛往美國的小船名。船上載着男女一百人，到美國這個新大陸尋求新生活。前四年，我到波士頓也曾到五月花號靠岸的地方參觀。美國爲紀念這第一批拓荒者的歷史，在岸邊還建築着若干座當年舊建築的規模，供遊人的遊覽。

張君等所以把他們的文集定名爲『五月花號』，是表示他們『作品的處女航，向着文藝的新大陸前進，』好有志氣！美國精神之可貴，就是不甘舊式的統治，不惜犧牲奮鬥，擺脫殖民地的枷鎖，堂堂地獨立起來！文藝的創造，也需要奮鬥的。我看到一篇余玉書君記他們往中央研究院謁見胡適之先生的特寫。令我也想起四十年前做學生時代，替文學革命搖旗吶喊的情形。當時胡適之先生提倡文學革命，很引起我們的崇拜。我雖然不長于文藝，但從此以後，我不寫文言文。我覺得白話文確比較容易『清楚明晰』，確比較『有力量』。不過，文藝似乎需要有文藝的天才與專心致志的創作。四十年來，胡先生的學問儘管有進步，胡先生于哲學與考證的著作儘管更爲豐富，但嘗試集以外，我們再讀不到他的第二部詩集了！我們希望五月花號的作者，在這一點上要趕過胡先生，五月花號這一羣拓荒者，在新大陸經過一年辛苦的奮鬥，就在原野上舉行他們的感恩慶祝，創造他們前途似錦的世界。在這反共抗俄的大時代，有許多新鮮特別可歌可泣的素材，我們希望六位作者揮發他們的天才，致力于創作，卓然成爲今日的杜甫，李白，中國的托爾斯泰，巴斯特納克（BORIS PASTERNAK，齊瓦哥醫生的作者）自由中國年青一代的陳紀瀅、王藍。（四十八年六月廿五早于台北）

廣東通志談叢

竹菴

繼戴氏而纂通志者則爲黃佐，佐字才伯，號文裕，明正德庚辰進士，除編修，其學無所不精。嘗與王守仁論學，王嘆爲諒直多聞之益友。著書凡二十餘種，明史稱其書二百六十餘卷。纂廣東通志而外，並纂廣州府志若干卷，（已佚）廣西通志六十卷，（此書在國內已佚，據日人香坂順一稱，日本內閣文庫，存有此書，係嘉靖十年序刊本）。廣州人物傳，（刊在嶺南遺書中），香山縣志八卷，（已佚），羅浮山志十二卷（已佚），南雄志八卷，通歷三十六卷，此均有關史地之書也。又黃宗羲明儒學案所列之泰泉先生，即黃佐其人。學案稱「先生以博約爲宗旨，博學於文，知其根而溯之也，約之以禮，歸其根則千枝萬葉受其澤而結實也。先生得力於讀書。典，禮，樂，律，詞章，無不該通。故即以此爲教。」由此言之，則泰泉學問，格物致知之功深醇而博大。

屈翁山稱「黃文裕公立樂均，述樂義，詳載名物，廣徵，而闡明其理。合大司樂，樂記詩樂共三十六卷，名爲樂典。多擴前人所未發者。張文襄謂樂典一書，蕭韶可以復聞，而公嘗示門人以所製琴瑟鐘磬管籥笙簫皆分宮商以倡和」。由此言之，則黃才伯之學問純本臆察物理得來，非徒空談心性比也。

又明詩綜稱「黃才伯博極羣書，而能反約於心。其詩穎出流俗，質鉅而力雄。」是以溫汝能粵東詩海謂，「明代文章昌明博大，無逾黃泰泉者」。並非阿其所好。

以沈博絕麗之才，而纂修粵志，其書，當有可觀。是以阮元稱「黃志爲泰泉弟子所分撰，體裁淵雅，僅有存本，求得之，備加釆錄」。黃志精神，已爲阮志所吸收。

阮元謂黃志僅有存本，則在百年前，此書已不可多得，時至今日，距阮時代，已百有餘年。藏有黃志者，北京大藏書家傅增湘（沅叔），有一部，戰前台北黃子靜藏一部，民國十八年，番禺人史澄，（廣州府志總纂），又有一部散出，爲東莞莫氏所收購，頗稱佳本。（此書未見登錄於五十萬卷樓目錄）又日本內閣文庫亦藏一部，是嘉靖四十年序刊本，黃志存在者，知見所及，僅此四部而已。

郭光祿所修之廣東通志，共七十二卷，郭字篤周，明嘉靖壬戌進士，授禮部主事，師事明代理學家湛若水（甘泉），亦明代一大著作家也。纂通志而外，並著粵大記，嶺海名勝記，西陽正組，明史志載郭著四川通志三十六卷，右江大志十二卷，賓州志四冊，夢菊全集，屈翁山廣東新語，亦盛稱篤周學問淹博，詩極淵懿，在廣州與王學曾創浮丘詩社，提振風雅，所修通志亦極審核。

郭志，阮元亦指爲已幾佚。故未援徵引。此書中國藏家俱無著錄，惟日本宮內圖書寮藏得一部，係萬曆三十年序刊本。（日人香坂順一，廣東通志講話）。此殆爲海內外孤本也。（二）

故事和題材

銀壇隨筆

「香車美人」上映後第三天，賣座很不錯。這部片子叫座原因很簡單，故事內容適合現實，主題明確，迎合多數觀衆要求。就這一事例看，反映出凡是題材不脫現實社會生活，差不多人都希望一看。

需要本年度的製片計劃，着眼於「社會教育」。如所週知：香港文化水準逐年降低，色情洋溢。根據馬來亞政府所發有關共黨顛覆文件看來，黃色刊物和色情影片，都是中共直接間接策動的顛覆工具。新加坡政權落入共黨同路人之手，首先掃蕩黃色刊物，色情影片；相信共黨勢力未曾控制地區，極力麻痺這一地區的人神經。儘管黃色刊物，色情影片不盡是共黨的顛覆工具，對於負有社會教育責任的文化、影劇工作者說來，不應忽視現實，任令人心墮落。矯正社會不良風氣的報紙書刊和電影，同樣可以爭取讀者和觀衆。何必舍正途而不由？甘作社會蛀蟲。

今天「香車美人」和「玉女私情」（該片現發行粵語版港九八大影院聯映）同受萬千觀衆喜愛，自是一大鮮明實例。假如製片商從這一方面着眼，未始不是闢邪守正，移風易俗上策。不然，誨淫誨盜，釀成社會不安，徒增共黨滲透顛覆機會，直到大禍臨頭，噬臍莫及。飲鴆止渴，到底不可爲訓。

「香車美人」可以說是戀愛之道的夫婦寶鑑，不論已經嫁娶，或者尚未訂婚的男女青年，都有一觀價值，誰都希望婚後美滿、甜蜜，誰都希望「百年好合」，怎樣獲得？自是十分重要。（按：本欄原屬遊戲文章，竟意外地被人重視；更獲得同業愛護，不論本港、外埠，逐篇轉載，自是自由人之榮。但自由人各版文章，經常被同業轉載，並曾加註「（轉載某月某日自由人）」；獨對本欄漏註，以致引起若干方面對某一方面責難；嗣後如蒙轉載，務請於文末加註，以免引起不必要麻煩。）

．修衡．

自由人

THE FREEMAN

（第八七二期）

[illegible]

每份港幣壹毫

20 CAUSEWAY RD. 3RD. FL.
HONG KONG
TEL. 771726

承印者：東南印務出版社
地址：高士打道六十四號
台灣總經理處
台北市西寧南路壹零壹號二樓
電話：三〇三四六
台灣郵政劃撥儲金戶九二五二
海外總經銷：友聯書報發行公司
香港：彌敦道中二十六號A二樓

修憲問題

潘公展

潘公展先生從美國寄來這篇文章，原文長八千餘字，本刊因篇幅所限，特為摘要刊出，以饗讀者。（編者）

（一）

修改中華民國憲法之權，只有國民大會代表依據第一百七十四條之程序方可「合法」行使。縱使是立法委員，也只能依據同條第二款之程序，「擬定」修正案（當然只是草案），卻並無「決定」修改之權。為此理由，我們便得弄清楚，總統個人或中國國民黨總裁個人，在法理上，都無「反對修改憲法」之特權。因憲法上並沒有賦予中央政府或中國國民黨以行使修改憲法之權。

大家要認清：只有國民大會（注意：此是整體，並非國大代表個人）依據憲法第二十七條及一百七十四條的規定，有「修改憲法」及「複決立法院所提之憲法修正案」的權力。故將來如果修憲，是否「合法」，完全應由國民大會負其責任。對於此，國民大會代表應萬分戒慎恐懼，莫留不欽的罪名！而且贊成修憲，或者反對修憲，雖是中國國民任何個人或團體可以主張，但正有權負責作一「合法」決定的只是「國民大會」這個集體組織，即使是國民大會代表個人，也沒有可以決定的權力。

現在有不少人在談：所謂修憲問題，實在只是存心想修改第四十七條所規定的總統任期問題，以便蔣總統可以當選後擬任第三屆總統，因此修憲是手段，希望蔣總統連任第三屆總統是目的。但就法論法，我們似並不能就如此武斷。因為假使要大張旗鼓修憲，而不問合法與否，則又能阻止屆時沒有人提議或甚至通過修改其他條文？除非我們今天已經明明白白說到某一個合法提議的修正案，只修改此四十七條「總統副總統之任期為六年，連選得連任一次」，把「一次」兩字刪去，而絕不修改其他些字，我們便不能立刻斷定只是為了便利蔣總統連任第三任，方有那麼一批人在幽幽醞釀修憲。但修憲究竟是一個「法」的問題，不是「人」的問題，何況蔣總統自己本人早經聲明反對修憲？我們既要以法治國，便不能因人立法，因人修法，或因人廢法，因人毀法。

惟其如此，我想第一步先撇開人的問題，單就法的範圍內，討論此時修憲有否可能，是否應該。聯想蔣總統最近在國民黨八屆二中全會總理紀念週紀念會上說過，憲法不宜輕言修改，同時他絕不為個人出處著想。我想在討論修憲問題時，也當純粹根據法理來討論，絕不牽涉此事是否有關蔣總統個人的出處問題。

（二）

憲法的修改與否，本身固是政治問題，但憲法修改的程序是否「合法」，卻是一個純粹法律問題。我站在純粹法律觀點上討論修憲，只有以憲法本身所規定的修憲程序為惟一的依據，不願同時牽涉純粹政治問題。

由國民大會直接修改之程序，在今日是否能行得通。國民大會代表「總額」為三〇四五名，五分之一（六〇九名）之提議縱可辦到，但「三分之二」之出席，在今天確實已萬難實現。因「三分之二」，須有二〇三〇名之出席，方能討論修憲，目前國大代表在台灣及海外各地總計，決不能湊足此數，即使全體報到亦屬無用。故照上述程序來修憲已是斷然絕望，此路不通。

試再研討目前一部份政論家及國代或立委所擬採取的第二種修憲程序（即憲法第一七四條第二款程序），今天有否「合法」實現之可能。該條第二款明定「由立法院立法委員四分之一之提議，四分之三之出席，及出席委員四分之三之決議，方得擬定憲法修正案，提請國民大會複決。此項憲法修正案應於國民大會開會前半年公告之。」

按總統二屆任期於明年（民國四十九年）五月二十日任滿，依據憲法選舉第三屆總統的國民大會應選須於二月二十日開會。而修憲的國民大會須係一種臨時會，距國民大會在改選總統的會期以前。故修憲的國民大會臨時會須更早於二月二十日開會。而立法院縱使能經過「合法」程序，決議擬定憲法修正案，又須於此項修憲而召集的國民大會臨時會開會前半年公告，換言之，立法院須最遲於本年七月底前公告此項「擬定」的修正案。

立法院規定每年有兩個會期：第一會期由二月至五月底，第二會期由九月至十二月底。如立法院在本年第二會期時討論修正案，時已屬過遲。第一會期則五月底亦已過去。即使延長會期，在開始倡議修改憲法這樣一個重大問題後，經過審查討論，而終於表決通過的階段，是否能在七月底以前公告這一個「擬定」的修正案，以待來年二月底左右的國民大會臨時會的討論與複決，大成問題。

此外，尚有更甚於此的立委人數與國代人數能否符合修憲出席人數問題。

立法院討論修憲的立委出席人數須有「四分之三之出席」。立委「總額」有七七三人，其「四分之三」之出席人數至少應為五八〇人。現有立法委員，計在台者四九三人，在海外者一二人，在港澳者一四人，共計五一九人，距修憲所需之出席人，法定人數差六一人。然補立委的選補缺額早經截止，故本屆的立法院自將永遠不能達到足夠討論修憲的法定出席人數。立法院便已無討論修憲的可能。

可知無論由國民大會直接修改，或由立法院「擬定」憲法修正案提請「國民大會」複決」，由嚴格純正的法律觀點來看，今天因為立委和國大代表人數均不足法定的修憲人數，在修憲程序上實在無路可通。

（三）

因此，自從蔣總統去年十二月廿三日宣告反對修憲以後，又有一部份人由於蔣總統當時並沒明白表示不欲連任三屆，猜度他或許仍要連任，定要尋出一條「法外之法」，另闢一條可以使蔣總統連選得連任，「不以一次為限」的辦法，乃想出採用修改「動員戡亂時期臨時條款」的辦法，以為如能由立法院或國民大會通過在此項「臨時條款」中，增加什麼文字，把憲法第四十七條關於總統任期的條文，規定暫不適用，便可偷關過境，總統連任三屆不算違憲了。

講到「臨時條款」本身，不能不先知道它過去發生的歷史。我們的憲法係經民國卅五年制憲的國民大會通過後，於民國卅六年元旦公佈，同年十二月廿五日施行。卅七年行憲國民大會召集後，曾因當時在動員戡亂時期，幾經爭執，方於四月十八日以修改憲法的手續，通過臨時條款。

「臨時條款」，在民國三十七年行憲第一屆國民大會討論及通過時就引起許多批評，但我們總必須注意下列幾點：

第一，臨時條款係依照憲法第一七四條第一款的程序制定的，換句話說即依據國民大會直接修改憲法的程序制定的，並不是立法院所制定的普通法律。故即使現在要修改或增加臨時條款，自仍須依照國民大會直接修憲的程序進行。

第二，按照該臨時條款最後一項，該項條款應否延長或廢止，至遲應於民國卅九年十二月廿五日以前召集國民大會臨時會決定之。可見要修改憲法或「延長或廢止」（包括修改）臨時條款，均須召集國民大會臨時會，方能進行，也就是說必得依照修憲程序。

第三，原來臨時條款所說不受限制的，祇是總統得經行政院會議之決定，可以「不受憲法第卅九條或四十三條所規定程序之限制」，其用意顯然祇為臨時緊急應付之便宜處置，豈可以比附用來添加條文作為延長總統任期的條符？我們且先看這兩條條文：

第三十九條：總統依法宣佈戒嚴；但須經立法院之通過或追認。立法院認為必要時，得決議移請總統解嚴。

第四十三條：國家遇有天然災害，癘疫，或國家財政經濟上有重大變故須為急速處分時，總統於立法院休會期間，得經行政院會議之決議，依緊急命令法發佈緊急命令，為必要之處置。但須於發佈命令後一個月內，提交立法院追認。如立法院不同意時，該緊急命令立即失效。

試請我國朝野賢達「平心靜氣」研究臨時條款所謂不受限制的上述兩條條文，亦不過宣告戒嚴，及處置財政經濟變故，發佈緊急命令而已，何嘗含有絲毫限制人民選舉或變更國民大會代表選舉總統程序之意？

總之，縱想利用臨時條款來開闢一條不受憲法第四十七條限制而使總統連任不限於一次，無論怎樣說法，增加什麼條款，亦仍須適用其第一七四條修憲程序，其為此路不通，與以前所述採用該條第一二兩款程序均不能踰越法定人數，絕無二致。

可是台北傳來消息，居然有人認為如此做法，立委投票和國大投票，都可不必發生法定人數問題。他們還說，修改臨時條款並不是修改憲法，無需普通開會議事和表決的人數就夠了。請那些「法學大家」想一想，限制或停止憲法上如此重大條文的施行，而說不經過修憲程序，是否在法理上可以說得通？（完）

外長會議復會

日內瓦四國外長會議，經過二十多日的休會，現在又在十三日復會了。過去六星期的爭辯，毫無結果，復會後是否可能獲得協議呢？

[illegible]

[illegible]議的計劃，以繼續給予世人以希望。莫斯科的報紙再度號召開高峯會議，認為不論外長會議成就如何，高峯會議都須舉行。華盛頓也有許多跡象顯示，不論外長會議結果怎樣，東西高峯會議終將召開。還有人推測，高峯會議的日期將在九月底。

我們不敢相信，外長會議得不到解決的困難，到了高峯會議便會得到解決。不過，九月如果開高峯會議，即使一無結果而散，跟着聯合國大會的會期便到了，赫魯曉夫又可以再到那裏去吵吵鬧鬧。這樣又可以在冷戰中發揮一下，高峯會議的作用，恐怕只是如此！

高峯會議呼聲高

外長會議是不會有結果的了，於是又有召開高峯會議的呼聲[illegible]

[illegible]社會主義化，德國便沒有統一的可能。[illegible]

[illegible]

蘇加諾的新政府

印尼總統蘇加諾，恢復了一九四五年革命時代的憲法，從新組織政府，自兼總理，這新政府將統治印尼五年。新政府的閣員[illegible]十五名閣部長中，都是無黨無派人士，更無共黨份子在內。據外國觀察家說：這足以表示印尼仍將維持過去的獨立方針，同且與英美保持友好關係。而新政府的組織是蘇加諾「指導民主」觀念的實現，新政府的骨幹是軍人，新內閣四十一名部長閣部長，軍人竟佔了三分之一強，共十四人。

蘇加諾的「指導民主」是帶有濃厚專制獨裁氣味的，馬斯友美黨和回教師學會之極力反對，也是很自然的。不過，蘇加諾之所以走上這樣的一條路，也是國外內情勢使然。因此，我們對於蘇氏這一舉措，應該等待以後的實際效果，再作進一步的批評。

馬華公會的要求

上星期馬來亞執政黨聯盟，因馬華公會對議會選舉的議席數目，及華僑教育制度改革兩事有所要求，幾乎陷於分裂。現在馬華公會與巫統已經獲得協議，馬華公會將在聯盟選舉一百零四個議席中至少獲得卅二席，至於華僑教育問題，則將經由行政措施以求完成，而不使它成為選舉問題。這樣分裂的局面得以避免。

我們對於這堅強反共的新興亞洲民主國家，如此的和睦得處，寄予莫大的期望，也感覺莫大的興奮。

新嘉坡博物院門前的無名華人銅像，上有碑文說：「華人以堅苦耐勞著稱，功樂斯三府繁榮，得諸華人力者，良非淺鮮」。過去，華人對馬來亞繁榮的貢獻在於經濟，今後似將推及政治，馬華公會今日要求所得的結果，應該是華人對馬來亞政治貢獻的第一步。

陳克文

自由談

拙劣的冷戰技術

馬五先生

大韓民國李總統說是要以武力統一南北韓，而聲稱自由世界盟主的美國政府當局，馬上聲明反對李總統這項主張。中共空軍近來出沒台灣海峽的馬祖島一帶，與我軍發生激烈空戰，我方擊落毛共兩機，而美國亦急忙聲明馬祖上空的戰鬥是「孤立事件」，暗示與協防台峽的美軍無關。一味擺出潔身自好，唯恐被友邦拖下水的寒碜色相，好不教人洩氣作嘔啊！

反觀俄帝赫魯曉夫最近聲言以武力支持毛共進攻台灣，且以火箭運入中國大陸，準備消滅美國第七艦隊等類好戰言論，就心理作戰的利害關係設想，美國那種大眾幼稚的強國主義作風，暴露見其拙劣無能，實在太不成比例了！兵不厭詐，必使敵人捉摸不定，胡猜亂測，不知如何是好，才是制勝之道。南韓李總統說要武力統一全國，殆與赫魯曉夫言以武力支持毛共奪取台灣的性質相同，都是些遠期支票，並非即時可能兌現的。但是，美國人對於俄帝的戰爭恫嚇之聲，不敢有所指斥，而對於自己友邦說一句武力對共的話，卻否定之不遑，好像戰火就要燒到自己身上來。如此領導自由世界，還不是開頭笑嗎？連「讓敵人猜猜」的冷戰技術亦不瞭解，遑論甚末心理作戰的廢話呢？

若干年來，美英聯將「嚇阻政策」，洋洋得意，迨俄帝搶先放射人造衛星的機會，大力施展反嚇阻政策，英美乃為之面有難色，張皇失措，一群盟友對共黨發出一點強硬論調，即認為大禍臨頭，表示異議。這種不問青紅皂白的自我中心主義，先把內部的安全互助精神換散了，自亂陣營，亮出一副強權政治的淺薄面目，而又以精誠團結相號召，眞所謂「以若所為，求若所欲，猶緣木而求魚也！」

小啓：馬人日內即赴歐洲出席國際筆會年會，「自由談」暫停，特此敬告讀者亮察之。

中研院選舉院士

七月一日，中央研究院在南港舉行第四屆院士會議，由出席的在台院士十二人，回國院士三人及在海外通訊或委託投票的院士十四人，經過三次投票，在二十九位候選人中，愼重選出四十七和四十八兩年度的新院士九人。計數理組爲周煒良、袁家騮、顧毓琇、范緒筠，生物組爲王世中、汪厥明，人文組爲凌純聲、楊聯陞、劉大中。對於此次院士的產生，各方均予重視。胡適院長並謂下次院士選舉，將在民國五十年春天或夏天舉行。

院士選舉是中研院的一件大事。依該院組織法規定，除第一次院士由評議會選舉外，嗣後每年由院士選舉，其名額最多不超過十五人。每一新院士的產生，須獲得五分之四以上的票數。院士爲終身名譽職。其職權在於選舉院士及名譽院士，選舉評議員，議訂國家學術方針，並受政府委託辦理學術設計調查審查及研究事項。

第一次院士的選舉，遠在卅七年三月，由第二屆評議會第五次年會選出凌鴻勛、林可勝、胡適、朱家驊等八十一人，網羅了當時全國學術界的知名人士。同年九月在南京舉行第一次院士會議，依新修訂組織法選出第三屆評議員卅二人。其後因大陸撤守，大部份院士淪陷，或散居海外各地，乃於四十五年由政府核定，以遷台後報到的院士十九人爲全體院士（王寵惠病故後，實爲十八人），並於四十六年四月在台舉行第二次院士會議，決議恢復院士選舉。四十七年四月十日，胡適博士就任院長後，旋召開第三次院士會議，在三十四位候選人中，選出四十六年度院士十四人。（計數理組：李政道、楊振寧、吳健雄、林致平、潘貫、林家翹、朱蘭成，生物組：趙連芳、李卓皓、王世濬，人文組：蔣廷黻、姚從吾、勞榦、蔣碩傑）。因此，連同此次新院士九人，目前中研院共有院士四十一名，均爲學術界一時之彥。

中研院在大陸時代，一度擁有十四個研究所，規模宏大，確有其輝煌的成就。遷台後，最初幾年甚爲艱困；但在當事者大力策劃之下，不但保持原有的歷史語言、數學等研究所，並成立民族學、近代史、化學、植物、動物等研究所籌備處，先後建築研究大樓二棟，圖書館、考古館、化學館各一棟。據胡院長表示，今後兩年內將再完成數理館、生物館各一棟，屆時當粗具規模云。

·慶光·

台灣養女
一個嚴重的社會問題

丘式如

（台北航訊）台灣的養女，與國內各地殊，其淵源亦殊特別。

根據彰化縣志，清康熙六十年，詔命赴台灣服務的官員，不論大小，都不許攜帶眷屬。雍正十二年，福建總督郝玉麟，始令年逾四十歲仍無子女的，准帶眷赴台。那時閩粵兩省男子，相率冒險入台開墾，田多穀多，生活容易，間中只有少數人攜眷俱來，形成社會上男多於女的現象。於是不法之徒，就從大陸販賣婦女來台當娼，利市百倍。利令智昏者，看到眼紅，就以買收養女爲名，使操妓業爲實，不久蔚成風氣。例如光緒十三年十一月廿七日，恒春縣府，曾奉劉銘傳撫合命，佈告禁止買女爲娼。又如光緒十四年四月廿八日，新竹縣竹南寶生郡錫震，傷心于良娼雜處，甚至通婚亦習爲自然，因建議劉銘傳通令禁止，其原文有一段說：『蔓草採蘭之習，他處固有，而台地爲甚。無論鄉村城市，隨地皆民家，即隨池皆娼家。娼家與民家往來而不恥，民家與娼家婚媾亦無嫌。羣居自處，習慣自然，遂至淫蕩而不可救藥。』

『當』養女制

日本原有重男輕女之俗，佔領台灣後，推波助瀾，釀成『當養女』爲娼制度，也有以交換女兒做養女爲名，而實爲娼妓制度者。所謂『當養女』者，係把女兒「當」給人家，當的年齡多在十二三歲至十七八歲，當的時間從一至七八年不等，「當」金普通每年二百日元。所謂交換女兒，原因爲自己的是親生骨肉，強迫她去賣淫掙錢，總會覺得尷尬，別人的就無此感覺了。那時買個養女，身價爲二千日元，但初夜權採取高價法，宛如今日招標，就可收回二至三百日元，聞有五百日元者，可知利潤之大，比買幾甲田還要掙錢，無怪能風靡全台灣。

全台灣的養女數字

，據去年底調查，共有一八九、八四二人，其中以妓女爲生活的，雖淨有實際統計數字，但僅高雄市政府後面富野町一個地區調查所得，就有私娼一百二十餘家，每家平均有三至七八人，菊榮特種酒家的侍應生，竟達一百五十餘人。由此可見高雄市以私娼爲職業的養女數字，如果全部詳確統計出來，已足驚人；毋待再問全台灣的數字了。

保護養女運動

從事私娼生活的女孩子，畢竟很多是被迫的。也有不少養女，備受養父母虐待的。所以政府遷台以後，提高女權運動，使好多養女都由迷夢中醒來，拋棄已往窮人該受苦的觀念，鼓起勇氣奔向自由。因之養女糾紛案件，不斷在報章上報導出來。婦女界有識之士，不忍袖手旁觀，挺身起來，倡導保護，台灣省保護養女運動委員會，乃于民國四十年七月廿四日應運而生。由于該會的不斷努力，奔走呼籲，設法救濟，博得台灣省議會的同情，于民四四年八月廿九日通過養女習俗改善辦法，而由省政府于民四五年三月廿二日正式公佈。該辦法，首先規定養女必爲現行民法所認可！並享有繼承權；次規定養女婚姻自由，當未滿十六歲，或未婚夫有殘疾，或本人不願意，均不得強迫成婚；再次防止對養女的虐待，任同買賣、轉讓、強迫賣娼、故令生活困難、或扣留身份證等情事，當地警察機關或婦女團體，都得勸告警告或檢舉；最後規定凡遭受迫害的，由當地婦女團體介紹職業或送救濟機關收容。聞立法院亦正針對實現，保護養女特別法，規定收養關係的條件，以杜流弊，一俟此法成立法手續，台灣養女的保護完備性，當「更上一層樓」。

虐待迫害有增無已

至於受虐待和逼害的養女，曾投訴台灣保護養女會請求處理的，以台北市一區爲限，七年間共有一千九百四十九人，詳表如次：

時間	人數	迫良爲娼	妨害自由	虐待
民四十年七月至民四十一年底	九六七	一四七	三三九	四七九
民四十二年	六二	三〇	五〇	八二
民四十三年	一三五	三三	四〇	六一
民四十四年	一二八	二四	四六	五〇
民四十五年	一六七	三四	七〇	五八
民四十六年	一六八	二九	七三	六四
民四十七年	二二三	三四	一〇六	七九
合計	一、九四九	三三一	七二四	八七三

收養子女，本爲民法所允許，但虐待與迫害，爲人道法律所不容。保護養女負責人告訴我，全台被虐待和迫害的養女，已查明的有一萬六千餘人，未查明的不計其數，如果看了『改善辦法』和調查表，就認爲被虐待和迫害的養女，有一天天地減少的趨勢，那是十分錯誤的。這，正是反映出社會黑暗的另一面，還如何洗刷其邊向光明，自是政府和社會人士不能忽視的嚴重社會問題，婦女問題。

如何解決問題

有人建議：（一）斷然明令廢止養女制度，以免奸徒巧借名目，逃避法網；或者（二）採用英制，家庭寄養，地方政府酌予津貼。然此辦法，僅能解決無父母的孤女，若親在家貧，須藉實力濟鋤者，感此路『行不得也』哩。因爲事實告訴人，某友，某某婦女會，訪問過歌樓酒婦女，其中不少表顯改示他業，好像現職爲光榮和愉快，她們爲什麼會有這當的心理？『衣食足而後禮義』的道理，『人窮斯濫矣』的事，其在斯乎？

（六月五日）

台灣通訊

總統指示政務

·馬周·

最近台灣各報刊登了蔣總統對於各級政府的指示的若干問題與應革事宜，由中央部會到省政府各單位的指示，都包括在內，由中央政府的軍國大事到台北市的公園和殯儀館，都有同樣的指示。

先看總統對中央各部會的指示，有關財政部四點，經濟部八點，內政部十一點，教育部九點，國防部一點，司法行政部四點，交通部六點，主計處三點，外交部四點，新聞局三點，美援會三點，外貿會七點。其中最多的爲內政部，舉凡警政、人力動員、書刊檢查管印，改進村里民大會，推行禮儀規範，修訂勞工法規，開發海埔新生地，戶口之管理，均有指示，改善社會風氣，以及戰時生活之倡導等，凡內政部應該做的工作，差不多都有指示。

從教育部的指示，一直到留學生的輔導，都有指示。又從學生生活和做人方面，一直到科學教育，都有所指示。關於財政方面的指示，注重節流，對於預算的嚴格控制，和追加支出預算的有效控制，均爲指示的中心所在。在開源方面，是關於稽徵稅務，擴大外銷，增加農工生產，改進交通設施。

對中央各部會沒有指示的，爲外交部、僑務委員會、蒙藏委員會。對台灣省政府的指示，共有四十一點，其中有若干點是與指示中央各部會相同的。指示最多的是建設部門，其次是農林部門，只有二點。

台灣的香蕉業

·林嘯崧·

『台灣通訊』香蕉爲台省重要的特產，每年外銷所獲外匯，可達五百萬美元以上，目前香蕉輸出，主要銷售日本，因日本限制進口，未能儘量輸往，爲免香蕉生產過剩，已在逐年減少栽培面積，其生產總面積僅保持一萬六千至十萬公頃以內，實施以來頗著成效。

台省香蕉栽培範圍遍及全省，但主要產區爲台中縣與高雄、屏東兩縣的高山峻嶺旗山、美濃、丘陵地帶，全省香蕉農計有兩萬餘戶，合省香蕉每年出口，總計六十五至九十萬簍，據統計，輸出日本佔全部的百分之九十六以上。

國際動態拾零

·陶然·

△赫德回國後，艾森豪總統予以嘉獎，並請其在電視中報告日內瓦外長會議經過。

△阿聯駐紐約總領事館，在交代時，竟失去公款十萬美元。

△中共在北非建立第一個據點，據說阿爾及利亞臨時政府，每月皆獲得中共之金錢援助。

△赫魯雪夫前訪問阿爾巴尼亞時，曾邀狄托在邊境晤面。不料爲狄托所拒絕，所以將預定之訪問時間縮短。

△勞埃德對麥美倫說，他已經做了四年外長，職務頗爲繁重，打算於此次大選保守黨勝利後，改任較爲輕鬆的職務，如掌璽大臣之類，但不是去職，而是升官。

△美共出版一小冊子，攻擊西方戰爭販子之帝國主義者，謂其正在物色美女，先伊朗國后。

△美民主黨下屆總統候選人，有希望者，約翰遜居第四，唯於第二輪選擇時，薛明頓之潛勢力，將超過史蒂文遜。

伊拉克轉變後的中東形勢

最近伊拉克的卡森政府，突然採取反共行動，實施一連串的抑止共黨擴展的堅決措施。第一步卡森「勸告」伊拉克現有政黨停止活動，不要在目前過渡時間發生紛爭，增加政府的困難。卡森談話發表後，伊拉克第一大黨民主黨首先聽命，中央委員會自動宣佈暫停活動，其他小黨羣起效尤，祇有共產黨抗不聽命（中共新華社且曾經爲此出馬助陣）。但是卡森不理，接着禁止共黨民兵活動，收回發給共黨組織的「人民反抗軍」的武器，軟禁了從蘇俄遣回的庫特族共黨首領，再進一步又把伊拉克陸軍中的親共份子逮捕，最近又傳說將要釋放其原來伙伴，爲了親納薩而被捕的阿列夫上校。

從上述經過看來，卡森和共黨的蜜月已告結束，今後業已進入一個新的鬥爭階段。

促成卡森轉變的原因，歸結起來約有以下三點：

第一、本質上的衝突。共產主義與民族主義本來已經無法相容，回教徒的信仰眞神與共產黨徒的無神論更是格格不入，共產主義在其他地區偶或還有一逞的機會，在回教社會裏，從來不能立足。即以中國而論，大陸淪陷前打擊共黨最實的是西北馬家回教軍，大陸淪陷後，反共軍事行動最持久而最有功的也還是甘肅甯夏的回民，所以蘇俄在中東雖然出盡法寶，曾在伊朗物色到莫薩德，在敍利亞利用過嫌拉芝，在埃及也會拉攏過納薩，結果都失敗了。今天卡森的反共措施，只是納薩行爲的再版，相信伊拉克總理即使是阿里夫，或者是奧卡拉（伊拉克空軍司令、伊共預備擁以代替卡森的），結果都會走上反共之途，這完全是一種勢所必然的現象，非共黨之力所能改變的。

第二、英國的間接支持。自從伊拉克政變以來，西方國家的表現雖嫌軟弱，但到目前來說，大體還算正確，尤其是英國的現實外交，確實發揮了高度效能。當伊拉克宣佈退出巴格達公約之後，英國毫不留難地於三月三十日自動退出伊拉克境內的哈巴尼亞空軍基地，上個月更進一步和伊拉克簽訂了一項出賣軍火的協定，供給伊拉克一批輕武器。這兩項事件雖小，却減輕了卡森對於西方國家的恐懼，尤其是英國出賣軍火之後，更增加了卡森對付共黨的勇氣。

第三、納薩停止了顛覆活動。去年七月十四日伊拉克政變，國王及首相被殺，主要的鼓動力量還是來自開羅，納薩滿以爲政變後的伊拉克必然會和阿聯合併爲一個國家，不料卡森採取了獨立的姿態，伊拉克和阿聯的關係與政變前幾乎無甚差別，急功近利的納薩，眼見在卡森執政期間，伊拉克不可能併入阿聯，無法實現他統一阿拉伯世界的美夢，於是又決心推翻卡森，始而利用阿列夫上校，結果遭到挫敗，阿列夫被捕經法庭判處死刑，但未執行。納薩受到挫折，自不甘心，本年三月間又運動伊拉克北部司令夏華夫上校發動政變，結果失敗得更慘，夏華夫上校也被飛機炸死，所部軍隊全被消滅。

由於納薩一而再，再而三的顛覆活動，迫使卡森要在阿拉伯世界之外取得可靠盟友的支持，在困難時可以出面對付納薩。在當時情況下，卡森不可能求取西方國家的支持，而英美恐怕開罪納薩，更不肯介入阿伊之爭，此時卡森唯一可行之路，只有投向蘇聯，在此期間蘇聯不但供給卡森以軍火和技術人才，並把若干年前逃去蘇聯的庫特族人送回來，以支持卡森對於庫特族部落的控制。赫魯曉夫更在一次演說中，公開聲稱蘇聯對於阿伊之爭是站在伊拉克一方面的。在這個期間，伊拉克確有一面倒向蘇聯之勢。

納薩對伊拉克兩次顛覆活動的失敗，不但使他本人在阿拉伯世界中的聲望大減，也使埃及更陷於孤立，在這種情形下，他不得不修改過去的政策，改採溫和的手段，取得鄰國的諒解，以後納薩曾在敍黎邊境上和黎巴嫩總統威哈布作過一次密談，一般估計這當是爲了伊拉克和約旦問題，納薩在托黎國總統出面調解，願和約、伊兩國重修舊好。這次會談之後，雖然阿、約、伊三國在表面上都未採取任何行動，但報紙上和電台上互相攻訐的情況却消失了。納薩放棄了顛覆活動，卡森政權沒有了內顧之憂，於是便大胆地對付共黨了。

卡森正式反共之後，受到打擊最大的是蘇聯，在中東已經沒有一個政府肯同蘇聯合作，從伊朗、敍利亞、埃及、黎巴嫩到伊拉克、蘇聯曾經苦心孤詣的扶植一批親共的領袖人物，但結果都相繼失敗或轉變，蘇聯今後想在中東找到一個立足點，就更困難了。（資）

竹幕秘聞

思想僵化

「思想僵化」這一個名詞是五月九日「人民日報」的一篇「多謀善斷」的文章中提出來的，這種情況具體的可以分成兩個方面來說：

一、幹部的不敢「想」，不願「讀」，不敢「讀書」——六月五日「人民日報」的一篇「左思右想」的文章中要求人們不做「思想上的懶漢」，要求不是「朝着一個方面考慮問題」，指出「凡是思想走直綫的人，沒有不犯錯誤的」。六月三日該報的一篇「太陽的光輝」文章中說：「有些同志聽不得人家的批評，看不得人家的批評文章，一聽到看到就跳了起來」。最奇怪的是幹部們不敢讀書，不敢學理論，五月廿三日該報一篇「務虛與務實」的文章中說：「照有些人的看法，似乎不學習的同志總比愛學習的同志更務實，讀小册子的同志總比『啃大部頭』的同志更務實。」五月十一日該報的一篇「提倡讀書和反對教條主義」的文章中說：「提到讀書，有的人便往往把它和教條主義聯系在一起。他們顧慮，坐下來讀書會不會變成教條主義者？別人會不會說你是脫離實際？」另一篇文章又說：「在反對教條主義的問題上，必須克服人們這樣一種誤解：『讀大本書就是教條主義（這裏說的大本書，顯然是指的馬克思列寧主義的基本理論），學習黨的方針就是聯系實際』。」上面所報導的不敢「想」，不願「讀」，不敢「讀書」的情況，說明中共幹部僵化到達了何種程度！

羣衆不敢說

二、羣衆不敢「說」——由於幹部們具有前述的思想僵化的情況，於是導致了羣衆不敢「說」的後果。五月七日「人民日報」一篇「談交底」文章中，指出：「有的人說：現在黨的威信很高，羣衆的覺悟也很高，黨一聲號召，羣衆堅決保證完成。因此，不必再強調交底。」六月二九日該報一篇「如何從羣衆中來到羣衆中去」的文章把這種情況描述爲：「在很短的時間內突如其來地把成品擺在別人面前，如同在片刻之內下一場傾盆大雨，這實際上不是和別人商量問題，不過是「強迫簽字」而已。」這一個「強迫簽字」，可以把「羣衆的覺悟」註釋得非常剴切，由此亦反映出羣衆不敢「說」」的情況。

醞釀巨變

羣衆的這種「保證」是否眞能「完成」呢，這還是有問題的；這種「思想僵化」的情況，從毛澤東的要求爲所欲爲方面來說，倒確是達到了目的；但是，人之可貴者是因爲他具有豐富的思想，得用以來主動解決其面臨的問題，而今，使人的思想僵化，無異于一般的動物，一般的動物終究不能代替人的工作的。最近兩個月以來，中共提出上述思想僵化的消息，結合起最近中共的巨頭都離開了北平的情況看來，中共中央正在舉行一個十分重要的會議，我相信這次會議會導致一次巨變。

。田心。

有限度戰爭

淦克超譯

在世界上許多其他的戰場，核子僵局並未阻止冷戰或熱戰行動，而地理情勢有利于防守。去年（十月）金門危機發生時，美國海軍陸戰隊移往數隻八英寸的榴彈砲，進入陣地，交與國軍使用。這些大炮是具有發射核子砲彈的能力的。美國並沒有把任何核子炮彈給中華民國。但單以八英寸的榴彈砲進入金門陣地論，就有嚴重的警告意義了。第一，以砲兵彈藥言，這些榴彈砲之到達打破了共黨一發動而封鎖金門之企圖。數枚核子炸彈由飛機運往，就可抵由海上運送的普通砲彈數千發的力量。第二，八英寸的核子砲彈，如果用以轟擊那些進攻的整批船隻，那些船隻必歸消滅。單以八英寸榴彈砲之進入陣地而論，就使共產黨的征服觀念爲之氣沮了。

因此，在金門，有史以來第一次，戰術的核子武器代替了現行艦隊的任務。這些核子武器雖未曾使用過；而且也未曾運往金門，但那是要運就可以運往的。

去年金門危機中渡過後，優勢已在我們這一邊了。金門是一個天然利於防守的島嶼，在地理觀點上，是運用核子武器最適宜的環境。

另一方面，倘若美國爲協防金門或台灣，而允許國軍飛機轟炸大陸機場，則戰爭之有限度的可能性就大大降低了，尤其是當共產黨獲得核子武器後。而現在赫魯曉夫正在公開宣傳已將核子武器交給了中共。因此我們似乎有相當理由可以相信：核子武器可以純粹用作防守，以保持世界緊張局勢之現狀，不使熱化。

同樣情形，核子武器可以用于海上，以核子深水炸彈來對付潛艇，或可能對付飛機，或空對空的飛彈，而不致牽涉到擴大戰爭的危險。但是也只限於防守性的使用。

在攔衛有限度戰爭中，適否使用核子武器時，我們必須考慮一切代替性的辦法，以及核子武器之使用對于政治情感和大衆心理所發生的影響。

如果不用小型核子武器以防衛金門，其必然的結果祇有兩種：一是吃敗仗；二爲由美國第七艦隊擴大實力。但是，今日美國事實上並沒有作普通武器戰爭的準備，故甚難作大規模的尋常武器的進攻的。

因此，代替性的辦法捨使用核子武器于有限度戰爭，並不管其所涉及的風險，之外別無良策。而且此種趨向正發生，雖則顯而易見的是使用核子武器會在消極方面有政治的及心理上的後果——特別是用以對付亞洲人。

美國或其盟邦使用原子武器于亞洲或非洲以對付有色人種，比亞洲人用原子武器對付亞洲人，或美國人對俄國人，定將引起更多的喧嘩，雖能迅速而有利的結束戰爭。但這樣會激一套相當有效的共產宣傳融合爲一套燎原的反西方主義。

大陸文壇透視

沈雁冰話往事

七紋

爲了紀念五四運動四十週年，本年五月號的上海「文藝月報」，刊登了一個紀念特輯。在所組織的稿子中，最令人注目的是沈雁冰所作「關于文學研究會」和鄭伯奇所作「憶創造社」兩文。

這兩個古老的純文學團體，雖然早已成了歷史上的陳迹，可是「解放」後十年來一直在中共文藝領導階層被利用爲招牌人物的沈雁冰和郭沫若，却正是當年這兩個古老團體的創辦人，領導人和負責人。當年這兩個團體爲了「爲人生」和「爲藝術」、寫實主義和浪漫主義，曾有過應時很久並且頗爲激烈的論爭，一直到兩個團體都消之後，沈郭兩人之間的芥蒂依然存在。大陸「解放」，兩個寃家聚頭，同事周揚，幾年來雖然貌合神離，但都怕提往事。

去年毛澤東提出浪漫主義與現實主義相結合的口號，郭沫若會在擁毛的一篇文章裏，想發作一下「舊帳」。果然兩家個個算舊帳的話，倒是有幾齣好戲可看的。然而沈雁冰知己知彼，終於一言不發。這次「文藝月報」組稿，關於回憶創造社的文字，照說應請郭沫若作才合適，然而它約的却是原在創造社充第二三流人物的鄭伯奇，其中奧妙，大可尋味。

沈雁冰所作「關於文學研究會」一文，眞可以說是率直敍事、敍術寫實之至。這樣大的一個題目，他僅僅無話可說般只雜湊了兩千多字。語氣是那樣怯懦，生怕說錯一個字。文學研究會在當年是怎樣有權威而具相當影響力的一個文學團體，但他却說「只是一塊空招牌，沒有辦事機構，無組織、無紀律，事實上這團體並不存在。」這多洩氣！因爲他知道這個團體並非共產黨的組織的，也從未提倡過共產黨的文學理論，就不得不如此自貶身價了。至於文學研究會對創造社的論爭，他竟一字也不敢提起。他只說「爭」期的文學研究會的活動分子以及它的代用機關刊物『小說月報』，是對那時候的鴛鴦蝴蝶派文學作戰的。」這當然也是事實，「戰鬥最厲害的乃對創造社而非對鴛鴦蝴蝶派却也是事實呀，然在茅盾筆下竟然無此事實。在鄭伯奇的「憶創造社」一文中就有了，他說：「它（指創造社）和當時最大的文學團體『文學研究會』，還曾發生過一段小小的誤會，一時形成了對峙的局面。」又說：「在創作方法上，創造社也和文學研究會所揭櫫的主張大不相同。」僅僅這幾句話，暴露了一大矛盾：既然「主張大不相同」，怎麼還是「小小的誤會」？既然「小小的誤會」，又怎麼會「形成了對峙的局面」？鄭的措辭雖如此委曲，但沈雁冰却並此而不敢說。

瘟君夢

第三回：點石成鋼　魔王施妙手　指鹿爲馬　嘍囉建奇功

毛澤東見李富春如此搶白林伯渠，大爲冒火，再看活曹操氣就的驕于直嚷，一句話也說不出。毛想申斥李富春一頓給活曹操出氣，不過，看到李富春的情形，又恐怕鬧僵了，不下來，逼他投向劉少奇，只好擺着和事老的姿態，勸道：「富春同志，你辛苦了一夜，回去休息吧！」

李富春走後，活曹操精神大振，喃喃罵道：「這個病鬼最靠不住，我現在忽然想起，上次政治局會議投棄權票的不是羅榮桓，可能就是他。他本來是同劉少奇一鼻孔出氣，昨晚開會忽然又跑過來，大概就是替劉少奇作特務，現在要想順利大躍進，非把他趕出政治局不可。」

活曹操儘管發牌氣，毛澤東却另有一種想法，由李富春想到蔡暢，由蔡暢想到蔡和森，向警予，想起蔡和森給他的幫助，現在一批舊人整個死光，只剩下一個朝不保夕的李富春，活曹操還想排擠出去，未免太過份了。毛澤東想到這裏，倖了李富春又起了同情心，停了半晌說道：「這些小事以後再說吧！目前是這個草案究竟怎麼處理？」

活曹操搖搖頭：「我看國務會議也不必開了，李富春都反對，別人怎麼能贊成，最高國務會議，還有些黨外人士，假若李富春串謀了劉少奇發言反對，我們就太丢人了。」

毛澤東考慮半晌，猛然一拍桌子，既然如此，什麼會都不用開了，直接發下去要各地實行就是了。」

活曹操遲疑一下：「沒有黨中央的命令，或者通過最高國務會議發佈，各省幹部是不是擁護呢？」

毛澤東笑道：「林老，這個問題我早就想到了，自從一九五五年浙江有解散合作社的事件發生之後，我就開始感到黨的力量來自下層，光是坐在辦公室發號施令，到了下面說不定就會走樣。所以我從去年底開始，就在外面巡視，在幾個重要地區召開會議，去年底的杭州會議，今年的南寧會議，成都會議，眞正目的就在了解各省情況，直接和省委書記發生聯系。劉少奇控制了黨中央，在政治局和中委會我攪不過他，但是萬丈高樓從地起，我只要能控制着中下級幹部，總有一天我會把他的力量連根拔起的。」

毛澤東指手劃脚的說，活曹操笑迷迷的聽，聽到高興處直是左一把右一把摸鬍子。

毛澤東繼續說道：「省市委書記中，力量最大的是上海市柯慶施，四川省李井泉，形勢最重要的是湖北省王任重，這三個人雖然都不是湖南人，却都堅決表示擁護我，大概全國二十五名省市委第一書記，站在我們這裏邊的有二十人，我的命令下去還怕行不通嗎？」

活曹操撫髯笑道：「主席的鬥爭本領，實在精妙絕倫，既然如此，就這樣辦吧！讓劉少奇對着大躍進氣得發抖吧！」（五二）

岳騫

書序與名人

忠誠實學的作者，大多不願亂找人作序；忠誠於學的讀者，也大都不願濫讀人作序的書。顧亭林日知錄引敘堅軍劉充氏重修集序曰：「序者，敘所以作之指也。」既然書序是敘述寫作經過及大旨，那麼序之作，應該是原作者自己寫最為適合妥當。「……皆汲汲於名，而惟恐人之不吾知也。」這是亭林反對文人好為人作序的話。

然因書序並非一項大不妥當的事，若能把全書的要旨及精華介紹出來，對於讀者確有很多的裨益。因為這無疑的告訴讀者，這本書所談注意的內容重點所在，以及作者寫作的經過，那麼讀者在未讀書之前，先有一個概念，也即對這書有一個概括的印象。尤其是現在我們介紹外國作品，譯者對於原作者的國籍、環境、思想、作品內容的，類似序引的介紹工作，實在是非常重要的。

所以我們並不是反對人作書序，但我們卻有理由反對善人濫作書序，尤其是在一般文人寫就了一本書，便難能而所謂的「名流」，便拿來題字、作序，作畫的「一登龍門，聲價百倍」，而名人們所作的序言，雖然對於新書全部內容，而且對於情面，雖然對於新書不掉，但他們常常又沒有時間詳讀完原書，寫不滿意，但又怎好掃人的興？所以這一類「序」，不痛不癢，讀「序」的讀者們，也只增加一些不必要的廢話和不忠實的報導，徒然浪費讀者的時間，實在是缺德的。

·陳宗敏·

釋耒集

杜子美丹青引贈曹霸詩云：「英雄割據雖已矣，文采風流今尚存」。按英雄割據，則自昔已有，論文章風采，曹家世德，實很稱美曹操，今按英雄割據雖已矣，疑應自曹氏始，前漢如相如子雲，雖詞賦豔爽，而匠氣特甚，人品風格，似不如魏晉間人。後漢陳太邱，李元禮，郭林宗諸賢，又但有人品風格而無文章，言文章風雅，風采高卓者，曹孟德，曹子建以有首屈一指，歷代文藝批評如劉彥和，鍾仲偉，楊升庵，胡應麟諸人，論及曹氏作品，莫不極致推崇，而胡應麟所言，特為詳切，詩藪外編卷第一有云：「東漢之末，道德蕩然，魏武雄才崛起，無論用兵，即其詩豪邁縱橫，籠罩一世，豈非衰世人惟有杜康時句，信頗其為人也。」作詩而能類其為人，正個人文章獨到之造詣，建安以前之詩人，大抵尚無此類風格，甚且尚未知有所謂個人風格之意念。由文辭想其風采，因風采想像其文章，杜子美於魏武割據之詩，正由此聯想像中得之也。

文　采

建安以後，風骨漸以頹靡，嵇康阮籍，不後有事功之言，王導仲，王謝之元子，飛揚跋扈，但見其粗豪之一面，而王導謝安輩，亦僅能下圍飲酒，峨冠博帶，以示其閑適，求一風流跌宕，文武兼資而不失英雄本色如曹氏者，蓋已不易矣。及乎有唐，初猶重門第風範，所謂依稀尚有典型者，及高宗武后之後，新興家族抬頭，以進士詞科致身通顯，宰相多由翰林學士出身，社會風氣，重詞賦而不重經術，尚才藻而輕品格，浮薄放誕之風甚，人品大致多不足觀，論風采反遜於後漢與南朝矣。

降至宋代，幸有名臣，李綱，陸游輩，遂致宋代理學家尤鄙視文辭，而所謂「載道」之說，為學家對於文辭，則以為玩物喪志，尤其理學家日以「格物」「致知」為務，不近於人情，周公孫……

學家對文辭，所謂「載道」之說，以為玩物喪志，開闢所謂理學正統，一面目以為道德之賊，近思錄，本者……

極顯屋之文，必須引用以為文，即可以擺脫科名士大夫，否則至少也要翻舊人說，司馬光，歐陽修，蘇軾，王安石，曾鞏諸人，亦非本色，文章之士，實與道學家合，而風雅且實有其精神，可以勵後世之士大夫，實有其精神，則道學之信徒雖在，而以後世所謂風雅者，因道學家之所宗，亦道學家之所許，門戶，其文章恐不易有其精粹者，蘇軾諸人，閱，可知其不足觀，即又道學家之所不許矣。

曲　齋

客家人與「童養媳」「等郎妹」

·式如·

收養「童養媳」「等郎妹」的風氣，很流行於客家人的家庭。在抗戰前，幾乎十有八九。有些是用錢買來的，有些是親朋送來的。形成這風氣的根本原因，約有幾端：（一）是送給人家女兒的，是為了減輕家庭負擔；（二）收養他人女兒者，則是為了自己兒子成年時，不須擔心娶妻成婚。

所謂「童養媳」，係在自己有了兒子以後，才收養的，到了兒子和「童養媳」成年時，如果雙方願意，就正式成婚。這種婚禮，多在舊曆年的除夕舉行，不行婚禮，不設喜筵，例不請客，一切從簡，做父母的就算盡了責任，否則，如雙方不願意的話，就另找對象了。

所謂「等郎妹」，係在自己還未生男孩，未雨綢繆而收養的，以期盼將來生男孩，收養了「等郎妹」，望她「等郎」的出現，她和「郎」相差的年齡，有在十歲以上的，所以「等郎妹」，個個都有着一段辛酸的遭遇。

「等郎妹」的命運，比「童養媳」更為悲慘，因為「等郎妹」要先等「郎」的出生，又等郎長大成人，才能成婚。有的等到十幾歲，郎還未出生；有的郎出生了，卻又夭折了，甚至有的等郎長大了，卻不要她。……

「等郎妹」已經九十歲了，在民國廿八年時，她的「郎」才三歲，她的丈夫才出生，也十八歲了，才和她的「郎」成親，郎還只是個孩子，要她「郎」照顧，形成「大妻小夫」的現象。因此，在客家山歌中，有許多描寫「等郎妹」的歌詞：

（一）「十八姊姊三歲郎，夜夜抱郎上床，睡到半夜思想起，不知是郎還是兒。」

（二）「等郎妹，等到郎大妹又老，等到花謝日落西，即白菜「即等得花謝日落」。……

「郎係細子你係大，（即你是老大）」，等到「即你是哥哥」……

即「了」」，等得花謝日落，「即等得白菜……」」；「即怕晒」……「即「我」」致當，十月……

「郎妹」，表明「即「等郎」」……（四）「叔婆你係花仔，「等郎妹」表明……」

聰明人，自己唔想嫁甘，「即勉強」……十四五，「唔係少」，「即不少」……「即叫」……

「即係」……「即等郎」……「即打」……我「即」……

受下去，「即受下去」……西「即」……娘道：「……」「即」……

（一）「即不讓」，「即請你」……的「即」……

娘講：「郎你」……打「即」……

遠：「……」唱「即」……求之不得，表示歡迎「娘」……

郎妹「郎」……白菜「即」……「水」「即」……

郎妹很得不了時，往往要逃到別處，打罵「等郎妹」和「童養媳」，或被打罵以至逃走。至於家中家長有所不滿，往往回娘家告訴，家中負擔情形，不敢向家裏大人說。

抗戰爆發後，有了改變，以及工作，受都市的影響，從前這種婦女，因不穿同衣，一並且有改變了。

飲食不同，以女，辨，有的。

學校教育所生的，以為時，

亦如雖，親所以，以得一逢此婚

都來省，親娘，縱，有一，

親生家客家人「童養媳」，

人「等郎妹」的同，其和合台養娘，

在代的女不，絕，強的，作

搖錢樹的，傳宗，不無不，實不宜

無論如何的情事，此風，

繼續存在的。

反共文章藝術化

大概是為了要配合國策，十年以還台灣文藝界人士都熱衷於寫反共的文章，無不以反共為「大前提」、小說的「結論」，當然，這是一種極好的現象，不過文章寫好之後，是要拿給人家看的，要顧及讀者心理上的需要，文學表達上，就不能不講究技巧和效果，所謂藝術化了。然而文藝界人士似乎大都是以達到反共為目的，一樣，反共抗俄，抗俄反共了，頭腦們在朝看讀者們硬起來上一套，在欣賞上不免倒胃口了。然則反共不忘藝術，藝術不忘反共」，豈可忽乎。

（耿耿）

你相信自己嗎？

·昌·

很多時我們會對自己說：「對於這差事，我相信自己沒有問題吧！」然而事事多落空，所以很多時候，我們對自己失去了信心，久而久之，漸漸對自己都落了空，開始懷疑自己！信任。老實說，我對自己是不大信任的，當他人看了我寫一篇小說，看看是否可行呢？當為好的作品給人看時，我想我對自己都的估價，當後，還是要別人批評一下。我從前對自己的估價太高了，真個不大對勁時，才了解自己太過渺小，知道弱點，不該太過相信自己。

當初我真不該太過相信自己的。期考完了，你相信這次考試能夠成功嗎？最好還是說：「試考完了，教員一定有公平的處置的，考試是一定可以過關的，而後來竟然榜上無名，過份的失望會使你瘋狂的。」

假如你相信自己一定不要去想它吧！

第二次世界大戰，德國之所以吃敗仗，便是由於對自己的實力太信任，低估了盟方的力量。現在世界之所以能夠維持暫時和平，實因為……

……大家都不大相信自己，緣故，大家再說戰爭不大好，就是我們自己已經都不大敢說：「戰爭要不得，」或說的「戰爭」，相信表示，……十年後，又總是那些必須要做的事情，年以後，那都是當心的事，不可……至於是否能夠戰爭，到處都不實際，……「自己的存在，」尤其是不可能的事……計，得不到好好的成績，……慰藉，……

「相信自己的，對於了解很多；我們不相信自己，很多，是嗎？……」

「你是一個丈夫，（等等）你來：「相信自己的話，」……或是好丈夫……是不是……

自己的話……

人，或丈夫……

起碼，危險的，很自我想想，……就是……便……

便是……成就是……

如果你相信自己，……

就是不相信自己……

對人和對自己，其實都要相信，相信別人，也要相信自己的力量，只要你自己把握得住，一個人只要相信自己，不要人說你不相信自己，卻要相信神，但我們不要迷信。……

是也常說「行事在人，成事在天」，嗎？這個「天」乃是神的代表，不論你信的是回教、佛教、天主教、或基督教，你總得承認一位神的存在，世界上「這個「神」」是個未知數，不論你稱他作什麼也好，解釋也好，奧妙的事太多，不能做除了用哲理去推測外，

還有甚麼辦法，推測的結果更是神的存在。這是科學家也不否認的。難道這些成敗大半是運氣的事嗎？不能用運氣去解釋，答嗎？對，好些人一世都不講馬票，而有人一世中過一次，買馬票，無意中買了一張，卻竟然中了，你說也運氣好，但為甚麼他運氣好呢？有很多學生整天埋頭案讀，考試卻落第，而有人整年不溫習，在最後考試中，竟然榜上有名，你奈他何麼？你說是命中注定，但為甚麼他「命永」這麼好呢？這等玄妙的事，科學也不能給我們些少暗示，我們祇好委之于「神」了，哥們。

廣東通志談叢

·竹菴·

日人謀我，無所不用其極，處心積慮久矣，凡我國之省志府志地方縣志，在我國已佚者往往在日本宮內圖書寮見之。又無論地方志，即有價值之史書，在國內已成為廣陵散者，在彼邦亦所在多有，即如明代粵人陳建所著之皇明十六朝廣彙紀，皇明資治通紀，（此書在明已被焚，見沈德符著之萬曆野獲）皇明啓運錄（朝鮮古活字刊本），皇明從信錄等，均藏於日本內閣文庫中又如明代粵博羅人張萱（孟奇），屈翁山謂「其著書千餘卷，但經兵火，散失殆盡，惟西園彙集及疑耀二書猶存」。但日本內閣文庫，藏張孟奇書最多，如西園存稿四十三卷，古文奇字，西園聞見錄等書，阮元通志所未見者，彼邦一一珍藏。此真吾國學人所當著意者也。（明末粵曲江人廖燕字柴舟，著二十七松堂集，亦由日人刊本重刻）。

粵人著述，在明代以前者，極為繁多，而至今尚存者，十不得三四，（並見廣東考古輯要）。是以羅學鵬撰廣東文獻有言，「吾粵先正著作，不下五車，而遺亡不止三匯」。夫以一省最重要之通志，在公私兩方而尚未能妥為保存，而令其湮滅，何況私人著作，又豈能歷久而仍存。此則有心人之所以有悵興懷之已往，纖毫皆而何從之歎也。

清代的廣東通志

清代修撰之廣東通志，共有四種：一為康熙十二年（一六七三）劉中丞秉權所修共三十卷。阮元亦謂此書已鑠佚，而香坂順一亦未見此志。其內容如何，亦無由知悉。其二則為康熙三十六年金初光所修，亦為三十卷，阮氏未見境及，其書謄亦為罕見本，其三則為雍正八年（一七三〇）郝玉麟所修共六十四卷，此書亦為阮志取錄資料之一，至最後一種則為阮元所纂修，即現在吾人所常見之廣東通志是也（道元書院刊本，及商務書館影印本）。（三）

國魂與永華

鐘壇隨筆

永華公司自遭回祿後，香港影片公司單位，幾乎逐年增加，產品之多，水準提高，自是遇制是勢力挑戰的一大可喜現象，但物質條件欠缺，未臻理想要求。因此，大場面的戲，很難規劃開拍。永華劫後餘產，通由經李祖永整理，並與電懋總經理鍾啓文合作，重建片廠，漸見往時規模，最近完成「飛虎將軍」，鉅構之後，各方對李氏的「打不死」精神，無不同聲讚佩。但世人對於永華過去成就，似已逐漸淡忘，然李氏愛國之忠，謀國之切，在海外僑胞奮鬥史上，早已寫下光輝一頁。時至今日，此時此地創業維艱，守成更非易事，為表彰過去業績，與策勵今後業務開展，各片裝促李氏將劫後餘片，重製新拷貝推出獻映，例如「國魂」一片，十年前恰當國勢阽危，人心惶惑中上映，使人分清敵我，好偽陰謀深受打擊。該片現由電懋發行，將在港九公映。

當年該片公映之後，不僅表達了中華民族的傳統文化，宣揚文天祥不屈不撓的愛國忠烈事蹟，且鼓舞了僑胞團結救亡圖存熱忱。李氏不惜傾注超逾百萬港元鉅資，拍成了這一部場面偉大，配置七十七堂佈景巨獻，心血並未白費，而成為中國影史上創舉。今日獻映的意義，比過去更加深重，絕不是為了這部必然叫座片賺錢。老實說，李祖永的億萬資產損失，決不會在這部片租中賺得回，同時他的拍片出發點，從未想到賺錢。任何人都明白：李氏以誠待人，這部片子參加演出者之中，不乏曾受某方利用，存心瓦解永華機構者，而他們於以怨報德，一把火後，一哄而散，今天，這批人不是喪失自由，雖期抒其所長，便是在大陸上過其牛馬不如生活。李氏素性忠恕，對受苦受難中的受愚弄人，無時不在懷念，無時不希望他們回來；因為他絕不忘懷他們過去為永華出過力、流過汗。另一方面，予愛國僑胞自是一大新的貢獻，讓人們理解文天祥的話：「人死了之後，不能受後世的敬仰，就不是大丈夫。」李祖永的忠藎無畏精神，已為我愛國僑胞，樹立了楷模。

·修衡·

自由人
THE FREEMAN
（第八七三期）
中華民國僑務委員會登記證僑字第一〇二號
中華郵政台字第一〇〇五號執照登記爲第一類新聞紙類
（半週刊每星期三、六出版）
每份港幣壹毫
督印人：陳文
地址：香港高士威道二十號三樓
20 CAUSEWAY RD. 3RD. FL.
HONG KONG
TEL. 771726
承印者：東南印務出版社
地址：高士打道六十四號
台灣總經理處：台北市西寧南路壹零號二樓
電話：四三〇三六
台灣郵政劃撥儲金二五二九號
海外總經銷：香港僑報發行公司
地址：德輔道中二十六號八樓

當前國事不振的最大癥結

——政治權力與政治藝術的失調——

甘家馨

作爲一個政治首領的人物，他的第一大事，就是獲得充分的政治權力。古語說，「一朝權在手，便把令來行」。這是一切具有政治慾望的人們，共有的懷抱。他們一心一意，都在此「一朝」，大家渴想到了那一天，大權在握，然後令出惟行，天下萬民無不聽我主宰。

一、

一切政治慾望強烈的人物，獲得了權力之後，又要盡力鞏固其既得的權力，這是他們另一共同特徵。世間一切追求金錢的人，發了財之後，總想永遠發下去，便恨不得把銅山變金山。政治慾望強烈的人物，和這些財主們一樣，希望既得的政治權力，鞏固如泰山，萬世不變。他們對政治權力的自私心，甚至比對私人家產尤爲強烈，唯恐有人打它的主意，不願涓滴分流。在他們的生活上，政治權力，重於一切，所以說大丈夫不可一日無權。政治權力，實在成了他們每日生活的首要必需品，沒有它就不能活命。他們嗜好政治權力成癖，如同染上鴉片煙癮者一樣，越吸癮越大，久而久之，雖偶爾自覺不妙，奈何覺脫身不得！

古往今來，歷史上數有千千萬萬的人，爲奪取政治權力和鞏固政治權力而生，或爲奪取政治權力和鞏固政治權力而死。他們的故事，眞是汗牛充棟，鏡頭的形形色色，有的令人拍案叫絕，有的令人義憤塡胸。他們爲了奪取政治權力，不惜使用任何手段，他們爲了鞏固政治權力，不惜付出任何代價；大有誘惑力的政治權力，自古以來，永遠能使英雄大丈夫們屈膝折腰！歷史若刪除這一部分的紀載，其熱鬧緊張的氣氛，幾乎是完全沒有了。

由於歷史上有許多關於政治權力爭奪戰的紀載，曾經令人咒詛，所以一般人對這種政治首領人物，往往總是厭惡的。他們曾受種種排斥，曾被加上種種惡劣的名詞、但是，平心靜氣地說，凡是作爲一個有政治慾望政治理想的人，想要獲得和鞏固其政治權力，實爲事理之常；因爲他要把令行，要使自己的理想抱負，有所作爲，自然應該爭取有權；如同想做生意的人，資本是不能不有的。因此，我以爲對在政治上人物的爭奪鞏固政治權力一事，沒有什麼是可驚異的。

進一步說，政治權力是一個國家天然存在的控制力量。這權力量，本來應該由政治領袖來保持操縱的，並且還希望他們能操縱得好，以把政治幹得好。因此，國家所以還制定種種法律以幫助他們取得和保有政治權力，除顯見無政府狀態者外，沒有人是否定這種權力的，或以爲那些政治權力慾特別發達的人應該是擯諸四海之外的。

二、

如上所云，政治權力應爲國家所不可缺和政治領袖所當有的東西，然而常有人一談到權力，爲什麼便談虎色變，大有深惡痛絕之概呢？這裏面的原因，可一語道破，那就是許多人徒有一股強烈的政治權力衝動，而缺乏政治智慧與藝術，對既得的權力，不能好好操縱運用，以致濫用和浪費，遂使權力變成了害國誤人的不祥之物之故。

國家當然需要有人來掌握政治權力，但人民所更希望的是那掌權的人能有足夠的智慧和藝術，使人民所賦予的權力，能得適當的運用，不致形成爲一種可怕的東西。政治智慧亦可說就是政治天才，政治藝術亦可說是古稱的治術，歷史上凡比較能夠成功的政治首領，這都是不可或少的因素。倘若一個政治首領，不擱識他的聰明才智，不講求治術，一味仗着權力的斧頭，亂指亂砍，他所統治的國家，必然被弄得一塌糊塗，這是不待多所說明的。

就政治首領個人說，他對既得的權力，絕對應該存有一種嚴肅的態度，絕不可輕心玩弄或任意浪費。他們須知權力是寶貴之物，但亦是危險之物，如同英金特一般，用之得當可致幸福，想吃進肚裏去就會喪命了。我們也可以說權力是最普通的東西，人人都有機會使用，但它亦和水一樣，能爲福爲禍，識水性者可運用自如，否則，就有滅頂之虞。政治權力亦和個人的金錢相同，懂節用，可以用之不匱，若是亂揮一擲萬金，他必有窮困的一日。一個這樣的政治首領，其政治權力，必有一天會枯竭的，到了那時，他的政治生命也就快完結了。政治權力又不可用得太樂，因勢利導，用力少成功大，否則，事情還沒有做好，敵人還沒有餘去，自已會先被累垮了。俗語常說，「頭戴石臼舞獅」，這是諷刺一個人徒逞力氣處事，結果是費力不討好的；世界上某些動輒表現出一幅滿身是勁的樣子的政治人物，大可三思斯言。林肯有言曰：「你能欺負人於一時，你不能欺負人於永久；你能欺負世界一部分的人，你不能欺盡天下人。」這又是權力之效用有時而窮的意思。

三、

以上所云，無非老生常談，卑之無甚高論。然不幸當前的政治現象，竟遠到了一種空前的畸形發展狀態，政治上有些行爲水準的低落，比較戰後許多被人稱爲落後地區的新興小國還差，這是國事前途一大悲哀。現在種種權力慾的衝動，有些地方，可說是近乎瘋狂的狀態，而論其政治智慧和藝術，則鄙陋不堪。他們對於國事上的種種問題，幾乎是不知道有所謂現代政治方式方法之可用了，就連古代的所謂治術，亦懵然不知或不肯講求。政治智慧在他們的腦海中竟已變成一堆礁石或一片沙漠了，此與活躍高昂的權力慾衝動，形成了一尖銳的不平衡對照。在這樣不平衡的畸形發展之下，他們無時無事不斷擺權力著姿態，唯恐別人不認識他是有權力的。他們對國家政治問題，幾乎是不肯承認有什麼問題的存在，遑論公開平等討論，反之，他們總認別人唯一的權利祇是靜聽號令的宣告！

現在的一般愛國憂時的人士，警告於大勢危殆，大聲疾呼人民痛苦者，發爲文章，用心良苦，大多數人民都贊之共鳴，然獨有當權者方面的反應，卻特別不同。這種現象，就是一般掌權的人，權力慾衝動過分強烈，而政治藝術智慧明顯過分貧乏的證明。這是當前國事不能振作的最大癥結。我們今天若想現狀能有所改革，首先是亟需這種失調的畸形狀態能有所消除，祇有如此，國事然後才能談得到本題了。

一週一評

長一點、多一點

艾森豪說，在蘇聯沒有撤消「最後通牒」以前，美國決不撤出柏林，參加任何高峯會議。

在俄國人安置好的定時炸彈（關于柏林問題的「最後通牒」）上舉行高峯會議，這是完全不近情理的。

目前，西方強調盟國駐留柏林的權利，蘇聯則要西方進一步承認東德的傀儡政權地位。

西方要留在柏林的期限「長一點」，蘇聯要西方承認東德「多一點」，三個星期以前，在這上面糾纏，現在還是如此。

反正有的是時間

日內瓦外長會議的第一幕，西方國家的主動與整套計劃搶盡了鏡頭；但是，問題的關鍵是，蘇聯的動機不在解決問題，西方的計劃再週到也是沒有用的。

所以，日內瓦的糾纏，先天的決定了不可能有什麼結果的。

蘇聯的目的是要在宣傳戰上永遠處于主動的地位。所以，你談這個，他扯那個；闖入正題，他又節外生枝，反正，有的是時間。

沒有什麼了不起

如果說，總有什麼改變；應該是俄國人的胃口又有些膨脹了。

在日內瓦的美國代表團發言人說，蘇聯對柏林和德國問題的政策離開「未有寸進」，甚至可以說，「倒退」了。

在日內瓦的西德人士覺得是好，反正沒有什麼了不起，如果外長會議不能解決柏林問題，「也不會造成重大災禍」。

這一點，德意志民族的幽默感，是很重要的。

德國人民的幽默

如果人們理解到這點德國人民的幽默，對于西德提出遲行召開高峯會議一事，就不會像某些西方國家的觀察家，感到驚愕了！試想，今天在日內瓦討論柏林和德國問題，忽視德國人民的獨立意志，而且蘇聯一定要把一個傀儡政權與西德政府相提並論，一向具有高度自尊心的民族，其內心的不滿是可想而知的。

以今天西德的地位，不滿，除幽默一下以外，還有什麼別的辦法？

見不得人的底牌

葛羅米柯提出，東西德代表參加外長會議的秘密會議。

在實際上，蘇聯要處于主動的地位；但是，在實際問題上，蘇聯卻要求密談。這是蘇聯的圈套，理由很簡單，蘇聯的底牌是見不得人的。

在另一方面，蘇聯也看出西方的底牌，所謂「要求蘇聯保證」和「凍結危機」等等，基本的表現是軟弱的，所以蘇聯便倨傲有恃無恐了。

．司馬璐．

我們還能再拖幾個十年

傅正

十年了，大陸淪陷於中共暴政，已經整整十年了！十年，不是一個太短的時間。可是，十年來，政府究竟做了些甚麼呢？

起初，我們聽到的是：「一年準備，兩年反攻，三年掃蕩，五年成功。」到後來，我們常聽到的是：「今年是反攻年！」「今年是反攻勝利決定年！」然而，時間一年一年的過去，非但反攻沒有實現，而且弄到一江山、大陳相繼淪陷，以至於金、馬幾乎不保；其他如政治、經濟、社會等等方面，也無不問題叢生。

這些年來，台灣儘管也有若干進步，例如農業產品的增加和教育數量的發展，但我們一想到日本人留下的基礎，以及美國人援助的情形，發現我們自己所有的成績，不過如此，便覺得「十年時間是浪費了」，這句話，也不算說得過份。

老實說，政府當初在大陸失敗，幾番又遭到海南、舟山撤退的打擊，弄到倉皇失措，倒還情有可原。但美國當依第七艦隊協防台灣海峽以後，無異給我們築成了一道海上長城，且又不斷的在軍經方面，給予我們以援助，我們不能抓住這寶貴的十年，眞正有所作爲，實在是問心有愧的。

目前在台灣身居要津的人，過去在大陸上，都是幾乎擔任過重要職務的人；對於民國三十七、八年之間，三百萬大軍如何失敗，民心士氣如何崩潰，大陸如何斷送，都是親見親聞，知道得一清二楚的。這一幕大悲劇，似乎在這般人的內心深處，留下了深刻的印象，造成了心理上的卑怯感，喪失了[illegible]的勇氣。[illegible]

自己騙自己了。

十年來，政府當局內，受這種心理因素的影響，不免粉飾太平；凡事只准報喜，不准報憂；只准拖，不准揭；一般大小問題，因此，企圖以拖了之。本來是簡單易解的問題，慢慢拖得錯綜複雜了；本來可以順利解決的問題，漸漸拖到難以收拾。問題愈拖愈多，愈拖愈大，愈變成必須解決而又無從解決的地步。

這種現象，早就引起關心國事的人[illegible]

政改革原則者，包括各級政府權責關係，提高行政效率，建立事務管理制度，改善省及縣市政府與民意機關之關係，及改善軍公教待遇與防止貪污。其中屬於個別案件者，有國防、財政、金融、經濟、預算、文教、司法、考銓各方面。據說總統批交優先實施的，便有三十三案之多。[illegible]

[illegible]十年了！我們在台灣已經拖了整整十年了！但是，像這樣一種局面，難道我們還要再拖多久？難道我們國內外的環境還允許我們再拖一個十年？左舜生先生說：「搶救中華民國的時間已經不多了！」這話是相當沉痛的。我們還能不面對現實，拿出最大的勇氣和決心，趕快進行全面改革嗎？

台省面臨人口壓力

政府已提出新的開發計劃

十年來，台灣的人口，以平均每年增加卅五萬人的數字向上發展，省現在人口總數已達到超過一千萬了！這種迅速地膨脹，較世界其它地區人口每年百分之一點六的增加率相比較，實在是一個台灣突出的現象，人口的壓力，勢引起了朝野的焦慮。

根據農村復興委員會的推算，若以現在台省人口百分之三點五的增加率，與現在糧食增產率加以對比，二年後（即民國五十年），台灣的糧食生產量，僅祇够本地人口的消費，而眼前更嚴重的問題是，如果計劃中的每年增產糧食卅萬噸，不能預期完成的話，台灣將隨時可能發生缺糧問題！

衆所周知，政府對此非不關心，亦非不力謀改善，問題是尋求開發的餘地非朝夕間可完成者。十年來，人們都在盼望能够反攻成功，那麼人口問題，糧食問題皆是不成問題的，所以也可以說，在早些年，政府並未正視此問題，而今一旦發覺，自不免是感到稍延失誤了！

目前平地可資耕種者已可說完全用盡了，除了「上山」，「下海」尋求開發之外，已無它途可循，政府刻正在謀於西海岸開發海埔新生地，面積約有四萬四千公頃，聞說此項計劃經已完成，不過遺憾的是海埔地的申請放領，因爲辦法之不盡完善，至爲各縣市劣紳與不肖官吏相互勾結，醜成軒然大波，原開發辦法與承領權經已爲政府廢止取消，我們但願政府能有更妥當的辦法拿出來。（華）

行政效率與退休制度

光裕

日本各界現行的人事制度，實可供我國推行「行政改革」者參考！

「行政改革」曾鬧吵得滿天價響，但是「結果」怎樣呢？似乎還在未定之天！提出改革計劃是一回事，做又是一回事，還不禁令人緬懷行憲那年標榜的流行官話：「行新政」，「用新人」，但是未及二年，新人既未及多所延攬，卻輪到在台灣實行人事凍結了！現今雖又號召實行「行政改革」，其實，在積習已久的中國官場，要談改革二字，說來容易，做來難，都有一定準則。主管的好惡，固然是一死症，而主管自己又不免隨政潮起伏。中樞政要們則不過是隨心所欲，換換位子，只要有衙門可依，也就不管他什麼大事小事了，睜一眼閉一眼，隨波逐流而已。

筆者有友最近自日來台，他說日本雖是戰敗國，但十三年以來，日日進步，年年不同，生活水準完全走向電氣化；政治步向民主化；商業走入自由競爭的改革階段，而且現行的退休制，養老制，社會保險制，均較過去做得徹底，生產方面輕重工業均極發達，並且已在研究設計及建造原子能船，所以能爲世界各國所重視，也無怪乎日本要以亞細亞先進國自居了。

筆者對其所述政界（工商界亦然）徹底實行退休制一點，極感興趣，特述記一二，以爲當政諸公參考：

日本各方對於退休制之建立，維護不遺餘力，大體五十五歲爲退休年齡，一筆退休金足足可以娛老年晚景，據聞在警界服務的警員，退職金亦可拿到日幣二百萬元上下，尙有未到退休年齡而自動退休者，日本人譽之爲「勇退」，報章上常常特別予以褒揚，因此各行各業，各階層無不是「新血輪」有增無已。

還有一種定期任職制，以每年六月與十月爲調勵時期，這是配合其政府會計年度的，這種調勵頗能使工作人員因掉換新環境而振作；至於率調人員規定於何日之內必須辦理移交清楚，趕赴新任，絕無「生根」「老死其位」，獨霸某一崗位的。此外，一般每年規定有二十天休假，這是人人俱享有的權利，毫無例外，過去並無規定凡不休假者，可以另行發給獎金，但今年起政府機關爲節省財源，硬性規定只許休假，不發獎金，所以一般公教人員反而爲如何安排這二十天定期休假而大費躊躇咧！

一年兩度（六月、十二月）的獎金，大撥是設一個半月到兩個月，和每年年底一次的年終獎金（甚至超兩個半月者），大的公司組織買賣所設給其同仁的獎金更是大得驚人），這些都是足以刺激工作效率的，而各報又常將各方所得獎金倍數發表，以作比較，這又使我們會聯想到台灣各機關現在雖以加班費名義設給年節獎金，但其不敢出諸以名正言順地設，結果到手的又是那麼少得可憐，就愈發是相形見拙了！

上述這些制度，在靠以大相撲（日本摔交）吃飯的大力士，他們也一樣極注重退休制，每年舉行四場比賽，可以說是轟動全日本的大事，假如有第一級錦標（日名橫綱）選手在一連十五天比賽中輸了六次的話，那麼這一個選手就要喪失他已有的榮譽，所以多數是自動宣佈退休了，不再以錦標選手的名譽出場了，並且從此默默無聞。去年就有兩位橫綱大力士因敗集而退休，對新聞記者說他們自己也沒有臉面再霸據橫綱寶座了，這種氣度，一時傳爲美談。

在我看，今日台灣實在不必唱什麼高調，應該老老實實起草「退休制度法案」，擬定「定期任職條例」，簡化「任用條例」，改行核平進級制度，這樣，仕途可謂序以進，筆者斷言，不出三年，台灣政界定可以朝氣勃勃，不然，只有「尸位素餐」者老死其位，而一般真正埋頭苦幹的人卻永遠無法升遷抬頭，那末「行政效率」也就無從談起了！

台灣水泥黑市風波

・馬周・

（台灣通訊）本刊八六七期丘式如先生曾有一篇「水泥黑市風波」的報導。記者對此，也頗注意其發展，爰續爲報導如下：

自從政府遷台以來，台灣的水泥市場風波叠起，在社會上往往供不應求，黑市價格高漲，要用水泥的人買不到水泥，不要用水泥的卻可以屯集居奇，希求暴利，主管機關的不肖官員又從而興風作浪，以致造成駭人聽聞的貪污案件，儘管政府當局如何設法防止弊端，但卻道高一尺，魔高一丈，水泥風波，似乎永遠不能平息，變成間歇性的痼疾一般。

最初在水泥工廠公營時代，因爲軍用和民用水泥的數量超過了高雄，竹東和蘇澳三個廠的最大產量，因此對於民用水泥不得不加以限制，總產量中除去軍用部份以外，對於民用水泥酌情配給，其價格則照廠方所定的價格，當時該項配給工作由水泥廠自行辦理，但因供不應求，往往老百姓建築動工以後，或因配給數量太少，或因配了尙沒有領到，往往停工等候水泥，或以高價向黑市購買水泥，以致市價與廠價之間有很大的差額，腦筋靈活的人以爲有利可圖，乃多方設法向水泥廠請求配給，然後轉手流入黑市，從中漁取暴利，在四十二年三月間，在台灣發生了奇特現象，在黑市上一包水泥的價格高於一包麵粉的價格。而高雄水泥廠主辦配給事務的×課長也因此大發其財，不僅×課長勾結廠商案，取佣金事發，鋃鐺入獄。台灣全省公私大小機關因爲營建水泥拋入黑市而被法院判刑的人也太多了，當時鬧得到處是水泥官司，於是不得不改弦更張。

因爲水泥公司自行配售發生了毛病，乃由台灣省政府決定：把水泥買賣交由中央信託局和台灣省物資局統籌運銷，民間需用水泥先向中央信託局或物資局申請。由兩局派員查明用戶實際需要數量，予以配售。把調查核配工作交由中央信託局和物資局去辦理，因爲這兩個局的人員辦事認真，使得需要水泥的人得到水泥，不需要水泥的人無法染指操縱，於是水泥價格大跌，黑市日漸消滅。同時新的小水泥廠也陸續建廠出貨，水泥的風波漸告平息。但在這時候台灣省政府基於台灣省建設廳的要求，把水泥用戶調查核配的工作交由建設廳主辦，中央信託局和物資局僅僅辦理經銷業務，建設廳辦了不到半年，水泥黑市又告復活，不久，建設廳經辦核配工作的人有十餘人被移送法院判刑，結束了政府統籌統銷的辦法。

自從水泥公司出售給民營以後，自由經濟的聲浪日高，關於水泥的生產調查配銷，就完全取銷，就一般情形說：台灣的水泥風波最緊張時期，曾經向日本輸入水泥供應市場需要，關後三五年來各新廠陸續出貨，市場供應不虞匱乏，而且還有餘貨充斥市場，這一段期間台灣水泥供應正常，價格平穩。但是這批供應市場過剩的生產水泥，如果不找出路，在台灣建築業界也是不了之事，於是「水泥外銷」乃成了此間財經貿易當局的新課題。在台灣有一種特殊現象：即凡貨物可以外銷換取外匯的，財經當局對之極感興趣，如此，雞可以坐飛機，毛猪也可以運往香港，不管台灣的本地需要如何，一切都以爭取外匯爲第一，猪銷港的結果，此間猪肉由每斤十二三元一躍而至廿元左右，水泥在大量外銷情形之下，於是國內市場的供應量驟然緊縮，又發生了供不應求的現象，黑市又復猖獗。

因爲水泥市場供求不能平衡，用戶就不得不搶購，因搶購就必發生屯集居奇的情形。水泥外銷固然造成國內市場供應量的緊縮，但是如果能就剩餘產量外銷，當不致影響到國內市場的波動。可是水泥公司本身把儘足供應國內市場的數量屯集了一部份，以台灣交通之方便，水泥市場就會發生很大的風波。據說，現在民營的水泥公司，其董監事都附帶經營建築材料行，於是水泥公司的出品不能全部流入市場，卻流入了那些建築材料行，經過了周轉以後，市價與廠價就發生了差額，差額愈大，獲利愈豐，因而在自由買賣的情形下，只是以往由官辦的水泥公司主持其事，論者指爲統制經濟制度的罪惡，今天則由民營的水泥公司的董監事和職員們在興風作浪，都是自由貿易之賜，用戶們所吃的苦頭並沒有兩樣，說他是歷史重演，倒是千眞萬確的事實。

水泥黑市高漲而且市面缺貨，使得政府當局非常困擾，於是警察局查緝水泥黑市的人員日夜不停的在工作，省政府周主席也在下手令要警務處組織查緝小組專辦此事，於是若干商人被拘捕了，爲了水泥官司法院又將要忙一陣子了！按水泥並不是民生日用必需品，官辦產銷，風波叠起，民間自由生產，自由運銷，也還是風波叠起，此中原因究竟何在，希望當局切實找出癥結來對症下藥，不要每次風波一起，判了幾個人的罪就算了事，不久又舊病復發，還是無補時艱，質之賢明的財經建設當局，以爲如何？

台灣通訊

出國狂熱下的醜劇

「星」隊排球隊訪日擺烏龍

近若干年來，局勢的沉悶，使台灣人心泛上「出國」的狂熱症；而組織體育團體，跨海出擊，既可呼吸海外的空氣，又可撈一筆外匯，於是乎風起雲湧，樂此而不疲。如克難、純德男女籃球隊的出征東南亞，中華田徑隊、中華高爾夫球隊征日，合作金庫籃球隊征日等等。新近因「星」隊排球隊的訪問日本，居然發生了一樁震驚國際體壇的消息，使台北官場上下，一片難堪。

事情的發生，是由於這支龐大的「星」隊，自總領隊到職員容納了廿二人，在東瀛造成了七戰七敗的「壯舉」，使海內外人士，一片嘩然。該隊於全軍盡墨收拾殘伍歸國時候，有的敗興歸來，有的竟還逃未返——包括了副領隊林鼎，管理徐耀，幹事陳海水及隊員洪煥一等四人——最值得注意的是，「星」隊的秘書黃啓明，已在日本「潛逃」，政府當局因其「在台虧負債新台幣三百萬元」，已責令駐日大使館，向日本刑警廳報案，嚴禁其出境，及設法逮捕引渡歸「國」了。

據說，黃某一向與體育界無關，「星」隊人員從來就與此人不相識，因有隊員的介紹，他慷然答允捐贈三萬元台幣，作爲該隊遠征的經費。因之，全國排球委員會就如此這般出具證明書，爲報他是「星」隊的幹事，掛上一個「秘書」名義，辦理出國手續，溜到日本去而樂不思「台」了。

然而，日本朝野方面的觀察，並不如此簡單，他們不相信像黃啓明這樣一個「不法之徒」，會被批准出「國」，他們更不相信，中國政府會這樣「烏龍」，以事先未經調查審實，就輕易簽發出口護照。似乎還是涉及「政治問題」了，所謂「偵務關係」，那祇疑是一個「欲加之罪」而已！日本的體育界，也一致相信黃啓明是「星」隊人馬，但他們很奇怪，祇需九至十一人應付出賽已够有餘了，何故竟出現二十二人的壯大行列呢？於是乎，台灣的官場上下，就把這個責任，像永球一樣拋來拋去，有人認爲省體育會對於出國體育團體的職隊員，沒有審擇確切的資料，有人認爲省教育廳對於省體育會呈報出國的體育團體，沒有切實審查清楚，更有人認爲負責核准出國的教育部與警備總司令部，完全屬於官僚主義，祇知照簽准許而已！

總而言之，這是中國人丟臉底醜事，記者認爲所有關主持出國審查的單位，都應該坦率認錯。平心而論，讓一支遠征外國的球隊，竟被大演「七擒孟獲」的喜劇，誰該負責？應該有個交代。（七月七日寄自台北）

暨大再度進行復校

（台灣通訊）三十歲以上的華僑，腦際裏都有一個「國立暨南大學」的印象。因爲，這座大學是我們唯一華僑最高學府。遠在五十三年前開始創辦，大學成立，亦已三十二載。

但是這座高等華僑學府，卻在中共竊國後，而同時淪落。現在，自政府遷台後，「暨南」之風已不復見，只在台北重慶南路一段十一號一間不甚堂皇的建築裏，掛了一塊「國立暨南大學校友會」的木牌子而已。

暨大在台的校友不下五百人，其中不乏在朝當政者，他們作過很大的努力，希望在台復校，但是，到現在仍不得頭緒。教育當局一直以「經費無着」爲辭推托掉，到現在幾乎是沒有人再談此事了。

然而，事情終究要解決的，當東海大學，清華大學次第在台復校後，沉寂已久的暨大復校的呼聲，又如「死灰復燃」似的在台北爆炸開來了。

觸引這事最大的動機，是中共在去年春天竟劃竊名義，首先成立了僞暨南大學，並于當年秋天收生，誘引不少僑生入彀，原來在這時——在台的暨大校友會就于去年四月廿四日爲揭穿共匪竊名伎倆致海內外全體校友書，同時並力促僑委會敦促政府早日復校，以維僑教，當時確有一陣子熱勁，但未久又被慢慢冷下來。

最近之所以又爆熱門，可能就是這事的後續，它的爆引線是在一個擁有暨大元老甚衆的華僑救國聯合總會的一次常務理事會中。

據說該會第二次會議中就通過了一項關於這事的提案，同時，還推派了蔣賜福、馬超俊等名流親向當局陳情，但結果仍得不到下文。

在這次是該會第八次會議中，提出這事的是暨大一屆畢業校友也就是暨大校友會現任的理事長汪竹一，他在長達二千餘字的提案書中，洋洋灑灑的列述暨大必須復校的急需理由，顯已收到效果。

首先響應的是印尼僑領章勛義，他主張先撐起一個門面來，先覓定校址，建立房舍，然後請政府認賬。他認爲光在紙面上打筆戰，談不出結果，不如我們先出點錢，辦出一點頭緒來，到時候不愁政府不許可。

六十三歲的馬超俊也表示要積極做這件事，不過，他的方式較平穩，他主張還是選出代表來向政府陳情，作一次攤牌，政府自然會權衡輕重，而有所抉擇。最後通過提案，並決定選出九人代表小組向當局說項，同時限定在十月間得出結論。（七月十一日寄）

。陶德。

外長會議第二回合仍將失敗
從赫魯曉夫哈里曼會談可知端倪

在外長會議即將復會的前夕，蘇俄總理赫魯曉夫以冷酷而傲慢的面孔，對着前紐約州長哈里曼，吹個不休！當他談到這位美國前任駐莫斯科大使哈里曼的時候，他在言談間表現得毫無掩飾的自大，不妥協及驕傲的神態與論調。對於赫魯曉夫的言論及狂妄，人們實在難以了解何以哈里曼能夠對他忍受！

但是在兩周前赫魯曉夫卻用汽車載他到鄉村去跟柯茲洛夫，米高揚，及葛羅米柯參加一項氣氛很親熱的晚餐。

赫魯曉夫這次與哈里曼會談時所流露的一切論調，活像在短促的時間裏面去注視冷戰的內容和它的發展。在他們的談話中赫魯曉夫將恐嚇與親善的色調錯綜複雜地交織起來。他一會拿起酒杯暢言和平而就飲，可是一會卻又咆哮地發出充滿敵視色彩的言論。僅在數秒鐘的時間裏面，他會將「解凍」的氣氛立刻消散得無影無蹤而代之以傲慢無比的恫嚇，更直切地說，這不是什麼禮貌的會談，而是一種精神虐待，是赫魯曉夫企圖對哈里曼施行說服的一種前奏。

四國外長會議這次第二個回合的會議結果如何，不難從赫魯曉夫與哈里曼的會談中得其一二消息。當時赫魯曉夫毫不掩飾地以輕蔑的神態去論述這項美，英，法，蘇的四國外長談判，他更進一步地去嘲笑及諷刺這項會議。當哈里曼和赫魯曉夫會談時，蘇俄外交部長葛羅米柯亦在坐——他帶着滿面歡容的神態坐在那張桌子的一角。赫魯曉夫用手向葛羅米柯一指後對哈里曼說道：「葛羅米柯在外長會議席上所講的就是我們吩咐他的那些說話。在下一次的會議中，他所說的不過重複他上一次已經對你們說過那些理論而已，假如他不這樣做的話，我們便會將他革退，同時另外物色一位依照我們的吩咐去做事的人。」從赫魯曉夫這番話來看，我們不難想像得到：四國外長會議的第二個回合的結果可能同樣地令人失望而不會令東西雙方在柏林問題上達成協定，至於他當着葛羅米柯頭指氣使，無非是要哈里曼完全相信他今日在蘇聯的地位是不可動搖的。

赫魯曉夫情緒變化是迅速的，迅速到令哈里曼無從捉摸，他剛才指住葛羅米柯大譏諷四國外長會議，一會兒後卻換過另一種心情去從事一項誇大的所爲，他大言不慚地對哈里曼說：「在五年至七年的時間內，我們蘇俄會比你們美國還要強大。我們比你先一步發展盡氣彈頭。我們的火箭所裝載的彈頭，比你們的還要大許多倍，」其後赫魯曉夫又換過另一個面孔了。那完全是出乎哈里曼意料之外的，他竟直率地稱讚起史大林來了，他認爲蘇俄今日所表現的一切進步應該歸功於史太林。這時候的赫魯曉夫完全不像一個宰割史大林靈魂的屠夫！

他對哈里曼說：「當史太林在那間鄉村別墅裏面陷於昏迷不省人事的情況裏面的時候，他，貝利亞，布加寧，及馬倫可夫等曾經連續三天地在這位偉人的床邊看守着而沒有離去。驀地，史太林從昏迷中醒過來了，同時軟弱無力地指住掛在牆上的那幅畫——一個小女孩子餵着一隻羔羊飲奶的圖畫。」據赫魯曉夫的透露稱：「他當時的手勢暗示他自己好像那隻羔羊，一樣地無告與乏力，數分鐘後，他逝世，我當時禁不住流淚飲泣，我們畢竟是他的學生。」

這種表演，無疑是對哈里曼作恫嚇性的暗示，如果西方不讓步，他將會像史太林那樣斷斷幹到底！接着他對哈里曼說：「你們是這樣的富有，因此直至現在，你們能夠用金錢去收買工人。也爲了這種緣故，因此資本主義國家所從事的那些所謂自由選舉是多麼的滑稽與可笑！」雖然西德總理阿登諾曾經再三地當選，可是在赫魯曉夫的心目中看起來，阿登諾卻是「德國境內最有聲望的人物。」這位蘇俄總理繼續表示：「阿登諾的繼承人不會不考慮蘇俄火箭的威力。」而這話顯然是說，即使是西方三國堅持德國政策不變，德國人自己將要因爲懼怕蘇聯的火箭而改變他們的政策。在這項談話中，老赫魯曉夫曾經以幽默的口吻向哈里曼表示：「如果你看看裸體的阿登諾的話，那麼你便會明白德國。」談到西柏林的時候，赫魯曉夫表示：蘇俄並非重視這個城市，亦不重視該市的二百二十萬居民。「我們主張我要清楚地告訴你的是：西方佔領西柏林的日子已經有限了。你們的那些將軍們採用武力去維持柏林的地位，其實那是一種恫嚇。假如你們派坦克車來的話，那些坦克車便會被燒掉，如果你們要打仗的話，請隨便好了，不過那是你們的戰爭。我們的火箭屆時會自動地飛行。」

隨後會談的題目轉到中共身上了，赫魯曉夫表示：沒有一樣事物能夠將蘇俄和中共分離，並進而宣稱：（一）蘇俄已經有足夠的火箭去轟炸台灣，同時中共現時已經擁有足夠的火力將美國第七艦隊逐出台灣海峽。（二）蘇俄早已保證協助中共對付台灣的襲擊；現在莫斯科願意採取進一步的保證——如果北平要求的話，蘇俄便會協助中共去攻打台灣！

赫魯曉夫在這次接見哈里曼的事件中，充分地表現出他那種嬉笑怒罵，情緒衝動，及令人難以捉摸的思想。他說到德國統一這個問題的時候，以非常露骨的口吻表示：「我們最永遠地不會同意以你們的條件爲基礎的德國統一方案。一個統一的德國必須是社會主義形式的（即共產主義化），否則便沒有統一的可能餘地。」從這番話來看，可以明白：蘇俄外長葛羅米柯在日內瓦四國外長會議的第一個回合中爲什麼在德國問題上寸步也不肯退讓了。

不過就另一方面而論，赫魯曉夫雖然在這次會談中表示：「我已經決定清算柏林的佔領地位，因爲這項所謂佔領地位，實際上是一項時代的錯誤。戰事已經結束十四年了，因此你們怎麼可以堅持要維持佔領的象徵？」可是哈里曼最近在紐約的一項電視節目中卻發表如下的談話：他這次與赫魯曉夫會談柏林問題的結果，令他獲致一項這樣的印象——如果西方予東德以某種型式的事實承認的話，則克里姆林宮可能願意在柏林問題上表示讓步，不過，這只是一種「印象」而已。老實說蘇俄是不會在柏林問題上讓步的！一旦當他獲得西方的妥協之後，他仍將會貪得無厭地要逐走西方在德國的實力的！（寬改寫）

國際動態拾零

△美國一九六一年度總預算爲八百二十億，較一九六〇年多五十億，將於明年一月提交國會審查。如商業繼續景氣，則稅收可望增加，不至有赤字。

△艾森豪不喜歡共和黨在國會之領袖辛浦森，認爲他太保守了，迄今仍主張高關稅政策。並且辛浦森於一月間曾責備艾森豪，未能培養出共和黨的新領袖，艾氏對此，迄今未能忘懷。

△一九六〇年共和黨之總統競選，預備用電視宣傳達三十九星期，每日一刻鐘，從三月間開始，政府人員皆參加以宣傳該黨政策。當政府人員用電視，皆係免費的，這是較民主黨佔便宜的地方。電視價貴，民主黨是無法仿效的。

哀鴻遍野

大陸上的災情顯然很嚴重，不僅是華南各省有嚴重水災，華北和東北有旱災，西南的貴州省也是一個嚴重的水災區！據六月廿四日中國青年報所載，鎮遠、錦屏、郎岱各地，因山洪大作，河水猛漲，良田被淹沒，水庫被沖垮，又據鎮遠專區六個縣的卅八個公社不完全的統計，受災田地即達七萬六千餘畝！

密植欠收

另方面，自從大躍進提倡農作物密植後，凡推行密植者，幾無收成可言。

推行密植之初，曾引起農業界極大之爭論，但由於黨幹部從種試驗田證明密植可以增產，而毛澤東又堅信土辦法可以打倒科學，在黨幹部「掛帥」推行之下，又當否農業科學家們的意見。但現在事實證明，密植是一種失敗，可是爲時已晚，再加各省天災人禍併發，非災區又因密植欠收，預定今年的增產計劃眼看是無法完成了！

幹部逃亡

最近有個朋友從澳門回來，他告訴我兩個直接採訪來有關中共的消息。一、一艘載有幾個棄體逃亡者的漁船，中途被幹部截住了，幹部嚴辭地問：船上有無幹部？逃亡的人心驚膽戰的答：沒有幹部。幹部看了看左右說：沒有幹部嗎？那末一起走吧。接着，幹部也跳上漁船，直奔澳門。由這一則消息可見中共幹部的心情。

郵包山積

二、澳門郵局最近出現了兩條人龍，一條是寄包裹回大陸的，另一條是領大陸退回包裹的。你說世上竟有這等奇事？明明看見一條人龍在領退回包裹，而另一條人龍卻偏偏不顧這樣的事實還是爭先恐後的寄。若說寄出與退回包裹的內容吧，無非都是食品衣服之類相同的物品。另據說確亦有些包裹到達收件人的手裏，因此造成了退者自退，寄者自寄的不調和狀態。

這裏表現着兩種情況：一、寄件人的焦急心情，寄不寄到是聽天由命的了！二、各地中共幹部似乎對於接受與退回這個寄去的包裹有其決定權，才會出現這裏收到那裏退回的情況。我還說不出這種情況表現其政令的不統一呢，或者中共故意賦予幹部這種生殺予奪的大權，讓他們及鋒而試？

另外，根據幾方面的消息，包裹內稅高達120%，普通物品的進口稅有如此高，中共大概又「爭得了一個世界第一」！同時，我也查了查中共的進口商品稅則，居然沒有找到這個120%，有什麼根據，這似乎又是幹部們在自說自話。我到要問問中共海關究竟根據什麼抽稅？要是說大陸的人接受外界捐贈一元者，要繳一元二角過境費，那倒也未嘗不可以像過去軍閥割據時節一般予以公佈，何必躲躲閃閃？

・田心・

大陸文壇透視（七）
鄭伯奇工於拍馬

鄭伯奇是陝西籍的日本留學生，當年他在創造社內也可以說是一個骨幹分子，於郭沫若、郁達夫、張資平之下，坐第五把交椅。可惜他在文學方面，我要替他慚愧地說一聲：「乏善可陳」。我們記得他譯過「魯森堡之一夜」一本薄薄小冊子，此外就是同夏衍合譯了一本有關電影文學理論的東西，如此而已。想不到他對於文學雖無所長，卻很會拍馬，有這種絕技在身，自無怪他自「解放」以來，一直做着中共文藝方面的西安王，穩如泰山。

今年他除了給上海文藝月報寫了「憶創造社」一文過獻外，還給英文版的「中國文學」寫了一篇「略談創造社的文學活動」，中文原稿又刊載在第八號的文藝報上。筆者就從這篇東西看出他工於拍馬來。他說：「毫無疑問，創造社是偉大的五四運動的產物。五四運動是中國人民在偉大的十月革命的影響之下，所掀起的廣泛、深刻的反帝反封建運動（筆者案：這是中共一向對五四運動的歪曲，實際上五四運動是巴黎和會中國外交失敗的刺激，所引起的一種以民主與科學爲主的廣泛的新文化運動）。五四時代的進步的文學藝術團體一般都帶有反帝反封建的傾向。其中這種傾向表現得最鮮明、最強烈、最尖銳的應推創造社。創造社作家中，對中國新文學運動貢獻最大的首推郭沫若同志。」這樣一來，郭沫若就成了自十月革命以後一線相承的正統了。那次序應該是這樣的：十月革命——五四運動——創造社——郭沫若；恐怕郭沫若自己也不好這樣不顧臉面地說吧？如今郭沫若正爲蔡琰胡笳十八拍的問題，遭受劉大杰、沈從文等人的圍攻，而傷腦筋地再三再四大談他的強詞奪理的謬論，想不到卻及時有這位過去的老近侍爲他這十月革命的嫡系裔孫，抬高他的地位，我想他一定會對于立羣說：「伯奇，的是可人兒！」

鄭伯奇不僅會拍馬，他還會說謊。在這篇文章中，他爲掩飾創造社和太陽社對魯迅的仇怨，竟顛倒黑白地說：「以後魯迅先生由廣州來到上海，蔣光赤、段可情和我便同去見魯迅先生，提出聯合行動的意見。魯迅先生大爲贊成，建議恢復創造週報，他願意積極參加。」這是說的民國十五年的事，照郭沫若所寫「創造十年」及續篇兩文，這事連影子都沒有一點兒，反而郭在那文中挖苦魯迅比挖苦胡適、劉復還要厲害，魯迅怎麼會「大加贊成」並「建議恢復創造週報」？在其後創、太兩社向魯迅圍攻，魯迅會說蔣光赤是蔣光×。鄭伯奇這時撒謊不會被人揭破，因爲魯迅和蔣光赤早作古，死人口中已無法對證了。

瘟君夢

第三回：點石成鋼魔王施妙手　指鹿爲馬嘍囉建奇功

毛澤東和林伯渠商訂了之後，果然未經中委會討論，直接把大躍進的計劃交給中共各省市委員會，連黨中央的人還被蒙在鼓裏，就連李富春也未料到毛、林「二人會議」能決定這樣重大的事。其他各省市距離較遠，反映還遲些，只有「北京市委會」近水樓台，當天下午就接到通知及大躍進計劃，彭眞這一驚非同小可，因爲他的職務雖是中共北京市委會第一書記兼「北京市長」，但他本身卻是中共中央政治局委員，書記處書記，又是人代常委會副委員長兼秘書長，所以這個計劃無論是黨、政那一部門決定的，都逃不掉他的手，現在他竟然不知道，豈不成了神話。

彭眞接過黨中央的決定，只有毛澤東一人署名，心裏越想越氣，當時坐上汽車，直奔劉少奇的官邸。這幾年來，彭眞與劉少奇的關係，親密得好似一個人，不待通報，直奔內室，剛進內客廳，只見劉少奇在同一個人講話，聽到彭眞腳步聲，那人一閃身轉到屏風後面去，彭眞心裏好奇怪，剛剛坐下，劉少奇就把手裏一捲紙遞過來說道：「你看這是什麼東西？」

彭眞接過來一看，原來就是「大躍進計劃」，彭眞點點頭：「我已看過了」。

劉少奇厲聲說道：「怎麼？你已經看過了，你曾經參加過老歪的會議嗎？」彭眞對着劉少奇的鷹鉤鼻子端詳了一下，當時不唯吃驚，也覺得奇怪，不曉得劉少奇何以對自己發這麼大的脾氣。陪着笑臉回道：「我沒有參加過老歪什麼會議，我是接到了正式通知才曉得的。」說過把手中的文件也遞給劉少奇。

劉少奇接過一看，通知上面寫明黨中央通知，下面卻只有毛澤東一個人署名，不由得跳起來，拿起景德鎮細瓷茶杯，擲向康熙瓷的花瓶上，登時碎片紛飛，大理石的桌面上，好似發了洪水，順着紫檀木的桌腿，流向伊朗地毯上。室外的警衛員不曉得出了什麼事，一齊跑過來，有的已經把手槍拔出來。

劉少奇擺擺手，警衛員退出去，彭眞呆在那裏不知怎樣的好。劉少奇轉過臉來向他說道：「老歪如此胆大妄爲，眞非意料所及，他竟然以黨中央名義向各省市委員會發佈通知，難道他一個人就是黨中央嗎？」

彭眞緊皺眉頭說道：「我接到通知以後，可是眞胡塗了，既然是黨中央決定的，我怎麼一點也不知道，至於發佈通知是書記處的事，更少不掉我，所以我不懂老歪葫蘆裏又賣什麼藥，所以趕快跑來同副主席商量一下，怎麼對付他。」

劉少奇低頭把大躍進計劃則看了一遍，馬上又哈哈大笑起來。（五三）

岳騫

釋未集

去釋生先生所著現代名人軼事，記章太炎先生一則云：「張勳復辟，章在北京東交民巷爲人所暗殺，先生作詩一首以詠其事，詩曰：余丸一夜飛交民，好殺湘東舊領軍，僞問是誰陵墓石馬，可知傳法有沙門。……余問先生「沙門」何指？先生笑謂余曰：古人作詩亦往往有在可解不可解之間者，何必深問？」在可解不可解之間一語，非深於文者不能道，昔蘇子瞻論文，曰：「求物之妙，如繫風捕影，能使是物了然于心者，蓋千萬人而不一遇也。而況能使了然于口與手乎，是之謂詞達。詞至于能達，則文不可勝用矣。」蘇氏之意，蓋猶在于求人能解，而世亦實有不求人能解之文，所謂此中有眞意，欲辨已忘言者，即此類也。文學作品，貴有眞性情，友朋贈答之詩章，風雨孤燈之記錄，所謂發知己萬里之慨，記幽懷千載之悱者，其始固不在于使人知，使人解，終乃因其足以感發心靈，遂得爲人所傳誦，讀者了解其何種程度，則須視其性分之淺深，與經驗是否能與之發生感應而定，確有眞性情之作品，然後乃有其生命，與價值，與人能解之程度，初無絕對之關係也。

昔人謂白居易作詩，必求老嫗能解，求之事實，本屬度情之論，抑亦絕非可能，而其主張「詩合爲事而作」，遂開後來實用派之文論，主張，倡言曰我手寫我口，以求至于老嫗能解之境，不知手與口之不能相屬，固已若東坡之所云，若曰老嫗能解，則實近于自欺，章太炎先生，精研小學，其文尤古奧詰屈，但猶反見五四時代之所謂文學革命，遞屬第二十五訂文篇云：「有農牧之言，有士大夫之言，此文言鄙語不能不分之由，天下之士大夫少而農牧多，故農牧所言，言之粉也。而世欲更文籍以從鄙語，冀人人可以理解，則文化易流，斯則左矣，今言道義，其旨故殊也，農牧之言道，則曰道理，其言義，亦曰道理，今言仁人善人，其旨亦有辨也。農牧之言仁人，則曰好人，其言善人，亦曰好人，更文籍而從之，當何以爲別矣。……！苟取徑便而殽其實，寧勿徑便也。」此論最爲平實，雖有百口，恣其便辭巧說，亦將無以易之，故文學終將爲可解不可解之篇章，而不甚可解之詩文，亦終不因其不易解而漸減也。

文學

介甫與友人論文，則曰：「且所謂文者，務爲有補于世而已矣，所謂辭者，猶器之有刻鏤繪畫也，誠使巧且華，不必適用，誠使適用，亦不必巧且華，要之以適用爲本，以刻鏤繪畫爲之容而已。」文學而專務適用，則尚藝術之道，誠若有間矣。今人拘守此等見解，遂有平民化或大衆化種種之主張，必欲解之，亦大惑而已。

·曼齋·

關於「一杯羹」典故出處

兼就正於南蠻先生

讀七月十四日工商日報南蠻先生的「扯東拉西集」——「分一杯羹」大文，認爲「有一些人專喜「分一杯羹」」去嘲笑別人，那更是一種「家天下」時代的老觀念。」筆者百分之百舉手而贊成之。但南蠻先生解釋：「這故事是出自劉邦的，項羽說要烹劉太公，劉邦說：「而翁即若翁，要烹而翁，可分我一杯羹！」當太公是劉邦的父親，劉邦有權要項羽分他一杯羹的。我是說，在不是「家天下」的今日民主時代裏，國家是每一個人都有份兒的，即凡屬國家的權益，誰都有權要求「分一杯羹」的。」筆者很懷疑南蠻先生引證「一杯羹」的這個典故或者是錯了！

據「戰國策」卷三十三中山君饗都士大夫，司馬子期在焉，羊羹不遍。司馬子期怒而走於楚，說楚王伐中山，中山君亡。有二人挈戈而隨其後者，中山君顧謂二人：「子奚爲者也？」二人對曰：「臣有父，嘗餓且死，君下壺餐餌之。臣父且死，曰：「中山有事，汝必死之。」故來死君也！」中山君喟然而仰歎曰：「與不期衆少，其於當厄；怨不期深淺，其於傷心。吾以一杯羹亡國，以一壺餐得士二人。」

可見遠在春秋列國時代，已經有過「一杯羹」的故事了。何況就當前某些意圖壟斷中國政治者以所謂「分一杯羹」祗毀民主人士，則這個出自中山君的典故，似乎更爲適合些啊。未稔南蠻先生以爲然否？

七月十四日　·孟戈·

「朋友，做人是很難的」

——囈語　·野火·

現社會，人吃人已經不再是新聞了，只有狗咬窮人，才是眞正的新聞呢！

正如你所說的，做一個好人是很不幸的。你要做一個好人嗎？然而，人們會容許你好好地去做嗎？不會的，別人會設法中傷你，打擊你，構陷你，甚使你墮落，以至於死亡。這樣，別人心裏便會感到一陣涼快。這是世紀末的人心的一種多麼墮落的心理啊，於是你不想做好人了。你去做壞人。然而，法律會容許你做壞人嗎？不會的，法律會制裁你，拿你到牢獄去。你知道，法律是保護那些有錢去作惡事的人，而有些律師又是爲金錢服務的。他們永遠不會懂得什麼事情是公道，什麼事情是不公道。他們更不會相信什麼倫理，合理，公理這些不慣中聽的話。他們只知道：作了惡事，有錢的就罰錢，沒有錢的就坐牢；他們只看到金錢，爲金錢服務。有錢給他們的，有罪的，他們會替你說成無罪；沒有罪的，沒有錢給他們的，他們也會說成有罪。

於是你開始懷疑這個世界。你覺醒了。從此你不再相信法律必然是公正的，律師是爲人類服務的，爲眞理和正義服務的；你不再相信這個世界的一切。因此你陷在迷惑裏，痛苦裏，成了一個患有嚴重時代病的青年。

唉，做人實在太困難了。那末，讓我們做一頭狗吧，我想做一頭狗會比較容易一點的。唉，爲什麼你一定要堅持做一個人呢？你這個倔強的孩子。難道你不知道做一個人是很困難的嗎？在人吃人的現實的社會裏，它既不容許你做一個壞人，但也不容許你做一個好人嗎！

做一個好人是很困難的。做一個好人既然是那麼的困難，那末，我們就不要做一個好人嗎？那麼，你就做一個好了。「不！當然[illegible]……社會的黑暗還沒有把我完全蠶食之前，我將仍然是它一個最大的叛徒，我將仍然是它個最大的敵人。我是永遠不會向它[illegible]的。」

唉，你這個倔強的孩子，你還是說「不」嗎？你知道，做好人是要吃苦的。你想做好人嗎？那麼，你就準備一輩子吃苦好了。

書刊簡介

中學生雜誌創刊號

香港，每年參加中英文中學會考的學生，現在已將近五千人，在學校念書的大概總在三四萬人之間。中學時期是求知慾最旺盛的時期，因此中學生的課外讀物，也自然不容忽視了。香港既有如此多數的中學生，而專供中學生課外閱讀的定期刊物，卻並不多。

現在我們收到了「中學生」月刊第一期，它說明了它的出版旨趣，在它的「創刊詞」中說：「我們必須充實我們的知能，來適應這一社會，改造這一社會。」「它要求青年們能努力的方面，對於中國的積弱要尋求充實知能的道路，以[illegible]，以負起改善天下的途程。因此，它又說：「我們今天應該走的路子，還是我們自己去摸索吧」。這樣的宗旨是正確的。我想一定可以得到對國家和社會有責任感，對自己有希望的青年一致的贊成和擁護。這樣，這個刊物也一定是有前途的。

「中學生雜誌」（月刊），社址九龍衙前打老道一號D，零售每冊港幣六角。（文華）

「這部老爺車，可否打折收費？」

忙與閒

據說忙人才有忙事，而我以爲：恰恰相反，只有不忙人才有忙事，因爲忙人必須時時刻刻有一事，不能有一[illegible]

而非忙人者則不然。一旦多了三兩事，則顯得倉促急迫，忙得七顛八倒，應接不暇，腸腑交戰爲之增加。

有時候，看別人忙，跟欣賞一戲，是一種享受。旁觀者清，把一件事從己身之外的角度看去，如俯在窗檻上，看螞蟻來來去去，忙亂之哉，然而從紛亂裏，可以找到一種爲忙所支配的秩序。這發見，予人一種歡喜。

「忙裏偷閒」，忙像是人的義務，而閒，成了分外的事，一大早，開門七事先忙完了，然後搭車、走路，這才到了目的地開始工作，得忙；擠了車，走了路，這更忙了。然後，回家，依然是忙。但這指的是常人之忙，忙人是有別於常人的，常人會感到此，而忙人能幹，送往迎來，大小會議，皆無缺席。因爲是「事」，所以更是義務了。

在窗前看螞蟻忙，然而時時不免起了抱不平的心理，原因是，有[illegible]

[illegible]慌螞蟻語言，也難不見，所以不得其詳，然而總疑惑牠是高級人物，[illegible]義務。

忙和閒雖像是對立的，但有時候從前人裏[illegible]

[illegible]是節約時間，還是有如，白天玩得不夠，晚上再打上十圈的衛生麻將[illegible]

廣東通志談叢

·竹菴·

阮志的內容

阮元於道光二年（一八二二）奏進御覽之廣東通志，共三百三十四卷，除取材於黃志，郝志外，旁搜羣籍，如郭棐之粵大記，黃佐名勝記等，並有徵引，又訪得孤本影宋鈔本的宋王象之輿地紀勝一書，（二百卷，粵雅堂重刊本），亦備加采錄，是書內容，首列典訓，即上諭是也。次爲表四，即郡縣沿革表，職官表，選舉表，封建表，爲略十，一輿地略，二山川略，三關隘略，四海防略，五建置略，六經政略，七前事略，八藝文略，九金石略，十古蹟略，爲錄二，曰宦績錄，曰謫宦錄。爲列傳八，一曰人物傳，二曰列女傳，三曰耆壽傳，四曰方技傳，五曰宦者傳，六曰流寓傳，七曰釋老傳，八曰嶺蠻傳。最後則爲雜錄，共爲二十六門。

地方志最重圖經，阮氏謂宋王中行，廣東圖經不可得見，故圖經要從新繪錄，但當時測繪術未精，故通志內之圖，未見精密。

十九世紀初期，科學未興，故只偏重於文獻，古蹟，人物，金石類的記載，特別詳盡。但一切屬於自然地理各點，如氣候，地質，土壤，鑛產，均語焉不詳，此則時代所限，未足指爲是書的缺點也。

參加阮志的修纂者

儀徵阮元字伯元，號雲台，流覽羣書，精研經術，著作等身，嘉慶二十二年督粵時在粵秀山建設學海堂，提倡經史詞章理學。粵中學風，一時丕變，治經史詞章金石之學者，風起雲湧，碩彥鴻儒，應運而生，此時實爲粵學最發揚時代。阮元身爲粵省行政首長，編志另有專家，彼不過總其成而已。

通志之編成，以三年爲期。總纂共有四人，一爲陳昌齊，二劉彬華，三江藩，四謝蘭生。今略述諸人之著述。陳昌齊字賓臣，海康人，乾隆辛卯進士，官編修，工測算之學，尤精考證，著大戴禮考證二卷，經典釋文附錄四十卷，雷州府志若干卷，荀子考證二卷，老子正誤二卷，呂氏春秋正誤二卷，淮南子考證六卷，測天約術一卷，天學臆說一卷，楚詞韻辨一卷，賜書堂文集六卷，詩一卷，其學問之淵博，著述之繁多，尤爲粵人之翹楚。（四）

尤敏的成功

影壇隨筆　·修衡·

最近在各報社會新聞裏，發現一段有趣的對白。一位法官詢問一個證人時，對「明星」兩個字發生疑問，這位法官希望弄清楚，質詢證人：是不是影片公司的每一位演員，都可以稱做「電影明星」？那位證人回答說「不是」，那大概是出現於銀幕的人，被稱做「臨記」。於是，法官總明白：大概是成名的演員，被稱做「明星」。其實，「明星」、「演員」和「臨記」，總是從事於電影工作者，影片公司一律稱做演員，其他的名銜，都是觀衆們給他們冠戴上去的。原因不外是一位演員一經竄紅，觀衆們心目中看去，他像天上的星一般明亮，於是便稱做明星，十年來香港明星輩出，眞正成功的並不多。

問題是要看這個人是不是肯勤於學習，像林黛、林鳳、張揚、雷震他們，都曾花上冗長時間苦修勤練的。再就尤敏來說，這位現在香港最亮的影星，在「玉女私情」，到僅最近剛攝成的「家有喜事」，都有驚人的演出，很多人對尤敏都抱詫愕，不禁要問：「是不是她在美國學會了演戲？」其實，她在美國躑躅的時間並不太長，即使學會也不會那末快，而她所演出的戲路，根本和美國時下的戲路截然不同的。

說穿了也很簡單，她未加雕飾之前，每一個戲對她的個性並不適合。同時，多少帶點恐懼。在強裝硬扮中演出，試問她的戲怎能演得好？「玉女私情」是順着她的戲路攝製的，榮膺「亞后」歸來，主演「家有喜事」，也是得心應手之作。今日尤敏所以被人重視，顯示這位「亞后」在太平洋彼岸，並沒有沾染彼邦氣習，尤敏依然是尤敏，特別是代表了東方傑出的文化典型人物。是每一位影星該向她效法的，否則，不中不西的造型，演出時便變得不倫不類了。

自由人

THE FREEMAN
（第八四七期）
中華民國僑務委員會登記證僑台新字第一號二號
中華郵政台字第五〇〇〇號
執照登記爲第一類新聞紙類
（半週刊每星期三六出版）
每份港幣壹毫
台北市售價台幣貳元
督印人：陳文華
地址：香港高士威道二十號四樓
20 CAUSEWAY RD. 3RD. FL. HONG KONG
TEL. 771726
承印者：東南印務出版社
地址：高士打道六十四號
台灣總經理處
台北市西寧南路壹叁零號二樓
電話：三〇四三六
台灣郵政劃撥儲金戶九二五二
海外總經銷：友聯書報發行公司
港九總經銷：灣仔道二十六號A二樓

美國新政派與四大自由

宋文明

一九四零年夏天在美國白宮的某次記者招待會上，當有人詢及戰後美國的和平理想時，羅斯福總統便首次提出了他的五大自由的說法。所謂五大自由者，其中第一和第二兩種自由，事實上都是屬於言論自由的範圍，所以後來便合併而成爲言論自由。其中第三項自由，在表明羅斯福總統的社會安全與經濟改革的理想，但當日記者會上羅斯福並未想到一適當名稱來形容這一理想。後記者羣中有位雙城論叢報的哈克尼斯（RICHARD L. HARKNEES）遂提出「不虞匱乏的自由」（FREEDOM FROM WANT），羅斯福便欣然接受。

一、

這是四大自由的最原始的起源，也是羅斯福首次公開他的這一理想。此後在一個長時間內，不論羅斯福和其他別人，都未提到這一說法，直至一九四零年底，正當白宮秘書人員忙於準備次年總統致國會的國情咨文時，羅斯福又再度提出這四大自由要求在該項咨文中，把這一自由理想詳加闡述。於是一九四一年的羅斯福的國情咨文，也便因這一緣故而成了美國歷史上的不朽的文獻。接着在當年八月的北大西洋會議中，羅斯福和邱吉爾又對這四大自由理想作了詳盡的討論，邱吉爾甚至把這一討論的每一細節和字句都致往倫敦戰時內閣請示，以爭取英國內閣對此決議的共同支持。在這一討論中，當時代表英工黨參加戰時內閣的艾德禮，曾根據其社會主義觀點，揚棄任何戰後理想都不能忽視社會安全的重要。這一觀點終使羅斯福加强了他對「不虞匱乏的自由」的信念。[illegible]及當時對蘇關係，遂於羅邱討論中有意無意省去宗教自由一項。北大西洋憲章的未及於此，也許就是爲了這一原因。一九四一年十二月二十七日晚間，羅斯福曾和當時蘇聯駐美大使李維諾夫，長談宗教自由一事，李維諾夫去後擬以良心自由來代替宗教自由，但以羅斯福的堅持，蘇聯終於同意了宗教自由這一名稱。於是一九四二年一月，當時與軸心集團作戰的所有同盟國便在華府發表宣言，共同支持這一戰後理想，支持羅斯福的四大自由。從此時起，這一四大自由，不僅爲羅斯福個人和美國新政派的理想，而且成了全世界各國共同的理想；不僅爲同盟國戰時反軸心作戰的理想，而且也成了人類永恆的理想。時至今日，羅斯福已逝世許久，冷戰氣氛並已瀰漫全世界，但羅斯福的這四大自由理想，仍然鑲在每個人的心坎。

二、

在過去十多年，我每一看到和聽到人間不幸的事故時，我就立刻想到這四大自由——言論自由、宗教自由、不虞匱乏的自由、和不虞恐懼的自由。這四大自由，雖各有各的範圍和個別，但其根基則一，[illegible]作人的自由，即得以生活下去的自由。言論自由是一切政治自由的根源，也是一切政治自由的根基。因言論之爲物，在表達一個人的思想、主張，故若有言論自由，即會有思想自由與信仰自由；同時一個人的言論須假藉各種方式來表達，並以影響其他人的觀感與思想爲目的，因此，表現言論自由，實際也就必須要有出版自由。

集會與結社自由。宗教自由一事，在東方國家特別在中國，並不顯得重要；但在西方國家，宗教自由便成了信仰自由的同義語，若無這種自由，整個社會的和諧與安寧，同時是根本無法維持的。李維諾夫[illegible]羅斯福[illegible]的談話，[illegible]宗教自由[illegible]人以隨意選擇[illegible]上帝[illegible]宗教自由之實際也，包括[illegible]信仰任何宗教的自由，不信任何宗教的自由[illegible]即合需要滿足自由[illegible]活不僅爲一種權利，而且亦與各人日常生活不可分。一個人可以減少言論自由，或甚至不要出版自由，但不能少了不虞匱乏的自由。所謂合理滿足一個人的生活需要者，即一個人有其天賦資質接受適當教育的自由，有工作的自由，有病可得醫療的自由，有屋可住的自由，有不被餓死的自由。一個人生在地上，就應有這種天賦的自由；一個政府亦有滿足和保障人民這些自由的義務。至於所謂不虞恐懼的自由，便是人民的身體的自由，有不被遭受來自任何方面的不合理的侵害的自由，以及法律之外不受政府的權力任意侵犯的自由，[illegible]除了這種自由之外，任何人[illegible]法律所規定[illegible]限制[illegible]之冤。政府也絕不能隨意把人三更半夜關在監牢，或在半夜三更隨意敲人家的大門。因此不論言論自由、宗教自由，[illegible]

三、

可是在今天世界上，不論進步的西方國家，或不進步的東方國家，能真正都[illegible]四大自由的[illegible]。甚至最落後的[illegible]中任何一項都未[illegible]宗教自由[illegible]我們遇到一大[illegible]上國家，却常[illegible]受到種種限制[illegible]區內其他宗教的[illegible]

[illegible]

四、

[illegible]

一週半述評

柯茲洛夫的玩藝

赫魯曉夫的助手蘇聯副總理柯茲洛夫最近的訪美，和米高揚前此同樣是越洋出售「和平」貨色，做冷戰工作，名爲主持蘇聯展覽會，說什麼文化交流，實乃在以售貨員的姿態，使美國人相信美蘇關係是可以改善而和平共存的。然而結果比米高揚還壞；因爲柏林的僵局，加上他的硬派作風，使他表演得比米高揚更拙劣。他勸美軍退出柏林，說「如果你們試圖利用武力留駐那裏，就是等于戰爭」。這使美國人爲之「氣憤」。美民主黨衆議員薛勸甚至認爲他「在享受客氣招待之際，却要求柏林陷入共產主義，且以使用武力作恫嚇，實違反外交上的傳統原則」。有些州長竟向國務院表示拒絕招待，有些則在禮貌招待中與之發生劇烈的爭論。柯茲洛夫的訪美，可以說，這是繼米高揚以後又一次的失敗。

米高揚重彈舊調

蘇聯老牌副總理米高揚，又用金鑽策救向訪問蘇聯的七個美國州長，說蘇聯願與美國通商，說美蘇間的貿易中斷，原是由于美國政府的阻礙；他相信美國輿情將會迫使美國對冷戰解決。這不宜國政府却偏要冷戰。這還是他前次訪美時所彈的舊調，與柯茲[illegible]是異曲同工的那一套。

然而聽到米高揚談話又使和[illegible]長們，于訪蘇後「顧左右而言他」[illegible]蠢起大戰，也不易解決，推下去了條件不會發動戰爭，而蘇聯是爭於赫魯曉夫將目前共黨佔了壓倒[illegible]實是一個戰略上的圖謀。

赫魯曉夫的訪波

正在外長會議開始停會中，赫魯曉夫在波蘭這一戰略性的國家，今天的赫魯曉夫，竟發出狂熱的[illegible]波蘭這一類曾被共黨宰制的國家[illegible]蘇聯的飛彈威脅與利誘，說將以武力[illegible]波演說，大放厥詞，[illegible]同時使波蘭[illegible]這表示了蘇聯在柏林問題中爭取[illegible]

柏林與德國問題

西方與蘇聯對柏林問題的爭[illegible]德國統一問題上。目前西方國家[illegible]

印度的作偃

[illegible]

・林伯雅・

論「你民我主，你法我治」

・黃秋涵・

「民主法治」是現在全國海內外所公認的治國的不二法門，[illegible]惜乎[illegible]目前「你民我主，你法我治」，[illegible]行其是[illegible]

[illegible]

候補立委遞補經緯

。陶德。

（台北航訊）提起第一屆立法委員候補人遞補事宜，在台北會有不少人聽到就搖頭，這件事一直醞釀了七年，到目前仍無定論。在台的所有候補立委，也不知開過了多少次會，招待過多次的記者，但始終沒有結果。

候補人所提的遞補理由

最近，在台候補立委倪炯聲等，又提出理由向立院陳情，他們認定的三點遞補理由是：（一）四十五年五月，立法院院會決議，接受總統咨文辦法，由現任委員繼續行使職權。候補人既非「現任委員」，則行政院停止遞補之命令，自爲不得已措施。（二）四十三年一月，司法院大法官會議解釋，立法院應仍由第一屆立法委員繼續行使其職權。「現任委員」既已改爲「第一屆委員」，則行政院自應依法另行頒布恢復遞補的命令。（三）四年多以來，行政院既未另頒恢復遞補的命令，則就法論法，我們有權請求行政院咨請司法院予以明白解釋。如果司法院大法官會議解釋爲否定的結果，則「妥實有罪」，我們甘願受法律的制裁。

但是，這些理由仍被立院留作「重要參考」，並未獲得深一層的反應。於是，他們乃向台北報界發出呼籲，在向立法院請願之後，招待新聞界。

招待記者的插曲

說起招待記者，這其間卻有一段插曲可記。原來在兩個月前，台北各報編採負責人，就接到倪委員等聯名請柬，定某日宴會聚談。可是，事有湊巧，在他們請客當日，卻同時有嚴家淦和沈錡早在一週以前就約定的宴會，是報告有關發行公債之事的。於是，熟識倪委員等的人，就建議改期，于是，第一次招待記者因而延展了一星期。

一星期後的下午，大家正當接近宴會時間，正待動身赴會，卻奇妙的接到立委候補代表的緊急電話，說是內部同人有意見，宴會取消了，至于是否改期呢？電話中並無答復。至此，招待記者會遂告流產。

候補立委七十人

事隔一月，立委候補代表提出上情，向立院請願。同時，繼請報界促請政府將有缺額的七十位候補立委遞補爲正式立委。此外，他們還非正式的透露了以下的這份名單，列舉遞補和出缺立委的動態。

可惜這件事，台北報界反應不濃，僅在一版登了三欄地位的新聞，並未著論相配合，同時，那份重要的名單資料，亦僅中華日報南版和自立晚報公佈一次，但已時隔一日矣！

候補立委名單

有資格作爲候補立委的名單如下：（七十人）

倪炯聲、張肇元、臧啓元、陳孝威、龐自誠、蔣賜福、李毓萬、翟溫橋、汪竹一、蕭錚明、呂仲良、葉尙志、鄭邦琨、鄭懸璜、石清、包德明、周咸文、黃廝夫、郭紹宗、趙錫雯、程光復、楊伯安、崔華言、呂蒼巖、王寵先、王冠英、于復先、王師曾、劉鵬九、楊君勸、馮鏞、陳玉科、張僕生、羅時實、趙寓心、程崇道、胡關、丁卓閣、程錦綸、徐惠儀、萬鴻圖、高榮茂、陳大器、陳若操、張秉衡、夏爾康、何冰如、王培驟、馬君碩、龔從民、丁廷標、梁漢韜、王玉賓、陳烈甫、韓濤、邵培之、周邦道、王麟正、都本仁、張榮健、崔心一、陳雨之、楊渕韶、蔣友文、秦瑜、林挺生、李正韶、羅敦偉、胡文郁、康紹周。

以上七十名候補立委，據候補立委代表招待記者告知，均有立法委員出缺姓名遞補。

其餘四十二位候補立法委員姓名如下：

溫麟、崔承勳、李士英、曾省齋、崔萬秋、石志泉、張文伯、任卓宣、翟紹華、許蕙溪、傅永中、趙純孝、張善興、嚴僖、吳清源、趙友闌、莊冲舒、呂曉道、孫多慈、黃森、楊毓滋、王盡興、孫云遐、周獨、金克和、鄭挺生、辛植柏、鄒景忠、俞美四、孟淑鏞、許君武、陳亦修、張鉞、陳炯平、包國義、關炯聲、李述文、丘河清、顏春和、林權敏、鄭鑑東、吳紹如。

出缺立委六種情形

出缺的立法委員包括六種情形：（一）通緝有案者；（二）行蹤不明者；（三）業已辭職有案者；（四）業已死亡者；（五）一會期不出席者；（六）附匪有據者。

據告，通緝有案的立委，計爲十八名：李仲公、毛霞虎、孟擬衡、孔令燦、陳名豫、張濟華、朱惠清、范予遂、熊夢賓、歐元懷、李鵬廷、葛敬恩、溫小峯、王劍鍔、劉不同、張福文、鄒樹文、黃夢飛。

行蹤不明的立委，計十三名：吳道安、傅樹菁、張星元、解紳哲、劉明揚、易伯堅、楊保東、史亦江、張之江、劉樹仁、傅統先、竇醒漢、周爛。

業已辭職有案者，計九名：王德溥、蕭錚、趙懋華、劉眞、田雨時、柳克述、程天放、吳潤庠、韓稚。

業已死亡者，計十四名：劉誌軒、俞松筠、黃輝基、劉文貿、李颺生、夏斗寅、劉聖斌、王升庭、趙毓貽、熊東皋、伍智梅、岳樹猷、段永慶、陳博生。

一會期不出席者，計十二名：劉丕基、王希賓、鄭漢川、胡曼奇、陳光甫、楊適生、張純明、李震良、葉道淵、李東闓、陳久敬、羅孟冊。

附匪有據者，計十名：何遂、楊宗瑞、郭安宇、楊汝嶽、王丹岑、黃鬱、鄭世增、邁謀、崔敬伯、鄭家駿。

另外尙有註銷立委程務一名；未報立委蔣固一名。（七月十日寄）

小論　取才之道

。千鈞。

最近政府特別重視優先任用高考及格人員，認爲凡是高考及格者較一般大學畢業生更可靠，且不妨予以當位。固然這是國家的一種制度，不容非議，不過高考的是那幾科題目，運氣好，一試中的，但科學雖稱昌明也還沒有一種量德器問世，以致於所謂人才也者實無從得知其是否存有公德與私德的良知。因此我們常常見到學問頗不錯的人，卻把政治公事辦得一塌糊塗！因爲他的目的只在做官爲原則，爲擺官架子他不屑眞正來做事，無論巨細均放在那些資格不足學問不夠的小職員身上，否則似有失官位身份。其他職位所能沾得之利權，卻必趁勢包羅以切合其需要，甚至不擇手段亦在所不惜！而爲小職員者其能不有反感乎，且以一輩子既已無指望高升，自不免樂得敷衍塞責而已，如是則政治焉得不腐敗！

筆者曾幾何時亦曾對高考及格者傾廿四分之熱望及崇敬，然而自從眞正的領教過其中某些份子的作風之後，乃對之不得不「另眼相看」了。當然此亦不可一概而論，不過當局既有心於此，故亦不得不進一言，値此重用高考及格人才之時，似乎應多少考慮及其品格道德問題才好。

監察院最近一二三事

。健生。

（台灣航訊）監察院最近又發生一件令人非議的事情。事實如下：

台北市長黃啓瑞爲慶祝就任兩週年，於六月二日特舉辦「政績展覽」，擴大宣傳，耗費公帑八萬餘元。際此政府經費拮据，市政建設在在需款之時，黃氏竟動用鉅款，爲其個人前途打算；職司監察政府各級機關及糾彈公務員非法的監察院依法糾彈乃義不容辭，豈知少數黨籍的監委提案糾正時，而多數黨的監委公然從中阻擾，且在某次會議中大聲疾呼不得提出云云。

於是，黃啓瑞因此有所恃而無恐，在七月九日在台北中山堂展覽市政成果，更邀全市六千餘位鄰長及黨員前往參觀，爲了「踴躍」起見，並放映電影招待來賓。據七月一日中央日報說，台北市政府於七月中旬，以十天時間，在圓山中山兒童樂園，分區招待本市六千多位鄰長。每位鄰長可以享受七元的免費招待。市府此次招待鄰長，需五萬元以上的經費，市府民政局拿不出這筆錢，但黃市長堅持必須舉行。又悉，市府最近又訂製了一大批玻璃杯，準備贈送各區里長四百多位，每位里長將贈送一套，以爲紀念云云。

據說六月二日的市政展覽的經費八萬餘元，是在市工務局美援道路工程處報銷的。（聯合報）

此外，市公車處的花酒爛賬，六十九萬六千四百六十一元，市議會拒絕報銷。而黃市長動用預備金，購買陶蔣柏的國畫及「勸學會」的補助費，如購買自由論壇雜誌等，均係黃氏私人的應酬性質，而非市政緊急需要，因此，議員沈個松等則力主糾正。又如市政府購買「蘇俄在中國」一書數爲一千五百本，該書定價每本十元，總計一萬五千元。而市政府竟報銷三萬元，這就難怪市議會在審查追加預算的時候表示異議了。

監察院不但未盡監督之職，且公然打銷提出的糾正案，不知監察院何以自解，何以向人民解釋？

關於監委張國柱提案糾正教育部處理私立中國醫藥學院立案招生等事實措施失當，該案經監察院教育委員會第一〇八次會議審議通過，依監察法二十四條之規定提案糾正，因而獲得輿論界的支持和讚揚。但據教育機關人士私語記者，張委員的精神可敬可佩，若就該糾正案言，其中事實有許多地方不能使人信服；如糾正案中指出，「且有既非正取，又非備取之學生三十餘名，亦准其註冊上課」。因此中國醫藥學院列登啓事，質詢「三十餘名」學生之姓名及籍貫，從何而來，並希望說明，而就教於張委員，又拿不出確切的根據，而監院教育委員會未能詳細調查，竟據指爲未經考試入學，實屬疏忽予人以口實。如果監院不將事實眞相調查清楚而提案糾正，自然會影響監院之清譽。所以外界盛傳張國柱提案糾正教育部處理中醫學院措施不當，係「政治恩怨」的報復主義。雖然記者仍不信有此事實，不過因此總不免引起外間揣測也。

總之，今之御史大人，已失去其立場則是事實。黃啓瑞糜費公帑，破壞預算制度，應該提案糾正而不提案糾正，於是大失人心。中國醫學院考試舞弊，監院派專員張頤澈查，結果，譽爲和「大專聯考可以媲美」於先。而張國柱委員調查又不確實於後，致被社會譏爲「政治恩怨」的報復而已，所以謠傳四起，致監院清譽蒙上一層陰影，實爲自由中國民主法治的政治前途的莫大隱憂耳。

陳立夫先生六十壽冊序

。程滄波。

天地有四時，猶人生有少壯老幼。劉彥和之言曰：「歲有其物，物有其容，情以物遷，辭以情發。」其敘四時之物情曰：「獻歲發春，悅豫之情暢；滔滔孟夏，鬱陶之心凝；天高氣清，陰沈之志遠；霰雪無垠，矜肅之慮深。」天地四時與人生少壯老幼之情，有同似者，少之時，其發春之情暢歟？及其壯也，其鬱陶之心凝歟？由壯而老，其氣清而志遠歟？及其老也，其矜肅而慮深歟？

蓋嘗論之，四時莫病於酷暑，而莫善於初秋。溽暑鬱蒸，而與之爲蕭疏澹蕩，冷然邃遠，而不遽使人有蕭瑟慘沈之悲者，初秋也。人生由壯而漸入於老，六十之年，其人之初秋也歟？美哉，四時之入初秋也。[illegible]孟夏，去日已遠，繁綿浮蒸，暑烈茶苦，過眼已成陳跡。秋風初起，秋蘭滿堂，秋色令人意涼；秋容令人神莊；秋氣令人懷舊而欲歸於父母之故鄉。人生一世，歡樂幾何！大患之身，少小苦於學業，壯歲苦於功名，其卒也輾轉困厄於疾病老死。譬之天地四時，少年歸讀猶如陽春，老年凝定彰顯嚴多，而中年之困苦顛連，功名哀樂，是非恩怨，所以摧殘而鍛鍊人生者，一如盛夏之酷暑，百歲光陰，惟此由壯入老者，六十之年之剎那，蠶去炎蒸而入清涼，離紛擾而到寂靜。是非成敗，恩怨得失，若煙雲過眼，了無痕跡，天高氣清，秋月千里，太空澄寂，澄靜圓明。所謂天界，所謂靈海，至此俱到無上廣大勝境，美哉，初秋。善哉，人生六十之年，其光景界海，有非常人所得而窺見者。

立夫先生，遠離宗邦，去國十年，今歲已亥七月，年六十矣，故舊賓從，乞余一言以爲公壽，余治釋典，不與世網，落寞清虛中，獨念先生。聞先生避跡海外，困心衡慮，志存匡復而淡泊甯靜，自視欿然。所謂大行不加，窮居不損，獨之自誇天下，今且漸爲士論物望所歸，寰海大地，亂渴思治而思先生者，豈惟二三子；乃知爲者世人負先生深矣！

予別先生久，千載知音，欲言者多，乃舉四時與人生和合之說，以奉先生，亦冀六十之年，歲物情辭，一如初秋，山川信美，地不老而天不荒。佇看日月重光，與子偕徉乎玄武之央與鍾山之陽！

高雄鬧罷免市長　巫義德悄然收兵

（台北航訊）「去日來日存長志，呼狂呼賊任其譏；當朝宰相三更夢，歷代君王一局棋。」以雷霆萬鈞之勢，散發十萬份公開信，提議罷免高雄市長陳武璋的平民巫義德，熱鬧了整整三十六天，最後卻寫下了上面這首詩，輕鬆結束。

顯然的，這一幕「政治活劇」之歸于平息，其在台灣地方自治史上，將留下了可紀念的回憶。

據自稱爲此事而使體重減輕了十二台斤的罷免案主角巫義德，在結束這齣「戲」後表示，他所以悄然收兵，是因爲個人體力不勝，一個多月來之奔走，已精疲力竭。更由于遭遇到客觀環境若干困難與阻力，加之罷免提議人紛紛自請撤銷，乃使他決定終止罷免活動。

他在一份登有「簽名圖章」的「重要啓事」上沉痛地陳述收兵原因。這道「重要啓事」，能夠得上「情文並茂」，其文曰：「德（巫自稱）此次以超然態度領銜提議罷免高雄市長陳武璋，原屬憲法上基本權益中所牽連的地方自治問題，本無足驚奇。詎知相對一方，則憑藉諸多幹員，直接間接對大部份連署提議人等，施以脅迫，刁難，引誘，串通，勾結等無所不至手段，圖其撤毀罷免案之目的。繼則克盡詆毀並指以偽造，欺騙，脅迫，欲又加諸巫某以偽造等罪，誠已遇向憲法與「人權」公然挑戰。「六月以還（記者按：該係六月份開始之意。）」「德一雖孤軍浴血，凡卅六天共八六四小時，廢食幾寢，體瘦十二台斤，且身受萬箭，仍然未敢取方法于國法人倫之外，甘留錯以儆出賣國之患，惡此無奈而決將本罷免案之推行，從此宣告終止……（以下均虛語，故不錄）

「『去日來日存長志，呼狂呼賊任其譏，當朝宰相三更夢，歷代君王一局棋。』今者昔者，伏祈君！仁哉亮督，併請接風維護民主憲政，而效忠國家，以安天下，告慰列祖列宗，神明人間，唯臨書痛定思痛，不知所云。俗子巫義德揮記」。

自然，這道「重要啓事」，在巫來說，已充份表明了他的心跡。然而，事實上，據獲悉巫的罷免案如不撤銷也不能成立，原因是他所列造的連署人三百十二位，其中有一百五十四人提出異議，另外還有不少人姓名不符，此外，更妙的是連署人中有一位蔡炳和已于年前死去，所以，誠誠關關，怎麼樣也不足法定人數，所以，罷免案是一定告吹的。

巫義德在宣佈收兵後，曾向省府視察驟隱辭，督導鍾彰德說：「眞對不起，麻煩你們的時間，我還是土包子做出這種土包子的事情，罪過，罪過……」說完這些，他竟不知所云地「哈，哈」起來。想來，這陣「哈，哈」，亦只不過是「哈，哈」而已吧！（德七月十一日寄）

拉丁美洲的革命浪潮

自從一九三〇年以來，多明尼加共和國一直由杜魯芝羅將軍統治，他現年六十八歲，是西半球殘餘獨裁者之一。杜魯芝羅將軍確曾大力地行了許多經濟及社會改革，改善了二百六十萬人民的生活水準。但他的成就却是基於以恐怖手段來統治，他更使該國成爲從事革命的獨裁者們之一個逋逃藪。阿根廷之皮隆，委內瑞拉之占曼尼茲及古巴之巴提斯達都居留在那裏，受到政治庇護。

拉丁美洲之新革命政府，無不表示願望看到杜魯芝羅的垮台。

在多明尼加首都（亦稱杜魯芝羅），報紙宣稱，杜魯芝羅將軍已以「兵不厭詐」的手法打碎了反叛者的脊骨。其經過是：一個多明尼加空軍機師斯曠僞裝反叛，駕機逃到內地，誘使六十五個多明尼加流亡者——包括多明尼加解放運動領袖毛雅——陷於死亡或被捕圈套。斯曠於是被擢陞爲少校。在爲他而設的一個宴會中，他與美駐多明尼加共和國大使法蘭爾握手的情形被攝入鏡頭。

這張照片迅速地在拉丁美洲的報紙刊出，於是予人以美國是親獨裁政權的印象。法蘭爾事後雖曾抗議，但事實上美國正陷於既要與獨裁者維持關係，同時又試圖避免發生支持該等政府的印象所面臨的微妙困境。

不過據夏灣拿傳出的消息謂，杜魯芝羅的功狗斯曠於慶功宴的第二天早上，就被秘密處死了！

橫掃阿根廷，庇魯，哥倫比亞，委內瑞拉以至古巴的革命浪潮，現正沖洗這個在拉丁美洲最冷酷及最強大的獨裁堡壘。當三週前首次洗傳謂多明尼加正發生事端的時候，這對於拉丁美洲有如電流般震動。古巴政府與多明尼加共和國之關係終於因此破裂，後者旋向美洲國家組織提出控訴，要求調查使館事件，但美國最近突然撤消對古巴及委內瑞拉的控訴，而由美洲國家組織進行調解。

一個革命通常是有蔓延性的，多明尼加的動亂不是正是拉丁美洲每個人所期待的嗎？

然而，革命在風行中，其來也有如風起雲湧，不特來自古巴，而且來自委內瑞拉及哥斯達黎加，冒險的動變僅遍整個半球。當委內瑞拉總統於二月十三日就職時拉丁美洲差不多每一國家的自由分子雲集該國首都卡拉加斯。他們發表了「卡拉加斯宣言」，表示忠於民主政治，拋棄獨裁政治，並責多明尼加共和國，尼加拉瓜及巴拉圭。

此後，上週三個獨裁國家發生嚴重的騷動。數週前「尼加拉瓜[illegible]」得不斷退來自[illegible]邊境加之被放逐[illegible]動的一項侵略。在巴拉圭，軍事獨裁者史杜斯納迫於下令戒嚴，並拘捕數十散網會議員，[illegible]者和大學學生下獄，以應付革命的不安。洪都拉斯，五月間受到被放逐者進攻，但未得逞。最近洪都拉斯首都又發生軍人的叛亂[illegible]中。在危地馬拉，[illegible]月間[illegible]不可思議的侵略時，那個神經過敏的總統[illegible]發出[illegible]船塢正從古巴接近他的海岸。

在慶功宴席上，美駐多明尼加大使法蘭爾與斯曠握手的一張照片，引致了美國僞裝[illegible]裁者的微妙問題，這個問題已使美國副總統尼克遜去年南美之行遭遇一個尷尬的局面。法蘭爾大使已被召回了杜魯芝羅的[illegible]多明尼加外交部提出抗議，但此一事件[illegible]國與獨裁國家[illegible]處所必須採取的一個良好路線。作爲西半球的領導者，美國對所有拉丁美洲國家中民主主義的勝利，它必須表示它[illegible]洲國家組織的[illegible]國，它受到不干預[illegible]的所束縛。拉丁美洲的批評者謂，美國[illegible]助引發民主政治，美國沒有對各民主政府以特別鼓勵，而對於獨裁者們的特別友好，常以「不干預」作爲解釋。

然而，一個更大的問題涉及美國處理拉丁美洲[illegible]正損害美國的利益[illegible]例來說，古巴的土地改革[illegible]美洲的要求，這是拉丁美洲[illegible]同情古巴土地改革的[illegible]

一個嚴重的問題是共黨在拉丁美洲[illegible]洲，爲社會公平的唯一戰士。這種情形果然在危地馬拉發生過，當時阿本斯政權[illegible]共黨外援有其他支持者。美國協助了推翻他的政權，但所有權威人士均同意謂，美國不「成功」[illegible]在任何其它國家再度發生。

美國面臨加[illegible]海及其它各地[illegible]的問題是可怕的[illegible]面的大多數專家們正提出忠告。

（湘，譯材自紐約時報）

> 國際動態拾零

△英國原子問題顧問，現在東德，惟將于七月十六日往莫斯科。蘇聯將示以最近原子之發展，並爲之安排工作。

△各國外交家深恐埃及與以色列之戰爭，行將爆發，惟英美頗覺爲難，故特不聞不問態度。有人說以色列爲報復埃及扣留其商船，將在地中海上拘捕埃及貨船。又有人說，埃及將與彼利亞會師隴上，南北夾攻以色列。

△伊拉克政府，將與英美新結煤油貿易協定，不久即行發表。其秘密條件爲，伊拉克三處未開發之煤油礦，不得租給蘇聯。

△狄托運動美國邀請他，赴美訪問。他預備以克里木宮勵態，寫導給鐵腕領政府。

△赫魯曉夫將變更憲法，以一身兼國家元首與政府領袖二職。在二年以內，廢除總理一職，而自任有權力之總統。

△共和黨在紐約之青年團，曾作選任總統候選人民意測驗。洛克非洛得四百票，尼克遜得三八三票，共餘六十九票則選別人。婦女票中，尼克遜對洛克非洛爲一四一對九九〇，這是在洛克非洛預料之外，因爲紐約是洛氏的選區。

△然在國會之共和黨人中，則洛克非洛瀕佔優勢。蓋以尼克遜獨動，已爲前衆議院議長馬丁所發現，蓋哈萊克代馬丁爲共和黨在國會領袖，係出于尼克遜之慫。

△蘇聯副國務總理卡薩洛夫訪美，上週在國會演說，係出于尼克遜之援意。事前尼氏會以徵詢兩黨在參議院領袖，共和黨只不反對，而民主黨則表示贊成。但共和黨之老白冒活讚將在會場上對其演說予以駁斥。

△蘇聯駐美大使孟希可夫，用盡方法使美輿論不再攻擊卡薩洛夫。蓋恐卡氏因不能忍耐，不曉美國情形，而與報館對罵起來，且恐以此而使卡氏遷怒於彼。上次米高揚訪美，對彼大加實備，使其在國內聲望，降低不少。

・陶然・

竹簾幽秘

死命拖住高速度

七月十一日本欄曾經談到林鐵的文章提出了「寧肯少些，但要好些」的口號，從而認爲其工業政策將由追求數量轉而要求質量。照近日來中共態度看，林鐵的文章似僅表示他個人的意見，並非黨中央的決定。因爲六月七日「人民日報」報導總工會主席團舉行了將近一個月的擴大會議，決定發起一個增產、優質、節約運動，來作爲中共「國慶」十周年獻禮。這個運動具有兩項直接意義：一、量與質並重；二、毛澤東似在加緊最後一把勁，死命拖住高速度。毛所以要如此的做，當無疑問，是在於作爲他在「國慶」十周年的宣傳。此外，還具有更廣泛的意義：

一、不甘新平衡論的失敗

去年大躍進時節，毛曾表其新平衡論，就是要突破舊的平衡，在新的基礎上平衡；去年中共的經濟就是以這種思想作爲指導的，帶來了經濟失調的現象。

按照新平衡論，認爲：平衡祇是暫時的，而不平衡才是經常的絕對的，並不妨礙組織新的平衡（一九五八年二月二八日「人民日報」社論）；若果如此，則現在的經濟失調並不可怕，他若面臨這種失調情況而退却，則其理論無任何立足之點。

他的這種思想若果試驗成功了，確實推翻了包括蘇聯目前實行的「按比例發展」在內的一切以平衡爲基礎的經濟法則；毛指斥那種平衡是消極的平衡，而他所創的却是積極平衡。要是試驗失敗了，則他的這項野心迅即幻滅。

這項新平衡論的思想是從他的「矛盾論」發展而來的，也可以說是矛盾論的一部分，要是，這種嘗試失敗了，至少可以說，他的矛盾論並不適用于經濟方面。

因爲具有這種野心，毛澤東似不甘就此罷手，迅即將經濟發展速度降低。

二、現實不容他急驟轉變

本欄已早指出了，革命的爆發往往不在緊迫得最厲害時節，而是在鬆了一些的階段，毛澤東是一個權術家，他不會不懂這一道理；因此，即使要鬆也要不露痕跡緩緩的鬆。

對於新平衡論，自由世界並不十分注意，但在共產集團中却曾引起極大的震動，因爲它否定了蘇聯的「按比例發展」的計劃經濟。若果，毛急驟轉變，對于他在共產世界中的聲望影響太大了，也許從此抬不起頭來。

從現實情況來說，也不容他急驟轉變。

「不到黃河心不死」

農業方面的發展速度今年已經降低，只希望增加三〇%，他現在所能拖住高速者祇有工業，從全面來說，他的新平衡論的嘗試已經失敗；現在，似乎是寧肯面子死也不肯放棄工業發展的高速，其實呢，愈拖愈壞，失調的程度愈是擴大，這種死要面子的做法，徧更的表現了他的「不到黃河心不死」的心情。

・田心・

大陸文壇透視

歪曲五四・抨擊二胡

爲紀念五四文學運動四十周年，今年中共文藝界特別出了專號，主要的幾篇文章是中共中宣部文藝處長林默涵、中共人民文學出版社社長王任叔等人所寫，他們異口同聲地都肯定了毛澤東「新民主主義論」中對五四史實顛倒黑白的說法，說五四運動是直接受了十月革命的影響而由無產階級思想領導的。他們以爲五四運動的領導人是當時革命派的李大釗、陳獨秀、魯迅，而李陳二人[illegible]後[illegible]真正能夠認識五四運動的本質和分析五四運動的性質的，則是毛澤東。至於胡適，他們說他是當時的改良派，並且不久就脫離了隊伍，變成了「復古派」，「[illegible]」，提倡整理國故，「[illegible]」，「[illegible]外國的形式主義」[illegible]

[illegible]的文獻[illegible]當年的人還都記得當時的實情，胡適的名字在全國人的心目中，早已和五四運動分不開，胡適和他的朋友們在五四運動中的功勞，更是抹殺不了的。[illegible]

[illegible]

・七心・

瘋君夢

第三回：點石成鋼魔王施妙手　指鹿爲馬嘍囉建奇功

[illegible]

・岳鴛・

釋耒集

左傳僖公二十六年，齊師伐魯，魯使大夫展喜犒齊師，齊侯

讀展喜曰：魯人恐乎？對曰小人恐矣，君子則否？齊侯曰：室如縣罄，野無青草，何恃而不恐？對曰恃先王之命，此先王之命一語，乃終使齊師退出魯地，而先王之命云者，即今之所謂條約是也。條約之無效，今人譽已視同固然，故不獨外長會議，不足以生明效大用，即高峯會議，亦尤其量僅能使戰爭之時日，稍稍延遲而止，如國際間條約有效，則室如縣罄，野無青草不足以言諱，蓋乘人之危，攻人之急，均爲國際所不齒，以國之安危，不繫于軍費之強弱，而繫于道義之存亡也。後世飾術興，謀用作，而兼併之事起，行人之官，遊說事理，博聞辯鋒，不復本之道義與信實，往往虛聲恫喝，僞飾富強，以威脅鄰國。兩京記載，隋煬帝大業六年，「諸夷來朝，請入市交易，煬帝許之，於是修飾邸店，皆使甍瓦齊正，高卑如一，珍貨充斥，人物殷盛，衣尚奔修，雖賣菜者，亦以龍鬚席藉之」。通鑑亦云：大業六年：「胡客或過酒食店，醉飽而散，不取其值，且給之曰，中國富強，酒食例不取值，胡客皆驚嘆。」又唐書裴矩傳，「帝（煬帝）西巡燕支山，高昌等二十七國，拜謁道左，皆令佩金玉，飾錦罽，奏樂歌舞，令婦女縱觀，亙數千里，以示中國富強，遂破吐谷渾，拓地數千里。」又賈菜傭、以龍鬚席飾地攤位，胡人入店用酒食不取其值，奏樂歌舞，令婦女縱觀，亙數千里，其目的不過博胡客之驚嘆，及爲吐谷渾收千里磽瘠之土而已，於中國何補乎？夫帝王好大喜功，自古然矣，而煬帝之亡，亦不旋踵而至，則觀前此之鋪張揚厲，所以彰示中國富強者，不幾如一場噩夢耶？

富強

近于報端，得讀美國新聞記者某君訪問中國大陸之報導稿，謂共黨中國有專爲外人參觀而設之工廠，專供陳列之汽車，及終年未嘗冒煙之煉廠。並謂中共欲求成爲現代化工業國家，使其在世界上，成爲一種可畏之力量，尚須等待三十年以後云云，由此以觀，則以日言豐收，言躍進，言如何強大，以至于報章雜誌所刊載之精美圖片，土產公司所陳列之輝煌窗飾，均所以欺惑愚衆，給之速信其國已富強而已。隋煬帝承文帝數十年積蓄之厚，其僞飾富強，猶使人信若干之眞實感，然終因其奢侈過甚，國滅身死，爲後世所譏，今中共執政綴十年，不能使人民暖衣飽食，室如縣罄，野無青草，軍隊幹部，恣睢暴戾，虐使其民如犬馬，觀猶不知悔禍，反日日虛聲恫喝，以求擴張，則其智又在隋煬帝下矣。夫條約無效，則德不能獨任以治國，民皆飢寒，則力可以直任以御敵耶？

曲齋

人皆苦炎熱，我愛夏日長

藝術與政治及社會運動

◦何勇仁。

（一）

世界著名美學家歐威加母曾說：『美在社會的功能，一方面是精神，一方面是經濟的，許多人常因領受種種美藝，而增造他們社會同情的觀念，社會上許多事物，利用美的計劃，以增進經濟的發展。』又現代哲學家柏格森也說：『文藝所發生出來的感應，撒入對象的裏面，而把握着其內部的生命。』由此我們可以了解藝術潛在社會的力量是怎樣的偉大，藝術應用到政治及社會運動自然會一天廣泛一天了。在教育方面，主張以美育來解決社會一切糾紛者，以居友爲首，各國大學會根據此種學理，來實施藝術教育。而收到極大的成果。主張以藝術作政治方策的，有現代著名社會政治學家魯士（B. Rose）他在其名著「社會統治」（Social Control）有一章專論藝術與社會統制的關係。其要點析爲六項：一、藝術呼起熱情。二、藝術燃起同情心。三、藝術做成美學意志、四、藝術識成超卓思想。五、藝術完成社會信條。六、藝術用新方式發出迷人的力量。他完全以政治方法作爲說明，很有價值。魯士在該書結論很痛快地說：『在戰爭紀念日，宗教節令，或酒神慶會，許多行爲，都以藝術表現了所需要的一切；當時進步的事物的影響價值，藝術的任務特別觸起社會競爭的嗜好。歷代戰役，軍事訓練，勝負全依賴偉大感動力，即要使潛門的心潮洶湧而他自己的保持力的天性，因此，計劃了開拓出來而致人們之激動，做出合唱之歌舞戲劇，都是向敵人進攻的。』這個活的藝術方案，魯士認爲比任何方式都靠得住；士兵雖比較難於感動，惟有用藝術的方法最易啓發他們及鼓起他們的勇氣。魯士以爲『人類偉大的永久需要在社會生活的普遍澎湃備辦出來但歷史上的糾紛，在社會一部份人離開他們的安樂，抱着痛苦向天性去挑戰，因此做出許多無理由的事情。這種很難制裁的，因此必須用一種幻想的魔力來引誘他們，迷醉他們。』最後魯士以爲藝術的魔力是萬能的。他引用了一句名言說，『好的政府是由一個有時代天才的人建立起來並領導它的。』魯士的確是一個極端的政治藝術論者。不過，魯士的論調不是沒有漏洞的，因爲他只看見藝術影響社會的力量，並未看到藝術對人性潛移默化的偉大功能。因爲他不是美育論者，而只是社會學者。今日我們研究「藝術與政治社會運動」問題，一定要雙方顧到。否則祇看到一面了。

（二）

人類間的糾紛，多是由物慾競爭而起，在一個國家之內，我們看到獨裁或軍閥的橫行霸道。或在國際上看到侵略主義者的行動，都是物慾擴張的結果。如果能以精神來對抗物質，以「美」的「光」來濯洗人類的犯罪。則在倫理上，或政治上，必能發生奇異的效果。藝術生活的重心，在於身心意興的愉快。許多藝術家的生活，雖很清苦，但他們往往甘心過着清苦的生活，而不至感覺遺憾，就是因爲藝術家接受了美育的陶冶之後，能以「內觀」去判斷外物，把物慾的價值看得很低。他們的慾念已完全寄托於偉大的美的宇宙中了。英國藝術家常言，寧可失去整個印度，莎士比亞是決不能失掉的。物質的價值與精神的價值，在藝術家的眼光裏，竟會有這樣大的差別！因此把精神世界擴大起來，則獨裁者或軍閥受了美育的洗禮之後，很可能給美的光輝融化了他們的野心。也就是柏格森所說的「把持其內部的生命了。」有時獨裁者，軍閥、惡霸，因偶然愛好音樂，以至改變其性格者。足見藝術陶冶人類潛力之大。據統計家的報告，藝術家犯罪的比其他人的爲少。不僅中國如此，外國也如此。這便是美育成就的實證。蔡元培先生曾倡導以美育代宗教。這是偉大的遠見。加母說：『許多人所以願意努力宗教事業，是由藝術力量使然的。因爲他們看見藝術的事物或自然的事物，及領略音樂與聖歌的微妙，便致力於宗教的事業了。』宗教家提倡利他主義，乃是一種號召的手段，他們了解人類都是有愛美心的。故很爲注意美術的功用。往往運用美術的「光」以引導人們信仰宗教。教堂的美術建築，微妙的音樂，精緻的壁畫，均富有引誘的功能。我們翻開美術史，差不多美術與宗教是連在一起的。古代的宗教與政治又往往是不可分的。因此古代的人已知用美術來作政治和社會運動了。

（三）

中國人運用藝術的力量，以從事政教軍事各方面的活動，早有深長歷史。漢代張良吹簫一曲，便解散了項羽的主力。三國孔明在「空城計」一役，以彈琴退敵。唐代吳道子畫「地獄變相圖」，使屠夫一見生畏而改業。宋代岳飛製「滿江紅詞」，激勵國人的愛國情緒。文天祥寫「正氣歌」，成爲千秋萬世愛國愛民族的偶像，孔子的教育政策，也是把藝術列爲主要科目的。凡此皆爲中國古代藝術與政治有關的史料。到了現代，國民革命軍北伐，與對日八年抗戰，均有數以萬計的詩人、畫家、音樂家、戲劇家在前方或後方發揮其威力。以藝術的鼓勵力加強作戰情緒。從事文藝的志士犧牲於戰場或敵後者不可以數計。故國民革命之役，能以少數的革命軍打倒百萬大軍的吳佩孚。抗戰之役，能以劣勢敵優勢的日本。文化作戰之功於此可見。（四八、七、十二於台北）

臨江仙

◦邵鏡人。

崇基學院，丁生如山如芳，兄妹赴美留學，來請贈言，賦此勉之。

閩水閩山鍾毓秀，上庠雙俊無儔。片帆高掛海東頭。風雲吾志，回首幾經秋？

一旦乘風人去後，屋梁明月空留！離花別葉莫停休。丁寧歸早，收拾舊神州。

廣東通志談叢

◦竹菴。

總纂第二人即劉彬華，字藻林，番禺人，嘉慶六年進士，後任翰林院編修，先後主端溪，越秀書院講席。名震如譚瑩諸人，皆出其門。著有玉壺山房詩鈔，並輯嶺南群雅初二集，是書蓋將清初以至道光間粵詩人之詩，共七十二家，精選成編。粵多數著名詩人作品，賴此書以傳，藻林餘事又擅丹青，作品超逸異常，（見嶺南畫徵錄）

總纂第四人即南海謝蘭生，謝字佩士，嘉慶七年進士，選翰林院庶吉士，迭主粵秀，越華，端溪書院講席。後爲羊城書院掌教。著有常惺齋文集四卷，詩集四卷，北游紀略二卷，未刊畫學跋二卷，游羅浮日記二卷，餘亦精繪事。（亦見嶺南畫徵錄）

江藩雖非翰院中人，（江蘇甘泉縣監生）然學問淵博，治經（漢）惠（棟）之學。著漢學師承記，及宋學淵源記，精聰異常，固國中有名學者也。

至於分纂共十一人，安徽學人佔其二，粵人佔其九，其姓名即吳蘭修，曾釗，劉華東，安徽監生胡傳，鄭灝若，余倬，崔弼，吳應逵，李光昭，安徽生員方東樹，及馬良宇是也。此九名粵人中多學海堂傑出之士，今試略述諸人學術的成就。

吳蘭修字石華嘉慶戊辰舉人，爲學海堂學長，工詩文，善倚聲，兼通算學，著有方程考，荔村吟草，桐華閣詞，石華文集等書，又精考證，所著南漢紀五卷，竭十年精力而成。又考南漢地理志一卷，南漢金石志二卷，端溪硯史三卷，上列四種均刻於嶺南遺書中。

曾釗字勉士，南海人，道光乙酉拔貢，爲學海堂學長，專治漢學於詁經訓詁能交互以通其說。其爲文，根柢既深，氣息自厚，不規規於八家矩尺。一時士人，奉爲眉目。嘗築面城樓，藏書數萬卷。著周禮注疏小箋，面城樓文存，復治輯佚之學，輯漢議郎楊孚異物志及劉欣期交州異物記並始興記等書，（三書均刊在嶺南遺書中），粵先賢遺籍著以傳其面貌。

鄭灝若字謙坪，番禺人嘉慶癸酉拔貢，學問淹雅，阮文達開學海堂時，識拔最先，嘗撰四書文源流者，文達令輯四書文話。工詩，及駢文，著梧壓詩鈔吟秋草。

崔弼字樸國，番禺人，嘉慶辛酉舉人，著有珍帚編，游寧草，兩粵水經注，波羅外紀等書，其新著粵秀山學海堂記有云「阮公督粵之始，即集諸儒纂修廣東通志，三年成書，凡三百三十四卷，前黃志郝志詳加糾正，搜討最精，粵東百年文獻，賴以不墜，此公文教之始也」。云云（五）

銀壇隨筆

自國魂想起

◦修衛。

人世間只有暫時的歡樂，不會有永遠的幸福。「國魂」這個戲，說明了虐政不得人心，[illegible]，不乏有一部分是受脅迫的共影人，另一部分則是今日活躍於自由影圈的紅星。那些對共匪做了[illegible]香港如劉瓊等人，他們在港入大陸之後，覺察受騙追悔已晚，自知無法脫身，共匪顯然不准他們[illegible]學」，徒然耗費時間，讓口劈勁宣揚自由嚮往，對他們「清算鬥爭」，[illegible]改造，強迫他們去淮河流域奴役；生命已否結掉，誰也無法知道。這種嘗不到甜頭先食苦果的[illegible]侯不學無術，[illegible]色，無視國族命運。其結果，不僅受到國人唾棄，而他的命運反不如被害者。文天祥雖死，他的精神，他的意義[illegible]治綜常存於宇宙間，永垂不朽。

現時「國魂」電影，每一觀衆都很激動。可是，也還有那些受赤色歹徒直接間接利用之輩，對這個光耀中華民族歷史的故事，竟然側目而視，不屑一顧。香港這地方，表面上無疑得很繁華最進步的城市；人心險惡，也是最[illegible]纔了這城市的另一面，只有私利，不顧人情，已與附共者的[illegible]例子。我以爲這一類的人，應當去欣賞一下「國魂」，讓他們也該明白：那七十多位演出者之中[illegible]拿了共產黨的錢，[illegible]人士或家屬，不僅是從影[illegible]作惡從們魔犬，受「統戰」分子的指揮者，在此時此地，也該及時覺悟，站到光明的一面來。否則，揭開了黑暗，遮形也難。有[illegible]等也爲一己私利打算，不能大處設想。深恐人告欣賞一次「國魂」，就不願「內爭」[illegible]竟忘「自毀長城」的不智之舉？大敵當前，非我反共人士，應當團結合作，打倒敵人，[illegible]什麼事都易解決。

泡泡大亨（小說）

俄國葛理紐夫著　儆明譯

這是一本我最近用兩天工夫一口氣讀完，約二十萬字左右，很有風趣，很有吸引力的翻譯小說。

譯者說，從這書可以看透了蘇聯的政府機要，黨部大員，特務頭子，官員眷屬以及青年男女的眞面目。又說：本書所描寫的是蘇聯普遍存在的幾個病態，即由教育政策、人事政策，和特務政策所生[illegible]

我讀完之後，更覺得了[illegible]太林赫魯雪夫等——共黨[illegible]的俄國，她的社會到底變成[illegible]的人民的靈魂到底給共產主[illegible]程度，這本書都有很好的回[illegible]

本書的特色是「處處含[illegible]，「諧話充滿機智和幽默士味」，而且「引用古老諺語，以利談鋒」（均譯序）。我覺得這是近年翻譯文學作品中[illegible]友聯出版社本年六月初版，每冊定價港幣二元五角。（文華）

自由人

THE FREEMAN
（第八七五期）
中華民國僑務委員會登記證　中華郵政台字第一〇〇五號執照登記爲第一類新聞紙類
（半週刊每星期三六出版）
每份港幣壹毫
台北市售價台幣貳元
督印人：陳文華
地址：香港高士威道二十二號四樓
20 CAUSEWAY RD. 3RD. FL. HONG KONG
TEL. 771726
承印者：東南印務出版社
地址：高士打道六十四號
台灣總經理處：台北市西寧南路壹壹零號二樓
電話：三〇三四六
台北郵政劃撥儲金戶九二五二
海外總經銷：友聯書報發行公司
香港：德輔道中二十六號A二樓

公營事業開放民營問題

陳式銳

孟子曰：「無恒產而有恒心者，惟士爲能；若民則無恒產，因無恒心。苟無恒心，放僻邪侈，無不爲已；及陷於罪，然後從而刑之，是罔民也，焉有仁人在位，罔民而可爲乎？是故明君制民之產，必使仰足以事父母，俯足以畜妻子，樂歲終身飽，凶年免於死亡，然後驅而之善，故民之從之也輕。……」管子亦說過：「倉廩實，知禮義；衣食足，知榮辱」。孔子之後，孟荀儒家的二大派，他們的重視經濟，皆有所本。當孔子以民「庶」之後，繼當「富之」；既「富矣」，則「教之」。而孟子的制民恒產，則「富之」的道理。這一思想，引申之以論今日的私人企業制度，尤其落後地區的經濟發展，以應付日益繁庶的人口，當不亞四方古典經濟學也。

台灣公營高於私營

如果一個政府以制民恒產爲已任，使民富；那末，這一個國家也沒有不富的道理。換句話說，人民有他們的民營事業，而予以適當底有利環境，讓他們好好地發展，他們就有了足夠底所得；一方面，他們可有高水準底生活，另一方面，政府也可有充裕底稅源。美國及西方國家循此道而行之，他們現在不是都民富國強嗎？

台灣光復後，日本的公私產業幾乎全歸爲政府所有；據私人研究，直到四十一年，台灣公有土地佔全省土地七三%，公營企業生產佔全省總生產七五%，公營貿易（輸出）佔八五%，金融事業政府握有資本九二%。幾年來，「耕者有其田」的實施，才算是制恒產，民營出口路有上升，而三民營銀行的公營化乃反其道而行之；至於公營事業的開放，除四大公司因土地改革而實行外，仍久在談論階段中。

台灣的企業，日據時代公私營的比率是一三%比八七%，屬於私人企業制度；光復後，日產多變爲公營，無形中破壞了原有制度，就算私人企業十年來不斷在生長中，公營的比重，尚高於私營，仍與私人企業制度有所距離。且以公營事業的比重高，因其營運不良，不斷向公營銀行舉債維持，而招致通貨膨脹。我曾於四十二年爲文指出：「當局爲維持公營事業，在『生產本位發行』學說之下引起了通貨膨脹；再由通貨膨脹而引起了『有關金融之措施』；自此，問題更多了。因爲通貨膨脹，物價高漲，致使與新台幣聯繫底『黃金外幣』黑市買賣，竟軼出常軌，……危及經濟之安全』……」（拙作台灣經濟一一三—四頁）。

應該從速開放民營

自此而後，經濟結構紛亂，人民謀生日難，無恒心者「放僻邪侈」，買賣金鈔而受刑者有之，違反限價而受刑者有之，官商勾結而受刑者有之，風氣之敗壞，實至觸目驚心！惟這一由公營事業而引起通貨膨脹的事實，直至去年底始爲當局所公開承認。台灣銀行董事會去年十二月廿七日決定：「自四十八年起，台灣銀行將以鼓勵公營事業發行公司債以籌設生產資金，該行原則上對公營事業放款金額不再擴大。台灣銀行當局對此次措施，認爲可貢獻加強控制發行，緩和通貨流通速度，穩定經濟。台灣銀行當局表示：截至近期，該行對公營事業貸款總金額在新台幣三十億元左右。又悉：五年來台銀對各公營事業放款餘額，每年平均增加二億五千萬元以上……。這種增加趨勢，對新台幣發行之增加，不無助勢」（去年十二月廿八日台北聯合報）。

經濟措施的不當，足以引起不良後果，無恒心之民倘爲已而放僻邪侈乃至「陷於罪」，「然後從而刑之」，依儒家的說法，「是罔民也」，其「可爲」乎？況根據憲法及執政黨的主義解釋，自由中國的經濟是私人企業制度。那末，台灣公營事業的比重，自當予以糾正，亦即應從速予以開放民營。陳副總統於前一行政院長任內，曾於四十年三月四日對國民大會第二次會議報告：「在此我要特別指出的，今後欲謀台灣經濟的充分發展，必須繼續擴大企業自由，凡屬可以讓民營的企業，儘量開放民營，爲私人資本打開一條康闊平坦的出路。」

尹仲容與江杓時期

自此之後，公營事業開放民營，遂漸成爲政府所宣佈的政策；俞鴻鈞行政院長任內，經濟部長尹仲容於四十三年六月八日宣佈將「大刀闊斧」的整頓公營事業，他並指出：（一）應歸公營者如台糖、台電、台肥等，今後仍由公營辦理；（二）不應公營者，如其經營得法，自應設法轉移民營；（三）不應公營而經辦不好者，應予整頓，使其納入正軌後方轉移民營。但是，尹氏在其任內，除以實施「耕者有其田」而把水泥、紙業、工礦、農林四大公司轉移民營外，未曾由經濟政策本身的決定，而實行他的諾言。

江杓氏繼尹仲容氏任經濟部長，也曾於四十五年三月八日對立法院經濟委員會提出「公營事業積極開放民營」的工作重點；他說：「除依法必需政府經營之事業外，其他公營事業繼續推行陸續移轉民營，移轉方法擬兼用整廠或分廠一次出售、出租、及發售股票等方式」。惟終江氏任內，不但未見「積極」地把公營事業移轉民營，且連政府對那些公營事業要出售、出租、或發售股票也未曾宣佈出來。

公營占的比重太大

現在，陳副總統兼行政院長，現任經濟部長楊繼曾也主張公營事業開放民營。上月底報爲此舉行集體採訪，請全國經濟主管官員表示：部份公營事業將於不久將來開放民營。又謂一位友邦人士在訪問台灣工業後，曾發表一些感想，認爲台灣工業的進步，並不較其他國家遜色；但他認爲公營企業在這個國家佔的比重太大，如能減少公營企業的比重，增加民營企業的比重的話，台灣企業的發展，將有更光明的遠景。再者，美援方面也有一種跡象顯示出來，當美援逐漸減少而改爲申請開發基金貸款時，公營事業將不會被考慮（六月廿九日台北聯合報）。好了，友邦人士同樣地認爲公營事業比重太大，應予減少；尤其公營事業不能借到美貸（合鎮又予限制借款），我想這回說要開放，應該是可以實現了。

開放必需毫無保留

至於開放的辦法，據說轉移計劃大致擬妥，將採發售股票方式，在過渡時期，政府仍將掌握一部份股份，派遣董監事監督公司業務，俾能確保公司業務作良好的經營（同上）。其所以要採此辦法，蓋鑑於水泥、紙業、工礦、農林四大公司轉移後，除水泥外，其餘三公司——尤其農林——之不如理想。我當時曾爲此應訪發表意見（大意）：私人企業除所有權之外還有管理權，公營事業的開放，應該是兩者一併轉移於私人之手；有資力承購公營事業者絕不願有政府權力參預其間，那有人購買股票而讓管理權由政府保留？所以我主張公營事業的開放，必須毫無保留。至於四大公司的開放，是爲了配合耕者有其田政策，並非由有資力者秉企業立場來承購；其所以發生「不如理想」，蓋由於有「社會勢力者」向爲補償地價而搭配股票之持有人收購委託書而取得管理權，其中不少人以非爲自己血本而假公濟私起來。此外，當然公營事業本身也有先天不足之處。明乎此，我們既公營事業轉移民營，應該着眼於企業的利發展的安排，不應以四大公司之不如理想，而擬由政府保留部份管理權。

私人企業不應干涉

我過去在討論此事時，會舉波多黎哥爲例，其地原以公營事業爲主，一九四〇年國民所得二億二千五百萬元，有效率，後來將[illegible]營，一九五三年國民所得已接近十億美元。波多黎哥的[illegible]及其鼓勵辦法：（一）原有新建工廠出租、出售與民營（分期付款），（二）工業家（房屋建築出租），及（三）工業建設公司予以貸款，（四）對新工業予以十年免稅（拙作台灣經濟一一[illegible]）。我們不一定可以完全做，但其辦法實可以供最好參考。[illegible]有利可圖。

總之，公營事業的開放，當局談來已有若干歲月，難免有說而不行之譏；這次爲內外形勢所迫，[illegible]

半週述評

尼克遜訪問蘇俄

美副總統尼克遜，於廿二日晚間飛赴莫斯科，爲在該處舉行的美國博覽會揭幕，同時也是爲最近蘇聯第一副總理科茲洛夫訪美之舉報聘。

這一類的文化交流，是一九五五年日內瓦四巨頭會議中有關和緩國際緊張局勢的決議之一，後來關於德國統一與裁軍談判都告擱淺，只有加強接觸一項還奉行至今。特別是今年，在雙方相互在對方境內舉行博覽會之外，朝野要人的訪問也蔚成大潮，這現象是蘇俄革命以來所從未有過的。

在交通技術有高度發展的今日，任何閉關自守，像蘇俄過去之鐵幕深垂，本不是聰明的辦法。所以在自由世界，爲了知己知彼，固然願意瞭解對方，另一方面也希望能藉互訪機會讓蘇俄人民知道一點外界自由生活的眞象。其在蘇俄，則一切都是爲了宣傳，關於自身好的成就，不惜大力誇張，其機密面和陰暗面，則儘力避開外來訪客的耳目。科茲洛夫可以去視察美國的鋼鐵城第特律，尼克遜或西方任何訪客都無緣一見新西伯利亞的面目。美國在莫斯科的博覽會，縱然費盡苦心，要讓一般俄人了解一點西方社會的生活眞象，預料俄共一定會用盡力量以冲淡其效果。在政治上沒有可以調協的基礎，要靠文化交流去打開鐵幕，不只事倍功半，而且往往使俄共得逞其滲透分化的伎倆。

尼克遜與日內瓦僵局

最明顯的例是今春英首相麥米蘭的赴俄訪問，當時適當蘇俄關於柏林問題橫施威脅，對西方提出六個月期限之際，在那時機赴俄訪問，先天上已構成示弱態勢。麥相返來之後，便一直主張對俄遷就讓步，構成西方對俄陣綫中最弱一環。那除了迎合英國一般現實主義的選民意旨，以爲保守黨政府在下屆大選中爭取一些選票而外，可說是有百害而無一利。此次幸而尼克遜不是麥米蘭，美國也沒有像英工黨那樣一味附和蘇俄的反對黨，世人不必就心尼克遜藉訪俄一舉以自重。從連日來自華府的報道，知道此次尼克遜訪俄，雖準備與赫魯歇夫會談，但只準備就美國立場向俄方披瀝說明，並不進行何等談判，以是雖然在赫魯歇夫心目中，對尼氏有相當比重（赫氏在與哈里曼會談中曾認定尼氏將爲下屆的美國總統），却未必會因尼氏的陳詞而改變其對西方的冷戰立場。據聞在日內瓦，一般人頗屬望尼克遜此行，希望能在他身上打開外長談判的僵局，此種想法勢將落空。

外長會議不致決裂

其在日內瓦，外長談判進入第二回合後，情形好像比以前更壞，即使西方準備做許多讓步，葛羅米柯則頑強有加，以是有人認爲本週末將爲會議的最後成敗關頭。

其實，在仔細觀察之下，現階段的外長談判是外張內弛。西方所主要爭取者，無非準備保其在西柏林的權利，此外一切都可商量。西方所提改開長期性的副外長會議，與停止會議的警告，不過是一種迫使葛羅米柯不干擾西方權益的手段。現在俄方已一再聲言在柏林臨時協定有效期間的權利，俄方所提全德委員會會議，西方也已變相接受，其至今仍難達成協議者，只是俄共企圖獲取更多的收獲而已。如果蘇俄不是另有其他企圖，則其就柏林問題所施勒索已有相當可觀的利潤，又何必逼迫西方不得不做最後的攤牌？

·李秋生·

「難民年」感言

雅斯

本（七）月開始「難民年」，據負責協助該運動的聯合國秘書長哈瑪紹說，第二次世界大戰結束時四千萬難民中，尚有一千五百萬現仍爲難民。這個「難民年」是據去年十二月聯大的決議所發動的新運動，目的是協助解決世界難民問題，方法是由參加這運動的國家各自擬定援助難民的計劃，通過這個「難民年」的組織去推行。

這消息當使全世界難民幾將瀕于枯竭的待救心情，一時又萌了新的希望。

單就香港言，近據台北方面估計，華籍難民總數在百萬以上，其中有六十萬人需緊急救濟，今年主要的救濟工作，在謀基本上解決難民兒童之教育及難民求生技能問題，移民亦爲考慮中解決難民問題方案之一。誠如美國救濟中國流亡知識份子協會秘書李勃曼所稱「那些爲爭取自由而逃離家鄉的勇敢的中國人並非完全被忽視」。不過香港難民對于這個佳音，似乎並未會表示其應有的興奮，我想這並不表示香港難民不渴望救濟，而是因爲十年來到處雷聲大過雨聲，尤其是此中能獲實惠的却祗有少數人，並且更有不少並非眞正待要救的「難民」。譬如，就移民一項而言，他們眼見不少他們認爲不應列於難民之列的如富翁要人所私人僱用之廚師之類，如名滿一時而實際並非受共黨壓迫的紅伶之類都一帆風順地以難民身份渡洋遊歷一番；至于大多一餐一宿都有問題的眞正難民，更有不斷冒死從大陸逃出的新舊難民羣，却逃居留自由世界的各國都沒有正式被承認。這些事實，就是造成上述難民心理反應不強的原因，我們希望「難民年」帶給眞正難民新的希望。

其次，由於哈馬紹「向人道主義挑戰」的呼籲，使大家聯想到人道主義的敵人爲誰？第二次大戰後千千萬萬的難民是由誰造成的？大家更會感到鐵幕內廣大的難民羣似乎祗是在政治家口號中談談而已。（如艾森豪總統曾聲言解放鐵幕後人民）。

實際上，第二次世界大戰而後，今天何祗尚餘一千五百萬難民，而直接間接受共產黨之害的難民羣，若合計起來，眞不可以數計，而且新難民的產生，其數字有隨時超過已被救濟難民的數額的趨勢，至爲明顯。因此，在現在世局中要徹底解決難民問題，必須正本清源，釜底抽薪，猶如在戰場上一樣，戰士與護士任務似可分而實不可分，應同時併進。

社會風氣與政治風氣

。馬周。

台灣通訊

七月十五日颱風掠過台北，狂風暴雨，造成不算小的災害，七月十六日行政院舉行院會，陳院長以風災示警，又逢其第二次組閣週年之日，大概在戒愼恐懼之餘，在院會上對於同僚發表感想，有自勉和互勉之意。根據報章刊載的消息加以規納，其感想不外下列數點：（一）風災應設法從速救濟；（二）任職週年以來雖無特殊建樹，但同人的努力具堪以安慰的；（三）台海之戰已博得第一回合的勝利，今後仍待努力；（四）社會風氣卑下，有待振作。這次颱風過境，雖然氣象所報告，估低了風力，但因防範和救助之得當，遭逢了近幾年未有的大水，損失雖多，死傷尙少。至於陳內閣就任一年以來的績效如何，台海之戰的第一回合的勝利如何，皆爲有目共睹的事實，無待贅言，只是談到社會風氣一點，頗引起此間輿論界的注意。

社會內部問題更嚴重

談到社會風氣是無法加以圓滿說明的，只能從若干具體事實上看到這種風氣是力爭上游或是日趨下流，例如路尼娜的一封求援信，鬧得此間各報長篇累牘的刊登消息，許一沖倦遊歸來，纔能成了大字新聞，這是不是社會風氣力爭上游的表現？陳院長在院會上指示的社會風氣舉例少數人的生活過分奢靡和盜印書刊兩點，當然尚有若干事實早在院長洞鑒之中的。其實社會風氣之敗壞，說句老實話，則無往而不壞，乃至一件極細的事件都不會搞好，雖然這個社會仍在活動，但是其內部已經腐爛，一有震動，即可能出現土崩瓦解之局，此所以有心人爲社會風尚而焦心的，其原因在此。

以陳院長所舉的兩個例子言：個人生活之過分奢侈，雖然不爲今日輿論所容，可是若干人自以爲化自己的錢與別人何涉，而况在台灣的生活無論如何奢靡，較之於美國的生活水準相差甚遠，至於盜印書刊動腦筋動到外國人頭上，法律無法制裁，個人有利可圖，這些似乎都不是當前最不得了的事實，可是，我們細細推敲起來，社會風尚所趨，無微不至，無事不受其影響，公務員有汚可貪，商人們可獲暴利，所以生活才能過分奢靡，書商盜印書刊可以獲利，其餘非法或不道德可以獲利的機會也必不肯放鬆，如此社會，各方面都呼吸相關，豈僅這兩件事而已！更不能以此兩事代表了當前的社會風氣。較此尤甚者尚不知有若干事實。

社會風氣與政府責任

社會風氣何以會如此敗壞，其原因固然很多，其時間也非一朝一夕之功！從政府知道社會風氣日漸敗壞力圖挽救的努力來看，至少已經有了幾十年的歷史卻都徒「勞」而無功。此間公論報七月十八日的社論「如何改善社會風氣」裏說：「依我們的記憶，從大陸到台灣，經過去的新生活運動到晚近的社會改造運動，雖然規模有大有小，推行時緊時鬆，但是大體上從來沒有停止過。不論任何一項工作，以如比長期的努力去從事，多少總應有點成就，而改善社會風氣何獨不然？但始終未能獲致顯效，至今還是一個需要從頭做起的課題？」聯合報的社論也認爲「我們全國上下，我們的社會人心，似乎就顯得刺激不起來，緊張不起來，這種苟安的惰性之形成及其存在，推源其故，就在缺乏了一種具有推動性的中心力量，而這個中心的推動力量之產生，政府以及政府中人，無疑的負有最大但不是最多的責任。」（七月十九日中論陳院長週年述感）公論報則老實的指出社會風氣的敗壞政府應負最大的責任，他認爲政府糾正社會風氣「沒有探本窮源，對症發藥，以致所有的努力都歸於白費。」他又說：「社會風氣不良，是自人心反常而來的，人心爲什麼會反常，這裏面的癥結相當複雜，其因素有屬於時代的，有屬於歷史的，有屬於社會的，有屬於政治的，不一而足，因此歸根結蒂，社會風氣不良並非孤立的現象，而是上述因素糾合造成的，在這諸種因素之中，又以政治爲最大的和最主要的一種，這也就是說，由於政治風氣敗壞，所以影響社會風氣不良。」在公論報的眼光中一口咬定政治風氣的敗壞影響了社會風氣，這話是有根據的，追源溯始，中國政治風氣的敗壞始於滿清乾隆中葉以後，中國政治上的推諉，敷衍，自大，違法，自私，貪汚，好排場，不守信用，惡聞諍言讜論，喜歡阿諛粉飾，種種壞現象彌漫在政府機關裏，儘管政權有所更易，基本的作風並沒有兩樣，百餘年來此種現象深入人心，社會風氣也隨之日趨下流，公論報社論大聲急呼的說：「當前的政治基本作風在於不能去僞存眞，開誠佈公，一切惟權謀霸術是尙，試問這樣不開明的政治環境，怎樣可以培養出良好的政治風氣呢？」

既同生死應共嘗甘苦

公論報和聯合報的社論都認爲改善社會風氣要依賴政府的推動，而政府要有推動力量首先要建立起振作有爲的政治風氣。好的政治風氣是什麼，首先要能「去僞存眞，開誠佈公」，大家都說老實話，做老實事，大家既同生死，就要共嘗甘苦，如果要大家節約，居高位的如果能卑宮室，布衣素食，則草偃風從，大家對於克難生活，也就甘之如飴了！反之，自奉不薄，而希望別人枵腹從公，則如何做得到？腹誹心謗之餘，只有各行其是了！在國家如此艱巨的情形之下，居高位的如果還要驕奢淫逸，大家眼看前途渺茫，人心又焉得而不反常呢？又如皐皐法令，大家應該遵守的，可是爲了一家一姓的繁榮，和少數人的既得權益，不惜置法律於不顧，不知道這個政府將何以博得別人的信賴？有許多大事，大家都知道而不敢言，這種政治和社會風氣是好呢，還是壞呢？今天陳院長又舊事重提，我們固然不應當把糾正社會風氣的責任推給政府，但是陳氏要政府同人負起改善社會風氣的責任是難能可貴的，我們希望陳氏以進步的政治，來糾正社會的不良風氣，這一點關係國運消長，大家不可忽視。

台灣政壇怪聞

愚菴

據台灣嘉義商工日報十二日載，台中縣府近時突來一省府大員，坐鎭縣府，聲稱奉命查案，一查三十幾天，如果明查，從未向縣府送過辦案文書，如屬密查，則又成天在縣秘書室開偵查庭，先後傳訊了縣府職員和老百姓二三十人，弄得縣府有點手足無措，要問也不是，不問也不是。

這位先後在縣府查案達月餘之久的大員，僅向縣長林鶴年主任秘書秦壽檀遞過一張名片，上印劉伯讓號柏萱，湖北人，官銜是台灣省政府視察，他在一個月前即光臨台中縣府，自稱係調查示範農場土地糾紛案，就在縣府一二十天傳訊了縣府職員和老百姓錄供一番走了，間歇一個時期，這位劉視察又爲臨縣府，聲稱調查東勢鎭圓也堤防河川地糾紛案，每月連接不斷的發出傳票通知，又成天假縣府秘書室會議室，作爲臨時公堂，開庭問案」，被傳訊問的，計有縣府秘書股長科員以及百姓，總數已達卅人左右，在問案有時性起，還要對縣府官員加上幾句官腔，並隨意向縣府科室單位調閱案卷，弄得這些被傳訊的人，應也不是，不應也不是。

唯一使人驚奇而與其他官員查案不同的，是這位自稱奉省令來中縣查案的劉大人，雖查案爲時前後月餘，始終不願向縣長主秘等縣府官員交出查案公文，省府也從未向該局送達過派劉視察查案的任何文書，到底劉大人葫蘆裏賣的什麼藥，玩的什麼噱頭，頗令人懷疑云云。

又同日台北中央日報載，省府視察劉伯讓，以基隆市長謝貫一誹謗並破壞其名譽已向法院提起自訴，並聘律師墨文藻爲之辯護，筆者因閱報引起興趣，探查其中經過，據聞劉曾調查基隆市新建中正堂案，亦採用過在台中查案一樣手法，除就地假設公堂成日傳訊承辦人員外，並逐日招待記者，發佈新聞，最後並在市議會開庭，有好些議員，都被傳知到案，詢問一通，作成筆錄，也許是由於他查案的官僚作風太重，大有專制時代欽差太監奉旨出京，狐假虎威，過事過分苛求的那種神氣，當事者摸不清其實官所在，或竟不耐，揭出反訴，以致老羞成怒，此案如果演變下去，弄到雙方法庭對簿，打倒官司來，還實在是聞所未聞，不獨爲今日台灣政壇的一件怪聞，也是台灣實行民主政治的一大諷刺。（七月十六日愚菴於台北）

關於鄭玉蘭沉屍案

劍聲

（台北航訊）最近，嘉義地檢處偵辦雲林縣口湖鄉鄭玉蘭沉屍案，因爲處理有失公平，引起雲嘉地區人民的公憤，轟動全省，司法行政部在輿論和省議員的嚴厲指責下，所以不得不移轉管轄法院重行偵查，而否定嘉義地檢處的決定不起訴。台中法院奉令承辦該案後，即由檢察官王正爸偵訊，自本月十四日起，連續傳訊，歷時三天，並發表偵查情形。

鄭德和鄭許鶯，即被害人鄭玉蘭之父母，除向法院控訴李福春（死者之翁父）李洪春（死者之婆）等人外，並向監察院提出請願，認爲其女鄭玉蘭係被人蓄意謀殺的。並且指出雲嘉檢察官和警察局「褊袒枉法」，致使案情複雜化，故請求監察院澈查其「違法失職」部份，以雪冤情。

鄭德在請願書中指陳李福春謀殺鄭玉蘭的晚上，有雲林縣口湖鄉成龍村九十四號住民李春在兇宅窗口目睹現場的情況，李春因怯於李福春的淫威而未敢聲言溜走。就情理而言，一個年輕無知的愚婦——鄭玉蘭，在行兇加害其夫李榮祥之後，是否敢穿內衣短褲冒雨返家換衣？然後再跑到距離鄭家相當遠的瑞雲橋去投水自殺？何不跑到較近的成龍橋或過港橋投水？證人李長義李石龍等的證詞，警察局和嘉義地檢處不但不採信，反被檢警當局戴上一項煽動而出來作證的帽子，並且予證人以威脅打擊。對於嘉義地檢處曾首席以超越之地位替被告李福春前後數次之記者招待會，作有利於被告之公佈，甚至公佈偵查案之口供，簡直屬於違法枉法。據云，鄭玉蘭之翁父李福春於案發後，前後借款二十多萬元，其支出則爲有關本案之行賄。

又據說，某法官的母親，會接受被告李福春的紅包，這個紅包係由某法官至友轉交。因而單純的謀殺鄭玉蘭案，一變而爲玉蘭謀害親夫未遂而畏罪自殺云。

據云，李福春的品行不佳，尤其對於女性方面，故此案可能是一件有關傷風敗俗之事轉變而爲謀殺案，故社會注意此案之發展，認應澈底查明，繩之以法，並對法官會爲法褊袒，予以應得之處分。（七月十八日于台北）

省議會擁護連任暫無下文

反對修憲輿論態度仍積極

（台北航訊）關於修憲與連任問題，一度頗爲各方所重視。但是，自從國民黨一開的發言人，公開對報界發表談話之後，此儘管報紙上還載來自海外僑團及省議會各級議會及人民團體擁護連任的代電和新聞，卻看不出選民們的意向如何？而一雖然開幕未久，但未如縣市議會那樣以「代電」表示擁護連任，其原因何在？據省議員們對記者說，省議會本月初開幕前夕，議員陳大猷，曾草擬擁護連任的「代電」文稿，本擬未徵求議員吳三連（按：吳議員爲無黨籍者）的同意，即代爲簽署其名，事後，吳議員聞悉，乃怒斥越俎代庖者，會黨團書記未提出，而陳大猷等乃向省議會黨團書記未敢作主，乃向省黨部請示，而省黨部又往中央一推，故擁護連任的代電，隨即，胎死腹中」矣。這則內幕，成爲漏網新聞。

本月中旬，「自由中國」和「公論報」分別痛責「修改臨時條款並不是修改憲法本身」的謬論。自由中國雜誌說，「這句話，乍看似乎沒有問題，有些人也可能被這句話騙過。」這是「由於『本身』二字在這句話中發生了譎張爲幻的作用。」因爲「『本身』二字，可以指憲法的『形式』，也可以指憲法的『實質』，臨時條款，從『形式』看，固然不是憲法本身，但是臨時條款的效力，在『實質上』，是和憲法本身一樣的」有效力。該刊譏笑「國民黨中央常務委員某君『有關修憲及大選問題』的答問。」是「荒謬的想法」。

公論報說，「現任，如果依照海內外各民衆團體的想法來做，使不修憲而可以連任，縱然傷透腦筋，也不容易尋出一條妥當的途徑。」如果「要想由國民大會來修改或增訂臨時條款爲連任問題開一方便之門的這條路，無論如何，是很窒礙難行的。」因爲不能湊足法定人數？——二千零三十名國大代表。該報很幽默地說，「在一般民主國家的通常情形，如遇總統大選之年，至少在期前幾個月已經是極爲熱鬧的政治季節，無論執政黨或反對黨，均已推出總統候選人，從事競選演說，各以政見爭取選民之擁護，來決定最後投票之勝負。而我們距離明年總統大選，已不過半年左右，迄今仍爲是否修憲及連任問題所困擾……如此空前冷靜的場面，殊令人難於理解，這也許就是我國民主政治之獨特，所不同於其他國家的地方。」該報並暗示「現在台灣的青民兩黨及無黨派的社會賢達人士，對此重大問題，似乎也在審愼考慮之中，迄無正式表示，至於明年是否仍照例『陪選』一番，也好像雅興並不太濃。該報沉痛地說，若「由國民大會以決議行之，或是改採大法官解釋的方式，以期簡便，而達目的。」則「我們對歷史將如何交代？」

（生七月十八日于台北）

中國文化協會設置學術文藝獎金

（本報訊）本港中國文化協會爲促進自由文化界之研究興趣暨使優秀作品獲得社會人士之共同欣賞，自四十八年度始，設置學術文藝獎金，按年更換獎選科目，四十八年度之推薦期間，自本年七月一日起至四十九年六月卅日止。茲將該會四十八年度文藝獎金辦法抄錄於后：

一、本年度定文藝獎金港幣三千元，分贈文藝創作：
A、中篇小說（十萬字以上）一千元；
B、短篇小說集（十萬字以上）一千元；
C、劇本（多幕劇）五百元；
D、散文　五百元。

二、應獎之作品須具下列條件：
A、必須已出版印成單行本者；
B、須在民國四十七年以後出版者；
C、限在港澳出版者，

三、應獎之作品應由出版機構推薦，

四、出版機構推薦作品，每種（即第一條A、B、C、D四種）一本爲限。

五、本獎金之設施不刊登廣告，由本會用公函通知各出版社。

六、本會於收到作品後隨時敦聘適當人士審閱，其人數臨時決定之。

七、本會對敦聘之審閱人，不以現金報酬，但可酌送紀念品禮物等。

更正：八七四期本版「陳立夫先生六十壽冊序」一文，「惟此由壯入老」句，「老」字誤植爲「者」字。又「候補立委遞補經緯」一文，「王老與（候補立委）」「老」字漏植。

蘇聯以控制太空嚇人

◎旭軍譯◎

許多天眞的人說：我們國家未來的生存，端視未來戰在月球之能否獲勝。然則什麼不競在更遙遠的冥王星呢？大多數普談太空軍事潛力的人，更想到「未來派」的戰爭藝術，例如從月球基地或人造衛星站，開砲轟擊地球上的目標。我承認甚至諸科學家當中意見亦有紛歧。例如關特聯營公司（航空科學研究機構）向衆院太空委員會（一九五八年十二月）提出之報告，建議放射許多人造衛星供軍事應用。包括轟炸。但這種建議得十分謹愼，而作者姓名也未揭露。但艾森豪威爾之科學顧問委員會的結論却相反，——並且他們是發審的。

衛星與投彈

最好的炸彈載具，總有兩個重要的標準：第一，技術部份必須簡易，包括一切計算，此即放射時間必須控制準確性不必太大，推動的燃料費用小，第二，放射地圈該隱藏得很好，以避免敵人攻擊。但人造衛星站對此均不符合。

我們不能很簡單的從人造衛星投擲炸彈，因爲衛星本身自由降落，炸彈附着它會炸毀這個衛星。但要使炸彈和衛星分離，我們必須給它一種速度。如果想投彈於此衛星下的目標，則需要的速度是大約每秒二萬五千呎，而且方向是向後的，這種需要更多的推進力，過於用洲際彈道飛彈，從一個射至地球另一點所需的。（我們還未計算到使此載具進入軌道的費用。）如欲投彈於那人造衛星垂直線之下，則必須極高的準確，及更多的推動燃料。例如這炸彈十度的誤差，便需要該衛星多耗費達成本速度所需十分之二，而且人造衛星的操縱性大受能力所限制。

所謂控制太空的意思

至此，我們提出較迫切的問題，所謂控制太空，是什麼意思？大概有太空的某部份是值得控制的。換言之，在地球環境之內。所謂「控制」常指操縱性。照理是應該能載人的，

正如我們上面所說的，操縱性要付出高昂的代價於燃料方面，除非火箭技術有急激的發展，很然作最樂觀的看法，此種的改變也必然在許多年以後。

一個太空站很易被偵察出來，這是由於太陽光的反照，由於雷達或它自己的紅外線輻射。它的軌道從行星運動法則約束，其位置可以被人很準確預測得到，而且很容易變成無能，尤其是載有人類的衛星，稍有一個小洞，便破壞其密封保護性，與外面隔絕。又因其運動於眞空，特別易受核子武器所傷害，假如以月球作基地，也有同樣的困難。

提到人造衛星的一種準軍事價值的偵察工作，也是不大可靠，除非大氣層的情形夠理想。自然，是要在日間無雲霧護蔽。況且僞裝和引誘的方法，特別是有效的對抗偵察。

外蒙加入聯合國問題

今年的七月十一日，所謂「蒙古人民革命勝利三十八周年紀念日」。今年共產國際對于這個節日，有一項新節目，即通過「亞非人民團結理事會」，號召亞非各國舉行「蒙古日」。這個「蒙古日」宣傳的中心是：「蒙古人民共和國應該立即接受爲聯合國會員國」。大概這將是本年聯合國大會的新課題。

按在一九五五年第十屆聯合國大會中，曾以五十二票的多數通過外蒙加入聯合國，後經國府代表在安理會中予以否決。今年共產國際重提此事，國府似應有事先的準備才好。

在一九五五年，中共對于外蒙加入聯合國問題非常冷淡，隨後幾年共產國際對于這一問題也擱置了下來；但今年中共對于這一問題的態度非常熱烈，好像是在這方面已經獲得了某種諒解。這種諒解的基礎可能是：一、允許中共勢力進入外蒙，二、中共保證其「獨立」並支持其入聯合國。

調整西歐外交陣營

西歐國家與中共建交者，計有：丹麥、瑞士、挪威、瑞典、芬蘭、英國，和荷蘭；其與前五個國家已互換大使；英、荷則只有代辦。去年十二月，中共駐瑞典「大使」韓念龍調爲外交部副部長；今年一月，[illegible]

學習「政治經濟學」

在中共擁有大陸以後的前幾年，對于蘇聯經濟建設的「政治經濟學」的學習是很積極的，後來，在一九五五年七月，毛澤東大膽攻擊社會主義者在蘇聯某些經驗中找出了一些根據來批評毛在經濟政策中的「冒進」，因此，中共幹部對于馬列主義理論，與包括「政治經濟學」在內的蘇聯經驗的學習開始有點不大熱動了。但形勢變換，一九五八年毛爲鼓動大躍進，猛烈抨擊保守派，教條主義者，弄到中共幹部對教條主義者，「政治經濟學」，推恐被當然也不例外。與此同時，即去年六月，亦正是毛發表「關于正確處理人民內部矛盾的問題」一周年，鼓勵有以毛的小冊子代替馬列主義經典著作與蘇聯經驗之意。

今年六月，對于毛澤東著作的學習，一點動靜也沒有，對于馬列主義成套理論，特別是最近，許多黨機構已經訂出計劃，首先學習「政治經濟學」。在這方面，看來又將恢復到一九五五年以前的情況了。

上述三事，當說明中共與蘇聯間的關係又轉入了一個新的階段。

◎田心◎

國際動態拾零

△美共和黨于本月二日，即已組成四十四人之特別委員會，預備起草一九六〇年總統競選政綱。凡事門而意見有紛歧之問題，一概避免列入。所提出者，皆爲人人承可贊同而無爭論之問題。

△赫魯曉夫以爲一九六〇總統選舉結果，尼克遜必然勝利。他以此意告知哈里曼，哈氏業已以之轉告國務聯絡處。所以尼克遜此次赴蘇，將受到未來總統之隆重待遇。

△赫德在第一次新聞記者招待會時，以電視光綫太強，幾于不能分辨誰氏，更不知何人提出問題，只好含糊答覆。下次招待會時，擬請詢問者先自報名。

△美國駐西班牙空軍基地人員，幾達七千人。然其駐防空軍，不過B四七型一大隊，其中有十五架爲轟炸機。

△美國奧林匹克委員會遭遇到空前困難。已經捐之款，有一百萬美元已被認捐人取消，而繼續取消者，當紛至沓來。原因是布倫台治取消中華民國資格，將在國際奧會承認中共爲中國正式代表所致。

△法國在撒哈拉沙漠爆炸其第一顆原子彈。但欲自己設立原子軍械廠，須待五年以後。

△李承晚現已八十四歲，業已選定[illegible]爲其繼承人。[illegible]現年六十四歲，自一九一〇年起即住居日本。殆以之爲象徵領袖，而政治上之實際負責人，則爲未來國務總理，由國會中多數黨選出。

·陶然·

美蘇誰先發射載人的太空站

最後，也許是最重要的，是美國不過爲蘇聯而造成一個廣大宣傳設計。因爲蘇聯極可能比美國較早發射一個能載人的太空站，甚至或能先使一個俄人到月球。於是蘇聯侈談太空的軍事用途，將令世人相信蘇聯在軍力上，遙超過美國。其實一個載着人的太空載具，沒有任何的軍事意義的！

蘇聯要製造頭條新聞

顯然的，就在目前一人。我們應該估計俄國的載人衛星，如何的聳動世人。乘現在尙未成爲事實我們就準備不讓蘇聯利用此種宣傳了！

我們可以想像得到，蘇聯要製造的報紙頭條新聞大標題，是：「蘇俄已送兩人入太空軌道了。」並不是一人，因爲兩人的作用比一人大得多了，可以擴大組織及效用。

但我們可以斷言這種的成就，不過對偵察與宣傳起作用而已。

若蘇聯之載人衛星被利用，向世人誇張說是軍事上一大成就，這便危險了。蘇聯會說那在軌道上的人，是世界的主人翁，他們可以偶然看見一架飛機起飛，這樣就給他們作證明說沒有什麼東西逃得過他們的觀察。他們略施這種小詭計，便令到西方世界生出自卑感，以爲比蘇聯居於極劣的軍事形勢。

沒有軍事意義與價值

我認爲蘇聯不久便試放射人到太空。從美國的進度表看，準備一個載人的膠囊，將其試驗而實行找尋回，不過需時一年半而已。載人衛星主要的障礙，自然是難得一個可靠的火箭放射。蘇聯已對世人確言他們已準備了。他們厚起臉皮來說：他們的衛星火箭未曾失敗過。如此，則他們到現在，早該有了載人衛星了。但現在他們的載人衛星在何處？也許他們的火箭並不完全可靠。他們是不是有其他的困難呢？無論如何他們的自稱只是票面價値。他們的載人衛星已經不兌現了。

美國的載人衛星方案

至於美國載人衛星方案，在過去一年半，各機關互相推搪規避。最後不得不進行。是否會成功呢？主要的要看是否有一可靠的火箭推送。據測一旦「擎天神」火箭屢次試驗，證明確實可靠，這個計劃便實現的了。但這可能需要相當久的時間，也許需要達一百次的放射。（譯自今年六月十一日的記者雜誌）

大陸文壇透視

所謂言派重振

七豹

根據馬列主義的說法，文學藝術是一定的社會基礎的反映，屬於所謂上層建築的政治文化。因此封建社會就只產生封建文學，資本主義社會就只產生資本主義文學，無產階級社會也就只產生無產階級文學。不幸大陸十年來的事實，却極殘酷地推翻了這一謬論，翻了身的工農兵竟不喜歡欣賞無產階級文藝，而偏要熱愛已不是這個新社會基礎所反映出來的封建的古典戲劇。鼠曲皮貨的盛極一時，梅蘭芳周信芳的邀寵入黨，就是有力的說明。工農兵勞累得喘不過氣來了，福建前線士氣低降了，讓梅蘭芳這些舊時代的優伶，到那裏高歌一曲，在鼓舞作用上總比那些街頭劇和所謂現實主義與浪漫主義相結合的新劇有力量得多。

工農兵巴望遙遠的幸福生路越來越渺茫，近幾年連肚子都塡不飽，於是用舊劇當作嗎啡使用的次數天天增多，舊藝人便更加大量地需求。這是最近中共公營青島京戲團的言少朋和他的太太張少樓，到北平唱了兩齣所謂言派戲的「讓徐州」和「臥龍弔孝」，受到中共黨報大捧特捧的原因。中共的黨報說，言菊朋的京戲有獨到的造詣，有自成一家的唱腔，可惜在舊社會裏不受重視，一直埋沒了十幾年。現在是人民當家做主的時代了，所以對這種優美的藝術大加提倡，使其重放光明。言少朋張少樓在北平演出後，得到戲劇界的重視，政府表示力助其重振，勿使繼續埋沒云云。那位在言菊朋生前即以演唱成名的他的女兒言慧珠，也在上海寫文章，頌揚中共的德政，說言派得以重振，敬向乃翁告慰。可惜的是，她在上海被冷藏了數年，受盡精神虐待的痛苦，於一九五七年被迫而自殺未遂的一件大事，她却忘記了在文中告訴給亡父的陰魂。

就京戲來說，言菊朋和余叔岩同受過譚鑫培的眞傳，譚死後，他倆又在譚的琴師陳彥衡那裏執弟子禮，學到一些譚的「絕活」。不過他倆都限於天賦，各學到譚的一面[illegible]是下駟之材，能使言派重振嗎？姑立此存照，以觀將來。

瘟君夢

第三回：點石成鋼魔王施妙手　指鹿爲馬嘍囉建奇功

大躍進計劃發佈之後，果然一紙風行，整個大陸都陷入煉鋼的狂潮裏，越是大都市越熱鬧，「北京」城內到處都是土製的小高爐，幾間著名大學已經停止上課，築起了小高爐一齊在煉鋼，最後連國務院各部會內，也都建了小高爐，上至高級共幹，下至民主人士，誰不煉鋼，就被指爲懶漢，缺乏建設社會主義的熱誠，再進一步，當然就是「反革命」了。誰敢背上反革命的罪名，所以不論七八十歲的老太太，十來歲的小姑娘，人人都去煉鋼，把一個本來寧靜，清潔的「北京」城內，鬧的烏烟蔽日，迷霧障天，一派陰森森的氣象，恍如世界末日即將到臨。

依照毛澤東擬定的煉鋼計劃，所需原料共有四種，即人、礦、煤、鐵。人的來源當然沒有問題，取之不盡，用之不竭，礦也容易想法，只有煤鐵兩項物資，並不是各地皆備，但是鋼又不能不煉，只好設法找代用品。北京城內有煤沒有鐵礦石，煉鋼就從廢銅爛鐵下手，最初是按家勸捐，以後恐怕人民私藏，動員學生軍警逐戶搜查，可是「解放」這麼久，經過了「抗美援朝」的幾次捐獻，民間廢銅爛鐵早光了，幹部們只好實行活曹操的計劃，順手就把能搬走的鐵器，當作人民自願捐獻取走了。

「北京」如此，上海依樣胡盧，大躍進不到一個月，里衖的鐵閘門都光了。

都市如此，鄉區有些地方有礦石，但是沒有煤，只好砍掉樹木來燒，結果鋼還沒有煉成，大小樹木全伐光了，雖然有些尙未死光的老年農人，担心樹木伐光之後，無法調節雨量，今後氣候，一定不淹就旱，再想風調雨順就很難了，但是話留在肚裏也沒人敢說。

就算是產煤的省份，煤炭也大感缺乏，普通的洋高爐煉一噸鐵只要兩噸半煤，但土高爐都要用四噸，六噸甚至八噸，十噸才能煉一噸鐵。可是在毛澤東以鋼爲綱的口號下，要鋼鐵元帥升帳，其他的煤炭木材只算是嘍囉，只當在人海戰術下作爲犧牲品了。

其中最慘的是貴州省，因爲貴州省既缺煤又缺鐵，在內地十八省一向就以最苦出名。在煉鋼的高潮冲擊下，全省人民，不分老少男女，只要能走動路，一律要上山去搬石頭，能入林伐樹，可是這種情形，正合着李富春駁斥活曹操的話，並不是所有石頭都能煉鋼，可憐一些老太太千辛萬苦搬些石頭下來，經幹部一檢驗，不是鐵礦石，馬上下令扣除口糧，就一定要找到鐵礦石才有得吃，在又餓又累的情形下，貴州省內，據估計一噸鐵就死掉幾十個人，但是貴州省委第一書記兼省長周林還在電話中挨了毛澤東幾次罵，險些把烏紗帽都丟了。（五五）

岳騫

釋耒集

世說新語尤悔篇載：「王導溫嶠俱見明帝，帝問溫前代之所以得天下之故，溫未答頃，王曰：溫嶠年少，未諳，臣爲陛下陳之，王乃具述宣王創業之初，誅夷名族，寵樹同己，及文王之季，高貴鄉公事，明帝聞之，覆面箸床曰：若如公言，祚安得長。」近讀劉厚生張謇傳記引趙烈文日記云：「同治六年丁卯，六月二十日初鼓後，滌師（指曾國藩）來暢談，言得京中來人所說云：都門氣象甚惡，明火執仗之案時出，而市肆乞丐成羣，甚至婦女亦裸身無袴，民窮財盡，恐有異變，奈何？」余曰：天下治安統一久矣，勢必馴至於剖，然主德素重，風氣未開，若非抽心一爛，則土崩瓦解之勢不成。以烈度之，異日之禍，必根本顛仆，而後方州無主，人自爲政，殆不出五十年矣。」師蹙額良久曰：然則當南遷乎？余曰：恐遂陸沉，未必能效晉宋也。師曰：本朝主德正，或不至此？余曰：主德正矣，而食報已不爲不厚，國初創業太易，誅戮太重，所以有天下者太巧，天道難知，善惡不相掩，後君之德澤，未是恃也。」

國祚

綜上所言，見國祚之修短，純繫于得天下之初，誅夷殺戮之轍軌，及其所以得之之術。若司馬昭，凌逼孤寡，大殺曹氏，恐其威虐，遂令子孫不忍聞之，此則奸雄所不及料者也。曾國藩平定洪楊之亂，史稱同治中興，而都門之內，乞丐成羣，婦人無袴，所謂異變，早兆于是矣，曾國藩出身農村，馳驅軍旅數十年，民窮財盡之實，自當知之甚悉，其所以曰：然則當南遷乎？則未免爲當局者迷，稍昧于事理矣。

舊讀某君所輯之民國野史，述項城竊國之初，曾遣一地師，返彰德原籍，覷其母之墓田，地師許爲龍興之穴，因追問享國年數，地師舉二指從容對曰：八三之數，項城曰：八三之數，爲八十三年，抑八百三十年耶，地師曰：此屬天機，不宜預泄，而洪憲國祚，乃由此出現，八三之數，乃爲八十三日，竟成千古笑談，原夫項城之有天下，其術至巧，得之亦最易，其誅鋤異己，寵樹同列，並過于司馬昭，竟妄思延其祚運，爲子孫長久之計，抑亦不思之甚矣。黃梨洲曰：「夫天下何常之有，吾不得治天下，尚欲避之，況于子孫乎？彼鰓鰓然唯恐後之有天下者不出于其子孫，乃流俗富翁之見，故堯舜有子，尚不傳之，宋徽宗未嘗不多子，只以供金人之屠臨耳，」國祚修短，天道難知，若善惡不相掩，則雖有德澤，亦未足恃，明太祖得國，不失爲正，而殘暴慘酷，竟有「汝不幸生帝皇家」之語，及此，則德予有不足爲者矣。

曲齋

「貨物出門，概不退換」

—小談名作家及其作品—

陳永昌

做作家要做一個成名的作家。未成名的作家等於一個窮措大，是沒有出息的，人們看見總得避之三舍，惟恐其開口求借，而不見經傳的作家寫出來的東西，編輯先生總是喜歡用來投籃的，蓋怕用錯稿子，有礙報紙銷路。成了名的作家可就不同了，一篇登，二篇照登，三篇亦登，多寫多登，因對其有信心也，正所謂「名作家筆下那有劣稿」，即如「有錢人說的話焉有錯的」，所以我把出了名的作家比作有錢人，想是沒有不妥的吧！

名作家有了名，一切都無往而不利，只要拿起筆一寫，即使把事實搞錯了，人們會說，也許是一時疏忽吧。但假如換過來說，同樣的錯處出於一個普通作者，人們便會狂吠一輪了，這小子是何方人，竟然當韓嫋是韓翃，把蝸牛作昆虫，人們批評的態度，有如此的差別，能不使人感覺「名」的力量是多麼的大。

編輯先生看稿，首先是看這篇稿是甚麼人寫的，假如是名作家，一定先予閱讀，爲的心理上有「好」的影子，即使字體潦草，很難看，也得耐心地看下去。同時另種心理作祟，認爲一個大作家，既也向本報投稿，該是何等的光榮，結果當然是：此稿是頭條的，題目排字用最大號的，作家名字也是大號的，誠恐人們看不見。

這本小說是誰寫的？是一個名作家筆下的作品，眞的嗎？一定是屬於「頂瓜瓜」一類的了！於是這本小說便暢銷起來了。以「劫後英雄傳」成名的小說家，出名後一口氣寫了十本小說，爲了還債，他手不停筆的寫，他寫稿的習慣是寫了一張，便順手扔到地下，積了數十日，把這些稿紙疊起來，便成一本小說。最初他的小說是很受人擁戴的，但後來人們一致認爲是粗製濫造的。爲了他的「名」，當時的人並沒有發覺他後期的小說是那麼的壞。

譬如你想替一間報紙寫一個中篇或長篇小說，而你却是藉藉無聞的作者，你先得把你的小說寫好，寄去編輯先生，詢問是否合用？還需要附有退稿信封及郵票，爲的你獲選的機會很微，數百元的稿費那會隨便給你呢？假如你的稿先好後壞，讀者反應不佳，編輯先生是很難處理的，只有腰斬一途。所以非要先把故事全部作好，經編輯先生很謹愼的考慮，才會「姑且一試」的。假如小說是屬於名作家的，那便完全不同了，只要一提題目，便歡迎之至，只要按時寄來續稿，任作者隨便拉長與縮短。名作家的稿子是永遠不會退回的，讀者也永遠是欣賞名作家的小說的，編輯先生當是無「後顧之憂」了！

有一則小故事，可作爲對「名」作家的一個諷刺。有一個作家，當他未成名時，寄去報章雜誌的稿子，不是退回，便是如石沉大海。他掙扎了一個時期，後來否極泰來，他成名了。一天，他想起舊時失意之時，眞是傷心，忽的他竟弄起惡作劇來，他把所有以前退回的稿子，全部再寄出去，想不到這些稿子全被採用了，還得到圈內人士極力的讚賞，這倒使他啼笑皆非。

人們總是愛捧的，他是有名望的，便會被越捧越高，他是失意的，却會被人踐踏得不能抬頭。有名望的人，就算有人批評，也是客氣的，反之，便會被罵得體無完膚了。

最後，倘有一點需要談談，就是出了名的作家是最危險的，爲的未有名望的時候，創作總是小心的，務求以眞功夫博編輯先生的青睞，反之，成名後便有些自高自大的態度，創作時便有些不經意了，管他甚麼，橫豎寫出來的都有人要的。不過終有一日，粗製濫造太多了，讀者一樣要厭棄他的，屆時名作家的身價便會漸漸動搖了！

所以我說，未成名是苦事，成了名却是險事。但是人總是往上爬的，所以做作家，尤其是名作家，就不能用「貨物出門概不退換」的態度來寫作了。

關於「分一杯羹」

—答孟戈先生—

南蠻

我於本月十六日在工商日報批東拉西集發表「分一杯羹」一文，認爲妄事嘲笑別人「分一杯羹」者，乃「家天下」時代的老觀念，而不是民主時代應有的思想。承孟戈先生在貴刊上期（七月十八日）發表一篇「關於一杯羹典故出處」，對我的見解「百分之百舉手而贊成之」，爲我張目，感意可感！惟孟戈先生有疑於我說的「分一杯羹」典故的出處，而以戰國策中山君之「一杯羹亡國，一壺餐得士」故事爲正。這是我要和孟戈先生一談的：

我所引的是「分一杯羹」的故事，孟戈先生所引的是「一杯羹」的故事，這兩者不同，要請孟戈先生注意的。

按史記項羽本紀：「項王已定東海，來西與漢王俱臨廣武而軍。相守數月，……楚王患之。爲高俎，置太公其上。告漢王曰：『今不急下，吾烹太公！』漢王曰：『吾與項羽俱北面受命懷王，曰：約爲兄弟。吾翁即若翁，必欲烹而翁，則幸分我一杯羹』……」

這當是「分一杯羹」典故的出處。至於孟戈先生所引中山君故事，包括「一杯羹」與「一壺餐」，其全故事頗心在「以一杯羹亡國，以一壺餐得士」，似與「分一杯羹」未能牽附，與拙作命意更有未合。孟戈先生謂「就當前某些奮圖壟斷中國政治者以前謂『分一杯羹』誣衊民主人士，則這個中山君的典故，似乎更爲適合」，我未敢同意。蓋這故事說的是司馬子期因要不到中山君的羊羹，憤而說楚伐中山（這是不可爲訓的。司馬子期的褊狹，爲個人恩怨而引外寇滅國，究不足取），二士因報中山君壺餐救父之恩而報德，故中山君乃有「以一杯羹亡國，一壺餐得士」之歎。一杯羹與一壺餐都屬「不期」，而其結果如此，是以可歎。自與「分一杯羹」意義不侔。而孟戈先生之博學深思，是我所當敬佩的。

陋見如此，不知有當否？（七月十八日）

廣東通志談叢

○竹菴○

吳應逵字鴻來，新會人，乾隆乙卯舉人，著雁山文集，新興陳在謙稱其文「獎善永叔，（歐陽修）表揚諸節烈，勸色驚心，足與蒿庵張氏女子神異記抗衡。」又姚氏椿撰國朝文錄，於吾粵他錄鴻逵一人而已。

其餘之分纂若李黼，劉華東李光昭及馬良宇亦均以文學經古著名，未及詳述。

至於安徽生員方東樹，則是漢學商兌之作者，是書蓋駁江藩漢學宋學對峙之說。梁任公有言「方東樹之漢學商兌，却爲清代一極有價值之書，其書成於嘉慶間，正値正統派炙手可熱之時，奮然與抗，亦一種革命事業也」江藩及方東樹均參與纂修通志，可謂盛事。

不獨修纂諸人，學術精深，而且通志總校及分校諸人，亦極其博雅，校勘諸人中以番禺陳澧，南海譚瑩最爲博大。則通志之精確可想而知。

陳澧字蘭甫，道光壬辰舉人，學海堂學長，晚任菊坡精舍山長，學者稱東塾先生。治學精勤，凡經，史，詞章，樂學，天算，地理，音韻，無所不窺。其論學首標顧亭林博學於文，行已有恥爲教，著東塾讀書記十五卷，聲律通考十卷，切韻考六卷，漢儒通義，七卷，水經注西南諸水考二卷，三統術詳說三卷，弧三角平視法一卷，第六卷朱子語類日鈔一卷，公孫龍子注一卷，憶江南詞一卷，水經注提綱四十卷，琴律譜一卷，東塾遺詩二卷，東塾叢書，東塾類稿，其水道聲律二書，湘鄉曾國藩服其精博。邵陽魏源海國圖志書成，澧嘗著論糾正之，源見而大悅，遂依其說改正。其爲海內引重不一而足。其治學之博，識見之深，可與明代之黃泰泉（見前）互相輝映。

譚瑩字玉生，南海人，道光甲辰舉人，以詞賦見知於阮文達，南海伍氏好刻古籍，延玉生主其事，刻嶺南遺書五十九種，粵雅堂叢書一百八十種共千餘卷，粵十三家集及楚庭耆舊遺詩，每一書均由玉生跋尾及校勘，生平精力略盡於此矣。尤工駢體文，著樂志堂文集三十二卷。

其餘任校勘者共十餘人，茲以繁碎未暇一一舉列，要而言之，此志已詳括明清兩代粵人著述有關鄉土文獻諸要點。

誠及廣東通志而詳舉各家著述，蓋所以證明修撰此通志者均學有根柢之人，則此志固具重大的價值。（六）

己亥初夏與陳李余吳諸君訪海隱樓主留飲別後賦寄

○王韶生○

巍峨樓觀聳層尋。掃徑迎賓禮意深。快飲幸陪名父子。嘯歌容傲好園林。胸披海氣噓雲氣。才媲南金利斷金。史乘顛蹶同輿午。還從逸事說山陰。

次韻奉酬孝若宗老

食囊安期海上逢。飲醇今日暢玄風。傳家世守青箱學。聲隱雲深赤柱峯。稗史鉤奇同海客。人間立善仗天翁。聞韶我自耽佳句。祗愧蹉跎乏事功。

銀壇隨筆

影片的價值

一張影片的眞正價值，不在誇張宣傳，需要具體的藝術表現。大明星是不一定對得一部片子，都演得好，舉一個例子說，最近台北在同期間上映兩部國語片，就報紙刊載影評和票房紀錄看，證明大導演、大明星，演來一無是處的戲，光靠宣傳無法爭取觀衆，但據報紙統計數字指出：這部誇張渲染的片子，勉強超過了二十萬台幣；而另外的一部：「二八佳人」，却超逾三十萬台幣。宣傳費用支出，後者還不足前者十分之一。就這一例證看，眞可謂：「不怕不識貨，只怕貨比貨。」那部片子的名和誰家公司的製品，本「隱惡揚善」之旨，我無意說明，否則難免被當作「攻訐」。故且就台北各報對「二八佳人」的公正批判，約略在本欄介紹出來。這部片子係由秦亦孚編劇；易文導演[illegible]，新姿態出現。

●修氓●

橋

門前有一灣溪水，溪上架着一座木橋，這是溝通兩岸的唯一通路。住在這附近的幾百戶人家，必須經過這座木橋才能走到對岸的沙洲上去。說它是橋，未免有點誇張，因爲它僅是幾根木頭緊靠在一起而搭成的。橋身貼着水面，風大的時候，浪花會濺到橋面上來；橋面潮濕了，走起來很不方便，最好能在橋面上灑些細沙，這樣走起來就比較穩妥，不致有失足跌倒的可能。

每天清早或黃昏，我照例要經過這座木橋，到對岸沙洲上散散步，我喜愛這裏環境的清靜與風景的優美，尤其是空氣中散發出來的那種雜花芳草的氣息，更能使人感覺心曠神怡（這沙洲上雜花野草長得非常茂密）。

在暴風雨的時候，溪流泛濫，橋也有被沖走的可能，這樣交通就會中斷一個時期，不過祗要暴風雨過後，就會有熱心的朋友把它拉回來，重新放在原來的地方，交通就會立刻又恢復了。

記得莎士比亞說過：「造橋祗要量着河身的闊度就行了，不必過份鋪張」。我們這座木橋雖然簡陋，但却不能否認它的使用價値，住在這附近的幾百戶人家，對於這座橋樑都非常的愛護，希望它能永遠担負起溝通南北兩岸交通的責任；過河拆橋的事，絕沒有人做，因爲那樣於人於己都是有損無益的。

●南華北●

自由人

THE FREEMAN

（第八七六期）

每份港幣壹毫

督印人：陳文

20 CAUSEWAY RD. 3RD. FL. HONG KONG TEL. 771726

關於憲法上總額的解釋問題

黃少游

憲法第一七四條規定：憲法之修改，應依左列程序之一爲之：

一、由國民大會代表總額五分之一之提議，三分之二之出席及出席代表四分之三之決議得修改之。

二、由立法院立法委員四分之一之提議，四分之三之出席及出席委員四分之三之決議，得擬定憲法修正案，提請國民大會複決，此項憲法修正案，應於國民大會開會前半年公告之。

就今日國外內情勢而言，憲法是否應修正，乃另一問題，作者不擬置喙。惟在法言法，若欲修正憲法則必須遵照憲法第一七四條之規定，即不由第一款之程序則必由第二款之程序，否則無其他途徑之可言。今日各方所爭論者似在於條文中「總額」二字之解釋問題。總額有幾種解釋：第一爲憲法上所定總額，第二爲選出總額，第三爲申報總額，第四爲事實上可能集合人數之總額。吾人在法言法，除對於第一說表示贊成與擁護外，其餘三說，皆係遷就事實之論，但不可取。茲特分論如左。

國民大會代表總額應爲法定總額而非其他總額

按憲法第一七四條第一款所謂「國民大會代表總額」，顧名思義，乃組成國民大會底代表之總額，換言之，即根據憲法第二十六條及國民大會代表選舉罷免法第四條之規定由選舉單位選出之代表之總和即爲國民大會代表之總額，按此總額爲三〇四五人，爲國民大會集會提議，出席等人數計算之標準，而並非一定將來有法定人數進行選出不可，但選出人數祇要符合法律規定之一定標準即無碍於其職權之進行。如「憲法實施之準備程序」第八條規定：「依憲法產生之國民大會代表……在第四條規定期限屆滿已選出者達『總額』三分之二時，得爲合法之集會！」按此所稱『總額』即爲國民大會代表法定人數之總額。由於三分之二，詳言之即爲三〇四五人之三分之二即二〇三〇人時即行集會行使憲法所賦予國民大會之一切職權。按行憲當年選出國民大會代表實際人數爲二九六一人，已超過憲法實施準備程序中所規定三分之二之人數，國民大會之成立，自屬合法。若以此選出或使國民大會集會成立之二九六一人之人數代替憲法上之法定人數或總額，此爲最大錯誤，而又企圖以此爲一切職權進行之人數計算總額乃又錯中之錯者。由上解析可知國民大會欲自行修改憲法依憲法第一七四條第一款之規定應由國民大會代表總額（三〇四五人）五分之一（六〇九人）之提議，三分之二（二〇三〇人）之出席及出席代表四分之三（一五二三人）之決議始能修改之。否則，[illegible]

立法院立法委員四分之一之提議，四分之三之出席乃指法定總額而言，亦非指其他總額

依照憲法第六十四條及立法院立法委員選舉罷免法第四條規定，[illegible]所謂「由立法院立法委員四分之一提議，四分之三之出席及出席委員四分之三之決議得擬定憲法修正案，提請國民大會複決」明白的說就是「由立法院立法委員總額七七三人之四分之一即一九四人之提議，總額七七三人四分之三即五八〇人之出席及出席委員五八〇人之四分之三即四三五人之決議始得擬定憲法修正案，提請國民大會複決」，否則爲不合憲法之規定。但論者有謂立法委員法定名額雖爲七七三人，但選出人數祇七六〇人，故不能以法定名額爲立法院立法委員之總額[illegible]

[illegible]

依據憲法第二十七條第二項規定由「國民大會制訂辦法並行使之。」最后，有人擬顧大局，主張修訂臨時條款以停止憲法某條某款暫時之適用及效力，以謀補救，但此程序雖簡單，然無憲法的根據，縱有先例，但亦不宜一再輕率爲之，否則，此種臨時條款之效力已駕乎神聖憲法本身之上，爲憲法之憲法或高於憲法之憲法，唯此種實例，舉世罕有，故於國家民主法治前途，同樣有不良的影響。（四八年七月十八日於台北。）

半週述評

尼克遜訪問波蘭的意義

尼克遜這次訪問蘇聯，可說是高潮迭起。先則與赫魯曉夫作舌戰，繼申美國將以最大之決心捍衞西柏林；繼則白宮宣佈他將應波蘭國務會議主席薩瓦特斯基之邀，訪問華沙。據說赫魯曉夫對此甚表憤怒！

南美共黨的活動，一直是由莫斯科指揮的，人們一貫把南美的動盪看作是美國後門的不安。但是這一次，當蘇聯拒絕尼克遜觀光其後門——西伯利亞時，他卻受邀去訪問蘇聯的前門——波蘭了。

尼克遜，過去多次訪問世界各埠，應得好評，在南美訪問中以善於應付左翼群衆，用容忍承受屈辱，而博得世界輿論的讚揚，這次訪問蘇聯，據邁日報章記載，也可說是很成功的。赫魯曉夫對尼克遜的政治前途，是很重視的，加上尼克遜的聰明機智，民主風度，因此他此行的收穫，便更爲豐富了。

尼克遜雄辯莫斯科

在莫斯科的盛大宴會席上，赫魯曉夫一直以咄咄迫人的姿態，邀尼克遜爲撤除圍繞蘇聯的軍事基地而乾杯，尼氏則允爲在談判時再作討論，其實這是打太極的手法，然而香港的左報宣傳，竟說是赫魯曉夫的「勝利」。我們就整個對話的過程看，我覺得最可欣賞的是最後的一個鏡頭——那時候有人提議爲赫氏長命百歲而舉杯，尼克遜欣然同意。赫魯曉夫卻訕訕地說「當余九十九歲時，希望吾人再度談判。」於是尼克遜追問道：「當你九十九歲時，仍然掌握大權，人民還沒有眞正的選擧權嗎？」這一箭已擊中要害，赫魯曉夫也只好顧左右而言它了。

尼克遜這句話雖有點開玩笑，其實這是民主政治的絕大眞理。沒有選擧，沒有自由的選擧，沒有定期的選擧，這如何可說是民主？

英蘇何以熱中高峯會議

日內瓦的消息說，在外長會議中，英國仍與其它盟國有歧見。關鍵是英國希望迅速結束外長會議，而於九月間召開高峯會議。不過美法西德三國未表同意。

以目前的情況言，熱中於高峯會議的就是英國與蘇聯。表面上，她們是爲了「世界和平」，骨子裏似乎是爲了內政問題所左右的。英國的保守黨，固爲着即將到來的大選而需要促成高峯會議，即赫魯曉夫也不過爲提高他個人的國際聲譽與鞏固他國內和黨內的地位，而同樣的有此需要。問題是，外長會議的結果在那裏？外長會議既然無具體的成就，高峯會議又能解決什麼？難道說柏林問題，德國統一問題，到了高峯會議便能圓滿解決嗎？

因此，我們可以了然，一個國家的外交政策及其動向，是和她內政上變動的需要，息息相關的，說穿了，麥美倫，赫魯曉夫二人在這方面都有同樣的需要，他們需要以促成高峯會議來增高他們的身價，鞏固他們的政權。

台海軍情的未來趨勢

台北的觀察家，認爲海峽局勢將再度緊張起來。這應該是正確的，但緊張的程度到底如何？還很難說，因爲中共明知美國的現行政策是決不會撤出台峽的，所以超越金馬範圍的大戰還是難以出現的。

另方面，美國前駐蘇大使與州長哈里曼最近訪蘇歸國說，赫魯曉夫不希望因柏林或台灣而發生戰爭。如果我們拋開宣傳的立場與觀點，可以說哈里曼的話是有些道理的；斯大林活着時，他可以命令毛澤東爲他火中取栗，韓戰即由此而起。但到今天，中共再不是韓戰時的中共了，中共本身千瘡百孔，行將自斃，決不會有再打韓戰的能力，明乎此，則台灣海峽的軍情趨勢，可知其大概了。

·李金華·

共產原理之迷離惝恍

——論所謂「各取所需」

·樓桐孫·

凡共產主義之組織原則，自古不外爲「各取所需」之四字，而考共產之實，則此四字者，乃爲一空無縹緲之浮言，其結果凡被吸納於此項組織中之份子，非成爲不務不勞，無可理喻之笑談，即將陷於[illegible]之魔域。推源其理，約有三端：

第一，所謂共產主義原理者，無非意指一切人之一切需求，皆將無差別而予以滿足耳，但人之[illegible]有限而欲無窮。苟共產生活而欲滿足此一人類需要之一切分對，則僅就此一端而言，其理想已斷無可能實行之一日。

其次，抑所謂共產原理者，意指應按每人之需求而予以一切之滿足乎？此其虛說與前義同。何也？人之需要，按其體格、性別及年歲所體驗於內而表現於外者，萬有不齊；即曰此人之需要與彼人之需要雖或同矣，然其所感受之階程，又千差而萬別。吾人所感受各種需要之眞實強度，絕未有能加以明白表達或確切衡量之方法。故即或財富如山，取之不竭，然就此感受之強度而言，吾人固已無法使每人之需要，各獲平等之滿足。況生產雖告強大，而世之財物尚未達於豐溢之境乎？

又其次，共產云者，其殆指對每一人將與以每一物之相同分量乎？此正已壞佛之所想像，意義可謂簡明矣。然而此人之所需與彼人之所需，基本上常非一致。若以同量之每一物配給於每一人，則必某者厭其多，而某者覺不足。近今多數國家所盛行之配給制，雖僅爲極少幾種生活之必需品，而受配給之居民或公教人員，還已有此種非盡圓滿之感覺。行此種均等待遇而不聞怨言之團體，普天下只能見之於修道院及軍隊之中：前者爲一種絕欲主義之超人生活而後者乃爲無敢奮議之強烈紀律，皆未可語於一般之常人也。

由此觀之，可知無論就共產一詞之歷史事例或內在涵義而論，其理想皆無事實或理論可資依據。世之共產國家之必欲對於一部份成員——此當然爲被奴役之「人民」，所謂「領袖」、「政工」、「幹部」等特殊階級自不在內——而強行此均等之消費者，全爲政治之作用，以飢餓輸出，換取戰略物資，以備作滲透，暴動之侵略，不屬於本文所欲討論之範圍。

共產主義純爲一種經濟其名，政治共實之陰謀侵略主義，既經吾人略加證明而予以剔除之後，則雖辨別經濟制度之性質，實皆可以剩潤之分配作爲唯一之準繩。何也？凡投資於一種企業，或出資自辦企業，而日欲用其資而奪其利，無論憑何理由（？），並無此可能性之存在。無論個人或團體，除非純粹本於樂善之好施，斷未有肯捨資而不索酬者，獨裁之主，專暴之君，亦將莫如之何也。何也？苟出資而無利，別無論個人或團體，均必不樂於出資矣。且經營企業，盈虧不一，自取其利，亦自任其損。此勢之兩股，無可或分者也。自來一般社會主義理論家，每欲將大衆所辛勤累積而民族工業所藉以滋養之儲蓄，用公共權力加以沒收，或移轉於勞工階級所共有，可謂皆未明此理者耳。且沒收或移轉之後，資不再來，利不續生，不出數年，必將有坐食山崩，同告枯竭之勢，共產國家社會經濟之慘象，其原因即在於此。

然則人類豈必將被羈絏於此或確保利潤，或失去資本之宿命中而無中庸正道之活動餘地乎？

是又不然。

利歸於出資（力）之人，此固爲人類生存及其進化之所必要，但依已知之事理而言，此其間尙非絕無可資迴旋之新天地，此則又須另文討論之。

當今台灣文藝的危機

（金門特稿）　・常青樹・

大凡藝術家及文藝作家們，都有一個超於常人的敏銳的感覺及其獨特的性格；對現實社會的認識，也分外的深沉與精確，因此現實界對他的「壓迫」，也更加沉重。他獨立人格的活動，也不能不受到現實界的「限制」，這種有限的「壓迫」激起了作家們的苦悶。德國廚川教授說：「苦悶是活的幻想最強烈的激動劑。」文藝作家們由苦悶激起的活動，想在現實界以外意造一個世界，藉以抒洩淤積的情感，於是產生了文藝。

（一）

文藝是「苦悶的象徵」，亞理士多德在他的「倫理學」中說：「人類的最終目的在求幸福，而幸福就是不受阻礙的活動。」苦悶不能長居人們心中，現實界給予人們的「限制」不僅激起了作家們的苦悶，而且激起了所有人們的苦悶，於是追求自由與幸福，是人們的權力和義務。因此，文藝對人們的影響力，也就更加大了。事實上一部成功的文藝作品的影響力，確實是不可想像的。「水滸傳」給人以狹隘的忠孝義節；「傀儡家庭」引起了婦女權力問題；「茶花女」使人知道了烏鴉巢中仍有鳳凰，妓女們雖然卑下，仍有她專一的愛情。這些成功的文藝作品，都是很好的例子，情感的影響力，往往超過了理智的勢力。因此，宗教家和道德家要利用它達到教化的目的；政治家要利用宣揚其政治的意識。這樣的例子，歷史上不勝枚舉。當今台灣的文藝就在這樣的情形下，走上了「口號及反共八股」的狹隘道路。一般人把這個罪過歸很於「戰鬥文藝」，其實這是對「戰鬥文藝」的一種誤解，不懂戰鬥文藝的眞意。

（二）

「戰鬥文藝」應站在人生的立場而言，不應僅限於持械的戰鬥行動，如果不然，「戰鬥文藝」的範圍，就未免大窄狹了。可是正有一些人以爲如是，眞像蝸鑽入牛角。尤其不可原諒的，是寫作者沒有戰鬥生活的經驗，僅憑着外延的膚淺的觀察而從事寫作，給有戰鬥經驗的人看了，難免錯誤百出。同時有一個共同的錯誤，凡描寫戰鬥人物者，必定是一個山東人的性格，滿口髒話的言詞。好像非這樣不足以表現戰鬥的氣氛，其實這樣的言詞舉動，在軍中早已絕跡，這些老朽的軍人的印象，只能活在不進步的作家的筆下。

（三）

另外，於戰鬥文藝相向的一股暗流，是專門表現人們潛意識的黃色。他們把沒有蠅頭大的桃色事件，渲染得有聲有色，在男女關係上，不表現一種純眞的愛情，專在官能上追求滿足。這是一種病態，戕害人們心理至巨，比錯誤的「戰鬥文藝」跟者，走上狹隘的路的罪過尤甚。在他們以爲，現今勁亂的時代，人心苦悶，大家均有尋求刺激的心理，因此一味迎合讀者，出賣藝術良心，把文藝作爲職業的對象，喪失文藝的眞誠與命脈，亦在所不惜。

我們細看歷史：歐洲中世紀耶教徒們要利用文藝作爲宣傳宗教的工具，結果到了文藝復興的時代，文藝一變而成爲解放精神打破宗教束縛的主要原動力。法國大革命時代，政府當局想利用文藝宣傳自由平等，結果使文藝衰落而枯萎。總之在一個衰敗的時代，總有某種狹隘的觀念，及不健康的作品出現，「宗教」、「道德」，以及今日所提倡的「戰鬥」等了和文藝互相衝突，結果文藝也走上了頹廢的末路。在這種危機之下，當今台灣的文藝，正作家們如不即時覺醒，將來會到了不堪設想的地步。（四八年詩人節于金門大擔）

下屆誰當台北市長？

（台灣通訊）全省民選縣市長的任期，即將屆滿。下次的縣市長，將於明年四月初投票改選。有意逐鹿縣市長者，業已展開「地下活動」。

每屆縣市長，則以台北競爭最爲激烈。台北市現任市長黃啓瑞，仍有意問鼎蟬連，早於今春即展開黨內外的競選宣傳，如最近的「市政展覽」，連續舉辦兩次，又如巡視各區及軍眷區，也無非競選有關。黃氏爲執政黨的[illegible]署長，照理來說，黨內提名是不會有問題的。但是，黨內有勁敵周百鍊，而黨外則有勁敵高玉樹，他倆已經決定和黃氏較量一番，下文如何，目前言之尚嫌太早。不過，黃氏的實力在中央而不在地方；周百鍊則在地方上。因他本身是醫生，平時常爲窮苦的貧民醫病，留下好感。且他是省府委員兼環境衛生督導團長，又係省黨部委員。無黨派的社會人士，對周的影響亦不惡，所以他比較佔有「地利人和」。高玉樹則人緣極差，但他志在必得，可能發動攻勢。（聲）

陶百川迂迴談政治

・健生・

（台灣通訊）應美國國會之邀而赴美訪問的監察委員陶百川，日前在監院單獨接見記者時，台北「要聞」記者，紛紛走訪這位「鐵面御史」，然而他却出人意外地不發一言，乃以避重就輕的迂迴戰略，不談時事。

陶氏指出「美國民主政治制度，即就是政黨政治。所謂政黨政治，乃是一個國家內必須有兩個以上的政黨，互相競爭，互相監督。」這樣政治才有進步。一個政黨的直接目的是競選政府的職位，以實現其政治各方面的理想。一個國家內，有兩個以上的政黨，人民會選擇自己所需要的政黨，管理衆人的政事。因此，「一黨在朝時，其他在野的政黨，即以反對地位透過議會對在朝黨加以批評和監督，所以在朝黨有所顧忌，不敢爲非作歹，而且因爲在朝黨將來也有在野的時候，故其在朝的時候不敢濫用政治權力去壓迫在野黨，如果去壓迫在野黨，將來在野黨執政時，同樣的會採取報復。因此，政治上造成寬容的精神。假使說，一個國祇有一黨的話，那他就會濫用權力，無所顧忌，這就流爲專制和獨裁，即是有憲法也就等於具文。但是政黨政治一定要有言論自由，才能發揮作用。」陶氏的話，意義深刻，值得重視。因爲在民主國家內，政黨代替革命，人民改革政府的方法，不是用槍彈而是用選舉票。

他引述威爾基的話說。一個堅強機警、謹慎的反對黨，乃是民主政體的平衡作用所不可缺少的要素。又引史蒂文生的話說，競選時彼此猛烈抨擊乃是美國人的傳統。於是他自己說「美國有此傳統制度，對亞洲若干國家，因爲缺少言論自由和政黨政治，而表示嚴重的關切」。這是國人應該警惕而努力的。（七月廿一日於台北）

左文的餘波盪漾

（台北航訊）左舜生發表了「搶救中華民國的時間已經不多了」的文章後，台北的官方報紙和黨報已發表反駁文章。台北的民間刊物指此種反駁文字爲「指導性的宣傳政策和統戰方式的」關聯。惟青年黨的「民主潮」和民社黨的「民主中國」以及「自由中國」半月刊等雜誌，則在七月十六日出版的雜誌上，分別撰文發表意見，同意左氏的說法。除「臨時政府」的主張外，其餘各點加以申論。

自由中國半月刊認爲左氏的十六點主張，其主要點不外：（一）根絕一黨壟斷；（二）精簡政府機構；（三）加強地方自治；（四）實行司法獨立；（五）保障人民基本自由；（六）發展科學教育；（七）發展外資、僑資及民營企業；（八）裁減軍隊人數等等，還可說每一項都是針對着一個非常迫切而重要的現實問題的。該刊認爲左文的絕大部份，幾乎是無人可以提出反對理由的。該刊又說：政府當局雖明知問題嚴重，……但未見改善，且有變本加厲之勢，以至於採取鴕鳥政策，不僅自己逃避問題，甚且不願意人家提出這些問題，則不能不使憂國之士爲之痛心疾首了。又說，左氏主張臨時政府，確實是不甚妥當的，我們儘可不贊成。但不能因此就抹煞了導引出此一建議來的那些嚴重的現實問題。

「民主中國」半月刊的社論則提出四點，替左文抱不平。一、左氏愛國反共，數十年如一日。此次提供十六點個人意見，雖有其矛盾之處，亦有其獨到之處，儘可和協論辯，未可妄加攻訐；更不可歪曲推論，越乎理智常軌。二、左氏所謂臨時政府一節……推其立論之源，或在效法法國戴高樂氏憑藉第四共和合法體制，進而轉變爲第五共和。三、左氏主張裁軍三十萬人，此意亦並非出自左氏，實爲友邦人士喧嚷良久之建議。四、……既曰尊重憲法，則應以法立人，不應因人穩法。

民主潮半月刊則列舉「歷史」反駁官報黨報的言論。認爲孫中山先生於民國六年三月歐戰正酣時，曾主張我國嚴守中立，反對對德絕交，以爲對德絕交，將引起「排外之盲動」，「第二之團匪」，中國將從此大亂。然其後實行對德絕交，以至參戰，結果，並未如中山先生想像中的惡劣，是中山先生當初之堅持反對，係出於忠誠謀國，不能認爲別有用心。左氏的十六點改革建議，也還切中時弊，並非故意危言聳聽。以上爲三個主要什誌同情左文意見的大要。

以筆者個人所見，「精簡機構」及「裁軍」的倡議，並不始自左氏。監委宋英和曹德宣等，曾在監院四十七年總檢討會議席上，主張「裁併機構，裁汰冗員」。並提出具體辦法：認爲文事機關，可以併內政教育兩部爲一部，財政經濟兩部爲一部，僑委會併入外交部，國民住宅興建會以及外匯貿易小組之類，應一律取銷，民防部應併入警務處。安全室、服務站，應予取消。至於武的機構應縮小變動，保安警備兩部合併爲一。三軍總部應合併爲一，統在國防部辦公。又陳兼行政院長於本年二月二十日在立法院二十三會期首次會議作施政報告，亦堅決表示「我們必須厲行精兵政策」。可見左氏的主張，並非憑空而來的。故中央日報等之圍攻左文，雖振振有詞，仍有許多人同情左文，支持其改革時弊的建議。（劍聲，八月二十日于台北）

○劍聲○

華莉颱風襲台的教訓

・凌人・

台灣通訊

豪雨成災

本省已進入一年一度的颱風季節，本月十五日首次發生的中度颱風——畢莉小姐，雖然沒有正式光臨本省，僅不過以她的裙裾向本省東北部掠過，却已帶來了連宵的勁風豪雨，造成了本省北部慘重的災情；若干低窪地區，由於豪雨積淹，盡成澤國；各地房屋，財物損失估計超過千萬元以上，僅北市和北縣永和鎮兩地，即有一萬餘人受害，無家可歸。政府當局雖已作緊急搶救措施，然而人力、物力、財力的損失，已無從挽回。有關當局對於此次颱風的災害，未能及早防患於未然，事到臨頭抱佛脚，是應該記取教訓的。

氣象所報告欠翔實

我們的氣象所，一向所預報的氣象報告，十九均不準確，早已貽人笑柄；這次颱風警報，却又加多一次欠翔實的記錄，引起各界的不滿。當十五日晚六時，[illegible]正逐漸加劇之時，氣象所發表的颱風警報尚說：「中型颱風畢莉已經通過了台灣東北方的海面，即將進入東海，不會在台灣登陸了。」同時，台灣廣播中也引述氣象所的報告說：「颱風半徑已由三百公里縮減爲二百公里了！」根據這兩次氣象報告，致使很多本省人均認爲颱風不致侵襲，心理上未免減少了警覺，更談不上作防範的準備，因之造成了很多本可避免的損害，輿論方面已提出指責。然而，我們感到風雲變幻莫測，以現有氣象所的設備和人才，也殊難達到百分之百的正確報告；不過，對於颱風警報，有關大衆生命財產的安全，關係甚大，如無絕對可靠性的把握，仍宜以提高百姓作防範的報告爲佳，以免造成突發不可挽救的錯誤！

「低窪地區」應澈底想辦法

在本省這種處於颱風地域的地方，又逢進入了颱風季節，則一般人對於颱風的來臨，自應先作充份的防範，殊不應全憑氣象所的報告，存僥倖免於災的心理，才是正常道理。縱然颱風不直接侵襲，而在其半徑邊緣，雖無烈風，而豪雨在所不免，也應作未雨綢繆的預防爲妙。至於台北市區及北縣永和鎮等近河流低窪地區，一經狂雨，即可成災，過去颱風時節，已迭次發生災害，類似此等必然成災的災區，政府實宜作一勞永逸之解決方法：或勸導居民自動遷居他處，或撥地撥款建築住宅，租售貧困民戶，這樣，應較每次颱風雨水爲災後的搶救來得澈底，同時，亦可省掉每次臨時救濟鉅款及人力的浪費！

對水利工作帶來考驗

由於這次颱風下的豪雨，以致各地河川水位激漲，造成了空前的水災，淹水最深處高達五尺，最低處亦有二、三尺深，馬路汪洋一片，盡成澤國，這些大水地區除了沿河川兩旁的地區外，其他則係下水道不健全所致，因此，颱風豪雨爲災，對我們的水利工作部門，帶來了考驗，顯示了我們的水利工作的失敗，無論是河川方面，都市下水道方面，在在都不足以應付暴風雨的災害，這一層負責水利工作者，是不能辭其咎的，試想，一個近代都市一爲風雨所侵，即成澤國，陸地行舟，這還成個甚麼現代化都市，豈非成了洪荒世界了？因此，我們認爲欲做好防颱工作，必需做好水利工作，防洪，防川的設備固應加強，而地下水道的改善，更需要做到能容納暴風雨的水量不致積留，而能暢所排泄，當然這幾項工作說來非一朝一夕可以做到，這就要看負責縣市政府的首長們，拿出遠大的目光，堅強的意志來，去計劃，去實踐了！

審計部公佈鉅額漏稅案

弓長

（台灣航訊）監察院於五百八十次會議，公佈審計部在抽查政府機關的財務行政時，發現台北、台南市及台北、桃園、台中、彰化縣等稅捐稽徵處短征申一等十三家紡織營利事業所得稅一千五百四十九萬七千二百七十七元，及附加防衛捐四百六十四萬九千一百八十二元四角七分。合計達二千餘萬元的鉅大漏稅案。

該案係台灣省審計處協審與國仁所查覆，因爲各紡織廠由四十三年至四十六年止，使用美援原料，歷年均按估計成本高估列賬，在原棉聯購處結算通知實際成本後，亦未照規定在賬而沖轉利益而短報所得稅，達到漏稅的目的。稅捐處核定該所得稅額時，亦多未依照所得稅法第四十條之規定，及四十六年度營利事業所得稅結算申報查賬準則內銷貨成本之審核第二條規定，予以調整，將查核經過，檢同查賬報告，送有關機關。例如華南、中和、新台灣等三廠，原棉進貨僅列七元或八元，這與實際成本接近，而其他各廠以九元或十元列計，顯屬不當，自應依法糾正轉列，以符合規定。因而審計處函財政廳在四十七年度內按規定整理，迅予補征以裕庫收。審計部依法將該案辦理經過，報監察院。

十三家紡織廠中，除中和紡織廠係低估成本，不應再行補征外，其餘大秦紡織廠等十二家紡織廠，應予補征。

本年六月初，台灣省議會舉行本屆五次大會時，省議員胡克柔在省政總質詢中，曾提出該案質詢，旋因省政府運用某種關係打消質詢，且省財政廳允予澈查辦理，而審計部竟將財政廳未依法處理的經過，送監院處理，這是繼中興新村，海埔新生地開發、以及侵佔國庫等重大舞弊案後，又一轟動全省的鉅額漏稅案，其中是否有官，商和民意代表勾結舞弊的情形，有待於監察院的「御史老爺」們去澈查了。

廣州廿四小時

◁特寫▷

夜的沉寂並沒有維持多久，清晨三點鐘一過，街上的「人龍」就出現了！

大清早，天還是黑濛濛的。二十五火的街燈光黯淡地照射着街道。雖然天還黑，但街道上已經是人影幢幢了，而且一片吵鬧聲。每隔十多間舖位的地方，就有一條「人龍」。

只望能買到一塊鹹魚

這些長長的人龍，往往排出去好幾丈遠。其中多數是十歲左右的小孩子，也有背着嬰孩的婦人、老婆婆。小孩都打着呵欠，揉着惺鬆的睡眼；大人都在吱吱喳喳地交談。這些「長龍」，都是等在各種食品零售店門前，等待九點鐘零售點開門，可以買回一些食品的。這時，夜班工人也剛下班。因爲交通工具大多被調去「支援建設」了，所以他們只好拖着疲乏的步子走回家去。看到排隊的人羣，就會這樣想：回家後是不是可以幸運地看到一塊鹹魚。

豆藤小鹹魚是上菜

天色大亮，排隊的「長龍」有的已漸漸散去，因爲這一種貨物已經「按計劃配售完畢」。排在前面能買到的就成了「幸運兒」，排在後面買不到的也祇敢暗暗嘆倒霉，絕不敢公開表示不滿。因爲所有的零售店早已隔日聲明第二天配售的東西和數量，以及每本戶口簿的限量。配售數字售完了，當然祇好空手回家。雖然買到手的也只不過是些爛菜皮，小鹹魚或老豆藤，但這一天總算有了「好菜」了，如果買不到，那就只好仍舊用那角南乳下飯，準備第二天再起得早一點去排隊。

中午，是到了下班的時候了。人像潮鋒擁地走着路，那是趕回家吃飯的（街邊的公共食堂大多數已經停辦了）。因爲中午休息的時間實在太少，他們不得不急急地趕路，以免下午遲到，又要被批判爲「不遵守勞動紀律」。不回家吃飯的，就在本單位的食堂吃。這幾天食堂普遍的菜是「豆藤魚」——把荷蘭豆（即豌豆）的藤切碎，抓一把不到一寸長的小鹹魚在上面，就是了。因爲大水剛過，郊區十一萬畝菜地被淹，青菜的供應比一個月以前更缺，幾乎絕跡，所以過去連喂豬也不用的豆藤就成了青菜的代用品了。提起洪水，水災對廣州市的威脅還未完全消逝呢。六月份一場大水，廣州幾乎成了死市。工業生產、商店全都停工，人都出去防洪了。郊區拆了幾千幢房子，用拆下來的磚和木來做防汛器材，來擋洪水。但是郊區還是一片汪洋。而且拆掉了的房子無法恢復，廣州市區裏也就出現了攜老帶小的郊區災民。派出所的「人民警察」看到了就趕，因爲他們「不遵守政府法令」，黨委既已下令生產自救，他們爲什麼還要到市區來「擾亂秩序」。郊區農民的大量流入市區，進城的農民又平空多了起來。在開中飯的時候，最使人担心的就是有鄉下出來的親戚來訪了。不爲別的原因，就是因爲糧食不够。每個大人每月不過配二十三斤到二十五斤米，自己吃已經很緊，怎能再招待人呢？自從水災發生以來，到食堂吃東西也嚴格得很，都要憑證明，輕易買不到手。

工人正面臨大「整頓」

午飯後，機關和工廠中都有學習任務。在工人中，正在展開「整頓工人隊伍」的運動，廣州市委工業部早就發出指示，要各地工廠抓緊停工的空隙時間，組織工人學習，整頓工人隊伍，工人們被命令「思想排隊」，思想被認爲是不好的話，就要被動員回鄉「支援農業社會主義建設」，第一批，第二批一共四千多工人，已經就這樣回鄉了。學習運動是一個套一個，永遠也沒有個空的時候，所以許多職工，午飯都沒有回家吃，就在工廠吃，吃完之後，跟着就要學習，學習完後，又要鼓足幹勁搞生產，沒有休息的時間。

在機關中現在正進行着一種「新三反」的運動，這一個運動公開叫做「幹部整風學習」，而學習的內容則是「反貪污」，如果被懷疑貪污的人不肯承認貪污，那麼，他就會有「下放」的危險，這是在機關中的「整頓隊伍」的工作，一些被證明有貪污或者「思想不好」的人，已經準備到農村去「支援農業建設」了。

目前實行分區停電

晚上，因爲要節約用電，所以是分區停電的，公共場所開電風扇也受嚴格的限制，是悶熱的。又是黑暗，在黑暗和悶熱的廣州市，人民就是過着這麼困苦的生活，沒有魚肉、沒有蔬菜、沒有一切食的和用的，過去「食在廣州」的口頭禪，隨着「解放的新生活」的到來，已經成爲歷史陳跡，一去不復返了。

夜的沉寂並沒有維持多久，清晨三點鐘一過，街上的「人龍」就又出現了。（大陸社特稿）

買香烟也要排長龍！

近幾個月來，街上的長龍比過去任何時間都多了起來，甚至現在連買香烟也要排長龍了。因爲最近烟酒專賣公司規定，由於香烟脫銷，所以配售香烟不但時間統一規定，而且數量也受着嚴格的限制。最近的規定是：機關幹部每人一天配售二十支；企業工人配售十支；居民和郊區農民只有五支。而且一律要憑工作證或介紹信購買，買了之後由專賣公司做上記號，不准再買第二次。因此，近日來，廣州市面流行着一句關於吸烟的「新民謠」，是：「新戦要戒，舊戦要領牌」。就是新吸烟的只好戒，本來就吸烟的只好領牌排隊的意思。

國際動態拾零

△匈共，不久即頒佈大赦案，許多以前之政治犯，將被大批赦免。

△紛傳大批蘇聯專家，在保加利亞北部設立火箭站，但有火箭知識者，則知其不然。這不過是虛張聲勢，事實上在巴爾幹是不宜設立的。

△自印尼蘇聯武官申請政治庇護赴美之後，蘇聯對駐東南亞之特務人員，將大舉整肅。計已被召回者，緬甸有六人，印度二人。印尼高棉之蘇聯特務人員，亦將被調回國，只是人數未定。

△南越之吳廷琰，曾告其美國朋友，謂受有共匪之壓力，將進兵高棉，並掃蕩北越之游擊區。渠深知如此做法，將有不堪設想之後果，但爲確保其本國安全，亦不能不如此。

△艾森豪認爲戴高樂之英美法同盟，及法德意軸心計劃，均足以在一年內，使大西洋公約國解體，故非急起補救不可。

△荷蘭駐北京外交官，設法與東德駐北京大使來往，發現那批外交官不會德語，而僅說俄語。

．陶然．

大陸文壇通訊　七卯

俞平伯失去「紅專」頭銜

北平消息：中共在文學方面的專家，最近忽然又少了一個：他就是一名「紅學家」——研究「紅樓夢」的專家俞平伯。俞平伯自從「紅樓夢辨」一書出版後，而獲得了這頭銜，算來已有三十餘年的歷史了。

上月中共「光明日報」的副刊「文學遺產」上發佈了一個消息，說是今年春間，中共科學院文學研究所在北京市場上，發現了一部乾隆年間的「紅樓夢」一百二十回手抄本，用重金購買回來，並將其中第十七、十八回之間原缺的一部分製電版刊出，據說這書的發現，可以推翻過去認爲紅樓夢的後四十回爲高鶚所續的說法，對紅樓夢的全部著作權問題，必須重新另找答案。現在已在研究所中將手稿殘缺加以補校修整，即將交付上海中華書局影印出版。

消息既然肯定了這部手稿的價值，並且有了「紅學專家」鑑定的話，我很想知道這位鑑定專家是誰呢？因爲據筆者所知，當今研究紅學的專家，除了俞平伯莫屬。因爲在大陸上的學人，對紅樓夢的研究，似乎還沒有能超越俞平伯的深度。

誰知我這想法，竟是大謬不然。在另一期的「文學遺產」上刊登了俞平伯的一篇短文，文中說他居然至今未曾見過這部手稿本，直至見到「消息」，才知道這麼一回事。但他畢竟是紅學專家，已經指出了一個漏洞，因爲光明日報發電版刊載出來的第十七、十八回之間原缺的文字，並不與脂硯齋評閱的八十回本相同，並且與程高印本的一百二十回本也不同。他說這部手稿既是高鶚所作的，那麼爲什麼和高鶚印本又不同。因此，續後四十回的看說，很難推翻。

俞平伯是一直以紅學專家的頭銜，被中共安置在北大研究所裏的，一九五三年俞平伯命寫「紅樓夢簡論」一文沒有遭遇胡適派的指示修改，遭受到清算。到五四年紅樓夢案的鬥爭由俞平伯轉移到馮雪峯身上去，俞平伯始得度過難關。第二是他認爲前八十回是曹雪芹所作，後四十回是高鶚所續，此種觀點仍受讚賞，研究紅樓夢的說法，仍然維持。但這次從前年校勘出版的脂批八十回本，可以證明，如今何其芳主持下的文學研究所，竟不讓他自「紅專」頭銜，更推翻俞平伯在脂批本的研究，但伯卻是書生，仍不願失去「紅專」頭銜，天真得太可愛了！

．農業分配．

七月十二日「工人日報」報導：今年許多地方的人民公社中的夏糧分配比例是：積累部份佔總收入的%四十（包括農業稅、公社積累和生產費用等），分給農民的則佔總收入的%六十。去年這方面的比例是，積累佔%六五—%七十，分給農民的只佔%二五—%三五。由這種比例比較來看，分配已有很大的轉變，這種轉變同時反映出公社的控制在物質上亦已放鬆了。其所以要作如此改變，無疑是爲着以物質刺激農民，從而來鞏固人民公社。

工農業比例更懸殊

去年七月蘇聯科學院經濟研究所刊物在評論中共第一個五年計劃的文章中，認爲：中共的工業發展過快，要是不能保證工業發展的適當比例，迅將帶來不良後果。

本欄前已指出，今年農業的計劃指標看來只是增長百分之十；再加上積累與分給農民之間比例的變更；無疑，今年農業方面能支持工業躍進已經顯得很多。——這裏是把其自報的產量當做依據而除開來不談。

另外，七月十二日本欄亦已報導，毛澤東現在死命要工業方面的高速度不放，這樣，無疑將導致工農業發展比例的更懸殊。我們不相信毛澤東一個人的手勁會如此的大，看他能維持這種局面多少久？如何使工農業平衡發展不露痕跡？這裏是毛目前最重要的課題。

日內瓦會議的僵局

日內瓦四國外長會議拖到今天，看來似已成爲僵局，再加上赫魯曉夫於北歐興論有反蘇聯之處，取消了預定的北歐訪問；因此，敏感的觀察家認爲蘇聯的對外政策可能已由緩和而轉趨強硬。的確，對於蘇聯政策的突然轉變是不可不防的，但我們認爲在目前蘇聯還是不至於這樣做的。假使說，蘇聯還真政策轉變了，那麼也就是它最後必須要防到大戰的一步。從其七月底以前所召開的中央委員會來看，並不像想打起大戰，此外，本欄又已說過，赫氏不但似乎對其國內與國際有過承諾，要舉行巨頭會議，這一目的未達，對於赫氏的國內和國際聲望也大有影響，我想他不致于輕然取消這一目標。

毛澤東力不從心

從去年的情況來看，對赫氏世界政策牽制最大者是毛澤東，但今年與去年不同了，毛就是要想搗蛋，從前途情況來看，似已力不從心的了，最多也不過叫囂而已。

因此，我認爲只要西方團結一致，像現在一般的加強壓力，堅持戰爭邊緣政策，絕不放棄西柏林，把「反對奴役」週的宣傳再擴大一些，不但日內瓦會議會獲得滿意的結果，還可能會有意外的收穫。○田心。

瘟君夢

第三回：點石成鋼　魔王施妙手　指鹿爲馬　嘍囉建奇功

試想在這種情形之下，誰還敢怠慢，「北京」市內的一批作家們，也在黨領導下大煉其鋼，其中有一位老作家張天翼，在中國文壇上成名頗早，人也耿介脫俗，平時對於政治向來採取不問態度，「解放」後，中共對一般潔身自愛的文人，向來是不肯放過的，不知何故，對張天翼卻特別客氣，派他當人民文學的主編，雖然有職無權，但是黨外作家能担任主編的也只有他和巴金，臧克家三人。

儘管共產黨大力籠絡張天翼，但是張天翼仍然保持着一付閒雲野鶴的態度，對於共黨的政策向來未發表過擁護的言論，時間一久，高級共幹還不覺得怎樣，嘍囉們漸漸不耐了，去年中共施行過一次幹部下放政策——主持作協的共幹，首先把張天翼放到張家口去，本來那一次就打算把張天翼趕出「北京」，排斥在文化圈子之外，不料下放政策失敗，中共當局沒有辦法，又把下放的人全部召回來，張天翼邀天之幸，未被迫去作農民。這次煉鋼一開始，幹部們非要他作工人不可，就在作家協會院子裏，建了一個煉鋼爐，派張天翼去帶頭煉鋼。張天翼活到六十多歲，懂得什麼是煉鋼，結果鋼未煉成，迸出的鐵汁先把他炸傷了，睡了一個多月尚未復原，以後雖然痊癒，也留下了許多瘢痕。

「北京」如此，上海更不敢後人，頭號黨攏人士宋慶齡也出頭煉鋼了。宋慶齡的歷史不必介紹了，中共政權成立後，她最初担任一名副主席，一九五四年改組，副主席祇保留一名，由朱德担任，宋慶齡和李濟深這兩位副主席就改任人代常委會的副委員長，實際上不問副主席也好，副委員長也罷，總之都是一個虛名。宋慶齡經常住在上海，遇到紀念節日照例寫幾篇捧場文字，有時爲了向張揚國家進行統戰，也由宋慶齡出頭招待一番，就算是完成任務。

宋慶齡住的房子是花園洋房，地方寬大，中共對煉鋼的宣傳力量，一向是重視的，於是就發動宋慶齡煉鋼，在她的花園裏建了一座小高爐，大煉其鋼，宋慶齡親自用老虎鉗鉗住一塊鐵，傍邊一個工人用錘敲打，共報印成照片，到處散發，讓人民看看，宋慶齡尚且煉鋼，何況你們，被石頭壓死的，小高爐爆炸燒死的，鐵汁濺死的，死的人雖然比較「土改」要少些，但是卻慘得多。

煉鋼的慘劇，全國到處發生，人們奇怪的是，這次大煉鋼鐵中，參加煉鋼的都是民主人士和人民，不但毛澤東，周恩來未曾出馬，各省市的負責共幹也未親身去煉鋼，照小幹的說法，他們的工作較煉鋼更重要，所以就把這項光榮的任務讓給人民了（五六）

岳騫

釋耒集

立言

晉書陳壽傳云：「丁儀、丁廙，有盛名於魏，壽謂其子曰：『可覓千斛米見與，當爲尊公作佳傳。』丁不與之，竟不爲立傳，壽父爲馬謖參軍，謖爲諸葛亮所誅，壽父亦坐被髡，諸葛瞻又輕壽，壽爲亮立傳，謂亮將略非長，無應敵之才，言瞻惟工書，名過其實，議者以此少之。」晉書所云，或未必果有其事，要之亦足爲執筆之史家所鑑戒，因歷史之價值首在可信，夫褒貶失當，是非固不能盡同，若挾其執筆之權，公然索米，則一操觚之強盜耳，其書尚可信乎？昔韓昌黎未達時，上書京兆尹李實云：「愈來京師，于今十五年，所見公卿大臣，不可勝數，皆能守官奉職，無過失而已，未見赤心事上，憂國如閣下者，今年以來，不雨已百餘日，種不入土，野無青草，而盜賊不敢起，穀價不敢貴，……非閣下條理鎮服，宣布天子威德，其何以及此。」其于李實，推崇備至矣，及奉旨撰順宗實錄，則曰：「實諂事李齊，驟遷至京兆尹，恃寵強愎，不顧邦法，是時大旱，畿甸乏食，實一不以介意，方務聚斂徵求，以給進奉，……陵鑠公卿，勇於殺害，人不聊生。……」同一李實耳，前後之詞，相反若是，後人讀其書，將何所取信乎？陳壽不附黃皓，志節皎然，時人又稱其善敍事理，有良史之才，韓愈詩文，爲一代宗師，身以道統自命，若此等類，寧免小疵？近者修纂通鑑，關心國事之時賢，紛紛著論以評其是非，其主張之或反或正，用意之爲公爲私，今均不擬論列，獨怪若干論客，初則攘袂其說，若甚矜慎者，卒亦同俗自媚，自悔其孟浪，甚或前後持相反之論，轉以其箴鋒指向同列，以圖稱罪立功者，或甘令今日之我，與昔日之我爲敵者，縱情者跡，使讀者不能無疑，是則陳壽索米之事，韓愈矛盾之詞，終古無由暴白者也。學者著書詔後世，時賢發表言論以鍼砭時俗，同爲立言，固貴有眞知灼見，以啓導社會人羣，尤貴能表示眞是非以扶持正義。而立言之足以儕于立德立功者亦在于此。

昔魏收奉勅撰魏書，書成以後，列傳中人物之子孫百餘人，均反對收所撰述，北齊文宣帝，乃令收與此百餘人對躍舉訟，時人因號其書曰穢史，著述界資爲談柄，其是非今已不足論述，要之收爲奉勅撰史，爲迎合統治者之脾胃，及得所謂貴臣之歡心，人非南史董狐，勢不能一字無私，亦人之常情，今人言論自由，可以作，亦可以不作，苟非對國事有自信之見解，則不如守之緘默，否則春風春鳥，秋月秋蟲，譚物小篇，亦足取以自娛，以文學言，則賓賢之奏疏，未必遜儕于章孟之篇章也。

由齋

生·老·死

朱韻成

——夢曦集——

（一）

在星星與星星間飄浮，那有限而無邊的宇宙是冷漠的。我飄蕩、飄蕩……

我不解，困惑的到上帝的殿座前俯伏，『聰明的上帝啊，你既然創造了生命，爲甚麼給他們這麼多死亡和苦難？』

上帝大有深意的笑着，命令一個天使，『帶他到地球上去，使他做一個平凡的人，他自己會找出答案的！』

『我不喜歡做人，短短幾十年生命，受盡苦難，到頭還是空。——那簡直是無聊極了！』

『去罷，你會愛上生命的！』

於是，我來臨了下界。

渾渾噩噩的童年，我享受了大自然一切隱藏着的美，那裏面有無窮的謎語。

少年時代，那些浪漫的苦難與幸福的日子。在初戀愛人的笑容和明眸裏，我看見了整個世界的豐足。

我娶妻、生子，在兒子擺動着的小手腳裏，我窺見了生命的永恆。

然而，善與惡的鬥爭、現實與理想的鬥爭、人與人的鬥爭、與自然的鬥爭……人生，永遠的鬥爭着。我笑、我哭，我不斷的希望，不斷的失望。有時候我厭惡了鬥爭、厭惡了生命：『讓我解脫自己罷！』『我不想再活下去！』——但我仍然活着。

老年來了，像夕陽西下一般，生命黃昏逼近了。我所有的絢爛與輝煌，所遺留的不過是額上的幾條皺紋罷了！

那一天，死神披着黑色的大氅來了，向我邀請，以至於向我壓迫着：

[illegible]

不懂得生命的美好！能活上千百萬年是多麼好啊！我不去，我要活！我要活……我……』

（二）

我夢過許多遍了，常常我還以爲它是真實的。但誰知道它是假的呢？當有一天我眞的死了之後。

那是一個陰濕的秋天黃昏，天是灰色的，地也是灰色的，一切都被染上了[illegible]的聲音，使人更容易感到寒冷了！

圍繞着我的是一大片墳地，那些墓的拱形一個一個的連接着，上面長滿了黃斑斑的亂草。石碑、十字架、天使、花環東一個西一個擱着，都殘落了，灰麻麻的帶了一點露綠的苔痕。

我記得實在有一天我是獨自在墳地裏走過，時間却想不起了！我有一種怪異的感覺，彷彿我知道自己的墳也在其中，頂上生滿了亂草。自己可以看到自己的墳，那種感覺是難以形容的，在還覺不清楚自己還是活着抑或是死去的時候。

墓碑上我看見幾個字，其中有我的名字。那個墳顯然是很古老的了，長滿了黃草。墓碑灰麻麻的，綴着幾斑苔痕，頂上左角缺了一塊。

那是很荒涼的：我忘去了世界，世界忘去了我！——我也忘去了我。

有兩朶小小的黃菊花在墳頭綻放，美極了。這些默默無聲的生命，還要嘲笑我的死亡呢？

我夢過許多遍了，時常我還以爲它是眞實的。但誰知道它是假的呢？假如當一天我眞的死了……。

美國國慶日讀華盛頓總統遺訓感賦（并序）

詠余

去歲七月四日，余感於古希臘興亡之陳跡，洞賦美國人士。今茲又一歲矣。此邦風氣漸頹，道德淺薄，宗教頹廢，學術，多主與蘇共妥協，以求苟安，而忘却華翁於一七九六年退休時之臨別贈言。斯乃軍人生而不忝天道，其身日富，其學日進，其德日損，欲不蹈雅典與羅馬敗亡之轍，豈可得乎？[illegible]之實，余何敢多讓焉。是爲序。

大哉建國雄風，[illegible]……公歿百六載，（註）時事堪痛哭。科學日昌明，倫常日暗黷。[illegible]

[illegible]

（註）華翁一七九九年逝世。

廣東通志談叢

未完成的續廣東通志

竹菴。

遜清宣統元年（一九〇九），距阮元修粵志（一八二二）時，已近百年，各縣新修之志頗多，如番禺縣新志係[illegible]修，東莞縣志亦出陳伯陶纂修，則省志尤有纂修之必要，因此宣統二年，湖北按察司、番禺人梁鼎芬，奏請續修廣東通志，但未實行，而清祚已屆。至民國四年，龍濟光督粵，番禺人蔡乃煌銜袁世凱之命，任四省禁煙督辦，因粵時，當時清室遺老凋零，龍氏欲維繫一般清代耆舊，藉以收拾人心。乃由蔡乃煌介，揭議建立廣東通志局，聘梁鼎芬爲總纂，其用人均由梁氏主持，用最隆重之禮敎請，粵中各宿學之士，先惠德之任。當時梁正懷心事，聯絡各方，希圖復辟，無心於著述，故志局職任，既未就職，亦未辭卸。各職務及籌劃事宜由番禺舉人梁慶桂代表，主持開局。龍濟光復委陳鑒棻爲提調，許壽田爲掌收，分聘總纂及分纂。總纂除梁鼎芬本人外，則有易學清，伍銓萃，桂坫，溫肅，鄧[illegible]，顧際熙一共六人，均翰林院中人也。當時社會觀念，仍以科名爲重，豈知翰苑中人，多空疏之輩，又清代學者，至咸同而後，已洩殆盡，而吾粵亦於同光以降，大有着彫零之感。以觀嘉道間，阮志纂修時，人才鼎盛，固不可同年而語也。任總纂而非翰林者，尙有順德人何藻翔，（修順德縣志，著使藏日記，纂嶺南詩存）。番禺人梁慶桂，（著式洪書，（朱次琦弟子，修番禺縣志）。番禺人汪兆銓，（陳澧弟子，著惺默齋集），及新會人譚鑣，（粹於經史）。一共五人。此五人尙符人望，至分纂則聘定南海人羅瀛田，（鄒伯奇弟子，精於測繪術）。（六）

難道她穿的不是「背心」嗎？

窮小子過夏天

張瘦碧

窮小子過夏天，我認爲另有一種樂趣，不過你千萬不要拿人家來比自己，那末你就要自尋煩惱。

夏天雖不開冷飲，暑熱蒸薰的時候，若不吃些冷凍物，心裏會覺得有些受不了，我們不去羨慕那些豪華之家使用電氣冰箱，祗要預備一隻土製冰櫃，已經心滿意足，可叫冰店送來大方塊的冰，也不一定非要常喝汽水，常吃冰淇淋，就是灌幾瓶白開水，放在裏面，口渴時倒一杯出來，也覺陰涼可口。假使你一切能夠退而求其次，不與人爭，不爲人羨，那末你就定會減少一切無謂愁煩，在過夏天的時候，沒有愁煩，心裏自然安靜，如能安靜，便可怯暑。

古人怯暑方法，就在一個靜字，那些整天爲利慾薰心的人，東奔西跑，心裏如何能靜得下來？

若要講到夏令衛生，凡是閒人，闊人，忙人，……我可以說他們都辦不到，你想一天到晚，爲人爲己，許多避免不了的應酬——酒家、飯店、菜館、咖啡座、舞廳……，在舞着之下，驕陽之中，趕東趕西，始終懷着一副緊張心情，週旋其間，試問他們那能夠「靜」？心不「靜」自然就不能「涼」了！

這又是窮小子的得天獨厚的地方了，一日三餐，俱有定時，沒有無謂的應酬，沒有緊張的心情，吃得淸淡，睡得充足，病菌無由而來，自然能夠保持在夏天裏健康。讀者不要笑，早點喝豆漿油條，午餐是絕對避免魚肉油膩，晚飯說不定饅頭稀飯，醬瓜醃菜，這樣的飲食，很淸潔，標準衛生，當然符合攝生之道。

閒來無事的時候，不去擠在人烟稠密的地方，不到脂香汗臭的男女人堆裏，在自己家裏找一個角落，一張籐椅，躺着養神，甚或開了電扇，放了收音機，聽着吹彈，半皿清茶，一碗綠豆湯，等待着雲際的明月星星，等你身上覺得微涼的時候，即回房而臥，一覺睡到天亮，這種生活，非窮小子又誰能夠享受？

銀壇隨筆

悼念王元龍

修衛

王元龍以飲酒中毒，不死於香港，而在寶島長眠不起。沒有人不說：「死非其時；死得其所。」所謂「死非其時」，他的年紀纔五十六歲，他的氣魄、精力，和好萊塢奇勒基寶一樣，如日方中，後者還在瘋靡、和困擾着千百萬婦女心情，與施展其風流小生絕技；前者却常歎「英雄無用武之地」，以酒遣懷，正如「善泳者必溺於水」，而竟亡於酒，聞者沒有人不加惋惜。

「死得其所」，像他這樣一位躬忠愛國，不屈不撓的愛國藝人，像他這樣一位中國電影史上，飾演角色和拍片最多的人，數不出第二位；可是，他在香港雖執自由影劇界牛耳；在銀幕上終屈居人後，全能演員不被重視，也是自由影壇的失措。六屆亞洲影展，他未觀光一次，淡名利如王元龍雖無所謂，我不能不爲他抱不平，那是不是由於他隸屬於兩家公司原因？自非外人可以理解。從這一點上看，他如果死在香港，絕不會像台北那樣轟轟烈烈，說不定就只有落得「默然長辭」四字。身爲中華民國之士，死而無愧（他畢生清白無愧於人，毋負國族）；可是，他死不瞑目，沒有見到山河重光，只有寄望於後人。但識與不識，總覺得他死得太早。

王元龍譽滿四海。沒有人不說他是「夠朋友」的。我在一個月之中，總得巧遇他幾次。除了頷首，從沒有交談一語，和他對別人一樣，從不坐下來空聊；看他的樣子很忙，有人呼他一聲「四爺」，他喉嚨裏「嗐！」一聲，脚步早已遠去。從他的眉宇間看，多少帶些悒鬱神情。在香港，他完成了電懋的「雞鳴風雲」，這部片子是「四千金」續集，他飾演四位千金的家長，「四千金」在五屆影展獲「最佳影片」獎，「闊」片斷有更佳的演出。這次在台北，助「新華」拍「茶山情歌」及「青城十九俠」兩片，「出師」未旋而身先逝，這兩部片子已成王氏結束從影史的陳跡！

今後，香港自由影圈，該由何人以繼王氏領導重任，朱旭華、童月娟？抑是胡晉康呢？

自由人
THE FREEMAN
（第八七七期）
中華民國僑務委員會頒發登記證台新教字第一〇二號
中華郵政台字第五〇〇號執照登記爲第一類新聞紙類
（半週刊每星期三、六出版）
每份港幣壹毫　台北市售價台幣貳元
督印人：陳文華
地址：香港高士威道二十號四樓
20 CAUSEWAY RD. 3RD. FL. HONG KONG
TEL. 771726
承印者：東南印務出版社
地址：高士打道六十四號
台灣總經理處：台北市西寧南路[illegible]號二樓　電話：三〇三四六
台郵撥儲金戶九二二五二
海外總經銷：友聯書報發行公司　香港：彌敦道中二十六號A二樓

談香港的中文大學

方理陶

三年以前，崇基、新亞、聯合三校，成立一個大專聯合會。以聯合書院院長蔣法賢主席，新亞代表任英文秘書，崇基代表任英文秘書，並另由專人主管其事。上學期間教育司曾根據察各上專學校，即向三校負責人透露，成立中文大學的計劃。先因英國教育部與殖民部考慮有無聘當之教授，不無遲疑。後由教育司將此三院的教授名單送英考核，大體滿意，始決改此三學院爲津貼學校，以爲成立中文大學之先驅。每年津貼，合共動用港政府公款百餘萬，將來中文大學，經費當與香港大學相埒。英政府辦事，向以保守濡緩著稱，而此項則特別迅速，想係國際之迫切需要而然，而亦見其早下決心。較之美援之用在香港者，不下數千萬美金，而用途不明，局外人莫名其究竟。其効果不僅等于零，而且發生負號的影響，引起多數人憎恨者，自不可同日而語。

教育司雖屢言將來上專學院，祇要辦得合于標準，就可逐漸加入，似乎可如倫敦大學之由數十單位組成的模樣，但細按之則不盡然。只一間學院，即在津貼學校階段，每年亦需補助數十萬元，故在政府方面，勢亦不能不愼重考慮。從學院本身體想，如果已有成績，而有加入資格，則經費方面已有相當把握，必怕受到限制，而不願加入。過去中學，有已受到津貼，而又請取消者，即其惕怕教育司之干涉，已爲香港教育界之普遍心理。所以即此三院，教育司亦聲明保持其傳統，新亞亦以此爲條件，故在短期間內，旣無法掃除此一普遍之恐懼心理，願加入者亦不會多。

祇有津貼的三院，教職員待遇相當提高，而學生將來亦可派至官立與津貼學校教書，所以內有前途而皆大歡喜。然我以爲此僅技業問題，而發展高等教育之根本問題，決不在此，茲提出討論之如下。

大學的目的

顧名思義，將來之中文大學，係以中文授課，便于中文中學之升學而設，與港大之英文施教，爲便于英文中學學生之升學者，將如雙軌之並進。但中學生不一定皆升入大學，而以英文中文，公立大學，殊無必要。學問是超越語言而不爲語言所限的。計大學之目的有三：

1養成學術界專家及通儒，

2培養中學教師與職業人才，

3提高國民教育。

以第一點言，專家通儒，勢非並重不可過於專業化，祇能造成技術人才。故通才教育，現在英美，皆竭力提倡。但所謂專家或通儒者，旣需大才，又要不斷努力，待走上學術軌道以後，除讀書，思想與實驗之外，眞是百無一用是書生。但這班人却是文化推進的原動力。國家實在少不了他們。不過他們旣無暇治產，爲促其專心計，國家社會，不惜用種種方法，負責其生活。這班人的來源，多數從大學生中之優秀分子選出，而由教授前輩專家不斷與以指導，使其能以青出于藍，繼往開來，負文化使命以赴。

第二，英國對培養師資，設有師範專校，但英國于大學之上，設有一年之師範學院，以一年上課，所謂師範大學者，僅爲津貼學生之宿舍，每學期僅有數次之各科教學演講。（小學教員之培養，亦如英國有男女師範學校。）[illegible]

大學與專校的區別

[illegible]

不可，學術須以自由與普遍，爲其發展之必要條件。且知識之發展，有遲至廿五歲大學畢業以後者，如愛因斯坦，少年時功課極壞，馬克思從二十歲讀至三十歲，始能畢業。其在大學時代，都算不得高材生，即無法受到國家的津貼。故國家爲求實材計，非將所有中學畢業生盡批收容于大學不可。然却不能保障其將來[illegible]

業生，如自己對學術沒有進修的興趣，不是回到老家，繼續舊業，就是到工廠去做工，其中學生小學生受同等待遇而無怨。決不至如中國之大學畢業生，不是官僚就變爲高等游民，國家爲之失插，失插之下，則相率而革命，社會永遠動盪下去。若謂大學製成此等罪惡，則何以歐美能設法避此現象，可見這是教育之事，沒有防患未然之咎，而在貧窮國家爲政者應注意之事。

大學教育應如何改進

港大畢業生，港政府則予以職業保障，一經畢業，即有八九百元月薪之待遇，將來中文大學學生之希望亦在此。但這是高等教育與職業教育未能認清楚之故，[illegible]

能在廣大羣衆中，選拔眞才，且使學生們，祇注重于考試，以謀將來較好出路，決不能特別學術探奇之興趣，不會潛心研究之空氣，[illegible]

少，故中文學之任務趨于培養中學國文教師——至其培養之方，大有商榷之必要。[illegible]

[illegible]對未來之中文大學，亟望其于籌備之始，即[illegible]

半週述評

外長會議的終結

歷時八週的日內瓦外長會議，因蘇方不願改變立場，西方亦不願過份讓步，以致久無結果，現雙方決定，會議當于八月五日正式結束。由于雙方均急于結束此一長時期的會議，因而希望柏林問題能獲得一項臨時性的解決，西方所提的建議，是柏林現狀繼續維持五年，[illegible]之重行統一問題[illegible]蘇聯共同檢討柏林的局勢。[illegible]方首次正式同[illegible]。但西方所堅持的[illegible]柏林的權利必[illegible]而蘇[illegible]提交西方的新提案中，則要求西方將西柏林的駐軍，立即從一萬一千名減至三、四千名；[illegible]同時保留其原有關于東西德作直接談判的要求的權利。這些隨時[illegible]因而外長會議[illegible]無延續的可能。

西柏林的前途

另一方面，美國總統尼克遜在莫斯科與赫魯曉夫的[illegible]有取得明顯的諒解。尼克遜給艾森豪的報告中[illegible]赫魯曉夫所舉行的會談，對於解決德國及[illegible]引起的歧見，沒有實際上的進展。同時他在[illegible]者談話，也指出美國與蘇聯的歧見「不易消除」。而在赫魯曉夫方面，則甚至失去做主人的應有風度，[illegible]場合，均向客人進行粗暴的舌戰。這些表明[illegible]自由世界矛盾，東西陣營的對立，美蘇兩國的歧見，是意識形態、歷史根源與現實利害的綜合衝突，是多種因素的積累，不是目前的一些會議所能解決的。

但是蘇聯也沒有斷然決裂的勇氣，赫魯曉夫之允許尼克遜前往蘇聯的禁地西伯利亞參觀，同時未阻止尼克遜[illegible]在波蘭訪問，又都是和緩緊張局勢的一種做作。同樣的，美方也有邀請赫魯曉夫訪美的傳說。儘管[illegible]矛盾的解決，但彼此之不敢完全開翻，相互尋求某種緩衝的方法，又當可阻止柏林危機的擴大。

以目前柏林軍事情勢來說，據合衆社報導美陸軍專家的意見，蘇聯在柏林四周圍有六個師的兵力，而美英法三國在西柏林內則只有一師。換言之，蘇聯現時是可以封鎖西柏林的。但問題是，柏林之戰，就非局部戰爭，蘇聯自不敢冒大戰的風險。所以日內瓦外長會議，雖決定于下週三停止舉行，而柏林局勢當不致馬上發生嚴重的變化。

新加坡的岐路

當若干國家（如中東的阿聯和伊拉克）由親共轉變爲反共之時，當若干中立主義國家因西藏問題，逐漸對中共不表同情之時，而新加坡現政府，則違背自由立場，積極表現親共。

目前新加坡當局的親共表現，首先是採取嚴格的思想統制政策，以打擊反共的報刊。據近日電訊報導，港台出版而一向在星發行的「民主評論」、「中國一週」、「祖國」、「新聞天地」等刊物及「中外」和「亞洲畫報」等，已突被禁止在星銷售，同時對於美國新聞處之出版物，亦以反對「洗腦」爲藉口，禁止其入口。這些措施，很顯然的是替共黨掃除在星洲進步思想的障礙，以利便共黨極權奴役思想的傳播。因之不僅揭穿了新加坡人民行動黨競選時所標榜的「中立主義」和「非共主義」的僞裝，而且此一情勢的發展，勢將使星洲陷於赤化的可悲的命運。

星洲之能獲得獨立和李光耀等之能當選，完全是該地華人的力量。而華僑則絕大部份是反共的。他們所希望于新執政黨的，是謀解決經濟問題和失業問題。李光耀等不此之圖，而自食競選諾言，終必引起對自身不利的後果。

金達凱

莫斯科的一幕冷戰

·雅斯·

美國總統尼克遜最近訪問莫斯科，以主持美國展覽會爲名，實爲回答不久以前蘇聯總理柯茲洛夫赴美訪問的一幕冷戰；尼克遜與赫魯曉夫的礎頭與閒談，實際上是一個「小型的高層會」，其所表露的雙方意見，比[illegible]正式高層會議所能表露的，更爲尖銳而明朗。

雖然尼、赫之會，也和什麼高層會議一樣，不能幻想有任何結果，但這一幕戲劇性的演出，在歷史上，外交習慣上罕有其例的——是超出常例的突出的一幕。根據美聯，合衆，路透三大通訊社的現場報導，其人，其事，其言，猶歷歷如繪，有如一場輕鬆而又緊張的電影。若從尼、赫對話中去看冷戰，也不啻是看到了目前世界兩大集團冷戰的縮影。

似乎挑戰者永遠是蘇聯，且不說在尼氏訪問期間美國舉行的「被奴役國家週」，是否配合尼氏此行冷戰的一部份，但在尼赫開談中，首先提出比較不愉快問題的，是赫魯曉夫，（指被奴役國家週的舉行）他逼問：「你們的國會爲甚麼搞這樣一個[illegible]呢？」

俄爸最怕人家說他們奴役人民，他們的「合法」字眼是「解放」二字。所以，當尼克遜要和一位工人握手時，赫魯曉夫立即抱着那工人對尼氏說：「這個人像一個奴工嗎？」他還指着幾個帶有笑容（且不問是否苦笑）的工人對尼氏說：「誰是被奴役國家？難道我們是被奴役國家嗎？」據說，當尼克遜似乎還想與工人們握手（這自俄爸看來，當然和前些時米高揚訪美時對美國人做出的微笑一樣有魔力），一位剛從展覽會做完工的女子從人羣中衝出來，雙臂摟住赫魯曉夫的頸子吻着他的雙頰，然後紅着臉跑開。你說，那一類表演不是戲劇性的嗎？

俄爸喜誇實力超過美國，却又好說「和平競賽」，終又露出尾巴談起武器來。在針鋒相對的談話中，赫魯曉夫露骨的說：「你想間接地威脅我，但我們有隨時可用的武器，使用起來，後果是不堪設想的」！尼克遜回答的話是「我們也有」，赫氏又說「我們要好些」，如果想比較的話，還有類江湖口吻的對話，出諸高層人物中，如果是陽洲相鬧，尚不足爲奇，但像這次面對面舌戰，實爲以往所罕見。

俄爸對每次會談，一向總是用「最後通牒」來嚇倒對方。尼氏很有力的說穿了，[illegible]

[illegible]

外交領事官任用條例引起的波瀾

・明・

（台北通訊）最近，立法院通過「外交領事人員任用條例」，使外交部部次長及人事主管各級人員忙亂了一陣，實則這一條例的通過，對於外交部內外大官要員是並未發生絲毫拘束力的，說穿了只是對於一些辛辛苦苦誠誠懇懇作事的中下級職員發生了影響作用，遭受打擊最稱害的乃是一些近數年來進入外交部工作，而尚未外放的人員，要知道混在台灣混進外交部，確也不易，缺少有力人士推薦是不行的，難怪他們要在這一「任用條例」公佈前大起恐慌了。於是乎演出了在立法院通過上述條例前，大事外放一批新外交領事人員的一幕，其聲勢之浩蕩，堪稱前所未見！

關於外交工作人員素質的問題，筆者迭見本刊發獻，茲不再贅。就外交工作言，當然希望是職業外交人員幹這一行才好，部內工作從錄事作起，外館經驗須從主事或雇員作起，能以年資積久而升遷為外交領事官員的，那麼可說是真正訓練有素了。如果照目前外交部外交領事人員任用條例分析，凡高考及格就可外派為外交或領事官員，其實以往就如此，而且凡外放就是使館三秘，領館副領事，外交部行之有素，何必多此一舉，就筆者所知，三秘也好，副領事也好，是外館館長的二把手，初任新職的都多亦只能爲館長代簽證照及證明書，因爲他們既無外館經驗，又多懶得翻閱檔卷，館幹的實在不多。於是造成外交部派出外交官領事官只是名譽好聽，一切的事都在仰仗僱雇員去幹，而新條例公佈后，最大的弊端也在次，予無經驗的高考及格人員以「作官」的機會。

筆者所知，某前部長曾主持某一屆高考外交官領事官口試，試畢曾搖頭太息謂，應考的先生女士們竟連「花瓶」「玻璃杯」的英文單字也不知道，由此足證今日高考水準的一斑，吾人認為高考及格也罷，曾經任過外交領事官也罷，從現在起應該少派事做官的，多派專作事的，或者就上專派外交領事官，此外一律任雇員，那麼就不至用於發生外交領事官任用問題了，豈不更爲乾脆些。

譬如，某大使館主持電務事項的官員，名譽是二秘，實在是搞阿拉伯字，甚且技術還不如在他之下的非外交官官員。就事論事外交部派二等秘書來主持事務工作是失策的，二秘應是能出而交涉坐而論道者，整天搞數目字也未免委曲些，外交部並不乏從外館學習員做起而至公使，司長次長的，固然一是由於經驗及命運使然，但最重要的還是因爲他們曾在外國讀完大學，重點不在是否國內外「大學畢業」，而是轉移到是否具有「高考及格」的資格了，可是根據廿七年的高考取分的標準言是很低的，聽說直至四十四年向後才逐漸提高，錄取簽子，亦不過中等而已，往往大學未畢業的人也留考試及格的，那麼其中若說沒有倖進份子頗難令人置信。據聞外交部也知道新法有不合理之處，所以第一步是開方便之門先行外放一批有「大學資格」而尚未作外交領事官的人員，以免他們受新法的影響，但由於粥少僧多，還不免引起爭先恐後了！

又據悉，當局已成立了特種考試外交人員規則草案起草委員會，聘請胡世澤阿根廷大使爲主任委員，不用說這是爲了網開一面了爭取人才，然而總嫌不够公平，就彷彿偷牛的已走了，却抓住了拔樁的死不放鬆。外交部現在已經造成中下級幹部奇缺狀態，如此下去，必致現有中下級工作人員感到升遷無望而又無法進用新人，常此下去，恐亦非長久之計吧？

台省木材業的出路

台灣通訊

・林嘯崧・

台省自光復後，歷年砍伐新林班的林木，大部是原始天然林部份，針葉樹又多是愈齡林，生長逐漸緩慢，林質也日漸變劣，正在衰退之中，必須從速砍伐，予以更新種植。至於闊葉樹或優良樹種，過去因多所砍伐，所餘的也多是劣質樹種，而且蓄積量約有一百萬公頃，超過針葉樹幾達一倍，顯示其所佔林地之大，是本省森林資源蓄積量的一大影響，亦須砍伐利用，逐年更新，改植價值較高，生長較速之優良樹種，以提高省內林地之經濟價值。但省內市場有限，砍伐木材亦無法悉數消費，急需打開國際市場，大量外銷，過去本省木材外銷，僅限於檜樟桐木等特殊木材之原木及其製品，為數極微，無足稱道。兩年以前，省鐵路局及台糖公司等鐵路抽換枕木時，尚須依賴進口枕木，每年耗費外匯數十萬美元。自去年我標得銷韓枕木後，林業界人士，大感興奮，部份木材業者，尚憂慮供應問題，事實上却能如期交運，至爲圓滿，僅於一年之間，銷韓枕木即達七十四萬餘根，總值共計二八〇萬美元。近又標得巴基斯坦枕木十三萬根，而目前省內尚存三四十萬根，如期交貨，絕無問題。此後尚有伊朗、西班牙、希臘、印度各國，將陸續向我採購枕木，正在進洽之中，其估計總數可達七八百萬根。自銷韓枕木成功後，本省枕木在國際市場已獲良好信譽，前途至可樂觀。

年來枕木外銷，林產出路總算打開一條，但木材業者却因此又增加了新的煩擾，面臨新的問題，因枕木外銷，所砍伐之闊葉林木，一經製材加工之後，結果產生鋸餘枝梢，皮材，苦無出路，以致充斥省內市場，影響木材市價，必須設法從速加工枕木副產品。例如木板、角材等製品，應銷往缺乏木材利用之國家，以鬆弛省內木材生產過剩現象。惟本省各地鋸木製材廠行，為數雖多，逾千數百餘家，然而設備能臻於完善的却是很少，大都缺乏人工乾燥與刨光等設備，其製材品質，不能符合國際市場要求，故甚難大量外銷。一般認為木材滯銷，已使木材廠商，無力改善現行設備，咸盼有關機關輔導改進，在製材技術及設備上確實健全起來，這是一件極爲重要的事情。

闊葉樹材，含水量較多，容易腐蝕，其材質亦不甚穩定，容易發生收縮或彎曲，但如加以適當處理，仍不失為良材，堅固耐用，足以代替針葉樹材之用，其處理方法略有下述四點，茲就筆者所知，提供參考：

（一）乾燥——乾燥方法分爲人工與天然兩種，後者因需較長時間及相當大之場地，始能達到乾燥目的，積壓資金過久，徒增高生產成本，不適一般推廣之用。人工乾燥法則無此缺點，目前本省尚無此大規模工廠，今後應普遍施設人工乾燥工廠。

（二）防腐——係將防腐劑以機械方法或利用樹木本身生理作用，注入木材細胞內，以減少腐爛，延長使用年限，本省已有木材防腐工廠之設置，惟其防腐工作僅及於枕木、電桿、欄木及籬欄等用材，對於建築和傢具用材，則甚少經過防腐，今後應在這一方面作進一步之努力。

（三）小材大用——即以小材代替大材用途，原需大材製作之器物，如以小材拼合一起，亦可製成以滿足需要，此種利用方式，有賴推廣，其優點至少可以縮短樹木生長期間。質言之，針葉樹之伐期齡甚長，吾人無須等待其伐期齡，在樹木具有一定的形態，及某種用途時即可採伐利用，故不致因其生長期長，而失去經濟時效價值。

（四）合板——所謂合板之利用，係將數片小木薄板，以膠脂拼合成大塊木板，其特點即可隨心所欲，將小片木板膠成適當寬度與厚度之大塊木板，而且其表面尚可膠貼一層高貴木材，則外觀與其真實木料完全無異，仍爲一般消費者所樂於購用，經濟實惠，美觀大方，因此可以節省針葉樹之消費量。

本省木材儲藏量雖稱豐富，然而並非無盡之資源，且優良樹材究竟有限，在利用價值及經濟價值兩方面，均須有計劃的配合木材的生產與利用。

本省經濟，有賴向外爭取出路，今後本省木材業之出路，自應一方面打開外銷市場，一方面更應健全省內製材廠行之設備，使材質與木材製品品質，合乎國際標準，同時還需儘量減低生產成本，以便省產木材在國際市場上，深得銷售，使各個銷材國家樂於採購，賺取外滙，這樣才是省產木材今後最正確的出路！

菲律賓華僑面臨排華危難

・悉恕・

（馬尼拉航訊）菲律賓，這個東南亞的新興國家，獨立後十三年以來，一向假藉所謂「民族主義」政策，大力排華——以往是經濟上的排華，現在似已漸轉爲政治上的驅逐運動了。一般無聊的政客，正以「華僑是菲人的吸血鬼」等可怖口號，來煽惑人民，蓄意挑撥中菲關係。這次，專以「排華反美」爲顛覆攻擊的「菲化運動促進委員會」，又借着「羅里沓事件」，積極擴大排華行動，這星星之火，誰敢說不會燎原呢？

羅里沓事件成爲導火線

「羅里沓事件」的起因，是出於一位華僑施東，有了一位菲籍的女傭。他是馬尼拉市洛干區播巴賀馬敏里街一家小士多的老闆。六月十三日的夜裏，那位十七歲的小女傭，偷了主人六十塊錢和一些衣物，不慎給女主人發現，可能輕責了一番，大概這小姑娘害羞，竟然自尋短見，她把煤油淋在身上，封閉了浴室門，自焚斃於施東家裏。

這事從北總醫院傳出以後，馬尼拉所有「菲化運動促進委員會」會員，就認爲這是排華的最上乘口實，乃誣罔華僑焚斃菲女，於十八日晨該會會員三百餘人，集結於馬尼拉示加拉牙街與黑龍升街的廣場上，舉行集會並大示威遊行，並煽動盲從羣衆，以亂石投擲附近的華僑商店。釀成一場最激烈最恐怖的排華行動了。

要「把全部華僑驅逐出境」

「菲化運動促進委員會」提出兩個荒反人性人道和無視國際公法的口號：（一）把全部華僑帶進屠宰場殺光，（二）把全部華僑驅逐出境。用意的毒辣，已超脫了經濟排華或政治排華的範圍，簡直是牽扯到民族鬥爭種族殘殺的野蠻意識上去了。

「菲化運動促進委員會」還出面控訴施東謀殺羅里沓，黎剎省檢察官尼可拉斯也列舉被告罪行：（一）明顯謀殺人。（二）利用其較強大的力量。（三）被告所運用之方法加重其罪行。於是馬尼拉地方法院，也就根據涉嫌謀殺的罪名把施東下獄。他在獄中，竟被囚徒毆至遍體鱗傷。經過一個禮拜的斡旋，總算准用三萬元交保外出候審。此案未了，而外間却謠傳「羅里沓曾被強姦受孕，故謀殺而滅口。」

菲政府的態度

「羅里沓事件」發生後，不斷震撼整個僑社，也驚動整個菲律賓政府。由於謠諑紛興，菲律賓國家調查局、法醫專家、市檢察處長聯合會驗，證實羅里沓無懷孕而被姦污跡象，而澄清了「因姦受孕」的謠言。司法部及遺體委員會方面認爲女傭焚斃私人案件，引起種族仇恨，固屬不可，但假如謀殺案屬實，則政府亦無法阻止菲律賓人民的排華運動。司法部更認爲菲人對華僑固屬偏激，但華僑亦應自我檢點，而排華份子與極端國家主義者之盲昧行動，亦應予以注視。

七月四日菲國獨立第十三週年紀念日，七八十名排華的「菲國家主義青年運動會」會員，隨着一幅「向外僑示威」的花車遊行，公然經過檢閱台；氫氣球放出的標語：「我們要把菲島造成外僑的天堂，和菲人的墓場麼？」菲律賓此種排華暴徒的囂張的態度，可見一斑。

菲律賓華僑面臨的危難甚矣！陳之邁走了范茂瀾走馬上任，駐菲中國大使館，將如何解決這個天大風潮？而菲律賓政府，對於這種損害兩國邦交有傷國家聲譽的排外運動亦應加以正視，與防止及疏導的。一九五九年七月六日寄

陳立夫先生六十壽序

徐佛觀

今歲夏七月，余北來訪程君滄波於其寓齋，滄波謂余曰，立夫先生年六十矣，願子一言爲壽。余應之曰諾，不敢辭。雖然，余下邑之野人也，於昭代之朝章國典，名公鉅卿之譜系，無所知，塊然無所識。則余所能知於先生者，蓋亦僅矣。抑嘗之，史家不難於事功之鋪陳，而難於人物品格之摹寫。蓋事功顯而易見，品格隱而難知。事功常推蕩於風會形勢之中，輒非當其局者所能自主。於是品格不僅難假事功以自見，有時且爲事功所蔽所掩，而表見於無聲無色之所，難周，廬史之所易忽。顧事功有偶然，有徼倖，品格無偶然無徼倖；是以歷史之鑑察，恆在此而不在彼。由品格之摹寫，以透露歷史之眞際，斯乃史家之絕業，囑千載而或難一遇。在我國，惟司馬子長能之。平居論史，未嘗不爲未遇子長者幸，亦未嘗不爲未遇子長者悲也。

三十五年夏，余偶與先生同客滬上。先生間嘗從容閒暇，自道平生一二事，頗有異於道途所聞者，余始怵於知人論世之難，而私幸有以窺見先生卓然自立，蕭然自守，固有爲一時賢俊所不及知者在也。先生遠適海外，今且十年，此十年中，國家復興大業，日進而未有已。先生則棲遑於鷄塒鴨罰之間，意若不能得志於一飽，而先生之自奉亦稍輕，先生之年亦已六十。古人蓋有含深根隱痛，無以自解，則假苦行以銷鑠其生命。先生殆無所取義於此。然世之欲知先生者，正宜求之於此耳。余聞美國富強甲天下，願諸娛少而不能安老，先生倘移其鷄塒鴨罰於祖國之山崖水涘，與二三舊好，各以本來面目徜徉於方壺圓嶠之間，殆亦安老忘老之一道乎。

浠水徐復觀拜

台南點滴

△旅日華僑黃清石，月前第三度率歌舞團回國公演。日前在高雄，台北演畢後轉來南市，因爲於本週三（廿二日）上午拒演勞軍，赤崁戲院以「東京蜜月旅行」影片取代，經觀衆再四要求，照國防部規定上演當日節目未果，引起千餘觀衆的憤怒，搗毀戲院坐椅，窗欄等設備。經治安當局派出大批憲警鎮壓，拘押爲首份子二人，歷時達兩句鐘始告平息。這是多年來，軍人鬧事的首次。兵哥們說：一張門票廿元，半票十元，幾需我們半個月薪餉。這機會原難得，雖將有一場勞軍，但也難輪到我們「兵哥」的份兒。至于打着華僑招牌，回國勞軍公演的黃清石歌舞團，一時被人斥之爲「回國淘金」。而演出充滿色情的演歌，對祖國「貢獻」究竟在那裏？

△四月一日演重婚案的檢察官孟劍平（已停職）經嘉義地檢處偵察後，與女主角柯月娥同時提起公訴，昨嘉義地院首次開庭，曾在偵察庭詭辯尚爲「完璧」的柯月娥「小姐」，已於上月產下一子。昨日柯小姐因產子未出庭，法官詢柯女父母，其女所生小孩何來時，啞口無以對。但承認孟與女兒相識經過，是因自造私釀酒案不起訴而結識。柯女之母並當庭表示，如要判罪，將控告到底。該重婚案雖已起訴（下月三日再審），然司法界曾認爲其瀆職部份更爲嚴重，但事至今，似尙成「僵留撫鬧」狀態。法界人士語記者：孟因係某部長學生（司法人員訓練班），可能上峯另有指示，不要弄得太難看了。

○昌增勳。

阿聯與伊拉克之微妙關係

旭軍譯

本年三月八日，伊拉克親埃及納塞份子，在莫索爾鼓吹反叛，造成納塞對赫魯曉夫衝突危機火花，導致共產黨在伊拉克勢力加強，而且令到納塞面臨國內外之困難。

去年七月伊拉克費瑟爾二世，及首相努里沙特，被推翻和殺死時，納塞曾說：『在英雄卡森領導下，伊拉克人民偉大之勝利』，但當時伊拉克革命份子，已先表示『在過渡時期』，不提及與阿拉伯聯合共和國合併之問題。其後伊拉克外長佐華特，正式拒絕合併阿聯。

[illegible]狄芝，左翼民族主義份子，曾赴開羅與納塞磋商，但伊拉克對阿聯只要求聯邦，但保持獨立主權，納塞要求完全合併，不歡而散。

然而伊拉克的巴斯黨，有若干軍官支持阿里夫上校，力促與埃及和敘利亞合併。伊拉克總理卡森，於是特派阿里夫往西德擔任大使，以阻撓其合併運動。同時把阿里夫上校之同黨調出陸軍部。

阿里夫不理派赴西德，反而潛往埃及開羅與納塞商量。再赴敘利亞與敘利亞軍官商量，而今爲敘利亞眞正握政權的[illegible]

伊拉克與阿聯合作之時，[illegible]民族本不喜歡「阿聯」，[illegible]埃及人以老大哥自居，[illegible]敘利亞人民[illegible]

伊拉克共和國完整主權[illegible]理由，引起蘇聯的主要[illegible]的『民族民主黨』領袖[illegible]組織『民族統一陣線』[illegible]於各大城市，極力拚[illegible]

陰謀與反陰謀

阿聯與伊拉克，互相以陰謀及反陰謀之策動。敘利亞利用伊拉克沙馬族人之仇視新政府[illegible]，私運許多軍火給他們，準備反叛，推翻卡森政權，成爲莫索爾叛變。平息莫索爾叛變後，正好給予共產黨大顯身手的機會，首先共黨假藉『保存[illegible]』

[illegible]一方面歡迎卡森是伊拉克唯一領袖，[illegible]伊拉克共黨陷入「納塞派」[illegible]徒與帝國主義者勾結，[illegible]同時使新組成的工會和「民兵」，受共黨支配。[illegible]實行社會主義運動。[illegible]然伊拉克政府的大官沒有一個是共產黨，但共[illegible]

[illegible]控制報紙，左右輿論。

蘇聯乘機與伊拉克，在三月十六日簽訂協定。蘇聯借款五億五千萬盧布（值一億三千八百萬美元）。四月間[illegible]伊拉克[illegible]，發展伊拉克[illegible]農業專家[illegible]十一人到達，另締結[illegible]

五月五日伊拉克與蘇聯又訂立文化協定，交換大學教授及學生，在伊拉克舉辦蘇聯電影節。[illegible]東戰略，於是蘇聯在中東的[illegible]策略，遭到阿聯攻擊。大馬士革[illegible]大使館[illegible]阿聯政府交換[illegible]

國際動態拾零

△法國與西德[illegible]外長於日內瓦[illegible]會議，第二回合的會議，[illegible]將在三星期內結束，但高峯會議仍須舉行。各國首長將以議而未決的問題，再交外長會議，故外長會議，有第三回合的需要，他最後提議於八月中旬舉行。

△西德總理阿登諾[illegible]東，而高峯會議尚未舉行。但英國反應冷淡，謂其[illegible]正式提出申請。

△上週美英兩國[illegible]，在白宮舉行會議，籌備一九六〇年大選事宜，艾森豪答應予以全力支持。其目的爲鞏固共和黨議員之地位，但明年參議員改選之參議員，反而大有失去席位之可能。

陶然

「共黨是外國的特務」

去年十二月廿三日，埃及與納塞總統在塞得港，斥責共產黨反對阿拉伯民族主義，歸咎伊拉克共產黨反民族主義的運動。[illegible]一種莫索爾革命失敗，便指共產黨是『外國』的特務，本年三月十六日赫魯曉夫直指『納塞是頭腦狂熱之青年……說帝國主義的話。』卡森革命，迄今已使納塞在阿拉伯世界之聲譽大降。而且很孤立。[illegible]情報已停止。同時阿聯抨擊西方的言論突減。例如在四月二日，阿拉伯同盟政治委員會，舉行會議，討論阿聯與伊拉克之關係。同盟中十國，有四國拒絕參加。而出席的僅有也門一國支持納塞之反伊拉克。其餘的都不想被牽入是非漩渦。

納塞既反共但不反蘇，亦不獲西方國家之同情。英國反而輸送飛機和坦克給伊拉克卡森政權。美國雖然對伊拉克冷淡，但很贊成英國這一個措施。美國也認爲資助卡森，也是阻止伊拉克被共產主義者和納塞主義者吞併的一個好方法。

納塞現在是左右碰釘。甚至「中立」國家也不同情他。印度的尼赫魯和南斯拉夫的狄托元帥，雖然在一九五六年曾警告過納塞，勿依賴蘇聯太甚。但現在對納塞之突然向共產黨的攻擊戰術，也不以爲然。印度拒絕參加納塞所提倡的中立『高峯會議』。

納塞的反共

納塞從前的飲鴆止渴的接受蘇聯援助，現在已知悔恨遲。原來阿聯的陸軍當中，已有一派人反對「反蘇」的，他們出賣。陸軍部中許多人認爲納塞的反共也是將[illegible]多人在蘇聯受訓許多個月。海軍及空軍部亦然。他們認爲反蘇失去對西方勒索講價的本錢。

最後是以色列問題，令到納塞煩惱。埃及兩陸軍軍官，認爲埃及敗於以色列之辱，祇有依附蘇聯，才可以有報仇雪恨之一日。若依附西方，則必放棄對以色列作戰的希望。納塞最近之又大罵以色列，主要原因，是挽救軍人對他的信任。

對納塞與卡森之取捨

美國對於納塞及卡森之取捨，感到困難。他雖然贊成英國拉攏伊拉克的政策，但假如納塞垮台，美國認爲是蘇聯的勝利，蘇聯是利用陰謀搞日益的人。納塞早已給蘇聯貶低了價值。

阿拉伯世界矛盾多而憎恨外人干涉。阿聯與伊拉克的問題外人不易干預，只讓他們在猜忌中共存。

（節譯自本年六月廿五日之「記者雜誌」）

竹幕幽秘

波蘭的農業小組

體現波蘭的農業集體化形式的農業小組，據刊在七月二十二日「人民日報」波共政治局委員萊‧奧哈布的文章中說明，是「除了國營農場和生產合作社外，它將成爲農業中社會主義經濟的第三個環節」；也就是說，它既不同于蘇聯的集體農莊，亦不同于去年以前中共的農業生產合作社。

它的特點：（一）自治的，（二）集體的，（三）由國家土地基金會交給農業小組集體使用的，包括機器在內的資料，是「農業小組的不可分割的財產」。共所以具有這些特點的原因，波共認爲農業社會主義改造「首先導着是擴大農業生產」。這也就是說，波蘭的農業小組與資本主義下的合作社除了其未來要進展到農業生產合作社的一點以外，沒有很大的區別。

老赫訪波的原因

世界輿論一直在估計波蘭在共產集團中具有特殊地位，單從這一點來說，似亦已有可信之處。

不久以前，蘇共第一書記赫魯曉夫訪問了波蘭，外界都把赫氏的這一行動連繫到日內瓦會議上，却忽略了蘇波間的關係。赫氏在二十一日于華沙集會上講話時指出：（一）「我們認爲，不能要求波蘭統一工人黨中央委員會在解決波蘭國內生活的任何問題時所執行的政策都要完全符合蘇聯共產黨的政策。」（二）「不支持波蘭統一工人黨中央的政策，不支持哥穆爾卡同志的人，實際上就是助長修正主義者的聲勢，盡管他們是從極左的立場來批評波蘭統一工人黨的領導，責備它『叛變』馬克思列寧主義。我們認爲，如果抱着教條主義觀點的波蘭統一工人黨的黨員，的確是正直的人，如果他們希望我們兩國友好，那麼就應該改變自己的立場，堅決支持」哥穆爾卡的政策。（七月二十三日「人民日報」）

從這兩段話裏可以看出，赫氏訪波的目的主要的是壓制波蘭的「左派」，「教條主義者」、親蘇反哥穆爾卡的波共黨員。

共產國際的分歧

我們只要從共產各國的農業合作化的情況來看，就會發現具有三種水火不能相容的形式：最「左」的是中共的人民公社，赫氏最近又在波蘭攻擊了一次；中間的是蘇聯的集體農莊；極「右」的是波蘭的農業小組；這三種形式無疑已經足夠造成共產國際間的意見分歧。

最近人民公社的內容已在作向「右」的變更，儘管毛澤東死抱住這個人民公社的空殼不放，在可見的將來，對於現實不能不屈服。去年蘇聯在農業方面一連串措施，其傾向亦是趨向「右」；那末，較遠的來看整個共產國際農業合作化形式的趨勢，似乎還是波蘭的農業小組，若果由是這樣發展的，那末，殺人如麻強制農民集體化的錯誤行爲，可算得人類歷史上的最大悲劇。

○田心○

大陸文壇透視

七郎

平滬名伶奉命會演

七月上半月，北平和上海的戲曲名藝人，奉各該地中共文化局之命，在這暑天氣，分別舉行南北會演。

在北平舉行的叫做「折子戲展覽演出」，十二個晚上演了六十九齣，有京劇、評劇、河北梆子，演員都是頂尖人物，有梅蘭芳、馬連良、譚富英、裘盛戎、劉連榮、張君秋、姜妙香、李和曾、侯喜瑞、趙燕俠、筱翠花、荀慧生、韓世昌、白雲生、徐蘭沅……，端的是名角誘人，你我從前不一此也，戲碼都如廣東人所說的「戲肉」，一本戲中最精彩的那一折。尤其是侯喜瑞和筱翠花都六七十了，早已輟演退休了，現在他們都拿出他們的「絕活」兒來，演「馬踏青苗」和「紅梅閣」，更不用說馬連良的「借趙雲」了。

在上海舉行的叫做「京昆劇大會串」，規模較小，只於七月九日、十日演了兩天，戲碼也挺硬，大軸是麒麟童的「義責王魁」和「徐策跑城」，壓軸是俞振飛、言慧珠兩夫妻的「販馬記」和「長生殿」，還有七十餘歲蓋叫天的「賀天保」和「快活林」，此外張美娟、李玉茹、童芷苓等就唱開鑼戲了，也極有可觀。

大陸上的統治者的確會享受，他們隔上一陣子，想樂和樂和了，便假藉一種名義，集合全國著名的伶人，唱幾齣拿手戲給他們開心，過去什麼「觀摩會演」的前例不可勝舉，這次的理由却是「市文化局爲了繼承戲曲傳統，發揚各藝術流派的特長而舉辦的。」（七月十七日光明日報）名正言順，誰曰不宜？政府命令，誰敢不遵？過去那些統治者，要飽耳福想聽戲，就得花錢唱堂會，或是藉口振興來個義演，以彼比此，智愚立判。

或者說，人家這是演給人民看的，公開賣票，誰不可以看？一點也沒有錯，可是實際上，老百姓既無錢亦無閒，讓他們看也看不成。

這些戲碼雖然是很高的，工農兵看不到，每日工作超過十二小時，也沒有工夫。能夠有錢有閒極少數觀賞的，只有黨員和高幹，不然的話，就在上海京劇大會串的期間，像[illegible]、王蘭芳等還被派到上海煉鋼廠去演出，在千度高溫的「爐邊演出」幹什麼？

奇怪的是，這些名伶在大熱天，如此賣力，到頭看的人還是不多。上海文匯報就有人提出批評，說北平所演「改掉了一些好東西，添進了一些多餘的東西」；說上海所演還「要改進」，「不夠精練」，周信芳的「義責王魁」，俞言的「販馬記」「散漫」，最後有「兩個勸告」都很不妙，之流之于「油」（案：油者，或色情之謂也），叫人很不舒服」。嗚呼，藝人何「幸」生於今日，言慧珠大可再寫一篇「家祭無忘告乃翁」的文章了。

瘟君夢

第三回：點石成鋼魔王施妙手　指鹿爲馬嘍囉建奇功

在到處煉鋼聲中，農業方面也傳來「捷報」，原來毛、林兩人所規定的大躍進計劃，在工業方面還有個數字，至於農業方面，他們根本就不知道多少，無法訂出增產指標，由各地幹部自行躍進，這一來笑話就多了。

中共統治了這多年，下級幹部都有了經驗，遇到上級交來的任務，無論如何困難，實在無法完成，你不用怕，只管向上報超額完成，馬上就會受到嘉獎，成爲勞動模範，至於任務是不是能達到，根本就不會有人來查，即使查出來，你的勞動模範名譽已經建立起來，「黨」也不肯輕易毀掉了一個偶像。

幹部們揣摩透了領導人員的意思，所以平時對於一切生產數字就信口胡吹，現在恰好遇上「大躍進」的機會，他們怕落在時代列車的後面，只有拚命亂吹，一處比一處精采，假若把當時所有大躍進的材料集起來，可算是古今中外最偉大的笑話專集了。

這些連篇神話已經記不勝記，不過其中有幾件最特出的，倒也不可不提出來介紹一下。

正當「大躍進」最熱鬧時，中共突然發表一項消息，說是利用打針辦法養猪，猪每天可以長十三斤半，是貴州有一個地方試驗成功的。人民日報刊出以後，老百姓[illegible]到沒人敢批評，都得說共產黨說的什麼都是假的，戲演作聰笑話就完了。可是其中有一名高級幹部却勸了興趣，就是「海外貿易部部長」葉季壯。此君從「開國」以來，就主持對外貿易，每年把大陸的糧食，棉花，油類，大豆及其他食品輸往蘇聯的，正是此公。葉季壯的[illegible]擴大範圍，每年可以多輸一部份物資，他也曾經增加許多品類，只有豬肉沒辦法，因爲豬的產量本來不多，又被近水樓臺的香港，澳門人民吃掉一部份，所以豬隻始終不能輸出，葉「部長」頗爲憾事，現在看到報紙記載貴州有養猪能長十三斤半，一口猪不過十天就養成了，這還得了，今後的猪隻可以大量輸出了，於是按照報紙登載的飼養方法，每天用針頭爲猪隻冲射五CC豆油，結果過了幾天，猪隻並未添肥，却死了一半，葉季壯上了大躍進的當，只有自認倒楣。

與猪隻日長十三斤半的消息傳出後，安徽碭山縣（原屬江蘇，中共劃歸安徽），一個地方種的蘿蔔，居然長到十三兩重一個，平均也達到八兩重，這種大蘿蔔，相信得人吃一個就飽了，要是製蘿蔔乾，必要用刀鋸才成。讀者也許以爲這些笑話太離譜了，但是大躍進的浪潮下，各地發生的神話還有幾件，可以說一說。（五七）

岳騫

釋耒集

孟子有言：「人之患，在好為人師」，此語孟子本意如何，

不易確知，而其足以使人沮其為師之一念則為事實，蓋以孟子之聖，又身為人師，竟如此譏評之，其足以為世人之藉口，自屬勢之必然，唐韓愈氏，推尊孟子，自身則抗顏為師而不以為僭，此則運會之不同，亦足以見韓氏之魄力，與其同時之柳宗元，即迥然自承無此勇氣，其答韋中立論師道書云：「今之世不聞有師，有輒譁笑之，以為狂人，獨韓愈奮不顧流俗，犯笑侮，收召後學，作師說，因抗顏而為師，世果羣怪聚罵，指目牽引，而增與為言詞，愈以是得狂名，居長安，炊不暇熟，又挈挈而東，如是者數矣」。此寫韓愈因抗顏為師之故，被當時之社會，目為狂人，以致無由立足于長安，則其窮促之情狀，實頗可笑也。

我國之世，荀卿最為老師，撰勸學一篇，主學者必先求師，故曰：「學莫便乎近其人。」漢代經師治學，重家法，故亦獨重師道，此風實由荀卿啓之，漢末郭林宗，一鄉黨之教師耳，生前清望之高，不下于朝廷名爵，而死後四方聞好之人又為之「樹碑表墓，昭銘景行」，師道之尊，至此已極，自晉以後，入于魏晉之世，師道即變以陵夷，士大夫崇尚清言，以狂做放誕為高，往往非湯武而薄周孔，以經術為迂闊，以禮法為拘束，循至唐之中葉，讀書人而柳宗元，人欲以之為師，猶且退避不遑，則師道之不堪聞，亦可知矣。

師道

降及近代，洋式學校成立，相與標榜自由平等之說，興鬧學潮，又利用學生之驅師運動，以遂其操縱學校之私心，為教師者，肆應稍疏，排斥立至，其窘狀又不止窮促，而簡直為可憐矣，以余見聞所及，頗疑此類風氣，固亦大勢如此，而激揚之者，實由于教會之學校，昔日內地之有此類學校，名為教會創辦，實則均為私立，因收費昂，就讀其中者，多為豪紳鉅賈之子弟，學校往往使其父兄為護法，此類學生，遂如五陵游俠少年，無人可以約束而干預之，十年前廣州某教會學校之訓育主任，為少數學生毆擊而死，則其由來之漸，非一朝一夕之故矣。查此類學校中，其所尊奉者惟神父或牧師，教職員者非教友，則大抵均等同僱傭，近聞香港亦有若干學校，于聘約上寫明除教書外，每日早晚放學，須于馬路兩旁，護持學生安全走過，少服務細微者，此不在苛細，而在于刻薄，源其用心，不外在討好家長，藉以招徠生意而已，遂不惜驅策其同事如僕隸，殆可嘆已。香港教師會，成立固有年矣，為爭取同業之福利，樹立教育界良好之風範，不審此類瑣事，亦宜措意及之否？

鹵齋

畫展感言

近來，畫壇像迸發出一團大火花，接二連三地舉行着畫展。有中畫展出，有西畫展出，還有中西畫併展。這很有一番熱鬧氣像了。

國畫有歷史作後台，站得穩，沒人說不懂；但是西畫則不然，尤其是「現代派」的作品。「現代」的意義，或許就是故意難人吧！於是人們指着畫問：

「什麼玩意」？……」

也有的頷首、微笑。

據說，有的少婦將雛，閒客光臨，用指頭指着畫布；

「這不是卡琪布麼？」

「嗯，嗯，不是吧，這樣薄，像達克龍。」

雖說是「故意難人」，但是「現代」二字，似是「古已有之」。蘇東坡詩云：「論畫以形似，見與兒童鄰。」可惜蘇東坡畢竟沒有看過「卡琪布」、「達克龍」的，不然一定是「中國的畢尚」了。

以前有人提倡以美育來替代宗教，這裏，不想舊調重彈，只是提出來作為一點的佐證：這「玩意兒」究竟有些移風轉俗的力量。

說不出什麼，只希望以後畫展不再有這樣情形發生。

・巴霍。

獎券

・陸夢墨。

有一度，我熱中於愛國獎券，每期必買一張。結果連五塊都沒中過，記得做學生的時候，先生教我們立志，所謂「有志者，事竟成。」這是格言，沒有事物可以將其推翻的。殊不知愛國獎券就可以推翻這句話。讀者若不信，就試試。當然一個人立志到獎券的頭上，總是沒出息的事，但錢為萬命之源，一個人既不想昧良心，而又想發財，除了獎券，還有什麼路？

獎券是賭博，以五元博二十萬，本小利多。政府發行的則似乎賭抽頭的性質，只有賺沒有賠，若是購買獎券的人全是為愛國，那是賭話。但有一種心理却是賭的，獎券不是賭「梭哈」，輸也是輸給國家，心理不覺得窩囊。萬一，要是中了……也就是一點希望，才引得人們把鈔票五元五元的往外拋。如石落井，就是為那一聲「想」而已。

前天偶翻箱篋，翻出了兩捲票子，一捲是當票，另一捲是舊獎券，計算一下這幾年買獎券的錢，比當票上的金額還要多。未免感慨系之。窮人購獎券，比畫餅充饑還要可憐。但是買獎券的還是窮人最多。常聽人說：「我不要中多，只一萬元就夠了。」這是微小的人微小的希望。台北也有很多大亨買獎券，不像我們一張張的抽，而是整個攤子包圓兒。闊佬玩票兒的性質。他們對中獎的希望並不迫切，但是希望更大，決非萬元之數可滿足的。

在台灣，賣愛國獎券是好生意，幾乎每一條街總有幾家店戶專門作這種生意，有的在門前擺了霓虹燈，供著財神的像，以廣招徠。也有在街道上的攔路式的推銷，這種推銷員有好幾類，一種是小腳老太婆，大陸人，衣服整齊，看樣子不像生意人，却偏偏攔著你推銷獎券，讓你看在他那份年紀上，不忍拒絕，只好買一張。還有一類就是你走著路忽然被一個四五歲小孩拘住腿。我就遇到過此種情形，那個小女孩打扮得像隻小蝴蝶，天真無邪，嚷著一張獎券要我買。離開五六步之遙，站著那糊塗的母親，我認為無論多窮，來利用天真的孩子做賺錢工具，是最愚蠢而可惡的事。我買了一張獎券，心中却難受好幾天。這類母女也是大陸人，舉止亦不像小販。據說這一類攔路式的推銷，大半都是某一種階級人的眷屬，老爺的薪水令人酸鼻，而她們每人三十元的眷屬津貼，還不夠坐公共汽車的，只要操點副業貼補貼補，「飢」臨我去一也就顧不得甚麼面子問題了。

有門面的獎券行大多是本省人的老板。櫥窗，站著打扮入時的女人，有的是僱用的店員，有的即是女店東。行人路過，嗚呼「買一張」，驚聲滿語。這類獎券行大抵吸引單身漢主顧，有的油嘴滑舌上半個鐘頭，未必買一張，而風正去買獎券的人，不見得就「吃豆腐」。也有的買完之後說：「如果中了，就請妳的客。」可能那位女店東不難看，財色相遇，難免不作非非之想。

獎券行的老板很久沒賺我的錢了。不是我持之「無」恒。而是「橫財不富命窮人」，回回都輸，未免洩氣，以十四天的希望換一天失望，雖然上算，但是日久天長，一見獎券，就難免失望之感，豈不更增加精神上的負担。有一位傳教家勸告他的教徒不要作獎券賭博，說那是魔鬼造的，我覺得這正如說錢幣是魔鬼造的一樣，都是有趣的比擬。我却以為買也罷，不買也罷，只要不患得患失，便無可厚非。也許有的讀者要問我：「那你為什麼持之無恒，中途而止呢？」說老實話，我有些「患失」，一個月十元的獎券費夠我一日的小菜錢，持之有恒這股勁兒，實在輸不起。

台灣文藝拾零

紅學再盛

最近，台灣一家的廣播電台，每天晚上都播出膾炙人口的一本巨著，那就是曹雪芹著的紅樓夢。本書的播出還特請「紅學家」老前輩胡適、李宗侗，曾虛白等人作顧問，可以想像出其成績會很好的。

關於紅樓夢，台灣最近討論的比較熱烈，雖然沒有民國初年那樣盛，可是確實有再盛的趨向，尤其是林語堂回國曾發表了對後四十回作者為誰的意見，引起了廣泛的注意和興趣，現在經過電台的廣播，紅學一定會再盛了。

「筆匯」改版

據筆者所知，台灣的純文藝雜誌很少，介紹新思潮的文藝雜誌，更是少得可憐。以前綜合性的雜誌，現在改版之後，變成這種性質的少數雜誌之一，這倒是個可喜的現象。不過，也有許多方面，應當再改進的，都要和內容一樣的夠水準，才能更令人滿意。

・趙振雄。

廣東通志談叢

未完成的續廣東通志

・竹稚。

高州林鶴年，（著四庫全書表文註釋）。沈寶楨，梁集西，潘飂祺，徐紹棨，大抵粵中知名之士，萃於一堂。志局設於文德路三忠祠。（祀陸秀夫，張世傑文天祥）內之抗風軒。（明代南園前後五先生吟詠之所）遺址。以改羅浮舍，皆為辦公室。每星期開會一次，以商権編纂事宜，（當時訂有編纂條例，及採訪條例，印刷通送各縣，）茲將其目錄列後：

總目

訓論（即典謨）

輿地志「圖，沿革表，疆域，略歷表，氣候，山川，水利，關隘，海道，（潮汐，島嶼燈台附），風俗（方言附）」

建置志「城池，署，壇，廟，津梁，善堂」

學校志「學宮，書院，學校，學制，學田」

食貨志「口戶，田賦，鹽法，榷法，雜稅，餉捐，鼓鑄，積貯，祿餉」

民政志「祠典，郵政，警察，團保，煙禁，會社」

武備志「兵制，海防，船政，馬政，軍械」

交通志「航路，鐵路，電政（電話附）郵政」

交涉志「交際開埠，行船，界務，招工游歷，傳教，債務，訴訟」

其調查之廣，採訪取材之富，比前志已增加多門，因為時代蛻變，科學日增，有許多事物為前世紀所無，故志書必須增加許多部門，而此種新事業，固一般頑固舊科名中人所不諳也。又當時國內正在蜩螗鼎沸，袁氏帝制運動日亟，而此班遺老又別有會心，（多主復辟）修志之無成績。自可想見，但分纂諸人尚相當努力，對於測繪及各縣調查，亦有小部成就，但去完成之目的尚遠，未幾倒袁軍興，志局停頓。直至民國十六年，黃晦聞（節）回粵長教育，舊事重提，擬再召集名流，恢復修志。未幾，黃又以事去位，亦未有所成就。直至民國二十二年，志局始移歸中山大學院負責。設主任一人，由文學院史學主任教授朱希祖兼任。專任纂修十餘人，由文學院長吳康教授，及古直，吳宗慈兼任，石光瑛，余紹棠，陳述叔，李滄萍，容肇祖等任之。事務則由校中助教任之。特設總幹事一人，由朱希祖之婿羅香林任之。

（七）

怎樣補健頭腦

・鄭士珪・

頭腦為人類智慧寶庫，以之與其他動物比較，要進化而複雜得多，它是由灰質和白色物質組成的器官，也是一種集合多的神經細胞的一件神奇奧妙無比的東西，誰都知道腦是我們人類發揮智慧最高機能的所在，能夠保護健全腦子，智慧就會增進了，但一般人向來對於腦的活動跟營養有非常密切關係却很少留意。

人剛出世時，腦的重量約為三〇〇克，相當於成人腦的重量五分之一，在七歲時腦的物質便開始逐步發育，特別是在三歲時腦的重量已達到成人的百分之八十，所以這個時期的營養，便會支配了這個人一生的智慧程度，如此說來對于一個人發育時期的飲食，正是一個非常重要問題。

從前有些學者，以為大腦上的皺紋愈多，則智能愈豐富與腦力愈用則愈枯竭，這種理論，現在證實並不盡然，因為猴子大腦上的皺紋還比不上人類，海豚，海豹等腦上的皺紋之多，而事實上猴子的智能是超越這些獸類的，而時常運用腦力是會使它思路愈捷而不容疲倦，因為腦子一如肌肉，運用愈頻繁也就越發強而有力，不過腦子在年青時記憶力很強，一到二十五歲以上時理解力愈高，則記憶力却愈減低，這是確實的。所以學習如習外國文之類最好是在年青時期。

在腦髓和神經內含有多量燐酸質的脂肪，這種成分在蛋黃和動物臟腑裏含有很多，而其主要來源却是母奶和牛奶，日本醫學界認為母體之乳汁的營養價值，對嬰兒腦部的發育，大有益處。所以我們都得靠良好營養來維持腦的正常機能和促進智慧，不過實際上腦所消耗的物質是什麼？我們以何種東西去補充，才是最好補腦劑，至今還不大清楚，但我們知道腦神經細胞含有燐質，我國人舊學說云：「以腦補腦」，因此吃動物的腦子（如魚腦，豬腦）但被外國人所竊笑，因為他們向來不吃的，可是自一百年前，白朗氏（Prowse Quard）證明了「臟器療法」後，證明動物臟器有補腦和治療的價值，于是一般科學家醫學家，才知道中國人對於臟器療法，實有先見之明，凡用腦過度，腦神經衰弱，以及記憶力減退，持久服食豬腦或魚腦加明天麻片二錢同蒸或加甘杞子及黃芪二錢，輪流交換服食，同時多食新鮮魚類，生菜（萵苣）洋蔥，胡桃均能補腦，這是事實，法王路易十一世以蠔為很有價值的補腦食品吩咐他的軍要顧問常常吃食。（蠔含多量鈣質有助腦之發育）。

銀壇隨筆

渴望看好片

・修衡・

「茶花女」、「魂斷藍橋」這些故事的主題，無非概括了四個中國字：「天長地久」。這兩個故事流傳人世，今逾十載，依然使人耳熟能詳，原因何在？非常簡單，主題明確，劇情緊湊感人。凡是感人至深的片子，不管中西，同樣使人留下一個不易磨滅印象，同樣使人常存記憶之中。

電懋年來的製片態度，抱持着「寧缺毋濫」，產品不重量、重質求精，以求進步，以建立國際崇高信譽，為國片打入國際市場。本年度所推出的片子，不管是倫理、教育、文藝各片，都很說得過去，都有很高的賣座紀錄。事實上，正如電懋宣傳部主任黃也白說：「任何事業，把『賺錢』這兩個字放在前面，什麼事就很難辦；鍾啓文先生的要求是劇本好，導演和演員配備得好，演出好，其他就不計較了。」他說：「宣傳固屬重要，過分誇張，未必使人相信，好片當前，有目共賞；不切實際宣傳，反而引起反感。」這些話正和他為人一樣老實。

我不禁想到一位近由台北來的中央日報老同事，他告訴我一段趣事：「一批軍人最近上書總統，說國片不應當欺騙我們老兵。」這話怎麼說呢？據說有家影片公司給國家廣播公司每月三千元節目費，專門給這家電影公司宣傳，壞得不堪寓目的片子，說是好得無出其右；以致丘八們於受愚之後，向電台投函無效，怒向總統投訴。蔣總統顯然很惱，立刻下令徹查，於是廣播節目中，不再有「電影」一項。

本月電懋的新片該準備推出了。據說尚未決定上映那一部片子。我從「國際畫報」得到一些片斷的概念，不論劇本演員都很不錯。台灣首映賣座也很好。那麼，這部片子一經推出公映，予觀眾印象，也不會太壞。

自由人
THE FREEMAN
（第八七八期）
中華民國僑務委員會領發登記證台僑新字第一〇〇二號
中華郵政台字第五〇〇〇號執照登記爲第一類新聞紙類
（半週刊每星期三　六出版）
每份港幣壹毫
台北市價台幣貳元
督印人：陳文孝
地址：香港高士威道二十號四樓
20 CAUSEWAY RD. 3RD. FL. HONG KONG
TEL. 771726
承印者：東南印務出版社
地址：高士打道六十四號
台灣總經理處
台北市西寧南路壹零壹號二樓
電話：三〇三四六
台郵撥儲金戶九二五二
海外總經銷：友聯書報發行公司
香港：德輔道中二十六號A二樓

可怕的官僚主義

司馬璐

一切政治制度下都可能產生官僚主義；但，却不是說，官僚主義是必然的，合理的。同時，也不是說，官僚主義是不可以減少到最低限度或者可以消滅的。

柏拉圖說：「爲什麽聰明人不干涉政治呢，就像路上人大家在雨中受濕一樣，勸他們躲避，他們不肯，沒有法子，只好自己跑開，不管別人受濕不受濕了，不然自己也要濕的。」柏拉圖的這個說法，當然祇是「潔身自愛」，而不是最適當的態度。至少，我認爲，人類的「避雨設備」愈進步，防止「受濕」便不是不可能的了。

民主政治與官僚主義

民主政治愈發展，是可能使官僚主義逐步減少活動的機會乃至于加以消滅的。

還不是說，在今天的民主國家已經達到完全消滅官僚主義的地步，正如我們大家所知道的，民主在今天的西方國家還有缺陷，還沒有眞正達到盡善盡美的境界，因而官僚主義的存在，也還有藏身之處。

例如像美國這樣民主的國家，最典型的例子是，二次大戰後期，中共與俄共可以通過美共，再通過太平洋學會與拉鐵摩爾等人的影響，竟然左右過一個時期美國政府對中國的政策，如果不是美國政府中官僚主義的猖狂，這種情形眞是不可想像的。

再如最近的事實，像美國這樣科學先進的國家，今天居然發生「火箭落後」的現象，最主要的因素，不也是由于官僚主義作崇嗎？

這不是說，我們因此就對民主政治本身失去信心，相反的，我們正更需要發展與運用民主政治去克服官僚主義。在民主政治下的官僚主義，由于社會的與論力量和議會制度，官僚主義的行爲是隨時受到抑制和糾正的。

但是，共產主義制度本身，先天的與官僚主義是不可分的。在共產政權之下，人民不可能通過報紙或者議會取得申訴的機會，黨支配操縱與控制了一切，少數人從黨的組織中取得對人民生殺予奪的絕對權力，所以，共產主義制度是先天的最龐大，最有組織也是最罪惡的官僚主義。這種官僚主義與它的政治制度本身是與生俱來，難以擺脫。在共產主義制度下的官僚主義是黨的血緣的一部份，除非人民革命，共產黨本身是不可能斬斷這個血緣的。共產主義制度這一本質，是它的致命傷，最後必然自掘墳墓。

官僚主義舉例

官僚主義者，本質上是一種軟體動物，易于有千萬種形態，其敗事誤國的作用則一。有幾個最普通的現象，可爲我們的警惕，也可作爲今天政府袞袞諸公的鏡子：

其一：對人態度極不誠懇，陰陽怪氣，裝模作樣，虛僞客套，擺臭架子。說話言不及義，遇事先問來頭，專在人事敷衍上用心，並不考慮這事重要不重要。

其二：奉承乃至欺矇領袖與主管官和少數有權勢者。又喜歡自己的部屬如法奉承和欺矇自己。因而造成上下不通氣，每一官僚在上司與部屬的前面完全是兩副面目，彼此自欺欺人。

其三：粉飾太平，隱蔽眞相，開會報告；數條八股，信口胡扯，圖表滿天飛，一問實際情形，瞠目結舌，不知所云。

其四：多一事不如少一事，一向缺少時間與責任觀念。凡事能拖則拖，能推則推，能混則混，能騙則騙，通過公文旅行，文字遊戲，以敷衍搪塞了事爲天職。或者至少多讓別的部門多負點責任。

其五：遇到便于個人的逢迎和對個人有利的宣傳機會時，擺場面，擺闊氣，慷公家之慨，一擲千金，把私人酬酢看作是表現個人的最重要的手段。

其六：對于外間一切善意的批評，裝聾作啞，充耳不聞，採取笑罵由他笑罵，好官我自爲之的態度。或者表面上嬉皮笑臉假裝接受，事實上仍是那一套。

其七：官官相護，朋比爲奸，不分是非，祇要是自己人，沆瀣一氣；不是自己人，不問其有無價值，一律排斥。

其八：做一天和尚撞一天鐘，不肯吸收新知識，不肯求進步，得過且過，無大志，一味等死！

其九：政治嗅覺有如哈巴狗，一遇大局動搖，立刻叛變，官僚份子一向是政治上最靠不住的東西。

其十：在一個政權之下，官僚加貪汚腐化，便是共產黨的溫床，如不能及時斷然制止，長久腐蝕，就接近崩潰的邊緣了。

掃蕩官僚主義

因此，我們毫不誇張的說，官僚主義爲人類進步之大敵，爲文明世界之大敵，爲任何一個現代國家之大敵。我們這個國家如果要希望有點活力和有點生機，我們必須痛下決心，與官僚主義作鬥爭，毫不妥協的與官僚主義作持久的鬥爭。

今天，在我們與共黨的鬥爭中，其中一個重要的部份是，我們倘能有效的克服官僚主義的腐蝕，就等於百倍加強了我們的反共力量。

我們必須知道，在制度上，共產主義雖然與官僚主義是不可分的；但是，當共黨從事某一種工作任務時，敵人可能利用它的組織力量，重點突擊，進行偷襲。如果我們不反對官僚主義，共黨就可能利用我們的空隙，使我們遭到意外的重大損害。

在我們對共黨的鬥爭中，不錯，我們相信民主制度的優越性，我們相信民主制度在這場鬥爭中最後必獲勝利；但是，毫無疑問，如果我們不積極克服官僚主義在我們內部的蔓延與腐蝕，如果我們蒙頭大睡，等待「勝利」，或則昏朽糊塗，自我陶醉，那麼，共產主義帶給人類的災難，必然還要延長。

我們要大聲疾呼，爲了反共復國的勝利，我們必須舉起大棒子，把官僚主義從自由中國掃蕩出去！一些官僚們，如果他們天良未泯，應該自動下台；如果他們的舊作風不能改變，又戀棧不去，應叫他們從他們的負責地位滾下來；如果他們繼續堅持自己的惡習，我們呼籲國家運用重典加以制裁。否則，我們任令官僚無限期的誤國下去，我們將同樣是中華民國的罪人。

我以爲，我們與其對自由中國空談民主，空談改革，不如在台灣內部來一個具體的撲滅官僚主義的運動，祇有這一條路，可以眞正做到從基層改造台灣，奠定中國民主化的初步基礎，杜絕共黨腐蝕與滲透自由中國的機會。

可怕的官僚主義，我們大家千萬不要忽視它的影響！

談現代的經濟學者

·顧翊羣·

新正統派經濟學大師羅賓斯 Lionel Robbins在他所著「二十世紀經濟學者」一書裏面首先指出現世紀經濟學和經濟學者所以重要的理由。一方面是由經濟學內容豐富，經濟學者見解和技術都甚爲高超，但尤爲重要的是因爲二十世紀的公共政策是傾向於集體性的。他也認爲二十世紀文化瀕於崩潰，危機似羅馬帝國滅亡後所僅見。種種僞科學的主張紛然並起。工業技術儘管前進，但人類的道德與容忍大爲低降。許多人本能的知道局面嚴重，但不知道應當如何處理，於是祇得病急亂求醫。經濟學者邀天之幸，遂變爲政客的顧問而洋洋得意。回顧十九世紀許多事情頗合條理，政客無須向經濟學者請教，所以那時經濟學者並不能多出風頭。羅賓斯思想趨於保守，不合現代眼光。我是贊成凱因斯（Keynes），熊彼得 Schumpeter 與密歇爾 Mitchell 以及他們的弟子等人的。

羅賓斯不隨流俗，保持新正統派一貫主張，與瑞典學派及維也納學派比較接近。凱因斯學派重心在劍橋與哈佛，他的衣缽弟子哈羅特Harrod則在牛津。至於熊彼得的弟子在哈佛任教的有多人，最近著述「富裕的社會」一書的蓋爾勃萊斯Galbraith便是他的高足，並且兼爲民主黨經濟決策重要人員。密歇爾之繼承人卜恩斯Burns仍在國家經濟研究所服務，他們的弟子遍布全美國。以上諸人的思想影響全世界。但有一件顯明的不可否認的事實，便是：各派經濟學者之間意見各不相同，同一派系的意見也常時有出入，甚而至於同一人早期晚期意見也不相同。

凱因斯自負心甚强，平常是不喜歡提到其他學派主張的。他關於利息的討論，對瑞典的威克塞爾 Wicksell 的自然利率學說，只簡略的提到幾句。他和熊彼得也是貌合神離。後者之技術改良爲經濟社會進步之本的學說，在凱氏「就業利息與貨幣通論」一書中，並不重視。熊彼得對凱氏此書評的結論說：「路易十五世寵姬甚多，花錢如流水，也是爲了增加就業，但可惜多年後法國有革命與流血而已。」我最初在一九二三年起，開始讀凱氏的著作，一九三四與一九四四兩年曾有機會與他見過幾面。我對他的主張，三十年來，是從崇拜改爲欽佩，而變到今天的懷疑。他這本大著，被熊彼得，威廉斯J. H. Williams等人批評得體無完膚。最近摩爾頓H. G. Moulton在「通貨膨脹能管制嗎」一書裏，更從理論與事實及統計方面，對凱氏理論的前提如貨幣數量說，利率問題，及有效需要之眞正涵義，有詳盡的討論，認爲在現代工業國家，物價上漲源於成本方面，不由於需要方面。凱因斯與熊彼得都是絕頂聰明，但個性太强，而主張捉摸不定的。凱氏在一九二六年便宣佈自由放任之終了，但他的努力目的仍在保存現代資本制度。熊氏一面批評社會主義，但在一九五〇年去世之前，却著文說美國必然走上社會主義。凱氏自述他是一個不隨流俗而有獨立主張的人。現在他的門徒已經把他的學說予以相當修正，但基本理論則仍然堅持不放。他的國家舉辦公共工程的主張，儘管可用於經濟衰落時候，但學者一致承認，不能用於通貨膨脹物價上升的時候。所以在經濟落後地區投資過度，收支不平衡的時候，萬不能應用此種主張。但最奇怪的是越在此種地區，其青年學者越是高喊他的主張。

凱因斯在他的好多種書裏，說起通貨膨脹的危險。一九四〇年他的「如何支應戰事」一書曾鼓吹戰時强制儲蓄，可見他不是一個通貨膨脹論者。可惜的是他的主張在通貨緊縮時便遵實行，到了膨脹時候，應當反其道以行，但各政府當局却無心或無力照辦，以致貨幣終於繼續貶值。他這主張等於勸朋友抽鴉片烟從治病而成爲癮君子，他應負道德責任的。但他的『全面所得分析方法』是目前研究任何國家的經濟現狀所必須應用的，我以爲現代『總體經濟分析方法』應當推他做老祖宗。從前法國人奎奈Quesney（有歐洲孔子的綽號）以及英國人柏若William Petty等對此種方法已開始應用。但發揚光大的當然應推凱氏。我要說的是經濟研究對象不僅在數量而會有素質的因素。各種經濟貨物不全是同質的，而是異質。經濟演變對各種產物的作用也是不一律的。在兩個時期國民所得總數即使相同，但各部門數額可能有重要變化，所以總體觀察方法，效能是有限度的。國民所得的內容含渾，有人說女傭人與男主人結婚，或太太與先生離婚，改做他的廚師，而向他領薪水，便使國民所得數字改變。現在除所得數字之外，又有國家總平衡表又有部分階段的現金流通表等等，將會計技術應用於總體經濟研究，雖有相當價值，但適用於先進國家的理論與技術方法，不一定完全能應用於後進國家。舉一例來講，蓋爾勃萊斯所著「富裕的社會」一書中，說美國爲了生產而消費，不是爲了消費而生產，所以廣告業發達。他又對「因襲的智慧」（即是古典派的若干經濟推理），予以批評揚棄。但經濟落後國家如不注重儲蓄，不注重生產，而祇注重消費，則等於自殺了。（完）

半週述評

赫魯訪美似成定局

經過九星期的會議仍然一事無成的日內瓦四國外長會議，本星期三的休會，似已成爲定局了。此時忽有赫魯曉夫行將訪美的消息，又給予世人以解決東西僵局的希望。

赫氏訪美之議，似係尼克遜訪蘇的結果。此議，美國雖然有人反對，例如前陸軍部長赫爾利即認爲此舉將引入安撫姑息之途，紅衣主教亦極端反對。不過，美政府現已試探盟國對此的反應，美國九個州長對艾總統提出此議時，艾氏亦表示極大的興趣。英國認此舉爲有用，甚至西德的阿登諾總理也表示並不反對。赫魯曉夫本人已對新聞記者說，「時機成熟，就去。」據報紙消息，赫氏行期將在九月間。這樣看，赫氏訪美大概不會再有甚麼變化了。

赫氏訪美，赫艾會談，能否解決外長會議所不能解決的困難，能否爲將來的高峯會議鋪路？這當然又是另一問題了。

寮共進攻的國際意義

由中共和北越裝備供應的寮共部隊，現在已在寮國北部的大城桑怒附近出沒，寮國政府的增援部隊及傘兵據聞已抵達桑怒。這一事件的意義，並不是普通的內部叛亂。寮國外長甘芬潘雅對記者說，叛軍的目的在迫使政府修改其與西方國家之軍事援助協定。

甘氏的話不是沒有證據的，據中共電台的廣播，北越全境普遍發生『民衆反對美帝與吳廷琰幫積極備戰』，中共與北越一方面支持寮共的進攻，一方面在北越發動大規模的反美與反南越的宣傳，他們的用心不是很明白了嗎？寮共的進攻，顯示共黨集團行將在中南半島策動一種新的國際行動。此一行動是否擴大，大概要看歐洲的國際形勢演變如何爲定。

尼赫魯至死不悟

印度的中央政府已於八月一日下令接收凱累拉邦的共黨政權。印共於一九五七年該邦選舉時，成爲議會內得票最多的政黨。但印共在該邦組織政府，執政未及半年，即倒行逆施，在該邦之內，非共黨人員不但財產無保障，生命亦無保障，以至變亂迭生，民心盡失。

中央政府接收該邦政權後，將於六個月後，重行大選，改組政府。惟現時印共黨徒爲報復計，將在西孟加拉，及孟買等十四處大城市發動反對各邦現政府，全國性的大規模示威行動。將使印度全國陷於擾攘不安的狀況。

向以中立主義爲標榜的尼赫魯，經此事變，應該有所覺悟了罷？尼赫魯想和魔鬼拉交情，現在竟爲魔鬼所累，當不至再捫着良心，爲魔鬼說好話了罷！然而，尼赫魯竟還想在今秋把中共拉入聯合國，豈眞迷了心竅已乎？

·陳克文

「大胆部隊」的光榮事蹟

陶怡

（台北通訊）七月十四日，參謀總長彭孟緝代表總統，以陸海空軍第一號榮譽旗，頒授去年八月二十三日以後，在金門炮戰期中，有卓越功勳的陸軍四一七二部隊。這是意義極為隆重的一件大事。

四一七二部隊是國軍中第一個接受最高國體榮譽旗的部隊。這一面榮譽旗，橫幅為一二五公分，長為一〇一公分，旗為藍色底，中間有一顆銀星，星的中央則繡有一隻氣宇軒昂的文虎，旗的銀星上方，則有繁體「榮譽」二字。這是根據中華民國二十四年六月十五日國民政府頒佈的「陸海空軍勳賞條例」而頒發的。四一七二部隊此次榮獲最高國體榮譽旗，可說是該部隊的殊榮。

彭總長在授旗典禮中說，四一七二部隊調往外島服務，將近三年。去年「八二三」砲戰開始，該部隊即在大担島上表現無數可歌可泣的事蹟。在四十多天的砲戰中，島上的國旗曾被毀十七次之多，但每一次都有另一面的新國旗跟着升起來。這可見該部隊作戰精神之一斑。

十萬發敵砲轟擊之下

四一七二部隊，為國軍中訓練有素，驍勇善戰的勁旅。去年夏天金門防衛部特調該部戍守小金門各島。該部到達後，以最前前線的大，二担等島，地位極為重要，指派毛瑞忠部隊長率領一個加強×，保衛該島。不久，該防部又調派郝柏村少將指揮四一七二部隊。

砲戰開始，該部隊力阻頑敵，迭建奇勳。當時中共的意圖，本準備登陸金門，當時中共的參謀總長粟裕也親赴廈門各地從事指揮。後來登陸落空，又改為封鎖金門，意欲使金門十多萬軍民陷於絕境。但仍告失敗。又轉施詭計，圖以猛烈炮火迫使大，二担守軍投降，結果弄巧反拙，使四一七二部隊成為金剛鐵漢，揚名世界。

大担島面積僅零點七九平方公里，靠近大陸邊緣不到兩千公尺。位于梧嶼，島美，青嶼，北太武山，鼓浪嶼與廈門三面敵人的包圍中。初期共軍每日對大，二担發射千餘發炮彈，已超過二次大戰中，砲火最猛烈每平方公里諸兩三千發砲彈的琉璜島之役。後來，共軍對大、二担，每日攻擊的砲彈，竟常在三千發左右，有些日子竟逾四千發。到了去年十月六日，共軍自動宣佈停火一周止，在四十四天中，總數已近十萬發。在面積不到一公里的小島上，挨了十萬發的炮彈，不用說直接打死人，就是爆炸的震動聲，也會嚇死人的。

大担島上，無處不是彈痕，南山山腹與北山坡心僅有的幾株樹和一片青草地，都被炮火摧毀淨盡。真是飛禽無棲息之所，蟑螂也無安全之穴了。在這期間，戍守在島上的戰士，日夜處於炮火濫射之下，只有苦守和挨打，雖以還擊更無法出聲。而大、二担距共軍砲陣地最近，平射皆可命中，[illegible]擊砲也能射擊。在[illegible]最烈時，全島皆在砲火籠罩下，即在夜間，[illegible]火也零星射擊。守軍只有守在工事中，[illegible]軍活動，又繼續向[illegible]和山裏頭展工事，以增加生命的安全。

國旗始終飄揚島上

到了夜間，守軍第一件要作的大事，便是豎立國旗。國旗是國家的象徵，軍隊駐到那裏，國旗也隨之而到那裏。大担守軍把國旗當作他們的生命，敵人的炮火把國旗毀了十七次，他們始終盡最大的力量，使青天白日滿地紅的國旗，永遠豎立在大担島上。

其次，是搶修工事。島上的簡易工事，經常被共軍砲擊損毀，守軍均在夜間搶修。工事中間的聯繫交通壕，必須時時保持暢通。其次即向後方輸送傷患。輸送傷患，是一件艱苦工作，首先，那些應該送往後方的傷患，必先行調查，登記和統計。同時，各傷患所在地與上船地點的距離，和快步所需要的時間，都得計算好。並即與後方聯絡，有多少[illegible]，何時到，何時[illegible]調遣事，一方面籌[illegible]，再即利用敵人砲火間歇，按照計劃採取行動。有時敵停而船未到，有時船到而敵砲未停，要立[illegible]，有時行船中途[illegible]炮雨下。其中艱苦[illegible]局外人所能想像得到[illegible]但守軍都能利用晴[illegible]利用經驗，做得極[illegible]利。

至于道路，電話的修理，必須口頭傳遞的命令，以及後方補給的接收，均須在夜間行動。[illegible]

四十日的艱苦生活

[illegible]

[illegible]無人敢往取水。因此，[illegible]當三天，甚或數天無水可飲，[illegible]口乾唇燥，舌焦[illegible]者不可言。此時如[illegible]有淡水可飲，這是視同[illegible]仙露了。由於缺乏淡水，四十幾天中，沒有一[illegible]人修面，或理髮，更沒有一個人洗過澡。人人都是蓬首垢面，[illegible]，加以衣服污穢，臭味難聞。島上的人[illegible]變成野人了。

[illegible]在海中活動，但此[illegible]島上的守軍安全，而且[illegible]經常要夜[illegible]新鮮空氣，對[illegible]身體健康大有裨益。[illegible]共軍封鎖金門失敗[illegible]後，敵砲攪取大、二担[illegible]前哨島嶼。因此，他們[illegible]對大、二担僅烈砲擊[illegible]外，就在陣地喊話，勸[illegible]守軍「陣前起義」，並[illegible]利用許多物資作為引誘。但大、二担守軍在毛瑞忠部隊長的指揮下，矢忠矢勇，絲毫不為動搖。共軍一切陰謀詭計，都被粉碎，祇好發出停火一週，停火兩週，與單日打，雙日不打的宣傳了。

守軍血書表示決心

島上守軍這種的忠勇精神，中外人士，莫不深深受到感動，認為古今中外的島嶼攻防戰史中，是絕無先例的。去年蔣總統為嘉獎守軍忠勇，曾手諭嘉勉，並派蔣經國主任親自送去。蔣主任于九月三十日夜由馬公乘艦前往，十月一日上午八時抵達金門、大担，二担守軍，感激政府注意，曾以鮮血寫成書信，寄呈政府，保證戰鬥的決心。

四一七二部隊既有如此忠勇事蹟，故國防部曾于今年二月二十七日命名該部為「大胆部隊」。故此次彭總長代表總統授以最高國體榮譽旗，以表彰該部隊的勞績，誠非偶然也。（七月廿七日台北）

海埔新生地彈劾案

開發辦法只便財勢集團　連震東沈時可難辭責任

張健生

（台北航訊）監察院於七月二十九日公佈彈劾辦理海埔新生地的當時民政廳長連震東，地政局長沈時可，及第四科長王新民等，全文長達萬言，分行政責任與刑事責任兩部份。海埔新生地在辦理放領時，主管官署違法失職，因此被人檢舉，轟動一時，省議員和立法委員均提出質詢。

監察院曾派監察委員曹啟文等實地調查，該院根據調查報告之結果，提出糾正案，最後並決定對失職違法官員提出彈劾案。以下為彈劾案之大要：

行政責任部份：

[illegible]地政局科長王新民[illegible]，故意曲解法令，一手包辦核准駁大權。縣市政府的初審權，均被剝奪無遺，遂致演成嚴重糾紛，此為玩弄法令險謀舞弊之開端。同時，自民政廳長連震東，地政局長沈時可以次，於實施開放之始，即藉「利用重於分配」之原則，而違反政府土地政策。因為措施失當，竟假[illegible]之名，以預謀推卸責任。據內政部長在行政院報告，地政局不特在行政系統上不遵中央主管單位之提示，亦一切有關開發規劃，並不事先呈報核准，擅自[illegible]，[illegible]一意孤行，終致疏漏百出。

彈劾案的最後結論，略謂：措詞頗為嚴厲。此次省府開發海埔新生地，先後歷時三載有奇，耗費及二百萬。人民因申請開發案件，所費尤不可勝計。乃開發辦法甫經實施，破綻即告暴露，人民未見其利，先受其害。糾紛迭起，政府與人民因規劃不週，主管人員沿海[illegible]，又任意玩法[illegible]府實施土地改革方案，本以保障佃農為主，獨于辦理海埔新生地，則處處以便利財勢集團為主。如果不是營私，執行政府土地政策之高級官吏，何至愚昧至此。

刑事責任部份：

地政局長王新民故意瀆職，損害人民權益，圖利他人，實有觸犯刑法第一三一條之重大嫌疑。省議員歐雲明之東主合作社在登記時，周始准成立。但王新民科長王新民以著意營私，准規定開發辦法十六條所規定之面積限制，竟據很歐某之東海所設之補五天之內轉飭省府管處，在准以民政廳所設補申請手續通知書，代批耕清冊，變更周七親批之府令。使各農場生產合作社均在補辦申請手續之前往往先一辦之內，由申請人串通縣市政府經辦人員，以偽造文書宣告成立，程序根本不合。案經調查屬實。王新民依法負刑責。沈時可與連震東則應負失察及失職之責。

又地政局處理海埔新生地公文程序，多違常軌。重要公文，局長批示不簽名蓋章，副局長亦未簽名蓋章，且均不寫日期。可見王新民等科長用鉛筆簽擬意見，王作弊技倆，實有其始終一貫之陰謀。台南市議員吳頂專揭發，省議員張貴明，李秋遠，蔡錦棟等與地政局第三科長簡清檢之妻簡柯木椒，及林水彬王建都等所訂申請海埔新生地合約書，經鑑定結果，確係王建都所為，並非吳頂歐罵明王新民等有偽造文書之行為，前者犯刑法二一四條之罪，後者犯刑法二一一三條之罪。均應處罰。

連震東等犯違法瀆職罪嫌

彈劾案的最後結論，略謂：此次省府開發海埔新生地，先後歷時三載有奇，耗費及二百萬。人民因申請開發案件，所費尤不可勝計。乃辦法甫經實施，破綻即告暴露，人民未見其利，先受其害。糾紛迭起，政府與人民因規劃不週，任意玩法，主管人員沿海，不[illegible]

大多數為民生計，根本違背土地政策。甚至聯合所屬，勾結地方勢力，包攬土地權利。遂致道路側目，群情憤激。至引起東等身負重任，乃竟至漠然無心，擾及公衆，元罪。云云。到底此案將如何了結，還要看以後的事實。（七月卅一日于台北）

綠島與蘭嶼

台灣東南海中姊妹島

●劍[illegible]●

（本報特訊）在人口過剩壓力下，台灣省當局急切地希望能開拓可耕地之面積。因此，台東縣的綠島和蘭嶼，被省府認為該地的航運[illegible]，且曾提案向政府建議，興建碼頭及島內公路，建築小型機場，加強定期航班，並闢該兩地區為風景觀光區。記者[illegible]，使海內外人士有一個認識。

火燒島

綠島原名火燒島，又名雞島。遠在一百七十多年前，閩南陳必先帶五人，因經商帆船遭遇颱風，漂流至此，乃登陸探險，始發現有少數[illegible]居住，以水芋為食糧。因見島上森林[illegible]。[illegible]月間，陳又率領[illegible]，採伐森林，開墾[illegible]地出售。

提及火燒島之名，省民和外間，即搖頭作舌。無知者視為不毛之地，知者視為人間地獄，因為新生訓導處設在島上，專司管訓思想犯與叛亂犯之職，所以益增人們對其神秘恐怖之感。

居民三千餘

該島距台東十八海浬，東部海濱有黃色溫泉，旭日初昇，景緻絕勝，島民呼之為「朝日溫泉」。夜間航行，火燒山紅光通天，故命名火燒島。因為島民喜飼花鹿，家家皆畜之，故又名鹿島。三十八年間，台東縣長黃式鴻巡視時，島上森林砍伐殆盡，致影響民生，乃於是年八月一日正式命名為綠島，意在綠化該島。

島上居民，男的二二九七名，女的一六四二名，共三九三九名。除少數公教人員及眷屬係外省人外，餘均為台籍。其生活風俗與台灣本島相似。島上設有鄉公所與鄉民代表會，派出所及綠島國校和兩個分班，就學兒童：男生三〇二人，女生二七六名。現任鄉長蔡朝旺亦是民選。該島出產：珊瑚、海樹、海蔘、玳瑁、龍蝦及哈貝等有名的特產，經島民加工製成標本外銷。

胡佛總統號觸礁

民國二十六年，美國郵輪胡佛總統號（三萬一千噸）因方向失明而觸礁，於是綠島因此不幸悲劇而聞名世界。郵輪上的乘客，有十二個不同國籍的五百餘人，經島民冒險搶救，得免於死。這批國際難民，給島民帶來的難題——住與食。在綠島，隨時可以看到極精緻的盤、碗、刀叉等餐具，上面都印有「HOOVER」字樣，足證係胡佛號郵輪遺物。

紅頭嶼

蘭嶼原名紅頭嶼，因盛產蝴蝶蘭而聞名國際。蝴蝶蘭曾代表我國參加第三屆國際花卉展覽會，於四十一年三月間榮獲冠軍金像獎，致為國增光。該島在台灣東南海岸，距台東四九海浬，西距鵝鑾鼻四十一浬，北距綠島四十浬，南距菲律賓巴丹島約四十餘浬。天晴時，登紅頭山頂，隱約可見菲律賓之巴丹群島最北部之雅米（Yami）島。蘭嶼是不規則菱形。小蘭嶼又名無人島，因為目前無人居住。二島相距約三浬。

海底火山

蘭嶼是一個死火山島嶼，係火山岩組成，於第三世紀中從海底火山噴發，產生大量火山岩流與岩屑而堆積成為島嶼。島民全係雅美族，島上風大雨多，氣候溫和。現有人口，男為九七一人，女為八三一人，總計一、八〇二人。包括公教人員及眷屬。島上設鄉公所，代表會，國民學校，派出所，測候所，衛生所，民服站，婦女會，入山檢查哨，蘭嶼農場及電台，供銷會等行政機關。就學兒童：男生一三六人，女生一一九人。失學一百多。對外海上交通，祇有兩週一次的定期班輪，且常脫班。故交通極為不便。

男女裸體

在二十世紀的近代，蘭嶼居民卻過着半原始生活，男女一年四季裸體，男的以布袋褲纏蓋體，如丁字褲。而婦女以布片作圍裙，遮胸及下體，餘均一絲不掛。住矮屋，類似穴居。食蕃薯水芋魚類及海草海貝等，食以手代筷，但久之，則男女發生奇症，即腹部隆起，如大腹者。行無路，鄉村道路如羊腸小徑。迷信魔鬼，萬事忌諱。重女輕男，婚姻自由，喪葬儀式，殊屬恐怖，女子分娩，竹刀剖腹，不祭祖先，跪拜求「飛魚」。居民不知貨幣買賣，僅以物易物。

里芋山羊

島民不種稻谷，喜愛里芋。豬與山羊，唯一之財產，如加以指導，則不失為發展畜牧地區。島民最通行的語言，即雅美族土語，該地公務員勉學會土語，故而尚不隔膜。少女的舞蹈和歌謠，是唯一的娛樂。蘭嶼有三害：紅蟲多，瘧疾多，毒蛇多。如被紅蟲咬過，一週內不治而亡。蚊蟲蟻大且多又毒，如被侵襲，則成瘧疾。該島鎮社東南方山谷中有一盆地，藏蛇逾萬，毒蛇極多，如被咬則死亡。故省民不敢冒險前往。

開發計劃

政府雖有開發計劃，但限於經費，故尚未作積極之舉。四十三年三月間，省府由各廳處組「綠島蘭嶼勘查隊」，前往兩島作為期一月之考察。同年，中國青年救國團略組戰鬥訓練，曾有「蘭嶼探險」的活動。惜乎政府因財政困難而未進一步的行動，解決少數民族的半原始生活。事隔五年，省議員們又前往考察了，但希望這一次是最後而成功的一次。（五月卅日）

由「民主改革」到「集體所有」

——西藏近貌——

最近，中共在西藏進行的「民主改革」，已踏上密鑼緊鼓的階段。自從中共藉優勢的武力鎮壓了以達賴喇嘛為首的西藏地方政府以及西藏僧侶和人民所發動的反共革命之後，隨即緊鑼密鼓進行以推翻西藏現有的社會制度為目的的所謂「民主改革」，企圖從而確保其在西藏的統治地位。七月十七日「西藏自治區籌備委員會」第二次全體會議，在中共中央統戰部部長汪鋒，中共西藏工委書記張經武、中共西藏軍區司令員張國華等要員親自出席主持之下，作出了「關於進行民主改革的決議」。中共在西藏的「民主改革」的措施，於是更加具體化。

據七月廿一日「人民日報」透露，中共在西藏所進行「民主改革」的程序，在「關於進行民主改革的決議」中已作出了具體的安排。其主要內容，是把西藏「民主改革」分為兩個步驟進行：第一步是「充分發動群眾，大力開展反叛亂、反烏拉差役制度、反對奴役和進行減租減息的運動」；第二步才是分配土地。在目前所進行的第一步「民主改革」階段中，它作出下列這三項主要的規定：

一、在農業區，對於參加反共革命的三大領主（原西藏政府、寺院、貴族）及其代理人的土地實行「誰種誰收」；對於未參加反共革命的三大領主（包括其代理人）出租的土地實行「二八減租」。對於三大領主在一九五八年以前所借出的債務，一律廢除；未參加反共者的債務，一九五九年所借出的債務，實行減息。

二、在牧業區，對於沒有參加反共革命的牧主的牲畜，仍歸原牧主所有；對於參加反共的領主的牲畜，仍由原放牧的牧民放牧，收入歸放牧的牧民所有。

三、在寺廟中要開展「反對叛亂、反對封建特權、反對剝削制度」的三反運動」。對於未參加反共革命的寺廟土地和其他生產資料，實行「贖買政策」。

這種所謂「民主改革」，在表面上看來，似乎是在改革西藏原有社會制度不合理的部份，但實際上，它卻包藏了下述兩種主要的作用：

第一、削弱西藏的反共力量：無容諱言，西藏的原西藏地方政府、寺院、貴族是西藏三大領主。原西藏地方政府擁有約佔西藏全部土地的百分之三十點九，在過去，它依靠這些土地的收入來作為西藏地方政府僧俗官員的薪俸和行政開支，以及用來建立軍隊等用途。西藏的寺院約佔有全西藏土地的百分之三十九點五，其收入主要是供養寺院喇嘛，使他們生活安定，可以安心發揚喇嘛敎的光輝；西藏貴族約有二三百家，他們約佔有西藏全部土地的百分之二十九點六，他們多半擔任西藏地方政府的官員，而西藏軍中的代本，全部由貴族子弟充任（一九五九年新華半月刊第九號）。本年三月間所爆發的西藏反共革命，主要是由上述這三個階層人物所領導的，因此，這次中共以土地等為主要對象進行「民主改革」，事實上就是斬斷它們的經濟命脈，使它們喪失了反共活動的資本，無所作為，而中共在西藏的統治權就可以漸趨穩固。另一方面，與這次「民主改革」的同時，中共又把西藏過去按三大領主情況而劃分的基巧、宗、溪等行政區劃，重新劃分為日喀則、昌都、塔工、山南、江孜、黑河、阿里等七個專區和一個拉薩市，把原有的一百四十七個宗，溪行政單位合併為八十個縣（七月八日「人民日報」），以及廢除西藏農村舊政權，而以親共的「積極分子」所建立的農民協會為農村基層政權組織（七月三日「人民日報」），這一切，充分顯示出這次「民主改革」是中共為達到摧毀西藏反共力量，從而鞏固它的統治權力的措施。

第二、逐步消滅西藏的宗教：西藏的宗教能夠發揚光大，歷久不衰，主要是由於寺院擁有產業，使喇嘛無須憂慮生活，專心向佛所致。在中共實行「民主改革」之後，他們的生活來源斷絕，勢不能不離開寺院另謀生活。何況，與此同時，中共也正大力鼓吹喇嘛走出廟門，它說：「寺廟中適齡的任何人，都享有公民的權利，可以當人民代表，擔任政府職務，參加機關工作，參加社會活動和進行勞動生產等等。但過去寺廟中並未實行憲法，按憲法辦事，而是單有一套自己的法律。應該讓憲法進廟門，給予喇嘛人身自由，承認喇嘛也是公民，承認他們和普通人民一樣，享有憲法上規定的公民的權利和義務。喇嘛可以念書、看報、學習、開會，參加勞動，爲國家工作，爲人民效勞。」（七月三日「人民日報」）可以看出，西藏宗教將隨「憲法進廟門」而日趨衰落。

西藏的「民主改革」，正是中共在藏族人民中挑起他們互相仇恨、互相殘殺的階級鬥爭，它以分配土地為誘餌，嗾使西藏農民、牧民，對他們同種同族的、具有堅強反共意識的西藏「上層人士」作慘烈的搏鬥，實無異於替中共拔除西藏反共的種子，而它自己則坐享漁人之利。儘管如此，可是中共分配給藏民的土地，也正是一種政治騙術。根據中共在其他少數民族聚居區所進行「民主改革」的情況來說，中共在分配農民土地之後，到了當地的政治局勢可以完全控制時，就強迫農民以土地加入農業合作社，成為「集體所有制」；甚或更進一步成立「人民公社」，土地又成為「全民所有制」，屆時農民依然一無所得。西藏的情況也將無法例外。由此可見，中共在西藏進行「民主改革」並非真正存心解除農民疾苦，它不過是利用農民為其鞏固統治地位的工具而已。（完）

老撾戰事又起

老撾叛軍經由越盟軍新裝備以後，又進入老撾，對其北部的軍隊猛烈進攻。此事有三項背景須予注意：

一、自老撾叛軍第二營逃入北越以後，所有關於老撾叛軍的動態消息與它的公開文件，都由河內廣播所發表，五月廿一日所發表的在一九五七年與老撾政府談判的叛軍軍事代表團團長坎代．西班頓二十日的聲明；六月八日叛軍第二營分別寫給老撾人民和老撾王國軍隊的信；七月十八日老撾「愛國黨」中央委員會副主席實當寫給老撾國家委員會的信；從這一連串的事實可以看出老撾叛軍的後方根據地是在北越境內，實當大概已為叛軍的新首領。

二、七月上旬，胡志明曾至蘇聯「休假」，其後再無消息。這種政治性的「休假」，當然不是太簡單的，七月三日與赫魯曉夫會談，當晚，克林姆宮曾舉行盛會歡迎他。在他們雙方的交談中，主題之一當是討論老撾局勢。按蘇聯對於老撾局勢，三月二十五日曾發表聲明，支持中共與北越，要求恢復老撾國際委員會的工作；這一要求遭到英國政府的拒絕，此後蘇聯政府卻無正面表示，雖然六月二十日「真理報」曾發表評論，在日內瓦英蘇兩國外長亦會討論，但並不十分熱心。胡志明訪蘇討論老撾局勢當是要求蘇聯放棄這種冷淡態度。但自胡志明至蘇休假以來，蘇聯的對於老撾局勢，並沒有什麼積極的轉變。

三、中共「外交部副部長」羅貴波於本月二十四日由伊拉克轉到了日內瓦，並與出席開會的蘇聯代表團進行接觸，據西方消息，他之到日內瓦是為商討老撾局勢。羅氏到日內瓦的目的，可能不僅止乎此，但他原來是駐北越的「大使」，是一個熟悉北越老撾局勢的人物，由這種歷史背景來觀察，其敦促英蘇外長積極進行老撾局勢的討論，則是有其可能性。近日來，在這方面並無一點討論的消息，亦未見到蘇聯有積極的行動，羅貴波的活動似亦已遭到了冷淡待遇。

由上述三項背景看來，老撾叛軍突然增強活動，擴大戰事，目的之一看來又是以破壞蘇聯和平氣氛，間接影響日內瓦會議協議來壓迫蘇聯，要它積極對待老撾局勢；目的之二，當是要藉自由世界，要攝續使日內瓦協議在老撾發生作用。這裏當可看出，老撾叛軍的支持者則抱戰時那樣巨大，但其兩面恐嚇的性質却完全相同，這是一項對於自由世界關心老撾以及東南亞與否的正面考驗，亦是對於蘇聯有無能力制止這一火頭的側面嘗試。從中共來說，則是自己沒有能力正面威脅，促使老撾叛軍來做這項工作。

在我看來，蘇聯對老撾叛軍的控制力是很薄弱的，最後，恐怕還是像去年一樣，被迫而同意中越共支持積極老撾叛軍的行動。在這種情況之下，自由世界若不積極採取支持老撾王國政府的強硬行動，則很難阻遏老撾叛軍的活動。◎田心。

國際動態拾零

△美國國民所得，本年達到三千八百五十億，較上年度多出三百億，且不以鋼鐵業工人罷工而減少。如此國庫對個人所得稅的收入，增加了十五億。

△美國對火箭與太空船之突飛猛進，原子委員會已須備好材料，請尼克遜帶至莫斯科交給赫魯曉夫一閱，使其不至因估計錯誤而發動大戰。但事前已通知北約國家，以其機密武器之設法，透露給蘇聯，故準備此一閱。

△赫德擬於外長會議結束後，順道赴巴黎會晤戴高樂，以便安排議程。

△蘇聯特務，最近極注意美國設在歐洲之雷達站，研究美式雷達對低飛空軍之偵察，其有效至如何程度。

△英國發明新式飛彈為機，使戰鬥機與轟炸機，可在最小之航空母艦上起飛，業已為美國海軍所採用。

△英法德意四國飛機製造公司，有合作計劃，包辦歐洲之民用機與軍用機。

△戴高樂堅持法國須有原子武器，美國並不反對法國之繼續作原子試驗。不過這是法國的責任，美國不能告以應該這樣做或那樣做。

·陶然·

大陸文壇透視

七彩

老舍譏刺侯寶林

老舍最近挺賣力，莫非這位披上先生垂暮之年，還想「爭取入黨」？看見別人入黨眼睛冒汗？他的「全家福」三幕七場話劇剛在「收穫」雙月刊第三期刊出，就已於七月三十日在滬公演。可見當前中共的劇本是如何缺乏呀！此外，他在七月十五日光明日報寫了一則相聲，責斥當前相聲大王侯寶林不賣力，說相聲不能逗人笑。

侯寶林是久已聞名的相聲藝人，「解放」前曾在相聲裏糟蹋過史大林毛澤東的，「解放」後卻又逗得毛澤東哈哈大笑，老舍過去曾為文誇讚過他這一手。他現任中共中央廣播說唱團相聲演員，頭幾天剛由福建前綫勞軍歸去，七月十二日參加了上海舉辦的「說唱交流大會串」，說的「武松打老鼠」，據說「台下都哄的笑起來了」。誰知老舍竟緊接着給了他這樣一記悶棍。

老舍這篇相聲有序：「前幾天華君武同志畫了一張漫畫，質問侯寶林同志，爲什麼有些相聲聽了不可笑。我也當面問過寶林同志，可惜都沒有時間作詳細的討論。」這裏摘鈔一段於下，甲似乎是老舍自喻，乙就是指侯寶林說。

甲　相聲總得要招笑……

乙　也不盡然！我說過不招笑的相聲！

甲　聽衆的反應如何，可得聞乎？

乙　效果很好！

甲　怎麼個好法？

乙　那天正趕上星期日，小劇院坐滿兒，我上去那麼一說呀，馬上全體肅靜，好像都睡着了。

甲　對！你把大家都說睏了嘛！

乙　睏了？不大一會兒，有好幾十位都捂着鼻子，含着眼淚往外走。

甲　實在聽不下去了！

乙　聽不下去了？他們受了感動，想找個僻靜地方思索去。等我說完了，還沒走的聽衆非常地活躍起來。

甲　都熱烈地給鼓掌？

乙　沒有！

甲　都喊：再來一個？

乙　喊倒是喊來着，可不是再來一個。

甲　喊什麼來着？

乙　退票！

從這段相聲來看，或者近來侯寶林「鬆勁」了？或者他只顧在相聲裏背政治教條，聽衆討厭了？要不怎麼華君武用漫畫諷刺他，而老舍更「以子之矛攻子之盾」般如此向他嘲笑？

瘟君夢

第三回：點石成鋼　魔王施妙手　指鹿為馬　嘍囉建奇功

那一個時期，中國大陸真成了神話世界，大小幹部爭先恐後的造成績，小麥畝產量由八百斤，一千五百斤，三千斤，層層疊疊地往上加，最後竟然得畝小麥能收到四萬多斤。這種神話雖然大，並不能引人入勝，比較有頭腦的人就不從增產上下手，而另闢蹊徑，總使消息一出，舉國震驚。

貴州有一個地方用小麥磨麵粉時，竟而用百斤小麥磨出了九十九斤十二兩麵粉，只蝕耗了四兩。這個消息傳出來，果然震驚了全國，因為出產小麥地區的人都曉得，每百斤小麥正常些只能磨七十五斤麵粉，軍隊中用百斤小麥磨出八十斤麵，已經粗糙不堪。中共「解放」之後，硬把麵粉產量提高到八十八斤，麵粉與麵皮已分不清楚了。若是磨到九十九斤十二兩，恐怕連麩皮算上也沒有這麼多，因為只是飛出去的麵粉也決不止四兩。

正當中共大力節約運動時期，突然有這個發明，那還得了，各省都組織參觀團到貴州去學習，貴州又沒有鐵路，只有搭飛機去，到了地方實際趕到這間磨坊參觀，發現他們原來另有竅門，小麥磨成之後，麥麩與麵粉根本不分開，找了許多粗瓦罐，瓦罐裏面裝上水，埋在麵粉中間，過了一夜，瓦罐裏的水都吸乾了，麵粉的重量自然增加了。一位代表參觀「隔夜的麵粉」之後，用手捻下變成麵團，不由笑道：「這真是增產又節約，作饅頭時，連水都省了。」

不過這個也還算增了產，還有一種更妙的神話，出在中台。這一天毛澤東忽然靈機一動，要到附近鄉下視察增產情況，由「北京」市委書記劉仁陪同，頭一站到了中台，在一個「國營農場」，參觀了一塊白菜地。毛澤東手摸着剛出土的白菜，笑着向農場場長：「這一畝白菜，估計能產多少斤。」

國營農場的場長是個團長轉業的，在韓戰中被美國油燬彈把全身的皮都燒光了，一張臉孔上疤痕滿滿，九分像鬼，只有一分像人。這位立正的場長，一見毛主席發問，能恭而敬之答道：「報告主席，一百二十萬斤。」

「多少？」劉仁厲聲問，毛澤東未開口，他倒急了，覺得這個謊撒得太離譜了。

可是這位場長，非常從容，圓睜着一隻沒有眼皮的眼珠，答道：「一百二十萬斤。」

「一共多少棵？」劉仁有點氣了。

「五千五百棵」，場長還不在乎。

劉仁蹲在地下用手計算了一算，冷笑一聲：「你們這一畝白菜平均有二百四十斤重了，同志。」

毛澤東哦了一聲：「那豈不有我一個半重，我只有一百五十斤。」（五八）

岳騫

釋耒集

民主低調

近世民主國家，政府之外有議會，其形式與我國歷史傳統之君主體制不同，因而我國歷史，乃爲舉世趨新之士所詬病，詆之曰帝皇家譜，詆之曰相斫書，舉一切措施，皆目之爲黑暗專制，實則民貴君輕之說，孟子言之于二千年前，然均以爲此不過儒生之空論而已。其實凡聖君賢相，勤政愛民，輕徭薄賦，即爲事實上之民主，不必定須有如今日歐美民主政治之形式也。近讀清人阮葵生茶餘客話，載康熙五十年上諭有云：「治天下以寬爲本，若吹毛求疵，天下人安得全無過失，譬見不飲酒之人，必欲人不飲，不用煙之人，必欲人不用，此皆不可，朕即不用煙酒，若以趙申喬任性爲之，必殺盡天下之用煙酒者，恐大小臣工不能一日安矣。」又云：「總之愚民斷不可欺，居官好者人即知其好，不好者人即知其不好，故曰天視自我民視，天聽自我民聽，蓋民意即天意也。」此類官書記載，康熙當日，是否事實如此，不可詳知，而康熙之世，畢竟爲有清最承平安樂之時代，以視漢唐盛時，亦當相去不遠，可以無庸懷疑，但上引兩次上諭，論治實深得大體，足爲今日標榜民主政治者之參考焉。

淺言之，民主政治之眞精神，首在能包容異己，其次則爲尊重人民利益，所謂以黨治國，所謂人民民主專政，均不過獨裁之變相，專制之藉口，勢必至於事事吹毛求疵，以成其黨同伐異之目的而後已。至于自來統治階級，敢于漠視人民利益，則不過以愚民爲可欺耳，是故今日一政策，明日一方案，其所以爲愚民設想者，若甚週詳，而結果則今年募公債，明年榷茶酒，專賣限價，法令如毛，搜刮剝削，資無所不用其極，不思：「居官好者人即知其好，不好者人即知其不好」之語。今日人民無稻米生油可食，而指證之曰番薯雜糧及棉子油更富于營養，爲人民者，懾于威稜，莫不唯唯聽命，以爲誠更富于營養，于是又復令其人民相與歌頌此雜糧棉子油更好之謊言爲偉大之發明，然後方且躊躇滿志，自以爲凌秦皇，跨漢武，民主而果如此，則民主云者，直災殃之借說而已。

夫涇渭清濁不同而皆入于河，湘沅其流各異而並入于江，江河區分南北又終滙于海，故曰天下一致而百慮，同歸而殊途。斥異已者，徒見其器量之小，不能容物而已，天下之人，智愚賢不肖，不必皆同，然莫不欲得安樂與飽暖，蓋人情一日不再食則飢，一歲不製衣則寒，腹饑不得食，膚寒不得衣，雖慈母不能保其子，君安得以有其民哉。今使人食不飽，衣不完，終歲之間，無日休息，而號于衆曰，此民主政治，人胥信之乎？

曲齋

啞吧的國度

○人木○

我到啞吧的國度去，據說那裏有沉默的美德；爲了追求一個寶帶之鄉，我心甘情願束縛自己叨叨絮絮的舌頭。我想：當我學會了如何沉默，我將是一個哲人。

啞吧的國度裏，無處不見到這種標語：「沉默是最大的美德。」「上帝創造嘴是用來吃飯，不是用來說話。」、「病從口入，禍從口出。」……凡是一切啞吧的好處都寫出來了。

在啞吧的國度裏，我可過得舒適極了！上館子，給僕歐一紙菜單，吃了付鈔，拍拍屁股就走。坐公共汽車，左右鄰坐不會向我嘰哩嘟嚕嘮嘮不停。晚上睡了，沒有一聲嬰孩的啼哭，是再好不過的了。

於是，時時刻刻我都能充份利用自己的思考力，去思索某些玄奧的問題——對我來說，這是接近上帝最短捷的路綫，是人生最大的幸福。

半年過去了，我眞是迷離恍惚地，心中溢滿了幸福。

一年過去了，我在各方面的思索，都走到一個盡頭，再遠處，一片茫茫的超史前的謎霧遮蔽，是我的智慧所不能到達的。於是我回到現實當中來，長久的思慮，沒有澄清心底積叠的寂寞和空虛，寂寞和空虛卻反而比一年前還更大更重了。

噢，我多需要一個朋友啊，讓他來分擔我的寂寞，我的空虛；也讓他來分享我的快樂擴！——忽而我不能！這是一個啞吧的國度，在這裏，只有沉默。

我看見有貪官汚吏剝削民衆，我看見異國的軍隊侵入了啞吧的國度，並且，從民衆的眼裏，我看出他們也知道，因爲他們的眼燃燒着憤怒的光芒。但他們沉默着。

多難堪的沉默啊！

爲了適應民衆的需要，第二年啞吧國政府設立了說話的機關，叫「衆言堂」，誰悶不過，可以到那裏朗誦一篇詩文。

我去了，那些可憐的長久被沉默所腐蝕的民衆黑黑壓壓地擠滿了大堂，一片誦讀的聲音：

「我們服從黨的指揮，黨就是國家，國家就是一切！……」

「啞吧國要追上別的國家，在黨的英明和領袖天才地的領導下，正在一次又一次地大躍進中。……」

「……」

衆言堂附設國家詩人部，定時向全國發表新詩，大詩人某有提筆世界之一句：

「啊，
爺爺，爺爺，爺爺，
你是永恒的太陽，
我們的鋼！」

啞吧國充滿了一片新氣象，民衆也滿足了。三個月過去，詩人的聲綫斷裂了，民衆對誦讀指定的課本也煩膩了。沉默再度籠罩，帶着些悲哀絕望的成份了。

我嘗試忍耐了一百次，最後還是失敗了。我站在街頭，向聚集在我身邊的羣衆大聲疾呼：「喂，你們可憐的啞了嗎？那些貪官，由他們來剝削你們；異國的軍隊，由他們侵略你們的土地。而你們還要樂於誦讀政府給你們的課本，不把你們自己要說的話嚷出來。沉默是美德？哼，我眞爲你們的沉默感到羞恥！……」

我被逮捕了，罪名是「不在國立衆言堂內說話，及違反政府指定法則說話。」

於是，我被遞解出境，留下千千萬萬沉默而憤怒的人們！再見了沉默，啞吧的國度，在這最近的幾年裏，我總覺得有一天在啞吧的國度中將有一聲崩天的呼叫，那呼叫，前些日子啞吧國度的「弱小民族」已經有一個最初的嘗試了！

少漢招覲華葭樓主舊藏畫本事成四絕句

○王韶生○

知是梁稽見本華。金碧丹鉛色不加。鄉國彈殘歸未晚，披圖今日憶蒹葭。

俗務何堪？泥跡總不知。獨憐心力不勝悲。人倫國粹紛紛墮史數余賞（注一）。雲樹樓迷羅幾行。三尺匱胸勸拂拭。依然愛素有輝光。

革命高人話冷殘。寫成蜜白更楓丹。衆中俯仰都陳迹，劫後湖山忍淚看。

注一余紹宋，黄賓虹

廣東通志談叢

○竹菴○

未完成的續廣東通志

其後續有增聘，雖非校中教授，亦廣爲延攬。如羅師揚，溫廷敬，陳沅，冼玉清諸人均聘入館中任編纂職，中大自接辦志局之後，擬三年內，完成續通志。故各部工作，頗爲努力。依據館中編定之廣東通志綱目說明書，分類編纂。各縣采訪，則依據館中編定之徵訪條目，按門采錄。至衙署，城市，古蹟，名勝，寺觀教堂，公路，警政，金石遺文，風俗，物產等，則製成調查表。分發各縣政府查填。其通志綱目係由朱希祖教授所撰，其說明書亦然，茲列其目於下：

記　大事記

表　沿革表、選舉表、封建表

略　輿地略、建置略、民俗略、經政略、財政略、水利略、文物略、藝文略、金石略、民事略、僑務略、外務略

傳　名宦、謫居、先達、忠義、孝友、隱逸、列女、學林、藝苑、教門、貨殖、流寓、外僑

照此綱目，於大綱目之下，原有小目，均在說明書內詳言，中山大學附設機關，凡與修志材料有關係者，均令其儘先搜集，以便分配及采錄。如輿地略中有地質一類，則令兩廣地質調查所將平日調查成績錄送。如廣東全省地質圖，（縮尺二萬分之一）分佈圖，（縮尺二萬分之一）。廣東全省礦產分佈圖，（縮尺二萬分之一）。以及其他地質報告書是也。輿地略中有土壤一門，則令農學院中之土壤調查所，將廣東土壤，廣東土壤肥沃度概說二書要錄出。如廣東中山，新會，高要，四會，以及南海番禺，順德，東莞等縣的土壤調查報告，均爲可采錄的資料。農學院所出版之「農聲」共有二百餘期，民俗略須調查民俗所得之結果。其出版者百有餘期。又有民俗專刊，又由一二期至一二三期，共出三期，爲大册。均送館，擇其材料編錄。以查猺俗，猺人所用的工具，則由文學院教授揚成志，理學院教授所採集，曾在校內發表，亦把材料選入志局。（八）

談「天河詩粹」

王世昭

天河詩粹是一羣愛好文藝的青年們所寫的詩，全集共計二十三首。執筆者有：稚心，余獨清，遂艾，允中，一夫，漁翁，且沙，夜郎，黑李凡九人。

我已讀過數遍，覺到很好。

第一，他們的詩都有內容，其間，有抒情的，如稚心的「愛」；有有關信仰的，如遂艾的「幻滅」，余獨清的「神的悲劇」，有敘事的，如且沙的「且沙的故事」等。

第二，他們的詩都注意形式，內形韻與外形韻並重，不同於一般打油與閒話三叉。

第三，他們的詩雖然都有稚氣，但卻天眞無邪，說老實話。

第四，他們的思想，純潔而有神論也有，有憤世嫉俗有，批評稅政的也有。至於談情說愛，雖然不少，但都很莊嚴，含蓄，不流於下作。

其間，以稚心的詩寫得最好，使人有靈清婉的感覺。允中近冰心女士；且沙近傳東齊所謂的奧特蕾，而蓼齊又有似朱湘的作品形式，遂艾尚需努力創作，形式多變化，取材亦較廣大。我想，他們所走的路是正確的。香港這個地方是中國文化與英國文化可以互相交流的地方，而且，中國多詩人，英國亦多詩人，理想這個地方應該可以孕育出好的作品與更多的人材。

傳教

宗教發動於恐懼，可以算是人類最古老的一種，三日一佈道，五日一集會，我家隔壁就有個教堂，也有些宗教狂熱的朋友們，身上披着白大褂，上寫「我是罪人」去遊街，這種現象是好是壞，實在難言。

聖經說我們的「心是神的聖殿」，佛經上亦說「自性即是自心，自心即是佛，故不必捨自佛而求他佛，但覺自心佛可也。」由此可見何謂神？何謂佛？皆是人之心耳！

宗教是大學問，也是治靈魂的藥，藥外有糖衣，那就是迷信。佈道不可不聽，而是在聽的時候，應該懂什麼是藥，什麼是糖衣就行了，我的一位鄰居太太，對宗教熱心到迷惑的程度，幾乎日日都有集會，而她那位先生因精神在家之無處寄託，就天天外出打牌，以致孩子們無人管教，每年都要留級，實在使人深省。而有些教士在佈道時爲人治病，報紙上大登廣告。我們都認爲鄉愚們請觀音的香灰治病是迷信的事。而用手一摸就可以醫病的事，又何曾教人深信？但是報紙上對前者自然是口誅筆伐，對後者卻極端描寫，無所是非。

無論如何，我認爲宗教思想是值得研究，但卻不能叫那些二等傳教者說的「世界末日」給嚇唬住。我們如果真的一生過得自己罪都還不清，戰戰兢兢於天堂的得失，焉有餘暇來救人？

○陸夢墨○

銀壇隨筆

「天長地久」

「天長地久」將由明天開始，在港九皇（都、東、樂）幾聯合公映。這部電懋認眞攝製的新片，由葉楓、王萊、喬宏等領銜演出。葉楓在「四千金」（得五屆亞洲影展最佳影片獎）飾演二小姐，有超水準演出，在「桃花運」裏，她獨當一面担綱女主角，在「四千金」續集裏——「閨閣風雲」中，以女畫家姿態出現。

葉楓是永華主人李祖永在寶島發掘出來的新星，她在加盟電懋之後，平時勤於學習，進步極速，戲路寬廣，在「天長地久」中看來，可說是一個有力的明證。這個戲的英文稱做「愛的悲劇」，跟中文名同樣是合邏輯的，全劇演出過程，是由喜劇開始，中間穿插了辛酸苦辣，悲怒哀，最後仍以離而復合的喜劇終場。這部戲且雙生片子裏，兩對男女各自不同角度湊合，差不多嘗盡人生苦杯，引導人們明白一個哲理：人世間沒有永恒的歡樂。教人們忍受暫時的痛苦。雖然，葉楓在一個風雨的夜晚，「獻出了」她的貞操，但這一分暫時的愛，受到了長時期的痛苦虐待；喬宏呢？勉勉強強跟王萊「結合」，婚後滿以爲可望享受永恒的幸福，結果呢？意外的襲擊，鑄成了「抱恨終天」；而他和葉楓倆成爲鰥夫怨婦之後，朝夕相處，原止限於禮儀。誰知他們在一個更深夜晚，竟然於醉後突破了禮教束縛；事後追悔，已鑄成大錯。心理上的轉變，使喬宏一反往時常態。無巧不巧，葉楓的「愛人」遠遊賦歸，這難堪的局面，迫得葉楓憤然出走。喬宏呢，卒爲市虎所傷。最後喜劇終場，是葉楓離而復合。該片在台灣首映，創下賣座極佳紀錄，明天起在港九公映，必然獲得青年男女喜愛。因爲它指出青年們的戀愛路向。晚婚固然不足爲訓，偶然的結合，必然終身抱憾。

○修衡○

香港前代史

羅香林等著

本書的正名爲「一八四二年以前之香港及其對外交通」，「香港前代史」則其副名也。本書乃香港大學教授羅香林先生和他的門人莫秀馨、張月娥、許劍冰、胡潔榆、饒奉賢等女士的共同著作。爲甚麼取這樣的書名呢？因一八四二年爲香港成爲英國殖民之年，自此以後，香港已逐漸成爲現代都市，而此書所述，大概係漢晉以後，至一八四二年以前的歷史，故又名前代史。

全書共十章：（一）香港之海灣與特產及其前代隸屬——羅香林，（二）屯門與其地自唐至明之海上交通——羅香林，（三）大埔海與其他自五代至明之採珠——莫秀馨，（四）宋皇台與宋季之海上行朝——羅香林，（五）香港村與九龍新界等地香品之種植與出口——張月娥，（六）獅子嶺與清初香港九龍新界之遷海與復界——許劍冰，（七）西營盤與張保仔綱匪之平定——胡潔榆，（八）佛堂門與香港九龍新界等地之天后廟——饒奉賢，（九）錦田之力瀛書院及香港九龍新界等地之舊日文物——羅香林，（十）香港九龍新界等地一八四二年以前之史蹟分佈——羅香林。

本書搜羅甚富，論述精闢，註釋尤爲詳備，爲香港本身歷史饒有價值之著作，亦爲研究我國南方海上史蹟與其文化關係者所不可不讀。附圖片六十餘面，全書二百卅六面，近卅萬言，道林紙印，印刷精良，每册港幣十元，九龍中國學社出版。一九五九年六月初版。（文華）

自由人
THE FREEMAN
（第八七九期）
中華民國僑務委員會登記證台教新字第一第二號
中華郵政台字第五〇〇號
執照登記爲第一類新聞紙類
（半週刊每星期三 六出版）
每份港幣壹毫
台北市售價台幣貳元
督印人：陳文部
地址：香港高士道二十號四樓
20 CAUSEWAY RD. 3RD. FL.
HONG KONG
TEL. 771726
承印者：東南印務出版社
地址：高士打道六十四號
台灣總經理處
台北市西寧南路壹巷壹號二樓
電話：三〇三四六
台郵政劃撥儲金戶九二五二
海外總經銷：友聯書報發行公司
香港：德輔道中二十六號A二樓

當前中共的目標與其行動

·金達凱·

日前世界局勢的不安，一切皆由共黨的對外擴張而起。除蘇聯在歐洲繼續擴張外，而中共在亞洲、非洲以至美洲的滲透活動，亦爲構成世界動亂的重要因素。儘管年來中共內部正遭遇重大的困難，如「大躍進」的倒退，「人民公社」的消沉等；證明其已陷入嚴重的政治危機與經濟危機，但是他們仍不忘懷於製造叛亂，干涉別國內政，加強對外滲透活動，以造成新的緊張局勢。

對寮共的支持

以最近數月的情形而言，中共首先是支持寮共的叛亂。寮共成立于二次大戰日軍佔領時期，一九五四年日內瓦休戰會議，經協議寮政府接收寮共所佔的寮北據點及其軍事人員，實行政權軍隊的統一。但數年以來，寮共部隊始終拒絕改編，仍企圖與寮政府分庭抗禮。此一行動，無疑地是受到中共蘇俄主使。本年五月，寮國政府下令收繳寮共武器，解散寮共武裝組織時，中共外交部即以寮共保護人的身份發表聲明，指責寮國政府「對前寮國戰鬥部隊所採取的措施，實際上就是在老撾境內公然發動內戰，並進而破壞印度支那的和平和加劇東南亞地區的緊張局勢」；威脅寮國當局「如果不迅速懸崖勒馬，不但老撾將陷入內戰漩渦，而印度支那和平，也必將受到嚴重威脅」。最後並號召寮共及其同路人「團結起來堅決反對和制止在美國策動下的老撾王國製造內戰的行爲」。這一方面是予寮共以精神上的支持，使其擴大叛亂；一方面則是中共藉此製造藉口，以作爲援助寮共的準備。

在此情形下，七月下旬，寮共部隊即在寮北發動攻擊，進攻桑怒省。以寮共殘餘遊擊的一營傳導兵力，在短期內竟有攻擊力量，其受到外來援助，自是無可否認的事實。據寮政府消息，寮北叛軍係由越共裝備的新集團組成（越共是中共的代理人），而在俘虜的叛軍中，更擄有中共所供應的武器與彈藥。這些說明當前寮共的叛亂，實際上是中共企圖赤化寮國行動的開始。最低是想寮共步越共的後塵，以建立北寮傀儡政權，擴大中共向東南亞進侵的基地。

因此，中共在援助寮共期間，又開始發動北越向南越展開行動。七月十七日中共的所謂「亞非團結委員會」、「中（共）（北）越友好協會」、「保衛世界和平委員會」、「全國總工會」、「婦聯會」等御用團體召開會議，決定于七月二十日在北平、上海、南京、昆明四城市分別舉行「支持越南和平統一大會」。而二十日在北平舉行的群衆大會中，對越南政府極盡攻擊的能事，並要求美國「立即從越南撤走一切軍事人員，撤消一切軍事基地，立即停止在印度支那和亞洲其它地區的一切活動」。同時要越共「爲爭取國家和平統一進行堅決的鬥爭」，並保證在這些鬥爭中，中共「永遠和兄弟的越南人民站在一起」。這是中共策動越南製造事件，以配合寮共叛亂行動的陰謀的又一見證。

在這些陰謀的活動下，中共高層人物現正舉行一黨政會議。此一會議主題雖爲內部問題，但對寮越局勢及其干預行動，亦當在討論之列。觀乎八月一日中共建軍紀念時，僅由其新任的副總參謀長和兼任平津地區衛戍司令的楊成武主持，其「國防部長」彭德懷、總參謀長黃克誠、總政治部主任譚政等高級軍事人員均未見露面，顯然這些人已離開北平，在某地出席會議之故。因而亦可瞭解中共當前的動向及其支持寮越共的迹象。

對中南美洲的滲透

在另一方面，目前中共又加緊對中南美洲進行滲透活動。利用中南美洲各國內部的不安，及其對美國的若干不滿，以煽動各國反美。特別是對古巴革命的鼓吹，力圖離間古巴與美國的關係，宣傳古巴的經驗，係由于美國的侵略，對古巴的土地改革計劃，更予以全面的支持。這一切都在打擊美國，影響美國在中南美洲的領導地位，同時使美國後院發生騷擾和混亂。近年來，中共加強與拉丁美洲共黨及左派政黨的勾結，並助其在國內進行顛覆活動，和擴大反美鬥爭。本年二月中共邀請拉丁美洲十二國共黨首領到大陸訪問，三月三日毛澤東在鄭州接見，同他們「進行了熱烈友好的談話」。這些訪問大陸的拉丁共黨頭目，包括智利共黨總書記科爾巴蘭，委內瑞拉共黨中央書記馬凱斯、政治局委員吉阿斯，中央委員古阿爾丁，哥倫比亞共黨書記維埃拉、政治局委員古阿斯，秘魯共黨總書記阿哥斯塔、中央委員布雷多，厄瓜多爾共黨中央執行委員穆紐斯，玻利維亞共黨中央政治委員拉米雷斯，阿根廷共黨財務委員會書記培斯羅特尼克，古巴人民社會黨省委組織書記維拉斯克斯，以及巴西共黨、巴拉圭共黨、哥斯達黎加人民先鋒黨和巴拿馬的人民黨的代表等。毛澤東與他們談話時，極力鼓勵他們反美和進行在各國內爭奪政權的鬥爭。據三月五日「人民日報」報導，毛澤東「對于拉丁美洲各國人民堅決反對美帝國主義，捍衛本身獨立和爭取民主自由的鬥爭，表示了熱烈的同情和支持，對于古巴之推翻反動的獨裁政府的革命的勝利，表示了衷心的祝賀」。在談話中，並強調今後「必須繼續發展與拉丁美洲各國共產黨的來往，以利于發展彼此間的友誼和合作」。五月十六日，毛澤東又在北平接見智利各左翼黨派的代表。這些活動，說明了中共對拉丁美洲滲透的積極性。

爲對中南美洲各國展開滲透工作，中共除與各國左翼黨派加強聯系外，一方面派遣所謂藝術團體及記者多人前往各該國活動；一方面由北平電台用西班牙語、英語、葡萄牙語向中南美播送宣傳，並在古巴哈瓦那創辦組織，作爲該地區宣傳活動的工具。最近蘇聯亦有向拉丁美洲加強活動迹象，米高揚並將有拉丁美洲之行。這是共產集團在執行「世界革命」策略上的分工與配合，從而也可看出他們在製造世界動亂中，中共是一個怎樣的角色。

在藏印的活動

此外，中共還圖助印共在國內進行鬥爭，以牽制尼赫魯對西藏問題的態度。同時又在西藏展開殘酷鎮壓，以鞏固共黨在該地區的統治。以後者來說，目前中共在西藏推行的「改革」，分成「民主改革」和「社會改革」兩個階段進行。在「民主改革」階段中，第一是沒收西藏人民土地，特別是西藏地方政府、寺院、貴族等三部份的土地。據中共宣佈，原西藏地方政府的土地約佔西藏土地百分之三十點九，寺院土地佔全部土地百分之三十九點九，貴族所有土地佔全部土地百分之二十九點六。這些將全部予以沒收，其餘則採「贖買」方式，實行變相沒收。第二是廢除西藏農村原有政治機構，成立「農民協會」代行政權，並以此作爲農村領導民衆進行改革的基本組織形式。第三是變更西藏行政區劃，將全藏劃爲七個專區（日喀則、昌都、塔工、山南、江孜、黑河、阿里）並和一個市（拉薩），並將原有的一百四十七個宗谿行政單位，合併爲八十個縣。第四是實行「三反」鬥爭，即是展開反叛亂、反特權、反剝削的鬥爭，改變寺廟制度，使共黨勢力進入廟門。依此步驟，如果中共能穩定西藏局勢，能消滅西藏反抗勢力，在那裏建立鞏固的統治的話，那下一步的目標當在協助印共以奪取政權的，其方式亦將與協助越共和寮共的爭奪政權的情形一樣。

綜合各項情形以觀，中共的目的，一方面是鞏固自己的外圍，逐步推行其「世界革命」的侵略計劃；一方面，藉此轉移國內外視線，以解決其內部的政治危機與經濟危機。因此，當蘇聯又以和平攻勢迷惑世人，艾赫相互訪問之際，我們實不可忽略中共的乘機冒險。

半週述評

到底對誰有利

在美國內部，過去對於赫魯曉夫的訪美，一直有兩種相反的看法，贊成者說，讓赫魯曉夫親自看看美國的偉大，對于世界和平是有好處的；反對者說，這樣會給予赫魯曉夫在美國的宣傳機會，是不智的。經過長久爭論以後，美國內部的意見分歧並未消除，美國政府最後的決定是，他們接受了赫魯曉夫與艾森豪總統互相交換訪問的辦法。

但是，反對的意見依然存在。

繼續反對姑息

美國前共和黨參院領袖諾蘭抨擊的說，接受赫魯曉夫訪美，是蘇聯外交的勝利，我們不應該讓這種互訪造成著名參議員陶格拉斯說，我們對共黨的姑息。新罕布什爾州長鮑威爾說，赫魯曉夫訪美，將打破附屬國內無數愛好自由者的希望。民主黨衆議員周以德，甚至表示要國會採取一項行動，表明美國國會是不歡迎赫魯曉夫的訪美的。然則，美國政府到底爲什麼採取這一「互訪」的決策呢？

美蘇的「訪問戰」

無疑，美國受到這次尼克遜訪問蘇聯、波蘭勝利的影響所鼓舞，尼克遜還在蘇聯表演的精采，加上在蘇聯舉行的「美國展覽會」的成功，使美國人多了一重信心，他們進一步看穿了蘇聯內部的弱點，認爲他們能多與蘇聯人民接觸，他們一定有把握在「訪問戰」中打敗蘇聯。

假如說，美蘇的「訪問戰」，雙方的機會應是公平的，我們也一樣相信，美國是絕對可操勝算的。但是，事實上共產黨人絕不會如此老實的。

有限度的「放任」

人們會說，這次尼克遜在蘇聯，不是有很多機會可以接觸蘇聯人民嗎？

我們的答覆是：你們錯了，一個極權國家，在特務的嚴密管制與安排之下，他所容許的這種「接觸」是非常有限度的，而且這種暫時的和有限度的「放任」，還可能包括一些陰謀在內。

我們這樣說，並非把敵人的本領估計太高。而事實上，蘇聯敢于和美國「互訪」，在共黨的立場來說，他們確有此「自負」，在極權國家，笑臉或者翻臉，可以運用自如；而在自由國家就有更多的空隙可鑽了。

「互訪」利害互見

鐵幕內部的人民，嚮往自由，渴望推翻共黨暴政，在基本上，他們對尼克遜的歡迎是出于真誠的。但在另一方面，赫魯曉夫爲了故意給人一種「鬆弛的印象」，而作了適當的安排，也是事實。

「互訪」對于雙方來說，是利害互見的。

爲甚麼赫魯曉夫要迫不及待的達到訪美的目的？甚至不惜以「互訪」爲代價？美國衆議員周以德的看法大體是對的，他說：赫魯曉夫的訪問，有利于這個獨裁者加強他個人的地位，削弱他的敵對者。

換言之，「互訪」對于蘇聯，並非絕對有利，而對于赫魯曉夫個人的獨裁地位來說，卻有暫時的幫助。

司馬璐

修憲連任之我見

·溫叔萱·

溫叔萱先生從美洲寄來此文，原文甚長，本刊以篇幅所限，節錄如左。題目也是編者代擬的。（編者）

修憲是爲達成連任三屆的最大關鍵。總統是要依據憲法而產生的，不修改憲法，無從產生合法的三屆連任。但憲法的修改，它本身又有明確一定的法律程序。照目前實際情況，縱使國民大會能有足夠的法定人數而召開，也不能有足夠法定人數以依照法定程序來修改憲法。若在法定程序之外，製造出某一種理由來而勉強修改憲法，那麼這種修改後的憲法已經不是代表民意的憲法，依據這種修改的憲法而選出來的總統，自然不能爭之爲代表民意的總統了。於是連任三屆，修改憲法，以及如何設法修改憲法，就成了目前爭論中三根繩索，互相絞結，難解難分，或者愈解而愈加絞緊，成了政治上一個嚴重的結核。

在這個重大爭論之中，我想分析一下目前海內外各方面所抱持的意見：

甲派——這一派是要求蔣總統連任三屆的。他們認爲反共抗俄光復大陸這一偉業，必須蔣總統來領導，而蔣總統又必須連任三屆總統才能完成其領導的工作。這一派的意見不但着重在蔣總統的領導，尤其着重在蔣總統連任三屆。換言之，蔣總統如果不連任三屆，則無從領導，反攻復國的偉業也便不能完成。

乙派——反對蔣總統連任三屆，這一派認爲蔣先生已經當選過兩屆的總統，第二屆滿任之後，依照憲法不能再行連任三屆總統，理應退位讓賢。他們是反共的，但不滿意台灣的現狀。既然蔣先生兩任總統，任期告滿，趁此另選他人，變動一下局面，可能尋求得到新的有效的反共救國的途徑。

丙派——擁護蔣先生繼續領導全民，進行反攻復國，但目前憲法既無合法修改的途徑，蔣先生就無從循照合法修憲的軌道而做第三屆總統。與其勸蔣先生在憲法之外，別尋途徑而當第三屆總統，無寧期望蔣先生放棄第三屆總統，而以國民黨總裁的身份，或以行政院院長的地位來負責，繼續領導全民，完成反攻復國的使命。這一派，重視蔣先生的領導地位，也重視全國制定的這部憲法，蔣先生若不以總統的職位來領導全國，於反攻復國大業，未嘗不無缺憾，但終勝過連任第三屆總統而開了違法毀憲的惡例，甚而失掉了反攻復國的一件最主要武器的憲法。

丁派——反對在這個時候修改憲法。尤其反對爲了連任第三屆而修改憲法。這一派表面上與上述乙派人士所持意見大略相同，他們在政治上也許曾經反對過蔣先生，但深切認識蔣先生在全國人心中所具有的崇高地位。民國以來，中國政局動盪不安，他們認爲不盡是當軸者某一二人的錯誤，而是國家缺乏了一部根本大法。民國卅六年國民大會制定而頒行的中華民國憲法，及後來兩次召開的國民大會，丁派人士不但參加，而且特別出力支持，而且投票選舉蔣先生當第一第二屆總統。他們反對蔣總統連任三屆，不是反對個人，而是維護這部國家根本大法。他們且反對以後不論何人連任三屆總統。

上述各派：乙派丁派是反對修改憲法的，丙派認爲憲法未嘗不可修改，但目前實際情況找不到合法修憲的途徑，也就不能够輕率的去修改，蔣先生本人去年十二月廿三日的談話，也明明白白的表示憲法不得輕言修改。現下言修憲的只有甲派一人士，坦白的說，也就是台灣一部份政治人物，一些國大代表和立法委員，都可以歸入於甲派。

（下轉第二版）

自立晚報在政治壓力下涉訟內幕

吳三連私下表示：不論此事之發展如何，決與李玉階合作到底。

·如鈞

（台灣通訊）修改出版法風波之後，官、民營報紙的壁壘大致分明，然若干民營報紙以人事關係，仍難以純粹民營報紙視之，真正被認爲是民營而能反映民意的，報紙中之自立晚報，最近又因增資糾紛被某方面的代表人，許金德正式提出控告，閙台北地院業已發出傳票，定期七月廿九日上午開庭，行見自由中國的言論界又將掀起風波。

以「無黨無派獨立經營」爲號召的台北自立晚報，自李玉階氏於民國四十年接辦以來，遭受兩度打擊（奉命停刊）之後，仍能慘淡經營，維持至今，實非易事，現在仍以「敢言」著稱於知識階層。去歲七月政府准許報紙擴充篇幅後，民營報紙多受影響，自立晚報爲謀生存，乃於去年秋末，與曾任台北市長之台省籍聞人吳三連商談合作，閙已接近成熟階段，且內定一位名報人出任社長，但據某方顯然不欲李、吳等人合作成功，乃利用矛盾關係，使李、吳之合作擱淺。

據筆者自關係方面獲知，李、吳二人合作之被擱淺，係由於省議員許金德之干涉所致，至於李玉階之願與之商談合作，其中又有一段內幕。據悉：本年初有一次許氏突自新竹以長途電話約李玉階晤談，見面後，許首先對自立晚報前途表示關懷，並略示本省籍人士必不願見純民營之自立晚報瀕於破產之境，因自告奮勇，願集合本省實業界領袖多人，（包括水泥公司董事長林柏壽等）共同出資支援。

閱李曾以彼此政治立場不同（許係國民黨，且爲省議會中之黨團負責人，李於去歲出版法修改時期，正式宣佈脫離國民黨）似難合作，但許氏表示：合作後之自立晚報，仍維持一貫超黨派作風。李雖將信將疑，迨雙方合約簽署，第一條開章明義即指出：「乙方（許）維持甲方（李）一貫公正客觀，以國家民族利益爲前提，站在民主法治前面，超然於黨派之外，獨立經營之最高原則，爲新公司合作之基礎」後，也就深信不疑。殊知該約既簽，許方即藉故拖延，不履行契約。照契約中明訂，由許金德投資新合幣一百三十五萬元，交與自立晚報之舊公司償還舊債，舊公司於公開登記辦理債權登記之後，即將新股交來，且已超過約中規定十五日之期限。經一再追詢，許方僅謂省政府方面投資之九十萬新台幣已有着落，業經周至柔主席批准由合作金庫銀行先行墊借，李玉階聞悉此情，深表詫異，表示不願接受省府方面投資，而許金德同時又提出兩點爲契約內所未訂之要求：一、除原增資一百三十五萬元外，再增資七十五萬元，（其用意在減少舊股股權）二、報社現任總編輯、總主筆、總經理及課長以上人員，須全部更換。

此兩條件提出後，李玉階認爲許金德橫生枝節，企圖甚爲鮮明，且又不遵限交付股款，乃於六月十五日以郵局存證信函正告許金德解約。

但報紙照常出版，財務支付自須繼續，而一向對該報支助之有關人士，亦因許氏業已簽約，而改變態度，致報社經濟情況陷於苦境。李玉階此時已明白業已落入陷阱，乃毅然將業已擱淺之談判重提，而吳三連亦改變過去作風，以快刀斬亂麻手法，採取行動，除交付應付股款外，並推薦王錦昌爲該報總經理，在新公司尚未成立前仍由李玉階氏聘任，業於七月一日正式就任，主持該報業務及財務調配，並籌備增資改組事宜。而自立晚報乃得於垂死情況下復甦，且呈欣欣向榮之勢。

阻撓李吳合作一方之密友支持者不肯甘休。據閩台方面有力者探詢，曾約晤吳三連，於探詢其與李玉階合作情況之際，曾暗示警告之意。然吳等既與李玉階合作成功，且其動機純爲保留此一純民營報紙，作爲反映全省民意工具，則其不受任何威脅，自在意中。有力者于談話中又曾提出三點「意見」，其大意謂爲：一、許（金德）已向法院提出告訴，此一官司既迟可能延長兩年、三年，二、於此訴訟期間，自立晚報無法辦理發行人名義之變更登記手續，三、省府決不承轉。將透過法院對自立晚報進行假執行。果所傳不錯，當局對民營報紙之用心如何可知。

玆悉：許金德之自訴案於本月十日揭出，地院且已於十三日發出傳票，其處理之速，異乎尋常。據筆者所知，許方之進行訴訟，勝負實非所計，而係閱以訴訟案件未了之情況，阻撓自立晚報新公司之成立，及發行人姓名之變更，彼等以爲如此一來，吳三連方面可能因而「更初衷」！實則，吳氏與李玉階氏合作之動機與目的既如前述，其智囊中又不乏之精明之士，足證其有面對任何阻撓與打擊之決心。據悉：吳三連曾私下表示：不論此事之發展如何，決與李玉階合作到底云。（七月廿七日）

台北市政點滴

（台灣通訊）報載，台北市立圖書館長鄭光輝，因瀆職被市長黃啓瑞撤職，改調市立高職任教。一是市工務局建築管理課長張來福，經有關單位紛加指責後，調爲該局技正，遺缺調陳體鋆接充。翌日，有幾位市議員及兩位黃市長的「競選功臣」，前往市府作人情包圍，並威脅市長收回成命，否則，將發動議員攻擊云云。於是黃氏只好收回命令，而云「暫緩調動」。政風官常乃有如是者。

省府命令台北市毛豬供應恢復議價制度的一件「密件」公文，到達市府後即告失蹤，歷時九天，尚未尋獲。因此各方焦急。這件公文，省府是七月十五日付郵的，而郵差於十七日下午送達市府由公共關係室員工簽收，送機要股的股長，因而興論譁然，紛紛指責市府。

△台北市議會於七月廿日舉行本屆第五次大會，議員楊玉城在會中痛斥工務局長林永森，爲什麼不依法處理「城東攤販供銷場」的違章建築。質問得林局長張口結舌。楊氏說：當各報的頭條新聞，還章建築要拆除，因爲當事人有來政治背景，故不得不幫忙。若是小市民的違建，就必須依法申請，始得修建，否則，馬上被拆除得一乾二淨了。楊氏指出黃市長的「優亮議員」，他列舉事證說，市府的雜工有數八的議員，其中坐領乾薪而不做事的「專員」和「顧問」達二十餘名，社會興論再三指責，市議會上次大會決議，「專員顧問等限三個月內一律解聘」，而顧問專員市政府卻我自派之。

健生

當選議員並不偶然

當選美參議員的美籍華裔鄭友良

夏威夷新成立的第五十個州夏威夷，在七月廿八日的第一次選舉中，一位共和黨籍、華裔美國公民鄭友良Hiram Leong Fong，獲得八三、五九二票，擊敗他的對手民主黨候選人法蘭的七四、六八一票，而當選爲夏威夷州出席美國國會兩位參議員之一，並且爲當選美國參議員的第一位美籍華人。他原籍中山縣斗門人。

鄭氏這次當選美國參議員，並非偶然，除了他個人的聲望地位外，因爲夏威夷的五十餘萬人口中，華人雖占有約四萬人，佔總人口百分之七，比之其他東方人日裔佔百分之三十五，菲裔佔百分之十二，比率雖不高，但由於華人一向在夏威夷的政治上，表現優越，同時在經濟事業上有很好的成就，一般人對華人的觀感極好。華人在夏威夷政壇人物，舉例來說：如財政廳長李金章，衞生局長李烈，檢察長費明秀，參議院議長李福平等，都是著名華裔的人士，所以在夏威夷州政府中許多擔任重要職位的華裔，曾大加推讚。

鄭友良現年五十三歲，他雖是土生的華裔，但他對宗邦的中華民國並未忘懷，而且他也很好客，近年來從自由中國經過檀香山的人士，他都很熱切接待。

實業家兼著名律師

鄭友良是夏威夷傑出的華人領袖、實業家兼名律師，他曾任夏威夷準州議會的議員凡十四年，而且三度担任眾議院議長凡六年，又曾任副議長凡四年。所以自從共和黨提名他競選國會參議員後，一般人便對他的當選評價很高了。

鄭氏於一九〇七年十月一日出生於檀香山正埠，一九三八年六月與羅麗鍾女士結婚，現有兒子三人，女兒一人。他的父親鄭林，母親林氏，原在夏威夷墾植業工作的，所以外電報導他是一位貧農夫的兒子。鄭氏畢業於檀香山麥堅尼中學，隨往夏威夷大學畢業士學位，又往美國哈佛大學法律學院進修法律學士學位，他在進入中學之前，曾在檀香山的華僑明倫學校學習中文。

鄭氏曾先後創設保險公司、置業公司、銀業有限公司、銀業儲蓄公司，中美疑難公司等，自任總經理，並且尚兼任其他許多公司的董事或副經理等職。一九三五年至一九三八年還擔任檀香山市政府執律師業多年，第二次世界大戰時，爲美國空軍少校及空軍審判官律師。

在夏威夷僑界及當地社團中，鄭友良是中華商會的董事，華人土生會、華人大學生會、夏威夷大學會、哈佛大學會等社團，鄭氏均參加爲會員，有些且曾當選担任職員。

美籍華人參政先聲

到美洲去的各界人士，他都很熱切接待。民國四十六年四月，鄭氏夫婦曾率領一個僑團前來自由中國觀光，這個僑團共二十六人，都是法界、醫界、實業界等有地位的華人。

旅居美國大陸的美籍華人，一向是對政治不發生興趣的；但近年對於參政問題也逐漸注意，很有不少華裔是具有共和黨籍或民主黨籍的人士，他們認爲在參政方面，夏威夷華裔實具有較優的條件，鄭友良的當選，將是美籍華人參政的先聲。

據迅日電訊報導，美國總統艾森豪，對於夏威夷第一位華裔公民當選參議員表示歡迎，認爲是推行民主十分良好的示範。又參議員基亭亦對此次選舉之華人優選予以評讚。當鄭友良當選的消息傳抵舊金山時，舊金山華僑社會大爲興奮，每一個人都引爲榮華而且興高采烈，華僑領袖急不容緩地紛紛拍發賀電。（食）

從教育觀點談中醫學院學籍之事

·陳樂平·

（台灣通訊）生風風雨雨中捱過了多難的一年之中國醫藥學院，屆此學年更替之期，已面臨其後決定性的階段。教育當局再不能漠視這一既成事實，中國醫藥學院本身，更不能讓這一僵亂局而老拖下去。而對該院三百餘員生，這正是切身進退的契機了。

月前教育部指令該校：健全董事會組織，並遴聘專任院長，限文到七日內召開董事會呈報，俾得參加大專聯考。同時指定台灣省教育廳長劉眞列席該校董事會議，就近指示機宜。該校遂於七月四日召開董事會，董事長覃勤辭院長兼職，另聘前任副院長周邦道爲代理院長，新舊任院長業於七月廿四日交替，教育部派高等教育司司長羅雲平列席指導，對該院一八〇名備取生之學籍及本年度招生兩問題，曾與新代院長周邦道作原則上的磋商，他曾對記者表示：中國醫藥學院從今天起有了新的開端，一切疑難問題，相信短期內當有合理的解決。

創辦人，即首任院長覃勤，於辭去院長之後，爲遵照教育部整頓並健全董事會及該院設備的指示，復由該院董事會，特推定常務董事覃勤、劉航琛、何景寮等三人共同負責。該院覃前院長爲爭取一八〇名備取生學籍事，曾對記者說：「我雖間是不能置身事外，棄而不顧的：教育部對這一件事既未慎始於先，在既成事實一年之後的今日，怎能昂首不顧？若謂此乃前任之事，教育行政是一個整體，豈容因部長易人而斷碎？而任留下的裂縫，還得復任來彌縫，乃理所必然。就今爲年來大專聯考的情形論，爲了走進大學之門，競爭的激烈，已到火拚肉搏的程度。而就考生的數字來說，即就本年投考大專的報名人數二萬四千餘名而論，若在歐美或日本就毫無問題，一個規模較大的大學便足以容納，決不致有此現象。政府無力負荷這個數量，爲使青年不致徘徊於大學門牆之外，乃獎勵私人興學。獎勵私人興學，就今日教育趨勢而言，確是急不及緩的要圖。在此一前提之下，政府對於私立學校：倘有不當，須輔導矯正之；如有困難，須扶助維護之；決不容執一不化，造成不安的現象。此就教育政策言，教育部對此一八〇名青年，似不可不委曲求全，善爲處理。青年人是經不得摧折的，假如讓這此一八〇名備取生而不顧其前途，致使他們流離失所，其後果實不堪想像。就教育的觀點，教育部對此一八〇名青年，不容不深思熟慮，情法兼顧有以善其事。（四十八年八月一日，台北）

名備取生學籍事，曾對記者說：「我雖問心無愧，但學生是無辜的，在這一前提之下，我不惜付出任何代價。」現在他既已辭去院長之職，負起覆滑的十字架，私人間的恩恩怨怨剛該一筆勾消，再不容許有意氣之爭，今後得冷靜地爲下一代青年來着想了。

今天大專聯考業已結束，中國醫藥學院並未參加招生，而一八〇名備取生的學籍追認亦懸而未決，一切死結仍未解開，致使一八〇名的青年徬徨歧路，家長正在惶惶不安中憂慮着。對此一八〇名無辜的青年，教育當局

修憲連任之我見

（上接第一版）

在這個大爭論之中，我們提出兩個問題：（一）蔣先生在反攻復國的過程中，是否必須修改憲法，連任三屆總統，才能領導完成這一偉業呢？抑或不能連三屆總統，亦能領導完成任務呢？（二）中華民國憲法，是經過推翻滿清，打倒洪憲帝制，以至北伐抗戰，三十多年內亂外侮，無盡痛苦，才孕育中全國的民心意志，然後制訂頒行的。今日值不值得爲了連任而去修改它呢，抑或還是維護這部憲法，實事求是而充分的運用這一件朝野所共認的反攻復國利器，來團結人心，光復大陸呢？我想每一個中國同胞，都得虛心思考一下。這爭論關係整個國家治亂興廢。惟有將先生的抉擇，才能成爲定論。

我對於憲法中總統任期限制的規定，有個不倫不類的比喻，好比十字街口的紅綠燈，人們往來不免稍受限制，但究竟安全些；沒有紅綠燈，就不免有碰撞翻車的危險。憲法上的總統，有志獻身於政治事業的人們總是要爭的，不過不依據憲法來爭總統，或爲爭總統而修改憲法，其所發生的危險就不能碰撞翻車而已了。

今日上海

現在的上海並無正確的人口數字，除原有市區外，嘉定、寶山、松江、南匯、川沙、青浦等共十一縣被劃歸上海市！但是在經濟上，她的發展走了彎路，遠遠地落在後面！

上海市，是中國第一個大都市，原有人口六百萬，工商業發達，特別是輕工業的生產，在全國範圍內佔有重要的地位。就常情判斷，中共如果要實行工業化，積極加強內地工業建設，即利用上海市原有的工業基礎，充分發揮其支援作用，不但是事半功倍，有利無害，而且是順理成章，勢所必然的。但中共格於一種謬誤的觀念，看不清楚這種有利的作用，長期有計劃的削弱上海的工業生產力，限制其發展，以致造成錯誤。一九五六年以後，中共雖然發覺這種謬誤措施所造成的損害，再回頭來「要求發揮上海工業潛力」。可是，時間已經拖得長長的一段，使中共在經濟建設上又走了一段彎路。

一種「平衡」思想，支配着中共工業建設計劃，並決定其佈局。一九五五年以前，中共根據「平衡發展」的要求，曾經對以上海爲主的沿海工業發展給予各種限制，如「限產」、「遷廠」，以及對技術人員抽而不補等等。以致上海工業發展上，產生了以下種種情況：

一、速度低於全國——一九五五年比一九五二年，上海各類工業平均只增加了百分之三十七點九。不僅低於全國工業平均增長速度，而且低於沿海其他地區。一九五四年，全國工業增長百分之十六點七，上海只增長百分之七點四；一九五五年，全國工業增長百分之八，上海則降低百分之四點五。（一九五六年十四期新華半月刊李富春報告）

二、設備利用率低——一九五六年，上海市對四十種產品的調查，設備利用率達到百分之八十以上的只有十種。百分之四十——百分之八十的只有二十種。百分之二十——百分之四十的有八種，百分之二十以下的有兩種。（一九五六年七月八日「人民日報」社論）

上海工業，在人爲的限制下，使發展速度緩慢，但這種壓低一個地區的工業發展，是否即可使得全國工業的發展趨於平衡，仍然是一個問題。不過上海工業的發展既然受到限制，其對全國各地區工業建設支援能力的降低，則是必然的。這種矛盾的情況，終於迫使中共的全國工業政策發生變化，一九五六年六月，中共國家計劃委員會主任李富春在一屆三次人代會議上提出要求發揮沿海工業的潛力，上海工業的潛力（五六年第十四期新華半月刊）。同時，並開始批判，爲求工業佈局平衡而限制沿海工業發展的思想。（五六年十一月廿四日「人民日報」）這是中共工業政策對於上海工業指導方針的決定性的轉變。

由於這樣一個轉變，上海工業，在全國工業建設中的作用又重被重視。據上海市經濟計劃委員會潘學敏在本年第七期「地理知識」雜誌所報導一九五七年上海工業生產情況，上海市輕重工業產品，在全國工業產品中，仍佔很大的比重。據統計：一九五八年工業產量佔全國六分之一，金屬加工工業佔四分之一左右，化學工業佔三分之一多一點，紡織工業佔五分之一左右。主要產品產量佔全國比重在三分之一以上的有：成套發電設備、棉紡設備、印刷機械、造紙設備、染料及顏料等；在百分之十到百分之三十的有：鋼、鋼材、重型機械、機床、動力機械、輪胎、抗菌素等。

不過，在上海工業中，輕紡工業還是佔較大比重，而在設備方面則大部分是陳舊的，據潘學敏說，這些陳舊的設備「在三十年以前安裝的約佔百分之六十左右。」可見中共上海工業設備在一九五五年前的限制時期，固未增加，即在一九五六年以後，也只是在原有基礎上予以較充分的利用，而在設備上亦無所增益。

上海是一個工商業城市，限制了上海工業，同時就限制了上海市的發展，限制的政策既經解除，則隨着工業的恢復，上海市的人口也必然要隨之增加。爲了適應這種情況，中共在一九五八年初，對上海市區又作了一次大擴展，把江蘇省的嘉定、寶山、上海三縣劃入上海市區，繼又將這三個縣及原有的西郊、東郊等三個區的行政區域，調整爲嘉定、寶山、上海、浦東四個縣；十一月又將江蘇蘇州專區的川沙、青浦、南匯、松江、奉賢、金山、崇明七個縣一律劃歸上海市。現在的上海市，除原有市區外，還包括了上屬的十一個縣。（五八年七月卅日、十一月十二日上海「文匯報」，及五八年四月十四日「人民日報」）

隨着市區的擴大，上海市的人口亦自然的增多，不過由於流動性大，加之中共領導的零亂，故始終得不到一個確定的數字。據原上海市副市長許建國發表的統計數字（一九五七年十月）是常住人口六百八十六萬，臨時人口三十四萬，一共七百二十萬（五八年一月六日上海「文匯報」）在這七百二十萬人當中，一九五八年曾動員十八萬人支援外地的工業建設，則現在上海市人口應爲七百萬左右，但據上海市計劃委員會潘學敏最近發表的數字：上海市常住人口爲五百七十八萬，臨時人口則無確定數字，只含糊說明兩項合計起來約六百多萬人，較一九五七年人口突然減少百萬人，這百萬人的去處，中共並無交待，在同時，劃入上海市的十一個縣的人口數字，在統計上海市人口時亦未見提及。所以今天上海市人口究竟有多少，仍然是個謎。

中共對上海市工業政策轉變以後，又確定利用這塊工業基地和有利的地理位置，作爲國內外物資流轉的樞紐。並預計在第二個五年計劃末將上海港的吞吐量提高四——五倍於一九五七年。

十年來，中共在各項政策上，時常出現左右搖擺不定的現象。由於這種搖擺不定，不僅在建設上遭受許多不必要的損失，而更重要的，是人民生活上所受的無理的摧殘。上海市的前後變化，不過是其中的一個例子。（大陸社特稿）

在青島召開中央會議

上月一日，是中共的三十八周年紀念日，在北平連個紀念儀式都沒有；同月三日，外傳「新大使」沙拉布遞國書，由宋慶齡代表接受，劉少奇不知何往；本月一日，是建軍節，亦無盛大紀念會；自毛澤東以下的中共幾個巨頭，大概已有一個月不在中共的新聞中出現了；因此，外界有許多猜測，認爲他們在舉行一個會議，我也具有同感。若果眞是如此，那麼舉行了一個多月的會議，應該說是嚴重的了。

至于會議的地點，可能性較大的是青島；原因是共青團三中全會從七月十三到十八日是在青島召開的，黨團之間有許多人兼職，可以使他們參加兩個會議；此外，黨的決議立即可以在團的會議上傳達，不致于多所耽誤。會議之主題從這幾天的綜合情況來看，似乎該是毛澤東說服與會的人鼓最後一把勁來支持躍進。

尼克遜訪蘇的影響

六月二十五日，美國九個州長到蘇聯訪問；在同時蘇聯邀請美國十萬遊客本年到蘇訪問；七月二十三日，美國副總統尼克遜到蘇聯訪問；二十五日，美國展覽會在莫斯科開幕；這一連串的行動，總的意義就是蘇聯的鐵幕被揪開了一角。增加接觸，從反共的立場來說，是肯定有利的。有人懷疑增加這種接觸以後，將使共產主義獲得傳播的機會，這種懷疑是多餘的，因爲大部份的自由國家從來就任由共黨主義傳播，幾乎已經習慣了的，再加多一些機會，不見得會發生多少效用。而在蘇聯，鐵幕已垂下四十多年，這種接觸的增加，恐將使那些灌輸了多年的教條發生基本上的動搖，赫魯曉夫硬起頭皮接受這種接觸，看來將是思想上的引火自焚。

尼克遜波蘭之行

八月三日，尼克遜離蘇訪問波蘭，據報導，波人歡迎的熱烈情況，超過了他們對待赫魯曉夫。

八月一日本欄曾經報導過赫氏訪問波蘭的情況，現在看來，尼氏之所以獲得波蘭的邀請，似乎還是赫氏到波蘭壓制哥穆爾卡的反對派的結果。間接的來說，當是獲得赫氏的允許。

尼氏訪波，必然給這個共產世界中的綠洲普洒一些雨露，至少可以相信，尼氏的訪波給予波蘭人民堅持自由的信心，從具體政治來說，它不會有可能再回到史太林主義的時代去，只有向自由的方向走。

這種形勢無論如何將使東歐其他共產國家的人民發生憧憬，其影響的深遠是無可估計的。

赫魯曉夫未嘗不知尼氏的訪問蘇波，會發生何種不利于共產主義的後果，但是，看來他已無能爲力去阻止了。

但是這裏的樂觀論調，不是說反共的方面可以撤消吾人的防禦和鬆弛警惕。

·田心·

國際動態拾零

△蘇聯駐中共武官司屈拔堅（Straguine），于五月間在中國大陸，上飛機回國後，永未抵達蘇聯。中共謂其在中途病亡，而一般人推測，則認爲疑爲蘇聯官方所暗殺。

△伊朗國王最近爲退伍軍官所襲擊，傳爲受蘇聯的主使。蘇爲欲與彼締結互不侵犯條約，三月間談判破裂，曾以行將引起其本國革命爲威脅。

△印尼陸軍與叛軍首領談判，經過一年半期間。叛軍要求請一中立國代表爲公證人，陸軍方面以有妨印尼主權而反對，故談判終于破裂。

△波蘭外長雷巴司基（Ragacki），曾起草中歐非原子武裝區計劃，曾被波共首領卡末達所欣賞，將提升爲總理。

△伊拉克首領，加森，對蘇聯邀請其訪問莫斯科，婉詞謝卻。謂國內政事忙迫，將俟異日。

·陶然·

大陸文壇透視

七郎

貪多反少　喜短厭長

去年文藝大躍進時，瘋狂的挑戰和報喜，一人要寫三部長篇小說，二十個劇影腳本，一個縣要產生幾十萬或幾萬篇詩歌，一個廠要拍攝幾十部或幾百部故事片，的確像煞有介事。誰知，那些數目字，到年終全證明是順口胡扯。今年開春，文藝界各部門，都爭着準備向「國慶」十週年獻禮，擬促人人變成「多面手」，要演員寫劇本，上海王丹鳳就忙得「不以苦乎」，但不久周揚提出「保證質量」的指示後，又都不再提「增產」兒了，去年那樣的數目字，[illegible]。

近上海文匯報透露，上海人民藝術劇院預備在「國慶」前後上演九個大戲，有蘇聯的百年前古典劇「大雷雨」和現代劇「一路平安」「誰是敎想敎做的人」，有德國劇「大膽媽媽」，有曹禺的舊作「雷雨」和「日出」，可惜竟無有中共的現在話劇。上海電影廠只有十個故事片獻禮，去年號稱準備，現只完成了五分之一，現距「十一」僅兩月，其餘五分之四能否完成，不能可知。去年的千部萬部，變成今年的九個十個，能不令人啞然失笑？

去年會多時，曾提倡過短而小的文藝作品，叫做「小土羣」，如小小說、小詩、短劇、新藝術短片（如「黃寶妹」之類）全是；今年不會多了，照說應該再提倡「長而大」的了，不想仍然堅持短小。上月在平滬兩地舉辦的戲曲會演，就全是演的短折戲，像「柳蔭記」「寶蓮燈」只演「馬踏青苗」一折，「長生殿」只演「小宴」「驚變」，「二進宮」只演「大保國」，俗所謂「戲頭兒」者。可惜那些大本通令戲如「趙氏孤兒」「赤壁之戰」剛改編演出不久，便又打入冷宮。在話劇方面，據光明日報消息，北平人民藝術劇院現正預備排演三十年前丁西林寫的那些獨幕劇，以示提倡。在七月號的「人民文學」裏，中共作協書記劉白羽寫了一篇題爲「論長與短」的小文，以指導者的口吻，嚴厲斥責近幾年中共文藝作品長的風氣，他說：「在我們這兒，長篇小說一厚本一厚本的出，長詩也在加勁的往上增，動輒千行、萬行……於是長成了一種風氣，可是很少人冷靜地問一問自己的，爲什麼這樣長呢？」這裏面指責的就有[illegible]（因爲他最近在詩刊上發表了一篇萬行的長詩）……「完全留不下任何深刻印象，一片空虛，一片後悔。」其實自從去年「小土羣」後，中共的文藝刊物上，除「放衛星」外，已很少見長篇作品，但劉白羽仍在這樣主張短小，[illegible]但亦常非氣數歟？

瘟君夢

第三回：點石成鋼魔王施妙手　指鹿爲馬嘍囉建奇功

劉仁若笑道：「一顆白菜有主席一個半重，可是白菜萬不會有主席這麼粗啊，那麼白菜起碼要有主席三倍高才成，豈不比白楊樹還要高。」

毛澤東笑道：「好了，不必再算了，我們換個地方看看，有沒有更偉大的成就。」於是他們到了徐水。

徐水縣委第一書記張國忠趕到車站去歡迎，毛澤東劈頭就問：「你們徐水縣秋季能收多少糧食？」

張國忠也是機關軍官，平時對於數字就不大了了，突然被毛澤東一問，當時不知怎麼答才好。不過，他曉得毛澤東的脾氣，不容仔細思考的，於是硬着頭皮答道：「十一億斤。」

毛澤東回頭看看劉仁，劉仁只是苦笑。毛澤東轉過臉又問道：「你們縣有多少人？」

這個張國忠到曉得，答道：「三十一萬人」。

毛澤東回頭看看劉仁，說道：「你算一算每人平均多少。」

劉仁掐指頭算一下，回道：「平均三千斤」。

毛澤東又笑着問道：「你們縣裏每人每月能買多少斤糧？」

張國忠答道：「二十斤。」

毛澤東會算賬了，自言自語說道：「每月二十斤，一年二百四十斤，不到產量的十分之一，其餘的九分多怎樣用呢？」說過他又看着張國忠。

張國忠搖搖頭：「這個到未曾想到。」

毛澤東指示道：「你們要早打個主意了，將來糧食霉爛了不是玩的。」說過就上火車出去了。

溜走毛澤東，張國忠和徐水縣的幹部笑成一團。他們自以爲是「吹牛」冠軍了，其實不然，強中更有強中手呢？重慶市的建廠大躍進，又高了一籌。

原來毛澤東大躍進指令發下去之後，各部門都在躍進，重慶市土產公司也不甘落後，他們躍進的方法更特別，抽調了七名幹部，組織了一個建廠隊，到忠縣去幫助農民建立工廠。沒到建立工廠，一般人的印象中辦工廠總是需要錢的，這個建廠隊七天就建成了九百二十一個工廠，中共那來這多的錢呢？這一點，更不用爲它擔心，天津市有一家工廠只花了四角錢就建成了，是專門糊火柴盒的工廠。

就以這個七人建廠隊的成績來說，七天建成一九百二十一個，每天平均建成一百三十個，假若每小時建五個半（按二十四時記算），十分鐘就建了一個廠，怎麼不是建得火柴盒一類，有的工廠不是建得這樣快，光是擺一個計劃，不必說原料的儲備，機器的購置，這些繁複的手續，若是十分鐘能完成？這七十二變的本領不可了。（五九）

岳騫

釋耒集

生活方式

恒人言人生，大抵均指生計、生活、生命合而言之，生計指其自然條件之憑藉，以我國言，南人食稻，北人食麥，南人謹舟楫，北人擅騎射，非生而異，其所藉者不同耳，此謂生計。至于生活，則視其如何利用此天然之憑藉以言之，齊桓公煮海為鹽，秦孝公務耕織以自固，此所謂善用之者也，劉後主有陰平劍閣而不能守，宋太祖舍燕雲而都汴梁，坐是以衰亡其國，此所謂不善用之者也。古者吳越水鄉，其人斷髮文身，故蒙甯燕所用，滇黔山國，其地崎嶇險巇，故車馬不能行，以中州世族，其突見鄙滇黔之為蠻夷生蕃獠，則亦不思而已矣。

人類憑藉其所依存之自然條件，創造種種不同之生活方式，以適應其生存之願望，漸而有歷史傳統，有特殊之文化，禮法制度，藝術宗教，均由是而生，蓋人類本其既有之條件，進而求精神上之慰藉寄託，往往生命不朽之價值，此則所謂生命之意義也，言人生，必自其生存之條件，以明其生活之方式，以至生命之歸宿，然後乃得見完全之人生。並可從之以見其生活之是否為幸福。

近年美國當局，不惜耗費數十百萬金圓，以舉辦其所謂美國展覽會，特派尼克遜副總統，主持展出蘇聯，目的在使千百萬困處鐵幕中之蘇聯人民，得從展覽會中，了解美國人之生活方式，擬藉章所展覽之事物，將美國人大選情形，家庭生活，乃至于熱狗、絲襪，百事可樂之類，無一不備，吾人均知，並均承認美國為目前世界上最強大之國家，其社會之安定，生產力之雄厚，均為舉世人所艷羨，而其生活方式之是否亦為美國以外之人類所樂于接受，則問題至為複雜。美國人若自信其富強，並亦自信其生活方式，必為異國人所樂于接受，則此種自信實近于愚妄，日者余方得留美攻讀碩士之某君來書，告其在美生活，自云一年以來，僅家務，寫論文，作學習報告，中間未嘗一日休息，晚上仍須抽暇代人打字，經常非午夜十二時以後不敢停止，其收入較我數在港所得倍多，此不待言，惟一年以來，未嘗一至電影院，並謂昔年在港，惟每週末必看美國電影，今身居美國，幾于不知有所謂電影者，以是推論，美國社會之人，其所知者，惟工作與賺錢而已。為工作而賺錢，為賺錢而工作，瘋狂憑藉，神魂顛倒，是美國人亦大類一機器也，共產國家之人民，在政府驅策下，日日支付其勞力為「人民」生產，國與機器無別，以視美國人，其相去亦一間而已，然則此美國式生活，恐亦未足為蘇聯人所歡迎也，二次大戰以後，美國式生活，隨美援而大量輸出，但成效者其實寥寥，此在於不知生活方式原為文化本身所表現之一形態，不得視之如商品，謂可以販運或推銷者也。

曲齋

人的卡通

。巴霍。

大抵生活在地上的動物對泥土總有好感的；據說有的說人是上帝用泥造的，也據說有的說是女媧氏用泥造的。如果初時確是這樣，人形總當是「獨具一體」的了；不幸而有人硬說人和猴子是同一祖宗，而且從尾巴上找着證據了。但反對的人究竟不少，也許因為家譜裏查不出，也許因為「竪人禽之辨」，總之，無論如何不肯承認。

× × ×

據說人以前比現在靈活多了，至少上樹時是的。然而，現在不然，人不甘學猴子，手腳時而並行着地，說是不要低頭，要強項，不要折腰等等。嬰孩只會爬，人很擔心了，於是千方百計教他學站與走。老了，人怕站不住，於是藉重「文一，倚賴一「杖」。凡站得穩的，都說是「有骨」。

× × ×

還有一點關於人善攀樹的證據，但是人以前是住在樹上的。

× × ×

顯然地，住在樹上不如住房屋方便，舒適。於是人就搬到地上住，以後，約摸是又想起住樹上的好處了，便建起樓來。再以後，房子愈來愈高，比任何高樹都高，在雲端裏生活了。這時候，沒有人肯住樹上。然而有的也不住騎樓，而住牆角，頹垣，簷下，破廟裏過夜。

× × ×

人是站的動物，比猴子還站得久，所以，喜歡「聳」了。聳的，喜歡豢養一些「冥頑」之物，如貓，狗之類，然而不養老鼠，而且叫貓捉鼠；貓很聰明，懂人的臉色，先天就會捉鼠。至於狗，常幫人的忙，當人用槍擊別的動物時，他很快的咬住無法逃得很快的動物，銜回來。

但人並不全為叫貓狗作事的，有時候，愛吃狗肉；愛吃貓肉的比較少，然而也還是有。人有時候也養人的，有時養些膚色不同的，有時養些「下賤」的。

此外，人還喜歡養鳥，養魚等等。

老的悲哀

。胡振海。

我悠閑地躺在安樂椅上。

那時候，我已經很老了。額上給時間刻下了一條條深深皺紋，肌肉已經失去了它應有的彈力，現出非常鬆弛的樣子。啊，我一切都顯得老態龍鍾了。

而我底妻這時候也很老了，坐在我對面，正低頭看頑滿考特的「小婦人」。

我底可愛的「小咪」（貓的名字），這時候已經不「小」了。老得不能走動，靜靜地躺在我坐着的椅旁。在打瞌睡。

窗外是一片碧藍，沒有一絲雲影。室內是靜寂的。我們默默地坐着，坐着……

忽然，一隻老鼠放肆地在我底腳邊漫步而過，小咪瞇着眼望牠，讓牠過去……

「真沒用。」妻說。瞇睛望着小咪。

「牠已經老了。」我解釋。（妻瞇着眼睛對我微笑）。

「可不是，我已經老了嘛。我年青的時候，是一個英雄。那時候，我……可是現在我老了。其實人老了不也是和我一般的沒用。」小咪也替自己的老在辯護：

「昨天晚上，張媽在廚房中洗碗碟時，偶然不小心，老咪嚇打破了一隻菜碟，就給她的兒媳臭罵了一頓：『這死老鬼！真是……』」

我點點頭。微笑。伸手去撫摸小咪。

這時候，室內還是一片和諧的靜寂。而窗外的天空是一片湛藍，如薄紗的白雲飄過……

我在冥想：人，總是要老的，而老卻是一件最壞的東西。然而，人卻不能不老（這真是人生的一個悲哀）。可不是，一個如花一般美麗的少女，一霎眼間，就變成一個堆滿了皺紋的老太婆。

我的妻不就是這樣，她年青的時候，是一朵芬芳四射的美麗的花朵。可是，如今她老了。

唉，老真是人生一件可怕的事情啊。

「年青就是美麗，老就是醜怪。」一個聲音突然間飄過我底耳邊。

唔，美真的是這樣的嗎？美可不是這樣的呢。

你看，我的妻不是已經很老了嗎？可是她在我底心中還是一個美人，那是因我並未曾忘記了「過去」吧！

廣東通志談叢

續廣東通志已成部份

。竹菴。

各種徵訪員，多用中山大學助教及畢業生，民國二十三年已徵到者，共勤徵事二百十九本，分送各專任纂修，已徵到稿者，其後陸續交到者尚多，本擬撰成書則先刊印出版。專任纂修員溫廷敬已成人物傳四册，由中華書局刊印，經已出版，徐甘棠，編成沿革，已成而未印，洗玉清編有廣東藝文略已成一部份，稿由中華書局刊行。羅香林編有太平天國洪秀全傳。各編纂又續成前任志局稿。此外如礦業，城市，風俗等之採事錄，以上皆已成之稿，均屬零碎採訪，以歸一類完成，總計由民國二十二年至民國二十六年歷時五載，通志雖未能續成而規模大具，再假時日則一省之巨籍必得完成，惟廿六年秋，中日事變，粵省即遭空襲，以後通志之稿件已不知落於何方矣。

戰爭結束，勝利來臨，教育當局不能於彼時收拾殘缺，續成此志，今則世易時移，滄海大劫，通志之續成，渠不知在於何日也。

兩廣通志的特點

廣東阮修通志，體例精詳，包羅萬有，文辭富麗，序事翔實而正確，其價值已為全國史學家所公認，茲不復贅。至於廣西通志，則嘉慶年間，謝蘊山（啓昆）所纂修，更為全國省志之模楷。梁啓超的中國三百年學術史，（見飲冰室專集）以為謝蘊山纂之廣西通志，足以媲美於章實齋（學誠）所擬的湖北三書。（湖北通志七十四篇，湖北掌故六十六篇，湖北文徵八集），其言曰：『謝蘊山之廣西通志，首敍例二十三則，徧徵晉，唐，宋，明諸舊志，門類體裁，舍短取長，說明所以因革之由，認修志為著述大業，自蘊山始也。故其志為省志模楷。雖以阮芸台之博通，恪遵不敢稍出入。』云云。梁氏徧覽羣志，下此斷語，最有見地。

章實齋擬武的湖北三書，博大精微，已為學者所共見。茲以非本文範圍，故不列敍。至嘉慶廣西謝志，其內容列於左方：

訓典

四表：郡縣沿革表，職官表，選舉表，封建表，

九略：輿地略——疆域圖，分野，氣候，戶口，風俗，物產，

山川略——山川，水利，

關隘略

建置略——城池，廨署，學校，壇廟，梁津。

經政略——銓選，郵助，經費，錄餉，郵政，田賦，鹽法，榷稅，積貯，祀典，土貢，學制，兵制，馬政，郵政，承審，土司事件，口糧，鹽倉，刑具，鼓鑄，陸河，經費船政。（九）

注意：八七七期本文「交涉志」之各欄植藝文志，人物志，金石志三項合併說明。

「媽，難道你不怕我自殺麼？」

高山植菓

·陶德·

從大陸來台的人，雖然滿足于此間的四季溫暖如春，但對有些事仍不甚惬意；譬如說菓品，在台灣所能吃到的，只是熱帶的水菓，如香蕉，鳳梨等，但，對寒帶的水菓，則付闕如。所以，每逢佳節，會使人們憶起大陸上常的害山栗子，山東肥城的蜜桃，碭山梨，以及東北的蘋菓等。

但是，現在，這些寒帶的菓品，却由於一羣精力充沛的男女青年的努力，即將在台灣出現了。

這羣男女青年，就是就讀于台中農學院園藝系的學生。遠在台灣橫貫公路還沒有開發的前一年起，他們就在系主任程兆熊博士之指導下，翻山越嶺，在台灣人烟兩絕的高山陸峰中，從事他們山地資源的開發。

他們苦幹了五年的光景，現在，終于有了成就。他們已在台灣中部一座海拔二千餘公尺的東眼山上，開闢了五十公頃的土地，種植了數以千計品種的各種菓樹，花卉和蔬菜。幾乎包括了我國大陸所有的菓品、植物。

在這座高山上，這羣青年，已經立了一座「山地落葉果樹實驗園」，他們用當地土生土長的菓樹的根，插上大陸北方那些名貴菓樹的苗，現在已綠蔭處處，興致株優良的菓苗在山崗和風下，迎風飄颺。他們說：「不出數年，生活在亞熱帶的人們，即能嚐到寒帶的珍菓。」這個實驗園的出現，

在種植最多的，是購自日本及美國的優良蘋菓樹苗，大約有八十五個品種，繁殖在這個終年寒冷的高山上。其中部份來自加拿大的品種，從當地出土到台灣東眼山上栽植為止，先後僅歷時十二天，現在，這些菓苗株株茁旺，在和風陽光下，已長得和人齊高了。

據說他們還要將梨子，栗子，水蜜桃，柑橙等，遷植台灣的山區。（六月廿六日寄）

銀壇隨筆

評天長地久

「天長地久」曾經在台北首映，創下「自由中國」國片賣座的良好紀錄。八月六日起在港九公映，可能基於「卡司」突出（變且變生），號召力很強。就全體演出過程看來，演技方面，楓和王萊均有很好表現，台北的輿論，持有同樣看法。因為她倆的角色，任何人都可理解，很難適合觀衆要求的；但演出過程，却使人感到意外滿意。先就楓來說，她飾演一個孀寂懷春少女，有很大的成功，這並不令人覺得驚異；奇突的倒是她在愛人始亂終棄之後的生活情況，反映出她的演技，有飛躍的進步，從牽女、回港、驚歡、失節，以至出走，到「復合」，都有特佳演出。在喜，怒，哀，樂的情緒發揮上，如假亂真，刻劃得清楚明白。王萊的演技本來就不需要說，這次她在「天長地久」中，動人表現，每一個鏡頭都深入人心，以喜諧說話，感動終場，嚴俊之後脫穎而出。

這是王萊演技的成功，導演簡也就不必多勞。除去兩位女角，喬宏的演出，適足令人驚歎：趙越武夫，一變而為體貼的士人，特別是在最後的幾個鏡頭，表現得最真切，刻劃得最明朗。反映出編劇文的目光遠大，對培養和訓練基本演員方面，不在每一演員專飾一種角色，喬宏的成就，在本片遠在已往任何一片之上；無可否認：「天長地久」這部片子，每一個角色實在太難演，同樣的，陳厚在該片的表現，鏡頭雖不太多，很難做得觀衆要求。在一般批評上，他的戲太平淡，而認為他在任何一部片裏，演來演去總是那麼一齣戲，翻來覆去，翻不出什麼不同的名堂來。殊不知這個戲的重點，不在舞姿，而係需要厲的有戲，陳厚的戲却被其他的角色做光，一些戲也沒有。演出過程雖失敗，見之，也許其他愛舞者說好，也不一定，却對整個劇情，却未破壞。

。修衡。

詞人方啓東學長赴檳城

贈別

。謝康。

鑾臚文采風流最，詞賦能招故國魂。

香島十年曾宿學，檳城一去訪韜軒；

春風桃李盈塘植，滄海烟波惜別尊。

此日遠航行萬里，他年重見在中原。

自由人
THE FREEMAN
（第八〇八期）
中華民國內政部登記證台誌字第一二二號
中華郵政台字第〇〇五號執照登記爲第一類新聞紙類
（半週刊每逢星期三六出版）
每份港幣壹毫
台北市館前路…
香港高士威道二十號四樓
20 CAUSEWAY RD. 3RD. FL. HONG KONG
TEL. 771726

現階段的共產主義運動

・金思愷・

儘管共產主義運動依然還在自由世界掀風作浪，但從運動的本身表現來看，似已進入了衰頹階段；內部意見的分歧，外部發展的頓挫，共產黨員對于共產主義狂熱程度的低降，當爲其衰頹階段的具體表現。要是沒有新的因素刺激，這種衰頹的趨勢是無法挽回的。

一九一七年蘇聯共產黨奪得了政權，這是共產主義運動獲得了第一塊實踐的土地。它的這種獲得，基本上就不是按着其理論指出的道路。因爲當時俄國的工業並不發達，工人在其總人口中的比例也不算多，在這種情況下的共產主義革命，並不是眞正的無產階級的革命，而是某些政治野心家藉口無產階級革命，利用共產主義奪取政權而已。這一種不符合馬克思主義理論的發展，注定了它以後的共產主義運動走到更歪曲的道路上去。

二次大戰給共產主義運動帶來了幸運，一方面在西方藉蘇軍力量，強使東歐各國接受了共產主義；另方面在東方再根據蘇聯的不符其理論的道路吞噬了中國大陸與印支半島的一部份。由于它的發展是如此的不正常，其帶來今天的衰頹階段也可說是必然的。

共產國際的分岐

二次大戰之前，共產國際只有一個蘇聯是共產黨掌握着政權的，它具有這種獨一無二的實力地位，因而就壟斷了共產國際。戰後的初期，東歐各國共產政權是蘇聯的軍力奪得的，東方的幾個共產政權則立足未穩，再加了當時史太林在共產國際中的威望未墜，形成了意志統一統治最鞏固的時期。一九五三年三月，史太林的逝世給共產國際帶來了若干自由，這些自由導致了今天的分歧。

若果共產黨的奪取政權的時機，是像馬克思理論所指出一般的瓜熟蒂落的，那麼這個共產政權所控制的地區內，該已有向共產主義發展的基礎，此即充裕的物質與文化條件；然而目前的共產各國都不是瓜熟蒂落的，它並無向共產主義發展的基礎。

於是，這些共產國家都必須首先來建立這種基礎，這就是目前共產國家不停的在高喊的過渡時期總任務。因爲這些國家的工業與文化基礎，都不及先進的資本主義國家，它們的過渡時期總任務的第一步，還是去趕上先進的資本主義國家；但資本主義國家並不是停着等它們，因而它們只有以更快的速度來追趕；爲了要以更快的速度來追趕資本主義國家，就必須盡量減少國民的消費，以加速增加其積累。這就是各共產國家人民生活普遍降低的基本原因。

人民之忍受較低生活的程度，決定于三項因素：一、原有的生活水準；二、外界的壓力；三、自願程度。東歐的人民原來生活水準較高，他們是在蘇聯軍力控制之下接受共產主義統制，其人民所能忍受降低生活的程度很低；中共的人民原來生活水準較低，中共政權以高壓控制，其人民所能忍受的程度最大；蘇聯則介在兩者的中間。這種忍受較低生活的程度的不同，無疑決定着各該共產國家的經濟發展的速度，中共最快，蘇聯次之，東歐最慢。這種經濟發展速度的差異，亦即產生歧見的原因之所在。

標誌着這種歧見的，在前一時期內中共推行人民公社運動。蘇聯經過十八年的時間才集體化了農業，其後以物質獎勵刺激農民，集體農莊發生了某些本質的變化；東歐各國則以農業小組的形式在推行。太林逝世以來，在東歐國家中快的是波蘭，蘇聯所實行的…化程度，則農業小組的新形式，終必發展到東歐國家普遍的採用。人民公社，集體農莊，與新生的農業小組，這三種不同的形式，反映了各該共產國家的經濟與消費的不同比例，這種不同比例則又使它們的經濟發展速度的不同。爲着控制執行這種結果與消費的不同的比例，各該共產國家在政策上就必須有激烈與緩和的不同，我們若以歷史的尺度來觀察這一種歧見的發展，對共產國際來說，這將是公開爭吵，統制鬆弛的前奏。這種歧見的說明可以看到，過渡發展的統一，從蘇聯的農業小組與集體農莊轉變爲人民公社的統一，而將是人民公社小組的統一，雖然這一統一的過程可能是漫長的，曲折的，但這一趨勢似乎已經可以肯定了。

向外擴展的躊躇

前已述及，共產主義運動一開始就不是根據馬克思理論所指出的那工業最發達國家出現。另一種擴展的方式是利用軍事控制，其典型的實例是早期的外蒙，二次大戰後的東歐與北韓的赤化。一九五〇年六月，北韓軍南侵，史太林的這一嘗試因聯合國軍的干涉，導致了嚴重的後果，從事擴展的冒險的共產國家，這也就是說，以武力在西方擴張的危險，從而阻止了共產國家再作這種武力擴張的躊躇。

在史太林逝世以後，共產主義向外擴展的手法轉移到援助反殖民運動之上，企圖以此削弱自由世界，企圖在這一運動的過程中奪取領導權。一九五五年蘇援埃及，一九五七年協助伊拉克，今年呼應古巴的革命，是最顯著的例子；埃及、伊拉克、古巴的反殖民主義運動從現階段已具有某一程度的成功是不能否認的，但這種成功並未削弱自由世界，對於共產主義的擴張來說，從埃及與伊拉克目前情況來看似無一些好處；相反的它們將不再是共產主義的溫床，給反共陣營築起了一個新的堡壘。

上幾世紀以前遺留下來的殖民主義，從歷史的發展可以看出，它在世界存留的日子已經不多了，只要領導者保持警惕利用共產黨的力量來反對殖民主義，亦沒有什麼值得大驚小怪的，殖民主義者的損失些既得利益絲毫不足惜，我們絕不能因爲反共而維護殖民主義，這並不是奇怪的論調，而是現階段的共產主義運動的本身在消滅可容它成長的某些溫床，使那塊土地獲得新的健康的生命，然後再發出對共產主義的防疫素，那有什麼不好呢？

埃及與伊拉克的轉變，當說明了通過反殖民主義運動轉而反共的先例；亦說明了反殖民主義這條路是並不通向共產主義的。

這樣，似又說明現階段共產主義擴張政策已經遭到了阻遏，若無新的因素加入，這種努力是徒勞無功的。有什麼新的擴張辦法呢？大概正爲共產國際互頭躊躇與考慮之中。

結論

如上所述，不論從其內部或外部發展來看，共產主義運動已經進入于一個衰頹的階段，這種衰頹階段可能是漫長的，曲折的，若無對共產國際絕對有利的突發因素刺激，看來是無從挽回這頹勢了。

艾森豪總統將訪西歐

（半週述評）

美蘇首長互訪之舉尚未實現，艾森豪總統已先要僕僕風塵地到西歐與各盟國首長依次會商。看艾氏預定的行程，他將在八月二十六日前赴西德，在波恩逗留一天，廿八日前赴倫敦，九月二日轉赴巴黎。此項訪問，不禁使人追憶今年二月初已故杜爾斯國務卿的西歐訪問，與前年十二月間在巴黎舉行的北約高層會議。所不同者，只是那兩次是美國對俄立場堅強，西歐則意見參差；此次則美國準備與蘇俄首領單獨會談，西歐盟國却深懷疑懼。所謂未獲其利，先見其弊，正可爲今日之事寫照。而杜爾斯逝世後，協調西歐各盟國的工作，竟不得不由艾克親身去奔走，也是一件可悲的事。

西歐各國之所以發生疑懼，主要由於各國身處西方最前綫的地位，唯恐美與蘇俄單獨達成妥協，而使各國陷於進退維谷的境地。其實，在西歐各國，姑息路綫一向比美國更爲喧囂，美國爲了自身的基本利益，也不會對俄做過份的讓步妥協。但此次交互訪問的決定，全出艾克個人「英斷」，在尼克遜赴俄之前已早在醞釀中，却一直諱莫如深，連西歐各盟國當局在事前也並未與聞。唯其如此，艾克纔不得不親往歷訪西歐各國首都，分別進行說服工作。西方陣綫固不致因此破裂，但美國爲了與蘇俄加強接觸，致使各盟國惴惴不安，總是一件重大遺憾。

盟國應向美當局要求保證

說白宮當局存心姑息蘇俄，未免冤枉；但艾克却難免具有一種急功近利的想法，想在他在職期間，對於世界和平有所貢獻。因此他顯然在採取彈性政策，不只與杜爾斯時代對蘇俄的峻拒態度不同，且也顯然在暗中修改杜爾斯生前的堅強政策。靈活的冷戰運用並不一定是壞事，只是冷眼看近年來美當局政策，顯然缺乏主動運用，更說不到中心思想，一切都只因時制宜，從事現實的應付。日內瓦外長會議中，在美國領導下已做了不少讓步，雖然仍不能與俄達成協議，在擬議的聯大裁軍委員會中，也居然接受了蘇俄所提東西對等的原則—實則在去秋日內瓦防止突襲會議即已接受此項原則。西歐各國的疑懼，縱然出發點不一，却一致害怕白宮當局爲了達成不可靠的空洞和平基石，使各自由國家實際遭受損失。因此所有的美國盟國，都有理由要求美當局提出保證，不在對俄會談中有損他國利益，並應把會談過程向各盟國公開。

寮國危機與東南亞公約

這幾天，寮國緊急前綫暫告停滯，但局勢外弛內張，雙方都一致認爲情勢異常嚴重。不管這究竟是蘇俄與中共共同的陰謀，還是中共要在美俄可能接近之際賣弄一點顏色，自由世界都應以最大的決心和準備來應付。共黨方面之所以敢於公然挑釁，是針對着西方的畏戰心理，即使衝突擴大，西方也未必會以應付韓戰同樣的決心與規模，支援這一「遠方莫明其妙的一個小國」（張伯倫語）。

寮國是在東南亞公約保護之下，因此這局勢正是東約的一個嚴重考驗。假如證明東約竟是個紙老虎，則東南亞從此多事，正不只是一個寮國的問題。

使人驚異的是：寮國事件已驚動聯合國和鐵幕兩側的列強，而近在咫尺的北約總部却好像視若無睹。

・李秋生・

「高層」熱

・雅斯・

不知是否由於尼（克遜）赫（魯曉夫）莫斯科之會引起西方高層的興趣，目前世界「高層」人物，將見冠蓋往來，一窩蜂的熱鬧起來。

少數高層人物中，赫魯曉夫被邀訪美之安排，雖然引起了「高層」熱，但未能使各方滿足，因爲艾森豪與赫魯曉夫的「面對面」會談，已使世界上久已盼待的「高層」會議，頓時減色了。有人以爲這是加強高層會議的重要性了。艾赫之交互訪問，顯然是艾森豪總統在會議普遍地感到失望後的一種做法，因此許多人想念起美前國務卿杜勒斯來了。杜勒斯死後，他之不與俄國接觸，要被赫魯曉夫的美俄「面對面」會議的富有伸縮性的談判政策所代替了。

傳統而對高層會議賣氣力的麥美倫，也不會感到快意，那位夾在東西糾紛中爲德國自由統一而掙扎的阿丹諾，也抱着不信任的心情。

顯然艾森豪總統對於各國高層心裏的反應是不能漠視的，于是栖栖然又在安排西歐之行——作邦城，巴黎，倫敦各地的訪問，無非爲了對英法消弭四強變成二強的怨言，對西德取得對柏林問題的信任。艾赫未來之會，可能促使四強會議之提早實現，不過同時也減輕四強會議的意義。

代替了，莫斯科的眞理報已發表其得意的傑作了——「假如凍結于美俄兩國關係的冰塊能夠融解，則世界上將沒有任何力量能阻止冷戰風雲的融解。」

這言是俄式「和平共存」加上「美俄親善」兩大謊言合成的傑作。赫魯曉夫此行，是否要向美國加倍取償尼克遜從莫斯科取去的冷戰收獲呢？且看下回分解！

更正： 本刊八七四期第一版「論文」內第（四）段第一句話「你民我主，你法我治」一句話「我國有類此的一句話」應爲「我國有那麼一句話」。

台省觀光事業與業務機關

‧木公‧

【台灣通訊】報載，省議會七月二日通過政府創設觀光局一案。擬定省觀光局隸屬於交通處，與鐵公路局平行，省觀光事業委員會，應予撤銷，併入觀光局。其業務應分二種，第一爲行政業務，管理旅社，旅行社等之設置，及執行有關觀光法規。二爲事業業務，主辦各風景區之設計建設，及其經營管理。

觀光事業係一含有多種特性的行業，牽涉甚廣，幾與全國各界各業均有關，尤其是以誘致外國遊客爲對象的國際觀光事業，其關係更爲複雜，所以非由政府引用新人，成立一個有經營效率的機關，居前領導舉辦不可。

有關觀光的事業

先自有關的事業來說，台灣這幾年新興的旅行社，爲數甚多；但迄今既乏旅行同業公會的組織，更未見有與關係方面合作，遍設其營業網兼觀光問事處者，謀增進內外遊客的便利，維護其合理的利益起見，應早日促成旅行同業公會，並限制小型業者迅事成立。再如旅館、交通、飲食、娛樂、導遊等有關的業者，尤宜促其互相密切地結合，除提高其業務經營水準以外，並以此等有關業者爲中心，在各地建立觀光協會的組織，增加共同的利益。將來實施指定觀光地區制，或國家公園計劃時，更應在各該地區成立類似法日觀光會議所的單位，由公立機關加以經營，然後再將上述與觀光事業有關的團體，納入綜合聯繫機關的全省（國）觀光協會的組織下。此不僅爲一業者互相聯繫，維護其本身利益的團體，且係一與事業單位，及國策推行機關，共同活動的單位，政府在資金與器材方面，必須予以協助，加強其財政與組織的能力，使於接待，設施的改良，宣傳網發的籌募方面，展開積極合理的行動。

台省各縣市的觀光協會，刻仍在進行成立活動之中，觀光行政當局亦宜運用其政治力量，促使各地方成立供其行政首長諮詢的觀光委員會，期對觀光設施，接待，宣傳三者，配合最高度積極進行。此外政府或地方機關團體的聯繫，尤非求其密切化不可，尤其似基隆，台北等縣市，擁有很多自然觀光資源的地方，非建立官公民協商的機構不可。

再如台省除登山協會外，向乏旅行同好團體的組織，盼與觀光旅行有直接關係業者們，早日仿照法關西旅行俱樂部的組織，成立將來在全國各地，皆有其分部的旅行俱樂部，還不僅可研究如何增進遊人的便利，尤可甚於遠大的眼光，與超所謂改善道路，加強環境衛生，美化鄉土運動，對觀光事業的助益甚大。

關于觀光行政機關

次再就觀光行政機關的成立，作一番檢討：由於與觀光有關係方面，牽涉甚廣，其職掌亦操諸各主管機關之手，無法統一。今台省除觀光事業委員會外，尚無行政管理與業務推行機關的設立。例如觀光宣傳，現由行政院新聞局，省新聞處，觀光事業委員會與台灣觀光協會，分別舉辦，工作上既有重複之嫌，更不無浪費財力，實力渙散不集中之弊。旅行社的管理爲交通處，手工藝品爲建設廳與物資局，史蹟名勝以及天然紀念物，劃歸教育，民政等廳，公路與旅館的取締管理，爲公路局與警務處。再如地方行政機關中，尚未有成立觀光課股者，即專事招攬旅客業務的鐵公路局旅客課，亦未見有觀光股者，足徵觀光事業在我國，仍爲一落後待開發的原野，有待努力建設。今後欲圖建立一套發展觀光事業的計劃，首須於中央台省，分設觀光決議，行政監督及推進機關，說到此點，有下列三案值得提出討論：（一）省府交通處內設與鐵公路局平行的觀光局（即省議會的議案）。（二）在省府內設主席直轄的觀光處。（三）增設獨立的觀光廳等三案。其中第一案似較容易實現；但亦僅能以宣傳與接待爲中心，仍難望觀光行政從事綜合完整的運營，雖已進一步以觀光局爲觀光行政的中心，但未想出對有關各廳處，如何保有其交涉權的方法，在各機關一向重視其主權的現狀下，仍難爲靈活的運用。第二係以省主席直轄的觀光處爲行政中心，確定基本的觀光政策，如此關於各廳處主管的事項，固可獲得較具體的措施，從中加以調節，減少各部門的摩擦；但如上下的聯繫欠週時，亦有難使之迅速採取適當措施之虞。第三關於增設獨立的觀光廳，以現屬各廳處的觀光行政事項，全部交其主管，然此亦爲一理想而已，觀光事業係一極錯綜複雜的事業，其他各廳處職掌的事項，何者與觀光事業有關，何者無關，很難明白劃定其限界，徵諸世界各觀光國的先例，均認爲此一理想，不易實現。

方案的訂定

然而若問較合理，且有實現可能的方案，究應如何訂定時，是即應對昔已在法蘭西有其先例的『觀光院』的制度，加以參考修正採用，比就我國今日的現狀觀察，亦宜採取行政管理與業務二者分開制度。除於行政院設立供院長諮詢的觀光事業審議會，期與中央各部會保持聯繫，擴大省觀光事委會的組織（不但不能撤銷，並應仿法國內組織委員名額增爲八十人，或仿日本觀委會委員名額增爲六十人；但以有關主管及與觀光事業有關事業家、學者、文教、民意代表爲限，少延攬目前所謂的專家，），加強其供備主席諮詢，及監督管理的能力以外，尤應仿法蘭西中央觀光振興會，可受朝野捐增的管理辦法，加強台灣觀光協會的組織，庶可一面從事內部接待與設施的改良，一面加強海外觀光的宣傳。

海埔新生地彈劾案水落石出

‧陶德‧

（台灣通訊）費時三載，耗資二百餘萬元，最後落得一無所成的台灣南部海埔新生地放領弊案，終于二十九日經監察院提出彈劾。三位主政的政府官員台灣省民政廳長連震東，地政局長沈時可，該局前四科科長王新民等違法瀆職，由監察院在彈劾書中詳列弊端，送由公務員懲戒委員會依法懲戒，其中並涉及刑事部份，由最高法院檢察署偵辦。

提出彈劾的監察委員是曹德宣和郭學禮兩位，經過九位審查委員陶百川，王竹祺，于鎮州，張岫嵐，酆景福，黃莞軒，田樸，王枕華，張秉智等之字字推敲研究和事實之詳細審查後，終于審查成立，提出彈劾案，使這一宣騰三年的弊案，晚告于世，大快人心。

彈劾書全文，約長萬言，在經由于院長批可後，即于當日送出。其中分行政責任及刑事責任兩部份列述：在行政責任中所列之弊端爲：（一）玩弄法令陰謀舞弊，（二）違反政府土地政策，（三）措[illegible]失當有備御嘗，（四）倒行逆施調有隱私。

關於刑責部份，彈劾案中指出：（一）損害人民權益，罪之無辜。（二）企圖舞弊犯意顯明；（三）官官勾結民不堪命。在刑責部份中指出主辦科長王新民有故意偽弘損害人民權益，有觸犯刑法第一三一條之重大罪嫌。而民政廳長連震東地政局長沈時可於辦理此案時，尤屬是非不明，倒果爲因。

彈劾案結論中指出：此次台灣省政府爲開發西海岸海埔新生土地，先後歷時三載有奇，耗費欵及二百萬，而人民因申請開發案件，乃端所尤屬不可勝計，辦法甫經實施，即告破綻畢露，糾紛突起，使政府人民未蒙其利，先受其害。窮其原委，蓋由規劃不週，而負有執行開發之各級主管人員，自民政廳長連震東、地政局長沈時可、第四科長王新民以次，又均任意玩弄法令，無視沿海大多數漁民之生計，根本違背政府土地政策，甚而縱令所屬勾結地方豪勢，包攬土地權利，情憤激。遂致道路側目，議論紛本固邦寧，夫民爲邦本，關民社之選，連震東等身攬心，擾及黎元，乃至利慾薰心，直接間接圖利自己，其爲利他人，亦屬情弊昭然，顯已構成違法瀆職。除縣市主管合作業務部份人員業經主管長官予以行政處分，姑免置議之外，茲謹依監察法第六條規定特予提案彈劾，擬請移送公務員懲戒委員會依法議處，並移送法院偵辦用彰法紀。

在彈劾書中，可以明顯地看出政府官員中，他們玩法違職之事例，像他們這樣主政如何能安人心呢？其中尤以官商勾結部份所列述歐雲明，蔡錦棟，蔡李燕與邱清江四人對攫取海埔新生地之情形，令人齒之心酸，蓋前三人均爲省議員，後一名爲省漁會理事，其貪心肥己之陰謀，實屬他們做得出。海埔新生地之公開放領，是政府實施「耕者有其田」的重要政策之一，在台灣全面受到人口壓力和經濟發展的情形下，它是具有極大意義的；據估計，這塊新生地放領後，年產可達十四億台幣，同時亦可解決卅萬人的職業，其對台灣生活的改善必可獲得助力，但由于主政者之不誠以及惡勢力的控制，終無所成，實在令人寒心。雖然前此已有不少人遭事吃官司，也有人現在還在進行中，但，其主要弊端的彈劾還是這次在監院的彈劾中獲致水落石出。（八月一日寄）

郝樂遜署長談台灣經濟

‧張健生‧

（台北航訊）「目前台灣的經濟現象，消費超過生產，是可憂慮的現象」這是美國駐華安全分署署長郝樂遜最近在八月一日出版的生產力月刊上提出的警告。換言之要解決台灣經濟難題，首必須減低消費，增加生產了。

郝樂遜曾經指出最近五年台灣經濟發展情形。認爲雖有很多地方進步。但不可因此忽略了另一面的危機。據他的分析：最近五年（自一九五三年至一九五八年），台灣農業增產百分十二，稻谷增產百分十五，工業增產百分四五，國民生產毛值增加百分二四。他又說，五年中的前幾年增產速度快，後幾年較慢。而且五年中美國經援用於台灣者有五億美元以上。在此時期內，稻谷的生產雖增加了百分之十五，但人口的增加卻達百分之十九。國民生產的毛值雖增加了百分之二四，但民間消費卻增加了百分之二五。更可慮的是政府消費的增加竟達百分之一百。國民消費量較生產毛值增加了百分之一，並不可怕，可怕的是政府的消費量，竟增加了百分之百。結果，投資的數字便等於「零」了。五億的美援也並沒有用於投資方面了。

郝氏的文章說：在歐洲和亞洲十三個國家中，在投資方面，台灣是最後的第二位。在消費率方面，則台灣是十三個國家中的前二位。因此他指出民間與政府必須減低消費，增加投資。以上是郝氏六月十一日應「建設雜誌社」邀請而發表的演說大要。

最近郝樂遜氏，復於八月一日出版的生產力月刊上發表文章，再度提出警告，台灣目前經濟將達到一個極嚴重的階段。因爲消費超過生產，政府及民間所消費的物資數量，超過生產甚多，結果投資於工廠、水壩、灌溉水圳、學校、公路等的資金來源，大爲減少。因人口增加，而增加的消費必須解決；同時爲了維持繼續增加生產所需要的投資，也必需加以解決。今後幾年台灣的生產如果不能作顯著的增加，則人民的生活水準即將降低。如想挽救此一不良趨勢，除去提高生產速度別無其他辦法云，此爲郝氏文章的要點，最値得大家警惕的。

揭起政府的消費，不能不涉及浪費。監察院去年曾提案糾正政府浪費。有無改善呢？似很有限。試略舉數例：台肥六廠已用了十數億台幣，仍不能按照預定計劃生產；又行政院公務員配給委員會，也有很浪費的地方，不過因不顧家醜外揚，故少爲外間所知。省政府興建中興議堂，化費千五百萬餘元，開發海埔新生地，耗費兩百萬元，省府疏遷耗費達四億餘，都是有很大浪費的。又台北市政府購買公車五十輛，比公路局購買的同樣車輛，多用外滙美金萬餘元；慶祝黃市長就職兩週年，竟耗費十多萬元；這些都是浪費了。如果將這些非必需的支出，省下來，便是資本的形成了。（八月一日于台北）

紅星到台不見客　記者羣杯葛林黛

○德○

這一邵氏公司在台正大展鴻圖時的一段插曲。事情起因在林黛來台爲「江山美人」獻演，想來，這位迅速獲得亞洲影展的「紅」星紅得過了火，一到台北就「下令」不見客，當初就鬧得不愉快。于是，也就出了這件事。

在二十九日那天，邵氏在台分公司揭幕，在大宴招待賓客之後，有幾位台北的影記說到「自由之家」訪林黛，大夥兒帶攝影錄音，到了「自由之家」，傳話的說林黛在洗澡，大家等等好了。于是，大家就等下來。但是，這一等卻等了一個多小時，想來記者時間寶貴，一看林黛還不出來，就搖了個電話到她房裏問，房裏接電話的是位老太婆，這位老太婆也不知是那來的火氣，在一陣不屑似的答話後，結尾還加上一句「林黛那點對不起自由祖國？」，這話，顯然有點離譜，于是，那位打電話的影記就和她在電話裏爭吵起來，爭吵了最後雙方擱下電話，跑出房裏開，這時，在場的影記上光了火，都參加了鬧劇。鬧劇自然驚動了林黛，她看情形不對，不管洗沒洗好澡，急披了件外衣跑出來勸架，這時，有位影記想必火氣了心，一看林黛出來，當場就大聲叫：「走，走，林黛算什麼東四？」於是，一大批影記也都負氣走了出來。這場面自然使林黛下不了場，聽說曾在房裏哭了一場。後來，總算有人從中說項，林黛又各寫了一封親筆信，給當場的影記，[illegible]當晚十時半[illegible]，各影記都沒有去，[illegible]港，僅少數影記去了，乃至第二天各報，有關林黛的[illegible]「奧」了林黛一場。（卅一日寄自台北）

敬悼丁廷標先生

‧金達凱‧

廷標先生于今晨四時病逝于九龍寶血醫院，消息傳來，內心有說不出的難過。批難方殷，老成凋謝，這不僅是丁先生本人及其家庭的不幸，也是我們流浪海外的知識份子的不幸。

我今年和廷標先生見面的次數很少，一次是在日本友人的餐會上，一次是在[illegible]的郊遊會上，此後，即未晤面。六月間他率團前往漢城出席亞洲反共同盟會議，回港後，我因事情較忙也沒有去看他，而且病情不輕。八月八日時舉行十週年紀念時，當時我心裏有一種沉重的感覺，[illegible]醫院裏看他，不料還未去成，而他竟已長逝，一時間永別，何以爲情。

我認識廷標先生，是在他旅居日本回港以後，對我們年青一輩的人來說，他是一位君子型的長者，他待人如我們朋友一樣，沒有一般政黨者那種特殊的風度。從一般的觀點中，深深一感覺到他是一位平實的人，對我們年青一輩的人物，態度平實，他過去曾從事于政黨的工作，但他在港所認識的青年黨的其他朋友一樣，沒有一般政黨者那種特殊的氣息，而他更是一派書生本色，給人有一種很樸實的印象。其次，廷標先生富有愛國心，有堅強的正義感和很明確的是非觀念。幾年，他對政府不作懸空的批評，反之，對目前台灣的處境很同情，還在港主張團結海外人士和彼此情感上，他曾發生了一定的作用。

他在香港的自由陣線的「自由陣線」主編的時期，對於作者的勤懇，他的表現出對文化工作的責任感。雖然他寫的文章不多，邀約撰稿若干，在座談會上，觀察深刻，對事理的分析極爲細緻，在港中文化界中是少見的。他不隨便發言，而一發言即非常中肯。因此，他的死，不獨是自由出版社的損失，並且是香港自由文化界的損失。

此，筆者在寫這一短文時，窗外風雨淒迷，僅祝廷標先生永恒安息。益增我們的哀悼之感。

蘇聯的經濟大聯邦

·旭軍譯·

據蘇聯塔斯通訊社稱：所謂「經濟互助委員會」，在阿爾巴尼亞的首都地拉那，舉行第十一屆會議，通過了蘇聯集團國家經濟活動「專門化與互相的配合」若干項議決案。

此委員會是在一九四九年一月成立，本來史達林之奴役與剝削附庸國，無需此種組織，不過因當年波蘭與捷克極欲接受馬歇爾計劃援助，史達林不得不裝出此姿態，組成一國際性的經濟機構，與馬歇爾計劃對抗。至一九五四年，即予凍藏。但自史達林逝世後，附庸國咸謀脫離蘇聯的經濟之軛。史達林殺雞取卵太多了。不但引起東歐的憤怒，而且浪費及經濟混亂。更壞的是波蘭，匈牙利，羅馬尼亞等附庸，豁言要學史達林的「一國社會主義」，在自己國境內建立基本的重工業。結果蘇聯集團重工業投資太多，而日用品工業及農產日形缺乏。

「馬達可夫路綫」

一九五四年爲了應付此危機，此經濟互助委員會開會，但此種危機無法解決，於其後之三四年。（一九五六年方邀請中共，一九五七年邀北韓，去年邀北越及蒙古加入）「馬達可夫路綫」糾正此錯誤之法，係勸東歐各國政府放棄發展重工業之野心，而集中力量於輕工業及農產，而將此等生產品運輸給蘇聯，而他們的入口貨及生產機械，有賴於蘇聯。這樣和資本主義之殖民地與宗主國之關係無異。

「赫魯曉夫路綫」

其後所謂「赫魯曉夫路綫」，是准許維持若干重工業的優先權，但需避免投資過多，把若干重工業計劃取銷，一九五四——五六年急急的作此改革，而爲各東歐國家的五年計劃的基礎原則。但結果反而因若干至大之重工業停止了，弄到生產不足，且凍結大量原料，經濟更形混亂。

一九五六年五月此經濟互助委員會開會於東柏林。把一九五六—一六〇年的五年計劃廢棄。採取新經濟政策。

「工業專門化及互相配合」的政策，把不下六百餘組的工業，分佈於全東歐。因此蘇聯初次作一長遠的國際計劃，也算是一大膽嘗試。東歐附庸國雖不能反對，依樣畫葫蘆的通過了，但回到本國無法推行，物資已極度缺乏了。人民聞此種計劃更形憤恨。一九五六年六月波蘭之波茨南發生反抗動亂，至十月幾乎釀成武裝革命，而匈牙利亦起革命了。

很奇怪的，而且很矛盾的，反共份子和最固執的史達林派聯合起來，反對此所謂新經濟政策。史達林派憤恨赫魯曉夫在第二十屆蘇共大會的攻擊史達林，裁減重工業，及實行統制放寬，與談「國際分工」種種令他們不滿的措施。至於那些反共的，則力指所謂「國際分工合作」係新剝削手段。這個經濟互助委員會，首先運用「國際配合生產」於波蘭的煤，他們因感到煤已極度缺乏，由捷克與東德共同協助波蘭。

蘇聯與東歐經濟計劃

蘇聯生產，初次謀與該互助委員會的東歐經濟計劃配合，而中共亦被拉入其『分工配合』圈子。似乎快出現一共產國家共同市場，而且還要設立一機構，集合，分配，與發展蘇聯東歐以至中共的資源。

在此種的新安排，捷克專製重車及拖拉機。東德製輕型的。東德及波蘭主產高品質鋼的。蘇聯及羅馬尼亞，主產石油鑽機及煉油機器。這是一個分工配合的例。此外還有產鋼及電力等亦分工配合。蘇聯的野心不限於東歐，勢將囊括中共大陸的一切資源，再而推及阿拉伯聯合共和國、伊拉克，及受蘇聯經濟援助的國家。

一切東歐國家計劃，須經過蘇聯的同意，但雖然大多數提劃到一九六五年，實際上不易嚴密執行，否則必引起東歐另一次大革命。

蘇聯與中共貿易

至於蘇聯與中共之貿易，尚不及蘇聯之與東德，雖然中共自稱有人口六億人。這是不難想像得到的，工業發達的國家，很難與工業落後的國家貿易。因中共無法支付大量入口貨，雖然蘇聯給予中共大量之工業援助和賒欠的入口貨，中共窮得太厲害，經濟交易大受限制。

中共目前在此經濟互助委員會，係以旁聽者出席。因爲中共簡直無工業可言，怎能與捷克東德波蘭等配合。在東德國家眼中，是比他們次一級的經濟國家。目前還好直接受蘇聯吸收原料，須待中共的工業有出息，才能安排到『分工配合』，總之逃不出蘇聯的控制。

俄國社會主義革命一向分急進派（Maximalists），與緩進派（Minimalists）。自史達林死後，莫斯科成爲經驗經濟之溫床。急進派和緩進派互相攻擊鬥爭。緩進派指赫魯曉夫那一般的作風是『烏托邦計劃』。（節譯自七月九日的「記者什誌」）

國際動態拾零

△狄托將訪問非洲新獨立國家，爲了東西集團之外，建立第三勢力，與其以前致力於非集團之中立政策，如出一轍。

△新聞界在白宮集會時，艾森豪宣稱對中共將採懷柔政策。艾氏曾謂美國與中共，可從其與共產集團脫離，惟在中共釋放五位美國飛機師以前，絕不考慮承認之舉。

△美國國會休會後，艾森豪總統有訪蘇之計劃，並擬訪問波蘭，瑞典，挪威，丹麥，荷蘭，美國之聯盟國家。

△美國軍部計劃製造最小的原子砲，直徑僅數英寸，重五百磅，在現行原子砲上放射，有效距離約十至十五英里。

△艾森豪最近與民主黨國會，展開鬥爭而取得勝利，完全爲衆議院共和黨領袖哈立克（Halleck）與前任共和黨衆議院首領馬丁（Martin）所得于云。

△有一家報紙，稱艾森豪爲有能力的政客，艾氏表示欣慰。政客本爲政壇人的名詞，艾氏不以爲忤。

△美空軍預以國防會議時，陸海軍具有對空軍支配的形勢，大爲不滿。此係對一九六一年四百多億之國防預算，未依空軍之安排而言。

·陶然·

研究中共問題的現況

·田心·

批界認爲香港是一個觀察共產國家動態的前哨站，它對於研究中共問題具有特殊優厚的條件。但在目前所有的報章雜誌却在鬧這類稿荒，這實在是不應該的。問題究竟何在呢？

領導者有責任

許多反共文化界的領導人，一貫的以批評中共的觀點來領導，他們認爲研究中共問題就是批判中共。不錯，我們不能不批判中共的爲非作歹，但是認清事實與其發展更爲重要，從批判中共爲主的觀點出發來領導，必然出現反共八股。這種反共八股從大陸移來海外，至今未變，其影響是不小的：一般的研究者本身深入探索就具有某種限度，外界認此亦祇是政治性的宣傳而已，久之，作者與讀者普遍的發生了厭倦，試問在這種厭倦的情緒之下，還能有什麼影響？還能有什麼鑽研的興趣？許多刊物的主管人認爲聊備此一格，許多作者認爲這是迫不得已的追到吃飯的手段，據說某些報刊限定作者每月交幾萬字，代價是幾十塊錢，眞是可悲又可恥。當然，稿費也有高到幾十元一千的，可是，所採納的稿子也只不過是一些陳腔濫調而已，好像並不願意作更深的觀察；因爲八股人人會寫，不免出現了爭執，於是也有人說出現了「脚長者先登」的情況。以上的情況若不變更，作者與讀者日少的現象決不會改變。這是不利于研究中共問題的客觀環境。

研究者的態度

中國人研究中共問題的主要困難却在于研究者的反共情感，這種情感會導引個人向自己主觀方向找尋證據永不回頭；社會科學在統計的過程中，一定會出現順于與反于自己主觀的事實，假定一個研究者的主觀太強，他必然去比較試兩種正反事實的重要程度，順于自己主觀的擴大，反于主觀的拋棄；而社會現象往往是曲折的，即如當初的主觀是符合事實的，到後來若不依據事實發展而轉變，結果也會錯誤。

政治不能影響學術，同樣學術亦不是僅達到政治目的的；許多研究中共問題的認爲與實際政治不能分離，甚至以爲這是登龍之術，要是這樣想就錯誤了。任何學術的鑽研只是爲了學術，本身不能有其他目的，否則必然在中途會嘗到痛苦的滋味。

其次，我們要談研究者的主觀條件。既然稱之爲研究，就應該稱是學術的一種，一般的來說，研究中共問題應該歸入于社會科學；研究社會科學的方法無非是歷史的縱的比較觀察法，平面的橫的比較觀察法的綜合，這種簡單的方法在我看來不一定要到深奧的方法論中去找，——能先向方法論下一番工夫當然更好，——把某些問題研究一個時期，自己就能體會到；這並不是研究中共問題方面的主要困難。

最近有幾個朋友與我探討這樣的問題，特將我所認爲重要的還未成熟的意見介紹如上。

（竹幕幽秘暫停一期——編者——）

大陸文壇透視　七

扼殺古書的創子手訓練

中共北京大學，在這學期開始，新設置了一個「古典文獻專業」，據參預籌備的魏建功說：「設置這個專業的目的，是培養整理中國文化遺產的人材，主要的是整理中國古典文學、史學、哲學方面的文獻。」（七月十七日光明日報）不到兩年前，紀念「五四」四十週年，大陸還批判胡適的整理國故是反動，却不知做何感想，開倒車來。行不顧言，中共作風本來如此，實不足怪。

中共整理古籍，實不自今日始，它的「古籍刊行社」「古典文學出版社」在頭幾年即已成立，並且出版了不少經過整理的古籍。許多舊文人，像潘伯鷹、張友鸞、王伯祥、俞平伯、錢鍾書、張友鸞等人，中共早已叫他們埋頭故紙堆中整理各種什子。只是這些人都沒有經過徹底洗腦，整理的東西不合中共規格，雖然他們極力想引證馬克思，在導言和註釋中歪曲古籍，但總不肯忍心太過張奸古書，迷惑天下後世，因此便「資產階級思想的尾巴不時露了出來」，陸侃如、李長之、林庚等列入右派，就是因爲這個。過去中共印行的古書，的確迷惑了許多人，以爲中共能把一些早已不流行的典籍整理出版，總算一種德政。但是中共的用心本非如此，它比明代編纂永樂大典、清代編纂四庫全書的動機還要卑鄙。如果你細心看看它的導言和註釋，或是找原書來對證一下，你便可以看出它是怎樣巧妙在歪曲古書的原意，甚至怎樣巧妙的竄改原書。

本來中國過去的書籍，照中共的馬列觀點看來，全是封建文化的產物。其中大部分與中共的思想相抵觸，中共因此要做翻案文章，達到所謂「古爲今用」的目的。郭沫若今年曾爲曹操翻案，雖然引起爭論，至今未決，但翻案一事却是中共的既定政策，單看施用的手法巧拙而已。近期光明日報的「文學遺產」又有兩篇文章擁護郭的主張，蓋而爲歷史人物翻案的事，仍在層出不窮。

據翦伯贊有關北大設置「古典文獻專業」的說明，他已指出了整理古籍的方法，那就是要在導言和註釋中，用馬列觀點對古書加以批判，在校勘時要查出歷代竄改的地方，改回原來的樣子，去其「糟粕」，存其「精華」。——這裏可以分兩點說明：一、中共要竄改原書時，它不說是竄改，而說是還原，如前代人所改壞的，它再使其還原，如郭沫若考證蔡琰「胡笳十八拍」，就根據宋郭茂倩樂府詩集懷疑劉宋范曄的「後漢書」，並且武斷地指某字當衍，或某字當爲某字，並不提供證據；二、糟粕精華之判別，一依中共之主觀，如武則天翻案，只取其能幹、民主部分，而刪去她的荒淫及特務政治部分。照這一方法整理古代文獻，將來北大這一事業的學生，還能不是扼殺古書的創子手？

瘟君夢

第三回：點石成鋼　魔王施妙手　指鹿爲馬　嘍囉建奇功

不但工農業大躍進，文化教育也是一樣。各地工人農民都紛紛作詩，遍地都是詩人，詩人不一定要識字，只要謅幾句詩，溜得順口，口氣大，吹得響，就成了。

大躍進時期不但人們工作要組織起來，靈感也要經過一番組織。四川全省農村出現了兩萬二千多個文藝創作組，僅僅廣漢一個縣，在一個月內就創作了兩萬多種作品。

四川如此，浙江躍進的更兇，只是嘉興一個地區就有二千一百七十四個創作組，業餘作者達到二萬七千多人。

不過這些地區比起上海，又算是小巫見到大巫了，上海在一個三月份，工人創作已達八十萬件，到底作者有多少，沒人知道，不過以榆林區爲例，他們的創作速度是相當驚人的，這個區作者是七百零五人，一個三月份就有五萬多種作品，平均每人作七十一篇，每天兩篇多。要按這樣平均，似乎又不算太多，可是不要忘記了他們都是業餘作家，每人每天要工作十多小時，還要開幾個鐘頭的會，居然還能創造出兩篇作品，你能不佩服他們的精力旺盛嗎？

作品創造了如此之多，究竟創造了甚麼東西呢？四川的辦法是人人編，人人唱，滿街都是遍花落一類作品，上海一間工廠裏有一首「人」的詩，曾經報轉載，譽爲典型作品。試看這首詩：

「龍頭上的角，一定要把牠拔下來，虎口裏的牙齒，一定要把牠鉗下來，小小將家牌（美國衣車牌子）針身有啥了不起，我保證四天把它打下擂台。」

這首詩的口氣還不算大，四川有個農民創造一首詩：「天上沒有玉皇，海內沒有龍王，我就是玉皇，我就是龍王，……」報上刊出來之後，毛澤東看了大爲欣賞，正好活曹操在座，毛澤東說：「你看這首詩手氣多大，這才像是社會主義的作品」。

活曹操接過一看，也連連讚好，接着說道：「其實這首詩也是從主席的大作裏邊學來的。主席沁園春詠雪詞，不是有欲與天公比高嗎？他只是從這句話悟出來的。不過總算難得，他真是搞通了毛澤東思想了。」

毛澤東被活曹操一句話引起靈感，馬上把周揚找來，命令作家要配合大躍進多創作一些作品，而且還要合乎毛澤東思想，以[illegible]

這首詩周揚作協宣佈，所有作家一齊開[illegible]，只有郭沫若的新[illegible]，早把毛澤東的思想[illegible]永恒的太陽，[illegible]注進去，若是寫了，正是無限悵惘，幾人歡喜幾人愁。（六〇）

——本回完——　岳騫

釋未集

科名

曲齋

本港會考制度實施以來，社會人士觀感所及，頗有以之與科舉制度相提並論者，並謂小學會考合格，相當于生員，中學會考合格相當于舉人，若中學畢業後，倖而考取港大入學資格，則其身價即不啻翰林云云，本年中學會考放榜後落選學生，多人宣告離家出走，家長紛紛登報尋人，清人蒲松齡久困場屋，終老不得登第，曾自述放榜後覺失敗時之情緒云：但覺神情惝恍，天地異色。以今日離家出走諸生之情形論之，要亦不相上下，則視會考如科舉，亦屬情理之常，不足爲怪矣。

近讀商衍鎏所著清代科舉考試述錄，引明人艾南英刊行鄉試文自敘一篇，自謂困于諸生二十年，中間七度參加鄉試，七度均失敗，個中滋味，領略至深，于此二十年中，無不在勤苦憂患，驚怖束縛之中，凡科舉時代，其所考校者爲制義，實言之即考其文章而已，然情形亦絕非如吾人意料之簡單，據艾南英所述院試衡文之情形云：「大率督學以一人閱數千人之文，文有平奇虛實煩簡濃淡之異，而督學之好尚亦如之，取必于一流之材，則雖宿學不能以無恐。」至于鄉試情形則略不同，須先由房師閱卷，房師例由主考延聘現職官員任之，此習大抵鄉書訟獄之餘，非若督學之專幟屏營，以文爲職，以是去取之間，舛謬自所不免，故艾又云：「予七試七挫，改絃易轍，智盡能索，始則爲秦漢子史之文，而闈中目之爲野，改而從震澤、毘陵，成弘正大之體，而闈中又目之爲老，近則雖以公、穀、孝經、韓、歐、蘇曾大家之句，而房師亦不知其爲何語。每一試已，則登賢書者，雖空疏庸腐，稚拙鄙陋，猶得與郡縣有司，分庭抗禮，而予積學二十年，……顧不得與空疏庸腐，稚拙鄙陋者爲伍，入謁上官，趨而入，隊而出，與諸生等，每一念至，欲棄舉業不事，而杜門著書，考古今治亂興衰以自見于世，而又念不能爲逸民以終老，嗟乎！備嘗諸生之苦，未有余若者也。」杜門著書以自見於世，或爲逸民以終老，以往日之讀書人而論，頗有優爲之者，如不能著書而僅爲逸民，亦得藉耕植以自給，可以免于飢寒，今之中學生，事實上已不能有類比之懷抱，而往昔讀書人所有倦退之憑藉，今又喪失已盡，夫進則既無餘勇可賈，退又不知所以自處之道，智盡能索之餘，而臨無術彌縫之失敗，其不免徬徨失據，終乃思以一走了之，其行事固近于幼稚可笑，其處境實極狼狽可憐，曾記清人筆記有母親慰兒子下第詩云：「當年遂矢桑弧意，豈爲科名始讀書」。語極曠達，然現實至爲冷酷，正恐今之慈母，已無由作此等想法矣。

佛堂門訪碑記

○蘇文擢○

北佛堂門天后古廟後山石刻，爲南宋度宗咸淳十年官富場嚴益彰紀遊之作。

港東出鯉魚門卅里而近，有二邱焉。滄波大淵淪，極於洋若；高阜背倚，如捿衡宇；梯航之所出沒，輪鞅之尋遙稀；志所稱南北佛堂門者是也。

北堂之麓，平台半規，石堤亘其前，棟宇踞其上。天后海神，實賦斯土。香火雖闕，緣由莫稽。常以歲季春之月二十三日爲天后誕辰，靈旂方舟，來止浦漵；鮫人魚子，是祝安瀾；信靈跡所憑依，亦泳游之勝地。廟後林木蔽虧，岩巒凌厲，沿蹊百步，蘿蔓入深；有石巉然，方逾尋丈，則咸淳官富場嚴益彰石刻之遺址也。

始寶安趙紳聿修，天水苗裔，耆德右文，偶嫔之暇，不忘數典；以二帝南遷，茲焉稅駕，遂海之途未喻，危渡之跡可導。爰以宋王台輯佚之役，涵詠於簡教授又文先生，啓迪乎嶺章，諷咨乎故實，僉謂咸淳石刻，事等紀遊，而曜質炎陬，諒裨志乘。由是春秋佳日，再勞攀陟，趙氏宗人，先後其事，古之君子猶及史之闕文。傳曰山川能說，可以爲丈夫。趙簡二公，不其選歟？爰以下浣之辰，玄冥在御，大雅宏達，同好爲聚，輕舫既邁，變潮下波，瓜皮小舟，用當浮渡，水氣升岸，結爲廚陰，初陽入川，滌此晴采。俄而陟近巒，陟重岡，岩高於巘者十尋，磴緣於垣者百級。幽尋閒適，在好斯過；適彼磐石，薄言觀之；鄉霜之溜，照人欲背；捫壁而吟，不風逾韻。詳其年代，無假乎洪都；考厥異同，有煩於揚杜。幽賞既愜，流睇方鷗；藉卉行庖，分觴命酌；賓主之洽，既綢繆於古懽；興替之嘆，復紛綸於野獲矣。

星霜屢移，陵谷代變，觀古之好事，疾沒世而名弗稱。深山窮谷，代有題識，或銘功於二石，或沉字於九淵，而廢興忽焉，湮滅早絕，蹟坻落而偉礪滑埋，柯匠興而貞珉代變，自古所嘆，流恨於茲，獨斯石之建，年近七百而豎術如新，地阻殊方而樵蘇罷及，用以發抒文采，潤飾山河，文約指明，爛然可誦，古肥今瘦，無得而稱。北堂舊刻，談藝者資其片言；南堂石塔，嗜古者亦識年號。姓氏不詳於史乘，行誼猶溯其平生。所以韓陵片石，開府許其風流；峴首殘碑，元凱因而感慨；將非榮悴異致而顯晦有時耶！又文先生既詳其本末，表而出之，趙公及宗人將謀諸當道，新其地以爲都人士遊觀之所，竊喜江山之藻，曠世而或相感者，是其果有遭乎！述爲斯篇，用諗來士。昔人云：文章遇合之事，則又末而無足數也。同行者三十四人，別詳簡端。戊戌歲除蘇文擢記。

獨愴然而涕下！

·楚江秋·

在台灣，英文補習班是一枝獨秀，一位朋友感慨地對我說：「中國文化的前途，是沒落的。」

這個結論我嫌他下得太早，也過份悲觀；縱然我也感到這一個殘酷的現實。

據說，有一些高官顯宦，他的兒女是非「出洋」不足以「光宗耀祖」的，我認識的一位「社會賢達」，儘管他的兒子中學尚未畢業，中文尚未了了，這個父親就逼着他入英文補習班，兒子就一天到晚向我訴苦：

「叔叔，學校的功課我已經應付不了，加上這晚上三個小時的英文，我可吃不消。」

別人是「望子成龍」，我又怎能在他兒子面前澆冷水？我也只有學洋人的派頭；聳聳肩頭，作個苦笑。

不過，若要責任我們也不能完全諉於老一代，這個世界，年青人總是跟着時髦走的，一兩句「ABC」，旁人就得側目相看，脅下的一本英文雜誌，儼然就是「年青紳士」，「時代女郎」了，這個社會的風氣既然如此，我們又能說些什麼？

但是，如果由此否定中國文化的前途，也是錯誤的，當一切在轉變中時，一切也在洗刷中了，壞的種子在地面萌芽，善的種子也就深入泥土。石祖徠的介救說：

「道大壞，由一人存之，天下國家大亂，由一人扶之。古言大廈將傾，非一木所支，是棄道而忘天下國家也。」

這「由一人扶之」，是大擔當，是大胆量，也是時代共同之「心聲」，這心是時代的呼喚，這心也是共同的嚮往，緣此，我們爲什麼要根據這片面的理由悲觀？又爲什麼對「現實」失望？

歷史是向前走的，但我們可以回顧過去，但「前不見古人，後不見來者，念天地之悠悠，獨愴然而涕下。」卻大可不必。

樂隊

·人木·

有一次我去聽音樂，樂隊演奏著名的交響樂曲，樂章裏有小鳥的啁鳴，有小溪的潺湲，有蔚藍的天宇……也有烏雲密佈，陣雨滂沱，挾着電光閃閃，雷聲隆隆，狂風呼嘯……一切那麼有力，有如一道奔瀉的河流，儼帶人的心志，即使是娓娓細語，也叫人肅然。

這給了我一個啓示。

誰都知道，獨奏有獨奏的韻味，只要樂器玩得好，加上一點天才，無論誰都能用音樂來悅人身心。小提琴、鋼琴、喇叭、黑管、短簫……甚至於踏着沈重腳步的定音鼓，在能手的演奏下，無一不有獨到的美。

人的喜悅和憎惡不能全部雷同，所以有人喜歡小提琴、有人喜歡喇叭、有人喜歡鼓……各有各的原因：說小提琴幽怨啦、說喇叭雄壯啦、說鼓渾樸啦……。

你喜歡你的，我喜歡我的，那就心安理得，各自找門路去學習、去欣賞或去表演。但世上偏有那麼些人，因爲自己喜歡小提琴，便故意貶減喇叭和鼓的價值；那喜歡喇叭的又低估別的樂器；喜歡鼓的也就大膽的把別的樂器，罵得一錢不值。各個指責，互相詈罵。

那些人應該多去聆聽交響樂。在那裏，每一種樂器，甚而是最不足道的，都發揮了最大的性能，在其中担任一個角色，共同合成造成作曲家預期所需要的效果。然後，再問他們：到底一具小提琴、一隻喇叭或一隻鼓，能單獨地完成這個樂章嗎？能表現生命的浩浩滾滾的驚人聲勢嗎？他們的回答一定是否定的。那麼，即使是純一色的小提琴、或喇叭或鼓又能造成這驚人的聲勢嗎？——回答仍然是否定的。

這只有證明一點：每一種樂器價值是相等的，在去除個人的好惡和功利的看法後，一隻喇叭和一隻小提琴或鼓是站在相等的位置。

我們的文壇，自古來便有文人相輕的毛病，無非也是我愛小提琴，你愛喇叭，他愛鼓之爭。世界任何一國，就以法國來說又何嘗不如此。但受了樂隊的啓示，所以我說：在交響樂中，誰也勝不了誰。

關鍵在這裏：你要拉小提琴，你必須拉得好，才能加入大交響樂團；否則一破壞了和諧，只有被人趕掉！你要寫文章，必需寫得好，才能加入「文學交響樂隊」，如果一天到晚風花雪月，無病呻吟，還是滾你娘的蛋！你要頹廢嗎？那就要頹廢得徹底，我不敢罵郁達夫，因爲他實在夠徹底。你要陽剛，那就陽剛得徹底，像韓愈一樣。總不要婆婆媽媽的，半死不活在窮賺稿費。有小提琴般的喬治桑，有大鼓般的巴爾扎克，有喇叭似的大仲馬……才能造成上世紀法國文學的燦然觀止，在時間裏如一道飛奔激湍的河水！有如交響樂。如果只有一個喬治桑，那不被寂寞吞噬才怪呢！

同樣，整個人類的歷史：文學、音樂，以及種種藝術、政治、軍事……湊合起來，才能輝輝煌煌，使我們自己也覺得高興和值得驕傲。

喜歡獨奏的儘管喜歡，但不要貶減別人獨奏的價值；並且，希望獨奏也得首先練好點，不要濫竽充數。因爲交響樂是從每一個樂器所奏的每一個音符造成，世界也是每一個人所造成的！

廣東通志談叢

○竹菴○

兩廣通志的特點

前事略

藝文略——經，史，子，集，傳記，事記，地記，志乘，奏疏，詩文。

金石略

古蹟略——城池，署宅，冢，墓，寺觀。

二錄：宦蹟錄，謫宦錄。

六列傳：人物傳，土司傳，列女傳，流寓傳，仙釋傳。

廣東阮志，歷四歸志，爲全國省志的冠冕，亦自有其原因，茲再引吳氏之言，以作結論：「方志地位，雖亞於國史，然網羅之富，遠沿唐後官局分修之舊，故得良著甚多，而省志尤甚，必如謝蘊山阮芸台之流，以學者而任封疆，又當承平之秋，史事稍簡，門生故吏，通學者多，對於修志事，自身有興味，手定義例，妙選人才，分任而自總其成，故成績斐然也。」

上所云云，蓋有見於各省方志，十之八九，皆由地方官奉行故事，開局衆修，位置冗員，鈔撮陳案，草草塞責，（因雍正七年，修大清一統志，需省志作資料，因嚴諭促修藏事）。故佳志殊不多覯。因爲限期完成，廣東郝玉麟所修之志，成書過速（雍正八年，）見上文。故舛謬自多，阮志係後來續修，對前人訛誤，多所糾正。取長舍短，故成佳書也。

廣東史地珍籍的存佚談

中國對日抗戰八年，全國圖書，被破壞及遭毀滅，其屬於公家，有數可稽者，已不止五百萬册。（見國立北平圖書館秘書，何波熙寫的「十年來中國典籍之聚散」一文）。至於私人圖書之損失若干，已無從估計。

（十）

銀壇隨筆

兩傻鬧（？）

·修衡·

今年電懋攝製和推出的新片，有一個新穎突出點：香港、台北、曼谷以及其他東南亞各大城市的風光、當地的建設，紛紛介紹觀衆面前；這是很有意思的。我相信：不論任何地方，每一位觀衆都很歡迎。因爲，在現階段，旅行遊埠，即使有錢，並不是說走就行；出入境手續就令人頭痛。

一部新片獲得叫座，條件顯然並不簡單，連日上映的「天長地久」，還並不像前一部「香車美人」，只介紹了香港的風貌，包括了台北的華麗住宅。香港所以連日狂滿；台灣首映創下票房紀錄；祇這一點，已夠構成强烈號召力，劇情和演技，當然也有其過人的突出點。尤其是喬宏演技進步，無懈可擊。因爲這個戲裏面，喬宏和葉楓担綱的角色太重。

明天推出的另一部新片：「兩傻大鬧太空」。當人們正在回味於「天長地久」時，該片突然登映；據公司方面消息：由於片租問題，「天長地久」可能由其他影院繼續聯映，或仍由皇都、東樂兩映，現時尚難斷言。不過，「兩傻大鬧太空」這部科學新片，台北已在上周首映，每場滿滿，觀衆一再要求延期，自始至終，總是保持賣座冠軍。香港觀衆於「天長地久」上映之前，看到了若干「兩傻大鬧太空」鏡頭，觀衆耳目爲之一新。特別令人激賞的，幾乎是小丁皓的演技。丁皓的活潑漂亮與演技純熟，比過去任何一片，都有驚人成就。

這部科學新片，是根據了具體的現代科學資料，有火箭、飛碟，以及其他有關科學設計。王天林一手包辦了編導，「卡司」方面，除女主角丁皓，尚有老牌紅星劉恩甲、蔣光超助陣。他如李英、劉仁傑、楊易木、陳豪、雷奇、張劍飛、俞運遠、楊天等，相當强盛，叫座是必然的。

二南的文學背景

陳宗敏

周南、召南的創作地點，大多屬於南方，所謂「南方諸侯之國也」，南國諸侯，處在江漢之間，這些地方是多山多水多草的地方，自然的美境，給予人對自然引發歌頌讚嘆的情感，寫出至情的詩句。二南的文學背景便是早期先民在山川靈秀的陶冶下昇華了的結晶。所以有關雎：「關關雎鳩，在河之洲……參差荇菜，左右流之……參差荇菜，左右采之……參差荇菜，左右芼之……」；有漢廣：「漢有游女，不可求思，漢之廣矣，不可泳思，江之永矣，不可方思……」，主題顯得清澈可愛。

山水之外，二南所採爲襯托主題的「景」，有草、花、鳥、木，尤其水生的小草小菜更多，如荇菜、葛覃、卷耳、芣苢、蘋蘩、甘棠，都是江漢間多水草的山水川溪的充份寫照。有這些嫩草細葉，豔紅桃李的陪襯，掩映在明媚靜澈的山和水之中，又有草蟲、騶兔、小星、羔羊的點綴，便成爲二南更生動、更活潑的有生命的描寫了！

自由人
THE FREEMAN
（第八一八期）
中華民國僑務委員會登記證僑台報字第一〇二號
中華郵政台字第一〇五〇號執照登記爲第一類新聞紙類
（半週刊每星期三六出版）
每份港幣壹毫
台北市價新台幣式元
督印人：陳文華
地址：香港高士威道二十號四樓
20 CAUSEWAY RD. 3RD. FL. HONG KONG
TEL. 771726
承印者：南東印務出版社
地址：香港高士打道六十號
台灣總經銷處：台北市西寧南路
電話：三〇四六
台北郵政劃撥儲金戶九二五二
海外總經銷：友聯書報發行公司
香港彌敦道六十號二樓

或已成定局之修憲連任問題
——從法理與現實表示海外人士的一種看法

·林培彬·

我們中國幾千年歷史的人治過程，好像如來佛掌中那五指關，孫大聖的觔斗儘管翻個十萬八千里，結局總逃不出那五指掌中。我們講法治，講來講去，轉彎抹角，也往往還是落在人治的五指掌中而不自覺。

人言言殊的總統連任問題，本來是一個法治問題，如果講憲政，憲法有明文，寫明不可以連任，要連任，就得另找連任的理由，而不宜勉强談憲；爲了連任而修憲，那是拿法來遷就人，仍是人治的本質。總統必需連任，當然可以舉出民族國家的大道理，但那只是一個事實問題，講事實，就得從權，不必講法理；如果爲了事才修憲，那是拿法遷就事實，也不成其爲法治。當一個法治問題與一個政治問題糾纏在一起的時候，要則從法，否則從權。「魚吾所欲也，熊掌亦吾所欲也，二者不可兼得，舍魚而取熊掌」，上策是兩利相形取其重，兩害相形取其輕，不可强也。

一、這總該是一個無可否定的道理，但這個道理也似乎將要在現實上給否定了。政治師爺們活像變戲法大師，硬說總統可以再連任，而又不致違憲。那是在變戲法，簡直不能令人相信。

我們不願揣測主修憲連任者的動機如何，不過總覺得他們先假定總統非再連任不可的前題，再去研究怎樣向憲法交代，已經不是一個講民主行憲者應有的態度了！

或謂憲法是爲國家民族而存在，國家民族一旦危殆，還有什麼憲法條款之可言。不錯，國家不是爲憲法而存在的，憲法是治國的工具。目前爲了國家民族，憲法當然可以修改，不過，那要先有一個假定，假定憲法不修改，總統不再連任，國家民族就會陷于危殆，然而若加分析，這個假定，是建立在另外兩個假定之上而存在的，那是：（一）假定蔣總統不連任，就無法再領導反攻復國。（二）假定不再連任，再也找不出一個更好更適當的繼任總統，來領導反攻復國。這兩個假定本身，根本就值得討論。

關於第一個假定，是一個事實問題，應該從事實去理解。或謂在此憲政時期，將總統如不再連任，僅以國民黨總裁資格去領導是不够的。這是理論上的說法，事實上現總統不連任，還是國民黨執政，黨的總裁還不是一樣可以領導！而且目前蔣總統還是以他的聲望來領導者多，非純靠夫「總統」地位。故若採其他方式，又何嘗不可以繼續領導。

關於第二個假定，應從勵的觀點去看。此刻自由中國在許多方面不容易有一個及得上蔣總統的人，是不錯的，於是有人說，蔣總統七十多歲了，只要他活着一天，總希望他繼續領導，因爲今後六年是國家存亡重要關頭，不宜輕舉妄動來試別的花樣。但從民主法治的角度看，無論如何，是不能因人毀法的，不能因爲再沒有比現任更好的人，就非走違法的路不可。如果後任的一定要比前任的好，那麼，拿英美來說，邱吉爾存在一天，艾登就不會上台，艾森豪存在一天，尼克遜永無出頭之日；但是艾登不上台，就找不出麥美倫，尼克遜要是沒有機會赴莫斯科，也無從表示他的才幹。所謂人材難出，歷史上都是從鍛鍊嘗試中出來的。而且在今後六年緊張局勢中，對內對外的維繫，有賴于這部憲法者正多，從長期看，憲法比人的因素更爲重要，是不宜因了人事關係而破壞的。

二、或謂在法理與現實發生矛盾到無法統一的時候，應該用公意來處理這個問題，換言之，即應求之于民意。本來，一部憲法也是民意的結晶，但我們要知道，這個結晶品，是依據合法的民意方式造成的。[illegible]

三、因此，在法理與現實[illegible]

[illegible]

四、[illegible]

五、要之，修憲與連任本來是兩個問題，而今事實上已無可否認的了，[illegible]

此矛盾，所謂修憲，祇是技術上的取巧問題，[illegible]或立法院採用修憲方式也好，其後果都沒有兩樣。我們以爲這樣做法，從實質上團結的意義上，無大補助，對領導的實質有損。而着重于過于重視「總統」二字，忽略實際領導的實質性，而又觸犯了硬的憲法之大忌。

是一個已成定局問題，或者，本文不過表示海外人士的一種看法而已。

一週述評

冷觀艾赫未來會談

雖然艾森豪的任期，祇有十八個月了，但是由於尼克遜的訪蘇，和他將於九月間在美國接待赫魯曉夫，無形中提高了共和黨的聲望，並使共和黨再度執政的可能性增長。

邀請赫魯曉夫訪美的決定，據艾氏說，是始於七月初外長會議復會之前。易言之，他是因預見外長會議必將失敗，用以挽救僵局的。

儘管艾氏一再表示，他與赫魯曉夫之會晤，「並非談判」，「亦非西方的發言人」，可是就他事先作充分準備和先與歐洲各國領袖會談一點看，實已爲未來的首腦會議掃除了若干障礙。不過要說未來的首腦會議能够徹底地打破東西間的僵局，那也只是幻想而已。

中共與寮國的緊張關係

歐洲的緊張局勢，確已因美蘇關係的改善，而暫時得到了緩和。可是遠東的局勢，却因寮國的戰火，再度拉緊。

寮國的緊張局勢現已有充分的事實，證明係出於北越在幕后指揮叛軍所促成。至於誰是北越幕后的支持者，則已無須再加明言矣。

中共明知在台灣海峽已難以取得寸進之機會，掉轉頭來在寮國境內製造緊張局勢，乃是極合邏輯的。如果沒有新的緊張局勢出現，在共產國際看來，九月的艾赫會談就未免太單調了；即使莫斯科無意於此，但毛澤東也絕不會放棄此大好機會的。

寮國雖已表示局勢如果嚴重，將要求聯合國派員視察，其實聯合國又能有什麼作爲呢？吾人不禁要爲寮國前途揑把汗！

從台中的水災說起

·李金曄·

讀了台省警務處公佈的台灣中部因大雨造成的災情報告，眞令人難以相信，但是這却是活生生的事實。

在經濟部連日舉行的檢討會議中，一再提到「這次災害的造成，與砍伐森林似無關係」，此話聽來頗具「此地無銀三百兩」的意味。但是該部似乎也承認了「砍伐森林，使河道上游減少蓄水保土功用」。並强調今後之防患工作，將着重於水利工程。言下之意，似乎說，這次的災害完全是由於過去水利工程做得不够完善。

我無意於在此指責經濟部，但是有一點必須提出來談一談。

台灣自光復以來，由於人口的增加，天然資源之利用，必然超過了以往的紀錄，過份的砍伐森林也是一樁不可忽視的事實。如果反攻在短期內不能實現，不能成功，在人口的壓力下，我們希望台灣經濟當局能善於運用天然資源，和重新規劃培植新的天然資源，否則「殺雞取卵」，實非所宜，如能善盡人力，即使有天災，其爲禍必不至若此之大。天災與人禍雖不宜相提並論，不過這中間也確是有些因果關聯的！

有感于日本原爆紀念會

千勻

日本一年一度的所謂原爆紀念大會在八月九日又開了，其熱烈情況不下於一件國家大典，宣揚照片幾乎佔滿報上的篇幅，足見人家對這件事的重視。我們面臨這一天時，所見那種慘狀，固也使我們感到痛心。但日本人之所以會嘗到原子彈的滋味，原由於他們自作自受，如今他們竟認爲這顆原子彈所給予他們的委屈太大，而竟把他們最初以兵窮武的侵略別人的罪過完全抹煞忘懷了，現在卻稱被他們侵略的我們中國人看來，應作何感想！

日本戰後受到美國人一手的栽培，又復强壯起來了，卻向斤斤較量，念念不忘那一點原子彈的仇恨。在某一點上言，這也是一種民族精神的表現！而我們中華民族却似乎不再有多少人記得當初侵略者的殘酷情景了，便是筆者若不身在其國彼人家的宣傳所鼓動，亦恐已淡忘無存了。

當前我們國家的官敵當然是共產黨，但當初若非遭日本人的侵犯，使我們山河破碎，國家元氣盡喪，我們又何至於會被共黨乘機竊據整個大陸，使我們有國難投有家難奔呢？我們今天爲了當前敵人，而對舊敵握手言歡，本來政治上另有一番大道理，但當我們眼見人家修言和平，修言反抗原爆運動，覺得這對我們的所謂泱泱大邦的風度實在是諷刺太大了。一個有血有肉的中華兒女能不感到痛心疾首的難堪麼？誠然政府爲了新傷不能不忘了舊痛，但在二十以上的人，撫視傷痕，情何以堪！我們也應該有些提醒民族意識的舉動才是，我們縱不欲再存任何報復的思想，但也絕對不應該完全忘記那一段奇恥大辱的過去。人類不可存仇，但也不可無是非觀念。「一二八」、「九一八」的國恥紀念日，自從抗戰勝利以還，都不提了，便是「七七」、「八一三」也一概取銷了。日本人遭受原爆犧牲，固然不少，但若與他們當初侵佔我們土地時所殺戮我們的同胞相較，其相差正有天壤之別，我們的犧牲者難道就都一文不值麼？孟子說無敵國外患者國恒亡。我們是曾經遭到如此艱巨的傷外患的，我們又正面臨着如此深刻創傷之痛，後之視今，亦猶今之視昔，然則我們這一代，爲了產生眞正的民族意識，該當如何把歷史向下一代交代呢？這是領導者所不可忽略的重大問題啊。

（八月十日）

台灣豪雨成災

•司馬吉•

（台灣通訊）一個熱帶的低氣壓於八月七日晚通過台灣的東南部，帶來了傾盆的豪雨，到八月九日尙未停止，據九日晚間的綜合報導：中南部[illegible]，爲六十二年來所僅見，以致洪水橫流，造成空前未有的水災。

中南部地區自從豪雨不斷降落以後，各河流均已[illegible]，彰化市[illegible]人口六萬多的彰化全市，淹入水中，凡水所過之處，房舍多被沖毀，[illegible]死亡失蹤的人口[illegible]，因此使彰化縣成爲此次遭受洪水襲擊最嚴重的地區。

[illegible]

台灣青年們的出路問題

•張敬•

這不是一篇論文，文中所及的可能在學理上找不出根據；更不能算是一篇報導，因爲作者很難舉出所謂例證。作者是青年，只是就個人際遇和友朋間的「現況」，略抒所感而已。

職業問題，今天在台灣是一個人人皆知，且皆有所體驗的事實，地狹人稠粥少僧多，自有其客觀環境上的必然性。一般說來，在卅五歲以上和初中畢業的人，就職問題遂較爲單純，一句話：僅爲生活而已。卅五歲以上的人，起碼已在社會上混了十多二十年，不論是學有專長或僅是亂混，到了這把年紀，或再拖牆帶眷，能有個適合志趣的工作固然好，否則能夠糊口也就勉強將就了。很少有人於溫飽暫無慮之時，再去抱怨工作之不適當。初中畢業的年齡最大不過十六七歲，而須放棄升學來求得職業的，多半是家庭經濟困難謀求補助或是減少負担，因此時年事尚青，思想未臻成熟，對於職業適合與否，在個人精神意志言也並不算嚴重。職業問題最複雜的還是二十歲至卅五歲這一段年齡的人。

通常一個二十餘歲進入社會的人，不論他教育程度如何，鮮有無「志」的。這個「志」不管是自幼已立，或是由年齡漸長而經緞出來的，大多對「志」的達成表現得最熱切，因此會構成所謂「職業」與「事業」的是否衝突的問題，不幸的是這問題竟未爲人所重視，或無法顧及。

對於今天青年人的出處，政府和有關機構確是不遺餘力謀求妥善安置，不過所謂力的祇是着眼于職業，所以爲青年人打算的，不過是千方百計在各機構「擠」「出一些空缺，把青年人「就業」進去就算。筆者無意批評此項措施，只是感覺仍有改進的必要——就是應該同時重視青年的「志」向。

我們往往看見一些青年人，有的對職業工作不用心，根本談不到什麼朝氣和工作效率，有的則牢騷滿腹怨天尤人，形成思想上一種變態，更有些則寧願忍飢挨餓終日遊蕩，好像是「有所不爲」。這現象之所以不爲人所重視，也許是因爲這些青年人雖不正常，却尚未達到殺人放火的嚴重程度。

有些常見的標語，說什麼「時代需要青年」……，但時代需要青年「去做什麼」，如何才能使青年能夠貢獻給國家？若以可成棟樑之材砍削以飾門窗甚而糟塌，神經質的詩人希冀其統御百萬叱咤風雲也是一種浪費？當然政府也培植人材，如音樂家林二就是一例，雖然「慧眼」生在洋人臉上，總還是從善如流的，可惜的像林二幸運的青年不多，的確懷有大志和天才的却並不僅此一個。天才是璞石，需要發現，更重要的是琢磨。

或曰今日使青年就業已成困難，何能再求各適其所？以筆者淺見，以爲求得職業和事業和諧並非不可能，成績如何當然要看有關當局是否有整套計劃去力求實現耳。「職業」往往是「不如人意」的，祇爲了「混飯吃」，當然都希望能混得好一點，於是工作名位勢在必爭。倘職業合乎其所「志」」的事業則又兩樣了。譬如一個有志成作家的青年可能爲了寫作廢寢忘食，但如要他做等因奉此工作，就味同嚼臘無所用心了。因此希望有關當局，能作一廣泛而澈底的調查，力謀青年職業與事業的調整與配合；否則青年不能各適其用，的確是社會的大浪費，國家的大危機。

立委的席次與年齡

（台北通訊）立法院院會，會場上的委員席次，過去都是每一屆會期開始時，由各委員用抽籤方法來決定的。現在此項辦法已有改變，委員席次已分成兩種，六十歲以上的席次設在前面近發言台的地方。六十以下的設在後面。抽簽的時候，六十以上的委員是一種籤，六十以下的又另是一種籤。據說，這是因爲六十以上的委員，耳目不免較爲遲鈍，坐在前面較爲方便。另外還有一件和委員年齡有關的事，便是委員名錄，現在已將年齡一項取消，這是女委員要求的結果。本來，年齡保持秘密是女子的特權，但不知到了六十歲的女委員是否仍抽六十以下的席次耳。歲月催人老，以四十六歲壯年當選的委員，現在已變成六十老翁了，假使再過十年，我們的民意機關還是不能改選，恐怕整個立法院都變成老人院了。思之能不慨然。（八月十日）

卓還來殉節十四年

•沐淑•

（北婆羅洲航訊）一九四五年七月六日，一位中國駐北婆羅洲的領事——卓還來，在日本的屠刀下，殉節成仁了。時光流轉，於今是爲國捐軀後的第十四年。

一個駐節海外的小領事，要在他死後十四年，流在和我國沒有建立邦交的國土裏，由華僑爲他獨立墓碑；並且由當地最高長官爲它揭幕。這種殊榮，在民國史葉上，實所罕見。

卓還來，生於民國元年三月二十日，福建閩侯籍。早年畢業於北平燕京大學，後轉讀巴黎大學，得法學博士學位。以後轉入倫敦大學，研究國際貿易，成績殊高。一九三六年投身外交部，任一等科員職務。一九三七年出任西貢副領事；到一九四〇年，陞任北婆羅洲山打根領事。就在這一任上，爲了國家民族氣節，爲了僑民的生命安全，犧牲了自己，死於異域，變成無主游魂。

遠在一九四二年一月十九日，日記在主持南侵的日酋名下，償清了血海深仇。一九四七年四月一日，卓還來的忠魂，也入祀北平八寶山的忠烈祠內。一代英烈，名光史冊。

軍瘋狂侵佔山打根。爲了綏撫社會秩序，日方指揮官高桑卓男，參謀長馬奈敬信，堅約卓還來合作，負責撫慰華僑，但他格於民族大義，凜然拒絕。於是，失去自由，被幽禁於古晉巴度會且集中營，停供食物，備極淒慘。

一九四四年七月，因偷閱報紙案，被判六月徒刑。囚於亞庇監獄，一九四五年二月，移囚於保佛，四月再徙囚於地咬根。到了六月十六日，復拘於布爹色柳小村。自茲輾徙頻仍，華僑欽羨於他底忠烈大義，濟以衣食，日方也監視鬆懈，當地僑民都慫恿他離開監獄逃亡。但他却不願負累僑民，寧願置生命於度外。

七月六日，卓還來就慘被殺戮於日本屠刀下。

日本投降後，這一筆血賬，總算記在主持南侵的日酋名下，償清了血海深仇。一九四七年四月一日，卓還來的忠魂，也入祀北平八寶山的忠烈祠內。一代英烈，名光史冊。

十四年后的七月六日，北婆羅洲的華僑，建築了一座莊嚴的「卓故領事暨四烈士紀念碑」（案：四烈士爲故沙勞越內閣總理李高潔先生，山打根名醫仙式篤士先生，美籍工程師威瑪先生）。在婆羅洲總督湯堡爵士主持下，隆重揭幕了。

湯堡爵士說：「十四年前的今天，在這塊地點有五位婆羅洲偉人，在日治下，壯烈殉難。他們爲了和平與自由而奮鬥犧牲。這五位爲正義而從容就死的人，是值得立碑誌念的。」

卓還來死而無憾矣！作爲一個保護僑民的駐外使節，能使華僑欽仰至此，能有幾人？值茲國步艱難，駐外交人員，以卓還來自勗，則國家幸甚，僑胞幸甚。（七月十日寄）

觀光明星之美鈔受檢案餘波

•馬周•

（台灣通訊）日本航空公司自八月一日開始航行香港台北東京航綫，基於生意經的觀點，先由日航飛機載來了一批來自日本的觀光客，繼則邀請台北方面的有關政府官員，與交通，金融，新聞各界人士及電影明星等共四十餘人赴日觀光，八月三日由台北啓飛，四五六三日留在東京一帶觀光，七日搭機返回台北，在觀光期間一切費用由日本航空公司招待，這本來是太平盛世的點綴，也是所謂國民外交，談談中日友好的盛舉，此行台北松山機場由台北市長黃啓瑞率領於八月三日下午自台北起飛，浩浩蕩蕩，一時衣香鬢影，紳士淑女共聚一機之中，場面堪稱一時之盛。

不幸，就在紳士淑女們登機之前一剎那，機場檢查室却上演了一幕尷尬的局面。自由中國的電影明星穆虹在機場檢查室受檢時，海關人員請他打開化妝箱看看，不意打開以後，在化妝箱裏有一疊十元一張的美鈔，數來竟有一大疊花綠綠的，不禁使檢查人員大吃一驚，穆虹連忙說這是自己的私蓄，因爲在台沒有親友存放，就隨身攜帶，但檢查人員根據出境者不准攜帶美鈔二百元以上的規定，把超額的美金兩千八百元全部扣押，當時穆虹雖然以上列理由一再向海關檢查人員解釋，終於碍於法律沒有能夠當場發還。據說當時穆虹的態度相當強硬，經海關人員提出警告說：「如果他不服檢查，海關有權阻止其登機離境，以便依法律裁決，」穆虹聽說以後，頓時面色大變，祇得倉皇登機飛去。但在登機以前極匆忙的時光裏，却寫了一個簽呈給中央電影製片公司的當局爲他辦一個公事，向有關機關申請要回這筆被扣留的美金，在她寫給中影負責人的簽呈中，列舉理由兩點：

（一）他隻身在台，無親友，多年積蓄美金三千元，是唯一的動產，無可靠之處可存放，乃隨身攜帶；

（二）出境時塡寫攜帶外幣額之倉單，一向由中影公司工作人員代辦，她從不知道出境時不能帶超過二百元美金的現款。

他寫了這個簽呈交給在機場送行的朋友轉送中影以後，倉皇登機，到日本去做觀光的貴賓去了，可是在松山機場有此一個尷尬一幕的演出，到日本以後自不免要受日方刮目相看，這實在是此一盛舉中的美中不足。

究竟穆虹多帶了二千八百元美金出境，經海關查扣以後，將發生何種結果呢？據此間公論報載，海關當局查扣該項超額美金至少有下列三點理由：

（一）違反政府所頒旅客出國攜帶金鈔規定，美金二百元，黃金二市兩，以及等值外幣。

（二）穆虹在申報單上塡註攜帶美金二百元，但實際確超額十五倍，且當時曾企圖阻撓及詆諉海關人員檢查。

（三）穆虹應日航公司邀請赴日儀旅行四天，一切費用均由該公司負責招待，且伊亦未申請延長居留，自無庸私自籌措旅費，其謂無走私企圖，顯難使人置信。而所謂私人積蓄隨身攜帶，不過是臨場的借口，意在擴塞檢查。

在海關方面列舉三項理由也只說明了扣押該項超額美鈔的理由，於是中影公司也覺此事不太簡單，公司雖屬黨營，公司的影星却不能不守法令，因此對於穆虹的那份簽呈，在沒有完全明瞭事實眞相以前，將不採取任何行動。將俟穆虹倦遊歸來以後，說明事實經過，再考慮次一步驟。中影的態度是相當愼重的。

穆虹攜帶超額美金出境一事，似不只是扣押超額部份即可了事的，此間司法機關且在考慮研究穆虹是否涉及刑責問題。因爲依照本年一月六日行政院令頒布的有關金融措施辦法第四條規定：「旅客出境每人攜帶黃金首飾之總量，以不超過二市兩爲限，外國幣券總值，以不超過二百美元爲限，超過前項之規定者，其超過部份，予以沒入，並依法懲處，」又依國家總動員懲罰暫行條例第五條第二項規定：「違反或妨害國家總動員法第七條第一項之規定，其所管理，節制，與禁止之命令者，處七年以下有期徒刑，得併科七千元以下之罰金。」又據此間某晚報載：此案治安機關非常重視，已轉由外交部通知我駐日大使館，監視穆虹在日之一切行動，並澈查其美金來源云云。（以上略見八月六日公論報社論「如此明星」），如此看來，此案似不是讀者所想像的那麼輕鬆了！

劉伯謙先生來函

本刊頃接劉伯謙先生八月三日台北來函，對本刊七月廿五日第二版「台灣政壇怪聞」一稿的作者愚菴先生有所質正，來函內容要點如下：

一、商工日報的總編輯及中央日報的編輯因刊載有關本人查案稿件曾向本人表示歉意。

二、本人奉省府主席命令查案，縣府的人是知道案情的。

三、本人查案，都依法定手續，秉公辦理，無論官民前來，均用和藹態度談話，以求明眞相。

四、本人所查之案，纏訟已四年，自經詳細查明，原被告各方均有不決事件，反復質疑，弄個清楚並非官腔，或官僚作風。

五、謂貫一對本人誣告的一部份，謂貫一的答辯當都不敢承認，請人疏通。

六、本人調查謝案時曾請市議會邀約對本案質詢的議員，開座談會，不是傳訊人犯。

七、謂貫一對本人誣告誹謗，本人依法提出控訴，是尊重法律，就是法治精神，並不是政壇怪聞。

八、謂貫一與台中縣政府的案件，都有其他機關同在一起查過，內中情形上級都清楚得很，不容顚倒是非。

九、本人一生作事不受賄，不受贈，不受招待，不受請託，窮而益堅，負責認眞，惡勢力曾先後用種種方法包圍進攻，本人都沒有屈服，到是與本人作對的貪污份子，最後在本人面前低了頭。

不單純的寮國戰局

・余陽・

參諾亞和豐沙里

上月廿九日，寮國政府發表公報宣稱：寮共武裝份子已向參諾亞省發動攻擊，據當地消息傳出，寮共幾支攻擊部隊，一攻佔參諾亞東部的孟包，一攻佔參諾亞東部的芒黑，另一進攻西部的孟山，共軍看出，寮共雖未直接攻參諾亞，但卻在包圍參諾亞。（圖一）軍方宣稱，守參諾亞只有一連人，必要時政府軍將自該地作戰略撤退，看情勢，除非共軍停止進迫，否則參諾亞會隨時失守。

增援參諾亞的孤軍，似已無可能，[illegible]

在北越與雲南間的袋形山區，豐沙里省[illegible]諾亞先失守。（圖二）

此次寮國首相宣佈戒嚴的五個省份，除北部的參諾亞、豐沙里和鑾巴拉三個省份外，另兩個省是中南部的塔克和沙灣拿克（一稱素旺），塔克、素旺兩地宣佈戒嚴的原因，是發現有共黨游擊隊的活動，那是至塔克一帶，是越戰時共軍所曾攻佔的地區。今年初，北越軍據在北十七度分界線，越在色邦越界佔據寮國十數個村落。現在則以游擊隊進行騷擾以呼應北部的攻勢。（圖三）

鑾邊府和車里

鑾邊府爲北越寮共基山區首府（圖四），數年前越南戰爭時，該地爲越寮山地區必爭的戰略要地：法軍守有該地可牽制進攻紅河三角洲之共軍，鑾邊府陷落後，進攻紅河三角洲之共軍不但無後顧之憂，且[illegible]以鑾邊府爲中心支援寮共基地，使寮共一舉而由北據攻至孟邦，自東北境攻下那越，款路直迫琅勃拉邦。鑾邊府今日對於寮共的作用，當不會比過去差。寮國、泰國及南越有關軍事當局，不時[illegible]

透過北越與中共積極的[illegible]

帶北部中共另一處據點，是中南半島的據點，佛海、南嶠等縣，當地土人稱爲十二板納，以車里爲首府，下分二十八鎮，有泰族二十餘萬，中共在那裏練兵和訓練泰族幹部，早已在數年前進行。

對寮國不利的協定

在地理形勢上，寮國北部和東北部的山地區，是寮國乃至泰國天然的屏障，但由於武器缺乏，兵力薄弱，形成了寮國對此一山地區不能充分控制，甚至無事，這一處天然的屏障，變成最不易固守的地區。相反的，共黨以[illegible]區等地爲據點，[illegible]國東北境，使之成爲寮共進可攻退可守的基地。

[illegible]幾個與亞洲擴張烈的中共毗鄰且[illegible]致外間支持的國[illegible]以寮國所面臨的危機嚴重。

共黨的進侵寮國，幾乎在一九五四年七月日內瓦越南停戰協定簽訂後，即已開始。[illegible]必然會發生今天的事，當時日內瓦協定關於寮國方面的規定，[illegible]寮國政府與寮共談判的結果，由一九五四年底一直談到一九五七年十一月，才簽訂寮國本身的停火協定）寮共借放下參諾亞、豐沙里兩省的武裝，並參加[illegible]組織有共黨參加的聯合政府」，並承認共黨爲合法政黨，「老撾愛國戰線」[illegible]在各地公開活動，[illegible]日內瓦協定與及寮共本身的談判結果，對現狀的不良影響，[illegible]

不單純是內戰

寮共的武裝部隊有及南越軍方估計，[illegible]五千人至七千人，但給寮國政府整編的有兩個營（約二千人），兩個營中，今年五月中旬寮政府強行整編時，有一營人逃離綫款，可能撤退北越寮族山區。）其整編後的兩個營，非解除武裝，而是保持其原來編組，調離參諾亞豐沙里，暫時集結於兩省附近。結束割據後的兩省，寮共仍握有極大的控制勢力，政府軍所取得的，只是參諾亞、豐沙里、孟青、孟山等幾個據點而已。

在中部塔克省境內的寮共武力，表面上是依日內瓦協定規定，退往參諾亞集結，但事實上亦多數轉入地下活動，比如參諾亞局勢一緊，塔克省即有共黨份子[illegible]就是寮共早已有潛伏待發的陰謀。

寮國（LAOS）的面積爲二十三萬一千餘平方公里，一九一七年估計，全國人口約三百二十萬人，首都（政府機關及各國使節駐在地）永珍，人口約五萬六千人，王都（王宮所在地）琅勃拉邦，人口約二萬四千人。現在的國王西沙旺・馮，曾於二次大戰時日軍進侵寮國期間被菲[illegible]王儲退位，一九四六年重登王位。至今寮國政府軍實力約一萬二千人，另有約一個大隊的空軍由法國負責訓練，目前尚[illegible]對寮國的援助，一年來已漸積極。

據寮國政府最近的指控，寮共此次的攻勢，不但有北越軍助戰，且有中共軍參戰，在寮[illegible]戰爭，不單純是寮國內戰，而是共黨集團對東南亞進行顛覆的一個預定的行動。

寮國形勢圖

面積	23萬方公里
人口	320萬人
陸軍	1萬2千人

全面性的右傾情緒

八月六日人民日報社論「克服右傾情緒，厲行增產節約」一文中說：「目前經濟戰線上，在廣大羣衆和幹部鼓足幹勁的同時，出現了一種傾向，這就是一部分幹部中滋長了一種右傾情緒，他們藉太工作中存在的某些困難，忽視或者低估了已經獲得的偉大成績和克服困難的有利條件。他們對於克服困難信心不足，對於本來是客觀條件許可和經過主觀努力可以完成的任務，不去千方百計地努力完成，認爲計劃，指標越低越好，替自己的右傾保守思想辯護。這是目前經濟戰綫上值得嚴重注意的右傾危險。爲了爭取完成和超額完成今年繼續躍進的計劃，必須堅決地批判和克服這種右傾情緒。」由這段話裏可以看出這種右傾情緒是：（一）忽視或低估大躍進的成績，這也就是說有人不信去年的成績；（二）提難鬆勁；（三）要求降低計劃指標。克服這種右傾情緒的目的則是爲着繼續躍進，扭轉當前充滿于全國的右傾趨勢。

右傾情緒的發展

自去年大躍進以來，幹部們只知道「冲天幹勁」，不顧實際情況，造成了經濟上的不平衡，加深了人民生活上的苦痛；情況的嚴重，但已逼迫使他們不得不重新考慮的境地。於是毛澤東在今年四月的七中全會上提出了所謂「多謀善斷」的工作方法，認爲要多謀于羣衆。幹部們「多謀善斷」以後，迅即鬆勁，繼而就產生了所謂右傾情緒。換句話說，他們的大躍進運動完全不獲人民羣衆擁護的，其發展根本是很自然的，不過是在大躍進運動時不允許他們吐露的緣故。

一個可怕的訊號

若果，目前中共中央正在舉行會議，那麼八月六日「人民日報」的這篇社論就是決議之一。若果，這是中共中央會議的決議，從其歷史發展來看，這一決議是在毛澤東的盛怒之下所通過的。

若從社論的口吻來看，與去年上半年毛鼓動大躍進開始時的口吻相同。因爲我們現在尚不知右傾情緒將用何種手段來克服，若果是激烈的，那麼就會掀起全面性的清算鬥爭；要真是如此，則河北省委第一書記林鐵首當其衝。但也有用「溫和」手段來克服右傾情緒的可能，因爲幹部們嘗過去年清算鬥爭的滋味，他們慣于見風使舵，不去觸犯毛的盛怒，虛與委蛇的躍進一番也有可能的。

去年大躍進時節，其所運用的手段是多方面的，在台灣海峽製造緊張局勢也是其手段之一，若果毛真的要把躍進運動再次推到最高峯，再在台峽搗亂一番也不是沒有可能的。

不過，歷史不見得就是重複的，毛澤東的這次躍進運動是否能再度鼓動起來是一個問題，這股勁能夠維持到何時也有疑問，本欄已早指出這是他的最後一把勁，不過我們總要認爲這是一個危險的訊號。

・田心・

小啓：趙聰先生因事忙關係，不暇續寫「大陸文壇透視」專欄，惟已允於二月後，再與讀者見面，屆時當另闢專欄，以饗讀者。臨此預告。（編者）

北京人的苦日子！

本報記者

凡在北京生活過的人，恐怕沒有人不留戀這個文化古城的，優美而富有靜的環境，它給人心靈上和生活上以無限舒適之感。但自中共據有大陸，中共中央遷還北京以後，這個文化古都，在精神與外形上，亦隨之發生了極大的變化。本文是根據一位甫由北京來港的女士所述寫成。

北京人在衣食方面，當然遠不如過去，特別在大躍進以後，一人一個月半個月吃不到一點蔬菜，那不算稀奇。我們一家五口，在今年二三月間，幾乎有兩個月的時間，沒有見過青菜，我恐怕這樣下去會影響孩子們的健康，於是，在一個星期天的早晨，我帶着兩個孩子出去排隊，我們是最早三點鐘得出去的，以爲這麼早去總沒有問題了吧。但是一到街上，才看到到處都是人影子，等到了得勝門外，合作社門外早已排好幾條長龍，每一條長龍都在百人以上，我仔細看看，這些人裏幾乎全是年老的婦女和小孩，有許多小孩看年齡還不到五歲，也擠在人羣裏，頂着凜冽的寒風，凍得西里哈拉，看起來真有說不出的難過。我們母子三個人，分別在城內外三處排隊，一直站到九點多，才買到了幾斤白菜。有的去得稍遲一點的，在冷風裏白站了幾個小時，最後還是空着手回去。

至於衣服方面，一九五九年上半年，我們一家人每人領到八尺布票。一人不夠做一件衣服，只好集中起來替孩子們做吧！但是這種布說起來真叫人不敢相信，不但下水縮得厲害，而且水水縮，孩子們的新衣（都是縮過水才做的）再一下水就穿不得了。不但縮得快，破得也快，一條褲子洗兩次，膝蓋就破得不像樣了。這種布究竟是怎麼做的，爲什麼會伸縮性這麼大，真莫明其妙。在百貨公司裏面，也有各式各樣的衣服，可是你沒有布票，也只好看着嘆氣，不要布票的成衣和漂亮的料子也有，但這些高級衣服和布料一尺要三四塊錢，不是高級幹部，誰能買得起。

也許有人認爲北京這十年來的住的問題一定得到改善了。其實那裏的新樓房，除了中共中央機關的職工宿舍以外，還有一些大機關和學校，最華麗的是西郊和東直門外和平里的外賓招待所，一擴一擴的花園洋房，不知花費了多少金錢與人工，可是，這些建築，與北京居民有什麼相干？要說住，就是想進去看看也不可能。有些原有市民的住宅，爲了建什麼大場面的大建築物而被拆除的也不少。譬如天安門對面所建立的「萬人大禮堂」和「工人俱樂部」的一等大建築物，所佔地面，及配合一切設備，北自天安門馬路，南直抵前門城樓，東西包括整個東長安街與西長安街，千萬戶居民的住宅均被拆遷郊外，[illegible]開始勞動，規定要在今年十月一日以前完工，作爲「國慶」獻禮，日夜不停，[illegible]吃不飽，穿不暖，[illegible]百姓看到這些無謂的[illegible]搖頭，又敢說個「不」字。今天，一個居民要想在北京市找間房子，就難如登天了。

瘟君夢

第四回：僕僕風塵　遍灑知己淚　森森劍戟　苦鬥子弟軍

就當「大躍進」鬧得最起勁時，毛澤東突然把活曹操找來，說明要召開「八大二次會議」，林伯渠不覺一怔，停了半晌問道：「目前召集這個會議，主席用意何在？」

毛澤東笑道：「我們不能長久在政治局及中委會處於劣勢，非把這個劣勢轉過來不可，唯一辦法只有召開八大二次會議，補選一部份中央委員，政治局委員，使我們這邊人數比劉少奇的人多，我們就可爲所欲爲了。」

活曹操皺皺眉頭：「主席的聖，自不會錯，不過我們對於基層組織有沒有把握，假若選出來一批又是劉少奇的人怎麼辦！」

毛澤東笑道：「這個大概不會，我已經有了確切把握才召集的。」

活曹操知道毛澤東的脾氣愛吹牛，又不便當面揭破，只是摸着鬍子，低頭不語。

毛澤東看出林伯渠疑慮之點，却不肯明白告訴他，第一怕他去劉少奇處告密，消息洩漏出去就不好辦，第二平時活曹操以足智多謀出名，今天也有一個謎使他猜不到，覺得十分得意。

活曹操停了一時，看見毛澤東不開口，無精打采的起身告辭，毛澤東站起來和他握手時，拍拍他肩膀：「林老，你放心，我是謀定而後動的，你不必担心基層組織的態度，這回非打垮劉少奇不可。」

活曹操嚥下嘴，緩緩說道：「主席，我還是希望你多考慮一下，這件事情確實非同小可，如若沒把握就不如等到一九六零年九大會議作一總清算了。」

毛澤東笑道：「絕無問題，林老，你先作個準備，關於大會的程序，發言，人事安排，請你擬個計劃，會議一定開，不過在未開之前，要守秘密，讓對方知道就麻煩了，現在只有你同我兩個人知道，若是消息傳出去，不是你說的就是我說的。」

林伯渠一聽這話不簡單，連聲說：「是的」，「是的」，小心翼翼辭出。

毛澤東回到書桌上，抽出各地省委第一書記來信，仔細研究一下，絕大部份都表示擁護，少數的雖然不十分肯定，但也是見風轉舵，到了大會上看那邊力量大投向那邊，大體說來，是必操勝劵了，想到得意處，不由從太師椅上跳下來打了一個飛腳，口裏唱道：「俱往矣，數風流人物還看今朝。」冷不妨監督走出來，一見那付怪樣子，不由罵道：「你瘋了，堂堂一個主席，怎麼打起飛腳來了。」

毛澤東被監督一問，臉皮雖厚，也不由得紅到脖頸。

（六一）

岳騫

釋耒集

功罪

晉王弼注周易，因不取術數而明義理，人遂譏其不切人事而雜玄虛。故趙師秀詩云：「輔嗣易行無漢學」。而范武子竟謂「王弼罪深桀紂」。但王弼自唐時即入祀孔子廟廷，稱之曰先賢，論定古人是非功罪，殊未易言也。考先賢從祀，代有變改，如荀況、揚雄、諸葛亮、邵雍、王安石、以至程、朱、陸、王，有時代先而後入祀者，有由入祀而旋擯斥者，亦有被擯斥之後再入祀者，而先賢先儒之名號，亦復屢更。凡此等類，大抵繫于君相之好尚喜怒，實無所謂眞是非，神而有知，必以從祀爲近于兒戲而不屑之矣。然猶可謂事原于學術思想，易生紛歧，而賣國媚敵如秦檜，禍國殃民如嚴嵩，後世亦多曲爲辯護之論客，此無他，非出于立異沽名，即爲同惡相濟而已，明邱濬嘗曰：「秦檜再造南宋，以宋國弱，至孝宗時，財用仍極枯竭，大行交、會、鈔，引以濟急，則高宗草創，固可知矣。用急于用兵，徒促淪亡，……和議之後，敵緩民蘇，國方有久立之規。」不知宋之窮在地方。此由財賦集中中央之結果，南渡後，將從擁兵于外，權力較大，財政亦瀕危，故先後有劉錡順昌之捷，吳璘扶風之捷，岳飛偃城之捷，若以主和爲再造南宋，則此諸捷爲徒然矣。又清人李穆堂，預修明史，與議嚴嵩不宜入奸臣傳，李在史館，以博聞能辯著稱，出語縱橫莫當，諸公竟無以折之，最後楊椿先春從容言曰：「分宜在當日尚可爲善，可恨楊繼盛無知小生，猖狂妄行，織成五奸十罪之疏，傳誤後人，遂令分宜含冤莫白，吾輩修史，但將楊繼盛極力抹倒，誅其飾說誣賢，將五奸十罪條條剖析，凡辯後來讞鄭鑑之非，則分宜之冤可申矣。」然後穆堂始無言以對。執筆史臣，持論如此，後世猶尚有何是非耶？

今按學人之功罪在名教，大臣之功罪在民生，孔子作春秋，退諸侯，討大夫，旨在扶持名教；因興以立功，就敗以成罪，旨在利益民生，大抵國家體制完備，則史官之記注綦詳，易于論撰，故爲標奇者不能逞其異說，則前人之是非功罪，不致于紛紜過甚。近世自一百年以還，自洪楊事件之後，曾國藩、李鴻章以下，以至康有爲、梁啓超，再轉而入于民國，世局變化，迅疾倍于前代，而滿清遺老，可以斥民國人，共和國之要員，論學術，則留學生有英、美、德、日之不同，黨派，則又有國、共、青年、民社之分異，今論人若作曾國藩、段祺瑞、梁啓超諸人傳記，即見其不易着筆，年前此間曾爲過去國府財神某公，僱人在台爲其作傳，承接之人，因稿費分潤不均，而至動武流血，轟傳一時，以大人物如此自惜其聲譽，以大量金錢購一佳傳，而其功罪又不待論矣。

由齋

小談漢賦

·胡振海·

漢代是賦的時代。

賦本來是詩的一種作法，如詩經的所謂賦、比、興；不過，後來漢代的文人刻意在這方面做工夫——詞藻的堆砌，文字的雕琢，遂形成了一種似詩非詩，似文非文，而是又是詩又是文的一種變體。這種變體和西洋文學中的所謂散文詩有點相像。這就是這裏所要談的「漢賦」。

漢賦在文學上本來沒有什麼價值可言。和後來的六朝駢文一樣，它本來是貴族文人一種炫耀博學的遊戲文字。在這些作品里，我們看不到一點民衆生活的影子，聽不到一聲民衆痛苦的呻吟與嘆息。我們只能夠從裏面看到一些上層社會，貴族文人底奢侈糜爛的生活，和他們縱情於酒色宴戲笑。這些作品，是代表了漢賦在漢代上層社會的貴族文。由於上層社會的文人底地位，便肯定了漢賦在漢代文學上的地位了。不過，這種文體的形成，和它所以在漢代如此的旺盛，自有它的時代背景。

（一）政治的力量：自從秦統一天下以後，便實行文藝統一政策，將「大篆」改爲簡省的文字「小篆」。廢除各種奇異的文體，頒佈「書同文」的政令。於是習用的文字，遂成爲少數人的專利品。因此小部份的知識份子便運用這種典雅的文字來書寫他們的文學。而另一方面不能運用，或者說得正確一點，缺少這種運用典雅文字的訓練的廣大社會羣衆，便運用他們自己的口語寫下了屬於他們的文學。於是漢代文學沿着兩條路線發展：

（1）一是代表上層社會的士大夫用古文寫的古典文學（漢賦。）

（2）一是代表社會廣大羣衆的老百姓們用口語寫的平民文學。（漢樂府）

（二）漢代儒家學說的盛行：自漢武帝以董仲舒爲宰相，實行尊崇儒家（立五經博士），罷黜百家以後，一切文學都披上了道德教條的外衣。一部純文學的詩經，給腐儒解釋成了一部什麼「后妃之德，文王之化」的倫理學。結果，窒息了純文學的生命，而發展了廣揚「聖教」的典雅的貴族文學。

（三）統治階層的愛好：唐以詩取士，詩盛於唐；明、清考八股，制藝盛於明、清；漢代考經，經師盛於漢。漢賦，由於天子與封建貴族階層的愛好，提倡其興盛起來是必然的了。枚乘因爲寫了一篇「柳賦」，獲得賞賜絹絲五匹；司馬相如因爲寫了一篇「長門賦」，而獲得了黃金百斤的報酬。這也都成爲了中國文壇的佳話。由此可知，學懂了寫賦，可以博得統治階層的賞識，成爲進身仕途的階梯。另外的一種原因，就是漢代是一個太平時代，該治階層所豢養的貴族文人，爲了歌功頌德，粉飾太平，於是暇時無聊，便寫一兩篇賦來作爲消遣。

外國的月亮

·符兆祥·

我向來不喜歡我的內弟，原因是他那份視錢如命的吝嗇樣，看到就使人生氣。

我們很少來往，因我很窮，他怕我會向他借錢，處處避着我，他不知道我的窮骨氣，他怕我沾他，我還怕高攀呢！

妻愛埋怨我冷淡她的弟弟。

「你可看得起他那付樣子？」我說，如果他的態度不改變，這一生我們就不會往來。

「他不是故意的，他從小就是那樣子，其實也難怪他，家八個小孩子，七個女的只有他一個是男的所以養成他……」妻替他解釋。

我未置可否，老實說……

一天，下班回來，意外看見妻陪着他在談話。我冷淡地和他點了點頭。

「八弟有宗賺錢的生意來告訴你，」妻說。

我皺了皺眉，妻用眼色制止我，我只得敷衍的笑了笑：

「八弟，你是知道你三姐夫沒有錢的？」

「三姐夫，這實在是件賺大錢的生意。」

「什麼生意呢？」

我無奈的坐下，裝着很有興趣的樣子。

「昨天，有個美國人上我家來，說他有一批值十幾萬的澳洲純羊毛西裝料，本來是要拿到日本的，可是現在沒有錢了，故願意便宜賣出。」

「他喊多少錢？」

「很便宜哪，他開口八萬，我看還可以殺點價。」

「貨好嗎？你看了沒有，別讓人騙了。」

「貨樣我看了，是眞正的純羊毛，」說到這裏，他諷刺我：「美國人還會騙人？你也太小心了」。

「八萬，」妻說。

「我們一人出一半，」八弟乾脆的說：「我剛才到外面打聽了下，那批貨時價值廿多萬呢，」

「哦，四萬，」我對他苦笑了下：「八弟，你三姐大概告訴你，我一個月的收入有多少嗎？」

「只四萬，」他不滿意地。

「別說四萬，再一半也沒能力，」我一口拒絕。

他求救地叫妻：

「三姐。」

妻望了他一眼，對我說：

「我們可以考慮考慮，」

「你有錢嗎？」我微笑地問她，眼睛可瞪着她。

妻沒話說。

這場談話終於不歡而散。

這以後，即未聽妻再談這件事，而八弟也沒來過。

這樣過了一個星期，有一天早上，我正要去上班時，八弟倉皇跑來：

「三姐夫，完了，」

「怎麼？」

「完了？」妻聞聲趕出來。

「那批料子原來是日本貨，根本不值錢，陳經理退回來了，」看他那焦急的樣，我替他感到又可憐，又可笑。

妻緊張的問：

「就是日本貨也值得多少錢吧。」

「兩萬塊還不到，」妻臉色變白，跌在椅子上。看來還是手足情深，她對八弟那麼關切，我同情地說：

「不要急，你到警察局報了案沒有？只要那美國人沒有出境，一定跑不掉的。」

「我已去報案了，」他無神無氣地說。

「怎麼美國人也這樣卑鄙呢？」他不解地自言自語。

我望了他一眼。心裏這樣說：

「誰要你貪小便宜，誰要你以爲外國的月亮總比中國的圓？還不活該？」

八弟走後，我對妻感喟地說：

「也好，這次給他一個教訓。」

「哦，」妻哭起來。

「怎麼啦？」我詫異的問她，

「我，」她望着我，儘是哭，說不出一句話來。

「到底什麼事嘛，」我焦急的問。

「我該死，」她哭嚷說：

「我瞞着你，把媽給我的那隻鑽戒……」

「妳？」

她掩着臉跑回臥室，我站在那裏楞了會子，纔悄悄走進房去，妻還伏在床上哭。

廣東史地珍籍的存佚談

·竹菴·

此次戰爭，文獻散亡，固屬重大，但戰後，我國從敵偽手中接收回來的典籍，亦有可觀，祇就廣東史地的資料而言，下列三處所接收者，頗足資人撰述廣東通志之參考也。茲據何氏的典籍，略述我國在戰後，從敵偽手中，三處接收的典籍。

一、接收前日本台灣總督府及南方資料館圖籍共計四萬冊，台灣總督府的藏書，是部日本帝國主義侵略南方各省，及海南島的準備，研究及設計的資料，中、日、英、法、荷文俱備，我國接收此兩處藏書，即歸台灣省立圖書館中。

二、關於羅斯（Ross）的廣東文庫，Ross Collection羅斯通中國文，在粵二十年來，搜集廣東古今方志最多。其關係海南島的各國人著述更搜集無遺。民國廿七年（一九三八）廣州淪陷，羅氏以幾個萬鎊大批購進廣東省政府及廣州市政府檔案，並加整理，其有歷史價值者，分類保存，極其難得。廿九年（一九四〇）羅氏去世，其文庫整批售與日本台灣總督府，得價五十萬日元，約全部四份之一已運抵台灣，第二批即全文，亦已運抵香港。時值戰爭劇烈未能起運，此批書籍存於九龍貨倉中。香港光復後，由香港大學馮平山圖書館長陳君葆協助，將原書交回廣州省政府，當時此批書置於廣東省立圖書館中。

三、接收台灣大學專門圖籍十五萬冊。台大是日本開始侵略南方的調查研究及設計的機關。所藏專門學，及熱帶農業的研究一類之書最多。余於廿四年，在朝鮮人桂應祥君處（桂是仲愷農工學校蠶科主任）見日人某所著的廣東植物品種彙編詳述一書，其考據精詳，爲我國人所不及，日人此類之專著正復不少。

餘論

續廣東通志既因戰事，未能完成，勝利以後，又因國家陷於多事，留意於鄉邦文獻之人，亦日以稀疏，此重要的省志，倘有廣紋之士，奮起重修，鄙人雖駑下，爲之執鞭，亦所欣慕焉。（十一）

（全文完）

銀壇隨筆

談科學片

·修衡·

火箭已經不是秘密。普通火箭用於戰略防禦，差不多國家都已列入國防；登陸太空火箭，尚在求進。飛碟究竟是一項測試氣候，偵察敵後，抑係一種殺人的武器，迥式與構造，始終是一項令人很難剖解的謎。誰在經常試放飛碟，誰也無從偵知。因此，人們對於飛碟，終是一種幻設。

「兩傻大鬧太空」，這部電懋超級笑片，是根據科學原理，搜集現實素材編成。如所周知，有關科學資料，只不過一大堆公式和數字，在數學上去尋求答案，把這些東西搬上銀幕，不特令人莫懂，即在書本上看，也是枯燥乎淡之味，以科學原理，配上一個具體完整故事，自將激起人們興趣。

因此，該片連日在港九上映，票房紀錄直綫上升。另一方面，該片「卡司脫」也相當完整，順序而言，丁皓的演技，確有驚人進步，叫座的另一條件，可能是她出身嶺東中學，許多專上院校中，不乏有她的同學，他們對這一位「嶺東之花」的關懷，遠甚於電懋當局。不消說，兩院狂滿的原因，自是丁皓個人的基本觀衆太多；劉恩甲和蔣光超，也有相當數量的基本觀衆。不過，這中間有一些分別，丁皓的觀衆是廣東人多過上海人；劉恩甲、蔣光超他們剛巧相反，他們的觀衆上海人多。國語片本來幾乎只有大多數外省人看的，由於電懋年來提拔粵籍新星，國語片觀衆省籍也就寬廣。

說到片子的號召力，科學片比一般文藝片強得多，「孫悟空大鬧天宮」這些神怪片，尚且賣座不衰，「兩傻大鬧太空」沒有理由不得場滿滿。當然，這不過是國語片領域中首揭其端，就全片演出過程看，王天林的編導手法固屬不錯，演員都能盡量就其天才發揮，爲日後更好的科學片奠基。還用多說？

也談：關於「一杯羹」

在自由人上連續讀到孟戈與南蠻兩先生對「分一杯羹」典故的商榷，這種平心靜氣探研討學理的態度，是值得贊許的。但最近又看到工商日報上南蠻先生連續寫的兩篇文章，覺得他不作正面的駁辯，是有欠風度的。

嚴格說來，是非正僞，明眼人一望而知；平心而論，南蠻先生所引的典故，確實難以自圓其說。該文謂：『劉太公是劉邦的父親，劉邦有權要項羽分一杯羹的，我是說，在不是「家天下」的今日時代裏，國家是每一個人都有份兒的，而凡屬國家的權益，誰都有權要求「分一杯羹」的。』假如南蠻先生的比喻可以成立，豈不是把執政者比作項羽，挾持霸佔了別人的父親，而民主人士（比作劉邦）有權「分一杯羹」呢？如果這麼說，豈不更使執政者難堪乎？

孟戈先生所引典故之所以說是「較爲適合」，因爲「司馬子期分不到一杯羹，所以背叛中山君」，似乎較爲入情入理。何況，我還懷疑南蠻先生忘記了「戰國策」，因爲「樂羊食子羹」的故事和「劉邦食父羹」的故事相同，如果南蠻先生用的典故眞的正確，且應使用較早時間「樂羊食子羹」的故事呀。

·陳穎思·

自由人
THE FREEMAN
（第八二八期）
每份港幣壹毫
20 CAUSEWAY RD. 3RD. FL.
HONG KONG
TEL. 77126

正視秘密外交的復活

殷懷遠

（一）

日內瓦外長會議在沒有結果中結束了，接着而來的，將是美俄兩國領袖的互相訪問，而外長會議所不能打開的僵局，又思由艾赫的直接談判來解決，其爲自欺抑爲欺人，當會在未來數月中揭曉。

艾森豪原曾一再宣示，如果日內瓦的外長會議談不攏，則將不考慮舉行高峯會議。現在局勢的發展卻出乎世人的意料，日內瓦外長會議固然失敗了，惟美俄雙方突於會議結束前兩天公佈赫魯歇夫將於九月訪美，而艾森豪也將於秋間訪俄。這不但意味着是兩國事實上的高峯會議，更暗示美俄雙方均預知外長會議不會有結果，美俄外交一直在秘密斟酌，兩國元首互相訪問是決定於尼克遜訪俄之前，可見日內瓦的劇烈爭執，根本祗是一塲胡鬧，國際間的幾個重大問題，都早已預定由美俄兩國元首的會談及將來數國的高峯會議去討論。換言之，東西陣營的外交活動，已從陣營對陣營的公開對壘，突然轉入了個別的秘密的外交接觸了。

（二）

秘密外交徹頭徹尾的是一種陰謀活動，其動機和目的多半是見不得天日，而其結果也往往會損及第三國的利益。在近代史上，著名的秘密外交當推一八一五年的維也納會議。維也納會議雖爲公開的會議，然重大問題均多在會外的秘密談判中解決。當時主宰歐洲命運的幾個人，是俄國的亞歷山大，普國的威廉，奧國的梅特涅和英國的卡斯爾累，然共同的敵人拿破崙雖是打倒了，而各國間舊的和新的利益衝突，又不斷尖銳起來，於是大家都在會中和會外各懷鬼胎，明爭暗鬥，秘密接觸反而成了大家的主要活動。梅特涅的助手根茲氏曾有如此一段紀錄：『在維也納會議舉行期間，凡能澈底了解該會性質與目的的人們，絕不會誤解該會的議事過程。一切官樣文章如「社會秩序之再造」，「以均勢爲基礎建立永久和平」，「歐洲政治系統之重建」等等，其用意僅在欺騙世人，並使大會稟具一種莊嚴偉大的氣象；至於大家的眞正企圖，則全在解決得自戰敗國的東西，如何由列強來分贓。』這簡短的幾句話，完全暴露了維也納會議的眞象。另外俄國當時企圖壓抑英奧的努力，亞歷山大暗中活動的結果，卒使戰敗的法國獲得意外寬大的待遇，致卡斯爾累不得不憤然而說：『俄皇亞歷山大的騎士精神，實爲英國的大患之源。』

（三）

國人記憶猶新的，該是雅爾達會議所產生的雅爾達密約了。雅約是盟國將弱小國家利益批發給蘇俄的一張謬票，受害的國家中，尤以我國爲最慘重。在雅爾達會議中，羅邱史三人對於別國的問題固無所不談，言無不盡，但就是在三人之中，羅斯福和史太林背着邱吉爾，也曾大談關于戰後英國殖民地的處理問題，史魔且曾主張在戰後將香港「國際化」，這可算是秘密外交中的秘密外交了。雅約關於中國的一部份，除了決定外蒙的獨立及旅順大連的租讓外，還決定在將來將這一決定的協議送交中國政府時，應加如下的聲明：『美英蘇三國領袖同意，在日本戰敗之後，中國對于蘇聯的上述要求，必須毫無疑問地履行。』（見薛伍德著「羅斯福與霍金斯」）這一密約不但犧牲了中國的利益，破壞了中國的主權，而且更命令式的「着令」中國政府履行，反對固然不容許，就是連提出「疑問」也不許可，依照那段聲明，如果中國政府拒絕接受，美英也就會「見義勇爲」幫同蘇俄來「強迫執行」了！試想，這是一個什麼世界？還不是大吃小，衆暴寡，強欺弱？什麼大西洋憲章，四大自由，誰能說不是欺騙弱小民族的口號？

聯合國成立以來，世人多幻想世界的一切大小糾紛，當會由聯合國來公開討論，公開解決了。然而冷酷的事實告訴我們，在聯合國不能產生積極作用，解決不了問題時，大國還是喜歡搞交易的秘密外交。外長會議、巨頭會議、原子能管制會議，以至美毛綿綿無盡期的談判，無一而非秘密外交的延長。現在又感到數國外長或數國巨頭會議都不能解決問題，於是乃有美俄兩國互訪的單獨密談，兩國的公報雖說是：『有助於兩國了解及促進世界和平』，然而受秘密外交所犧牲，創痛猶深的中國人會相信麼？

（四）

國際局勢發展到現階段，許多問題成了僵局，然而這些僵局又不能長此僵持下去，若干的死結必須設法暫時解開，以和緩緊張中的形勢，這對蘇俄有利，更對美國明年要面對大選的政府有利，而艾、赫直接單獨會談，就是想利用秘密外交的方式，來打開若干僵局。拆穿了，秘密外交就是「以貨易貨」和討價還價！目前西方最需要的是柏林問題，蘇俄就是讓步，對其本身也不會有絲毫損失，問題在於蘇俄作了這「讓步」以後，美國以什麼來「酬答」蘇俄？誰又最有作犧牲品的可能？我們不要忘記，在蘇俄整套冷戰的戰略中，柏林問題是金門砲戰的延續，誰能保證蘇俄在柏林問題上稍作讓步之後，而不提出放棄金馬和容許毛共進聯合國的要求？又誰敢保證西方不會再以中國來作祭品，以求取暫時的妥協？

在當前波譎雲詭的國際形勢中，我們應團結一致，提高警覺，正視秘密外交的復活！在必要時，我們更應以甯爲玉碎的精神，發揮民族的集體意識和集體力量！

論新馬合併難題

孟戈

一、

「自由陣綫」第四七五期刊出「新加坡人民行動黨執政後的政治動向」拙文，筆者依據新加坡現行憲制與人民行動黨的政綱言論，聯繫新馬的客觀現實和歷史發展趨勢；從而否定「人民行動黨是僞裝共產黨」的偏激誤解。要研究新加坡──發源島國何去何從？有一項極端重要的論證，是人民行動黨的終極目標，意圖使新加坡成爲馬來亞王國的獨立自治州。這遠於大選前夜，人民行動黨已將「通過新、馬的合併，爲新加坡爭取獨立」列爲第一條競選政綱」。五月三十日新加坡大選揭曉，人民行動黨躍登自治邦的首屆執政黨。六月十三日總理李光耀率同國家發展部長王邦文，財政部長吳慶瑞，內政部長王永元，衛生部長依布拉欣，訪問吉隆坡，與聯合邦首相拿督那督，外交部長依士邁，內政暨司法部長蘇里曼，工商部長陳修信，衛生部長翁毓麟，勞工部長善□讓，舉行首次首長會議。六月十五日英駐新專員公署，新加坡政府與聯合邦政府發表了聯合文告稱：「聯席會議的舉行，融洽與生氣蓬勃，坦白而友善的商討甚多有關兩國共同利益的，和兩國共同關注的問題。整個會議着重於共同立場達致協議，以解決政治上，社會上，和經濟上的問題，而不重視任何可能有的歧見。」這次會商，有一項具體的收穫，是新馬兩方取得一致協調，決定了新加坡政府內部治安委員會的名單。實際的意義，一方面是聯合邦加強對新加坡內部治安的瞭解，而在一定基礎上相互合作。另一方面是使新加坡對聯合邦的社會秩序的安全和統治政權的穩定。也在諒解態度上同等重視。這個劃時代的重大會議，實使新馬合併問題，納入正規的發展道路上去。

二、

擺在新馬合併前的難題，最艱難與最突出的是「種族主義」的問題。馬來亞的總人口有六百二十七萬多人，馬來亞族佔百分之四八・六，華裔佔百分三十七・九，印尼和巴基斯坦人佔百分之十一・九，其他少數民族祇佔百分之一・六。但新加坡總人口有一百四十六萬六千八百人，華裔佔百分之八十。新馬如果合併，則龐大的華裔將變爲馬來亞國的最大民族。根據馬來亞現行憲制：上議院三八名，由二十二州選出的代表和最高元首推薦的代表組成；下議院一百〇四名，由每一選區選出一人組成。（現行立法議會代表國會，議員九十八名，民選五十二人，官派四十六人。）今年行將大選，卻引起議席配額的錯綜糾紛，幾經談判達成一致的協議；馬族佔六十九席，華族佔三十二席，印度族佔三席。而馬來亞的種族性政黨，再三強調種族主義，宗教獨尊與種族自傲觀念，猛烈攻訐新加坡華裔。因之，假定新加坡華族子弟，變爲聯合邦王國國民，聯合邦的政治領袖與一班種族主義者，必然會恐失去政治上的絕對優勢，這是新馬合併的很大難題。

（下轉第三版）

客中有感

當美國副總統尼克遜在莫斯科邀請俄酋赫魯歇夫訪美的消息公佈時，我正在德國旅行中，西德輿論界一致表示強烈的反感，極盡冷嘲熱諷之能事，其情況與法國的對於這項新聞的反應相同，西德總理阿特諾爾嫌要赴巴黎訪問，而法總統戴高樂亦對美總統艾森豪預約移尊就教日期，說是已經決定要去北非，無暇恭候。如是乎，艾克乃改變計劃，先到西德訪問了。

吾因之有感焉。當年美國接受俄酋史達林的指使，贊同韓戰停火談判時，南韓雖激烈反對，出以自由釋放戰俘的抗行動，然美國當局置之不理，且指南韓爲「愚蠢」！隨後美國又接受中共的建議，進行所謂「大使級談判」，我國朝野人士一致反對，聲明決不過問這類醜事，亦不承認這種談判的結果，但艾森豪政府不特我行我素，而其國務院大員竟公然宣稱「毋須中華民國政府參加。」中、韓兩國原是根美國併肩作戰的患難友邦，對於直接關係中、韓人民安危禍福前途的事，美國獨斷獨行，滿不在乎，擺出一副唯我獨尊的強權主義面目。如今對於昔日之敵的戰敗國家，却唯恐其發脾氣，倡異議，拊循遷就之不遑，而素來在外交上對美國扯腿最力的英國，亦默默無言了──西德對英國感想甚壞。

這證明所謂正義公道都是廢話，必須自己有其不可忽視的力量，才可以受到所謂盟友的尊重。現時西德不但復興很快，國力激增，根本上北大西洋公約聯防體系的中堅實力，就靠着西德軍隊，美軍的原子砲炸機隊，亦要從法國撤到西德境內哩！如此這般，当宫主人就只好紓尊降貴，對西德特別表示平等友好之誼了。

知恥近乎勇，中、韓兩國如不發憤合作，唯力是視，將來難免不無被出賣之虞，可不勉之戒之，好自爲之乎？

半週述評

躍進云乎？

中共修談「躍進」，最後一躍進到所謂「人民公社」的階段，結果看來還是要跌回到「農業合作社」的階段去。就退卻的意義言，這是將近四十年前俄國革命後初期共產制度失敗歷史在中國大陸的重演。且不論俄式的共產主義是古代奴隸社會的再版，即自共產主義者的觀念說來，這項開倒車，根本說明了：一、科學的客觀性，應該是基於人性而存在的，違反了它，任何制度，都不能維持；二、曾經使蘇聯老大哥自慚落後，艷羨青出于藍的中共人民公社，實質上只不過是將近四十年前蘇聯初期共產主義的階段吧了。躍進云乎哉！

唯物乎？唯心乎？

大陸自夏季以來，各地先後普遍地發生旱災，蟲災，水災。其災情之重，災區之廣，災期之長，爲歷史所罕見。中共的領導在其展開的所謂「抗災鬥爭緊急指示」中，却是一派唯心的論調，似乎要把千千萬萬災民羣「從思維上」「從精神上」去與災害鬥爭，要大家束緊腰帶節省糧食去打發他們的災害日子。不意這唯心論者的說法，在面對現實的緊急「鬥爭」中，竟然成爲唯物論者共產領導羣口中的武器！似乎天公有意予人以諷刺的機會，最近台灣中南部的水災，也幾乎是空前的，雖然事前仍有「人謀不臧」之評，但事後却已盡了最大的努力。這總歸是中國人民之浩劫，這浩劫却差不多同時發生在台灣與大陸，正好使兩個不同性質的政權在人民面前受到了考驗。

在「高層」圈外

在「高層會」的熱流通過了整個世界的時刻當中，最不堪寂寞的是中共。它因爲沒有資格，總欲把握任何機會，打進高層圈裏去。它之反美宣傳，完全爲了美國始終堅持不讓它進去；它對艾赫會議之冷淡，是因爲美俄親近將會削弱其反美宣傳的政策，也就妨碍其目的的達成。它之在寮國，在印度邊境，甚或思在台峽製造軍事危機，均無非想藉此爭取參加高層的資格。

在聯合國門外

能使中共取得參加高層會議資格的關鍵，主要的是在于聯合國中的中國代表權問題。對於這代表權，中共是始終不肯放鬆的。聯合國的代表們，對於這個問題，已視爲每屆的家常便飯了。去年對該案的表決，除九票棄權外，是以四十四對二十八，通過拒絕討論，今年預料總勢大致不會怎樣改變。台灣之所以在中共眼中成爲眼中釘，就是因爲它阻碍中共進入聯合國，也即阻止它進不得世界的高層圈。

印度中立到那裡去

正當印度代表爲虎作倀，替中共向聯合國大會提出中國代表權問題時，印度報章不斷地傳出中共發動反印宣傳，復經傳中共軍隊已集結錫金及不丹邊境，威脅印度的安全；議員中已斷然提出「印度是否接受任何來自中共關於修改「麥馬洪綫」的疑問」；若干報章已在主張重新檢討中印關係了。且看印度中立到那裏去呢？尼赫魯下一步作何打算？

尼克遜看赫酋訪美

自莫斯科訪俄歸來的美副總統尼克遜，似乎對美蘇「坐下來談」並未表示信心。他表示：「如果在高層會議上有成立協議可能的話，美國必須強盛；因此，他告美國人不可人云亦云。但是他期待赫魯曉夫訪美，這當是他訪俄有結果，因此，他將會速赫酋根據其所見，承認美國是強大的，換句話說，赫酋將來看清楚美國的實力，就會緩和其對美國政策，以爲這還是保持美國人一般的大衆看法。

・林伯雅・

釋耒集

功罪

曾王弼注周易，因不取術數而明義理，人遂譏其不切人事而雖玄虛。故清詩人許云：「輔嗣易行無漢學」。亦范武子責謂「王弼罪浮桀紂」。但王弼自唐時即入配孔子廟庭！稱之曰先賢，論定古人是非功罪，殊未易言也。考先賢從祀，代有變改，如荀況、楊雄、諸葛亮、邵雍、王安石、以至程、朱、陸、王，有時代先而後入祀者，有出入祀而復撰序者，亦有被擯斥之後再入祀者，而先賢先儒之名號，亦復屢更。凡此等類，大抵繫于君相之好尚喜怒，實無所謂是非，神而有知，必以從祀爲近于兒戲而不享之矣。然竊可謂事原于學術思想，易生紛歧，而賣國誤敵如秦檜，禍國殃民如嚴嵩，後世亦多由爲辯護之論者。此無他，非出于立異沽名，則爲同惡相濟而已，明邱濬嘗曰：「秦檜再造南宋，」以爲南宋國窮，至孝宗時，財用仍極枯竭，大亡交、會、鈔，引以濟急，則高宗草創，固可知矣。亟急于用兵，徒促淪亡」，……和議之後，徽緩民窮，國方有久安之規。」不知宋之窮在地方。此由財賦集中中央之結果，南渡後，將從擴兵于外，權力較大，財政亦漸充，故先後有劉錡順昌之捷，吳璘扶風之捷，岳飛偃城之捷，若以主和爲再造南宋，則此諸捷爲徒然矣。又清人李穆堂，預修明史，與纂辯諸公力爭嚴嵩不宜入奸臣傳，李在史館，以博聞能辯著稱，出語縱橫莫當，諸公竟無以折之，最後揚先春從容言曰：「分宜在當日尚可爲濟，可恨楊繼盛叫知小生，猖狂妄行。纖成五奸十罪之疏，傳誤後人，遂令分宜含冤莫白，吾輩修史，但將楊繼盛極力抹倒，誅其飾說誣賢，將五奸十罪條條剖析，凡辯後來鄒應龍之非，則分宜之冤可申矣。」然後穆堂始無言以對。執筆史臣，持論如此，後世寧尚有是非耶？

今按學人之功罪在名教，大臣之功罪在民生，孔子作春秋，退諸侯，討大夫，皆在扶持名教；因與以立功，就敗以成罪，皆在利益民生，大抵國家體制完備，則史官之記注湧詳，易于論撰，故爲標奇者不易逞其異說，則前人之是非功罪，任致于紛擾過甚。近世自一百年以還，自洪楊事件之後，曾國藩、李鴻章以下，以至康有爲、梁啓超，再轉有入于民國，世局變化，迅疾若于前代，前清遺老，可以爲人民共和國之要員，論學術，則馮生有英、美、德、日之下司，今論黨派，又有國、共、青年、民社之分異，人若作曾國藩、段祺瑞、梁啓超諸人傳記，即見其不易落筆，年前此間曾爲傳過去國府財神某公，僱人在港爲其作傳，承撰之人，因稿費分潤不均，至動武流血，鬧笑一時，大人物如此自惜其聲譽，則其以大筆金錢購一作傳，則其功罪又不待論矣。

曲齋

小談漢賦

·胡振海·

漢代是賦的時代。

賦本來是詩的一種作法，如詩經的所謂賦、比、興；不過，後來漢代的文人刻意在這方面做工夫——詞藻的堆砌，文字的雕琢，遂形成了一種似詩非詩，似文非文，而是詩又是文的一種變體。這種變體和西洋文學中的所謂散文詩有點相像。這就是這裏所要談的「漢賦」。

漢賦在文學上本來沒有什麼價值可言。和後來的六朝駢文一樣，它本來是貴族文人一種炫耀博學的遊戲文字。在這些作品里，我們看不到一點民衆生活的影子，聽不到一點民衆痛苦的呻吟與嘆息。我們只能夠從裏面看到一些上層社會，貴族文人們縱情於酒色歡笑的生活，和他們的貴族文。由於上層社會的文人底地位，便造成了這種文體的形成，和它在漢代文學上的地位了。所以在漢代如此的旺盛，自有它的時代：

（一）政治的力量：自從秦統一天下以後，便實行文藝統一政策，將「大篆」改爲「小篆」。廢除各種奇異的文體，頒佈「書同文」的政令。於是，漢代的文字「小篆」，遂成爲少數人的專利品。因此小篆的文字，祇限于官中少數人應用，一方面不能運用這種典雅的文字來書寫他們那貴族的生活，一方面便運用他們自己的口語寫下了屬於他們自己的文學。漢代文學沿着兩條路線發展：

（1）一是代表上層社會的士大夫用古文寫的古典文學（漢賦。）

（2）一是代表社會廣大羣衆的老百姓們用口語寫的平民文學。

（二）漢代儒家學說的盛行：自漢武帝以董仲舒爲宰相，實行罷黜百家以後，一切文學都披上了道德教條的外衣。一部詩經，給腐儒解釋成了一部什麼「后妃之德」，「文王之化」的倫理學，窒息了純文學的生命，而發展了廣揚「聖教」的貴族文學。

（三）統治階級的愛好：唐以詩取士，明、清考八股，詩盛於唐，經師盛於漢。漢賦，由於天子與封建諸侯的提倡，其興盛起來是必然的了。枚乘因爲寫了一篇「柳賦」，獲得賞絹絲五匹；司馬相如因爲寫了一篇「長門賦」，得到黃金百斤的報酬。這些都成爲了中國文壇的佳話。由此可知，統治階級的賞識，成爲進身仕途的階梯。另外，漢代是一個太平時代，統治階層所豢養的貴族文人，爲了歌功頌德，粉飾太平，於是暇時無聊，便寫一兩篇賦來作爲消遣。

外國的月亮

·符兆祥·

我向來不喜歡我的內弟，原因是他那份視錢如命的吝嗇樣，看到就使人生氣。

我們往來很少，他怕我窮，平時很少來往，沒錢我很窮，他怕我會向他開口借錢，處處避着我，他不知道我的窮骨氣，他怕我沾他，我還怕高攀呢。

妻愛理怨我冷淡她的弟弟。

「您可看得下他的那付樣子？」

「他不是故意的，」妻說，「如果他的態度不改，一生我們都談不來。」

「從小就是那樣子，其實這也難怪他，家裏八個小孩子，七個女的只有他一個是男的所以我們……」

我未置可否，老婆……

下班回來，意外看見妻陪着他在談話。

我冷淡地和他點了點頭。

「八弟有宗賺錢的生意來告訴你，」妻說。

我皺了皺眉，妻用眼色制止我，我只得敷衍的笑了笑：

「八弟，你是知道你三姐夫沒有錢的？」

「三姐夫，這實在是件賺大錢的生意。」

「什麼生意呢？」

我無奈的坐下，裝着很有興趣的樣子。

「昨天，有個美國人上我家來，說他有一批值十幾萬的澳洲純羊毛西裝料，本來是要拿到日本的，可是現在沒有錢了，故願意便宜賣出。」

「他喊多少錢？」

「眞便宜哪，他開口八萬，我看還可以殺點價。」

「貨好嗎？你看了沒有，別讓人騙了。」

「貨樣我看了，是眞正的純羊毛，」說到這裏，他諷刺我：

「美國人還會騙人？你也太小心了」。

「八萬，」妻說。

「我們一人用一半，」八弟乾脆的說：

「我剛才到外面打聽了下，那批貨時價值廿多萬呢，」

「哦，四萬，」我對他苦笑了下：

「八弟，你三姐大概告訴你，我一個月的收入有多少嗎？」

「只四萬，」他不滿意地。

「別說四萬，再一半也沒能力，」我一口拒絕。

他求救地叫妻：

「三姐。」

妻望了他一眼，對我說：

「我們可以考慮考慮，」

「你有錢嗎？」我微笑地問她，眼睛可瞪着她。

妻沒話說。

這場談話終於不歡而散。

這以後，即未聽妻再談這件事，而八弟也沒來過。

這樣過了一個星期，有一天早上，我正要去上班時，八弟倉皇跑來：

「三姐夫，完了，」

「怎麼？」

「完了？」妻問罷提出來。

「那批料子原來是日本貨，根本不值錢，陳經理退回來了，」

看他那焦急的樣，我替他感到又可憐，又可笑。

妻緊張的問：

「就是日本貨也值得多少錢吧。」

「兩萬塊還不到，」

「完了，」妻臉色變白，跌在椅子上，看來還是手足情深，她對八弟那麼關切，我同情地說：

「不要急，你到警察局報了案沒有？只要那美國人沒有出境，一定跑不掉的。」

「我已去報案了，」他無神無氣地說。

「怎麼美國人也這樣卑鄙呢？」他不解地自言自語。

我望了他一眼。心裏這樣說：

「誰要你會小便宜，誰要你以爲外國的月亮總比中國的圓？還不活該？」

八弟走後，我對妻感嘆地說：

「也好，這次給他一個教訓。」

「哦，」妻哭起來。

「怎麼啦？」我詫異的問她，

「我，」她望着我，儘是哭，說不出一句話來。

「到底什麼事嘛，」我焦急的問。

「我該死，」她哭着說：

「我瞞着你，把媽給我的那雙鐲戒……」

「妳？」

她掩着臉跑回臥室。

我站在那裏[illegible]了會子，[illegible]走進房去，妻還伏在牀上哭。

廣東通志談叢

廣東史地珍籍的存佚談

·竹菴·

此次戰爭，文獻散亡，固屬重大，但戰後，我國從敵僞手中獲回重要的典籍，亦有可觀，祇就廣東史地的資料而言，下列三處所接收者，頗足資爲修撰續廣東通志之用也。茲錄何氏的佈告，略述我國在戰後，從敵僞手中，三處接收的典籍。

一、接收前日本台灣總督府及南方資料館圖籍共廿四萬册。台灣總督府，及南方資料館，是配合日本帝國主義，南進政策的重要調查，研究及設計的機關。所藏圖書，關於華南各省，及海南島的述著，至爲詳盡。此批書籍，中、日、英、法、荷文俱備，我國接收此兩處存書，即留諸台灣省立圖書館中。

二、關於意大利領事羅斯 Ross 的廣東文庫，Ross Collection羅斯通中國文，在粵二十年來，搜集廣東古今方志最多。其關係海南島的各國人著述更搜集無遺。民國廿七年（一九三八）廣州淪陷，羅氏更以賤價蒐羅大批廣東省政府及廣州市政府舊籍，並加整理。其有歷史價值者分類保存，極其難得。廿九年（一九四〇）羅氏去世，其後人將此文庫整批售與日本台灣總督府，得價五十萬日元，其第一批，約全部四份之一已運抵台灣，第二批即全文庫四分三書，亦已運抵香港。時值戰爭劇烈未能起運，此批書籍遂存於九龍貨倉中。香港光復後，由香港大學馮平山圖書館長陳君葆協助，將原書交回廣州省政府，當時廣州當局即以此批書留於廣東省立圖書館中。

三、接收台灣大學專門圖籍十五萬册。台大是日本開發台灣，及侵略南方的調查研究及設計的機關。所藏專門圖籍，以農學，及熱帶農業的研究一類之書最多。余於廿四年，在朝鮮人桂應祥君處（桂是仲愷農工學校蠶科主任，著廣東蠶絲詳述一書）見日人某所著的廣東植物品種彙志一書，訝其考據精詳，爲我國人所不及，日人此類之專著正復不少。

餘論

續廣東通志既因戰事，未能完成，勝利以後，又因國家陷於多事，留意於鄉邦文獻之人，亦日以稀疏，此重要的省志，倘有腐敝之士，奮起重修，鄙人雖駑下，爲之執鞭，亦所欣慕焉。（十一）

（全文完）

銀壇隨筆

談科學片

·修衡·

火箭已經不是秘密。普通火箭用於戰略防禦，差不多國家都已列入國防；登陸太空火箭，尚在求進。飛碟究竟是一項測候氣候，偵察敵後，抑係一種殺人的武器，型式與構造，始終是一項令人很難剖解的謎。誰在經常試放飛碟，誰也無從偵知。因此，人們對於飛碟，終是一種幻設。

「兩傻大鬧太空」，這部電懋超級笑片，是根據科學原理，搜集現實素材編成。如所周知，有關科學資料，只不過一大堆公式和數字，在數學上去尋求答案，把這些東西搬上銀幕，不特令人難懂，即在書本上看，也是枯燥乏淡之味，以科學原理，配上一個具體完整故事，自將激起人們興趣。

因此，該片連日在港九上映，票房紀錄直綫上升。另一方面，該片「卡司脫」也相當完整，順序而言，丁皓的演技，確有驚人進步，叫座的另一條件，可能是她出身嶺東中學，許多專上院校中，不乏有她的同學，他們對這一位「嶺東之花」的關懷，達蓋於電懋當局。不消說，兩院狂滿的原因，自是丁皓個人的基本觀衆太多；劉恩甲和蔣光超，也有相當數量的基本觀衆。不過，這中間有一些分別，丁皓的觀衆是廣東人多過上海人；劉恩甲、蔣光超他們剛巧相反，他們的觀衆上海人多。國語片本來幾乎只有大多數外省人看的，由於電懋年來提拔粵籍新星，國語片觀衆省籍也就寬廣。

說到片子的號召力，科學片比一般文藝片強得多，「孫悟空大鬧天空」這些神怪片，尚且賣座不衰，「兩傻大鬧太空」沒有理由不每場滿溢。當然，這不過是國語片領域中首揭其端，就全片演出過程看，王天林的編導手法固屬不錯，演員都能盡量就其天才發揮，爲日後更好的科學片奠基。還用多說？

也談：關於「一杯羹」

在自由人上連續讀到孟戈與南蠻兩先生對「分一杯羹」典故的商榷，這種平心靜氣探研討學理的態度，是值得贊許的。但最近又看到工商日報上南蠻先生連續寫的兩篇文章，覺得他不作正面的駁辯，是有欠風度的。

嚴格說來，是非正僞，明眼人一望而知；平心而論，南蠻先生所引的典故，確實難以自圓其說。該文謂：『劉太公是劉邦的父親，劉邦有權要項羽分一杯羹的，我是說，在不是「家天下」的今日時代裏，國家是每一個人都有份兒的，而凡爲國家的擁護者，誰都有權要求「分一杯羹」的。』假如南蠻先生的比喻可以成立，豈不是把執政者比作項羽，挾持着佔了別人的父親，而民主人士（比作劉邦）有權「分一杯羹」呢？如果這麼說，豈不更使執政者難堪乎？

孟戈先生所引典故之所以說是「較爲適合」，因爲「司馬子期分不到一杯羹所以背叛中山君」，似乎較爲入情入理。何況，我還懷疑南蠻先生忘記了「戰國策」，因爲「樂羊食子羹」的故事和「劉邦食父羹」的故事相同，如果南蠻先生用的典故眞的正確，且還使用較早時間的「樂羊食子羹」的故事呀。

·陳穎思·

自由人

THE FREEMAN

（第八二八期）

中華民國僑務委員會登記證台僑新字第一零二號
中華郵政台字第五〇〇號執照登記為第一類新聞紙類
（半週刊每星期三六出版）
每份港幣壹毫
台北市售價台幣貳元
督印人：陳文韜
地址：香港高士威道二十號四樓
20 CAUSEWAY RD, 3RD. FL. HONG KONG
TEL. 771726
承印者：東南印務出版社
地址：高士打道六十四號
台灣總經理處
台北市西寧南路壹壹零號二樓
電話：三〇三四六
台郵撥儲金戶九二五二
海外總經銷：友聯書報發行公司
香港：彌敦道中二十六號A二樓

正視秘密外交的復活

殷懷遠

（一）

日內瓦外長會議在沒有結果中結束了，接着而來的，將是美俄兩國領袖的互相訪問，而外長會議所不能打開的僵局，又想由艾赫的直接談判來解決，其為自欺抑為欺人，當會在未來數月中揭曉。

艾森豪原曾一再宣示，如果日內瓦的外長會議談不攏，則將不考慮舉行高峯會議。現在局勢的發展却出乎世人的意料，日內瓦外長會議固然失敗了，惟美俄雙方突於會議結束前兩天公佈赫魯歇夫將於九月訪美，而艾森豪也將於秋間訪俄。這不但意味着是兩國事實上的高峯會議，更暗示美俄雙方均預知外長會議不會有結果，美俄外交一直在秘密斟酌，兩國元首互相訪問是決定於尼克遜訪俄之前，可見日內瓦的劇烈爭執，根本祗是一場胡鬧，國際間的幾個重大問題，都早已預定由美俄兩國元首的會談及將來數國的高峯會議去討論。換言之，東西陣營的外交活動，已從陣營對陣營的公開對壘，突然轉入了個別的秘密的外交接觸了。

（二）

秘密外交徹頭徹尾的是一種陰謀活動，其動機和目的多半是見不得天日，而其結果也往往會損及第三國的利益。在近代史上，著名的秘密外交當推一八一五年的維也納會議。維也納會議雖為公開的會議，然重大問題均多在會外的秘密談判中解決。當時主宰歐洲命運的幾個人，是俄國的亞歷山大，普國的威廉，奧國的梅特涅和英國的卡斯爾累，然共同的敵人拿破崙雖是打倒了，而各國間舊的和新的利益衝突，又不斷尖銳起來，於是大家都在會中和會外各懷鬼胎，明爭暗鬥，秘密接觸反而成了大家的主要活動。梅特涅的助手根茲氏曾有如此一段紀錄：『在維也納會議舉行期間，凡能澈底了解該會性質與目的的人們，絕不會誤解該會的議事過程。一切官樣文章如「社會秩序之再造」，「以均勢為基礎建立永久和平」，「歐洲政治系統之重建」等等，其用意僅在欺騙世人，並使大會秉具一種莊嚴偉大的氣象；至於大家的真正企圖，則全在解決得自戰敗國的東西，如何由列強來分贓。』這簡短的幾句話，完全暴露了維也納會議的真象。另外俄國當時企圖壓抑英奧的努力結果，亞歷山大暗中活動的結果，卒使戰敗的法國獲得意外寬大的待遇，致卡斯爾累不得不憤然而說：『俄皇亞歷山大的騎士精神，實為英國的大患之源。』

（三）

國人記憶猶新的，該是雅爾達會議所產生的雅爾達密約了。雅約是盟國將弱小國家利益批發給蘇俄的一張發票，受害的國家中，尤以我國為最慘重。在雅爾達會議中，羅邱史三人對於別國的問題固無所不談，談無不盡，但就是在三人之中，羅斯福和史太林背着邱吉爾，也會大談關于戰後英國殖民地的處理問題，史魔且會主張在戰後將香港「國際化」，這可算是秘密外交中的秘密外交了。雅約關於中國的一部份，除了決定外蒙的獨立及旅順大連的租讓外，還決定在將來將這一決定的協議送交中國政府時，應加如下的聲明：『美英蘇三國領袖同意，在日本戰敗之後，中國對于蘇聯的上述要求，必須毫無疑問地履行。』（見薛伍德著『羅斯福與霍金斯』）這一密約不但犧牲了中國的主權，而且更命令式的「着令」中國政府履行，反對固然不容許，就是連提出「疑問」也不許可，依照那段聲明，如果中國政府拒絕接受，美英也就會「見義勇為」幫同蘇俄來「強迫執行」了！試想，這是一個什麼世界？還不是大吃小，衆暴寡，強欺弱？什麼大西洋憲章，四大自由，誰能說不是欺騙弱小民族的口號？

聯合國成立以來，世人多幻想世界的一切大小糾紛，當會由聯合國來公開討論，公開解決了。然而冷酷的事實告訴我們，在聯合國不能產生積極作用，解決不了問題時，大國還是喜歡場外交易的秘密外交。外長會議、原子能管制會議、巨頭會議，以至美毛綿綿無盡期的談判，無一而非秘密外交的延誤。現在又感到數國外長或數國巨頭會議都不能解決問題，於是乃有美俄兩國巨頭的互訪。單獨密談，兩國的公報雖說是：『有助於兩國了解及促進世界和平』，然而受秘密外交所犧牲，創痛獨深的中國人會相信嗎？

（四）

國際局勢發展到現階段，許多問題成了僵局，然而這些僵局又不能長此僵持下去，若干的死結必須設法暫時解開，以和緩緊張中的形勢，這對蘇俄有利，更對美國明年要面對大選的政府有利，而艾、赫直接單獨會談，就是要利用秘密外交的方式，來打開若干僵局。秘密外交就是「拆穿「以貨易貨」和討價還價。目前西方最急的是柏林問題，蘇俄就是讓步，對其本身也不會有絲毫損失，問題在於蘇俄作了這「讓步」以後，美國以什麼來「酬答」，蘇俄？誰又最有作犧牲品的可能？我們不要忘記，在蘇俄整套冷戰的戰略中，柏林問題只是金門砲戰的延續，誰能保證蘇俄在柏林問題上稍作讓步之後，而不提出放棄金馬和容許毛共進聯合國的要求？又誰敢保證西方不會再以中國來作祭品，以求取暫時的妥協？

在當前波雲詭譎的國際形勢中，我們應團結一致，提高警覺，正視秘密外交的復活！在必要時，我們更應以實際的集體意識和精神，發揮民族的玉碎力量！

半週述評

躍進云乎？

中共修改「躍進」，最後一躍進到所謂「人民公社」的階段，結果看來還是要回到「農業合作社」的階段去。就這樣的意義說，這是將近四十年前俄國革命後初期共產制度失敗的歷史在中國大陸的再版，不論俄式的共產主義是否古代奴隸社會的再版，即由共產主義者的觀念說來，這又說明了一、科學的客觀性，說明了它，任何制度，都能夠維持；二、曾經使蘇聯老大哥在近四十年前蘇聯初期共產主義的階段吧了。上只不過是躍進云乎哉！

唯物乎？唯心乎？

大陸自夏季以來，水災、旱災、蟲災，各地先後普遍發生，尤以華南災情之重，災區之廣，災期之長，為歷史所罕見。中共的「澤東」在其展開的所謂「抗災鬥爭」裏，指示中共的黨員和群眾在它們的「號召」下，「從思想上」「從精神上」去與災害鬥爭，要大家束緊腰帶節省糧食去打發他們的災害日子。不意這種唯心論者的說法，在面對事實的緊急「鬥爭」中，竟然成為唯物論者共產領導羣口中的武器！似乎大公有意予人以譏諷的機會，最近台灣中南部的水災，也幾乎是空前的，雖然事前仍有「人謀不臧」之評，但事後却已盡了最大的努力。這總歸是中國人民之浩劫，這浩劫却差不多同時發生在台灣與大陸，正好使兩個不同性質的政權在人民面前受到了考驗。

在「高層」圈外

在「高層會」的熱潮通過了整個世界的時刻當中，最不堪寂寞的是中共。它因為沒有資格，總欲把握任何機會，打進高層圈裏去。它之反美宣傳，完全為了美國始終堅持不讓它進去；它對艾赫會議之冷淡，是因為美俄親近將會削弱其反美宣傳的政策，也就妨礙其目的的達成。它之在寮國，它在印度邊境，甚或想在台峽製造軍事危機，均無非想藉此爭取參加高層的資格。

在聯合國門外

能使中共取得參加高層會議資格的關鍵，主要的還是在于聯合國中的中國代表權問題。對於這代表權，中共是始終不肯放鬆的。聯合國的代表們，對於這個問題，已視為每屆的家常便飯了。去年對該案的表決，除九票棄權外，是以四對二八，通過拒絕討論，今年預料總勢大致不會怎麼改變。台灣之所以在中共眼中成為眼中釘，就是因為它阻礙中共進入聯合國，也即阻止它進得世界的高層圈。

印度中立到那裡去

正當印度代表為虎作倀，替中共向聯合國大會提出中國代表權問題時，印度報章不斷地傳出中共發動宣傳，復盛傳中共軍隊已築路錫金及不丹邊境，威脅印度的安全；議員口中已斷然提出「印度是否要修改「麥馬洪綫」」的疑問了；若干報章已在主張重新檢討中印關係了。且看印度中立到那裏去呢？

尼克遜看赫魯訪美

自莫斯科訪問歸來的美副總統尼克遜，似乎對「坐下來談」並未表示信心。他表示：如果在高峯會議上有成立協議可能的話，美國必須強盛；因此，他告誡美國人不可因艾赫之會而鬆弛國防力量。這當是他所見的云然。但是他期待赫魯曉夫訪美的結果，是他將訪俄有使赫魯將來看清楚美國的實力，是強大的，換句話說，就會緩和其對美國政策，以為這還是保持美國人一般的天真看法。

・林伯雅・

論新馬合併難題

孟戈

一、

「自由陣綫」第四七五期刊出「新加坡人民行動黨執政後的政治動向」拙文，筆者依據新加坡現行憲制與人民行動黨的政綱言論，聯繫新馬的客觀現實和歷史發展趨勢；從而否定「人民行動黨是僞裝共產黨」的偏激誤解。要研究新加坡——這個島國何去何從——有一項極端重要的論證，是人民行動黨的終極目標，意圖使新加坡成為馬來亞王國的獨立自治州。這遠於大選前夜，人民行動黨已將「通過新、馬的合併，為新加坡爭取獨立」列為第一條競選政綱。五月三十日新加坡大選揭曉，人民行動黨躍登自治邦的首屆執政黨。六月十三日總理李光耀率同國家發展部長王永元，內政部長王邦文，財政部長[illegible]，衛生部長依布拉欣，訪問吉隆坡，與聯合邦首相拿督那督，外交部長依士邁，以及司法部長蘇里曼，工商部長陳修信，衛生部長翁毓麟，勞工福利部長森馬頓，舉行首次首長會議。六月十五日英駐新專員公署，新加坡政府與聯合邦政府發表了聯合文告稱：「聯席會議的舉行，融洽與生氣蓬勃，坦白而友善的商討甚多有關兩國共同利益的問題，和兩國共同關注的問題。雙方會議着重聲明於共同立場達致協議，以解決政治上，經濟上的問題，而不重視任何可能有的歧見。」這次會商，有一項具體的收穫，是新馬兩方取得一致協調，決定了新加坡政府內部治安委員會的名單。實際的意義，一方面是使聯合邦加強對新加坡內部治安的瞭解，而在一定基礎上相互合作。另一方面是使新加坡對聯合邦的社會秩序的安全和統治政權的穩定，也在諒解態度上同等重視。這個劃時代的重大會議，實使新馬合併問題，納入正規的發展道路上去。

二、

擺在新馬合併前的難題，最艱難與最突出的是「種族主義」的問題。馬來亞的總人口有六百二十七萬多人，馬來亞族佔百分之四八．六，華裔佔百分之三十七．九，印尼和巴基斯坦人佔百分之十一．九，其他少數民族佔百分之一．六。但新加坡人口有一百四十六萬六千八百人，華裔佔百分之八十。新加坡如果與馬來亞合併，則龐大的華裔人口將成為馬來亞國的最大民族。根據馬來亞現行憲制，上議院三十八名，由十一州選出的代表二十二名，及元首推荐的代表組成；下議院一百〇四名，由一選區選出一名。（現行立法國會，議員九十八名，民選五十二人，官派四十六人。）今年大選，却引起錯綜糾紛，幾經談判，達成一致的協議，馬來亞族佔六十九席，華裔佔三十二席，印度族佔三席。馬來亞的種族主義者，再三強調種族主義，鼓勵與種族的猛烈攻訐選舉，假定新加坡變為聯合邦的一份子，聯合邦的政治領袖一班種族主義者，會恐失去政治上的絕對優勢，這是新馬合併的很大難題。

（下轉第三版）

自由談

客中有感

當美國副總統尼克遜在莫斯科邀請赫魯雪夫訪美的消息公佈時，我正在德國旅行中，西德輿論界一致表示強烈的反感，極盡冷嘲熱諷之能事，其情況與法國的對於這項新聞的反應相同，西德總理阿特諾聲稱要赴巴黎訪問，而法總統戴高樂亦對美總統艾森豪預約移節就教日期，說是已經決定要去北非，無暇恭候。如是乎，艾克乃改變計劃，先到西德訪問了。

吾因之有感焉。當年美國接受俄魯史達林的指點，贊同韓戰停火談判時，南韓雖激烈反對，出以自由釋放戰俘的抗行動，然美國當局竟置之不理，且指南韓為「愚蠢」！隨後美國又接受中共建議，進行所謂「大使級談判」，我國朝野人士一致反對，聲明決不過問這類談判的結果，但艾森豪政府不特我行我素，亦不承認這種談判的結果，而其國務院大員竟公然宣稱「毋須中華民國政府參加。」中、韓兩國原是跟美國併肩作戰的患難友邦，對於直接關係人民安危禍福前途的事，美國獨斷獨行，滿不在乎，擺出一副唯我獨尊的強權主義面目。如今對於昔日之敵的戰敗國家，却唯恐其發脾氣，倡異議，拊循遷就之不遑，而素在外交上對美國扯腿最力的英國，亦默默無言了，西德對英國感想甚壞。

這證明所謂正義公道都是廢話，必須自己有其不可忽視的力量，才可以受到所謂盟友的尊重。現時西德不但復興很快，國力雄厚，根本上北大西洋公約聯防體系的中堅實力，就是西德軍隊，美軍的原子砲炸機隊，亦要靠西德軍隊，撤到西德境內哩！如此這般，當年趾高氣揚的只好紆尊降貴，對西德特別表示尊重等友好之意了。

知恥近乎勇，中、韓兩國如不發憤自強，唯力是視，將來難免不無被出賣之虞，可不勉之戒之，好自為之乎？

[illegible]

台灣當前物價問題

◁台灣航訊▷

政府當局前以水泥限價失敗，對於猪肉價格改採議價政策，可是現又瀕臨失敗了。這說明由行政權力不足以解決物價的上漲，物價非由經濟途徑不能獲得解決。

物價長久平衡，是少有的；然而上漲過速，消費者受損，下跌卻也生產者受害。前者事關國民生計，後者容易導致工商業不振；然而社會經濟各種因素，都可直接間接導致物價波動，根本的辦法，在物資供求關係的平衡，或者供過於求；諸如通貨發行太多、仰賴外貨進口等，都有刺激物價的作用。惟台灣最近引人注目的物價上漲，僅先有水泥價格上升，次則肉價突漲，則非上述因素所致。

限價議價均難成功

嚴格說來，物價管制政策，各國多行之於戰時，爲應付戰略物資的消耗，不得已而採取「限價」、「議價」、「配給」等制，而台灣處於平時的自由經濟制度之下，採取「限價」、「議價」均非所宜，即或可行，亦復行不得其法，政府當局忽略規定合法利潤，並無積極調節供應量的物資可用，僅宣傳消費者節約不用，完全視物價上漲爲人爲因素，所以對水泥價格上漲的「限價」失敗（後面詳述），復欲對肉價採取「議價」政策，也許越「限」越「漲」，物資越要上漲，用行政手段解決經濟的物價問題，註定要面臨失敗的命運；而且各有關單位意見不一，如外貿會認爲水泥或猪甚多外銷，可以增加外匯收入；有些單位認爲水泥猪肉是民生重要物資，價格不可暴漲，以免影響民生。所以不論「限價」也好，「議價」也罷，都難有成功的希望。

如何解決水泥價格

至於水泥價格上漲問題，是屬經濟方法解決的，並非行政力量可收效果。如今台灣水泥公司清理，除直接銷售零星水泥（憑國民身份證獲得配售），加強直接用戶水泥配售，並透過建材商公會供配零售水泥（每月自四萬包增至二十萬包）；並且值南部雨季及風季，水泥實售轉趨淡季，水泥黑市自行暫時解決，並非治安當局取締水泥黑市之功。如民國四十六年四月中旬每包水泥黑市價五十八元，與當時最「限價」三十八元比較，超出二十元左右，以建設經濟會嚴格限制，申請浮報水泥需用量，八月間以水泥供應量充裕，始跌至四十七元；十二月因生產量與需用量平衡，仍回跌四十二元；似乎是黑市與管制以俱來的。所以黑市水泥，存滅，決定於供求平衡與否，並非行政力量效果。嗣以供過於求，乃開拓國外市場，藉以調節省內供求情形，四十七年全年獲受國、訂貨三十三萬四千餘公噸，實際交貨二十六萬五千餘公噸；金馬砲戰，軍需水泥驟趨激增，復造成供不應求現象。此時水泥黑市除供不應求外，確有人爲因素，以台灣水泥公司與代銷商所訂零售契約及供配建材商零售水泥沒有問題，似有逼使他們從事水泥黑市之嫌；代銷合約規定，代銷商保證金八萬元不計利息，每包批發價不得超過四十二元，不得經營零售，佣金僅百分之三，每包利潤僅一元二角六分，扣除稅捐負擔，淨利甚少；四月份每家代銷商每月配量由四千包減爲二千包，其利潤尚不值八萬元保證金的利息；除台北縣外其他縣市不易發現，如建材商衡配零售水泥，繳款後三個月才提現，故商人利潤乃轉嫁於消費者。所以供需量與合法利潤兩者，才是解決水泥黑市問題的核心。「限價」並非萬靈丹了。

物資局肉價政策失敗

再談到肉價的「議價」政策，必需正視價格的自動調節，因勢利導，進而加以利用，非阻遏價格使能之「議價」所可臻其事功者。如欲防止肉價上漲，應先獎勵人民增加投資養猪，如養猪無利，或竟養猪虧本，勢必減少養猪的投資，猪源缺乏，則發生供不應求，肉價上漲亦將隨之而起；根據糧食局調查，去年底全省養猪頭數計三百五十七萬，屠宰毛猪計二百三十餘萬頭，以一千萬人口計，平均每人年消費量二十公斤。認爲供過於求，乃向外推銷，今年春節即形成毛猪供應量源失常，台北肉價亦扶搖直上。據台北市政府會同屠宰公會往中南部調查原因有二：一、去年春天猪價激跌，養猪無利，農戶宰殺猪母，造成供求不平衡；二、不受外銷刺激，且收購毛猪時，猪價外另配豆餅一塊（市價一一〇元，配價一〇六元），復不扣除此事，人心向上，價格隨而漸漲。物資局卻否認猪肉價格上漲與外銷刺激有關，認爲人爲因素所致，不認猪價領導肉價上漲，純然肉價領導猪價上漲。首先抑平台北市肉價，認爲產地毛猪價格自然下跌，卻忽略台灣北部爲消費地而非產地，故物資局抑平無效。又而造成猪販搶購，猪價步步升高；六月間供應量只達消費量半數，不敷者由肉商向鄰縣購買。台北市毛猪聯市，台北市肉價即脫離限價，黑市以起。物資局不敗於「人爲因素」，卻敗於毛猪供給量與需求量不平衡的事實。

行政命令失靈

由物資局「限價」到「議價」政策，顯然是失敗於供量與需求量平衡，係之忽視，次者由疏忽於以量制價的方法，例如各貨有其族系，例如棉花族系棉紗、棉布、內衣、被服等，如棉花漲價，勢必引起棉紗、棉布、內衣、被服等之漲價；猪肉亦然，猪價漲則猪肉、肉食等勢必漲價；同時猪價漲則因未獎勵增加投資養猪，外銷等因素，物資局卻反經濟邏輯，認爲猪肉價格上漲引起毛猪價格上漲。「限價」、「議價」豈有不失敗之理？「限價」、「議價」既失敗，改採「配給」制嗎？我們以爲捨供求平衡或供過於求外，是沒有什麼抑平物價辦法的，徒乞憐於行政命令，豈不惘然入嗎？（居午士四十八年八月五日夜於台北市）

閒話救災

．張瘦碧．

中南部暴雨成災，創六十年未有之新紀錄，據台灣志上的記載六十年前的災情的發生日子，也是八月八日，先後六十年，整整一個甲子的循環，不期竟有這樣的巧合，蒼天眞有些令人不可思議！目下台灣，一切爲救災，爲重建。

這次我們受到天譴，應該大家提高警覺，一方面在救災爲主，復元第一的原則下，破壞就是建設，將來凡屬破壞的構築工程，更趨向於現代化，理想化，在此次災難中，軍工人員，都參加搶救修建工作，這種精神，我們覺得應該表揚，實在是令人敬佩的，本着人溺己溺，各界紛紛解囊捐助，富於同情心，也見不着心裏的一腔熱情，均不後人，這都是值得讚許的。工商界在這個時候，處此非常之際，應該一齊拿出天良來，奉行限價，不要利用機會，混水摸魚，一度飛騰上漲，一般日常生活必需品，我眞不知道這些人，有無心肝！

有許多大酒家，據說座上仍多饕客，何不鼓勵每席酒外加振捐款五成的運動，使有錢的豪富們多出點錢，不也有助於救災嗎？

當局曾通令，在此時期，禁止一切宴會請客，奉行的人也只是少數。至民間的奢侈習慣，積弊已深，眼前前中元大拜拜，即將蒞臨！希望縮小範圍，不要和往年一般鋪張，浪費，我很想聽到有人把大拜拜的金錢，全部獻給災胞，給水災會去運用，

我想總有人會這樣做吧！跟着就是中秋佳節，那些過時月餅，最好也不一定要花費太多，像過去那樣滿坑滿谷，也不在少數，如果能撙節下來，這筆耗費，也可以作爲賑款。陳副總統曾很風趣的曉喻同胞們說：「如果菩薩必要你們大拜拜之後，再會降福，那末也決不是好菩薩。」關於節約救災，須要一般民衆共同努力的，大家合作的，尤其醉生夢死的，應該要天良發現，莫再紙醉金迷，自我陶醉吧！

民社黨籌開全代會

（台北航訊）中國民主社會黨第二屆全國代表大會定於本月十五日在台北舉行，這是該黨分裂後第一次的大團結。會中主要是加強黨內團結，修改黨章、黨綱，選舉中監委，以及修改黨綱政策等事。大會能夠順利地召開，可能是由於蔣勻田的奔走的結果。

但是，在七月底，該黨徐傅霖派的省主委李緞（現任監委、女、台籍）劉政原和高廣業等三十餘人，突然召開中執委與監委會第三次聯席會，並發表宣言與「敬告本黨同仁書」，其中有所謂「肯定本黨對外主張，協助政府，完成反共復國大業，反對有礙團結份子滲透本黨，反對本黨中央紀律遭受破壞，及團結協定之行動，並否認即將召開之全國代表大會」。

本此宣言發表後，復使外間迷惑。記者爲此事特走訪該黨代表大會籌備召集人蔣勻田及八常委之一的萬鴻圖。據蔣勻田表示，自從黨內團結協定訂立後，規定應於六個月內召開二屆代表大會，八常委和徐傅霖派，雙方遴選代表四十人出席會議。蔣氏表示返國不過三個月，認爲完全根據協議而行事，所謂把持黨務[illegible]康有爲梁啟超[illegible]在美國主持民憲黨務，並設有世界日報，有中英版。本年五月間，張君勱致主席團一函，曾表示民憲黨與民社黨合併事宜，張氏係欲利用民憲黨所創辦之世界日報，以期影響美國政策，使其爲民主中國之後援，並提出對時局的方針：（一）推翻大陸共產獨裁政治；（二）實行民主憲政，確定國基；（三）聯繫四方民主國家；（四）促進在台之政府實行憲法；（五）聯絡各地僑胞，鞏固各地民主陣容，並協力於祖國之反攻復國。蔣氏極爲興奮地對記者說，如此明確的主張，竟有人說他「有試職嫌疑」！究竟「統一」誰之「統一」呢？蔣氏又說，大會對修憲問題可能說及，但不一定。

當記者走訪萬鴻圖時，他即滔滔不絕地說，代表的名額，因徐方反對第二屆之名額，而主張此次代表會爲第三屆，徐傅霖於四十三年間召開的代表大會，依照民社黨黨章，規定凡是合法召開的大會，其選出的中央執行委員與監察委員，都有出任下屆代表大會的權利，而出席會議。在此次會議之前，雙方已有協定，八常委的九十多名中委與監委，一律視爲有當然代表資格，因此徐方所認定的，而否認其代表資格，以新黨員重新註冊，以新黨員稱之，此外徐方有九十多位中委，由主席團遴選四十人爲代表，其餘則參加地方黨部選舉。當時礙於顏面，所以協議書未註明，但是徐方之四十名代表，不正式產生，且又怕主席團遴選，致使其名額選不出。

萬鴻圖又說，民憲黨與民社黨合併，[illegible]當時張君勱與美國民憲黨負責人[illegible]商討，[illegible]。（健生八月九日于台北）

各報評論台省大水災

．劍傑．

（台北十一日航訊）此次本省中南部十三縣市發生大水災，是六十多年來罕有的災害，據計，截至現在，死亡和失蹤者激達一千零七十八人，受傷者九百六十三人，災民達二十四萬六千八百零七人，房屋全倒者二萬七千八百二十九棟，半倒者一萬二千四百四十一棟，堤防沖毀一萬三千六百九十公尺，水圳沖毀九萬一千五百七十四公尺，農田沖毀七萬六千九百九十二甲，魚塭沖毀五百八十四甲，橋樑沖毀三百九十四座，隧道沖毀三處——一萬另廿二公尺，另外二處不詳，鐵路軌道沖毀二萬三千一百八十三公尺，公路冲毀十萬零三千六百四十五公尺，漁船沉沒三十一艘。（按：此尚非最後統計的數字。）至於各地災區淹沒的農田農作物的損失，以及災民財產的損害，一時尚無法統計。

自從災害發生以後，政府自總統以下，無不深表關切，並下令兵工搶修道路。而行政院陳兼院長嚴正地宣佈了如有必要，將運用憲法所賦予的緊急權力，懲處不法商人抬高物價，如果發現投機者發「水災財」，將不經過司法程序而嚴辦，此訊經報訊公開後，各種物價乃得維持水災前之價格。

政府各級機關和立監兩院委員，均捐獻三日所得。未受災害的縣市政府，均紛紛撥款救濟災胞。社會人士和工商團體亦紛紛解囊。美安全分署撥款一千萬美元救災，而韓國越南和阿根廷駐華大使亦捐款救災。

台北各報與各廣播電台對中南部災民呼籲，並檢討水災的因素，據報載：「如果我們平時能多做預防的工作，如山林之保養，堤防之培護，各種工程堅度之講求，都能多加注意；而隨到災害發生，又能鎮靜應付，則災害的程度可能會減輕些」（中央日報）。「由這一次水災的教訓，我們深感交通的設備，應加檢討。暴風來襲，西海岸各城鎮間原都架有電話電路，但無完善的無綫電設備，因災區電桿吹倒，電綫折斷，致使西海岸受災地區，不但與外界無法通訊，就是與災區附近地方，亦不能聯絡，因此對災情調查以及救濟工作，勢將發生不利的影響」（中華日報）。「例如此次災情最嚴重之彰化市，實因水利失修之所致。與該市防洪有關的大肚溪，自鐵道橋以東一三〇〇公尺之處，自始就沒有堤防的建設，河床變有堤防之處，亦因年久歲遠，而失其效用，遂使大肚溪之洪流，迅速瀰漫彰市，成爲一片汪洋。如果這一水利早已興修，何至災情如此慘重」（公論報）。「我們尚有不能已於言者，即充實氣象設備，加強氣象觀測工作的問題。這次中南部發生強風驟雨，事前缺乏正確的情報，而公私各方因此遭受的損失，實屬難以估計。……就本省的自然環境與實際需要而論，充分加強氣象測候工作，乃是一項有利的投資，因爲由於這一工作的充分加強，就可減少一些不必要的損失」（新生報）。但據氣象所負責人說，如果化美金四十萬元，購買氣象雷達二具，分別設於南北部，以測知台灣附近的颱風情況，俾對定量性預告有助，減少自然的災害。但使人了解的「政府爲什麼吝惜此區區四十萬美金而不予，而寧使國家人民受更大的損害？」這是我們所難以了解的」（公論報）。（八月十一日）

台南點滴

△台南市鯤鯓海水浴場，未經招標，僅以年租二千元租與民衆服務處（即市黨部）經營。又乾涸已四年的市立游泳池，公開兩次招標，終爲寄年軍聯誼會南市分會以年租三萬六千元高價得標。以鯤鯓浴場房舍等設備計算，應付租金萬元左右。市府的厚此薄彼，市民雖多不滿，蓋承租的對象不同，其可奈何。

△海埔新生地放領不當，首由南市揭發，民政廳長與地政局長等，企圖推卸責任，將南市地政科長鄭日君爲受過，省令市府將鄭停職，請求移送監察院處理。市府簽覆謂鄭並無違法失職，此案已由監察院處理該事，廳長與沈局長等終難逃避責任而被彈劾。因此，年青的鄭日君得免受過。（昌增勳　八月七日）

大陸人民吃什麼？

鹽水、窩頭、黃紅薯

「大躍進」和「人民公社化」所造成經濟工作中的嚴重混亂和脫節已經使人民生活受到極大的影響。副食品的長期缺乏，是其中突出的問題之一。

最近（七月二日）北京「光明日報」的「經濟綜述」欄，把「增產副食品」問題和「夏收、夏種、夏糧征購」，並列爲當前經濟工作中兩件最突出的問題，要求立即設法做好這「兩件大事情」，可見副食品供應的緊張狀態，和由此而引起的嚴重情勢。

在副食品中，經常需要的是蔬菜。但蔬菜的生產問題和供應狀況，雖然經過中共一再調整，截至目前爲止，並未得到任何解決與改變。去年十二月中共中央、國務院發出「關於進一步加强蔬菜生產和供應工作的指示」，最近又規定「市區近郊以生產蔬菜爲主的方針」，但據七月九日「人民日報」報導上海蔬菜供應情況以及北京、上海、廣州等地來港人士所稱，各地的蔬菜供應的緊張狀態並未解除。要吃一點蔬菜，必須夜半起身，挨次排隊，幸運的還可以買到幾兩，倒楣的枯立一兩小時，輪到以後，菜已賣光。且每次祇能購到一樣，如買第二樣就必須重行排隊，因此，各地居民爲了購買蔬菜，每天必須耗費很多的時間和勞力。沒有多餘的時間和勞力的家庭，只好長期與蔬菜絕緣。

中共爲了急急改變副食品供應的緊張狀態，除了一再要求各地擴展蔬菜的種植面積，並在各省市、縣掀起「一個羣衆性大搞副食品生產運動」以外，又發動部隊、機關、工廠、學校，利用業餘，和下放勞動時間，從事養猪種菜。七月十一日「人民日報」，爲了鼓勵這些部隊、機關、學校、工廠養猪種菜，特別發表了一篇「社論」，社論中强調：「機關、部隊、學校、工廠種菜、養猪，不僅有經濟意義，還有政治意義。因此，凡有條件種菜、養猪的機關、部隊、工廠、學校的黨委，一定要重視這一工作。」

中共一面積極尋求辦法解決副食品供應緊張情況，一面對於造成這種緊張情況的原因，却不肯採取實事求是的態度，認眞的予以檢討。據七月十一日人民日報社論稱：「特別在去年大躍進以後，物質條件比抗日戰爭時期好得很多；但人們對生活需要增長得更快。一方面猪肉蔬菜供應量一年一年的增加，另一方面由於城市、廠礦的生產建設的發展，城市和工礦區的人口也迅速增加，城鄉人民對生活的要求也迅速增長。例如廣大農民在公社化和生產大躍進以後，原來吃肉少的，現在吃肉多了；原來不吃肉的，現在吃肉了。近幾年來副食品增長很快，但仍不能滿足人民這種日益增長的需要。」

情況果然如此嗎？中共宣傳技術上之拙劣和態度之蠻橫，在這些地方就顯得非常突出。許多城市和鄉村，蔬菜、猪肉，不但供應的數量極少，而且時常出現絕市的現象，這就不是什麼滿足與進一步需要的問題，而是根本缺乏供應的問題。硬說副食品的缺乏，是由於「城鄉人民對生活上的要求日益增長」，這是歪曲事實的謊話。

副食品供求失調，是中共統治大陸以後，經常發生的老問題。幾年來，由於產銷制度，及收購價格與方式的不合理，經常發生一面大量爛菜，一面缺市的現象。「人民公社」化以後，舊的產銷制度破壞了，但新的制度却沒有建立起來。城市郊區，原有許多菜園，出產蔬菜供應城市，但這些菜地劃入人民公社以後，一部改種了糧食和其他經濟作物，至使城市的蔬菜供應受到很大的影響。農村公社化以後，由於極力擴大糧食的種植面積，强調貫徹中共中央「糧食掛帥」的政策，所有菜地和其他經濟作物，幾乎大部分改種了糧食，曾經不斷發生「棉糧爭地」和「菜糧爭地」的現象。除此以外，農村蔬菜減少，也與沒收農民的「自留地」有密切關連。在農業社時期，農民尚能保有小塊土地，種植一些蔬菜和飼料以自給和喂養家禽。「人民公社」化以後，這些「自留地」都全部沒入公社。菜地被毁，牲畜家禽盡行入社，農民生活集體化，全體進入公共食堂吃飯。公共食堂如何解決副食品問題，當時並無任何計劃，在公社幹部中，當時普遍存在着一種思想，認爲：「有飯吃就可以了，不吃菜沒有關係。」因此，在一個相當長的時期中，蔬菜在農村中幾乎絕跡。城市蔬菜雖然緊張，但若干「人民公社」在需求蔬菜供應時，還須向城市購買，產生蔬菜倒流的現象。由於「自留地」被沒收，農民自己不能種植，所以許多農民都把蔬菜一次吃光，不留種籽。家禽家畜亦因收購價格過低，引起農民的憤怒，因而造成大量宰殺自食避免入社的事情。

大躍進，「全民煉鋼」的措施，造成農村勞動力空前緊張的局面，青壯年的勞動力，幾乎全部調離農村上山煉鐵。不但副食品——蔬菜無人種植，連糧食、棉花都無人收摘。公社食堂，除了紅薯、芋頭、米飯以外，長期缺乏副食品供應。河南「衛星公社」，是中共「試點」公社之一，該社公共食堂，除了鹽水，窩頭和煮紅薯以外，一無所有。當中共提出改善公共食堂副食品的號召以後，該社幹部所能採取的措施，除了向農民收購一些僅存的菜乾以外，只有動員農民上山採摘野菜，別無其他辦法。

這些事實都說明，今天副食品供應的缺乏，是中共盲目「躍進」以及「人民公社化」所造成的後果，隱瞞了這些事實眞象，而僞稱副食品的缺乏是由於「人民生活需要的迅速增長」所造成。這是可恥的謊言。

過度的勞動與生活的極端困苦，因而引起廣大人民消極反抗的情勢，終於使中共感到危懼。在該黨八屆六中全會「關於人民公社若干問題的決議」中開始作出讓步，允許「社員保留宅旁零星樹木、小農具、小家畜和家禽」，繼而允許分給養猪的社員以小量土地種植飼料，重行規定和擴展公社蔬菜的專業生產，並指定城郊主要爲生產蔬菜地區。不過這些措施，都是在破壞以後的基礎上重行建立的，在種子肥料缺乏、勞力緊張以及農民的消極情緒和信心不足的情況下，要想全部恢復，還需要相當長的時間。（大陸社稿）

官幕幽秘

大陸的災情

八月七日「人民日報」報導：河南全省一億一千多萬畝秋收作物中，有千多萬畝受旱；湖北受旱面積已達二千五百多萬畝。八日該報又稱：安徽已有三千七百五十一萬畝作物受到乾旱威脅；湖南受旱水田已達一千四百萬畝，其他秋季作物亦已受到了影響；江西亦有若干作物受旱成災。據八月七日「人民日報」社論統計，全國「已有一億七千萬畝左右的耕地遭受着嚴重的旱災威脅」，再加上六月廣東的特大洪水，七月下半月河北，遼寧，內蒙的水災；看來，今年大陸的災害是特出的。

有誇大嫌疑

目前災害的重點是乾旱，據其統計僅有一億七千多萬畝，但這一數字與去年受旱面積四億七千萬畝（一九五九年一月九日「人民日報」）比較起來相差甚鉅；何以今年「人民日報」要以整版整版的篇幅來報導？何以去年比今年的受旱情況嚴重而啞口無言？我覺得中共的這種做作，似有誇大的嫌疑。

利用災害鼓動躍進

爲什麼要把災害誇大，似乎又有以此來鼓動躍進之意。作這樣的論斷的根據如下：

一、八月六日「人民日報」社論，要求「克服右傾情緒，厲行增產節約」；接着七日該報一方面以整版的篇幅報導河南與湖北的旱災情況，另方面發表社論：「戰勝災害，力爭豐收」。這兩篇社論似乎是有着關聯的。

二、七月「人民日報」社論認爲「爲了抓緊當前這個月的決定時機，把一切能夠動員起來的人力全部動員起來，展開一個熱火朝天的運動。」這也就是說，目的就在于展開一個熱火朝天的運動。

三、這個熱火朝天的運動如何展開呢？社論又認爲：（一）堅決反對右傾保守思想和鬆勁情緒；（二）「凡是在一九五八年以來的大躍進中已經證明是行之有效的領導方法，例如政治掛帥；鳴放辯論，鳴什麼，辯論什麼；幹部種試驗田；各級幹部深入農村，深入田間，參加生產，領導生產；以及現場會議，評比競賽等等，應該結合當前情況，繼續實行，並且加以發揚。」這裏的第一點是與前一日社論結合着的，第二點則說明要前一階段「多謀善斷」的領導方法，恢復去年大躍進時那種獨斷專行的領導方法。

四、目前各地正在學習八月六日，七日的社論，以鼓動「組織工農業生產大躍進的新的熱潮。」

五、旱災決不是一天所形成的，且在八月七日以前絲毫未見報導，八月七日以後則大串報導旱災虫災，看去大陸的天災也好像被「人民日報」所操縱了。

綜合前述的五項跡象來看，其誇大天災的目的似乎是在于貫徹八月六日「人民日報」社論：克服右傾情緒，厲行增產節約與鼓動一個新的躍進熱潮。

·田心·

論新馬合併難題

·孟戈·

（上接第一版）據人民行動黨發表「獨立後的新形勢——我們的任務和政策」文獻，它的長遠目標：（一）結束殖民主義並建立一個獨立民主之馬來亞國。（二）成立一統一之馬來亞國。（三）消滅現存制度所引起之財富與機會上之不平等現象（四）灌輸給馬來亞人民以一種民族團結、自尊和自信的精神，鼓舞他們致力於創造一個繁榮、鞏固和公平社會（見南洋商報，五九，六，七）。顯而易見，人民行動黨的政策方針，在於實現一個民主社會主義的馬來亞國。衆人皆知，馬來亞族的社會本質，是建築在農業經濟基礎上的，英國殖民主義的統治策略，是通過農業社會所形成的某些地方上層特權，予以間接統治，隨着西方資本主義的擴展，馬來亞土地，因開礦植膠的分割，耕地面積縮小，人民生活也相對貧困。但與西方統治者有血緣關係的統治者，財富愈形集中，生活也愈感富足。正因此，一個獲得廣大羣衆所支持的政黨，居然提出「消滅現存制度所引起之財富與機會上之不平等現象」口號，不論如何，會使特權階級，懷疑和深懼失去現有的財富與權勢的；因而某些種族主義煽動家，製造諸種的種族意識和種族仇恨，希望從經濟衝突的觀點上轉變爲種族鬥爭的意識，藉以排斥新加坡人民行動黨，阻梗人民行動黨的終極目標的實現，使新加坡孤立於馬來亞王國的邊緣，形成英國在遠東永遠的軍事基地，既不會改變馬來亞的社會現狀，又可維護馬來亞的安全。這是新馬合併的次大難題。

三、

例如聯合邦首相東姑阿都拉曼所言：「思想一致的基本原則，該是兩邦合併之前所需要的。」（見星洲日報，五九，四，一八）馬來亞的種族主義政黨，是希望維持現有的經濟制度和社會形態——從殖民主義情形到資本主義。漫長的十來年間，馬來亞正厲行撲滅共產主義的鬥爭。然而人民行動黨的青年領袖，有血氣方剛的社會改革者，始終漠視共產主義國際侵略這一實，迷信所謂「和平競服」的方法，可以避除馬克思主義「階級鬥爭」的理論，以謀成改變整個經濟體系和社會形態。事實證明，非共而不反共，無異乎助長共產主義滲透破壞，讓左派勢力的坐大，中立主義的第三路綫，不僅現在行不通，就永遠也不會走出路來。結果，不是給共產黨消滅，就是變成共產黨的應聲蟲。

人民行動黨的非共而不反共思想，是馬來亞種族性政黨用來反對合併的上乘口實！

人民行動黨的建國任務：（一）阻截種族主義力量的抬頭。（二）使馬來亞人免除對種族的牽累和偏協。（見「民族團結問題的政策」講話，五九，四，一九）。顯然是針對新馬合併的第一難題的策劃。總理李光耀稱：「人民行動黨的政策將不危害新馬的經濟團結，二地經濟基本關係與政策，將維持不變。我們重視聯合邦利益，而不予以任何危害。」（見人民行動黨招待會上講話，五九，六，一）似是對第二難題的說明。質而言之，新馬合併問題，作爲新加坡首屆執政黨奮鬥目的，確乎「任重而道遠」！

筆者相信，除非人民行動黨變更其非共而不反共的政治路綫，而與聯合邦採取堅決反共的政策，以消弭種族主義政黨的抨擊非難，澄清民主自由國家的誤會和偏見。再依賴國際力量的支助，取得民族間的共同協議。然後才可以實現新馬合併的政綱，才可以創造一個獨立、民主、非共（反共）的社會主義馬來亞國。

李光耀先生，面臨「當機立斷」「懸崖勒馬」的時候了！（一九五九年八月九日）

瘟君夢

第四回：僕僕風塵　逼洒知己淚　森森劍戟　苦鬥子弟軍

究竟毛澤東的把握在那裏呢？這還要從頭說起。

原來自從民國二十三年中共由江西被驅，突圍逃向陝北時，中間經過貴州遵義召開中央政治局擴大會議，打垮了國際派陳紹禹、秦邦憲，奪得了中共中央主席之後，劉少奇就成爲毛澤東在黨內的管家，一手控制黨組織達二十年，儘管組織部長換了許多人，但是劉少奇在書記處的地位僅次於毛澤東，始終負責黨務，所以各省幹部大半出劉少奇派出，這批人自然以劉少奇親信爲多。當時毛劉之間尚無成見，劉少奇的人也是毛澤東的人，這些問題毛澤東並未介意，反而欣幸於對黨內控制的成功。

到了一九五五年毛澤東推進農業合作化時，因爲雙方觀點不同，毛劉開始發生衝突，劉少奇認爲毛澤東腳步走的太快了，竟然比蘇聯的進度快，不肯虛心吸取蘇聯先進經驗，未免犯了冒進錯誤，毛澤東認爲一國有一國的環境，一個時代有一個時代的變化，中國成語有「跨灶之子」，「青出於藍」，兒子有時尚且要强過老子，學生也會勝過老師，爲什麼我們的進度不能勝過蘇聯。經過一個相持階段，毛澤東的「農業合作化」草案竟然未能通過，而且鄉下已組織成的農業合作社也都紛紛解散，尤其是浙江省，一口氣解散了百分之八十以上。毛澤東這一次光火了，仔細一查，浙江省是奉華東局的命令，華東局是奉的中央農村工作部的指示，毛澤東大怒之下，把華東局代理書記譚震林撤去所有職務，調去北京「反省」，除對於中央農村工作部長鄧子恢也要按照譚震林辦理，但是在政治局未能通過，毛澤東眼光看着鄧子恢無計可施，從此以後，毛澤東才知道過去信任劉少奇實是他錯誤，非自己來不可。

當時他採取了兩個步驟，一是召開省市委書記會議，以他個人名義發佈命令，在農村實行農業合作化，另一個辦法就是削弱劉少奇的權力，這一點比較困難，因爲目前黨內人事組織是從一九四五年七全大會選舉的，除非另開一次全黨代表大會，毛澤東沒有權力免去劉少奇政治局委員，書記處書記的職務。不過毛澤東畢生以鬥爭起家，任何刁鑽古怪的辦法他都想得出，他經過一番深思熟慮之後，發現了另一條路，不能解除劉少奇的職務，但是却可以分去他的權力，組織另一機構，把書記處的職務移一部份給新機構去作，毛澤東決定這個原則之後，把林伯渠找來一談，林伯渠也拍掌叫絕，並且建議新機構爲秘書處，設秘書長一員，自告奮勇願担任未來的秘書長。不料毛澤東冷冷說道：「林老，這個職務你不能作，你不是劉少奇的對手，我到想起另外一個人。」（六二）

岳騫

釋耒集

學道與治生

以工商業觀點而論，香港稱轉口港，蓋謂香港在生產及消費二者之間，均乏充足之條件，而僅爲大量貨物集散之碼頭，故香港社會僅能有經紀、買辦，而無工業家。其社會性質如此，則其在文化上所表現之形態，亦純粹爲商業式之文化，世界文化對香港，亦一如其他商品之情形，僅藉香港爲其轉口之碼頭。香港報章雜誌所刊載，報導，討論之問題，十九爲電影，美容，時裝，賭馬，賽球之常識及新聞，而此類常識或新聞，則百份之百來自英美，又因報社及出版商嫌直譯之稿，取費較高，於是此類稿件乃多從日本雜誌轉譯充數，改頭換面，轉相傳習，遂使謬種流傳，至足浩嘆！

在香港，專門學術性之報刊，固無人敢冒險經營，即有之亦必不能持久，且其所倡言之學術文化運動，亦必不能產生預期之結果，知識份子居香港，縱有文化之生活，但必無文化之生命，其情形與香港之不能有工業家，而但可有經紀買辦，如出一轍。夫學道與治生，表面上若不相涉，實則息息相關，而以香港之情形爲尤甚，抗戰以前，香港社會，循一般殖民地之常軌發展，英國人移殖其文化于香港，有一定之限度，中國人則對于在此轉口商埠，從事文化工作，亦漠然不感興趣。其文化形態所表現者，大抵與今日之澳門不相上下，及戰爭結束，繼之以大陸易手，內地學人，相率避跡海隅，一如昔者朱舜水之流亡日本，自身既與政治絕緣，轉欲從此樹立基礎，進行文化學術之活動者，自必大有人在，然其所有之憑藉，則已與昔日如隔霄壤，欲再如昔日之從容治學，已絕對不可，故均不得不藉教書，寫稿以維其生計，在港教書則鐘點多，寫稿則稿費廉，生業好則荒其學業，傾全力于學業，又無以維持其生業，故若非大局有急激之變化，則其文化事業，勢不免于及身而絕，可斷言也。

清人阮葵生茶餘客話載：「賈黯廷試第一，往謁杜祁公，公獨以生事有無爲問，黯退有後言，公聞之曰：凡人無生事，雖爲顯官，不能無俯仰依違，進退不決，賈君名在第一，其學顯達，不問可知，恐生事不足，致進退不輕，而不以道自重耳。賈乃嘆服。此論初若卑陋，實閱歷有得之言，故以張籍之才，韓昌黎猶惜其家貧多事，不能卒業，世無自欲多事之人，家貧則豪傑不免短氣，又安足以語道自重，以創造其文化生命邪？杜少陵有詩曰：朝叩富兒門，暮逐肥馬塵，殘羹與冷炙，到處潛悲辛。中夜讀之，不禁泣，與流俗斗方名士，屑屑爲幫閒之食客，徒以不治生事自高，比稱人國與文化無涉，要亦賤丈夫之行徑耳。

曲齋

陳伯莊「卅年存稿」序

·胡適·

我的老朋友陳伯莊先生從他最近三十年來發表的文字之中選出了半數，印成一部「卅年存稿」，要我寫一篇序。我看了他的全部校樣，很高興的寫這篇短序。

伯莊和我都是四十九年前（一九一〇）考取了留美官費同船出國的。那時候他叫陳延壽，只有十七歲，我那時還不滿十九歲。今年三月一日，我同當年同船出洋而現在都在台北的六個老朋友——楊錫仁，趙元任，周象賢，程遠帆，伯莊和我——在錫仁家裏聚餐一次，我們都覺得我們都還沒有老，都還能夠在自己選擇的園地裏工作。

伯莊在我們六人裏，年紀最小，他的園地最大，工作也最辛苦。

他本是學工程的，漸漸轉到經濟學和管理方面，又擴大到社會經濟的調查研究方面。他是「完成粵漢鐵路委員會」的委員長；粵漢鐵路的株韶段的完成，他是有功的。

他是孫中山先生的一個極熱誠信徒，他從民國二十年起開始認眞研究經濟問題，到了民國三十年至三十二年之間，先後發表了他對於「創建民生主義的經濟制度」問題的研究與思考的結果，共有五篇文章，題作「經建五論」，——現在收在「存稿」的乙集裏。這五篇論文，理論而外，內容亦極充實，對於中國基本經濟狀況的檢討，所有論據，悉爲作者多年調查研究的結晶，即在今日還是值得細讀的。

從民國二十一年以後，他是國防設計委員會委員及交通組長。他在那時期還在交通大學研究所主持社會經濟的調查研究工作。民國廿八年他曾到蘇俄作蘇聯經濟制度的實地訪問。卅二年發表的「蘇聯經濟制度」就是他實地訪問的報告。

抗戰勝利之後，從卅四年十月到卅八年一月，他是京滬區鐵路局長。當時他和他的堂兄弟陳地球（名延炯，歷任各大鐵路局長）是全國聞名的兩個最好最有成績的鐵路局長，是大家公認的兩個最可以作模範的公務員。

他們弟兄都深信：民生主義需要發達國家資本，發達國家資本需要國有國營事業能夠辦得好。他們做鐵路局長，都曾盡最大的努力把國營事業辦的好。

伯莊近來曾寫一篇「京滬三年」，——也收在「存稿」裏——這是一個理想的實證紀錄，我看了曾很受感動。

伯莊的興趣本來是很廣泛的。他還愛寫詩，愛讀文藝美術的書。「存稿」裏收有他談文藝的文字（丁集），和他的詩草（戊集）。他的詩往往可以發揮他一生負責任苦幹的人生觀。他的朋友胡佐炎有「辛苦窮年終是妄」一句，伯莊答詩說：

……萬物各有性，甘苦或勝蜜。窮年辛苦人，栖栖頗自適。……

古有大禹者，其妄更莫敵。天地平成易，此恨究莫釋。……

我很欣賞這種見解。宋人朱希眞有兩句詞：

誰閒如老子，不肯作神仙。

我曾套這兩句，改作我自己深夜工作時的口號：

有誰忙似我，不肯作神仙。

我想伯莊不會反對這兩句口號罷？

伯莊六十歲前後，忽然改行了。他在香港過了幾年很苦的生活，但他每次寫信給我，總是說他研究哲學的新興趣。他從杜威的哲學入手，而以自然主義爲宗。近年來他的興趣更擴大了，他的園地更包括各種「人的哲學」。他費了大力，得了幾個同志朋友，得到了亞洲基金會的一點資助，創辦了一種「現代學術季刊」。最近他還想進一步做翻譯現代學術名著的大計劃。他的翻譯計劃包括現代哲學，史學，行爲科學，心理學，人類文化學，經濟學，社會學，政治學，方法論等等。伯莊現在是我們的哲學家了。

這部「存稿」的甲集收有他的一篇重要的哲學論文：「自然主義的人道主義」。在這篇長文的第四節，他翻譯了我們的老師杜威先生的一段「最足以代表這主義之感召力的文字」，如下：

「不論我們怎樣微弱，我們要效忠於我們所屬的自然，必須珍持我們的期望與理想，將其變爲理智，並依據自然所可能的途徑與手段加以修正。當我們盡了我們的心，把我們的力量無保留地投入世變漩渦之後，即使我們犧牲，我們仍可相信我們是和世間的善同運共命的。我們知道這樣的盡心盡力是使得更好更善可以實現的各條件中之一個條件。而且就我們本身而論，祇有這一點，祇有這一個條件是我們能力所能及的。人們所以自任自期的，如超過此，便成稚妄；如不及此，則爲有乖所生的懦怯，爲自絕於大的逃兵。這樣的自私，無異於要求一切皆須盈顯的妄誕。可是，篤實無妄地依此願望來自任自期，便要發動我們想像能力之全部，而在行動上又要徵調我們一切技能，和動員我們所有的勇氣。」

這是陳伯莊先生向我們介紹他自己信仰的「自然主義的人道主義」。

四八、五、卅一，胡適在南港

談明星勞軍

·洪流·

常見許多電影明星回到台灣以後，總要發表一篇事先準備好的書面談話：「我這次回到自由中國，是爲了熱愛國家，熱愛前方的三軍將士，……」不管她的語調多麼親切，表情多麼動人，但是出於一個經常作戲人的口中，她的所謂「熱愛」，總使人難以置信。就像到前綫勞軍團的女團員們，嬌聲嬌氣的（邊唱帶作）來段「我要嫁給當兵的」，有人譏之爲拿當兵的窮開心，吃當兵的豆腐，「不見可欲，其心不亂」，把人家的情慾撩起以後，她卻拍拍屁股走了。這種口頭的熱愛，這種方式的勞軍，還是不勞爲好。

自備無患

救救新詩

沙漠

民國四十六年以前，我也曾不甘寂寞的寫了一陣子新詩，也曾和一些寫新詩的朋友們說過一陣子「新詩往何處去」等等問題。

在那時，我對新詩懂得很少，（直到現在我對新詩仍然懂得很少。）我不會寫理論，更不知道怎樣是寫新詩的捷徑。我一直主觀的對詩下一個定論：「所謂詩，乃是詩人將自己的思想，情感，以最精鍊的文字、以最美的意境、刻意的明白的易懂的表現出來。」由於我這一個觀念，使我逐漸的和寫詩的朋友們漸漸疏遠。在他們心目中，我成爲了「詩壇」上的落伍份子，他們認爲我跟不上新詩的新時代……。

至於在台灣的新詩的新時代又是如何呢？可以說是詩人輩出，差不多是遍處是詩人了。曾有人估計，假若以曾發表五首詩列爲一詩人的話，那麼：在台灣的詩人至少有五萬以上。詩人如此之多，其成就如何呢？我實在不願意說！我僅即以紀弦「領導」的「現代詩派」及覃子豪「領導」的「藍星詩派」兩派來說吧！

「現代詩派」是怎麼樣的組織，我不清楚。他們所標榜的是「橫的移植」。經過該派詩人的「拓植」，他們的成果是什麼呢？是將剛從舊詩的格律中解放出來的新詩，又加上了一件「新八股」的新裝，什麼是他們奉爲金科玉律的呢？符號、數目字、化學名詞，最主要的要使人看不懂，使人不了解「詩人」的意象和情感。

這樣，「現代詩派」戕害了新詩的幼苗，使一些年青而愛好寫詩的孩子有了錯誤的看法，認爲寫詩容易，於是乎在自己的文句還未能寫通之前就大寫其「3加5等於6」一類「詩」句了。

「藍星詩派」是怎樣的組織，我也不清楚。他們所標榜的恰恰與「現代詩派」相反，是所謂「縱的繼承」。這一縱一繼承，客觀的說，在詩的成就上是較「現代詩派」略勝一籌。可是該派爲了與「現代詩派」相對抗。於是乎也「招兵買馬」「以壯聲勢」，同時與「現代詩派」「短兵相接」，由論詩的爭執而轉變到人身的攻擊上去。

本來論新詩的方向是一個見仁見智，文學史上一個偉大的課題。論者必須就事論事，平心靜氣和共同爲開拓新詩的前途而努力！可是將論事的觀點滲入了個人的恩怨在其中時。這就失去詩人的風度。

設若常此以往，新詩的所有的成就將會斷送在這一兩個「盟主」的手上了！

越南禁毒片

鋼壇隨筆

香港電影，一般說來，總算還過得去。台灣並不太嚴；南洋各地，向來被看做「放縱」；星洲改治轉向，表面上看，非常嚴肅，防止黃色泛濫；實際則默許赤色影片毒化。越南則不僅不准赤色、黃色片滲入，而戕賊人們意志的社會故事片，也不准輸入，妨害善良風俗片，也懸爲禁例。如所周知，這些被越南當局禁映的影片，並不是製片人自己發行，其目的不在賺越南人錢，要解除越南反共心理武裝。就越南政府公布禁止影片入口的原因看來，反映出共黨霸化策略無孔不入，而且不擇手段；那些「紅色」片代理商，搭住左右兩面周旋，樣子裝得似模似樣，是位「愛國片商」。

那些紅色影片改頭換面，條入反共國家，比共黨直接用軍事去侵略更爲毒辣。今年中共在攝製影片方面的投資，比去年增加兩倍。共黨爲什麼在這方面肯花錢？原因很簡單，電影對人類心理上的影響，比報紙刊物及成噸的宣傳品更深入有效，年來東南亞各地人民，對共黨獰猙面貌逐漸有了認識，赤色文字宣傳，漸受到慘重打擊。於是它不能不改變宣傳方式，把印刷紙張費用，轉投於電影。當然，中共的電影機構商標及公司名稱，差不多國家都很熟悉，任何一個反共現實政權，即使承認中共，對赤色毒片，拒絕恐不還。紅色片商不能不與僞裝非共的「愛」片商」談判，並予投資，把紅色毒片交其僞裝發行。使東南亞各國人民，心理武裝自了解除，以遂共政治佔領目的。這一可怕的趨勢，越南已告遏制；其他東南亞各國，似尚未予重視。不過，助共銷片的公司，現時已被共特滲透，目前這一大片商因屬共黨的「功臣」，日後終將自食苦果。

電懋公司連日上映「喬」片，成績不壞，明天還有倫理新片推出，那是由李湄領銜主演的「雨過天青」。人們固希望於負責的片商，多生產些教育、文藝一類有意義的片子，也希望自由中國政府，對自由片商理應鼓勵，資敵的片商也不應忽視。

·修衡·

語言

陳永昌譯

語言是象徵人類心志的最高和最驚人的成就。它給與我們的力量幾乎是無可估計的，因爲沒有了它，任何適當叫作「思想」的，是不可能了有。語言的誕生是人性的曙光。人與獸，最高的猿與最低的野蠻人，其分界綫是在講話。原始的尼安德托人是猿還是人，其頭顱的容量，其直立的姿勢，甚至其對於工具和火的使用，尚在其次，最重要還是在一個點上——他是否說話的。我們或許永不能澄清的疑問。

在所有顯露的特徵，實驗的反應，如技術及觀念判斷，使我們能夠把人類智力間的貫通地方。全部動物界裏，符號使用的官能是不斷的進化和不斷的改善，由聽見走近的腳步聲便縮進洞穴去的戒懼的蠕蟲，以至服從主人命令的狗，甚至注視着符號的多才科學家。

相信語言是由發洩表示的通性，已引致心理學者知其伴侶，咽嗚細訴、哭泣哀號，由是動物的嬌嗔，如禮貌或嗚咽，而人類精巧作出這種交通，到達能夠完全交換思想的地步。

我不相信這個語言起源的學說是對的。語言的本質是象徵，不是表示，首先和最重大的，我們運用它在我們心志裏成立和保守思想。觀念，不是社交操縱，是語言最先和主要的裨益。

自由人

THE FREEMAN
（第八三八期）

20 CAUSEWAY RD. 3RD. FL.
HONG KONG
TEL. 771726

台灣的救災與重建

陳式銳

「八、七」是台灣的大災日。當日晚間，突然狂風暴雨，山洪暴發，海水倒流，堤岸崩塌，大水泛濫；一夜之間，雨量逾四百公釐以上，造成六十年來所未有底大水災。以富庶之彰化縣受災最爲慘重，擴展至台中、苗栗、南投、雲林、嘉義等十三縣市，低窪之處，盡被淹沒，交通破壞，電訊不通，頓與外界隔絕。聯總據報，下令三軍協助搶救，由空軍測勘，直昇機聯絡，至十二日統計：災民廿四萬八千一百四十八人，死亡五百七十八人，失蹤六百零一人，受傷九百八十四人；房屋全坍二萬八千三百六十五戶，半坍二千六百二十戶；沖毀堤防三萬六千四百六十七公尺，水圳七萬六千六十一公尺，橋樑四百一十座，隧道三處，農田七萬七千二百十三甲（甲約於公頃），漁塭五百八十九甲，鐵路軌道二萬四千五百八十三公尺，公路路基十萬零六千二百七十四公尺；尚未聯絡之處，損失仍待調查。

展開救災工作

三軍奉命後，中南部各部隊奮勇協助當地政府搶救災民，且派出[illegible]協助恢復道路交通，並與省府[illegible]合作，派機轉運[illegible]。[illegible]示。[illegible]方面配合救濟中南部大水災[illegible]。中美聯合組織一救災特別小組，在美援相對基金項下撥出新台幣一千萬元，作爲緊急救濟之用。[illegible]省政府方面，至十一日止，撥款達到新台幣四千三百萬元，內包括救濟災民應用八百萬元，公路修復費用五百萬元，受災縣市政府補助金三千萬元。三項緊急撥款計七千三百萬元，在中央及美駐台機構協助下，由台灣省政府統籌發放。

同時，台灣警備總司令部，爲防止災後物價的波動，[illegible]，以不超過八月六日價格爲準[illegible]，並[illegible]疏濬蔬菜肉類及其他物資之來源，俾使供應過剩，有助於物價的穩定。

十一日，中華民國各界救濟水災委員會並已組織成立，且決定：（一）發動社會力量配合政府救災措施，積極展開捐募救濟工作；（二）捐募辦法：㈠發動工商各界盡力捐輸，㈡普遍發動鄰里捐募，㈢薪給人員至少捐薪一日所得，㈣節約中元節「拜拜」費用移作救災，㈤所有捐款由各報社及郵局代收轉台灣銀行救濟水災專戶（海外捐款由台銀統收），㈥捐募工作以九月底爲限；（三）由紅十字會動員全省職業醫護衛生人員展開義務醫療及消毒、防疫工作；（四）各級團體即日分別召集會議發動會員分開捐募；（五）各界捐贈衣物，送由各民衆服務處站收轉。另一方面，中國大陸災胞救濟總會，爲關切並救助中南部水災，除緊急撥出新台幣五十萬元送省政府[illegible]外，以災區軍眷受災甚重，特商得[illegible]，以[illegible]。

[illegible]中華民國紅十字會[illegible]，並[illegible]發動救濟物資，配合[illegible]方政府展開救濟工作。至十三日，存入台銀救災捐款專戶[illegible]三十六萬元。

道德重於經濟

政府對此次中南部水災的搶救，可謂全面而又迅速，人民基於同胞愛，亦已普遍展開救濟工作。[illegible]

[illegible]供蔬菜用的瓜類、豆類（包括鮮、乾、鹹等類）、毛豬、雞、鴨、鵝、鮮蛋、鹹蛋、皮蛋等出口，藉紓和供需過大之差額。當局實施限價之後，主婦們進出市場，心情沉重，轉念災胞的苦難，亦願自動作節約之忍受。良以在如許大災難之下，任何人的考慮，總必道德重於經濟。此時，政府停止公私宴會，禁止人民「拜拜」；倘有權位者切實遵守，作爲倡導，台灣節約之風，不難自此形成。

中南部既爲農產大宗產地，此次水災的影響於整個台灣經濟，當甚重大。台糖公司設備雖無論，其存糖大部份受水浸入而溶化，其原料甘蔗亦受損害；中部十一家鳳梨罐頭工廠，共已製未製品均受水浸而損失；農林公司大溪魚池二個茶廠及茶樹等，受災非常嚴重，已至於暫停輸日。這些，一部份出口的重要地區，一般損失數字雖未盡知，但其程度必不輕微。他如糧食，雖第一期稻作已全部收割，但存糧大多留存本地，水浸之後，受損自在意想之內；第二期稻作的受侵襲，再作插秧，自難望十足收成。米一項，關係民食與出口，其影響程度自不能忽視。其他農作物及副產物的損失與減少，亦在在影響台灣民生。

摒除形式主義

救災與重建，是一重擔子。當局這次對於災民的措施，可稱周到，乃災民的得到實惠，聯合報十四日「黑白集」指出：此次收容災民每人每日救濟金八元，台中市南處的災民每天只領到兩只麵包。這一弊端，如過去收容金門義胞及台北災胞均曾發生，如不了了之，若不負責任，則是莫大底的習尚，如今日的政風，可哀！今日骨架之下，一切措施不免流於浪費；政府首長已視此次救災爲一「考驗」，希望值此[illegible]出救災的高度效率，[illegible]就不僅是災民之幸了。至於重建，居室的修建，農田、水利、交通的恢復，爲統一道工作，如何統籌與配合，均須計劃，才能收到[illegible]效，要亦在其能摒除形式主義。

此次水災，公私損失慘重，在生產、交易、分配、消費上，發生了不輕底變化。[illegible]

（八月十四日）

中共侵印的開端

牛邊述評

中共在支持叛共叛亂期間，又有向印度進侵的企圖，藏印邊境可能發生重大的衝突事件。據路透社八日外電報導，中共在藏印邊境所製造的緊張情勢，計有下列三端：

一、中共在拉薩展開一項新的反印宣傳運動，主張「解放」受印度保護的錫金，不丹兩小國，以建立「新喜馬拉雅聯邦」。

二、中共竟悍然重新出版地圖，將印度邊境若干地區劃入中共版圖之內。

三、現有相當數目的中共軍，已越過印度邊境，侵入哈什米爾及[illegible]省，對印度領土開始進行其蠶食的工作。

上項行動，可以看出中共的目的，是以西藏高原爲據地，進而控制印度恒河平原，打開通向南亞的道路。因之其在印度邊境的製造緊張，不僅在掩飾西藏內部的不安，也不僅在控制錫金與不丹兩國，而是在囊括整個印度。以完成共產集團的整個擴張計劃。

[illegible]是一嚴重威脅，因而也[illegible]數年，尼赫魯之流，緣[illegible]「和平共存」，並歸爲北平[illegible]爲兩個世界共存的範例[illegible]面目，而尼赫魯仍[illegible]合國的論調，藉以討好中共。但是現實的情況表明，中共對尼赫魯根本沒有[illegible]益高于一切，在某一情[illegible]士，也可以支持印共，[illegible]目前藏印邊境的警耗，如果尼赫魯仍抱持親共[illegible]斷送尼氏自己的政治前途，[illegible]命運。

西藏反共運動的再起

[illegible]又有爆發新的反共革命[illegible]，即是班禪喇嘛的反共[illegible]，原是親共的人物，中共曾長期利用他以牽制達賴，當達賴出走以後，中共又扶植他代替達賴，以維繫西藏僧俗人民。然而現在他也反共了，同時他的父親也因反共而被中共宣佈爲反叛份子。這說明任何一個有良心的藏人是不甘受共黨的驅使，同時表明出中共對西藏偶像人物的懷柔利用政策，又遭受一次重大的失敗。

班禪的反共，自與中共在藏加速推行「社會改革」有關。因爲這一「改革」，不僅改變了西藏的政治、經濟、文化與風俗習慣，並且將消滅西藏人民傳統的宗教信仰與生活方式；何況其間還要經過殘酷的階級鬥爭，還要演成許多流淚與流血的慘劇。這是任何藏人所難以忍受的，過去達賴反對，現在班禪也不能不反對，否則他不但是出賣宗喀巴的第二大門徒，也不配做藏民的第二精神領袖。因之班禪的態度的轉變，正是中共暴政必然產生的惡果。

由于班禪的反共，中共在西藏已到了衆叛親離的地步，再沒有一個能在藏[illegible]精神上發生[illegible]作用的人物可供利用。因之其在政治上將更加困難。其次，班禪的失去自由，又刺激了西藏人民，特別是後藏僧俗人民的反共情緒，也鼓舞了現在還在進行戰鬥的康巴族人的抗共決心。因此，西藏局勢，短期內必將發生重大的變化。

金達凱

聽其言・觀其行

自由談

星加坡自治政府總理李光耀，日前在其「公務員政治研究所」演講，呼籲大家警惕共產主義對星洲民主制度的威脅，要創造一個廉潔而有效率的政府，說是：「假如我們不盡力爲之，那末，人民不僅對你們公務員和我們這些民主政治的領導階層失去信心，還對你們參加工作的民主制度失去信心。當他們失去這項信心時，他們就會找尋另一種政府形式」。

他這段話固屬可圈可點，但證以過去星洲「人民行動黨」的一切言行與作風，前後恍如兩擬。這可見一般熱中政治權位的人物，在野時每每喜歡不分青紅皂白地濫唱高調或反調，一是皆以標奇立異，驚世駭俗爲本。一旦自己躋入實際政治的領導地位後，却害怕別人不循規蹈矩，基於理性與法治而行事了。例如毛共在未得政權之前，到處鼓動社會騷亂，叫「反迫害，反飢餓」口號，肆行騷亂，一般所謂民主人士咻然和之。今天大陸人民所受到的迫害與飢餓慘狀如何？那些在大陸上「交心」「勞改」的民主人士，連喊口號的自由亦已喪失，寧不悲哀！

歷史告訴我們：沙俄的極權專制獨裁，培育了赤共勢力暗長潛滋，貽禍至今烈；第一次世界大戰後的德國共產黨和共黨人鬧不休，乃有希特勒[illegible]政權，終致造成第二次世界大戰，貽禍人類不[illegible]。

[illegible]非不負責任的意氣用事，無論在朝在野，必須慎自尊重。這兩點基本規律，大家抱着負責的心情，遇事即以忠恕[illegible]不及，都是有失忠恕之道。

李光耀這段話以[illegible]，如果言行真能一致，始終不渝，前途是光明的，且靜觀他們的後果罷！

[illegible]王先生

華府見聞述要

・謝扶雅・

（美國紐澤西航訊）筆者曾將我國一部份留美知識份子及若干華僑對三次連任及修憲問題的意見，對本刊讀者有所報導。（見六月廿日本刊）茲以最近有美京（華盛頓）之行，在這政治氣氛濃厚的首都，直接間接，蒐獲了對上述問題的若干美國官方非正式的意見，綜合及歸納爲下列各點，以餉國人。當然，素來標榜世上民族自決原則的美國政府，對別國內政問題，從不過問。儘你追詢「意見」如何，亦必金人三緘其口。筆者以純粹學人立場，自問多少可從他們的口吻和弦外之音，得到若干重要的意向，故本篇所論列者，亦可供國人之參考也。

從華盛頓到艾森豪

第一，美國自己的憲法，只要依照法定手續，無不隨時可以修改。但在憲法未規定總統連任次數以前，歷史上總統任期的慣例，總依第一任華盛頓總統的良範，連任不逾兩次。然而大得民心及適在第二次世界大戰期中的羅斯福，竟連任總統至四次之多。迨杜魯門任期內，國會通過加入憲法條文，明定總統不得三次連任，所以明年艾森豪總統兩屆任滿，決定依法不再競選總統。他希望本黨（共和黨）能提名現任副總統尼克遜爲下屆總統候選人。尼克遜這次不妨說是代艾總統訪蘇聯，在莫斯科各地都表現得非常精采，連在野的民主黨人都交口稱讚不置。這也可以表明美國兩黨今日的對外政策，處在一條陣線。執政黨和反對黨所爭之點都只在內政問題。儘管現下民主黨對敵黨尼克遜活躍蘇聯的一幕大加喝彩，然明年大選的趨勢，大家都仍猜測在野的民主黨會佔勝利。這種兩黨制在民主政治中的良好功用，山姆叔殊乎堪供我國取法仿行。人情之常，總喜多添一個同志同道，而不願多添一個敵對者。況天性酷愛自由平等的美國人，自然希望友邦，不要有違背民主作風的事情。

美國最担心的問題

第二、美國當局對其盟邦中華民國的現任總統蔣介石先生，當然表示高度敬重，今後的三屆連任問題，如能於法不悖，而又符合民意，美國斷無不予以熱烈支持之理。美國對自由中國現時所最關心的，是自由中國本身能安定與富強。中華民國現雖局處一方，土地人民已大爲減縮，如果仍能屹然自立自強，成爲現代一個主權完整的獨立國家，則美國便更能理直氣壯地在聯合國裏爲中華民國聲援。反之，則美國對那盤據大陸已十年的大陸中共亦無法再拖延不予承認了。倘若自由中國自己不爭氣，內部不安不和，美國就垂頭疼喪氣不過了。所以三屆連任的唯一條件，是合法兼合民心。這一點，在目前自然是不容易克服的大困難。國大和立院本身的法律地位早已有了疑問。修憲已不可能，還談什麼選舉呢？筆者以爲今日應召集包括台灣及各地華僑所選的代表組織國是會議。由這會議商定適應現階段需要的若干辦法，及如何選舉下屆總統的問題。仍送交國民大會通過。憲法還原封不動，要修改的話，應等到光復大陸，返至南京時，再說。

宜改弦更張循名覈實

第三，國府退守台灣，瞬逾十載，今後恐非極短期內可以還至南京。環境情勢既如此改變，政治設施，勢非改弦更張，循名覈實，實事求是，力求精簡不可。十年前那一套龐大機構，當然根本已不適用。今後在文治上及經濟上，必須全力號召海外二千萬華僑作向心的拱衛及擁扶。自由中國今後如能急起直追，自給自足，不完全依賴美援，則友邦必將刮目相看。若竟長日倚靠朋友爲活，不但情誼終久難保，而作爲一個獨立自主的國家，事實亦不應如此，這是淺顯的道理常識，筆者又認爲今後我國必須產生一個強大的反對黨。從那運用兩黨制最圓熟的美國人看來，中國國民黨連續執政了這許多年，似乎應有變換的日子了。不過，如果出自真正民意代表的結果，總統連任三屆，美國當局亦自無不表示歡迎的。這裏還有一事要報告的，就是有些美國人希望蔣經國先生能有較長的時間到美國作研究及實地考察的工作。像蔣經國這樣一個重要角色，正在壯年，能向民主國家虛心學習，充實自己，以爲將來爲國之用。自然很有意義，但事實似乎做不到耳。美國現有「中國通」不少。他們對中國王朝的歷史，和民族心理，習慣，以及台灣今日政治內幕實情，所知道的很多很多，我不必在此轉爲報導。要之，中國的「改造」及進步——不論政治的，社會的，以至人性的——是現在美國各方面一致的希望和企求。（八、八、於美國紐澤西州）

台灣中南部災情與搶救

丘式如

（合衆航訊）台灣中南部本月七日大水災，災區縱橫三百里，波及苗栗、彰化、南投、雲林、台南、高雄、嘉義、屏東九縣。成災原因，據調查，完全係由于一種極不尋常的氣象變化所造成。例如彰化縣連續降雨八小時，達八百公厘，超過了該縣半年以上的雨量，雲林縣連續降雨四小時，即等于該縣約一年的雨量，他如苗栗、台中、嘉義等縣的雨量，都係在短時間內，降到四百至七百公厘不等，就足證明。

在受災各縣中，以彰化縣最慘，因流經該縣肥沃廣袤的大肚溪，突然成爲暴雨山洪的來源。大肚溪爲台灣四大河流之一，流域面積二〇、七二〇平方公里，六十二年前曾發生一次大水災，當時雨量是四〇〇公厘，因之沿岸堤防的設計建築，其最大危險限度，都以此爲標準，經過六十多年，農村一直被譽爲台灣中部最穩固最適當的地帶。但這次雨量，高出當年最高紀錄百分之百，便越出堤堰，向着地勢較低的彰化縣湧來，適合着該縣的暴雨，泛濫成災，益以海潮又于這時高漲起來，乃造成整個彰化市受洗禮，附近受災農田達一萬餘甲，周圍三村兩里的稻田，都堆滿着五尺高的砂石，而溪上的鐵橋橋孔，被沖毀了十餘個，其鐵軌且被沖得寸斷或彎曲，更有一個重約九十餘噸的橋墩，竟被沖到四十餘公尺之外，可見當時水勢的兇猛。

損失統計

根據有關方面的可靠統計，此次水災損失的數字，可以概列於次：

（一）人民方面——受災總額二五〇、三四七人，其中死亡五七八人，失蹤六〇一人，受傷九八四人，等待收容救濟的三萬餘人；

（二）房屋方面——全倒者二八、三六五棟，半倒者一二、六二〇棟；

（三）漁船方面——沉沒卅一艘；

（四）農業方面——沖毀農田七七、六二九甲，沖毀漁塘五八六甲，沖毀農作物三、九四七公頃；

（五）其他——沖毀堤堰三六、四二六公尺，沖毀水圳九二、五四八公尺，沖毀橋樑四一〇座，沖毀隧道一〇、〇〇〇公尺。

關于民家及工商界的衣物傢具及家畜等財產損失若干，目前仍在未知數中。省社會處透露，只重建災區全倒和半倒的房屋，約需新台幣六億元。省水利局消息，修復災區水利工程，約需一億五千萬元。省鐵路局工程師表示，修復災區鐵路，需款五千萬元。損害重大，可以舉一反三了。

救災第一

政府各級首長，對于此次水災，無不極端關切，或派幹員抑親往視察，或迅速展開救濟工作。陳兼院長指示：（一）空軍先派出飛機維持空中交通，（二）利用工兵搶修公路，（三）派出軍車協助運輸，（四）撥出黃豆補救蔬菜不足，（五）財政部與主計處緊急支付所需救災經費，並呼籲全國工商界領袖，協助穩定物價。

接着，救災機構，紛紛組成。如省政府救災辦事處，省水利局救災小組，陸軍總部救災委員會，各受災縣區救災委員會等，台北市各界設立，積極工作。更有中美協助救災工作特別委員會，美國朋友，先分流露出其洋溢的友情。

至于救災急款，則如泉湧送往災區。首由周主席撥出八百萬元，昨天再撥五千餘萬元，繼由美國安全分署撥來一千萬元，大陸災胞救濟總會撥五十萬元，基隆市議會亦決定撥十萬元，農復會則決定撥出專款五百萬元，復興災區農產。其他捐贈，亦揮出人飢己飢人溺己溺的同胞愛，如社會處經收到五百萬元，台灣銀行代收的三百餘萬元，棉紡同業公會捐二百萬元，旅菲律賓華僑捐十萬菲元，李建興獨捐十萬元，接踵而來的捐款無數，已捐及將捐的衣物和藥品更無數。

此外，省政府已通令所屬，自本月十日起，所有公私宴會，都一律停止，並明令自本月十二日起，全台實行禁止屠宰豬牛羊八天，自本月二十日後，每逢星期二、五，仍規定爲禁屠日，平時每戶購肉，則不准超過二台斤。

「阿兵哥太好了」

水災發生的次日，在彭參謀總長即下令各災區三軍駐軍協助救災之下，中部駐防的三軍，曾不斷地冒着狂風暴雨，架着木船及橡皮舟，冒急流搏鬥，去搶救被洪水圍困的村民。他們也曾視狂洪如淺水湖，泅入去把隨波逐流的人救起來。目前在洪水已退卻了的地方，除滿目是洪水毀壞物外，就能看見到處都有他們的蹤影，正在協助當地的災民，搶修民房，搬運器物，清除淤積不通的水溝，搶修道路電線和橋樑。有人這樣說：「這次救災工作中，約有百分之九十左右，是英勇的軍人在展開搶修工作」，更有老百姓異口同聲批評：「阿兵哥太好了！」軍人是人民患難的朋友，這眞是很珍貴的收穫。美第七艦隊也派了直昇機兩架，在台中附近地區，協助我們救助水中災民，在此值得一提。

交通迅速恢復

水災之後，南北火車公路的交通，完全中斷，電話亦不通，郵件專賴飛機運送。

電信局即日動員台北高雄兩處工程人員二百餘，都以台中爲目標，一路搶修過去。同時分向南北兩面施工，迎接前去。所以，到了十日，長途電話已一律全綫恢復通話。

公路局動員[illegible]人，及時分段積極搶修，並有某軍團工兵部隊的協助。所以鐵路和公路的交通，特別是公路方面，一俟大肚溪橋可以通車，能很快達到恢復舊觀的階段。目前台北彰化間已恢復通車，交通局正搶修台中彰化間的公路，爲迅速疏運台北的旅客和物資，一面開辦鐵路公路台北台中的直達聯運，一面開辦台灣航業公司與鐵路局基隆高雄間的水陸聯運。（八月十五日）

菲僑惜別陳之邁

・悉恕・

（菲律賓航信）駐菲律賓大使館，從陳質平到陳之邁，兩陳之間，留給旅菲華僑的[illegible]，確有天淵之別。前者的走，是很不愉快的，后者的去，[illegible]思。臨別依依，[illegible]律賓僑胞所[illegible]八月六日晚上，全菲華僑代表百餘人，假[illegible]宴餞別這位[illegible]生。這一夜，[illegible]相見時難別亦難[illegible]表。他從四十[illegible]，渡過了三年[illegible]功勳，確是無[illegible]團和僑胞間[illegible]餞別晚會[illegible]的臨別贈言[illegible]的時候，我[illegible]的朋友，這[illegible]

「……我們旅菲華僑，近幾年來，都是在狂風暴雨中渡過。我們蒙受到菲化汪潮的襲擊，近年又有菲人第一主義，我們的環境，可以說是極盡危難。」他更客氣地把平復這個危難的功勞，歸諸於僑胞之善於運用國民外交。他認爲「許多僑商，不惜犧牲其應得的利潤，來爭取當地政府的同情」，乃是渡過危難的主要因素，這種同舟共濟精神，是可貴的！

他一再強調他「在工作上如有些許成就，都應歸功於僑界的合作與支持」。是依靠僑衆聽從僑衆的意見的結果。他更從一個外交官業務的觀點發揮道：「在僑民衆多的地方工作，外交的成功，必須得到僑胞的合作和支持。」

談到僑社的團結問題，他說：「旅菲華僑社會並沒有團結問題，因爲大家反共，大家擁護政府。然而，在這幾年當中還要談團結問題，這是因爲人多的地方，人與人之間自然不免有些糾紛，但我們寄居海外的同胞，在風雨飄搖的今天，我們應當想到大家共同的處境，能夠忍耐，能夠不以感情和意氣用事，這種糾紛自然可以消滅。」關於這一點，他很婉轉的說：「我們尤其不可隨便向當地政府指控華僑，這種行爲正足以使人對我僑鄙視，因而對我僑侮辱欺凌。」

陳之邁又特別請僑胞警覺，要堅忍地準備接受歐美資本在菲競爭的挑戰，他說：「今後華僑社會要想立足，繁榮並奠定穩固的基礎，旅菲華僑必須要配合菲國的經濟發展，假如菲律賓經濟今後走上崎嶇的道路，華僑經濟必隨之遭受不利影響。如果菲律賓走上健全的道路，許多歐美資本必擁進菲島，屆時競爭的激烈，必遠遠超過今天，在這種情形下，旅菲華僑自須謀求其本身安定繁榮的基礎。」

陳之邁的一席話，確實語重心長，且具遠見，事實也是，今后菲律賓僑胞的困難，不但不會減輕，反而與日俱增。如何適應當前的政治局勢？如何取得永遠的生存條件和生活環境？如何加強僑社團結？是廣大菲僑日夜焦心的難題。

青山不老，綠水長流，陳之邁的護僑忠忱，將永誌人心。並豐富了菲律賓華僑的歷史篇幅。但望繼任人選能更將之發揚光大！

——一九五九年八月九日寄

悼丁廷標先生

・王孝淵・

反共文化鬥士丁廷標先生死了，看他外表的健康，年齡，似乎死得太早，那是反共陣綫的損失。

他自大陸淪陷，逃到香港後，爲自由出版社創辦人之一，一九五二年韓戰爆發，曾到日本盟軍總部担任心理訓練，到一九五六年回港，繼史澤之先生之後，當選自由出版社總經理的名義，當時滿腔熱血，以「耶穌背十字架的精神」（丁自語）要把該社業務重新整頓，親到附屬機構自由印刷廠考核營業實況，印刷機每點鐘的出品負荷，虧累的癥結在那裏，都瞭如指掌，不久他到東京轉道台灣探望親友一趟，出版社人事起了變化，他由總經理調到研究室工作去——也就把十字架放了下來。

我也是研究室資料組工作人員之一，認爲丁先生的學問修養，當得起我的導師（別人有沒有這樣感覺可不知道）而有餘，但，遺憾的，他就沒有到過研究室來，一直到前年秋間同人要求調整待遇，以及聯誼會成立後，亦因待遇不平實行罷工的不愉快事實發生，丁先生以調停人的姿態來「排難解紛」，總算把風波平靜了下去，我這時候才知道他不但學有專長之外，處理任何事情也是恰到好處。

他沒有到研究室來，又調到「書部」去，還兼「自由陣綫」的總編輯，我同他辦公地點不同，很少見面，只間接聽說他中午沒有回家吃飯，整天忙於約會，晚間經常十二點之後才回家休息。

今年「亞盟」在漢城開會，他以「代表團」團長的身份出席，想不到這就是他在國家貢獻上最後的一次。

他的死，醫生斷定爲「胆石」症，在現代醫藥治療上當然不很困難，但，也許本身料不到嚴重到如此田地，不，主要原因還是「貧」字作怪。所以，他只能進九龍醫院住床位還是朋友輾轉介紹的。

他彌留時，什麼話都不能說，據在他身旁的一位朋友能聽說一句：「……四千元稿費應該給他」，音調極模糊。

鞠躬盡瘁，死而後已，他忠於職務，忠於任何朋友！

處這大時代的中國人，清算鬥爭，逃亡，失業，仇恨，隨時隨地都有可死之道，但以丁先生在海外爲國家民族爭取自由而奮鬥，敵人每欲得之而甘心，而歷年憂患餘生，還受排擠，以及必要的利用，致半誤於病，實死於「貧」，這一點，我們事後不能不盡一言的，

許多朋友爲丁先生而流涕，先生有知，想亦自泣耳！

「新艾克」的新面貌

由於杜爾斯的幹才，由於國會的多數議席在民主黨的手裏，以及艾森豪本身健康欠佳，他被世人認爲是一個殘廢總統，難以應付未來的白宮事務。

然而現在六十八歲的艾森豪用行動去直接地答復那些抨擊的論調，肩負起『國議新所面臨的世界性責任。就此階段言，他有兩件事是特別地值得一提的：（一）他正領導一項運動，從而令國會接納他那項強硬的勞工改革法案。看來，他將勝利。（二）與蘇總理赫魯曉夫舉行面對面的會談，希望找出一個結束冷戰的方法，無疑的，這是一樁艱巨的工作。

於是，即使是一向非議他的人，現在也不能不認真地對他重作估價。他們衷心地承認這是一個「新的艾克」，是一個充滿活力的總統。

關於「新的艾克」的含義是多方面的。其中的一項解釋，則認爲與他的健康有關係。這位曾經患過心臟病的總統，現在已經變成一個非常健康的人物。他對人表示：須歸功於照顧他的那些醫生，（他們每天替他從事一項組織的體格檢驗，至於徹底而嚴密的檢查則每月一次。）也歸功於他遵守醫生的囑咐和有恆的戶外運動。不管是甚麼理由，也不管歸功於誰，總之艾森豪現在已經具備他所需要的體力去應付他的職責了。

另一項含義是：由於艾森豪失去兩位最得力助手，即阿當斯及杜爾斯；前者爲了高范恩事件而經於去年辭職，後者則爲了患癌症不治而於本年五月逝世，因此迫使他親自料理那些過去交給這些最親信的助手去負責的外交和國內事務。憑着他那種在適當的時機裏面採取適當行動的本能感覺；因此他的手腕比阿當斯及杜爾斯所表現來得更佳。但艾森豪自己却不以爲然。他說，阿當斯及杜爾斯過去處理一切大小事務的時候，往往和他商量後才決定去做的，而且今日的白宮亦正如過去一樣地工作着，所不同的是工作人員方面有所變動而已。可是，華盛頓方面多數的觀察家不同意艾克這項解釋。他們指出：由於阿當斯極端地被國會議員所厭惡的緣故，因此假如這位總統助手現在仍然留任的話，則白宮與國會間的關係便不可能如現在這樣良好。就另一方面而論：如果杜爾斯仍然在生的話；那麼他能否與赫魯曉夫作交換訪問是個疑問。

或者，總統艾森豪目前表現新的及充滿活力的姿態的最重要解釋，就是他發現權謀術數對政府的微妙用處。站在政治的立場上而論，他現在已經成爲一個「內行者」了，因此他盡量地運用個人所享有的職權——威迫，利誘，否決，同時向全國人民呼籲。艾森豪應付目前這個民主黨的政府的時候，他所表現的姿態及手法，活像一個「馴獅者」。他能够制勝參議院多數黨的領袖約翰遜，實爲他個人最大成就。當然，美國去年所發生的經濟衰退宣告迅速復原，就是給與艾克的一項非常重大的助力，有些觀察家並不認爲這是「艾森豪的好運氣」；而肯定說這是他的先見之明。

艾森豪現在承認：在過去數年中，若干政府計劃無法獲致國會的通過的事件令他深感失望；不過他同時坦白地承認：這些失敗的原因，大部份是由於他過去不善於應付國會所致。到了現在，艾森豪一改過去的作風了。最明顯的就是：凡是他不喜歡的法案，他一律地以毫不在乎的姿態予以否決，同時要求另訂新的及被他認爲可以接納的法案。他現在頂喜歡將新問題放在全國人民的面前從事解釋與呼籲，同時表示他的措施無非是爲了國家的好處。艾森豪另一全國新作風是：他最近在白宮設而舉行一連串的宴會去款待那些駐華盛頓的新聞記者。跟他們暢談天下大事，而且是談笑風生！

當然，艾森豪不會不計算着他在歷史上所佔的地位。他宣告退休後的美國與自由世界的情況。英國蒙哥馬利元帥針對他在第二次世界大戰期內於歐洲方面所使用的戰略而發表抨擊的論調時，艾森豪曾經感到痛苦與憤怒。他認爲蒙哥馬利元帥所說的是顚倒黑白。因此令他恐懼如果讓這種歪曲實情的事長期存在的話，他的聲譽必將蒙受損失，因此他（可能是下意識地）正極力利用在位的最後十八個月時間去做一番行政元首所能做的工作，同時令自己在美國總統歷史的篇幅上保留一個光榮的地位。

他決定和赫魯曉夫從事面談及交換訪問的措施，可以說是「新艾克」的一項最勇敢行動。假如他能够成功地將「冷戰的冰塊」予以溶解，那麼這項成就將成爲他一生事業最偉大及最顯赫的勝利，而且亦會因此而確保一位共和黨的繼任人在總統競選中獲致勝利。反之若不幸而宣告失敗的話，那麼這將成爲一項殘暴的大失敗，結果令他本人及共和黨將被證實爲「對待共產主義過於軟弱」，而且，假如赫魯曉夫因此而更加流露侵略性的行爲時，結果將誕生「另一次慕尼克事件」。

雖然許多人認爲邀請赫魯曉夫訪美及前往蘇俄報聘的事件，就是艾森豪個人的最後決定，可是知道這項決定早在本年六月間便計劃的人却爲數不多。許多個月前，美駐蘇大使湯普遜曾主張艾赫會談，可是艾克及杜爾斯反對這項建議。直至現任國務卿赫德參加毫無結果的日內瓦第一回合外長會議後歸國的時候，湯普遜的意見才宣告復活。當時赫德認爲：四國外長會議是不會有什麼結果的，因此邀老赫訪美可能是一項有用的試驗，結果艾森豪接納這項建議而於七月一日發請柬給赫魯曉夫。

接近艾森豪的朋友稱：早在這位第二次世界大戰英雄同意參加總統競選的時候，他那項最崇高的願望就是對世界和平做一項具體的貢獻工作。在最近數月來，他曾經不斷地探討每一條通往和平的路徑，有人說：他這次決定和老赫會談及交換訪問，就是一種賭博的所爲，不過賭博也要有勇氣，何況，他還是以個人的名譽及共和黨的前途作賭注呢！希望去博取這一項機會（裕譯）

中央會議尚未結束

最近有人認爲中共中央會議已經結束，中央大員已去各地視察。理由之一，是陳毅出現于北平，之二是左翼港報發表兩幀照片，一幀是劉周視察開灤煤礦，另一幀是朱德視察學校。這兩項理由却不够充份。陳毅自七月以來，幾乎沒有離過北平，他的出現北平並非自八月上旬開始；至於這兩幀照片則並未說明時間，我認爲可能是舊照片。

八月七日「人民日報」社論所提出的「一九五八年以來的大躍進中已經證明是行之有效的領導方法」之一，「幹部種試驗田；各級幹部深入農村，深入田間，參加生產，領導生產；」「應該結合當前情況，繼續實行，並且加以發揚」。假使會議已經終了，那麼各級幹部應該根據這篇社論的精神，大張旗鼓的深入農村領導生產，不能像目前一般的只敲冷鑼冷鼓。同時，所謂「當前情況」，旱災是重心，那麼他們應該去旱災區視察，這兩張照片基本上有點文不對題。所以我覺得，他們特地發表這兩張文不對題的照片，是具有一種掩飾的作用，掩飾他們的會議爭持到如此之久。

鬆勁的情況並未扭轉

自八月六日「人民日報」社論發表以來，根據該報報導到八月十三日爲止，計已有下列地方一級黨委進行學習鼓勵大躍進：北平市委（六日），河南、湖北省委（七日），福建、貴州、陝西、黑龍江省委（八日），上海市委、廣東、雲南、甘肅省委（十日），吉林、廣西（自治區）、河北、江蘇、山西省委（十一日），遼寧、安徽、內蒙古（自治區）、江西省委（十二日），湖南、山東省委（十三日人民日報），共計二十二個省市。十四日的「人民日報」未見有這種報導，現計之尚缺青海、寧夏（自治區）、浙江、四川、新疆（自治區）等五個省區，從其橫的方面來看這次大躍進的鼓勵並不平衡；從其縱的發展來看，九日該報竟中斷一次這種報導，其轟轟烈烈的情況顯與去年比較起來差得很遠。在我看，其鬆勁的情況尚未能徹底的扭轉。

會議爭執的焦點

上述鬆勁的情況未能徹底扭轉當爲會議爭執焦點之一，其次該還是人民公社。自六月以來，在「人民日報」上絕未見到討論人民公社的組織與制度的文章與報導；從夾縫裏漏出來的消息，則各地所行的差別很大，究竟應該怎樣的算是標準，不但我們摸不清，恐怕中共的幹部也無所適從。八月十四日「人民日報」報導「進賢縣農民喜慶春夏兩季大豐收，爭頌人民公社好得很，決心進一步發揮公社的威力，在下半年打個更漂亮的仗」，這篇報導在這個時候發表，我想它不是無的放矢，而是黨中央的要維持人民公社制度的人們的一種向對方的鼓勵。我相信這次黨中央會議爭執焦點之二是人民公社的存廢問題。

我寫這篇文章距離發表的時間還有四天，中間當會有變化，我願作一次預測的嘗試。

・田心・

國際動態拾零

△美國會對共黨活動之調查，將集中注意于中國日本在中南美之移民。

△米高揚將訪問中南美，先到古巴，其目的在與各該國締結特惠之貿易協定。駐在各該國的蘇聯使館，業已開始作此類活動。

△如蘇聯阻礙西柏林交通，西方將請土耳其關閉達達奈爾海峽，不許蘇聯船隻由黑海進入地中海。惟此種報復力量效力不大，故美國不勸其實行，且因此已召致土內閣各閣員間意見分裂。

△假使聯合國大會，通過阿爾及利亞獨立一案，法國決不退出聯合國。但以其本國內政，不願由外國干涉爲藉詞，來婉詞拒絕，這是法內閣的決議。

△以色列共產黨，秘告波共領袖，要阻波蘭猶太人之向以色列遷移。因本年五月間工會選舉，共黨之所以失敗，全由波蘭移民大量人之投反對票所致。

△波蘭某外交官，曾隨伴赫魯曉夫，謂其腰病在波蘭旅行時曾發作數次。赫氏于接見西方來賓時，亦服藥不休。

△蘇聯、波蘭、保加利亞潛艇，曾在波羅的海，作聯合演習。

陶然

河南湖北兩省災情簡報

（本報綜合報導）八月七日「人民日報」消息：「河南省進入七月份以來，除少數地方外，大部分地區沒有下雨，普遍呈現旱象。全省一億一千多萬畝秋作物中，大約有八千萬畝受旱，其中比較嚴重的有四千多萬畝。乾旱面積之大，爲解放以來所未有，旱情嚴重的地區，土壤含水量一般佔百分之十四到百分之十五左右，嚴重的佔百分之六——百分之七，乾旱程度相當於一九四二年。今年乾旱的時間是在伏期，正是早秋作物抽穗揚花、晚秋作物拔節孕穗的時候，對農作物的危害很大。自八月一日以來，全省一百零七個縣市，已有九十個縣的大部分地區已降雨在四十一毫米以上，其餘地區降雨量只有一、二十毫米。但因爲這些雨基本屬於雷陣雨性質，雨量極不均勻。目前，全省降雨透墒和經過抗旱灌溉的秋田共七千一百多萬畝，還有四千多萬畝作物受着嚴重乾旱威脅。在已經灌過的秋田，也有部分開始缺墒，又要重澆。與此同時，全省由於乾旱，有二千多萬畝秋田發生了程度不同的虫害。」

「今年乾旱時間長，進入七月下旬以來，部分地區原有水源經過使用，已大大減少。例如有些大的渠道水位降低，小渠斷流，有些坑塘和部分小水庫的蓄水已用完。」

「在抗旱鬥爭中，全省幹部羣衆自七月下旬起即冒着酷熱天氣（白天在高溫度攝氏三十八度到四十度，甚至四十度以上），分班苦戰。」但許多幹部和羣衆，由於災情嚴重，都「產生了悲觀情緒」。

湖北省，自「六月底以來，正是農作物生長的關鍵時刻，乾旱即開始襲擊湖北省廣大地區，來勢很猛，烈日似火，南風如扇，土地水分的蒸發量超過平日一倍以上。全省大部分塘堰迅速乾涸，過去一向在七月進行防汛的漢水，目前却落到了涸水季節的水位。到目前爲止，全省受旱面積已達二千五百多萬畝。」

抗旱的「這些日子，太平洋的溫流給湖北帶來了不少的高溫。室外溫度一般都在攝氏表百度以上，最高的達一百二十度，水源減少，加之抗旱工具一時也感缺乏，困難甚多。」

據氣象台預報：「八月上旬湖北雨量仍少，乾旱將繼續下去。」

（賓）

瘟君夢

第四回：僕僕風塵 遍洒知己淚　森森劍戟 苦鬥子弟軍

毛澤東笑道：「鄧小平如何？」

活曹操非常誠懇，連忙問：「主席以爲誰合適呢」？

活曹操皺下眉頭：「主席怎麼會想到鄧小平呢？」

毛澤東點點頭：「林老，你再多想一下，鄧小平的優點可多了，第一，他是四川人，四川將領都聽他的話，論到影響力比朱德還大，第二，他又是留法勤工儉學出身，那一派的人，周恩來拉不去的，他可以團結在一起，第三，他比較聽話，去年鬥爭高崗，就多虧他賣力。」

活曹操摸摸鬍子：「主席分析的極是，不過我就怕他靠不住，因爲鄧小平太[illegible]人主意必多，他一旦有了權勢就不甘長居人下了。」

毛澤東聽到這裏，忽然觸動靈感，哈哈大笑起來。活曹操不知道這句話有何可笑，頓時顯得侷促不安。

毛澤東笑了一陣，接着說道：「林老，你想學曹操，還要用點工夫，據我的經驗，矮人比高人靠得住的多，眼前的例子，我黨政治局委員中最壞的兩個壞蛋，劉少奇和彭德懷比較所有的人都高，這又怎麼解釋呢？」

活曹操被他駁的啞口無言，只好連連點頭：「主席說的是，就這樣辦好了。」

第二天毛澤東果然下個手條，在政治局下面設立秘書處，以鄧小平爲秘書長，譚震林，楊尚昆爲副秘書長，譚震林因爲解散合作社犯了錯誤，調去「北京」反省，不過他究竟是毛澤東的心腹，經過了短短時間又東山再起了。楊尚昆多年來也就是毛澤東的心腹，秘書處因爲在中共黨章上沒有根據，毛澤東就鑽這個空子，認爲不必開會通過，他以主席資格，下個條子就成了。

至於秘書處管什麼事呢？當然更無法規定，可是重要公文經過毛澤東的手，他就批交秘書處辦理，書記處反而成了空名。毛澤東當面指示鄧小平，必須抓緊下層組織，以便在一九五六年開八全大會時，能順利控制中委會。

本來鄧小平是擁護毛澤東的，也就按照他的話辦理，對於控制下層，頗下了一些功夫，不料到了一九五五年七月間，爲了一件事，鄧小平引起反感，一怒倒向劉少奇那邊，助力變成了阻力，完全是毛澤東一念之私所引起。

原來一九五五年中共軍改爲正規化，原來的軍官沒有軍階，普通只是叫做排級幹部，連級幹部，師級幹部，軍級幹部，職權劃分不太清楚。

毛澤東覺得既然正式算個國家，軍隊還保持游擊時代編制，總不合適，下令國防部改爲正式編制，分爲六等十九級，就在分官進爵時鬧了許多糾紛。（六三）

岳騫

釋耒集

懷土

論語里仁第四，子曰：「君子懷德，小人懷土」。

朱子注云：「懷土，謂溺愛其所處之安。」論語所稱君子，指士大夫，小人，指一般人；亦即大多數人，依此以言，則凡人莫不溺愛其所處之安也，惟佛說主出世間，故有空桑三宿之戒，我輩自屬凡夫，則懷土實無待爲諱。是以屈原哀郢，悲江介之遺風，而十九首有胡馬依北風，越鳥巢南枝之句，陶淵明亦有羈鳥戀舊林，池魚思故淵之嘆，至黃仲宣，則直曰雖信美而非吾土兮，曾何足以少留，則其戀戀之情，彌爲深切矣。然此猶可謂，流落不偶者適然耳，而英雄一志如項籍，于滅秦壯屠咸陽之餘，且曰富貴不歸故鄉如衣錦夜行，則懷土之情，又不止小人爲然矣。明鄭暄昨非庵日纂載：「太上皇居長安深宮，悽愴不樂，漢高祖竊向左右問故，以平生所好，皆屠販少年，酤酒賣餅，鬥雞蹴鞠，今皆無此，故不樂，高祖乃作新豐，移諸故人實之衢巷，棟宇物色惟舊，士女老幼相攜，路首各知其室，放犬羊鷄鴨于通衢，亦競識其家，以此娛上皇之心。」夫子爲帝皇，受天下之養，居瓊樓玉宇之中，有簫韶之奏，八佾之舞，秦娥趙女之豔，乃不足以易其屠販少年，酤酒賣餅，鬥雞蹴鞠之樂，其他更無論矣。

日者余嘗赴一平常宴會，同座十九爲粵人，而席上所陳者則爲三四流之北派菜肴，於是紛紛言粵菜之佳，謂廣州盛時，酒家肴饌，如何盡善盡美，其中三流貨色，亦較今日香港第一流者爲優。且云清末民初未闢馬路時，潛紳先生，均以肩輿代步，而厨師綽號高佬唐者，每日至各酒家司菜，亦例乘肩輿，氣勢一如達官，其所至之酒家，但負責燕窩魚翅一味，事畢又至第二家，他味悉由二手主理，所用上湯，每鍋耗雞三十隻以上，厨師奢侈如此，故粵菜遂爲天下第一。余非粵人，而生平居于廣州之時間，先後逾五六年，于時大局晏然，閭閻殷實，所謂四大酒家承平時之氣象，且亦偶而宴集其中，覺其湯水及海鮮，時有佳者，若論牛羊肉及最普通之所謂豆腐，則製作均極粗濫，因憶王湘綺到廣州與婦書，談粵中風俗，曾曰：「邦人市海鮮，別爲厨館，則有鯊魚之翅，海蛇之皮，章舉馬甲，蟛蜞天蠔，鹹蟹龍蝦，雄鴨蠶鵝，腸臟子，市井不可勝計，又俗好燒炙，物喜生割，操刀持叉，千百其徒」，又曰：「菜必生辛，湯必稠甜」。論廣州之食，胥爲貶辭，乃知粵人之食，亦有甚厭薄之者焉，今廣州雖在咫尺，如隔山河，諸公思廣州而不得復饜其他，其猶劉太公思酤酒賣餅之屠販少年耳，人情同于懷土，吾人之[illegible]光復舊物，未嘗不造端于此區區一念之誠，不徒謂飲食口腹之樂也。

曲齋

清毒聲中　。楚刀。

談「日本式」房子

陳曉風

我一到台灣來——那是三十八年秋，就住的是日本式房子。以後有過幾次搬動，也只是換個地方，房子還是住的日本式的；因環境使然，不容我對日本式房子像對日本人一樣，沒有好感。人，碰上無可奈何的事，大概就會往深處想，希望想出個所以然來；我居然想出這是歷史上的一次錯誤——馬關條約——給日本佔有台灣達半世紀之所造成的。

十年來，可以一直對沒有好感的日本式房子，「樂朝夕之與共」，我的這份耐心，不無有對日妥協之嫌。幸而——該是不幸而言中吧！妥協也並不完全是壞事，它使我能「隨遇而安」，終於成爲「日本通」。「通家」以爲：日本式房子，雖有一般房子的功能，爲人解決住的問題，但又使人發生住的問題。

如所週知，日本式房子都是木造，「木能生火」，在物理上是必然的，在星相上也是如此的。我們可以不相信星相，那是種玄說；但不能不相信物理，這是種科學。故凡住日本式房子的「凡我同胞」，頭腦一定得科學化，謹防「禍起蕭牆」。

日本式房子，除木造牆之爲「外患」外，草席（榻榻米）紙門，尤屬「內憂」；蓋其在惹火方面，自「內」而「外」，爲禍更烈。好者，我人「積善之家，必有餘慶」。此一「憂患」，當早於十年以前，隨遣返日僑以俱去，自可不談。惟其令人頭痛之處尚多，因爲草席和紙門，一則是「敗絮其中」，一則是「弱不禁風」，都經不住時間考驗的，雖得有一年好日子可過，便就邋遢鱗傷，皮肉百出，使一個好好的家，一變而爲破落戶了。爲維持一個家的整潔和體面，方其毀也，自得加以修理，奈無一又不是好景不長，修了又破的；週而復始，形成爲惡性循環，使人所耗不貲，也使人不勝其煩。

我最討厭世之「姑息主義」者：審審而不能用，懸懸而不能去。故每甚看到我的朋友，能對「日」施出鐵腕作風，摒除草席紙門不用，代之以堅固而又衛生的地板和板門的這一「一勞永逸」之舉，眞是無任欽羨！憾以舍下的日本式房子，因屬公家配住，未便自作主張，又不無覺得「日」人還在欺我也。不過，在於公無損，於私又不破鈔的原則下，我還是對「日」關係之不正常處，力圖糾正的；如介於走廊和房間之間的紙門，自其對我拆爛汙時，我就乾脆撤防了。

再說，「進門就得脫鞋子，也只有日本式房子才如此「缺德」的。我們男人的鞋子大多數是有右細八綁的帶子，脫起來實嫌有未便。少不了的彎躬曲背，這對皮下脂肪太多的胖哥（如港星尤光照，劉恩甲二先生）胖姐（如港女作家潘女士）們，連呼吸都要感到困難，更是要命的苦事。無怪人與人之間，進門大多打個招呼，（拜年尤其如此）請朋友之家爲「兒宅」了。

我每次進門脫鞋，總以爲我在白日做夢，因爲我的生活習慣，向只有上床睡覺才脫鞋子的。此我之一直不覺得擁有一幢房子，祇是覺得我有一張大牀及也。我且以爲，男人們不管着西裝或者着中裝，脚下一着拖鞋，一派器宇軒昂的男性美，就隨之掃地了；無他，拖鞋只配長衣和睡衣搭配係也。我對住日本式房子的朋友，不輕造訪，不能不說是於怕「脫」之外，又多這種顧忌。但一旦遇事必須親往，倒又會怕朋友打着經濟算盤，置日本式房子脫鞋於不顧，不爲來賓備用拖鞋，還得我大仙似地赤着脚，更不習慣了。

由於進門非脫鞋子不可，人也就懶得穿鞋子了，足下一雙木屐，雖不雅觀，倒是便於「出入境」的。但日久成爲習慣，遇到非穿鞋子不可的地方去，也就會在稠人廣衆之中，忘其所以，一脫爲快；就顯得失儀了。我曾在一相當隆重場合，看過一位閒人——某省議員，當衆「失足」。散會時，他沒有沒頭沒腦擠在人羣裏亂找他走失的一隻鞋子，引起哄堂大笑。有人力排衆笑：「某省議員一定住的是日本式房子，才養成穿鞋子不習慣的這個壞習慣。」詢之果然。

[illegible]

銀壇隨筆

迷信不可信

修衡

一個人在日常生活中，多少有些煩惱，但任何煩惱，如果沒有喜怒哀樂穿插其間，平淡枯燥，顯然之中；喜怒哀樂之中總是由人自召。說它是生與俱來，未必可靠，這說的人那會有推不開的煩惱，驅不散的積鬱？每一位編劇者，都能明白這一點，在他設計一個故事之前，第一步便是確定主題，然後再就主題發揮它的內容。這幾天，有一部文藝片正在上映，就主題看，「雨過天青」，十分明朗。以不如意事代表風雨時節，煩惱重重，順理成章；雨過為晴，以示劇中角色的煩惱，隨風雨埋葬。「否極泰來」原屬予人鼓勵、樂觀，也是必然的一大定律。

「雨過天青」一片，它的重點集中在破除迷信，反抗封建，針砭現實。雖然，近代教育對傳統迷信極力排斥，這社會依舊存在着疑神疑鬼，以致「有無鬼神」仍被當作未知數，尤其是一般崇信宗教人士認爲「有神必然有鬼」，殊不知耶和華心目中的撒旦——作魔鬼解——是指人類的敵人，這種敵人，包括了肉眼看不見的細菌，爲非作歹的匪徒，總而言之是禍患人類的強敵；當然不能與人世間或「神」的領域中有鬼。既無鬼，其他無稽流言顯難取信，但一般婦女對寡婦歧視，認爲不祥，迄今終未打破。「雨過天青」的編導者依循着這一牢不可破習慣，推翻了這一觀念煩惱、悲憤邪、……該片由李湄領銜演出，「卡司脫」括有張揚、蘇鳳、劉恩甲、田青、著名童星陳寶珠和鄧小宇尚有李允中、劉藍濃、高翔導，相當強盛。這部片子以雙生號召，充分發揮了主題，叫座原不足奇。令人驚異的，無過於李湄飾陳美娟一角，由於戲路改變，能不令人刮目相看。在一般人心目中，李湄在該片將以風流寡婦姿態出現，其結果，剛剛相反。該片最大的優點，也出於李湄的成功演出。

說迂

恬辛

許多事若於沒有標準，身高、體重若干，可以精確的測量出來，寫成記錄；但是人的品格就不是操行分數所能代表的。何況是更爲抽象的一些觀念？

迂的定義就不容易下。辭海說：「遠也，言迂闊遠不切事理曰迂。」另一義是「曲」。[illegible]

[illegible]主張開倒車的，）只是表示他們注重人文現象之根源罷了。可是當今的世，許多青年朋友，思想確實頗新，（雖然未必有甚麼站得住的重心，）一聽到談「固有文化」或「民族傳統」，就像白日見鬼一樣的走避不遑。此種現象之值得憂慮是題外的話。如就「迂」字來品評，恐怕這些以「開明」、「進步」自命的「新」青年們，也不免受點異樣吧。壞就壞在他們從來認爲只有那些髮髩背斑白的老頭兒才迂腐，自己呢，夢裏也不會沾着它的邊的。筆者致於執筆寫這篇小文的原因之一，即在筆者經常咀嚼「我的想法是否太迂？」這種問題略作反省。

王莽改制事事泥古，史有定論。而王安石新法的條例，確是很新的，甚至到今天還有足供取法的地方；然衆所週知：其推行新法之不擇人及操之過急，實在也不能算是十分明達的！如果荊公能稍通權變，以他得君之專，或能使宋朝從此一振積弱也未可知。然則「迂」的判斷，最好的辦法還是視當事人處理事務的態度及效果來決定。

許多受過新教育，洋文明洗禮的時髦人物中，也不乏愚蠢嚴重的「洋迂」症的。——拿人家的東西囫圇吞，或零售其皮毛，孰得謂之不迂？

因此筆者認爲：迂與不迂，和新與不新並無必然的關係。拒絕接受新的文明，固然有悖時代潮流；污蔑前人辛苦經營的文化瑰產亦無中於智靈。反省、檢討的習慣和虛懷若谷的態度，是治迂的良藥，且服償以後，不傷其苦。

再推廣來說：每一個社會，都多少有點迂看：對一個特殊（？）的人，不是捧得唯恐其不比天高，就是攻擊得他唯恐其尚有立錐之地，唉，多少天才害於斯，多少善良喪於斯！讀史事看現實，可不三歎

粟海彈心錄

三代以下兩漢士大夫尚名節，晉人尚[illegible]

明清兩代，振興綱紀，省方察吏，[illegible]

貪污（上）

阿公

[illegible]靴須特製），是必汝所爲也。[illegible]一覽而服，差補道某，嚴[illegible]氣滿然。[illegible]枉法贓三百以上者，處死，[illegible]無伸縮。[illegible]天府轄十縣，[illegible]民五廢尹，[illegible]河工程款數千，[illegible]城早年幕友，[illegible]案定，左右及[illegible]，王某身後，[illegible]處死刑。不以[illegible]，爲之藪藪。

自由人
THE FREEMAN
（第八八四期）
中華民國僑務委員會登記證僑新字第[illegible]號
中華郵政登記證台字第[illegible]號
執照登記爲第一類新聞紙類
（半週刊每星期三六出版）
每份港幣壹毫
台北市售價每份台幣[illegible]
督印人：自由人社　發行人：[illegible]
社址：香港告士打道二十號三樓
20 CAUSEWAY RD. 3RD. FL.
HONG KONG
TEL. 771726
承印者：南華印務出版社　地址：香港[illegible]六十四號
台灣總經銷處：台北市[illegible]
電話：[illegible]
台北郵政信箱：[illegible]
海外總經銷：友聯書報發行公司　香港：彌敦道[illegible]二樓

論中小學與會考制度

方理陶

小學教育之目的與會考

小學教育，首四年爲國民教育，係强迫教育的性質，類於兵役。凡適齡兒童，均須入學，除病廢者入特殊學校或休學外，幾無例外。其責任由國家負之，不假手於私立機關或個人。歐洲若干主張政教分離與宗教及教育分離者，尤不願假手於教會。其目的爲收一致之効，生出共同信仰與習慣，而亦以保持其民族特點，使法國人成其所以爲法國人，德國人成其所以爲德國人之道。兒童入學四年之後，大抵皆能變識信上帝，有守道德之習慣以自處於社會之中，有自動觀察事物之能力以應付外界，大抵可成爲完全之國民。後二年爲高小，係輔助教育，其入學與否悉聽自由，而不復爲强迫教育。最近行爲心理學者，以爲用心理實驗法，培植一個人成爲裴多芬與蕭格納均甚易易，似未免言之過甚，因爲天才非訓練所可獲得。反之不完全靠心理實驗法的小學教師，卻能將個個小學生，訓練成爲良善的國民。

以上所說是小學之目的與原則，揆之香港現在之小學教育，殊多不合。蓋香港教育係適應環境以自動發展，不是根據一定原則來推進。所以中國人有中國人之小學教育，西洋人有西洋人之小學教育，而各教會又有各教會之小學教育。其各不相謀之程度，使我們懷疑其究竟有無完成國民教育誠意。蓋其人民間地位殊不平等，而眞正權利義務一概平等之國民，事實上固不存在。甚至其在法律前平等與否，亦堪懷疑，蓋英國法與大淸律例並用不悖，在兩種法律管轄之下，如何能期其平等？

我們認爲小學之强迫與義務制度，在香港政府之經濟能力上，不難慢慢做到，問題只是教育當局有無如此決心。亦即對於私立與教會小學，有無擬本加以取締的決心，其問題亦即在殖民地政府，是否願意製造只是一種典型的國民？這是小學教育的第一原則，其餘細是末節，而香港的教育當局，似乎有意無意地注重許多末節，而無視此第一原則。

現在辦學所怕教育司干涉的，便是所謂衛生條例，如大小便所之佈置，與每一學生須佔若干立方尺的空間，這亦不能不說不合教育原理。但如請這些視學官，以此等標準去觀察一下牛津大學，只見其塵封滿壁，與長板櫈雜陳，即非主張其閉門不可。再則小學入學要經過考試，殊與强迫教育之旨不合，反使失敗者小有不受强迫之權利。倘而小學會考如有不及格之學生，豈非公認其沒有做香港國民之資格？且是否要予以出境呢？且主持會考人員與小學教師，皆由教育司派出，或暫准。會考不及格，總是兩方面中有一方面錯誤，皆應由教育當局負最後責任。凡不必要者均繁瑣，凡繁瑣手續，均容易給經手人以上下其手的機會，是不可不防的。

中學教育之目的與會考

大概小學是人格教育，而中學則爲人才教育，即以求知識爲目的，乃初步之通才教育。求知是純粹的，欲置有用無用于不顧，而一味醉心于宇宙之探奇。倘夾雜能否致用的心理，即爲求知之心不純，則不如求而求之於與中等教育並行之甲種工農或其他職業學校。知識是無涯的，所以不能不有所抉擇，現代中等教育趨勢，多將古典知識簡化，騰出時間以多求新發展之現代知識。所以我們不聽對中學生高談中國文化，因所謂中國文化，是古典文化。歐洲中學，其趨勢亦是減少希臘拉丁文化課程，而注重現代語言與現代科學，這是一種國際水準，不容我們自外的。中學既注重于純知識，所花時間必多，大抵晨也必須有一小時，晚間必須有二小時自修。但現在香港之中學生，大抵皆走讀，絕無足够時間來自修，所以進修大學之基礎總嫌不够。然而中等教育之惟一目的，就在升入大學，中學的基礎既然打得不結實，到了大學便覺得生無限困難。然我們亦不能將中學之知識程度，無限的提高，而與其生理心理之發展不相稱。從前國內有若干中學，盡量把大學功課搬到中學來，將生機活潑的青年，變爲未成熟而先衰類的小老頭子，聽說現在香港若干中學，亦犯此病，但反而出了名。這是對青年有傷害的。歐洲中學，以學生多住校，其取締之道，爲下午四時以後，即將寢室自修室之門鎖上，强逼學生非參加運動不可，從前清華中學，亦如此辦。

中學會考如果只爲有了同等學力而未畢業之學生而設，[illegible]升入大學，[illegible]。但中學畢業生實在不需要會考，因爲中學畢業而會考，如有不及格者，便是非主持考試者過嚴，即是中學教師之過於寬，此皆由教育當局負責。本來考試有競爭考試與合格考試二種，中學會考應爲合格考試，更不應設名額的限制，以剝奪其參加會考者之權利。現在港大之入學試，曾予同等學力者以機會，而倫大入學試與高中會考，則祇許高中畢業生參加，似乎在原則上爲重複，而在手續上爲重複，因爲會考應[illegible]生參加，[illegible]，均應許其升入大學，無須入學試。本校畢業考試，教育司會考，與港大倫大之入學考試，均爲重疊又重疊之考試，其目的僅是承認其爲中學畢業生而已。學生究竟在家或在校，與何人用何種方法傳得，可以不問。[illegible]

認清原則，再談辦法

香港會考制度，所以成問題，而非改革不可者，大概是把[illegible]混爲一談，而用考試來處理之故。小學教育旨在培養國民，是人格教育，人格須由歷練而出，不能用測驗方法以推知[illegible]。中學的目的是知識教育，知識可以用考試方法測驗其有無此類知識，但[illegible]。我們認爲以香港大學之標準與其校舍，（以面積大于巴黎大學五[illegible]多，[illegible]。其對於學額不肯放鬆之故，大抵爲畢業生易有出路起見。然而提拔人才，須在多數人中取之，今給與香港公民進大學之機會並不太多，則又不如台灣現代大學大衆化之原則了。

半週述評

炮擊金馬一周年

中共炮擊金馬，現在已滿一年。中共對金馬的發炮，已超過六十四萬發以上，但始終毫無所得。

然而，中共的暴力政策，並未改變。對金馬的攻擊，表面和緩，實際可隨時掀起海峽風雲，是不必說了。中共最近又於喜馬拉雅山結集五萬軍隊，威脅不丹，錫金，尼泊爾。中共的宣傳及廣播已充滿了印度的加鄰邦等軍要邊境地區。據傳中共已擬好了「喜馬拉雅聯邦」的計劃。中共之不再重視印度的「中立」，是很明顯的了。

不僅如此，中共現又支持寮共，發動叛亂。據廿三日外電，寮共叛軍已滲入永珍省，在寮京五十哩內發動攻勢。寮國政府軍總數不過二萬五千人，面對的共軍則不止一倍之數。寮國的情勢是相當危險的。

中共如此黷武揚威，一面藉以消除內部的種種困難，一面策應蘇俄，爲赫魯曉夫增加訪美的聲勢。外傳中共對赫魯曉夫訪美心存不快，即使屬實，中共也沒有力量反抗。亞洲的局勢，還是和歐洲相關連的。

東姑拉曼的甜夢

馬來亞大選的結果，華巫聯盟獲得勝利，重掌政權。該聯盟在下院的一〇四個議席中獲得了七十三席。該聯盟的主席東姑．阿都．拉曼，已於本月廿三日宣誓，成爲新政府的總理。

拉曼表示他的外交政策，保持與鄰邦及所有其他國家可能爭到最友善的關係，但並不顯示會與中共及蘇俄發生任何關係。

對內政策在使馬來獲得「穩固的經濟基礎」，他說：「我有一個甜夢，要使這個國家成爲東南亞文化及其他國際活動的中心」。

馬來的十年剿共工作至今尙未結束，希望這新國家能够安定發展，拉曼的外交政策是最正確不過的了。說到經濟和文化，我想拉曼先生已決不會忘却過去對馬來亞最有貢獻的華僑。許多華僑現在都已成爲新國家的公民，他們對於新國家的忠誠也是無庸置疑的。新政府的對內政策，只要能够對於幾乎佔到全人口半數的華人，予以公平合理的待遇，對於他們的經濟利益和文化傳統加以尊重，我想拉曼先生的夢想是不難見諸事實的。

戴高樂的「偉大政策」

在東西集團冷戰最劇烈的今日，英法間的破裂形勢卻愈來愈利害，這是一件很值得痛心的事。

最近英國報紙猛烈抨擊戴高樂，甚至有把戴氏比之爲維琪總理賴伐爾的（賴氏因與德通謀賣國，被槍斃）。英國輿論之攻擊戴氏，主要在指摘戴氏輕率力謀恢復法國的「偉大」，而且想把英國逐出歐洲。同時，西德和意大利的輿論也有相似的攻擊。法國方面則認爲這是盟國對戴高樂的「偉大政策」的誤會。

然不論如何，必將影響到北大西洋公約組織的團結，削弱了西方集團的力量，是無可諱言的。現在有人担心，戴氏想進行俄法會談，法國要做歐洲的發言人。戴氏也可能要解散歐洲超國家的機構，並拋棄北約組織的盟國。根據歷史，法國之想稱霸歐洲，英法容易交惡，法俄容易結交，都是最自然的事。現在的國際關係，雖不能以歷史做判斷，然而這樣的形勢還是存在的。戴氏的「偉大政策」，如果過於輕率操進，不僅對西方不利，也對法國不利。聰明強項的戴高樂，其將何以自處？

陳克文

自由談

批評問題

風子先生

菲律賓馬尼剌市長陸遜，原係執政黨黨員，最近他以發表批評執政當局的言論，招來了別人的批評。但他認爲政黨與政府是兩回事，他以國民資格批判庶政得失，是希望政府進步，做出美好的成績，不能視爲對黨不忠。說來振振有詞，然乎？否乎？足資研討。

就民主政治的常理而言，陸遜的話固屬未可厚非，我亦云然，問題是在批評的內容和方式。批評的內容應該不是造謠，根據事實說話，而且不亂逞意氣，流爲人身攻擊；批評的方式必須基於客觀態度，勸善規過，政府某些事做得對的，應予讚許，不對的，加以批評。這樣的作風，才算是眞正的民主生活，也就可以樹立批評的信譽和權威。

批評時政若專以攻擊執政當局爲能事，認爲政府官吏盡是些壞蛋，有百非而無一是，甚至主張數外國人來干涉內政；對於政治人物亦懷着個人的好惡恩怨成見，不問其言行是否與國計民生有關，一律抨擊不遺餘力，這些都不是批評的正軌。

另一方面，執政者對於批評言論，亦須有克己反省與聞過則喜的虛懷雅量，對於捕風捉影，不符事實的批評，儘可據理辯駁，卻不必神經過敏，濫加對方以莫須有的罪名。譬如「共匪思想走私」「共匪同路人」「爲匪張目」等類名詞，即不好亂來，因爲在現階段的反共救國期間，號稱爲民主自由的言論，有一於此，即可殺頭的，既認定批評者是這類人，幹嗎又不予以按律治罪，而只是說說算了呢？

我覺得吾國目前的批評與受批評者，對於上述民主規範，都未能身體力行，尙待學習之處甚多，因而藉陸遜之言，略事引申，以示相期共勉之意云爾。

反攻復國應以自己振作下手

張君勱函告民社黨全代會

中國民社黨二屆全代會，最近在台北開會，[illegible]雜誌[illegible]領袖在美之張君勱氏函該黨港澳代表轉告該會一函，對該黨應採的態度，有所表示，原函如下：

港澳同仁鑒：浩然來函，知同仁行將出席八月十五日本黨代表大會，勱十年來寓居美國，專爲考察美人心理，期爲復國反攻之準備。美人立國新陸，有兩洋爲之屏障，在第一次大戰前，向不問世事，於是軍事負担特輕，乃能於每四人中一人自備汽車。惟其負担之輕，乃有餘資以成工業之日新月異，至戰時又可爲他國兵工廠與糧食倉庫。二次大戰既終，美急求解甲歸田，蘇俄乘隙併吞中歐，並與中共合謀以席捲大陸。吾國引領以望美國助我反攻者有年矣，然據現狀以論將來，美國對我政策有二：一曰，但保台島；二曰，在中共放棄武力條件下，可以容許中共加入聯合國與相機予以外交上承認。吾苟不自振作，但仰首以待美國之助我恢復大陸，此猶貧子祈天雨金之類也。勱在海外日久，深知反攻大業，應以自己振作爲下手之法：第一，根據憲法按條實行，然後可使日本韓越變更觀瞻；且使民主國家另眼相看。第二，本此自己振作之成績，經過美國要求參加東南亞SEATO軍事協定。第三，海外千五百萬華僑目擊政府革新，自與政府合作。居美者可以台之民主成績爲理由，以駁斥英美承認中共之非計。凡此方針，皆愛國心中平情之論，初無一毫與人爲難之心。望同仁抵台之日，本此意以告吾黨同志，不勝大願之至。特此奉覆，並盼譽照爲幸！即頌行安！

張君勱手啓　七月十日

水災區訪問記

張健生

（合衆二十日航訊）自從「八、七」水災發生後，台北各報即調派大批記者，深入災區採訪，並以整個版面或另闢專欄，詳盡報導，記者爲瞭解救災因素及災區實況，曾與二三同業赴中、彰、雲、嘉地區，作爲時一週的訪問。

在八七後公路局通車的第二天，即本月十三日，記者搭乘公路局「金馬號」快車赴台中，從台北到苗栗縣的一段公路上，受害的情形較爲輕微，車抵通霄附近，已漸漸看到嚴重的災痕，沿途看到軍民合作搶修橋樑及公路與鐵路的動人場面。車抵台中縣的沙鹿，豪雨傾盆而下，部份公路和陸地，又復成爲一片澤國，致不能前進，而祇好倒退了。所以當「金馬號」快車抵達台中市時，已下午六時了。

記者在車內，目睹許多良地都成爲沙灘。肥沃的大社溪流域和濁水溪及港溪，素有台灣米倉之稱，這次陡然來臨七百多公厘大水的災害，而成爲半世紀來的空前災害，造成農村一片蕭條，農村經濟破產，農、工、商、學、士各階層，一無倖免。如彰化市郊的國姓里等三個村里，幾幾乎全部淹沒。而社頭鄉的許厝寮，南投的月眉，中縣的烏日鄉湖口村的王田與大肚等地，都是全村淹沒於洪水和山土中。

彰化市區內

最嚴重的彰化市區內，臭氣冲天，污水滿街，沿途垃圾如同一座一座的小土山，誠使人有「今夕何夕」之感。災區緊隨而來的是衣、食、住和行的交通工具，以及醫療藥品的缺乏，和災民的疾病問題，都必須馬上要解決的。然而因爲交通不能暢通，致災區物資奇缺，同時有錢的人和少數沒有良心的奸商，皆乘機搶購，在哄搶的情形下，災民慘矣。而受災地區的各級政府的行政力量，一時又無從發揮，所以造成「真空」狀態。至於損失的數字，就彰縣而言，據縣長陳錫卿語記者，全縣農作物的損失，約在三億左右，而省縣道路和水利，及漁港和堤防的復修，也須兩億以上，民房全倒和半倒的損失，將近兩億。（彰縣府十四日的統計）其餘如縣民的財物，包括剛收的谷子和動產的損失，則是無法統計的。例如雲林縣土庫鎮的損失，據鎮長陳乾三說，該鎮損失在三千萬以上。記者訪問糧食局指定加工碾米廠的負責人陳章曇（陳係土庫鎮代表會主席和水泥公司監察人）時，他說，該廠損失在三百萬元以上。

災民的話

此外，如雲縣虎尾糖廠，即損失一千六百萬元以上。而千餘員工個人的損失，尚不在內。該廠員工宿舍內的[illegible]米，更換一次即達四十萬元左右。這不過略舉一二事例，可證此次水災的損害，是相當驚人的。

行政院和省政府爲搶救災民，所採取的緊急措施，頗獲輿論界和社會人士的支持，因縣市地方政府和鄉鎮公所未能配合，未能收效。記者於十五日和彰化陳縣長至芬園鄉巡視災害時，據當地災民語記者，該鄉災害發生後，已經八天，災民未領得一粒米救濟，而米店的米，又被富者搶購一空。但據鄉公所職員稱：鄉民領到災米〇、七公斤，菜金三元，而是僅有的一次。政府規定，房屋全倒者四百元，半倒者二百元。記者在彰縣溪湖一帶訪問災民，祇領到五十元的救濟，其餘未領任何救濟品。而彰化縣府行政課張課長於十五日表示，因爲省令調查災情必須正確，所以不得擴大或虛報，所以縣府尚未發放房屋全倒、半倒的救濟金。

笑話的縣災情報告

在不得擴大的省令下，於是雲林縣縣府出笑話了。據縣府初次統計，災民爲十八萬餘，而縣警局向警務處所報的數字是三分之二，因此省令複查，災民由十八萬餘而減爲二萬多了。雲縣府所報災民死亡僅有七人，而土庫鎮一地，就死了九人。嘉義縣政府更是使人不解的是，不但縣府沒有人在辦公，而全縣調查得到十七日尚未初步的數字呢！當記者走進嘉義縣府大廈時，就沒有一個人敢於負責，解決災民的問題。縣府的職員甚於「保密防諜」的理由，所以各自爲政。其中原因，一言而道之，十足和派系作祟所致。

專家談致災原因

記者就造成水災的原因，曾分別訪問學者專家，一致認爲省主席周至柔的「上山」政策即林業政策，水利防洪計劃等，必須提出檢討。周主席在記者招待會，解釋這次災害釀成的主要原因，是由於雨太急，雨量太多所致。（台北各報）因而有識之士，諷譏這種解釋是官樣文章。據一位曾任農業學校的校長及有三十年以上農業教學經驗的省議員王安順和彰縣籍的省議員蔡振輝等表示，省政府的林業政策，水利防洪等措施實在使人費解，對周氏的說法表示異議。

目前，省府的林業可以說是沒有政策，周氏主持省政開發台灣的經濟，主張「上山」和「下海」。所謂「上山」，乃鼓勵人民開墾山地，種植農作物，而以增加農產加工而外銷爭取外滙，此一政策本無可厚非，但是必須在方法和技術上要加以考慮。而無知的農民上山後將山上的樹木砍伐殆盡，改種鳳梨。即政府管制的保安林，亦是如此。砍伐之後，栽植林苗。這在平時非雨季或颱風季節，其弊端尚未顯著，一旦如此次的大雨，則山洪因缺乏保安林或樹林可以涵蓄，乃通同山土和山石隨山洪而下，加之主要的河川多年來未濬運致河床增高，無異淤塞水路。而次要的河川又多種植甘蔗高莖農作物，等於水壩，致山洪無法順流而行，祗好衝向堤岸。台灣自光復後，平時疏於監修，甚至沒有堤防，因而造成空前的水災。例如大肚溪就是一例，而大肚和彰化何以會如此嚴重呢？大肚鐵路橋樑被衝毀而公路橋墩又何以未受損害呢？因爲鐵路當局，爲防止水災，每年對鐵路橋墩均加以保養，致橋墩一年比一年粗大，這等於公路橋墩前面的水壩，故洪水爆發後，首當其衝的是鐵路橋墩，橋墩大則抵抗力亦大，雨多水急，洪水無去路，只好向堤岸兩邊發展，結果造成台中縣市、彰化縣的慘情。記者訪問時，曾留意這種理論和事實是否相符？所得結論，凡是「和尚」山的鄉村，或住在溪岸兩邊的農村，都受到嚴重的災害。前者的民房則毀山洪和土石淹埋，如同土山。後者的農村則被洪水衝走。有橋的地方，或原係河川的地方，則變爲陸地，而原爲農田地方，有的成爲河川，有的變爲沙石之地。若是水利當局仍就各自爲政的話，則未來的災害將更慘重。因爲派駐彰縣的水利第四工程處和雲縣的水利第五工程處，爲修建濁水溪堤岸時，即發生各自爲政的事實。（八月廿日于台灣）

台灣製藥工業發展上的暗礁

○○○林嘯嵩○○○

台灣通訊

台灣自光復後，工商界人士鑒於有關本省人民健康之製藥工業極不發達，且當時大量外國藥品，充斥省內市場，每年耗費佔大外滙，造成國家漏巵，乃先後集資籌建製藥工廠，一時幾蔚成設廠製藥之風氣，使本省製藥工業，得以奠定其良好的基礎，十年之間，由十數廠而增至數十廠，更由數十廠而增至現在具有相當規模的製藥廠，約有一百五十餘家。廠房林立，遍及全省各地，所生產之藥品已不下二千餘種，其中包括部份原料藥品、普通藥品、一般醫藥藥品、家庭成藥、抗生素分裝等均有製造。例如抗生素劑、結核劑、磺胺劑、荷爾蒙劑、維他命劑、營養劑、解毒劑、鎮靜劑、催眠劑、痙攣劑麻醉劑、鎮痛劑、解熱劑、鎮咳劑、祛痰劑、神經痛劑、血壓降下劑、強心劑、利尿劑、腸胃劑以及皮膚劑、動物藥劑、殺菌殺虫劑等三十餘類，各類針劑片劑粉劑液劑膏劑，無不全備，就量而言，可供本省需要而有餘，就質而言，亦足與舶來品相媲美。據統計四十六年度銷售金額計抗生素藥品四千五百餘萬元，一般性藥品一億四千五百餘萬元，兩項數字相加，約達一億一千餘萬元之譜。至於類似土黴素、金黴素的益生素亦可自行生產。

自去（四十七）年改革外滙貿易方案付諸實施後，製藥工業即已面臨最大考驗；第一由於製藥工業原料優惠滙率取銷，影響進口原料成本提高，且該業所需原料多仰給外國供應，其生產成本之加重，自屬顯著，結果國產藥品成本加重，而國外藥品進口成本則相對降低，於是進口商對外國藥品輸入，大感興趣，認爲有利可圖。第二政府原擬將國內產製之藥品，其品質符合標準，產量足供全省需用者，予以外藥進口管制，對國藥產銷予以適當保障，但直到現在未見付諸實施，使進口商更有機會可乘。第三自經政府擬訂外藥進口管制辦法後，一般進口商便乘政府尚未公佈實施機會，即大量進口是項將受管制之外國藥品，由於進口成本較低，存貨量多，業已在省內廉價傾銷，予國產同類藥打擊甚大。第四在省內一般人觀念中，都非常信賴外國藥品，對於國產藥品反多歧視，以致外藥銷路暢旺，國藥反居下風，再加以國產藥品因外滙滙率提高，稅捐加重，生產成本提高到百分之五十三、五以上，不但無法照比例提高售價，且仍須照原價出售，至無法與外藥在市場上競銷。第五目前國內製藥工廠尚無設備標準，各廠優劣不齊，規模較大者，其所需之營運資金亦較大，產品成本亦較高，雜與設備較差之小型工廠，同時作低價競銷，因此本省製藥工業，業已面臨嚴重的考驗。

據悉本省各廠家已曾爲此聯合召開會議，商討有效措施：其一積極改善製藥設備，藉此提高品質，減低生產成本，使國人對國產藥品增加信心，在售價與品質兩方面，都足以與外藥品競銷，應毫無遜色。其二政府前曾擬訂國內藥廠設備標準，是項辦法應即公佈，澈底實施，加强藥廠管理，並切實抽查國產藥品，保持品質優良。其三政府對國內藥廠已能自製，品質符合標準，產量足供全省需要的同類外國藥品，應迅予管制進口，以免使國藥遭受競銷影響。其四政府將管制進口外藥所節省之外滙，最好撥充製藥原料外滙，這樣既可節省外滙支出，挽回國藥權利，更可扶植本省製藥工業，以促進其發展。

台北暑期講習班會多

——介紹「台省國教行政人員暑期講習會」

・陳明・

（台北通訊）陽明山每年暑期有大專學生夏令研習會，教育部從前年開始創辦僑生輔導人員暑期講習會，還有歷年軍中暑假所舉辦的三民主義講習班，再加上救國團所舉辦的暑假戰鬥活動，基督教會的夏令營，名目衆多。

台灣省教育廳，今年別出心裁，在各科暑期講習，諸如社會中心教育、工職教育、視聽教育、農職教育以外，創辦了兩期國民教員行政人員暑期講習會，因爲以往只有在板橋國民教師研習會將全省國校教導主任和優秀教師分期研習有關教學改進事宜，而今年假省立台中師範的國教行政人員講習則調集全省國校校長，和縣市國教督學及視導，以宣講國策，研討國教應行改進之問題，這還是本省光復以來教育行政之創舉。

國校行政人員講習會計辦二期，每期五天，自月初開始，省教育廳爲增加講習效果，使會員充分發表意見，敦聘梅貽琦、許恪士、張陸生、吳鼎等教育學者担任講述，並以分組討論的方式，俾克將如何改進國校行政、教學、訓導工作以及教師福利制度等項綜合結論，以針對目前台灣國民教育的惡性補習，教室荒等等問題，謀求解答，尤其是希望藉此溝通意見而策進未來艱鉅的工作，省教育廳劉眞廳長在該會開學典禮以「國民學校校長之責任與修養」爲題致詞，鼓勵全體會員把握此次研習的機會使國民教育正常化，而達成教育救國的責任。

省主席周至柔也到該會講演，對台省國教方向提出五點意見。特別要求注意學生的本資，莫把兒童頭腦當作倉庫，並曾引述美哲詹姆斯的話：「教育的秘訣就是尊重學生」。

該會第二期講習期間正逢台省中南部大雨成災，在風雨中照常進行，頗足使人興奮，新生報記者曾訪問數位歷年來成績卓著的校長，譽之爲國教基層的鬥士。其中有一位普化國校的校長三十年如一日，竟從根兒沒請過一天假，還有一位遠在澎湖國校的校長在海島正盡心盡力將教育下一代奉之爲他終身的事業，諸如此類的故事待發掘的一定是很多的。

這次國校行政人員暑期研習會曾特別爲全省國校教師制定了一項「教師守則」以作全省三萬多國校教師教學服務的準繩，該守則計八條，如下：

一、我們要嚴守作息時間，決不遲到早退。

二、我們要實施愛的教育，決不體罰兒童。

三、我們要改進教學方法，決不惡性補習。

四、我們要樹立廉潔風氣，決不濫行收支。

五、我們要處處以身作則，決不有辱師表。

六、我們要時時注意進修，決不固步自封。

七、我們要轉移社會風氣，決不同流合污。

八、我們要貫澈政府政令，決不陽奉陰違。

台省國民教育，兩年來無論就改善教師生活，增建國校教室，消彌惡性補習，提高師資素質，安定國校人事，改進教學輔導，提高學生程度各方面都在力求進步中。但從上列八項守則的反面看，也可推知目前國民教育方面應該改進的所在了。

顧翊群先生的一封來信

——論兩派哲學家的不同看法——

【上略】貴刊第八七八期，內載拙作「談現代的經濟學者」一文係貴刊編者自拙作「對話」中改編，其中微有與鄙見不符之處。因弟係相信正統派經濟學者，而批評凱因斯宗派與數理經濟論者。此論爭超過經濟學範圍，而屬於哲學上根據之不同。（戈特即曾引用十八世紀某物理學家之語謂經濟學家如祇知注重經濟，便不僅經濟學。）緣伊等相信實證主義而弟則與伊等之信念正相反。

伊古以來，哲學家對事物之看法，即分兩派。一派喜簡單化，抽象化，於衆中求同，而易於得到結論。一派則傾向冥想，喜面面看到，於同中察異，避免使複雜之事物得到簡單容易之結論。前者經過中古之奧康氏Ockham而成爲現代之實證主義，實驗主義者。此派注重科學，用分析，數理，統計等方法，以探討問題，成就甚大。後者在中古有斯高忠氏Scotus，至現代則成爲胡塞爾 Husserl 之現象派 Phenomenologists。伊等認事物彼此關聯，欲認識一種實在Entity，必須了解其與宇宙間其他事物相互之關係。大哲懷特海氏晚歲即有此看法。現代現象派係對十八九世紀自然科學將事物簡單化（例如物質，運動，等等）之反感。弟認社會科學較爲複雜，在落後國尤難以數値名詞（如計劃經濟，人民公社，等等）求問題之解決，故現象派方法亦有貢獻。凱因斯，熊彼得，均精通數理，但凱氏書中不顯多用公式，熊氏逝世前道及渠嘗用歷史方法而不用數理方法，大約即是此意。

又頃接到台灣八月三日聯合報短評，引用拙文，謂弟對他人譏評。查拙文謂經濟學者充政客顧問一段係引用羅賓斯先生「二十世紀經濟學者」書內第四五兩頁議論。羅氏原意當係忠告當代經濟學者應於責任重大，而知所警惕。弟對台灣友朋支撐艱鉅，欽佩之不暇，何忍譏評？茲函請賜予發表以彰眞相。手此即頌

刊安

弟顧翊群草　八月十四日

認清西藏問題

·昭祺·

從本年三月間西藏人民抗暴運動發生之後，不但中共對待少數民族政策的宣傳不能自圓其說，即被中共所指責爲「擴張主義者」的印度，以及號出「支援大陸革命運動」的台北中華民國政府，在這一個問題上也都遇到一些歷史性的考驗。

西藏人民的抗暴，反共當然是最重要的原因，但由反共而反漢，而至要宣佈「獨立」，這是可以理解的。因爲反漢在某一些意識不清的西藏人民心目中，形象是比較具體的；（「藏民大多數不知共產主義，祗知有漢人，這是事實」）而所謂「獨立」，不用說是對印度有所期待，而且表明其與中華民國無關，亦相可以減少受中共的強大壓力。

在這種情形之下，中共與印度都立即採取措施；中共指責印度是帝國主義衣鉢的承受者，印度官方對中共在西藏的暴行則表示遺憾，同情。印度民間情緒比較憤激，他們指斥中共鎮壓藏民爲「侵略」，並破壞西藏的「獨立」。在這一問題上，最不好說話的是中華民國，既不便鼓勵西藏人民的「獨立」，更不容由政府發表一紙聲明，否則在這時候抹煞他們的鬥爭。在這種複雜的情勢之下，最後都將這一問題，提交聯合國討論的決定，都不得不顧到，甚至在外交上所顧慮的，對於暴力與國際正義不能相容，是最可憐的；讀起民族犧牲的壯烈，大概應驗勢的一般。

板的反共者所說：凡共黨說是的，我們就說非；凡共黨說非的，我們就說是，那印度便不算是擴張主義者了，但如果就我們從這件事作詳細分析，我們說印度沒有乘這次西藏事件擴張一番，企圖向西藏指染一番，恐怕說得也似乎輕鬆了。

從西藏事件發生以來，印度政府所加以的攻擊和侮辱，以及在一般感受來說，可以說是無法忍受的，而印度不但忍受，而且些」縱然印度一再聲明西藏事件是中共的內政，並表示印度不承認「流亡政府」，但對這事件顯然一直存在著明顯的干預意圖。在這屆聯大前夕，又竟再爲中共進入聯合國而提出要請，這種違反常理的舉動，似應解釋爲一種作賊心虛的心理。以印度和西藏的歷史關係，以及印度近年來對喜馬拉雅山南麓各小國的帝國主義作風，所謂印度對西藏全無問鼎之心，這是不可想像的。

尼赫魯這個人

研究尼赫魯這個人的性格，當亦有助於了解印度今天對西藏問題的眞正意圖。從外面來看，尼赫魯標榜中立，呼籲和平；骨子裏面他絕不是那樣守本位的人。從尼赫魯所受印度文化的感染，與其說所受於甘地聖雄者，無寧謂其受於考迪拉者爲多。考迪拉是印度古代霸權政治家，其功與我國管仲相伴，在國內素有印度的馬克維尼之稱，他說過一句話：「你的鄰國，就是你的敵人」，尼赫魯對他的國民談話，常常稱讚這位印度的「國寶」。尼赫魯軍要助手之一的現任國防部長梅農，更對考迪拉敬服得五體投地。今天印度有龐大的中共爲鄰，不祇是一個假想敵，並且是個眞正的敵人。從敵人的國土中分離一部份，作爲緩衝，並接受自己的支配，這是尼赫魯始終努力不懈的目標，所以尼赫魯之貌爲中立，這不過是「力不勝也」之自存之計，並藉此以要譽取寵于共黨世界而已。

中華民國不能緘默

月前（六月五日）印度最高法院高級檢察官特里堪達斯會國國際法學家委員會的委託，報告其西藏事件的調查結果。該項報告，除列舉事實，指出中共絕滅種族的暴行以外，其中有一個說法，說是自一九一二年至一九五〇年以來，西藏事實上是一個獨立的國家，長久期間，西藏並無中國的設施，無中國的法律，無中國法官，街頭上沒有中國警察、無中文報紙，無中國士兵，甚至沒有中國政府的代表，直至一九五〇年中共還向印度保證，願與印度討論未來的地位問題，到一九五〇年十月廿四日，中共宣佈進軍拉薩後，西藏才成爲「中國」的一個行省。我們對這一個國際法學家委員會派人調查西藏事件，誠然感到他們義憤可嘉，對特里堪達斯舉證中共絕滅種族的暴行，亦覺得他所持有據，但他竟說中共未進入拉薩前，西藏是一個「獨立國家」，在此以前，西藏並無中國設施，甚至無中國政府的代表，那祗能說是他作爲一個印度人的掩住雙眼，別具用心的一種瞎說而已，瞎說固不能歪曲眞實，但卻相當的損害於同一報告中的整個價值，這不能不說是非常遺憾。

中華民國是不能沉默了，與其讓印度怪的氣焰，思指染而又怕燙手的捉弄我西藏同胞，倒不如我們現在明白宣示我民族主義的原則，承認現在邊疆的政府，爲西藏的政府，並設法治請達賴大計。合共同籌劃光復大陸光復後，實行聯邦共和國之後，預示將來民族少數的制度，讓西藏享有高度自治權力，族，傳比時能增加團結號召，加速中共的崩潰。

中共當前的僑務政策

最近到港的第七期「僑務報」有一篇文章：「華僑同僑居國人民友好關係的發展」，說明中共當前對於華僑在僑居國的指導政策，要求華僑不在僑居國的政治活動，加入共產黨，反對大國主義，要學習當地的語言，並參加僑居國的建設等等。這個說話不知道複了多少遍，但說的是一套，做的又是另一套，幾乎是盡人皆知的了。

但是，我們卻不能抹煞中共在這一時間提出這一問題的意義，它的目的是在于降低有華僑所在地國的當地政府對于赤色的恐懼；若擴大之，則是中共對東南亞國家展開和平攻勢的訊號。

我檢查幾本這期僑務報，發覺這一篇文章是臨時加上去的。爲什麼要這樣做，當說明中共對于改善東南亞國家關係方面的孔亟。

印度是否擴張主義者

現在值得研究的問題，是印度是否如中共所說：是一個「擴張主義者」？如果照一般

攻勢矛頭指向印尼

從去年以來，標榜中立的東南亞國家，都有轉變爲「親西方的中立」的趨勢，印度、緬甸、錫蘭、柬埔寨，以至于印尼的步驟都在看每事實的反映亦是否。但增加了對共產黨與中共的戒懼，逐漸暗底裏向西方靠攏的形勢是很明顯的。

就以印尼來說吧，今年初，封閉華僑學校的不分左右，此事曾引起中共使館的抗議；去年底原定本年內中共購買大米二十萬噸，後轉向緬甸購買；最近，陸軍與印尼共產黨之間的對立已經公開化；至於西藏事件發生後，印尼的反感更不用說了；這些情況當說明中共與印尼的關係是在惡化之中。

今年五月間，中共即在作挽回這種惡化趨勢的努力，派副總參謀長楊成武率一軍事代表團到印尼訪問，並安排一艘練習艦到中共訪問；簽訂與印尼三千萬美元的借款協定；擬即加速消息，本月十五日，中共派郭沫若率「人代會」代表團到印尼訪問，現尚無消息說明他已否到達印尼，或是已遭擋駕。本月十七日陳毅在北平的印尼代辦招待會上特別提到：「居住在印度尼西亞的華僑，始終同印度尼西亞人民友好相處，對印度尼西亞的經濟建設貢獻了自己的力量」。這一段話足以說明我們所上述「僑務報」文章的意義，亦說明中共對於東南亞各國的和平攻勢的矛頭首先指向印尼。

和平攻勢展開不易

今年以來，沒有一個自由國家的領導人訪問，這是自一九五四年中共喊出和平共處五項原則以來與自由國家關係上最突出的一點；這一點當又補充說明了東南亞各國對中共關係的轉變。最近，據說阿富汗的副首相訪中共，這當是一連串和平攻勢的開端，不過現在的情況是即使中共的宣傳工具齊唱和平樂曲，東南亞各國也無人聽了，這也是北平方面最窘急的了。

·田心·

柏林事件與艾赫會談

這些就是柏林事件的背景。就歐洲目前的生活事實，因此每逢冷戰發展的時候，美國不能和解的衝突和平解決的方案，他們對於重要問題，都在各種場合中，有與蘇俄利用的方案。不能十九五年在日內瓦舉行高峯會，一九五九年在日內瓦舉行高峯會議的原因就是係此。雖然他們在這次的高峯會議中沒有解決任何問題，可是最低限度就德國問題而言，對於在過去的四年時間中，德國問題實際上處於一種靜止的狀態。德國的作用已經產生一種「鎮靜」的作用，已經不是一項秘密。這次的互相訪問，不啻是：今日世界最基本的和戰問題，將在莫斯科與華盛頓兩個國家的首腦之間解決。

艾森豪和赫魯曉夫的交換訪問，本身所包涵的重大意義，已經不再是一項秘密。這次的互相訪問等於說明今日世界最基本的和戰問題，將在莫斯科與華盛頓兩個國家的首腦之間，我們這個國家才能夠對世界和平或大戰作決定。

因此一國家的意見稱：艾森豪和赫魯曉夫的會談，可能以在某些時間中使冷戰問題上面產生一種「鎮靜」的作用，而可能的猜測是：艾赫會談不會產生任何正式性的解決，不過卻很有可能奠定一條這樣的道路——

柏林問題上面假如這條道路等於說從東西雙方避免在柏林問題上面，他們倆不想爲柏林問題而引起一場世界大戰，也就等於說這條道路他們倆都不想爲柏林間題而引起一場世界大戰，他們這種決定已經使西歐若干國家感到不快，而法國之所以公開宣佈即將試爆原子彈者，即爲此。

國際動態拾零

△朱可夫將恢復公職，這是蘇俄爲對艾森豪表示好意也。朱可夫將恢復公職，這是蘇聯代表團到宮時，艾氏曾詢起朱可夫近況如何。有一位見，蘇聯代表告他，朱可夫現在鄉間，度其退休軍人生活。

△日本社黨外交部長，閉口不談。在州長會議時，他曾認爲保衛赫氏，極爲困難，因爲反共國家流亡在美的人們，可能有示威行動。

△赫魯曉夫訪美之事，已向美國政府報告，請赫魯曉夫訪美時，將提出允許中共參加聯合國要求。但美國既定外交政策，是不許共加入，將不受其影響。

△波共戈末卡，始終追隨赫魯曉夫之反史太林政策。波共中之史太林派最後一人，爲重工業部長萬尼加，現已被調任。

△麥美倫預盼戴高樂于艾森豪訪歐時，三巨頭能在倫敦或巴黎晤面。然戴高樂則始反對在倫敦，繼復反對在巴黎晤面。

△蘇聯外長葛羅米柯，被其領袖稱爲送信郵差，初以爲赫德亦是郵差而已。赫德在公佈前告以赫魯曉夫訪美的消息，乃大爲驚異。

△美國政府所最感困擾之事，爲赫魯曉夫訪美，將給人民以安全的幻覺，其實冷戰仍將繼續下去。對國防努力，尤不可鬆懈，政府人員不久將設法提高人民之警惕。

·陶然·

民主政治・言論自由

是馬來亞執政黨大選獲勝的主因

獨立了一年另十一個月又十九天的馬來亞聯邦，已於本（八）月十九日在和平而又寧靜的氣氛中，舉行其第一次的普選，結果一百零四席席位國會議員，執政黨的巫華印聯盟獲斷倒多數而當選繼續執政五年。

本來在大選前夕，政府方面的專家，還預料反對黨——包括左右兩翼——將在一百〇四個席次中，可能獲得四十席，給予馬來亞一個完整的議會民主政治。而巫華印聯盟之所以獲得絕大勝利當選繼續執政，多半是由它們以往的政績良好。但是，也不可忽略了巫華印聯盟的主席拉曼，這位前任總理的領導。

事實上，在這一年零十一多個月來的巫華印聯盟執政中，除了做到「穩定與公正」而外，也眞的做到了政治民主，言論自由這兩點。

而維護民主政治，尊重言論的也眞是拉曼其人，聯盟政府所給予人民的言論自由，也比當時的英國政府爲多。這裏可舉一實例爲證：拉曼在競選中曾聽說有一個回教教師，最近在吉蘭丹發表談話，說回教徒可以喝拉曼的血而無須畏懼上帝，但拉曼卻輕鬆地說：「如果這位宗教教師對英國統治時期的英國欽差大臣說同樣的話，那末後者將會把他關進監牢裏；而現在我們卻讓他自由，是因爲我們尊重言論自由。」

拉曼的話其實可以爲亞洲其他國家的政黨領袖作借鏡哩！

瘟君夢

第四回：僕僕風塵　遍灑知己淚　森森劍戟　苦鬥子弟軍

本來國軍編制是五等十六級，兵三級，士三級，尉四級，校三級，將三級，不過上將又分一級，二級，所以也可算作十七級，毛澤東的劃分軍階卻在上之校之上加一個大校，上將之上加個大將，另外又設了一級元帥。

這個名單照例是由「國防部」擬好，呈請毛澤東核准，當時「國防部長」彭德懷在擬訂各人軍階時，曾經去請教活曹操，問他有什麼意見，活曹操摸摸鬍子，兩眼向着天花板，緩緩說道：「這個問題，我前天倒是同主席商量過，元帥的名額最好不要超過十個，你可以會同粟裕擬定，送請主席核准，不過在元帥上邊，最好沒大元帥一級，內爲史大林過去就是大元帥，有了這個名義，統率部隊比較方便些，我的意思大概你該明白了吧！」

活曹操慢條斯理的談，彭德懷坐在那裏肅然靜聽，等到活曹操說過，開口問道：「元帥及大將是否只限於帶兵官呢？還是政治委員也在內。」

活曹操擺擺手：「那到不盡然，蘇聯的布爾加甯，目利亞都是政工人員晉升元帥。只問功績大小，不一定是指揮官，例如咱們同鄉羅榮桓，雖然是工人員出身，應該給他一名元帥吧！」

彭德懷點點頭，起身告辭，活曹操送到門首，拍拍肩膀又說一句：「彭總，我的意思也就是主席的意思，我們兩個從來是一致的，你明白吧！」

彭德懷回到「國防部」，感想越覺得事情不簡單，恐怕自己負不了責任，去電話把劉伯承，陳毅，林彪，聶榮臻，賀龍約來，因爲這五人連他在內，是「解放」後曾任過野戰軍司令員或一級軍區司令員的。大家剛坐定，賀龍就嚷道：「彭總今天幹啥要請客，是不是安徽同志又生了小同志了。」

陳毅笑道：「生兒子有什麼可喜，恐怕是又覓到新愛人了。」大家一齊笑起來。

彭德懷苦着臉：「各位別開玩笑了，我現在遇到了難題，沒辦法解決，請大家幫忙想個辦法。」

五人看見彭德懷表情如此嚴肅，連賀龍也不敢開玩笑了，都靜着眼看他。彭德懷當時把活曹操得來毛澤東的訓示複述一遍，緒着眉頭說道：「大家想想，功勞大的人多得很，只限定十名，叫我提誰呢？」

劉伯承取下墨晶眼鏡，掏出手絹擦擦，重新帶上，慢吞吞說道：「這也沒有什麼困難，多了多提，少了少提，譬如打仗，十萬人可以打，一百人也是一樣的打，只在調撥就是了。」

彭德懷感到輕鬆些，忙說：「現在就請大家斟酌一下，把名單擬訂吧！」

（六四）

岳騫

釋耒集

日前某晚報撰文評稿化本港入境手續，以免影響旅遊事業

謂十九世紀殖民地差役面孔，業已落後，有百害而無一利云云。此所說差役一詞，約相當于古之所謂吏胥，屬佐雜之職，頗不齒于士類。昔蘇明允撰「吏士」論，論及吏道，其言有曰：「吏與士同途，故人不恥爲吏。唐宋以來，以制擧取士于文學數事，而士乃不習民事，吏習民事而不得美仕，吏日下，士日驕，判然兩途，而士之子恆爲士，降而爲一邑，則一邑之政由其手，在二郡，則一郡之政由其手，……以無賴之人，而政出其手，則無所往而不爲弊矣。」人不屑爲吏，則爲吏者固鈍無能，致日以舞文顛倒，刁難無知之百姓爲能事，無論其上官之操守如何廉潔，識見如何清明，而其百姓，蓋鮮有不受此輩之荼毒者，此固自古已然，而於今爲尤烈耳。

吏　道

英人統治香港之體制，美仕例屬于正途出身之官學生，資格之規定至嚴，絕對不容逾越，與我國昔日吏士分途之情形，大致相同，至于胥役，則大抵以民地雜處言，而此輩之流，但求已能其洋上司，獲得寵信之後，總固職位，十百爲羣，互相照應，洋上司則以其便當英語，利于驅策，而仕籍之面孔，乃愈益雜脊矣。又無所謂資格之限制，流品特殊之訓練，之羈，自不待言。

香港英國當局，其所以統治香港之方針，原則上尚以少可讓之處，尤其大陸易手之後，香港社會，並因而形成一種突變之現象，罪惡氾濫，潛收犯，難民擁塞，政治溶融，香港政府，均能沉着應付，對上述問題均使人有參當逐漸解決之希望與信心，而目前之香港，亦確表現其相當之安定繁榮，是以自食其惡果，可斷言也。近來本港各報紛紛奮然公用事業從業人員之貪污，然邇年以來，貪風亦斥，黑社會猖獗如故，瞻，以東方之珠，如佈而着，影響國際觀瞻，以香港居黑暗腐敗之域，平情而論，若果不免于黑暗腐敗，均少數不良之胥役有以促成之。所謂在一郡，則一郡之政由其手者，此中外古今，無以易也。以英國人之知識，輔以其統治殖民地之經驗，香港豈未遽至抽心一樵之程度，惟及此不思改良，則勢將坐此種風氣，亦由不良胥役腐敗作風之影響，相率以凌蔑他人，然後驅蠶蠶職志，某晚報以爲十九世紀殖民地差役面孔，足以使遊客裹足者耳，雖謂其足以動搖香港之根本，亦不爲過也。

曲齋

酒與友

◎陸夢蓮◎

我飲酒醉的經驗不多，最大只是微醺而幾年我和一位朋友飲酒，兩個人共飲三瓶清酒，那只到微醺的程度，那次飲酒的時間卻很長，從下午五時半直飲到夜十二時。還有一次參加朋友的喜筵，只飲了四磅啤酒半瓶清酒，事後大吐，那自然是醉了。但是我自己感覺上仍是微醺而已。因此我發現一個人在醉後的神智依然很清，只是感情無節制而已。有的人醉後喜歡打人罵人，事後卻否認，說是不得已。我認爲那都是做作，酒醉不會醉到神經錯亂的地步。

最近我的一位醫生朋友攜酒而來，共醉了一次。飲間東拉西扯，無所不談。他忽然談到近來關于修憲問題的爭論，問我的觀點怎樣，我問他修憲後能不能使豬肉落價。他說不知。我又問他不修憲能不能使豬肉落價。他亦說不知。我便說：「那好，我倆對這問題都可算一無所知，我們還是談別的吧！」於是我們便改談寫作。我這位朋友雖是西醫，卻對吟詞弄句很感覺興趣，我嘗調侃他說：「你如專心寫作，可能比你研究醫學還有前途。」他亦點頭承認。但是他說：「僧多粥少，我不想分你們一杯羹。」

俗說朋友們飲酒，越飲越近，賭錢則越賭越遠，古人云：「茶如隱士，酒如豪士。」酒以結友，茶當靜品。」此話誠然。我之學會飲酒，亦是結識了一位能夠豪飲的朋友，這位朋友飲酒，賦詩，擊劍，都有所長，並且還精通外家拳術。我常說他生錯了時代，但他偶而寫寫新詩，卻也深達個中三昧。去年還出了一本書子。詩、酒、劍，都不悶氣魄，可惜他一腳跨進淺灘裏，至今猶拔不出腿。是彈鋏而歌的那種境遇，可是遇不到孟嘗君，他自然也在「歌」中舒泄他的抑鬱，那便是他的詩。

我猶記得我們最難忘記的一次暢飲，在一個夏夜，葡萄架下相對而坐，石桌石櫈燭光搖曳。天邊明月，四野虫聲。我們有尖銳的談論，也有縱聲大笑，月旦人間，議評時事，那才是真的沉醉，沉醉在良辰美景與自己的「狂」氣裏。後來我們爲俗務生些誤會，終是難言的事。我們仍然每逢必飲，但是總覺那種氣氛淡了，遠了。最後像斷綫的紙鳶，飄然而逝。我極傷心，因爲我爲這友誼付過情感，每當我端起酒杯時，便不由懷念起他。這使我想起王摩詰的一首詩：「酌酒與君君自寬，人情翻覆似波瀾。白首相知猶按劍，朱門先達笑彈冠。草色全經細雨濕，花枝欲動春風寒。世事浮雲何足問，不如高臥且加餐。」我之想起這首詩，不全在前四句的怨懟之詞。而是「草色全經細雨濕，花枝欲動春風寒」，分明是我們的處境，而「世事浮雲何所問？不如高臥且加餐。」也是我們彼此安慰時常說的話。

去年農曆三月三日，我在台北一家綠色的餐館，曾和一位極有風緻的小姐共飲過一次，也是一生難忘的事。小姐不會飲，我只與她深湛的眸子乾杯。飲的是啤酒，菜也很講究。那天是賤辰，小姐請客，算是爲我過生。她曾調侃我說，第一次交到我這樣烟槍酒鬼的男友。因爲我們第一天相識時，第二天她便看到我大飲濁酒，把男人的劣點暴露無遺。這位小姐，現在竟成了我的內人。對我第一句閒訓，就是對酒要有節制。我亦覺得醉臥佛前是悟，醉倒花前是癡，但是醉倒在太太的粧台之下，就大煞風景了。所以枕旁之言，亦不可不聽。有一次我勸她買瓶酒來做煮菜調味之用，她即說：「我才不買！」你的酒癮又犯了是不是？」但是她從菜場歸來時，卻帶了一瓶五加皮，我告訴她五加皮是甜的，不能作菜，她笑着說：「我買來不是爲作菜用的。」

近來我發覺自己一切都在退步，酒量亦然，半斤白乾，便感不支。但是我對此嗜好願偶而嚐試，不翻戒絕，蘇東坡亦認爲「三杯軟飽後，一枕黑甜餘」是人生樂事。我向最感於李敬方的話：「日日無窮事，區區有限身，若非杯酒裏，何以寄天真？」

香港半週　楚刀

四袋皆空！

粟海彈心錄

貪污（下）

晚近貪污之風，自洪憲始，爲於其是，由長江北岸各督之時，然究屬小盜竊鉤，求由舍以遭孑犠，如王占元，李純，陳光遠，倪嗣冲，方本仁等，（方某鄂籍，北洋惡督）猶是一幅可憐相，不如今之南北寓公據奕。

王占元，山東人，督鄂七年，勒索誅求，橫征暴斂之事，尚不敢爲，卒以出納之吝，剋扣軍餉，山東子弟，積怨至深。民國十年三月，武昌兵變，要求資遣返鄉，閉城劫掠，城內工商住戶，無倖免者。中外人士，王某婉言爲責清查賠償，約五十餘萬。以地方軍政統帥，虛心爲托屬下清理賊贓，自是古今奇聞。然糾糾之夫，尚知人世間，有必不可爲者。是其惡惡之心猶存，且引爲已責，不亦賢於後之人乎。

至若馮玉祥之掠奪寺廟古物，藉口宗教革命，盜人古墓，指爲復仇革命，（陝豫古墓，幾被掘盡）孫殿英盜清室陵寢，劫溥儀私財，又皆一一歸之於毀中國固有文化倫理，道德信義殆盡，不止贓污而已，是又罪之罪人。乃當時且引爲同志，稱兄道弟，谷鍾秀，爲之著書立說，淆亂視聽，遂有今日之禍。論者謂神州之陸沉，陷於馮玉祥者六七，留學生者一二，雖操心容有不同，而其所以成爲賊民者則一。大抵四十年來，好人每路路不通，而窮困夭折。歹人則頭頭是道而富貴壽考，街非聖賢，安往而不爲貪污盜賊者哉，世不患有盜賊，患在不以盜賊爲非。人不患無聖賢，患在不以聖賢爲是。斯則當國者之責也。

國家有時需用客卿，但不可將子弟造成外國人。生產技術，政風制度，有時亦待借鑑觀摩，但不可使子弟依傍門戶，而挾以凌我，援古回憶已往，瞻念未來，竊願秉國政與具有父兄之責者，當思有以轉移之。

・阿公・

西藏的寺廟

◎蜀人◎

布達拉宮

古老的布達拉宮，宏偉壯麗，景色宜人。始建在拉薩河畔，於公元七世紀，當時的藏王，就是西藏聖史上傑出的英雄松贊干布，他一方面統一西藏各部落，一方面把首府從澤當遷到拉薩。由於娶了唐朝的文成公主和尼泊爾的拜木薩公主，他信仰了佛教，每天焚香靜坐，兩公主深恐因此引起外侮，便在他們所住的布達拉山修造宮寨。宮室內圍牆，高達卅層，宮頂上揷着刀劍紅旗，南面堡壘下掘有壕溝，以便發生意外時作有效防禦。

從公元七世紀到十七世紀中葉，布達拉宮幾經滄桑，並曾在兵災中遭到毀壞。現在的布達拉宮是明崇禎十四年起，由五世達賴喇嘛修建的。五世達賴曾於清順治九年到北京向清政府朝賀，獲得「西天大善自在佛所領天下釋教普通瓦赤喇怛達賴喇嘛」的稱號。宮殿的修建係在天才的建築師代辦事務的桑結嘉穆錯指揮下，化了幾十年工夫才造成這所偉大建築。

布達拉宮由無數宮殿組成，一共十三層，層層相接蓋滿了大半個布達拉山。正殿共有三層，每層都有達賴的坐位。宮內有八座祭堂，每座祭堂各有金塔一座，裏面藏着從五世達賴到十三世達賴的肉身（六世達賴除外）。祭堂和祭堂之間有許多精緻的殿堂，達賴自己的住處在東南隅，宮牆塗淡黃色，和別部分的塗紅色或其他顏色的不同。

布達拉宮各部分的裝飾佈置，極盡富麗豪華。所有宮殿，都是雕樑畫棟，有的柱子，甚至包着厚厚的金皮。十三世紀達賴的金塔，有四五層高樓，塔上塗着金葉，鑲滿着珠玉寶玉，祭堂裏的陳列品中有一座二尺多高的佛塔，全用小珍珠串成，此外，各佛殿裏藏以萬計的佛像，加上無數法器、神龕以及其他文物，都表現高度的藝術成就。

大昭寺和小昭寺

大昭寺和小昭寺是一千三百年前唐太宗年間興建的。當時，松贊干布娶了唐朝的文成公主和尼泊爾的公主爲妻，這兩個寺就是爲了她們而修的。相傳大昭寺是由文成公主設計，尼泊爾公主興建，小昭寺是文成公主親自興建的。西藏的寺廟大門都朝南，只有大昭寺向東，小昭寺向西，其原因據說是文成公主好佛，所以大昭寺的大門向着西天佛地，同時她又十分思念家鄉，因此小昭寺的大門向東。

大昭寺保存着最多珍貴文物，文成公主帶來的金質釋迦牟尼佛像最初供奉在小昭寺，後來移到大昭寺中殿供奉。左廊有文成公主、松贊干布和尼泊爾公主的塑像。門外有唐代建立的標誌漢藏和好的「唐碑」，即公元八二三年唐金城公主的兒子赤松德贊時建立的舅甥聯盟碑，碑旁有兩棵高大的古柳，據說是文成公主時植的（現只剩一棵）。大殿內有明萬歷時資敎國師宗喀巴像，前殿上繪有唐玄奘師徒四人的像。佛櫃上有一金瓶，這就是著名的「金奔巴」，是清代乾隆皇帝所頒發，用以抽簽選定達賴、班禪和其他大活佛的「呼畢勒罕」（轉世）的。

大昭寺內有上密院，是研究佛學的最高機構，其成員都是曾在三大寺學習多年對經典有所研究的人。（七）

「馬來姑娘」

銀壇隨筆

「馬來姑娘」是協調華巫種族團結的一個故事。劉以鬯曾在某晚報發表長篇連載，各方面都有良好反應。如果把它拍成影片，當然，在目前這一階段，給馬來人看看，多少會產生若干影響；在調和華巫兩族歧見方面，不能說沒有作用。這用不着我來說，很多有卓見的人早已想到。鄒蔭泉於是在籌備「獨立製片」期間，曾誠心誠意選擇了「馬來姑娘」這個故事，並由已死的余陽中（上官牧）編成電影劇本，適女主角來找好。

結果呢，這個劇本不能採用。劉以鬯認爲劇本跟故事原意相悖，失掉了他撰寫這一連載重心。這也難怪，余陽中在病中寫這個劇本，實在太要緊（劉以鬯的連載未完），閉門造車，不能合轍。再加上原先內定的女主角，台灣回來，藉故推辭。於是對攝製外景，也多所顧慮。而鄒蔭泉，決定放棄這個計劃，另外採用了一個話劇劇本，請楊彥岐改編。號召力如何？姑且不談，鄒蔭泉改變主意，識者沒有人不認爲太欠考慮。

劉以鬯寫「馬來姑娘」動機，並沒有想到過：把它搬上銀幕，對作者也沒有一些酬報。即使搬上銀幕，實實在在是他在新加坡住了幾年，站在中國人立場，一直認爲華巫需要團結。我想：這也不止是他個人抱持的觀念，凡是明白東南亞情況的人，都有一致看法。

過去十年間，香港電影界對於種族協調的影片並不重視，自從十年前永華李祖永攝製的一部「大涼山恩仇記」之後，調和種族片，似已成爲歷史陳迹。這和沒有具體故事，也不無原因。我以爲陸運濤富甲星馬，鍾啓文理想遠大，「馬來姑娘」的攝製計劃，鄒蔭泉既有放棄意向、電懋公司繼當籌拍，條件既優，號召必強。

・修衡・

自由人
THE FREEMAN
（第八八五期）
中華民國僑務委員會、頒發登記證台教新字第一零二號
中華郵政台字第五〇〇號執照登記為第一類新聞紙類
（半週刊每星期三六出版）
每份港幣壹毫
台北市售價台幣貳元
督印人：陳文韜
地址：香港高士威道二十號四樓
20 CAUSEWAY RD. 3RD. FL. HONG KONG
TEL. 771726
承印者：東南印務出版社
地址：高士打道六十四號
台灣總經理處
台北市西寧南路壹零號二樓
電話：三〇四六
台郵撥儲金戶九二五二
海外總經銷：友聯書報發行公司
香港：德輔道中二十六號A二樓

艾赫互訪與遠東反共國家

李璜

艾森豪與赫魯曉夫的交換訪問，不能不說是近來國際間的大事變！以打倒資本主義為目的之國際共產黨頭子去游美國，且將進入白宮為貴賓；以領導自由世界去反共的民主國家元首，也將往蘇俄接受克姆林宮的招待，在前此是無人能想像得到的，世事變化，確是難測！

一、

主張交換訪問，彼此觀摩，以至文化交流，可以改變兩個世界的敵對觀念，促進和平，英國政治界近年來隨時有此呼聲，而且麥米倫首相且親身從事於訪蘇，而赫魯曉夫一行也曾去到倫敦。是不是就這樣不斷的訪來訪去，便會使國際共黨人觀念改變，不再從事世界革命？英國政治界中人對此，心裏當是有數的。不過英國人民害怕原子戰爭，這卻是一個事實。因此，受不住赫魯曉夫的戰爭恫嚇，而英國輿論便要求他們的政府去緩和敵對的態勢，綏靖共黨的叫囂，這所謂「事有必至，理有固然」的。

美國政治界似乎是受了英國的影響，近月以來，初而在野的民主黨要人爭着前往蘇俄，繼而在朝黨的副總統也在蘇俄游歷，回美後並且表示在美言動，可以感動蘇俄統治階層及其人民，於是艾赫交換訪問之舉便突然的宣佈了出來！是不是尼克遜真的感動了蘇俄人，而赫魯曉夫來看見美國的真實情形，也會感動而翻然改悔？這也未必然。這不但筆者近日在聯合評論，祖國週刊上曾說明這個看法是無益而反有害的，並且美國的參議員勃里奇、諾蘭諸位，以至前總統杜魯門也提出種種無益有害的理由。然而美國的大多數人終是贊成艾森豪總統去致力於和平的，足見美國人還是在害怕原子戰爭。報上揣測，艾氏採取主動，去爭取和平，不辭親身訪蘇，乃為明年美國大選中共和黨的優勢起見。要綏靖蘇共，打開冷戰僵局，纔能得到多數的選票，更足見美國人民害怕戰爭是一個明確的事實。

民主國家政府的決策，本是以民意及其表現的輿論為依歸的。英美政治家為順從其國民意，而要採取更進一步對共的綏靖政策，旁邊人說話是無用的。雖然這一互訪，緩和，以至於如美國參議員韓佛瑞之所希望，在冷戰中逐漸諒解，乃是對於美國的立國原則及其對自由世界的領導都是有損害的。

二、

對於東歐，陷於鐵幕中的附庸國人民，是不免要對美國失望的；對於中東及西亞，中立主義是更有辭可藉，而要擴大起來的，這些，筆者已在前所舉的刊物上說過了，並不再說。本文所注重的是遠東反共國家，因為遠東是我們反共的中國人立腳之地，而遠東中的自由中國是我們反共國民賴以反攻復國之所，故不能不注重它。筆者曾說：『正因共黨作殊死鬥的亞洲國家，一面對於美國的同情與幫助，本是多所信賴的；但對於美國的軍事觀點，早已不免懷疑，今再見艾森豪前往莫斯科去與國際共產黨的頭子們長談密商，則對美國的信心不但要打折扣，而且不免有些震恐啊！』（見聯合評論五十二期）這或者是筆者的過慮。然而在四十年間，兩次世界大戰結束，大國密談以安排和平時，中國便受了兩次犧牲！第一次大戰畢後的凡爾賽和約，將中國膠州灣的權利犧牲於日本，第二次大戰將畢的雅爾達會議又將中國外蒙古的主權犧牲於蘇俄。因此我們中國人在經驗中，便有點害怕大國領袖們去密談世界和平了啊！不但是中國，就是大韓民國，把他的領土從三八綫一筆劃開，又豈是大韓民國國民之所願，還不是大國的政治家們在任意預定！還有越南共和國，也是大國的政治家用筆一劃，就變成兩個國家了啊。看看，寮國如不當心，又會變成兩個寮國！原來寮共叛亂對於遠東向來是非常注意的，列甯就曾說過，「從北平，新德里，是到巴黎，柏林的路」，乃而偏偏的民主國家的政治家們只重視巴黎與柏林，而不重視北平與新德里，竟讓蘇俄用三十年的工夫千方百計把中國大陸拿到了手！但是西方民主國家還是在感到遠東不大重要；韓戰的聯合國軍本可以大打勝仗，打過鴨綠江，不但可以收復北韓，而且可以收復中國大陸，乃仍認為這是「在不適宜的地方，來打不適宜的戰爭」，而且自行退回三八綫以內！

三、

往事歷歷，不堪回首，只怪我們中國人自己不行，不爭氣，而遠東的新興國家脫出殖民地未久，也還在被西方認為是「落後地區」，還被視為「白種人的負担」。今日要與國際共產黨作殊死鬥爭，我們遠東的反共國家，尤其是大韓民國，越南共和國與我們自由中國，亦不能只想依賴，而要第一有遠見，第二不自亂步驟，第三個反共國家團結起來，成為一個嚴整的陣容！

對於韓越兩友邦的內政，筆者不便多言，則對於我們自由中國，在上面所說的第一點有遠見之下，應該是政府的內政外交，要力求開展，不可因意氣而愈來愈狹隘，常隨時以國家前途為念，而放開手去團結國人，團結與國，否則勢將復陷於孤危！在第二點不自亂步驟之下，則在此時此地來開大會，修改國本所繫的憲法，必滋紛擾，萬不可行的！在第三點團結與國上，則合體的人才與專家要多出來活動；與新興的國家不免有時小氣，我們終是有泱泱大國之風的，人才與專家，對於與國有所取之前，如其能有所與，終必有所得的呢。（四八、八、二二）

自由談

危殆的寮國前途

英、法各國的政治人物，日來一面對於寮國的共禍表示關切，憂慮之意，同時又說是尚未見有中越共軍實行參加寮共作戰的事實。

是的，寮共叛軍的行列中，並未見有撑着「中華人民解放軍」或者「北越人民解放軍」，以及「中越民主聯軍」這類旗幟的部隊活動，不特現在沒有這種明目張胆的「志願軍」出現，我相信將來亦用不着。至於中越共軍襲用當年毛共以大量部隊化裝為北越軍，從事進攻奠邊府的故技，夥同寮共作戰，那也是沒有確證可尋的。因為彼此都係黑貨，腐之耀，西方的政治家當然懶得多耗心血加以偵查辨認——也必辨之。毛共早已誣指「美帝」是製造寮戰的禍首，而美國當局現在又宣佈對寮政府予以緊急軍事援助，看情勢，戰亂必將擴大而激化，說不定美方還有[illegible]時擴亂的表示。那時侯，[illegible]要毛共聲稱「不能坐視」，俄帝亦說堅反對甲國干涉乙國內政的話，如是乎，英國的政治家着慌了，認為這樣便有引起原子大戰之可能，可了不得！乃向美國提出異議，主張和平談判，而美國亦被迫於盟邦的關係，臨時作「痛苦的抉擇」，揚言在遠東不欲「單獨行動」，勸寮王接受和平建議，跟寮共談判。結果如不是與寮共組織「聯合政府」，即搞成「兩個寮國」，然後指定印度作休戰監察委員會主席而美國乃保證給寮邦以鉅額經濟援助，希望購買共黨的友誼。夫是之謂維護和平的政策，西方的政客們還要洋洋得意，且對着東方人表示其面有德色哩！這決非神經過敏的逆臆之詞，已往有若干史事可資印證的。總之，除非巴黎，倫敦吃到原子彈，還若希望西方國家能採取實力行動，那就是天字第一號的笨伯。寮王的江山，危乎殆哉！

張子先生

談國畫的傳統精神

王世昭

什麼叫作國畫傳統精神？即一個國家繪畫藝術，因先民的精神力，創造力，以及表現的能力，一代一代地，吸收，蘊蓄，發揚光大，而形成一種中心，這個中心，也有出於自力的，也有出於他力的，互相檢討，觀摩，融通，而後積累而成民族的傳統，這個傳統，因民族的思想力，想象力，活動力，潛在力，綜合的結果，透過工具，在畫幅上表達出來。這個傳統精神的所在，即這個民族的精神所在。

我國歷朝的文物，均已大體上遷徙到台灣。這許多瑰寶，素為海內外關心中華民族文化與藝術的人士所關切。現在，故宮名畫三百種出版了。其中最重要的代表作，又依幅面之大小攝取照片七十九幀，公開展覽。意義是很重大的。

四十年前，國民很難有機會見到。現在大家都有機會欣賞，這是時代使然。我於民國二十年在北平教書，曾一遍在三殿展覽，觀摩了三日，後來這批東西，由北平遷到南京，民國三十七年，我又見過一次。依我的印象，似乎每一次都有不同。因我的學力年齡與經驗，一年一年地不同，因此所見的故宮名畫，也一年一年地大有變化。那些名畫呢，形態儘管依然，可是它所給我的啟示，有時像流泉，永無休止，有時像大海，沒有涯涘。

這一次，中國文化協會與開發股份有限公司合作將故宮名畫三百種中所挑選的七十九幅複製品在李寶椿大樓陳列。雖然是複製品，但綫條水墨全依原作，設色雖因幅面縮小，而大體上也還能保藏原有的氣氛。為了這個展覽，使香港許多國畫家，以及藝術批評家，從欣賞中，去糾正自己的觀點，技巧，法度，以及風格，瞭然於什麼叫作國畫的傳統，意義也是很重大的！

不過，在這七十九點國畫複製精品中，有極少數極少數的東西似乎值得考慮，如趙孟頫的「魚籃觀音」，用淺墨打稿是古人常有的事，而衣摺嚴淺過多，是否趙氏真跡，頗有疑問。

然而這五個朝代創作中，唐人綫條剛勁，五代與北宋多樸拙壯偉，南宋則堅韌而清逸，元人頗紹唐宋遺風，惟氣魄稍遜。清初四王與惲吳號稱六大家，亦未能超越古人藩籬。郎世寧以意大利人作中國畫，雖近寫實，究非西洋產品所比。或疑他為異族，縱作中國官，而又受中國畫的影響，即謂之已歸化的外國人亦無不可。梁武，唐宗，元祖三像，純用綫條，擬寫真容，大體上當有所本。不過可以代表中華民族的偉大人物還有不少，而僅取此三人，稍嫌太狹。如果這個展覽移到外國去，尚須略加補充，如燉煌壁畫，如雕塑造像，如歷代名人書法影片等。使外國人與海外華僑可見到中國畫藝術在發展上互相觀照，擴展，影響的全貌，意義就更大了。可是，即此故宮名畫複製品七十九幀，能公於海外，已是不容易，退一步想，我們又不敢苛求了。

半週述評

中共一石二鳥

一方面，艾森豪與赫魯歇夫的「互訪」就快要開始了；一方面，在亞洲，共黨所放出的火頭又紛紛出現了。

這是像美國「新聞週刊」所說的，中共故意對赫魯歇夫為難嗎？不是；中共與俄共之間當然是有矛盾的，但，中共尋找發洩的機會，如果不至于過份太唱反調，那麼，對於赫魯歇夫的地位，反有助成與配合的作用。

中共在這時機製造寮戰，既可報效「宗主國」，又可表現自己，乃是一石二鳥！

東京外交界人士推測說，蘇聯可能故意造成寮國危機，再由艾森豪與赫魯歇夫見面時加以解決，這一推測也是很合理的：

誰在策動寮戰

事實上近幾個月來從中共報紙中所透露的，北越的挑撥與好戰性的宣傳，日內瓦協議的精神早被破壞無遺，另一場戰爭的氣氛早在醞釀之中。

早些日子越共份子在西貢近郊槍殺美國人一事，也不是偶然的。

在聯合國大會前夕，中共在極力給世人製造一種印象，所有這些地區，包括南越，寮國等等，都是脆弱得不堪一擊的，因而，欲求東南亞的安定，你們就不得不承認中共「地位」的重要，那麼，好吧，先動手給你們看點顏色！

誰是這次寮戰的兇手，誰在策動這次寮戰，這不是很易于找到答覆嗎？

印度搭擋弄僵

但是，這裏有一個問題，人們會問，既然中共目前的行動要給即將開會的聯大找麻煩，為什麼中共偏在這個時機，又與他的外交搭擋印度弄僵呢？

尼赫魯公開宣佈不丹、錫金的協防，以及中共限制印人進入西藏，西藏內部戰事的重起，達賴即將前往新德里訪問，種種事實說明，中共與印度之間的關係，從沒有惡化到今天這個程度。

等待聯大「招安」

尼赫魯一度對西藏問題表示過冷淡，希望換取中共對印度處理卡邦與印共問題的「放手」。結果如何呢？中共違背「共存」原則，公開對印共表示支持，干涉印度內政，因而又激怒了印度。

尼赫魯與中共之間的「斤頭」本不足道，同時也不是說，在目前一段時期，中共與尼赫魯之間，在外交上的勾結，完全不可能了。

但是，由于印度內政的因素決定，大勢所趨，今天印度必加緊執行其反共政策。

因而，中共與印度摩擦的增加是勢所必然的。

因而，今天印度即使還可能繼續為中共進入聯合國的問題叫囂，要是他們真的敢于為中共賣多大力氣，週印度在聯大內部的輿情也是不容許的了。

印度在聯大內部的牽綫既日趨渺茫，中共就更要加緊在會外鬧亂子，你要「停手」，他就先逼你對他「招安」！

司馬璐

救災 下看國際友情

丘式如

（台灣航訊）台灣中南部「八、七」的空前大水災，會獲得國際友邦精神上，物質上或工作上的熱烈援助。

美國駐華大使莊萊德，於八月十日首向外部黃部長表示美國政府已作自動助我救災的決定。艾森豪隨於十二日致電李總統慰問。

南韓阿根廷兩國駐華大使，日本駐華大使井口貞夫，黎巴嫩遠東謝哈本，約旦王胡笙，巴拿馬、委內瑞拉、菲律賓、比利時、西班牙、羅馬教廷、泰國等國，法國外長暨維爾均相繼表示同情與慰問。

美國駐華大使館全體員工，首先倡導捐薪救災。在台灣的美僑人士，跟着發動勸募運動，募捐衣服日用品及藥品。各友邦，及其人民，團體或個人名義，或用私人名義，都自動紛紛慷慨解囊，或用機關名義不等。茲依其日期先後次序，計有：日本駐華大使館全體人員，合幣三、〇〇〇元，菲律賓駐華大使羅慕斯，一、〇〇〇元，韓國駐華大使金弘一，五、〇〇〇元，越南駐華大使館代辦阮功勳，三、〇〇〇元，美國慎特公司在華經理史密斯，美金五〇〇元，西班牙駐華大使館代辦胡納材，合幣一、〇〇〇元，阿根廷駐華大使館，一、〇〇〇元，教廷駐華公使館代辦范宗義，三、〇〇〇元，法國駐華大使館代辦鮑義裕，一、〇〇〇元，泰國駐華大使館大使宋達，一、〇〇〇元，[illegible]，三、〇〇〇元，[illegible]駐華辦事處，五、〇〇〇元，土耳其駐華大使館大使瓦斐，五、〇〇〇元，巴西駐華大使館代辦葛瑞沙，一、〇〇〇元，日本外務省美金，三、〇〇〇元，多明尼加駐華大使魏稚諾，合幣一、〇〇〇元，菲律賓駐華大使館，七、〇〇〇元，英國自由中國之友協會，英鎊一〇〇，美援會，合幣四、〇〇〇、〇〇〇元，及麵粉一〇、〇〇〇袋，美國駐華安全分署，台幣九、〇〇〇、〇〇〇元，美國基督教救濟總會，一一〇、〇〇〇元，奶粉二四三、〇〇〇磅，麵粉四七〇、〇〇〇磅，包谷粉四五〇、〇〇〇磅，及衣物八八六大包，美主教福利會，衣服九五〇、〇〇〇噸，及藥品食物等，日本紅十字會，美金一、〇〇〇元，菲律賓總統加西亞，菲幣三、〇〇〇元，菲律賓眾院議長羅慕德斯，菲幣一、〇〇〇元。

水災一發生，美國第七艦隊就派了直昇飛機三架，助我救災。該艦隊所屬的「樸吉斯灣」號航空母艦，有可供十二人的大型直昇飛機十二架，官兵共九百人，艦長是吉布生上校，原泊香港海面，亦奉命駛來台灣西海岸的台中附近，準備協助救災工作。[illegible]

[illegible]

（八月廿三日）

新加坡左翼工會主席 李樹林自請辭職內幕

（新加坡航訊）新加坡職工聯合總會主席李樹林，八月廿日突向總理事會提出辭職。李氏的辭職函乃於是日下午面交給總會總務甘達三美。

按李樹林自一九四八年起即開始參加職工活動，思想左傾，為共黨外圍組織的有力中堅分子。他在一九五八年當選為職總主席，在此之前，亦曾任職總副主席及執委之職，同時亦連任火電鋸工友聯合會主席六年之久，直至今年該會改組後始落選。

李樹林與最近被政府依照刑事法令下拘捕的職總副主席李友成為戰後兩人一直合作參加職工活動，並曾一度以代表團身份應中共的邀請赴北平參加「五一」勞動節大會。又因副主席李友成的被捕而感到內疚，故此，為了職總的前途，即日自請辭職。

據職總總務甘達三美表示，職總將於最近召開理事會討論主席李樹林的辭職事。惟另據熟悉內幕之人士分析稱：李之辭職實出於不得已，蓋若不辭職，勢亦難逃被逮捕，其影響左派工運必更大，惟辭職之後若仍作地下工運，則亦終將難逃法網。

兩年來台北市府的「政績」

弓治長

（台北通訊）台北市政府，前任市長高玉樹去職時。大家一致稱讚劣蹟，浪費也是一，繼任者係執政黨支持的黃啓瑞，照理應有一番氣象出現的，可是七月二十日市議會第三次臨時大會，關於台北市政二年來的得失，完全揭曉了。

市議楊玉城質詢五點：一、黃市長的作風：光說不做。下水道是「無預算、無辦法。」遷移垃圾場是「無地點，無辦法。」二、衛生大隊一三四五名調出八十六名為各單位主管作三輪夫、廚子、帶小孩。三、垃圾場何時遷？堆肥廠何時設？二年來建了多少大排水溝？四、改善環境衛生先後化費三十餘萬，獨厚唯城中區，貧民區則漏沖蚊蠅而視若無睹。五、兒童樂園「納涼晚會」，違反規定一元門票，加收三元茶券，每月繳交市府一萬元，減少十餘萬元門票收入，致令商人逃漏綜合所得稅。

蔡永瑩質詢市府人事制度濫用亂用，正式任用人員不照報考成績升降任派，臨時雇一千餘人，人事制度亂，行政效率低落。

沈興松質詢：議員在議會質詢主管官員，市長要不在議會答覆，但在記者招待會作詳盡說明，有違地方自治法規。

黃文章質詢：一、市民住宅興建會業務組長黃篤初私購土地二三〇〇坪，[illegible]

[illegible]

手，從中漁利。四、興建會[illegible]，專員二三名，每月支薪[illegible]甚鉅。五、自來水廠以申請[illegible]偷，減料，欺騙市民。

宋霖雲質詢：一、水肥[illegible]，以市長濁信胡作非為，以高壓手段對付員工，開革百餘名，安插私人七十餘名，自稱「太上市長」，奉有特種任務。二、六月二日市長就任二週年舉辦「政績展覽」，[illegible]

[illegible]

人民行動黨向私會黨開刀

（新加坡航信）衆所周知，新加坡的私會黨徒，一向橫行無忌，格殺搏鬥，血案累累。成為民衆心理上最恐怖的黑社會。人民行動黨執政後，決定進行一次大規模的殲滅戰，現在，李光耀已經動手了。一方面修改「社團」法令，一方面逮捕八犯，但此舉是否能一勞永逸，則尚難下過早的論斷。

新加坡的警察當局，於十五日至十七日間，援引刑事（臨時條款）法令，逮捕了李友成、蔡和安、林秀禮、謝友廷四位僑社有名的人物。成為轟動一時的大新聞。

蔡和安，年五十八歲，國民黨員，數度領導新加坡商業考察團，赴飛台灣觀光祝壽。現任馬華公會新加坡支部中央執行委員，中興俱樂部正會長，亦曾任漳州十邑會館主席，已歸化為英籍國民。

李友成，年卅五歲，福建澄海人，前任職工總會職員，與勞工陣線黨員，後以獨立人士資格，參加立法議員競選失敗。林有福執政時期，曾參加北京五一勞動大會，作為被邀觀光大陸的活躍左傾份子。

林秀禮，四十歲，福建晉江人，自由社會黨黨員，現任九龍堂座辦。

謝友廷，（又名蝦公）現在大坡牛車水區域經營賭業。

在十七日警方例行的記者招待會上，發言人鄭維廉發表文告：「新加坡警方今日（十七）已證實，當局援引刑事（臨時條款）法令，扣留李、蔡、林、謝四人，他們受扣留，是因為他們與犯罪性的活動和組織聯絡。這對於公衆治安與良好秩序，造成一種威脅。」

根據政府文告，我們似可看出新加坡是不容許任何極左或極右人物作一些和私會黨有關底活動的。因為這將影響到人民行動黨的政綱「公衆的治安與良好秩序」，一再強調新加坡公民忠於馬來亞王國。在他們的心目中，新加坡的華人，應該斷絕「祖國」的血緣關係，全心全意的維護新加坡的獨立自治，歸綜到馬來亞國的領域裡去，在這第一次被捕的四人中，除了那兩位或者被疑於黑社會有關；其他兩位，明眼人一看而知，是與政治問題有關係。

早在八月十三日，新加坡政府就曾做了一項重要的措施，這是自推行肅清社會風化運動後，更進一步撲滅橫行的私會黨，為除所有的賭窟和私會黨聚集場所。內閣將書面援用新加坡法律第二二八章社團註冊法令，解散了八個社團：

一、新加坡米業聯樂社　主席：洪濤趙

二、障格社　主席：許約民

三、集英俱樂部　主席：陳韓英

四、怡然俱樂部　主席：蔡天華

五、聯合俱樂部　主席：林天豹

六、僑星社　主席：倪雲龍

七、新梅智樂部　主席：陳瑞生

八、大東俱樂部　主席：鄭天鑫

內閣解散會稱：「查社團註冊法令第十七條第一節所載，如有某社團或豁免註冊社團，經國家元首認為係用以進行非法活動，或對於當地治安有所不利抑有違背該社團註冊章程所規定之宗旨及其他條規者，國家元首得下令將該社團加以解散。茲者國家元首認為上述八社團，係用以進行非法活動，對於本邦治安有所不利，特此令行查封。」是以閃電方式完成了解散八個社團的工作，上述各社團大多數租賃店舖內的後部一小半段地方，沒有辦公檯、會議桌和職員表，甚至僅有三兩張麻將檯及長條凳，一點粗糙的傢俬。嚴格說來，與其說是「社團」，無寧說是賭窟，較為適合。

但，這些都是私會黨徒滋生的溫床，也是私會黨徒聚會的場所，以社團做掩護的外衣，而進行劫掠鬥毆的行為。終於，人民行動黨的領袖，向這班暴徒開刀了。（李叔子八月十八日寄）

陳立夫先生六十壽序

平湖陳立夫先生去國之十載，年六十矣。其門人故舊，謀具名於筵為先生壽，而命予為之辭。竊謂先生之事功品節，當世知之者衆矣，誠不待辭而後知。獨有感於肇造以還，先生之諸父弟昆，相率以身許國；而先生尤早達，其所樹立既昭昭在人耳目；方今播越之餘，續絕之會，宜益得播其智慮，以贊他日中興之盛。乃獨栖栖遑遑，憂勞靡泊於殊邦萬里外，僅以自全，是豈先生之志哉？夫窮達繫乎時；治亂繫乎命；用舍繫乎人；出處語默繫乎己。有道之士，不為時累，不為物役，亦惟盡其在我，安義命而已。嘗聞先生之居於外也，貞介自持，莫之能點；亦未嘗汲汲焉自潔其名，爽然於物我得失之間。非有道之士，孰能至於斯？易曰：「知進退存亡而不失其正者，其惟聖人乎」！禮曰：「溫柔敦厚而不愚，深於詩者也。」先生早歲耽六藝，又嘗欲融會之成一家之說，其必深味乎斯言，以為出處語默之典則可知也。今先生少遭憂虞，備嘗艱危，方將勞其筋骨，充其德氣，以躋仁壽之域，以睹復國返京之盛，則世所謂栖栖遑遑者，又安知非先生之志哉！

◦蕭繼宗◦

來函照刊

關于鄭玉蘭沉屍案

逕啓者頃讀 貴刊本年七月二十五日第二版所載台北航訊「關於鄭玉蘭沉屍案」一文，字裏行間，大都係攻訐本人。查該案真相如何，在本人處理期間是否有失公平，現當該案猶在台中地方法院檢察處繼續偵查中，本人固未便置辯。惟原文一則謂「某法曹母親接受紅包」，再則謂「法曹會黑」「枉法褐袒」，謂非指本人及家母而言，其誰能信。本人服務法曹垂二十年，平時處理案件，素秉至公，一時毀譽原非所計。今家母以七十高年，曾被選為模範母親，竟亦無端被誣，為人子者孰能忍受。貴報在海外發行擁有甚多讀者，如認為原通訊人已澈底查明確有上述事實，則國法俱在，請轉囑其出而檢舉，如原通訊人飾詞非指本人，即請囑其向有管轄權之機關指名告發。（下略）此致

自由人半週刊

曹珊尉啓（七月卅一日）

通訊處：台灣嘉義地方法院

更正啓事

本刊七月廿五日第二版「台灣政壇怪聞」一通訊稿，頃據台灣省政府觀察劉伯選先生來函稱與事實不符，合行更正，並致歉意。

編輯部　八月廿七日

不必怕「高峯」

・旭軍譯・

赫魯曉夫去年突提出柏林與德國問題，並下對方答覆之時限，一方面不斷的以飛彈等武器恫嚇西方。世人懷疑他或自以爲飛彈武器技術上稍佔先，便試施行其「嚇」「拆」「騙」三部曲。

宥如是，他未免太蠢罷。因爲當兩大國具有互相摧毀的能力，一形成勢力均衡的角力，只有雙方鎭靜，誰能堅持到底之意志，方可佔最後勝利，否則新武器之摧毀力愈大，則「威嚇的用途愈小」。

蘇最後通牒恫嚇失敗

現在美蘇之間實際上是用『持久消磨的外交策略』（Attrition diplomacy），急進侵略已不能如以往的收效。當戰爭屬於普遍的摧毀性，則赫魯曉夫那種的『致最後通牒』恫嚇，不獨無效，反而因對方嚇不倒時，而自己因時限愈近而愈怕下不了台。本來赫魯曉夫定下的西方退出西柏林的最後限期，五月廿七日，反而令到他陷於軟硬俱難的尷尬。幸而那天剛是杜勒斯國葬後，四國外長同乘飛機，從華府返回日內瓦，把蘇聯尷尬局面消除了。大鬆一口氣，不是西方，而是赫魯曉夫。所以赫魯曉夫的最後通牒式的恫嚇，是他最大錯誤的一着棋子。

他後來好像頭腦較爲清醒一點，覺悟到此次的恫嚇，未如所須。對他是一個教訓。如堅持下去，祇有犧牲他自己的和蘇聯的聲譽。

假如赫魯曉夫有意選擇這個方法去謀取高峯會議，就證明他的不智和魯莽。在高峯會議兩大集團的領袖，是沒有什麼可談的。他們口中不說，但心裏有數，甚明瞭兩集團之間，既打不起來，也和不得。兩個制度只有時時刻刻謀怎樣應付對方，而盡所能還擊對方。

從目前形勢看，赫魯曉夫欲與西方較量的，不是軍事力量，而是外交力量。但在現代用來代替武力的外交手腕，亦正受武力所麻痺。其實在兩個不能和解的強大集團之間，長期消耗爲主，外交策略爲輔。換而言之，必須注重不斷加強維持立場之力量，而不是試驗力量。

我們要分辨「消耗外交策略」和「談判外交策略」。談判外交祇是舊有傳統方法。欲制共黨集團之死命，非加強國部力量不可。如欲從談判去換取和平，無異緣木求魚，且爲亦空。

何以赫魯曉夫醉心高峯會議

赫魯曉夫自一九五七年蘇聯首先放射人造衛星成功後，種種恫嚇，亦止於恫嚇而已。他表面雖如半瘋癲的自誇，亦未必無自知之明。只因西方怯懦自私之政客而自亂陣腳而已。

爲什麼赫魯曉夫醉心於高峯會議？因爲他相信重演一次的高峯會議，便好像一九五五年引誘大國去相信已達到戰爭邊緣，至少在歐洲勢力均衡了。但蘇聯便乘機去找尋傾覆，蠶食，和挑撥的機會。蘇聯用試驗力量的方法以小戰探自由世界之弱點，以談判外交策略去懈反共之鬥志。

當年共黨在中東亞洲及非洲作政治與經濟的侵略，的確侵害了自由世界。但俄共並未擴大他們的王國，並未發展任何的行動，祇是挑起他們積極干預的國家內狂暴民族主義。並未收獲到假藉民族主義去擴張鐵幕之功。

日內瓦會議後約一年，蘇聯面臨匈牙利革命危機。而美國亦因蘇彝士運河以致與盟國之關係突趨緊張。然而這兩件事正好證明兩集團性質之不同。

事後美國與盟國絕未有分離。但共產集團只能以坦克來鎮壓反叛。赫魯曉夫必十分明瞭兩個制度之差異。他對於美國之能給予盟國以原子武器的展望，但是又讓又讀。試問蘇聯能預期把原子武器給予匈牙利，波蘭、捷克，抑中共麼？

國際動態拾零

△美國派海軍上將雷可佛（Rickover）赴蘇，其任務，是參觀蘇聯潛艇，了解俄國原子潛艇之進展，得以交換情報。

△蘇聯海軍部近期建造一艘原子潛艇，不過一艘，而會有好幾艘。

△據美國蘇聯問題專家所報告，蘇聯會否與中共合作，將原子武器供給中共。但據可靠消息，現時原子砲及原子武器，僅於蘇聯可能將原子飛彈安置於中共境內，但原子武器的製造，將移用于原子砲之製造。

△美陸軍發明一二〇米里口徑之原子砲，可載在坦克車及直升機上。其有效距離約爲十數英里，爆炸性能與小型原子彈相同，反坦克火箭預算，將移用于原子砲之製造。

△艾赫彼此並無敵意，所以對於會談將甚無結果。他們在未見面時，就彼此認識。赫氏雖機警而實無智慧。

△民主黨中有候選總統提名之堪富利，曾與赫魯曉夫有八小時不斷的談話，將邀請其赴明尼蘇達州晤面，爲彼之責任。

△有共和黨總統候選人資格的洛克斐洛，斷定民主黨一九六〇年之總統候選人仍爲史梯文生。但民主黨參議員約翰遜，雖屢次聲言不競選，在共和黨里，詹森的聲望大增，似較洛克菲洛有希望。

・陶然・

美英之間動機不同

艾森豪威爾總統的邀赫魯曉夫訪美，引起是非之論甚多，見仁見智，莫衷一是。但艾克與尼克遜之邀請赫魯曉夫赴美，究與麥美倫及英國人的動機不同。英國人志在從談判外交，求與蘇聯相處，俾誠的信得過蘇聯願達成終止核子武器之試驗和製造。

但艾克的動機是讓這位蘇聯領袖到美國來，親自看看美國的不可侮之實力，和親耳聽他們表白美國決不在柏林及德國問題屈服，讓赫魯曉夫知道勿造成一個要退卻已無可挽回而走險之局勢。艾森豪威爾總統當堅決反對舉行高峯會議，假如以他的立場來看，並非是愚蠢。他認爲高峯會議並非絕對要不得。他反對的是不合時宜的高峯會議，他同意的是一個合時宜的高峯（Seasonal Summit）。

艾克要用談判與消耗外交兩政策雙管齊下。他曾看得到赫魯曉夫決不放棄共產主義之侵略世界，因爲赫魯曉夫深信在今後的二十年，蘇聯的經濟與技術可超過美國，但美國亦深信共產主義的組織，逐漸擴大多數人利益，在人性，以和平進展下無法與自由世界比實力之消長。

艾克又信北大西洋公約組織，遠比華沙公約組織堅固。他所以接受赫魯曉夫的交換訪問，不是過取。這不過是他的外交策略。所以他說：「這種交換訪問關係，給予彼小的鼓勵。」

我們需要一個怎樣的高峯會議呢？一方面是自由世界，對國內一方面要持自由世界的多國家的元首，對國際問題，獨裁者的高峯會議，是很嚴重的不能忽視的。（本文摘譯自「思者雜誌」）

蛻變中的「公社」

中共正不斷在改變其「人民公社」制度，並否定「人民公社」「一大二公」的絕對性質。

第十四期「政治學習」刊有「大集體中的小私有」一篇文章中稱：「在目前條件下，人民公社不能完全代替『小私有』的作用。」提出的理由是：「因爲農業生產和副業生產項目很多，潛力很大，僅僅依靠大集體，往往不能把這些潛力充分挖掘出來；另外，目前生產水平很低，而社員生活需要卻是多種多樣的，而社員生活需要在目前還不能完全依靠公社經濟來很好的解決。」只有「發揮小私有經濟的積極性，才能夠比較妥當地解決這一問題。」

該文中指出：「小私有經濟的自留地都是必要的。」「比方，社員如果把全部的人力，物力放到集體生產中去，小私有的生產就不可能搞起來，而如果對小私有生產投入的人力，物力過多，就會影響到集體生產的發展。」雖然如此，但該文認爲：「『小私有』在一個相當長的時期內是有積極作用的，是必要的。」除非到了「人民公社的產品非常豐富，社員的家庭副業收入同公社分配給他的收入比較起來已經微不足道。」如果不能滿足這些要求，而否定「小私有」的存在，不僅不提高，且將阻礙人民生活的改善，也就不可能鼓勵農民的生產積極性。

中共一貫宣傳「人民公社」制的優越，似乎特別是「一大二公」，有了它，就可以實現人間天堂，就可以發揮人民的「冲天幹勁」。同時又說「人民公社」是農民覺悟普遍提高的了，現在看起來，都是不符事實的了。（資）

竹幕秘聞

「最高國務會議」

劉少奇于二十四日召開了擴大的第十七次「最高國務會議」，這個會議根據「憲法」並無任何決定權力。新華社報導說明與會的人們「一致擁護中共中央的號召」，可見擁護的是中共中央的號召，而非「最高國務會議」的決議，這樣可知這個會議只是中共中央會議的延伸，其目的無非是將中共中央會議的某些決議，向參加者宣佈，以及壓迫即將舉行的「全國人代常委會議」通過，使黨的決議變成「人代會」的決議，來強迫實行而已。

周恩來的報告

周恩來在這次「最高國務會議」上的報告，即將向「人代常委會」提出，看來這個報告是將公佈的。它的精神不外是要求鼓足幹勁、反對右傾保守，厲行增產節約」；它的對內方面的要點又無非是：（一）「要求全國各族人民在工業、農業，運輸業和其他各個戰線上，更加廣泛和深入地開展一個轟轟烈烈的增產節約運動」；（二）反對恢復高級農業社，堅持人民公社的體制；（三）要求克服天災；以及（四）報告上半年的生產情況。

這個報告的對外方面的要點則是：熱烈擁護美蘇首腦交換互訪，對寮國戰事的態度不會有新的改變，「解放台灣」的決心當有重申的必要了。

毛澤東的新領導方法

這次「最高國務會議」是劉繼毛爲「政府主席」以來的第一次，毛澤東未曾參加是其特點。這一特點似乎說毛已有了這樣的信心：對于中共中央的決議，劉少奇、周恩來、朱德將分別在「最高國務會議」，「國務院」，「人代會」中忠實的執行。這樣，當說明了毛的領導方法已與前一階段當「政府主席」時有所不同了；當時，毛有許多提議未能在中共中央通過，迫得他召開多次「最高國務會議」，用以來貫澈他的主張，鼓勵與壓迫中共中央接受其提議；現在，他似乎在一心一意的搞通那個中央委員會，用中央委員會的決議號令劉、周、朱忠實執行。現在這次中央會議時間開得很長，當反映爭執很多，反對派的勢力也還巨大，這種情況在我想毛澤東必已注意及之，在稍後的一個階段，他必然要設法改變之，要使得他的意見在中央委員會中達到無可討論的地步，方才可使他暢所欲爲。

向崩潰之途躍進

在這種經濟發展極度不平衡，人民生活已降至無可再降的情況之下，毛澤東死要面子還要躍進；這種躍進無異是向崩潰之途躍進。假使替這個躍進運動算一算命，則敢斷言不管毛澤東願意不願意，今冬、明春是難以躍過去的。

・田心・

豫魯冀皖蘇五省有嚴重蝗災

八月十五日及十六日人民日報消息稱：「據農業部截至目前的不完全統計，河南等五省秋蝗發生面積共有一千五百多萬畝，其中，河南、山東兩省佔三分之二多。據八月初的情況，山東濟甯專區、河南黃河灘地、江蘇徐州專區和安徽沿淮河一帶的蝗蝻密度較大，一般的每平方丈有虫十到二十頭，個別嚴重地區達萬頭以上。目前蝗蝻齡期大，一部份蝗蝻已經變爲成虫，開始危害莊稼。河南、山東、江蘇三省，共有十一萬多畝晚秋作物已被蝗虫咬了葉子。」

「江蘇省目前已查出發生蝗虫的面積二百七十多萬畝，其中有一百七十三萬多畝已進行了防治。這次秋蝗主要發生在微山湖、洪澤湖和高寶湖周圍的丰縣、沛縣、銅山、泗陽、盱眙和高郵、寶應等縣。蝗蝻密度一般每方丈十只左右，多的有二百到六百只。沿湖地區蝗蝻密度最高的每方丈達一萬到兩萬只。」

「今年河南省由於天氣乾旱，全省有六十一個縣市發生秋蝗，其中以黃河兩岸和豫北、豫南的湖泊地區比較嚴重，據不完全統計，全省的秋蝗面積共達五百多萬畝，是十年來最嚴重的一年，比一九五八年秋蝗發生面積多一倍。今年秋蝗不僅發生在夏蝗區，而且最近一兩年沒有發生夏蝗的地區也發生了秋蝗。全省受秋蝗危害的面積有十萬多畝，莊稼的葉子已被咬了，其中有四萬畝莊稼葉子已被吃光，當地羣衆正在改種晚秋作物。（資）」

瘟君夢

第四回：僕僕風塵　遍灑知己淚　森森劍戟　苦鬥子弟軍

聶榮臻搶着說道：「我們這裏六人就佔六名了，其餘再提四個就是了。」

陳毅笑道：「老聶，你忙什麼？若是沒有你的份，彭德懷不會請你來了。」聶榮臻紅着臉不作聲。

彭德懷連連點頭：「我們這裏六個人是不成問題了，還有一人是軍師交下來的，就是羅榮桓。」

「羅榮桓！他一天兵未帶過怎能當元帥？」從不講話的林彪有點惱了。

彭德懷苦笑道：「我也這樣問過軍師，他說蘇聯的布爾加甯和貝利亞都是政工元帥。」一提蘇聯，林彪默不作聲了。

劉伯承笑道：「羅榮桓能當元帥，我的政委鄧小平更應該當元帥吧！」說過向陳毅和聶榮臻又看了半眼。

陳、聶兩人明白獨眼龍的意思，你湖南人佔一名政治元帥，我四川人也要佔一名，當時一齊拍掌說：「應該，應該」。

彭德懷無可奈何地點點頭：「這就有八個了，還差二人是誰呢？」

林彪忽然一挺身，拍拍在蘇聯換的那條假腿，大聲說道：「徐向前該不該給他一名元帥。」

林彪話一說出，劉，陳，聶三人不由得鼓起掌來。

彭德懷頓時不知所措，賀龍也呆了。原來徐向前是「紅四方面軍」的底子，過去和毛澤東並不是一個系統，毛澤東、朱德，彭德懷一批人在井崗山落草時，徐向前也和張國燾盤据在鄂東，當時國民政府通緝朱毛與張徐是並稱的，雙方雖然同一番號，但是誰也指揮不了誰，後來兩邊根據地受不了國軍圍剿，向西北竄時，所走的路線也不同，直到四川松理茂才會合，不久又分道揚鑣，朱毛奔陝北，張徐去甘肅，不過張徐運氣太差，在河西走廊被馬家軍擊潰，不得已回到陝北，落到毛澤東手裏，紅四方面軍的官兵在陝北就被活埋了一萬多人，張國燾乘去西安祭黃陵之便逃向重慶，徐向前倒受盡折磨。

當民國二十六年共軍決定投誠，接受政府招安，改編爲三個師，蔣委員長因爲徐向前是黃埔學生，特別在接見周恩來時詢問到徐的情形。周恩來回到延安一說，毛澤東慌了，他既不願意徐向前出頭，又不敢違抗蔣委員長的意思，於是打出一個林彪師長這張牌，提請任命林彪爲師長，因爲林彪也是黃埔學生，用他來抵制徐向前。後來軍事委員會發表任命時，林彪，賀龍，劉伯承分任師長，徐向前也被任命爲一二九師劉伯承的副師長。

毛澤東的雖然懷恨，也無奈何，只是想盡方法打擊徐向前，從抗戰開始到中共佔有大陸，當時任師長，副師長的都變成野戰軍司令員，只有徐向前僅當上十八兵團司令員比別人都低一級（六五）

岳騫

釋耒集

流俗相傳謂：今舊式戲班後台所奉之祖師，爲後唐莊宗李存勗，確否無由考知，而唐莊宗在歷史上爲寵伶人之皇帝，則爲人所共知之往事，以優伶爲刺史，使彼輩于粉墨之餘，從政理民，其事亦始于唐莊宗，終乃因伶人作叛，身死國滅，爲天下後世所非笑，今之伶人乃復奉之爲祖師，則滑稽可笑之甚矣。

日前于本港報端，獲知某國語電影演員，在台灣與新聞記者發生口角，某晚報且于事後撰文譏誚。其事之是非，不便置詞，惟吾人在香港，習聞一般未成名之演員，往往藉：婚變、服毒，反靠攏等名目，爲自身製造新聞，並預約記者爲之宣揚，以收宣傳之效者，實頗有人，及其一旦成名，忽爾輕視記者如草芥，此固小人物常態，亦不擬深論，但猶記當日報章所述，明星語記者曰：「××何負于自由中國？」記者聞之則曰：「××算什麼東西！」不知一電影演員，憑何種德能，可以爲負自由中國？而××既不算什麼東西，則又何若奔走駭汗于事塵埋足之間，以侍候其一顰一笑也。然則明星服中之自由中國，果居于何等耶？

藝人

我國士大夫狎交伶人，古或甚古，要以明世中葉以後爲尤甚，想由彼時崑曲大行，曲詞典麗文雅，伶人耳濡目染之餘，文彩聲華，當亦間有可觀者，今讀吳梅村楚兩生行，侯方域馬伶傳，以至龔芝麓之于毛紫稼，陳迦陵之于雲郎，「艷聞」流播，昔可見其大略，此風澆瀉，遂至于清末。然彼時所收於伶人者，大抵丑末則喜其插科打諢，生旦則取其流波送盼，而其實則終歸于玩人。及舊劇既衰，電影事業代之而興，色藝較佳之演員，號曰明星，或稱艷人，製片家爲爭取生意，競爲誇張之宣傳，加以現代式娛樂事業，其經營之方式，深入普遍之程度，大異曩時，其所獲利潤豐，則明星之報酬乃特厚，于是既有錢，又有名，明星聲價，遂以[illegible]一世，於是搞政治者，又擬借明星爲其[illegible]之工具，猶憶國府被逼遷台前後，少數影人，今日靠左，明日靠右，報章雜誌，相競刊載其政治性談話，至于流亡本港之忠貞人士，年中舉行國慶紀念，亦必借重明星登台演講，於是電影明星，又儼爲救國明星，反共明星，一若非有明星參加，即無以救國，無以反共之勢，而當道者延譽明星，較之延攬一般文化人士，禮遇遠爲優渥，爲明星者，乃混忘其自身不過寄名於潮俗之中，受製片家所豢惜，然後得以曳裾侯門。遂使無冕之王，橫遭挫辱，而光潤熱心之記者先生，嚴格論之，實亦未免於崇勢利而羞賤貧矣。昔歐陽修撰新五代史，爲伶人立傳，稱伶官傳，伶而稱官則所以寄其慨者爲何如乎？君子於此可以覘世變矣。

·曲齋·

孩子打架與教育哲學

·歸舟·

——本文是歸舟先生最近從牙買加寄來的一篇真實故事。（編者）——

路透先生從德國回來了，他帶了幾本席勒著作的英譯本給我，在電話中約了我晚上見面。他約莫是三十五歲的年紀，身軀粗壯，充滿活力，是一個典型的日耳曼人。他雖然是[illegible]駐京斯敦的代表，可是對於文學也頗有修養。我與他除了有業務上的往來外，友誼就是建築在共同的興趣上。

在亞熱帶的牙買加，夏日的黃昏來得特別遲，我驅車抵達路透家裏時，雖然時間已是六時半左右，但是夕陽還斜照在草地上，他的孩子還在草地上玩耍。我到了不久，狄更遜先生帶着他的孩子溫地也來了。狄更遜先生是英國人，士敏土廠的化學工程師。路透夫婦招呼了我們坐下以後，因爲大家在翻閱着席勒的著作，談話也就很自然的以席勒及其作品爲中心。路透先生告訴我們說，本年十月恰逢席勒誕生的二百年紀念，西德文化界將舉行盛大的慶祝。大家正談得津津有味之際，驀地屋外的草地上傳來了孩子的哭聲，可是大家都不在意，這哭聲越來越響，簡直是大哭大嚷。於是路透先生就到外面去看個究竟，我和狄更遜先生也隨着他往外走去。

原來路透的大孩子烏夫更，在玩着拖拉機，溫地來了也要玩。可是溫地不久獨自霸佔了這架拖拉機，不容其他的孩子染指。烏夫更要把它拿回來，但溫地是不肯，而且洋洋自得地駛來駛去，好不氣煞人！哭鬧着的正是烏夫更。

起初，路透先生拍拍手掌問了一聲：「孩子們，怎麼啦？」其實他的孩子都沒有作聲，烏夫更則跑過來向他爸爸哭訴溫地怎樣霸去了他的拖拉機。這時狄更遜先生把他的孩子喚住了，提醒他說：「溫地，下來吧，讓拖拉機給烏夫更吧！」[illegible]狄更遜先生也沒有再說什麼，或採取什麼懲罰的行動。

路透先生一邊糾正了烏夫更站立着的姿態，一邊對他說：「烏夫更，[illegible]」他開始鼓勵着他的孩子去把東西搶回來。[illegible]，一場小爭奪戰也就於焉啓幕。

我想，這局面鬧下去，一定會很尷尬。可是我的料想竟然不對。我注意一下狄更遜的表情，祇見他雙手交叉在胸前，微笑着在欣賞這場小戰鬥，一如他的孩子不是參戰的一方。至於路透先生呢，從他的孩子主動出擊的一刻起，他的臉上的筋肉就開始鬆弛起來，掛着笑容蹲在池上，觀察着戰鬥的進行。雖然是烏夫更吃虧的時候多，可是路透先生反而毫不着急。

正在兩童扭作一團之際，路透太太拿了幾隻芒果出來，小人大人每人一隻，這場戰鬥也就在不分勝負中結束了。

「孩子要打架，總得讓他們打打。」在這進退內的時候，狄更遜先生好像解嘲似的對我說。

「烏夫更這孩子近來頗使我就慮，他老喜歡哭，東西給人拿走了也是哭，給人欺負了，也是哭，懦弱的氣質很重。」路透先生好像是自言自語，又好像是對我們說。

「孩子可以慢慢教得來。」這是我的中國式的空洞的答話。

路透對於我的話似乎很感到驚訝，因爲他回頭望了我一眼，非常認真地說：「懦怯的孩子如果不及時糾正，那麼長大後就會成爲無用的懦夫！」

狄更遜先生也點着頭說：「真的，我們必然地讓孩子的個性充份發展，可是對於他們性格上的缺點，也該及早糾正。」

這時天已黑了，大家在客廳裏坐了下來，兩個孩子也各自依偎着他們的爸爸。

路透撫摸着烏夫更的金髮，對他說：「孩子，你得記着，凡是屬於你的東西，都不能讓別人平白地搶去，你得時時有勇氣去保衛你的一切！」孩子斜視了溫地一眼，低聲地說：「是的，爸爸。」

狄更遜先生兩手托起溫地的頭向着自己，很慈祥地訓他：「溫地，你千萬要記着，凡是別人的東西都不能強搶，這是不公平的。現在，你過去跟烏夫更握手道歉吧！」

兩個孩子又高興地玩在一起了，而我們的話題也由孩子的教育，回到席勒的詩篇。可是剛才孩子打架的一幕，卻使我產生很多的感想，在歸途中，我陷入了極深的沉思中。

從孩子這場打架中，我看到東西教育哲學的迥異。路透先生是要祛除孩子的懦怯，不惜鼓勵孩子去打架，狄更遜先生則沒有當衆斥責孩子，以免損害了孩子的自尊心。反觀在我國的一般社會中，遇到了孩子爭吵打架的事情，一方的父母定會哄着孩子這樣說：「乖乖，不要緊，不要緊。」另一方的父母則嚴有其事似的呵斥：「你還敢，打死你！」其實兩方面對孩子所說的，都是給對方的父母聽，這樣才顯得大家都是出自禮讓之邦。然而，以這樣的方法來教育孩子，只會養成懦怯、怕事和逆來順受的性格。我們細思一下，這些不都是我們民族性的一面麼？

栗海彈心錄

民五以後，南北派系，各自爲謀，東京，南洋，左派，右派，直系，皖系，奉系，吳系，孫系之角觸，容共，反共之分化，[illegible]無日不在戰爭紛擾之中，[illegible]坐令第一次世界大戰，中國所獲遇之良好機會，輕輕滑過。[illegible]末民初之國有工業基礎，[illegible]無遺，論其誤國之罪，則五稱均[illegible]

清咸豐六年，湖北巡撫胡文忠林翼，[illegible]漕三成，[illegible]其後他省多效之。辛亥湖北軍政府派赴州縣提款委員，多者十餘萬兩，少亦數萬兩，其時農村丁漕捐稅而外，別無任何苛雜，[illegible]爲可惜也。

派系誤國

事後每細細思量，設使武昌起義失敗，滿廷預備立憲，又得一二十年[illegible]

[illegible]社會之不善，不亦宜乎，從而和之，指孔子當罪，以爲豺虎，以紅樓水滸代經籍爲代六書，倡之惟恐不周，實已三十餘年，國是日損，國是益紛，羅刹時從而柔之。[illegible]忠信禮讓[illegible]之風，[illegible]廉恥之辨，世人何嘗以[illegible]之本，社會何嘗以此爲興[illegible]政府何嘗以此爲獎懲之方[illegible]以此相告誡，師友不以[illegible]在此，明甚。誠能以前[illegible]懺爲戒，則興復之機，[illegible]

·阿公·

銀壇隨筆

慎勿聽讒言

台北有一張報紙，對香港影圈的內幕消息，報道很多；有時候不免被當作「道聽塗說」。最近它發表了一則內幕，那是說某公司自從以一萬二千元高價，挖到一個小生；公司方面的許多演員，特別是基本演員，正醞釀着掀起「漲薪」潮。強調了一位基本演員氣不服：他認爲這種措施，對他本人是一大汚蔑。他認爲這一個一萬二千身價小生，除了跳舞和一些油腔滑調之外，根本不會演戲，而且他從來沒有拍過像他那樣：上映月餘「賣座不衰」的片子。因此，他向公司抗議，如果不以相等待遇（一萬二千元）給他，隨便怎樣也不幹。這種抗議自不能說：「不合理」。公司方面卻覺得「茲事體大」，一個加，勢非全體加不可。這個加薪問題怎樣解決，顯然夠傷腦筋。然而，照這樣下去，傷腦筋的事，將層出不窮。

首先應該檢討的，公司方面不應當接受彼某方利用害的「一石兩鳥」建議。這建議以重金挖同業演員，其目的是要瓦解那個演員所服務的機構；現在「瓦解」或「削弱」對方的使倆未見遂；反而使自己的公司內部發生分裂。這種趨勢很明顯地反映出，一方面慫恿公司拒絕加薪要求，製造內部糾紛的條件已經構成，另一方面，構煽這一下論現狀的基本演員，和其他低薪演員聯合起來，向公司反抗。公司方面似乎還並不明白。

本來，電影圈裏的事情最難弄，王元龍死前，有什麼糾紛，只要「四爺」一到，什麼事都解決得了。王氏一死，予一般假裝有利於公司，實際想拆台的人以一大鼓勵。如果各間公司不加警惕，一味聽信讒言，無異自掘墳墓。挖人已挖出了亂子，「加薪」「不加薪」都不是辦法，唯一辦法只有整頓內部，清除陰謀分子。不然，養虎傷身，自貽伊戚。因爲，這世界「軟耳」人太多，那些負有特殊使命之徒，笑而進讒，暗中抽刀的機會也就特多，[illegible]的人多數必吃大虧。

·修衡·

羅敷艷

·彭楚珩·

端午之夕，夢溺衡皋，見湘江水，醒後不可復覩，輾轉乃至天明；爲調羅敷艷一闋以紀之。

分明夢見湘江水，望斷歸篷，望斷歸篷，不盡鄉思付晚風！可憐擬渡難回夢！欲迴還慵，欲迴還慵；窗外晨曦縹渺中。

西藏的寺廟

三大寺

（續上期）三大寺是宗喀巴時興建的，創建人嘎丹寺是宗喀巴[illegible]，色拉寺是宗喀巴的弟子釋迦也失，哲蚌寺是宗喀巴的另一弟子嘉樣曲傑。在西藏歷史上，三大寺在宗教和政治上，有十分重要的地位。

嘎丹寺位於拉薩城東幾十里外，修在大道近旁的山腹上，寺裏有三千多喇嘛。寺廟宏大，相當於三個[illegible]宮。內有很多珍貴的雕刻品，其中最珍貴的是宗喀巴大師的上首弟子克主結（即第一世班禪大師）所刻的集密金剛曼陀羅直徑五尺多，上刻宮殿人物，極爲精美，寺內還有宗喀巴的肉身靈塔，宗喀巴生前在這裏傳道，他的法座稱爲甘丹墀巴，在宗教上的地位僅次於達賴、班禪，對全藏的佛教有管理監督之權。

哲蚌寺在拉薩市西，也在山坡上，是個包括上萬間房屋的巨大建築羣。最雄偉的大佛殿內有一百多根柱子，可容六七千人（如果擠着坐可容一萬多人）。四周的牆壁厚達一丈多，高七、八丈，上面還有二層樓房，另外還有四個能容四千人的大殿，和七八十個大大小小的殿堂。其中較大的也能容一千多人。全寺僧衆有七千多名。

色拉寺位於拉薩市東北的山麓，有金殿三座和幾處圍亭，全寺有喇嘛五六千人。

三大寺是西藏喇嘛教的最高學府，設有九個「札倉」（類似學院），其中兩個是密宗學院，另外幾個是顯宗學院，學習年限約十五年左右，學完及格後再經過五年十年的研究可申請考「格西」（類似「博士」），爲佛學最高學位。

可惜這些富有藝術價值的宏偉建築，珍貴的寶藏，在拉薩抗暴戰事中，部份已經受到共軍炮火的摧毀。（下）

·蜀人·

自由人

THE FREEMAN

（第八八六期）

（半週刊 星期三 六出版）

每份港幣壹毫

台北市售價台幣貳元

督印人：陳文

地址：香港高士威道二十號四樓 20 CAUSEWAY RD. 3RD. FL. HONG KONG

TEL. 771726

承印者：南東印務出版社　地址：高士打道六十四號

台灣總經理處：台北市西寧南路壹叁零號二樓

電話：三〇三四六

台郵撥儲金戶九二五二

海外總經銷：友聯書報發行公司

香港：德輔道中二十六號A二樓

日本人心目中的遠東聯邦？

宋文明

一、

本年一月十二日，在中日合作策進會第四屆全體會議於台北舉行揭幕典禮中，當時日本駐台北大使堀內謙介曾發表如下的演講：「我希望中日合作策進會的中日雙方委員更加強經常的活動，並且用世界性的眼光來尋找問題，擬訂計劃，同時抓住機會促其實現」。對於堀內謙介這一演講的內容，當時並未引起任何方面的特別注意；但他所說「用世界性的眼光來尋找問題」這句話，卻使我發生甚大的興趣。一開始我就感到他這句話中含有一種不尋常的意思，果然一個月以後，另一件事實即證明我的這種懷疑確實不錯。

這所謂另一事實，便是曾出席這次台北會議的日本民自黨副總裁大野伴睦，於本年二月號的日本中央公論發表談話，首次公開要求建立一個包括台灣與韓國在內的日本合衆國。大野此文內說：「我想外交應以美國爲中心，因爲美國富有，跟有鈔的國家打交道，比跟沒有鈔的國家打交道好。所以外交的重心，依我想，只有和美國提手才是一條路。在這個時期，對韓國和台灣這個國家，我們應該保持密切的關係。如果可能的話，我們和朝鮮，台灣拼在一起，來組織一個日本合衆國。這個意思好不好，我不曉得，但是照我的想法，大概這樣才能安定極東」。大野這篇談話發表後，中央社駐東京記者曾去訪問過他，在這一訪問記內中央社記者指出：「他所告訴該雜誌的，實際上是一種由日本，中華民國，大韓民國爲構成份子的極東合衆國，他並謂此事以中文或日文的聯邦一同來說明，較合衆國爲佳。大野又說，他這項主意係採自目前歐洲若干人士主張成立合衆國的想法。他強調他這項亞洲合衆國的主意，是源自他的強烈希望組成一個有力的中、日、韓反共集團，不屬彼誤會爲日本野心的復活」。

二、

以上這兩種表示，接連在一個月內出現，確屬一件不尋常的事情。固然，我不瞭解以後堀內的突然辭職退休與中日兩國同時更動大使，是否與此事件有關；但我堅信堀內謙介那篇演講與大野伴睦那篇談話之間，確是有一種密切的關聯。甚至我發現堀內的所謂「世界性眼光」與大野的所謂「歐洲若干人士的想法」，更完全是同一種說法。因此以我的推測，本年初大野伴睦乘赴台參加中日合作策進會的機會，曾和當時駐台北的堀內大使有過一項私人間的秘密諒解，就是以他們兩位日本元老政治家的身份，準備對這一有關遠東未來新秩序的中日韓三國聯邦問題，作一次初步的試探，以觀測各方的反應。根據堀內與大野兩人的說法，他們似乎認爲日本假若沒有台灣與朝鮮兩地的輔助，它根本就不可能成爲一個遠東的安定力量；同樣，台灣與朝鮮假若不與日本相聯繫，互作依靠，它們亦不可能在遠東國際社會中單獨担任一重要角色。他們的意思，就是要日本，大韓民國與中華民國三者經由逐步的互助合作，最後形成一共同聯邦，以確保它們自身的存在及整個遠東的長期安定。換言之，日本這些人的想法，就是要把日本，朝鮮，台灣重新結合成一個大的政治單元，恢復二次大戰前的盛況，準備與亞洲大陸上的中共勢力作長期較量。堀內的演講因過於含蓄，所以沒有引起一般人的注意；大野的說法又過於露骨，所以韓台兩地的反應又非常不佳。事後大野雖一再聲明他這一主張並不在復活日本的野心，並設法力予冲淡它的含義，可是它給韓台兩地人士所帶來的疑懼當不會輕易消除的。

三、

究竟日本人所說這一遠東聯邦有無出現的可能？要回答這一問題，先要追究日本心目中的這一聯邦概念到底爲何。假若這一聯邦概念旨如李普曼告訴它們的在提高日本對整個遠東的發言力量，重建日本的盟主地位，日本這種說法將永無取得同情的可能。反之，假若這一聯邦概念是正如一般人所知，在以完全平等地位促進相互間的政治經濟等合作關係，則日本這種說法，起碼在理論上是說得通的。至於這一遠東聯邦如何由日本的盟主中心變爲各國的平等聯合，如何避免日本的大國操縱而使各個參與者永久保持其同等發言地位，在我看來，這一關鍵全在琉球的地位及日本與琉球的關係。琉球羣島雖小，但在戰略上及政略上的地位頗爲重要，尤其在一項遠東新秩序的安排中更是如此。假若日本能允許一個眞正脫離日本獨立而不親日的琉球存在，並且能允許琉球在政治上與韓台兩省接近，那麼這一事實將削弱日本與韓台兩地聯合中的地理優勢，擴大這一地區內非日本的勢力圈子，遠東聯邦的出現機會亦因之可能增加。反之，這一聯邦說法只不過是日本的一種白日幻夢而已。

四、

琉球過去曾爲中國的藩屬，以後由中國的藩屬成爲日本的藩屬，最後成爲日本的領土。日本的人種學家曾認爲，琉球人是日本人之一支；但究竟是否如此，恐連日本自己亦不能確定。不過我們也得承認，自一八七八年至二次大戰結束爲止這長時期日本的實際統治琉球，也屬一件不可諱言的事實。二次大戰結束，琉球便置於美國戰略託管之下，聯合國也已接受這一決定。可是一九五一年九月簽訂的對日和約，卻含蓄承認日本對琉球羣島仍有潛在主權，即琉球的最後主權仍屬於日本。一九五三年十一月，美前國務卿杜爾斯突決定把琉球羣島的一部奄美大島交還日本。杜爾斯這一決定，實際已打開了整個琉球羣島最後將交還日本的大門。嗣後不止一次，杜爾斯又表示日本擁有琉球潛在主權之說。雖然美國方面也聲明遠東局勢一日未臻安定，美國便一日不退出琉球，但也公開表示琉球終究將歸還日本。由於美國對琉球的舊日事先已作承諾，所以在這一問題上美國已取銷了它對日本的討價還價力量。對琉球獨立之說，根本不感興趣。同時縱在美國管制之下，日本在琉球已作各種爭取琉球活動，美國對之已無可奈何。

五、

日本的要求收回琉球，與美國的並不堅持琉球脫離日本統治，實際並不奇怪。我們所引爲詫異的是，中共對琉球的態度卻不是平常人所能意料的。照一般的想像，中共應該要求琉球重歸中國，至少也應要求琉球脫離日本而獨立，才算符合其一貫的政治論調。但事實上中共對琉球的態度是如何？一九五七年四月，日本社會黨淺沼稻次郎所率領的八人國會議員代表團與中共舉行長期會談的結果，日本社會黨便公開支持台灣應爲中共所有，中共亦非正式支持琉球爲日本所有。一九五九年三月三日，日本共黨書記宮本顯治與中共書記鄧小平所發表的聯合公報，日共支持台灣歸於中共，中共亦首次公開支持琉球及小笠原羣島屬於日本。三月十七日淺沼二次所率領的日本社會黨代表團與中共會談的公報，又重複了一次對台灣與琉球的互相支持的聲明。由這些事實我們可以看出，中共的公開支持琉球屬於日本，不僅是爲了取得日本對台灣問題的交換支持，而且也是爲了拉攏日本支持它們所提議的建立遠東和平地帶，簽訂美蘇日中（共）四國盟約，及簽訂太平洋互不侵犯條約等一連串的建議。換言之，中共的支持日本重佔琉球羣島，其最後着眼點，乃在防止韓國，台灣與日本的聯合，用以打擊某些日本人心目中的所謂日韓中三國聯邦的出現。

由琉球問題的這種發展，以及中共對琉球的政策，我們再一次的認識所謂外交這一東西，實際完全是一種玩弄高級智慧的鬥爭。在這種鬥智過程中，有時爲了長遠的利益，可以放棄眼前的利益；爲了根本的利益，可以放棄枝節的利益。中共爲了反對美國，而不惜支持日本；爲了打擊國府，而不惜支持日本重佔琉球。於是就在台北某些人們尚在酣夢中沉眠時，中共已作了十年二十年的外交打算，從國府的腳下悄悄抽走了台灣長遠生存所需的最後一條滯子。因此假若說日本曾經動過組織一個遠東聯邦的想法，這一想法已因中共的先下手反擊，而胎死腹中。

一週半述評

揭開數字的騙局

由於客觀環境的困難，和本身條件的不足，中共去年的經濟計劃已受到嚴重的考驗，中共年來其所誇大宣傳的「生產躍進」，現已證明完全是一種自欺欺人的騙局。

三分之一以上，例如：上年鋼產量原宣稱達到一千一百零八萬噸，現修正爲八百萬噸；生鐵產量原稱達到一千三百六十九萬噸，現修正爲九百五十萬噸；糧食產量原稱達到七千五百億斤，現修正爲五千億斤；棉花原稱達到六千七百萬担，現修正爲四千二百萬担。這個「核實」數字，與中共「國家統計局」本年四月十四日發表的「關於一九五八年國民經濟發展情況的公報」作一比較，則鋼產量就報了三百零八萬噸，生鐵報了四百一十六萬噸，糧食就報了二千五百億斤，棉花就報了二千四百三十八萬担，它如原煤，機械產品以及其它農產品等，亦莫不在浮誇謊報之中。此一事實，一方面證明了我們過去批評中共捏造數字，觀察中共經濟問題所下結論的正確性；一方面又可看出中共「八中全會公報」所核實的數目，是對其「大躍進」失敗的掩飾，其眞實性還大有問題，一大部份也還是不可靠的。因此，揭開數字的騙局，是當前認識中共和研究中共的首要課題。

由「躍進」到躍退

在修正上年生產數字的同時，中共對一九五九年的經濟計劃，也不得不進行全面的修改。

在工業方面，鋼產量由原定的一千八百萬噸，修改爲一千二百萬噸，減低了六百萬噸。原煤產量由原定的三億八千萬噸，修改爲三億三千五百萬噸，減低了四千五百萬噸。其他工業品的產量指標也作了相應的調整。在此項修改之下，今年大陸工業總產值，計由原定的一千六百五十億元（「人民幣」，下同）下降爲一千四百七十億元。

在農業方面，糧食產量由原定的一萬零五百億斤，修改爲五千五百億斤，減少了五千億斤。棉花由原定的一億担，減爲四千六百二十萬担，計減少一半多。其他農產品和畜產品的產量指標也作了相應的修改。總計農業總產值由原定的一千二百二十億元減少爲七百三十八億元。

在基本建設方面：施工的限額以上項目，由一千零九十二個減少爲七百八十八個，投資總額由原定的二百七十億元減爲二百四十八億元。

而對以上的躍退，周恩來在八月二十六日僞人代會常委會上的報告中，供認「在擬定和執行一九五九年國民經濟計劃的過程中，在大躍進的高潮中，曾經發生過一些缺點和錯誤，主要是生產指標定得高了些，基本建設的攤子鋪得寬了些，這樣就在勞動力的安排、物資的分配、資金的使用、產品質量等方面都出現了一些問題，使國民經濟環節上出現了失調現象。它表明我們的計劃工作機關和經濟工作機關還不善于在國民經濟躍進的情況下做好綜合平衡工作」。這與周曾本年四月在僞人代會用虛假數字所說的一些大話，恰成一鮮明的對比。

最大的困難在後面

儘管如此，然而中共並沒有在此次失敗中取得足夠的教訓，沒有改變它的冒進的基本政策，因之其經濟的最大困難還在後頭。例如原材料的缺乏，設備和技術條件的不足，尤其是農村勞力的緊張等，都會影響今年計劃的實現。自然災害的嚴重，據周恩來供認今年大陸農田受到水旱虫災的面積已經達到五億一千萬畝，佔全部耕地面積的近三分之一。這些嚴重的問題，不是反右傾思想和一些空頭大話所能解決的，所以中共推行的「生產節約」運動，亦將如去年的「大躍進」一樣，走上完全失敗的道路。

金達凱

弱國有外交

馬五先生

近日消息：美國官方人士聲稱白宮當局將應允法國共管原子武器，又同意支持法國對北非民族獨立運動的現有政策。這原是法國多年來要求未遂的重大企圖，現在由於戴高樂之怒目相向，憤憤不平，乘美俄兩鉅頭攜手聯歡，艾森豪總統到處游說疏解的機會，大抛其浪頭，表示不合作的意態，揚言亦要與赫魯歇夫舉行「高峯會議」之故，美國很慷慨的接受法方要求，而英國亦毫無異議了！

這是現實主義的極致，即證明西方列強所號召的反共產極權侵略運動，完全是以自身的實際利害爲主，並無所謂正義公道和政治理想，乾脆言之：即在利用一般弱小國家爲一二大國的利益而負弩前驅，美其名曰「集體安全」，實際並不是那末回事。法國政府當局過去久已不滿意於被英美視同弱國，亦曾再三提出了上述各項要求，始終不得要領。這次戴高樂即以搗蛋拆台的作風，踩着美國的痛腳，舊案重提，沒有還價，而白宮主人亦就不能不作「痛苦的決定」，一律「O．K．」，誰謂弱國無外交呢？

雖有智慧，不如乘勢，法國有其調皮搗亂的主觀條件和客觀環境，抓住機會就不放手，有如打撲克然，看清了對方的弱點，乘機「果斯」一下，自然大有所獲。如其不管手風好壞，總是一味地跟進。結果祗有把袋中的全部本錢「險乾」完事。這樣就叫作弱國無外交！

弱國是有外交的，條件只在自己有無自立自強的辦法，與夫見幾而作的智慧？假使自己不成材，那就甚末也談不到了！

從議會質詢看當前台北市政

·張健生·

（台灣通訊）台北議會第四屆第五次大會，於七月二十日開幕，迄今多日，從市議員們質詢詞的內容分析，可以說包羅萬象，由政策到行政，由預算到人事，凡是市政的範圍，都是詢問的對象。從這些質詢，使市民瞭解市政的問題所在，也帶暴露市政問題的嚴重性，已達相當的程度了。茲就幾個重要的問題，予以分別報導於後：

一、市政府漠視議會的決議案：據議員楊玉焜說，台北市東門「城東攤販供銷場」的三樓房屋是違章建築，議會決議「飭市府依法辦理」。而市府基於政治上的利害，竟未依辦。楊氏又說，煤氣公司的專員和顧問二十餘名，議會對此[illegible]不做事者，由議會通過一項議案，即「專員顧問等，限三個月內（八月底）一律解聘，以撙節開支」。黃市長不但沒有執行決議案的事跡，且將原有的專員顧問以變相的名義——研究員或股長——續聘，並且又增聘人員。這一事實，無異給議會當頭棒。[illegible]採購柴油車，議會決議「公開招標」，而黃市長卻單獨購買，未公開召標，且于七月十五日招待記者，強辯未公開召標的理由。因此，議員沈應毅說，議員在議會質詢政府官員，而政府官員不在議會作具體之答詢，竟在記者招待會上向記者作詳盡之說明，此不但於法無據，簡直是向議會議員挑戰。

二、市政府人事制度的問題：據議員蔡永蓉說，市府人事紊亂，如機要股長，水廠總務課長，由煤氣公司顧問事員調用，而編制人員閒，竟無其他工作或休假返鄉，人員多不照人事制度考試升任正職。市府臨時雇員千餘人，任意[illegible]用。楊議員說，市衛生大隊員工之中，有八十大名，被調任各單位主管，充任三輪車夫，廚師或到公館帶小孩。按市府公共關係室成立已經兩年，至今無正式編制和預算，其人事與經費由市府各局室調撥。這是破壞人事制度。

三、市府瀆職的問題：七月十五日省合作[illegible]錯誤。相反的，黃市長在市議會否認「失蹤」，（七月二十九日）以答復議會。議員梁生進說，市府積壓的公文，難以數計。如台北市議會成立大會的建議，送達市府後，[illegible]而無法找回來。[illegible]有利可圖的[illegible]事件，卻爭着承辦，因而議員李賜卿等指責，為了五十一萬元[illegible]三數人的舞弊，而不惜犧牲全體市民的福利。

四、市政府浪費的問題：議員李賜卿說：市府編印「市政概覽」三千本，化費十萬五千五百四十元，其費用由教育局、公車處、自來水廠、煤氣公司和市政建設委員會等單位負擔。又市政建設委員會各小組開會，於本年六月十一日舉辦一天的午餐，費即達二萬四千元。[illegible]三令五申，嚴禁公務員上酒家，（撥即公共食堂）而台北市[illegible]的公務員，竟[illegible]，但[illegible]，此非[illegible]人的醜聞嗎？議員[illegible]說，市民住宅興建會前業務組長黃篤初，私用職權，違法舞弊。該會目前虧損一百七十萬元之鉅，而竟有專員二十三名，月支薪津一千元以上。因此，議員李緒春說，民政處無建樹，化了鉅大的經費；財政未能做到開源節流；國民教育變成半義務教育；社政未做到轉移風氣之領導作用；工務只做到揚高工程管理費近[illegible]；警政滑稽，分局長及人事費，其餘違警罰款和警察打人的糾紛日增不已；環境極劣，蚊蠅未消滅，而水肥又氾濫，永溝又不通；社政只做到官樣文章，貧民越救越多。李議員認爲黃市長就任以來，唯一成功的是宣傳。

從市議員的質詢詞中，即知台北市政的梗概。如果議員的質詢詞不假的話，則黃市長所主持的市政，已面臨嚴重檢討而力求改進的階段了。（八月二十五日于台北）

北投新秀閣賭案

○馬周○

（台灣通訊）在颱風，大水，地震聲喇過去，寶島滿目瘡痍，尚沒有整理出一點眉目，八月二十二日夜間，在台北近郊的北投溫泉區新秀閣旅社三樓二十八號房間內，被台北刑事警察大隊破獲了一場知名之士的豪賭，當刑警化裝進入該房時將現場攝影，翌日在八月二十六日的中華日報上刊登了當時在場的有前高雄市長現任台灣省政府委員謝抒強以手遮面，使人無法認出廬山面目，結果仍然無法遮掩，在照片上有兩塊，桌上有雪白的銀幣，和撲克牌，有鈔票，當場案中的知名之士計爲：胡適，江蘇丹陽，[illegible]務委員會處長；謝抒強，台灣澎湖，國大代表，台灣省政府委員；何芝圃，浙江江山，國大代表；蔣旭遞，江蘇青浦，國大代表；史致富，浙江鄞縣，台北市西藥業公會理事長，上海大新房屋總經理；國大代表；楊沂灘，江蘇武進，交通界；朱齊民，上海，劉汪明貞，女，浙江，家務（在場賭友中並沒有姓劉的男性，似非夫婦同局）等七人。自此案破獲以後，聯合報很感慨的說：「北投溫柔鄉一向是吃喝嫖賭俱全，現在加上賭，眞是四美具了！」究竟這個賭窟豪到什麼程度？據說，在破案前幾天，有人在新秀閣一夜就輸了新台幣四十萬元，證之此次在現場抽水馬桶裏搜獲了五十和一百元的大額美鈔數十張，新台幣數萬元，則一擲若干萬元似非虛語，也正因有人輸得太多，所以出首密報，治安當局才根據線索將此賭窟破獲。

自此案破獲以後，當局馬上在報端公布了涉案人的名單，再也不諱病忌醫了。可是謝抒強卻在八月二十三日的此間晚報上刊登了如下的啓事：

「『頃閱報載，治安機關於廿日夜在北投查獲涉嫌賭博一案，牽涉××在內，深覺慚愧，謹就此事說明如下：××因內子開刀就醫後，現在住北投靜養，廿日晚前往北投探視，適友人胡君等因事在北投敘餐，××適邀前往便餐，飯後友人會作橋牌之戲，××因不諳此道，乃按摩後入睡，及醒乃徙椅旁觀，正擬向友人作別時，適治安人員於此時查及，現場中據×所知，並無美金台幣及洋酒，且在場各人均證明本人並未參與擺戲，此事自信當有水落石出之日，深恐傳聞失實，謹此聲明。』」

揣其用意，無非想借此沖淡事實，擺脫責任，而此間聯合報的小評上卻說：「週思在我們這個社會上，十目所視，十手所指，要人中誰嗜賭，誰好嫖，誰好美式享受，是人所共知的，萬方多難，生民塗炭，我看各位爲等要人還是少去賭新秀閣這類地方吧！」謝抒強自台灣光復以來，總算是風雲人物，不到十年，由一個普通公務員爬到省政府委員的位置，總算是幸運的了。再說他當高雄市長爲了議員指摘說他擁有華貴的洋房，他卻說是朋友送的，而且升官省政府去了，還和報導該項事實的新聞記者大打誹謗官司，不能不說他是相當能幹的了！可是他在這次賭案中所耍的一手，全被刑警所攝的照片證實其虛妄，也被遮案時確實坐在圓台子旁邊，並不是倚柱旁觀，這一幕經中央日報慨版刊出證實。

首先懲治謝抒強的爲行政院，行政院據報北投新秀閣賭案中有台灣省政府委員謝抒強，及其他在政府機關供職者數人，陳兼院長以年來台灣社會風氣頹爛加以整頓，値此水災嚴重時期，已通令全體軍公教人員停止宴會，力求節約，該謝抒強等身爲政府高級官吏，竟藉宴會聚賭，非但犯法，實有玷官箴。現移送地方法院依法辦辦。按此次賭案中的關係人，身爲國大代表的爲數不少，他們不是政府官吏，假個是「天子不得而臣，諸侯不得而友。」閒居無事，淨領乾薪，平時已令人側目，今居然犯事，縱不能受免職處分，但十手所指，實難逃輿論及良心的譴責指摘矣。

讀者論壇

正視輿論的反應

·軍士·

自政府遷台後，鑒於非常時期，爲了環境的需要，先後產生不少「特殊組織」；雖然這些組織未經法定程序的立法承認，但是由於其名義「光明正大」，大家也只有無言默默而已！

特殊組織之一——「中國軍人之友社」（簡稱「軍友社」），歷年以來，頗受各方指責。今日前報載南投縣議員王志崇，在本屆議會五次大會中提案建議政府撤底改組該社，以符軍民之望，其理由是：「政府普設軍人之友社，旨在爲軍人服務，期謀官兵之福利，並連絡軍民情感，加強民衆對官兵之認識爲責任。成立初期，頗爲官兵所歡迎，人民所愛戴，主旨正確，業務步入正軌，不料中途變質，現更脫軌，只剩驅殼形式，而無靈魂精神，以政府特設之機構而自居，有寄身之社址而自滿，徒多數之冗員，浪費龐大之金錢，上不能滿足官兵希望，下不能獲得百姓擁護愛戴，軍人雖有反感而不敢言，人民出錢而有怨言，此時此境，理應作撤底改組，改良推行辦法，切實做到百姓甘願出錢而敬軍報國，軍人甘願犧牲，而誓死反共抗俄。」

我認爲歷來本省籍議員所發表的意見，以這次爲最值得喝采。如果從宣傳的表面看，似乎軍友社做得有聲有色，尤其一年一度的年會中那些官樣文章的報告爲然，不過大都是自我表揚。我們固然不可否認軍友社在近年來勞軍工作上，是有其成就的。但由於組織不健全，和人事背景的複雜，因而發生種種弊端，致使國人對這個特殊組織，有一不良印象與反感！

軍友社的待遇不僅比之一般公務機關爲優厚，而且傳說另外還可「活動」，越有權，越有勢，「活動」就越大，難怪軍友社一旦出缺，無不趨之如鶩！道路傳聞使人嘖有煩言者，實在不是少數。

今日之軍友社，無可諱言的徒有虛名而已！只養了無數冗員，的確應予整頓。希望政府當局，正視輿論反應，實行新改革，勿使得年消耗大批金錢，招來責難與不滿！

中影改組的風風雨雨

○徐去○

（台灣通訊）自從中影合中廠失火之後，雖然戴安國自歐洲返國時曾經表示決不影響人事，但是在影劇和新聞兩界，卻是不斷的流傳謠喙，有的說只更換合中廠長王紱誠，有的說連製片部經理張英一起更換，更甚者有人斷言會從總經理王星舟起整個易「匱」，當然謠傳歸謠傳，事實上總有它的可能性。採信撤換張英和王紱誠的，認爲人事更動有更獨具見地，認爲這次的合中廠的失火責任，而相信王星舟一起垮台的則更要原因並不在「火」，而是在戴安國出國參加影展時即有的決定，這把火不過是適逢其會的發生了「催生」的作用而已。

有人認爲這係謠傳訛謠，更有人判斷是鬥爭者手段之一。

既然有在位者垮台的謠言，當然就有選任人選的揣測，於是某某可能獲某方垂青，某某是某方大將，某某刻意經營，虛虛實實假假假假，不一而足，隨之而來更有一批「有志電影事業」之士，竟得風氣之先，奔走門路預謀枝棲，本來就是傳說紛紜，這一來更是弄得滿城風雨了。

人選傳聞

就在這混亂「高潮」之際，中華日報忽於本月二十號刊出一則台中消息，內容說是中影因火災責任，已決定改組，王星舟決定辭職，新任總經理人選將從羅學濂、魏景蒙，和前曾一度任職的李葉三人中選用云云。本來各報對此事雖有所聞，一則係不願渲說現任諸人，同時在無法證實的情況下，誰都不願冒然刊出大家都知道而大家都不肯刊出的傳聞。中華日報這條消息一出，無疑地對讀者說是「獨家新聞」，而新聞界則頗納悶，中影改組的消息何以在台北公司尙未公開之際，竟會在台中廠方傳出？更可疑的是該報這條言之鑿鑿的新聞竟未寫出新聞來源，因此

報紙反應

就在當日出版的晚報裏，民族晚報即就此條「新聞」來了段短評，反應之快與內容之不合慣例更使人吃驚，照例除了預祝一番之外，頂多就事實提供些意見，不料民族晚報這篇短評卻是充了火藥氣味的總否定，該評立論略謂中影數度改組均無來適之道，原因乃在最高當局對繼任人選既未「得人」，而繼任者更不「得人」，就此「兩得」，因而建議當局「愼重考慮」，紘外之音當然對這三人都不贊成。就一般言，該報此評固不無見地，問題在反應如此之快如此之烈，其中原因耐人尋味。

正當此明爭暗剌爭奪激烈之際，相反地中影當局卻三緘其口，一言不發。因之有人不論消息正確與否，就實況將三人才能及中影「屢易屢敗」的纏結作仔細的分析，雖無結論亦可代表一般人對中影及其前途之看法。

令人寒心

就中影本身言，是國家經營的事業機構，在一切爲宣傳的現在，當然無法盡揮宣傳作用，而苛求其創造藝術，但是中影數年來表現的實在令人寒心，談工作，沒有一部能站得住陣脚的影片，而進展之緩與耗費之多尤足令人乍舌，每年爲了無法避免的因素而參加影展，更是「敬陪末座」，貽笑大方。此次戴安國自歐洲回來，發表言論時說，我們影藝水準低落，下能儲備人才，歷史環境殊多影響云云，話是持平而得體，而我們的影史和環境，是「必然」會祇得這樣的水準？則無法深究了。談到人的問題，首先是「形於外」的演員，演技如何暫不談，如張仲文以中影基本演員之身，代邵氏公司之表，甚且攜手海外，置中影於不顧，中影當局除屢屢「不置評論」之外，亦未見有絲毫表示。近者如葛蘭之婚姻破裂，穆虹之流落飯店，金楓之香閨風雲，醜聞傳來不一而足。

亟待整頓

再就「形於內」的人事論，中影是事業機構，須企業化管理運用，公司片廠及所屬影院，職演技工幾近萬人，年產影片一部，而需養人甚多，儘管影院專映外片賺錢，對中央及公司本身究屬無益，況來如影院管理不善，冷氣不靈，廣告懸掛失格，在在爲人詬病，反觀數家民營影院，優劣所在明顯之至，其所以一塌胡塗於此，人謀不臧所致也。

因之若思整頓中影，必得一具企業家頭腦、政治家手腕之總經理，以營利爲國爲第一，改進產品爲事功。此事則須識見遠大，對人則唯才是用。然中影固積垢違久，積習改善非大才大謀不辦，更非一朝一夕之功，若前任李葉一等手段魄力推實超人一等，然猶不能上凌下，終至上下均與交惡。壬星舟則好好先生，當爲而不敢爲，自然濫之所欲爲，而至風波迭起不可收拾。以往鑑今，中華日報所指三人，是否爲掄才之選？則又見解不一，

未來人選

首論李葉，以上下交惡去職之身，似無再作馮婦之可能，亦難當有所興革。魏景蒙因曆次以影評人身份參加影展，而以其整頓中廣公司言，從識諸人均優，但中廣業務單純，人員素質較好，故統馭較易，若以之出長中影，對此千頭萬緒，是否「起死回生」或竹在胸，則須視近年魏氏是否早已心嚮往之而預爲籌策了。至於羅學濂會擎昔日中電三廠，成績亦不惡，近年則絕緣影界，是否會冷眼旁觀積有心得，更非外人所可揣摸。總言之，此三人在一般觀感言，似均尙未達「恰孚衆望」之勢。

有人幾謂，中影總經理之位爲「造國內閣」，苟非有超人胆識，則三日京兆一度影展即要換班。語似誠虛實含至理，電影公司出品積株，其不夸合者幾希？固無論公營或私營也。迄筆者發稿止，仍無正確消息。頭當局以影藝之有助文藝反攻，與三軍武力等量觀之，則幸矣。

論「喜馬拉雅聯邦」

·岳騫·

最近報端紛傳中共意圖建立「喜馬拉雅聯邦」，區域包括拉達克、尼泊爾、錫金、不丹、阿薩密，此事眞象究竟如何，尚未判明，謹將個人看法，寫出來以供參考。首先介紹一下這個地區情形。

「聯邦」包括五地區

拉達克又名圖伯特，俗稱小西藏，在新疆之南，西藏阿里部西北，沿印度河右岸，當明末清初，西藏第五達賴在世時，勢力最盛，拉達克完全收入西藏版圖之內，後來印度錫克教徒東侵，從克什米爾進攻拉達克，進擾西藏邊界，光緒十六年，拉達克首次引起衝突，到了民國初年，印度邊民打門，英國照會北京政府劃界，清廷因地遠太遠，不以大國君主名義與英國談判，劃入克什米爾，成為克什米爾境內的一州，幅員共十二萬方里，人口現有十九萬五千人，內回族佔十五萬五千人，非回族約四萬人。拉達克以東是尼泊爾，尼泊爾是這五個區域中，地區最廣，人口最多，也是唯一獨立國家，尼泊爾的情形無待介紹，有幾個特出之點可以提出：（一）尼泊爾是接受美援的國家，數目大約每年三百萬美元。（二）尼泊爾人反共態度較印度激烈，中共對尼泊爾也較印度優待，一九五五年八月一日中共與尼泊爾建交，較印度晚了五年零七個月，但尼泊爾外交一向是跟着印度走的，只有這次例外。一九五七年一月二十五日周恩來到尼泊爾首都加德滿都訪問，以後中共又宣佈給尼泊爾一千二百萬元，民幣，四百萬以現款交付，其餘則以貨物支付，在西藏方面，尼泊爾人也比印度較爲自由，但是共匪「邦交」並未十分融洽，（三）尼泊爾是一個信佛教國家，釋迦牟尼佛世尊就出生在尼國境內。尼泊爾的廓爾喀人要算是南亞洲的最強悍的民族，男子以當兵為職業，第一次大戰時，會出兵二十萬協助英國作戰。

尼泊爾東面是錫金，又名哲孟雄，現在是印度一個土邦，五區中以本區為最小，人口約十萬人，首都剛渡，仍有國王，但內政、外交權均操於印人之手，中共指為西藏事變的策劃地大吉嶺，加隣傍（葛倫堡）均在錫金境內。英人開始侵略錫金，始於清嘉慶十九年，但正式據有全境則在光緒十五年。光緒十六年在加爾各答中英簽訂藏印條約，正式承認哲孟雄受英國保護，哲孟雄（錫金）淪亡算來已七十年了，印度獨立後對錫金統治較英人尤酷，但錫金國小人弱，也無力反抗。

錫金以東是不丹，不丹較錫金稍大，人口約十二萬人，強悍好殺，宣統二年淪爲英國保護國，但英人每年要補助十萬盧布給不丹，不丹承認外交受英國指導，但英國不得干涉內政。印度獨立後，一切照舊，不丹有國王，國旗，依然保有半獨立形式，只是不能參加國際活動，不丹和錫金都信奉喇嘛教，不過錫金信黃教，不丹則奉紅教，此次西藏抗暴，紅教喇嘛首領（地位與達賴相等）就逃入不丹。

最後一個地區就是阿薩密地區，這是藏南省楔入印度的一塊土地，當北緯二十六度至二十八度，東經九十二度至九十五度，著名地點屬西藏的有桑里，察爾都阿，邦郎宗，達旺，楚穆巴；屬西康的有都蒙，達穆及幾個蘇班什金河流域。英人開始侵佔此區在宣統二年，民國三年中英舉行西姆拉會議，英人誘迫西藏代表劃定界線，以康藏南界與不丹北界平行，將這一塊楔形地區劃入印度，自稱爲麥克馬洪線，中國代表陳貽範是一個頭號糊塗虫，但是也未敢簽字，中國政府從袁世凱起一直認爲這一地區應與不丹南境平行。

中共據有大陸之後，印度即放出空氣說中共已進兵該區，事後證明全是印人自行放出烟幕，此次達賴喇嘛逃亡，也就是由此區逃入印度。目前印度政府設有東北邊疆[illegible]提轄。

以上僅略舉梗概，可以看出這五個地區民族不同，約包括有十五種民族，風俗也不同，拉達克人民大部信奉回教，尼泊爾人一部份信奉婆羅門教，錫金信奉喇嘛黃教，不丹則奉紅教，至於阿薩密的野人仍未開化，信仰多神教，舉凡日月星辰，山川河流，一草一木都膜拜。這一堆民族還甚麼力量聯得起來。

中共製造聯邦不外三方式

其次再來研究中共怎樣製造聯邦，假若中共真有這種企圖，其方式不外三種：第一、俄共式的，以兵力逼佔一個國家之後，製造出什麼「人民共和國聯邦」來，如對波羅的海三小國，對東歐，對外蒙，都是這種辦法。第二、中共式的，由內部顛覆，培植共黨武力，以顛覆本國合法政府。第三、印共式的，眞正利用民主方式以選舉取得政權，如印度凱樂拉邦印共政府（現已被印度總統下令解散）以上三條路在目前來說，都是走不通。中共若是以武力強佔以上區域，那就不僅和印度、尼泊爾開戰，勢必要和聯合國作戰，目前謠傳說中共軍侵入拉達克邊境，巴基斯坦與論已要求聯合國出頭干涉，假若眞打到印度，戰爭一定比韓戰要擴大，韓戰英國人若若拉着美國的腿，不讓擴大，若是中共同印度打上了，美國人不出兵，英國首相也要去華盛頓乞師，除非中俄共有心打三次大戰，總不會出此。

一個看法

在這裏我還要特別提醒海外同胞，中共雖然好戰成性，實際則色厲內荏，十年來除去在史大林驅使下打了一場莫明其妙的韓戰之外，眞眞發揚民族精神的事情一點也未作，不用說北向蘇聯收回失土，即使南面的未定界，又收回了那些地方？即以阿薩密地區而論，一九五三年即盛傳中共軍侵入，印度通訊社並報導十八軍一個團進駐提郎宗，當時許多人（包括筆者）都信以爲眞。可是到了達賴逃亡時，揭破了這些謠言，達賴一行第一站抵達達旺（亦譯大王），此地北距提郎宗之北，以英印地圖爲準，距離中國邊境僅十八里，若以中國地圖（不是中共的，因爲中共地圖禁止出口，我從來未見過）來看，達旺以南還有兩百里路纔是中國領土，可見印度實在扼守住麥馬洪綫，中共從來不敢提出交涉，不可一世的毛澤東竟然如此荏弱，站在中國人的立場上，我都有點難過。現在若說毛澤東敢揮兵進攻印度，怎能使人相信？

其次，若是用內部顛覆方法，這幾個國家（地區）中，急切也找不出來一個毛澤東，胡志明一類人物，更無法建設武力起來。

再其次，若以選舉方式奪取政權更做不到，因爲五個地區只有尼泊爾施行選舉，共產黨雖是合法政黨，在議會中只佔有微不足道的席次（該國議會共一百零五席，本年二月十八日舉行普選，共黨只得四席），除非有外來武力支持，永遠無法取得政權。

根據上面分析，可以斷言中共決不可能製造出喜馬拉雅聯邦。那麼這個謠言是從那裏來的呢？估計也不外三處：

一是印度反共人士及對西藏有「特別情感」的人造出的，希望造成緊張局勢，迫使尼赫魯把西藏問題提到聯合國大會去討論。

一是中共在藏幹部造出的，目的在恐嚇藏人不要向尼泊爾，不丹及大吉嶺，加隣傍一帶逃亡，這些地方終究要「解放」，成爲民主共和國聯邦的。等於一九五零年時，中共恐嚇大陸人民不要向香港逃走，香港也快「解放」了。

一是尼泊爾、不丹兩國當局造的，目的在要求印度多派兵北駐，以防中共南侵，所以不丹又下令動員，完全是做給印度看的。

總之，「喜馬拉雅聯邦」謠言不問是那方面造的，對於中共都有利益，最低限度可以增加周圍國家的畏共心理。對中共有利的事，一定對我們有害，我們應該徹底揭破它。

國際動態拾零

△伊拉克總理加森，于去年二月，曾拘禁其副總理阿列夫（Alef）以與納塞勾結被判死刑。現將予以開釋，因他認爲阿列夫並非不忠，而是領導錯誤。再則其政權業已鞏固，足以阻止納塞之任何顛覆陰謀。

△納塞將其駐莫斯科、北京、華沙、捷京、何京大使懸行調動，顯見其對共產集團政策將有重大改變。

△美國空軍，繼續高空飛行，進入西柏林，蘇聯鐵門機關繼續在二萬五千尺以上警戒。

△美軍未進入西柏林時，蘇聯派出便衣兵偵查美軍不出示以通行證，待其改換軍裝後，始與辦手續。蘇聯欲先以便衣兵，繼換爲東德軍隊，美軍揭破共陰謀，故無法代以東德軍士。

·陶然·

八中全會

新華社報導：八月二日至十六日舉行八中全會，會議的決議要點：一、核定一九五八年的生產數字，削減一九五九年計劃指標；二、從新肯定人民公社；三、反右傾，鼓幹勁，要求再掀起一個生產高潮。

核實一九五八年數字

原來的一九五八年糧食生產數字是七、五〇〇億斤，核實爲五、〇〇〇億斤，亦即原誇大了五〇％；棉花[illegible]；在一、一〇〇萬噸鋼之中，只有八〇〇萬噸是「洋鋼」，[illegible]；其他如工業總產值誇大[illegible]，農業總產值誇大[illegible]，[illegible]二、五，造林面積誇大％五三、八，據說過去誇大的原因是：[illegible]

削減本年度計劃指標

一九五九年原計產鋼一、八〇〇萬噸，現削減爲一、二〇〇萬噸，即削減三分之一；煤原計[illegible]，削減十分之一；糧食原計[illegible]，削減爲五、五〇〇億斤，即削減一半；棉花原計產一億担，削減爲四、六二〇萬担，即削減一半以上；工農業總產值計劃比原定者削減六六三．五億元即削減五分之一強。這種削減說明他們承認了成倍地增長是沒有可能的，亦即承認大躍進爲失敗了。

人民公社名存實亡

八中全會的決議中又說：「確定了在目前階段公社的生產資料實行公社、生產大隊、生產隊三級所有制，而生產大隊的所有制是基本的，公社一級的所有制只是小部分的所有，而生產小隊也應該有一小部分的所有制。」這也就是說把公社退到原來農業生產合作社的規模，與原來的農業生產合作社相似，公社已名存實亡。

批判右傾情緒

由上可見，毛在去年掀起的大躍進與人民公社兩項運動實際已經承認了失敗。現在所努力的[illegible]，不能與去年的躍進相比，[illegible]也只是希望完成[illegible]，並非要鼓動起像去年一般的[illegible]。

·田心·

北京學生暑假下田種菜

△由於暴雨與水災，使北京地區的蔬菜供應大成問題。中共北京市委於郊區蔬菜田被淹之後，決定了要「城市人民幫助郊區搶收搶種」。據八月十五日光明日報消息說，北京各大學的學生在中共組織下放棄暑期休假，下鄉勞動人數計五千多人。由北京大學，中國人民大學，中國科學技術大學，北京鋼鐵學院，北京工業學院，中央民族學院和北京師範學院等校的一千八百多人刻正在海甸區四季青人民公社種地。他們以一天十小時，十一小時地忙碌着。

上海交大加強政治學習

△中共上海交通大學委員會，最近召開會議，對交大新學年的教學工作作了新的佈置。據七月廿三日上海文滙報稱：新的佈置主要是加強政治課程：除了每星期六下午的政治活動和每週兩小時的『形勢與任務』教育之外，各年級分別開設『社會主義與共產主義概論』，『中國革命史』，『政治經濟學』等課。」中共交大黨委並對「工農學生」的學習作了新的規定：「對工農學生採取單獨編班的辦法，縮短他們的勞動時間。」其他學生的離校勞動時間，則仍要三個月。（資）

瘟君夢

第四回：森森劍戟　遍洒知己淚　僕僕風塵　苦門子弟軍

中共政權成立時，毛澤東任命他爲總參謀長，徐向前開玩笑，卻派他的上級聶榮臻（原爲徐的十八兵團歸聶的華北兵團指揮）爲副總參謀長，徐向前看透毛澤東的詭計，就在山西住下，不去北平就職，到便宜了聶榮臻以副總參謀長名義代理，一代就代了五年，直到這次換了粟裕爲止。

毛澤東這種小奸小詐的手段，不惟徐向前不服，其他的人也都不平。現在林彪一提出來，劉伯承、陳毅、聶榮臻一齊鼓掌，彭德懷慌了，他知道若開了徐向前的名字上去，一定會惹毛澤東大發脾氣，說不定連自己的位子也保不住，可是他又想不出理由辯駁，只是光着眼看賀龍。

賀龍這次到是粗中有細，看出彭德懷的意思要他出頭，但是他有什麼好說呢。急得用拳頭直捶額頭，連捶幾下，果然捶出靈感來了，陪着笑臉向林彪說道：「本來向前同志當元帥是太夠格了，可是當我們同國民黨聯合抗日時，他只是一名副師長，假若他當了元帥，那麼蕭克是我的副師長，豈不要照葫蘆畫瓢，那來這麼多名元帥名額。」

依照賀龍爲人，說出這段話可算是畢生傑作，只是遇到的對手太硬了，林彪的爲人是靜如處女，動若脫兔，輕易不言，言必有中。陳毅最會油腔滑調，句句不離女人，實際上卻是句句帶刺，劉伯承只有一隻眼，看得準，說出話來最狠，賀龍和這幾個人比吃豬肉，比舉重都可以，要是鬥口簡直是小孩子和[illegible]路易比拳，沒法還招的。

林彪聽賀龍說完，微微笑道：「賀大帥，你的話只是教條，缺乏根據，現放着榮臻同志當初就是我的副師長，照你的說法，他也沒資格當元帥了。」

彭德懷一怔，賀龍呆了，林彪這一招正合了太極拳的原理「四兩撥千斤」，賀龍挾泰山壓鼎之勢，自覺理直氣壯，被林彪一句話駁得啞口無言。

陳毅笑道：「照你的說法，我當個大將也不夠資格，因爲那時正副師長都沒我的份，好比你那時已當了正太太，我還是個黑市夫人哩！」

彭德懷剛想解釋，劉伯承接着說道：「雲卿同志，假若眞論資格，也應該從頭算，當紅軍最初建立時，[illegible]朱老總是第一方面軍司令員，第二方面軍司令是你，第四方面軍司令員就是徐向前，按資格來算，你們四人才可以當元帥，今天應該只有[illegible]，你們都沒份，現在羅榮桓都當上元帥，我們[illegible]，如若無論如何我也沒有徐向前的份，覺得說不過去，好了，我乾脆讓出來，我也是一個廢物，當不當元帥又有什麼關係。」（六六）

岳騫

釋耒集

宋江與方臘

龔聖與作宋江三十六人贊，並爲之序曰：「……余嘗以江之所爲，雖不能自由，然其識性超卓，有過人者，立號既不僭侈，名稱儼然，猶循軌轍，雖託之記載可也。古稱柳盜跖爲盜賊之聖，以其守一至于極處，能出類而拔萃，若江者其庶幾乎。……蓋若世之亂臣賊子，畏影而自走，所謂近在一身，而其禍未嘗不流四海，與其逢聖公（後方臘僭號稱聖公）之徒，孰若跖與江也，」推宋江爲盜聖，以爲有異于亂臣賊子，其見解若甚新。考宋江與方臘，同爲羣盜，江之反，實在方臘之前，其所以有此想詞者，不過謂江立號不僭，猶循軌轍耳，又因宋史侯蒙傳，有「江以三十六人，橫行齊魏，官軍數萬，無敢抗者，其才必過人，今青溪盜（按即指方臘）起，不若赦江，使討方臘以自贖」之語，後人緣飾之爲征四寇之書，江遂儼然功臣而竟冤死，因之而又有忠義之名，近見中國大陸出版，從新改定之水滸傳，於原書覆目，亦巧爲更換，如賣人肉，改爲賣藥酒，整點學改爲排座次，惶惶相惜，所以爲水滸英雄曲爲迴護者，實無擬不至，豈亦以江等終向統治者低頭，能立功贖罪乎？中共文化人，對歷史上之羣盜，一律視爲農民革命之力量，謂其造反爲具有高貴之品質，赤眉，銅馬，黃巾，以至黃巢，李闖，莫不皆然，今對江等，竟喜其「猶循軌轍」，則今昔異勢，不可一概而論矣。考諸草澤之雄，其起事之初，莫不藉口官迫民反，所謂識性超卓，有過人之才，凡羣盜渠魁，尤大抵如此，至其官如何迫，民如何反，言之至切者，李闖之外，實爲方臘，方勺青溪寇軌記曰：方臘謂其屬曰：天下國家，本同一理，今有子弟耕織，終歲勞苦，少有粟帛，父兄悉取而靡蕩之，稍不如意，則鞭笞酷虐，至死弗卹，于汝甘乎？……靡蕩之餘，又悉舉而奉之仇讎（按指遼金諸國），仇讎賴我之資，益以富實，反見侵侮，則使子弟應之，應之弗能支，則譴責無所不至……且聲色狗馬土木禱祠甲兵花石靡費之外，歲賂西北二虜銀絹以百萬計，皆吾東南赤子脊血也。……朝廷奉之不敢廢，宰相以爲安邊之長策也。獨吾民終歲勤動，妻子凍餒，求一日飽不可得。」查臘之反，破六州，五十二縣，戕平民二百萬，其爲禍首罪魁，固不待言，而臘所云云，實無一而非事實，朝廷與宰相，百口不能辯其責也。今古雖異勢，而人情于飢凍窮迫則無以異，所謂識性超卓者，實代有其人，爲宋江諱，欲以戢方臘之心，亂臣賊子，畏影而自走之故智耳。

曲齋

畢加索及其藝術

黃克亮

近幾年來，世界的畫壇上，由於杜菲，特郎，馬諦斯，萊哲等幾個現代的藝術巨星相繼殞落之後，雖然還有畢加索，勃拉克，路闊，米羅，維郎諸大師，不免仍有些失色啦！尤其是作爲現代世界美術思潮中心的巴黎，更不可與十九世紀末期相比了。不過單是一位畢加索，仍然使畫壇上有無限的光芒。

畢加索和馬諦斯的名字，幾乎就是「現代藝術」的同義語，近代任何畫派都不能走離他們兩位的藝術領域。而單是論述畢加索的藝術的專書，就佔在百種以上，可見這位畫壇怪傑的作品是如何受到世人的重視了。畢加索的天才簡直是特殊而多方面的。他不僅是立體派的倡導者，新古典主義的先驅之一，[illegible]「變色蜥蜴」的藝術家。在藝術史上，我們再也難找到一個像他這樣多變化的畫家了。不過他在創作上始終抱着一貫的精神——破壞傳統的束縛而不斷追求新的表現形式。

畢加索是一八八一年十月廿五日生於西班牙的一個小市鎮——馬拉加，由於他的父親是一個畫家並且在美術學校教授素描，因此從少便得到他的父親的感化和訓練，八歲時便開始正式學畫，不到幾年，他已經在巴塞那城舉行個人展覽了。十八歲那年，他便往巴黎[illegible]，白天由[illegible]，晚上由[illegible]掙扎中開始他在巴黎的藝術生涯。

他在巴黎初期的作品，雖然表現出很有潛力，但[illegible]，他開始改變作風，於是便進入了他那所謂的「藍色時期」，由一九〇二年至一九〇五年，在這時期中，他應用了全藍的色調來描寫悲慘和痛苦的題材，所作的人物，[illegible]，表情哀苦，純是一種悲哀的情調，例如[illegible]血色的妓女，甚至連自畫像也顯得憂鬱苦悶。

一九〇六年又開拓了他的「粉紅色時期」，他把藍色的調子改爲粉紅色和朱赤色，畫面比較有些溫暖的氣氛，技巧亦熟練得多，人物的描寫更爲豐實，筆法則帶有寫實的意味。著名的作品如「帶馬的孩子」，「化裝」和「作家」[illegible]等都是這時期的重要作品。一九〇八年，他因爲研究了塞尚的理論和西班牙伊比是亞的雕刻以及非洲黑人的木刻，發現了一種歪曲線條的感覺美（這種感覺美決非視覺所能了解的），於是他又改變了創作的風格。例如這時期所作的那幅「亞威儂的少女」，畫了五個裸體的少女圍着一堆生菓而坐，少女的身體都是歪曲得使人認不出來，縱然誇張而有幾何形式，這正是他轉入立體派的先聲。不久他果然走上了立體派的路綫，作品都是抽象的，卻帶着雕刻和圖案形的意味，這也是畢加索重要的時期之一，創作極多，有一幅叫做「三個音樂師」，寫來最有趣味。

一九一六年，他又改變作風，回到「新古典主義」的路綫，他跑到羅馬去擔任花那兒的俄羅斯歌劇團的設計師；寫了許多以舞台爲背景的人物畫，他對於人體發生濃的興味，故作品中有多幅是裸體的人物畫。此後十年中，他未有大變化，一直到一九二五年，畢加索才再改變形式，進入了超現實主義的領域中，最著名的作品是一九三七年所作的那幅描述西班牙戰爭的慘禍「戰禍」——「蓋尼卡」（Guernica），這幅壁畫被公認爲現代最偉大的傑作之一，而畢加索已經是遠近知名了。

一九三九年二次大戰後，在德軍佔領的幾年中，他仍然照常工作，不過他的新藝術曾遭受納粹殘辣的指責，有「把畢加索摔到陰坑裏去」的口號，但並未傷損到他日後的聲譽。在大戰期中，他的興味又轉到雕刻和塑像方面，「牧羊人與羔羊」便是這期間最著名的作品。和平之後，他又從事於新的綜合立體主義，作品更風雄壯而深厚，作品更受世人所歡迎，各國的報紙和雜誌都不斷地登載他的作品和談話。一九四四年巴黎的秋季沙龍又展覽他的作品，更使他成爲藝壇的驕子。此後幾年中，畢加索的作風沒有大變化，不過對於陶器和雕塑更加有興味。他的作品經常在英美法各國輪流舉行展覽。

最近幾年來，作風雖然沒有大改變，但對於色彩卻有偏愛，尤其是綠和灰的色感愈來愈新鮮，充份表理出一種咄咄迫人的獨特氣魄來，而偶然所作的小品則輕盈美妙。畢加索今年已經是七十九歲了，可是他在刊物的圖片中，我們仍可看到他那胖胖的身體，光禿頭，以及閃爍發光的眼睛，是老當益壯的氣派，近來比較難讀到他的消息，[illegible]生活和作品，已經拍成了兩部紀錄片，可惜在本港仍未放映過，我想將來總有機會可以在銀幕上看到這位當代最偉大的藝術大師吧。

台灣文壇點滴

·耿耿·

不幸的蔡文章

羅家倫此次與中國文藝協會理事長陳紀瀅氏同被膺選爲自由中國出席第三十屆國際筆會的代表，現在已開完，羅氏正僕僕風塵，轉道四歐從事國民外交活動，觀乎報紙之新聞報導，羅氏此行，倒頗有點「日馬驕行，山川動色」之勢。由於羅氏之外貌特奇，令人憶及我國籃壇名手蔡文章氏，在大陸未淪陷前某年，因其球藝高超，曾被選爲我國參加×屆世運籃球比賽之選手，詎料其後竟有人竪決反對蔡氏入選，理由是蔡貌不揚（塌鼻子），恐有損國家顏面，因而作罷。這誠然是可笑的理由。

文壇上的官僚作風

官場中有所謂官僚作風，其顯而易見者有二：「利用職權」與「官官相護」。不意此二陋習在台灣文壇大爲流行，且在方興未艾。

此地各文藝副刊和雜誌之編者，類皆喜歡在其「自己的園地」上遍載其長篇「大作」，好不容易待其刊完後，除了出之以單行本之外，又邀「錦上添花」，出現讚吹亂捧的書評。這豈非有「利用職權」之嫌。

再有一些文藝刊物的編者，往往對同行的作品，投以禮尙往來，互相吹捧，結果文壇上沒有一個不是文豪，沒有一篇不是名作。這不是文壇上之「官官相護」而何？

挽丁廷標兄

·王韶生·

重載堅車路本遙。如何隕墜痛今朝。知施不取稱溫厚。有美多才去客驕。奠子空觴浮綠蟻。思君壯業擬黃橋（註一）交情卅載隨流水。哭弔英魂賦大招。

注廷標兄年十九捐貲二萬辦黃橋中學

粟海彈心錄

風氣

·阿公·

曾湘鄉謂國家風氣之好壞，繫於一二人之嚮。一二人者，蓋指一時之君相，與世之有力者言之也。而凡民不與焉。此春秋之義也。太公治齊，尊賢尚功，周公治魯，親親仁民。故勢望積弱，而至三十，歷數八百。是皆風氣有以保之，周致之。不盡天命人謀也。漢儒篤學，三老五更，崇德尙文，魏晉門第，王謝家風不替。唐尙文藻，宋主義理，肇成後世辭章理學兩大主流。國漢師章句，乾嘉諸子，考證，亦能自成習尚，綿延於今不，則有不待勸而行，勉而至也。比而及之，卜晝卜夜，男女跳舞之風，酒食徵逐之風，細腰蓬鬆之風，袒胸露腿之風，尖酸妒嫉紅樓之風，殺人越貨水滸之風，師道不立，而有懸牌補習之風，婚姻禮廢，而有私奔殉死之風。則又倡之者易，和之者衆，嘗之者驕也。然猶有未盡。

若夫好貨之貪風，好色之婬風，好勇之鬥風，[illegible]之風，宗讜比周傾軋之風，貪婪奔競干祿之風。長吏省方察吏，而有勞民傷財之風。主管假名觀摩，而有輪流出國之風。觀光訓練，而有走私販售之風。會議推拖，而有荒時廢事之風。舞女名星，而有玩物喪志之風。此亦其小焉者耳。進無微論，則有唯諾俯首之風，退有後言，則有包藏禍心之風。巧言山呼，則有忠主愛國之風。其外也順，其表也義，是又隱然習習迴旋不可測者也。此曾氏所以慨乎言之。至於泱泱大國之風，醲醲細甚之風，則非賢者莫能窺其微。別錄論語一章於後。

「定公問，一言而可以興邦，有諸。孔子對曰，言不可以若是其幾也。人之言曰，爲君難，爲臣不易，如知爲君之難也，不幾乎一言而興邦乎。曰，一言而喪邦，有諸。孔子對曰，言不可若是其幾也。人之言曰，予無樂乎爲君，唯其言而莫予違也。如其善而莫之違也，不亦善乎。如不善而莫之違也，不幾乎一言而喪邦乎」。其意溫，其辭也婉，言者不以爲諷刺，聽者不以爲忤了。旨哉，聖人之言也歟。

銀壇隨筆

談藝術哀天才

·修衡·

「國際電影」雜誌剛出版的一期中，刊有一篇「李湄習武記」，這一專題報道，圖文並列。[illegible]個人物，似乎都在相關，李湄轉變得很快，由[illegible]的角色，今爲「文妙玉」，成爲賢妻良母，今後遇到機會，令人刮目相看。

見這幅圖，不消說全文敍述，是李湄習武經過。李湄年齡雖然未滿三十歲，藝術的琢磨、生活的體驗，從她的外型，銀幕上看，這一位電懋基本演員，已經青春難駐，年華似水東流。說她習武，當非笑話。可是，許多事情，往往有令人感覺意外。我看到：李湄頭束髮結，項下垂巾，一身織花短襖，腳踏粉底烏靴，腰佩鶴簽，柳眉倒豎，杏眼圓睜時，發現這幅造型照上手揮單刀，左足曲伸，殺氣騰騰，大爲震驚，而另一幅手舞雙劍，寒光逼人，光繞全身。令人簡直不敢逼視。

看完前後八個招式，一若嘗小說裏的「十三妹」，年紀也彷彿幾「二八佳人」。由這一個例子，使我想到一個影星的藝術，和她的年齡並沒有關聯。問題在得一演員，能否肯專心一意鍛鍊。這兩年間，電懋旗下的演員，

在一般人看來，[illegible]許多動作都是假的。但就李湄習武一事，適足證明[illegible]幾個月來，每天[illegible]迎着她的師傅[illegible]練武。據說：[illegible]招式，習可易記，[illegible]要是不加復習，進步極遲。李湄武功就[illegible]

[illegible]風雲」中的女鏢師一樣，[illegible]名師學藝。爲取悅觀衆，抑爲藝術[illegible]，誰能遽下斷語，一行識麥像一行，做戲倘且如此，其他任何行業[illegible]，今日世界[illegible]傳採衆議[illegible]遺憾的，有抱負者，[illegible]統治下，和他的藝術同在[illegible]非的叢錄下埋葬。

藏人占卜治病

藏人有病，除了病重的請醫生醫治以外，病情輕的多半沿用習慣，自己來醫，他們遇有精神不適，就用柏枝燒煙薰鼻孔，或熬一碗濃酥油湯喝，若是皮膚病或關節炎，則到溫泉去洗幾次澡，病勢沉重了才請喇嘛念經或吃藥。一個喇嘛沒有[illegible]

自由人

THE FREEMAN
（第八八七期）
中華民國僑務委員會登記證
中華民國內政部登記證
中華郵政登記爲第一類新聞紙類
（半週刊 每星期三、六出版）
每份港幣壹毫
台北市價台幣壹元
督印人：[illegible]
社址：香港高士威道廿號四樓
20 CAUSEWAY RD. 3RD. FL. HONG KONG
TEL. 771726
承印者：南華印務出版社
台灣總經理處
台北市西寧南路
電話：三三〇四六

大躍進的失敗與毛澤東前途

·金思愷·

中共的八中全會所表現的，是承認了大躍進與人民公社兩項運動的失敗。這種失敗是繼一九五七年六月右傾鳴放失敗以來的左傾冒險的失敗，其未來政策幾乎已經無可選擇，只能限制于這種左右的幅度之中。這種失敗對毛澤東個人來說，是以馬列主義爲基礎，結合中國特點，進行左右兩方面嘗試的失敗。這些，一方面說明中共未來政策將更亦步亦趨的採取蘇聯經驗，另一方面說明毛澤東自身已經對於解決中國問題再難有新的創見，因此，可能產生消極情緒。

一九五八年春，毛澤東號召「一窮二白」是他爲所欲爲的條件，發起了大躍進運動；同年秋又進行人民公社運動，並在台灣海峽進行挑釁，製造緊張局勢，左傾冒險政策到達頂點。事實上這兩項運動一開始就已註定失敗了的，但毛迷信層層僞報的成績，一直拖到現在方被承認。

大躍進運動的失敗

在去年十二月的六中全會上，毛澤東講同志的初步肯定了所謂大躍進的成績，認爲已經可以用中國的人力與西方的機器競賽，找出了解決中國問題的道路。當時提出了「冲天幹勁」與科學分析的口號，目的在于修正一些因大躍進引起的微小偏差，再繼續躍進。當時在黨內外雖已噴有煩言，但毛敢說，無人敢想，無人敢做的情况下，所謂作「科學分析」者僅只是「十個指頭」而已。今年四月的七中全會上，他再度表示具有信心，一方面以「三級所有制」，要求根據去年大躍進的方法繼續躍進；另方面又鼓勵人們說，聽，想，而喊出「多謀善斷」，要求「務實」，過去的成績，認爲要「留有餘地」，對今年的計劃亦要求「實事求是」的「落實」。這樣的工作進行了兩個月，毛已明白了大躍進的成績中有着折扣，於是在七月初召開會議，這大概是八中全會的預備會議或者是地方黨委的第一書記會議，會議的目的在于進一步的「核實」，這個會議中所「核實」的數字，我相信比發表的還要低，這當然毛大吃一驚，他若要再拖延，會獲得更壞的結果。於是他硬着頭皮，即于八月二日召開八中全會，這個會議對於大躍進成績方面的討論，其主題已經移往如何發表「核實」數字，周恩來的報告中對此有原則性的講話。他說：「我們認爲，既嚴肅地糾正缺點，又熱情地保護廣大羣衆和廣大幹部的積極性，這是指導羣衆運動必須遵循的原則。在任何時候都不應該向羣衆潑冷水，洩羣衆的氣。」根據這一原則，他們似已將去年的成績改成略高于前一年的水平，於是出現了一系列的數字：如糧食產量由七、五〇〇億斤，改爲五、〇〇〇億斤，棉花由六、六〇〇三八萬担改爲四、二〇〇萬担，在鋼的生產數字中去掉了「土鋼」三〇八萬噸，由一、一〇八萬噸降爲八〇〇萬噸等等。另一方面惟恐修改數字會影響于幹部的幹勁，于是又預先在八月六日、七日「人民日報」發表兩篇社論，要求克服右傾情緒，繼續躍進。並命令各地黨委展開反右傾整社運動，以作爲理想上的準備。

這種數字的修改，事實上已經承認了大躍進的失敗，反映在其增長比例上尤爲明顯。原來認爲一九五八年的糧食棉花均增長一倍以上，現在則減爲只增長35%與28%，鋼原來爲增長107%，現在則爲增長49.5%。原來認爲一九五九年計劃糧食棉花增長40%，修改後的計劃則糧食增長10%以上，棉花增長10%左右，鋼原計劃增長[illegible]，現則減爲增長[illegible]。這種增長比例的削減，已基本上承認了；成倍增長是沒有可能的，大躍進事實上已經失敗了。

人民公社的失敗

至于對於人民公社，即使在去年十二月的六中全會上已經不得不把集體所有制的時間由三、四年延長到十五、六年，宣佈組織城市人民公社的時間無限期的延長；今年二月，在鄭州舉行政治局擴大會議，開始對人民公社進行整頓；四月的七中全會上，只宣佈了整社的結果，但未曾提到整個問題，足見當時還未結束。由于四月後要求人們改變，所謂生產資料的「三級所有制」，「生產隊一級的所有制是基本的，公社一級的所有權是部分的，而生產小隊也應該有小部分的所有權」，又肯定了生產隊是一個基本核算單位」（新華社二十八日電）。這些說明了人民公社已經是一個空殼，基本上已經退回了高級農業社，更說明人民公社運動亦經八中全會承認失敗了。

綜上所述，去年毛澤東所倡的大躍進與人民公社兩項運動事實上已在八中全會上完全承認失敗了。

黨內鬥爭尖銳化

可能有人認爲這次毛澤東對現實承認失敗或者對反對派讓步，與他的辭去「國家主席」亦有關聯。這種說法是不確的，毛的辭去「國家主席」是在去年十二月六中全會的事，決定劉少奇繼任則是四月初的七中全會上，而發表大躍進成績的「國家統計局」公報則是四月十四日發表的，足見當時尚未放棄大躍進，並未推翻大躍進的成績，與其辭去「政府主席」一事無關。而且承認失敗完全是八中全會的決議，周恩來的報告，猛烈抨擊那些說毛是「小資產階級狂熱」者的人，並就「大煉鋼鐵」、「人民公社和公共食堂」、「市場」等三個問題作了澈底的批判；認爲要「堅持總路綫、保衛大躍進和人民公社的偉大成就」，要「爭取今後國民經濟的繼續躍進，必須反對一切右傾情緒，右傾思想和右傾活動」。可見毛澤東還是掌握着中共中央的大權。

但是，從其決議中說明有人攻擊毛是「小資產階級狂熱」者，與周恩來以全篇報告來批判反對言論來看，黨內鬥爭確實已經尖銳化，或者已經有人被清算。這種情況，又反映出了在這次全會上所以能擊敗反對派，是毛周使出了全部力量，不是像前幾次一般輕易獲勝的。

毛澤東的前途

毛澤東兩項運動底實質上的失敗，已十分沉重地打擊了他在黨內外的地位，國內外的聲望；他在黨內鬥爭中的勝利只是慘慘的勝利。現在所進行的「反右傾」、「鼓幹勁」的躍進運動，與去年的大躍進運動已有本質上的不同；去年大躍進運動的目標是成倍地增長，而現在所要求者是增加百分之十而已。這是「一鼓作氣、再而衰」的跡象，行將到來的是「三而竭」，他所以要堅持躍進，只不過是維持面子而已。人民公社的情況亦然。我相信毛本人亦會認識到，這是必然的趨勢，擺在他面前的也只有那條從左退向右的「獨木橋」。

在這方面，我們還必須注意到他在一九五七年六月右傾鳴放的失敗，今日左傾冒進的失敗。從右傾失敗到左傾失敗中間只隔兩年，可見[illegible]的急變，[illegible]修正的限度。其未來政策將是在政治上[illegible]向左修正一些，經濟上從大躍進的左、向右修正一些，結合起來，就該是蘇聯的老路。除非毛敢於放棄馬列主義，否則無疑將亦步亦趨的追隨蘇聯的經驗。

毛是一個野心家，他在國內想以最短的時間改變「一窮二白」的面貌，在國際想有獨創之見，奪得共產世界的領導權，現在這兩項夢想都已成泡影。[illegible]上說別人有[illegible]情緒，我到懷疑他自己[illegible]于莫衷一是的消極情緒之中。

在中共的文章中，有「老祖宗主席」，這大概是毛預先安排的退休之路。于一九五七年十一月，毛對莫斯科中國留學生的講話中，已只有一個[illegible]五年計劃算了，還剩二個五年計劃，由于現在計劃的增長[illegible]

半週述評

分層而會

作爲艾、赫互訪前奏的艾森豪總統訪歐之行，目前已進入最後階段。艾氏此行之主要作用，原爲平息歐洲盟國的疑慮，保證在未來艾赫會談中決不損及盟友的利益，所以艾氏此時此際曾經表示東西高層會議還是要開的。那不啻向歐洲盟邦尤其是英法表示艾赫之會仍只是東西高層會議之前奏，一切還須包括英法各國的高層會議去決定。麥氏歐行之結果畢竟如何呢？

艾、麥之會

艾麥會議的結果，可得而聞的，是在未來艾赫會談中，艾氏所持的「堅強而彈性」的立場，已獲麥美倫廣泛的支持。英國人似乎特別迷信會議可以解決問題，以爲與蘇會議愈多，愈可緩和蘇聯的行動，所以，據說除對艾赫之會有條件的同意外，還主張敦促召開若干次一級的會議，就若干特定問題如裁軍問題，原子管制問題等，與蘇聯面對面坐談。

艾麥會談畢竟是一個若干磋商性的冷戰會談，當然包括問題甚廣，不過就二氏在電視問答中所得而知的是雙方在盡力表示破除歧見一致對俄；但我們也可由此推知，英美雙方對於與蘇談判所持讓步或索價的尺度，畢竟有着若干距離，如何協調一致，那是一個主要關鍵，也即是有關弱國命運的一個西方高層的戰略問題。

艾、戴之會

艾森豪今又棲棲由倫敦飛抵巴黎，訪問其「戰時老友」戴高樂總統，會于艾麗榭宮，就戴氏所擬提出的問題中，如法國渴望參加西方世界對全球戰略的決定，及關于原子彈使用的決定，以及希望美國援助其建立本身的戰略攻擊力量，希望接觸美國原子秘密等，無非表示法國所需重的是爭取參加世界領導權等有關法國地位的問題，對於艾赫之會及可能召開之中西高層會議，如果不遂以法國的願望，當然美法合作是不成問題的，故法國甚希認爲艾赫互訪乃是美蘇兩國之事，其態可見一斑。艾氏究如何協調去取得法國的合作呢？

艾、赫之互訪

艾森豪之訪歐，除了與英法西德首腦會談之外，也爭取了若干西歐國家的首腦及元首，各國意見與要求儘管不同，但其爲協調以對付蘇聯，是對蘇聯冷戰的前哨戰，是無可諱秘的。然則艾赫之互訪，縱然有意要藉此緩和世界緊張局勢，實際爲高層冷戰的接觸。蘇聯之所欲，無非利用和平烟幕，製造西方矛盾，再利用矛盾以取得冷戰的勝利。在互訪聲中，不斷發生的寮國事件，及中共出兵印度邊境事件，即使不能視爲蘇俄共黨集團的戰略行動，至少可視作共黨利用艾、赫互訪時機，製造事件，以張聲勢。

中共、印度之間

在艾赫互訪聲中，據傳中共大批軍隊已侵入印境，轟炸東北邊區。一向袒護中共，甚至替中共在聯合國提出中國代表權問題的印度，今日受到了一大悶棍。梅農已沉不住氣，公開譴責中共侵略行爲了，梅農且爲與尼赫魯有歧見有表示辭職。印度內憂外患，已到了自食其果的階段。然而印度駐美大使查格拉怛仍在大發妄言，以爲准許中共加入聯合國，可以緩和中共的侵略行爲。迷夢未醒，愚昧之態畢現。不過這個印度該醒覺了吧！且看作繭自縛，而自視爲世界政治家的尼赫魯怎麼辦吧！其實，大可以趕快指令其聯合國代表及駐美大使，勿再叫囂，勿爲敵張目了。

林伯雅

自由人讀

政治的癡見

張君勱先生最近寫信給在台北舉行的民社黨代表大會，對國事提出了七項意見，中有一項主張中華民國政府應該跟印度尼赫魯協商西藏自主問題。我認爲這是不切實際的玄想癡見，必然於事無濟，八成兒還有自尋煩惱，甚至於自討沒趣之處呢！

尼赫魯承其傳統的宗主國的衣缽，不時對中華民國政府以恩主的態度，抱有惡感，即對於西藏亦如日本人對琉球島的觀念然，認爲其有「潛在的主權」，雖然以西藏的保護國自居，要使西藏脫離中國，自外生成。至於達賴喇嘛亦是素來對中國有叛心的。民國卅八年他乘共匪叛亂擴大，中央政府播遷華南之際，即將蒙藏委員會駐在拉薩的機構——連同該會所主辦的學校——一律解散，驅逐其職員出境。這次他被共匪趕出西藏，託庇於印度，聲稱繼續領導藏人抗共，我政府和民間一致予以聲援，紛紛對他發出慰勉的文電，蔣總統且發佈了依照憲法允許藏人自治的文告，藉資鼓勵。然達賴迄今並無絲毫反響，乃弟當才且過國門而不入，避之若浼。他在印度所發表的聲明文件以及對外談話，無一不是印度人代爲撰寫，或者事前經過尼赫魯核定的。

在這種情況之下，我們政府若向尼赫魯表示要跟他協商西藏自主問題，他會理你嗎？假使我們政府一旦移入大陸，即令尚未光復全部河山，只要管領了西南川滇黔桂各省區，那時候，我縱然不暇過問西藏的善後事宜，甚至尼赫魯之流亦將以謙恭的姿態，懇求協商西藏問題的。張先生以君子之心，度小人之腹，何其老實！乃竟認尼赫魯此時可與結交共事了耶？

政治家應有遠見，却不宜有癡見，張先生所提各項政治主張，我當然不盡贊同，但多有值得研討之餘地。唯獨這一項，實在距離事實太遠，近乎癡見了，故不能已言如此。

[illegible]

八德鄉滅門兇殺案

死刑撤銷·改判無罪

台省輿論認為係法治史上底大事

（台北航訊）轟動全國海內外的八德鄉滅門兇殺案，主犯被告穆萬森原被新竹地方法院判處死刑，經上訴高等法院刑庭審結，本月二十四日宣判：「原判決撤銷，穆萬森無罪」。此項判決，社會朝野人士咸表震驚，台灣各日晚報均以極大的篇幅，詳盡報導，一時成為社會版的頭條新聞。高院刑庭審判長陳思永、推事劉鴻儒、陳鐵等，認為被告被控各節，欠缺確實積極具體證據，足以認定其有對本案之犯罪行為，認為原審對穆萬森處死刑之判決，顯有未當。是日法院旁聽者極為擁擠，曾激起一陣掌聲，表示慶賀穆某終於獲得平反冤獄。

穆萬森之判決書長達六、七千言，記者將判決理由要旨摘錄於下：「穆萬森前在刑警總隊雖有一度自白之紀錄，袁中古等在同處亦有涉及穆萬森之供述，但穆萬森嗣後供述，堅決否認有殺害人情事，並指前此之自白係出於刑求。……惟就全案發展之情形加以審察，首先獲案之袁中古，在第一軍團司令部之初供，於其供述殺害葉家之經過事實中並未語涉穆萬森在內，而案經刑總移送法院檢察官及軍法機關後，各被告對於前此自白之紀錄又均推翻無遺，均有筆錄可按，即就在刑總階段之供詞而論，就卷內紀錄所載，不僅各被告所供穆萬森參與其間部份之經過事實，屢見分歧，難以採信，且穆萬森所供其犯罪動機，出於長官報仇，與此有關之官修齊、官家良二人，前者在刑總原不認其與葉家有何宿怨，後者經由軍法機關處分不起訴在案，顯見已有相反之證明。又其所供出於圖謀財物，就案內所獲之資料，既無葉家損失貴重之財物，而事主葉鐵迭次供述，均無指明其有若何鉅大財物之損失。……此外袁中古初供既未涉及穆萬森，其後供述始謂行事所用之吉普車往返經過穆萬森之門前，但其所稱車身號碼又不相一致，而本院函向有關機關調查，亦未得確覆，其主管人員辛銳到庭，亦不能具體指陳車輛之實在號碼，顯不能證明為穆萬森犯罪之證明。」高院不但否定地院的審判，更承認了刑求口供的事實。監院前曾派監委郝遇林調查八德血案，並將調查「事實」，函送高院參考，但是高院在判決書中指出，「就其函覆本院之文件，並無足供有關其他積極證據尋求之途徑」，因此，高院認為「本案被告穆萬森被訴殺害人之事實，顯係欠缺真實積極具體之證據以資認定。」

台北輿論除讚揚高院對該案的宣判，是法治史上一件大事，並且贊譽三位義務律師富伯平、梁肅戎、李公權的仗義相助，都是司法界歷史性重要事件的重要人物。相反的，指責偵查八德血案的刑警人員醉心於刑求代替證據，而犯了嚴重的錯誤，不惜將錯就錯，指鹿為馬，使人入罪，豈是法治的民主的國家刑事警察在偵查案件時所應採取的方法？輿論指出：「穆萬森的由死刑改判無罪，不但否定了刑求的結論，而且否定了刑求這種偵訊的手段……三木之下，何求不得，縱使此項訊刑的手段，並無其他不良之動機，就事論事，又有何益？假如說刑求是出自善意，為破案找替罪羊，豈不太不人道」！（徵信新聞）「承審的三位推事，能夠獨立思維，不受任何方面影響，這不僅使我們對他們肅然起敬，也對各方面能夠尊重司法的公正判斷而滿意」，「三位律師，受律師公會之推舉，出庭作義務辯論；能夠始終不懈，蒐集證據，說理辯證，也更使我們敬佩」。（中華日報）「從穆萬森涉嫌被逮之日起，社會輿論，絕無同情穆萬森的人者。相反的，從四十五年十二月十二日八德血案發生，經四十六年九月十六日當時的刑警總隊宣佈破案，以迄四十七年五月二十三日新竹地院之判處穆萬森死刑，大家一直信任承辦此案的警務機構和司法機構。正也因為如此，昨天台灣高院的那個無罪判決，給予人們感覺，不僅是驚人的，而且也是意外的。須知死罪和無罪是兩大極端，同一司法體制下的兩級法院，對同一案件中的同一被告，作出如此不同的判決，雖然不一定是空前，至少也是罕有的事」，「新竹地院的死刑判決，一則曰穆萬森前在『刑警總隊』的自白書乃『自然洩露』，並非刑求」；再則曰在審訊過程裡，「各方對供，息息相關」。穆萬森在公開審訊時曾一再翻了供，並且說過，在刑總的供詞，是於「因為大家挨打，只好胡說八道」情形之下承認了的，但該院未予採信。乃昨天台灣高院的無罪判決，不但認為「不能僅憑其一度空泛自白之紀錄與紛歧不一之供述，資為被告論罪科刑之依據」，而且指出「刑總及檢察官所舉證明穆萬森犯罪之證據，缺乏真實、積極、具體之證明」。（聯合報）

總之，在高院承辦檢察官決定是否提出上訴之前，固尚未作最後定讞，但二審無罪的宣判，給我們是沉重的感覺。假如沒有這項判例的保障，誰敢保證自己不會成為穆萬森第二呢？（張健 于台北 八月二十五日）

台灣鐵路局裁員風波

馬 周

（台灣通訊）台灣鐵路的營業里程不足一千公里，而台灣鐵路管理局所擁有的員工計共二二、八五三人，平均每一公里有員工二三人，較之世界任何國家所用的鐵路員工為多，此中原因實基於政治上的特殊現象，原來台灣鐵路的管理機構係取之於日本人，接收之初，台灣鐵路的中下級職員都是台省同胞，高級職員都是日本人，大陸來台接收的人不能代替了日本人的位置，中下級職員也增加了不少，等到大陸撤退，全大陸各鐵路的員工能夠跑到台灣的，也多可插在台灣鐵路，因此台灣鐵路迎覺人事擁擠，但因鐵路員工係屬專門人才，平常養成不易，一旦散失，固易釀成失業危機，而況遼闊的大陸，若干萬公哩的鐵道希望可以收復，則儲材備用，也不能說是絕對的不合理，雖然人數較多，人事經費負担較重，在此時此地，原非得已的辦法，所以台灣鐵路用人雖多，但是都經過省政府核准的，（台灣鐵路不屬於交通部，而隸屬於台灣省交通處，台灣接收之初，接隸台灣省政府管理，相延至今。）據報載：省政府核定之台灣鐵路員工為二三、四〇七人，較之鐵路局實際上所用之額內員工為多，但如加上路局所用的臨時人員則剛接近於省府核定數字。

台灣鐵路之所以擁有如此鉅額員工是有政治原因的，此種半安插半救濟性質的辦法也已行之十年了！台灣鐵路因為員工衆多，其待遇在各種公營事業機構中是最菲薄的，在整個台灣政治局面中雖然說不上甘若與共，但是在鐵路局方面總算是在共患難了！可是因為台灣物價之不能穩定，行車成本日漸高漲，遂使鐵路局的收支無法平衡，而且赤字日益增加，要增加客貨運的價格，卻又以「公營事業不導漲價」被台灣省議會否決和行政院批駁不准，於是台灣鐵路老在收入不增加，支出增加的情形下苦撐，眼看總有不能再撐的一天，不幸的是本年遭受到空前的大災，鐵路設備損失慘重，除去無形的營業損失不計外，即以有形的損失說，如果恢復舊觀，也非二三億元不辦，因此，今後的台灣鐵路更是收入減少，而支出增加的局面了！

台灣省的交通當局在苦思焦慮以後，還是決定從裁員着手，他們決定裁員的四項辦法是：（一）裁汰退除役士兵分配路局任職者；（二）裁汰臨時員工；（三）五十五歲以上人員，按公務員退休法勒令退休；（四）夫婦同供職鐵路局者裁減一人；此項裁員辦法拿到鐵路局，鐵路局卻提出了兩個問題向交通當局請示：（一）被裁人員如何給資遣散，其標準如何，其經費從何籌借，如果仍責之路局，路局無法負担；（二）被裁人員如何安插而不致發生社會問題，亦須予以考慮；正在台灣省交通處和路局對於裁員問題往返商討中的時候，此間已道路傳聞台灣鐵路即將裁員三千人的消息，當時鐵路局的負責人還在大膽闢謠，謂絕無裁員之事，而中興新村卻來了電話證實確有其事了！因此台灣鐵路的必然裁員，已成定局。

但，此次裁員似非發動於路局，而決定於省府，消息靈通的還是有切身利害的路局員工，當鐵路當局否認裁員之時，鐵路局的四十餘名職業婦女卻浩浩蕩蕩的跑到台北地方法院公證處，以「愛情不能填飽肚皮」為理由，要來個集團離婚，以免被列在被裁之列，此項小小風波雖被鐵路當局的申明平復下來，但卻不能不使人感慨萬千了，鐵路當局的申明是：

（一）退除役士兵是國軍退除役官兵就業輔導委員會，按路局實際需要分配來就業的，實際上不可能首先裁汰他們，而破壞國家輔導退除役官兵就業的一貫政策；

（二）鐵路局不是行政機構，而是事業機構，必需一批經驗豐富的人員策動企業，而對鐵路事業具有經驗的都是五十歲以上的人，如勒令他們退休，於鐵路局實是一大損失；

（三）如說夫婦同供職於鐵路局的就要裁一個也是不確的；就該項申明看來，將來只有裁汰臨時員工了！目前路局只有臨時員工一、七四六人，據路局說，其中一千餘名係原有員工入伍受訓，臨時代替工作者，一百餘人係代辦工礦專用台綫臨時人員，其餘五百餘人即係遞補核定名額五五四人的空缺，故而按現用員工看來，鐵路局實無冗員或超額人員，也無從裁減起。換言之，台灣鐵路的臨時人員都是有實際工作的，大批裁減以後，就要影響到業務。實際上拿乾俸，不做事，（或無事可做）並不是臨時人員，又不能撤減，因為那批人以往對國家社會都盡過力的，也多有政治背景。然則從台鐵二萬多員工中裁減三千人（初步裁一二〇〇人），將如何着手呢？此間公論報說得好：「裁員既勢不能免，惟有求其合理公平，在裁員之前，使全體員工能夠情緒穩定，照常安心工作，也是不致影響行車安全，也是不可忽略的。」（八月廿七日公論報社論）如果能就被裁人員的出路安排妥當，不增加水災以後的社會問題，就更屬理想了！

水災聲中

尹震。

集體離婚與裁員

楚伯。

（台灣通訊）世界各國，祇聽到有集團結婚的，卻沒有聽說有「集團離婚」的，然而自由中國台灣省就偏偏於八月廿五日發生了「集團離婚」的事件。

參加這一次去台北地方法院請求集體離婚的並且坐了公家的交通車，浩浩蕩蕩有三十餘人之多。

為什麼會發生「集團離婚」事件呢？這起因是台灣省鐵路局接奉省交通處長譚嶽泉的命令，說該局員工過剩，應該裁遣三千人，第一期是一千二百人，第二期千八百人，於是局內盛傳有夫妻倆同在該局服務者首先裁遣，因此這些夫妻們馬上來個離異抵抗（按有夫妻同服務該局者約百三十餘對）各保飯碗。

在台灣省內，夫妻倆同為公務員者極為普遍，他們都各有自己一份能力去負担政府所賦與的一份工作，絕沒有吃「寬枉飯」的。

要是為了裁員減政，不從人才與服務成績方面下手，而從這些夫妻們倆個之中去其一的捨本逐末方面着眼，未免說不過去。

而且裁員的後果必會造成一個社會問題，要裁之先的當局是否考慮到這三千人的去處？他們的生活？對社會有何影響？

再則，這三千人中，以台灣地區人口繁殖之大計算一家五口，就有一萬五千人發生生活問題。

台灣省的總人口，據省警務處本（八）月公佈的統計報告是一千一百三十二萬餘人來比例，它就佔了千分之一點四強，那就是說一千個人當中，有一個半人發生生活問題了。

這問題發生以後，對社會會產生什麼樣的後果，要是當局多思考一下，他必須先決定善後安排，才能公布這個搖動人心的命令。

「集體離婚」的新聞鬧出以後，譚嶽泉處長還公開說某些國家鐵路所用的員工與我國鐵路員工的比較，台灣省鐵路是員工太多，不合經濟原則，必須裁員以增加營收。

有人說是譚嶽泉與鐵路局長莫衡之間的一幕踢皮球把戲。因為早以前就謠傳譚要接任莫衡的局長（那時譚尚為省公路局長），可是莫衡的政治背景也不弱於譚，他曾願辭去兼交通處長的職務讓給譚，自己專任鐵路局長。至於是不是如此，目前尚無法證實。不過，我作為一個旁觀者的意見是：別拿小公務員來當政治皮球踢踢好玩。

要是真的為了國家，也應該先考慮被裁員工們的善後問題，在三千員工中難免外省人佔大多數，他們大陸的家早已蕩然不存，是再受不起意外的打擊啦！政府以前尚且妥善安置大陳撤退的義民，而對於追隨政府在台吃苦十來年的忠貞的員工們卻不從善安排，那就未免說不過去了！（八月廿七日夜於台北）

監察院教委會來函照刊

貴報本年七月廿二日第二版刊載（台灣航訊）「監察院最近三事」一文，文內述及監委張國柱提案糾正教育部處理中國醫藥學院立案招生等事實措施失當案，案內指出『且有既非正取又非備取之學生三十餘名亦准其註冊上課』拿不出確切的根據而監院教育委員會未能詳細調查竟據指為未經考試入學實屬疏忽予人以口實，如果監院不將事實真象調查清楚而提案糾正自然會影響監院清譽所以外界盛傳張國柱提案糾正教育部處理中國醫藥學院措施不當係「政治恩怨」的報復主義一節，查糾正案，係經本會全體委員審議並提交本會第一〇八次會議通過案中所述各項事實均依有關部會抄送本院資料為根據，案內所指「且有既非正取又非備取之學生三十餘名亦准其註冊上課」一點係依該學院檢送四十七年度新生名冊（其中除正備取生外並包括既非正取又非備取之所謂試讀生三十三名）及教育部四十八年四月八日台（四八）高字第四〇二六號暨同年五月廿二日台（四八）高字第六〇七五號令為根據，且查該試讀生中該院並發給有申請緩徵用在學證明書分向兵役機關申請緩徵亦有證據可稽。文內又謂中國醫藥學院考試舞弊監察院派專員張碩澈查結果認為『和大專聯考可以媲美』於先，而張國柱委員調查又不確實於後一節，查本院前派職員張碩調查該院招生舞弊案調查報告書中僅述有『私立學校尤須聯考以免閒言』並無認為和大專聯考可以媲美字句。本案原經本會公推委員張國柱、張志廣兩位先生會同調查，監察委員依據憲法及監察法之規定行使職權根本無政治恩怨之可言，所謂「報復主義」更屬無稽，該通訊所述本案各節與事實未盡相符，特函說明並希披露，以正視聽為荷。此致

自由人報社

監察院教育委員會　八月廿八日

大陸經濟混亂和黨內鬥爭

去年十一月廿八日，中共在武昌舉行八屆六中全會，會議由毛澤東親自主持，會上總結一年經濟發展的經驗時，曾指出：「一九五八年國民經濟的發展，獲得了空前偉大的勝利。」並舉出了一連串的龐大增產數字。同時決定：在這個「偉大勝利和豐富經驗的基礎上，在一九五九年社會主義經濟建設中繼續反對保守，破除迷信，貫徹執行黨的社會主義建設總路線。」一九五九年四月十八日，周恩來在第二屆全國人代大會第一次會議上，又重行宣佈了這些「偉大成就」和驚人的增產數字且贏得不少掌聲。

與此同時，中共且不斷把這些「偉大成就」與增產數字，向國內、國外宣傳誇耀，並以此證明其「社會主義制度的優越性」。但時間相隔不過四個月，中共卻又突然來了一個自我否定，說去年所公佈的增產數字，「偏高了」，不確實。特別是農產數字，經過「核實」，竟減少了三分之一或二分之一以上，這種行爲，出諸一個「政府」，其荒謬的程度，不能不說是奇聞了。

由於荒謬的事實，演變成爲神話，科學家們固不敢對這類絕不科學的事實眞象加以糾正，而中共的各級幹部們，也無法以眞正地忠於黨的態度來向黨中央反映，於是造成了既服從而又說謊的局面。服從是爲了忠於毛澤東，說謊是爲了欺騙毛澤東，上下欺騙的結局到終於無法維持時，久已經潛在民間的反抗情緒就更爲緊張了！

從上述情況中看，進一步推究大躍進的「成就」，雖屬毫無價值，但對中共這種自毀信譽的行爲，迫使他不能不以自欺謊言來疏導民怨，這是當前一個十分値得注意的問題。若再加研究促成中共採取這一措施的基本原因大約有二點：

第一、遏阻經濟混亂、緩和人民的反抗情緒。如果一九五八年虛誇的高產成績不變，則一九五九年以後各個年度的計劃指標，必然要層層加碼。指標愈加愈高，生產任務愈來愈大，脫離實際亦愈來愈遠，各生產部門的負責幹部，爲了爭取任務的完成，和逃避「落後」、「右傾」罪名，只有一面以高壓手段對待羣衆；一面以虛構成績蒙混過關。最後不僅使一切計劃指標成爲形式，失去意義，更使經濟混亂愈趨愈烈，且將加深人民的普遍反感。

第二、黨內鬥爭的尖銳化。在中共八屆六中全會中，已經決定「繼續反對保守」，可見反對「躍進」的思想早已存在，最近，由於形勢的惡化，和經濟困難的加深，反對力量，似乎又得到進一步的發展和加强。如果情況繼續惡化下去，反對力量可能愈趨强大。毛澤東的措施，是一面遏阻經濟混亂，一面防止反對力量的抬頭。中共八中全會「公報」中，對這一危機，有明白的暴露。原文說：「八屆八中全會在分析了當前的形勢以後指出對於實現今年的躍進來說，當前的主要危險是在某些幹部中，滋長着右傾機會主義的思想，他們對於那些根據客觀條件和主觀努力本可以完成的任務，不去千方百計的努力完成，他們對於數億勞動人民和革命知識分子在大躍進運動和人民公社運動中所取得的偉大成績估計過低，而對於這兩個運動中由於經驗不足而產生並且已經克服的若干缺點，則估計過於嚴重。他們對於在黨領導下幾億勞動人民轟轟烈烈地進行大躍進和人民公社運動，污衊爲『小資產階級狂熱性的運動』。」

「公報」所指的「某些幹部」，竟敢公開指責毛澤東所策動的「大躍進運動」和「人民公社運動」是「小資產階級的狂熱性運動」，可見這些幹部，決不是名不見經傳的無名小卒。同時，「公報」中又指出：「某些幹部中滋長着的右傾機會主義」是「當前主要的危機」，可見「某些幹部」也決不是少數。

總結各種情況判斷，毛澤東之所以要突然降低一九五八年的產量數字，減低一九五九年的生產計劃指標，除了經濟上的原因以外，政治意義却更不可忽視。反右傾思想在毛的領導下，很可能發展成爲一個規模龐大的整肅運動。（裕）

右傾情緒的根源

八月三十日「人民日報」刊出一篇「馬克思主義者應當如何對待革命的羣衆運動」的文章，該報爲此而寫了一段按語，認爲在社會主義建設中，對於如何對待羣衆運動的態度，同樣是爭論的根本問題之一。按語再引用毛澤東在一九二七年說過的話，闡明他對於現階段羣衆運動的態度：「站在他們的前頭領導他們呢？還是站在他們的後頭指手劃脚地批評他們呢？還是站在他們的對面反對他們呢？」按語着實的指出：「現在，在社會主義建設時期，對待羣衆運動，仍然有三種不同態度的人。毛澤東同志堅決地反對把羣衆運動看成『糟得很』，而熱烈地歌頌羣衆運動是『好得很』。毛澤東同志所說的這個眞理永遠不會過時。有的人之所以跌倒右傾機會主義的泥坑裏面，他們之所以倒霉，就因爲他們不願意相信這個眞理。」

這段按語已道出了「人民日報」之所以發表這篇文章的原因，亦即它要把右傾情緒的根挖掘出來加以批判，因爲他們根本就反對以羣衆運動來建設社會主義。

基本問題的爭執

上期本欄指出八中全會決議中說明現在有人說去年的大躍進運動與人民公社運動是毛的「小資產階級狂熱性運動」的表現。其實，這樣的說法，對於目前反對毛的主張還未說得透徹。八月三十日「人民日報」有一篇另外的文章，題目是：「右傾頑症和治療的藥方」。它說：患有「右傾頑症」者認爲農業生產只能低速度發展，每年只能增長百分之幾；認爲工業只能由少數人辦，而不能大搞羣衆運動；在水利戰綫上，只能排（水），大（型），國（國家辦），不能蓄（蓄水爲主），小（小型爲主），羣（羣衆辦爲主）；有些人受這種陳規陋矩所束縛，不敢想，不敢幹，祗好冷冷清清，不轟轟烈烈。」這就是反毛派的基本理論與實際，也是他們雙方爭執的中心焦點。爭論是否用羣衆運動來建設社會主義。

毛澤東自取其辱

八中全會的決議與公報，事實上已經承認了大搞羣衆運動來進行建設這一條路是不通的，但毛澤東始終不肯認錯，看來一定要挽回這個面子。其實何必費這種口舌，像史太林一樣把中央委員會中的反對者一律殺盡放逐，就無須再說這種話了；看這幾天來的模樣，毛確有惱羞成怒效法史太林的可能。憑着毛現有的軍與秘密警察，要把中央委員殺盡大概也不很難，可是他殺不盡中國人民中的反對者，同時也解決不了擺在中國面前的實際上的困難。若一定要殺到底，必將自取其辱，左傾冒進的道路已早阻塞了，毛澤東，回頭吧！你已經沒有別的路走了！

·田心·

高棉王子施漢諾的美夢

·林椒·

（金邊航信）在中南半島上，高棉王國是一個土地面積僅十八萬一千方公里，人口祇五百萬人的君主立憲國家。全國有二十多個民族，高棉族佔百分之七十五，全信佛教，少數民族有占族（Chams）、猺族、考族、佛倫族等，越僑和越裔約三十萬人，華僑和華裔也有卅萬人。從土地面積與人口比率上看，高棉民族和中華民族是有着悠長的歷史淵源，也算是關係極大的兩個兄弟之邦。

一九四七年五月六日，蘇拉瑪里特（Norodom Suramarit）國王頒布了高棉憲法，規定政治制度是君主立憲與三權分立。國家最高元首是國王，統率全國的武裝部隊。這個蕞爾小國容納了一九五五年成立的「人民社會同盟」、一九四六年成立的「民主黨」和一九五五年成立的「人民黨」（前高棉抗戰人員的政治組織）；而人民社會同盟是最大的執政黨派。

由於國家資源的極端貧乏，因之國家經濟也就相等的艱困。歷年財政上的赤字，相當可觀：如一九五四年的收支差額是九億九千七百萬東元，一九五五年差額是赤字一千八百萬東元，一九五六年差額是十六億九千萬東元，一九五七年差額當在十億東元左右。爲了彌補這種龐大的赤字支出，惟一的辦法，是藉與外援和利用外僑投資，以便取得一定的平衡。正因乎此，所以高棉王國，一向標榜中立主義，堅持在東西兩大集團間進行和平中立政策，以冀保衛王國主權的獨立完整，盡量接受外國的經援，甚在不抵觸國家的主權與中立原則下。和反共的、親共的、以及共產集團三者間取得外交關係，而遍向各國伸出要錢的手！

寮國內戰與高棉的中立主義

寮國內戰發生後，中南半島的幾個國家，成爲世界關心矚目的地區，高棉北鄰泰國與寮國，東毗南北越，形勢上佔絕對重要的地位，它是否仍能保持中立主義政策，是否親美反蘇，抑或聯同共產國家，聲氣相通，頗爲衆所猜疑的謎語。

八月八日法文「高棉現實報」刊載了一篇高棉王子，現任王國首相施漢諾王子殿下的文章，題目是「我們在和平共處中的立場」，從這位權傾朝野人物的言論，是可以看出高棉處在國際紛爭的政治局面中的態度：

尼赫魯的『好榜樣』？

他說：「我曾經很關注的閱讀通訊社的一則述及記錄報尼克遜在莫斯科對蘇聯人民所發表的電視廣播的電訊——提到「和平共處」問題。高棉的中立雖然也是拖入這個爭論中，高棉是選擇贊同潘查希拉（和平共處五項原則）的，這是由我們這世紀中知名政治家所創導，其中我最看好者是尼赫魯。」他又說：「高棉相信此種理義的存在，已表明在聯合國的憲章中。憲章是這樣的介紹着。我並沒有加以妄用：各小、中、大國家間的平等，相互尊重主權，完整各自的國體，更好的合作，發展的國家幫助落後的國家，友誼與和平。」他强調理論觀點上，特別强調：「接受和一切邊境的國家不拘政體或主義，達成友誼關係，最後示範就是忠於世界與利益，在一切範圍中力貢獻（聯合國或其他國家間）使各民族及政府更和好以保護和平、正義與自由。」從這篇文章中已可看出這位王子希望在東西對壘的狹縫中走出一條所謂「中立主義」的道路來。

八月十日金邊的施棉中央進行義務勞動，這位施漢諾王子又發表了一篇演講：

親美？親蘇？兩邊倒！

「目前『統一報』的一篇文章中說：『王子的改組內閣是否是美國所叫，因爲這時剛剛是美國內政部長施頓先生到來』，我們很了解統一報，友誼報和人民報都是共產黨的報紙。他們接受共產黨的援助，而我從不會人家的錢，因爲我有足夠的王室金錢供給，但我也有向人求乞，例如向美國、蘇聯、捷克斯洛伐克、法國……眞的，當施頓到來時，我曾深切感謝美國的援助。」他補充說明：「並不是說我與南越、泰國、美國握手，就放棄蘇、中（共）等國……因爲我們是執行中立，要維護同雙方的團結，我們要鞏固中立政策，中立加獨立才能鞏固長存，是不傾向任何一方面的。正如目前的鄰國，由於傾向一方，就發生戰爭的災害。」這就是這位王子的聰明而又天眞的想法，他一直無視於印度尼赫魯身處的進退維谷的窘境，「中立主義」行得通嗎？讓全世界的人民，試目試看這個小國吧！（八月十二日寄自金邊）

國際動態拾零

△美聯邦調查局長胡佛，贊成艾森豪意見，美蘇每年將交換學生一萬人。胡佛認爲蘇聯間諜在美，已經夠多，但只須注意[illegible]即得。

△艾森豪于訪蘇回程，將訪問印度，及其他落後地區，但地點尚未十分確定。

△美國共產黨，有一龐密計劃，吸收左翼青年，組成全國性的學生會，代其繳學費，並予以就業訓練。

△最近波共某首領訪問北京，會與毛澤東作二小時以上談話。毛氏不斷攻擊狄托，但卻未提及赫魯曉夫。

△尼克遜訪問蘇聯，會以蘇聯人民所不能知道的情形，告訴他們，使其感到興奮。且影響蘇聯領袖們，使分成激烈與緩和二派。但蘇聯要人之訪問西方，民衆官方皆絕不受其影響。所以蘇聯感到憤慨，打算在尼赫互訪後，暫時冷結東西要人互相訪問之舉。

△美國秘密警察已接到半打以上，致赫魯曉夫的恐嚇信。其中有一封從紐約寄來，上說「他要不要活着離開此地。」

△美商在國會作證，謂美援用于南越者，最無弊端，而情形最壞者爲南韓。

·陶然·

瘟君夢

第四回：森森劍戟 遍洒知己淚　僕僕風塵 苦鬥子弟軍

劉伯承一開口，賀龍不禁怒上心頭，原來兩人有一段宿怨。

抗戰期間，共軍經政府招安，改編爲國民革命軍第八路軍（後改爲第十八集團軍），以朱德，彭德懷分任正副總司令，下轄三個師，一一五師師長林彪是湖北人，一二零師師長賀龍是湖南人，一二九師師長劉伯承是四川人，這種人事安排非常微妙，可以明顯地看出川湘兩系的分野，雙方各佔一個師長，分別担任着正副總司令，於是總司令朱德就住在劉伯承的師部裏，副總司令彭德懷就和賀龍住在一起，雙方界限越劃越鮮明，鬥爭就愈演愈烈。

到了共軍渡江前後，中共中央把當時的共軍編成五個單位，即一二三四四個野戰軍及華北野戰兵團，這時賀龍因爲八年來都在延安担任防守的工作，部隊未有[illegible]，中共當時把延安留守部隊連同在山西境內的共軍[illegible]司令員，賀龍那時就成了無兵司令[illegible]二野佔了南京，陳毅的三野佔了上海，[illegible]出火併梁山，於是劉伯承進攻西南，以川康爲目標，這邊問題才算解決，而另一個新問題又發生了。

本來這五個大軍事單位組成之初，只有彭德懷一人是湖南人，林彪是湖北人，其餘三個都是四川人，活曹操又認爲不妥當，時刻在毛澤東跟前囉嗦，說咱們湖南人的江山是靠槍桿打來的，現在槍桿都變成別人的，主席這個位子還能坐得久嗎？

毛澤東也覺得事實確是如此，但這是從歷史關係演變來的，誰叫咱湖南人不爭氣呢？況且當時正在血戰，大敵當前，內部也非團結不可，所以遲遲未採取行動。到了劉伯承向川康進攻時，活曹操又提意見了，他說：「劉伯承是四川人，和四川當地那些軍閥不是舊日官部屬，就是同學同事，四川是有名的天府之國，加上[illegible]假使他在四川興發起來，學習劉文輝[illegible]」毛澤東[illegible]現在若劉伯承再獨霸四川，[illegible]決心要改變這個情形，但是又不能下命令調劉伯承停止前進，就向軍師問計。林伯渠於是打出賀龍這張牌，來破壞劉伯承的「西南王」計劃。（六七）

岳騫

釋耒集

人類處耕田而食，鑿井而飲之世代，不識天功，安知帝力？

自力更生

渾渾以生，噩噩以死，遂着魚之相忘於江湖，及人類知守望相助，疾病相扶持，雖可謂爲人類之進步，但亦未嘗不爲人類之不幸，「自力更生」，雖即謂在孤立無援，赤手空拳之下，掙扎圖存之意，然人類何由喪失其所有，以致于成爲赤手空拳，此則半爲天災，半由人禍，天災非人力可抗，科學進步如美國，對最近發生之地震，亦竟無能爲役，大可哀者也。劉項之戰，喪其所有者半天下，子孫孫，長久遭赤手空拳以掙扎圖存，此則所有者盈天下，而國共遂戰，使其子矣。奪天下人之所有，以奉一人一姓，一黨，此所謂國民以自奉也。天下亂，羣雄紛起于草莽，均曰爲弔民伐罪而起，天下既定，遂人民于無勞而獲，上焉者，劉邦，朱元璋之屬，乃自以爲天命在孤，居之而不疑，明眼人觀之，實可笑之甚也，舉者趙匡胤初有天下，[illegible]只後周柴帝年幼耳。邇者，蘇聯赫魯雪夫，行將訪美，美國，兩人對此，東西兩大集團首腦之會晤，周總……明哲賤處時，殺人如麻，夜哭，天子因之而自殺，及其夢既往，其一已之安危及幾耶數十無數生民之手，昔以全國之力，用兵數十萬有餘無計，帝何之強雄，……必自力更生以更佛……之謂也。佛與聖人……說我不入地獄誰入地獄，爲佛之婆心，聖人以爲天下有飢者，若已飢之，有溺者，若已溺之……其所以如水益深，如火益熱者，確由其不肯自力以致之否？如或不然，則我今日之視爲關切，以佛與聖人自許，豈第泣以道之曰：必不可以自力更生，試一捫心……

曲齋

香港手迹　斐刀

滿塵

平心靜氣談新詩

滄海晴人

近半年來新詩在台港兩地，忽然掀起了激烈的論爭，從前是新詩人自家的內鬨，例如二、三年前紀弦與覃子豪爲「現代主義」的論爭，最近幾個月來，新詩人是掉轉槍桿，與詩壇以外的人論爭了，見之於本報；「幼獅文藝」十卷四期太史公「新詩的危機」引起「自由青年」廿一卷八期葉泥指出太史引述紀弦君的詩張冠李戴，「幼」卅八期號也有答覆，看起來，這種新詩的論戰好像還要延長下去。

今天讀了沙漠的「救救新詩」（自由人八八二期），我實在有不得已於言者，第一點：新詩人的內鬨，純爲了「現代主義」的問題，而論爭的「主」「派」問題，而論爭竟演變成了打架，以至於已超出客觀論的範圍，……所謂「現代主義」不是由中土，從外洋移植而來，……看不起自家的木主，……實在可笑？第二點：「現代主義」不是從天上掉下來的，而是有它的文化思想的背景，就正如西方的「存在主義」，……如果你不懂「存在主義」哲學，……除了假借外國的東西吵鬧，……豈不是無聊之至！

其次新詩人對外作戰，大約可分兩方面：一是「現代主義」的新詩，盡是「符號」，數目字，化學名詞，……一是新詩人自認爲聰明人，新詩是他們的領地，不允許他人侵犯的，……

平心而言，詩人往往自許「詩裏引起人們的共鳴！」現在讀者不懂，自然不能共鳴，……俗語：「褒貶是買主！」……與非詩人的「外戰」，這些都沒有多少意義的呀！

至於說紀弦有「現代派」，覃子豪有「藍星派」，藉以領導詩壇；首先，思想尤其是文學藝術思想，誰想領導，都近乎癡人說夢，尤其欲想在這一園地稱霸，更是愚不可及。實際的爲害，不堪設想，貽害下一代人，那不可絕；我有個朋友自詡「偉大的藝術家」，其子對於繪畫毫無根基，教他畫些幾何圖形的「現代畫」，捧之爲「神童」；正如「在自己的文句還未寫通之前，就大寫其『3加5等於6』一類『詩』句了。」（沙漠語）因此，有良心的人不禁爲下一代人悲哀，爲這一代「偉大的藝術家」「超人的大詩人」羞恥了！

我不懂得詩，但依我讀小說的經驗，作者乞憐於文字，搬弄方塊字顯得出了九牛二虎之力，結果語意的「外向指義」與「內向指義」不統一，似乎不大通順；文字是語言的形狀，也是語意符號，基本的還是作者心裏的語意問題，一個作者心裏沒有偉大的思想和高尚的意境，徒然用文字的偉大性和高尚性來堆砌，會寫出偉大的作品嗎？文字是傳寫心靈的工具，視工具爲第一，忽略了創作動機，消失支配工具的心靈，其作品豈不是像木乃伊嗎？

至於什麼「派」，什麼「主義」，又有什麼用呢？絕沒有讀者讀詩之前先問那一派，總是先看詩好不好的，作品不好，有「派」有「主義」又如何呢？作品好，沒有「派」，沒有「主義」又何妨呢？否則什麼「現代派」呀「藍星派」呀，也一樣嚇不了人！（四十八年八月廿日下午揮汗寫）

栗海彈心錄

簡體字

中國六書字體，歷周秦漢魏晉，大小篆八分，隸楷，古今文，筆畫幾經增省，北齊僞正書，唐宋僞正字主之，所以求字體之合於六書，通乎經史諸子而能盡其義者也。不必盡善於拚音字體，亦不必盡劣於拚音字體，然中國之學術文化，民族之道德精神，附麗於此者，已數千年矣，豈可輕議。

中共毀滅文化，消滅漢字，改用簡體於大陸。前教育部長程天放，考試副院長羅家倫等，倡用破體於台灣，所說不同，而其用心則一。距今三十年前，魯迅曾爲是說，載上海申報副刊，「漢字和拉丁化」，並見魯迅「花邊文學」。原文冗長不錄。魯迅當日，是否共產黨，不得而知，其時正爲「新文化運動」，與「左派」一流人物，亦即中共今日所捧爲「文聖人」者。同時蔡元培禁讀經，廢祀孔，與魯迅不啻異口而同聲，亦與今日之桴鼓相應同。蔡之徒，共產之徒，雖未可並論，究其步趨，則亦五十步百步耳。

中共之消滅漢字，是以字滅義，以字滅字。據其簡化方案所定，首以七百九十八箇通用字簡體化，或以同音簡筆字代替同音繁筆字，此是以字滅義，其次以四百餘一字多體的字，（大約一音多字）只保留一字，其餘概與廢除，此是以字滅字。三則規定偏旁字，簡化寫法，與書報公文書橫派法，自以拚音拉丁化，爲其最後目的。實與羅君所著「簡體字運動」，所列百一十一字之簡體字，及「部首偏旁簡化舉例」，如出一轍。

五四而後，青年學生，習於紅樓水滸，嗎呢啊拉，卒致大學文學系生，已不復能充分接受經史諸子，固有之學術文化，與夫人文之存養省察，乾惕砥礪，悱憤啓發。差幸字體無變更，破體未充斥，有志青年，如得師友扶植，尚可自行進修，綿延不絕之緒，以待來復之機。果一如中共今日之所爲，不出十年，國脈斷喪盡淨，不止四庫書目，所有典籍，廢紙而已。乃至若干姓氏，因字別音同而致混淆。若干事實，因音同義別，而犯不可思議之錯誤。若必以橫排爬行爲是，則造物只有蚯蚓蛟龍之蜿蜒委迤，而無虎豹獅象之蹲踞騰躍。要知木之達也向上，水之達也就下，巍巍高山，坦坦平陂，蠕頭蠆尾，封豕長蛇，銀河橫天，日月獨特。是皆天地之文也。各適其適，安有軒輊之分，好惡之別，未免少見多怪，管窺蠡測者也。（上）

・阿公・

墳

到澳門去了幾天，會陪榕去上她父親的墳。

那墳很新，是綠色的，中間白色，有一排一排的紅字寫些墳上瞻見的字；靠後一個斜坡，像在墳下墊了個大枕頭，其上鑲嵌着死者的瓷像。

在墳場裏即使不感到悲傷，也不能沒有一種沈寶的肅穆之感。榕把帶來的劍蘭花放在墳上，沒有說甚麼，那一刻，她的臉上帶着些神聖的光輝。

於是，看墳地的婦人來了，黧黑健康的臉，六七個月的身孕。她喳喳叭叭的說了不少話，帶來了一個有水的玻璃瓶，把花插在其內，放在墳上。

「你們一定從香港來的啦！上趟到你們那裏去收灑水錢，說你們都走了，到香港去，錢到下次一併來收好了！我們時常有打掃洗刷的，你看多乾淨……。」

榕答了她幾句，她走的時候，榕給她五毛錢，這嘴不停的婦人道謝着去了。

天氣是再好不過了！藍天、白雲、和風……墳場沐在最早的陽光裏，美得出奇。

誰都沒有說話。我看看前後左右的墳，有的很新，有的却殘舊不堪了！

於是，我想：這個墳有一天也會蒼老殘舊！……那麼，墳又有甚麼用處呢？

很久以來我便在想，一個人死了，隨便用席子捲了埋掉，把臭皮囊化成泥土，滋潤春草，比呆呆板板的弄個墳要有意義得多。或者，把屍體火葬了，像某些詩人所說的一般，讓風來把骨灰吹散……，墳只會浪費金錢、浪費土地。

我看着榕，她站着，臉上一派嚴肅的神氣……對着墳，曉得自己和親愛的人靠近，心中一定有一種溫柔的感覺罷？那些甜蜜和悲慘的往事會在回憶裏重現，使她感到一種悲涼的快感罷？——在這裏，她的父親靠近她，而他們是相愛的！

驀地，我了解墳的意義了！人死了，如何埋葬，如何腐朽與死者又有甚麼關係呢？如何死是死人的事，如何埋葬却是活着的人的事了！

墳的建立，不是爲了死去的人，而是爲了活着的人：因爲每一個埋葬在墳裏的人，自有當愛他的懷念他的人，對於那些人們，死者的墳是一座金色的箱子，其中藏着無數的回憶，對活人是有特殊的意義的！

榕來了，站在她父親的墳前，只有在墳前，她才能感到那親愛的老人具體的存在過，在墳前，他們間的距離縮短了，甚至她忘了想甚麼，死者也可能會聽到感應到呢！

所以，新的墳不斷的樹立了！而那些舊的墳，隨着時光的流轉而湮沒了，那些平凡的，只對某些人有意義的墳，因爲那些保有記憶的人們也死了——却不斷被破壞、掘去。因爲前者是有意義的，後者却沒有！

離開墳場的時候，我不再像以往那樣想着死了要席捲或火葬了！我希望我有一個墳，美麗或醜陋的，在風和日麗或陰雨搖瀰的日子裏，會有些愛我的人們，到我的墳前來，送上幾朵鮮花，佇立片刻而去。……

・人木・

銀壇隨筆

蘇茜黃世界

這幾年，好萊塢「撈家」們把賺錢對象放在中國人頭上。那可能是劇本荒和素材缺，不得不向國外去尋找，當然，中國民間故事，中國人耳熟能詳，中國片商早已一網打盡，漏網的無意選擇。自從「六福客棧」給搬上銀幕，那些「撈家」就爲「有得撈」。於是，百老滙的舞台劇「蘇茜黃的世界」也被看重。似乎只要能夠賺錢，把中國人侮辱一下，「怕什麼？」以侮辱中國人作爲賺錢資本，我們中國人不能怪外國人對華人蔑視，只怪國人自己不爭氣，自個兒不重視自己、尊敬自己。

我們沒有讀力制止外國人捏造侮辱國人的故事；却有理由反對有中國人的地方，上映那些影片，更不消說反對國人去飾演劇中的角色。「六福客棧」對中國人的侮辱已夠；而「湍澳輪渡」中又以中國人扮「海盜」；即使這個「海盜」是「義盜」，對中國人的侮辱，不能說沒有。現在「蘇茜黃」一角到香港來試地取材，那麼直予香港人以奇恥大辱！

我並不否認：今天香港是「蘇茜黃世界」，「蘇茜黃」之中不乏有「百老滙」舞台上出現的角色，但「蘇茜黃」絕不能代表香港每一個「國際女郎」，更不能被當作這一時代的產物。類似「蘇茜黃」這樣的人，不止是中國，在紐約、在英倫、或在日本東京、越南西貢，到處皆可俯拾選出來，爲什麼硬要指明是「中國的香港」產物，且不管黃氏宗族反對與否，硬戴上「蘇茜」這個名。在近代，這種靈積態度，出諸於極權的共產社會原不足奇，在百老滙作爲斂錢幌子，已經嚴重地損害了中華民族的尊嚴，把它拍成電影去向整個自由世界渲染，誰能說不是向普中華民國黃氏挑戰，當然還不止黃氏一族蒙恥，實爲中華民族大辱。

當幾個好萊塢影探，一到香港物色女角，即有許多女孩子如蟻附羶，爭相取寵。當我面質若干盲目應徵女角：「曾否知道劇情內容？」竟無一能夠回答。

・修衡・

自由人
THE FREEMAN
（第八八八期）
中華民國憂患總部登記證警字第一零二號
中華郵政登記認爲第一類新聞紙類
（半週刊每逢三六出版）
每份港幣壹毫
督印人：陳文[illegible]
地址：香港高士威道二十號四樓
20 CAUSEWAY RD. 3RD. FL. HONG KONG
TEL. 771726
承印者：東南印務出版社
台灣總代理處：台北市西寧南路壹零壹號二樓
電話：三〇三四六
台郵撥儲金戶九二五二
海外總經銷：友聯書報發行公司
香港：彌敦道中二十六號A二樓

會考平議

•譚維漢•

會考溯源

會考制度是一種近代化的中國古董。古今來，人們欲測驗對方之能力與知識的，常採取考試以爲工具。考試分二大類：一爲口試，包括做與實驗；二爲筆試。口試起源最古，在原始社會即已有之，其見於上古記載的，有舊約士師記所言基列人口試以法蓮人一事。至於筆試，則可說創始於我國。西漢之政策及射策，即其先河。隋唐用之，演變爲科舉。中國此種科舉式考試方法，至十八世紀時傳入歐洲，首先做用者爲英國劍橋大學，其時爲一七〇二年。在此以前，歐洲各大學之學位考試，只有口試而已。至於美國，直至一八五〇年左右，經著名教育家荷李士曼（Horace Mann）之極端贊美與提倡，始廣泛採用於中小學會考。香港爲英國之殖民地，事事做效母國。英國之「學校證書考試」（即中文所稱之會考），起於一九一七年。香港做而行之，戰前只施行於英文中學；一九五二年起乃推及中文中學。但追溯源流，可說是英國式的中國科舉制度。

主張與反對之意見

本年本港有一個學生因兩次會考均不及格而自殺，此事遂引起社會人士對於會考制度之種種批評。足見香港社會比前進步；對於教育問題不如以前之漠視。會考制度不只香港有之，世界上有此種制度之國家亦不少。但世界上沒有一種制度是十全十美的，故此種制度，往往惹起不少爭論，茲將各地主張會考及反對會考之雙方意見，擇其主要者臚列於下：

（甲）主張會考之理由：

（一）可以幫助測一各校程度。

（二）可以提高學生成績之水準。

（三）可以測得教師之教法良否，與學生之努力與否。

（四）成績優異之學生獲得獎勵，怠惰之學生知所警惕。

（五）可以測驗各校之成績，使弱的學校知所改善。

（六）會考各證書有同等價值，可免有些學校學生受到歧視。

（七）社會重視會考成績其證書可爲一種資歷之證件。

（八）政府可以根據會考之成績作爲獎給免費學額或獎學金之標準。

（九）可以代替升學之入學試。

（十）可以維持教育之程度免至降低。

（十一）可以惹起各校從事成績之競爭。

以上爲各地採用會考制度之重要理由，尤其第一第二兩點，幾乎成爲所有採用此種制度者之共同意見。惟香港採用會考之理由，則與上所述的不同。根據本港中文中學會考章則所載，則會考之目的「在測驗考生之普通學識，以爲良好市民之準備，而不在選取學生升入大學，或發給獎學金」。其言空泛消極，似不及上列各條之積極及具有教育意味。

（乙）反對會考之理由：

（一）會考不能使各校程度劃一。

（二）會考不獨不能提高學生之教育水準，而且因祇讀死書，大大妨礙學生思想之發展與研究之能力。

（三）會考只養成學生爲考試而讀書，死記會考問答，失了教育之眞正意義。

（四）會考及格的不一定是平時成績好的學生，而不及格的不一定是在校成績劣的學生，優秀的可以失敗，「瘟豬」有時卻吃香，故會考成績是不正確的。

（五）以及格之百分比而衡量各校之成績，是一種不揣其本而齊其末之舉動。

（六）會考迫使教師以全部精神教學生如何應付會考，而無時間來教學生如何研究學術或求新知。

（七）會考成績祇是考試的一日之短長，其價值遠比不上學校平時成績之正確。

（八）會考困死學校，致令教育不能隨時代而改進。

（九）學校爲爭取成績，常採用金字塔制度，逐年將成績較次的學生淘汰，致令許多及格學生中途被迫退學，養成犧牲學生教育，以博取學校虛名之風氣。

（十）會考對成績無論良否之學校及學生，均具有一種心理之威脅。

（十一）不及格之學生不斟酌其實情如何，一律不予以補救，使人覺得會考是一種殘酷之制度。

如何補救現制缺點

前節所舉，正反雙方均有其理由，茲因篇幅關係，不加評論，讓讀者自下判斷。從近代教育之趨勢言，會考制度，已江河日下。美國在十九世紀末期，已取銷小學會考。至廿世紀上半世紀之中，中學會考，亦已廢棄。即在英國，主張廢棄會考之呼聲亦較主張維持會考的爲大。例如一九四三年之那活報告書（Norwood Report）便說「爲個別兒童與教育專業之已有自由及責任利益起見」，應廢除會考而由各校自行舉行畢業試。此次本港中西人士對於會考制度之得失，已提出了不少質疑之意見，歸納來說，可有三種。第一種是主張維持現狀的。第二種是主張廢除的。第三種是主張改善的。就本港目前情形而論，在富於保守性的英國人底下，廢除會考，似無可能，而主張維持現狀的，亦可說諱疾忌醫，漠視現實。會考之種種缺點，現已爲各方所指出，而補救之方法，各方亦已提供不少，故本篇所欲言者，亦只從改善方面着想。會考之缺點，有根本的，次要的。茲因篇幅關係，祇提出幾點針對根本缺點之補救辦法，以供舉業委員會諸公之參考：

（一）取銷小學會考　現時小學祇涉及一部份學生，而會考及格的又不少欲升學而無學位。既然小學會考，功用如此之少，不如索性取銷，讓各校自行考試。至於政府與補助兩種中學之一年級學位祇統歸政府支配，由政府另訂詳細入學試辦法辦理，但須務求公私立小學生有入學機會之平等便得。

（二）中學會考應有改革　現時中學會考既難取銷，但中學會考之根本缺點則不能不急謀補救。茲提出幾點以供會考委員會之研究：

（1）應根據近代測驗原理，運用新式客觀之出題法　現時之會考，採用問答方式，此種試題對於所考科目之內容，掛一漏萬，故其結果常不可靠。試舉一例以說明之。例如中國歷史一科假設所考範圍，包含有五百件事實。有一優秀學生能熟知四百五十件；而另一劣等學生則祇能記得五十件；而此二生所能記得的又完全不同，若用問答式試題，因所問者少，偶然所問之各題，完全祇在此劣等生所識之五十件之內，則其結果，劣等生可得優異，而優秀生竟至不及格。此雖假設極端，但非不可能，而現時會考之出題方法，正犯此種弊害。若欲優劣眞能判別，而無僥倖幸中之弊，則現時之出題方法，必需改用近代測驗原理，採用新式之出題方法，則五百件事實，可以在二小時內考完。即祇考全部事實五分之三或二分之一，而其結果，亦定能將優劣分出，無有優者失敗劣者幸中之弊。

（2）給分方法應予標準化　現行之給分[illegible]法。現時之給分係屬主觀的，同一試卷，各人所給之分數不同，而且其分數相差甚大。主觀給分之弊，教育上已有許多實驗之證明，茲單舉一例以言之：一本幾何試卷，影印之，分給一百一十六名中學幾何教員評閱，其所給分數，由廿八分至九十二分，高低相差若是之大。主觀之弊不獨各人所給分數不同，即同一個人，因心情之變化，其所給之分數亦有差別。茲舉中學英文作文，影印各分給廿八名中學英文教員評閱。不獨當時各人所給分數各不相同，事隔兩個月後，再請他們評閱，其前後所給分數，竟絕不同，竟有十五名教員將兩次所給的[illegible]

（下轉第二版）

寮國變亂與東南亞各國

牛一週述評

寮共策動的大舉叛亂，不久快將兩個月，國際間只有同情的關切，卻始終未見有人提出保衛有效對策。我們不免武斷地說，這是艾赫互訪的和平調子麻醉了世人視聽，以致對於共黨的大規模武裝侵略也視而不見，至少比韓國時期的反應，與九年前韓共越過三八線時的反應不可同日而語。

[illegible]的南越一直保持緘默，菲律賓當局在謹慎之中，泰國比較焦急，但也沒有積極的表示。至於日本在寮國已向聯合國提出呼籲之後，還說要研究是否侵略，並認爲聯合國派遣緊急部隊在寮國，則不合國際公法（可能日本參加聯合國日淺，對於安全理事會的任務還不十分明瞭），至少外務省官員們應該熟讀聯合國憲章再發表意見。甚至還負有保衛東南亞公約組織的英國，也是極冷淡，甚至等本月下旬纔在華府召開理事會。另一方面，看共方各國，從蘇俄到外蒙附庸，都一致附和中共，反對「美帝侵略」，於此可見說爲中共侵寮是爲了艾赫互訪而與蘇俄爲難之說決不可信，反而證明蘇俄與中共在冷戰中的有機配合。

聯合國與美國

安理會已決定卽日開會，商討援寮方策，但蘇俄的否決權是一難關；如被決否，則祇有提交聯大，但聯大卻要到十天以後纔能開會，而且也不可能一開會立即討論寮國問題。

過去的經驗，聯合國所派遣的警察部隊，對於以埃戰爭和黎巴嫩內亂都曾生效，但那兩造都不包括共產國家在內。現在戡亂的對手方直接是越共，間接是中共，彼輩首先會對聯合國過問寮局的「合法性」刺刺不休，更藉口其遴委聯合國功令。以是聯合國如果沒有出兵戡亂的決心，單靠派遣視察員未必會有效。

爲了寮局惡化，赫特國務卿已兼程返美，艾森豪總統也提早一天起程。美國務院五日關於寮國所發表的聲明，已公開指責蘇俄中共北越指揮傾覆寮國政府的陰謀。卽使在此項聲明中還小心翼翼的避免使用「侵略」字樣，總不失爲一項正確的表示，並不替蘇俄解除共黨於寮國變亂的責任。美當局應該有更進一步的準備，卽共黨若不停止對寮共叛亂的策動，則白宮應卽毅然宣佈停止艾克與赫魯歇夫的相互訪問。共黨一方用武力對自由世界實行侵略，一方卻與美當局揖讓酬酢，受隆重的國賓款待，那簡直是美國人的最大恥辱。

又是麥馬洪線

對於中共囊括喜瑪拉雅地區的陰謀，尼赫魯不能以嚴正立場應付，他只是向中共提出修正「邊界」的建議。想愛國的印人亦當爲之齒冷。

我們堅決反對中共對於任何國家的侵略企圖，但也不能容忍印度悍然繼承過去英人對西藏的政策。像所謂麥馬洪線，產生自中國一向所不承認的西姆拉會議，尼赫魯堅持以該線爲邊界，自己先失卻正當的立場。

自由中國政府對此嚴鄭重發表聲明：表示我們對於中共侵印企圖固然深惡痛絕，同時也決不承認英人所片面劃定的麥馬洪線；印度如擅與中共做任何有關印藏邊界的安排，決非中國人民與合法政府所能承認，一切後果均應由印度負責。

•李秋生•

自由談

寮國完了！！

寮國的憂慮者已被共軍包圍，危在旦夕，首都永珍即岌岌難保，而寮王只是渴望着聯合國派兵援援，眞無異於對着急病的人向城隍廟求取「神水」以救命，等死而已！

聯合國並無一兵一卒，而操縱指揮聯合國一切行動的是英各國當局，對於寮國戰亂，尙在表示「憂慮」「關切」的心境中，等到他們一再「憂慮」「關切」之後，寮國已經完蛋了。那時節，聯合國的會議席上，美英各國代表必然仗義執言，激昂慷慨地譴責共黨侵略行爲，美國且宣言保證寮國人民獲得自由，對共產帝國主義決不姑息。這樣就叫作「維護世界和平」！

近來華府軍方人士，不斷地聲言美國可能以空軍協助寮國政府戡亂，這是所謂「嚇阻政策」作用，說着玩兒的。君不見去年我國金馬被毛共攻擊的緊張情形乎？美國始也宣稱「不惜一戰」，決心協防，繼而也是協防與否，姑且「讓敵人猜猜」，終乃效我政府減少金門守軍，以免戰爭擴大，最後就聽敵軍公然宣佈「單打雙不打」，而美國[illegible]以武力爲我金門守軍[illegible]，說不定是早已淪於共匪之手了？

別人正在洋洋得意地宣揚和平主義，與蘇俄領袖互通訪問，[illegible]，而寮國竟已淪於共軍之手，這不是幻想麼？亞洲一般國家，再不及早覺悟，團結自衛，仍希望於西方列強之援助，那就將無望了！我不知泰國、越南、菲律賓各個友邦當局，作何感想呢？

[illegible]先生

更正： 八八七期第一版「大躍進的失敗與毛澤東前途」文內第五欄第十一行末一字起「鋼鐵計劃增長62%，現則減爲23%」一句，應更正爲：「工農業總產值原計劃增長40%，現則削減爲20%」。

民社黨再陷分裂

賢達

（台北航訊）民社黨自四十三年內部發生分裂，一直至四十六年始復行團結，中間經時四十個月之久。後因徐傅霖病逝，蔣勻田力圖整頓，引起徐派幹部之不滿，因此次蔣勻田等提議召開全國代表大會，又再陷分裂。此一分裂形勢，始於今年三四月間，蔣氏游美歸來，透露民社黨將與在美之民憲黨合併。並由張君勱任主席，民憲黨之李大明任副主席，香港方面則以伍憲子爲領導。又在台北設副主席二人，由石志泉及蔣勻田二人分任。合併後之總部將設於美國，台灣則僅爲一聯絡的中心。但該黨在台之有力分子，石志泉因年老不問黨務，無意過問黨務。若此則蔣勻田氏將爲民社黨在台之中心人物。此一消息傳出後，首先遭徐派幹部及該黨「中央改造委員會」向構父等的強力挾擊。認爲此係「一黨賣國」，如果實現，則[illegible]

國家化之政治改革，如督促無郊，民社黨[illegible]

經此風波，該黨與民憲黨合併之議，遂告擱淺。蔣勻田等遂積極籌備召開代表大會，依照前此決議，因而在一黨內部派系團結會議之後，協定，規定協定簽字後六個月內舉行。雙方各派代表，組成籌備會，由各派推人員參加作籌備工作。由於蔣派及蔣勻田代表黨報，徐派則另聘委員會其他人士參加，一拖再拖，初因徐傅霖病逝延期，又因蔣勻田出國而延期，直到今年初蔣氏返國，始積極進行籌備工作。但雙方意見相左，分裂局面又告出現。

關於代表名額問題，及上述兩黨合併問題，徐派中常委極多不滿，故有八月五日召開中執監委全體會議之舉。並發表「宣言」和「敬告同仁書」。此外，還有「正義委員會」告同仁書，均指責蔣勻田氏不民主。且向報界公開發佈新聞，列登啓事。至指蔣勻田氏貪函中央日報說明眞相，謂民憲黨李大明早日反對政府，屬實，但並非該黨份子，至兩黨合併之事已作罷論，並否認該黨總部遷美之說。但蔣氏的說明發表後，未能挽轉局面，徐派與向派且一致反對蔣氏。

另據熟悉該黨內情者言，現有代表人數中，徐派應有半數，而蔣派擬推出蔣黨主席應如何三人之提議，始此，徐派便應付一個中執監委一律爲全代會當然代表，並由新任主席提名若干人，原爲合全代會法定人數，使中央政府各部會之人員參加中央全代會，以期共同會議，召開大會團結。但此項條件未能爲蔣派所接受，故未能見諸事實。但全代會仍如期舉行，會中通過了開除向構父的黨籍，又選出張君勱爲主席，石志泉、蔣勻田、王世憲、孫亞夫、郭虞裳等五人爲副主席。徐派復在報端刊登啓事，予以否認，並指該決議及選舉均屬無效，且另行籌備召開全代會以資對抗。該黨內部的多年糾紛發展至此，雙方各不相下，第三者從中調處，亦無濟於事。因此該黨元老如石志泉、戢翼翹等均表示消極，不出席會議，也不願過問黨務。此誠該黨一大不幸也。（四十八年記者節于台北）

水災損失知多少！

（台北航訊）據八月十一日行政院新聞局招待會上，省主席周至柔報告災情經過，據其約略的估計，恐怕在新台幣十億元到二十億之間。但行政院長陳誠，於二十日的新聞界座談會上，據稱八月七日的水災損失在新台幣二十三億一千九百二十五萬元。八月二十五日的行政院中南部水災重建小組會，由陳院長主持，據省主席周至柔報告，據省府「救災小組」統計的數字所發表的新聞看來了。該社說：「共計損失合新台幣三十四億元。」但是，根據另外個別損失的數字加起來，則又不符了：

省府公佈：農業損失十四億一千一百八十四萬七千元。
交通損失三億五千八百零九萬六千元。
水利損失一億五千六百十八萬零五百六十二元。
工業損失一億零三百五十四萬七千元。
電力損失二億一千萬元。
公共工程損失四億六千六百四十四萬元。
學校損失一千八百零二萬九千元。
衞生損失六十五萬元。
房屋損失五億六千五百三十八萬元。
災民財物損失六億一千零四十六萬八千元。

按：上項各類損失統計，合共爲三十九億零六十三萬七千五百六十二元。（中央社消息，列台北各報，八月二十七日）

此外，陳院長對報界宣稱：日前搶修經費約二億一千二百三十八萬零七百六十元，重建工作所需經費約十五億七千五百一十三萬三千元。這兩損失，則變爲合台幣五十六億九千萬餘元，這就是水災的損失初步的估計，可以說是驚人的！　○劍華○

會考平議

譚維漢

（上接第一版）另一實驗，數十本試卷，請一個教師評閱，隔半年以後，請其重評，其前後所給分數竟無一本相同。香港現行之會考，出題太狹，而閱卷者又純用主觀，毋怪不能免「一命，二運，三風水，四積陰功，五讀書」之譏。若能根據近代測驗原理，採取客觀之標準給分法，依答案閱卷給分，則無論何人何時，其所給分數，定必絕對相同，而無相差之弊。

（3）中學落第學生應酌予以善後：本港現行會考制度，硬性規定兩項：一爲中文（中文中學生）或英文（英文中學生）必須及格；二爲尚須有四科合格。若該生數不足五科，無論該生及格之四科成績如何優異，亦不能及格。中學階段，不比小學。許多學生，其一生之形式教育，至此而止。會考對於此等學生有重大之功用。一經落第，即十二年之功，便廢於一旦。若對於所有落第之學生，不理其實際情形如何，一律置諸不理，則從教育言，似未免太酷。考試之失敗，除上述之出題及給分之不正確之二主因外，尚有其他種種；而失敗之程度，亦有種種之差別。若一概抹煞，則未免有欠公平。例如一個中文中學生，其中文一科不祇及格，而且有良或優，但因祇得四科及格，亦不能及格。又一個學生，有五科或以上及格而其合格各科中有兩科或以上爲良或優，但因中文一科不合格，亦致落第。此種學生，其成績不會是一個劣等學生，當不能與成績無一科優良而及格科目又祇有四科或不及四科者相提並論。平心而言，現時中學課程繁重，中材之人，平時已多感困難，況在會考，一時之間，須考如此多種困難學科，較之香港大學入學試，五科分兩年舉行，更爲困難。因此之故，偶然一科之失手，似應根據其在校歷年成績予以補考機會，使得完成其中學階段。至於詳細辦法，希望會考委員會諸公從長商定，予此等尚堪及格之學生，以一綫生機，無枉無縱，庶不失會考之本旨。（完）

談公務員的疾病保險

○楚公○

無可諱言，目前全國上上下下的公務員，待遇菲薄（簡任一級月入不到新台幣一千元，委任一級月入不上新台幣三百五十元）的收入，開支經常不敷用，已感捉襟見肘，一旦發生疾病，根本無法應付。自疾病保險實行，對個人（不包括家人子女）疾病由特約醫院治療，看來可以解決一大困厄，實則年前，政府鑒於公務人員生活太苦，交有關單位擬訂保險辦法，有關生育、死亡、喪葬、疾病……等項均由承保單位給付費用，以解決其發生意外事件之困苦，這原是一種德政。然而自法令公佈施行以來，不爭的之處甚多，在這裏，我且不談生育、死亡、喪葬……的保險給付，而談談疾病的醫療實況。

未能盡如理想，這話怎麼說呢？因爲承保單位——中央信託局，仍不忘記它是個公營事業單位，處處在生意上着眼。

照公務人員保險法施行細則第四十七條第一款之規定祇收取醫療時之掛號費之半數——二元，其他醫藥等費應由承保單位給付。可是承保單位爲了要賺錢，他們在暗地裏對各特約醫院規定就診疾病之公務員，每次兩天份的處方藥品不得超過新台幣十七元（省立台北醫院會有通告各科別大夫知道——黏貼於壁上）貴重藥品必須病者自行付費，目前台灣的藥品，不是從西方進口，就是從日本進口而來的，除阿斯匹靈、消炎片、蘇打片，差不多的成藥品都是五元以上一顆（粒）的。

這種規定很顯然暗示了醫院方面的大夫，他們在處方時，只准阿斯匹靈、消炎片、蘇打片給病公務員們吃，如果想吃好一點，都必須超過兩天份的十七元的藥費。醫院方面害怕大夫一時發慈悲，處方好藥給病者吃了，將來中央信託局不認賬，要賠本，所以通告各科大夫注意辦理。因而大夫爲了慎重起來，在診斷者以後處方的時候總是先問病者是否參加了公務人員保險的，你若是答應一聲是，他們照例依照通告行事。

這不能怪大夫，也不能怪醫院，他們雖有佛心，卻無法普渡衆生。於是結果造成病者不能在短期內把疾病醫好，常常進進出出醫院。可能使疾病越來越深，甚至本來看一兩次門診就會好的，拖到後來必須住院長期治療，住院當然是要公家付錢，照如此情形推演計算一下，應該還是中央信託局不合算，受連帶之累的是醫院方面，天天掛號求診的病人，絕大多數是公務員，大夫亦此亦大傷腦筋。

我寫這一篇文章的主旨是建議承辦保險單位中央信託局從速解凍醫院大夫的處方限制，讓他們能有自由對症下藥，使病者及早痊可，速讓醫院減少人滿之患！否則，就乾脆取銷疾病保險，別有名無實的敷衍公事。

中影改組又一「傳聞」

○徐去○

（台灣通訊）自中華日報「獨家報導」中影改組，經當日晚報予以評論之後，因其他各報均保持緘默，故表面上中影改組之說，一時沉寂。但廿三日出版的民族晚報忽又刊出一「本報傳聞」一則，所載中影改組內部人選與中華日報所列「名單」，絕不相同，因此對此一幕後眞象又引起許多揣測和討論。

據民族晚報所列三人爲現任新聞局第三處處長石邨，經濟部顧問左曙萍，及曾任中影前身「台灣」經理的李某，據該報分析石某「資格」固是不錯，現時又居「主管」，但是因爲素與影劇無緣，可能有「外行」之困難。李某則曾任中影前身主管，可能駕輕就熟，但時勢已非，能否領導今日中影仍有問題。左氏在影劇界較有淵源，隔唐懷秋組織劇團時期，左氏即參與劇運，據該報看法，左氏希望較大。

據圈內人士表示：將來之中影經理而臨之難題有二，一是經濟上的問題，再就是人事上的問題。中影A、B廠焚燬之後，損失將近兩千萬，本來中央勉力尚可籌措彌補，但經此一番水災之後，顯然並無力量兼顧，因此誰能應付此一經濟上的困難，誰即有就任該席的希望，以此推論，左曙萍既曾任實業部舊部長，又任經濟部顧問，人事淵源可能在經濟上得有支持。談到第二點人事上的問題，該人士認爲，中影一直搞不好的原因，導演要佔百分之八十的因素。現時導演只得兩人，一是宗由，一是田豐，這兩人所導影片成績如何已有定評，而均以三朝元老之身難與，每年只產一二部影片的中影，自難濫用新人，在此情形下，若非宗田二人能否導得影[illegible]，則非更換導演不足使中影起死回生。如左氏上台有否如此魄力尚是問題，同時宗田二人與台北小報亦有相當淵源，與論亦可形成壓力。若想唐紹華任製片經理而有所轉變，更屬夢想。一則要先即須遭遇宗田兩元老之抗逆，即勉強就任，左氏亦無法有所表現，其導演能力亦未見與宗田等有何優異。民營是否可能較好？據該人士表示：如中影開放交與民營，今日台灣電影事業不可能希望有此打算云云。

當局援用臨時條款重建災區

（台北航訊）台灣爲重建中南部災區，已由蔣總統依據動員戡亂時期臨時條款，頒布緊急處分命令，自九月一日起至九月卅日止，授予行政院採取緊急處分之權力，針辦計法令之權力，節約一切可資節省之消費，集中一切可用之力量，使重建計劃早日完成。行政院爲此特設的重建小組，有關人力動員，物資籌措調配及財政措施等方案，均在積極的按照預定計劃進行。

一、政府已縮減預算，得以節省之支出，來補充重建之需。

二、爲節約救災，得採必要措施，限制國民消費。

三、各項稅課，除關稅、鹽稅及貨物稅外，加征建設捐：營利事業所得稅按原稅率附加百分十五。綜合所得稅，照原稅率附加百分卅。以上按本年稅額一次計征。屠宰稅、娛樂稅以台北、台中、台南、基隆、高雄五市電影票分甲乙兩級，每票附加[illegible]。筵席稅，附加百分卅。以上爲時十個月下期一次計征。房捐稅，加百分卅。以水泥、人造絲、味精、玻璃和罐頭[illegible]

四、公私小客車牌照征收五千元[illegible]

五、電費附征百分卅六，電信費百分卅三，爲時四個月。

六、以上征收之捐，由政院統籌[illegible]

七、發行儲蓄券四億元。

八、災民重建住宅之貸款，其年[illegible]

九、對土地、人力、物資之征用施，適用動員法，並得爲其他之緊急措制。

十、政府對災區重建工作，凡有法令之限制。

十一、有關辦理財務稅務及重建院隨時嚴查，其有營私舞弊，或意得不受公務員懲戒法及有關法令之[illegible]

爲重建災區而援引臨時條款，對復興災區的工作重視的程度。陳[illegible]由新聞局正式公佈之前，以執政黨[illegible]堂舉行座談會，交換意見，旨在謀求[illegible]自從水災發生後，政府的財政[illegible]美援，（據說美國原則上同意）和增[illegible]。不過必須指出的是該項緊急處理[illegible]本大公精神，積極以赴，才能收效[illegible]是行政上的一大考驗。（九月二日于台北）

尼赫魯可以醒了

○旭軍○

中共侵印度邊境，印度總理尼赫魯尚念念不忘使中共進入聯合國。達賴喇嘛欲將西藏問題提交聯合國，但尼赫魯竟言印度不給予在印之達賴喇嘛及其同事一個流亡政府地位。主要原因在印度到了今天，還不了解中共的本質，和蘇聯的關係。

印度一向以至今天，還醉心於社會主義。這在「尼赫魯政治言行錄」（Bochar著）中說得最清楚。

印度自從擺脫英國殖民地之地位之後不久，中共便攫奪了中國政權，尼赫魯竟以爲要實現中國共產主義與印度社會主義，在亞洲和睦共處的美夢，尼赫魯便設法游說中共與他合作。他比英國還先承認了中共。尼赫魯以爲統治下的印度，一旦獨立，便不知天高地厚，在亞洲除中共之外，印度在該區比其他任何國家爲強，以鄰國的大部，歸併在一個印度勢力範圍之內，是印度和中共合作和平共存了。

他不了解共產主義是有世界性的，完全由蘇聯克姆林宮的主人控制的。而且共產主義的擴張，要使一個國家屈服於蘇聯的共產制度，相反的，印度傾向之計不惜，便不惜用武力。

尼赫魯自稱獨立的印度執政者以來，但完全把他幹的獨立運動的自由與自制的美德喪失，完全與甘地主義背道而馳。

該書著者認爲由於尼赫魯之在昨日主張，而變背了非暴力主義，而要在暴政下的環境，便使印度走上了帝國主義的道路。他正謀控制尼泊爾，又用軍隊歸併約泰加，以及伸入錫金，與伯領喀什米爾，這樣他便可以控制喜馬拉雅山之河流，而且又易於從山地進攻平原。

現在尼赫魯明確的表示，印度是印度的邊界，且說在必要時印度保衛他的北部不丹與錫金。但中共不予理睬。尼赫魯無法以中共侵略如果不是從反暴行反奴役的立場出發，則進退均失據，以言防守，印度有何力量，足以獨抗中共。以言談判，若無實力支持，亦與虎謀皮而已。

印度必須與自由世界的反共國家站在一面，獨立政治的反奴役反暴行的崇高理想，才可以精神上站立得穩，而不孤立，然後才有可爲。

新德里處理尼泊爾問題，一向均非出於理想的或道德立場。不過依照一個不能避免的自私的印度民族的立場。印度對西藏的政策，也以這個同一的根本原則做基礎的。興不起他人的同情。

列寧說過：「由北京到加爾各答，是亞洲最近的一條路」。可見蘇聯對印度是永難忘懷的。自中共席捲大陸後，蘇聯便把增加的東進政策，交付中共相機執行。中共在克姆林宮策動下，對印度已採取一種包圍戰略。先將西藏問題，在一九五一年五月廿三日，簽訂立所謂「和平解決」，驅取了「中藏協定」，調派大軍侵入藏境，名爲保護藏民，實則威脅印邊，印政府曾向中共提出抗議，但北平政府答復，却指中共派兵入藏，乃中國內部之事，且聲言中國內政如果不容許外國干涉，無異是帝國主義之行爲。尼赫魯爲此惘嚇，却啞口無言。這是爭先承認中共國之有報。

在今之計，倘爲印度着想，印度當協助達賴喇嘛，把中共在西藏的罪行，向聯合國揭出控訴。

若說印度前於一九五一年，即藏與中共的協定，使西藏重新併入中共因此聯合國沒有可以出而干涉的合法權利，顯然觀點錯誤，因爲所謂依中共和西藏訂立的所謂「中藏協定」看，所謂西藏享受自治」，已完全給中共破壞無遺，屠殺藏人，劫掠藏人財產，罪行確鑿，其殘暴比蘇聯之在匈牙利有過之而無不及。聯合國之各有制裁能力，固未放言也，但印度倘爲其庇護的達賴喇嘛伸張正義，以和平國家，尤其是大多數的自由國家，給予強大的道義支持。

照理，印度受中共之無理威脅，指爲帝國擴張主義者，實已顯然翻臉，印度不敢斷絕外交關係，取銷承認僞政權，已屬怯懦，今則尚求協助中共加入聯合國，又何『靦人顏厚』乃爾！

目前擺在尼赫魯眼前的事實，已顯然指出了威脅印度邊境安全的是什麼人，煽動印度國內紛亂的是什麼人了。立場必先要正確，然後行動要勇敢，印度才可以走向新生，否則，印度前途是可悲的。

觀察何補實際

○尹震○

國際動態拾零

△亞特剩中程飛彈，已批准成立者有九隊，現有四隊被批准。每隊飛彈十枚。在預算上尚有四隊可以成立，但國防部長擬留爲再進步的飛彈之用。

△在赫魯曉夫訪美，行李箱中，攜有大批和平計劃。其中最重要者，爲美蘇互不侵犯條約，內容與二月間蘇聯欲與英國訂立之互不侵犯條約相彷彿。

△英國觀察中共勢力侵入寮國，係毛澤東故意破壞艾赫會談前之和諧空氣。但美國不信此說，以爲蘇聯若不欲寮國事變擴大，是有力量予以制止的。

△印尼革命軍，是反共的。二年半來從未平定。蘇加諾謀談國之和平統一，擬宣佈反共，並參加東南亞公約國同盟。

△對艾赫會晤可貢獻世界和平的看法，逐漸冷淡。理由是1.寮國，尼泊爾均有中共勢力侵入，蘇聯未肯阻止；2.美國在蘇聯展覽會，蘇聯報紙最近已再開始攻擊；3.蘇聯有意促成英法德分裂。

．陶然．

右傾情緒的另一方面

上期本欄曾經談過一些右傾情緒，尚有未盡之處，還要再補充一下。三十日那篇「馬克思主義者應當如何對待羣衆運動」的文章中，特別引用了列寧的一段話：「在巴黎公社的前一年，即一八七〇年秋，馬克思曾經警告巴黎工人說，推翻政府的嘗試是一種絕望的愚蠢舉動。但是一八七一年三月，當工人被迫進行決戰，起義已經成爲事實的時候，馬克思便以最熱烈的心情來迎接無產階級革命。馬克思並沒有用學究式的言論來非難『不合時宜的』運動。」在這篇文章的後一部分中，全部貫穿了上述一段話的精神，因此，我們非常懷疑這篇文章不是全部對內的，而是在對蘇聯的「潑冷水」作哀怨與價值的申訴，說他們具有「害怕羣衆、害怕羣衆運動的軟弱性和妥協性」。這一點對中共與蘇聯間的關係具有決定性，似不能予以忽視。

對于大煉鋼鐵的攻擊

九月一日「人民日報」社論「『得不償失』論可以休矣」，全面反駁了右傾分子在大煉鋼鐵方面的「得不償失」論。所謂「得不償失」論的大意是：「得不償失」，「算帳太多了」，「小土羣搞錯了」，「鐵花得太多了」，「大煉鋼鐵搞掉了」，以致弄得市場全面緊張」；同時他們又反對「土洋併舉」，「兩條腿走路」的方針，亦即反對以羣衆運動來煉鋼鐵。因此該報社論認爲這是一個「要不要社會主義建設總路線」的「大是大非的問題」。

而這篇社論所能提出來駁斥的主要論點，只是鋼鐵的生產量增加了，這一點基本上不能駁倒「得不償失」論。究竟付出了多少代價，多少金錢，多少勞力才能使鋼鐵生產量增加到目前的程度，還是一個基本問題，社論對此並未予以答覆，我們也替「得不償失」論者不服。

鬥爭尖銳化

從最近幾天的表現看來，鬥爭似已達到尖銳化的階段，根據過去各人的言論作爲分析，目前所謂右傾機會主義集團的領導者是彭德懷，黃克誠，因此我以爲這兩人在前面衝突的人物，目前可能被檢討的名單中，惟一能說話有力的是中央農村工作部部長鄧子恢、中委、河北省委第一書記林鐵。這一問題在下月以前可能獲得答案。

．田心．

政治號召無用繼之物質獎勵刺激
農民因生活需要與中共矛盾加深

自人民公社成立後，農民終年勞動而所得不堪糊口，因此勞動熱情已降到最低限度。雖然中共不斷鞭策及開展各項政治運動，然農民已明白這種騙局，美麗的口號已不能再欺騙他們。因此農民並未爲政治運動所鼓勵，相反地更形消極對抗。中共在無可奈何之下，爲了挽救農業生產，只好對農民提出「物質獎勵」來鼓舞農民的生產情緒。自經中共提出後，農村基層幹部頓時如釋重負。因爲本來他們面對消極對抗的農民一籌莫展，現在總算有了轉機。但是「物質獎勵」實行的結果，對生產上有一定效果，却又完全拋棄了政治，使得中共大傷腦筋。中共廣東省委主辦之「上游」半月刊今年第十五期專就此一問題發表了評論，評論指出：「最近在鄉下，見到許多生產大隊在夏收夏種中都規定了物質獎勵的辦法，羣衆的勞動積極性和生產效率，一般都有了很大的提高。但是，其中也還有一些問題。雖然這些都叫做物質獎勵，但究竟獎的目的是什麼，怎麼個獎法，總當採取哪些相關的措施，等等，各大隊往往彼此間有許多不同。因此，也就難免有少數隊規定得不妥當，譬如的進度太慢，便決定來一個『高額獎勵』，以自計獎，凡超額百分之五十完成任務的小組，獎給肥豬一只，玫瑰露酒二斤，另外每人得人民幣三元。每個人這一可出勤。而就大隊來說，要經常付出這筆高額的獎金，也是有困難的，所以同樣不能堅持。又如除螟虫，無疑很重要，決定給予獎勵，以鼓勵積極性，也是可以的；但是，不知怎麼一來，有的地方將獎勵變爲『高價收購』，言明一分錢多少只螟蛾，社員交『貨』，大隊付錢。許多社員心目中只是爲了捉到螟蛾，以致踐踏了不少秧苗。」

評論接着稱：「如果只通過物質利益原則推動生產向前發展，却又閉口不談政治，那就有可能使得對這個原則的運用走到邪路上去，只是『刺激』人們去斤斤計較私利，而對集體的利益反而越來越漠不關心。」

實際上，所謂「集體利益」，就是中共的利益，農民與中共的敵對態度已越來越明顯，中共的利益增加，那農民的利益減少。中共不得不用「物質獎勵」的方式來刺激農民的生產情緒，也就是因爲農民對爲中共而生產不起勁的緣故。政治口號不能餵飽肚子，農民爲了自己的生活，不理會政治口號和追求物質獎勵是必然的事。（大陸社）

瘟君夢

第四回：森森劍戟　逼洒知己淚　僕僕風塵　苦鬥子弟軍

當時毛澤東和林伯渠的辦法是兩路取川，一路由武漢沿江西上取重慶，用了當時桓溫取蜀的戰略，由劉伯承指揮，一路由漢中下劍閣進攻成都，沿三國時鄧艾，鍾會滅蜀漢的路綫，由賀龍負責指揮，但是賀龍沒有兵怎麼辦呢？臨時又把攻下太原的十八兵團調回來交給賀龍，十八兵團司令員原是徐向前，毛澤東最怕本地人佔據本地，何況徐向前又是紅四方面軍的底子，太原剛攻下時，就把徐向前調爲總參謀長，十八兵團司令員換了周士第，政治委員李井泉。李井泉雖然不是湖南人，出身却是毛澤東的秘書，非常可靠，賀龍就率領着十八兵團沿着川陝公路進攻，不知是賀龍眞不行，還是時運不濟，打來打去過不了劍閣，劉伯承却十分順利，破宜昌，陷重慶，沿成渝公路前進，已經到了簡陽，馬上就到成都，四川幾個軍閥組成了維持會，派人歡迎劉伯承進城了。

毛澤東接到前方軍報，氣得暴跳如雷，把林伯渠找來，拍桌駡道：「賀龍這個東西到底有什麼用，無論怎麼想辦法，硬是狗扶不上牆，現在劉伯承已到簡陽，他還未進四川，就算派汽車去運，他這一支部隊，也趕不到劉伯承前面去了，何況沿途還要打仗呢？湖南人都是這樣不爭氣，我還有什麼心機，乾脆把他調回來，就讓劉伯承獨霸四川算了。」

活曹操聽到最後一句話，嚇的心驚肉跳，不敢再摸鬍子，雙手一齊擺着說道：「主席，這件事萬萬不能任性的，四川若是落入劉伯承之手，咱們湖南人就完了，主席知不知道四川有多少人，連西康算上要佔全國人口六分之一，將來兵權在他們手裏，人員一定多，這麼多的人萬一，且基層組織也握在他們手裏，說不定要學張國燾，到香港過日子去了。」

毛澤東兩指夾着紙烟，沉吟不語。活曹操接着說道：「假若光是主席和我，到香港住一住也不錯，找齊左舜生，易君左幾位老朋友作作詩，猜猜燈謎，到也很快活，只是咱們湖南人就慘了，我們幾十年打下的江山，白白讓別人享受，我到眞不甘心哩！」

毛澤東猛然把紙烟往痰盂一丟，翻眼問道：「不甘心有什麼辦法，誰叫湖南人不爭氣，賀龍過不去劍閣，難道說要我背他過去嗎？」

林伯渠笑道：「只要主席定主意，辦法是有的，現在下個命令，不准劉伯承進攻成都，一定要他趕快回頭，等賀龍來，毛澤東揚揚眉毛，笑道：「這太不合理吧！」活曹操笑道：「講理還能當共產黨嗎？」一句話說得毛澤東用力一拍桌子：「對！就是這樣辦！」（六八）

岳騫

釋耒集

中興

杜工部北征一詩，有句曰：「周漢獲再興，宣光果明哲」。以爲必人主明哲然後可望中興，亦以見明皇當機立斷以誅楊國忠，並以勉肅宗宵旰勤勞，光復舊物也。詩雖周宣光武並舉，而意實重在光武，蓋周宣王之世，封建制度，猶未潰決，犬戎與狄耳，列國之君，懍于夷夏之防，依循常軌，則宗社固未致于衰亡也。光武雖爲宗室，上溯高祖建國，已歷十世，實已間一太學生耳？起而與竊位已十餘年之新莽爭，其間又復羣雄並起，盜賊縱恣，比諸周宣王，其困難何止倍蓰？故尚論中興帝皇，自以光武爲最足稱述，然光武自亦有其可乘之機，因新莽泥於周官王田之制，信圖讖之說，開邊釁，更幣制，行種種擾民之政，光武乃得因以擊敗之。此則所謂雖有智慧，不如乘勢者也。以此之東晉及南宋，論地則有東南半壁，財賦集中之區，論人才，前則有王導、謝安、謝玄。後則有趙鼎、岳飛、韓世忠，終不免于偏安建業，局處臨安，以迄于敗亡者，則人主闇弱，坐失時機有以致之也。

明末遺民張岱，於國破家亡之後，著石匱書，紀有明三百年事，其丙戌殉難列傳總論曰：「自古中興之主，難于開創，開創之主利用緩，中興之主利用急，開創之主利用仁，中興之主利用義。開創之主利用冷，中興之主利用熱，蓋國步方改，祖宗恩澤，及故主悲思；臙紫關情，銅駝在念，止爭餓頃，故中興之主，全在急切收之，如療病人，人雖顛決，氣在咽喉，一提即活，若少緩之，日冷日淡，日遠日疏，此機一失，總歸散，即有駟馬，不可復追矣。」其論魯王監國于紹興時之情狀，則曰：「只顧清兵一日不渡錢塘，則吾可享一日之富貴，稱紹興京師，稱龕山爲邊塞，夢長房縮地于胡虜，錢塘衣帶水以外，非吾所知矣。……故朝中諸大臣，江上諸藩鎮，皆以虛文，聊應故事，燕雀處堂，豈不知隣火之將燎其室也。」國府遷台迄今，轉瞬已屆十年，初曰若干年準備，若干年反攻，我等流亡海外，夢繞鄉關，望王師之北渡，淚眼將枯，問反攻之年期，愈益邈遠。而台中情狀，但聞下級公務員爭改善待遇，貴人達官，爭送兒女出國，學者爭學術獎金，黨人爭修改憲法，凡此以外，即爲明星選國際光，球隊出國比賽之類，至於鴉片白麵之走私，外國貴賓之迎候，則不過聊爲此太平盛治之點綴而已，讀張岱之言，寧不免於寒心矣。中興果以較開創難乎？觀于東晉與南宋，信有然矣，以論光武，則又未必然也。大陸有新莽之失，予台灣以可乘之機，以台灣實力視布衣之劉秀，強弱尤不可同年而語，是則亦在于人之爲不爲耳。

由齋

媽媽，他們一定是聾子！

因禍得福

兆祥

「我是不願意去的，」郭太太用手捂着心，表示她的驚心悸。接着，她用那雙明亮的眼，橫了在座所有的女人，尤其是吳太太，這位最有錢，最時髦的名女人。

「都是我那位，說什麼很好玩的嘛，坐在飛機上看着下面水災，樣子，反正是消遣，於是我就去了，誰知却看到那麼可怕的事情。」

「報上不是說還好麼？」陳委員的太太說。

「還好，」郭太太裝作地說：「實在的情形比報上登的慘上幾倍呢，不敢登罷了。」

幾位太太對這時髦的事不感興趣，嚷着說：

「快打牌吧。」

就了位，陳太太瞄了郭太太手提袋一眼，塞得鼓鼓的，微笑着說：

「這次你先生大概又中了個特獎。」

「什麼獎」，郭太太否認：「我們還賠了不少本」

「哪說到這裏，下女進來問：

「先生回不回來吃飯，要不要炸排骨。」

「先生巡視水災去了，不知道？還問。排骨當然要炸，不然吃什麼？」她叱喝下女。

「不是禁屠麼？怎麼還買得到排骨？」白太太問。

這許多位太太中，白先生的地位是最低，所以郭太太沒好氣的說：

「禁屠關我們什麼事？」她得意的笑了笑。

八隻手搓着麻將，心裏一同有舒適之感，吳太太首先說：

「這幾天累死了，什麼勞軍，捐款的，都把我拉去，幹什麼嘛？要不是怕報紙登出去，我眞不願意去，」說着，她打了隻北風出去，可馬上摸回了一張北風，她懊惱的「嘖」了一聲。

「今天看到報，你那位先生在報上發表什麼因禍得福的文章，到底是什麼事呀？難道死了上萬的人，損失了幾億的錢財還是因禍得福麼？」陳太太問。

「你的心眼別那麼死好麼？你想，損失當然是損失了，但，有大破壞才有大建設，而且又增進了台灣人與軍人的情感，刺激了人心，這不都是因禍得福了麼？」郭太太把在郭先生的那一套搬了出來。

「什麼比方不好說的？」陳太太不滿意：「把這麼大的災害拿來比方，眞罪過。」

「可不是因禍得福麼！」白太太開玩笑地說：

「因爲這次水災，她到中南部觀光了一番，出了風頭，又中了獎。」

「這話可別亂講，傳到外面去不得了，」郭太太不高興的說：「你們白先生這次也忙着這件事，少給他惹麻煩。」

她的話是警告白太太，白太太有點生氣，吳太太故意把話題扯到另一邊去：

「咦，陳太太，怎麼最近很少看到你們先生呀。」

「能有你們先生那麼福氣？整天坐在大銀行裏等送錢來？他忙呢，上了一次陽明山，搾了一卡車的訓詞回來，這些日子關着門在唸呢。」

「我碰，」白太太看見吳太太打出一張二筒，猶疑了一會，到底決心碰了，她說：

「唸這麼多訓詞有什麼用，還不如少說多做，外國人沒有訓詞別人的國家可天天在進步，我們却多難多災的。」

「多難才能興邦呀，」陳太太自嘲地說。

「多難興邦！日子打推翻滿清算起，已經半個世紀啦，災難是接二連三，興邦永還像個夢，人家美國，沒有災難却很興旺呢，」白太太說。

郭太太不同意她的話，她說：

「這句話並沒什麼錯，」因爲她的那位時常用這句話來勉勵部下，做太太的爲自己丈夫辯護：

「這要看坐在什麼角度來看，如果你是個老百姓當然無話可說，如果站在做官的立場來說，越多難越好，那樣他們的官不是一直可以做下去了嗎？」

「這是什麼話？」吳太太笑着說。

「這就是什麼話，是老百姓不懂的話，只做官的都知道的話，哎呀，別談這些了，打完了這圈你們吃炸排骨……」她有點得意的說。

「想不到，」吳太太感慨地說：「在上海時，以爲多天吃西瓜是最時髦，現在是吃豬肉最時髦了，」說着，她把面前的牌向前一推：「自摸」。

粟海彈心錄

簡體字

說者，有謂漢字多義，不甚適用於外交，容或有之，然亦西方學人，未能通曉中國文法之故，日本盛時，外交公文正本，漢字約佔百分之七八十，未聞西方國家有所責難，且英德等國，並不盡通法文，何獨中國。證以隋唐以來之民刑律文，及北宋條例諸法，與明清兩代之大典會典，其文字質實處，不可增一字，亦未可減一字，且未可易一字，其完美整潔，又何嘗有伸縮反覆之不同。無如晚近折衝樽俎間者，甚鮮精研中國文，多識中國書，如曾任外交部長之吳國楨，每每別字連篇，他可知矣。又處國勢式微之際，故多人云而亦云耳。

美國前總統胡佛，一九四五年，謂政府公文書之冗雜山積，國庫每年支出處理檔案及保管等費，多至四十億美元，十年二十年後，可能增加一倍或二倍，引爲煩憂，然苦無法善後。曾載香港工商日報，因此聯想晚近我國作者，一書問世，動輒數十百萬言，中央地方主管報告書，亦每多至數千乃至數萬言，不止虛耗人力物力，且使人讀之臃遲，儼有「臨表涕泣，不知所云」之者。美國今總統艾克，歷次國情咨文之冗長，中文譯本有多至三四萬字者，曾以清淺明快之中國文，按譯本爲之斧削其枝蔓，剪裁其浮辭，約省百分之六十。果屬原文瑣碎，則六書與拚音之優劣可知，如屬譯本支離，則文言與語體之繁簡可知。以是知中國今日之虛費，比例計之，未必不較美國爲多。

行政院設計委員會曾有市政小組，四十二年所擬市政方案頗翔實，全案總說明，歷經修正，猶九千餘字，在流行文牘中，可稱上品，然究嫌冗長，小組同人，遂以相屬，復加勸勉，乃申言止就原文整飭，不增一義，不損一意，後以千六百餘字竟之。且喜無相形艱深之弊，同仁等一字未易，遂成定案，可復按也。予於文字荒廢已四十年，臨老偶一爲之，況世之精於此者乎。異日國運否去泰來，有子克家。試看主盟世界文壇，竟是誰家之天下。（中）

•阿公•

暮遠樓詩

伍俶

雜憶

一出郊門萬里春。桃花如雨雨爲塵。江南三月東風惡，不及長安天氣新。

自題暮遠樓詩

白俗元輕殆不如，敢隨陶令賦田居。詩成字字尋常甚。始愧平生未讀書。

權力

權力，是一個最值得爭辯的名詞，在「革命」的招牌下，權力就是「眞理」，眞理就是「權力」，兩者是無分彼此的。

從政治學的觀點來看，權力本是無可非議的東西，因爲政治乃以權力爲基礎，政府亦不能不有權力的組織，但問題是一個取得權力後的政府，往往會流於濫用權力，一個取得權力的獨夫，往往變爲獨裁暴政。

史記：項王「爲高俎，置太公其上，告漢王曰：今不急下，吾烹太公。漢王曰：吾與項羽約爲兄弟，吾翁即若翁，必欲烹而翁，則幸分我一杯羹。」這就刻劃出了劉邦爲追求權力，連父親的死活也大可不管了！有什麼權力的獲得，有什麼好處呢？「吾乃今日知爲皇帝之貴也。」這是劉邦的志得意滿之言；而權力也恰似口渴者所飲的鹵水，愈飲愈口渴，所奪取的權力愈多愈感大，個人的慾望也就愈能滿足，集人世間的光榮歸於一身，所以「天縱聖明」，是「神」也是「宇宙的太陽」了。

可惜，每個極權主義者，雖然能够爭奪「現在」，却不能支配「過去」與「未來」。明崇禎殉國之時，「長平公子牽帝衣哭，帝曰：汝何故生我家，以劍揮斫之，斷左臂。」貴爲皇帝，既不克保其自身，亦不克保其子女，其下場可謂悲慘之至！至近世的史太林，當其在世時固一手遮天，篡改歷史，然其死後，却爲親手所提拔的黨徒赫魯雪夫鞭屍，這又可爲極權統治下的主子與奴才鏡鑑而又令人警惕的一頁。

進一步說，每個極權主義者的「現在」，也是虛無和寂寞的，因爲擁有光榮的，神聖的權力的他，已經是高高在上，飄飄然站於雲端與凡人隔絕了。與凡人隔絕的結果，其本身就失去人的氣味，他的生活也就是非人的生活了，因之迷戀權力的劉邦也喊出「命乃在天，雖扁鵲何益。」不更治疾，無戀於生。而曹孟德率領八十三萬人馬下江南，舳艫千里，旌旗蔽空，釃酒臨江，橫槊賦詩之時，卻吟出：「月明星稀，烏鵲南飛，繞樹三匝，無枝可依。」這一代奸雄的落寞，竟不其來有自？

權力，以暴力取得或欲以暴力保持，其最後的命運是終歸失敗的，但是，要使一個野心蓬勃者放棄權力，又似是狂人夢囈！所以，哲人羅素曾悲觀地說：「除非世界是沒有希望的，除非權力能被控制並且利用之來服務；這種服務不是爲這羣或那羣狂妄的獨裁者，而是爲整個的人類，黃、白、黑種的，法西斯主義者，共產主義者和民主主義者，人類科學已經到了下列事實無法避免：即大家共同生存，或大家共同死亡。」

楚江秋

談苦兒流浪記

銀壇隨筆

傳說已久的國風巨構「苦兒流浪記」，已在星洲馬來亞首映，還座已創本年冠軍。這部片子開拍前預算是成本五十萬。據馬力說：「朱旭華先生當時以爲五十萬預算，加多二十萬，總可以足够，戲拍了一半，七十萬滿罄全部下去，再加三十萬元仍感不足。要不是像朱先生那樣的負責製片，換上第二人，誰都不敢嘗試的。」難道說朱旭華是白癡？不是。王引說：「朱旭華的嘗試，是大胆的，有眼光，有魄力的，因爲在黑白片中，而下這麼多資本，去嘗試一種風格新穎的影片，不能不欽佩他的勇氣。」我曾經問過朱先生：「你這部片子投下這麼多的錢，準備賺多少回來？」他銜住「烟斗」微笑：「我從沒有想到過賺錢這兩個字，片子好，當然會賺錢；賺錢放在後面，估計成本，這部片子很難拍得好。」這話確是很有道理。

因此，「苦兒流浪記」由第一流演員，第一流設計，以及遙遠複雜的外景。他將這一套黑白片開拓國際市場（由哥倫比亞公司發行），放映環球。該片的唯一特點，爲表揚中華民族的傳統文化特質，强調道德和倫理觀念。所以，既沒有大腿色情，也沒有無聊歌曲，更沒有迎合低級趣味的噱頭號召觀衆。正如王引所說：「電影固然是娛樂，但它多少總該包含一點教育意識。」朱旭華以新聞記者出身，對國家民族觀念極具深刻的製片家。朱氏學貫中西，製片態度嚴肅。

繼「苦兒流浪記」之後，其續集「萬里尋母記」亦已開始籌拍，該片爲全部伊士曼七彩片，外景將遠涉東南亞各地。成本之高，毋庸贅言。該片演員，仍屬原班人馬，如胡蝶、王引以及童星鄧芳芳等，把人生喜、怒、哀、樂、愛、憐、恨、欲情緒，自然流露，自不能與一般國片相提並論。

•修衡•

自由人

THE FREEMAN

（第八九八期）

每份港幣壹毫

20 CAUSEWAY RD. 3RD. FL. HONG KONG

TEL. 771726

本報重要啟事

本報自中華民國四十八年（一九五九年）九月十三日起停止出版此啟

打開僵局·創造新形勢

殷懷遠

凡人皆有主觀，主觀往往會使人自認是「最後的先知者」，堅持自己的意見是「最後的眞理」。政治上不少的爭論和糾紛，均多從人的主觀而產生。從史册中，我們常常會看到許多關于政策或政見的爭執，這些爭執在當時很難分辨誰是誰非，但在今天看起來却非常清楚。有時單方面對，有時雙方各有長短，更有時是雙方面都對，只要一方的見解實行，當時及以後的歷史就會不同，惜參與爭執者，均多囿於主見，致徒增後世讀史者的感慨而已！在我構思和撰寫本文之時，我曾努力跳出了主觀，抑低「私我」，扶起「公我」，把自已平素對於政治的若干基本看法揚棄，希冀能够對於幾個基本問題，求得客觀正確的認識，從而提出一個公平、合法而又易爲各方面接受的辦法，以打破當前的政治僵局，並創造新的形勢。所以，我請求讀者在閱讀本文之時，最好也暫時放棄自己的主觀。

幾個基本認識

我所要提出的建議，是基於以下的幾個基本認識：

第一、世局在變，而且多半是朝着對我不利的方向變。對於即將舉行的艾赫會談，即西德亦惴然不安，我們更沒有理由不特別警惕，以應付國際間的險惡環境。在另一方面，我們即使暫時不能反攻大陸，也該振作起來，開創一個新的局面，一則以壯大反攻的力量，二則以使唯力是視的强權國家，不敢再輕易侮辱我們的民族人格。

第二、政府與反對派人士的距離，已到了非縮短不可的時候了。（我用「反對派」一詞而不用「民主人士」，因後者已用得成了相對的名詞，徒增誤會。）我們的共同敵人是共黨，共同的目標是復國，在這一大前提之下，還有什麼比反共更迫切？還有什麼比復國更重要？爲了達到共同的目標，團結一致尙嫌力之不足，還有什麼理由長此互相抵消力量？西諺有云：「時間會療治一切創傷」，現在十年過去了，人壽幾何？國命何辜？這也該是我們療治創傷的時候了。

三個大問題

第三、目前政治上存在着三個非打破不可的僵局，一爲連任問題，一爲代表資格問題，一爲團結技術問題，玆分而釋之：

（甲）連任問題　連任可以說已成定論。當局最初以至迄今尙無斬釘截鐵的聲明，當是觀望友邦和民意的反應。其實中國的事情，祗能由中國人來決定，豈容外人置喙！而外國人看我們，也祗是看我們有多大力量，有多少辦法。至於民意對於連任的態度，兩個多月來已有鮮明的反應。自左舜生先生的文章發表以後，反對連任的人固然是積極的反對，但在另一方面，原來保留態度和沒有肯定意見的人士，却多表示主張蔣總統連任。依我看，對於政府和執政黨而言，左文的影響是積極而有利的，這一點全出乎批評者和被批評者的意料之外。由於出現了這些因素，連任問題的僵局，亟宜迅速打破，以合法、合情，合理的方式去解決，絕對不能拖到不能再拖的時候，才勉強的去解決，甚至出現尷尬的局面。

（乙）代表資格問題　大家都承認憲法是反對派的有力武器，因它是中國政府法統的象徵，由憲法所產生出來的人民代表（國代和立委），就是最激烈的護憲論者，也對於其資格表示疑問。如何使國民大會和立法院更富有代表性和合法性，在光復大陸之前能够充份代表台灣和海外同胞，以執行憲法上所規定的任務，就成了非常迫切的問題。

（丙）團結的技術問題　在表面上看來，大團結的障碍很多，多得似乎永遠無法排除。可是如果我們將各種障碍一一比列，仔細分析，就可得出一個總結論：政府拿不出辦法來。這正如一輛公共汽車在半路上拋錨，就誤了乘客的時間，一切怨言自然都集中於汽車和司機身上，如果司機能够把車輛修好駛行，則一切問題也不會再成問題。十年來政府是盡了相當的努力，否則也不會有目前的小康局面。可是迄未能以更大的魄力和勇氣開創新局勢的局面，以堅定大家的信心，統一大家的步伐，也是屬於不爭的事實。反對派人士反對修憲，是以新的嘗試去開創新的局面。這可說是若干不滿現狀的護憲論者着了急，於要打破現狀，在提出具體辦法時也往往無暇顧及憲法，便得到證明。所以要排除團結的障碍，主要還是在於政府如何振作起來，如何拿出辦法來。

至於團結的技術問題，很容易使人想起「反共救國會議」來。在野人士認爲這一會議是達成大團結的橋樑；政府和執政黨方面，則認爲這將是政協的翻版，害怕產生一個難於控制的局面，而且召開了這樣一個會議，將有置國大和立院於何地之虞。其實雙方的觀點都沒有錯，要開會議，要團結，讓大家吐露自己的意見，以消除不必要的誤會。但是既然大家都尊重國大和立法院，同時顧慮到國民大會的地位問題，一個促成團結的會議是需要開的，一定要開，然而怎樣開和開得合法合情合理，就屬於大家應該考慮的技術問題。

以上是我對於當前幾個重大問題的基本認識。

基於以上的認識，我站在反共愛國的立場，謹向國人提出以下的建議：

四點建議

第一，由政府採取主動，即與海內外反對人士廣泛接觸，表示政府和執政黨謀求團結和共赴國難的誠意，先和大家取得某種程度的諒解，停止一切政爭，實行宣傳休戰，以造成前所未有的祥和氣象，使大家由於受了這種氣象的感動，都覺得非坐下來談談痛快，和談出一個辦法來不可。

第二，由蔣總統根據憲法臨時條款所授予的權力，發佈緊急命令召開「非常國是會議」。這一會議是由蔣總統召集，所以在憲法上是絕對站得住腳。非常會議應有廣泛的和充份的代表性，所以出席的代表包括：現任的國大代表、立法委員、各黨派代表、台省及各縣市議員、華僑代表和若干特邀人士。無疑的，這一會議的規模是相當寵大，容納了各方面的代表，所以其代表性也就特別重厚，不但可以造成政治上的大團結，而且可以解決許多實際的困難問題。這一非常會議應有權討論和決定當前的重大問題，惟須就其性質，分送國民大會或立法院經過正常的立法手續。

第三，蔣總統如果決定連任，應以偉大政治家的風度，在非常會議中坦白向國人宣示：基於他對於祖國的熱愛和對于同胞未了的責任，他擬連任總統以繼續領導反共復國的事業。惟連任與否，仍以出席會議代表的公意是決。相信如果蔣總統這樣做，他一定會被譽爲世界最偉大的政治藝術家，因爲不但與會的代表，即海內外以至大陸的同胞，都會被他的光明磊落的愛國精神所感動，不要說連任絕無問題，而且會在合法合情合理和舉國一致擁護下連任。這樣連任問題固可順利解決，而人民也將以有這樣一個合法合情合理的總統而引以爲傲。

第四，國代和立委的資格問題，多數人雖有疑問，惟都諱而不談，因牽涉到整個憲法。但我們既以憲法爲反共的主要武器，也就應該面對事實，讓這個問題在非常會議中跟其它問題一同解決，而以擴大和充實其代表性爲原則。

綜觀上述數點，可知目前政治上的幾個僵局，是可以同時合併打開，而且能够打開得合乎天理國法人情！爲了對付急劇變化中的國際環境，反共復國當局應即以大仁大智大勇的精神，立刻打破目前的政治僵局，淬勉自強，全面革新，以勵求蛻變，以變求進，積極開創新的局面，創造新的形勢！（八月卅一，牙買加）

半週述評

令人迷惘的寮國戰局

自七月杪起，寮國境內的戰火，已經延燒了四十餘天。一開始本欄便斷言，這是共產國際製造新的緊張局勢。但是共黨的擴張，却時張時弛，令人難以捉摸；即使在寮北戰場上，也很少見有大規模的戰況。就一個月來的整個情勢觀察，雖然寮共並未正式攻佔任何城市，但是毫無疑問，寮共所採取的戰略是以游擊隊控制了寮北的面，而孤立了其城市。這一情況，正如同中共當年在大陸上進行武裝奪取政權時的軍事策略一樣。此外，寮共之所以不立即奪取大城市，不過是爲了投鼠忌器，以防聯合國或東南亞公約國採取直接的軍事行動，另一方面我們相信莫斯科與北平之間，對於寮國境內的武裝顛覆活動，似亦能保持他們的一致行動，至使寮共未敢擅行攻。

愼防寮共的「和平」陰謀

現在，聯合國安理會已任命一四國調查小組（由日本、義大利、阿根廷、突尼西亞四國代表組成），於本周末赴寮境調查。其實寮共的背景及其作亂行爲，不待調查已經彰之明甚。此外美國主管遠東事務的助理國務卿柏森斯，在參議院外交委員會兩小時的秘密證供裏，亦已有力地指陳寮國的不安迎於中俄共之導演與指揮，遂益使美國參議院決定美國必須加速其對寮國政府之軍事支援。

正由於聯合國的決定和美國迅速行動的壓力，寮共已聲言願與政府「和平解決」，企圖暫時緩和形勢。其實，這不過是寮共的詭計，是用以欺騙聯合國調查團的障眼法。這正恰似當年中共高唱「和平協商」以欺騙國人——美國——的手法是一樣的。

中共擴張政策受到阻力

正當陳毅代表中共反對聯合國調查寮國局勢，同時蘇聯發表了呼籲中共與印度兩者之間應爲彼此的利益，解決糾紛的聲明。而周恩來亦公開表示「主張雙方協商解決。」既然尼赫魯並無與中共一拚的勇氣與決心，看來邊界的問題暫時會趨於和緩的，政治解決的可能性顯然已有增加。從某些迹象來看，蘇聯對於中共西向的擴張政策，也是不贊同的，至少是在艾赫會談前後，莫斯科會認爲這只是中共單方面爲求增高聲譽的做法，並非是基於國際利益的觀點出發的。

艾赫會談與英國大選

這幾日來，英國的大選新聞，搶盡了赫魯曉夫即將訪美的鏡頭，[illegible]老赫之聲四起，甚[illegible]逐使艾森豪總統不[illegible]

艾赫會談[illegible]到不安，若就這個角度來看，英國十月的大選對我們的關係就更大了。[illegible]中華民國放棄金馬[illegible]因此，儘管我們[illegible]的影響與作用。

政府應速檢討庶政

自從八七水災之後，[illegible]這是自由中國庶政的一大考驗。[illegible]確有其進步的一面，[illegible]九月十日工商日報[illegible]我們還是誠懇地[illegible]政府消費增加百分[illegible]

李金暉

「更正」　本刊八八六期「日本人心目中的遠東聯邦？」文內：（一）第一段「幅內諸介」均誤爲「源」介；又該段「韓國和台灣這兩個國家」漏列「兩」字。（二）第三段「聯合國」「者」誤爲「省」。（三）第四段「屬」「日本先已作承諾」，誤爲「獨」。

民社黨糾紛又訊

◁台北通訊▷

·馬周·

自從中國民主社會黨的實際負責人蔣匀田、石志泉、戢翼翹等決定在八月十五日召開全國代表大會以後，黨內起了軒然大波、一部份中央執行和監察委員劉孜原，（已故監察院副院長劉哲之子，國大代表，曾因其夫去聯絡的子女在香港導演而名噪一時）等在此間登報否認蔣匀田等的單方面決定，發表宣言反對該黨總部遷離台灣，乃竟發生同室操戈，大打出手的全武行，鬧到警察派出所去了！經人奔走調處，舉行了一次全體黨員的盛大聚餐會，可是雙方的意見並沒有因杯酒聯歡而接近，蔣匀田等仍在八月十五日舉行了全國代表大會，到會的代表包括港粵國外的代表在內，也有一二百人之多，會議照常舉行，除了選出了中央執行委員與中央監察委員外，並主張督促政府召開反共救國會議，就此一端而言，似乎和現政府的政策有點距離。據說這次全代會還發表了一篇宣言，可惜此間報紙上很少刊登的。

蔣匀田等召開的全代會有一項很突然的臨時動議，大會通過開除了向構父的黨籍，向構父在民社黨內也算是老一輩的人物，在黨內歷史和社會上的地位都不同尋常，卻在這此黨內糾紛中首遭打擊。向構父是民社黨中央改造委員會主任委員，當劉孜原等反對蔣匀田召開全代會的時候，站在劉孜原這方面也反對蔣匀田的決定，也否認向構父對外所作的行爲不能代表該會全體委員的決定，該項中央改造委員會的啓事云云，顯然指出向構父另有活動了！當時此間都一致以爲向構父在民社黨內應該和老一輩的石志泉、戢翼翹等站在一起的，誰知蔣匀田的全代會卻霹靂一聲，向氏的黨籍乾脆開除了，究竟向構父做了些什麼活動，既爲民社黨中央改造委員會的委員所不容，又爲老一輩的實力派所深惡痛絕，民社黨全代會只開除了向構父的黨籍，對究竟爲什麼開除黨籍，卻隻字未題，此間人士，對此深爲詫異。

蔣匀田的全代會雖然「圓滿」閉幕了，劉孜原的中央執行委員會卻以「主席團」制度恢復行使職權，並且發表宣言：「繼承徐傅霖的遺志，協助政府，推行國策。」由此推測十次民社黨內部糾紛的癥結所在，劉孜原等一則曰反對總部遷離台灣，再則曰繼承徐傅霖遺志，似乎與蔣匀田的全代會仍舊佔重民社黨的創始人張君勱的意見相左，對於政治現況有「協助到底」的決心，而此雙方的意見無法接近，張君勱遠在美國，但仍作爲民社黨的同志反共復國要從自身做起，（當年由人）消電心長，所以黨內當擁護領袖，徐傅霖蓋重於利用實現環境，還訓在黨的幹部，劉孜原乃主張繼承徐傅霖的老方法從現實中求發展，因此雙方唱起了對台戲，黨內又作了歷史的重演了分裂！

劉孜原等自立門戶，「恢復主席團行使職權」以後的第一著棋，也在準備召開全國代表大會，以便他們這些自立門戶的人物可以取得「合法」地位，而後就可指蔣匀田的黨部爲非法，可以用民社黨的名義去協助政府，擁護國策，而領取反共抗俄宣傳費或享受其他權益。局勢所以愈演愈烈者，原因恐怕向構父自從被蔣匀田等召開的全代會開除了黨籍以後，[illegible]作自白的表示，[illegible]似乎並沒有停止[illegible]了中國民主社會黨中央改造委員會[illegible]本月二日報載[illegible]大會一二節，[illegible]無涉。待此聲明[illegible]結，並沒有[illegible]能夠協調[illegible]已經不是[illegible]同志有多少人？今天[illegible]麼可爭的呢？[illegible]

[illegible]家困在台灣，如此做法，適足引起社會的反感[illegible]

[illegible]這一則啓事裏可以看出民社黨內部亂成什麼樣子。

災後台中見聞錄

·健生·

△颱災、水災、地震連續而來，使人聞「災」而色變。台北市議會議員，在議長張祥傳率領下至中部慰問災胞，引起台中市長議長和黨部主委在「九一」記者節那天，痛斥張氏，因爲台中也是受災嚴重之地，而台北市議會議長卻向人家「恭喜」，弄得中市各界人士啼笑皆非。此訊經報界揭露後，於是台北市民議論紛紛表示不滿。

△政府爲籌措重建災區復興經費，不得已而提高煙酒公賣價格；繼之，須由緊急命令，征收水災復興捐，有的只徵收一次，有的到今年年底就停征，有的須至明年六月爲止，時間長短不一，[illegible]。不幸的是有些機構，竟藉此千載難逢的機會，假借救災名義，實行加價，舉例來說，鐵路客運票價，應附征百分之三十，台北至台中柴油快車票價原爲二十五元五角，加價後應爲三十三元一角，但鐵路局的新票價爲三十五元，漲價率超過百分之五十四點九以上；而公路局[illegible]「不足五角以五角計，超過五角收一元」的計費方式，很多短程票價實際上都較原價漲了四成到五成。

△此外，台中市公車處以「閃電」手段加價，將原爲七角一張的票價，提高爲一元，高漲四成以上，既未奉令附征復興捐，又未報省府核定或由市議會通過而漲價，頗有趁火打劫之嫌。如果該處在平時有「花酒費」或私人應酬的[illegible]，可能不會[illegible]，也不必漲價。

△省政府在「八七水災報告書」中檢討致災原因，承認「河道排洩不暢」係「河川疏濬不夠」云云。然而，省議會在九月一日舉行第一屆第一次臨時大會時，省府官員[illegible]（九月四日）

總統三任問題究將如何解決

·孤忠·

蔣總統二任總統任期將於四十九年五月屆滿，依照憲法第二十九條「國民大會於每屆總統任滿前九十日集會」之規定，國民大會應於四十九年二月由總統召集之。惟目下有若干事實及法律問題須待解決：

修憲程序與任期問題

憲法第四十七條規定「總統副總統之任期爲六年，連選得連任一次」，依此明文規定，除修改憲法外，現任總統實無可能再當選連任。惟修改憲法依照憲法第一百七十四條之規定，其一在程序上因現在法定總額、數發生問題，事實上難進行。其二在時[illegible]

[illegible]任期，使連任次數增加，此事關係國家體制，尤不可以普通程序輕率爲之，例如民主法治的美國，關於此類放寬或限制總統任期連任的修正案，須經國會兩院共同提出後，徵得各州批准，由此可見彼邦人士之民主守法之精神與素養。

國大代表人數問題

按國民大會組織法第八條規定「國民大會非有代表三分之一以上出席，不得開會」，[illegible]數之出席不得開議[illegible]定，明年國民大會非有超過一〇一[illegible]出席不得開議。[illegible]總統副總統選[illegible]第四條第三款[illegible]爲總統以得過半數之票數者[illegible]原則之規定明[illegible]代表總額三〇[illegible]之過半數一五二[illegible]之出席不得開議[illegible]但現在國民大[illegible]死亡者外，實[illegible]千代表人及能[illegible]表以及能否足修憲半數（一五二三人）以合法進行選舉總統副總統，據各方面觀察，均認爲難以順利進行。

如何解決實際問題

現在修改憲法之兩項合法程序（即依據憲法第一七四條規定由國民大會自行修訂及由立法院提出修正案於國民大會複決之修正程序）既因種種事實困難而不可能，而蔣總統之三任不但有問題，即明年國民大會選舉總統副總統者因法定人數不足亦有問題，則中華民國之將來總統及總統副總統問題將如何解決？依照法理作者認爲應採取司法程序即大法官會議解釋途徑，以謀合法解決，因在此時此地而言，大陸淪陷，國家發生重大變故，事實上既不能依法辦理次屆國民大會代表選舉以召開國民大會選舉總統副總統，同時，本屆國民大會又因代表死亡不足國民大會法定人數過半數代表出席之法定人數而爲合法之選舉，若總統副總統之法定任總統副總統缺位或解職，則國家將陷於無元首之狀態，若謂可依憲法第五十條：「總統於任滿之日解職，如屆期次任總統尚未選出或選出總統、副總統均未就職時，由行政院院長代行總統職權」。但依憲法第五十一條規定「行政院院長代行總統職權時，其期限不得逾三個月」！因此在第二屆國民大會代表倘未能依法集會選出總統副總統措，應如何作合情合理的措施，而使國家元首不致中斷，實爲國家將來所面對之實際問題也。

重建災區的計劃與原則

·弓也長·

（台北通訊）中南部八七水災後，計劃重建災區的時期原則，已一日於省議會研議中。公私損失總價：三十四億二千八百九十五萬餘元，而災區重建計劃，則又需費十九億八千萬餘元。經決定自八月底止的一年內，其原則有三：一、推行節約，以積極節約彌補災害損失；二、動員人力，以充沛人力代替財力不足；三、爭取時間，以爭取時間完成預定計劃。重建計劃，預定於明年汛期前完成災區重建，[illegible]與重建，儘可能於一年內完成。災民住宅重建經費由政府籌措半數，以貸款方式貸與災民，其餘半數由住戶自籌。各項計劃施行以交通、水利及永久建設爲主。節約方面：省屬各級機關，即停辦一切非急要業務，集中全力於救災重建。經費方面以分月估計，使計劃進度之適切調度之[illegible]人力方面，重建經費十九億八千四百萬元，需要支援兵工總數爲一千零二萬[illegible]五仟，都已有詳確的計算。[illegible]兵工估計和運用人力方面：各項工程的設計，均採用新的方法，預定於一年內全部完成，以利於重建經費的籌措，是此一計劃達到成功的關鍵，災後搶救搶修需二億七千五百萬元，重建經費需十九億八千四百六十餘萬元；災區人民財產損失與公賣利益減少，公私兩方面損失總數爲四億一千三百七十餘萬元，約計三項數字總和爲二十六億七千三百餘萬元。災後中央、省、縣三方面緊急撥付款項，已達一億六千一百餘萬，除去一億六千餘萬元，尚需籌措重建經費二十五億元以上。

可能籌措調度的財源有五：一、調整公賣利益增加收入（至四十九年六月底）——二億八千四百萬元；二、電信、鐵路、公路票價附征水災復興捐收入（至本年十二月底）——一億八千萬元。三、若干租課加征水災復興建設捐增加收入（至四十九年六月底）——四億一千萬元；四、台灣銀行發行儲蓄券，作爲農村復興及住宅、水利等貸款——三億元；五、各級政府預算中調整支出，停辦或緩辦非急要業務，節省經費——二億元。共計十三億七千餘萬元，中央並已洽請另增美援。

中國土地改革協會協助重建災區，恢復農村耕種能力，以促進土地利用，增加農業生產，目前該會理事會通過五點：一、建議政府補助災區農民購買耕耘機百分之三十，其餘百分之七十由農民向土地銀行或其他金融機構申請貸款；二、該會與合作協會聯合設置之耕耘機實驗站，以各地分會配合，設立代耕站及機耕合作社，代農民耕種；三、改進土地利用，增進生產；四、該會協助政府清除災區沙壓土地，進行復耕，發展副業及短期生產；五、該會聘派專家人員協助改進災區農舍重建，並建議災區農舍重建，應設計防震防水防風並合於經濟衛生標準。

就此一重建計劃看來，推行節約，因狃於舊習，非有魄力推行精簡機構、核實經費，澈底禁絕浪費奢侈不可；慎用重建資金，發揮最大價值，往昔貪污舞弊陋例可鑒，宜於依計劃用途，按進度支款，尤其應該防微杜漸——包工制度於官商勾結。實施計劃，宜於建立考核、檢查制度，慎選用人，此一重建工程，雖僅涉中南部數縣市，然而在財政、經濟、建設諸方面，其影響實已涉及整個自由中國。

政府歷年來，不乏完善的制度，週詳的計劃，所可遺憾的是人謀不臧，做與不做，確是其重要關鍵了。（九月三日）

是天災，也是人禍！

監委曹德宣提出水災調查報告

·劍聲·

（台北航訊）曾赴災區調查水災原因歷時十一天甫自中南部返台北的監察委員曹德宣，於八月三十一日在其寓所接見記者訪問時稱，八七水災，係三分之一的天災，而人爲的因素佔三分之二！他並列舉許多人謀不臧的旁證，針對政府公地放領政策和中央的財政及水利政策，指出過去都犯了極大的錯誤。

政府公地放領政策之錯誤：地方政府爲了「府會一家」，將公地如山林地與河川新生地，均分別放給鄉鎮民代表會的代表、縣市議會議員和省議會省議員，而眞正的自耕農卻不能耕者有其田。這些民意代表們，在獲得放領權後，爲謀近利，盡將山地原有樹木砍伐出售，改植番茅草、鳳梨、香蕉、花生，因此原來具有保持水土作用的山林地，變成了氾濫洪水的源泉。其次是河川公地放領後，在台糖公司鼓勵下，農民多種植甘蔗等高莖根農作物，成爲阻擋洪水暢流的水壩。曹氏在彰化調查時，地方人士曾提供許多資料，如大肚溪河川地放領即達十萬公頃之多，河川地耕種後，則河床增高，寬闊減少，致容量與流量減低，遇山洪爆時，河川不能暢洩，決堤乃不可免！光復後，河川既未浚深，每年河床增高約一公尺，十年來即增高十公尺。同時平日採運沙石，又緊靠堤岸挖掘，堤岸喪失穩固性。現在橫跨濁水溪的西螺大橋，若聽任河床自然增高，則該橋將變爲陸上的大橋。這是曹氏在研究爲什麼橋的兩端都會崩潰決裂所獲得的結論。

此外，他又以台中縣爲例，台中縣水災之如此的嚴重，係因將溪漥林的山地改建爲機場的原故。

政府的財政，年來採取中央集中制，致地方政府的財源無着。現行防洪治水的政策，是省府主治甲級河川，縣市政府負責治理乙級河川，而鄉鎮公所即管理丙級河川。因爲財政集中於中央，而縣市和鄉鎮地方的建設更形無能爲力，遂置水利建設於次要，甚至從未加以修建，是爲慘劇之又一有力因素。

曹氏對氣象所極表憤慨，他說，八七水災前夕，美國空軍氣象台曾告訴我有關機關，認爲台灣上空有低氣壓，在有關方面將此情轉告氣象所時，該所竟未予理會，結果，低氣壓停留台灣天空有二十四小時之久，使人民和政府毫無準備，無從防患！

據曹氏說，九月份監察院院會中，他們將對此提出書面報告云。（八月卅一日于台北）

中共的野心與我們的對策

中共與山南三邦

我在本刊八八四期曾論述印度對西藏的野心，表面上中共指責印度爲擴張主義者，爲一種攻擊性防禦的宣傳，而實際上印度確實希望西藏能夠脫離中國「獨立」，使之能像尼泊爾、不丹、錫金等國一樣成爲印度之附庸，以屏障其既得山南三邦。但不幸印度之野心，卻遇上一個超級巨型的帝國主義者，即共產帝國主義，來一個「互刑報復」，以其所謂「喜馬拉雅聯邦」爲號召，顛覆印度所曾獲取過來的勢力範圍。這兩種形勢對照之下，印度的「氣魄」和中共比起來，顯然是「小巫見大巫」了！

中共的兩項企圖

中共鼓吹成立所謂「喜馬拉雅聯邦」，有長遠的目的，一是眼前的目的。所謂長遠的目的，是指共產國際組織「世界赤化」計劃中，印度的赤化是一個極重要而最具有關鍵性的里程，列寧當時代曾說過：「從北平經加爾各答是到歐洲最近之路」，即是表示這一個一定向的意義。而赤化印度，先使印度的山南各小邦離印附共，再成爲「人民民主專政」的聯邦，俾能成爲全中共黨由此進入印度的基地。至於眼前的目的，即是在中共鎮壓西藏抗暴革命事件，轉移國際和國內人士對此事件的注意，並使藏族在北平的壓迫之下，少若干阻力，亦獲得中共暫時的鞏固。

藉「歸宗」運動爲號召

原來今天被中共所謂的山南三邦，尼泊爾、不丹和錫金過去都是中國的保護國或藩屬，後因英國勢力侵入，才先後變成受英國的保護。印度獨立後，又繼續由印度承襲。因此，中共目前號召所謂「喜馬拉雅聯邦」，他很可以藉「歸宗」來號召，滿足那些民族或部落的狹隘「愛國主義」者的刺激慾，特別他們的三軍士氣，是今天進駐西藏已被反共志士拖入泥沼陷于痛苦消極，不能自拔的中共部隊，這種刺激是最有效的。「歸宗」的口號，對於尼泊爾、不丹和錫金人民，也會起若干作用，因爲尼泊爾、不丹和錫金不但地理上與西藏接壤，而且從歷史及經濟來往與文化關係的角度來看，山南三邦未嘗不可以劃爲「大西藏」的一部。目前藏傳已被中共入侵的克什米爾拉達克邦，自來就有「小西藏」之稱，其間的坎巨堤，清代亦爲我國藩屬。這次中共的宣傳指稱，西藏是中共的手掌，而尼泊爾、不丹、錫金、拉達克、以及印藏邊境未定的東北邊布拉馬布特拉河、與西邊阿塔拉底希邦是它一掌的指頭，現在手掌已回中共了，手指也應該回。這種說法，不僅可以刺激其軍民士氣，爲轉移內部惡劣與不安情緒，抑且亦藉此以吸引一部份西藏人士的注意力，以利中共的鎮壓和統治。這是中共一石兩鳥的宣傳運用，但並未意指中共目前已立即有此種行動。

。昭祺。

印度的畏葸顢頇

尼赫魯或許已洞悉中共這種宣傳本質上的奸謀，所以儘管中共不停地叫囂，而他仍一再表示和平、鎮定，他不但因西藏抗暴運動忍辱握騎，而且還「以德報怨」替中共進入聯合國負弩前驅。最近印度各報章指斥中共陳兵邊境、並入侵拉達克，國會亦質詢對中共停止准許印人入藏進香，限制西藏印人的行動自由的各種對策。而尼赫魯對此，一則表示其毫無所知，一則認爲中共此種態度未可解釋爲對印度的敵視；而僅僅表示如中共進一步發展爲侵略，則印度有義務防衛不丹、錫金的安全。對于中共的入侵拉達克，印度當地的行政長官已感到相當的困惑，那就是他們的巡邏除已無法前進太遠，否則他們會遇上中共的部隊，使印度邊境不可侵犯的原則立即遭到極其尷尬的挑戰，又顯非地方政府所能應付補救。這種裝聾作啞，十足證明中共的強力威嚇政策，已經使得印度不得不採以退爲進，以順爲正的辦法以圖生存。但更可怪的尤莫過於印度外交梅農夫人竟謂「印度對于國防及關於國防的責任有其自己的看法。」他對于巴基斯坦總統過去所作「巴基斯坦防衛其西北邊省也就是防衛印度」的聲明，認爲這是巴基斯坦「企圖獲得美國更多援運動中的一部份，不是對印度政府而發的。」這種自己既無法振作，又嫉忌別人振作的畏葸與顢頇表現，竟然出自有相當知靈的印度人身上，實不令人困惑！故所謂「尼赫魯此人雖非正人君子，更非有道義有擔當魄力的大政治家，但在鄰敵強大壓力之下，既難遂其擴張的慾念，又不得不力求生存的環境裏，他那一套不惜降身辱志，泥塗道義，甚至賣友求榮，助紂爲虐的作法，實在無愧于印度早期權術政治家考迪拉、和意大利權術政治家的馬克維尼。」云云，實即所謂「中立主義」者，其德操大抵均不過如此吧！

我們應有的作法

在亞洲反共浪潮正趨於普遍高潮之際，中共是否將不顧輿論的交責，既支持發共叛亂，又寇掠山南三邦呢？這當然視國際共產黨現時有無此需要而定；而山南三邦的覺悟程度如何，亦足以影響共黨的行動。我在本刊八八四期「論清西藏問題」，曾主張「我政府應明白宣示我民族主義的基本原則，即我不但不侵略別人，甚至還維護民族自決，以聯合世界上反共民族，共同奮鬥，以推翻共產極權制度」。這一聲明，我相信亦同樣適於山南三邦及拉達克等地。我們雖然不一定希望印度可能因此轉變，但對於暴露中共侵略主義，鼓舞山南三邦積極抗共精神，則期其能產生一種正面作用。現在聯大即將開會，我代表據此以申明立場，正是一個適當的時機了！

國際動態拾零

△一九六〇年共和黨尼克遜如在預選大會當選，將提副總統候選人。國務卿狄隆爲副總統候選人。狄隆是紐約州人，得銀行家之支持，對尼克遜之爲加州小市鎮出身者，能以烘托作用，故爲尼氏的好搭檔。狄隆最近多次在公開場合露面，且于九月間在依烏華州對農民演講，蓋已開始作競選活動了。

△洛克菲洛亦不示弱，他是現任紐約州長，擁有本州初選人選票百餘張。他是實力派，歷來美國總統，多由紐約州選出，而東部與接近南方各州，都是擁護洛氏的。尼克遜雖爲艾森豪之親信，且爲共和黨黨部所擁護，但其政敵太多，且無法爭取民主黨中游離分子之選票。

△前州長杜威，迄未顯示放棄其政治生涯，他勸洛氏作州際活動，本年冬即須開始在重要各州作競選演說。只是不必遽行公開自承爲總統候選人，惟于明年三月于開始選舉總統各區，須參加競選，有人推測，謂如洛氏當選總統，杜威將出任國務卿。

△阿特拉斯越洲火箭，一共造成六枚，現有兩枚放射完全成功。其有效距離爲五千五百英里，將在三個基地，分別儲藏，以備作爲遭遇蘇聯攻擊時之主要報復力量。

。陶然。

「右傾頑症」的歷史

八月三十日人民日報的一篇「右傾頑症和冷漠的藥方」文章，說了一段「右傾頑症」的歷史，它說：「在一九五五年上半年還在猶豫和小脚走路的問題上，把農業合作化運動中關于大踏步前進的要求當作幻想，認爲合作社北方可以快些，南方無法快；認爲落後鄉不能辦社，山區和災區，以及少數民族地區和民族雜居地區也都不能辦社；認爲合作化發展的速度超過了群衆的覺悟水平和幹部的經驗水平，因而辦社越多問題就越多；認爲如不趕快下馬，就有破壞工農聯盟的危險。」「在一九五六年，他們把『躍進』當成『冒進』，在所謂反『冒進』的空氣下，錯誤地誇大了缺點，多快好省的方針和農業綱要四十條，竟然受到某些人的懷疑。」這也就是說，這種右傾機會主義者在一九五五年時已開始行動，由反對加速合作化開始，以至於目前的反對大躍進與人民公社運動。

右傾集團的份子

上述「右傾頑症」的歷史，與本欄經常所討論的經濟方面的反毛派的線索似相符合，是故在下面大胆的作一預測。這個右傾集團隱伏着的頭兒是劉少奇，它的骨幹則包括中共中央副主席，「副總理」陳雲，政治局委員，「北京市長」彭眞，政治局候補委員康生，中共中委，中共中央農村工作部部長，「副總理」鄧子恢，中共中央宣傳部副部長張際春，中共中委粟裕，徐海東，候補中委，「文化部副部長」錢俊瑞，以及最近入這個集團的中共中委，河北省委第一書記林鐵。其中劉少奇、彭眞、康生等在去年大躍進時節已被懾服，不會再公開與毛爭執，被清算的機會不大。要是他們被清算的名單發表的話，那末，陳雲、鄧子恢、林鐵這三個人中總會有一兩個被列入名單之中。

中印邊界糾紛

這次中印邊界糾紛是開始于八月七日，這正是「人民日報」發表「克服右傾情緒」社論的次一天，看來其主要的原因似在于內部鬥爭。克服外交政策方面的右傾情緒，表示它的左傾外交政策尚未放棄。由這樣的角度來看中印邊界糾紛，當可與去年在台峽製造緊張局勢具有同一意義，但在程度與規模上差得遠甚。足見其要維持這種激烈外交政策的勉強性，也越做退了一級。就算退了一級的激烈外交政策看來也不容易維持的，因爲它這樣做，必然的使中立國家向西方靠攏，在某種程度上破壞了蘇聯的和平攻勢，以至陷自身于更加孤立的境地。閉關自守的時代已經過去，中共的這一種對外政策勢必與內政一般的由激烈轉向緩和。

。田心。

中共黨內反毛派駡人民公社

「人民公社」制度的出現，對於大陸數億人民是否有利？在大陸的現實條件下，是否能夠實現這一制度？「不僅不是什麼「國內外反動派」的惡意侮蔑」，而在中共黨內也樣存在着重大的分歧。最近八月廿九日「人民日報」第八版的一篇短文中，對此有一段說明，措詞很風趣，但透露的情況卻並不輕鬆。該文說：「短短一年，人民公社受盡了國內外敵人的百般責難，在如今的世界裏，這也是理所當然，既然有人贊頌，也就會有人責難，奇怪的倒是在我們的國家裏還有一些自封爲『高明的馬克斯主義』者，竟然指手劃脚地把這應天順人的產物，說是由誰強加和虛架起來的，而且跳起來質問它道：請問你有什麼降生的客觀基礎；難道今天的中國已經具備了你出世的條件嗎？」

「人民公社」是「誰強加和虛架起來的」？除了毛澤東，還有誰？不過能夠「自封爲高明的馬克斯主義者」，能夠指責毛氏的胡鬧，當然也是黨內的高級人員，而不是什麼無名小卒（大陸社）

瘟君夢

第四回：僕僕風塵　逼洒知己淚　森森劍戟　苦鬥子弟軍

毛澤東下了命令，劉伯承逃不了成都，悄然回到重慶，這時川陝公路國軍已全部撤走，賀龍率隊連夜加夜向成都奔，結果也走了五天才趕到。四川軍閥已組織了維持會，賀龍一到，順利接收，自無問題。可是，中共中央對於賀龍和劉伯承兩人的地位安排卻大費腦筋。

那時中共把整個大陸分成五個大行政區，一個是「東北人民政府」由高崗任主席，轄東北九省及熱河，此外就是華東，西北，西南，中南四個軍政委員會，各轄四個至六個省不等，此外還有華北的河北，山西及內蒙古自治區均直屬中共政務院。

其中單說西南軍政委員會，下轄雲，貴，川，康四省，委員會設在重慶，毛澤東擬於清議，勉強發表劉伯承任軍政委員會主席，任賀龍爲副主席兼西南軍區司令。原來中共當時編制，每一個地區權力最高的機構有三個，即黨——地方局，政——軍政委員會，軍——軍區司令部。

當時五大行政區中權力最大的是高崗，他不但身兼東北局書記，東北人民政府主席，東北軍區司令兼政委，甚至他的東北局書記，沒有第二，第三書記。只有他一名書記。其次彭德懷在西北區，林彪在中南區，也都身兼三職，即地方局第一書記，軍政委員會主席，軍區第一司令員。

最慘的是劉伯承和陳毅，每人只擔任一種職務，劉伯承擔任軍政委員會主席，西南局第一書記是鄧小平，軍區司令員是賀龍，成了三人分治的局面。陳毅更慘，陳毅只擔任一項華東軍區司令員。華東局第一書記，華東軍政委員會主席都被政治委員饒漱石搶去。西南方面賀龍雖然佔住軍區司令員的位置，但是黨政都在四川人手裏，他只是西南局第三書記，西南軍政委員會第二副主席，如何鬥得過劉伯承和鄧小平，中間受盡了欺侮，就想方法報復了。

恰巧這時劉伯承在重慶修了一座大會堂，內部仿照懷仁堂的格局，外面則按照天安門的式樣，據說當時用了三千根金條（每根十兩）建成之後，得到「五一」，「八一」，「十一」劉伯承率領西南區高級幹部站在上面檢閱，一隻眼左顧右盼，好不得意。不料卻被賀龍抓住這個理由向毛澤東告了一狀。

賀龍拍了一張劉伯承演說的照片，另外附上演詞，毛澤東一看，原來劉伯承向大家說：毛主席有時了不起，無非比我多一隻眼，所以他能到天安門耀武揚威，咱劉瞎子就吃這點虧，只好在重慶來稱孤道寡了。

毛澤東看過勃然大怒，馬上把劉少奇，周恩來，朱德，陳雲，林伯渠找來，要整肅劉伯承。（六九）

岳騫

論文

釋未集

章太炎先生，爲文宗漢魏，對唐宋以下製作，目之爲：「曳行作姿，禦人以口」，魯迅曾從學章先生，亦頗詆譭唐宋人文，以爲魏晉六朝，雖無思想而有文彩，少日讀書，對此等權威人物之見解，自不敢有所可否，惟自覺六朝文體，至隋唐之世，已成陳腐朽壞之公式，文彩亦殊不足觀，有識之士，早思改革，故遂有謂唐代之古文運動，此一運動之興起文學史家大抵上溯隋之李諤，盛唐之陳子昂，蕭穎士、李華等人，及其成功則歸之韓愈，後世言古文，遂以韓宗主，宋之歐蘇曾王，明初之劉宋，明末之茅、唐，以至清代桐城諸子，固莫不皆然矣。惟近讀陳寅恪先生元白詩箋證稿，論及古文運動，獨持異見，而以功歸諸元白，引舊唐書元白合傳論略云：

「……國初開文館，高宗禮茂才，虛許擅價于前，蘇李馳聲于後，或位昇台鼎，學際天人，潤色之文，咸布編集，然而向古者，傷于太僻，徇華者，或至不經，齷齪者，局于宮商，放縱者，流于鄙衛。若品調律度，揚榷古今，賢不肖皆賞其文，未如元白之盛也。」

據上所言，遂曰：「元和一代文章正宗，屬推元白，而非韓柳，又引元氏長慶集制誥序云：「元和十五年余始以祠部郎中知制誥，初約束不暇及，後累月輒以古道干丞相，丞相信然之，又明年召入禁林，專掌內命。上好文，一日從容譏及此，上曰：通事舍人不知書，便其宜，宣贊之外無不可。自是司言之臣，皆得追用古道，不從中覆……」。再引白居易太韻詩自注云「微之長慶，初知制誥，文格高古，始變俗體。」于是論曰：「就改革當時公式文字一端言，則昌黎失敗（指平淮西碑終被磨去言）而微之成功，可無疑也。至于北宋繼昌黎古文運動之歐陽永叔爲翰林學士，亦不能變公式之駢體，司馬君實竟以不能四六文，辭知內制之命，然則朝廷公式文體之變革，其難若是，微之于此，信乎卓爾不羣矣。」

陳先生又以爲古文之起，起於以古文爲小說，而昌黎毛穎傳爲之濫觴，但毛穎傳之行，尤遠不及會眞記，故即以普通文學之改革論之，亦以元稹之成功較大。以古文起于小說之言，尤與後世古文家見解相抵拃，余深知陳先生爲現存研究唐代歷史之權威，但此類見解，究不全屬歷史知識，雖善能徵引，以爲其立論之憑籍，要之亦未必便爲定論也。（上）

曲齋

詩人的國度

·沙漠·

我年青，我夢想着自己能寫詩。於是，我懷着抖慄的心情，跨着激動的腳步，向詩人的國度走去。

我終於走到詩人的國度，這無限界的詩人國度裏，的確與凡人的國度不同。城市、村莊、田園，瀰漫着一種詩的氣氛。

我看見一個老人披頭散髮，身着長袍，右手拿着司笛克，左手拿着威士忌酒瓶，一面喝酒，一面行吟，在大街上，瞧若無人似的踉踉蹌蹌的走來，突然，他倒在地上，我急忙走過去：「老先生！你是不是需要我替你喊部洋車將你送回家？」我囁嚅的問，我的問話還未完，他却站起來了，帶着不屑的口吻說：「哈！你以爲我醉了嗎？你知道嗎？我是誰？哈！詩人還會醉嗎？哈！詩人國度中野獸派的盟主還會醉嗎？」他哈哈大笑，將左手的酒瓶用力擲出去，嘩啷一聲，他滿意了，拿着司笛克歪歪斜斜的走了，沒兩步他回過頭來對我說：「年青人！你要寫詩，趕快來找我，拜我爲師，加入野獸派。」

我木訥。

我又向前走去，看見一個西裝革履的中年人風度瀟洒的走來，同時，他的左手摟着一個漂亮的美麗的少女，他一面行走，一面以右手指指點點，嘴裏似乎在讚着吟着，那少女聽得入神，而我？剛進入詩國的土包子，也被詩景陶醉得入神了。於是，當我與他兩擦肩而過時，碰到了那少女，隨即，我看到那中年人氣勢洶洶的過來，抓住我的領口問：

「小子！你是什麼人？膽敢碰我們詩國裏的詩后？你知道嗎？我是誰？」

「對不起！先生！」我又囁嚅的說。

「小子！不要喊我先生，你知道嗎？喊我詩人，我是這國度中浪漫派詩人的領袖。」也許是我謙卑的表現感動了他，他的右手不再抓住我的領口了。他驕傲的問我說：「看你很有學做詩人的氣質，你要學做詩人嗎？」

經他一問，使我受寵若驚，我卑微的告訴他，我到詩人的國度來，就是爲了學寫詩。他聽完我的話，隨即不屑的問我：「那麼，你讀過中學沒有？」「那麼……」經他一問，我又一次的木訥了。

他哈哈大笑的走向詩后的身旁，攙着那美麗的少女走了……。

留下我木訥的站在那裏。久久，我才驚醒過來。於是我又向前走去，在一條熱鬧的大街上，我看見一幢樓房正在失火，沒有救火員在灌救，可是馬路旁邊却有着無數的年青人在高舉雙臂在狂叫，在狂笑，在狂舞，我正驚訝這反常的態度時，一個高舉着雙臂的年青人向我走過來：

「你爲什麼不狂笑？不狂叫？不狂舞？」

「我……我……」

我不知道應該怎樣回答他。

「哈！我明白了，你不是學做詩人的。你知道嗎？在詩人的國度裏，一切都是如此。」他瞪了我一眼，離開了我，而對大火去狂笑了……。

在另一條大街上，我看到車輛壓死了人，圍聚的人，都在搖頭擺尾的在唸，唸有詞，而那些表現着不勝悲切的樣子，可是躺在地上的傷者，却沒有人問……。

我看到了更多更多的「詩人」。聽說這是一次最「偉大」的追悼會，是追悼一個因窮困而死的詩人的！

於是，我看到了野獸派的盟主站在主席台上，喝着威士忌，揮舞着司笛克，在唸着，吟着他的悼詩。

於是，我又看到浪漫派詩人的領袖，攙手高舉着他的詩后，走上主席台也吟哦了一番。

於是，我聽到，追悼大會上一片哭泣聲……

於是，我又聽到大會散場後的一片鼓掌聲及雷動的笑聲……。

啊！在詩人的國度中，我看到無數的詩人，我却沒讀到一首的詩……。

於是：我默默離開了詩人的國度。（四十八年八月廿三日于鳳林）

送方啓東社友南遊詩序

·王韶生·

潮之郡城，有大江蜿蜒其下，水勢浩瀚，經東隴而入於海。是江也，上游發源於上杭，流經永定，大埔；又一發源於興甯，流經梅縣，總滙於三河壩，是名韓江。蓋用以紀念昌黎韓子，地以人傳，信矣。昌黎治潮八月，以天水趙德爲之師，潮人化之，益知前賢流風餘韻，感人之深且遠也。啓東社友與余生同里閈，肄業則同校，會文則同社，是則知啓東者莫我若也。啓東卒業於廣東高師，未幾，奉檄長韓山師範，視事數載，規模樹立，風氣丕變，學記所謂善教者，不其然耶！旋以學優出仕，歷綰粵省八縣市篆，去而有甘棠之思，庶幾不負所學者。迨神州板蕩，啓東避兵海隅，歷時十稔，教學清苦，不易素志。今夏六月，啓東浩然南遊，將卜居於檳榔嶼；該埠闤闠中多潮人，有會館焉，有學校焉，僉稱曰韓江。民族南移，鄉俗不改，余卜啓東此行，將有以暢其胸襟，而舒其意志者。瀕行，社中諸友，集會餞別，並各以詩投贈，屬余序其端。昔蘇李有河梁之別，懷思悠悠，越石有投贈之篇，中腸積慘，客中送別，雖以言歡。使天相中國，四海清爽，吾儕得以詩歌鼓吹休明，翊贊中興，不其懿歟！驥騄伏櫪，志在千里，啓東雖遠行，然與吾儕必有同聲之應也。是爲序。

粟海彈心錄

中國文字綿延，至於今日，自非偶然，昔與匈奴交流，而漠南漠北同於我。與西域交流，而玉門關外同於我。今三韓之地，漢之樂浪郡也。今之緬甸，漢之撣，唐之驃也。唐宋明清交趾之地，今之安南三邦也。而八百媳婦猶內屬，今之暹邏也。故各地民間文字，猶存漢體，日本朝野無論矣。然則聖哲艱難締造之文字，又何負今之淺薄自卑，奴性牛馬之不肖子孫，乍覩一時之盛衰強弱，遂不惜盡棄其祖宗之所有，挈妻攜子，低首下心，靦然爲之奴，何其賤丈夫也哉。且有仇國之罪孽焉。

日本之據我台灣也，數十年間，利誘威脅，強力推行日本語文。法國之佔領安南，苦心孤詣，千方百計，編制法文拼音之「安南國語」，用以消滅漢字，果何爲者？蓋自古亡人之國，與自亡其國，絕人民族性，與自絕其民族性，必先自摧毀文字始，可畏哉。

簡體字

說者又謂中國文字艱深，不易通曉，要知學生之習中文，只須小學四五六年級，中學一二三年級，國文教師，略解訓詁通六書，使學生記憶千五百單字，多則二千，於課本中隨時授以顛倒錯綜之法，虛實互用之道，引申旁通之義，舉一反三，聞一知十，隨其性分，未可強也。苟非下駟，初中結業，自可肆應無窮。中材以上，少加修養，亦可幾於成熟。至於精邃，又當別論。往者私塾之誤子弟，在教授不得其法。今者公教之誤國民，在師資不得其人。數十年來，濫竽充數者多，勝任盡職者少。由於教育當局，學校主管，視爲具文久矣。不知國文水準過低，則其接受科學之能力必弱。且文以載道，國民之孝弟忠信，禮義廉恥，皆可於文字含義中，加持啓迪。必如此，國民教育，始有基礎目的可言。至於物質文明之實科教育，亦屬易事，只須專門以上學校講習室，研究室，實驗室中，具有良好之設備，分別延攬良好之教授。中材子弟，必可完成良好之成績。今之原子科學，舉世視爲至巧者，而我國留美學生中，數年之間，斐然國外，並不乏人。弊在民國以來，教育方針錯誤，而又缺乏完善設備，完善譯本，使學生人人心理向外，形成附離教育，科學奴隸。長此以往，正不知奴隸至何日乃止，不能不責望於今之教育當局。（下）

·阿公·

滄浪小憶

張瘦碧

幼年每讀至四書中「滄浪之水淸兮，可以濯我纓，滄浪之水濁兮，可以濯我足」的時候，總是牽強附會到吾鄉吳中勝景的滄浪亭上去。其實滿不是那末一回事，吳中滄浪勝跡，爲宋代文學士蘇子美的別墅，裏面花木亭台，頗饒幽趣，牆外有一灣曲水，四季不同景色。如在春天則平靜無紋，水波不興；如在夏天，則夏季滿河菱荷，香氣襲人；如在秋天，則見一荷支離，敗葉縱橫；一到冬天，那末簡直成一條困倦了的止水，躺在那裏懺悔他一年來虛度的光陰！

每當盛夏季節，這條小河，被點綴得特別美麗，成簇着一片荷叶，綠油油的在炎熱的天氣中，令人見了頓覺淸涼爽快，紅得妖艷，白得聖潔，許許多多的荷花，嫵媚動人，因此，招來了不少遊客。在童年的記憶中，我家住宅距此僅咫尺，夏日的淸晨，老祖父總要攜着我，小步到這格外恬靜的滄浪池畔，作一小時的留連，在小石橋的闌干上坐一回，傍邊有一顆高大的槐樹，躲在樹蔭底下，只覺得人的渺小，宇宙的偉大。

倚池而建的正是五百名賢祠，這一帶完全平房，在康熙時曾供作書院之用，照現在說起來，便是培植下一代的學府。這裏臨窗俯瞰，正是荷池，兩岸泊岸的構造，也頗具匠心，都是奇形怪狀的石塊堆砌着，若不是老祖父說明，我眞看不懂這是怎麼一回事——原來那些形狀，仿彿猴子的摸樣，排列在池沼的邊緣，別有風情！

滄浪池是幼年納涼的去處，後來經過了人事和世變，五百名賢祠闢爲美術專校，另外有許多空地，又建築了羅馬式的美術館，淸晨和傍晚，橋邊、池畔，都被三三兩兩的男女學子圍聚着，寫生，情話，昔年的一池菱荷，只剩下了一片回憶，有時我適逢夏季回到故鄉，常在淸晨帶着我的孩子，到我幼年跟着老祖父並坐着的小橋石凳上，和孩子訴說我自己小時候的往事，除了欣賞堆砌在岸上的猴形的怪石以外，多了幾幢洋樓，荷叶的淸香，荷花的聖潔，已經早就不見蹤影了。

銀壇隨筆

帶眼識人

王元龍身後的善後事務，一旣說得有聲有色。死後迄今纔一個半月，使議承担爲他料理未了事的人，好像已經淡忘。那是不是因爲他死前隸屬於兩家公司，抑係沒有一個人願意站出來爲王氏家屬籌款？說起來，凡是喚過「四爺」的人，多多少少受過「四爺」的惠；那麼，理應知恩報德。爲什麼現在大家不理不問？

王氏在世時候，電影界的合作精神。本來很缺乏，這位「五六老人」基於這種原因，常年奔波以至勞瘁，大部分時間，差不多耗於協調情感和排難解紛上面，自己的私事反而讓他太太去料理；有幾個錢，用在結交朋友上面。使他連自己的病也就忽略，像他這樣的人應該說是中國影人楷模，後一輩的也該效法，現在說「沒有人以王氏作榜樣」似乎太早；不過，王元龍的作風，相信沒有人會否認：是值得表揚的。本來麼，一個上了年紀的人，應該給人留下一些好印象。也許是這社會的自私已成風氣；但沒有一個自私的人可以服衆。原因顯然是良窳不分，是非不明。這種寡斷不問事理的人，往往擅作威福，只知阿諛欺騙，不接受良好建議，自然不會從大處遠處設想，祇圖近利，難想發達。王元龍似乎衆濁獨淸，作風恰恰相反。別說影圈，即在國外，像王元龍這樣的人，試問能有幾人？這社會風氣壞，人心不善，好大居功者衆，腳踏實地，實事求是難不患寡，橫逆相乘，堅強意志與不屈不撓精神，沒有不遭忌嫉，而受折磨。所謂道高一尺，魔高一丈，小人道長，君子道消。不滿現實者，只會空發牢騷，不圖進取，事實上進既無由，退亦失據，其結果卒向現實低頭，於是，中共統戰分子得隙抵罅，近正張牙舞爪，四處亂抓。然而，香港與大陸僅隔一水，李麗華、林黛且不受惑，嚴河受騙，馬紅有若自知，誰信會有不知死活甘心落水自斃之人？這時代，正是一個戲路的考驗，套句廣東俗語：「帶眼識人！」（王元龍死前無人賞識）舍此，還有什麼更好良言。

·修衡·

讀報雜感

上帝與瑪門

據說台北有家教會的牧師，把教友們奉獻建造教堂的款項，全部用私人名義存入銀行生利自肥，經教友指摘後，這位牧師不但不即時化私爲公，反而強詞辯解，文過飾非，最後理屈辭窮，竟然說出「我的所作所爲，都是遵照上帝的旨意」。有人說過：「支配人類行爲的，不是宗教信仰，也不是政治理想；而是既得利益。」一個人的理想與信仰，一旦與他的既得利益相衝突時，往往會放棄他的信仰與理想，去維護他的既得利益——即令這種「既得利益」是非法取得的。聖經上明白的載着「你如果事奉上帝，就不能事奉瑪門！」這位牧師究竟爲什麼要捨「上帝」而就「瑪門」呢？你們！

·華自中·

自由報

THE FREE NEWS

半週刊每星期三、六出版

創刊號

每份港幣壹毫

社長：雷嘯岑

督印人：黃行蕾

社址：香港銅鑼灣高士威道二十號四樓

20 Causeway Rd. 3rd. Fl.
HONG KONG

TEL. 771726

電報掛號：7191

承印者：田風印刷廠

地址：香港高士打道221號

我們的志願和立場

·本社同人·

我們是一羣崇尚自由主義的文化工作者。對社會生活篤信「人是生而平等的」這項義理，珍重個人的人格尊嚴；對政治生活認定「政府是爲人民而存在的」，要求基本人權之確立與保障。但我們絕對揚棄如十七世紀的自由主義者菲爾默(Robert Filmer)所謂「自由乃一人隨意而爲……不受法律拘束」的說法，避免流於極端的個人主義。因爲極端的個人主義與一切極權主義，在思想上是一脈相承，無所軒輊的，我們既是憎惡極權主義，即當然不贊成爲極權思想推波助瀾的極端個人主義，道理至爲淺明。

我們膺爰着共產極權主義的荼毒，深感國破家亡之痛苦，流落海隅，於茲十載，內心上大家不期然而然地具有强烈的愛國情操和政治理想，要從文化思想方面，努力培育民主自由精神，發揚其潛能，成爲救國救民的偉大力量。職是之故，本報的言論方針是國家至上，民生第一，我們的立場是超黨派的。我們雖不參預實際政治行動，然爲着實現自己的政治理想，對於現實的庶政得失要隨時加以批判論列，對於政府當局亦不憚鞭策諫諍之煩，期待他們改革進步，終能達成還我河山的時代使命。民主自由生活，在歐美社會已如布帛菽粟，習慣自然了，但在我國猶如初學步履的孩提之童，東倒西歪，尚待訓育。這不僅是在朝的執政人物如此，即在野嚮往民主政治的人亦太抵皆然，君不見許多倡導民主自由生活的人士，他們的實際行爲，每有「反其道而行之」的現象發生嗎？此無他，不習慣的毛病有以致之。所以，我們在現階段宜揚民主自由的文化思想，並非無的放矢之所爲，乃是一項適應時代要求的基本工作啊！

中國大陸淪陷已歷十年，五億以上的同胞，日在水深火熱的人間地獄中，流着血淚汗，掙扎苟活，生死兩難。凡屬不願作奴隸的中國人，皆寄望於「海外扶餘」的中華民國政府能夠及早光復中原，解放民衆。然國際形勢却日趨於姑息苟安之境，這不啻是對中華民國前途放置着一大暗礁，情勢極其險惡。但我們不須悲觀，亦不必抱怨別人蔑視信義，放棄其領導自由世界的政治理想與應有職責，古往今來，幾曾見有專靠外力以復興的獨立國家，有之便是殖民地而已。自助者人助，自侮者人侮，目前的險惡環境未始不可衝破，就看政府當局是否有大澈大悟革故鼎新以期扭轉大局的作法和魄力，而一反其「以不變應萬變」的舊有策畧。此時此事，我們儘可以檢討當局者十年來的缺失，督責他們趕快從事於自立自强之道，對外不復殘存着「依人作嫁」的惰性觀念，對內拿出一套振衰起敝的作風來，構成舉國一致，救亡圖存的中興氣象，示人以不可輕侮的國力，然切忌激於一時的悲觀憤慨，而以「連嬰兒和浴湯一起倒出去」的心情，把中華民國政府與政治人物混爲一談，不知不覺地一概否定它。中華民國政府如其不存在了，那我們又憑甚末來號召大陸和海外同胞一致反共抗俄呢？那時候縱然有人在異域組織「流亡政府」，亦或許博得國際上某些强國的庇護支持。可是，殷鑑不遠，請看二次大戰時波蘭、捷克那些流亡政府的下場吧！當年戴高樂設於英倫的「戰鬥法國」，假使沒有法軍從北非打回來的話，他今日還會有創造「第五共和國」的餘地嗎？

不滿現狀原係人類社會進化的內燃力，人同此心，心同此理，我們自然也不例外，尤其在新聞記者的心目中，對現狀可說是永遠不會滿足的，否則便無話可說了。所以，祇要不是厲行極權專制的社會，言論自由是絕對不成問題的。執政者見有不滿現狀的言論，即視爲離經叛道，必思有以箝制之，摧殘之，這是違背社會進化的自然律，未見其可也。本報是一種純粹的民營刊物，不受任何政治團體的約束，我們基於自由主義者的思想和職責，遵循理性與法治標準，說自己所要說的話，寫自己應該寫的文，既不求標奇立異，亦不屑隨波逐流，憑着獨立的人格，勉盡報人天職。一是皆以求其心安理得爲本。極權主義者要人們爲着將來的遠景而犧牲現有的生存權益，自由主義者却要創進人們現在的幸福，作爲下一代的生活軌範。此二者目的不同，手段迥異，就人生的意義和價值設想，孰是孰非，何去何從，毋須贅說了。

我們的智力和物力都是有限的，但勇氣十足，知其不可爲而爲之，貿然創刊本報，將來能否免於「爲而不有」的後果，端賴社會人士多多給我們以指導應援，匡其不逮，因而坦誠縷述其旨趣如此。

時事述評

澳門交還中共之說

雷嘯岑

最近美國合衆社發表了一項「權威」消息，說澳門將要交還中共政權了。累得葡萄牙政府，急忙聲明並無此意，以釋羣疑。

葡萄牙是參加北大西洋公約國之一，依照集體安全的約章，會員對共產國家從事於變更領土的交涉，事前應該互相通知諮商，如果受到外來的暴力侵畧，即應集體防衛的。葡國政府既無此意，亦未聞中共方面提出這種要求，或有武力侵佔的迹象，合衆社究竟何所據而云然，作此「驚人」(Sensational)的報導呢？

我認爲這是英美朋友一向基於豐富的想像力和唯我主義，而作出這項想當然的論斷來，還有許多史事可以印證的。

史証之一

十年以前，華府當局認定中共如果奪取了政權，亦必然跟美國打交道，做朋友，而希望博得美國物力財力應援的。如是乎，靈機一動，想像力油然勃興，指稱中共是與蘇俄無關的土地改良主義者，美國駐華大使館不願與中華民國政府一道遷移廣州（蘇俄大使館却率先隨同中國政府南遷），司徒雷登大使苦守着南京，聲稱美國可用四十億美元以援助中共建設——只要中共願與美國結交。十年以後的今日，證明中共實係美國的死敵了。但美國朋友並不灰心，想像力依然豐富，又有人說中共恍惚於人口過剩的威脅，一定要向西伯利亞方面求出路，結果必與蘇俄反目衝突，那時節，蘇俄即將要求美國合作，共同抗禦中共向外擴張行動呢！

明乎此，則合衆社報導澳門即將交還中共的消息，事實如何，用意安在，可以思過半矣。

一切爲的苟活

自從俄帝搶先放射了人造衛星，表示它的太空優勢以來，美國對共產帝國主義的所謂「嚇阻政策」，即已自慚形穢，深感狼狽了。它在科學競賽上尚未能擁有太空優勢之前，美國只有殫精竭慮地標榜和平政策，以期與俄共集團苟安旦夕，徐圖補救。因此之故，對於自由世界一些弱小國家的利益，實在兼顧不及，相反地，不妨藉弱小國家暫作犧牲，以期避免引起重大糾紛，觸發大戰，在避戰的大前提下，不特澳門可以交還中共，金門馬祖不妨撤守，即對柏林問題亦可以相當讓步的。

若從大處遠處設想，自由世界與共產世界終須經過一場惡鬥，拼個你死我活，決無和平共存之可能，暫時的犧牲，良非得已。美國固不能以國家人民的生存作賭注，輕打無把握的戰，其他自由國家亦無理由要求美國專爲別人的生存而冒戰爭危險。這就是目前一切想當然的「驚人」消息之所由來。姑息妥協的氣氛已經構成，如不設法給俄共集團一些甜頭，豈能苟安嗎？像澳門以及金馬這些地區，在西方列强的心目中，縱然送給中共，亦不是甚末了不得的損失啊！

「人爲刀俎，我爲魚肉」，這正是現階段自由世界弱小國家的命運寫照。假使不甘作魚肉的話，那祇有自强自立，最少也須有「成事不足，敗事有餘」的能耐，敎强權主義者不好隨便自作聰明，而以損人利己的鴕鳥式行爲，企圖換取構和的代價。

軍人妄談政治

馬五先生

英美各國的現役軍人，對國家的政治問題照例不許隨便議論的。但關於軍事問題却可以大談其戰畧戰術，暢所欲言，縱或與政府首長的意旨不相符，也就毫無所謂。譬如美國一般高級軍官過去對韓戰戰畧之深表反對，最近對金門馬祖防衛問題之主張美國不應超然事外，乃至於對蘇俄常常講打講殺。然行政當局並不加以干涉箝制，民意機關亦不怪這般軍人越職言事，有失體統。

這理由很簡單，軍人的職責就在捍衛國家，抵禦外侮，恪盡「國家干城」的使命。如果身爲擐甲執戈的軍人而諱言戰事，甚至於害怕有戰事，那便是「武官惜死」的懦種，人民對他即將喪失「干城之寄」的信心，而不知國家敎民家納稅養兵究作何用了！

等由准此，中華民國在任的三軍統領——參謀總長——最近在國外聲明「對戰爭不感興趣」，說是自由中國政府「無意發動任何戰爭」以從事反共救國云云，眞是荒乎其唐，不知所云了。美國的所謂「康隆報告書」，曾指述自由中國現有的六十萬軍隊以之守台澎則有餘，以之反攻大陸則不足。我們認定這種見解乃是基於純商業觀點的不經之談，因爲它無視着其他若干最重要的戰爭條件，膠柱鼓瑟，愚蠢太甚。如今我國的三軍參謀總長居然替「康隆報告」作此有力的註解，可謂奇蹟也已。

不特此也，年來美國方面迭次表示要自由中國裁減現有軍隊，以免財政陷於困難之境，用意就是敎我們對共區毋作軍事反攻之想，呆在台灣，俯仰由人。我朝野人士一致認爲不敢領敎，非相機實行討共戰爭不可，現有軍隊決不能裁減，而且還要設法加强實力。然職掌軍事的三軍首長却聲言對共禍「無意發動任何戰爭」，那政府又何必悉索敝賦，養着這末多的軍隊呢？友邦主張我們裁兵，我們就應該趕快實行纔是。

對於參謀總長這番「高論」，國內的反應如何，我不知道，在海外華僑社會中，却遍聞駭異慨嘆之聲，其洩氣的情緒，無可言宣。這毛病殆由於軍人不安份，罔顧職守，妄談政治，以爲這類話很可以迎合友邦人士的「和平」胃口，殊不知適所以敗壞自己的立場，動搖國本。我希望政府今後嚴申禁令，制止軍人妄談政綱政策，否則懲處不貸。這樣至少可以避免在國內外常常丟人也。

國民代表大會開幕前夕
台北政壇剖視

魯人

【本報台北專訊】現在距離國民大會第三次集會的日期——二月二十日日益迫近。大會的籌備工作，正在密鑼緊鼓地進行中，爲了排除這次會議的若干困難，各黨派之間的幕後商談更接觸頻繁。

這次國民大會的主要任務，是選舉第三任總統和副總統。根據政黨政治的原則，總統候選人須由各政黨提名。目前在台灣的政黨，祗有國民、民社、青年三黨，而國民黨是其中唯一的大黨。過去兩任總統，都是由國民黨產生，這一次當然也不會例外。因此，海內外所矚目的是國民黨總統候選人提名誰屬的問題。

蔣總統已經連任兩次，依照中華民國憲法第四十七條：「總統、副總統之任期爲六年，連選得連任一次。」之規定，他已不宜連任第三次。可是目前國家正處於反共抗俄的非常時期，國家在事實上離不開他的領導，因此若干人主張蔣總統作第三次連選連任。

可是憲法硬性規定總統不能三次連任，如果要達到這一目的，勢必要修改憲法。但憲法是國家根本大法，雖然規定可以修改，但不可輕易修改，尤其不宜爲一個人的任期問題而修改此根本大法，倘一不愼重，在此處境艱危的時期，很可能動搖國本。因此蔣總統以國民黨總裁的身份，於前年十一月宣佈反對修改憲法，國民黨中央也作了同樣的表示。因爲態度堅決，所以修憲在目前已無可能。

如何在不修憲的前提下使蔣總統連任三次，國民黨當局煞費苦心，終於尋出了一條途徑，那就是修改憲法後附加的「動員戡亂時期臨時條款」。

因爲修改臨時條款的效果，和修改憲法一樣，因此海內外又發生了修改臨時條款，是否即等於修憲的爭議。如果等於修憲，豈非國民黨自己違反不修憲的諾言？如果不等於修憲，則臨時條款將來修改後的決定豈不是要違憲？關於這個問題，國民黨中央常委陶希聖氏早有公開的解釋，第一，他認爲臨時條款並不等於憲法的本身，所以修改臨時條款並不等於修憲，既不等於修憲，所以國民黨並無違背不修憲的諾言；第二，他認爲修改臨時條款使總統連任方法，並不違憲，因爲臨時條款既是「臨時」的，與憲法之經常的有別，其內容是爲適應戡亂時期的緊急處分，而在某一特定時期凍結憲法條文的某一部份，將來事過境遷，憲法仍可恢復其固有效用，故不認爲違憲。

國民黨對這個問題雖然始終保持緘默，但陶希聖的意見自可充分反映國民黨的意見。國民黨之所以迄今仍持沉默態度，當爲將觀黨外人士的反應，俾將來隨着時勢的發展保有充分迴旋的餘地，這一點算是聰明的。

但是，黨外人士怎樣看法呢？最具有代表性的莫過於胡適之，張君勱，蔣勻田，左舜生，陳啓天等人。概括他們的意見，有一個共同之點，就是認爲蔣總統不必連任三次，而改以國民黨總裁的身份繼續領導反共大業；憲法臨時條款不必修改，以使得此一國家根本大法的精神，不致受到影響。

早在去年十一月間，胡適之曾向當道表達四點意見：大意是希望蔣總統迅速宣佈繼承人，依法定程序使該繼承人當選第三任總統。如國民黨和蔣先生另有其他方式，宜早作宣佈，免使國人迷惑。

胡氏的四點建議提出後，所得到的反應是：「繼承人應由黨內決定」這一句話。他願以他以「諍友」的資格被邀和蔣總統商談，但沒有實現。胡氏對第三次國大集會態度已趨消極，據他自前向此間自立晚報記者表示，他不擬參加國大主席團工作，假如他被選爲主席，也將退出。

張君勱是憲法起草人，在國內政治上有其份量，可是大陸淪陷後由於和執政黨之政見不同，一直滯留海外，並定居美國，不肯回來，他雖不是國大代表，但國民黨極希望他在此時回來，共赴國難。而亦以其若干政見，未能爲執政黨所接受，故張氏回國的希望是很少的。

左舜生何魯之等青年黨領袖，也拒絕國民黨的邀請，不肯來台出席國大。在台灣的蔣勻田，陳啓天等人，反對蔣總統三次連任及反對修改臨時條款，態度亦甚堅決。這是國大集會前夕的一般情勢，國民黨仍在努力進行「說服」中，但蔣總統個人的態度如何，是今後最值得注意的。

剖視中共與緬甸的簽約

金達凱

最近中共與緬甸政府簽訂了「邊界協定」及所謂「互不侵犯條約」。從條文內容看，自與其擴張侵略的特性有些不調和，但這是中共在當前國際統戰低潮中所要的手法，藉以改善因藏印邊境糾紛與亞非中立主義國家瀕于惡化的關係，並以此作爲一種新的宣傳和號召，掩護共產集團在東南亞的地下進軍。這就是現階段中共簽訂兩條約的主要作用。

滇緬邊界的歷史情況

關于中國與緬甸的邊界問題，自清季以來即已存在。過去由中英兩國于一八九四年和一八九七年簽訂滇緬條約，及一九四一年中英換文加以劃定者外，還有不少地區的界線未曾解決或未完全解決。約略言之，有下列三處：

一是南碗河和瑞麗江匯合處的猛卯三角地區，即南碗三角地區，這是中國的領土，面積二百五十平方公里，由英人以「永租」名義取得管轄權，緬甸獨立後承繼了這個「永租」權利，但在基本上則是不合理的。

二是自尖高山起，至中緬邊界西端終點，全部是未定界。在這段未定界上，屬于中國的片馬、古浪，崗房三處各寨地方，一九〇五年至一九一一年爲英軍所佔。

三是佤山區的一段。中英兩國在一八九四和一八九七年簽訂的條約中，對這段境雖有規定，但實際界綫並未劃清楚。特別是「一九四一年綫」，是當時英國乘中國抗戰危急之際，以封閉滇緬路爲壓力，在該區有些並沒有樹立界樁。因而問題未能完全解決。

以上三處邊界問題，周恩來一九五七年在僞人代會所作「關於中緬邊界問題的報告」，亦有論及。自國家領土完整的前提和維護來說，未定界的大部份地區是應屬於中國的。但中共與緬甸談判過程中，始終沒有作原則上的堅持。當時周恩來在報告中表示說：「我國政府（中共政權）認爲，在邊界問題上，根據正式條約而提出來的要求（指緬甸要求中共承認一九四一年綫），應該按照一般國際慣例予以尊重。爲了創造良好氣氛，我們準備把中國軍隊（共軍）撤出一九四一年綫以西的地區」。同時他還表示中共願作廢除南碗三角區的「永租」關係的考慮。

中共簽約的內容

在此項喪權的原則下，本年一月二十八日中共與緬甸總理宗溫在北平所簽訂的「中緬兩國邊界問題的協定」，即正式放棄原有大片土地。

一、自尖高山起至中緬邊界西端終點的全部未定界，除片馬、古浪，崗房地區外，遵照悉傳統的習慣綫定界。即是從尖高山起沿着以太平江、瑞麗江、怒江、獨龍江爲一方和恩梅開江爲另一方的分水嶺向北，直到清丹和木刻戛之間跨越獨龍江的地方，然後繼續沿着以獨龍江和察隅河爲一方和除獨龍江以外的全部伊洛瓦底江上游支系爲另一方的分水嶺，直到中緬邊界的西端終點爲止，由雙方組成聯合勘察隊進行勘察，以確定這段邊界線的具體位置，並樹立界樁。

二、中共同意將南碗河瑞麗江匯合處的緬甸「永租」地區，屬於中國的猛卯三角地區的，正式移交給緬甸，成爲緬甸領土的一部。

三、緬甸歸還片馬、古浪、崗房，並同意將班洪部落和班老部落在一九四一年中英換文劃定的邊界綫以西的轄區歸還中共。

四、南定河和南帕河匯合處到南段已定界第一號界樁爲止的一段界，除上條所規定調整的以外，按照一九四一年中英換文定界。

中共喪權的作用

從以上四項協議來看，這次中共對滇緬邊界的劃定，無疑地是喪權的。除正式承認了「一九四一年綫」外，還奉送了南碗三角區二百多平方公里土地給緬甸，其所收回的不過是少數幾處地方。在維護主權獨立與領土完整精神方面，中共顯然遠遜於國民政府。而且與擴張侵略的特性，也是不調和的。其所以如此做，當然有其特殊的作用。

第一，是藉此改善與亞非中立主義國家的關係。因爲自藏印邊境問題與印度發生衝突後，過去中共在萬隆會議所標榜的「和平五原則」已被破壞無餘，在國際統戰上已失去重要的宣傳藉口。這對中共的企圖參加裁軍會議等等，是不利的。因此，需要改變國際觀感，藉此表示中共無領土野心，甚至可讓領土，以換取亞非中立國家的好感。同時目前赫魯歇夫正訪問亞洲，亦需要藉此製造「和平」氣氛，以使赫酋此行能收到較好的效果。

第二、是企圖藉此解決滇緬邊境的國軍游擊隊。國軍在滇緬邊境游擊隊，過去因活動於未定界，中共與緬甸都無法解決。現界綫劃定後，雙方可分別負起清除該批反共武力的責任。

第三、所謂「不侵犯協定」，除與「邊界協定」具有基本相同的意義外，還限制緬甸不得參加反共聯盟。反之，任何條約或協定，對中共並無一定約束力。因爲他們現情況的轉變，可以隨時背信毀約的。

因此，以上的條約的簽訂，一方面雖可說中共給緬甸以若干甜頭；但從另一面看，又是中共向東南亞以及整個亞非國家擴大滲透顚覆的開始。（完）

倫敦通訊

道義的憤怒

蕭謇

一九五九年歲暮，英國大選過去不久，正當一般人將話題從工黨的失敗，轉到五〇年代的檢討，和六〇年代的展望上的時候，有一個屬於南非聯邦自由黨，不久前來到英國的南非人，悄然向衛人報（即曼徹斯特衛人報，該報自去年起，將曼徹斯特一字省去，簡改稱衛人報）投了一函，大意說鑒於南非聯邦政府對有色人種，尤其是對土生黑人的歧視和虐待，有增無已，希望英國富有正義感的人士，聯合起來實行一個有效的一定期的抵制南非商品運動，以示對南非聯邦政府歧視政策的一種抗議。該函經衛人報刊出後，首先得到以牛津大學學生爲首的許多大學生的響應，並受到許多社會上有名人士，如哲學家羅素，薩則克區主教羅勃玆，以及一些國會議員等人的支持。繼之工黨和職工總會也決定出而表示支援此一行動。於是這一個抵制南非貨品運動，便經公決於本年三月一日起實行一月，目前離定期雖尚有一月，但從各方面情形看來，抵制運動的實施是無疑問的了。

南非聯邦政府的歧視有色人種，把人照皮膚的深淺分成幾等，最低等的也就是最黑的，簡直連牛馬不如，原就是其他文明社會所引爲不可思議的怪事，最近該政府更以叛逆爲理由，大舉拘捕人犯，不審不問，此外又復強令黑人集體遷居，引起聯合國的注意和制止。不過這不在本文所要報導的範圍之內。本文所要報導的，是抵制南非貨品運動在英國發起後，各方面的反響。

上面說過，抵制運動受到工黨和職工總會的支持，所以聲勢浩大。工黨不說，職工總會所屬各種工會，總數有六百餘個，會員多達八百餘萬人，如果均聽總會吩咐，實行抵制，雖然爲期不長，對南非銷英貨物，也必有一番打擊。事實上，有許多個別的人民團體，已經在實施抵制行動，演員，音樂家，運動員，許多人拒絕前往南非表演，除非他們的聽衆和觀衆中黑白人種均有，最顯著的是一個名叫姜尼．鄧克爲的樂隊指揮和他的樂隊，最近南非方面出資一萬鎊聘請他們前去表演，爲他們所拒絕。雖然如此，真正要在英國實行抵制南非貨品運動，因爲牽連問題太多，究竟不是一件一呼百應的事。首先，工會方面有許多反對的意見，此外全英合作總會，也於日前會議議決，不介入這運有關「政治」的行動，並請所有合作社不必附和抵制活動。

工黨方面固然贊成抵制運動，保守黨方面呢？直到現在，保守黨方面沒有任何表示，他們也許認爲此事不值得，發表意見不過保守黨方面有些議員和人士，個別的向報紙投函，對抵制運動的明智與否，提出許多疑問。有的說，抵制南非貨品，受害的不會是南非的白人，而是做低工的黑人。有的說，這種運動，適足以引起南非政府的惡感，加劇其歧視的措施。有的說，支持抵制運動的人，固然是感憤於南非政府的種族歧視，但是許多其他國家，如澳洲，紐西蘭的排亞、非人，進而至於鐵幕國家的專制，恐怖，都是極其使人感憤的事，何以現在獨薄南非而厚於其他國家。

在衆論紛紜中，倒是自由黨的幾個人和幾張報紙（衛人報爲其一）的議論適切。他們說南非政府不人道的種族歧視政策，我們在英國的雖無能爲力，但實行一種使南非政府感覺得到的運動，以示有人權自由之尊的人的一種道義的憤怒和抗議，是值得贊成的，所幸運動不是英國官方發動的，所以南非政府沒有報復的理由，但如果抵制運動失去了個人自發的性質，變成由機關來推行，例如職工總會中一些狂熱份子的主張派人監督運動的執行效果，那就失去運動的本意了。

社會小說

香港地

水客著

一、一幅剪成的山水畫

香港地，人情薄？不薄！百年人事非昨。太平洋，風波惡？不惡！回頭大地如灑。

右詞一首，調寄「太平山」。此調爲白香詞譜所未收，萬氏詞律所未載，乃是水客創作的新腔。爲什麼此調做「太平山」？自是有感於「太平山望落來」一句俗諺而起。

「太平山頂望下來，有好多老襯」。從前只是久居香港的人纔懂得說，現在連幾十萬新來的「外江佬」也懂得說了。「老襯」可解作老實人，也可解作呆子。據說，老實人與呆子之間，所隔只似一絲，既然滔滔者多是呆子，聰明人置身高處，俯瞰蕓呆，怎不該放膽「渣世界」？

在下不是考古家，懶得考「太平山」這個名稱的來由，只是人云亦云。若就記憶所及，可說的一點點是：還在洪秀全建立太平天國的時候，這山已有名是太平山。百年歷史從頭說，可歎者：在這裏太平山頂放眼縱望，望海是連天驟浪澎湃難平，望陸呀，那萬里江山，百年來眞不曾有過像樣的太平。

「滿紙荒唐言，一把辛酸淚」。紅樓夢中眞有不少荒唐言，雖看到的却是俏皮話吧！那一把辛酸淚大概是淚源太深，雖流得竭，所以無從俏皮起來。而「太平山頂望下來」也不是一句俏皮話啊！有人說：這裏十年來百萬難民出汗貢獻出的勞力，居然能夠建成一個雄視亞洲，震驚西方工業巨頭的新工業城，試想流淚猶如流汗，那怕不流滿幾個大潭篤水塘，好教大家永無「制水」之歎？荒唐，荒唐！閒話打住，且把故事說起。

一九五五之年，十月未寒之天，油蔴之地，上海之街，一幢半新不舊的高樓，一個半貧不富的包租公，正在扭開電掣，亮起明燈，伏案整理他的「騎樓詩稿」，門鈴乍響，有客來訪，打斷了他的騎樓詩興，客人進入他所住的騎樓房，尙未開言，便已流淚，把手持的一卷東西遞給他，哭道：「譚先生，這是阿潘叫我送給你的書。唉！阿潘瘋了。」話才說完，嗚嗚的哭得甚是傷心。（一）

曲高和寡

吳美凝

他懷着茫然的心情從班主房裏走出來，他的臉孔還有些熱辣辣的，班主的話，仍然清晰地響在他的耳畔。

「我們需要個好的歌手，薪水是日薪制，每天在我的班裏做好的歌手與演員，是十五塊錢一天，伙食由班裏供給，不過，只要表現得好，我們會隨時加薪的，明天我夜場先來唱唱看，我們再決定你是否該到班裏來。」

現在，他居然要到這歌舞班裏來做歌手了，想起從前學音樂時的理想和抱負，不禁悲從中來。但他失業已這麼久了，他的妻子，在病中……。

暮靄籠罩大地，晚風輕輕拂着，他周身的熱被消散不少，但他的心情仍然是沉重的。他悽迷地走着。他想到十多年前在多麼困難的情形下，去學音樂，當音專畢業之後，也開了幾次很成功的獨唱會，前途絢爛得像陽光，教授們對他懷着殷切的厚望，那親切的叮嚀與熱誠的勉勵：「成功的公式是天才加上持久的努力，你已具備了這兩樣東西，忠實於你的藝術，努力吧！」這些話，永遠深鐫在他腦海上，從來沒有忘記。

離開學校，他一直爲藝術而努力，他的個性倔強得像條鐵的，誰要褻瀆了音樂，他會不顧一切抨擊他。記得有一次，他在一個中學校執教時，有些學生請他教唱一首流行歌曲，當時，他很氣憤的退了課，後來就離去那學校的職位，那認眞的態度，和現在比較起來，完全兩樣了。

因爲他個性太倔強，在人生的舞台上，他便常扮演着失敗的角色，如今，在接連碰壁中，他失了業，妻子又生病，才決定到這招考歌手的歌舞班來謀職。

回到家裏，他的妻子還在熟睡未醒，在微弱的燈光下，他的臉顯得更蒼白了，他在她蒼白的臉上，輕輕地吻了一下，她睜開雙眼，原來她並沒有睡覺呢！在焦灼中渡過了這一晚。

到第二天的晚上，他懷着沉重的心情，到那歌舞班去，他也沒有心機和他們寒暄，只和樂師商定要唱的歌曲，便默默地等待着登場。

後台的秩序非常紊亂，舞女們赤身露體的來往穿梭着，粗魯的佈景工人吆喝着一些他所聽不懂的言語，空氣使人窒息。他盡量壓抑自己，好容易輪到他的節目，他才離開後台。

絃聲奏起前奏時，他仍然懷着像往日開獨唱會的心情，以穩重的腳步，踱到台口，當他向台下行禮時，便看清台下那紛亂的景象；一圈圈嬝嬝的煙霧彌漫了整個空間，零食叫賣聲，與孩子們的哭叫聲，在哄哄的人聲中，清朗可辨。抽煙的，吃零食的，揑着腳的，……這紛亂的景象，充溢在整個劇場裏。他想像中這兒是夠亂的，却沒有想到會亂成這個樣子，他激動得使他周身都顫慄起來，他眞是再也忍耐不下了，他想即刻退下來，但他又想到這歌舞班裏的信譽，還有最重要的，是他妻子那張蒼白的臉龐又在腦海裏閃現。

一曲既終，他實在沒有勇氣再唱第二首了，便向樂師示意，匆忙步下後台，當他正離開劇場時，班主從後面追來了。

「先生，您的歌喉很好，觀衆却不太歡迎。」

「那您只有再找一個爲觀衆歡迎的來了。」

「如果您能改唱流行歌曲，我想是可以給你一個機會的。至於薪水，我們可以破例預支三個月。」

說着，班主就從身上取出一叠花花綠綠的鈔票，那些鈔票是美麗的，可愛的，他所急於需要的，他可以用牠醫好妻子的病，解決生活上的窮困，但，最後他仍然抑制住將要流下來的熱淚，向班主說：

「謝謝您，讓我考慮考慮再談吧！」

他離開劇場，就像鳥兒離開樊籠。仰望夜空，但見繁星閃爍，這世界眞是太遼濶了！什麼叫做偉大，什麼叫做庸俗呢？他倒有些迷惘了！

接吻的科學觀

文敏譯

關於接吻這件事，科學家現在已經發現一些趣味的事實了。

最有趣的是接吻的强烈程度，現在亦可以利用科學儀器測驗而獲知；如美國雷莫特大學醫科試驗室有一座特製的接吻計量儀，它是電動的，可以測驗女人接吻時快感的程度，單位是以電器抵抗單位歐姆作標準。

科學家說，經過這種接吻的計量儀測驗的結果，其程度大有別：例如有些女人，當她的口唇與對方一接觸的當兒，計量器單位已經跳昇至一萬三千個歐姆之高，這證明女子對於接吻這味兒的敏感，十分迅速劇烈；在另一方面試驗中，有些男女的口唇已經吮了大半天，但計量儀的表只有六千歐姆，由是可知他們早已把接吻當作家常便飯，因此在試驗下反而費力不濟事了。但以普通男女試驗的結果，他們大部份均在表示器上現出九千歐姆之譜。

並且，科學家們指出，接吻對於人體的反應，不止雙方的腦神經立刻現出淘淘然之感，其他身體上各部份組織亦開始發生化學的變化，最初受到腦神經牽動的，便是腺的分泌增加，因此身體會發生各種化學的混合作用。

武俠小說

江南活俠

彭浩一

楔子

醉裏挑燈看劍，夢回吹角連營，八百里分麾下炙，五十絃翻塞外聲，沙場秋點兵。

馬作滴盧飛快，弓如霹靂弦驚，了却君王天下事，贏得生前身後名，可憐白髮生。

——宋、辛稼軒、破陣子

在中國歷史上的帝王政治，以宋朝爲最灰暗，他不但將偌大中國亡給蒙古族的元朝，而且從立國以來，就在異族的侵凌下討生活，神宗想用武力驅逐契丹，一天穿着金甲去見太后，問：「媽看我這衣服好嗎？」太后道：「好雖好，只是皇帝要穿這衣服，國家就不堪設想了。」怯懦之情如見。

到了北宋末期，徽宗被金人擄去，封做昏德公，欽宗被俘封作重昏侯，可算丟醜之極，但事前欽宗派康王出使金國求和，除了獻中山太原，河間三鎭以外，尙尊稱金主爲伯父，上尊號爲大金崇天繼序昭德定功休仁惇信修文崇武光聖皇帝，今天讀起來，仍替宋室君臣感到肉麻，然到高宗逃至杭州，還怕徽欽回朝，奪去了他的帝位，遂使秦檜一天下十二道金牌，召岳飛班師回朝，不惜以莫須有三字，自毀國家長城。

最後德祐帝降元時，朝中大小官員，事先竟逃走一空，七十歲的太皇太后謝氏扶着四歲的德祐帝，束手無策，只好在金鑾殿上貼出一張詔諭：「我朝三百餘年，待士大夫以禮，吾與嗣君，遭家多難，爾大小臣未嘗有出一言以救國者，內而庶僚畔官離次，外而守令委印棄城，耳目之司既不能爲吾糾擊，二三執政又不能倡率羣工，方且表裏合謀，接踵宵遁，平日讀聖賢書，自謂爲何？乃於此時，作此舉措！生無面目對人，死亦何以見先帝？天命未改，國法尙存，其在朝文武，並轉二資，其負國棄予者，御史台覺察以聞。」可算傷心到極點。

其大崩瓦解的情形，連元世祖忽必列也覺驚奇，在滅宋以後，召宋降將問：「你們投降，爲何如此容易？」答說：「賈似道當權，優待文士，輕視武臣，臣等心懷不平，因此望風歸順」，忽必烈看這班人太無骨格，就教侍臣董文忠傳旨：「似道一人縱有過失，宋主却未虧待你們，照你們所講，毋怪似道輕視」。諸降將聽了，都大叩其頭。

在這樣的環境下幸有文天祥、張世傑、陸秀夫等人，大義凜然，至死不屈，替漢族保存了一點顏面，且元朝立國不久，即爲明朝所滅，便係得力於全國人心未死，匹夫匹婦，殺身成仁，草莽英雄，捨身救國者，前仆後繼，其間可歌可泣之事蹟，誠足以驚天地泣鬼神，可惜正史語焉不詳，致多湮沒，然民間的傳說，常最眞實的歷史，特摭錄一二，以見一斑，正是：

家國恨，向誰說？壯士淚，凝碧血！（一）

大陸文壇萬花筒

一篇反戰的作品

岳審

一九五九年第二十四期「蜜蜂」文藝半月刊，隨刊附送一篇單行本小說，「英雄的樂章」，作者劉眞。這篇小說的內容是敍述一個青年，在抗日戰爭中參加共軍，曾被日本俘虜，最後得到釋放，在共軍中積功升到連長，但是在共軍作亂時，却被國軍擊斃了。

劉眞這個人原是共區新進作家，最初寫過一篇小說「春大姐」，曾得到好評，因爲他是共黨老幹部，有二十一年的歷史，所以中共有意把他捧成又紅又專的作家，那知劉眞成名之後，態度反而變了。一九五六年他寫了一篇「在我們的村子裡」，發表於一九五六年十月號「長江文藝」上，把共區農村幹部寫得原形畢露，舉凡貪污腐化，吹牛拍馬，諂上欺下，顚倒是非，陷害好人，所有壞事，樣樣作全。當時曾受到批評，指他專說短處，不知道隱惡揚善。事隔三年，劉眞又鬧了這麼一場，可能兩罪俱發，要送去墾荒去了。

這篇小說若在自由世界的人看來，原沒什麼了不起，其中最遭忌的一段是書中主人翁被俘脫險之後，當了連長，回到家鄉見到兒時相愛的姑娘清蓮，對她說道：「清蓮，你快長成一個大姑娘了，長得很好。可是，你知道我嗎？我當了連長，不！你別覺得奇怪，那連長的位置，是用了一個十九歲的靑年，流了太多的鮮血凝結成的。我最後看見你那次不久就被捕了。清蓮！像咱們小的時候在一起，怎麼會想到人世間有那麼深重的苦難？日本法西斯，用活埋，狗咬，刀砍，使多少親愛的笑容永遠消失了。那些同志臨死，有多少話要對這個星空世界訴說呀！但是，他們緊閉着嘴唇，一個字也沒有吐露。」

就文字而論，劉眞的寫作技術還算通順，至於談到思想，我們也看不出這種文字含有什麼毒素，中共口口聲聲抨擊美國好戰，自詡愛和平，可是好戰的國家則不允許作家發表反戰的小說，和平的國家容許作家有反戰的思想，這種情形只是說明兩點：一是中共喊和平是假的，要打仗是眞的。一是證明共軍及幹部中間已瀰漫反戰思想，所以中共不准再有反戰文字出現，以免加深了此種危機。

釋耒集

山人

京戲黃鶴樓諸葛亮出場獨白，首曰：「山人諸葛亮，」此類曲白，不知昉自何時，而諸葛亮之所以稱山人，則當指其未出茅廬以前，即出師表所云：「苟存性命於亂世，不求聞達於諸侯」之襟抱也。後世落拓文人：帖括制藝，旣不能取勝於場屋；講章記誦，又不足以訓拨童蒙。等而下之，又不甘力作以事農收，遂挾射灯謎，行酒令，評古董，下圍棋之技能，自號曰山人，干謁當路，周旋於權貴豪富人之左右，其尤不肖者，或如李笠翁，以女樂自隨，向貴遊子弟販賣色情，因而收其厚利，所謂山人者，愈不堪問矣，舊傳明自神宗後，遇國家慶典，頒佈赦令，其末必附帶聲明曰：凡山人墨客，一律遣歸田里者，即不准其在外招搖之謂也，夫赦令之頒，對殺人越貨之强盜，猶且有宥免，而獨不諒此類褒衣博帶之名士，豈非甚可怪乎？蓋士農工商，其所食息於天地之間者，各有本業，抑亦各具專長，獨所謂山人墨客之流，貌爲士類，文彩固不足觀，行誼亦無可採，退處衡茅則自號山人，曳裾豪門濫竽清客，旣無益良善之風俗，實太平盛世之贅疣，「放歸田里」，已爲寬典矣。曩見兩般秋雨盦隨筆載：「明季士大夫多重山人，如陳眉公，王伯穀，皆名噪一時，有黃白仲者，閩人，慣遊秣陵，倣大宅以居，好以詩自負，衣鮮衣，曳華靴，乘大轎，往來顯者之門，一日拜客歸，槖中窘甚，與夫索僱錢，則曰：汝日扛黃先生，其肩背且千古矣，尙敢索錢耶？與夫曰：公貴人也，無論舁五體以出，即空舁此兩靴，亦宜酬我厚値，彼此爭言不已，一友過而解之曰：『一築其肩，一高其足，兩說俱有理，各不受賞可也。與夫掩口而去。』此等事，非山人不敢爲，此等話，尤非山人不敢道，則其友之亦爲山人，畧可知矣。而與夫不敢復置辯，掩口而去，則殊爲難得。近世鮮山人一詞，而行徑類黃白仲者，則仍有其人，問其職業，則不農不士，不工不商，居常稱于右任爲于右老，何應欽爲敬之，張羣爲岳軍，而不舉其名，以示與之密邇，此等技倆，大抵爲儒林外史景蘭江、牛玉圃之翻版，無山人之名，而有山人之實，太史公曰：「詩書所述，虞夏以來，耳目欲極聲色之好，口欲窮芻豢之味，身安逸樂，而心誇矜世俗之榮，使俗之漸民久，雖戶說以眇論，終不能化。」思及此，則山人亦未足深責也。

曲齋

粟海彈心錄

譏圓瑛和尙所釋大佛頂首楞嚴經，謂動滅靜生，靜滅根生，根滅覺生，覺滅滅生，寂滅現前。約境則妙高頂上，容有不可商量者，約理則生即動也。寂猶靜也，故儒家單刀直入，只言動靜，不作如是次第式語，與般若經「人言如來有法可說，則爲謗佛」同。黃老惟主淸靜寂滅，實以萬物皆生於靜，動則變化萬千，不可究詰，故不言動。較之儒釋相對立論，翻成妙諦，而儒家祇爲刻薄寡恩，佛家譏少頂上一著，均未搔著癢處。

儒釋之道（上）

世傳漢明帝永平七年，佛法始入中國，非也。秦始皇時，沙門室利房等至，始皇以爲異，囚之。漢武帝時，霍去病過焉支山，得休屠王，祭天金人以歸，金人者，佛相也。哀帝時博士弟子秦景，使伊存口授佛屠經，秦始距明帝約三百年，然則西漢以前，已知有佛矣。佛字在經書僅一見於曲禮，「獻鳥者佛其首」。佛，捩也。（恐鳥啄毒而害人）再見於學記，「其施也悖，其求也佛。」佛戾也。說文佛，見不諟也。諟即是字，蓋從戾義引申而出。又諟審也。諦也。審也。不諦不審也。然則當時所謂佛，不論義譯或音譯，皆含有非之之意，魏晉以後，始稱覺焉，曲高和寡，信矣夫。

魏晉士大夫，淸談玄學，論者謂受當時禪宗影響，且有移花接木之勢，實則於禪玄二者皆失之。禪重修持，而淸談者任性。禪主苦行，而淸談者荒淫。黃老之守雌，乃黃老之用柔，用柔之難，甚於用剛，亦惟天下之至柔，乃能制天下之至剛，百鍊鋼所以如繞指柔。故嵇康好鍛，日於柳樹下鍛之，此眞黃老之徒也。是豈何晏王衍輩，終日無所事事哉。當時北朝守經之士，巍然自立，不失家風，遂能蔚成隋唐一時之盛，此勞憂所以興國，逸豫所以亡身，爲古今不易之理。自是而後，儒釋互爲消息，乃有中國佛學與宋明學術之崛起。

阿公

婦女稱謂

謝康

讀書小誌

中國自辛亥革命以來，尤其是五四運動提倡男女平權婦女解放，在學校裡對於女教職員，在社會裡對知識婦女，都稱先生，和對於男子的稱謂一樣，因爲革命旣然把「老爺」頭銜革掉，而改稱先生，「太太」們似乎也不便保留舊日專制時代的稱呼，於是也和男子平等起來，不願人前稱「太太」，稱「太座」，而願稱「先生」了。

從中文字義上看，先生爲兄，後生爲弟，「先生」即有年長或老前輩之意，以「先生」稱呼人家，似乎與「老爺」的本意，却也相差無幾！「先生」在法國語爲 Monsieur，源出拉丁語的「Senex」，就是「老」的意思，直譯可稱「我的老前輩」，近三十餘年來，法國人相熟朋友見面稱呼多稱「我的老者」（Mon Vieux），和廣州人香港人見面稱「老友」，似乎也都是這個意味，以「老」稱人，自居後輩，表示謙遜，不料古今中外，却都同此心理。

至於法語民族稱已婚婦女或年老的婦人爲「太太」（Madame），源出拉丁語 Domina，又稱未婚女子爲「小姐」（Mademoiselle），源出拉丁語的 Domicella，而這個拉丁字又都從 Domus 一字變化而來，案 Domus 本義爲家屋，因此「太太」「小姐」等稱謂，在拉丁語及法文裏，其原來意義，俱爲「在家裏的人」的意思，這裡也可以看出女人在古代社會與家庭中的地位。中國古時注重男女之別，「女子生而願爲之有家」，內言不出於閫，「婦」字象婦人持箕帚洒掃，「女」字象女人在家中屈膝坐地工作情形，俱見於說文解字，與拉丁語的「太太」，「小姐」的本義似乎相去不遠啦。

「先生」，「太太」，「小姐」這些名詞內原義，據上面所詮釋，不獨沒有尊稱之意，而且稱呼女人爲「先生」，這無異說她年紀老邁，青春已逝，若用法文稱她們爲小姐太太，說是「家裏人」，似乎更不客氣了。然而她們讓人家這樣稱呼，且安然受之，不以爲怪，從婦女解放的革命立場，也許認爲封建意味太濃厚了一點吧？

眞藝術和假藝術

趙滋蕃

眞藝術來自藝術家心靈的驅迫，他有一些吐爲快的感情，這些感情雖不一定是有什麼眞實的基礎，但卻永遠是眞摯的；雖不一定來自明智的抉擇，但永遠具備內心的要求。眞摯的感情和內心的要求，是藝術衝動的原始動力。藝術家用某種外在的標誌，有意識地把自己體驗過的感情傳達給別人，而別人爲這種感情所感染，也體驗到這些感情，這就是藝術活動。因此，眞摯的感情和內心的要求，也是眞藝術的兩塊界碑。我們通常叫這種樣子的藝術，叫做藝術創作。

眞藝術能夠容許遠離現實基礎的幻想，但無法接納任何一種針鼻頭大小的虛假感情。藝術的眞實基礎和藝術的眞摯感情有時結合在一起，有時分離，但不影響藝術的眞假判斷。只有那些沒有內心要求，沒有眞摯感情的藝術，我們纔斷然說它爲假藝術。假藝術永遠是贋品，而不是創作品。

在「藝術論」一二一頁上，托爾斯泰曾說：「常聽人家說，這個藝術作品很好，因爲它很詩意或很現實，或者十分精彩動人，或者非常有趣。而這幾種特性中不但沒有一種可以成爲衡量藝術價值的標準，而且也找不出任何一丁點大小的關係，與藝術構成共通之點。」

墮落的人們，在製造藝術假貨的時候，確實常常是很「詩意」的，他們在製造假貨時，沒有內心的要求，當然更沒有眞摯的感情，這眞是人類精力的[illegible]俗濫用。

藝術就是感情的傳達。而一切的藝術活動，建立在人們能夠受別人感染這一基礎上。凡沒有眞摯感情的作品，必然不會感動任何人；因此，都應當歸入藝術假貨之列。凡沒有內心要求的作品，也必然首先喪失感染力，因此，也應當歸入藝術假貨之列。要判別眞藝術和假藝術，最要緊的，是使自己變成感情的容受器，使自己有被感染的可能。麻木不仁地鑑定一件藝術品，那是緣木求魚的事。

× × ×

我們的態度

這一欄由十二個臭皮匠輪流執筆。一方面是遵着這十二條怪物，在三個月以後至少讀兩本奇書，一方面在舊學、新知、以及文學藝術的鑑賞上，稍微抒發一些感想。我們無意在此處求實證，也無意在此處立通則。我們做的是我們所樂意的。如是而已。

人們用語言文字，互相傳達思想；人們用藝術，互相傳達感情。千字方塊，本難於旋馬，怪物俱樂部裡邊的十二大金剛，也只好暫時委屈委屈，在斗方之內顯顯本領了。

我們敢於向讀者諸君保證的是：這十二個臭皮匠，旣不是董超、薛霸、張龍、趙虎那些手執水火棍，在黑森林裏頭幹買賣的傢伙，也不是手拿衛文玉尺，像包龍圖一般的八面威風的人物。其中有在大學裡坐了幾十年冷板櫈，而今天教蒙童館還沒有人問津的光頭佬，駝背先生，和裝上一對招風耳，專門用來配相的大博士，有失業的工程師，有不能掛牌的黑市醫生，有三年六個月寫了一大堆原稿紙，而在短短的一二分鐘之內，付之一炬的作家，還有開畫展要倒貼場租，開完音樂會馬上向媳婦店「趕綿羊」的所謂畫家和音樂家。這些人，在茫茫人海裡發紅發綠發霉，在怪物俱樂部裏，都是數一數二的要角。假如要編纂一部勉勉强强過得去的百科全書，這十二個臭皮匠也許眞有此斗膽，把它拿下來，假如要編一部高頭講章，騙了自己騙人家，那麼，臭皮匠勢必會搬出廣東人的三字經來的！

我們都不是職業批評家。我們過去的經驗，也從來與開幅子店無關。好好歹歹，還他個本來面目。用聽筒的時候用聽筒，用計算尺的時候用計算尺，用五線譜的時候用五線譜，用線條的時候用線條，用感情的時候用感情，只要那個被批評的對象，確實是值得一用的話。

好書在這兒被推薦，不好不壞的書在這兒被指摘和拉扯，値不得一讀的書，根本不理。能夠在這裏提到的書起碼已經達到六十分的及格標準。我們呼籲海內外出版家，作家的衷誠合作。盼望你們對「書林走馬」惠賜一些近作。因爲，我們人雖怪，但並不値錢，而且，一身之外無長物，當掉褲子購買圖書，也許會當塲丟醜。然而，我們雅不欲滄海遺珠，使好東西被湮沒，不好的根本不是東西的東西謬種流傳。

·趙公明·

書林走馬

隨筆

隨筆在香港報章的副刊上佔一地位，大概是最近七八年的事。過去縱然有類似的文字出現，並不爲編者與讀者所重視，說起來，這倒是香港文化的一大進步。

隨筆有多種：有專談掌故者，有專談人物者，有配合報章新聞以補社論之不足者，有談論人生與其處世之道者，總之，凡任何可談之事，不論文學、宗教、藝術、歷史、科學等，均可以隨筆方式出之。此種文字，乃是通過作者的思想與體驗而以淺顯通暢的筆調條理分析出來，令讀者能於此一短短文字中增進其人生經驗，增進其對於事物的瞭解，乃逐漸融化而爲讀者本身的思想與觀念；最低限度，亦能使其對於如何思想與瞭解有一個粗淺的認識。

對於一個報紙的讀者，如果想要知道他是否喜歡思考，我倒願於此貢獻一個最好的測驗方法，那就是問他是不是喜歡讀報章上的社論與隨筆。過去十年以前，歡喜讀報章社論者並不太多；因此，香港報紙的社論，在過去僅聊備一格，更不必說隨筆了。

自赤禍橫流，大陸人士相率南來，香港讀者所要求於報章文字的水準，逐漸提高，隨筆式的文字，乃在此一要求下，應運而生。此一現象，不論從任何角度去看，都是一大進步。

若干人每以爲隨筆只是隨意抒寫，旣不受題材拘限，自然可以天馬行空；其實，這都是不懂得寫隨筆的外行話。沒有豐富的人生經驗，沒有深入淺出的見解，不會研究過歷史上的得失，不能預測時代潮流歸向者，大概是很難寫隨筆這一類文字的。

生海樓隨筆　徐學慧

自由報

THE FREE NEWS

半週刊每星期三、六出版

第二期

每份港幣壹毫

社長：雷嘯岑

督印人：黃行簪

社址：香港銅鑼灣高士威道二十號四樓

20 Causeway Rd. 3rd. Fl. HONG KONG

TEL. 771726

電報掛號：7191

承印者：田風印刷廠

地址：香港高士打道21號

修憲與護憲問題平議

雷嘯岑

最近海內外的論壇上，由於國民大會召開在即，掀起了一場「修憲」「護憲」問題的爭辯，此亦一是非，彼亦一是非，是非之言洋洋盈耳，而以蔣總統應否連任第三屆爲辨難質疑的焦點，無形中構成了對人而非對事的論據，我們覺得並不高明。因爲這樣的爭執，只可施之於太平盛世，非所語於國難嚴重，岌岌可危的非常時期，否則「議論未定而敵兵渡河」的歷史事實，很難保證它不重現啊！

修憲派的一孔之見

世界上任何國家的憲法，沒有不經過修改的，即在動亂之秋，亦未始不可修憲，美國便是最好的先例。我國現行憲法當年在南京起草時，就廣有對人的內容，因而它的內容既非取法於歐美憲政國家的三權鼎立精神，也不是國父孫先生的五權憲法本質，然表示又標榜着五權分立的三民主義政制，不倫不類，東湊西拼。當時爲着要消弭共產黨的搗亂行爲，希望全國各黨派互相協調，和平建設，勉强地攪出這麼一套憲法，再附其一些「臨時條款」以濟其窮，動機雖欠公誠，用心可謂良苦。但試行十年的結果，只見弊病百出，困難叢生，我們平心靜氣地想想，十年來憲法條文眞正付諸實施者究有若干呢？如今國家面臨着亘古未有的厄運，基於事實變遷原則，把憲法酌加修改，以期「行尙而往有功」，實爲勢所必至，理有固然。

既主張修憲，即須從大處着眼，爲一勞永逸之計。然而，今之修憲論者卻舍本逐末，斤斤於總統連任三屆這一點，又怵於憲法規定程序之不容易照合，乃以修改「臨時條款」凍結憲法上關於總統不得三次連任的明文，以致發生「臨時條款」是否與憲法具有同等效力的無謂爭議，眞是何苦乃爾！不錯，蔣總統曾經再三聲明他個人不贊成修改憲法，這是他應有的表示，而且非作此表示不可。主張修憲者即令希望蔣總統能夠依法連任三次，亦應該堂正正地實行修改憲法條文，又何必走法律罅隙，而出之以開後門的手段呢？談到修憲的程序問題，若就純法理而言，無論如何亦難以符合法定條件的。但，法律是呆板靜態的文字，事實是演變活動的現象，在國家遭遇非常變故的階段中，究竟是要使文字遷就事實爲有益呢？抑是致事實作文字的殉葬品爲得計？此中利害得失，不言而喻。每聞時人倡言「革命」之說，何獨對於修憲問題卻不敢從事於非常的措置耶？現行憲法亟待修正的地方很多，總統，是否連任三次這回事，實係末務小節而已。我們認爲不談修憲便罷，要修憲就得根據十年來的行憲經驗，把那些不合國情，毋礙事實的條文，一律予以釐訂，光是在「臨時條款」中兜圈子，不特徒亂人意，亦且徒滋糾紛。不特此也，現任國大代表歷時已逾十載，値此非常時期，若對國計民生沒有非常的創進，確屬有虧職守，對選民，對歷史，都是沒法交代的。

護憲派的有逢之心

截至今天爲止，我們所看到的護憲言論完全是以對人而非對事作出發點，即一切論據皆以反對蔣先生連任爲中心，用意只在排斥蔣先生個人，其他皆無所謂。譬如依照現行憲法而產生着幾種民意代表機構是否合理？按諸國父所創立的五權憲法之治，立法院與監察院都是「治權」機關，然實際上他們卻是代表人民行使政權，而立法與行政部門又不發生制衡作用，豈不矛盾混亂的政制應不應該改進？乃至於許多國大代表主張實行創制複決權這項問題是否可行？大家存而不論，當伊無介事，只是拚着全力以反對蔣先生連任，好像只有憲法規定總統不得連任三次這一條文，纔是中華民國起死回生的不二法門，堅守着它，便有意想不到的反共救國之效用，否則中華民國立見危亡了?!如是乎，對於贊成蔣先生連任的人，皆識爲「勸進」份子，認定是「毀憲」行動。然對於憲法硬性規定的立監委員任期之延長，又毫無異議而不視爲「違憲」了。如此這般的護憲運動，若說這其間沒有政治恩怨和私人意氣用事的成分存在着，卻是難以置信的。談論國家大事而有個人恩怨意氣之見，這不是團結之道，適足以擴大裂痕增進糾紛而已。

按理，蔣總統既已迭次聲明不贊成修憲，即是他並不希求連任的心理表示——胡適之先生便是如此認定——護憲派既然承認蔣先生不作總統，亦係目前能夠領導中華民國的唯一人物，那末，蔣先生說他決不放棄對國家民族的責任，決不辜負人民對他的期望這類話，也就不能武斷認定這是他志在連任的說法吧！至於海內外人士或團體，有主張蔣先生應該連任的，這是個人的意志所在，也是人民對國事應有的發言權，見仁見智，儘管不同，卻不宜斥之爲「勸進」份子，抨擊不遺，難道在民主政治社會中，只有唱反調的「勸退」言論，纔是合法合理的表示不成麼？假使護憲論者認定現行憲法乃是盡善盡美，無瑕可尋，無懈可擊的典章文物，憑着事實和理論，剴切著明地申告國人，不宜輕事修改，那也不失其爲能見其大的政治家風度。我們對於蔣總統應否連任的問題，固無成見，無論是「勸進」的主張也罷，「勸退」的言論也罷，都視爲個人的自由意志表示，無所是非，卻不敢苟同藉此以爲護憲或修憲的盾牌，以致陷於只見樹木而不見森林的徬惑之境。若就嚴格的法律觀點說，第一屆國民大會便不應該選舉兩次總統的。可是，六年前的第一屆國民代表二次會議依然選舉了總統，除卻李宗仁先生基於個人的權力慾望，表示反對外，別未聞有指爲非法違憲者。

平息爭論的途徑

國家處在今日這樣艱危的環境中，許多事情皆需要有非常的措施，纔可以適應現實要求，神益大局，欲達到此目的，法律途徑已經感覺到處行不通了。執政者其如我慢自專，而視法律無足輕重，不惜負之以趨，固然要不得，在野人士若以膠柱鼓瑟的見解，捐着呆板的法律旗號，罔顧事實變遷，拘泥不化，亦徒見其治絲益棼，且有以愛國者轉而誤國的危險。我們十分贊同台灣「聯合報」去年十月間的建議，主張用政治協商方法以解除法律上的窘迫情況。假使政府當局在半年前預見着法治的窮途，約集海內外各界中堅人士，開誠佈公地交換意見，協商進行，則今日的護憲與修憲問題，相信決不會發生。然當局者見不及此，漠然置之，因而釀成現在這種無謂的爭議，可歎孰甚，可惜又孰甚哉！我們認爲政治協商這條大道，還是應該遵循的。不管蔣總統是否願意三次連任，在目前，他不妨發表一項聲明，表示今後要致力於團結全國反共力量，共赴國難，而以改革庶政，糾正缺失爲團結圭臬，事在必行，義無返顧。然後在最近的將來，舉行一種政治協商會議，邀請各黨派和社會各階層的重要人士，博訪周諮，詢謀僉同，以明肖弭隔閡，加強反共救國的潛力。

據我們所瞭解的，今日一般對政府表示不滿的人，十九皆沒有想要向政府爭取權位的意思，至於總統位置，即令蔣先生揖讓，恭請他們來承之，他們亦必然敬謝不敏的，其所以形成目前這種憲法問題爭議者，推究本源，不能不說是政府當局人謀不臧，失之疏忽。政治原係一種高度的藝術，會要的，可使天下的智勇辯力之士盡入彀中，克收「人人爲我」的功效；不會要的，那就只好無鉅細一一躬親，構成「我爲人人」的困苦狀態。孔子謂「毋固，毋我，毋必」，這六字訣可作政治上領導人物的座右銘，能夠身體力行的，不特事業必卜成功，而且一生受用不盡，搞民主政治尤其需要運用這項法則也。

赫魯曉夫爲周恩來鋪路

方南

時事述評

俄酋赫魯曉夫在訪問印度期中，新德里傳出了尼赫魯對周恩來邀請的消息，預料周恩來將於下月與尼赫魯會晤。顯然，在俄共中共軟硬交攻之下，尼赫魯絕難招架得住。

米高揚訪古巴於前，赫魯曉夫訪印度於後，各領一軍，揚鑣分道，足見俄共已視中南美與東南亞爲經營的重心。大概俄共正在重溫過去在中國大陸得意的一課，接受了對南韓及金門躁攻的失敗教訓，從新安排好了一個長期擴展的時間表，視印度爲中國大陸第二。俄共可能有這樣的打算，以五年至十年爲滲透顛覆印度的時間，更以同等時間在中南美造成普遍的動亂。兩項目的如能同時達到，天下便可傳檄而定。

對印度進行神經戰

熱戰配合冷戰，內應配合外攻，由滲透而顛覆，循漸變成突變。俄共從前吞併中國大陸是如此，將來吞併印度料亦如此。赫魯曉夫訪印有兩個目的：一是把中共對印的半熱戰轉化爲更有利的長期冷戰，二是鼓勵印共及左翼份子加强地下作戰。他發給中共的指令及留與周恩來續演的戲文，可據此以測其內容。

俄共打如意算盤

阿根廷海域的潛艇魅影，配上米高揚對古巴的笑面游說。太平洋的飛彈嘯聲，配上赫魯曉夫將印度等國的戲劇性訪問。俄共對中南美與東南亞確有其一套長遠的做法。它趁美國因飛彈落後而有怯弱之心，便用「和平共存」作催眠曲，用「高峯會議」施拆騙伎倆，以柏林與台灣海峽更迭恐嚇的地區，卻把衝破「關堵」缺口的最大努力，放在上述二者，相信時間有利於它而不利於自由世界。

俄共中共對南美的滲透和宣傳工作，合作緊密，世所週知，對日本亦然，怎會單獨對印度鬧得步驟凌亂意見紛歧？有些人以爲赫魯曉夫此行只是好意地爲尼赫魯與周恩來作和事老，又何異於癡人說夢？

赫魯曉夫並不是和事老。他只是要替周恩來鋪路。他們在開闢一條侵略印度之路。

自由談

談「處士橫議」

古有「處士橫議」之說，「處士」是指在野的知識份子，「橫議」殆係信口雌黃，肆無忌憚之談，橫眉怒向千夫指的意態，庶幾近之矣！

身爲處士，具有高等知識，對於國計民生自負滿腹經綸，平治天下國家，易如反掌，目擊着現實政治情形，凡有不愜己意，不稱我心者，必須有所議論，這是人情之常，民主不民主，卻不相干，即在君主專制時代，布衣處士亦照樣可以議論的。

不過，議論儘管議論，似乎「橫」不得，心情一橫，意氣即洋溢乎腦海中，把理智和理性全給淹沒了。俗言「橫蠻不講理」，便是這類表示，所以，民主主義者一定講究理性與容忍，良有以也。

自從中國大陸淪陷以來，海內外的處士們皆以指摘、咒罵國民黨爲能事，隨時橫議叢生，洋洋盈耳。國民黨執政了廿餘年，終招致來神洲陸沉之禍，使民衆遭受國破家亡的痛苦生活，自然是應該挨罵的。然而，「橫議」性的罵法就使不得，否則於對方固無損，反而表現着自己的譾陋無知。例如：爲着攻擊國民黨執政的缺失，竟至指說全國人民共同認定，擁護了半世紀的靑天白日國旗，也是國民黨「私心」翻造出來的標誌，大有否認唾棄之意。又如自己不贊成修改憲法，竟對於主張修憲的人，悍然出以哀的美敦式的「警告」口氣，露出一副執一說以爲是，而禁天下人言其非（見嚴復著：羣學肄言）的專橫態度，然又自命爲民主主義者！

對某項問題見解不同，主張互異，儘可辨難質疑，卻不宜給異己者亂事「警告」，這才是民主自由思想的軌範，越出了這種理性範圍，便屬於「橫議」之類了。我未見有以橫議來討論國事，而能奏撥亂反正、轉危爲安的績效者，可不戒哉。

馮[illegible]先生

大陸文藝界的暗潮

達凱

在中共統制下的大陸文藝界，最近又展開一項所謂「學習毛澤東文藝思想」的學習運動，其所提出的口號，是「反對修正主義，保衛毛澤東的文藝路綫」。因此從這一口號的反面來看，正說明了毛澤東文藝路綫的破產。同時也表明了大陸文藝作家，雖然十年來遭受中共的殘酷壓制，經過無數次的思想鬥爭，然而他們的心靈深處仍嚮往着人類的自由生活，仍然不斷發出反抗的呼聲，儘管這些呼聲在目前是微弱的，但它卻代表了一定的現實意義。

一、難攻破的堡壘

所謂毛澤東的文藝思想，乃是由一九四二年毛在延安「文藝座談會的講話」而來。這個「講話」的主要結論有三：一是確定文藝「爲工農兵服務」的創作方向；二是確定小資產階級作家的思想改造；三是說明文藝工作與黨的工作的關係以及文藝必須服從政治路綫問題。概括一句說，就是文藝必須服從政治，作家必須成爲黨的工具。這也可以說是中共文藝路綫的總方針。

但是在這種低級教條主義的束縛下，一方面扼殺了大陸作家的創作生機，以致長時期以來沒有人寫出有一定藝術深度的作品。另一方面中共又無法徹底消滅一般作家對自由思想的嚮往與追求，以及在若干作品中所表現的所謂資產階級思想。一九五一年的「武訓傳」事件，一九五二年的「文藝整風」，一九五四年的「紅樓夢」研究事件，一九五五年的鬥爭胡風事件，以及一九五七年至五八年的「反右派」運動等，都可說明大陸文藝界是中共最難攻破的一座堡壘。

特別是自中共推行冒進政策以來，在文藝界更引起普遍的反感。據中共中央機關刊物「紅旗」一九五九年第二十四期刊載的「文藝工作的世界觀問題」一文的供認：「隨着當前社會主義的大變革，文藝戰線上兩條路綫的鬥爭也普遍加深。我們有些文藝工作者的世界觀還沒有劃清無產階級與資產階級革命的界限，還沒有劃清無產階級世界觀跟資產階級世界觀的界限。那些深受資產階級世界觀影響的人，包括修正主義者和右傾機會主義者，在這次變革中表現出對黨和羣衆運動的嚴重抵觸，他們攻擊總路綫，攻擊大躍進和公社化運動；在文藝上反對黨的文藝路綫，否定黨的領導，否定文藝工作的成績，反對在文藝工作中貫徹黨的總路綫，並盡力散佈反動的文藝觀點」。

據該文指出了，這些右傾文藝觀點，具體表現于下列各端：

第一、一般文藝工作者主張「描寫真實」，主張找尋「陰暗面」，反對共產黨的階級立場，主張用「人性論」和「人道主義」觀點來看生活，來描寫生活，否定無產階級的黨性原則。

第二、是強調「創作自由」。反對政治領導文藝，攻擊共黨的文藝路綫，是「片面強調政治，忽視整個藝術」，指責一九五八年以來大陸上生產的作品「充滿了枯燥無味的政治說教」。

第三、反對所謂文藝的「羣衆路綫」。對于中共所誇張的「新人新事」，指出都是虛構的，「不真實」的。他們認爲，中共所謂「在總路綫鼓舞下湧現出的新人物」以及中共所謂這些人物的「共產主義風格」，全是「虛偽的矯情」。

上項思想問題，不僅出現於老作家之間，而且由共黨培養出來的所謂「新作家」，亦多如此。據「紅旗」供認，其原因在於：一部份老作家「長期拒絕思想改造，堅持自己的資產階級世界觀」，一部份新培養的作者又缺乏「免疫力」，「當他們向前輩、向古典著作學習技巧的時候，往往同時把舊思想、舊觀點接受過來，因而在他們的頭腦中也存在着資產階級世界觀的問題」。

二、銀幕上的白旗

此一情況，不僅文藝作家如此，而戲劇及電影藝術工作者亦然。據中共文化部副部長陳荒煤在其「堅決拔掉銀幕上的白旗」的文字中，指出自一九五七年以來，大陸所拍攝的影片，多有嚴重的右傾思想。如「情長誼深」、「球場風波」、「尋愛記」、「青春的腳步」等，都是「直接攻擊黨、攻擊新社會的毒草」。甚至在共黨培養下而拍攝所謂「革命戰爭」成名的導演郭維也反對共黨的文藝路綫，他說：「再不當戰爭販子，再不拍攝戰爭題材的東西了」。

此一情況，至一九五九年仍然存在。據偽文化部副部長張駿祥發表的「堅決去掉右傾思想，保衛黨的文藝方針」一文說：「事實證明，所有右傾思想和右傾文藝觀點並未徹底消滅，而且在一九五九年又有不同程度的抬頭」。

在大陸文藝界的反抗暗潮的激盪下，毛澤東文藝思想的統治地位也隨着發生了根本的動搖。甚至共黨份子徐懋庸也認爲「延安文藝座談會的講話」是「過了時的東西」。因此，毛澤東不得不再用政治壓力，以保衛他的所謂「文藝路綫」了。

三、人性的勝利

以上諸種情形，可以說是人性對黨性的反抗。「人性」所包括者雖是多方面的，但「自由的抉擇」與「人格的尊嚴」應該是兩個主要的內涵。因之不僅黨外知識份子和文藝家鄙棄毛澤東的文藝思想，即中共黨員作家，只要稍有良心血性者，亦多拒絕長久接受此一低級教條。所以自王實味至蕭軍，自丁玲、艾青至秦兆陽等，終於走上所謂「反黨」的道路。

推而言之，如蘇俄的巴所特·納克、美的羅藝德·法斯特，以至最近北韓所發生的「人文雜誌」事件，都是人性反抗黨性的類型。我們從「齊伐哥醫生」、「赤裸的上帝」等著作中，可以看出在共黨統治下文藝作家所表現的人性呼號，所發出的正義的控訴。因此，在大陸作家的反共暗潮中，我們相信人性對抗黨性的必然勝利。

台灣通訊

國大代表總額的解釋

魯人

司法院大法官會議，於二月十二日下午三時公布了一項憲法解釋案說：「憲法所稱國民大會代表總額，在當前情形，應以依法選出而能應召集會之國民大會代表人數爲計算標準。」於是，據報這個多年來國大代表「總額」問題，經此「解釋」，就迎刃而解了。

依照憲法第一七四條第一款的規定，修改憲法的程序，應「由國民大會代表總額五分之一之提議，三分之二之出席，及出席代表四分之三之決議，得修改之」。「動員戡亂時期臨時條款」，即係根據此一規定而制定的。現在因爲蔣總統將作第三次的連任，而憲法第四十七條規定爲六年，如再作第三次的競選，就祗有修改憲法的一途徑，不過修憲如果不慎，可能引起大變，故蔣總統本人及國民黨的決策，都不主張修憲。爲了克服這個矛盾，國民黨就希望以修改臨時條款的方式，來暫時凍結憲法第四十七條有關總統任期的規定。

可是修改臨時條款在程序上等於修憲，又必須合乎憲法第一七四條的規定，於是就產生了第二個困難，那就是國代的「總額」問題。因爲國大代表選舉罷免法第四條規定的應選名額，共有三、〇四五人，而國民大會組織法第三條卻又規定「國民大會以依法選出之國民大會代表組織之」。「第一屆國代『依法』選出的實際人數是二、九六一人，而報到的人數則爲二、八四一人，第二次大會集會於台灣，除了附共的、行蹤不明的外，在海外拒絕出席的和死亡的外，實際向政府聲報到的實際人數，更祇有一、五七八人。究竟應根據那一個數字纔能算作合法的總額，各方見仁見智，成爲近來爭論的焦點之一，因爲如果按照三、〇四五人爲總額，則現有的國代人數尚不夠半數，更談不上總數的三分之二了。如果這個問題不能解決，「臨時條款」即不能修改，既不能修改則總統就不能連任的問題就無法解決了。

從以上這些數字中要作一個選擇，祇有大法官的解釋，纔是合法有效的。因此行政院和國大秘書處於一月間函請司法院解釋，司法院於收到上項函件，即交付大法官會議審議。當時就作了一項原則性的決定，就是在此一憲法解釋案中，不準備採取任何具體數字，因爲目前國家是處在一個非常的變局中，何時能反攻大陸重辦普選不得而知，此刻縱將一個最低的數字作爲國代總額也祇能解決這一次國大的問題，六年後又發生什麼變故，是不能逆料的，如若干代表已屆六年，隨時都有死亡可能，是則六年後的國代總額豈非又成問題？到那時大法官再作「新」解釋，就很難措詞。爲了避免以後的煩惱，縝思的大法官們就來個萬全的方法，儘量使解釋富有彈性，因此昨天就通過了「應以依法選出而能應召集會之國民大會代表人數，爲計算標準」的解釋文了。

大法官總數十七人，現存者十五人，全體均出席會議，對此案的解釋，十四人投同意票，一人表示不贊成。外電報道會議中發生重大爭執，若干大法官反對此一解釋，但詢諸有關方面，都否認此一報道。

今天內政部公布，截至二月十二日的統計，目前能夠應召出席的國代總數爲一千五百七十六人。已報到一千三百零五人，旅居海外的一百六十餘人，大部份都將出席。記者頃訪問國大代秘書長谷正綱，據說此次出席的總人數可達一千五百二十三左右。據此，則內政部公布的一千五百七十六人，就是大法官解釋國代的總額了。

四十九、二、十三、寫自台北

台灣通訊

于斌與輔仁大學

健生

關于輔仁大學在台復校的事，目前已至成熟階段。遠在田耕莘樞機前次返國時，前教育部長張其昀在歡宴席上，便曾代表政府希望輔仁能在台灣復校。但其他許多原在大陸的大學雖曾屢次請求在台復校均未獲准，於此可見政府對輔仁期望之深。輔人復校，對失學青年是一大喜訊，也是教育界的一件喜事。天主教南京區總主教于斌去年春間返國時，感於國內各界對這件事的反應，遂應允赴美後將抽暇赴羅馬將請求復校事報告教廷。

于總主教於去年六月去羅馬首謁教廷傳信部長雅靜安樞機，將請求復校的事說明，雅靜安樞機當即表示贊同，並說：「現在是兩個問題，應當做些什麼？怎樣做法？」于氏對這兩個問題，當時未即予回答，因爲茲事體大，畢竟是要加以縝密研究的。同時，前任駐華教廷公使黎培理對此事已經有過報告。但雅氏的意思，那是公使個人的意見，對中國籍的主教意見他還要聽聽。因此，于總主教對這兩個問題詳作研究，並採納了許多中國神職班神父們的意見，在四張草紙上擬定了對於雅靜安樞機所需要詢問的答案。

雅靜安樞機不但同意于的意見，並且提出兩個原則請他回去研究：八個修會辦不到的事，多數修會可以辦到，去與各修會負責人商量，其可能性如何？經濟問題確實很困難，去美國看看他們是否夠幫忙？

于總主教在羅馬即與各修會的總長交換意見，他們都一致贊成這件事，並考慮如何參加。在美國時，也與主教、教友和神父們商討，他們咸認此時一下手要籌幾百萬元到台灣去辦學校，那是不可能的，現在只有每年籌個三、五萬元還有辦法。惟有波士頓庫與樞機答應捐助十萬美金。于總主教去年十月間再去羅馬時將這兩個不太理想的結果據實報告雅樞機，他以爲復校的希望幻滅了，誰知雅樞機卻認爲這件事情應當辦就要辦，不管經濟如何困難也得克服。於是在去年十一月三日教廷傳信部便正式發佈Decretvm任命于斌爲天主教輔仁大學校長。是日，雅樞機偕同于校長晉謁教宗，教宗說：「這個與中國教務前途關係甚大，我一定盡力幫你忙，現在，先給你十萬美金，這只是一個開始而非最後，今後還要盡力之所能來幫助你」。教宗此舉旨在拋磚引玉提起全世界天主教友的注意。

輔大在此時此地復校，其所具有的政治意義非常重大。于總主教說：我們的祖國正在危急存亡之際，錢的問題，自然更是加倍困難，教宗的贈款，將是我們將來募款成功的象徵。尤其難能可貴的是教廷這種明智的決策與教宗這樣慈愛的表示，不僅是對於中國教會和教育界增加一個教育青年的機構，而對我們今天在台灣的中華民國政府更是一種鼓勵和精神上的支援。

于總主教對即將復校的輔大，抱着堅定的信心與崇高的理想。輔大將先建立文、教、理三個學院，波士頓庫與樞機與教宗捐助的二十萬美金，用來建文、教學院，聖言會總長舒德神父答應捐三十萬美元建理學院。計劃中的工、農、醫、法、商學院和一個現代語文專科，則由多明我會、方濟各會、奧斯定會、耶穌會、遣使會、本篤會等六個修會來辦。現在這幾個大的修會都正在爲建校事籌備計劃中，在不久的將來，這九個學院都將次第完成，在自由中國的教育界是一朵奇葩。該校校址將在台灣中部選擇一個理想的地方建校。而輔大復校後的教育方針，原則上與過去一樣，不過，于校長對三知論的自然科學社會科學與宗教科學將特別重視。

二月十二日於台北

社會小說

香港地

永容著

一、一幅剪破的山水畫

客人是個鬢髮蓬鬆，衣衫不整的中年婦人。她這一哭，把這個長髯掩胸的包租公嚇得呆了。

這包租公姓譚，名叫福祿，一九四九年隨着大隊難民到香港，才只兩年光景，散盡黃金，遍遭白眼，空有一身才調，翻盡無數觔斗，竟然走到絕境，眼看非向街頭討飯吃不可了。正是天無絕人之路，一天，他餓着肚子在街頭蹓躂，偶然看到一個黃臉的中國老太太，用英語講耶穌基督的道理，卻由一個碧眼的西洋牧師翻譯為幾種中國方言，引得路人圍觀，好不熱鬧！他靈機一觸，計上心頭，便想出一條生財門路。

他天生一把好看的鬍鬚，便靠德橫官混飯吃，臨時找個朋友合作，幹起看相占卜的生涯，他剃光了頭，穿上大紅僧袍，在一間神廟門前擺開攤子，掛起招牌，自認是西藏喇嘛，說的是連他自己也聽不懂的西藏話，由他的朋友譯做廣東話，把相理命運說給客人聽。因他形容怪異，方法新奇，居然靠此發財，積聚了一筆錢，這才使他後來有做包租公的資格。

他拿幾千元承頂了一層廉租的舊樓，自己住在前面騎樓部份，餘下便調為幾間房子和幾個牀位，出租與人，按月收取租金，積少成多，除了他本身應該繳交業主的租金，餘下便用來維持生活，倒也寫意。一把鬍鬚厚臉皮，賺來樂業安居計，豈是他起初發步也料不到的。

這個含悲來訪的婦人，從前原是這層樓的住客，丈夫姓潘，人人喊她做潘師奶，因欠租太多而遷出，總算他胸襟寬厚，催租從不太兇，並曾在她遷出之時，贈金相送，因此，她往常也會似舊燕重來，探問這位仁厚的包租公，只是從沒像今天這樣哭啼啼，顯得如此可憐。（一）

古人「鑽術」漫談

劉岱峨

古來讀書人傳統觀念，是「學優則仕」。似乎治學與做官是兩面一體的事；而頭戴烏紗，身披朱紫，更是讀書人終極之目的。積習相陳，於是人皆趨之若鶩。無奈粥少僧多，爲求登進顯達，因便有了「鑽術」的醞釀。其間不問手段高明與卑劣，但求滿足一己之利慾；凡此術造詣愈深，工夫愈妙者，飛黃騰達的機會也愈多。所以社會隆污，政治衰敗，一切莫不繫於貪緣干進的「鑽術」而起。小焉者遺臭萬年，貽羞終身；大焉者關係乎一代興亡盛衰之國運。

「鑽術」跟着時代的變遷，其方法花樣也迭有推陳出新之造化。一般雖是循着「酒色財氣」的路線走，固然銀子白，人眼紅，能抓住「財迷心竅」的心理，未始行不通；但是至銀錢財，奔走權門，縱使「鑽術」，有時也會失靈的。技巧如何？便有賴於「運用之妙」了。像嚴嵩當權之日，群僚逢迎阿諛「行鑽」法術，高明者便舉性事爲「乾爹」。

馴至閹官魏忠賢干政，權傾一時，朝野爭相爲他修建生祠，祀長生祿位，其人格卑鄙，固不問可知了。胡林翼爲爭取官文總督的姨太太青睞，不惜卑躬屈節，親詣內庭拜首祝壽，果然因纜這位如夫人庇護，以後騰達仕途。此不過「走內線」「鑽術」別徑之一而已。

「鑽術」技巧的運用，猶如郎中對症下藥一般。否則徒勞心機，毫無效果。因此要本其所好好之，追求進取才有所獲。蘇東坡詩云：「不敢包羞「鑽」權倖」。就是寓有別指之音。王安石執政時，小人行「鑽」得志者衆多，因此朝野就一稱之曰「十鑽」。後來王安石去位，劉世安劾王子韶舉「十鑽」之內爲「衙內鑽」便是一例；蓋明指其術，有如刀「鑽」之利也。元祐初年，呂公著入相，想挽惡風，力主簡靜，以遏行「鑽」。但由於他性喜佛禪，士大夫們猜透他的心理，乘機以禪道之說，投其所好，並且時常進出於寺觀古剎之中。邀得青睞干進者，爲數也復不少。所以「鑽術」名目，也被時人增列「禪鑽」一說。「鑽」之術法可謂源遠流長，如班固答賓戲云「商鞅挾三術以「鑽」孝公。」方今治官編亦云「今之巧宦者皆謂之『鑽』。」証之前代，「鑽術」於古氾濫已然，該無置疑了。所異者「鑽」法之玄妙異趣耳。且看以下幾個事例：

韓侂胄當政，朝臣許及之奴顏婢膝，「鑽」工到家，因得同知樞密院事。某日韓壽辰，他自應造府申賀，但因遲到，韓府門禁森嚴，守關者便不讓他進去，這一下急得他誠惶誠恐，生怕得罪了相國。窮極計生，便不惜紆尊降貴，急急忙忙私自由府門中闖僂而入。馬屁算是拍上了，可是傳鬧出去，人們卻給他取了一個「鑽狗竇」（意謂狗竇也）的外號。爲古今善「鑽」者開一個莫大的諷刺。又有一次韓侂胄在私邸南園大宴賓客，席間並邀來賓遊園，韓侂胄在舉步欣賞間，環顧竹籬茅舍，悠然自得道：「此眞田舍間氣象，但欠犬吠雞鳴耳」。語出無心，哪知卻爲急好行「鑽」者——官拜侍郎的趙師𢍰聽到之後，認爲逢迎機會難得，便暗自一人溜到花木叢樹之間，隱蔽起來，大大地表演一番犬吠的口技，維妙維肖，用博主人歡心。其行徑之卑污，窮「行鑽」之奇術，寧不令人嘆爲觀止！

有宋一代「鑽術」固屬妙得出奇，所以嘉定年間，士大夫有諷刺論從政者云：「將仕者皆改官，獨顏子不得改，夫子曰：回也不改。或曰：「鑽」遂改。子曰：顏子「鑽」錯了，「鑽」之彌堅，如何改官？」我們當然明白這一篇對話，是借用論語——措辭在此，寄意在彼的戲謔口吻。但絃外之音，也是寄語好「鑽」者身入權門要摸清對象心理的意思。平常我們慣聽「戴高帽子者」的笑話，不是也正有異曲同工之妙嗎！

近百年以來，我國官僚中，最善「鑽術」者，要算袁世凱首屈一指。當他駐兵天津之際，親迎慈禧太后車駕，伏地叩頭，把額緊緊貼地面，屏息沉氣，那一副必恭必敬的姿態，當時博得慈禧讚賞道：「眞社稷臣也」。那知後來拆「愛新覺羅」台者，卻是這位社稷臣呢！足見精明如慈禧者，也竟爲鑽術之徒，迷住了眼睛。

不過袁世凱雖善「行「鑽」」而自己卻爲他人「鑽」術打破了一場帝王迷夢。當他意圖篡國改元洪憲之前，臣下某大臣曾阿附諂媚上書云：「賴大皇帝之威靈，軍未浹旬，而江表戡定」以後，帝制不成，人心渙散之時，那位大臣竟又上書痛斥：「慰庭先生閣下」把他生生氣死。所謂以其道還諸其身，因果昭彰，絲毫不爽。凡屬「鑽」者，能不爲此戒懼根絕！

民國初年官俸

士猶

民國元年中華民國臨時政府，對文武官員之俸給，曾有所規定。根據臨時政府公報所公布，凡出征之軍人，大將軍月俸七百元；次於大將軍者爲左將軍，月俸五百五十元；更次，爲右將軍，月俸四百元，更次的，爲大都尉，三百元。次爲左都尉二百二十九元；右都尉一百六十元。大軍校八十元；左軍校五十元；右軍校四十元。司務長三十元，上士七元；中士六元；下士五元。上等兵四元五角；一等兵四元；二等兵及輸送兵三元五角。所有出征之士兵，每名每月另給津貼三元；夫役四元。以上均十足發給，以示優待出征軍人。蓋當時和戰未定，政府對出征軍人不能不有此優待。

後方文武官員之俸給，則不能與出征軍人同樣待遇。計大將軍及各部總長，月俸現金一百六十元，外發公債券七十元。左將軍及各部次長，月俸一百四十元，外發公債券六十元。右將軍及各局長，一百二十元，公債券五十元。大都尉及各科長一百元，公債券四十元。左都尉及一等科員，八十元，公債券三十元。右都尉及二等科員，六十元，公債券二十元。大軍校及三等科員四十元，公債券十元。左軍校及一等額外科員三十元。右軍校及二等額外科員二十元。此外各機關司書人員，按兩等發給，一等月俸十八元，二等十四元。參議顧問等官，則照官階等級發給，一樣配搭公債券。士兵之非出征者，與出征者比較，僅每月少發三元津貼。

按當時所通用者，爲大清銀幣，一元值港幣三元。

武俠小說

江南酒俠

第一回：往事棘心　放歌還縱酒　今生惡報　自害復傷人

西北高原，氣候奇寒，時值冬初，蘭州附近，已是一片冰雪，遠山近水，冰封雪鋼，樹梢屋頂，盡披白甲，極目所至，盡是琉璃世界，天地一色。

這時光，人們多已圍爐渡冬，只有些孩子們，偶在門口堆雪人玩耍，個個棉衣皮帽，小臉凍得通紅，行動笨拙得如同剛出世的小熊，笑聲卻響如銀鈴。

在八里灣村外，一羣兒童，堆成功一座彌勒佛，肚皮鼓漲漲的，笑容可掬，垂眉低目，盤足靜坐，與廟中塑像一般無二，小孩們喜得拍掌大笑，手拉着手兒圍着這雪彌勒，團團亂轉，齊聲合唱：

「慣了你，慣了你，偏生淘氣，幾番要打你，怎禁你笑臉陪，笑臉兒相迎，乖！莫說打你，就罵也罵不起！」這原是一首情歌，中間還有「慣了你，倒把奴撇，慣了你，反到別人家睡。」四句。孩子們不解情愁就省略了。

正唱得高興，忽然身後有人咳了一聲道：「唱錯了，漏了四句！」話音略停，突自「唉」的一聲長嘆，接續道：「不過，漏得很好！」小孩們回頭一看，只見一個三十左右的中年人，鬚髮蓬鬆的立在他們身後，立刻一窩蜂的擁將上去，爭道：「韓叔叔，你又來嚇我們了，快做一個單掌豎跡給我們看！」中年人神情黯頓，閃目強笑道：「你們這大年紀，成天什麼頭下腳上的翻跟斗，有什麼好看的！還是你們堆羅漢給我看吧！」一語未畢，一個身材較高的孩子，已抱着雪彌勒背後，掏出一隻酒壺高舉在手中道：「韓叔叔，你看這個！」中年人精神一振，攤開手掌道：「牛兒！快拿來，還是你知道我的心事！」牛兒將手一縮腳尖一轉，連人也閃去雪彌勒背後，做了一個鬼臉道：「美得你呢！你不快將雲板取出來，再唱一曲我們聽，休想沾到這酒壺一滴兒！」（二）

大陸文壇萬花筒

冰心的近況

岳騫

提起謝冰心，相信不少的人仍在懷念她，這位五四時代就已經成名的作家，三十歲以上的中國人，大多數都是她的讀者。尤其是她的「寄小讀者」，更是中學生的課外必讀物，她那種獨創一格的文體，三十年來還無人趕得上。

抗戰勝利後，冰心的先生吳文藻任我國駐日代表團第四組組長，住在東京。以後大陸變色，舉國沸騰，但是他們一家的生活並未受到影響，不料吳文藻受到共特蠱惑，竟然攜眷回到大陸去了。就冰心的思想來說，她對人類充滿了愛，而共產黨卻以恨人爲出發點，兩者思想原是極端相反的，可是，冰心完全是一個賢妻良母的中國女性，明知不妥，爲了遷就丈夫也就忍痛投進了鐵幕。

冰心夫妻回到北平之後，最初也頗受到共黨禮遇，但是共黨對付這批人有個原則，就是飯有得吃，事情卻沒得作，當作一個花瓶擺着，遇到可宣傳利用時，就拿出來展覽一下。所以冰心自回到大陸以後，從未發表過一篇小說或散文，偶爾遇着「慶典」，奉命寫一篇歌頌共黨的東西，那也算不上是文章，而且也未必眞是她寫的。

這種情形，冰心還能忍受，吳文藻卻按不住怒火，一九五七年大鳴大放時，他挺身而出指責共黨欺騙知識份子，鳴放之後，吳文藻被列爲第一級的右派份子，送到社會學院去改造，和羅隆基、費孝通、潘光旦、吳景超都是「同級同學」，到了去年年底，才蒙赦免，摘掉右派帽子，但是在這一段時間，冰心的痛苦可想而知。

本年第一期文藝報上，有一個署名李何林的人，寫了一篇文字抨擊冰心的舊作品反動，尤其是「超人」那篇小說，提倡人類普遍和愛，「是抹煞階級區別和階級鬥爭的觀點」。另外在第二期「旅行家」上面，也發表了一篇冰心訪問那兒的文字，從那篇文章可以看出來中共目前也不讓一些老作家住在北平享福，而要他們下鄉到農村、工廠去「鍛鍊」，雖女作家也不能免，另一方面也可看出冰心文字的技巧仍然高明，他雖大捧了共產黨一輪，最後卻暗示道不過是一個「邯鄲夢」罷了。

釋耒集

男女平等論

平等之說，倡自釋氏，中土惟墨學兼愛與之相近。故清末民初之際，我國士大夫，亦相率揄揚墨學，及辛亥革命成功，帝制覆滅，滿族人無復享其特權，號爲五族共和，平等之論，亦漸消歇，近時爭平等者，獨爲香港之女傑而已。因香港地位特殊，容許男子納妾之大淸律例，猶相仍生效，而香港多巨商，坐擁多金，不免藉此以增置內寵，但香港婦女，以居於香港故，習聞歐西政俗，以一夫一妻爲天經地義，對此乃不勝其憤憤，有力者遂倡爲集體行動，向英廷抗議，務在取消此一封建、落後、損害女權之律例，自運動之興，今已屢更寒暑，將來成就如何，不可預知。特以爲天之生人，原非平等，尤以男女爲然，至於人之有妾媵，自昔實由於形勢使然，章太炎先生在袁氏當國之日，一度被囚，自份必死，有獄中寄湯夫人書，纏綿愴惻，其篤於夫婦之倫，世所共知也，然其論男女平等，則謂勢必不可，其言曰：「一歲之爲盜賊勞作以死者，皆男也：男之凋喪，則怨女自多，而不得不制妾媵以通之，且人類者欲其蕃衍，與一女伉數男，則不如一男伉數女，夫以一男而伉數女，此猶三十幅共一轂，即其勢固不可以平等也」此種論調，固必不爲婦女界所悅服，然既謂之勢，則亦無可奈何，大淸律例，具文而矣，妾侍之有無，固不繫於此律例之存廢也。考諸國史，上古之世，固有所謂母系，女統之時代矣，亦未必可證女子之必強於男子。反之我國女權最盛之時代，實爲南北朝，按宋書卷七前廢帝紀云：「帝姊山陰公主，淫恣過度，謂帝曰：「妾與陛下，雖爲男女有殊，俱託體先帝，陛下六宮萬數，而妾唯駙馬一人，事不均平，一何至此？」帝乃爲公主置面首左右三十人。」又北齊書卷二八元孝友傳：『將相多尙公主，王侯娶后族，故無妾媵，習以爲常，……舉朝既是無妾，天下殆皆一妻，……父母嫁女，則敎以妒。』風俗如此，人故不敢有妾媵矣。男子於此，乃寧可無妻，故南朝宋世諸公主，下嫁之先，皇帝明知已女嚴妒，乃令駙馬先行上表辭婚，然後持表以示公主，使其自知斂抑」。皇帝嫁女竟如此不易，則爲女子者雖極善妒，具有制夫之權力，將何所用之乎？傳曰：「婚姻之禮廢，則夫婦之道苦。」關雎二南之化首，在「琴瑟友之，鐘鼓樂之，」初無所謂平與不平，而全在於彼此之敬愛耳。

曲齋

粟海彈心錄

儒釋之道（中）

阿公

唐初禪宗六祖惠能，以無相無住無念，弘揚佛法，與孔子四勿四無近，大興禪宗。其無相頌云：佛法在世間，不離世間覺。離世覓菩提，恰如求兎角。又云心平何勞持戒，行直何用修禪。恩則親養父母。義則上下相憐。讓則尊卑和睦。忍則衆惡無喧。苦口的是良藥。逆耳必是忠言。改過必生智慧。護短心內非賢。菩提只向心覓。何勞向外求玄。衣缽薪傳，是平正通達，則禪而儒者也。

宋代周、程、蘇、張、謝、蔡、朱、陸、或尊德性，或道問學，幾無不陟如來之堂，而入孔子之室，明初吳康齋，操行近禹墨，門弟子陳白沙，再傳湛甘泉，則又私淑於陸九淵矣。陽明學術，近接象山，晚多取證甘泉，納事功於學術之中，則又遠承范希文程明道矣。白沙之學，由博反約，而以主靜澄心爲主。灑然自得。甘泉之學，務求自得，而以體認天理爲主。是白沙之所謂心，即陽明之所謂知，澄其心，即所以致其良也。甘泉之所謂天理，亦即陽明之所謂良知，致與體認，則又二而一者也。是皆以一心爲體，學問爲用，幾何不由儒而禪者乎。

綿延至劉宗周，暨其子弟黃宗羲等，則又以愼獨爲主，蕺山受於許孟中，孟中以性無不善，故知無不良，陽明無善無惡心之體，蓋指其寂然未發時言之，若以心意知物，俱無善惡，非王門正傳也。孟中師承於唐一菴，一菴融通湛王二家之學，而以眞心在我，不離不二，爲天理良知之會元歸一，是亦儒冠而佛衣者也。

大抵宋明諸儒，由如來之堂，入孔子之室者，多短佛而崇儒，程朱陸王皆是也。由孔子之堂，入如來之室者，則含儒而依佛，陳瓘袁弘道等是也。故梨洲之學，亦不能脫此窠臼，自以近接蕺山，遠承陸王，且用以詆佛，然觀其答錢牧齋楞嚴經流變三疊之間，並示橫竪三疊九道千二百之圖，可以知其出入佛門之深不在袁中郎下。楞嚴經，三四四三，宛轉十二流變三疊，一十百千，總括終始，六根之中，各之功德，千有二百。

民族學

謝康

讀書小誌

杜爾幹在「宗教生活的原始形式」裡，以爲初民社會內性質，具有「一致性」及「簡單性」兩種性格，這句話從技術方面觀察，也許可以說，但在其他方面，似乎還有問題，對初民社會的研究，的確是很困難的問題，似乎非要依靠民族學（舊譯人種學）的幫助恐怕不能完成其任務。

民族學的能事，在於用人類學和社會學的方法，很正確而又深刻地研究和認識各民族生活的演進及其適應環境而產生的精神文化和可以代表一切集團生活現象的物質文明，從而幫助我們了解人類各社會各種族各文明各宗教以及各種語言上的綜合情況，我們如果對於一個民族要作一番綜合的全部的研究，檢討與考察，非從民族學的方法及其研討所及的範疇着手，必不能窺見這一民族的眞面目和眞精神的全部。

關於東西文化的探討，我們也許有借重民族學乃至人類學的必要，僅僅以哲學的，或政治學的見解來討論文化問題，都難免限於一種偏見或歧路上。

代郵

趙滋蕃、曲齋、岳騫、木客、趙公明諸位先生：

尊稿請早日擲下，以便付排。

·編者·

「癌症臨床經驗談」的好處

在近十年來，英、德、法文的醫學著作，談癌的早期診斷，臨床診斷，以及各種治療方法的，大大小小約一百三十種。其中有好有歹，有時，也輾轉相鈔。但夠得饅遺本「癌症臨床經驗談」（Fundamentals of Clinical Cancer），却値得提出來談談。

作者於本書，積累了二十多年的臨床經驗，有上萬的癌腫患者的病例可供直接取材，比起那些「博而寡要，勞而無功」的買空賣空著作來，當然要實際有用得多。

對於那些以「合法殺人」爲職業的同道們，我奉勸他們多看本書的第六章、第七章、第八章、第九章，即泌尿生殖系腫瘤、乳部腫瘤、婦科腫瘤，與淋巴母細胞瘤與白血病等等。看看人家的臨床診斷上的鑑別特徵，以及單純性手術或根治手術，放射療法或藥物療法等治療方針的實際應用，或者可以少作點孽，至少不致錯把馮京作馬涼，「蜈蚣、蠍子、蛇」（此典出自台北某中醫學院院長）的亂嚥一通。

對於那些「合法被殺」，而且還要向上帝感恩的、具有東方優良品德的未來癌腫患者，我想照譯「癌症預防十誡」，以廣宣傳。

（一）欲減少陰莖癌、前列腺癌、女性子宮頸癌的發病數，最好生下來就來一次包皮環切手術。

（二）對付每一個頑強性潰瘍病灶，應作活組織檢查。

（三）採取活組織標本時，不要把非潰瘍性腫瘤也一併切入。

（四）對乳部每個腫塊在沒有証實爲良性的之前，一律視爲惡性的。

（五）應懷疑一顆起變化的痣。

（六）發現痰、尿、直腸中出血，首先要想到癌腫。

（七）治療啞嗄、咳嗽、消化不良、便閉前，先將惡瘤可能性排除。

（八）根治子宮頸內膜炎，可以避免子宮頸癌。

（九）絕經期後如果出現陰道流血，應馬上準備癌的治療。

（十）能引起持續性疼痛的腫瘤（骨瘤除外），都不宜施行手術。

·黃綠醫生·

……積微居談藝……

談「詩意」

趙滋蕃

上一次我談「眞藝術和假藝術」，大概是爲了篇幅的關係，被編者先生删掉了好些地方。他所删掉的，正是我覺得重要的，因此，我在這兒要補談「詩意」。

時下批評家喜歡用一些四言八句的字眼，來恭維某些文學作品，如「富有詩意」，「非常有趣」，「精采動人」，「情節曲折」、「絲絲入扣」，「峯廻路轉」，「高明哲理」等等，表示他們對該作品的欣賞。其實，這些濫調的任何一項，或者數項湊在一塊，或者符合所有各項的要求，我們都無法證明批評家筆下所稱道的作品，是一件好作品。眞正的藝術作品，與這些評語完全無關。

君不見我們的文學作品裏頭，鄉村的紅色尖屋頂上，不是輝耀着玫瑰色的晨曦嗎？君不見那些寂寞的心扉，時時在敞開，難忘的往事，不是一幕一幕地重現嗎？君不聞，夜鶯的歌唱，不是美好動聽嗎？君不欣賞，那些頭戴翠鳥羽冠的少女們在透明的夜海之濱徘徊嗎？……

……這些誠然是「富有詩意」的，但在藝術上，却完全是要不得的。爲什麼要不得？因爲這些題材，都是順手牽羊借來的。

凡屬是上面所例舉的「富有詩意」或諸如此類的題材，都有一個主要特徵，即我們可以找出它的摹本。能夠在藝術上用拷貝的東西，總歸是不値錢的。拷貝的拷貝，定然令人作嘔。「富有詩意」是句門前話，骨子裡邊，存在着「借用」。在「富有詩意」與「借用」之間，我們幾乎可以加上個等號。

人們爲了要求作品的「富有詩意」，就會想方設法借用別人的題材。跟隨這種偷龍轉鳳手段而發生的一些壞效果，第一是損害了作品的完整，第二是損害了作品的有機的聯繫，第三是使形式和內容完全分家。

舊衣服補上一塊塊花花綠綠的絲絨，其庸俗與不調和，簡直比捉襟見肘更難看。

眞正的藝術作品並不要求模倣或反映。藝術的眞諦不在美不美，或富有詩意與沒有詩意，它要求的是另外一些東西。藝術要求感情的傳達；而眞藝術中的感情必然是眞摯的感情。

報格

人有人格，報紙亦應有報格。一張報紙而沒有一個格存在，則這張報紙乃屬於隨波逐流之類，那是不足取的。

天下太平，隨波逐流，還不必有多大的影響；但一到危急存亡的關頭，是非不分，黑白不明，這個報格可就很重要了。報紙不能完全迎合讀者，它必得運用其暗示力以影響讀者。談到影響，就必得有格。

天下大亂，邪說蠭起，能明其是非，辨其黑白，然後發而爲文，以堂堂正正的立場昭示讀者，是即所謂中流砥柱，對於萬千讀者來說，這是必要的。有報格在，則不致故意阿諛以取好於人，亦不致於任意曲解以失信於讀者，它永遠有一個中心思想在指導自己的言論，乃不致於越軌。

辦報紙不能視爲是一種商業活動；因爲要從事商業活動，實在是無需乎辦報紙的。每一個報人，都應該把自己看成是正從事於一種文化活動；也必須有這種認識，纔能感覺到報格之可貴。

站在商業眼光，顧客什麼都是對的，一切都得遷就讀者，迎合讀者，但報章文字可就不能這樣了。

報章文字而一味迎合讀者趣味，也即是沒有了報格。

當然，也可能有人說：如一味高談報格，則辦報乃必致虧本。我的答覆是：辦報紙的資本比開一間當押店的資本要大得多，你有資本，却不去開當舖而要辦報紙，自然有理想在。換句話說，你必然是覺得文化事業比商業活動重要，你纔有胆量，把資本投到這裡來。不然的話，何以不拿這筆錢去開當押店呢？

生海樓隨筆

徐學慧

（編者小語）

一張報紙的文字，是否能適合每一個讀者，那是誰也不敢說有此把握的。我們所能做的，是不斷地求改進，當然，這需要愛護本報的作家們，給我們以最密切的合作，同時，也盼望愛護本報的讀者們，給我們以寶貴的意見。

創刊伊始，有些地方不免草率，我們希望在不斷的改善中求取進步。各地的通訊，不論是談什麼問題，只要確實而生動，我們是歡迎的；一千五百字左右的短篇小說，只要不落俗套，我們也是歡迎的。我們無意把這塊園地當作「禁區」，任何人，只要他有興趣，都可以到這塊園地來散散步，談談心。

自由報

THE FREE NEWS

半週刊每星期三、六出版

第三期

每份港幣壹毫

社長：雷嘯岑

督印人：黃行奮

社址：香港銅鑼灣高士威道二十號四樓

20 Causeway Rd. 3rd. Fl. HONG KONG

TEL. 771726

電報掛號：7191

承印者：田風印刷廠

地址：香港打道高士打道221號

東南亞的隱憂

胡詰

赫魯曉夫正在訪問印尼。當他的噴射機停落在椰嘉達機場的時候，他一定會意識到這是遠東共產主義最初萌芽的地方，也是莫斯科所可能摘取的第二顆最大的果實——第一顆是中國大陸。

印度尼西亞是一個「泱泱大國」，人口近九千萬，物產之富，遠東無與倫比。從共產黨的戰略角度看，這是整個東南亞的後路：奪取印尼之後，其他許多腹背敵受的國家，大可傳檄而定。而印尼又偏偏正在向共產黨的陷阱滾去。

紊亂再加上惶惑

紊亂是今天印尼的情勢，惶惑是今天印尼人的心情。這個擁有無盡寶藏的國家，今天正爲貧困所擾，而其貧困的原因，決不是由於荷蘭人三百五十年的統治，而是由於共產黨人有計劃的破壞。二次大戰以前，印尼原是一個有餘糧可以輸出的國家，現在却必須每年輸入大米達一百萬噸之鉅。糖本來也是有餘產可以出口的，現在也須輸入。橡膠，印尼的產量本來佔全世界第一位，現在却已落在馬來亞之後，而且仍日在衰落之中，以至有一位議員曾憤慨地說，是不是印尼不久必須輸入樹膠？這一切，其最大的原因是在於農村的不安定；而造成農村的不安定的則是印尼共產黨。

爲了生產銳降，於是這個國家便陷於窮蹙了。其窮蹙原因還有另一個，討伐叛軍的軍事費用。這筆費用，依目前印尼幣值估計，大約爲每天五千萬元。但誰都知道，叛軍之所以叛，只是因爲不忍見國家的政策爲共產黨的陰謀家們所操縱。只要中央政府能夠清共，叛軍可以立即放下干戈。

通貨澎脹的惡性循環

印尼共產黨所策劃的一套，假如印尼人還看不清楚的話，受過了共黨毒害的中國人却是一目了然的。農村不安造成了生產衰落，生產衰落使外滙枯竭，物資缺乏，物價騰漲；接着是一種惡性的循環：政府不得不靠鈔票的發行來彌補財政的虧虛，鈔票的發行額愈鉅則物價愈不可抑制，通貨膨漲的形勢愈來愈惡劣，於是社會紛亂，人心思變，共產黨便得以救主的姿態出現。目前印尼正已陷入這樣的險境。去年八月，政府爲了減少通貨的流通量，異想天開，强制地將千元和五百元的大鈔貶值百分之九十。據政府的發言人表示，這使政府從三百二十億的發行額中奪回了一百二十億（客觀的估計爲奪去了八十億），但不旋踵間，發行額又已回復到未貶值前的數字，目前且已超過。其結果是物價不斷上漲，而且，和中國從前一樣。漲價的事物總是由國營的東西領先。

政府與群衆對立

到了這樣的機契，共產黨的老套又使用出來了：組織羣衆和政府爲難。各地已有請願的隊伍出現。它們的理由是非常正大的：請政府抑平物價，請政府將物價訂定在過去一個時期的水準上。政府自然做不到，但請願者爲了的確活不下去，決不會罷休。儘管目前全印尼還在緊急狀態的軍事控制之下，到了日食難渡的時候，羣衆的騷動事件還是避免不了的，因之就會有流血事件。這一類的事件，陸續發生以後，政府和老百姓對立的形勢便形成了。

不要以爲印尼共產黨還沒有武裝，因之暴力奪取政權的情事還不至發生。沒有人知道印尼共產黨在軍隊裡，特別是在下級幹部間，滲透到了什麼程度，也不要以爲印尼和共產國家沒有接壤的地方，外來的接濟不易滲入。這個島嶼如星羣的國家，到處都可以取得自海上的秘密接濟。

蘇加諾的騎牆術

在這樣潛在的險惡的局勢之下，印尼的當權者的對策如何呢？蘇加諾總統到底領着印尼朝那裡走？一句話說，這位風流自賞的人物正在玩弄着他的騎牆術。在外交方面，他學步尼赫魯，想從美蘇雙方都得到好處，由於印尼這塊地皮的重要性，他多少可以有些成就。上月他剛宣布已從美國方面獲得了五千萬美元的援助，目前他一定在籌劃着如何也從赫魯曉夫那裡撈一筆。在內政方面，他一半屁股坐在以國防部長納蘇賢爲首的反共軍人的肩膀上，另一半則坐在共產黨及其同路人的肩膀上。依目前的形勢，他還可以維持兩個肩膀的平衡，雖則已經坐得不很穩貼。但這位愛虛名而不務實際，多議論而不求甚解的人物之終須一交跌了下來，留心印尼政局的人是敢於斷定的。使共產黨勢力在印尼明生暗長，這個人負着最大的責任。

排華的問題

至於當前印尼的排華問題，我們自然對雖些處境艱苦的同胞無限同情。但比起印尼本身以至整個東南亞前途的問題來，那還只是一個小問題而已。可注意的是，中共正在把一切歸罪於「少數的軍事掌權者」，而印尼共黨的態度也正和中共的一致。他們正在藉這個問題來引起華僑以及那些同情共黨的印印人對「少數軍事掌權者」的憤恨。他們的論調是：只有當印尼共黨奪取政權之後，外國人才不會遭受歧視。從莫斯科到北平到椰嘉達，共產黨的目標是對一致的：印尼的政權。

且看赫魯曉夫這回撈取了多少？

時事述評

自由世界可恥的「怪現象」

方南

蔣總統在第一屆國民大會第三次會議揭幕時演說，曾慨言「國際局勢之混亂，人類心理之迷惘，自第二次世界大戰以來，未有甚於今日者」，接着指出：自由世界如在俄共政治詐術與戰爭威脅之下，增加幻想，陷入恐懼，受辱弄而不怪，束手徬徨而不籌求除禍弭戰的正當途徑，就必會弄得「禍福莫辨，利害不明，以易爲難，以敵爲友，忽近圖遠，捨本逐末」。自由世界今天確有此種「怪現象」，追求其源，所應警惕者確不只一端。

催眠術與惰性

最近美聯社華盛頓電訊一則，說及美國陸軍參謀長藍尼茲將軍，在其一篇準備發表的演詞中指出：早於三十年以前，俄共領袖紐爾斯甚便已說過，我們要對資產階級加以催眠，進行最樂觀的和平運動，資本主義國家愚笨頹廢，將欣然合作以自取滅亡」。此話似可說明：俄共催眠術確實厲害，自由世界才會顯出這種可怕而又可恥的「怪現象」，但事實仍不只此。

俄酋由史太林以至赫魯曉夫，一貫視資本主義國家爲愚笨頹廢，因此，不管我們怎樣大力設防，遍施「圍堵」，他們仍如庖丁解牛，目無全牛，看資本主義世界處處都是空隙，寸寸皆可奏刀，可欺與可嚇，可侮亦可殺。我們慣說西方國家有惰性，須知由於他們的選民有惰性，他們受選當權的人纔會如此怯懦因循，雖屬怪象百出，不自覺其可恥。

再者一般惰性所由來，可說由於兩次世界大戰的慘酷故事，大家記憶猶新。他們在期待和平，求繁榮，且大部確因享受繁榮而有滿足的心理，却不知已被俄共視此爲可執而利用的「心戰」弱點。貧窮則怨懟於不平，繁榮則耽於逸樂而不振，前者是俄共向自由世界所謂「落後地區」誘欺的有利因素，是爲「愚笨」，後者則爲「愚笨」而兼「頹廢」了。燦然絢麗的自由世界，竟似七寶樓台拆下來，不成片段，只要明瞭其所以然，就不必叫怪。

突破一點扭轉全局

自由中國反共戰士對三方面苦戰了十年。正面大敵是共黨，還要不斷向惰性的自我滿足者作辯爭，向愚懦的中立主義者作提撕，這不只立懦覺迷而已，更要和俄共中共的統戰份子在自由世界每一個角落展開惡鬥。今天若把十年血淚史篇來一次檢閱，我們必須認識的一個要點是：對整個自由世界而言，我們能做到「使迷者悟與懦者立」，已算不錯，但「悟」與「立」還只有助行「圍堵」的加强而已，要使能「悟」能「立」者再有進一步的作爲，那恐怕不是我們所能爲力了。除是敵人再給他們的最强烈刺激。

據此，我們只有傾力突破一點，以求扭轉全局，這便是：以自力在大陸打倒中共，盡其一切可能以赴。

讀自由

可哂的和平論

馮正先生

美英俄各國執政者正在修言和平，主張停止核子武器的試驗工作，發誓要消弭戰爭之際，法國却在北非實行試爆原子彈，認爲這是國家的光榮，足以增高它的國際地位。此一奇事也。

英國方面對於法國這項耀武揚威的行爲，頗感欣慰，說是法國已躋入國際「原子俱樂部」，允稱頭等强國了。又預料中共在最近的將來，亦將試爆一枚原子彈，成爲「原子俱樂部」之一員。此又一奇事也。

祗憑這類事証來觀察，誰會相信現在日內瓦舉行的禁止原子核子武器發展的技術會議，不是說瞎話，變把戲，而有絲毫創進世界和平的效用可言嗎？照這樣的情勢演繹下去，將來俄帝分別在中國的新疆以及波蘭、捷克等地區，暗置一枚原子彈，教當地政府出面試爆，而美英各國亦必承認他們都是國際「原子俱樂部」之一員，非請他們參加裁軍會議不可了！

如果現代人類眞是有永遠消弭戰爭行爲的能耐和方法，那就集全球大小國家舉行裁軍會議，大家坐下來談和平，講仁義，也是應該的。明知戰爭行爲沒法泯滅，而又以擁有新式武器爲促進和平的唯一條件，掩耳盜鈴，鬼話連篇，全世界就讓幾個强權國家信口開河，言話道斷，却不怕貽人以「自我諷刺」之譏，誰說現代人類的智慧是進化了呢？

前幾年，美總統艾森豪的「和平」論據是所謂「原子僵局」，即係感覺沒有打倒敵人的把握，才不得不賣和平膏藥；如今英美當局乃一變而發爲「原子俱樂部」的妙論，認定擁有原子武器的國家，纔有談判世界和平的資格。「和平」的眞諦如此這般，能不教人笑脫門牙乎？

我憎惡這種「和平」詞令，更討厭這類「和平」邪腔，他們都是和平之神的叛徒，崇尚暴力的與共產帝國主義者不啻一邱之貉也。

論道德重整

向晚譯

編者按：這篇文章，是英國名記者彼得．霍華德氏最近在瑞士柯峯道德重整大會上所發表的講演詞，原題爲「共產主義，反共產主義與道德重整」。

你希望共產黨統治全世界好呢？還是保持現狀呢？將這個提議向千百萬人提出，千百萬人都說：「我們寧願赫魯曉夫的共產主義能征服世界，改變了它，而且不願保持現狀」。

拉志讀罕．甘地（聖雄甘地之孫）說得對，他說：「我們只有兩條路，不是道德重整就是共產主義。」歷史指示我們，世界必須經常更新。我們不能僅止於彌補一些過錯，而是要大大地改變。我們要增加道德新型人的奇蹟。挪威共產黨創黨人之一（按即 Hans Bjørlo，十六歲即入黨，曾三次到莫斯科受訓，出席共產國際會議多次，一九五〇年轉變信仰道德重整）說，克里姆林宮未完成的事業，是未能創造出新型的人，一個具有新動機的人，共產黨是永遠創造不出來的。

道德重整卻正在創造這種新型的人中。想想世界上須要改革的事情罷。先拿塞浦魯斯說，自昔無知的西方人把塞島的青年逼上梁山，提着槍爲自由而戰。再拿非洲來說，今天道德會（按即柯峯道德重整會部）已有非洲人演了，「新的國家就要在他們手上建立起來。」不錯，自我們給予他們獨立已竟大了。天呀！須知那土地原是他們的。我們到目前還沒有給他們道德思想，讓他們保持自由。你們在最近建成自由的國家裡已經有了如軍事的或其他性質的特權。我不喜歡特權。我不以爲人要靠它才能生存。但是我知道，我們的自私，假使我們不改變，勢必使獨裁制（按即共產制）加之於世界。

改變人民的動機

想想美國，在南部各州廣大的財富中卻有饑寒的經濟困苦，並且因爲人民膚色不同而加以迫害。你以爲世界會永遠允許這等事繼續下去嗎？

當我們說，從道德重整或共產主義選擇一條路時，這個意思我們是反對共產黨嗎？否，道德重整是爲世界每個人每個地方，它爲每個男女或兒童需要根本的改變他們的動機，亦即需要改變人民的動機。

超越的思想型態的中心就是改變。假使一個人不明瞭這一點──即世界面對選擇，不是道德重整就是共產主義──那就是在他的一生裡未做過一個決定性的選擇。只有兩個全球性的思想型態能夠改變世界，一個是共產主義，另一個就是道德重整。世界是正在進行改變中。

我深深欽佩一個虔誠的共產黨員，他說未來的世界是和現在不同的。他將付出任何代價要教它不同。我不忘記欽佩的一個所謂基督徒，每個禮拜都到教堂，向上帝禱告，請求保持目前現狀。實在，以上兩種人都需要改變。

想想匈牙利，在所謂自由世界裏我們很便宜的就把匈牙利擲入蘇聯的口裏。爲什麼呢？在我們這一生裡，經過兩次世界大戰和帝國主義、法西斯主義、希特勒主義。馬克思在觀察了英國經濟狀況後，寫下了他的定論。但是，我們必須面對匈牙利的現實。爲什麼實行共產主義十年的匈牙利，當工人們起來反抗時，會被機關槍和坦克壓服呢？

我們要不要爲一個全球性的思想型態，實實在在地不僅使人民在家中快樂，而且還要推動社會的和經濟的正義於全世界而奮鬥呢？這就是道德重整，從一人到千萬人，從總統到坑裏的最低微的勞工。有些人以爲反對共產主義就可以獲得這種結果。殊不知，反對共產主義只能麻醉大衆和階級，是絲毫不能改變他們的。我所感興趣的，是那些不顧自己生命去醫治共產主義原因，毛毛原因和塞浦魯斯原因的男女們。

有兩個要點馬克思和列寧都未嘗想到。列寧有一次說：「如果有一個思想型態能夠改變資本主義的動機，那麼馬克思主義就過時了。」

糾正甚麼是錯誤

有這樣的一個思想。在這世界上有一種人民的力量，他們貢獻出生命，財產和神聖的名譽，要使這個思想變爲每一國家的正常生活。道德重整最大目的，即讓人民學習再過正常的生活，具體言之，就是糾正人的生活錯誤。道德重整的存在，那是早期共產黨人所永未預料到的一個要點。

還有一個要點馬克思和列寧亦沒想到。他們宣傳階級鬥爭是不可避免的。我不相信這個。如果兩個階級兩個陣營雖每方面都有一個炸彈足以毀滅全世界，那會怎樣呢？這又是一個新要點。有心人士都在想這個要點。一個國家裏的共產黨首腦私下對我說：「當我背後只有已毀滅的大陸時，我不願在最末的海岸上扯起紅旗。」

讓我們認清赫魯曉夫的真實野心。他說：「我們要和平共存。我們不要戰爭。」我不以爲俄國人民要戰爭，赫魯曉夫很有確信的用「和平共存」這個武器，想把全世界拿了去。假使我們以我們的確信和我們的生活去證明，我們決定糾正一切世界上什麼是錯誤的話，戰爭並不需要我們明瞭這一點，現始在開去做，這世界就會走向我們這方。

有這樣的一個思想。在這世界上有一種人民的力量，他們貢獻出生命，財產和神聖的名譽，要使這個思想變爲每一國家的正常生活。道德重整最大目的，即讓人民學習再過正常的生活，具體言之，就是糾正人的生活錯誤。道德重整的存在，那是早期共產黨人所永未預料到的一個要點。

赫魯曉夫在印度

李華

印度通訊

美國總統艾森豪威爾訪問印度，是去年十二月上旬的事。當他踏進新德里這個古老而又逐漸趨向時髦的城市的時候，估計有二百萬新德里市民傾巷而出，形成一個不平凡的熱烈的歡迎場面。此一情況，在共產頭子赫魯曉夫想來，實在是非常難過的。他必需想方法，來沖淡印度人民對艾森豪的懷念，同時，也更爲了爭取印度人民的好感。

今年一月中旬，蘇聯最高蘇維埃主席伏羅希洛夫就經已訪問過印度，回去不久，赫魯曉夫就親自出馬了。他此行，表面上是訪問印尼，道出印度，實際上，印尼和印度，在他眼中都是重要的。只要留意他在印度逗留的時間達五天之久，就可以知道了。

赫魯曉夫的座機，在二月十一日降落新德里。當他從飛機上緩緩走出來的時候，冷淡的新德里市民，出來歡迎的，據估計不會超過十萬人。印度人民的感情變化，當然早在赫魯曉夫預料中，由於這一冷淡場面，使他更感覺到了。

十一日下午，在印度國會中，赫魯曉夫發表了他那一套「和平共存」的濫調，這些，印度人已經聽得夠了。他們就是因爲陶醉在「和平共存」的濫調中，這纔捐棄了俄附庸中共的侵略。赫魯曉夫不是不知道，但他卻不能不販賣這一套貨色。

大概是鑒於印度對於這套濫調已不受麻醉吧！赫魯曉夫在十二日的衆議大會上演說的時候，就把狐狸尾巴顯露出來了。他說蘇俄有着世界最強的武力，但不想利用此優勢以壓倒他人。這種咄咄逼人的詩調，在印度人民的心目中又如何呢？聰明的尼赫魯就當場把這一反應表達出來了。尼赫魯說：印度的大理佛陀，曾垂訓世界，謂真正的征服，非憑武力，必須要令人心服，我們印度就要遵守此項教訓。這幾句話，無異是給赫魯曉夫的當頭棒喝。

當天下午，赫魯曉夫就和尼赫魯談經濟援助，不談武力了。談判的結果，是蘇聯允以十五億盧布（合宜價英鎊一億三千四百萬）作爲發展印度工業並文化交流之用。這是主題曲，藉此來抵銷美國總統艾森豪威爾來訪所建立的善意。用心雖然良苦，可是，印度人現在已經很清楚了，十五億盧布，是買不到印度人民的友誼的，他們知道，北極熊怎麼能和其他的人和平共存呢？

二月十三日，赫魯曉夫參觀由蘇聯援助所建立的國營農場。十四日，飛中印度參觀由蘇聯援助所建設的鋼鐵廠。在對該廠工人演說中，大罵西方，仍然是一套老調。十五日，來到加爾各答。這個地方，他在一九五五年時，曾經來過的，這一回，算是舊地重遊了。五年以前，他在此地受到盛大的歡迎；五年以後的今天，印度人民對於這位共產頭目的觀感，經已大變了。

在加爾各答的一個宴會上，赫魯曉夫發表演說，極力暗示印度人民不要接受美國的援助，認爲只有蘇聯的援助，纔是大公無私的。這些話，能夠讓印度人民入眠嗎？今天的印度，已經給共產黨的炮火驚醒了美夢，赫魯曉夫這些遊詞，能產生什麼作用呢？

赫魯曉夫膽敢在艾森豪威爾總統離開印度不到兩個月之後來訪問這個國家，除了顯示他急於想要爭取印度而外，大概是不會有什麼成就了。十萬人歡迎赫魯曉夫，二百萬人歡迎艾森豪威爾，印度人民的心理，不是昭然若揭嗎？

紐約通訊

美國僑情的一角

黃真

來了紐約三年，這是第一次拿筆用方塊字寫長篇的東西，未動筆便覺有點特別滋味。多時以來，接到友人來信，多數有這樣的一句問話：「你覺得美國怎樣？」我住在紐約，所知只是我所住的一個角落有關我們僑胞的一點情況。我只摸到象腳的一顆腳指上的甲尖，怎敢說認識了這頭大象。

紐約現在已是旅美僑胞聚居最多的地方，漸要凌駕舊金山三藩市。老一輩僑胞自然多是廣東四邑人，新來的則各省籍的都有。從前多從事工商業，刻苦勤儉，不少充當教授和在大工業機構服務。初來的一批每被繁忙緊張的生活壓迫得要喘氣，有「誤入黃金鬮」之歎，而這卻是真正「認識美國」的最捷途徑。這裡什麼東西都得自己動手做，沒有可供僱用的工人幫你料理身邊什務，你要遠烹飪、漿洗、修理電燈及一切傢具都懂，才不會束手無策，雖百萬富翁亦屬如此，此其所以爲平等也。在什麼樣都講電動化的家庭，事實也迫使先生們忙於家務不可，有家的與單身漢都不好過。

忙與擠是生活的最大特點，擠是指路上汽車而言。這裡人人玩汽車，猶如香港拿筆桿的玩墨水筆。他們有一架車，也如蒙古人有一匹馬，可隨意橫跨「新草原」而游獵。我以爲：中國富翁送子弟來美國求安全，那是笑話，送他們來這裡學飛車，包管有好成績，但可能不等到核子戰發而撞車死掉，（幾年來有過幾宗）其次，叫他們懂得什麼都親自動手，包括在家裏服侍嬰孩，他是好事。

年老的知識份子，尤其是研究文史哲學的，來到這裏，實不易有辦法，能放棄筆桿拿雙手去做洗碗或其他活計，那也不愁吃飯。青年人有科學頭腦和興趣，向工業方面找出路，只要在學校有好成績，不愁沒有辦法。工業巨頭們在各大學也掛有「星探」那樣的慧眼，發覺誰有特殊才能，就不待你畢業便和你訂合約，預先把你包起，延攬入他們的研究機構去，信不信由你。

開洗衣館和餐館，是僑胞的老行業。現在開餐館的風氣仍盛。許多人是第一步做工儲蓄，第二步自開餐館，但近來也有人冷靜地提出警告，美國一般工資高，經濟發展已到高峯，稍有積蓄而想開餐館的人也該勒住馬頭爲宜。

懂得做廚的，來這裡最吃香，確勝過會拿筆桿。新來的中國婦女會縫衣，會使用縫衣機的，在這裏躲在家裡做工，也有好收入。猶太人，眞會做生意，會向這項勞力打主意，發給內衣或其他東西與（他）她們（男人也有在家做這項工夫的）。猶太人也喜歡光顧中國館子，他們的銀行注意吸收我們僑胞的儲款，「一生意眼」一端的利害！有一宗小事情也值得說；從前這裏中小學校高材生，猶太人兒童常佔第一第二把交椅，這些年來有得競爭了。學科成績能和他們比賽的，是我們的僑童。

說到僑童，值得耽憂的是：他們衡多和中國文化脫節了，因他們不識中國文字（雖則美國犯罪少年絕沒有我們華裔青年的份，値得爲中國家庭教育化而驕傲）。

有人想辦普及漢字的函授學校，最有趣是西人教會在勿街天主教堂辦的「公華中文學校」（由第一年級至六年級共九班），是西人呂姑娘主辦，有中國籍的教員，近有一批照片，刊在報章，令僑胞們看得流出熱淚。（我也在內。）

事雖瑣瑣，要說的太多了。關於政治方面的事，暫且不談。千言萬語總說一句：這裏僑胞共同唯一的希望是國軍反攻大陸。此事一天不實現，大家就是苦悶發牢騷。我可以保証：國軍一旦揮戈反攻，傾家勞軍，必然大有其人。

社會小說　香港地

一、一幅剪成的山水畫

譚福祿接過潘師奶遞給他那卷東西，一邊打開來看，一邊說道：「潘師奶，你說阿潘瘋了，這話可眞？他爲什麽送給我這畫？」

潘師奶哭得更加傷心，答不出話，他打開這卷畫一看，越發詫訝。他相信潘師奶的丈夫眞是瘋了。

這是他從未見過如此奇異的一幅山水畫。畫裏有山水亭台樓閣樹木花草以及人物，但所有這些，都是零零碎碎地分別黏貼上去的。這分明是從許多幅畫裏剪出一片片來，拼貼成一幅怪畫呢。

這到底是什末一回事呢？這樣的一幅山水畫暗喩些什麽？是對殘山剩水致其悲哀，拿剪刀來發洩悲憤嗎？譚福祿這樣一想，立即覺得不對，因他素來知道阿潘並不是一個傷時憤世的志士，不會有這種做法。他怔怔的望着畫裏倒竪的山，橫流的水，向潘師奶問道：「你說這畫是阿潘叫你送給我的嗎？他怎會弄成這樣的一幅畫？他送畫給我又是什麽意思？」

潘師奶哽咽一番才答道：「這是他叫我送給你的。他說，他沒有什麽東西好報答你，只有這一幅畫了。他把家裏不值錢賣不出去的畫，都拿來剪碎了，花了好幾天功夫才弄成這張東西。我看他剪了貼，貼了剪，簡直是瘋了，曾駡過他幾句話，却被他氣得半死。他說過，這幅畫少然也值十萬元美金呢。」

譚福祿被這話嚇得一跳，差些便要跳將起來，詫問道：「他說什麽？這幅東西值十萬元美金？」

一問之後，他又歎一口氣，苦笑搖頭道：「那麽，阿潘是想錢想瘋了。但，我總該謝謝他送畫給我的好意。他現時在家嗎？」

潘師奶搖搖頭又是哭道：「他沒回家兩天了。前天晚上，他瘋瘋癲癲的和我吵了一回，便自往外跑，一直到現在還沒見回來。我走遍了他相識的人家，都沒得到半點消息，才沒奈何來求你替我找出個主意。」

譚福祿聽了又是一驚，才知得此事並不簡單，這對患難夫妻的境況，十分可悲。（三）

冬瓜茶

楊海宴

我不知道深冬和初春她是怎麽過活的，因爲我開始注意她時，只是最近的事。看樣子她應該有六十多歲了，每天我上下班必經過她的門口。總看到那滿頭白髮底下一張皺縐的臉，毫無表情的，老是坐在門口那幾瓶冬瓜茶面前，那些瓶裝的冬瓜茶，是擺在由兩條板櫈和一扇門組成的架上的，架上還有三個集中在一起，用手巾蓋着的玻璃杯，再過去一點便是一隻裝有木屑的木盒子，盒子內也插着幾瓶黑褐色發亮的冬瓜茶。

我每次經過那裡時，從沒有見過顧客，總是那麽冷落的望到一張衰老的單調面孔。

白髮從頭頂秃去很多，稀朗的向後梳去，可是挽在腦後那個巴巴結却仍是很大，實而粗糙的面皮，刻滿深深皺紋，高顴骨，尖下顎，表情是凝固的，像一尊塑像那樣毫無變化。不知爲甚麽，後來我每次中午下班時，總願意停在那裏喝一杯冬瓜茶。她拿瓶倒茶，收錢找錢，總是無聲的，頭部也總是那麽落寞無表情。她的內心到底想些甚麼，她也有猶豫嗎？想到這些，一種探求生命意義的刺激悄悄的喚醒我。

每當我在其他的時間接近歡笑，或者看到生動的洋溢着喜氣的表情時，我的眼前就非常自然的，浮起那個賣冬瓜茶老婦人的冷漠面孔。

有兩次我看到她動了。第一次是一個寂靜的中午。這一帶本來就是郊外冷落區，一入午息當見那風吹芭蕉葉的嘆息，那站在院子圍牆上的雄雞引頸長啼的斷續啼聲，都能如夢一般悵惘的，抹上一層朦朧的幽靜。我行經那裏，看到那位老婦人仍然坐在老位子上，彷彿從不會移動過似的。四週都是明豔陽光，她微傾前身坐在陰影裏，仍然沒有顧客，她雙手移動着桌上那三個玻璃杯，很仔細的把它們擺成「品」字形，再用那條濕手巾覆上。停一會，又把那覆着的手巾揭開，把玻璃杯移到另一端，仍然擺成「品」字形，再把手巾覆上。停一會，又照樣搬到原地方來。就這樣反覆不已的移動着，臉上仍是那麽冷漠，却微微的兒出一點專注的神情。

另外一次是在電燈初亮的黃昏，夕陽餘暉還把那些桌上的玻璃瓶的一面，映出一點琥珀色。她仍是那麽寂寂的坐着，可是桌上却添了一個非常令人注目的新東西，那是一隻老黑貓，牠跟這位衰老的主人一樣安靜，弓着背坐在那裏，要不是老婦人那雙乾癟如柴戴有紋絲銀鐲的手，頻頻在貓背上輕摩着，簡直像一幅圖畫那麼凝固不動。

這時候，暮色中有幾個背書包放學的小學生，經過那裡停下來喝冬瓜茶，他們五個人，各自笑嘻嘻的從小口袋裡掏錢幣或者小銅板，湊足三杯的錢。然後輪流喝着。也許是因爲高興，也許是因爲爭着多喝一口，總之，其中有一隻杯子跌在地上打碎了。闖禍的孩子，先是驚慌不知所措，然後就紅着臉各自推怨對方。可是那位老婦人，却仍是那副冷漠面孔，好像沒有有發生甚麼事似的，只顧巍巍的離開座位，彎下身子拾破片。就在離開座位時，有一個孩子慌忙站開讓她走過，却不料這動作驚動了那隻老貓，這時候，我從來沒有見過的的一列兇惡表情發生了，老婦人好一個健康年輕人的行動似的，迅速的一返身，忙把貓抱在懷裡防護着，剎時面部變得又嚴峻又兇猛，完全像一個吝嗇的人，她的全部心愛的財產被劫奪時一樣，那隻貓緊緊地抱在懷裏安心的睇着眼睛，像一個被欺侮的孩子，回到母親懷裡那點有持無恐的驕矜神情。孩子們被老婦人這副表情，嚇得撒開小腿都跑了。

我承認我曾經存心打聽這位老婦人的事情，但我所知道的並不因此增多。據說第二次大戰日本人徵去她的獨生子當兵後，她就一直對任何人都保持着冷漠的表情。倒是關於這隻貓的傳說，我無意中聽得多些。大家都同意這老婦人有一種奇異的說法，說她有一種奇異的馴養貓的魔力，住在老婦人隔鄰的老闆娘，就鄭重其事的告訴我，她常親自聽到老婦人在半夜對貓說話。而那隻貓呢，除了主人外，任何人的親近，都使牠發怒或害怕，絕不離開主人左右，隨時都陪伴着她，好像兩者之間眞能互通消息，互相瞭解似的存着一點異樣的感情。

老婦人是前一個禮拜死去的。據說頭一天那老黑貓失去生命後，她就一直抱在胸前，臉色完全疲倦的蒼白了，昏暗的老眼裡，靜靜的淌着淚，第二天就無疾而終。

死時那隻黑貓仍然抱在胸前。

䰾魚詩話

道南

「秋風起兮思蓴鱸」，這是指江蘇松江的鱸魚而言，因爲張翰之詩，而鱸魚亦名滿天下了。在江蘇，除了松江之鱸而外，還有一種䰾魚，也是極有名的，如今，居然有了詩的掌故了。

抗戰之前，于右老院長，居官南京時，曾經數度到蘇州玩虎邱靈巖諸大名山，又乘船到木瀆去，到那家有歷史性的石家飯店吃了一餐飯，石家飯店以「䰾魚湯」一菜著名，味絕鮮美，右老吃得酒酣耳熱之餘，替石家飯店主人寫下了一首詩：

「老桂花開天下香，尋花走遍太湖旁；歸舟木瀆猶堪記，多謝石家䰾肺湯。」

近來蘇州的詩人周瘦鵑却爲之寫了一篇文章，題爲「斑肝湯」，詳徵曲引，謂此魚實爲斑魚，而且我們食之而甘的，不是魚肺，而是魚肝。並以朱竹垞的「曝書亭詩集」中的斑魚詩爲證。最後還說到松鶴樓製此亦佳，不必石家飯店。

還有若干蘇州的文人，紛紛以「䰾」字無典，不見字書，竟以爲右老寫不出魚名，杜撰一字而已。因此有某一位和事老，爲之解嘲云：

「斑肝䰾肺總相宜，石店松樓更應時，說與老饕渾不管，周郎考證髯翁詩。」

此老的意思，不須咬文嚼字，一嘗此味便佳。此詩之作，已近廿年，不圖今天還引起一些考證，也許這篇考證的文和詩，右老還沒有看到，謹錄之以博一哂。

武俠小說　江南酒俠

彭滄一

第一回：往事棘心　放歌還縱酒　今生惡報　自害復傷人

中年人面泛苦笑，駡道：「小鬼！你就會捉你爺的痛腳兒，且將你那酒給你爺飲了，才有興頭給你們唱呢！」牛兒將嘴一撇道：「我才不稀罕你唱啦！我這壺內是白開水，還着你玩的，你也別上勁！」且說且將壺蓋打開，一陣北風過處，酒香四溢，他却扭轉頭來，拔步便走。中年人大急，飛步趕將過去，劈手奪過酒壺，猛的朝天空一拋道：「小鬼，看你還能拿捏你爺爺！乾脆倒了，誰也喝不成！」

壺蓋早去，經他這一拋，酒自然都傾瀉下來，衆童齊聲：「唉呀！」嘆息道：「糟了！龍叔叔！這是我們大家攤錢買給你喝的哩！」囂囂得一聲：「如此生受你們了，孩子們！」小孩們的眼睛，頓時都瞪得核桃也似，小嘴兒也都大張着合不攏來，只見中年人俛腰伸頸，斜對着天空，張口如鬥，那半空中的酒，竟如巨溪奔壑，自成一條銀線，投向中年人口中，剎時，壺落地上，酒則一滴未濕，盡入龍某肚中，小兒們歡呼道：「妙啊！原來龍叔叔又在耍戲法！」

中年人也一聲「妙啊！」拍拍肚皮，斜睨着衆童道：「娃兒們買酒怎不多買些兒，害得你爺沾牙不到喉就沒有了，且待我唱半隻歌兒，也吊一吊你們的饞癮。」一說着自腰間掏出一對烏光放亮的黑鐵板，夾在右手食姆指之間，輕輕一搖，拍拍得得的響將起來，猶如百鳥迎春，全場喧鬧遽止，龍某揚頭高唱道：

「當年萬里覓封侯，匹馬戍梁州，關山夢斷何處，塵暗舊貂裘。胡未滅，鬢先秋，淚空流，此生誰料，心在天山，身老滄洲。」

黃鐘大呂之音，響遏行雲，激昂奮發，使得那些不解事的孩子們也熱血沸騰，遍身恍似躍躍欲起，鐵板愈敲愈急，密如驟珠，激烈亢奮，扣人心弦，歌者憂憤哀傷之情以及凌霄意氣，入耳分明，唱的人眼噙痛淚，嗓音愈帶嗚咽，以至淚珠紛流，小孩們的心靈似受不了這氣氛的壓迫，高喚道：「龍叔叔！羞啊！你怎麼又哭了？快換一曲，這歌兒太悶人！」（三）

大陸文壇萬花筒

李何林砲轟毛澤東

岳騫

本年第一期「文藝報」刊載了李何林的一篇文章，題目是「十年來文學理論和批評上的一個小問題」，這篇文章雖然自命小問題，實際上却放了一個大炮，它竟然反對毛澤東的文藝思想，而且舉出了事實，逐條駁斥，雖然作者另外寫了一篇附記，自承錯誤，編者也加上按語，聲明不同意這篇文章的觀點，但是却照樣發表出來，月暈而風，礎潤而雨，從這些小地方來看，毛澤東的地位確實動搖了。

毛澤東在延安文藝座談會上說：「有些政治上根本反動的東西也可能有某種藝術性，內容愈反動的作品愈帶藝術性，就愈能毒害人民，就愈應該排斥。」

李何林不同意這種說法，他認爲作品的好壞決定在內容的眞實，「內容不眞實，也就是思想性也不高，藝術性也不會高。它的思想感染人說服人的力量也不會強，所以內容反動的作品，它的思想和藝術性都不高，二者是一致的。」

同時毛澤東又說：「缺乏藝術性的藝術品，無論政治上怎樣進步，也是沒有力量的，因此，我們既反對政治觀點錯誤的作品，也反對只有正確的政治觀點而沒有藝術力量的所謂標語口號式的傾向。」

李何林也認爲不然，他以蔣光慈爲例，指出蔣氏作品的「藝術力量和它的思想性是相一致的，它的藝術方面的粗糙和它的思想性方面的粗糙是相一致的。」

最重要的一點是毛澤東所提出的「政治標準第一，藝術標準第二」的口號，李何林更爲反對，公然指責說：「有人以爲既然政治標準第一，藝術標準第二，可見思想性重要，藝術性不重要，並由此推論出：只要思想性高（革命的思想性），藝術性低也不要緊，也就是認爲有思想性高，藝術性低的作品了，其實這是一種誤解。」

這三點相當重要，都打中了毛澤東的要害，文藝報發表這篇文章要李何林寫一篇作者附記，承認觀點錯誤，至於爲什麽會犯這樣錯誤，據李說是他教的學生逼他寫的，這一解釋把問題更弄得複雜了，證明反對毛澤東文藝思想的原是一大批學生。

釋未集

鄉親·宗親

余僦居于市中，其前樓爲某姓之宗親會所，陳設如廳堂，足供待客之坐立，架上雜陳種種同鄉會、宗親會之刊物，閒嘗取而觀之，覺此等會社之所以成立，大率多由有此需要而又無此能力之人，出而從臾其同姓、同鄉之有力者爲之倡導，亦有出巨資，以博一會董、會長或顧問之名銜者，聞其成立之期，則多在一九五零年共產黨得志之後，考我國舊俗，隣里宗親，重能守望相助，今被迫離其鄉里，往往孤立無援，遂思以異地之同鄉、同姓，結成團體，冠以本鄉、本姓之名號，聊以敍其宗國之思，而其共同之目標，除歲時伏臘，及春秋祭日，定期聚會之外，多注重于募存吊金，興設義學，亦古者養生送死之道，雖其辦理未必皆如所預期，要其用意，固甚善也。

余竊自思，此類組織，或師原于東晉南宋時之「僑州郡」，晉書范寧傳有云：「昔中原荒亂，流寓江左，庶有歸還之期，故許其挾注本郡，自爾漸久，人安其業，雖無本邦之名，而有安土之實，今宜正其封疆土，以斷人戶，凡荒郡之人，雖居東西，遠者千餘，近者數百，荒小郡縣，皆宜併合。」又南雍州記載：「永嘉之亂，三輔豪傑，流于樊沔，僑于漢側，而立雍州，因人所思，以安百姓也，宋文帝因之，以立南雍州。」此雖流亡政府，爲維繫人心之權宜措置，實則與今日香港之有粵魯同鄉會，或蘇浙同鄉會之情形，並無不同也。及金虜入侵，宋室南渡，其事更復顯著，據建炎已未係年要錄稱：「紹興八年三月，右正言陳誼言：「金人入居汴都，西北之民，感恩戴舊，襁負于路，此殆天所以興吾宋。臣請于淮南荊襄，僑建西北州郡，分處歸正之民；給以閒田，貸以牛具，使各遂其耕種之業，而又親戚故舊，同在一處，相愛相恤，不殊同里，將見中原之人，同心效順，敵人之謀，將不攻而自屈矣。」」夫因人所思，以安百姓，屬于政府之要求，而親戚故舊，同在一處，相愛相恤，則爲人民之願望，東晉南宋雖積弱，當國者對襁負流亡，不忘宗國之百姓，猶尚加以存恤，未嘗視之如土芥，是則東晉、南宋，雖未能光復舊物，偏安江左，終亦延其祚運，至百數十年之久者，豈偶然哉！

曲齋

栗海彌心錄

儒釋之道（下）

阿公

說者謂儒家有教無律，不知孝悌忠信禮義廉耻八字非戒律而何，語其總持，則仁智勇足以盡之。誠能守此不失，即佛家三千威儀，八萬細行，亦可該之無遺。說者又謂釋家之病，在律而不教，不知佛門之戒律，爲比邱比邱尼說，爲荷擔如來者說，十二部經教，爲總攝衆生說，故律有輕重，乘有大小。

儒家精微處，在禮而不在學。佛家精微處，在律而不在教。苟持律不廢，執德不弘，去儒與佛門遠矣。

儒家之謂內聖，即佛家之所謂如來。佛家之謂王論，亦即儒家之所謂外王。儒而不佛，王而不聖，佛而不儒，聖而不王。盡其在我，不可藉得過分莊嚴，故衆生是佛，人皆可以爲堯舜，又安有是非軒輊之可言。但不儒不佛，則畜生餓鬼，此儒家所以尙廉耻，佛家所以戒貪瞋。放眼看去，有幾箇不是聖人，又有幾箇不是畜生餓鬼。

用儒闢佛，多以無父無君安坐而食詆之。其間容有可議者，要知佛門無上，是虛空無象，色空無間，平等乞食，是比邱功德布施，與世間看法不同，故東土亦有不作不食之宗門，廬墓三年之祖師。可是儒家在人慾橫流世界裡唱獨腳戲，確有收拾不住之處。設與人言存養省察，克己復禮之道，尠有不視爲迂濶，非笑掉臂不顧者，若語以因果報應，禮拜祈禱之說，則多相率趨之而不疑。故昌黎先生，六一居士，後亦恍然大悟。

用佛毀儒，自近代始，此堯舜禹湯文武周孔第一次遭遇，亦佛門弟子無始以來藏識裏，知見門戶薰習在作祟。要知國土一日不淨化，若班洪水猛獸，豈無人我衆生壽者，抵當得了。善哉，維摩詰居士，以「一切衆生病，是故我病」，安所用毀耶。

讀書小誌

謙虛

謝康

「滿招損，謙受益」「謙尊而光，勞謙君子有終吉」是易經給予我們民族的寶訓，「學而不厭，誨人不倦」「夫子溫良恭儉讓以得之」，三人行，必有我師焉，擇其善者而從之，其不善者而改之。」是孔老夫子謙恭生活富於學習精神的好榜樣，俗語說「活到老，學到老。」我們隨時隨地，都應該學習，只有自己的驕矜滿足，纔是學習的敵人。所以說要認眞學習一點東西，須從克服「逸豫」「驕矜」和「自滿」的心情開始。

英、法文裏modeste一字相當於中文謙虛，源出拉丁文之modus，有「節度」及「不誇張」的意思，法國的諺語說：「眞博學者常謙虛，」一個偉大的學問家，就是永遠不滿足的人，終身努力爲學，追求眞理，好像「學如不及，唯恐失之，」就是這種謙虛精神的表現。以牛頓這樣一個有高度成就的大科學家，而晚年措詞極爲謙卑，說自己不過在科學的海岸旁邊，檢拾得一兩顆蚌螺殼而已！」這是何等令人可以欽仰的謙和態度。

從前十六世紀法王佛蘭璜斯第一的時代，有一個王室的圖書館館長叫做duval.他是一個著名謙虛的學者，某次，有人問他幾個問題，他都回答說「我不知道。」那人說：「國王給與你這樣高的俸祿，據說爲着你有廣博的知識，你爲何於我底問題，都說不知道呢?!」於是這位館長答覆他說：「國王所以僱用我給我的薪水，爲的是我所知道的那一點東西。如果他給我薪水爲着我所不知道的東西，那麼恐怕傾全法國的國庫，也不夠支給我！」這句話至今傳爲美談，值得學人取法。

登海樓隨筆

徐學慧

談史

徐學慧

歷史之是否能重演，言人人殊。就詞語之本身來說，歷史當然是不能重演的。因今日之事，在明日看來即是歷史，而今日與明日之心境不能盡同，環境更不能盡同，則所謂重演之說，也就失去了甚謎。然而，以古證今，相似的事倒也甚多，說是重演，未必盡同，但衡之以人同此心心同此理的說法，則歷史卻又像是可以重演。

讀史是令我們熟悉過去，因而可以衡量今日，或竟能推測未來。「以古爲鑑，可知得失，」此乃所以指示我們趨吉避凶。不論做人，從政，治國，歷史上的成敗，對於今日的取捨，委實極關重要。

春秋戰國時代，列國紛爭的局面，多少有幾分是和今日世界的形勢差不多的。

戰國末期有名的遠交近攻之政略，則又爲今日的蘇俄所師承：其於美國不惜秋波頻盼，而對於東歐各國，則盡其摧摔之能事。凡此種種，不論其所用之術爲何，而在一個熟悉歷史的人看來，倒是一點也不奇怪的。

蘇秦主合縱，張儀倡連橫，縱橫之說，把戰國諸侯弄得意見紛歧，求之於今日，亦幾完全吻合。印尼的蘇加諾，刻正玩其兩面手法；印度的尼赫魯，亦不時大唱高調；英國國內反共，卻又承認中共；狄托一面拿盧布，另一面又接受美援。諸如此類，其奇詭機詐之處，絕不下於戰國時代的縱橫之術。

諸侯爭霸於中原，周天子徒擁虛名，却也能綿延數百年之久；儘管諸侯之間，爭城爭地，了無寧日，而大家對於這個虛有其表的周天子，仍然在表面上要加以尊重。這與今日的聯合國，不是極相似嗎？

晉公子重耳在外流亡十九年，卒賴秦國之力以復其國，挾之二次大戰中的流亡政府，這樣的歷史，也就未免太近似了。

明永曆十二年，延平郡王鄭成功，率大軍由廈門邀海北上，由海入江，直搗金陵城下，以圖反清復明，不幸失敗，回軍廈門，乃轉進台灣，而以台灣爲據點，金門廈門二島爲屏障，徐圖大業。這樣的軍事形勢，是不是有點和今日的台灣局勢相似呢？三百年後的今天，金門馬祖又成爲衝要之地，雖說今日的情勢與鄭成功時代已是完全不同，但以金馬作台灣屏障的軍事形勢，却幾乎是相同的。

歷史的本身固不能重演，而歷史上的相似之處，乃至足供現代人參攷，則屬毫無疑問。讀歷史，並不是要牢記漢朝有多少皇帝，唐朝有多少年代，我們所要瞭解的，乃是興亡之迹，成敗之機。

中國文字的微妙

信天翁

中國的文字，是單音而且孤立，是把祖先當日的讀音，作成符號，創立字體。許慎所謂依類象形謂之文，形聲相益謂之字。我們文字因構造的特殊，才成了中國文學微妙的質素。

我們文字的修詞方法，雖然不是一種，但是，它對於抽象不常見及不易說明的事物，事理，是用動、植、礦物的形、色、性、或天時、地理、人情、以至風俗、習慣、或不可變更的事理和過去的歷史典故，來比喻的。因爲用上面各種作比喻，比較容易使人懂些，並且可以使字簡而意明。否則，必須要許多字來說明。但是，遇到特殊的事物或事理，還是使人不能達到具體的了解。比如我們現在要說一個人胸部特別凸起的，如用「鳩胸」或「雞胸」兩個字來形容，來比喻，就可以表明這個人特殊的形狀了。因爲鳩和雞的形狀，大家平時常有看到的，一提起來，馬上就可以想象得到的。又如說一個氣息奄奄朝不保夕的老人，就用「風燭瓦霜」或「日薄西山」等字句來作比喻。因爲點在風前的蠟燭，被風一吹，馬上就會滅了。瓦上的霜，太陽一出來，馬上就會溶化了。太陽到了西山上面，很快的就要落下去看不見了。所以這種比喻方法，實在恰當極了。

現在把用動物的形，聲，色，性，作比喻的句子，先寫在後面介紹給讀者。其餘關於植物，礦物的形，聲，色，性和一定的風俗，習慣，及不可變易的事理和過去歷史典故的比喻句子，自然還可以繼續寫出來。相信大家會說我們的文字比外國文字確有其微妙之處。（上）

魏徵與范仲淹

彭楚珩

讀通鑑紀唐太宗事一則曰：『會須殺此田舍翁』！后問爲『誰』？上曰：『魏徵每廷辱我』！后退，具朝服，立奏於庭稱賀。太宗驚問其故，后曰：『妾聞主明臣直，今魏徵直，以陛下之明故也，妾敢不賀』！『上乃悅』。太宗嘗謂：『朕視魏徵，更爲嫵媚』！據茲史乘，以是知『貞觀之治』所由來也。

宋范仲淹，固與魏徵同一典型人物，其『出守桐廬道中十絕詩』云：『隴上帶經人，金門齒諫臣，雷霆日有犯，始可報君恩』！次一闋曰：『君恩太山重，爾命鴻毛輕，一意懼千古，敢懷妻子榮』！其第八首則曰：『萬鍾誰不慕？意氣滿堂金，必欲枉此道，傷哉非素心』！忠藎之意，合盤托出，與魏徵之嫵媚可愛，如出一轍，唐太宗得魏徵，而成貞觀之治，宋仁宗得仲淹，而不免於危亂，則以太宗之度長絜大，遠非仁宗之所能及，而長孫皇后，亦眞能『母儀天下』者，貞觀之治，不亦宜乎!?

實則，魏范兩公，均具忠君愛國，造福邦民之志，達與不達，際會運數使然耳。然則范公之澤，雖未廣被於當世，而千歲以下，其言其行，其德其功，固永垂而不朽者，此即范公所謂『雷霆日有犯，始可報君恩』！『一意懼千古，敢懷妻子榮』！『必欲枉此道，傷哉非素心』之謂也。今之弼輔元首而司言責者，其視魏范兩公爲何如哉!?

青琳學校經已開學 特別注重員生福利

青琳學校經於上月開學，對於員生努力學業者，均予以獎勵，聞此次李鄭屋村受火災之同學蘂君等十餘人，由該校長及員生前往慰問，均贈給與多量實物及生菓，並由學校免費補發各生書籍而利上課云。（坤）

自由報

THE FREE NEWS

半週刊每星期三、六出版

第四期

每份港幣壹毫

社長：雷嘯岑

督印人：黃行奮

社址：香港銅鑼灣高士威道二十號四樓

20 Causeway Rd. 3rd. Fl. HONG KONG

TEL. 771726

電報掛號：7191

承印者：田風印刷廠

地址：香港高士打道21號

兩個中國動靜觀

嚴鉞

「兩個中國」如不幸成為定局，那將是萬分可悲的事。事情會不會變得那樣悲慘呢？看法可能有多種。

有人認為：以台灣為基地的自由中國，和大陸的中共政權正在對峙，誰也暫時不能打破這個對峙的局面，這在事實上已有「兩個中國」的存在。因此，所謂「兩個中國」的問題，只是眼前事實將否演化為「定局」的問題。

話分三面說：

一、自由中國本身視台灣為反攻大陸的基地。

二、美國給自由中國以在台灣的各種援助，作用有二：一是鞏固太平洋的第一道防綫；二是監視在大陸的中共政權，一方面給大陸嚮往自由的數億人民以希望，另一方面準備在未來有變當中，能夠發揮台灣的軍力作有利的使用，這所謂「有變」，又該分為兩項：第一種變是指中共發動南侵，或整個世界爆發大戰，第二種變是指中共在大陸的統治自行崩潰，被人民和軍隊聯合起來推翻它。

三、異乎美國的看法，還有第三者，那是英國（日本也可算入）一派，他們希望使「兩個中國」成為一個「定局」，把目前流動不穩的狀態靜止下來，將台灣海峽隨時爆火的可能性，用一個協議來消除它。他們明知這個「協議」不容易達成，便想出了一方餌誘，另一方撫勸的方法來。他們這樣想：對中共投以「餌誘」，可邀它加入聯合國，這只有央求美國贊同此舉，以及承認中共政權；對自由中國的「撫勸」呢？這也得靠美國出頭，利用美國對台灣的軍經援各種力量來說話。「兩個中國」對他們有什麼好處呢？他們仍想利用自由中國在台灣的力量來監視中共。因為他們認為：要鞏固海權去對抗陸權，決少不了台灣這一環的力量。不過，他們是希望中共能在大陸靜下來的。他們同靜處看，與美國的向動處看，是有距離的；和自由中國的積極求動，則剛剛相反了。他們有一個天真的想法是：中共將不至於亟亟向外侵略，如能接受「餌誘」而靜止一個時期，它將會和蘇俄發生衝突。只要自由世界能以「餌誘」及「圍堵」把中共制止得靜下來，中共和俄共之間慢慢便會發生問題，說不定中共內部也會發生問題。「慢慢來吧！何必急急」！他們就這樣看出「靜」中另一方向的「動」。

傳統的均勢政策

上面所說英國的看法和想法，由工黨到保守黨都沒有太大不同。他們多少想保持傳統的「均勢」政策，一、希望將來中共與俄共成為均衡的對立，二、希望自由中國在台灣的力量被用為維持海權與陸權均衡對立的一部。最近美聯社紐約電訊說：「紐約每日新聞報」今日（本月廿二日）促請美國人對兩個「姑息頭子」！英揆麥美倫及蒙哥馬利將軍加以注意。該報謂，拜讀蒙哥馬利新著「東西方關係的研究」一書，發覺其竟為西方盟國發出兩項原則性的命令，此即為：一、以承認兩個德國來擱置德國問題，及在聯合國扮演一個角色下來解決西柏林問題；二、停止認為真正中國政府乃在台灣這個假定。該報認為：由於蒙氏經常在書中推崇麥美倫，是令人忖測其旨在協助麥美倫於五月間高峯會議中向美法兩國推銷此項見解。這種看法不能算是沒有根據的。英國外交傳統上對於「均勢」政策的運用，確有其偏嗜之弊，「兩個中國」與「兩個德國」等量齊觀，正是這種傳統觀念使然。

如上所說，美國是站在自由中國與英國的中間。好在美國當局還站立得相當穩，未被英國拉動了腳根，因為他們的看法仍然是：局勢仍在動盪中，中共並未靜下來。

最近，美國主理遠東外交事務的副國務卿柏森斯氏，曾有談話表示：目前並沒有實際的政治基礎可以成立「兩個中國」。而自由中國在台灣軍事力量的良好表現，事實亦已日益獲美國朝野的重視。這在「兩個中國」傳說正盛的時候，自是仍可樂觀的因素。

我們正不必徒抱悲觀，要認識自己的力量，要自有作為，要以「動」迎「動」。我們利在動，不利在靜，而大局確實是在動中。

我們第一要認清：英國縱想給中共以「餌誘」，但此餌是在美國手中，如不通過美國之手，餌便投不出去。甚至英國本身對此，也可說猶有所吝的，為什麼英國對於支持中共入聯合國並未認真積極呢！原因不外乎此：一是中共自參加韓戰以迄最近的各種行動，未能符合英國要他們「靜下來」的願望；二是自由中國的影響力量不容輕估，它在台灣的地位，連美國也不敢和不能隨便擺佈；三是中共對「兩個中國」亦表示反對。

樹欲靜而風不息

要中共「靜下來」只是一廂情願的想法，要「兩個中國」成為定局也是這同樣的想法。「樹欲靜而風不息」，大局正在不斷地動，主動力發自莫斯科，中共不動也不行，誰要攪「兩個中國」都必會心灰意冷的。這是大勢所趨，十年來消息雖有升沉，主流仍未改變。俄共仍在下決心，出全力，務要衝破圍堵主義者遍設在半個世界的反共堤防，尤其在東南亞衝擊得最是有聲有色，而中共則是他們手中一根靜不來的矛頭。

由去年到現在，俄共赫魯曉夫訪美[illegible]揚，分訪亞歐美各國，美國艾森豪和尼克遜一樣是頻繁出國，遠赴萬里。兩者都在不歇地動，互有攻守。像最近艾森豪訪問南美各國，竭力抵消米高揚在這一地區所可能發生的影響，用心良苦，遑為吃力，已呈現出被動地招架的困態。美國當局在這時候對於大局沒法靜下來的認識，大概不會太為模糊。像英揆麥美倫前此為促成高峯會議而所作的各種活動，其目的也顯然只有一個：求俄共讓整個世界局面寧靜一個時期、好等幾個巨頭有機[illegible]，以圖實現靜下來的目的。他的動，只為了求靜，俄共給他的答覆是什麼？難道赫魯曉夫訪問印度以及印尼的動機，確乎符合了麥美倫的願望？

看清問題的本質，自由中國應付的原則便該向動處設想。美國當局的想法和我們的想法當然有很大距離，但方向仍是相同，他們仍看台灣具有多方面的作用，他們不相信局勢就此靜下來，而大勢確仍在劇變中。

我們應該有自己的主動，立即加強把動力放在大陸去。

時事述評

百年難得一遇的喜事

盧家雪

英國的在位女王誕生王子，被麥美倫首相形容為百年難得一遇的喜事；日本的明仁太子妃誕生王子，日本人民為之欣喜若狂。英女王給日本天皇裕仁的賀電，表示這是「最溫暖的祝賀，」在相差不到十天之內，東西二大古老帝國同時有這種喜事，這是值得高興的。

今天的帝皇制度，不論在英國或日本，都是拿來作為團結的象徵。英日兩國的人民，苦心孤詣地維持這個皇室，這種心情，也是可以理解的。在一片殺伐聲中，只有皇室產子的新聞，不涉及任何黨派，亦不分東西集團，大家都由衷地舉盃祝賀，這也就足以証明，人類畢竟愛好和平，而且，是何等需要溫暖。

共產黨的「和平」魔術

問題却在，和平不可以坐而致，溫暖也必需形成一種氣氛。而今天，此種極具人情味的溫暖，也真箇成為「百年難得一遇」的了。

冷酷無情的共產頭目赫魯曉夫，刻下正在椰加達的印尼總統府，帶着虛偽的笑臉，拉着蘇加諾的兩個女兒作極其「溫暖」的散步了。這樣的笑臉，能產生真正的溫暖嗎？

自由世界的人，正逐漸被共產集團的「和平」魔術催眠，我們真不免要感喟一聲：「大夢誰先覺」？

後知後覺與不知不覺

政治家亦可以分多少等級。上焉者，先知先覺；中等者，後知後覺；下焉者，不知不覺。

美國退伍軍人協會總司令麥尼萊在最近發表談話指出：「中國大陸淪入共黨之手，是自由世界之最大悲劇。」（見中央社紐約廿二日專電）這種人是後知後覺；在自由世界中，能有此認識的，已算不錯的了。

美國一位議員布爾遜在下院外交委員會說：「照我看，顯示我們反共是費錢的。台灣人民難道對美國的防衛已有所貢獻嗎？」（見廿三日合衆國際社電）這種人乃屬於不知不覺者流，却歡喜亂發謬論。不幸的是，這類人還多着哩！

山雨欲來風滿樓

國際局勢之糟，無有過於今日者，也正因為如此，我們纔不能把自身的命運寄托於他人。自力更生，求其在我，必如此，方能突破悶局。

據「紐約時報」廿三日的電訊報導：「美陸軍刻正訓練一批美國人，擬使之成為游擊領袖，於亞洲來日發生戰爭時，於敵後從事戰鬥。」這一報導，當非空穴來風，我們正可在此類新聞中探悟出更多的消息。

山雨欲來風滿樓，自由中國應該拿出勇氣和魄力。

自由談

生存第一

馬五先生

亂離之世，人們的生計與生活總是不安定的，因而心情煩鬱苦悶，意氣隨之激越，一切言行皆容易脫離理智的制約，無所顧忌了。社會上許多作奸犯科的行為，原因在此，即賭博跑馬，以及卜筮星相諸風氣之特別盛旺，亦源於是。習俗移人，賢者不免，政治社會中若干不近情理不恤人言的怪現象，若用顯微鏡透視一下，無一而非人們的生活不安定所使然也。

古人謂「善言治道者，必使天下之士皆有所養。」這意思就是說：要想天下太平，社會安定，必須教社會上一般智識份子有飯吃，能夠活下去。智識界人士在社會上皆具有或多或少的影響力，近代術語所謂「中產階級」，即是以智識份子為中堅成員的。工商企業發達的國家，讀書人謀生的途徑孔多，並不一定要向政治上求出路，但如我國這類生產力貧乏，人們尚要在農業經濟社會中討生活的現實環境之下，大多數的智識份子，只好本其性之所近，以搞政治為謀生的第一道門檻，這也就是民主政治不容易在中國創進的基本因素。所以，執政者應該識本國國情，理解士大夫與國家治亂興衰的因果關係，平日對於讀書人不但是不宜隨便踐踏，且須隨時注意於「養士」之道，讓一般士大夫都能勉強生活着，而社會上的乖戾之氣自然逐漸消喪，人心即可趨於安定了。

今人搞政治好言「鬥爭」，如是乎不分青紅皂白，毫無界說地實行排他主義，主張不跟自己意志不投合，固然視同敵人，排拒打擊之不遑，即對於同一政治團體的成員，亦動輒使出鬥爭的技倆，互相排拒忌尅，非將其「摒諸四夷，不與同中國」不可！你以鬥爭對人，人亦應之以鬥爭，鬥之不已，爭之不息，天下那有不亂之理呢？

一切好聽的主義、政策和政見，都是生活上的附屬品，求生存才是人生的第一義。所謂精神勝過物質之說，那是要在「活得下去」的先決條件之下才有可能。近日國民代表在台北會議中所表現的紛亂激越情形，推究本源，不外乎智識份子生活煩鬱苦悶的結果，執政者如不瞭解此中癥結所在，而侈言精誠團結，殆係隔靴搔癢之談，不會發生效用的。

國民黨積極疏導說服

國大代表幕後活躍

魯人

第三屆國民大會，經已於二月二十日集會於台北。截至今天止，報到之海內外國民代表，超過一千四百人。這一千多人集中到台北後，剌激了八十萬人的都市，使得大多數人患了政治敏感症，街頭巷尾無不以有關國大問題爲談話資料。

事實上這些代表們在最近一週來，很少不從事幕後的政治活動。他們接觸的範圍，包括政黨與政黨之間的；他們政黨本身的，以及超越政黨之外的個人之間的接觸。他們進行廣泛地交換對政治的意見，所討論的問題，概括地說，大致可分爲：總統的連任、憲法臨時條款的修改、國大主席團的競選、創制複決權的爭取，國大代表待遇的提高和福利的改善等等。

爭取待遇的提高

現有的一千五百餘位國大代表中，百分之八十以上是中國國民黨的黨員，屬於民社、青年兩黨及無黨派的「社會賢達」，爲數極微。各少數黨和執政的國民黨爭執的，是着重在政治的改革問題；而國民黨籍國代所重視的，是有關國代本身的權利問題。而這種權利之爭，又與國民黨的願望並不一定相符，因此，國民黨爲了維持其立場，就不得不進行以其影響力來約束黨籍代表的言行。

國民黨總裁，爲了對國事作冷靜的思考，在其將離開台北之日，在黨內作公開的表示，他關懷國大代表的生活艱苦情況，可以考慮予以改善，但不接受任何非份的要求。蔣總裁之所以這樣表示，是因爲若干代表要求平常取得和立法委員同等的待遇，而不滿意於過去月支一千數百元的「薄薪」。更要求獲得創制複決兩權，以「平衡」政治權力。

黨內的說服工作

蔣總裁南行後，國民黨即展開黨內的說服工作，分開省籍與職業性質的不同，指出各省各行業中素孚衆望的大佬來，負責進行疏通，例如黃杰將軍的任務，是疏導湖南籍的代表，劉峙將軍的任務，是疏導江西籍的代表，錢大鈞將軍的任務，是疏導上海籍的代表……。這些日子，宴無虛席，各代表吃油了嘴，各負重任的大佬也說破了嘴，其盛況一如當年的首都南京。不過錢大鈞已經突然放棄主席團的競選，據說是寧願不要黨支持他競選主席，也不願担任這個吃力不討好的疏導工作。此外放棄主席團競選的還有蔣鼎文。

由於黨方的積極疏導，反而引起若干代表的反感，而採取了更不合作的行動。例如東北籍國代高一新，正發動一項提案的簽署，主張：第一，削減大會主席團的職權，以避免少數人的操縱；第二，選舉主席團時，每一代表在一定的限度內，可以同時提選若干人爲主席，以打破每人祇能投一票的限制，目的在擊破黨團操縱選舉；第三，大會秘書長人選，應由大會選舉，以對抗主席團的提名（按前任秘書長洪蘭友去世後，現由谷正綱代理）；第四，要求在主席團之外，另設程序委員會，一切提案必須先經由程序委員會審定，才送由主席團提大會討論，一切提案的表決，應採無記名投票式，以代替舉手表決，前者是剝奪主席團的權力，後者是對投票人的維護。這一提案正在連署中，如果正式提出討論，勢必引起激烈爭辯。

中興學術研究會的提案

在國民黨方面，也進行一項提案的連署工作，此一提案，是以「中興學術研究會」的名義發出的。內容主張兩點。第一、憲法第四十七條規定：「總統副總統之任期爲六年，連選得連任一次。」提案主張在憲法臨時條款中增加一條，規定在動員戡亂時期未終止前，暫時停止使用此條憲法的規定，以使總統任期不受限制。第二、憲法臨時條款最後一條原規定：「第一屆國民大會，應由總統至遲於民國三十九年十二月二十五日以前召集臨時會，討論有關修改憲法各案。如屆時動員戡亂時期尚未依前項規定宣告終止，國民大會臨時會應決定臨時條款應否延長或廢止。」現提案擬修改爲：「第一屆國民大會在動員戡亂未終止前，得由總統於適當時期召集臨時會，討論有關修改憲法各案，並決定臨時條款應否延長或廢止。」

若干代表於接到此項提案書後，已有不利的反應，尤其對於提案第二點，臨時國民大會的召開，「得」由總統於「適當時期」，則召集之，如總統認爲時期不「適當」，則召開將遙遙無期。因此若干代表奔走呼號，私下表示異議。此案連署是否能夠圓滿進行，此刻尚難預料。

這是國大幕後活躍的情況，國民黨儘量進行疏通說服工作，代表們則儘量表示自由意志，所以疏通的效果不如理想。倘若蔣總裁能邀集國民黨籍代表親爲解說，因礙於大戰和情面或可收到較佳的效果。

本報特稿

國大會議開幕觀禮記

杜明

第一屆國民代表大會第三次會議，於本月廿日上午十時在台北市中山堂舉行開幕典禮。參加此一盛會的人士，除卻一千四百二十多名的國大代表而外，尚有駐華各國使節以及中外的新聞記者羣，可謂隆重之至。

六年前的第二次大會開幕典禮，是由胡代表適之主席的，他以學者資格致開會詞，有條有理，不卑不亢，情辭允洽，頗爲得體。這次改由另一位社會賢達莫代表德惠主席，大概是由於年高的關係吧！莫柳老所講的話，前後不甚連串，而祇說中華民國政府在這六年中的各種建設進步情形，連六年以前的台灣「三七五減租」，乃至於中華民國出席聯合國代表在「外蒙古混進聯合國那回事」，也特別稱述了一番，却始終沒有提到國民代表大會的任務和目的，好像是行政院長的一篇施政報告，頗使大家感到詫異。有人懷疑柳老在事前並未預備講演稿，但也有人持不同的看法，認爲主持如此隆重的典禮，說話豈有不加準備之理？總之，不管兩說孰是，這次典的情況，遠不如上次那麼有聲有色，確係事實。

啼笑皆非的司儀專家

尤其是那位司儀人撈出幾點令人啼笑皆非的玩藝，不免大煞風景。當主席莫柳老登台就位時，忽聞司儀人高呼「請大家起立」，不知所爲何事？繼而蔣總統致詞，再來一次「請大家起立」，這還罷了。開會秩序單中，原寫着「請總統致詞」一項，詎料司儀人竟拉高噪門，大喊「請總統訓詞」，全場千餘名代表爲之愕然，坐在記者席近側的一位北方口音代表，曾表示憤慨態度，說是「我們要抗議！」據說這位司儀先生素有「司儀專家」的美號，他曾經開辦過「司儀訓練班」哩！這次他之所以弄出這種笑話，乃是常識缺乏之的舊觀念作祟，因爲平時無論在任何的公共集會之中，蔣總統如果到場說話，自然是「訓詞」的意義，他認爲國民代表們開會時請總統講演，照樣還是應該「訓一訓」的！可是，蔣總統的作風，允稱媲美一時，都不是蔣總統所希望的無謂禮貌，即小喻大，可知政治上若干不合時宜，不洽輿情的實行，十九盡係一般思想落伍的政治人物，自作聰明，對領袖瞎幫倒忙，結果是愛之適以害之，實際與蔣總統是無關的。

禮成以後還有報告

天下事無獨有偶，正在蔣總統致詞完畢，緩緩步下講台之際，有位姓羅的國大代表，以其坐位相接近之故，竟起立舉着右手，高聲絕叫「擁護蔣總統連任」的口號，非其地，非其時，身爲國民代表，突然作出這種可哂的舉動，眞是致人難受極了！迨蔣總統離開大會場後，司儀人宣告「禮成」，這時外賓席上的各位洋人尚未離座，而播音機上又有人高呼「秘書處還有報告」，登時會場秩序爲之混亂，人聲嘈雜，恍若戲院將要散場之際的情況。如是就有人想到已故國大會議秘書長洪蘭友了，認爲假使洪氏健在，今日的大會現象，將不致凌亂如斯啊！

我的朋友胡適之

記者走出會場，在走廊中遇見了「我的朋友胡適之」，他喜色洋洋地跟衆人有說有笑。我問他這次大會開幕，何以不担任主席，藉資熟手呢？他說，每次會議都教同一個人作主席，難免使大衆膩味倒胃口，換換人是應該的。我談到修改憲法上的臨時條款和總統連任三次等問題，他答以「我的主張始終一貫不變，將來大家如何決定，唯有服從多數意見。」坦坦白白地表示其心情，毫不掩飾作態，不愧學者風度，玩民主政治即須具有他這種知識與作風纔行。

我爲什麼反對共產主義

羅素著・周振勇節譯

凡是一種政治主義，必須能夠答覆兩個問題：（一）他的理論是否眞實？（二）實行之時是否能增進人類幸福？以我國人來說，我認爲共產主義是虛僞的，而且我認爲共產主義實行的準則，只能增加人類無限的痛苦。

共產主義的理論，大多數是根據馬克思的。我之所以反對馬克思有兩方面：一、是他的頭腦糊塗；二、是他的思想差不多全是由怨恨而生的。

剩餘價值論，據說是表明在資本主義制度下，如何剝削工資勞動者，而其結論是根據：（甲）曲解馬爾塞斯人口論，這馬氏人口論是馬克思及其信徒所公開不承認的；（乙）不澈底實施李嘉圖氏之價值論。只應用李氏價值論在工資方面，而不應用在成品方面。馬克思對剩餘價值論的結論，認爲完全滿意，不是因爲牠適合事實，或是合於邏輯，乃因爲可以利用牠來激起工資勞動者的仇恨和忿怒。

至於馬克思學說認爲一切歷史上的史實，都是由階級衝突而致。他所信仰的宇宙力量，即所謂辯証法唯物論，可以控制人類歷史，而不必憑藉人類意志，是完全用神來騙人的。

馬克思學說既糟不可言，但經過列寧和史太林的推演，就更糟了。

因無產階級的專政，便成了一小委會員的專政，最後便成了一人的事了——史太林一人專政。史太林既然成了無產階級中的唯一的有階級意識的人，他便用饑餓的方法，處死數百萬的農民，而又放逐數百萬別的人於集中營充當奴役。他甚至宣佈遺傳學說的定律，今後也要按照蘇聯方式應用，而不得再按照世界所公認的孟德爾氏的遺傳定律。

我始終不明白，有仁心及有知識的人，怎會欣賞史太林所創造的龐大奴役集中營。

我一向是反對馬克思的。我第一次反對他的文章是在一八九六年發表的。但是我對於近代共產主義的反對，還甚於當初反對馬克思。共產主義放棄民主主義，我認爲是最要命的事。少數人建立政權在秘密警察手上，當然要變爲殘忍的，暴虐的，愚民的政權。當十八及十九世紀，人們已經洞悉不負責的權力，所發生的危險是多麼嚴重。可惜近代人被蘇聯表面的成功所迷惑，便把專制時代的痛苦教訓，完全忘掉。更甚的，莫過於那些迷惑於前進幻想中的人，竟大開倒車，走入比中世紀還不如的黑暗之中，且自己還不知道。

蘇聯的政權可能有放鬆的一天。但是，雖然可能，却很難說一定準有這麼一天。在現在期間，凡是不但以藝術及科學爲可貴，並以充足的衣食及自由尤爲可貴的人，不願因兒童嘗談之間不小心的話，傳到教師耳朵裡，便可遭到放逐西北利亞的危險的人們，應當在能力之內做一些事，以保全本國的生活方式，使生活更加繁榮幸福，而不致變成奴役的生活。

有些人因遭受共產主義之毒害，以爲攻毒之計，非藉世界大戰不可。我想這種思想是錯誤的。在某一時期，這種論調，或可發生效用。但現在的戰爭，已成爲極恐怖的事了。戰勝共產主義之道，不在乎戰爭。應該是，除去武備防止共產國家攻擊西方國家之外，倘能使共產區的未臻繁榮的國家，減少不滿足的事實。此種工作尤以亞洲大多數的國家，更爲廹切。此外，亞洲人民有一種極大的痛苦，就是以往數世紀以來，受歐洲人之橫蠻侵略所致。關於此點，須小心翼翼來應付，並須有大刀闊斧的決心，宣佈取消現在尚存的白種人征服亞洲的迷夢。共產主義之發生，是由於貧窮，仇恨，傾軋。唯一撲滅共產主義的方法，最好是能夠縮小貧窮和仇恨的區域。（完）

社會小說　香港地

一、一幅剪成的山水畫

潘師奶的丈夫失踪兩天，如非自殺，便是瘋瘋癲癲的向四處亂浪。譚福祿認爲兩者都有可能，眼前唯一要辦的事就是趕快向警局報案。他看着那幅剪拼而成的山水畫，把這個主意對潘師奶說出，故道：「只望他眞的是瘋了，還不至於自尋短見。他不瘋不會說這幅畫賣得十萬美金呢。」潘師奶不會希望丈夫眞的是瘋了，但想到他如眞個自尋短見時，便更加沒有希望，於是嗚嗚的對着譚福祿再痛哭了一場。

對畫思人，譚福祿廻憶從前潘伯人的身世來歷，和自己給他的忠告，另外有一番感慨。

阿潘名叫雅伯，別號素麥軒主，幾年前由大陸來香港時，手上有一筆現鈔和金條，還有一批值錢的古書古畫，情況比譚福祿還好得多，原來他在內地風雅圈中，曾經是個稍有名氣的書畫收藏家，來到香港洋場，仍要擺起架子，像從前那樣過着寫意的生活，吃的喝的住的都要十分講究，來往應酬也都是有地位有辦法的人，不幸因用錢用得兇，受了別人慫恿，拿資本做些投機生意，希望藉此維持每月開銷，却是一連慘敗，現鈔金條像流水般從手裏溜走，接着便要變賣那些一向心愛的書畫。原來古書古畫，大都聚於所，誰個手上有些値錢的眞東西，同好者也就心中有數，某人到了經濟情況不好，需要變賣珍藏書畫時，同好者認爲機會來了，就會挖心思向某人身上做功夫，要把這些東西弄到自己手上來。甚至有些是巧取廉買，乘人之危，到了目的已達，還祇爲得意之舉，簡直快活得似一個藝術家完成了一幅傑作。這種事情，表面仍是雅得可以，雖則古代名家書畫，在他們眼裏手裡只似賭桌上的籌碼。

潘雅伯就因被迫得走頭無路，才在無可奈何當中，把手上可賣的好東西都廉價出去，後來，正如這幾年香港人慣說的：「房屋由大住到小，汽車由小坐到大」，潦倒不堪，才遷到譚福祿的舊樓上，賃個小房間居住。那時他曾經爲了一幅八大山人的畫哭了一大場，把譚福祿嚇得一跳。譚福祿在向他問明原委之後，覺得他可憐亦復可笑，對他說過這樣一句話：「你別哭了！你不懂得香港。實在該哭的不是你，而是八大山人。」（四）

母親

王敬義

我不知道陪伴在母親身邊的孩子，他們是否感到幸福，但遠離母親八年了，我一直過着寂寞的日子。

街上，年幼的兒童，穿着彩色鮮艷的衣褲，領着母親的手，邊走邊笑；成人，攙扶着年老的母親的手臂，嘴唇不停的掀動着，（他有多少有趣的事物要告訴她啊！）有時，買兩隻橘子，用手臂挎着，緩緩的往家的方向走去。這些，是多麽令我羨慕啊！

搭車的時候，有一次，我的身旁坐着一個小女孩。她穿一件黑呢的外套，外套裡面是一件鵝黃色的毛衣。年齡在六七歲之間，她有一雙黑黑的眼睛，頭髮梳得整齊，垂在耳旁，露出她聰明的額角來。她的稚氣表情的面孔，不停的轉向車中每一個乘客，然後，她轉向她身旁的我了。

她微微地仰起頭，她那一雙黑亮亮的眼珠一接觸到我的視線，立刻就嬌羞的躲藏起來——躲到她母親的懷中去了。她又從母親懷中探出半個臉，對我笑，她的母親，此時俯下臉來，親吻她的紅潤的面頰。於是，孩子撒嬌的伸出兩隻手臂，掛在母親的頸項上。這是一幅怎樣動人的畫面啊！

我痴痴的看着她們，這光景，把我帶到回憶的領域裏，回憶依偎在母親懷裡的幸福的時刻。

但是，八年了，八年沒有看見我的母親，她眼角的皺紋不知又增加多少，她的頭髮一定也灰白了！我的心中激盪着愛情，我但盼我能佇立在她的面前，那怕一路上我經歷無數的艱困，那怕漫長的行程使我疲憊，只要我能站在她的面前，看到她灰白的頭髮下，佈滿皺紋的臉上浮出一絲舒暢的笑意，我也就感到滿足了。是的，不僅僅我在懷念母親，母親也在掛念着遠在他鄉的我。

那麽，即使我對母親的懷念可以深藏心底，我又怎能忍心讓年老的母親長久的掛念我呢？

當我在她身旁的時候，她還不時的囑咐我，要我少工作，多休息。而在冬天的夜晚，她更不斷的爲我加蓋棉被，塞緊被角，臨去時，又總是戀戀不捨的再三端詳我，輕撫我的額角。聽着她蹣跚的步聲去遠，往往我會在黑暗中流淚，「母親，你這一份熱愛，叫我怎樣報答呢！」

離開家，離開故鄉，對她道別時，她只默默的任淚水在面頰上淌動。她強作笑容，她一遍又一遍的對我說着保重。我肩起我的行囊了，轉過身，我又扭過頭去，在我生活了廿年的家的門口，正站立着養育我的母親，但是我能說甚麼呢？

我就帶着母親的一切希望走了。八年了，這不是一個短時間，我能不懷念與我相依爲命的母親？

這份懷念，日益沉重了。我開始愛我能遇見的年老的婦人。在任何地方遇見，我都竭力的注意她們。有時，我故意尾隨在她們身後，走得很遠很遠。我幫她們提拿包裹，在公共汽車上我讓位給她們。我對她們微笑時，盼望着她們回答我的微笑，而我要在她們的微笑中，尋覓出我母親的面影。

武俠小說　江南遊俠

第一回：往事辣心　放歌還縱酒　今生惡報　自害復傷人

龍某悽然一笑，聲歇板停，微喟道：「娃兒們！旣然曲子不愛聽，都回家去吧！天也實在太冷！」千兒立以右手食指，向小臉上直劃，天眞的嚷道：「醜！醜！龍叔叔饞酒不玩，把戲不還酒，厚着臉皮賴數！」羣兒聽附和，大夥兒圍向中年人吵着不依。

中年人呵呵大笑，猛可裡一騰身，雙臂箕張如翅，掠空直上丈許，再隨的一翻身，兩脚朝天，頭頂向雲彌勒頭頂，雙手一旋，人便和風車一般的旋轉起來，雙足朝天時撥時分，兩手愈划愈快，剎時只見一團圓的黑影灰影，像一個地旋螺似的在雪人頭上旋轉，分不開手影、衣影、人影……孩童們喜得打跌，仰着脖子直喊好兒。

突然右側大樹上，也有人大喝一聲：「好！」一道虹光起處，數粒白點，如閃電一般向正在豎蜻蜓的龍某射來，即聽得中年人「哎呀」一聲，噗通倒地，小孩們嘩然四散，不少人已嚇哭了，隨見樹枝嘩啦一陣響，嗖嗖竄出兩條人影，一個面如黃臘，週身皮包骨頭，活像一具人骷髏，另一個則面目臃腫，嘴裂如蛤，一高一矮，一肥一瘦，都醜得無可再醜，兩人分向雲彌勒左右立定，小孩們以爲是魔家四將顯聖，同聲：「媽呀！」扭頭便走。

瘦子不理會小兒們的舉動，只注視着倒地的中年人，哈哈狂笑道：「龍翔！你也有今日，你那母夜叉老婆呢？老不死的師父呢？」聲如裂帛，比梟鴟夜啼還刺耳，但小孩們聽了，反有不少人停下步來，驚異萬分的向後張望：「怎麽？這瘦高個子竟還是個女人？」可是這一看，急就着大了；那怪女人不知何時已抽出一柄長劍，惡狠狠的照着龍翔心口就戳，小孩們又恨又怕，準知道龍叔叔這下子是完了。冷不防中年人一聲狂喊：「好婆娘！妳眞狠，竟打算謀害親──親爺爺啊！」嘴內驟噴，腰下一挺，平身仰面斜竄出去，足有一丈多遠，同時右手一揚，一縷寒光，直奔瘦女人面門，距離如此之近，瘦子想躲也躲不開了，急一挫腰，右肘猛的一麻，醜女人「咦喲！」一聲，轉頭就跑。

她心內明白，她先在樹上偷發的毒蒺藜，可是子不見午的陰毒暗器，不知何以竟被龍翔接去手內，裝死倒地，現在回敬回來，如果不趕快服下解藥，還與人動手，毒竄全身，可就無救了。

女瘦子一跑，男胖子可就沉不住氣，細眼一張，陰惻惻的冷笑道：「龍老大，算你命大，居然還有這一手兒，你我有緣，改日再會！」且說且自提足，向來路倒縱回去，那知不等他落地，即聽一聲斷喝：「不要臉的東西，兩人暗算一人不成功，就這樣走了嗎？別做夢吧！」話聲中，叭叭兩響，胖子臉上，早中了兩掌，當時腫起老高。（四）

敏感

筆海樓隨筆　徐學

說起來，敏感應該是一種好現象。能夠遇事敏感的人，必有機智，必凡事謹愼小心，故終其一生，不會出多大亂子。然而，天下大事，利害參半，每難兩全，敏感者固有機智，但有時亦不覺喪失理智。敏感之爲物，過多過少，都足以僨事，要想修養到恰如其份，委實大難。

敏感而能作到不枉不縱，眞不知要費多少涵養功夫。可惜這種個性，大半不易改變。有些人成天在胡思亂想，將理性完全喪失，因而對於眼前事物，無法加以思維，其應付之道，就全憑那一點「敏感」。這種人，有時候亦可以憑敏感而逢凶化吉，但其結果總不外下列數端：一是「杯弓蛇影」，終生鬱結；二是「打草驚蛇」，遭人暗算；三是「庸人自擾」，害人害己；四是「自作多情」，遠離現實。

在現實世界裏，敏感的人實在太多，大家神經過敏，這社會就給弄得亂烘烘了。數十年的戰禍連綿，人類在無情現實的教訓之下，欲求其不敏感，殆不可得。曹操煮酒論英雄，說到「天下英雄，唯使君與操耳」時，劉玄德竟至失魂落魄，無意間墮下了雙箸。是則敏感之道，亦由來久矣。

然而，眞正的思想家政治家則不然。他滿腹經綸，胸中具萬法，能見微而知著，能由近而及遠，大變之來，當機立斷，來龍去脈，瞭如指掌，在這種理智的衡量之下，自無所謂敏感，亦無所用其敏感。

徵稿小啟

本欄歡迎投寄短篇小說，每篇以一千六百字左右爲宜。請用五百字稿紙繕寫淸楚，並請自留底稿，不用恕不退還。

編輯室

大陸文壇萬花筒

梁思成的烟盒

岳騫

梁思成雖是梁任公的公子，但是因爲學的建築，在過去沒有表現的機會，除去他的學生、同事之外，知道梁思成的人，實在不多。

大陸陷落之後，中共佔領下第一步措施，就是强迫子弟鬥爭父兄，特別看中了兩個人，一是梁思成，一是胡適之的公子胡思杜。因爲梁思成鬥爭任公特別賣力，社會上才對他有了認識。

以後中共對於梁思成頗有好感，認爲他的思想進步得快，中共在北平建築一些房舍，也都要梁思成經手，梁思成又別出心裁建築了許多宮殿式的房子，一時成爲風氣，全國各地大中城市都起而效尤，後來中共發現這種作法太浪費，下令禁止，梁思成也受了批判。

不過，中共還是離不了他，一九五九年落成的「人民大會堂」還是梁思成設計的，所以當大會堂建成之後，中共就批准梁思成入黨了。

入黨後的梁思成更神氣了，經常隨着一些代表團去蘇聯東歐訪問。儼然成了一個紅色文化要人。最近中共與蘇聯簽訂友好同盟互助條約十周年紀念日，中共大肆慶祝，許多文人都要奉命寫文章頌揚，梁思成自然也逃不了，在二月十五日的人民日報上，寫了一篇文章敍述俄國人强拿他的烟盒的故事，到頗能看出蘇聯的「無私的友誼」。

據梁思成說，他是一九五八年三月下旬到莫斯科，晚間在一個餐廳裡吃東西，他這次是從捷京布拉格回來，只經過莫斯科住一晚上，明天就回北平。梁思成同一個翻譯剛剛坐下，還未曾叫東西吃，突然過來一個俄國人和他打招呼，兩個人就很親熱的交談起來，談到半晌，俄國人掏出烟盒來，敬了梁思成一隻烟，梁思成也趕快掏出烟盒，還敬「老大哥」一隻，誰知那位朋友一眼看到梁思成的新烟盒，伸手搶過去，據梁思成文章上說，「一句話不說，對我擠擠眼，就把我的烟盒放進他的口袋裏去了。」梁思成只好揀起他的舊烟盒，放進自己的口袋。這種情形到眞是典型的「中蘇友誼」，俄國人就這樣用破舊機器換去中國的糧食和日用品。

釋未集

冤獄

於報章中，獲悉國民政府已頒佈一項法例，曰冤獄賠償法，法爲具文，亦在施行如何耳。考世之有冤獄，多因世亂刑繁，民不畏法，以是獄囚充塞，審判往往稽延，此其一也，其次則國家危疑不測之際，人心思變，羣情惶惑，爲防萬一，不免濫肆拘留，亦往往造成冤獄。至于執法之官，或矜智巧以爲聰明，持姑息以惠奸慝，上則視大吏趨向，而重輕其手，下則惑社會之浮言，而二三其志，則固常有之，而影響不大也。稽諸國史，冤獄之盛，大抵起於朋黨之傾軋。漢末之清流，北宋之黨禁，以明末之東林，若范滂張儉之望門投止，蘇軾、黃庭堅之貶竄放逐，楊漣左光斗之誅死，歷史所記，萬不及一，其間坐是以致破家或瘐死牢獄者，自當不可勝數，然猶未若近世倡爲以黨治國以後之甚也。按今所存民國六法全書中，民法、刑法之外，附有特種法例，中有內亂罪，外患罪，反革命緊急治罪法，懲治土豪劣紳條例，懲治土匪條例，禁煙禁賭條例，及各種違警律懲罰條例等等，何止多如牛毛，而當時號曰統一，實則各省各自爲政，故此類條例之外，又益以各省自制頒行之單行法。抗戰軍興，征兵征實，又有懲治逃役欠糧之定規，故當時無論爲保甲里正，爲團隊首領，均可隨意逮捕人民，不必加以審問，人民亦往往不知其何以被捕，何以被釋也。民國二十五年，廣西地方首長反抗南京國民政府，少數閒居鄉里之知識份子，突爲政府下令扣押，不審不問，直至七七事變，始獲釋出，余友某君告余，當時獄囚雖極多，屬于法院管核範圍者，大抵不過十之二三，其他均爲反革命、土豪劣紳或盜匪，否則爲賭徒、煙犯、或逃兵。此類獄囚，一般不予發給書面判決，大抵獲釋即爲無上恩典，雖有冤枉，亦不敢提出異議，以普通刑法論之，十九屬于冤獄，當時廣西號爲模範省，人頌領袖爲賢明，而亦不免如此，等而下之，尚可問乎？昔諸葛亮治蜀，主用重典，故曰：「治世以大德，不以小惠，匡衡、吳漢皆不願有赦。」劉先主亦言：「吾周旋陳元方，每見啓陳治亂之道甚悉，曾不悟語赦，若景升，季玉父子，歲歲赦宥，何益于治。」此特就寬與嚴言之耳。百姓大率純良，不患刑之嚴，而患刑之濫，嚴可使人自爲斂約，濫則民無所措手足。民國以來，刑網如此之密，官吏用刑如是之濫，究終無補于危亂，此則可以深思之矣。

曲齋

栗海彈心錄

談曾國藩（上）

阿公

曾文正克復金陵，屬行復原湘軍，一時名將宿將，多予資遣，老湘軍惟留劉松山數營，年甫弱冠，湘人呼之小統領。其時清廷用兵西北，左宗棠由閩浙總督，調陝甘總督，兼欽差大臣，晉撫陝撫，爲其南北糧臺長，步隊得由兩江兩湖徵調，文正乃撥劉松山予之，左以其素不知名，未加重視，且詆「曾老大」以下騶應客。臨行松山請訓，時當春末夏初，文正告以左軍如出潼關，則自陝以西，每晚必擇高地宿營，他無所囑。松山當時，亦不明訓之故，惟謹守訓示而已。後左軍分南北兩路，南路溯漢水出荊紫關，下洵陽，北路沿黃河，叩潼函而行，劉部隸北路。老湘軍營制，兵士三百八十餘人，長夫二百餘人，待遇餉銀相差兩錢，犒賞每夫多於兵，此兵夫所以能相依相親也。帳篷彈藥錙重隨軍，故行軍不拉夫，宿營必擇善地，不入民房，日行不過五十里，卯初出發，未初宿營，宿營必作工事，不因遇敵而張，亦不因無敵而弛，不使過勞，亦不使過逸，故能以拙馭巧，以志帥氣，平時膽小，臨事膽大；此老湘軍所以能縱橫當世。湘軍「穩扎穩打」一語，實從營制規模精神公心鑄鍊而成，非後世口號標語所能彷彿也，爲之擲筆太息。

左軍西征，軍儲豐備，會逢關東豫西，夏季驟雨，盤谷平地，水深沒頂，所有北路各部軍資，損失殆盡，從新部署，與南路失於期會者累月，獨老湘軍數營，完整無闕，召詢其故，松山具以實告，由是不復以下騶置之，然猶未知其能也。自此轉戰陝甘晉東，天山南北兩路，戰勝攻取，一時名將弗如也。松山戰死金積堡，文襄以其侄景唐嗣其後，並統其軍，新疆改省，景唐首任巡撫，酬其功也。

讀書小誌

俱分進化論

謝康

章太炎文錄，有「俱分進化論」一篇。主張善惡並進，苦樂相成。他說世界逾進化，人類逾文明，樂逾進而苦亦逾進。例如從物質文明生活享受的舒適而言，人類已較他種生物進步；但是人類精神上的不安和痛苦，也遠較其他物類爲甚。這就可以證明「樂逾進而苦亦逾進」，這些話都似乎言之成理。但是苦樂大半屬於主觀，既屬主觀，就很難量度和計算了。

太炎先生曾就道德立言，以爲文明日進，則道德逾差，爲惡程度亦逾大，以戰爭爲例，世界大戰殺傷人數，隨新武器的發明而日增；即使他日弭兵不用，而「心戰」的傷亡，其人數必多於大戰。我覺得這種推論，不盡合於事實。今天，共黨之好殺好戰，雖屬人類的浩劫當頭，但反共的力量，反對殘殺的呼聲，仍比共黨本身爲大。現代縱有戰爭，但同時有救傷兵及優待俘虜種種辦法；比較原始喫人部落民命全無保障的時代，究竟差勝一籌。相信自由民主，終必戰勝殺人魔力。

作者受佛家「四苦」、「五衰」種種消極厭世思想的影響，以爲人生苦樂兩相比較，苦處恒多於樂處。其實苦樂感覺隨人而異；而每個人的感覺，又往往隨各人所處的環境時間及其心情而異，無法統一標準以衡量的。佛教的看法，也只是一種悲觀的論調罷了，多數人是未必能夠同意的。佛法今日在印度的衰落，就是一個證據。

此外，太炎先生以爲人類痛苦，除來自現實生活的而外，還有來自理想生活的。他說人類理想隨智慧的發達而增高，因而將來可能遇到的挫折，也愈加嚴重，而苦痛也愈加多。例如求立功、立德或立業的人，所求的理想愈高，則其失敗所受的痛苦也就更大了。這種說法，雖不無片面理由，亦頗能自圓其說，但，也不能令人完全滿意。因爲，如所周知，追求崇高理想的人，其精神修養，已超出尋常人所謂苦樂的境界，我們實在不必拿普通的尺度來衡量，否則便是「以小人之心度君子之腹」了。所謂「孔顏樂處」，「人不堪其憂，回也不改其樂。」「飯蔬食飲水，曲肱而枕之，樂亦在其中矣」，「富貴於我如浮雲」以及翁森四時讀書樂所描寫的那些境界，絕非孜孜爲利，終日患得患失的人所能了解。其差別眞如同藩籬之鷃，井底之蛙，不能測量天地之高厚的。人與人之間，其度量之相越，眞是不能以道理計算。陸秀夫、張世傑尤其是文天祥史可法的志節，豈是張洪範、吳三桂、洪承疇等小人所能比擬的嗎？耶穌的負擔十字架，許多宗教家之以身殉道，視死如歸，他們對於死生苦樂，也決非庸夫俗子所能了解。莊子書中所討論的「子非魚，安知魚之樂」，偉大人物對於苦樂的感覺，絕非整天「掘銀紙」的庸人底字典所能解釋的。胡一貫先生的「人生哲學」一書第十九章，對人生苦樂的問題，駁斥悲觀主義，以爲他們所計較的苦樂，只是一種行不通的幻想。他們否定了知識，否定了情感，否定了意志，甚至否定了人生。以爲人生就是痛苦根源。欲除掉痛苦，先求「無生」或「無身」，其結果也只有自休自了，或遁入空門，了此殘生，以求涅槃或圓證無生而已。佛說「四大皆空」，如此說來，人生還有什麼價值可言？人類社會還有什麼問題可談呢？這種勘破人生的說教，與其說是聰明，毋寧說是消極或懶惰！

中國文字的微妙

信天翁

關於用動物形聲色性的比喻句子甚多，茲舉例如下：

（一）形：熊腰，虎背，鳶肩，豺目，鼠牙，雀角，鳳毛，麟角，螓首，蛾眉，狼吞，虎嚥，鯨吞，獅吼，猴捷，狐步，豹變，虎蔚，龍翔，鳳舞，怒蛙，孤雁，蝸角，蠅頭，鳩胸，龜胸，蚊睫，蟹行，螻屈，蜂房，龜拆，螺旋，猨臂，猩脣，鷹揚，兎脫，魚貫，蛇行，鼠竄，蜂屯，蟻聚，蜂擁，蟻附，鷹瞵，虎視，狼奔，豕突，蠶食，蛇脫，魚眼，蝦鬚，鼹穴，駢文，燕尾，駝峰，鵠立，鳧趨，鴻爪，麞頭，兎角，鶯梭，蝟集，蝸蟠，牛飲，鴟蹲，魚麗，鶉衣，熊掌，綵綵，鰈鰈，鶼鶼，鯨吞虎據，猪突豨勇，犬牙相制，牛驥同皁，魚躍鳶飛，龍行虎步，貓鼠同眠，鼹鼠飲河，螢火之光，過江之鯽，騰蛟起鳳，蛛絲馬跡，貔貅之衆，鵝信之軍，

（二）聲：蚓笙，蛙鼓，鵲噪，鶴唳，犬吠，牛喘，鶯簧，鴉音，鸛猖，羊腸鳥道，聚蚊成雷，吠影吠聲，龍吟虎嘯，雄飛雌伏，雞皮鶴髮，

（三）色：猩紅，烏黑，魚白，蝶粉，蜂黃，鴉鬢，鴉鬟，雞冠紅，狐白裘，

（四）性：狼顧，雁序，鷺序，鼠胆，蝙營，狂蜂，浪蝶，狐疑，蠅附，蟹奴，螞奴，狸奴，蟻封，蛔臥，蚊負，蠱惑，鶴壽，龜齡，鼠竊，狗盜，鵰撤，鳩拙，兎狡，豕交，豕心，豚犬，臥獅，馬馳，牛奔，雞姦，豕冠，寒蟬，狼狽爲奸，燈蛾撲火，馬齒徒增，鵲巢鳩佔，作繭自縛，螃蟹橫行，饕鳳和鳴，螳臂當車，鶺鴒在原，鮑魚之肆，狼子野心，象以齒焚，蚌以珠剖，鵬程萬里，蛇蝎爲心，豺狼成性，退飛之鷁，羔羊跪乳，食馬留肝，犬義虎節，鮎魚上竿，舐犢情深，豺狼當道，爲虎作倀，蜉蝣不知天地，蟪蛄不知春秋。

（下）

東北領土滄桑史話（一）

海嘯慶談會

諸葛文侯

吾國對日抗戰八年，犧牲人民生命財產無可估計，乃是釁端於東北領土之被侵略；戰後共禍發作，終致中原淪陷，國本動搖，東北又是這亘古未有之變局的亂源所在地。大好的疆域，竟成了中華民國滋生外患內亂的溫床，雖曰國運攸關，然人謀不臧實爲主要因素，而東北九省人民不預焉。遠者不必談，請從對日抗戰勝利後的史事說起。

一九四五年八月中旬，日本政府宣佈接受波茨坦宣言，無條件投降之後，我國即亟亟於進行收復失地工作，而以接收東北地區爲首務。然苦於交通運輸工具缺乏，唯有乞援於當時遠東戰區盟軍最高統帥部參謀長兼美軍司令魏德邁將軍，請其供應軍艦與飛機，作爲輸送國軍馳赴東北之用。這時候，蘇俄馬林諾伕斯基元帥已統率大軍捷足進佔長春、瀋陽各大都市了。據聞當時魏德邁將軍逆料俄軍在東北別有企圖，未可忽視，曾建議不如先由美軍前去接收，等到一切問題皆協議解決，然後交還我國統治，比較穩妥。但我方一般鐘鳴鼎食的要人，譁然反對，說八年抗戰就是爲的東北，如今抗戰勝利了，竟不能收復國土，還我河山，試問何以對東北人民？更何以對無數因抗戰而殉難的軍民同胞呢？其詞悲壯激越，其情慮嬌可愛，魏德邁的主張自然「應毋庸議」了。大家張皇幽邈，急把新一軍以及若干擁有美式裝備的精銳之師，兼程北上，先將山海關、錦州、營口、秦皇島這些陸海衝要據點，嚴密鎮守，以防毛共軍隊竄入。此時毛共份子雖然急想滲進東北，取得俄援，祇能徒手化裝，分由水陸各方，零星奔竄，而史達林對毛共這羣土包子亦並未特別重視，倘希望運用軍事與外交力量，以國府爲對手，憑談判方法來達成他的擴張目的。所以，當時他跟我國簽訂的「友好同盟條約」，即註明蘇俄願以精神和物質力量援助國民政府的諾言，他的目的是在能夠暫行佔有旅順、大連，并依照雅爾達協定，攫得外蒙古的控制權再說。

新春書懷

集古　漁翁

爆竹聲中一歲除（王安石），天街小雨潤如酥（韓愈），種桃道士歸何處？（劉禹錫）爲問蟠桃熟也無？（寧獻王）

汀洲無浪復無烟（劉長卿），今日花開又一年（韋應物），聞道王師猶轉戰（皇甫冉），何時返旆勒燕然（皇甫冉）

無邊光景一時新（朱熹），回首青山入夢頻（陳摶），春色滿園關不住（葉適），出門俱是看花人（楊巨源）。

夢魂搖拽櫓聲中（戴復古），準擬今春樂事濃（楊簡），便覺眼前生意滿（張栻），風光不與四時同（蘇軾）。

百般紅紫鬥芳菲（韓愈），爭忍花前不醉歸（程顥），最是一年春好處（韓愈），賞心從此莫相違（劉克莊）。

自由報

THE FREE NEWS

半週刊每星期三、六出版

第五期

每份港幣壹毫

社長：雷嘯岑

督印人：黃行奮

社址：香港銅鑼灣高士威道二十號四樓

20 Causeway Rd. 3rd. Fl.
HONG KONG
TEL. 771726

電報掛號：7191

承印者：田風印刷廠

地址：香港高士打道221號

中華民族的智慧與文化

温惕夫

我們今天沒有像抗日戰爭時期那樣的一個「大後方」，並且大陸淪陷了十年，比抗戰所歷時期還更長。尤爲不幸的是：海外頻傳「排華」的無理呼聲的若干地區華僑遭受非常可痛的慘遇，和大陸陷溺中的同胞宛然呻吟相通，痛苦相緊。我們會因此想到中華民族是處在空前厄刧當中，並不免有永久沉淪的恐懼。近一年間，由苦悶焦躁而發出的嗟嘆正與在時俱增，對此，我在這篇短文說出一個看法，決不是故意勉強鼓吹樂觀，只覺如要恢弘志士之氣，便應指出我們並非完全沒有該受鼓舞的事實。

值得鼓舞的事實

觸發我寫本文的動機，是香港總督柏立基爵士前天發表的一篇演詞。柏立基爵士向香港立法局作「預算」致詞，說一九五九年是香港經濟發展最有意義的一年，也是工商業人士獲有成就的一年。表示對香港人的勇敢與辦事才能具有信心的。的確，香港目前工業發展的成績，確正震驚世界，如只歸功於華民的廉價勞力，那是不夠的，豐富勞力之外，發明的頭腦和商業的才能同樣不可缺少。又如，只歸功於十年由大陸到此定居的百萬新人，而不將香港原有居民的智慧才能計算在內，也是不公平的。深入觀察香港社會現況的人當會看到：戰後香港新一代的工商業人才，比戰前老一代的眼得局度更宏濶，頭腦更靈活。他們也是建立香港新工業的骨幹之一。而總括來說，香港的成就大部份是屬於中國居民的。華商工商界今天在香港給全世界一個顯示：中國人在工商業的公平競爭上是有作爲的。

由香港放眼望向更遠的地方。我們該受更多的鼓舞。

江山代有才人出

一位專門研究中國海外僑民的日本學者，到東南亞作過一次深入的考察，指出今天華僑的經濟力量是由新的工商業經營方法而構成，因此能夠把基礎建立得比從前穩固。我們如將若干地區排華事實放在另一方面置評，倒不能不說上項見解相當精闢。

海外許多地方華僑社會產生出新一代的人才，已有大部份超脫了從前所謂「南洋伯」「金山丁」的型格，其中精明幹練的工商巨子尤可令世人刮目相看。這是要留心才可發覺的事實。這事實可提示一點意義：最初向海外求生存和發展的中國人，唯持品格純良，刻苦耐勞，克勤克儉而已，到了目前的一代，便加上豐富知識來配合原有優點，演進爲新時代的新人。

海外華裔人才輩出，近年還其在科學、藝術，及其他方面的卓越成就，各呈異彩，馳譽國際，數已不少，其在民主政制下從事政治活動的成績，在美、加、星、馬等國均有若干出名的人物。這決不是偶然巧合，該有一個深遠看法。

中華民族人口的繁殖流轉，以及人才的興起，其層序爲由黃河流域至長江流域，由長江流域至珠江流域。今天海外有千多萬華人，無遠弗在，其散佈與成長都屬莫之爲而爲的，如說「海外」繼「珠江」而興，不經不覺開創出另一境域，在理並無不通。

不管我們目前有多大困難，只要我們對中國人的生命力，對中國人的智慧與文化，具有堅不可拔的信心，我們就應該對反共抗俄的前途，同樣具有必勝的信心。

草色遙看近却無

記得抗日時期也有過極爲黯淡的階段，蔣百里先生曾以「草色遙看近却無」一語，指出民族復興遠景，並以「勝也罷，敗也罷，只要不和他講和」爲話題，振勵最後必勝的信心。其人其語，曾在當時發生極大的影響。今天我們如作「遙看」，未嘗沒有蓬勃的綠油油的「草色」，堪供指點而道。

我們可以毫無愧作地說，百年來亞洲最偉大的思想家，迄今仍當推我們中國孫中山先生。他所倡「耕者有其田」的主張，今天在台灣實行有效，已爲亞洲及世界許多地方樹立最好的楷模。這難道不是最後必能擊敗俄共的一個保證嗎？

看海外華僑生命力的堅韌，才力智慧的不斷發揚，閱時百載，歷無數的艱難困苦，積久乃大，與時俱新，我們能說俄共及其一小撮的毛幫爪牙，必可永遠控制大陸數億同胞，不許他們翻身嗎？十年以前，在大陸反共的主力，在乎老年人及中年人，現在由青年人代興了。這兩年來知識份子誓死向共黨抗鬥的血淚紀錄，不是每一天都在向海外傳出嗎？我們民族的智慧與文化，在大陸對俄共的抗鬥哪有一天歇息過？我們民族的生命力確乎是強韌的，第二代反共抗俄的力量目前正在大陸茁長，誰能否認？

萬紫千紅總是春

「草色遙看近却無」，向海外華僑看，是一片草色，向大陸看，是一片草色，向台灣看甚至就近香港看，也是一片草色。自然地自由地生長的草，是不能徒看一株兩株或一片兩片，便能領略其蓬勃氣勢。但即使如此，只看台灣農民現時所過的康樂生活，及其豐盛的農產收穫，和香港三百萬華人在「自由經濟」體系下創造的工業繁榮，已足證明中共在大陸必將慘敗下去，而即使在目前，他們也的確是窮於欺騙了。

全面的恒久的持續不斷的奮鬥，制勝仍屬必然。有志之士各自隨份獻力，就地効勞，顛沛必於是，流離必於是，挺起脊骨，放大視野，雖有一時的苦悶焦燥，怎能搖動植根深厚的信心？

看事實，信歷史，中國大陸不會永受俄共控制的。春草方生，大家努力！

時事述評

亞洲急需高階會議

許明柱

歐洲經濟的新合作

本年底，一個促進歐洲經濟合作的新組織可能成立，目的在使大西洋國家有一項全球性經濟及貿易政策。特別着重開發落後國家，新組織的籌備主席爲美國大使勃吉斯。

這是歐洲國家自一九四八年杜魯門第四點計劃援助以來又一次歷史性的發展。

從一九四五年二次大戰結束到現在，爲時不過短短的十五年；但國際間的變化，尤其歐洲的變化，確是相當驚人！

武器方面：由美國擁有原子武器的絕對優勢，發展到蘇俄搶先放人造衛星，發射月球火箭。

軍事方面：杜魯門第四點計劃以後，跟着是歐洲六國公約馬歇爾計劃，大西洋公約，擴展到巴格達公約！

經濟方面：法國前外長倡導的「歐洲六國煤鐵合營」，這個計劃到一九五八年已指向「廿年以後成立一個歐洲合衆國」。

一九五八年以後，由於英、法意見不同，雖然又有「外七國自由市場」以與「內六國共同市場」對立競爭；但從遠景看，正是歐洲人的幸運！因爲歐洲國家正從「自由市場」和「共同市場」的相爭中走向一個新的合作。這種合作對於亞洲人而言，是示範，是榜樣，也是一次警告：這種從對付共產主義所產生的新步驟，絕不限於對付極權主義者。

亞洲人真愚蠢嗎？

事實上，百年來的亞洲對於來自西方政治與經濟勢力的凌駕，從沒有擺脫過。

以歐美之強，無疑，強於世界任何一個集團。以歐美之富，世界上沒有任何一個地區可以與之比擬；然而歐美國家並不以此爲滿足，他們要在對抗極權主義的挑戰中，以援助落後國家遏阻共產主義的蔓延；以全球性經濟及貿易計劃，作到西方國家勢利均沾，打破以後大國獨佔的局面。

然而，亞洲人似乎還在迷夢中，迷戀到似乎認識不清亞洲人自己的命運！

遺憾的，許多亞洲新興國家的領袖們，只注意到狹義民族主義的培育提倡，只注意到自己一國暫時的安全，而忘記了共產主義擴展無國界的普遍危險性。甚至於，有的國家部份領導者竟公開對亞洲人趨向團結的倡導表示冷淡，真令人費解，難道說：亞洲人真的愚蠢嗎？

亞洲急需高階會議

今日的世界，富強莫過於美，橫霸莫過於俄。然而杜勒斯六年國務卿僕僕風塵，折衝樽俎，任人皆知。艾克與赫魯曉夫也親自出馬到各國訪問，爭取與國。何以亞洲國家領袖竟如此保守，安於現狀？

亞洲今已有十五億人口，超過世界人口之半。然而，亞洲人的命運，却要直接間接受西方大國的宰制，隨西方大國的安排，菲律賓外交官指韓國特使關現提倡「保衛自己的自由」不合時宜，必須要等到五月巴黎高階會議談判世界局勢是否獲有進展一點，可爲明證。這眞是亞洲人的困惑，也可以說是亞洲人的遺憾！

爲此，亞洲亟需一次高階層會議，至少，中、韓、越、馬來亞四國領袖應先舉行一次高階會議，因爲，亞洲的命運，只有亞洲人可以解決。

自由讀

語意的關係

有些習慣了的語文詞彙，大家人云亦云，認爲義所應爾，若憑嚴格的邏輯方法來仔思探究，即發覺其中頗成問題者甚多，可見使用成語亦不能隨便的。

例如「有飯大家吃」這句極普通的成語，說來好像很合理，而且覺得這是符合經濟平等的原則，千該萬該，誰也聽得悅耳愜心，毫無疑問。實則這話並未具備妥當性，大有研究之餘地。所謂「有飯大家吃」云云，就是說，誰如有飯，亦應該供給芸芸衆生之缺乏食糧者共同果腹，不宜獨自享受。這其間，就發生勞動價值是否均等的問題了。我所持有的飯，無論多寡，都是從「粒粒皆辛苦」的勞動力中創造得來的，若讓社會上一般不事生產不願勞作的懶散份子，大家坐享其成，分嘗一味，這是合理平等的法則嗎？所以，這句成語只有共產主義者用來最洽當，因爲他們的主義與政策，是要大多數人把自己勞動所得的成果，一概交給少數不勞而獲的特權階級恣意享受，他們的理由就叫作「有飯大家吃」，且美其名曰「社會主義！」

至於眞正主張經濟平等，實行剷除貧富階級的人，應該說「大家有飯吃」纔合乎邏輯。社會上每一個人，無論是勞心勞力者，日常孜孜汲汲於生計與生活的最終目的，就在使大家有飯吃，所謂「人飢猶己飢」，「一夫不獲，於我心有戚戚焉」，便是這種義理，充此一念以努力的結果，自然可以實現世界大同的理想，也就可以永遠消弭人類的戰爭行爲。人人居心立志要使大家有飯吃，把全球的生活物資共同享有，共同使用，再加以文化交流，語言通達，則構成戰爭行爲的因素如「國家界限」「關稅壁壘」「人種歧視」「生活差別」等等，皆一掃而空了，還有甚末戰爭之可言呢？

從「有飯大家吃」與「大家有飯吃」這兩句俗語設想，即可闡明眞假社會主義的思想體系所在，前者是共產主義者騙人的咒語，後者是社會主義者崇高的目的，薰蕕有別，未可混淆。世人每眩於共產黨人擅長襲取習慣俗語作口號，肆行宣傳，誤認其爲前進思想，隨聲附和，甚至習焉不察，效顰學步，如「不斷鬥爭」「一切通過組織」「羣衆路線」之類，盡是些違背人性與理性的不通之詞，然大家不知不覺地人云亦云，誤中邪說詖辭之毒，罔知所屆，可懼也夫！

馬五先生

熱烈緊張．精采絕倫
國大會議預備會盛況

野鶴

【台北通訊】國民代表大會於本月廿二日上午九時，舉行第一次預備會議，討論議事規則和大會主席團選舉辦法。上下午皆爲此事吵個閙，熱烈非常——只差沒有動手表演全武行而已。

會議一開始，若干好說話的代表們，即以火藥氣味十足的言辭，對秘書處紛紛進攻，首先是爲的秘書處將過去第一二次大會通過施行的議事規則原文，附同本日預備會議的議程，一併送交各代表參考。就有些代表卻認爲這是秘書處擅自擬定議事規則，祗致代表們隨便諾認可，頗有越權詐欺之嫌，雖經秘書長谷正綱說明理由，還是不能平息緊張空氣。其次則主張新訂議事規則的人，與贊成沿用舊章的人，彼此爭辯，難解難分，甚至互相諷刺詆譭，語多越軌，且發言亦不依照會議程序，這個尚未說完，那個又起來駁復，一片混亂嘈雜的現象，比戲院散場時或大茶館內人多口雜的狀況還要壞，主席何應欽不斷地呼籲大家維持秩序，亦復言者諄諄，聽者藐藐。

彼此爭辯，難解難分

內中爭執最激劇的問題，就是關於大會主席團的選舉方法，舊案是規定主席團主席候選人，須有代表十名以上簽署推薦，然後由大家用單記名秘密投票選得票較多者八十五名充任之。反對沿用舊案者，主張改爲連記一八一次連選八十五名候選人——以得票最多者當選，對於推薦主席團候選入，亦由舊案規定十位代表簽署改爲五位；同時主張今後大會一切重要案件，連同秘書長的任命案在內，一律要改用投票表決之法。綜持這類提案的，是一位東北籍代表高某，說是這樣乃可以打破大會進行時被人操縱控制的形勢。此外又要在主席團選舉辦法中，加入「罷免」一項，如果發覺某一位主席不稱職，（尤其是不能爲大衆謀福利者）經代表三十人以上之提議，出席人數半數以上之表決，予之罷免。更主張大會設置「程序委員會」，負責審查提案，交付大會討論，不再由主席團作初步處理。總之，旨在削減主席團的職權，降低主席團的地位，增加每一代表在會議中的威力。反對這種新辦法的人，其所持最大理由，即認爲單記名投票法符合民主原則，且使代表人數較少的單位亦可以爭取主席團的主席位置。至於主席團的職責是在主持會議事務，爲期不過卅五天左右，大會一經閉幕就沒事了。他們只是爲大衆服役的一項任務，並非常設職位，有甚末罷免之必要呢？綜計報名發言者六十四人，是日從上午九時鬧到十二時，僅僅卅多人說了話，還有半數尚待發揮高見，但多數代表已痛感疲勞轟炸之苦，大叫吃不消了！

唇槍舌劍，刺刺不休

下午三時繼續討論，正反兩面的辯士們唇槍舌劍，刺刺不休，有位廣東代表會以粵語對前後左右的同仁說道：「講來講去三幅被，真喺阿聾送殯，唔聽你的個枝死人笛咯！」可是，報了名發言的却非各講一輪不可，忽有閩籍代表林紫貴昂然登台，大發其煽動性的議論，謂每一代表皆有自由發言權，吵得越兇，即是表示民主政治的進步現象，縱令立言出軌犯規，也祇能由主席加以糾正，別人不得亂開數訓（因有代表發言要求大家自愛自重，不好瞎吵，給社會人士以不良印象）。他的態度十分激昂亢奮，全場頓時人聲鼎沸，掌聲亦四起，秩序突然紊亂了。這時乃有人動議停止討論，請主席將正反兩案提付表決，經多數人鼓掌附議，主席即宣佈停止討論，付由秘書處清查在場的代表人數，然後舉行表決，爲愼重計，裁定表決方式爲贊成者起立。詎料主席宣告停止討論，秘書處正在查點出席人數之際，又有兩位代表先後搶登發言台，大倡異議，還要繼續討論，登時全場噓聲大作，吼聲勃發，表示不願意再聽廢話。頭一位登台者在衆怒難犯之情勢下，悄然回到座位了。第二位名叫蔣慰祖的某省代表，竟在發言台上聲稱：「我的面皮有三寸厚，不怕你們噓，我不說完所要說的話，你們噓死我也是不會下來的」主席遇着這類對厚黑學修養工夫深邃的代表先生，也感無可奈何，讓他自說自話，說完了事。

一個議案，費時一天

最後主席依照民權初步所指示的會議程序，把鄒緝武代表等四十二人最末提出的意見——主維持舊有議事規則——宣付表決時，又有一位章正綬代表大聲疾呼，指摘表決程序不合法，極力抗議，主席未予接納，照樣進行表決，章先生憤而宣告退席了。表決結果的全場代表人數九六七人，起立者七四六人，絕大多數通過不修改舊有議事規則和主席團選舉辦法，時間已是下午六時了，馬上宣告散會。

綜觀今天的會議經過情形，全日皆在吵嘴喧嚣之中，表現得太過於民主自由，却不像一個最高民意機關的會議常態，這是進步呢？抑係退步？記者不敢判定，唯有如實地報導詳情，讓讀者們來作結論罷。

旱災籠罩下的大陸

李蔭

去年到今年，大陸各省長期籠罩在嚴重的旱災之中，夏旱、秋旱、冬旱、現在又是春旱。這種不斷發生和時間持久的災情，在歷史上是少見的，其所造成災害面積之大，歷史上也是少有的。如果說有天意的話，這應當是造物者對中共暴力政權的一種懲罰。

先說去年的旱災情形。六月份以前，河北、內蒙、陝西和東北三省發生春旱，吉林西部和南部長白山一帶，遼寧西部和遼東半島都乾旱得河流斷流，甚至松花江水源頻于枯竭，豐滿水庫無水發電。

六月至九月，大陸中部黃河流域和長江流域主要農業區又發生嚴重夏旱，災情之重爲七十年來所未有。受旱的有湖北、河南、山東、安徽、江蘇、陝西、湖南、四川、山西等省。

七、八月間，黃河以南，淮河和長江中下游的地區，以及長江上游的四川萬縣、遂縣、綿陽、江津八個等區也乾得河水斷流，湖北全省堰塘和小河亦全部枯竭。沼澤區公安縣的二百五十處較大湖泊乾了一百九十多處，長江水位低落，沿江一百二十一個閘和一個六十個明口，能放水的只有五十個閘和十三個明口。在下游也出現了相同的旱水位。如江蘇鎭江、楊州、南京山區的塘堰乾了十四萬九千多個。

十月以後，河南、安徽、湖北和華南地區又發生秋旱，自南嶺和武夷山以北，關中盆地和黃河、長江下游以南地區，均連續發生旱災。可以說，整個大陸已成爲一片災害的土地。

在此三季旱災中，大陸農田受災面積達五億餘畝。如河南全省一億一千萬畝，受旱的有八千萬畝。湖北全省六千四百萬畝耕地中，除原有六百萬畝自流灌溉的水田及抗旱灌救的四百多萬畝外，受旱面積達五千四百多萬畝。四川省受旱地區計有十個專區和兩個市的八十五個縣，受旱耕地面積達五十八百多萬畝，佔全省耕地面積百分之五十一點二。因之農作物損失的嚴重是可以想見的。

以上是去年大陸的旱災情形。入冬以後，旱象既未基本解除，緊接着又發生今年的春旱。

據共區報章消息，大陸各地今年一月份降雨量都比往年稀少，黃河上中游地區，東北松花江嫩江平原和遼西地區，一月份根本沒有下過雨雪。而且有些地區不僅一月份雨雪稀少或沒有下過雨雪，甚至從去冬以來，就一區缺少雨雪，因而旱災廣泛形成。其中旱情最重的爲陝西、山西、河南三省，其次是甘肅、青海、河北、山東、雲南、貴州等省。

以陝西春旱情形來說，該省在去年秋季百日大旱之後，去冬和今春，有一百多天沒有下過雨。據大陸氣象機構的測量，從去年十一月到現在，陝北地區降雨量只有五毫米到九毫米，僅爲歷年同期降雨量的百分之十八到百分之四十；關中地區只有四毫米到十毫米，爲常年同期雨量百分之十三至百分之三十九；陝南地區只有十九毫米到二十九毫米，僅爲去年同期雨量百分之二十七至百分之八十五。

因此，今年陝西春旱之嚴重，據說爲十八年來未有。全省水塘、水窖大都分已經乾涸，河流流量也大爲減少。如渭河流量比往年同期減少了一半，涇河流量也減少了三分一之以上。

河南省方面，從去年十一月到現在，雨雪也是非常的少。除淮南地區外，約有八十個縣市比去年同期降雨量減少三分之一；尤其豫北地區，降雨量更比常年同期減少一半左右。由于長期乾旱，該省大部份坑塘、水庫均無法蓄水，河道和山泉的水量也接近乾涸。

其他如河北、山東、青海等省的旱象也正在發展中。廣東珠江以東的地區和西部湛江專區也發生了旱災，據大陸氣象預測，今年二月至五月份的雨量仍然很少，一般旱象仍有持續的可能。

由上述情形以觀，一年來大陸上的自然災害，除去水災，風災和蟲災不說外，僅就旱災而言，其特點是：受災面積大，災情持續時間久，而且反覆發生，許多地區是旱災連接着旱災，沒有間斷。雖然中共正驅使大量民衆實行「抗旱」，喊出「用汗換水」的口號，但這是無濟于事的。因之不僅可以看出中共的所謂「農業豐收」是百分之百的謊言，並且今後數月內，勢必發生嚴重飢荒，從而也將有可能動搖這個暴力政權的統治。

本報特稿

中東三國元首會談

長安居

在伊朗高原東北部，有一個落後的君主立憲國家，便是阿富汗。這個國家，面積大十五萬方公里，人口不過八百餘萬，居民種族複雜，大部信仰回教，首都喀布爾，地當蘇聯與印度之交通要衝，這些年來，在莫斯科的誘脅之下，幾乎已成爲蘇俄的準附屬國了。

這一情勢的轉變，是不免要令得它的鄰邦巴基斯坦、伊朗，土耳其等國家爲之寢食不安的。二月二十三日，土耳其總統巴雅爾，伊朗國王巴里維，巴基斯坦總統阿猶布罕，在巴基斯坦的拉合爾市，開了一次小型的中東回教國家高峯會議。儘管三國元首的官方公報表示此次聚合乃屬於人性質，但實際上，決不如是簡單。這原因是：第一、這三個國家，都感受着蘇俄的嚴重威脅；第二、同爲回教國家，又同位在自由陣營之最前綫。第三、莫斯科方面最近對中東之一連串宣傳攻勢，直接間接均足以影響這三個回教國家。

伊土兩國元首之前往參加會議，乃係應巴基斯坦總統的邀請。巴基斯坦早已與美國訂有軍事協定，土耳其也與美國訂有軍事盟約，土巴二國在反共戰畧的地位，是兩枚有力棋子，再加上伊朗的戰畧地位，這三個國家的元首聚談，不論採取官式或私人性質，都是爲各方面所特別注意的。

伊朗是中東的大門，蘇俄紅軍要想染指中東，首先必得征服伊朗。赤色頭目赫魯曉夫，無時不在想把這個國家誘入圈套，企圖從事內部顛覆。幸而伊朗國王巴里維，英明有爲，對當前大勢，至爲瞭解，他一方面以果斷的手腕，清除國內動搖份子；另一方面，極力與其隣國土巴等國保持密切聯繫，以便共同抵抗赤色侵畧，這就是此次伊王赴會的主要原因。

至於土耳其這個國家，北濱黑海，南臨地中海，西與希臘隔海相望，東接伊拉克及外高加索。地跨歐亞非三洲，民性驍勇善戰，在目前的中東國家中，土國受蘇俄的威脅極大，但其國家的軍備亦非常積極。今天的土耳其軍隊，在美國的積極支持下，經已達到現代化，這一枚棋子，實在是令蘇俄感到無可奈何的。

中東一向是世界大戰的火藥庫，在最近五六年來，這塊地方，雖然也不時緊張，但由於自由世界之應付得宜，再加上蘇俄當局也不敢過於緊迫，總算是有驚無險了。在幾乎無人注意的情形下，莫斯科的矛頭指向阿富汗，以大量金鈔買得這個位于伊朗東北部的落後小國成爲囊中物，這倒是值得特別注意的事。

在目前，阿富汗這個國家，到處是蘇俄的顧問，不論在軍事，政治、經濟各方面，全爲蘇俄顧問人員所控制。現代化的軍事機場，戰畧性的軍事公路，均已陸續完成了。阿國的新軍，正在蘇俄的軍事人員訓練與裝備中。這一情況，對於巴伊土三國來說，簡直是心腹大患。這一次的三國元首會議中，我們可以斷定，是必然要討論到阿富汗這個問題的。

蘇俄永遠不會放棄窺伺中東，它取得阿富汗作據點，再進一步，當然是伊朗和巴基斯坦。在這種情況之下，這些反共國家，自然有加强團結之必要。要怎樣作再進一步的聯繫，加强三國的軍事力量，以抵禦赤色侵畧，當然是此次拉合爾會談中的主要論題。

社會小說

香港地

一、一幅剪成的山水畫

譚韞祿說出這句話時，會使潘雅伯愕然不解，經過了一番解釋，才正恍然。

為什麼潘雅伯會為一幅八大山人的畫而哭起來呢？事出有因，原來他在香港因窮而出賣的古畫，第一宗就是一幅八大山人的畫。那時，一則因窮而忍痛割愛，二則因八大的畫價還未直線高升，所以換回只是區區的款，臨到他越發窮愁潦倒，手上已沒有幾件東西可賣時，才知得當年賣給朋友那幅八大真蹟，已在轉手之間，被朋友賺了過千的美鈔，事因八大的畫越來越發值錢了，只要是真東西，隨便都可賣得高價呢。他一氣非同小可，一乘之因借不遂，反被那發了財的朋友奚落一番，才會在回家對老妻訴苦時，忍不住傷心之淚，哭了一大頓。

譚韞祿是這樣向他勸解道：「阿潘，你可不想想，八大是什麼樣的人品？他寫畫為的是什麼？如果他魂兮有靈，看到他生時為了哀傷故國而寫的東西，今天給你們為了爭幾個臭錢而奔走輾轉營謀，買賣，有些阿向拍手，有些苦苦哀啼，試問他怎不該認真傷心痛哭呢？做人做到你我今天這個田地，什麼事也應看得化才成呀！」

譚韞祿說的雖是有理，但拿「睇化」一句俗語給潘雅伯開解，潘雅伯仍因那位發財朋友太過不夠義氣而發牢騷，譚韞祿也便再次苦口勸道：「阿潘！你怪朋友不夠義氣，就該自問一下，平生可曾對誰真個賣過義氣來？香港這地方縱說有百般不好，有一宗好處卻不容抹煞，你有四毛錢便可以解決一天的生活，早晚吃兩頓麵包的錢是容易賺回來的，只要你肯去賣；賣氣力，賣面皮和賣什麼東西都成。說到買賣，這裏有的是最充份的自由。除是你想自殺，或者連氣力都沒得賣了，那才會死人的。這裏並不會有白白餓死人的事啊！你向熟朋友借錢，尤其是向你自以為對他有過恩惠的濶氣朋友借錢，那便大錯特錯了。借錢是賣面皮的事。要賣面皮就得像我揀沒人認得我那塊熟臉皮的地方掛牌去賣，臉皮只有生的才值錢呀！這裏誰都有賣臉皮的自由，你為什麼賣熟不賣生？」（五）

禱告

舒華章

小山坡上新舊的教堂發出一陣清脆的鐘聲，住在斜坡南側的十來戶人家，男的女的，老的幼的，早就坐在那間小教堂裡了，只有卜大嫂才蹺出她住的那座石屋子，走向山坡上去。

她一向反對她的五個子女皈依基督教，認為本身沒有行差踏錯，存心向善，信奉什麼教，都是多餘的。

「看！媽媽也來啦！」阿芳高興得直跳，在教堂大門前，牽着小妹妹阿蘭的一雙手，又叫又跳。

阿蘭的三個哥哥聽見了阿芳的嚷叫，也感到奇怪，回過頭來，從教堂後座往斜坡眺望，果然看見卜大嫂緩慢地蹣過來。

「難道媽媽要來干涉我們聽道？」最大的兒子阿強說着，心裡有點不安。

「不會的！」二弟很有把握地回答了，三弟立即補充道：「阿明，你說的對。昨天晚上，我聽見母親隔壁的羅師母說，她想學學祈禱，禱告上帝……」

「媽媽來了！」阿蘭跑前去迎接，又嚷道：「三個哥哥來啊！」也許她太興奮吧，一個不留神，倒栽下來，從大門前石階上翻滾下去。

「還不進去聽道理，就愛玩耍，跌死你！」卜大嫂連忙搶前扶起她的女兒，又說：「阿芳！是你推倒她？」

這時候，三個兒子已站在他們的媽媽跟前，齊聲喊道：「信主的得救！」

「阿強，你今年暑假快要初中畢業，我要問你，上帝是不是天老爺？」卜大嫂滿懷沉重的心事，又問：「天老爺真的能夠幫助你畢業試考第一名嗎？」

「有信心，有堅強的信念，沒有行不通的！」

「阿強，照你的意思，你們的四姨總有一天能夠到香港來吧？」

「媽媽，你該多禱告，祈求上帝給你信心！」阿明的話剛說完，三弟阿昌搶說道：「祇要媽媽你有信心，莫說四姨一定能夠出來，而且我們總有一天，回到老家去的！」

阿芳聽說回老家，忙問道：「我們的老家在那兒？」

「在開平！」阿蘭說。

「你怎樣知道的呢？看不出你這個五歲的小娃娃，知道的那麼多！」

「媽媽說，我是在走難的時候生下來的，她離開開平縣的那天，真慘！」

「連老家也忘了，太不像話！」這是阿強的斥責聲。

「什麼不像話？別胡說！」

「你不能罵人呀！」

子女們吵起來的時候，卜大嫂悄然進入了教堂。她第一次領受說教的開導，果然獲得了信心。

講壇上那位年輕牧師說到邪惡必敗的時候，卜大嫂但覺大妖氣陰森可怖；她轉念一想，反而感到前途充滿着光明。

這天晚上，她守候五個子女睡着了，才跪在床前，按照離開教堂時牧師告訴她的指示，向天老爺禱告：「主啊！我懇求你指引我的妹妹，早日離開魔窟……」

其實，阿強還沒入睡，他又聽見母親道出沉重的語音：「……我的妹夫遠在加拿大，天天想念他的愛妻，聽說他快要發狂了！骨肉分離……」

阿強聽到這裡，不禁墜淚，也跪下來，激動地禱告道：「……他們硬說爸爸是反動派，那是惡作劇……你要感動他們……」

「他們不是人！」卜大嫂光火了，她斥責道：「那些幹部是毒蛇，怎會受感動的呢？」她接下去：「主啊！你要感動我們的妹妹，堅定她的信心，指引她來香港，早日和我的妹夫重敘……」她說到這裏，又聽見阿強禱告道：「……三叔給他們殺死了，一定要拯救他的靈魂……」

卜嫂忍不住了，大聲喊起來：「天老爺啊！阿強年少無知，您指示他，快高長大，早日參加自由軍，打回大陸去！」

科學常識

浪花為什麼是白色

有很多人以爲海水之所以呈青色，是因爲青空顏色反映的緣故，其實這種想法是不對的。水雖然稱爲無色透明的東西，然而，不論是湖水，海水，河水，只要水的厚度一深便呈現青色。欲證明這個道理，只要將自來水裝在一個深大的容器中，便可以看到這些水是呈青色的。其理由正與天空看起來是青色的相同。光線射入水中之後，光中的紫色及青色的光，比之紅、橙、黃的光易於反射，所以我們便感覺到水成爲青色了。

至於青色的海水之浪花爲什麼又是白色的呢？原來水濺碎而成爲水滴後，便可以將所有的光向各方面反射，加之水滴及水滴間的空氣[illegible]的水，瀑布的水，冬天飄的雪看見是白色的都是這個道理。就是普通顏色不太白的東西，如果將它分得很碎，然後將這些不規則的小碎片集在一起，因爲這些小碎片能將光內各種顏色，不分彼此反射，所以看起來，便感覺是白色了。將紅玻璃磨成粉末，看起來也會感到是白色的。（黎朝拔）

武俠小說

江南活俠

彭浩

第一回：往事棘心　放歌還縱酒　今生惡報　自害復傷人

龍翔高擎着唱道情的雲板，攔在面前，胖子虎吼一聲，卸下腰間金絲籐，「金龍點頭」，照准中年人胸口便打，龍翔長笑道：「這還像話，你我比劃，等你那醜婆娘，吃過解藥回來，我再打發你們一齊去鬼門關報到」，雲板一撥籐梢，搶身直進，隨即捷如迅風似的，左拳變掌，往胖子咽喉之下摟來，胖子一慌，不迭一轉身，拖籐橫掃龍翔小腹，龍某往後一退步，再飛起左脚，朝對方右脇踢去，拳、脚、兵器齊施，身手煞是靈活，胖子觸目驚心，金籐一抖，直磕龍某足背，迫得敵手，另一緩式，他即展開「長蛇護窩」的招術，抽籐回繞，如蛇擺陣，金籐舞得風雨不透，却始終不離週身一尺左右方位，雲板是短兵刃，他這樣只守不攻，倒使龍翔急切間奈何他不得，索性退步閃出圈外，縱聲大笑道：「鼎鼎大名的芒山雙兇，伎倆不過如此，除了偷襲和合攻的本領以外，其他的能為，真不值得恭維！」

籐子裝聾作啞，任他如何挖苦，一語不答，儘自和表演一般，將手中金籐舞成一道黃色的光圈，護緊全身，覷見龍翔停手未動時，就引吭尖嘯，聲如驢鳴，龍翔明知他是和那綽號女屠伕的胡四娘打招呼，故意不加理會，只像靈貓戲鼠一般，監視在側，果然還處立有刺耳的嘯聲回應，奇怪的却是愈嘯愈遠，胖子頗似情急，厲喝一聲：「小子！有你沒我！」長籐一拎，二度撲將上來，龍翔高舉雲板，百計鎖他金籐，不料戰不數合，即聽得身後嘶嘶繁響，四處都是金屬破空之音，猛悟是女屠伕假嘯離開，暗自走回，發出她那有名的毒蒺藜來偷襲，這却不同剛才聲蜻蜓的時候，有雲板在手，可以夾板接下，此時則與名叫苦面無常余江的伴鬼，打得正緊，如何可以騰開手接暗器？余江看在眼內，越加奮身前撲，長籐抖得筆直，每一揮動，勁風呼呼有聲。

這真是生死呼吸，龍翔再也不容考慮，雙足一蹬，「旱地拔葱」，一直向天空衝上，伴子似早料定他有此一着，口呼：「惡婆娘！暗青子照顧天上！」手內長籐高舉過頂，脚尖手腕皆疾轉不休，金籐所至丈許方圓地面，寸隙不留，龍翔可就上得去，下不來了，可是人浮空中，任是如何高手，也無法停足，女屠伕喜不自勝，揚手又一把毒蒺藜，朝天空擲出，人也由地下長起身來，喜洋洋的叫道：「惡漢子！捉活的，我要將他慢慢折磨！」

語音未歇，即有人應道：「只怕難如妳這醜婆娘的意！」女屠伕大吃一驚，陡聽得茫茫，並無半絲人影，四望白雪一聲：「我命休矣！」龍翔在空中，勁強掙了兩掙，已自飄飄忽忽的落將下來，心內一快意，不顧得搜敵，就墊足朝余江身旁縱去。（五）

大陸文壇萬花筒

王任叔出了亂子

岳騫

本年第一期文藝報上，刊載了林默涵一篇「更高地舉起毛澤東文藝思想的旗幟」，下面又註明是「在一個學習會上發言」，文長兩萬多字。

提起林默涵，到和香港有點「香火之緣」，勝利後林默涵是香港中共地委書記，當時在大陸無法存身逃在香港的一批左傾份子，如郭沫若、聶紺弩、司馬文森等人都受他的領導。

中共攻下北平之後，港澳共黨份子及左傾人士紛紛返回大陸，林默涵也被調北平，最初任中共中央宣傳部秘書長，最近又升爲了副部長。

林默涵這篇文章重心在攻擊一些作家反對毛澤東思想，把這批人稱之爲修正主義者，舉了一大堆人名都是早已被清算的人，其中只有一個例外，就是王任叔（巴人）。

說到王任叔這位先生，也有許多趣事，他成名在抗戰前，雖然名氣很小，但究竟是個老作家，他本是浙江奉化人，發表文章時，竟然起了個筆名巴人，在他也許自謙是下里巴人之詞，不過有許多人都誤會了他是四川人，他的筆名最初並未引起人的注意，後來一般朋友因爲他姓王，把名姓連在一起，變成了王巴人，索性減了人字，變成王巴，諧音成爲「王八」，從此「王八」的名字傳遍上海文化圈內。

抗戰時「王八」逃去印尼，以後憑着這個經歷，被任爲中共首任駐印尼大使，後來因爲文字惹禍，被印尼政府暗示爲不受歡迎人物，中共只好把他免職，代以黃鎮。

「王八」被調回之後，一直賦閒，心中非常牢騷，一九五六年他的「成名作品」文學論稿再度付印，他會寫了一篇後記，後面一段說：「文藝理論和發展也是非常快的，當年以馬林科夫的典型理論爲經典名言而深入研究的，現在被批判了。有不完全和不確的理論，批判是應該的，但因之而說典型可以不反映社會現象的本質，那在我是期期以爲不可的，所以又誰能預料不久之後，所謂社會主義現實主義不會被英雄們踐踏在地下呢？但我還只能做個老頑固，暫時拖殘守缺一下吧！」大陸文人敢發這樣大的牢騷，而且冒犯到了「老大哥」身上，還以「王八」爲第一人，被鬥爭當然不是偶然的了。

釋未集

災異之說，大畧原於尙書，洪範列咎徵五：「曰狂，恆雨若；曰僭，恆暘若；曰豫，恆燠若；曰急，恆寒若；曰蒙，恆風若。」又金滕：「秋大熟，未穫，天大雷電以風，禾盡偃，大木斯拔，邦人大恐，王與大夫盡弁，以啟金滕之書，乃得周公所自以爲功，代武王之說，……王出郊，天乃雨，反風，禾則盡起……歲則大熟。」蓋謂武王死，管叔蔡叔流言于國曰：「公將不利于孺子」。成王疑周公，遷之于楚。及成王發金滕而悔悟，迎周公還，故天象之變化如此也。此種紀錄，西漢諸儒大抵均篤信之，以爲施政不當，上天必將譴告以示罰。至後漢王充，始極言其誣妄，王氏論衡自然、譴告、感類諸篇，本道家無爲以立說，以爲天道自然，不作主宰，即亦無所謂災異。然紀妖篇又有信天變之論，其言駁雜，隨事各主一說，終亦不能破俗儒之迷信。故後世史書，對災祥之紀載，仍極注意。

〔災〕〔異〕

去年夏秋之間，中國大陸，暴雨爲災，田廬飄沒者無算，以致糧食奇缺，人民無所得食，不久台灣又有地震及颱風之禍，損失並空前嚴重，吾人寄居香港，獲見雙方報紙報導此類新聞時之措詞，頗覺其均不免于幸災樂禍之嫌疑，以常理論之，實均不慊于人類之本心。倘書禍咎上天示儆之說，雖未必可信，而大兵之後，必有凶年，則爲事實上之經驗。昔唐甄論明亡之根，在于「兵殘政虐，重以天災，民無所逃命，羣盜得資之爲亂。」故曰：「蓋四海困窮之時，君爲仇敵，賊爲父母矣，四海困窮，未有不亡者，其不亡者，未及命之定也。天留其命，未生奸雄，天薄其命，則生小雄，天絕其命，則生大雄，當四海困窮之時，無雄則飢寒積憂之氣，發爲災祲，爲彗孛，爲水旱，爲山川草木人鬼之妖，有小雄以倡之，則遁聚山澤，破城掠險，旋滅旋起，以耗國家，有大雄以倡之，則長智增勇，撼山沸河，數百年厚建之社稷，如椎卵矣。」唐氏持論號稱明切事理。蓋兵燹足以致困窮，窮則飢寒積憂之氣足以致災祲，奸雄乘之，禍不旋踵矣。中共之有大陸，於今逾十年，養兵數百萬，人民暖衣飽食如神話，近既畧西藏，又支援寮共，進軍印度邊境，內則驅策饑民，外以結怨鄰國，飢寒積憂之氣，其發而爲水旱蝗蝝，固亦情理之常，及此之時，果有大雄以倡之，吾恐其猶未足以當一卵也。

曲齋

粟海彈心錄

談曾國藩（下）

阿公

左之於曾，晚年頗齟齬，至此於文正修己之嚴，立人之寬，謀國之忠，知人之明，自愧弗如也。曾則始終稱許年高，「國士無雙，朝廷無二」「西北之事，不止國藩未能勝任，即起胡文忠於九泉，恐亦無此精力」（見甫閑齋筆記），推懷當達，愼而知審，於此可見。

文正學術本領，道德文章，自是漢唐以來第一流，其生平得力處，猶在擇善固執，休休有容。湘軍營制，創自王鑫，鑫不體於文正，文正守其營制，並稱其能。咸豐十年，困守祁門之役，左右謂後退，持策而闘之，且其調後日惟慮中以貫外，若置自身安危於不顧者，胡文忠臥病太湖，引爲自憂。其時王壬秋至祁門，函文之間，頗矜灑博，文正以書容其質疑與其所問者過萬言，王秋恃首，用與人言，處萬山重圍之中，而虛靡弥移至此，賊不足平。

咸豐七八年之間，文正困頓鄂贛時，官文頗陰傷之，迨金陵克復，紅旗報捷，而以官文領銜，並嗣東南兩廣，胡文忠撫鄂之功居多。蒙反之譏，發自文忠，文正始終遵守諾言，於投降之人，嚴待以不死，出力人員，安官尊榮終身，及其子孫。勘亂失敗，早於抗戰結束種下禍子，事前許以收編之爲軍隊，伍與其待以不死之僞職人員，後皆一一踐之遺之無遺，抗戰官佐，八年汗馬，苟非寅緣，終不得一枝以棲，敵日大雨我日甦，是皆謀國者誤之也。今抑行此策反之時，前事之慘痛不可忘，故及之。

當文正歷以李文忠爲替人時，而李主海防，樂塞防。左與曾議論不協時，而左主塞防，廷議與所從，諮詢於曾，曾以海防塞防並重不可偏廢，且數撥上海關銀，以濟西北之困，而國境乃定。此其所以折服一時之豪傑，指天下數十年之事，於事從其善，於人立其信，於功派其事而已，然古今之以名位屈人以從己，權力強人以從己，富貴淫人以從己者，宜其白雲蒼狗，而喪亂踵接也。

讀書小誌

大英聯邦的觀念

謝康

大英聯邦，習慣上一向稱大英帝國，在十九世紀及廿世紀初期，曾爲世界最大的殖民帝國，其組織相當龐大而複雜，一般人似乎還不大容易完全了解，尤其自第一次大戰後，特別是自一九三一年「西敏寺憲章」公佈後，第二次大戰後，印度、錫蘭等國獨立改變，仍爲聯邦之一員，於是英王國對於聯邦內之各邦，更完全以平等相待。從一九四七年起，倫敦政府內閣中之「自治領部」已改稱「聯邦關係部」，而原日管理殖民地之「殖民部」亦改稱「海外部」，即此種平等精神之表現。

在一九三一年前，各自治領地或多或少在理論上或事實上與倫敦有不可分的依存關係。但在一九三一年以後，所有自治領都變成大英聯邦內完全自治或獨立的單位。這是英聯邦劃時代的大改革。

大英聯邦現在通用 Commonwealth 這個名稱，而不用「帝國」(Empire)字樣了。Commonwealth 這個字很難翻譯，定義也很難下得恰當，借用 Sir Ernest Barker 爵士一句話，可以說是「沒有了帝國主義的帝國」，只是具有歷史性的國家集團的自由組合，爲保持某種理想價值而以平等地位互相團結的聯邦（或邦聯）組織。在這大規模的聯邦組織之內，似可按其與聯合王國（即英國本部）關係之不同，分爲下列幾種政治單位：首先最主要的自然是聯合王國；（一）原日的自治領；（二）二次大戰後新獨立國（四）殖民地（五）託管地。

原日的「自治領」，根據西敏寺憲章，已取得完全自治或獨立，但仍與英本部保持相當密切之聯繫：（1）與英王國共戴一王爲國家元首，但王權所及則大有不同，因王室在倫敦而不在自治領首都。（2）同爲大英聯邦之一員，有如大家庭中之兄弟關係。（3）與英本部人民多少有種族或血統上的關聯。（4）經濟、金融、財政及關稅合作。（5）如自治領之英國移民，仍多認英本土爲其「祖家」，而此祖家或「故鄉」之觀念，即有助於大英聯邦之團結及統一；兩次大戰時自治領派遣軍保衛祖國之英勇作戰，即此「祖家」觀念之證明。（6）英國文明之統一，在各自治領到處有相當同一的文物和習慣，不愧爲眞正的 Commonwealth（聯合或協合國）。尤其從同戴一王爲「共主」一層看來，更可作爲各自治領與英王國聯合之象徵。

至於二次大戰後新近獨立國：如印度、錫蘭、巴基斯坦、馬來亞、加納、星加坡之類，則與上述原日的自治領情況稍有不同，其特點爲：（1）獲批准獨立後，即組成獨立國，而自行選定其元首；（2）爲有色人種所組成，與英本國很少種族關係；（3）不以英本國爲其「祖家」；（4）仍同爲大英聯邦之一份子，但對英王國較少依存關係，根據一九四七年印度獨立已成爲完全自主權的民主共和國，即其顯著之一例也。

讀者的趣味

徐學慧

報章的主要對象乃是大多數讀者，因此，報章文字乃以大多數讀者的興趣爲前提。如果專從這一點看，實在沒有可以置喙的餘地；要一間商店不迎合顧客，而專講倫理，那當然是違背了商業原則的。不過，話又得說回來。辦報紙而至於完全沒有理想，僅只是以賺錢爲第一，也未免太過庸俗，畢竟這一行業是與商店不同的。我們把報紙送到每一個讀者手中，一方面固然要迎合趣味，另一方面也得想方法逐漸改變他們的趣味；如果這些趣味是太過於低級的時候。報紙而不能負起引導社會與啓發讀者的責任，嚴格的說起來，這是失職。香港社會的讀者所喜歡的是什麼呢？不必我詳細說明，大家心裏有數。我們於此，是迎合讀者的趣味呢？還是拿出勇氣來沖淡讀者的趣味呢？

香港人已經有太多的趣味，是須以沖淡的了。因爲，這個社會風氣，由於許多無聊的低級趣味繼而使得它幾乎看不到有任何良好的道德。可惜，香港的報紙並沒有從事於這一方面的努力，相反地，大多數的報章作家，簡直是在推波助瀾，這就不得不令有心人爲之慼然憂之了。我們固不能不承認，報章文字爲了配合銷路，勢不能不遷就讀者；但在遷就讀者之中，我們却必須有一個理想，換句話說，我們必須拖定一個宗旨。遷就讀者決不是助長讀者的低級趣味，而是意味着：逐漸地提高作品的水準，同時也逐漸轉移寫作的方向。

讀者的趣味，老實說，是可以用種種方法把它逐漸轉移的。正如同一個好的店員，可以影響顧客的心理一樣。一味任顧客挑揀，而不能用言語或其他可能的暗示來影響顧客，使他樂於購買你所需要推銷出去的貨品，這一商店店員當然不是高手。同樣的，一張報紙，僅只是一味迎合讀者而不知道轉移讀者的趣味，那也不道是一個很低能的推銷員罷了。香港這個社會的風氣之所以如此敗壞，如果說與某些報刊的低級文藝至無關係，最低限度我個人就不大相信呢！

姓有多少？

汪學文

我國姓氏，其數究有若干，確是個謎。祗有就誌姓之書加以研究，藉以約知其梗概，雖不科學，然亦饒趣味，消遣可也。

先說「百家姓」：百家姓有宋本淸本兩種，淸本計蒐列單姓四一四，複姓二九，共計四四三，其中「姓」「総」二姓重出，實有四四一。宋本較奇特，計有三個不同數字：據「戒菴漫錄」統計，「共收單姓四百〇八，複姓三十」（按：此數實與淸本相近，或即淸本）陳曉風先生「談姓」統計，「合雙姓八十在內，才四百八十有八」；而筆者撰寫「百家姓姓源」時之統計，則爲「單姓四五〇，複姓五九，共計五〇九，其中『家』姓重出，實有五〇八」這三個統計數字，都可能對也都可能不對，因爲「百家姓」中有若干相重疊之姓氏，分可視爲兩個單姓，合又可併爲一個複姓，應分應合，則同「百家姓」作者的「姓名」一樣，暫難考証。

東北領土淪喪史話（二）

海嘯廣談會

諸葛文侯

先是，當日本投降消息傳佈之初，僞滿洲國陸軍大臣臧式毅曾經致電重慶我軍法總監何成濬（臧何是日本士官學校同學），說他在關外統領着四十萬日式裝備的陸軍，堪勝維護地方治安之任，靜候政府命令。另有鄂籍軍人杜錫鈞亦由北平電達何氏（杜何是同省桑梓者），說他所統率的僞軍在平漢路沿綫駐有廿萬人，願効勦匪平亂之責，希望政府予以驅策。臧、杜皇皇然自動輸誠的用意，不外是害怕將來膺受漢奸罪過，無可挽救，企圖藉其所掌有的武力，爲國馳驅，將功贖罪而已。何氏當時跟中樞軍政大員們仔細協商，主張對這兩部僞軍暫行利用，予以收編，責他們維護地方治安，藉觀後效，然結果未能實現。這兩部分僞軍爲着生存前途，只得別謀出路了。

繼而「東北行營」創立，其建置規模之宏大，不啻是國民政府的分府，行營主任初定張治中，忽然改派熊式輝，舊有的東北文武大員如莫德惠、馬占山等皆在無路請纓之列。新任行營經濟委員會委員長張嘉璈北上，就職時，中樞授以機宜，教他跟俄軍統帥馬林諾伕斯基談判我軍接收東北統治權的一切辦法，主要原則是以俄方保證不培育支援中共，我方答應將旅順、大連暫由俄軍駐守，作爲交換條件，俄方亦已同意，張嘉璈正擬與馬林諾伕斯基簽立協定的前夕，忽有東北行營高級職員某（黃郛的親戚），密語張氏曰：「當年黃膺白在北平政務委員長任內，奉中樞密令，跟日本談判和平，簽訂塘沽協定後，舉國輿論譁然，指他是賣國的親日派，黃氏百口莫辯，含垢忍辱，無從自白。今日你亦幹這類工作，前車可鑑，似宜深思熟慮然後決定爲是」。張聞之憂然憬悟，乃告俄方以茲事體大，擬即日飛往南京，向中樞報告談判詳情，再行正式簽約，馬林諾伕斯基亦頗諒解。

自由報

THE FREE NEWS

半週刊每星期三、六出版

第六期

每份港幣壹毫

社　長：雷嘯岑

督印人：黃行審

社址：香港銅鑼灣高士威道二十號四樓

20 Causeway Rd. 3rd. Fl. HONG KONG

TEL. 771726

電報掛號：7191

承印者：田風印刷廠

地址：香港高士打道221號

國事不可兒戲

雷嘯岑

這次國民代表大會的主要任務，即係基於國家情勢丕變的現實環境，爲應付當前緊急危難之局面，對國計民生的重大問題，應如何恪盡職責，從事妥當的決策，以期於事有濟。

大家知道，當前急待解決的大問題，就是憲法規定總統不得三次連任。然海內外極大多數的中華民國人民和團體，皆紛紛要求蔣總統繼續領導反共復國這項非常事業，而環顧事實，如果蔣先生不連任了，究竟還有誰個能夠担當這項艱鉅任務，可使國家渡過目前的難關呢？光是講理論，說清談，當然認爲民主憲政國家之事，並沒有「非某人不可」的道理，凡屬年滿四十歲的中華民國公民，都有被選爲總統的資格，說來振振有詞。可是，今日國家處此危急存亡之秋，若謂任何人皆可以勝任總統職位，克奏旋轉乾坤之功，這不是笑話嗎？憑着承平之世的思想以衡量非常時期的問題，未有不誤事者。我們如果從超黨派，泯私見的觀點來看總統的人選問題，此時此事，除却蔣先生連任以外，實在想不出第二個適當的人，事實擺在眼前，誰也看得很清楚的。所以，現在的問題不是蔣先生應否連任，而在如何使他能夠合法的、光榮的繼續領導反共復國之役。

目前國民代表大會對於這問題有兩種意見存在着：一是主張在憲法第四十七條「總統、副總統之任期爲六年，連選得連任一次」的原文之後，加上一句「行憲首任總統不受此項限制」的但書；或者就憲法所附「動員戡亂時期臨時條欵」予以補充，把憲法第四十七條原文「得連任一次」這句話暫行凍結；同時將國民大會所具有的創制，複決兩權，亦在臨時條欵中加以適當的規定，藉使行政，立法部門發生制衡作用。二是主張對憲法原文一字不動，只在臨時條欵內增訂一條凍結憲法第四十七條最後那句話的文字就行了；另外再將原條欵「第一屆國民大會，應由總統至遲於民國卅九年十二月廿五日以前召集臨時會，討論有關修改憲法各案」，修正爲「總統應於適當時期召集臨時會，討論有關修改憲法各案」。前者有一千二百多名國大代表連署建議，後者亦有四百餘人署名提案，將來在大會中必有激辯發生無疑也。

這兩案有一共同之點，即彼此皆主張修改臨時條欵以使蔣總統連選連任三次，所不同者祇是後一案不贊成國民大會行使創制、複決權而已。這兩案雖然都是從臨時條欵上動腦筋，但基本觀念又有出入，前者爲兼顧蔣總統不贊成修憲的意見，只求藉臨時條欵作爲創制、複決權之象徵式的行使，表示國民代表並未曠棄職守。後者根本反對國民代表此時行使創制、複決權，只要解決蔣總統連任三次這項問題，便係這次國大會議的唯一任務，其他就不必談了。

我們認爲要使蔣先生繼續担任國家元首，就應該堂堂正正地依法行事。譬如建築一座大厦，先由工程師設計繪圖，再經工務局核發執照，然後鳩工庀材，大興土木，決不宜偸偸摸摸，從事「違章建築」，致貽他日被拆毀的後患。憲法所附臨時條欵，既可由立法院於必要時決議變更或廢止，又可由總統或由立法院咨請總統宣告動員戡亂時期終止而廢除之，而其權力亦只限於宣佈戒嚴及國家財政經濟上有重大變故時，總統方能發佈緊急命令，不受憲法第三十九條和四十三條的拘束，顧名思義，這是不宜適用於解決總統任期問題的。若藉臨時條欵以處理總統連任三次這種重大事項，即令撇開法律理論不談，亦是將國家元首地位置於極不穩定的臨時法令之中，烏乎可呢？過去大家避言修憲，最大的關鍵就是顧慮到不容易符合法定程序，深恐治絲益棼，徒亂人意。現在對於國民代表大會的總額問題，已經大法官解釋決定，國民大會自可實行修憲工作，不必鑽法律罅隙，乞靈於旁門左道了。不過，談到修憲，將不止於修訂總統連任這一點，現行憲法捍格難行之處頗多，要修，那就不是短時間所能竣事。但新任總統又必須於舊任總統任滿之前二十天選出（即三月二十日以前），否則國家政務將有中斷之虞。不特此也，世界列强高層會議亦將於五月間舉行，會議時一定要談到中國問題，假使這次國民代表大會爲着修憲事宜而曠日持久，以致新任總統遲遲產生，勢必給國際間以不良印象，影響國家前途滋大，這是值得深切考慮的，政府當局不希望國大會議對憲法多所更張的用意，即基於此。但，一般國大代表們也有一種想法，認爲這次大會如果專爲解決蔣總統連任問題，即宣告功德圓滿，閉會如儀，未免有虧職責，似乎對人民沒法交代，除此以外，還得做點自己應做的事，以求其心之所安，因而提出那項象徵式行使創制、複決權的議案，實際上是幫行政部門的忙。況且這項創制、複決權並不是國民代表自由行使，乃授權總統於必要時纔召集國大臨時會議執行之，總統如不召集，那就永遠是虛有其表的白紙黑字罷了。

綜觀上述情由，修憲固然不無顧慮，若專就臨時條欵做文章，那毛病更多，爲害尤甚，其始也簡，將畢也鉅，公誠謀國者，決不可掉以輕心，自貽伊戚。我贊成作有限度的修憲，先將總統連任一次這項條文，加上「行憲首任總統不受限制」的但書，再由國民代表大會決議設置一個修憲委員會，組織不必龐大，遴選法學專家主持其事，並且明白規定於兩年內由總統召集臨時國大會議，完成修憲工作，這樣似乎不致發生多大的流弊吧！有人或許認爲蔣總統既已再三表示他個人不贊成此時修改憲法，即須顧全他的威信纔是。殊不知他亦聲言修憲是國民代表的事，個人未便干涉，假使國民大會決議作有限度的修憲，而他接納民意代表的主張，這正是表現着民主作風，對他個人的威望不特毫無損傷，反而增加偉大性，有何不可呢？更聞有人說：現在五百多個立法委員，遇事異議横生，已使政府當局應付維艱，深感頭痛了，若再讓千餘名國民代表實行創制、複決權，豈不更糟糕嗎？說這類話的人，根本沒有民主憲政的常識，滿腦子都是庸俗落伍的官僚封建思想，以民意機構爲贅疣，視國家元首如家長，嘴上侈談憲政，心裏依然崇尙訓政，而其行爲却不脫軍政的窠臼，今日政治上一切無謂的糾紛爭論，都是導源於此的，這就難怪此次國大會議開幕典禮時，司儀人竟將「總統致詞」亦喊成「總統訓詞」了，吾爲此懼！

總之：認爲修訂憲法上所附臨時條欵並非修憲之說，於義絕不可通，用臨時條欵以凍結憲法某條明文，使其喪失效力，這明明是與憲法相牴觸的，「法律與憲法相牴觸者無效」，現行憲法第一七一條硬性規定着，豈可漠視嗎？舍正路而弗由，事走羊腸鳥道，此莊子所謂「迷陽傷行」，後患將不堪設想，希望大家不要以兒戲心情來處理國家大事爲幸。

時事述評

美國應有泱泱大國之風

盧家雪

美國的小石城事件，猶未令世人忘懷，前幾天又發生了白人與黑人在餐室裏打架的悲劇。種族歧視的觀念，在進步的美國何以如此根深蒂固，殊不可解。科學發展到即將以人類上探太空，而住在地球上的人們，尤其是住在同一國家的人們，尙念念不忘於膚色的差別，此誠爲文化教育上之大失敗。

在無窮盡的太空之中，地球是何等渺小，而人類又是何等渺小！此時此地，尙不斷傳來種族歧視的消息，此誠爲不可思議之事。西方人的文化之淺薄，在這種事體上，往往顯示得極爲深刻；親者痛而仇者快，幾何不令人搖頭歎息！

移風易俗之艱難

白種人的優越感，至於近百年乃發揮盡致，今日亞洲之所以弄到這步田地，溯本追源，又何嘗不是此種優越感爲之厲階！美國立國已一百七十年，當年的南北戰爭，林肯解放黑奴，曾贏得舉世讚美；此種先哲懿行，何以至今仍不能令美國本土的白人變化氣質，於此，益可徵移風易俗之艱難。

進步的科學，如果沒有進步的民族文化精神以爲根本，則此種進步，仍然是懸空的，換句話說：文化精神上的落伍，可能抵消科學上的進展，甚且得不償失。美國的軍事部門，整天在計算有形的核子武器的毀滅力量，美國的政治家教育家，何以不估計一下由於種族歧視所損失的無形的力量呢？

平等博愛的原則

平等博愛，已爲大衆所熟悉之口頭禪；「民有、民治、民享」，且爲美國立國的基本原則。想不到百數十年後的今天，尙有不准黑人坐在餐廳喫飯的野蠻習慣！

東方文化之植根深厚，當有非美國人民所能想象者，種族觀念，在中國人心目中，簡直從不會有此念頭。李斯諫逐客書曰：「泰山不讓土壤，故能成其大；河海不擇細流，故能成其深；王者不卻衆庶，故能成其德。」美國爲今日自由世界之領導國家，其一舉一動，足以影響全世界，理宜有王者之風，方不負此得天獨厚的泱泱大國。

太空時代，萬不容有此狹隘的種族觀念了。美國今日有黑人歌王，有黑人拳王，有黑人長跑健將，是黑人已無負於美國矣，膚色云乎哉！歧視云乎哉！

自由的話

「包下來不通」之論

司馬文堅

最近中共爲迎接印尼歸僑而大吹大擂，此間左報又用「包下來」這句話做宣傳。回憶去年，中共在大陸遍行建立「人民公社」時，亦曾狂喊「包下來」，結果是包不起，鬧到天怒人怨。這句話充滿誇大狂妄意味，共產黨徒特別喜歡說它，想來是有根源的，我們可據此斷定，中共到底必因此而失敗。

五年前，中共厲行拆散大陸人民的家庭，曾叫出「拋包袱」的口號。這就是要人人把家庭拋開，但求自身賣力養活一個口，再不必理會家人死活。這由拆散家庭以至成立公社，中共一直做了幾年工夫，自以爲可將幾億人民化成工奴與農奴，當有無窮人力可以榨取，却不知它從此便背上了一個最大的包袱。

理由很簡單：人人都把「家」的包袱都推向共黨身上，什麼都是懶洋洋的，得過且過，以消極的怠工來對付中共的苛政，中共便要背起一個「由小變大」的累贅包袱了。試想：中共既把人民的財產刮收淨盡，更握有支配一切人力的權柄，怎不該把照顧幾億人民生活的責任，都包下來？所謂「共產」，原就有包下來的意思，弊在人民都反對它，不和它合作，工作越慢越可報復得痛快，生活狀況越壞越要埋怨，這便令到「包下來」者吃不消，想拋包袱也成問題了。年前大陸曾經倡行人口節育，正是中共挑不起大包袱的證明。

共產制度正是一個「包管」制度，把什麼都包下來，對什麼人什麼事都要管到不留一分空隙。從前人民說的「不怕官，只怕管」，原有至理，目前在共黨的「包管」制度下過活的同胞，什麼都要受管，便是什麼都要害怕，沒有半點自由當然毫無生氣。試問人人都生氣索然，你「包下來」又何苦？而且又有什麼用？

中共從前愛說「看齊」「鼎擁」之類，都採自軍事術語，這和它鼓勵「鬥爭」的「黨性」有關。「包下來」這句話也是有根有源的，這必須求之於它的「黨性」。我們崇尙自由，看這種「包管」制度有百害而無一利，決其必行不通。看中共怎樣再「包下去」可也。

編者小啟

「自由談」作者有事，續稿未到，暫停一期，謹向讀者致歉。

把赫魯曉夫捧作「大情人」
蘇加諾倒向蘇俄懷抱

黃宇華

印尼航訊

像一陣旋風似的，共產頭目赫魯曉夫從仰光來到了椰加達。十三天的訪問，赫酋究竟帶給印尼人民一些什麼，印尼究竟給了赫酋一些什麼，得有人能夠明瞭內情，除了蘇加諾總統以外。

二月十八日下午一時卅分，赫魯曉夫的專機抵達了椰加達機場，在蘇加諾總統的陪伴之下，赫魯曉夫當即向在機場歡迎的群衆發表演說，這些歡迎群衆是由印尼共黨負責召集的，儘管是這樣，但場面並不熱烈，此間報紙形容爲「不平凡的寂靜」，眞是再適當不過了。

絕頂幽默的諷刺

赫魯曉夫永不放過煽動宣傳的機會，印尼是他此次南來的主要站，自然更要發揮。他在演說中，强調印尼應該採取獨立外交政策，這已爲後日的「不參加任何聯盟」與支持印尼向荷蘭鬥爭新畿內亞伏下了線索。蘇加諾在致歡迎詞中，滑稽地捧赫魯曉夫爲「和平的大情人」，那眞是絕頂幽默的諷刺。

據此間人士估計，赫魯曉夫訪問印尼有幾重目的：第一、抵消美國在亞洲的聲望之增加，這是由於美國總統艾森豪在去年十二月訪問亞洲的結果；第二、向印度人民表示，只有老赫纔是世界上的和平使者！第三、利用經濟援助，誘使印尼這個國家投入共產黨的懷抱；第四、對印尼共黨與以新的指示，調整今後在印尼從事鬥爭的戰略；第五、由於印尼排華問題使得椰加達與北平之間產生了急劇的轉變，赫魯曉夫此來是想以較爲緩和的手段，來彌補他們的歧見與裂痕。

幾乎是在赫魯曉夫的飛機還沒有到達椰加達的上空以前，這種估計就經已在印尼的報章上隱約地提出了。從這些日子中赫魯曉夫的一切公開活動與演講詞來分析，我們不能不承認，這些估計幾乎是全都正確的。

蘇加諾飄飄欲仙

蘇加諾把赫魯曉夫捧爲「和平的大情人」，還在老赫心目中，自然不免有「正中下懷」之感；因此，他立即回報以「我們支持印尼的獨立鬥爭」，這在蘇加諾聽來，自然也不免有點飄飄然。這種飄飄然的情緒，在廿二日泗水的集會演講中表露得更爲露骨。泗水爲印尼共黨的堡壘，蘇加諾陪伴赫魯曉夫，於二月廿二日抵達那裡。在一個歡迎赫魯曉夫的集會上，這位把赫魯曉夫捧作「大情人」的蘇加諾，就妙想天開的透露了自己的狂想曲。他說：「本人感覺到很奇怪：爲什麼沒有亞非國家代表被邀參加首腦會議。本人眞是詫異，爲何祇有四强會議？」這當然是他們的狂想曲，完全是在一種飄飄然的情緒中產生出來的。但他覺得上面這幾句話仍：「如果沒有亞非國家代表參加首腦會議，印尼將繼續作爭回西新畿內亞的鬥爭，以便造成一個公正、繁榮、及完全獨立的國家」。這樣的論調，當然是匪夷所思的。許多人就不明白；印尼對新畿內亞的鬥爭，與亞非國家代表參加首腦會議，究竟有什麼連帶關係？

狂想曲難倒老赫

狡猾的赫魯曉夫，當然是明瞭蘇加諾的用意的。他知道，蘇加諾的用意，無非是要老赫表示支持他對荷屬西新畿內亞的鬥爭，這一點，倒不難應付，事實上，赫魯曉夫到印尼來訪問，也早就把這一條放在煽動計劃之中，但他畢竟想不到，蘇加諾會把這個問題扯到首腦會議上去。

他把這個問題考慮了幾天，一直到二月廿五日，當他和蘇加諾訪問峇厘島的時候，纔把這個問題的下半段作了一次答覆。老赫聲稱蘇聯將支持印尼進行奪取控制荷屬新畿內亞的鬥爭，同時說：蘇聯人民認爲這是一個公正而合法的要求，這種說法，蘇加諾當然也很滿意。大概是看到赫魯曉夫不提首腦會議的問題，他自然也不便再提高調了。

談到鬥爭，自然需要金錢。當蘇加諾從狂想曲中回到現實的時候，他感到，首腦會議雖然無法參加，但經濟援助卻是不可少的。這個問題，赫魯曉夫倒是早有預算：二億五千萬美元的低息貸款，儘管印尼外長蘇賓特里奧說：「這筆貸款不足夠用，我們至少再需要五億美元。」但照目前情況看來，赫魯曉夫的出手，大概不會超過這個數目。再說，這筆數目，還需要印尼付予政治上的代價呢！

二億五千萬控制印尼

這筆代價，是印尼不參加東南亞公約組織，以及任何現有的軍事同盟。對於這一點，蘇加諾經已同意了。這就是赫魯曉夫所說的，印尼需要採取獨立的外交政策。而這種「獨立政策」，也就是共產黨掠奪印尼的第一步，所謂「獨立」卽是「孤立」，孤立以後，再加上經濟援助的圈套在頭上，這就不由你不跟着他走的了。

跟在這二億五千萬美元貸款後面的是些什麼呢？

誰都可以想象得到的是：蘇俄的所謂「專家」與技工將陸續來到印尼，表面上是替印尼建設，實際上當然是控制印尼。

站在赫魯曉夫的立場來說，他這次訪問印度，是有成就的。經過他這次訪問以後，印尼實際上已投入赫魯曉夫的懷抱。對於自由世界來說，這是莫大的損失。

印尼——中國大陸第二

今日印尼，在莫斯科的赤化世界進展指標上，它是可能成爲中國大陸第二的。這個人口居世界第六位的大國，倒向共產集團的那一邊，對亞洲今後局勢的影響，將屬無可估計。

不久以前，美國才給予蘇加諾政府以五千萬美元的援助，還不到兩個月時間，善變的蘇加諾又捧着赫魯曉夫叫「和平的大情人」，這究竟是怎麼一回事呢？

艾森豪威爾總統在去年底東來，贏得很多東南亞人民的歡迎，這是事實；但赫魯曉夫雖然在「不平凡的寂靜」中，卻完成了控制印尼的陰謀，這也是事實。自由世界尤其美國的外交政策是不是需要重加檢討與調整呢？看來，這已是一個很迫切的問題了。

廣州香港水火風雨

范未言

這正是三月時光，在廣東天氣來說，又該是「擺尾龍」攪風攪雨的季節了。客從廣州來，爲談廣州事。這時廣州香港之間，何只酸甜苦辣鹹味俱全，喜怒哀樂諸態皆備，還更風雨水火都齊呢。

這會兒，廣州車駕頻仍，信使四出，迎歸者有之，送往者有之，正是出出入入，好不熱鬧辛苦呀！據說毛澤東「御駕」到廣州，卻未露面，謠言只在秘密流行，廖承志來了乃是千眞萬確，如所週知：他來廣州爲的是主辦迎接印尼歸僑呀！派船去，接人來，「祖國溫暖」喊得震天價響，鏡頭佈景擺得似模似樣，說穿了只有一句話：劇照是拍給香港人看的，入籠的歸僑有個好去處，送往海南集體農場做開荒牛。那裏的氣候環境都「特別」適合「由南洋回」的人呀！

輸出的是口頭宣傳，輸入的是口中食物，要風必得風，要雨未必得雨，有水可賣，放火何難？如是種種，聽我道來。

且說口頭宣傳的輸出：

派白駒榮到澳門，派馬師曾紅線女到深圳，太鑼大鼓演出，香港左派奉命一致捧場。此是宣傳之法，也是「刮龍」之道。也虧搞宣傳的想得到：深圳從前開過大賭場，也是著名的「揈打地」，每逢週末便是香港賭客到深圳洗囊之期。這一回，左派大亨爲了應酬馬紅，到深圳捧捧場，洗囊如儀，豈不妙哉！據說，左派大亨們又在「奉命」拉些貓貓狗狗，到那裡去看「水庫基地」呢。

香港總督柏立基爵士才只說過一句話，不外乎：深圳水源如可利用，乃亦不妨研究一下而已，左報便用頭版一半篇幅刊出深圳水庫基地的特大照片，千萬奴工，活現紙上，慘狀之至。

引水爲餌，開火施嚇。同時演出的一幕是：共軍乘船追趕一條逃出鐵幕的漁船，居然開槍，追入海港內的馬士灣，捉去了二十五個逃亡者。乃至要提出抗議英廷。「反轉猪肚便係屎」，此之謂矣！

鼓足反美宣傳，狂詆台灣出賣古物給「美帝」，拿國大會議大做文章之不已，再絕叫台灣大鬧米荒，本乎「大喊十」的作風，大力搞起宣傳的風波。如此這般，在香港所看到的一切一切，其來源都在廣州，是爲宣傳的輸出。

宣傳靠這一把口，吃飯也是用這一把口。由香港輸入的「奢侈口糧」，每天由郵包寄去的，還是那麼多。天久無雨，兩粵苦旱，米糧愈來愈缺乏了。告訴香港人一個「貼士」：如到廣州作「歸僑」，三輪車夫會向你身上打主意，白白替你駛車，不用你花錢，還會掏腰包請你上茶樓吃東西。原因是：他可以沾你「歸僑」的面光，由你多叫些東西給他吃。——他自己上茶樓時，例只一盅一件，休想多吃半個包子。

還有一個「不是貼士的貼士」：廣東各地，製餅的粉有些是「奉命」摻入「觀音土」的，輸出到這來，你如不怕害盲腸炎，倒不妨多領略一些家鄉風味。信不信由你，我只可保證來客絕不會車大砲。

飢荒災旱聲中，廣州成立「公社」的傳說正盛。「反共同心會」的神秘圖畫文字，也在全市各個角落發現得更多。廣州內部也有攪風攪雨的掘尾龍啊！

你要搞出，人要搞入，我們卻不能忘記廣州是革命策源地。三月二十九快來了，廣州人又要向黃花崗上七十二烈士的英魂默禱了！

西德黑種兒女就業問題

李致堯

西德通訊

一千五百名黑人軍隊和德國女子生下來的所謂「佔領軍孩子」，即將在今年暑假離開學校，開始進入西德的社會謀求生活了。這些孩子，據約略估計，大約在七千名左右，他們大半是私生子，他們的黑人父親和德國母親，幾乎是根本沒有婚姻關係存在的。

在德國，尤其是在德國兒童羣中，所謂膚色歧視的偏見，並不嚴重，甚至於可以說是很輕微的。學校裡的白種兒童和黑人兒童間的關係相處得很好，此種關係，對於未來的德國社會的安定，當然是一項好的因素。

當然，也並不是說在德國就完全沒有種族歧視的事件。不過，這種現象，反而是發生在德國的成年人社會中。一個德國母親，帶領着他的黑種孩子，在人頭擠動的百貨公司閒逛時，她可能會遭遇到某些人的汚言侮辱。這種心理也是可以理解的，德國人當然不願意看到德國女子和別的地方的男人發生關係，何況那個男人還是黑人。

因此，在目前的西德社會中，就發生了兩種對待黑人孩子的態度。一種是某些人面對着黑人孩子，他們的態度總是有點不自然，他們表現得極度尷尬；另一種人剛剛相反，他們也許是感到黑人孩子之被另眼相看，於是就悲天憫人，反而對黑人孩子極力維護。

在這種情形之下，黑人孩子的未來出路，就煞費周章了。儘管德國人在種族歧視方面的觀念並不怎麼嚴重，但面臨到要僱用黑種孩子爲他們服務的時候，卻也就沒有那麼爽快。據統計調查，黑種孩子和白種孩子，在智力上是差不多的，但他們的天賦，在成人社會的若干歧視之下，未能加以充分的發展，卻是實情。有許多商店的老闆，在心理雖然也很想僱用一些黑種的孩子，但他們卻有一個最大的顧慮，就是僱用這些孩子以後，在顧客方面可能產生什麼反應？

這是一個矛盾，而這個矛盾，在即將來到的大批黑種孩子就業之前，是需要加以清理的。若干專家在私底下發表意見，他們一致認定，即將離開學校進入社會謀生的黑種孩子，只要他們能在工作上表現其才幹，則以後的其他黑種兒女就比較的容易覓職了。

西德政府對於這件事的看法又怎麼樣呢？政府當局當然知道，膚色種族的問題是一個社會問題，根本不是法律問題，一紙公文，並不能發生任何效力。事實上，要想有一個妥善的解決辦法，至少在目前是沒有的。

於是乎就有人主張把這些行將離校的黑種孩子，全部送到特別爲黑人設立的習藝所做學徒。但這一主張，首先就遭遇到若干權威學者的反對，其中可以漢堡心理學家艾法夫博士作代表。艾法夫博士在接見一間西德報紙記者時說：把行將離校的黑種孩子送進特別習藝所做學徒的辦法，不僅不能解決問題，反而令問題更加複雜。艾博士認爲，每一個在德國出生的人，都應該融洽地納入德國社會，不應該存有任何偏見，或者是試用任何特殊方式解決的。

這當然是極有見地的話，但還是不是就可以解決目前的迫切問題呢？將近七千名黑種青年，即將來到這個社會裡謀生，假定他們僅只是由於膚色的關係，而終於到處碰壁的話，又將是怎樣的情形呢？在今年復活節後，這個不大不小的社會問題將受到嚴重的考驗。我們且拭目以俟吧！

社會小說

香港地

一、一幅剪成的山水畫

可是，譚福祿這番話並未收效，潘雅伯還是照從前那樣發牢騷，顧面子，不肯認真自食其力，後來便弄到借貸無門，一蹶不振，卒至欠租太多，自動遷出，另外租一個「牀位」來居住。譚福祿到底憐他是個斯文人，不忍見他走頭無路，在他遷出以後，仍找他商量，願意替他出力，在一間香火最盛的神廟門前，找個檔口，替人講解神簽，附帶拿「諸葛神算」來做卜卦生意。

別以為擺檔口解簽是一宗容易辦到的事。神廟也有盛衰之別，但凡香火極盛的靈神廟宇，雖是門前區區半尺之地，也要有面子才可取得擺檔的權利呢。譚福祿算是賣了一個天大人情，才肯替潘雅伯想出這個主意，認為解簽是輕鬆不過的事，誰都可以胡謅幾句，「諸葛神算」更是呆板而易學，任誰也可按照曆書所列的算法，拿去騙人，還對他是再適當不過的了。不料仍然遭他拒絕，還說出一個堂皇冠冕的理由，自稱不能拿這種玩意騙人。

那時連譚福祿也要光火罵他了。譚福祿罵裡帶着教訓，是這樣對他說道：「照你這麼說，你是把我看成什麼東西？我替人看相占卜，從來只有把希望帶給人家，從不教人絕望，這難道不是好事？歷來政治大人物開什麼口頭支票，可也不是希望長希望短的，說的天花亂墜？我並不是教你存心去騙人，只是教你存心去做好事。一紙神簽的古人故事雖只一個，解法可有幾十百種，難道你不可以把醜的說成好的，像我一樣廣行功德，經常把相理卦象說得頭頭是道，教人聽了，皆大歡喜嗎？」

就在那回一罵以後，譚福祿便對潘雅伯冷淡下去，不再關心他的生活情況，料不到潘師奶會突然跑來報告這個噩耗，還帶來這一幅奇怪無比的山水畫呢。

譚福祿總稱得是一個感情豐富的人，當下只好把這幅山水畫收下，勸潘師奶馬上向警局報案，還拿出二三十元小款，在送行時慇懃給她，說道「阿潘有什麼消息時，請你再來告訴我。料他不會是自殺的啊！」（六）

木客著

垂釣者

宣建人

他這些日子每天早晨抓住一支釣竿，提一個魚簍，頂一頂破舊的草帽，輕快的腳步，悄悄的往港灣僻靜的角落垂釣；傍晚，他仍然抓一支釣竿，提一個魚簍，空空的；頂一頂破舊的草帽，略微向下，快壓到眉頭了，他臉上顯露出疲倦的紋路，步子比較沉重多了，慢慢的悄悄的回家。

如此，他每天默默的坐在海邊的岩石上，把釣竿插在明淨的柔細的沙灘上，悠閒的看大海遠處天與水相接的那一線景色，片片漁帆，載去他的豪放的氣概，波濤冲在防波堤上激起丈把高的水花，背後青山上亂石峥嶸，間雜着綠瓦紅牆的建築物；他偶然在腦海底有一個明亮的念頭馳過：「我如若是一個畫家一定把這優美的景色描在紙上，讓別人陶冶心性，多好！」

他燃着一支煙捲，猛吸兩口，他慢慢的揩拭過去歲月踏在心田上的烙印，如一粒粒塵封的珍珠，越擦光彩越美，勾引起他昔日的心情。

「老了——」他獨個兒自語，惟有沙灘上的濤聲清晰的回答他。

歲月雖在他額上鐫刻了好幾條年輪，但他的眼睛神彩奕奕，仍能顯出他的雄心與壯志，幾莖白髮，寫出他當年戰鬥的勛績。然而，他現在抓住釣竿消磨日子，走向生命的盡頭。

「老了，」他又自語一次。

釣竿上的線軸只轉，水底的魚兒吞餌了，他抓緊魚竿搖軸，收縮魚線，臉上露出喜悅的微笑，線短了，短了，魚兒在水裡拚命的扭動身子，再用尾巴盡力的拍水，掙扎，掙扎。他把釣竿往上一舉，鈎上掛着一條六七寸長的銀色的魚兒，尾巴只擺。他把鈎上的抓在手裏，試試分量，魚尾巴扭動，濺了他一臉的水珠。然而，他如擲鉛球一般的把釣上的魚扔進碧清的水裡，「東」的一聲，水面綻開一個大水花，那條魚在水面游了一轉，彷彿向他鞠躬道謝，然後，它向下一埋潛到海底——

「我不能用誘騙的手段來釣一條魚！」他想一想，笑了。他想不透，如果釣魚鈎上沒有餌，它們偏偏的不上鈎；現在，他又把釣鈎扔到清澈的海水裡，等到另一條魚來吞食。

他往往如此想：釣魚，不能在得失上面斤斤計較，它是以兒一時的糊塗，貪圖那一粒餌，卻吞了在餌下暗藏着的一枚鈎。

此刻，他懂得了釣魚不僅是一件樂事；也是一種修養的訓練，許多大政治家，大軍事家……，都是在緊要關頭還去釣魚，在沉靜裡啟示他們的機智；表面上看釣魚是消極的，其實，卻蘊藏了更積極的意識？

他從不曾有過像現在的悠閒自在的生活，獨坐在海邊釣魚，這三十年來。

「老了——」他又衝口而出，有些感慨的意味。他摸摸下巴上的鬍鬚，就這麼一幌，歲月已過去三十年。人生有幾個三十年？他不解。

在他的腦海裏又飄過一片風帆，童年他也曾釣過魚，那只是尋歡樂的，不是培養潛在的功夫。

那時，他每釣上一尾魚，誇耀自己技術的巧妙，向小伙伴們胡吹半天。

如今，他的童心好像復活了。

過去的已經如夢又似烟了，他少年時不是也抱着叱咤風雲，變色的英雄氣概，他東打仗西戰鬥過了三十年，跑遍大半個中國，他雖然退役了，但他希望很快的得到徵召令，再去與共產黨較量較量。他的記憶是有一張足跡印過的活地圖，記得清清楚楚的，甚至每一個小村莊的名稱。他現在沉默的聚精會神辦一個農場，他雖然沒有經驗，但他卻用心的學習，把希望種在土地裡。人是為希望而活着的，他是有興趣的時候在海邊消磨日子，釣着釣不着不問的。

老人燃起一支香煙，猛吸兩口，吐着煙圈，被海風吹散了。

他又想！他在戰場上也曾以釣魚的方法，活捉過好幾百個共產黨，在黃河南岸。等到「解放軍」發現中了計策，撤退也來不及了。那雖是誘騙，由來兵家是不厭欺詐誘騙的，以爭取勝利第一。

他這些日子每天太陽出來就去釣魚，一直到波濤上抖動晚霞才回去，他就以釣魚打發日子，從不曾看過他提一條魚回去，被他坐的那塊岩石也被他磨得光滑可愛了。他已懂得了人生的真諦。

天下事許許多多都是這樣，不過，看用什麼來做誘騙的釣餌，也看那條魚的機智……

科學常識

海水何以有鹽味

黎朝拔

河水及湖水稱之為眞水，用舌頭來嘗試是感不到有鹽味的，但海水卻有鹽味了。鹽的份量因海深及位置不同，雖然有多少差異，不過大約為百分之三・五，也就是說每一百克的水含量有鹽三・五克。依照一位學者的計算，要是將全部的鹽積集起來，大約等於非洲大陸一樣大小，要是在地面平敷的話，則其厚度將為三十米。

那末，這些鹽份是從那裏來的呢？大多數學者都認為海中的鹽份是由河流的水從陸地運去的。

海水因蒸發而升上高空變成雲，然後再變成雨雪降下地面，匯成河流，滲入地下而成為泉水，最後，江河的水又流入海洋。這些江河的水，混含着碎石，泥土等鹽分最多的東西一同注入大海，從上古起日積月累以至今日，海中的鹽分就日益增加了。稱為眞水的河水，用舌頭嘗試時雖感不到鹽味，但實際上也是含有微少的鹽量。河水的含鹽分量雖然各各不同，但大約為河水一百克，含有鹽〇・〇二克。

漫談「建茶」

磊庵

前人說過茶要「色香味」三者俱全。固然，顏色好，香味足，味道也就來了。可是西湖龍井，一旗一槍。六安瓜片，紫芙香露。初泡時候，滿杯浮着碧翠的「蒼鷹爪」。自詡不是放翁，不相知是放翁。只是等不到三次兩次的魚眼蟹眼，它臨時便變成了「君子之交」。使你喝在嘴裡，沒一些茶味。甚至盧仝筆下的「天子未嘗陽羨茶，百草不敢先開花」的陽羨野山，也絕不例外，寧非大美缺憾。所以我一向便主張「四美」之說。在「色香味」三者之外，再加上「耐久」兩個字。儘管讓人家喊着「水厄」。六椀七椀，也好照樣的到肚子裡去，庶不辜負了「乳頭蜂面」，與久居產建茶的台灣。

茶是南方之嘉木。讀宋徽宗茶論，他就極肯定的推崇建茶，他說：「茶之為物，擅甌閩之秀氣，鍾山川之靈禀。」而黃儒的復論，于推崇建茶之外，更把陸羽對建茶的看法，也連帶寫在文上。

他論文的後段：「昔者，陸羽號為知茶，然羽之所知者，皆今之所謂草茶何哉。如鴻漸所論：『蒸笋並葉，畏流其膏』。蓋草茶味短而淡，故常恐其去膏。建茶力厚而甘，故惟欲去膏。又論『福建為未詳，往往得之，其味極佳』。由此觀之，鴻漸未嘗到建安歟！」不談這位桑苧翁的孤陋孤聞，隱于苕溪。單說些家門口的話。而建茶的出類拔萃，與其力厚耐久，也就有了最好証明。

可是話又要說回來，神農發明了服茶，而其法不傳。到了唐朝，經過陸羽的宣揚，茶才盛行於世。說陸羽是茶的功臣是不錯；若說他對於茶的研究怎樣到家，那就還要讓宋朝人。歐陽修口中的「君謨士人，爾何作此，作俑者可罪」。他是指着龍鳳團而言的。「錄茶之品，莫貴於龍鳳團。始於丁晉公，成於蔡君謨。始造小片龍茶，凡二十餘餅，重一斤，直金二兩。然金可得而茶不可得。每因南郊致齋，中書樞密院各賜一餅，四人分之。宮人往往縷金以進，其貴重如此。」是歸田錄上的話。直到明洪武二十四年，詔天下產茶之地，還是指定以「建寧為上」。所以宋韓駒、楊萬里，陳蹇叔諸人，對建茶均有吟咏。而姚寬更把建茶分為十綱，並指明龍鳳團茶是第三綱，先蒸後煉。每芽先去外兩小葉「烏蒂」，次取兩葉「白合」，留小心芽於水中為「水芽」，為建茶之極精好者。有此淵源，「別茶人」的渾號，或已非白居易所得而專，而建茶之「四美」皆具，也就不待筆者的杜撰了。

編者小啓

「江南酒俠」續稿未到，暫停一期。謹向讀者致歉。

大陸文壇萬花筒

武克仁慘遭圍剿

——岳騫——

一九五九年四月十四日「長江日報」刊了一篇雜文，題目是「貴在責任感」，作者署名春氷，眞名武克仁，也是武漢方面的一位作家。

武克仁寫這篇雜文是在看了「不朽的人」和「我的一家」兩齣漢戲之後。「不朽的人」是以向秀麗的故事改編的。向秀麗是一個女工，因為救廠而死。被中共尊為烈士，與被捕而死的劉胡蘭，自縛炸彈炸毀國軍碉堡的董存瑞，在韓戰場以肉身堵塞聯合國軍機鎗口的黃繼光，成為共區的典型英雄人物。其實中共所宣傳的英雄，有些根本就無其人，有的即使有這個人，也沒有這些故事，完全是中共一手捏造的。因為捏造的太離譜，在共區也噴有煩言，「文學知識」一九五九年第九期曾發表一篇「漫談新英雄人物的創造」，指出有的劇本描寫『英雄人物』在敵人的手榴彈面前毫不在乎，不但不隱蔽，反而用腳踢回敵人擲來的炸彈，這樣行為並不使人感到英勇，反感到有些輕率。」又說：「有個劇本寫一個建設工地的蚊子很多，這位同志剛去時沒帶蚊帳子，這樣睡覺，自然不是大舒服，可是劇本寫他被蚊子咬得非常高興，這樣，豈不反常？」

武克仁批評向秀麗這十分合蓄，只說「這位英雄人物（指向秀麗）被草率地搬上舞台，便不像一位英雄了」。至於「我的一家」小說改編的，是根據陶承的「我的一家」一書，是敘述一個「革命的家庭」的情形，本來文字就是一部教條口號的結晶，搬上舞台失敗是可以想像的。武克仁對這齣戲的批評是「看了戲，把我看書的印象給冲淡了。」

武克仁對這兩齣戲的批評實在是善意的，目的在希望以後改編劇本時要慎重，不要如此草率。那知竟然犯了天條，遭到各方面的圍剿。一九五九年第七期「長江戲劇」一位署名張杰的人，寫了一篇「駁貴在責任感」，力證這兩齣改編的好，大受觀衆歡迎。其實了解共區情形的人都知道，看戲是由里弄小組集體買票的，任何人也沒有不看戲的自由，張杰這種道理，絲毫不足服人的。

最近一期「文藝報」又向武克仁展開攻擊，看來他不免要去墾荒了。

釋耒集

著述

文集興則著述衰，章實齋嘗慨乎言之，然文人自矜著述，又往往使文章昧沒而蕪雜，方苞論文，謂吳越間遺老尤放恣，無雅潔者，其故在于以考據入文，繁徵博引，使讀者如遊古董雜架攤，觸目均見破銅爛鐵，倘興盡消。考古人著述，最重眞知灼見，其次則爲別識心裁，箕子陳洪範上明天道，下決人事，全文僅一千四十三字；老子道德經，千端萬緒，義理波譎雲詭，亦僅五千餘言；後世學人，反覆傳注，無人能記其名目，更無論能讀其文字矣。慾亦何補于尚書與老子乎？毛奇齡曰：「易傳春秋，迷山霧海，二千年來，考據臆斷，如說夢話。」明知其爲夢話矣，又相繼傳鈔之，刻報行世，修然自許曰，此我之著述也，若此者，則又非實齋之所能逆睹矣。文敝之另一原因，則爲制科，蓋自北宋時已然，東坡先生答李端叔書云：「軾少年讀書作文，專爲應舉而已，既得及進士第，貪得不已，又舉制策，其實何所有，而其科號爲直言極諫，故每紛然誦說古今，考論是非，以應其名耳，人苦不自知，既已此得，因以爲實能之，故嘵嘵至今，坐此得罪幾死，所謂齊虜以口舌得官，眞可笑也。」昨于報端，見美國電訊，云于某地破獲一專爲學生撰作畢業論文而收受金錢之組織，其刀人而至于有組織，其出品之多，銷路之廣，不問可知矣，按今之所謂畢業論文，其形式之呆板，內容之陳腐，奄奄無生氣，與古之制科，大率相近似，得其門徑者如塡公式，自可大量製造，其中顧客，未必皆不能文，或竟不屑爲之耳。夫考據入文，固足以使文字蕪累，亦有善不善之別，姚姬傳，曾滌生，均主義理，考證、詞章不可偏廢，此人之所共知者也，姚氏弟子陳用光，述其師語曰，「太史公周本紀贊，所謂周公葬於畢，畢在鎬東南杜中，此史公之考證也，其氣體何其高古，何嘗如今人繁稱博引，刺刺不休，令人望而生厭乎？」太史公此語，是否有合于後世之所謂考據，不必深論，而行文務在繁稱博引，則其文勢不可以高古，亦且無體氣之可言，大抵其失正如東坡之所云：「因以爲實能之，故嘵嘵至今。」而已。學者著書，必使人樂意讀之，而不在於令人望而生厭也，著書而不免于令人望而生厭，人又何貴于有述作乎？

曲谿

粟海彈心錄

民國開國國旗，當時有主用張之洞總督兩湖時，發行之銀幣五圓鈔，影印九星旗，幅方而文圓，謂爲暗示吾人者，然衆以五色，含五族五常五德與代表五億國民之義，遂得一言而決。近人有謂開國之旗，爲遜清「八旗」之旗，要知滿州八軍旗爲正黃、正白、正紅、正藍、鑲黃、鑲白、鑲紅、鑲藍，合之只有四色，分之則一旗一色。安所得五，不僅失考，尤屬胡謅。（見四七年國慶日工商日報）

談張之洞（上）

阿公

張文襄公，先後督鄂近十年，事功德業，流風餘韻，入人固深。然起義之初，尚未知楚王臺軍械庫儲槍九萬餘枝，砲千門，彈藥稱是。乃得倉卒裝備八師之衆，氈呢被服，儲備亦豐，故當時皖贛軍餉，多取給於鄂，川人但懋辛等，與於三月廣州之役，清吏押解回籍，過武漢，請求械彈餉需，資其成軍，熊克武因此縱橫西南者十年。

至於張公所創漢冶萍重工業，兵工業，（大冶鐵砂，漢陽鍊鋼，萍鄉煤礁，附設株萍鐵路，以資運輸）造紙廠，（規模遠東第一）造幣廠，紡、織、絲、蔴四局，鍼打，玻璃、氈呢、被服、製革、水泥等廠，皆當時遠東最新式者。（抗戰時，只剩紡織二局，水泥一廠。）佐以理化，高工、鐵路、鑛務、農林、測量、陸軍各學校。又輔之以湖北官錢局資吐納。故黎公得以區區一省之力，號召天下，內抗清廷十萬之衆，外應長江數省之需。未嘗加賦，增稅，舉債，捐獻，與濫發通貨以累民，是皆文襄公有以作之於前者。設易地而處，易人而事，則至今猶滿室，猶君主，未可知也。故事定之後，黎公爲建文襄專祠於抱冰堂，捐其南湖之田萬畝以牽祀，民十五以後，蓬蒿滋蔓，甘棠剪伐，而遺澤亦盡矣。

讀書小誌

自由與奴役

謝康

史家韋爾斯在他底鄒部風行全球的名著「歷史大綱」（the outline of history）有幾句很精采的話，他說：「人類過去文明之歷史，自由與奴性競爭不息。最後總是自由佔着勝利。」

這些話不嘗爲今天的以民主國爲基幹的聯合國與蘇聯集團作對照！自由與奴性，就是「公理」與「強權」，「王道」與「霸道」，「文明」與「野蠻」，「寬容」與「迫害」，也就是「道」與「魔」，中國人有「道高一尺，魔高一丈」，「君子道消，小人道長」，等等悲觀的論調。「梟雄畢竟一邱貉，吾道其如十丈魔！」吟這兩句詩眞令人痛心到極點！中國歷史四千年，似乎是「據亂」的時候多，「昇平」的時候少，生在「小康」之世，也就算得難能而可貴了！即就整個世界而論，人類脫離恐怖與掠奪爲時並不很久，有些民族至今還是在喫人的社會過生活。而另一方面，自稱爲前進的政權卻整天在以奴隸勞工生產工具對待同類，使大多數人生活在恐怖裏！二十世紀六十年中，已經打了兩次慘酷殘忍的大戰。而第三次可能要來臨。至於有限度的局部戰爭，更是不計其數，辛亥獨立，北伐、抗戰都是自由對奴役的戰爭，近年來韓國南北部之戰和自由中國對鐵幕極權之爭，也都是爲自由而戰，看來，人類歷史眞是還在演出自由與奴役的鬥爭呢！

這本書又指出白種人重歐輕亞的心理，係一種分類的界限和民族浮誇的觀念之影響。自若干世紀以來，歐洲人自以爲代表整個文化，看不起亞洲人，幾乎以爲是另一種動物，而對其他歐洲人，則以爲是可親可愛的同種人物。這種心理，現在還在若干歐美要人的腦子裏作祟，這種心理，是國家民族自私心理的擴展，可能對世界將來，造出更大的惡果！

不過，這本書也有幾個較大的缺點：

第一、太畧於遠東史實，而對於英國王家生活，例如英王查理第五底起居飲食，不厭求詳，犯了重歐輕亞的毛病，因此不能夠算爲很恰當的世界史綱。

第二、對於民族英雄的事蹟，如法國約安‧達克（Joan-ne Diarc）之類，認爲只是歷史上裝潢點綴之品，無足輕重，這種帶有成見的看法，似乎也未免低估了愛國情緒與羣衆心理和民族領袖之功能。

第三、韋爾斯以爲歷史上，藝術品只是一種點綴之具，而非創造之物，不能與哲學及科學相提並論。因此他對於藝術價值，頗爲輕視，同時對於古來諸大家藝術發展情形俱不敘述。即如他寫到德文西（Leonard da Vinci）時，祇畧述其科學思想，而絲毫不提及他對藝術上的貢獻，這似乎代表一般英國人重功利而輕藝術價值的傳統觀念。

我願提出上列一得之愚，作爲讀韋氏世界史綱者的參考。

望海樓隨筆

散文

徐學慧

這些年來，想要欣賞一兩篇有理致有意境而在文字上非常乾淨利蓄的文字，殆不可得。香港的報章如是之多，執筆爲文者亦無慮數百，竟很少有人寫散文，即有亦不好，此誠怪事。

寫散文有如剝竹筍，要一層一層慢慢地剝下去，才能看到筍肉，香港作家很少有這種脩養和這種耐心，亦不會有這種脩養；再加上香港讀者，似乎也不大歡喜讀散文；在你不肯讀我也不會寫的情形之下，散文之道，也就很自然地無人講究了。

細想起來，倒也是一件非常可惜之事，但也只是限於可惜而已。社會環境如此，作家的個人修養如此，也是沒有法子勉強得來的。

坐在報社裏寫急就章，當然寫不出好的散文；坐在茶樓殘室，拿半邊卡位作寫字枱，當然更寫不出好的散文；香港作家的寫作速度，平均每小時要寫一千八百到兩千二百字，那也就更不用說了。寫散文是一種推理的工作，與寫小說完全不同；寫小說你可以誇口說每小時寫兩千二百字，因爲那是可能的，尤其是寫到小說中人物對白的時候，但寫散文不能。

散文不僅要注意文章的意境，尤須注意文字的組織，這中間的起承轉合，是萬萬馬虎不得的。或有以抒情文爲散文者，那是由於不懂散文之精義，其實，抒情文與散文之距離，其相去亦誠不可以道里計呢！

魏晉時代的散文，與明清時代的散文，如能熟讀，亦可悟其中微妙。三十年前，中國作家中，也有從事於散文寫作還很不錯的。自九一八事變以後，一直到今天，由於戰爭引致許多人轉徙流離，那些作家們已無心於散文之創作，亦無力於散文之創作，而散文之道，乃幾乎熄矣！

書卷不豐富的人，對人生問題的瞭解不夠深刻的人，智慧不太高的人，能放心而不能收心的人，可以說，都不能作散文。如勉強去寫，其結果乃必不可讀。好的散文之不可多得，雖不免是一宗憾事；但我可不鼓勵人家寫散文，畢竟這也不是一朝一夕可以寫得好的。

千家姓考

汪學文

明洪武時，吳沈等據戶部黃冊，編爲「千家姓」，得姓一千九百六十八。明陳士元另撰「姓觿」，凡十卷，收列姓氏較戶部黃冊爲多，單姓複姓共計三千七百二十有四（一作三千六百二十五，分見辭海辭源）。抗戰時，張世堯君編有「四千家姓」，蒐列單姓二千七百九十，複姓一千二百六十九，共達四千零五十九，蒐羅既廣，編纂亦佳，運典用韻，音義俱工，其子濬衆更一一予以注解，誠如傅增湘跋語所云「姓姓有根據，事事有來歷」（按：每姓雖均有注解，但畧而不詳，筆者編選「百家姓姓源」時，僅自其中採用二十八姓之註解）。筆者所說之「四千零六十六姓」，即大部以該書爲根據，並會將各姓按筆順次序排列，分別繫以號碼，編成表式，附于拙著「中國著者號碼編製法」（台灣中華書局四十六年六月出版）中，以作圖書著者姓氏編號之用。及該書出版後，筆者又發見「姓氏考畧」（未署撰人）一種，其中收列單姓二千三百零二，複姓一千七百二十一，三字姓一百四十四，四字姓七，五字姓二，總計四千一百七十六姓，較「四千家姓」尤多。由于其蒐列之複姓較廣，且有「多字姓」百餘，如將兩者合併統計，其數當在四千六百以上。（即以單姓而言，由于內容不同，「姓氏考畧」之「二三〇二個單姓」中，尚有若干姓氏，爲「四千家姓」之「二七九〇個單姓」所未包括者）

海嘯慶談薈

東北領土滄桑史話（三）

不料張氏南歸後，歷時三個月亦未北返，馬酋久候無下文，而莫斯科方面又責其辦事不力，有辱使命。馬酋一怒之下，指我方虛與委蛇，毫無誠意，遂一變原有態度，將俄軍在東北掠得的日軍械彈器材，供應中共擴充武力之需，悍然予以庇護培育，並對我方接收事宜，處處故意阻撓破壞了。此時中共雖乞得蘇俄的軍援，但兵源缺乏，一時原不容易成立大軍的。適前述僞滿的四十萬軍隊驚聾驅騁，進退失據，中共即多方誘惑，對這些人唱出甚麼「莫要吵，莫要鬧，老蔣不要老毛要」的歌謠，大事煽動，同時利用張學詩等出面組織所謂「東北民主聯軍」，號召僞滿軍隊來歸，表面上做出並非「紅軍」而係東北民衆武力的樣子，藉以迎合當時東北人不滿現狀的苦悶心情，實權卻全操在共黨之手。如是乎，林彪的「第四野戰軍」乃迅速發展，蔚成實力最大、戰鬥力最強的中共部隊，先解決長春的鄭洞國所部國軍，再消滅瀋陽的廖耀湘兵團，最後擊破錦州的范漢傑軍，向關內長驅而入，直薄平津，而傅作義亦就喪膽投降了。林彪的四野軍，以後東突西竄，慓悍殊甚，一直打到廣東來，所向無敵。試思在數月內組成的新軍，士兵們如非能征慣戰之輩，縱有新式裝備，亦難發揮如許強悍之戰鬥作用的，這不是舊有四十萬僞滿軍隊之被迫投効所致嗎？

根據上述各項史事，即證明我政府當年對東北問題的決策與作風，一誤再誤，自貽伊慼，思之思之，豈勝痛惜哉！

（本篇完，全文未完）

諸葛文侯

自由報

THE FREE NEWS

半週刊每星期三、六出版

第七期

每份港幣壹毫

社長：雷嘯岑

督印人：黃行實

社址：香港銅鑼灣高士威道二十號四樓

20 Causeway Rd. 3rd. Fl. HONG KONG

TEL. 771726

電報掛號：7191

承印者：田風印刷廠

地址：香港高士打道221號

大陸四變論

劉龔三

中共控據大陸十年，形勢仍未穩固，四變因素俱備，且已有徵象可見，自由人士期望神州光復，當於四變的逐漸連結以求之。本文用意，即在乎是。

所謂四變？是爲：黨變，士變，民變，兵變。歷代苛暴政權的傾覆，其形勢不能單獨由民變來決定，龐大而雜亂的民衆武力，必須由知識份子與英雄豪傑合起領導，善爲利用，始能結成可觀的戰鬥力量，進而引起兵變，使統治集團內部發生嚴重分裂，最後乃如水到渠成，使苛暴政權終受沖刷以去。

今天大家都說，大陸已是一個隨時可以發爆的火藥庫，只待燃點藥引。不少人引證於辛亥革命的故事，認爲大陸一旦發生重大變故，中共政權將如冰山之立解。

辛亥革命的對象是滿清政權。此一政權早已由苛暴變爲軟弱，其崩潰之速，亦由民變引起兵變。假如兵變不隨民變而發生，全國底定斷不能如此迅速。

中國歷史上苛暴政權的傾覆，可觀秦、隋、元三個朝代的故事，求取證驗。

秦亡於三變

秦之亡，肇因於民變，但仍要等待始皇崩逝，公子扶蘇廢立，二世繼位之後，才會發生。陳涉吳廣都是平民，因戍漁陽爲雨所阻而失期，畏罪煽亂，遂誅殺將尉起事，這是利用廣大民衆對秦政的怨恨，作爲燃起革命的火藥引，以後，一連攻襲得手，聲勢不斷擴大，各處郡縣豪傑之士紛起響應，其方式都是脅逼或斬殺地方官吏，附從革命運動，劉邦以亡命山澤之徒，起於沛，項梁項籍以亡命的將門之子，起於會稽，殊途同歸，不外乎民變與士變結合，而項氏實爲主力。項梁在亡命吳中的時候，「每吳中有大繇役及喪事……嘗爲主辦，陰以兵法部勒賓客及子弟，」對於軍事才能的儲備，實在下過苦功。項羽是破秦的主將，軍功第一，卒能氣慴章邯，甘爲降將，引起兵變，秦乃一蹶不振。因此可見，民變是第一因素，士變（六國之後）第二，兵變是第三，必要三者連結，才有速效可覩。

隋元亡於飢民

隋政苛暴，不減於秦，其覆敗亦肇因於民變，而以飢廹切求食爲主要因素。隋煬帝暴戾足比秦始皇，而荒唐淫恣則過之，瓦崗寨翟讓與李密的結合，亦是典型的民變與士變的配合。沒有飢民便沒有瓦崗寨。隋軍習慣斂糧於城，藉以控制人民的胃囊，李密針對這點，號召攻城打開糧倉，轉變飢民爲義兵，是相當厲害的策略。民變蔓延，割據四起，直至太原留守李淵也鬧兵變，隋朝的統治便隨而結束。

元代由蒙古人宰制中國，苛虐空前，防民之密，尤甚秦隋兩代，其敗亡同樣起於民變，由韓山童以至郭子興，張士誠，陳友諒等等的興起，都是倚飢民做主力。蒙古士兵在初期開國時的驃悍氣質，至此已成不濟，皇族的腐敗和內部的鬥爭，更促致軍事局面的逆轉，臨到產米區域陸續失陷，由南至北的糧運中斷，要想靠武力來維持北方的統治也不可能了。元之亡，兵變的因素較少，而天災和疫癘的打擊漢人對民族革命的強烈要求，都有助於民變的擴大。

大陸民變的事實

綜觀秦、隋、元、覆亡的主因，都在民變，後二者尤因人民廹於飢餓，挺而走險。據此以論，今日大陸人民飢餓之慘，遠於隋元，其痛恨大鼻子的心理，亦與元民痛恨韃子相等，是即民變最基本的因素，業已充份存在，近兩年間，飢民因搶糧開倉而殺死共幹共軍的新聞，粵桂湘閩各省均有發生，消息屢次外傳，雖均經中共用強力壓制，未成巨變，但此仆彼起，從未止息。中共控制人民胃囊的政策一天不改，可預卜民變必仍繼續發生，且當逐漸蔓延與擴大。

秦代民變的成功，得力於六國後代豪傑崛起而成領導中心，隋代民變的成功，士族人才投身於變革運動，元代民變的成功，亦有其宗教神秘的組織。因此，未來大陸民變的大規模發展，當有待於其他方面的配合。

黨變與士變

十年以來，中共黨內也發生過不少變故，由高崗，饒漱石的被淸除，以至胡風的被清算，毛澤東勢位的被廹移轉，皆曾震駭一時，是爲黨變。此種黨內鬥爭雖未鬧成無可挽救的嚴重分裂，但黨變必將有助於民變，乃屬必然。

大陸知識份子由「大放大鳴」引起的風暴，曾經劇烈震撼中共的統治地位，是爲士變。「反右傾運動」是專對士變而發，中共實有提防士變牽連黨變，並與民變結合的重大恐懼。在這兩年之間，反右傾只有表面的成就了，無事實的收獲。士變隱憂，實仍存在。

兵變的可能性

上列民變、黨變、士變三者，事實具在，只有兵變一項，中共似仍可引以自慰，認爲幸而未至於顯著爆發，但在參加韓戰之時，已有盈千累萬投向自由中國的戰俘，此在眞實的意義上仍當算是兵變，連年由廣東邊境逃至香港澳門的共軍官兵與民兵，數已近千，最近更有駕機由大陸飛向台灣投誠的空軍軍官，都屬無可抹殺的例證。我們可以確切判定：自從大陸全面建立「人民公社」，中共已用其自己的手造成兵變的火藥庫。「公社」已使共軍絕大部份官兵失去其原有的家庭，此是造成未來民變與兵變結合的重大因素。

四變的結合

依上所舉，仍可加上天變一項，大水災與大旱災連續不斷，亦與元代後期大略相似。只以民變屬於零星間歇發作性質，黨變及士變亦然，遂未能滙爲洪流，造成浩大的結合。中共更利用近代交通工具的利便，對於迅速調動軍隊以鎮壓民變，同時避免引起兵變，具有較高把握，因此勉能維持風雨飄搖之局，但自由中國在台灣的吸引力量，對於所陸民變士變及兵變大發生的影響，則爲中共最感頭痛的問題，在昔隋煬帝與元順帝均未曾有遇此種苦惱。

在大陸億萬農奴與千萬民兵之中，決不乏陳涉與吳廣，國軍遺在大陸含憤忍辱的將校中，決不乏項梁及其第二代的項羽，反共的知識份子決不乏張良及劉基，但台灣決不當任令上述四變在大陸自然發展，不肯殫思竭力，有以促成之，結合之。中共今天最怕是民變與兵變的迅速結合，針對敵人的大忌，如何引起各種變動與造成其結合，正是今天自由中國當局所要切切實實努力的第一件大事。

我認爲，如何引起大陸火藥庫爆炸的一個大問題，除了揮軍登陸，或空投游擊部隊以外，其大要均當從上述四變去尋消息，想辦法，敷衍不得，等待不得。

時事述評

岸信介的兩面手法

盧家雪

當日美新約正待日本國會批准的時候，岸信介首相正遭遇來自共黨方面的壓力。赫魯曉夫狂言叫囂，中共跟着他的主子吶喊助威，日本國內的社會黨，在國內便極盡破壞抨擊反對之能事，這一連串的事件，正表露出共黨集團對於日美新約的重視。

新約終必批准，大抵無可置疑。與蘇俄同聲相應的日本社會黨，當然看得很淸楚。其所以要發動反對與示威，其主要目的乃在於藉此機會來煽動日本人民，以便其火中取粟的一貫作風而已。

左派學生製造事件

對於共產黨這一套，我們這些身受其禍的中國人，是了解得非常澈底的。當年在南京上海由共黨份子導演的所謂「反飢餓遊行」，與今日日本國內若干學校之左派職業學生所發動的「反新約示威」，只是口號上的不同，在本質上並無分別。

據東京七日電訊報導：北海道扎幌市警察二百餘人，昨進入北海道農藝大學逮捕從上月二十九日即藏匿於該校的學生自治會主席山中暉安時，學生一百名與警察衝突。警方逮捕山中之原因，爲上月初五名學生會參加反對日美新防約示威，結果被三名教師處分，山中乃發動學生將該教師幽禁七小時之久，以示抗議。從這一電訊來看日本大學內部的情況，與十年前京滬平津各地的大學內部情況，實在也是差不多的。

一套老法寶

左派分子之意圖，首先在藉機生事，故意製造緊張氣氛，如情況需要，可以利用外圍份子作犧牲品，製造幾處的流血事件，用苦肉計來騙取他人的同情，然後，以血的事件來發動示威，再進而至于罷課罷工，以增加社會的不安，這一套法寶，在我們這些身受其禍者看來，自然洞若觀火。今天的日本，共產黨在那裏所作的工作，正是沿用十幾年前在中國大陸所表演過的那一套。

岸信介三步兩回頭

岸信介最近在上議院說到：日本目前無意改變其對中共等等看的政策。又說：日本與中共關係如能恢復的話，只是在變方先有文化及經濟程序互相交換後，遂漸開闢途徑。（見美聯社東京七日電訊）這又是玩的兩面手法，意圖安撫日本的共黨份子而已。與虎謀皮者，必自食其果，岸信介此種騎牆政策，正把日本推向更大的苦難中。

自由的話

貪官與浪人

非律濱無理排華之呼聲正盛，更有人大倡「非人第一」之說。一位頭腦清醒的政府大員卻說：此不是非人第一，而是非官第一。旨哉言乎！此是針對非律濱貪污的官員，及慣於興波作浪的奸徒，藉鼓動排華以圖私利的事實而發。是之謂「非官第一」。我相信同樣的義例，可適用於印尼蘇加諾一派的大小貪汚官員。

迴憶日本軍閥侵華，造成舉世大禍，其起因不盡由於軍閥跋扈，而由於在中國各地無惡不作的浪人，及從事地下活動的特務份子，已在一般軍人腦子裏，造成「中國可欺可侮」的共同信念。彼輩以爲「國人皆謂華爲可侮」何妨悍然發動？卻不知浪人所圖，只是「冒險家的私利」。特工份子眼光短小，只看到中國之大，看不到中國之壞，個人但圖急功近利，升官發財，所作報告，自然是鼓動侵華。特務與浪人交相結合，其影響於日本輿論及決策，是經過一個長時期用功的。當時南北沿海各大都市，中國閙浪人之名即覺頭痛。日人自己不知覺悟，由此造成大錯，及今能明瞭個中原因，懂得歸咎於當時的「支那通」者，猶不多見也！

今天在非律濱與印尼鼓吹排華，最爲努力的活躍份子，無疑就是官場的貪污者，與民間浮浪生事的射利之徒，其動機亦與當年日本浪人差不多，只知有排華對於私人眼前的小利，不知有排華對於整個國家長遠的大害。他們對於鼓動褊狹的排外心理，雖似持之有故，言之成章，但什麼「非人第一」與「印尼人第一」都是假話，只有「非官第一」與「印尼官第一」才眞。

秉國政者對重大決策必不容掉以輕心，要計及久遠，顧其全而不謀其偏，尤不容以私心及意氣用事，若只知有自己及私人集團利益的賤丈夫，居高位而握政柄，決未有不誤國禍民者，吁！可不愼哉！

司馬文堅

一位共黨婦女領袖的自白
我怎樣脫離共產黨

向晚譯

本報特稿

編者按：這是前萊因共產黨執行委員Lotte Schelle女士一篇脫黨自白，原文刊於二月六日MRA新聞。

我是那些從青年時候起就爲思想形態而戰的之一份子。當納粹執政時期，我的父母和家庭是深受苦難的，使我確信，只有共產主義才能解答。因此於一九四五年，我下了決心加入了共產黨。

一九四七年我成爲西菲利亞·北萊因共產黨婦女部的首腦。我們經過一段艱苦戰鬥，很快地便使該區的工人差不多都變爲共產黨員。

一九四九年道德重整挾國際力量來到德國，在魯爾區演出「忘記了的因素」一齣戲。有少數的共產黨職員被邀觀劇，但是我們並非都贊同。我們說，這齣戲是要把工人從階級鬥爭中引退，所以我們一有機會就反對它。

雖然如此，我們有些人員仍然被感化了。他們在黨裏活動了有二十六年之久，但一遇到道德重整立刻便明瞭，這個新思想形態是遠超過共產主義的。

因之，他們到了瑞士柯峯參加道德重整大會。當他們回來的時候，黨便命令他們要與道德重整脫離關係。他們不肯。他們說，他們要堅持一些更重要的事情。

脫離了共產黨

這些著名的鬥士們，自從被黨開除後，便引起許多共產黨員朋友們對道德重整注意起來。如像一個執行委員的我，就在注意他們的改變。人民再看不見有階級鬥爭和階級仇恨，而只看見有一個更偉大的思想。

全體黨員人數開始降落。在魯爾區裏工作委員會和鋼鐵工廠中，其中有百分之七十三都是共產黨員。但是在四年內，共產黨全體人數卻降落百分之八。因此，所有共產黨執行委員都被逐出去，而把那些肯聽莫斯科話的人放進來。

我仍留在新的執行委員中，我在黨報Fries Volk撰文，反對以前的同志。一九五〇年三月，該報被英國軍政府所禁止發行。因爲我是一個著名的共產黨員，所以不久便找到了一個新工作。在Dusseldorf的一個大運輸公司，給我一份差事。不過，這家公司是把我當做間諜，他們派我去做公司裏的最辛苦的工作。

有三年之久，每晚我洗刷街車。我的痛苦愈來愈大。然而，幸運着我的和使我痛苦加深的，就是共產黨員們。他們常常調查我，把我當做第一和首要的共產黨員，而非是一個普通的人。

我獲識兩位婦女，她們都明瞭我的忍受和仇恨，並且爲解答它而奮鬥。她們邀我去看戲，我被感動了。我了解戲的意義，但是我受馬克思主義的影響很深蒂固，我不能接受它。我的精神被分裂了，鎮日價心神徬徨無主。有一年的時光，雖然我深深地被感動，但是卻不願放棄舊觀念。

於是我去參加魯爾礦工的集會，他們正在舉行慶祝卜克門博士的誕辰。在那裏，我遇到了兩位前共產黨員。當時我是共產黨裏的一位職員，所以我不得不退出。

我記得他們，好像都是沒有信仰的硬漢。他們是與一般人完全不同的。我知道，他們早期對共產主義的熱情和忍受。我現在才相信，他們是尋到了一個更偉大的熱情。我看出，他們估計道德重整，是一個正確的思想形態，而遠超過種族和階級之上。他們覺得，階級鬥爭並不能解答我們的問題，因爲階級鬥爭僅僅是爲了一個特定的集團（按即少數高級共幹）。他們回憶到，卜克門博士對他們所說的話：「你們前共產黨員，是能夠和我們共同建立新世界的」。他們激動了我的心。因此，我請假五個星期去到柯峯。

繼續奮鬥，我要接受它。但是，我過去在家裏學習的馬克思主義，一如別人學習宗教，只是腦子裡要生活這個新方式；現在才感到，我應該把全副精神都貢獻出來。我覺得有些事情是錯了。於是我找到了這個要點——絕對誠實、絕對純潔、絕對無私、絕對仁愛四個標準。我忽然覺得，我並非是常常有信仰的那種好人。我要用這四個標準，從頭到底以淨化我自己。

一個無可抵抗的思想

在柯峯我又尋到我的信仰。這是二十五年以來，我頭一次領悟信仰。在那裏，時時我都使用這個思想形態而工作。

作爲共產黨員，我們的頭腦是用知識來裝備，然而我們的心卻是空虛的。新的事情我看出是這樣，就是你要變成一個完全的新人。這便是道德重整所以超越於共產主義的原因。那是一個無可抵抗的思想，當一個人改變時，他便能改變別的人民，而這許多的人民便能改變國家，建立一個新世界。

粉碎蘇聯之飛彈優勢

本報特稿

旭軍

自蘇聯放射人造衛星以後，西方國防一時形成混亂狀態，幸而現在華府與倫敦雙方，均已有明顯的對核子阻嚇難題之合理解決辦法大綱。

最令人鼓舞的發展，是大西洋東西兩岸，幾乎同時有了阻嚇戰略。英美雙方合作便大有用途。發展下去，必獲雙方人民的信任。此種辦法簡單點來說，可歸納成下列幾項：

（一）蘇聯突襲唯一可想像的目標，是共產敵人的核子攻擊力量。

（二）蘇聯彈道飛彈軍備是特別爲此目的而設。——這是根據一種假定，即西方國家將繼續在固定的基地建立他們的『報復武器』。

（三）目前的危險，在於對付蘇聯飛彈在今後的若干年，未有防禦及令人滿意的警報。

（四）但彈道飛彈，有一主要的弱點，是它對於活動之目標，便毫無用處。

（五）假如阻嚇力能建立在機動的基地，在海上，或常在空中，於是不斷的施展出遏抑蘇聯妄動的決心。

（六）在此種情形之下，若建造此種武器於固定基地之中，非愚蠢即狂妄。因爲這是正合敵人用其武器攻擊此等目標。若建立此等目標在自己的心臟地帶，則更爲愚妄。

（七）可行的方法——至少在目前是如此——是將我們阻嚇的武器放在海上，在潛艇和水面上的船艦。

英美都是海權國，爲什麼都沒有想及此事？究竟是誰人應負其咎。

幸而現在想到，還沒太遲。

我們正力求避免妖魔的迷惑，他們力促我們追趕上敵人自己選擇的武器。我正開始顯着自然之理，去倚賴海，作我們的拯救者，去反抗以陸地爲基地者之侵略。

以海爲基地的『北極星』飛彈，正趨向完全發展其作戰能力。美國海軍參謀長貝爾克上將，在國會中之一委員會，稱：有兩艘隨時可發射北極星飛彈的潛艇，在一九六零年尾之前，將可航行於海。另有三艘，至一九六一年可使用。每艘載有十六枚射程一千二百里的北極星式飛彈。在一九六一年年尾之前，增加四艘有射程一千五百里的飛彈，是不成問題的。只要目前有決心便行。貝爾克上將欲要求在這方面撥補助款，深信國會當大力支持。

我們甚至更進一步的，將北極星飛彈，安置在海洋面的軍艦。核子能推動的巡洋艦『長堤』號，至一九六一年建成，可安置十六枚北極星飛彈。現在已有詳細計劃。在其他的十二艘巡洋艦及若干較小的軍艦，配上較少數的北極星飛彈。北極星飛彈之發展由拉邦海軍少將主持，他和他的卓越同事力柯弗海軍中將，均在秘密中進行工作。

此方案和許多武器方案不同。其中有很大的加速實現之潛能。如果獲得撥款，美國便很快獲得此種飛彈，而且此項經費就快撥出。射程二千五百里的北極星，行將來臨。

英國目前沒有放射飛彈之潛艇。但在海上佈置，及使用阻嚇力，比僅此一武器之意義較重大得多。英國要有能力控制——不讓敵人有——海上大部份區之活動，例如挪威海。

在英國及美國雙方，漸漸放棄安置在國家腹地巨大飛彈固定基地，而趨向於以海爲基地，（甚至以核子能推動長程飛機爲載核子飛彈者）之阻嚇力，現在似乎將臨到了。

此種戰略，恢復戰略上的自由行動。足以應付蘇聯對分佈全球的基地之威脅。及恢復心理上（及政治上）之自由，去關飛彈分秒不差的恐怖邪說。我們固然不能說：蘇聯無法攻擊機動的基地，但可以說：如欲用突襲去毀滅此等基地，是沒有穩當可靠的方法。因此，蘇聯不能確保用若干的炸力摧毀已知地點上若干的目標。他們估計戰爭的冒險，要考慮到他們在地理上最不利的條件。

如此，必能使赫魯曉夫及其同僚，要用冷靜的頭腦想一想。尤其是他們在此種的戰爭中，而臨一冷酷的事實，即以海洋爲基地的武器上而言，是我們，而不是他們，在時間上有利。正如一位美國的海軍上將而言：『這是一項競賽，他人要努力追趕的。』（譯自本年二月二十四日倫敦『每日電訊』報）

—·亞庇通訊·—

靜靜的北婆

夏俊

在未到北婆羅洲以前，我早就聽人說過，這裏是目前亂世中的桃源，很安靜，生活可以過得相當寫意，不必受政治鬥爭那類糾纏不清的新聞干擾。自從到了亞庇，我以香港客的眼光來看北婆這塊地方，我覺得以前聽到有關這裏的好處，大致不差，但是，不耐得寂寞的香港客在這裏住得稍久，也會有「靜極思動」之感的。

這裏所說的北婆，當然難以概括全個，在英屬婆羅洲，我到過亞庇與山打根，那是有代表性的兩個地方。我以「靜靜的北婆」爲題，有如下幾點理由：

一、北婆地多人少，這好像拿香港一個角落的人口，放在一處大逾百倍的地方。那些在九龍半島旺角深水埗區「擠」過的人，一旦易地而處，當然會有靜靜之感。

二、這裏沒有左派宣傳的叫囂，赤色毛虫還沒有辦法滲進來，政治風波不興，氣氛自然寧靜。

三、這裏風俗純樸，娛樂只嫌太少而不嫌太多，凡足以助長不良風氣的色情勾當，以至製造阿飛的各種玩意，包括黃色報刊等等，都未流行。這也是使大家耳根清靜，生活過得泰然的原因。

四、這裏沒有種族偏見，各族都能和平相處，中國人雖然來自閩、客、潮、廣、瓊各屬都有，好在同鄉聯絡的作用並不在乎排擠別一幫，以前有些僑區的壞風氣不大吹到這裏來，這亦有助於造成此間寧靜的氣氛。

如果我是一個老去的文化人，喜歡靜靜讀幾年書以怡養身心，而這裏又有足夠的圖書來消遣日子的話，我真願選擇這靜靜的北婆。

離去大陸而流亡在外的中國人來到這裏，最感覺安慰的地方就是：兒童可以讀到中國書，這裏有教授中國文的學校，小學到中學都有，升學可以到香港和台灣。這是在泰國等處的僑胞所辦不到的。

這裏一般生活安定。亞庇是新興的城市，整潔美觀，人口遠比山打根爲少，山打根有小香港之稱，形勢確有些相似，前者是政治中心，後者則是經濟中心。目前十分缺乏開發的人力，僑胞縱有發展工商業的雄圖，但本地人力和人才都不足用，想由外面僱聘人來的話，絕不容易請准入口。這便造成許多可開發的事業都無從發動。這裏就是缺少一點刺激力在裏面做發動原素。既然沒有造成競爭的刺激因素，人們就容易傾向於懶得開發活動。

北婆財富蘊藏很豐富，雖然有很多，地下礦藏很豐富，漁業大有可爲，工業也不是沒有希望的，土地寬廣，用之無竭，只愁沒有人力，天然美麗的景色，良好的氣候，引人入勝的亞熱帶風光，如對「中國寡婦山」（神山）公園區一帶經營起來，吸引遊客也有良好條件。但如入境限制不稍爲「解凍」，縱使如何宣傳開發，恐怕也只在說說談談的階段而已。（傳說日本企業界曾經向這裏打主意。）

這裏居住舒適，衣着問題可以不須費心，因爲沒有冬天，人人習行簡樸，食用卻不廉宜，菜很貴，這裏因土壤關係，不大產菜，要由外面運來，於大量吃菜的外客到此，會覺得有些不舒服，一般日用品也相當貴，有一間大酒店需用的一切零碎東西，也需要托由香港專人購運，由此可想，人力與技工缺乏，百工不興，才會呈此現狀。亞庇有一家中文日報，已決期出版晚報，只因僱不到夠額的排字工人，開不成功，只好延期，舉一事可概其餘，靜靜的北婆似乎確需添上一點動力呢。

社會小說

香港地

二、恭喜發財

送走了潘師奶，譚福祿還自悵然獨坐，對着那幅顚顚倒倒的山水畫，看了一會兒，不歇自語道：「難道阿潘眞的是自殺了？」

他由自殺而想起一個人，同時把眼光移向案頭一疊舊書去，那些書本裏夾有一張紅色的喜柬，只露出了小小的一角。他一看便突然省悟道：「呵！張家那份人情，明天非做不可，我險些忘記了。」

張家正在辦喜事，新郎的父親是譚福祿的老友張君寶，四年前自殺死去。這是使他引起聯想的一個原因。

那年，也是十月時光，有一天，譚福祿偶然和張君寶見面，便請他飲酒談心，無非是稍叙契濶，互訴牢騷。張君寶也是由大陸逃難到香港來的人，携家有六口，携來好些金條已用去了大半，還未找到謀生之計，因此發愁！所說盡是悲觀的話，譚福祿也只以爲他說說罷了，那知才隔一晚，張家便傳來他自殺逝世的消息，還認爲他是在醉後失去常性，才會自尋短見的。

譚福祿那時的朋友大都很窮，料不到唯一的自殺者竟是這個還不算太窮的張君寶，這使他極感不安，自悔錯做了那回小東道。因此，他有一個時期簡直不敢飲酒，見了酒便覺心裏發顫。他要解除心裏這個不祥的紐結，便辛勤奔走多天，發動好幾個和張家相熟的朋友募捐，得了一筆款子，幫助亡友遺下的妻兒，那在他已算是盡了一番心事，那知有些朋友卻從中揩了油水，闊過一段不是笑話的笑話。

不愉快的事情業已過去幾年，張家情況從此好轉，倒比張君寶在生時有辦法得多，譚福祿早就聽人說過，張師奶常出去做私家看護，也兼做替病人打針的工作，還買了兩架縫衣車，督促女兒幫同接縫內衣，才只兩年光景，連兒女讀書升學也不成問題了。而這回發出請飲喜酒的帖子，爲的是大兒結婚，人們都說這孩子很有能幹，娶的是一個富孀膝下唯一的嬌女，這回張家可眞發財了。

把兩宗事情連繫起來一想，譚福祿覺得四年前的張家，和今天的潘家並沒有什麼分別，如今英雄出少年，連自已也該自歎不及了。他便在感慨當中作了一個決定：明天赴宴，倒要留心看看那個發財新郎的面上氣色才是。（七）

木客著

電影明星

符兆祥

天還沒有亮，黃臉婆便慌慌張張的起床了。

我納悶的在床上想，不知道這老怪物今天爲什麼忽然那麼勤快起來了，往常，都是我上了班，她才起床，有時，她一高興，連我中午下了班，她仍在床上躺着，她的那種懶法，天下只此一家，找不出分號的。

幾年前，我還在抱怨，娶了這個倒霉鬼回來，好吃懶做，後來，看她是穩定在我家了，也就無奈何的認命了，誰叫我當初讓王媒婆哄上了，貪圖她有幾個錢做嫁妝呢？

想到這裏，忽又見她拿個小鍋進來淘米。

「她倒底還是變了。」我想。隔了幾十年，她到底勤快起來了。於是，我一高興，也披衣起來。

更怪了，淘過米，她又不知在那裏找出一面鏡子，正坐在那裏理她頭上的鳥窩。

「你在那裏找到遺鏡子的？」我搭訕的問。

「那裏找到的，我們那面上個月不是讓你打碎了？這是我昨晚在李太太處借來的。」

「好，好，等會我去買一面回來。」我嘻嘻的笑了笑。

她沒答腔，使我沒意思起來，回過頭，她已梳完頭，又執着眉筆正細心的畫眉。如果我沒記錯，這是那年在洞房裏我見過她有彎彎的楊柳眉，以後一直便是巷子口的劉鐵嘴說的掃把眉。

這一想起，我不禁喜得一跳，勾起十年前的老『溫情』。我俯下頭，在她耳邊，儘量把自己的嗓子裝得溫柔點，我說：「親愛的，今天是什麼日子？哦，我想起來了，莫不是我們結婚十周年紀念……」

「呸，」她死勁啐了我一口，她向來就這麼可厭。她說：「作夢，跟着你，我還有閒情紀念十周年，十年來我恨都恨死你了。」

好呀，十年來的沒嫁她已夠她倒霉了，她倒嫌起我來，我正要發脾氣，她卻完了眉，又在抹胭脂了，我心一軟：「好，算我不對，那麼是什麼呢？哦，可是我生日？」

「你生日，你越早死越好！」

這就不對了，她忘了我死了她就要作寡婦了，可是年頭五十歲的寡婦還趕着再嫁呢？於是我生氣的說：

「那又是什麼呢？」

「是什麼不關你的事，少囉嗦。」她一面撲粉，一面說。

「總不是去當明星。」我一氣。

「就是去當明星。」

她還未說完，我就差點昏倒，我說：

「不許你……我們可沒餓死，只是窮……」

「等到餓死就完了。」她嚷道：「我再也不那麼傻。」

「所以，你要去當電影明星。」

「難道這還不算得理由。」她說。這就怪不得現在滿街都是明星了。

我爭道：

「那家公司請你，美高梅，哥倫比亞？還是……」

「霍士公司在圓山飯店招考，我去報名。」

我鬆了一口氣，忍不住笑了出來。

「你笑什麼，缺德鬼？」她瞪了我一眼。

「你別想出風頭想瘋了，要考的！」

「我知道。」她慢條斯理的：「考也難不倒我，他們的考試不是我們那種土方法，什麼笑呀，哭呀，所以儘出些土包子明星出來。」

「那又怎麼考呢？」

「我不明白了。」

「人家有人家的科學方法。」

我不知道什麼科學方法，不過她這句話我是相信的，不是有許多人在中國爲別人認定是瘋子，到了美國便成了天才麼？

於是，我着急起來，雖然十幾年來黃臉婆大吃懶做的結果，把身體養得比猪還胖，雖然不美，可說不定鬼佬一下天眞起來，會看上她。

我頓了頓，嘆了口氣，忽然我又想起。我說：

「人家就是要用科學方法考，可是你也得要會英文呀。」

這一下，她可呆下來了。

這不能怪我，英文的重要性，在今天，是誰都不能否認的，尤其是在台灣。君不見，連新台幣的反面，還印上不少的洋文呢。

科學常識

非常靜寂的海底

黎朝拔

海從海岸起緩慢地深下去，但到深達二百米時，深度便急激加深。靠近海岸的海底稱爲大陸棚。有些學者說大陸棚是於陸地一部分沉落在海中而造成的。從河水中夾雜來的泥土，大都是沉在大陸棚上，所以在大海之中，大陸棚最爲肥沃。在大陸棚上海藻非常茂盛，魚也多安居在這一帶地方。世界的漁場大都在大陸棚上，煤、石油的貯藏量也非常豐富，所以很多國家都將大陸棚歸納在本國的領土內，便是這個道理。

大陸棚的盡頭，海深便急速增加，大約爲四千米至六千米，普通的深海是比大陸棚深，深海達一萬米以上。到六千米的地方海底又急劇地深下去。海的全體平均深度爲三八〇〇米（陸地平均高度爲八四〇米）。幾千米的深海因爲光線射不到，所以是黑的。又熱帶地方的海雖然深達四、五千米，但溫度尚有一、二度左右。

深海的水只在緩慢地流動，所以是非常靜的。海面的大浪濤在深海中便無法看見。海底雖然是一個靜寂的世界，但我們卻無法直接看見這麼深的海底。依據學者的研究，深海有山有谷，有平原也有深溝。

三字姓源流

汪學文

我國的姓氏，由於字音關係，多爲單音，但以字數來說，姓氏卻不盡爲單姓，除一字姓（即單姓）以外，尚有二字姓（即普通複姓與兩姓合璧之雙姓）、三字姓、四字姓、以及五字姓。例如五字姓有「骨嵩屢骨思」（回紇九姓，九曰骨嵩屢骨思，見路史；屢，一作屋，見姓氏考畧），四字姓有「胡古口引」（後魏有此姓，後改爲侯氏，見魏書官氏志），而三字姓則爲多字姓（不包括二字姓）中最多者，總數計在百家以上。三字姓之「三字」，原都爲部落名或氏族名，現多失傳，但亦有改爲單姓者（間有少數改爲複姓，例如費野頭，代北人姓，後改爲宇文氏，見魏書官氏志），於是其本身又成爲單姓姓源之一。三字姓改爲單姓的方式，不外四種：一以第一字爲準，一以第二字爲準，一以第三字爲準，另一則不以原有三字爲準。茲就其所改單姓爲「百家姓」所列者，分類整理於後。

（一）改姓第一字者

步鹿根——代北姓，後改爲步氏，見魏書官氏志。

宿六斤——後魏代北姓，後改爲宿氏，見魏書官氏志。

庫傉官——代北三字姓有庫傉官氏，本作庫傉官，後改爲庫氏，見河南官氏志。

莫那婁——一作莫耐婁，代人。後魏有中山太守高邑公莫那婁題，見通志氏族畧；後改莫氏，見魏書官氏志。

（二）改姓第二字者

丘穆陵——後改爲穆氏，見姓氏考畧。丘穆陵亦作丘目陵，見魏書官氏志；又據後周書載：「賜陰嵩爲丘目陵氏，至隋復姓」。

可朱渾——代北姓，後居懷朔，隨魏南遷，見通志氏族畧。後魏孝文改爲朱氏，見魏書官氏志。

沒路眞——代北姓，後改爲路氏，見魏書官氏志。一作沒鹿眞，又作末路眞，並見姓氏考畧。

阿史那——通志云：夏氏之裔，居兜牟山。北人呼爲突厥窟，歷魏晉十代爲君長，後屬蠕蠕。阿史那最爲首領。後周末，遂滅蠕蠕，霸彊北土，蓋百餘年，至處羅蘇尼失等歸化，號阿史那，唐開元中更爲史氏。

俟呂陵——後魏時有俟呂陵部，見魏書，是以部落爲氏；又後周太祖賜韓褒姓俟呂陵氏，後改爲呂氏，見周書。一作俟呂陵，又作俟呂阿，均見姓氏考畧。

俟伏斤——代北人姓，後改爲伏氏，見魏書官氏志。

烏石蘭——代北姓，後改爲石氏，見魏書官氏志。按烏石蘭之先本姓石，晉石仲容苞之後，見庾子山集。（上）

大陸文壇萬花筒

吳雁向共黨挑戰

——岳騫——

最近大陸文壇好似一灘死水，無論多大的風浪也很難吹起波紋，滿篇都是歌頌共產黨的文字，而且說來說去還是那幾句話，不用說讀者感到肉麻，共產黨自己也感覺得沒有意思。尤其是共產黨的政策是唯恐天下不亂，決不容社會上任何一個階層得到短暫的安靜，所以硬要在鷄蛋裏邊找骨頭來鬧一下，最近「吳雁事件」就是一個例子。

吳雁是共區新起詩人，經常有作品在報刊上發表，一九五八年中共實行大躍進以來，不但工農業躍進，連文藝創作也隨之躍進，各地鬧了成千上萬的民歌，多到不可勝計，好到不忍卒讀，但是中共文藝最高負責人周揚卻大加讚揚，譽民歌是文藝的主流，會經寫新詩稱呼「史大林爺爺」，蘇聯伯伯們」的郭沫若也隨聲附和，一時民歌大走其運，不但成爲詩歌的主流，甚至成了文藝的正統。

當然稍微有點良心的知識份子，對於這種胡鬧法總是看不順眼，不過經過大鳴大放之後，大家也都學乖了，沒有人敢多說話，只有吳雁自從是「新社會」培植出來的人，「身家淸白」，才敢挺身而出，向中共文藝政策提出挑戰。

一九五九年八月號「新港」雜誌刊出吳雁一篇文字，題目是「創作，需要才能」，指責當時流行的民歌，根本就不是詩，所以他寧願去聽小鳥叫，「也不願被人請去作這類詩篇的評論家」，吳雁更指出所謂工人、農民創作詩歌的動機「拆穿來名利二字而已」。當時詩歌大躍進也要多、快、好、省，於是各地「詩人」也以多取勝，上海有一個工人一天創作出來三百首，中共曾經通令表揚，可是吳雁卻說：「唯一欽佩的只是三百這個數目字」。

最後吳雁堅決認定，作詩不是信口謅，創作非有才能不可。這個意見觸了中共文藝幹部之怒，發動所有文藝報刊圍剿他，尤其是發表吳雁文章的「新港」雜誌，更是罪孽深重，爲了贖罪，曾出過專號，攻擊吳雁。可是雖然如此，一九五九年十月份的上海文匯報上也刊載了署名林貴青、學文、夏康達等人的文字爲吳雁助陣，認爲吳雁的見解對，結果自然遭受到吳雁同一的命運。這個事件本來去年就結束了，可是最近「文學知識」卻又再度提出，不曉得又有什麼新花樣。

釋耒集

聞與達

諸葛孔明出師表曰：「苟全性命於亂世，不求聞達於諸侯」，聞與達，已併爲一事，而孔子論此，乃大有分別，論語顏淵篇：「子張問士，何如斯可謂之達矣？子曰：何哉爾所謂達者？子張對曰：在邦必聞，在家必聞。孔子曰：是聞也，非達也。夫達也者，質直而好義，察言而觀色，慮以下人，在邦必達，在家必達；夫聞也者，色取仁而行違，居之不疑，在邦必聞，在家必聞。」子張之意，以爲士之達不達，在於聞不聞，而孔子則以爲達與聞，其事絕不類，而「色取仁而行違，居之不疑，」則實爲貶辭，惡之甚矣。夫人貌榮名，中人不敢不勉，故孔子亦云：「君子疾沒世而名不稱焉。」是孔子固未嘗反對人之欲有聞，其所以深不滿者，在人之作僞，而又居之而不疑，孔子惡惡，其故當亦在此，孟子曰：「同乎流俗，合乎汚世，人皆悅之，而不可與入堯舜之道，故曰德之賊也。」人處流俗、汚世之中，竟至於人皆悅之，則其所以「色取仁而行違」者，蓋已無微而不至矣。

孔子論人，曰：「不得中行，必也狂狷乎，狂者進取，狷者有所不爲」。故以「邦有道，穀；邦無道，穀。」爲可恥。孔子仕魯，相定公與齊侯會於夾谷，齊侯欲萊人以兵劫之，孔子曰：「兩君合好，而裔夷之俘以兵亂之，非齊君所以命諸侯也，裔不謀夏，夷不亂華，俘不干盟，兵不逼好；於神爲不祥，於德爲愆義，於人爲失禮，君必不然。」齊侯卒不得不屈其志以從之；又仲由爲季氏宰，秉孔子主張，思弱私門以強公室，將墮三都，曰：「家不藏甲，邑無百雉之城，」實欲改變當時陪臣執國命之形勢，是孔子立身，不肯浮沉於流俗汚世之中，婞阿取容之明證，故季桓子受齊人女樂，三日不聽政，郊祭，又不致膰肉於大夫，孔子遂去魯，是即所謂質直而好義者也，依此以言，孔子之所謂達，實在於立功，行道；不能立功，行道，則居九夷，或乘桴浮海，無往而不可也，獨怪後世儒生，居則危微精一，儼然經師，出則金錢名位，行類駔儈，既不能狂，復亦不狷，即欲求一不踐迹，亦不入於室之善人，亦渺不可得，充天下，皆鄉原之流，以之從政則結朋黨固私門，以之講學則聚生徒阿私好。觀其述作，又均黨同伐異之私言，依傍附會，以自文其淺陋，而遂於流俗汚世之中爲聞人，實則矜名譽而誤後儒，孔門之罪人也。

曲齋

粟海彈心錄

談張之洞（下）

阿公

滿代幣制，光緒二十八年以前，銀兩爲本位，制錢一文爲輔幣，丁漕兩稅，漕征實物，丁征銀，銀折征制錢，咸豐三年，無分南北漕，一律改征折色，由是制錢流通量大，供求不敷，而私鑄「鵝眼」「雞眼」滲行，公私苦之，爲日久矣。張公再督兩湖，創辦湖北官錢局，發行壹串五串官錢票，紙質兼韌，印刷極精，不惜小費，以杜僞造，由藩庫籌撥制錢二百五十萬串，每串規格工部衡，七斤十二兩，備民間無限制兌現，公私稱便，私鑄不禁自絕，流通之廣，幾遍國中。光緒三十年制錢改鑄銅圓，單位十文，代替制錢，銀兩改鑄銀圓，輔以銀圓券，自是泉府，貨趨於輕，物趨於重矣。張公去鄂入閣之日，各省長吏，俱視湖北爲畏途，趙爾巽，號稱幹吏，接署兩湖，猶惴惴焉。迨藩庫交盤，官錢票發行額，雖歷年增至二千餘萬串，而湖北生產機構資金，取給官錢局者，計漢冶萍三公司，紡織等四局，造紙水泥等八廠，亦比年增加，且用以調濟市場，平衡官票銅元比價者，倘有現銀二千餘萬兩，當時省庫之充裕，爲天下第一。辛亥而後，造幣廠停鑄，改用法洋，比價壹串二百文，始終如一。截至民十三年，吳佩孚迭次限外發行，無可稽考，猶得憑藉已往信用，保持比重百分點四，由此可知賢者之澤也。

讀書小誌

仇恨

謝康

韋爾斯氏以爲世界戰爭的原因，以「怨恨」爲最普通而最主要。蓋由於傲慢，貪婪，殘忍而養成排外妬忌之心，寖假而成爲仇恨。在披髮文身之野蠻時代固如此，在號稱文明進步之社會亦有然。有人以爲人類歷史，就是一部「相斫書」。屈指算來，這世界的仇恨，的確多於誤會。比方說：（一）民族間的仇恨，例如殖民帝國與殖民地土著民族間之情感，往往不能融洽，又如敵對已久之兩民族，——德國和法國，早已結成世仇，又如百年戰爭時期的英法，也是一樣；（二）階級間的仇恨，例如無產階級對大資產階級，幾乎認爲人民公敵，如今蘇聯自稱無產階級的祖國，要聯合世界上所有無產階級，共同起來，革掉有產階級的命，這種階級間的深仇大恨，很可能釀成另一次世界戰爭；（三）政黨或鄉黨間的仇恨，這種現象也相當普遍，大之如兩黨競選時互相攻擊，批評或對罵，小的如鄉里間的械鬥或「堂門」也可能演變爲一鄉或一國裏面的「內戰」；（四）宗教或巫術上的仇恨，歐洲歷史上的宗教戰爭特別是十字軍幾次東征，給我們很顯明的例證。至於巫術上的「黑巫術」或「放蠱」之類，多以害人爲目的，也是一種仇恨心理的流露。

以上四種仇恨，是我引伸韋爾斯的意思而舉例來說明的。實際上人世間所有的仇恨，當然不止這幾種。從心理上看來，「仇恨」是一種不由自主的精神狀態仇恨的結果，可能引起戰爭和死亡，這就是「仇恨」所能加諸「仇恨者」自身的懲罰！所謂「一朝之憤，忘其身以及其親！」中國古書上認爲是一種「迷惑」的行爲，因此，「悲慘」，「破壞」，和「困難」，往往變成仇恨的氣氛。

只有提倡自由，才可以減少仇恨，這就是說提倡「寬容」和「禮讓」，然後可以息爭止怒，憤釋矜平。如果仇恨者自身已經陷於仇恨的深淵而不能自拔的話，那麼世界上愛好自由而富有民主精神的人士，應該以醫師的仁術和悲天憫人的態度，把這些眞正的「戰爭販子」從戰爭的邊緣裏拯救出來，使這可憐的人羣也許能夠免於陸沉的浩刦！

望海樓隨筆

明星

徐學慧

每一個電影工作者都希望成爲明星，爲的是成了明星以後，能得萬人崇拜。但明星亦不宜太多，太多則滿坑滿谷，也就沒有什麼價值了。

香港「明星」之多，惟「教授」可與比擬。凡教駕駛汽車者，在舞院任助教者，幾無不以教授稱之；同樣的，只要你曾經參加某一電影之演出，不論你演什麼角色，此後乃自稱明星，而旁觀亦以明星目之。明星至此，究竟能有多大價值，簡直大成問題。

凡明星似乎都歡喜在稠人廣衆中戴黑眼鏡以資識別。我爲此語，並非有意挖苦，而只是想要說明，有若干男女明星，並未到星光燦爛的程度，自然也就不會惹起任何人注意。因此，他或她之戴黑眼鏡，乃不是避免他人注意，而是意圖吸引他人注意。明星而至於要藉黑眼鏡以爲招徠，也未免太可悲了。

明星太多，則明星無價。香港明星，其能爲觀衆在稠人廣衆中一一認出者並不太多，這也就是意味着這些明星們對我們並沒有多大印象。戴副黑眼鏡以廣招徠，自亦爲宣傳術之一，但究非正道，有時亦徒爲人所笑而已。

香港報紙上的影評，亦如同香港報紙上的書評一樣，捧場者多，而批評者絕無。那些身爲明星的人，對着這許多捧場文字，不免有些飄飄然。此種飄飄然的機會增多，則其力求上進的機會乃相對地減少，這幾乎是一定的道理。

任何一個電影從業員，如不能以其優秀演技貢獻於觀衆之前，則不論你如何關照那些職業捧場家到處亂捧，並不會有多大好處。香港若干明星的演技之劣，雖然不能完全把責任歸之於那些環繞在他或她周圍的傍友，但最低限度，整天在明星面前說些阿諛之詞，令得他們沖昏了頭腦，也是事實。

這當然是很難加以清理的事。明星們需要傍友，亦如同政客們需要傍友一樣，他如果缺乏了這一批專們捧場的人，他乃無法感到自己是如此偉大。而在另一方面，那些傍友也眞希望他有如此偉大，而後他們乃能從其主人身上分享一點偉大，這麼一來，問題就多了。

妻妾兒女

丘峻

孟子離婁：『不孝有三，無後爲大。』古人出妻，無子居首。世人之重視後裔，於此可見。惟這個『後』，在重男輕女的男性中心社會裏，係專指男子而非指女子，無論任何女兒都沒有資格包括在這個『後之內』的。換句話說，就是所有婦女在這個『後之內』都是不算數的。

雖然有許多人養育人家的孩子爲螟蛉子，不論其爲收養的養子好，贍養的繼子好，或者過繼的兼祧子也好，又或拜認的義子，誼子，乾兒子也好，縱是一樣地傳宗接代，而在世人的眼光中，究不如親生兒子來得吃香。這等兒子，雖然一樣地生男育女，一樣地傳子傳孫；但其根源，或來從遠方，或出自異姓，卽屬同宗，也非『眞傳』，所謂不是親骨肉，親血脈哩。

爲着『後』關乎孝道，無子可以出妻，無子可以納妾，無子可以休妻，無子，好像是天經地義似的，任何人也不得非議。一對夫妻之不能生育兒女，其責任就好像只有爲妻的一方負之，而爲夫的一方卻毫無相干似的，任何人也只有怪責着婦女，而寬恕了男人。這樣一來，也就冤屈了不少婦女，而便宜了許多男人。於是乎妻無出就納妾，妾無子便再娶，再無子又重娶，又無子更四娶，而五娶，六娶……三妻四妾不爲多，十二金釵不爲奇，甚而至於男人熊某三十六偏房，潘某七十二側室，羣雌粥粥，洋洋大觀。這樣違反人情，悖逆人道的行徑，世人亦不以爲忤。至若妃嬪五百，佳麗三千，帝王作爲，更無論矣。然此不僅爲子嗣，而益資爲淫樂，戕賊人權，罪在不赦！

人們之所以妻外納妾，許多人都無非想得個親生兒女，尤其是男性孩兒。因爲不論其爲收養，或贍養，或拜認，或過繼的兒子，均不足以滿其『眞傳』的慾望，轉而希冀於此中得之也。那不管是嫡是庶，均屬已出，一脈相傳，血統純正，世俗於此，彌足珍貴。

許多有錢的人，娶妻納妾，希望有個親生兒子延接他們的後代。不少貧窮的人，獨身而終，爲着免於不孝，也只好另想辦法。北平有『上炕老媽子』，別處有『租妻』的風俗，還有『招婿』，『入贅』，『姘居』之類，除滿足個人性的要求外，其唯一生理的需要，生理的目的，就想從此獲得麟兒，藩衍他們的裔冑，也算是親骨肉，親血脈，也不愧爲『眞傳』。惟此成就，不是可以白白得來，須付出相當的代價，並且事前還要訂定條件，雙方照着履行；要是超出條件，須得另行商量，商妥以後，纔能享受超越的權利。這樣的獲得子嗣，可算是別開生面的接代方法。他如贈人婢妾，授人之室，雖云正式關係，可也另饒意味了。

（上）

垂釣

漁翁

垂釣的味兒，在政治家心中是怎樣的感覺，我不敢說，但在詩人的心中，卻大都有詩爲證。

柳宗元詠漁翁有曰：「漁翁夜傍西岩宿，曉汲清湘晚楚竹，煙銷日出不見人，欸乃一聲山水綠，迴看天際下中流，岩上無心雲相逐」，江上景色，釣者心情，靠在字裏行間。

六朝詩人謝宗可云：「寒回江上煙波夢，擊斷人間富貴情」。宋朝詩人戴復古云：「詩思浮沉檣影裏，夢魂搖拽櫓聲中」，唐朝詩聖杜工部，也有「江湖滿地一漁翁」，「稚子敲針作釣鉤」等句，吟哦中得一「釣」字。

又據夷堅志說：有卓彥恭夜過洞庭湖，見一小舟，問有魚賣否？舟中人答道：魚沒有了，詩則有之；卓彥恭聽了忙問：詩比魚還好，願聞其詩。那舟中人便隨聲吟道：「八十滄洲一老翁，蘆花江上水連空，世間多少乘除事，良夜月明收釣筒」，頗見釣外之意。

姜太公垂釣於陝西寶雞縣東南的磻溪上，到了八十高齡，爲周文王羅致，載在後車。東漢初的嚴子陵爲同學光武延致，只同床話了一夜舊雨，便匆匆辭去，釣於浙江桐廬縣西的富春山下，是釣字與隱字實不可分矣。

自由報

THE FREE NEWS

半週刊每星期三、六出版

第八期

每份港幣壹毫

社長：雷嘯岑

督印人：黃行寬

社址：香港銅鑼灣高士威道二十號四樓

20 Causeway Rd. 3rd. Fl. HONG KONG

TEL. 771726

電報掛號：7191

承印者：田風印刷廠

地址：香港高士打道221號

最近國際動態與自由中國前途

雷嘯岑

鑑於以美俄兩國當局爲主動的和平安協姿態，嫵媚悅目，而美總統艾森豪威爾且在記者招待會中，說出甚末「世界各國皆承認台灣是獨立國家」的話，同時英美的政治人物又迭次表示，將來裁軍會議自應允許中國毛共僞政權參加，方符實際云云。世人盱衡國際形勢，對於自由中國前途，不免憂心忡忡，認爲「兩個中國」之說，必將實現，甚至懷疑自由中國或許有被出賣之可能，其然，豈其然乎？這是值得研究的大問題。

先看當前的事實

眞正的和平安協局面，決非一廂情願所能造成的。假使美俄兩國一方沒有疑忌心情，不惜以冒險家的堅勇意志和精力，爲追求世界和平而犧牲一切，雖冒着以國家生存權益爲孤注一擲的危險，亦無所謂。那末，上述的國際和平安協言行，自屬應有之義，而若干弱小國家亦只好陷於「人爲刀俎，我爲魚肉」的悲慘命運中，無可奈何了。然而事實並非如此的。

誰都知道，目前蘇俄藉着飛彈發展曾佔上風的時機，大力運用「飛彈外交」攻勢，企圖搞垮美國在自由世界所建立的「圍堵陣綫」，然後各個擊破，達成「不戰而屈人之兵」的戰畧目的，終至征服全世界。美國於原子優勢之忽告喪失，心慌氣沮，唯有急起直追，爭取時間，埋頭苦幹，以期奪回原子優勢的舊有地位，乃不得不侈談和平，表示安協忍讓態度，避免大戰爆發，此即孫子所謂「先爲不可勝」的戰畧原則，因此之故，美俄雙方內心上的疑忌程度，反而更爲增加，試看他們最近的動態，即可恍然領悟了。第一是艾森豪與赫魯曉夫爭先恐後地向東南亞與南美各弱小國表示親善友好，或親自訪問，或派大員前往聯絡（俄國米高揚早在南美活動），拉攏不遺，都是利用軍經援助作香餌，以加強本身的聲勢，而使對方趨於孤立境況，屈處下風。第二是關於柏林問題的爭執，俄帝始終堅持着要西柏林成爲自由市的原有主張，絕不讓步，最近英美提出三項建議，其中一項最低而極具安協性的主張——即東西柏林皆成爲不設防的自由市，然俄帝亦拒絕考慮，同時還要限制英美法各國飛機在柏林上空飛行的高度。此外，它又聲明西柏林問題如果不獲協議，克里姆林宮便要跟東德政權單獨簽訂和約了。第三是日內瓦的禁止原核子試爆的技術會議，凡屬涉及實際問題的計劃，俄方皆不接受，如最近英美提出的偵查地下試爆方案，俄方亦指爲是一種「陰謀」，沒有商量餘地。第四是俄帝利用它的國際第五縱隊，一面在南美各國製造事端，挑起當地人民的反美情緒，一面在中東進行分化工作，促使阿拉伯國家對以色列勢不兩立，間接就是反美，而以中立親共政策，換取俄帝的軍經援助。

以上各種動態，無一不是基於彼此猜疑忌尅的心情，爾詐我虞，互不信任的表現，那有創進世界和平的絲毫誠意呢？很顯然的事象，美國尙在飛彈劣勢階段中，不能不標榜和平政策，表示安協姿態，決不輕啓戰端。俄帝則自信可用思想潛力作武器，逐漸擊潰自由世界，如非萬不得已，並不需要戰爭，更樂得施展和平攻勢，攤換自由世界的人心。它又看透了目前英美力求避戰的弱點，共產國家決無遭受突擊的危險，即如中、韓、越各國爲着統一疆土而發動局部小戰，美國亦害怕自身捲入漩渦，必然從中梗阻的。

現階段的國際形勢，就在這種「口蜜腹劍」的僞善和空氣中瀰漫着，美國非到了自信可以一戰而必勝時候，一定高唱和平曲不歇，蘇俄若沒有閃電突襲以制服敵人於不能還手的實力，更不敢隨便實戰。所以，預定本年五月間舉行的高階會議，自必實現，但說美英俄法各巨頭一旦晤對商談，即可以化疑忌戒懼的心情爲坦誠祥和之氣質，而將上述各項相持不下的大問題予以解決，永奠世界和平之基，這便是夢囈。

自由中國的前途如何

今日自由中國政府所在地的台灣，對自由世界的關係，比西柏林更爲重要，台灣這一隅之地，不但是自由陣營在西太平洋防綫的安危所繫，亦爲美國領導自由世界的政畧成敗關鍵所在。自由陣營在西方縱然喪失了西柏林，還有遼廣土衆民，工業潛力雄厚的西德屹立於前綫，使俄帝有所顧忌，不敢輕舉妄動。台灣的地位如有變化，不特英美的實力必須全部退出亞洲，再無插足之餘地，而美國領導自由世界的政畧亦即宣告破產了。假使犧牲台灣一隅便能換得俄帝放棄其「世界革命」計劃的保證代價，美國固無所惜，滿不在乎的，然而任何人亦理解，這是一種荒謬的幻想。如是乎，「兩個中國」之說乃應運而生，美國的「康隆報告書」更具體表示着這種思想體系，以致引起世界輿論界的紛紛討論，激發中國自由人士無比的憤怒反應。實則這也是一廂情願的擬思妄念，中國自由人民固然嗤之以鼻，視爲沒有考慮的價值，毛共們心裏儘管認爲無關宏旨，表面還是要極力反對的，早在日內瓦進行了幾年的「美毛談判」，中心問題就是要毛共保證不向台灣海峽以武力進犯，美國即可改變對華政策。若就毛共本身的生存利益設想，它們大可以使用「辯證法」的原理原則，表示同意的，但俄帝基於「世界革命」的利害關係，決不許毛共跟美國隨便妥協的。試思俄帝且不贊同英美所提東西柏林皆成爲自由市的建議，它能讓毛共與美國私自妥協，而使美國自由自在地擁有台灣這座遠東軍畧重鎭的軍事基地碼？至於自由中國海內外人士一致唾棄「兩個中國」之說，更不待言，必要時我們有權能維護自己的自由生存，而不受國際陰謀的支配，我們並非待宰的羔羊啊！

美俄爭霸的對立形勢不改變，雙方疑忌戒懼的心情即無從消解，而上述彼此鈎心鬥角的四大問題，乃永無妥協之可能，殆爲淺明的事實。所以，就整個世界形勢而言，無論美俄雙方玩弄甚麼和平花樣，自由中國前途決不黯淡，實可斷言。但在美俄藉和平妥協姿態以儲備戰爭實力的階段中，他們也可能攪出些傷害自由中國的勾當來，如邀約毛共僞政權參加世界裁軍會議，進而讓它闖入聯合國，乃至於西方某些自由國家承認毛共政權等類情事，未始不可實現的。自侮而後人侮，禍福無常，唯人自召，自由中國要掃除國際間對我不利的陰謀，而示人以不可輕侮的氣質，力加振奮，還須求其在我，至少亦得在政治上表現着「周雖舊邦，其命維新」的非常作風，再不宜沿襲「以不變應萬變」的過時策畧，我行我素，苟安一隅，漸積形成「暖風吹得游人醉，錯把杭州作汴州」的荒謬觀念，認爲中國問題與世界問題是不可分的，世界局勢如不發生突變，我們縱然變，亦不會產生奇蹟。如果我們眞是這樣下去的話，他日世界局勢無論是怎未變化，即令俄共集團整體歸於消滅，那時節，我們充其量也只能落得俯仰由人的結局，中國大陸上有如一座大公司然，我們不過是股東之一，再要被推舉爲總經理的可能性，恐怕不大了！這才是自由中國執政者今日急須省悟檢討的基本問題，自力更生之道，即在此也。

時事述評

西藏抗暴一週年

許明柱

自由中國政府於三月十日盛大舉行「西藏抗暴週年」紀念。從宣傳的角度來看，當然應該。可是，政府如其只作到「宣傳」二字，那麼，這一紀念儀式即不如一紙通令來得簡明。

西藏抗暴不自今日始，民國四十年東藏康巴族已首先發難，四十二年九月共軍駐西喀部一連起義。四三年四月共軍駐玉樹一連又起義。四十四年藏胞成立秘密反共之「麥茫」組團，並組織武裝的「西藏獨立軍」，同年七月黑河藏胞向匪軍發動突襲。四十五年三月前藏噶洛克族擊斃共軍九百餘人，中共曾以米格機鎭壓，但引起了三十萬「西藏獨立軍」響應噶洛族抗暴，與中共展開浴血苦戰，曾有一次消滅共軍一個團的紀錄。四十八年一個擁有八千萬會員的祕會「尼嘛」也起而反抗中共。四十七年有十五萬游擊軍在不丹、錫金、拉薩三角山區中將共匪團困，同年八至十月間東藏喀木巴族，曾擊斃共軍五萬名。而去年二月到三月的抗暴運動，不過爲以上抗暴的延長、擴大而已！

請問我們政府在以往的歲月中，對於西藏的抗暴究作了些甚麼？而去年藏境抗暴發展到高潮時，我們政府又作了些甚麼？

解開國際的阻力

當然，政府在處理西藏抗暴這一點上，是想有所作爲的，我們不能抹殺。

但就去年這一年政府對西藏抗暴所作的實際工作來說，只算爭取了宣傳。而從某一角度來看，宣傳也作得並不夠生動。因爲到今天爲止，除了査良劍在印度巧遇達賴喇嘛一次外，政府沒有人、民間也沒有第二人見過達賴，至少新聞上是如此。

以一個與中共勢不兩立的自由中國政府，竟對像西藏這樣轟動國際的抗暴運動領袖——達賴，不能多爭取宣傳的鏡頭，無論如何，應是一種遺憾！

不錯，這是印度從中阻梗所致。但當尼赫魯與中共劍拔弩張，以及印度的反對黨人對尼赫魯大聲批評時，我們政府有沒有設法從民間打開一條甬道呢？

所以，消解國際間的阻力，應是紀念西藏抗暴一週年最重要的工作。再要諱莫如深地因循下去，儘管不算失職，也算是失策！

自由談

看議會演武有感

此次國大代表們在會議場中發生打鬥情事，給社會各方面以不良印象，固然殊堪痛惜。可是，若從世界民主憲政的演進史迹來觀察，即覺得這是毫不稀奇的表現了。

英國號稱爲世界憲政之祖的法治國家，然我們看看英國自從「大憲章」頒佈以來的議會政治經過情形，在行憲的第一階段中，跟我們今天的國大會議所表現的，又有多大區別呢？美國獨立後的初期國會議員們，亦是紛擾吵鬧，不可名狀的，當時的開國元勳之一哲弗遜，會將英國「巴力門」那套議事法規蒐集起來，編印專輯，廣爲宣傳，名叫「哲弗遜手冊」，無形之中，成爲代議士的課本。到一八九一年，又有一位女權運動者沙德（Lucy Shattack）撰寫了一種「婦女參政議事法手冊」（Women's munual of Parliamentary）刊行於世，說是婦女若要參政，大家先得諳習議事法則，纔有資格和能力過問國事。所以英美今日成爲全球民主憲政先進國家，決非偶然倖致的，他們至少亦經過了百年以上的訓練演習啊！

咱們中國從前清光緒卅四年開始籌備立憲，各省成立「諮議局」入民國普遍設置各級議會以來，迄今不過五十餘載，中經三十餘年間的內亂連綿不絕，對於民主憲政生活的基本條件——即議事法則的義理和實踐方式，不特一般民衆不識不知，就是一般知識份子也多數不求甚解，縱有瞭解的，亦多不習慣，臨事依然任意胡來，無所顧忌。國父孫公早見及此，於民國六年著述「民權初步」公之於世，而世人亦少所研究，更談不到身體力行的話。可見我們對於議會政治的素養實在很缺乏，非從公民教育入手不可。

我們遍察各級學校的課程，關於「民權初步」這項知識，並未重視，即平日課外活動，亦不注意這回事。還難怪一般成年士大夫身爲議員，仍漠視議事法則，常有越軌的言行發生了！

我希望今後各級議會裏制定一項公約，凡是不懂得「民權初步」之義理的議員，不得隨便發言，否則主席有權予以禁制，情形嚴重者，由大衆交付懲戒，甚至停止他的出席權。這樣或許可以消弭一些違反民主憲政原則的怪象，何幸如之！

馬五先生

誰將出組新內閣

張岳軍乎？黃少谷乎？

台灣通訊

魯人

國民大會在吵吵鬧鬧了半個月，到現在為止，有一項事實似乎是確定了的，那就是蔣總統的連任已勢在必成。國民黨即將提名他做三屆總統的候選人，本月二十一日即可揭曉。這是召開這次國大的重頭戲，過了這個高潮，鬨烘烘的局面自然會平靜下來。其實鬧得最厲害的，大半是國民黨籍的國代，三日上午的審查會，甚至演出了四場全武行。不過，連日經蔣總統以黨的總裁身份，親自勸勉疏導，今天的氣氛已經緩和得多，畢竟王牌打出後是有效的。

大會的氣氛趨緩和後，近來人們已逐漸轉移了注意力，那就是總統選出，國大閉幕後的政府人事的部署問題。依照法理，新總統選出後舊內閣應該辭職，由新總統任命新的行政院長，組織新的內閣。有一個很有趣的巧合，就是第一屆總統任期內的最後一任行政院長，是陳辭修先生，而第二屆總統任期內的最後一任行政院長，又是陳辭修先生。這在第一屆任期結束的時候，發生了一個疑問，就是末任行政院長及所屬全體閣員，是應該向老總統辭職？還是應該向新總統辭職？如果向老總統辭職而被批准了，則自批准之日起到新總統就職和完成新閣組織的法律程序止，勢必有一段真空時期，而成為無政府狀態。又假如等到新總統就任，舊內閣向新總統辭職，可是舊內閣是前任總統任命的，在理論上應該共同交卸，而不應向新總統辭職。因此，這是一個頗費考慮的問題。

在反復研究後，終於在第一屆總統的末任內閣中創下了一個先例，那就是舊內閣向老總統辭職，但老總統不批准可否，卻將辭呈留待新總統去批准。這樣措施，既表示舊內閣是向老總統負責的，又避免在新舊總統交接之前的一段時間內政府發生真空狀態。這是一舉兩得的聰明辦法，而這個辦法，就是一屆總統末任行政院長陳辭修先生創下的先例。

現在又到了二屆總統任期屆滿，三屆總統還未選出的青黃不接時期，而恰巧又是陳辭修先生任末任行政院長。這次有了先例可援，不再為這個「真空」問題發愁。舊內閣決向現總統辭職，而現總統也勢將把現內閣的辭呈留交新總統去核批，這已成為不成文法的規定了。

目前的問題是，第三任總統既將為蔣先生的蟬聯，那末新政府究將由誰來組閣呢？日來關懷時事的人正有種種推測，有人以為仍將由陳辭修先生組閣，有人則傳說新政府勢將用新人，行新政，陳院長將暫卸仔肩，代表總統訪問東南亞，中東及美利堅各國，至少會有元首或內閣總理來華訪問之國家，我國均將答聘。

假設陳辭修先生辭職後不再組閣，則新閣又將由誰來主持？關於這個問題，一週前的傳說是，執政黨在原則上決定，物色一位具有國際聲望，人緣好，有學問的文人來組閣。具有這樣條件而又在政治上有份量的人物，目前有好幾位，一時無法揣測是誰。幾天前終於傳說此人就是現任總統府秘書長張岳軍，這自然是一個可能。不過今天又有新消息，謂現任外交部長黃少谷，將繼任行政院長。黃氏以處人圓通，處事勤勞見稱於政壇，此一傳說也未始無因。

在新閣中若干部會可能有重要變動。傳說中的外交部長一職，將由現任駐泰大使杭立武繼任。現任新聞局長沈錡可能出使泰國，而這職將由現任副局長朱新民升任，或由外交部情報司長沈劍虹調任。其他內政、司法、教育、僑務等部會首長，亦有更動的謠言。不過政治行情，朝夕萬變，新政府究將如何組成，至少須待本月二十一日新總統選出後始能看出迹象，目前姑妄之言而已。

四九，三，四，台北。

星馬漸推行馬來化

星洲通訊

沈實

華僑在星加坡與馬來亞佔著當地人口的甚高比數，在經濟上，華人有相當大的控制力，大商業差不多都是由華人操持。目前，東南亞部份國家瘋狂地排華，但華人在星、馬是可以算得上安定的。不過，華人的雄厚經濟力與生活的舒適總是替自己招來麻煩，華人在星、馬是否能保持這種安穩地位，卻是任何人也不敢預斷的。首先，這幾年來星、馬政府對於華人入境新限制，普通華人就根本很難在星、馬地區久居，而原來以遊歷或探親入境的華人，近來已不斷被令在期限到滿後離境，今後，華人進入星、馬長期居留的機會是微乎其微了。最近，星政府更擬具了一項計劃，以扶助馬來民族，並將立刻採取步驟以加強馬來民族在一般社會上的競爭地位，特別是在經濟方面，星政府並急欲擴大馬來人到中等和高等教育機構受教育，以提高其知識水準。與此同時，馬來亞聯合邦工商部長佐哈里，公開促請馬來商人收購在馬來亞聯邦的外國資本企業股份。星、馬政府這兩項措施，雖然未能說是排華的行動，但已引起了此間華僑的極大注意，恐怕是可能排外的一項準備。

星政府宣佈說：凡是在星加坡出生或其家長是星加坡公民的馬來學生，目前在本邦政府或政府補助中等學校肄業，可以享受免費教育，此項免費教育立刻生效。同時，那些目前在馬來亞大學肄業或那些將獲准進入馬大的馬來學生，將在政府資助下去受大學教育。這換句話說：目前星政府的政策，是扶助馬來學生受中等及高等免費教育。而關於遣送馬來學生到中東和印尼大學深造，政府亦在計劃中。

據當局透露：財政部不久將公佈擬大馬來人在營業方面就業的詳細計劃，建議本坡的任何商業機構可向政府申請資助，遣送其馬來籍職員到外國受專業訓練，政府則盡量為此等僱員在本地或外國大學和受訓學院尋求學額。凡是星加坡公民的馬來人，都有資格享受這種受訓的津貼金。政府並希望大商業機構如銀行、石油公司、工廠、船務公司、出入口商等，都能利用該項建議，並儘可能任用馬來人。政府服務機關方面亦盡量予最大機會以擢升正在服務的適齡馬來官員。關於上項計劃，星政府已設立一個部長小組推行，成員包括財政部長（主席），衛生部長，勞工部長及律政部長等。

星政府說：根據其憲法，政府須盡力維護馬來人的利益，及提高其地位。而為了開展「馬來文化」，政府現在正熱心努力提倡馬來文為國語。政府說上述這些都是「人民行動黨」的競選政綱，該黨將履行對馬來人民的義務，以加強馬來人在一般社會上的競爭地位，特別是在經濟方面。在星政府這度計劃下，佔本地人口最多的華僑，最低限度將是一個極大的歧視和打擊，並且是與馬來亞聯合邦政府互相配合的一項「泛馬來化」運動的前奏。

馬來亞聯合邦工商部長佐哈里，在怡保主持霹靂馬來人總商會常年大會開幕典禮時，發表了一項與「泛馬來化」運動有關的演說，他促請馬來商人成立一個全國性的「馬來企業公司」，以收集資本，收購在馬來亞聯合邦的外國資本的股份。他說：工商部以及隸屬的部門和「外國資本家」，將會全力支持上述企業公司。同時工商部長透露：工商部將聯合各州馬來人總商會，成立一個特別部門，在各方面盡量協助此項工作，以提高馬來人的經濟地位。他說：一俟上述公司的資本湊足一百萬元時，他將與在馬來亞的外國資本家「商量」，以購買其資本的股份。佐哈里同時抨擊一部份馬來青年不夠克苦耐勞，並且目光不大，只期望做安定的「白領」工作，這些青年不斷向他的部門投訴無工作可做。他說：這些馬來青年的思想是非常錯誤的，他們應當把興趣改投於商業方面，由小資本做起參加商號，就像華人一樣，政府將盡力協助他們。

雖然佐哈里解釋說：本邦馬來人並無意取代華印人的商業，但希望有更多人參加商業。但已引一起般華僑工商業家的憂慮，恐此為排擠外僑工商企業的先聲。

西德在風暴中

・光華・

（本報特訊）兩個月前，西德無意地通知倫敦、巴黎、華盛頓，表示正在和西班牙談判設立軍事基地的問題，這個消息一傳開來，在西歐方面立即引起了軒然大波。

西方國家對於這項談判之所以這樣重視，當然是有他們的因素的。第一，西班牙是歐洲僅存的獨裁者；這還不是重要問題，而是由於第二，當年的希特勒會在西班牙試行空軍戰略，企圖擴大整個歐洲的破壞與死亡。

德國人是不大會了解到這一點的，他們對於西歐各國如是地注意這一事件，覺得有些驚奇，甚至可以說是令他們感到惶感。他們會說：美國不是也和佛朗哥政府簽訂了雙邊軍事協定嗎？法國不是也正要尋求這樣的協定嗎？何以美法的所作所為被認為正常，而獨對於西德的行動這樣抨擊呢？

一般人所最關心的是：由西德國防部長史特勞斯所進行的這項談判，是否即是代表阿登諾的意旨？尤其關心的是：高峯會議即將來臨，假定西方國家在對德問題上不能堅定地應付蘇俄時，西德是不是會在北大西洋公約組織以外來進行獨自的安排？

這是一個值得注視的問題，怪不得歐洲各地的抗議之聲迭起了。

停試核武器的展望

本報特稿

梁剛

今日世界的「原子俱樂部」中，以前只有美國、英國和蘇聯，現在又要加上法國了。據電訊報導，美國情報人員所獲得的情報，認為法國最近在撒哈拉沙漠所從事的原子爆炸試驗，其威力之猛烈超過當年美國投擲於廣島者四倍，這也就顯示出：核子武器已不復成為任何秘密。

多幾個核子國家，對於世界和平可能會更有幫助，這種看法，也有若干人士加以同意，但問題卻產生在核子試驗所發散出來的輻射塵。

這種輻射塵對未來世代究竟會產生何種影響，現在尚無人能加以估計。但輻射塵不斷增多的結果，必將嚴重地危害人類健康，則是可以斷言的。在這種情況之下，美英蘇三國在過去一年多以來，曾經不斷地談判有關停止試驗核子武器的這個問題，希望能夠獲得一項協議。

無可否認，這一連串的談判，是有些進展的。可是，截至目前為止，有一個新的問題產生出來，使得這個大問題橫生枝節。

所謂新的問題是什麼問題呢？

據美國原子能專家的看法，在地面下從事小規模的核子爆炸，與地震有點相似，因此，對於偵察方面就產生了困難。主要原因，乃是由於現時的科學儀器，還不能正確地分辨出地震與核子武器的爆炸。美國政府的態度，就是根據美國的原子科學家的看法而來。他們認為：如果在地面下爆炸核子武器而不可能被偵查出來的話，則地下核子武器試驗便不應在禁試之列。

克里姆林宮的態度又如何呢？

蘇俄卻認為：凡是核子武器試驗都應該加以禁止，即使無法被儀器偵察出來的，也在禁試之列，毫無例外。

這問題刻正在爭論着。美國政府所採取的立場，刻正被某些人士認為其不切實際，而且被認為是不明智的。因為，他們並沒有考慮到蘇俄在這個問題上所採取的重大的政治讓步的真正意義。

很明顯的，蘇俄只是藉着這種讓步，試圖說服世界上其他國家的人民，讓他們相信：在停試核子武器的這個問題上，蘇俄是有誠意的。

其實，真正的原因，還不在此。

根據紐約前鋒論壇報的專文報導，關於在地底試驗核子武器的偵查，蘇俄的原子專家認為是能夠的，但美國的專家，卻認為縱使將爆炸試驗的程度增大到九倍，也無法偵查出來。

這就是科學家的爭論了。

今天，政治家或外交家的爭論，往往是要以科學家所公佈的結果作根據的。在科學家未能完善地解釋其結果之前，政治家是不會作出任何決定的。

這一情勢顯示：核子武器爆炸試驗停止的談判，必然還要拖延一個相當長的時間。而且，即使這個問題解決了，另一個新的問題又會牽涉進去的。

再說，核子武器在今天，已經不再有什麼秘密了。法國經已成功了她的原子爆炸；而且爆炸的成績，還超乎一般人想象的優越，這就足以證明，核武器實在不能被壟斷了。「原子俱樂部」的會員一天天的加多，則停試核子武器的問題，便愈來愈難有協議的希望。

大家都有了核子武器，是不是就意味着世界末日的來臨呢？大多數人的看法是不同意的；可是，輻射塵的不斷散發，將嚴重地危害人類的將來。（取材自紐約前鋒論壇報）

社會小說

香港地

二、恭喜發財

送」一份「公價人情」，吃一頓喜酒，那本來是尋常不過的一回事。但許久以來，譚關祿已很少在熱鬧場所露面了。爲的是：他還把長髮太過惹人注目，靠這把長髮做吃飯本錢還好，如在盛大宴會當中出來亮相，被大家當作怪物般看個不休，那就犯不着了。臉皮縱厚，也該覺生不實熟才是道理呢。

他這番吃張家的喜酒，也算是特別破例，人情送得相當厚，超過了「公價」。他想到這些年頭，香港人流行「公價人情」這句話，活顯出人情的經濟化，不免有些感慨，故此送的不是現鈔和禮券，而是兩副象牙筷子和一套精緻茶具，無非希望新婚夫婦舉案齊眉之意。他覺得這樣做人情，也可對得起當年那位無端自殺的老友了。

辦喜事的禮堂設在一家大酒樓上面，譚關祿依時赴會，向主人道賀，一切如料，一堂賓客都把視綫投向他的身上，有些還一面看着他，一面和人交頭咬耳，竊竊私議。譚關祿看在眼內，自覺臉上有點發熱，便連忙躲向一個角落，找幾個相熟朋友，同坐在一起。張君寶的太太卻對他特別殷勤，百忙中還牽着幾個兒女到他面前，要他們感謝譚伯伯從前的好意。譚關祿見張家兒女一級一級般的長大了，新郎尤其是面貌俊俏，儀表漂亮，看他穿起筆挺的西式衣服，週旋在一羣少年男女賓客之間，春風滿面，笑口常開，眞像個貴介公子般，十足是金堆玉砌之家，想起他四年前喪父之時，只是一個蓬頭小子，毫不懂事，只懂得哭喪着臉，掛着長長一副鼻涕的光景，便不禁在驚訝當中暗暗喝彩，並且十分高興的向張太太說道：「張太，應該恭喜你了。你爲人厚道，應該有今天的福報。從前的事還記它做甚麼？有了好兒子，又有了好媳婦，我眞替你歡喜呢！」

這本來是普通頌讚的話，不知怎的，張太太聽了便變了眼圈紅，竟似要淒然流淚，譚關祿正在一愕，有人卻在張太背後伸手一拳，口裏說道：「恭喜恭喜，恭喜新奶奶，恭喜發財。」（八）

木客著

禮尚往來

常勝

三姑太太，眼望着苟總辦送來的那些大包小包，穿的，吃的，用的，剛才苟太太送禮來時，還親手把一個小紙包放在床上的枕頭底下，向她數數嘴，指了指自己頸口間一枚珊瑚扣針頭，這正是前幾天和苟太太她們閒聊時，信口說出來的。

苟太太走後，三姑太太躺在沙發椅上，欣賞那些大包小包的禮物，實在夠累了，所以還沒有去打開那些包兒來看，猛的一眼瞥見床上的枕頭，記起苟太太放在枕頭下面的東西，不由得不打起精神，翻開了枕頭，一個精緻的小木盒，揭開一看，正是自己時在念的一枚珊瑚別針，好像一朵鮮艷的芙蓉花，紛紅溢光，翻開價單，赫然是八千元的價值，這可了不得，不由得心跳起來，像她家三姑老爺，這官可夠大了，每個月拿回家來的薪津和特別辦公費什麼的，一股腦兒也不過四千多，苟太太那來這麼多的錢送禮，怕不是[illegible]三姑太太想到這裏，心裏暗暗的忖度[illegible]的聰明，加上三姑太太念在枕頭上的人情，

苟總辦剛剛由香港來，多虧三姑太太念在老鄉，三姑老爺便給了他這一個總辦肥缺，時到運到，張料員的那位漂亮太太，也就倒在苟總辦懷裏，變做苟太太了。

三姑太太猛然又想到那回張料員告狀，說苟總辦劉佔有夫之婦，可不也是虧她在三姑老爺面前發了一回氣，三姑老爺如果不答應她的話，她只要撒撒嬌說些有氣的話，三姑老爺便只有笑嘻嘻的說幾個「好」字了，十多年的夫婦，三姑太太摸準三姑老爺的脾氣，心想這回，也許又要發一回氣。本來呢，苟總辦如果不貪污，何來這許多錢送禮？禮尚往來，受人厚禮，是該得要給人家酬謝的。

三姑老爺這天回家，緊鎖着眉頭，顯得他那枯瘦的臉龐，格外像猴兒似的。三姑太太摸準了他的脾氣，知道他一定有了什麼不快意的事，這時如果和他談話，當心會給你一個下不了台，三姑太太卻有她一套馭夫法寶。這天，三姑太太還是照常用她那一套法寶來對付三姑老爺，說古之人什麼的，三姑老爺今天卻似乎有其不同往常的神氣，三姑太太說完那一段古之人什麼的故事，他便脫口而出的說道：「我問妳，古之人，如果遇到他自己所保薦的人，是一個壞蛋，那那怎麼辦？」

「那還不容易，大義滅親，執法以繩。」

[illegible]了三姑老爺這句話，頓時面紅耳赤，不知如何回答，夫妻倆面面相覷着好一回，還是三姑太太先開口：

「是那一個，犯了什麼事？」

「那一個？妳說的那幾個人，簡直沒有一個是奉公守法的，個個玩花樣，人人有問題。」三姑老爺一面說一面擺着他那小腦袋。三姑太太心想這不是說話的當兒，還是等待上床後再說吧？她猜度苟總辦也是一個玩花樣有問題的人，看在那份厚禮分上，當然該給他一個大化小小化無的逢凶化吉，那才是禮尚往來呀！

苟總辦的事，着實是非同小可，幸虧三姑太太的多方照應，三姑老爺的語氣一天一天軟弱下去，由「從嚴法辦」，而「依法辦理」，而「待派員調查後再行核辦」，最後終於「事出有因查無實據」，一大堆公文卷宗，歸檔存案了事。從此以後，苟總辦的花樣問題，雖說常常出現在花邊新聞裏，可是卻聽不到有什麼不利于苟總辦的消息。三姑太太呢，卻忙于來接待苟太太，當然還有苟太太帶來那些大包小包的禮物。三姑老爺見慣不怪，也就沒再有什麼厭惡的表示，偶爾在高興的當兒，和三姑太太說說笑笑，也覺得禮尚往來，原是人情之常，不足以爲怪的。

醫學健康

色盲與夜盲（上）

不同

眼睛健全的人，是可以正確地辨認各種顏色的，眼睛不能辨認某種或某數種顏色者，此種人即稱之爲色盲。人類之所以能夠分辨色澤，原因是由于眼網膜的機能所致，要是網膜機能不健全或者完全消失，則眼睛便不能正確地觀察色澤。

色盲大部份是由先天遺傳的，只有少數是因降生後，眼球發生某種疾病而引起，先天性色盲較後天性色盲爲多，且爲一般人所重視。色盲按照程度深淺及性質不同而分爲全色盲及普通色盲，凡眼見光譜上一切的顏色，皆如一色或無色者，宇宙間萬物在他眼裏僅獨分辨出物體的形態及明暗。同時視力不佳，在光明之環境下感覺眼眩名爲全色盲，色盲達這種程度的人極少。至於普通色盲是指不能分辨一部份的顏色，最多是分辨不出紅綠，這種人看見水果，區別不出水果已否成熟。

除了色盲之外還有所謂色弱，色弱是色盲程度輕微而言，色弱的人有種特別，看見有色東西之時，或覺得比之正常人爲小，或覺得色澤較正常人爲淺，或則非多看一些時間不能正確地判別是何種顏色。

男子患色盲，遠較女子爲多，據統計每百男人中約有四至五人患色盲，女子則僅佔百分〇四左右，罹患色盲的人多數是不自覺的因爲平時沒有比較，所以非待醫生檢查決定才曉得自己是色盲。

三字姓源流

汪學文

（三）改姓第三字者

大洛稽——魏書官氏志載：南方大洛稽氏，後改爲稽氏。

勿忸于——魏書官氏志云：「勿忸于氏，改爲于氏」。按勿又作萬，弔比於文碑作萬忸于，見姓氏考畧。

吐伏盧——代北姓，後改爲盧氏，見魏書官氏志。

庫若干——魏書官志云：代北姓，後改爲干氏。

破落那——通志氏族畧云：破落那氏，大宛之後，改爲那氏。

骨咄祿——後魏代北姓，後改爲祿氏，見魏書官氏志。

斛瑟羅——後魏代北姓，後改爲羅氏，見魏書官氏志。又唐時有此姓，見姓氏考畧。

普陋茹——魏書官氏志載：「普陋茹氏後改爲茹氏」。一云即普六茹氏，見姓氏考畧。周書載：楊忠，弘農人，西魏恭帝賜姓普六茹氏；又北史載：楊尙希，弘農人，周文帝賜姓普六茹氏。

（四）改姓他字者

大利稽——周書蔡祐傳載：「祐以戰功賜姓大利稽氏」；後改邵氏，見魏書官氏志。

步大汗——姓纂云：步大汗氏出塞北，還中土河南。北齊書有步大汗陵，太安狄那人，後改爲韓氏。

步六孤——後魏時代北姓，孝文改爲陸氏，見魏書官氏志。又西魏賜陸通爲步六孤氏，見通鑑注；又北齊天保中大誅元氏，賜元蠻步六孤氏，見北齊書。

沒鹿回——魏書官氏志載：紇豆陵氏，本沒鹿回部大人，因氏，或爲沒鹿氏，孝文帝改爲竇氏。據路史載：少康子龍留居仍，爲竇氏。其後裔入鮮卑拓拔部，居南境代郡，號沒路回，爲沒鹿氏，魏武命爲紇豆陵氏。其歸華也，魏孝武復之爲竇氏。又西魏賜竇熾之先爲紇豆陵氏；又據周書載：梁禦因官北邊，家於武川，改姓爲紇紇豆陵氏。

俟力伐——代北人姓，後改爲鮑氏，見魏書官氏志。伐一作戍，一作代，均誤，見姓氏考畧。

若口引——後魏代北姓，後改爲寇氏，見魏書官氏志。

破多羅——代北姓，後改爲潘氏，見魏書官氏志。一云改爲羅氏，見姓氏考畧。

壹斗眷——魏書官氏志載：「代北姓，後改爲明氏」。一作一斗眷氏，見姓氏考畧。

渴燭渾——代北姓，後改爲朱氏，見魏書官氏志。一作渴燭渾，即可足渾氏，南燕慕容皇后爲可足渾氏；一云即可朱渾氏，並見姓氏考畧。（下）

大陸文壇萬花筒

孫謙的寫實小說

岳騫

孫謙也是共區新進作家，曾經寫了許多小說，劇本，大部份都是歌頌共黨統治的，不過也有少數是暴露共區現象的，「奇異的離婚故事」就是其中之一。

這篇小說發表於長江文藝上。書中男主角于樹德是中共一個機構裏的辦公室主任，抗戰時期在山西打游擊時害了傷寒病，送到鄉間療養，和照應他的一個小姑娘楊玉梅發生愛情，結了婚，生了孩子，這時他們夫妻的感情還是很好的。

到了共黨據有大陸，于樹德進了城，見了世面，思想起了變化，原來的老婆在他眼中看成黃臉婆，土老婆，覺得和自己配不上。恰好楊玉梅來找他，于樹德不敢讓同事看見，怕別人笑話，把楊玉梅放在房子裏關了三天，到了第四天才把她送走了。

這時于樹德又愛上機關同事陳佐琴，在一杯水政策之下，陳佐琴很快又懷了孕。到了這步田地，于樹德只好回去和楊玉梅離婚，在他回家的途中，也深覺得離婚找不到理由，惟一希望就是楊玉梅另有姘夫，而且最好在他回到家中時正撞上。結果到了家中並未發現楊玉梅有姘夫，可是楊玉梅卻同意和他離婚了，這問題本來也算解決了，但是這天晚上他又去敲楊玉梅的門。

這種樣的人，在「解放」後的共黨幹部中，最少也佔百分之十，當時共黨黨員以五百萬人計算，假定男女各半，起碼也有二十五萬名于樹德。所以這個題材並不新鮮，可是只有孫謙敢寫出來，才算難得。

孫謙這篇小說不但題材現實，描寫也十分動人，當于樹德坐着小汽車還鄉去和楊玉梅離婚，半途遇到楊玉梅騎了一隻小毛驢來了，可是于樹德只當不認識，威嚇楊玉梅讓路，及至楊玉梅剛剛看出來是他，于樹德又駕起汽車跑了。不料到了前邊，過到了泥水窩，汽車掉進去上不來，這時楊玉梅騎小驢趕到了，于樹德又裝着剛看見楊玉梅，要她下去推車，楊玉梅跳到三尺深的泥水裏推車，于樹德卻悠閒地站在汽車踏板上「打噓」，這一點算是把共產黨員的猜像寫絕了。及至于樹德回到村子上，那種作威作福的情形，也都描繪得淋漓盡致，在共區卻是一篇不可多得的小說。

釋耒集

學與政

孔子曰：「學而優則仕，仕而優則學，」仕與學實同出一途，不學固不足以言仕，若其學不足以爲仕，則其所謂學，必將無所附麗，而歸於虛無，古者學術統於王官，及周之衰，殆有所謂九家之術，蠭出並作，至秦統一，李斯上書曰：「今天下已定，法令出一，百姓當家則力農工，士則學習法辟禁，今諸生不師今而學古，以非當世，惑亂黔首，……語皆道古以害今，飾虛言以亂實，人善其所私學，……人聞令下，則各以其學議之，入則心非，出則巷議，夸主以爲名，異取以爲高，率羣下以造謗，如此弗禁，則主勢降乎上，黨與成乎下，禁之便。」此爲始皇焚書禁學之張本，雖明曰諸生不師今而學古，以非當世，實則焚書禁學，始爲眞正之學古，蓋李斯之意，在使學術重復統於王官也。秦亡漢興，又有罷百家，崇六藝之舉，五經置博士，其用意與秦之禁學，並無不同，特其推行之術，未若始皇之苛酷耳，然官學逐於利祿，終日競競歟，博士所掌，無復能繼其統，至鄭玄出，民間之學，綜以大行，魏晉以下，雜用佛老，正統學術，趨於沉晦，其政府所建立，亦無復兩漢規模，迄於隋唐，科舉制度驟興，政府但知取士，國子博士，徒有其名，以遞宋明，大抵甚少改變，滿人入主中夏，本無意於尊崇儒學，初則一二經師，稟於文史容易召禍，羣聚說經，思以名物訓詁，自晦其跡，後繼者彌以隳逐，雖亦私學，實與政教相去頗遠，龔自珍有言曰：「後之爲師儒者不然，重於其君，君所以使民者則不知也，重於其民，民所以事君者則不知也，生不荷耰鋤，長不習吏事，故書雜記，十窺三四，昭代功德，瞠目未睹，上不與君處，下不與民處，由是士則別有士之淵藪者，儒則別有儒之林囿者，昧王霸之殊統，文質之異尚，其惑也，則且援古以刺今，囂然有聲氣矣，是故道德不一，風教不同，主治不下究，民隱不上達，國有養士之資，士無報國之日，殆夫，殆夫！」龔氏之言，與李斯所論，疑若相同，而實則大異，龔之所憂，在學者於政治無所知，而李斯則深嫉夫學者議訕政府之施政，學統於官，使學者緘口結舌，此歷史之陳迹耳。若學者於政治無所知，是國有養士之資，士無報國之日，則大可慮者也，雖然，龔氏之言，勢將爲極權者所藉口，若秦皇帝之用李斯者，則亦殆夫，殆夫而已矣。

曲齋

葉海彌心錄

中興史事（上）

阿公

夏后氏撫有天下，自禹四傳至相，爲寒浞所弒，夏統中絕者四十年，相后已娠，自竇逃出，歸有仍，卒以一成之田，一旅之衆，光復舊物，綿延夏祀三百餘年，後世言中興者多稱之。夏歷數四百三十九年。

王莽篡漢，天下紛紛，光武起布衣，成帝業，無尺寸之藉，名雖中興，實則開創，故遠祧高祖，而近毀哀平。古王者立七廟，親盡則毀之，高廟不毀，前漢都長安稱西漢，後漢都洛陽稱東漢。

唐玄宗天寶十四年，安祿山反漁陽，陷兩京，明皇西奔蜀，肅宗即位於靈武，歷代宗德宗憲宗，一再中興，河北三鎮，終成割據，規模不逮少康光武遠甚，而艱難逮之。

東晉南宋，苟且偏安，不足以言中興，明末弘光，繼統南都，期年而亡，求如南渡諸君而亦不可得。獨清咸豐同治間，中原鼎沸，邊境糜爛，文宗知人善任，卒致昇平，然曾、胡、左、李，以命世之才，當中興之會，宜若可資久安，而亦亡不旋踵，其故安在。

少康肇謀於斷旅，光武特起於蒼頭，有託名號召之資，無相承因襲之弊，鍼對世難，從民所好，所欲與俱，雲龍風虎，惟賢與能，向之朝儀家法，豐沛黨派，城狐社鼠，外戚世家，煙消雲散，不復幾存，故得綴局一新，人情鼓舞，而亂不足平。

至若繼統偏安之局，大多留戀陳規，依樣葫蘆，君臣上下，各存懷安苟且之心，無復思危奮發之志，世事營營苟苟，泄泄沓沓，功效多在未事之前，綢繆每在既雨之後，利之所在，則結黨以爭，義之所存，則相視不顧，縱有一二賢達，厄於環境，孤掌難鳴，廟謨猶是故紙，經綸無非教條，明知事勢人情不相應，必求遷論措施之強合，甚至流離轉徙，面目全非，而亡國包袱，未可放下。此肅代郭李，不能振中唐之式微，咸同曾左，不能救晚清之垢墟，數千年來，如出一轍，其間事倍功半，每下愈況之故，雖曰天命，豈非人事。

阿公

讀書小誌

港大中國文選（一）

謝康

關於香港大學中國文選，時賢討論者已多，毀譽參半。不佞於三年前曾評論此書，成稿萬餘言，投送某大報，竟失原稿。茲僅就記憶所及，略舉數則，與讀者諸君酌一可否云耳，雅不欲作煩瑣的考證，加以篇幅所限，亦未能暢所欲言也。

（一）屈原：哀郢篇注（頁一四四）

原注二關於「方仲春而東遷」的年代，引戴震屈賦音義，「疑即當頃襄王元年」，又引王夫之楚辭通釋以「東遷爲頃襄王徙陳」（按楚世家秦兵入郢，在頃襄二十一年，西元前二七八）。最後據吳汝綸說謂頃襄廿一年爲時太晚，恐屈原不及見，故以戴說爲是。（案郢認楚人東遷事發生於頃襄元年，西元前二九八）

康案：屈子生卒年代，雖不能十分確定，但作品與時代關係，非常密切，對於大體可以相信的作者年代及作品的歷史背景，應以能夠註明，比較好一點。近今治文學史料者多承認屈原生於楚宣王二十七年（公元前三四三），而卒於頃襄王二十二年（公元前二七八），享壽六十六歲。這一說是從曆書推算出來的。贊成的有鄭漢勳、陳瑒、劉師培、陸侃如、馮沅君、游國恩、易君左、周鴻翔、柳存仁、文懷沙……諸家。（但易君左氏中國文學史誤作「死於楚威王六十六年」）此外考訂屈子生年雖稍有先後，但承認其作哀郢及死年大概爲公前二七九—二七八年者，尙有郭沫若，張震澤諸人。綜括起來說，據文史專家多數人的意見，屈子大概卒於公前二七八年，而哀郢很可能作於公前二七九，卽周赧王三十六年，秦將白起攻陷郢都的那一年，（據齊召南歷代帝王年表），陸侃如中國詩史替屈原作一個年表，卽主此說，但都漏了二七九年秦兵入郢事。此說較戴震及吳汝綸二人之說爲可信，與哀郢篇中「孰兩東門之可蕪」及「至今九年而不復」等句事實，亦相吻合。近人葛遵賢氏作中國詩史，亦認此說爲近情理。（詩史頁五五）可認爲屈子生卒年代之定論了。

（二）黃山谷詩

曾國藩以李、杜、蘇、黃代表中國詩，有人以爲宋代詩學史，山谷實高於東坡，以其爲江西詩派開山祖之故。歷代詩評家贊美山谷者甚繁，而譏議者甚少。馬端臨稱「山谷自黔州以後，句法尤高，實天下之奇作！自宋興以來，一人而已。非規模唐調者所能夢見。」張耒讀魯直詩云：「不踐前人舊行跡，獨驚斯世擅風流。」稱許可謂備至。然蘇東坡稱山谷詩如啖江瑤柱，不可多食，多食則發風動氣。這些話說山谷詩雖是一種奇特美味，但究非布帛菽粟或正常飯菜之不可須臾離，語氣之間，已稍有一點微詞。但在晚清，「同光體」詩人盛倡宋詩時，特尊江西派，於是山谷詩集，紙貴洛陽，一部集子曾賣過十多兩銀子，實則風氣所趨，變成一種時髦，就不免誇大它原來應有的價值了。王若虛評山谷所講「點鐵成金」「脫胎換骨」等法，都不免於「剽竊」，不過比較普通「文抄公」來得狡黠罷而已。（參看滹南遺老集卷四十）（未完，待續）

袁枚與羅典

漁翁

有清一代，不拘拘於禮教，而放蕩於形骸之外，號稱風流才子者，莫如袁枚，袁以二甲進士入翰林，在金陵倉山，築巨宅，取隨遇而安之義，名之曰隨園。爲文與詩，均主性靈，一生無窮愁，故活到七十歲以上，曾曰：「韓蘇李杜從頭數，那個詩人七十春」，足見其豪爽之一斑。

可是他有一次走到湖南，却碰着一鼻子灰，因爲湖南也有不少的翰苑中人，在省會長沙的對河，有山名岳麓，爲一風景區域，湘創書院，那時主持書院的，是科甲及第的羅典，他最守禮法者，孔步亦步，孔趨亦趨，與袁枚的性情，迥不相侔。袁到長沙後，欲訪問岳麓書院，羅避不見面，且門首大書一聯云：「風流才子，名教罪人」，袁素曠達，乃一笑置之。待袁去後，羅囑弟子及工人，把袁足跡所到之處，用水洗刷一番，問之則曰：「袁不守聖賢之訓，彝倫之道，有汚我神聖莊嚴之地，故洗之」。

袁枚與羅典，在清均名聞於時，雖因袁有隨園詩話之流傳，歿後聲價，較羅爲高；然風流名教，却各有千秋，未敢定論也。

望海樓隨筆

春天

徐學慧

香港是沒有春天的，十月裏早有了桃花，十二月裏有杜鵑花，一個星期以前，桂花仍然飄香，幾乎令人想到這是九月秋深呢。

「東風又綠江南岸」，此爲千載傳誦的名句；在嶺南，却常年都是綠色的，春天在什麼時候來，也就全無消息。「水是眼波橫，山是眉峯聚，」若到江南趕上春，千萬和春住。」在江南，春的脚步大概是可以找得到的，既然找得到，自然可以和春住了。

江南冬季有雪，從冰天雪地之後，再看到桃含苞，柳舒眼，其在人們心理上所引起的感覺，是輕鬆的，是興奮的，詩人和文人們，特別欣喜春天，而且還要留春惜春，也就是這個緣故。

這一套，在香港用不着了。我們不知道春從什麼時候來，自然更不知道春到什麼地方去？留無從留，惜無從惜，賞無從賞，覓無從覓。香港人在季節方面的享受，簡直是太貧乏了。

我不敢說一定要有春夏秋冬才算是享受，但人類的心理總是喜歡有些刺激的。從冬天的雪壓霜封，到春天的花香鳥語，從夏天的雷鳴電閃，到秋天的雲淡天高，此種季節的變換，在我們心頭所引起的感覺亦自不同。這些不同的地方，在我們看來，纔眞是享受呢！

「暮春三月，江南草長，雜花生樹，羣鶯亂飛」，這幾句話之所以能傳誦千年，乃是因爲把江南的春天描繪得恰到好處。在香港，花不依時而開，鳥不依時而鳴，無所謂節令，亦無所謂四季，對于我們這些來自江南的人來說，倒是未免有些悵惘的。

不會去過江南的人，對於香港這種天氣，大概也覺得滿意了。不會熟讀古人詩詞的人，對于香港這種天氣，大概也是沒有什麼意見的了。拿那些歌頌春天的詩與詞來看香港的春天，那般牛頭不對馬嘴的味兒，可也有些難受呢！

當然，香港有香港的氣候，我們亦不能硬要香港的氣候去適應江南的季節。春來春去，本是尋常事，一定要如此這般，也未免跡近多事。「吹縐一池春水，干卿底事」，讀古人名句，有時候，倒也不免令我們爲之啞然失笑呢！

妻妾兒女

丘峻

袁簡齋隨園詩話有這樣的一段記載：『宋稗類抄第一卷遺際類云：「陳了翁之父尙書，與潘良貴義榮之父交好。潘一日謂陳曰：『吾二人官職，年齒，種種相似；恨有一事不如公！』陳問之。潘曰：『公有三子；我乃無之！』陳曰：『吾有妾，已生子矣，可以奉借，他日生子，當即見還。』既而遣至，即了翁之母也。未幾生良貴。後其母遂往來兩家。」一母生二名儒，前所未有。此事乃太通脫！今人所斷不爲，而宋之賢者爲之，且傳爲佳話。高南阜太守題詩曰「晦妾生兒古人有；兒生還妾古人無。宋賢豁達竟如此，寄語人間小丈夫」！杭州憑山公先生以春秋盧蒲嫳爲齊之忠臣，云「替莊公報仇，要滅崔氏，非慶封不可；欲輸心慶封，非易內不可。五倫中，君父最大，夫妻爲小，盧顧大倫，故不顧小倫也。」其言甚創，人多怪之！余按：東漢獨行傳，繆爲任永，避王莽之亂，僞病青盲，妻淫於前，佯爲不見。似山公之言，未嘗無證。』

借妾還妾，確屬空前，誠爲人所難能。至易妻一節，則爲前人之少見多怪。現存的野蠻人的部落中，許多地方尚保存有這樣的習俗。即今日號稱爲文明人的社會裏，也還不免有這樣的事實存在着呢。（下）

自由報
THE FREE NEWS
半週刊每星期三、六出版
第九期
每份港幣壹毫
社長：雷嘯岑
督印人：黃行蕃
社址：香港銅鑼灣高士威道二十號四樓
20 Causeway Rd. 3rd. Fl. HONG KONG
TEL. 771726
電報掛號：7191
承印者：田風印刷廠
地址：香港高士打道221號

拉丁美洲局勢的觀察

金達凱

美國與中南美洲各國的關係，近年來已走向下坡，里約熱內盧公約的基本精神已逐漸消失。此次艾森豪總統訪問南美四國，原已造成良好氣氛，對改善邦交有重要貢獻。但日前古巴軍火船的爆炸，古總理卡斯特羅對美國的無理指責，又加添了新的糾紛。此一暗礁如不排除，則不僅增加共產集團對拉丁美洲的滲透機會，增加美國的威脅，而且對拉丁美洲國家本身及整個自由世界均將有不利的影響。

一　拉丁美洲反美的傾向

由於地緣關係的接近，經濟上的相互依存，以及擺脫歐洲殖民主義統治的基本利害一致，美國與拉丁美洲各國，長時期以來即已建立深厚的友誼關係。特別是一九四七年九月在里約熱內盧簽訂的「西半球聯防公約」，及一九五一年美國與智利、秘魯、巴西、烏拉圭、委內瑞拉、哥倫比亞、厄瓜多爾等十二國締結了雙邊軍事協定，更使它們的合作關係發展至高潮。

但自一九五五年以後，因拉丁美洲各國局勢的變化，各國政府領導權的轉移，與美國已不如前此的協調。尤其是古巴武裝叛亂成功，推翻了親美的巴蒂斯塔，由卡斯特羅上台，更增長了他們的反美情緒。在這些反美活動中，拉丁美洲國家所表現的情況有左列三項：

第一，是外交政策的紛歧。過去拉丁美洲各國，在外交問題上與美國保持密切的合作，使美國在聯合國會議上擁有大批基本票，因而有力地擊敗了蘇俄在國際上的若干陰謀企圖。但自一九五七年後，他們在聯大會議上並不完全同意美國的意見，在重要表決上，若干國家代表竟以中立態度宣佈棄權。這是美國政府所耽心的第一點。

第二，是經濟上的杯葛。過去拉丁美洲國家的貿易對象主要是美國，在咖啡、可可、食糖、石油、香蕉、銅和錫的七種主要產品中，輸入美國的數額佔拉丁美洲出口總額百分之八十。現在它們則逐漸謀求單獨對外發展，而古巴更以低價將食糖賣給蘇俄，去年售給蘇俄五十萬噸，今年二月十三日米高揚與古巴簽訂貿易協定，規定今年蘇俄購古巴糖四十二萬五千噸，以後四年每年購買一百萬噸。改變了由美國「包下來」的貿易情勢。

第三，是沒收美商投資的產業。如巴西在「土地改革」和「國有化」的藉口下，至一九五九年底止，已接管了五百七十五個大莊園，沒收土地面積達六萬五千多卡瓦耶里亞（每一卡瓦耶里亞等於二百零一畝），其中大部份是美國各大公司的土地。據美聯社哈瓦那三月七日電訊，由於古巴政府對美商的打擊與限制，毛鬱礦業公司已宣告停業，其它美國公司，包括石油、輪胎及機械公司等亦將被迫作同樣的決定。

拋開其它的情形不談，僅就上述三項來看，可以瞭解拉丁美洲問題的嚴重性。

二　拉丁美洲反美的成因

拉丁美洲的複雜局勢，概括言之，有兩大問題，一是若干國家反對黨所發動的反政府武裝鬥爭，一是若干國家民間的反美運動。此兩項問題的現象雖異，而實質則同。這一局勢的造成，當是基於三項因素。

第一是共黨勢力在拉丁美洲的擴張。目前拉丁美洲各國共黨，取得合法地位者有墨西哥、智利、厄瓜多爾、烏拉圭、委內瑞拉、玻利維亞、阿根廷、哥倫比亞、古巴等九國，處於半合法狀態的有巴西、秘魯、哥斯達黎加等三國；處於非法地位的僅有多米尼加、巴拿馬、洪都拉斯、海地、尼加拉瓜、巴拉圭、危地馬拉、薩爾瓦多等八國。他們在各國內以公開或地下活動的方式，一方面進行反對政府和爭奪政權的鬥爭；一方面則組織統一戰綫，提出民族獨立口號，以發動反美運動。

第二是蘇俄的挑撥。二次大戰後，蘇俄即不斷向拉丁美洲進行滲透活動，本年二月俄副總理米高揚更以舉行蘇俄展覽會為掩護，前往古巴活動。此次除與古巴訂商約，購買古巴食糖外，並貸予古巴一億美元，其作用可見。此外最近阿根廷海灣發現神秘潛艇，據傳為共黨集團所有。其情形亦不問可知。

第三是中共的鼓動。近兩年來，中共積極與拉丁美洲共黨及左翼黨派勾結，去年二月中共邀請智利等十二國共黨首領前往大陸訪問，其中計有智利共黨總書記科巴蘭，委內瑞拉共黨中央書記馬凱斯，秘魯共黨總書記阿哥斯塔，哥倫比亞共黨總書記維埃拉，玻利維亞共黨中委拉米雷斯，古巴人民社會黨書記維拉斯克斯等等。毛澤東並予接見密談。據「人民日報」報導，當時毛澤東「對於拉丁美洲各國人民堅決反對美帝國主義，捍衛本身獨立的鬥爭，表示了熱烈的同情與支持。對古巴之推翻反動的親美政權革命的勝利，表示了衷心的祝賀」。

其次，自去年七月以來，中共更加強對中南美洲的反美宣傳，北平電台用西班牙話、葡萄牙話和英語向中南美廣播的次數，大為增加。此外並在古巴首府哈瓦那創辦報紙，作為直接滲透宣傳的工具。

共黨的這作法，很顯明的是在打擊美國，影響美國在汎美會議中的領導地位，使美國的「後院」發生嚴重的混亂。

三　美國的對策

拉丁美洲問題的存在，對美國的影響自然是重大的。如艾森豪總統所說：「對於我們的前途，世界上沒有其它地區較拉丁美洲更具有重要意義」。因而美國亦積極尋求有效的對策。

目前美國所採取的步驟，約言之，着重於三方面：其一、是加強親善訪問，如年前美副總統尼克遜的訪問南美，及此次艾森豪自己出發訪問巴西、阿根廷、烏拉圭、智利四國。其目的是求改善關係，達成「鞏固的合作」。

其二、是決定加經對中南美洲的公私貸款和技術援助，以幫助各國的經濟發展和提高各國人民的生。至一九五九年底止，美國在拉丁美洲的投資總額已達一百三十億美元。今後更準備在國家銀行和私人經濟範圍內，提供較多的援助。又準備成立美洲公共市場，以抵制蘇俄資本的侵入。

其三、美政府準備於必要時予古巴以經濟性的制裁。削減古巴食糖的進口額，果如此，則對古巴經濟也是一重大打擊，因而亦可迫使它們改變反美的囂張態度。

總結來看，目前拉丁美洲局勢雖甚嚴重，但只要美國善加處置，則挽回頹勢，也是大有可能的。我們期待此一局勢的改變。

美國的外交政策

時事述評

盧家雪

美國總統艾森豪威爾剛由拉丁美洲作親善訪問歸來，而美國務卿赫德却又召見古巴駐美代辦，抗議古巴總理卡斯特羅說話之不負責任，兩相對照，實不能不令人懷疑到近年來美國的外交政策，究竟獲致了一些什麼成就？

古巴與美國交惡，近因起於夏灣拿軍火船爆炸事件，但這也不過是導火綫而已。真正的遠因，却伏在卡斯特羅上台前後。這中間的新仇舊恨，即令無軍火船爆炸事件發生，也會借其他事件來尋隙的。

軍火船爆炸事件，是否與美國有關，非本文所要分析的範圍，我們所願意說的，却是美國的外交政策。

睦鄰政策失敗

南美洲二十一個國家，對於美國本身的安全至感重要，而美國對南美洲的外交政策，一向也是採取睦鄰，何以到了今天，却產生了這樣嚴重的交惡事件呢？

共產黨在南美洲的滲透，早已不是新聞了，卡斯特羅在古巴的革命成功，在美國執政者的感情上，經已劃下了一條傷痕，這也是盡人皆知的事。卡斯特羅之要推翻美國，在情感上是必然的，在政治手腕上，也是必然的，美國在事前既不能防範，而事後又無法改善關係，弄得古巴大使歸國於前，國務卿赫德又抗議於後，凡此種種，皆屬被動的，枝節的，絲毫無補於美國與古巴關係的改善。

在美總統剛自南美訪問歸來以後，竟然發生這樣的事，實在太可悲了。

潛伏的危機

南美洲所潛伏的危機，今後將演變至何種程度，此刻當難斷言。可以斷言的，却是美國的外交政策之失敗。

近二十年來，美國的外交政策，幾乎從不會有一基本原則，不論是在南美洲、歐洲、亞洲、非洲或亞洲。今日的古巴事件，就是沒有基本原則的外交政策之基本形態。就我們所觀察到的來研究，美國在近年來，不僅無外交政策，亦且缺乏外交人材。

開香檳酒或者是飲雞尾酒的外交，已不能適應於這個時代了，今天的外交，是必須瞭解當地政情，適當地加以引導與影響的。

怕負的美名

自由談

馬五先生

近得老友胡秋原君書簡，暢論文字寫作一事，有云：「弟本江湖散淡之人，本行為治歷史與哲學，實無興趣涉及政治之事。只以日俄二帝相繼侵凌，治喬然思有以報國家，書生無力，訴之文字，而竟以此被人稱為『政論家』，此非不愛我者，然其稱甚醜，聞之肉麻有年矣。」妙哉言乎，實獲我心。

但之所謂某某家者，除科學技術專家的稱謂，差堪相信以外，其他皆成問題，尤以歐美社會上常常聽到，我國文壇上隨時艷稱的「遠東問題專家」和「政論家」——有些還要稱為「名政論家」——之類，更覺可哂。許多西方人到遠東旅行一次，回去寫些隔靴搔癢，莫名其妙的見聞錄，刊載報章雜志中，便自命為「遠東問題專家」，別人以此雅號相贈，他亦受之無愧，如美國鼎鼎大名的「遠東問題專家」拉鐵摩爾，即是這類專家之中的模特兒。他於卅年前，僅在蒙古新疆一帶游歷了一下，對於我國中原情形，茫無所知，然回到美國即以「遠東問題專家」的姿態，妄論中國之事，且利用一個「太平洋學會」招搖惑衆，影響白宮的對華政策，中國大陸之淪於共黨手中，美國這般「遠東問題專家」的力量，實在不小！

談到咱們本國的「政論家」，其性質又與美國的「遠東問題專家」有異。不管張三李四，不問青紅皂白，只要過事即在刊物上發表文章，雖然「百事皆有說詞，而百事皆不知其所解」（尼采語），甚至別字連篇，對於文字組織法尚欠通曉的，亦被譽為「名政論家」，就因為他的名字隨時出現在報章雜誌上，而又專談政治之故。究竟他的政論是否言之成理，主張是否一貫，見解是否正確，皆無所謂，一律戴着「政論家」的榮冠，顧盼自雄。如是乎，真正善言政論與治道的能文之士，皆對「政論家」這一稱號避之若浼，唯恐沾上此等醜名，以致寢饋不安。這情形，跟一般公衆集會的現象一樣，在會議席上好說廢話和聽話的人太多，那些能言善辯者便退避三舍，噤若寒蟬了。市場上劣幣可以驅逐良幣，文壇上的偽「政論家」亦可以使真政論家望而生畏，有如粵語說是「咪攪我！」秋原視「政論家」之美名為可醜，意在斯乎！意在斯乎！

古人謂「唯名與器不可以假人」，信有徵也。

拳足交加，十分落力

國大會議的驚險鏡頭

野鶴

本報特稿

這次國大會議的代表們，百分之九十九都是前兩次大會的原班角色，可是，此番會議的一切表現，却與過去的情形大不相同。第一次在南京集會時，為着中央提名與自由競選代表的資格問題，雖然鬧過集體絕食，抬棺材游行之類的把戲，但係會外行動，與莊嚴隆重的國民黨代表大會信譽無關。第二次召開大會於台北，經過情形尤其良好。唯有這次會議，一開始即充滿着爆炸性的吵鬧氣氛，代表諸公的心情極不寧靜，而以本月三日憲法審查組舉行「審查委員會」召集人的打鬥場面最為驚險熱烈，可算是國大會議的新紀錄了。

第一審查委員會（即憲法問題審查組）在中山堂舉行會議時，預會代表五百餘人，公推李宗黃、薛岳、林紫貴為主席，由李宗黃綜持主席職務，首先討論「審委會」召集人的人數及產生方法，即有安徽代表翟宗濤發言「今天的召集人選舉事宜，大會主席團又要來操縱，希望大家注意」，群情為之激動。繼有某一代表登台拍桌發言，指摘翟宗濤為某事不徵得他的同意，擅行列入他的名字，發出通知，專擅違法，豈有此理！此時全場人聲鼎沸，有如鬧市，然主席不能維持秩序。迨討論審查委員會召集人的產生方法之際，有主張無記名單記法的，也有主張無記名有限制的聯記法的，此喊彼叫，聲震屋瓦，而主席李宗黃宣佈出席人數，即將後一議案宣佈付表決，且稱贊成者少數，聯記名投票案不成立！又惹起了一陣爭吵的風波。詎料正在清點在場人數，準備再表決的剎那間，一位坐在最後方，手持拐杖（因不良於行）的鄒希榮代表，跟鄰座代表某君爭論選舉方法，大動肝火，高舉拐杖作攻擊姿勢，適有湖南籍代表鄔繩武從旁勸解，說是「何必打人呢？」而鄒希榮誤會其為幫兇者，竟將拐杖打向鄔氏身上，會衆遽聞打擊聲即紛紛起立，回首後顧，幸鄔氏未予還手，高喊「我是勸架的，不要誤會！」一幕武劇剛告休止，然另一種驚險鏡頭又出現了。江蘇籍代表蔣耐與鄂籍代表的八旬老翁張知本座位相鄰，蔣謂張氏：「你為甚末出賣人格？」——因張氏素持修憲之說，但最近他又與莫德惠等聯名提議主張僅能修訂臨時條款——張聞言震怒，斥蔣為不識大體，蔣乃橫眉握拳，擬售「起霸」，要演全本「鐵公雞」，即經河北籍代表劉君攔阻曰：「你想要八十老翁的命嗎？」急把蔣氏推開了。

這時候全場秩序大亂，遍聞喧嚣狂喊之聲，主席李宗黃無可為計，不斷地喊表決，台下有的絕叫「反表決」，有的大呼「不用表決了」，其情況之雜遝鴟張，比中小學生在操場或食堂上鬧事的狀態尤有過之。川籍代表任覺五走到麥克風之前，揚言「會場秩序鬧成這樣糟糕，太不像話，不如散會！」即有多人絕叫「下來！不許再講！」旋有曾以田徑賽長跑冠軍出名的山東女代表劉香谷登台發言，希望家遵守議事規範，而台下噓大作，劉氏粉臉緋紅，嗔怒交迸，聲稱「誰要噓，就請走到俺前面來罷！」一言未了，坐在發言台前第四排的河北籍代表許維純，大叫「滾來下，別再廢話！」適有從日本歸國參加國大會議的江西代表李德廉恰好坐在許氏的後面第五排位置上，彼此緊接着，他本來與許維純素昧平生，乃以國大代表同寅的身份，用手輕輕拍着許氏的肩膊道：「老兄，不好禁止別人發言」。否料許氏回身竟飽李氏以老拳，說是「老子要揍你！」如是乎，兩人扭打起來，難解難分，而且十分落力，拳足交加。主席台上的薛岳覩狀溜走了，剩下李宗黃，林紫貴二人木立着不言不動，好似在欣賞好萊塢的美國西部打鬥影片哩！

經過了這場大打鬥之後，會衆紛紛向外走去，主席只好宣告休息十分鐘。既而國大會議秘書長谷正綱來到主席台上，氣喘喘地說道：「會場情形鬧成這種樣兒，你們當主席的為甚末不維持秩序？」而忝為主席的林紫貴聞之大怒，指谷氏不該對會議主席開教訓，谷氏亦報以惡聲，兩人頓起口角衝突，揚手揎袖，大有動武之勢，台下尙有一部分代表在，見狀大呼「主席台上不要打架！」幸未釀成笑話。但那位動手打人的許維純代表，却躡登台下座椅間，高聲說道：「他們兩個人打我一個，我的牙齒被打掉兩顆了，請大家主持公道。」此時大衆的心情已因幾場打鬥而感覺痛惜，不願預聞這類是非了，有兩位粵籍代表操粵語厲聲道：「唔聽你地個支死人笛！」記者在旁聽着忍俊不住，可惜大多數代表們聽不懂這句話的語意而已。

前面說過，國大代表在第一二次大會中並未發生像這次會議的混亂激越言行，人猶是也，會猶是也，何以前後情形判若霄壤呢？此中甚末因素是大家逃難到台灣十年了，生活不安，生計窘迫，心情極端煩躁，加以平日飽受了公私生活上的各種刺激，抑鬱於懷，無可發洩，乃藉此機會洩洩胸中積結的一股悶氣。假使政府一聲號令，揮戈反攻，一致共赴國難，唯力是視，對任何事項皆不會有所爭執了。民主政治的中心推進器就是議會，議會員在會議場中爭吵以至於打鬥，並非稀奇之事，世界各國議會中皆所不免的。所以，我們對於國大代表們在會場發生武劇，固然引為遺憾，却不必表示悲觀，就看大家最後所表現的成績，是否真能代表全民願望，有利於國家民族的前途罷！

編者按：本報記者杜明先生早於三月二日即將此稿交由台回港之某友人代帶，惟該位友人，直至本月十一日始行返港，故爾稽延時日。謹向讀者致歉。

國大會議的花邊新聞

杜明

本報特稿

國民代表大會開幕已逾十天了，其中有許多花邊新聞值得報導的，特為分述左：

在預備會議中，大家傾全力以從事的，殆莫過於競選主席團了。若干在上次會議被選為主席團之一的先生和女士們，這次固然不甘後人，而很多新起的人物更劍及屨及，勢在必得，如是乎，競爭乃特別激烈，五花八門，洋洋大觀。然一般平日以無黨無派姿態出現的所謂社會賢達，除却胡適，于斌這類人以外，非有幕後的力量支持他，就不容易當選。年高而名氣頗大，曾經競選總統之位的莫德惠，執政黨曾以全力替他助選，結果落選了（只有八票）。落選的原因，據說是他領銜發表了一種增訂臨時條款以擁護蔣總統連任，不主張修改憲法，更不贊成國民代表行使創制，複決權，以致觸犯了衆怒。執政黨雖然指定若干本黨黨員代表投莫柳老的票，實際上却未兌現。選舉結果揭曉後，執政黨負責為柳老助選，而自己又以十七票當選主席團的郭驥，首先聲明辭選。可是，候補者尙有黃珍吾，吳煥章二人，他們各得九票，超乎柳老之上，柳老遞補是不能遞補。既而黃，吳亦聲明退讓，但與莫柳老具有同樣票數的共計八人，必須經過抽籤手續，而抽籤未必就是柳老中，這可真是為難極了。如果秘書處隨便宣佈柳老遞補，又難免代表們提出質問。這件事乃弄成僵局，尙未正式解決哩！

代表們的席位分別抽籤決定於中山堂的樓上和樓下，坐在樓上的人很少發言，雖然樓上亦放置着麥克風，但樓下聆聽時必須扭轉頭來仰視，甚為費力，自然減少了聽取樓上人語的興趣，這亦是樓上人不願意說話的原因。說也奇怪，經常喜歡發表激烈言論，對任何問題皆有說辭的演說家，在預備會議中的席次（依報到先後次序排列的）是在樓下，經過重新抽籤排定的席次，也依然在樓下，更使他們具有適事發表高見的優越環境，而大會的氣氛乃常在緊張熱鬧之中了。有人說，假使讓他們坐在樓上，議場空氣或許輕鬆些，其然，豈其然乎？洪蘭友若在，他對這種地方亦會考慮到的。

三月二日正午，蔣總統邀約國大代表中之滿六十歲以上者宴會，赴宴代表共有百餘名，而以陳果夫陳立夫兄弟的老太爺陳老先生年紀最大——他八十多歲了，是工礦界選出來的代表——他與東北籍元老莫德惠，湖南的長老趙恒惕都坐在蔣總統和陳副總統的左右邊，陳老先生跟蔣總統緊鄰着，蔣公不斷地叩問陳老的飲食起居狀況至為親切。席間蔣先生和顏悅色地請大家談談這次國大會議的問題，即有朱煥彪起立發言，說他原在最高檢察署服務，嗣以有「桂系」嫌疑，被調到行政院工作了（這時在座的人愕然相視）。繼則申述他是主張以修憲方法來擁護蔣總統連任的理由。隨着即有東北代表富盛廉亦聲言總統連任問題不宜從臨時條款求解決的意見。最後蔣先生以很輕鬆的語氣答道：「革命黨人作事祇問對國家有無利益，不暇為個人打算的。你們以為未來的新任總統若從憲法上的臨時條款而產生，似乎缺乏尊嚴性，給國際間以不良印象，甚至影響於我國在聯合國的地位，這意思很好。但我可以告訴各位，即令憲法不修改，將來無論是誰作總統，亦不會感覺自己是不光榮的，更與聯合國的地位不相干。只要我們全國上下一致團結，克奏反攻復國之功，國內和國際人士，決不致認為我國的總統是依臨時條款產生的而有所輕視的。」此時蔣先生邊說邊笑，大家聽着亦哈哈然了。他的結論是：法律不到百弊叢生之時，最好不要隨便更改。現行憲法不是沒有毛病，並非不能修改的。可是，當前的急務是在如何集中力量以光復中原，修憲乃屬次要之事，何必急其所不當急呢！

·本報特稿·

中共民兵組織透視

思墉

歐美的政客往往喜歡以其本身的情形衡量中共，這便經常做成了種種錯誤，而這些錯誤都是很嚴重的，即如最近美國主張容許中共參加裁軍會議，便屬其中之一。而美國前所宣稱估計中共有軍隊三百多萬，亦屬一項錯誤的偏見。雖然陳毅一再表示要加入「裁軍」，偽裝和平，但實質上中共是一個黷武集團，從混亂中以武力起家，其政治形態及其由此而形成的社會組織，與一般自由國家迥異，民兵組織，便是西方政客們所不瞭解的，中共現有一億二千多萬民兵，且不論這些民兵對於其政權効忠的可靠性如何，但以擁有這個大數目的變相軍隊，却只去談談裁減數額五百萬內的正規軍隊，而被裁後的正規軍仍然是民兵的主幹份子之一，如此「裁軍」，豈不是一項極大的笑話？西方政客們却去促成這些大笑話，是天真呢？還是淺薄幼稚？

中共的民兵組織，固不自今日始，但由於大陸普遍設立「公社」，民兵即以此為組織主幹，數量有驚人的增加。以湖南為例，據「新湖南報」去年十月十四日發表了一則有關民兵的消息說：湖省在一九五三年，只有四十二萬民兵，到一九五七年，便增至二百萬人，及至一九五八年成立「人民公社」，民兵數量又從二百萬激增至一千零二十萬人，分編為一百個「民兵師」。以上僅為湖南一省的數目而已，至於全大陸的民兵數量，據最保守的估計，亦達一億二千萬之衆。

中共中央在組織「人民公社」時，主要目的就是實現「全民皆兵」，其指示宣傳原則為「公社組織軍事化，對全民皆兵的重大意義只有組織軍事化才能使勞武結合，才能使人民公社的成員，亦工、亦農、亦商、亦學、亦兵。」而「人民公社」更規定：凡十八歲到四十五歲的適齡青年，一律要受集中訓練成為民兵，所以數量驚人。

中共的民兵組織，全部按照軍隊編制，以師為單位。民兵分基幹民兵，普通民兵，後勤民兵三種，而「民兵師」則以基幹民兵為組織主幹。在公社的民兵師中成立基幹團，團成立基幹營，營成立基幹連，連成立基幹排。那些從部隊復員回到鄉間的軍人，全部担任民兵的團、營、連、排長，每天清晨，就按照軍隊方式嚴格訓練。因此，這種以基幹民兵組成的「民兵師」，實際上就是一種變相的對戰部隊。

中共規定三種民兵都有任務，基幹民兵的平時任務有：甲、負責鞏固地方治安，肅清一切反共力量；乙、在生產上是機動的突擊隊，有甚麼生產任務時負責帶頭工作；丙、經常作對戰訓練，作隨時動員作戰準備。戰時任務有：甲、補充正規軍；乙、保衛國防建設及軍事要地；丙、配合正規軍作戰。普通民兵的平時任務有：甲、訓練備戰；乙、維持當地治安；丙、鎮壓反共活動；丙、負責所屬單位的各項生產勞動。戰時任務為：甲、一邊生產一邊支前；乙、協助工兵作業，輸送彈藥軍需；丙、維持後方治安。後勤民兵則平時全為生產成員，戰時協助担架，輸送等一切後勤工作。

民兵的待遇，如屬基幹民兵，在中共土改期間，有三餐米配給，一九五五年起，配糧減少，「人民公社」成位後，勞役俱驅民兵參加，並要值勤兩小時。因此大陸民兵已普遍不滿，中共亦隨即收繳其槍械，除發少數舊七九槍外，全用木槍訓練。中共最近並召開「民兵合作會議」，賀龍、陳毅分別接見各民兵代表，指示有關加強民兵的控制與擴充，及政治管制。

一方面大談裁軍，另一方面却加強組織民兵，中共的意向若何，是極端顯明了。

香港地

社會小說

二、恭喜發財

譚攝祿一聽，大以爲奇，急着追究說話的人是誰，只見這人牽着張太的衣袖，只笑嘻嘻的繼續說道：「恭喜添丁，明年請我吃紅雞蛋，飲薑酒」。

這人說話很快，像連珠砲彈般噴射，才說完這幾句，又接着來一個解釋道：「我道『恭喜』是三宗好事齊全，既然恭喜你添孫，這樣，添丁發財便合一齊來了。恭喜恭喜，哈哈哈……」

譚攝祿認得這人是老友彭鏗然，聽他一連打幾個哈哈，哈得毛骨悚然，心裏想道：原來是他，怪不得他又發驚人之句了，看他今天出現得神氣十足，眞有他的一套本領啊！原來這彭鏗然有名是哈哈先生，說話聲音響亮，常顯得瀟灑幽默而放浪，爲人有一個特點，是錢銀鬆手，最易健忘。有些朋友在錢銀上吃了他健忘的虧，被他那種哈哈的瀟灑戲弄過一翻，便成了無話可說，只好自認晦氣。當年他借着辦理張蒼賓爲名的奢，同朋友串集捐了幾百元，大攏只有一半送到張太太手上，其餘都給遺忘了，而張太太所收的一半，還是譚攝祿認眞追討才回收的呢。

這時，彭鏗然一面打着哈哈，一面前行，便伸手抓着他胸前幾根長鬚，哈哈笑道：「老譚，難道你長了鬍鬚，我便認不得你嗎？」

譚攝祿被他這一捉弄，更加臉上發熱，連兩隻耳朵也爲根紅將起來。他就有這種難自了解的習慣，每當扮做西藏喇嘛開心着相時，遇着什麼人都不會面紅，但如在其他場合，遇着熟朋友，牽他的鬍鬚來說笑，他就會臉嫩得很。他當下急忙低聲道：「老彭，別玩這個成不成？」

彭鏗然立即附耳低聲道：「你教我學識幾句西藏話，成不成？」說了，卻又大聲打起哈哈。

譚攝祿沒奈他何，只好苦笑道：「你這老毛病怎還不改呢？我們是來賀結婚的啊！你卻說恭喜發財，豈有此理！」（九）

木客著

節省食水

蘇提

××吾兄：

上月過訪尊寓，枯坐三句鐘未得杯茶解渴，別後三數日，仍未得釋然于懷，頗覺足下之殷勤奉煙而不奉茶，殊非所以待朋友之道。偶晤瑞珠海兄，始深閣下飽受四級制水之苦，前此未能奉茶，殆屬情非得已。此事本已成爲過去，固不必瑣碎言之，惟君子之交，貴能以誠相處，想閣下當能見諒也。

「民非水火不生活」，古人固已言之詳矣。弟曩日固曾仕於制水之區，拙荊及小兒輩每日由五樓至地下取水之景，此際思之，猶有餘悸。試思盛暑蒸人，樓頭缺水，汗流浹背，臭氣薰天，此種情形，殆有非人所能忍受者。弟雖終日高踞街口，高呼「樓下閂水喉」，而呼者自呼，不閂者自不閂，若非讀聖賢書，具大涵養，恐早已與樓下諸公相見公堂矣。

惟瑞兄乃能同情鄙人之處境。弟以身爲過來人，是以對閣下之奉煙而不奉茶，經瑞珠海兄一爲說明，即渙然冰釋，且覺此種待客不奉茶之新法，尤爲弟前此所未想及之者，本他山攻錯之義，願以一得之見，試爲兄詳陳之。處此奮島，百物雜陳，惟獨制水之苦，則不分春夏秋冬，亦不論雨季旱季。據有關當局表示，如今水塘再增加十個八個，亦不敷人口增加之需要，是則閣下萬不可存制水放寬之夢，惟有咬緊牙根，極力節省而已。

節省之道，其法多端，奉煙不奉茶，不過爲萬法中之一法。閣下既已考慮及此，足證體驗有得。推諸實際，則杯茶之微，耗水不多，似不宜在此節省，以免有慢客之嫌也。根據用水經驗，耗水最多者，莫若冲涼洗衫淘米洗菜洗地板，此數者，倘能予以樽節，則制水之苦，自能迎刃而解。弟固深知閣下乃研究衛生專家，惟時地不同，亦自不宜膠柱鼓瑟。首言洗地板：此事在講究衛生者視之，似亦相當重要。弟以事有緩急輕重，値總日苦水之際，洗地板之事，亟應避免，在此時與節勤衆，自尋煩惱，殊屬不智之尤。次言淘米：淘米需水，盡人皆知，大抵普通以三次爲度，惟今則一次已足，蓋米中倘有各種不同之維他命，若經淘去，反不足以增加對某種疾病之抵抗力也。三言冲涼洗衫：此一問題，似爲耗水最多，而又需要最切者。究其實，此不過爲文明都市人之衛生病，閣下當年讀中學地理時，想亦聞及我國西北各地之居民，一生僅有三次沐浴之機會者，據謂此乃爲保存元氣，延年益壽之方；此點雖乏科學證明，惟時至今日，亦惟有聽用此一原理聊以自寬自慰矣。

冲涼之次數減少，則洗衫之次數相對減少，此乃一定不移之理。閣下或必對此反問曰：「倘如吾兄所言，則汗臭逼人，若在尖沙咀輪渡過海時，寧不爲人恥笑？」弟不知閣下是否有此疑問存於心中，若果有之者，則弟固極力主張閣下自深水埗碼頭過海也。深水埗碼頭多鹹魚味，閣下久汗不洗，其味與鹹魚同。鹹魚遇鹹魚碼頭，此誠所謂相得益彰者，以閣下之才思，當能深悟此中道理，不待多所解釋矣。

一得之見，未敢自秘，忝在至交，故敢以此相告。未審以爲然否？弟亦深知閣下之聰明才力不遜常人，關於此種經驗，或早在明鑒中，亦未可知。抑尤有進者，弟以制水期間，會通令家人，對任何蔬菜之洗滌，限定用水十分之一加侖，且以一次爲度。此亦爲節省食水之最高表現，而不料在午膳進行中，竟先後發現菜中有類似蠶蟲之蟲三條。（未發現而嚥入肚內者殊難估計矣）此事已相隔月餘，至今亦未見腸胃中有任何不適之處，竊嘗以此證諸達爾文所提倡之「適者生存」之說，則又不禁深自欣喜，以爲由菠菜中看進化論，不啻自一粒沙中看世界焉。

行文至此，頗有詩人情懷。適拙荊自廚房出，一見即笑曰：「關於冲涼一事，倘未盡言，可否加以補充？」弟笑頷之，彼乃曰：「昔日余等住於制水之區，一桶水爲余夫婦兒女先後共沐，而事後又以之抹地者，何不提出，以供參考。」此乃家醜，本難外揚，惟拙荊准予發表，遂亦厚顏寫上，作爲備忘錄何如？專此，敬祝

不爲制水所苦

弟 蘇提上

色盲與夜盲（下）

不同

醫學健康

色盲是一種非常痛苦的眼病，患了這種病的人不能研究繪畫等美術，即使從事印刷、染色或者縫裁工作，亦不適宜，要是女人而患色盲，後果眞是不堪設法，幸而蒼天憫人，特別方便女性而甚少色盲，不過女性雖甚少患此病卻善於遺傳，一個母親患了色盲，其父親眼睛儘管健全，亦照例生產色盲兒子。中年以上而烟癮重的人，也易患上色盲。

另外還有一種人，晚上是完全看不見東西的，這種人叫做夜盲，夜盲病在我國很早即有記載，我國東三省及西北邊遠諸省一帶日常食物，缺乏魚類，患者甚多，在抗戰期中，軍隊因營養不良，患夜盲病甚爲普遍，影響士兵戰鬥力至鉅，此病來源，由於遺傳因素者至少，而由營養份不足，特別是食物中缺乏維生素，如能改良膳食營養，給以足夠的甲種維生素，如多吃雞蛋黃或魚類等收效甚速。至於色盲，醫學家爲克服這一種缺憾，曾費盡心血，想盡種種方法，但仍未發現有效的治療法。——包括佩戴特種眼鏡服用各種維他命，注射各種藥物。但運用特種訓練，色盲總可作若干程度的改善，令患者可以略略分辨各種色澤。

談「睡眠」

余宗明

睡眠是人不學而能的「良能」之一。在生理上說來，誰也有非睡不可之勢。睡與醒是相對的。在年齡上說來，年青人容易睡，年老人容易醒，是以有「前三十年睡不醒，後三十年醒不睡」之語。睡眠是人體較長時間的休息，所以失眠就是病症，失眠症在醫學上也是不大容易治療。

現代人事日繁，身體過分疲勞，所以提倡午睡。古聖人卻不贊成，孔夫子則說他如「朽木不可雕，糞土之牆不可圬」。

蘇東坡對於睡眠，自謂得其「三昧」，他說：「我也初睡下的時候，在床上安排四體，穩妥極了，倘有酸疼或癢癬的地方，則施以按摩撫弄，然後緊閉雙目，靜聽鼻管呼吸，待到呼吸停勻，就應鎮定心思，即使又覺發癢，亦必不動，以心鎮定其癢，過些時候，身心和通，自然就入夢了。」

他這是「人工」睡法。其實疲倦了的人，上床不拘形式，隨便都可以熟睡的。

作「浮生六記」的沈三白，他對於睡眠則說：「卻病延年，而睡鄉爲甚，亡言息躬，營造逍遙之境，靜寐成夢，旋臻甜適之鄉，余時時稅駕，咀嚼其味，但不從邯鄲道上向道人借黃粱枕耳。養生之道，莫大於眠食，眠不在多寢，但得神靜夢甜，即片刻亦是攝生也。」

陸放翁以美睡爲樂，所謂美睡，也得講究床褥，如現代的「席夢思」彈簧床，舖上錦被鴛衾及鴛枕，方可以稱爲「美睡」了。睡眠亦有其訣，除上述蘇東坡的睡法而外，如孫眞人說：「能息心，自瞑目。」蔡西山說：「先睡心，後睡眼。」某禪師則說：「病龍眠，屈其膝。寒猿眠，抱其膝。」龍屬鱗虫，鶴屬飛鳥。惟有猿似人，故吾輩睡眠，抱膝亦可。古人戒人「寢無尸」，又有「立如松，坐如鐘，睡如弓」之說，這與寒猿抱膝而睡相彷彿，亦即側臥屈膝之式耳。

但，大多數的人睡眠都有其習慣性的自由式，未可有何規定。不過古代詩禮人家，往日對於婦女則有「規戒」，務必屈就範圍，盜女是外人，若睡式不好，恐結婚後受夫婿指責也。現在這種「規戒」已不存在了。

古人也有以睡眠爲隱逸的掩飾，如宋之陳希夷（搏）就以睡鄉爲隱地。亦以避外人之無端糾纏。後來人們就說陳搏老祖成了神仙，「大睡一千年，小睡五百歲」，眞是神話。

大陸文壇萬花筒

李何林害了周作人

——岳騫——

最近因爲李何林寫了一篇「思想性和藝術性相一致」的論文，正式向毛澤東在延安文藝座談會上發表的談話作了正面挑戰，馬上受到一些打手的圍剿，炮彈是來自四面八方，不但攻擊李何林，凡是被李何林讚揚的人也都倒了霉，最近波及的範圍越來越廣，竟而牽涉到知堂老人周作人的頭上。

提起知堂老人，在近代文學史必然要佔有重要的一頁，論到成就和乃兄魯迅各有千秋，論到爲人的忠厚和平，更非尖酸刻薄之魯迅所及。不幸抗戰期間爲龐大家庭（包括魯迅棄妻）所累，滯留北平，在日人威逼下落水，任了一個短期的僞華北政務委員會教育督辦，從此背上了一個漢奸銜頭，不爲一般人所諒。

中共據有大陸之後，見到知堂老人尚有剩餘價值可資利用，尤其在中外文學上的修養，絕非郭沫若之流所能望其項背，至於目前用迅成法所教出來的紅專幹部，更是有雲泥霄壤之隔，比也沒有比了。當時就命令知堂老人翻譯希臘童話，間中整理一些魯迅作品，就這樣過着餓不死的生活，在「新社會」裏也漸漸被同志們遺忘了。不料這次被李何林提起，又挨了一頓罵，眞是禍從天上來了。

原來在較早時期，李何林寫了兩篇論文，一是「五四時代新文學所受無產階級思想的影響」，一是「左聯成立前後十年來的新文學」，這兩篇文字都說知堂老人在五四以前就受到無產階級思想的影響，根據是知堂老人在一九一八年十二月發表的「人的文學」裏，有過「各盡人力所及，取人所需」的話。當然李何林這種說法是有意牽強附會，謬託知己。因爲中國儒家思想一貫就是如此，禮運大同篇早就說得清清楚楚。所謂「四海之內，皆兄弟也」，人與人之間生來就是平等的，只有共產黨爲了製造仇恨才硬分階級。知堂老人不過是重述一下古聖先賢的話，怎能扯到無產階級頭上。

此次共幹爲了鬥爭李何林，用盡了手段，因爲李何林稱讚過知堂老人，於是大罵老人是漢奸，指李何林有意向他臉上抹粉，把他打扮成一個「進步」的作家。他們自以爲罵得很起勁，不知老人看了是根本無動於衷的，蚍蜉撼大樹，樹本身何嘗覺得？

釋耒集

論仁與智

孟子公孫丑上章曰：「昔者子貢問於孔子曰：夫子聖矣乎？孔子曰：聖則吾不能，我學不厭，而教不倦也。子貢曰：學不厭，智也，教不倦，仁也，仁且智，夫子既聖矣。」子貢以孔子為聖人，謂孔子兼有仁智之二德也。若不可得兼，則我寧先取智而後仁，蓋孔子論人，亦先觀其智，故論令尹子文，及陳文子，均曰：「未智，焉得仁。」大學所言，「格物致知」，智之事也，「誠意、正心、修身」，仁之事也，欲求仁，必以智為基礎，論語：君子道者三，曰知、曰仁、曰勇；先言智。「志于道，據于德，依于仁，遊于藝；」依仁據德，必先遊于藝，遊于藝，智事也。子路，冉求，公西華，孔子均曰不知其仁；但不妨使之治賦，作宰，及束帶立於朝與賓客言，蓋士之成德，歸本在仁，治國理民，必恃於智，子路問成人，孔子亦先舉臧武仲之智，詩教溫柔敦厚，其失在愚，故曰：「好仁不好學，其蔽也愚。」學，所以充其智也，故孔子取人，必曰：「不得中行而與之，必也狂狷乎，狂者進取，狷者有所不為也。」然使外有敵國外患，而內無法家拂士，雖有百狷者，何裨于大局？漢興，蕭何、張良、陳平、周勃之流，未聞以德行稱，三國之世，魏武帝，諸葛武侯，均雜用權術，大抵于擾攘中取天下，必用才略，迨天下既定，繼體守文，智謀之士，無所施其才略，在上者又倡之以寬仁，天下士大夫，乃相率褒衣博帶，循循然誦說仁義忠孝，或埋頭治舉業，以取科名，博祿養，又或掇拾舊聞，傳抄故實，輯為訓詁掌故之書，聊為潤色，而國家乃愈弱而愈弱矣，一旦夷狄交侵，強鄰壓境，則譙周仇國之論，馮道皇帝佛陀之對，不得不予以恕詞矣。又或如文文山，陸秀夫之殉國死義，史閣部，閻典史之喋血孤城，以殺身成仁為一代歷史之終局，此實才略智謀之士，之所以切齒深恨，而無如之何者也。孔子一生，不輕許人為仁，而曰：「管仲相桓公，一匡天下，民到于今受其賜，微管仲，吾其被髮左衽矣，豈若匹夫匹婦之為諒也，自經于溝瀆而莫之知也。」許之曰：「如其仁，如其仁」。韓非有言：「上古競于道德，中世逐于智謀，當今爭于氣力。」後世有雖此言者，必羣聚而譖之曰：離經叛道，夫治賦，作宰，與賓客言，亦聖門之教，必斥之曰俗吏，此則後世經生儒者之過也。

由齋

栗海彈心錄

中興史事（下）

周易「亢龍有悔，與時偕極」，時勢俱窮而不知變，而獨冥行弗已，故云亢云悔。又謂「乾元用九，乃見天則，」知窮而變，斷然行之，自古非剛健之夫不任，故云用九天則。乾不用九，則失乾之性，故云變則窮。然恢復與剛近，反復與變近，二者相似，為當國者之大病，有一如此，足以自誤誤天下，二者兼斯，吾於明之思宗見之。（亦稱懷宗。）思宗戊辰即位，李自成亦於是年起延安，自是民困板蕩者十六年，以天下之力，不能剿一流寇，弊在自用而不能用人，十餘年間，進退宰輔六十餘人，遑論其他。此予所謂反復者在此。事到臨頭，余應桂請會師真保，不聽，吳麟徵請徙師入衛，又不聽，李邦華請遷國南都，及其他言者皆不聽，卒之北門鎖鑰，歸授貂閹。自古得師者王，得友者霸，得斷養者亡，後之人焉能外於是，此予所謂愎而自用者在此。

崇禎甲申三月十九，李自成破北京，思宗御前殿，鳴鐘集百官，無一至者，諸閹已獻城款賊，倉遑走景山，跣左足，右朱履，披髮自經槐樹下，至此方知為左右所誤，猶曰「君非亡國之君」。順治入關，以鍊鎖其樹而罪之，樹何負於亡國之君，用以自警耳，深合人君乾惕臨淵之義，竊謂有心人哉。

同年五月，朱由崧繼統南都，改元弘光，未幾詔選淑妃，地方官備禮以晉，思宗骨猶未寒，清廷兵已渡淮，被選之戶數百家，纍繫都中，君臣荒淫猖狂至此，全無肺肝，不止絕無悲天憫人，悔禍罪亡之心也。二千年間，漢唐中興，晉宋偏安，獨朱室一蹶而斬，不復血食，宜矣。但願後之人引以為戒耳。

阿公

飲茶漫談（一）

鄭璞

一、飲茶的流源

茶為現今盛行之日常重要飲料，與咖啡可可均為人所愛好，尤其茶具有興奮提神作用，復有強烈芬芳，在工作疲倦之後，如能手持一杯，淺斟低酌，可以解渴，可以助文思，可以增消化，可以爽心身，故文明國家消耗量日見增加。

「書畫琴棋詩酒花，當年件件不離他，如今七事都改變，柴米油鹽醬醋茶」。茶乃開門七件事中的末一件，有紅有綠，色香味俱全。它是中國人最普遍的飲料，猶如德國人喝啤酒，法國人飲葡萄酒一般，你不論到什麼人家去，坐定後立刻有一杯茶奉上，有時連公共機關也和私人家庭相同，我們的祖先究竟在何年何代才開始用茶葉來煎湯供飲的呢？我們以為若飲之事的盛行，當漸趨西漢武宣之後，茶經引司馬相如凡將篇有荈詫之字。司馬相如，武帝時人，至最可憑的紀錄是漢宣帝時代王褒所著「僮約」「舍後有樹，當裁作船」一段完全敘述販賣工作，其中的「武都買茶，揚氏担荷，烹茶盡具，餔已蓋藏」在此時飲茶已盛了。此後不用說已成為貴族豪紳的家備的日常工作了，三國志曜傳云：「又皓欲為父和作紀，曜執以和不登帝位，宜名為傳。如是者非，漸見責怒，曜益憂懼，自陳衰老，求去侍吏二官，乞欲成所造書，以後棄別有所付。皓終不聽時有疾病，醫藥護持之愈急，皓每饗宴，無不竟日，坐席無能否，率以七升為限，雖不悉入口，皆澆灌取盡。曜素飲酒不過三升，初見禮異時常為裁減，或密賜茶荈以當酒。」這是飲茶之見於正史者，連宮庭之間也以茗飲為常了。

三國之後，到唐代經文人學士的提倡，若飲之風尤熾，封演在其所著「封氏見聞記」中，講到唐代飲茶的盛況，他說南人好飲茶，北人初不多飲。開元中泰山靈岩寺有降魔師，大興禪教，學禪者務不寐，又不夕食，皆許其飲茶，人自懷挾，到處煮茶。以此轉相仿傚，遂成風俗。自鄒（山東兗州府）齊（山東青州府）滄（河北天津府）棣（山東賽安府）漸到京邑。城市多開店鋪，煮茶賣之，不問道俗，投錢取飲，其茶自江淮而來，船車相繼，所在山積，色額甚多。」又說：「古人亦飲茶，但不如今日之甚，窮日竟夜，殆成風俗，始自中地，流於塞外。經年回紇入朝，大驅名馬，市茶而歸」那時為了供應騷人墨客品茗的需要，各地都開設精緻的茶室。那該是茶樓的起源了。

印度人飲茶卻有一種傳說，他們說茶是佛教的達摩大師首先發見的，達摩生於紀元初年左右，他為了修道，決定入定七年，但才到第五年，他已覺得不能支持，奄奄欲睡，於是在附近摘取一些樹葉嘴嚼，竟覺得有一種芬香，使他不再思睡，完成他七年的潛修。他所嚼的樹葉就是茶葉。

日本人接受了這個神話的故事，而在九世紀初，茶的歷史發生一件重要的事，就是一個日本高僧最澄，由中國研究佛教返日將茶種帶回，種植於近江（滋賀縣）阪本村之國台山麓，現在之池上茶園相傳即為當時大師種茶之舊址。次年即大同元年（八〇六）另一僧侶弘法大師又從中國研究佛學歸去，對於中國皇宮及寺院中種植茶樹深表羨慕，故彼亦帶回多量茶種分植各地，並將製茶常識傳播國內，於是飲茶漸次成為日本社交上普通之風習，迨後內戰爆發，約有二百年左右無人過問茶事，茗飲之習慣亦日久淡忘，對於栽植更不加注意，戰後建永二年（一一九一）又復盛行，是時有一日本茶史上最著名之寺僧榮西為禪宗之領袖，彼復由中國輸入茶種種於脊振山之斜坡上。該山在筑前之福岡城西南，所餘則種於博多附近之寺院中。同時因陶工藤四郎彼於宋代時由中國帶回特種滋釉塗飾茶具之供應而益臻完美，使飲茶者之興趣更為提高，不久日本人愛好喝茶的程度竟較中國人為甚，而茶在日本社會上之地位，也較中國為重要。

東方飲茶之風盛行數世紀後，直到一五五九年，歐人始習飲之，他們那時看到威尼斯名作家Giambattista Ramusio所著之中國茶及航海與旅行記，其中關於茶葉的一節云：「……大秦國有一種植物或僅就其葉片供飲，人人稱之曰中國茶，視為珍貴食品，此茶生長於四川嘉州府，其鮮葉或乾葉，用水煎沸，空腹飲服，煎汁一二杯，可以去身熱，頭痛，胃痛，腰痛或關節痛……」一六〇七年第一片茶葉由澳門經爪哇運到荷蘭，此後許多年大部都是由荷蘭船隻運到荷蘭再轉運歐洲各國，因為當時荷蘭是海上的霸王，所以在歐州方面，荷蘭人是首先喝茶的。

英國人飲茶較荷蘭人遲一點，當時市上只有咖啡館，在一六五七年，一個咖啡館的老板開始售茶，起初一部份人祗是為着好奇嘗新，不久漸成習慣，後來更是普遍，茶葉竟鬧黑市，每磅售價高達約美金十五元。（未完待續）

望海樓隨筆

建設

徐學慧

我們必須澄清一個最普通而又似乎是最易犯下錯誤的觀念，那就是聽到某些人說，儘管你認為中共不好，但你卻不能不承認今日大陸確有些成績。說的人是否有意姑置不論，而聽的人往往就對此瞠目結舌，不知所答。這種場面，我們時有所見，亦時有所聞，加以分析是必要的。

談今天的中國大陸，對於中共驅民為牛以供從事於建設工作的這一點，我的看法是這樣。中共為了要令全國皆勞動，為了不讓全國人民有喘息的機會，也就必然要找尋一些重大的建設工程來奴役人民的。橋樑鐵路運河水電這些工程，最能容納工人，而且動輒以若千千萬計算；從事於這種工程，只是為了令人民沒有半點閒暇來思想，來作其他的活動，那不僅不值得誇耀，簡直可以說是一種竭澤而漁的作法。

秦始皇築萬里長城，後世無人以建設目之者，那只是由於始皇的本質不在建設，而在窮兵黷武。同樣的，中共之修橋樑、修鐵路，其本質亦不在建設，而在使民無暇。此亦正表露了中共今日的處境，也深深地表明了中共政權之不得民心。

一個人，不能同時在消耗體力而又能發展智力的。因此，體力消耗的時間一多，則智力發展的時間也即是思想的時間乃相對減少。這一點，正是今日中共的基本策略。只要瞭解這一策略的運用，則對於今日中共所誇耀的所謂建設工作，自然就不會有半點驚異了。

如果中共而不修鐵路橋樑水庫，或者進一步，中共而能稍稍放寬對於人民的管制，讓他們有喘息的機會，讓他們有自由思想的機會，那纔真是值得驚異呢！

在無情的鞭策之下，任何建設工作都可以驅民從事，中共所宣傳的一切建設，都可以作如是觀。只要你能瞭解，中共政權所最怕的乃是人民有自由思想的閒暇，以及今日大陸人民如不服從中共調遣，即有殺身之禍，則對於大陸上的所謂建設，將會感到特別痛心。

驅全國人民掙扎於飢餓綫上，於是乃大事建設以陷民於胼手胝足之中，而求其不致危及中共政權，妙則妙矣，奈不能持久何！

社會學的牛角尖

謝康

已經開闢的社會學底領域裏面，有許多「莠草」和不會結實的野花，有些社會學的著作，在本質上只是一本醫案，說明什麼是善與惡，什麼是進步或退步以及怎樣改良現時這樣一個社會，提出許多關於解決社會問題的理論和方案。每個著者都有他的高見，每個人都自命為社會學家，這些人以私見而冒充社會學。無怪乎社會學與「社會主義」，「社會改良政策」，分不清楚，同時社會學也變成某種政治所利用的「姘頭」或附屬品，從而社會學的信用，也就降低到成為一種宣傳品而不是科學。其實，真正的科學只是注重研究事實的本來面目，並不是一輩子宣傳它們應該怎樣。因為「是什麼」和「該怎樣」，完全是兩回事。我們整理固有歷史資料或研討社會現象絕不應該戴着主觀的有色眼鏡，用來衡鑒一切，尤其不該將方法論與實際行動，牽扯在一起，使方法論也捲入政治理論的漩渦裏面，變成一種唯物的或唯心的什麼史觀那一套，擠進象牙塔或牛角尖裏面。

自由報

THE FREE NEWS

半週刊每星期三、六出版

第十期

每份港幣壹毫

社長：雷嘯岑

督印人：黃行齋

社址：香港銅鑼灣高士威道二十號四樓

20 Causeway Rd. 3rd. Fl. HONG KONG

TEL. 771726

電報掛號：7191

承印者：田風印刷廠

地址：香港高士打道221號

查美國總統的賬

方南

美國下屆總統競選正似春蠶初展，此時要作什麼預料都嫌太早，該注意的還是：美國輿論在這時候吹些什麼風。

其實，美國總統是不好做的。尤其是下一屆總統要負的担子重得可怕，特別不好做。很顯明的，美國人這次選舉總統，是在飛彈威脅之下忐忑地進行。自從有史以來，這才算遇到外來眞正嚴重的危險，而下一屆總統，更確乎是以一身繫天下的安危。

艾森豪一篇流水賬

艾森豪在準備結束他的政治生涯，收拾釣竿和獵具去好好的玩幾年了，他留下千鈞重担待人接挑，數不清的難題待人替他傷腦筋。

簡單的查一查艾森豪在任內的一盤賬，便可知下屆總統難做在什麼地方了。

艾森豪開過一張「解放被奴役國家」的空頭支票而上台。匈牙利和東歐一些國家剛好燃起反共革命的聖火，曾經把好運氣帶給他，但他並未熱烈接受，好運氣便變成後來的諷刺。

他費去九牛二虎之力才結束了韓戰，接着便認眞執行杜魯門遺下的圍堵政策，他的「最佳國務卿」杜勒斯在其有生之年，屢次不怕在「戰爭的邊緣」彌補圍堵的缺口，包括出兵黎巴嫩，及以軍火協助自由中國堅守金門。但他手中用來威嚇蘇俄的「大棒」然發覺失靈了。蘇俄倒拿着飛彈做的「大棒」來從新推進它的擴張運動。杜勒斯也鞠躬盡瘁地死了，他於勉強振起了經過是兩次重病倖而康復的身體，飛行萬里，週遊列國，和他的新對手赫魯曉夫搶着推銷和平，企圖爭回飛彈最高實力的一段落後時間。

在杜勒斯未死之前，他因埃及蘇彝士問題和英國保守黨政府造成一個幾乎無可彌縫的爆裂，幸而中東局面最後還能恢復穩定。接着是法國的戴高樂在西歐起來了。西德與法國在歐洲勢力的逐漸抬頭，使他常爲應付這兩者與英國間的新衝突而耽憂。

自由世界每一個角落都隨時可以爆發出使他費神傷腦的事件。而應付國內許多問題也非常吃力，尤其是長期保持經濟繁榮是不太容易的事。

美國在他的任期裏面出現過失業增加與經濟蕭條的暗影。他總算鎭靜地應付過去了。但只有美國人纔會知道西歐製造的新型小汽車衝入美國市場，這一宗事，究竟是代表什麼意義。美國做生意的人已開始意味到，接受美國經援的復興者多變成了美國貿易的競爭者。對於美國經濟繁榮再能維持許久的一個問題，他的信心並不太大，好在他就快可以卸下担子了。

艾森豪最近的醒覺

他原想以「百勝將軍」轉爲「和平總統」而完成其一生事業，現在算是成功了，但料不到幾乎焦頭爛額，不免在着着敗退中結束其任期。他在臨末的一年才似從夢中醒覺一般，提出一個疑問：美國的遠大目標該是什麼？

他正要在政府裏面專設機構來研究這問題。而美國民間最有份量的幾個研究機構也在省覺：美國確已面臨危險關頭，必須從速確立積極奮鬥的目標，訂定長程計劃，應付來自共黨的致命威脅。

就這樣，艾森豪留給下屆總統以千鈞重担，無數煩惱，而最主要的還是這一個難題：美國該怎樣負起領導世界的責任？美國的「國策」該放在一個什麼樣的「遠景」上？

誰去承担他遺下的重担？這個人如果只爲想做總統而做總統，美國怕眞的會就此完了。這個人如果認爲做總統是等於跳火坑，下決心爲挽救美國和人類自由的命運而做總統，有抱負，有信心，有勇氣有魄力，有辦法，那才可喜。

下屆總統的重担

擺在下屆總統面前的最大任務是：一、怎樣繼續發揮美國的工業能力，在飛彈競爭上面趕在前頭。二、怎樣使美國人的精神心理狀態，得到適當的調整與啟發，足以應付當前危機，担當世界大任。三、怎樣維持美國本身經濟繁榮。四、怎樣使西方國家在保持經濟繁榮當中，不致發生嚴重衝突，藉以避免由經濟出路的衝突以致觸發政治歧見，引起軍事防衛上的分裂；五、怎樣使西方及東方業已成熟的工業國家，和許多待開發的國家和諧合作，有計劃地減少矛盾，消除磨擦。六、怎樣扭轉對共黨集團對抗的本身劣勢，採取主動，伺機向敵方突破一點以促致其全面崩潰。

以上所舉六點，要守是難，要攻也是難。單看飛彈競賽這一點，美國還不必怕。難在守的時間越長，自由世界內部的弱點會越加暴露，難免陸續發作。

十年以前，我們認爲只要等到史太林一死，共產世界內部便要爆裂，自由世界將會解除憂患。事實果然符合了期望，史太林死了，一連串重大分裂在蘇俄內部和其他共黨國家之中發生，但自由世界並未因此而解除憂患。艾森豪是在那個時期登上美國總統的寶座，但他却在不經不覺間看着赫魯曉夫由開始露頭，進而立穩了腳步，再進而伸出拳頭向他臉上猛打。

現在是輪到赫魯曉夫要等待西方國家由於經濟出路的衝突而鬧出分裂，由他去檢取勝利了。我們別看輕赫魯曉夫，他以中共和東歐共黨國家全體人民的膏血，滙合來「營養」蘇俄這副工業機器，再由這副機器產生飛彈，以及用來對亞非國家展開宣傳及貿易的財力和物力。他心裏算定；西方資本主義國家遲早要因經濟出路的衝突而分裂，進而至於火併的。美國以其對外「經援」的施與，製造出足以損害自身利益的貿易競爭者，決不似蘇俄用壓搾得來的「營養」那樣合算而有利。他在「等待」美國那一段經濟煩惱的出現，猶如我們當年等待史太林之死。

競賽不只在飛彈，也不只在工業潛力，尤其在思想與精神，全盤打算絕不容易。照我看，美國未來總統一要有「美國誓生」的思想與抱負，（像林肯、威爾遜那樣的人，我說是美國的誓生）二要有「美國騎士」的精神（像麥克阿瑟元帥在太平洋越島之戰所表現的精神，我說是新的騎士精神。）三要有「美國企業家」的精密算盤（像美國在第二次大戰打贏的仗，是用企業家的精密計算贏來的。）這三者如不具備，得此則失彼，決不能贏取對共黨抗爭的最後勝利。

誰具備這種條件呢？不管是誰，如無眞知灼見與高瞻遠矚，如無信心、勇氣、智慧與魄力，誰都做不好的。

時事述評

維護海外反共文化長城

盧家雪

本報社長雷嘯岑氏及黃石華氏等在本屆國民大會中，提出了兩項建議案。一個提案，是「籲請蔣總統繼續連任後，即行召開反共復國會議，交換反共復國意見，團結海內外，從速實行反攻，拯救大陸同胞，以慰海內外之殷望。」另一件提案是「籲請政府救濟港澳教育文化忠貞人士以利復國」（詳情載本報第二版）關於前一問題，容將另文申述，今特爲言後一問題。

口誅筆伐

流亡香港文教界人士的淸苦，那已是人所共知的了。十年來，無數的知識分子，爲了不甘奴役，自大陸間關逃出，此輩人士，縱然在極端艱苦情形下，仍保持書生報國的本色，以其言論與文字，昭告世人，從而令自由世界人士澈底認識中共宰割大陸之殘暴本質，從而令香港數百萬僑胞，由觀望猶疑轉變爲堅強的反共，從而令中共政權經已由氣餒囂張轉至日暮途窮之境，凡此種種，雖然因素甚多，但香港文教人士的口誅筆伐之功，則有目共睹，自難忽略。

發揚文化

再加上香港是一個自由的國際都市，一向爲東西文化之橋樑，自中共盤踞大陸以後，中國固有文化已爲之一掃無餘，賴有香港文化教育界人士保存了並發揚了中國文化。此輩人士，或從事報業，或從事書列，或獻身教育，或獻身藝術，各盡其力之所能，鼓吹中興，培養人材，發揚文化，是以士氣，是流亡在香港的知識分子，對社會、對國家，乃至於對自由世界，也是貢獻良多。

文化戰的重要

報國之道多端，而在今日思想戰爭中，文化與教育，尤爲重要。在戰場以外，文人的筆，當勝過軍人的槍。香港的文教界人士，在這十年來過着極淸苦的生活，却發揮了極大的力量，彼等以其文字鼓吹中興，以其文字維護自由，却從不會有任何一個文教界中人，對本身的淸苦生活，發出任何申訴。

傳統的中國智識分子，是不慣於作稻粱謀的。地小人稠之香港，亦令其謀生不易。在這樣的情形之下，加以扶助與救濟，是必要的。

維護反共文化長城

多保存一分元氣，即是多增加一分復國的力量。對於海外反共文化長城，不僅要維護，而且還得加以擴大。

應該指出的是：第三次世界大戰的特質，不是核子戰，而是文化戰，思想戰。海外文教界人士，以其在大陸所親自體驗到的經驗，經過這些年來的磨鍊，自然是文化戰與思想戰中的高手，深願當局者於此三致意焉。

自由談

待訓練的一件事

報載國大會議情形，過事辯論熱烈，爭吵不已，甚盛事也。無論在任何國家的議會中，吵吵鬧鬧乃是常情，非如此即不足以表彰民主政治的本質。如果議會中討論問題而沒有反對意見，那才是怪事哩！

不過，吵鬧固然無妨，總須言之有物，持之有理，能使聽衆發生共鳴之感，方爲上乘，却不是信口開河，濫作無稽之談。無可諱言的事實，咱們中國人搞議會政治的本領尚在學習階段，最普遍的現象有兩種：一是有些人以在會場發言爲出鋒頭的法門，不問靑紅皂白，必須起來講演一番，然其內容不特毫無新義，人云亦云，甚至文不對題，自說自話；一是大家對於「民權初步」的規範漠不關心，任意而行，妨碍秩序。會議的人數越多，上述兩種情況亦表現得最突出。因此之故，一些具有眞知灼見的明達之士，反而緘口無言，讓那些好發言的英雄盡量表演，而以看把戲的心情，默然旁觀，資爲笑樂了。

在英美各國的議會中，新進議員是不敢、也不能隨便「牙擦擦」的，英國且有一項不成文的戒條，凡是不懂得國家財政預算內容的，即不能在「巴力門」發言，用意是要避免說空話或廢話，以致浪費時間。據聞這次國大會議已經開過了兩次預備會，三次正式大會，然一個「議事規則」尚在爭吵之中，這就是說廢話的人太多的結果。

一個會議場合，只要有三幾個以出鋒頭爲目的，而又不知所云的「發言英雄」潛在着，這會議情形準是一團糟，因爲愛說廢話或空話的人霸佔了發言地位和時間，便如市場上劣幣驅逐良幣的情理一樣，對於問題眞有正確見解者，唯有愛惜羽毛，退避三舍了。卅餘年前孫中山先生倡述「民權初步」，敎一般知識份子學習開會議事的各項規矩，可謂切中時弊。詎料歷時三十年，而咱們的知識界人士對於這種起碼的憲政常識，大多數尚屬缺乏。積習難除耶？明知故昧耶？吾不得而知之也。現代的政治人物好言訓練工夫，各種訓練機構林立，獨未聞有設置「會議規則訓練班」者，殊爲遺憾。我主張在中小學的公民課本，以及大專學校的法政課程中，分別加入「民權初步」這項教材，並且由教師隨時跟學生們實地演習，這對民主憲政前途大有裨益，眞是功德無量！

馮正先生

國大會議已由絢爛趨於平淡

本報特稿

野鶴

在台北舉行的國大代表會議，本來熱烈緊張，爭吵打鬥不歇，大有不得下台之勢。但自本月三日演過了一場全武行之後，氣氛忽告和諧，現在很順利地將臨時條款修訂案，通過三讀會議，準備總統副總統的選舉工作了。其中雖然也有些周折，原屬無關宏旨的枝節問題，殊不足慮。令人最頭痛的一千二百餘人連署修憲案，居然無人堅持，成爲歷史材料，而以莫德惠領銜提出的修訂臨時條款案爲主體，可謂奇蹟。其所以急轉直下，一瀉千里，由絢爛趨於平淡的內容，是值得據實報導的。

這次會議中掀起一陣狂風暴雨似的鬥爭氣象，根本原因並非法理之爭，多半是意氣用事，而爭吵最力最兇的人，又十九都是些執政黨黨員。這些代表先生們旅居台灣，生活至爲清苦，既不能如立法委員經過三年任期後，即取得當然的律師、會計師資格，可以兼營副業，增進物質上的收益，又不能如立監委員們經常集會，干預國計民生事宜，消解精神上的苦悶。國大代表六年才集會一次，會期不過三四十天，在會議期間好像是市場上的新鮮貨品，顧客應接不暇，莫名珍貴，一旦閉幕以後，代表們即如同爛草鞋，棄置道旁，誰也不屑一顧了，有時候還要惡其阻礙行人，加以踐踏呢！不特此也，立監委員如有去世者，可由國庫給以兩萬元郵金，國大代表死了，就只能得五千元的治喪費，人命價值亦懸殊若是，寧非豈有此理！去年伊朗王在台灣訪問時，曾詢問立法院長張道藩：「貴國的國民代表會議是不是國會性質？」張氏答以「那只是納稅人會議而已」。這話傳播出來，更激起了國大代表們無比的悲憤，因爲我國的大法官早有解釋，認爲國大代表與立監委，都是相當於國會議員的民意代表。立法院曾因此而對大法官開炮，要把他們的終身職轟掉，驕橫不可一世。次則執政黨中樞對於應付這次國大會議，設有小組綜持其事，主幹人物又都是些立法委員，他們對於總統連任以及修憲或增訂臨時條款這類重大問題的決策，從不徵求本黨的國大代表同志們意見，逕行製定，一律由「國大會議黨團幹事會」或黨部組織的「學術研究會」以命令行之。如是乎，今天發一通令，教本黨的代表們不要主張這樣，明天又發一通令，教大家必須贊成那樣，頤指氣使，完全乞靈於黨紀，違背民主集中制。如此這般，乃引起了國大代表們莫大的反感，心情激動，憤憤不平，相率調皮搗蛋，偏要另作主張，抗不馴服。還有一些人，或因政治關係，屢受過非份的打擊，或以生計奔忙，遭遇過意外的刺激，積怨在心，無可排遣，藉此六年一次的行市看漲期間，也要盡量發洩胸中的一股悶氣。積此種種因素，乃表現着好似美國西部打鬥影片的緊張驚險鏡頭了！

繼而蔣總統以執政黨總裁身份，兩次召集國大代表的本黨同志們懇摯談話，一面剴切說明目前不宜修憲的事實和理由，同時安慰大家，表示他對於國大代表們的政治地位，認定大法官之解釋是合理的，關於大家生活上的困難情況，亦將設法予以改善，希望大家共體時艱，力求安定。他的詞令和態度，沒有半點「教訓」或「命令」的意味，而且於和藹親切之中，流露着輕鬆幽默的意趣。這末一來，便把大家集結在胸的怨氣與悶氣，爲之消解於無形，剩下的餘波，只是如何設法改善生活問題了。職是之故，人數最多，氣氛最險惡的第一審查會（討論修憲問題者）於本月八日集會時，主席張其昀雖然不斷地表現主席權威，動則敲木椎限制發言，聲稱「主席有權作此決定」，而大衆亦並未起哄，假使在過去兩次審查會中，像他這種主席態度，一定會釀成秩序大亂的場面，甚至於大演三本鐵公雞，亦係意料中事。目前尙待折衝磋商，卽爲國大代表實行創制、複決的時效問題，原案規定總統應於今後的「適當期間」召集臨時大會，討論實施創制、複決權，以及修改憲法各事項，然代表們主張在兩年之內，就得召集臨時會，政府如不下令召集，代表可以自行集會，因爲總額問題已經解決，只要有「可以應召集會」的總額人數三分之二，依照憲法明文規定，卽可自行集會的。現在居留台灣境內的國大代表有一千三百多名，若依法由五百名代表聯署請求總統召集臨時會，固然極易辦到，卽由一千三百名代表自行通告集會，也是朝發夕至，毫無困難的事兒。上述時效問題，經過一度幕後交換意見的協議，業已達成諒解，全案乃於今日（十一日）三讀通過，以便執政黨開全會決定提名總統副總統候選人。通過的全文如左：

一、動員戡亂時期臨時條款

茲依照憲法第一百七十四條第一款程序，制定動員戡亂時期臨時條款如左：

總統在動員戡亂時期，爲避免國家或人民遭遇緊急危難或應付財政經濟上重大變故，得經行政院會議之決議，爲緊急處分，不受憲法第卅九條或第四十三條所規定程序之限制。（原條文）

二、前項緊急處分，立法院得依憲法第五十七條第二款規定之程序變更或廢止之。（原條文）

三、動員戡亂時期，總統副總統得連選連任，不受憲法第四十七條連任一次之限制。（新增）

四、國民大會創制、複決兩權之行使，於國民大會第三次會議閉會後，設置機構，研擬辦法，連同有關修改憲法各案，由總統召集國民大會臨時會討論之。（新增）

五、國民大會臨時會由第三任總統於任期內適當時期召集之。（修正）

六、動員戡亂時期之終止，由總統宣告之。（修正）

七、臨時條款之修訂或廢止，由國民大會決定之。（新增）

二、關於臨時條款設置之機構，國民大會作如下之決議

一、組織名稱，須冠以「國民大會」字樣。

二、組成份子，應由全體代表參加分設各小組，自行認定，分組研討。

三、研究工作以民國五十年十二月廿五日爲預定完成期限，俟草擬辦法，完成初稿，廣泛徵求意見後，彙呈總統，作爲決定召集臨時會會期之參考。

照這全部條款看來，修憲派所要爭取的創制、複決權，亦已有了着落，只等待兩年後的臨時大會通過實施而已。至於修改臨時條款是否等於修憲這類撈什子的問題，自可存而不論，心照不宣了。

不過，國大代表的會議情形雖然趨於平淡了，但總統副總統候選人，除卻執政黨提名之外，其他民青兩黨和社會賢達派，似乎亦須有人出來競選，方符民主原則。截至記者屬稿時，尚未聞民青兩黨和「二無黨」——卽無黨無派人士——有人競選的消息，這到是相當費腦筋的問題。上次有莫德惠、石志泉（民社黨）起來逐鹿一番，像煞有介事，恰到好處。這次莫柳老因領銜提議修訂臨時條款，嘔氣不少，大會主席團因之落選，意興闌珊，無心問鼎了，石志泉已作古人，更談不上了。搞政治有如演戲，我們這般觀衆唯有希望好戲在後頭，等着瞧罷！（三月十一日）

國大代表雷嘯岑黃石華等建議
召開反共復國會議
救濟港澳文教人士

（本報台北專訊）在本屆國民大會中，各代表所提建議案達數百件，中有關於提議召開反共復國會議及救濟港澳教育文化忠貞人士二案，係由國大代雷嘯岑黃石華二氏所提出，並由陳篤周，左敬，黃美之等三十餘人連署，極受各方重視，茲分誌於次：

（一）「籲請蔣總統繼續連任後，即行召開反共復國會議，交換反共復國意見，團結海內外，從速實行反攻，拯救大陸苦難同胞，以慰海內外之殷望」案。

理由：共匪竊據大陸，十載於茲，大陸同胞在共匪殘酷統治下，度日如年，北望王師，年復一年。至流落海外難民，生活無計。海外僑胞亦因共匪倒行逆施，顛覆陰謀，致使海外僑胞備受當地政府懷疑、迫脅、虐待，海外同胞咸望蔣總統繼續連任後，排除萬難，從速實行反攻，藉救大陸同胞於水深火熱之中，以慰海內外同胞之殷望！又十餘年來情勢變遷，過去年青者，今亦已成爲社會領導階層，爲使這部份人才，亦有向政府貢獻反共復國意見之機會。同時我們不能否認，年來海外有極少數人對政府有某種距離者，爲團結全國上下消除隔閡，亦望蔣總統繼續連任後即行召開反共復國會議，交換反共復國意見，使海外反共行動一致，早日光復神州。

辦法：（一）籲請蔣總統繼續連任後，即行召集各黨各派及反共前進人才，舉行反共復國會議，交換反共復國意見，以利團結復國。（二）籲請蔣總統連任後，（三）實行反攻行動。（三）實行反攻時，即在海外各適當地區，設立反共復國後援會，募集物資支援國軍。提案人：雷嘯岑、黃石華。連署人：陳篤周、崔廣秀、黃美之、左敬等二十四人。

（二）「籲請政府救濟港澳教育文化忠貞人士以利復國」案。

理由：香港爲民主之窗，鐵幕之洞，年來香港教育文化人士在極端困難之環境下，爲擁護政府反共復國國策，揭發共匪殘酷統治與陰謀，喚醒自由世界認識大陸匪僞政權本質，口誅筆伐，貢獻至大。惟香港地小人稠，謀生非易，流亡港澳教育文化忠貞人士，生活至爲艱苦，亟應籲請政府救濟港澳教育文化忠貞人士，藉維海外反共文化長城，以利復國。

辦法：（一）請政府切實協助整頓港澳僑校，盡量容納流亡教育人士並改善其待遇。（二）請政府撥款創辦反共報刊容納流亡文化人士，擴大海外反共文化長城。（三）請政府有計劃邀集流亡港澳之名流學者編纂反共及學術叢書。（四）請政府救助有困難之港澳反共報刊。提案人：雷嘯岑、黃石華。連署人：陳篤周、左敬、黃美之等卅四人。

國大會議的趨勢
——執政黨打出了王牌——

台北通訊

杜明

這次國民代表大會爭議最多而且最激劇的修憲與增訂臨時條款問題，其中除關於總統連任三次這一項而外，卽爲國民代表行使創制、複決權，國大代表們百分之百贊成蔣總統連任，毫無異議，但同時要行使象徵式的創制、複決權，目的是在制衡立法部門。簽署這項提案的國大代表有一千二百人，大多數都是執政黨的黨員。可是，執政黨中樞的決策卻不贊成多所紛更，尤其不主張修憲，只求在臨時條款中增訂條文，把憲法第四十七條限制總統只能連任二次這句話予以暫時凍結就行了。因此，修訂臨時條款是否等於修憲？國民代表應否行使創制、複決權？用臨時條款以使蔣總統連任是否合法而光榮？這些爭議在大會舉行之前，卽已風起雲湧，執政黨曾通告本黨的國大代表同志們，一致服從黨的決策，但因運用技術欠靈活的原故，幾乎不得要領。最後乃由黨的副總裁和總裁先後出馬，召集本黨的國代同志講話。這兩幕政治戲劇表演的情形不同，卻很精采，將來在中國憲政史上值得大書特書的。

二月廿四日陳誠副總裁約集大家在台北市外圓山大直（地名）某一公共場所，舉行座談會，先由執政黨秘書長唐縱報告本黨對上述問題的決定方針，希望大家交換意見。詎料就因此勾起了羣衆平日積結胸中的不平情緒，認爲黨中央過事先作好決定，然後向黨員以訓話方式傳達內容，敎大家遵守，這是極不民主的作風，碍難奉命。又說黨部對這次國大會議問題的決策，是錯誤的，我輩黨員代表不能跟着錯誤路綫走，一定要本諸自身的職責和良知行事。更有說中央常委們朦蔽總裁，指稱國大代表要求行使創制、複決權的用意，是在要挾政府提高待遇，侮辱人格，莫此爲甚。陸續發言的不下廿餘人，慷慨激昂，氣氛十分緊張。中有東北籍代表崔榮說話最激烈，歷數中央同志平時不尊重黨員意見的各種事象，言詞犀利，悲憤塡膺，甚至對於某中委個人，猛烈從事人身攻擊，所持理由，令人莫名驚駭，全場爲之驟然。陳副總裁處在這種衆論紛紜，情緒激越的非常場面中，不斷地起來解釋答復，舌敝唇焦，席不暇煖，但羣情依然未能回復常態，使副總裁亦對大家說出「不勝痛心」的感慨話，情況相當尷尬。有人指出：假使座談會開始時，只說是約集國大代表同志談談這次國民大會各項重大問題，請大家自由發表意見，而不聲明中央已經如何決策，最後由副總裁綜合羣言，畧予解答，表示轉達總裁鑒核，當時大家的議論縱然同樣激昂，然場面決不致形成極不和諧的現象。可惜執事者沒有注意到羣衆心理作用，因而座談了幾小時，結果只是熱烘烘地表演了一幕「舌戰羣儒」而已。

迨二月廿八日上午，蔣總裁仍在圓山大直某機關約集國民黨籍的國大代表千人以上，舉行紀念週，還是談論修憲與不修憲問題，但情形大不相同了。他以黨的領袖身份向大家說話，滿臉流露着和悅誠坦的神色，詞意旣懇摯深切，心情亦平恕委曲，沒有絲毫矯飾的迹象。他首先說明個人不贊成修憲的原因，認爲修憲法是一樁大事，不可掉以輕心，草率爲之。他舉出美國修憲的先例，須經過兩年時間，徵求民衆意見，纔能夠付諸實施，卽法國戴高樂以非常手段從事修憲，（下轉第四版）

社會小說

香港地

二、恭喜發財

　哈哈先生彭鏗然聽譚福祿這般口氣，便擺頭答道：「你說豈有此理，我說眞有此理，且看誰說的對？新娘的母親有幾十萬家財，單生此女，我向新奶奶恭喜發財是合理的呀！還有，他們是「奉兒女命」才結婚的呢。發財而兼添丁，又怎見得是我說錯了？」

　彭鏗然說出一大篇理由，還提到新娘新郎是「奉兒女命」而結婚，頓教譚福祿啞口無言，心裏有數。按說結婚是要有父母之命，媒妁之言才合禮，但時下風氣，有些青年人在未結婚之前，便偸偸試婚，到了女的珠胎暗結，無以交代，便只好催促男的趕快完成正式結婚的手續，這便是「奉兒女命」了。譚福祿素來熟識人情世故，聽了這話，怎不明白個中消息，認爲彭鏗然還算說得有理。

　彭鏗然似乎因口頭佔了上風，便覺非常得意，又低聲在他耳邊說道：「你見過新娘的面嗎？」

　譚福祿沒曾見過張家的新娘，當然希望知道她的面貌是美還是醜，便照實連答帶問。

　彭鏗然一臉是神秘的笑容，似乎越發得意了，再次附耳低聲道：「新娘有沉魚落雁之容，閉月羞花之貌，等會兒，你不妨戴起眼鏡，用神細看，包管不會說我存心騙你。」

　像彭鏗然這樣的人，口舌詼諧而刻薄，心理並不正常，說話越是神秘越不可靠，譚福祿因此便想道：新娘有九成是生得很醜，俊新郎爲了拜金而娶個醜新婦，便惹來這個刻薄鬼的嘲笑。

　不久，他心裡的疑謎給事實揭穿了。婚禮開始舉行，新娘和新郎雙雙在禮堂出現。不錯，新娘確實有幾分姿色，顯見彭鏗然並未說謊，但看她一路行來，竟是一拐又一拐的，分明是雙腳有點毛病。他正在低低的說了一個呀字，彭鏗然已向他附耳笑道：「我剛才問你見過她的面沒有，就是叫你不要看她的腳呀！」

　這促狹鬼幸災樂禍，竟在這時拿這等話來取笑，眞教譚福祿無從置答，且覺心裡十分難過。（十）

木客著

懸崖勒馬

默蘭

　阿華這樣想；總有一天我要狠心地來幹一下，有很多的人不是完全由於機會而致富的嗎？他也許會有這份好運道。

　這是一個晚上，他在熱鬧的街上走着，腦裏盤旋着一個問題；我如何能弄點錢來。霓虹燈在閃爍着，穿着紅紅綠綠衣服的人來來往往，賣唱片的店子，播出響亮的外國流行歌曲，他不覺跟着那歌聲，輕輕哼着，哼着，突然他發覺自已正在哼歌，他暗暗地咒罵：「他媽的，我還有這份閒情來唱歌，我得想法弄點錢來。」他似乎又聽見那大着肚子的妻子在對他說：阿華，找到工作沒有？唉！我肚子眞不該餓。

　現實的冷酷使他感到痛苦和凄涼。他會經嘗試過，然而結果都失敗了；一個公司裏的人，告訴他已經找到人了。另外一個工廠的工頭，說他年紀太大了。還有一個胖胖的女人，明白了他的來意後，從他的頭打量到腳，沒有說一句話，蓬！把門關了。

　他仍然毫無目的地在街上幌。

　他沒有什麼東西可帶回家去，但是他的妻子已經兩天沒有吃東西了，因爲幾個月來的失業，他的一點積蓄都用完了，親戚朋友也不再借錢給他，是的，他一定得想辦法，但是，一定得不致叫他入獄的辦法才對，否則妻子餓着肚子，他再被關進牢獄裏那可不行。

　他邊走邊想，忽然他的視線被一家珠寶店吸了過去，他向玻璃櫥裏面張望，那裏有名貴的鑽石戒子、珍珠項鍊、翡翠手鐲、紅色、藍色的寶石，……琳瑯滿目。他想：倘若我有一枝手槍，那麼我便可以指住他們，把所有的珠寶盜走，這要値上好幾百萬，那麼我便可以不愁了。過了一會，他從他的憧憬中淸醒，他想不行，現在他不但沒有手槍，而且行人這樣多，難道自己去找死嗎？還是走吧！他慢慢地移動着腳步，心裏又想；還有什麼別的辦法呢？唔！也許我可以假裝買戒子的顧客，當店員不注意時，偸一個金的戒子，或別的小東西，變賣了它，這樣至少暫時不必挨餓，他懷着忐忑的心，倘若我不能鼓起勇氣，那麼我還得忍受飢餓，然而懷孕的妻子是再也經不起餓了，這是一個機會，我爲什麼不冒一次險呢？

　突然他發覺一陣喧鬥聲，他吓了一跳，他想立刻拔步就跑，因爲他似乎以爲別人知道他預備去偸東西，接着一個女人的尖叫聲：

　「捉住他！他偸了我的皮包。」

　於是他清醒過來，這些吵聲原來跟他並沒有關係，當他還未想清楚時，突然一個十多歲的孩子，向他迎面奔來，手裏拿着一個紅色的皮包，他毫不遲疑地伸開雙手抱住了他，那孩子在他懷裏掙扎，他越發用力抱住他。不一會兒，兩個警察與那被搶了皮包的女人便都擁近了他身旁，許多好管閒事的人也停住了腳張望，警察向阿華致謝後，帶着那垂頭喪氣的孩子走了。

　這時他才明白自已做了一件怎樣的事；他捉住了一個賊。賊，這是他今天晚上打算去做的，倘若他做了的話，他也會像那孩子般，被警察帶走，那麼一切更可悲了。一股熱泉從心田滂滂流過，遍佈於四肢，使他感到全身發熱，臉也紅了，他慚愧，他喜悅，他想他實在太昏了頭，大丈夫什麼不可以做，要做賊！他欣慰他能及時覺悟，懸崖勒馬，於是他仰起頭，踏着堅定的步子，走向歸途。

生活常識

冰淇淋的演進（上）

文敏

　從前，英王查理士一世，某次在一個宴會的席上，喫到一種叫做凍奶的摩登菜色，認爲非常好喫。事後，英王特賞賜給做這個菜的那位法國廚師二百鎊之鉅的年金，並聘他做宮庭中的廚子，專門製造這道菜肴，以娛口腹。英王又命這位法國廚子，對於這道菜的製法，要絕對嚴守秘密，不得往外洩漏。

　其實，查理英王所稱的凍奶，便是英國最初期的冰淇淋。英國人的這種新玩兒食品，大抵是傳自法國的；而法國則由於一六三〇年，一個意大利人在巴黎設立咖啡室，才開始有這種食品出現。

　在查理英王那時吃的冰淇淋，製法是很簡單：只是把水、糖和香料混和，再放在一個特製的箱子裏，周圍堆上冰塊，使之凍結，樣子好像今日普通的冰棒。其後，經過逐步改良，再加上牛奶或奶油和鷄蛋，才成爲現今我們食用的冰淇淋。

　現代的冰淇淋，也許是英國人所創始。因爲在英國一七七〇年所印行的食譜中，其間便有一種食物，包含着牛奶、奶油、糖、鷄蛋、葛粉、麵粉和香料等製成，但是，促使這種食品成爲家喻戶曉的，還得歸功於美國人。

武俠小說

江南游俠

彭浩一

第一回：往事棘心　放歌還縱酒　今生惡報　自害復傷人

　說時遲，那時快，一聲「啊呀」未完，一條人影已如一尾脫水魚般跌落地，女屠伕定睛一看，不由心膽俱裂，只見小兒們堆成的那座雪彌勒，不知何以竟能站起身來，撞向苦面無常的身上，將一個黑油墩似的胖子撞去三丈外的雪地上，呼爸喚娘的喊叫，而自己認爲不死必傷的龍翔，則單足踏在雪彌勒頭頂上，正躍躍欲向自己撲來，所有自己發出的捧炭裘，都和羽毛一般的插花雪彌勒身上，她幾乎不相信自己的眼睛：雪人也能走動？還會武功？莫不眞是佛爺顯聖，救了天下雨龍翔？

　不想事情還更有出於她意料之外的，那無腿無足，只有半截形像的雪彌勒，竟能頂着龍翔，滿場游走，口中且發話道：「唔呀！胡四娘，妳原來私奔到這裏，眞幾乎想死我了！」

　女屠夫頓時幾恰一個寒顫，失聲道：「原來是你這老不死的在作怪！」來不及轉身，墊足往斜裏一掠，奪路便跑。

　雪彌勒的肥腫身軀一扭，居然和活人一樣，躍到女屠夫前面，猶如山雪突崩，晃眼一團白影已攔住去路，女屠伕花容慘淡，本來就無血色的臉上，更着白可怖，雪彌勒出語調侃道：「好一個賢德媳婦呀！妳怎忘了妳那苦面無常，已經快見無常了喲」說着如殭屍般一躍近胡四娘身旁，她本能的向滿邊一閃，一顆白皚皚的光腦袋竟伸到脇下，她急揮掌格拒，觸手冰寒澈骨，滿掌濕轆轆的，同時胸前有一股罡風襲到，肝肺如裂，喉頭一甜，立時一口鮮血噴出，人卽搖搖欲倒，方喊得一聲「不好！」猛聽得對面的雪彌勒，也高呼一聲：「不好！」折轉身形就跑，像兒童拋擲土偶似的倏起倏落，直向西北方衝出，一面跑一面聽他道：「跑了，又跑了，你那紅娘子向我要起人來，卻教我又向那裏去找？」瞥眼奔到余江身畔，忽聽他一聲斷喝：「長人臉，不做人事的東西，且待我送你上西天懺悔去！」驀地雪人飛起，直向余江臥處碰去，地上卻現出一個羅圈腿，長髮辮的怪老頭兒，雙腿如車水似的朝北馳去，看他左腿向右，右腿向左，往復如搗米，一晃眼就不見了。

　女屠伕這才魂魄歸竅，三脚拚爲兩步的衝去余江身側，僅見一堆雪粒，堆在地上，並不見余江身影，慌忙抓開雪一看，余江正蜷伏在雪中打顫，已是氣息奄奄，倘幸未曾斷氣，急伸手扶起，其週身濕如水淋，忙一把抱住，咽聲問道：「當家的！不要緊吧？」

　余江疲微的睜開眼睛來，輕搖了搖頭，喘聲應道：「鐵錚子這老魔頭，好不利害，他雖未傷我性命，一身武功，已是被他廢了。」

　胡四娘哽咽問：「可是關元穴受傷了嗎？」

　「豈只一處穴道，他用那麼一具雪人碰我一個受傷的人，還不是每一穴道都被擊中？」

　女屠伕跺足道：「如此怎好？這老怪物與你無仇無恨，何苦害你至此？」

　「看他的情形，是替紅灯籠找龍翔來了，如果不是龍翔半途逃走，他一心牽掛兩頭，或許連妳也難得平安！」（六）

大陸文壇萬花筒

送瘟神與枯木逢春

——岳騫

　自從毛澤東發表了兩首「送瘟神」詩，宣告江西餘干縣血吸虫病已經根絕，「血吸虫」就成了熱門，不但在生物學及醫學上佔有一個位置，近來竟然侵署到文藝方面，甚至以血吸虫病爲主題的劇本也出現了。

　一九五九年第三期「上海戲劇」，載了一篇王煉寫的「枯木逢春」話劇，就是爲了宣傳血吸虫病寫的。

　劇中男主角方冬哥，女主角苦妹子，本來是一對未婚夫妻，「解放」前因爲「血吸虫病」的威脅，兩人在逃難時失散！。過了十年，苦妹子另外嫁了一個男人，患血吸虫病死去，她自已也染上這個絕症，已經沒有救了。就在這時方冬哥回來了，並且當了拖拉機手。難得的是方冬哥仍愛她，她也很愛方冬哥，方冬哥的媽媽也很關心她的幸福，這本來應該沒有問題了，可是方媽媽一想到自已一家三代都因爲患了血吸虫病而死亡，又害起怕來，反而勸阻兒子不要和苦妹子結婚。

　劇情發展到此，讀者都可以想到，一定要等到「黨」和「毛主席」把血吸虫病根絕了，有情人才能成爲眷屬。這個公式是沒人敢更動的，不過，難爲這位王煉先生又從中加了一個曲折。當方冬哥把苦妹子送到「血吸虫防治站」去，副站長劉翔（照例是一個黨外人士，專門人才也是一個落後份子）竟然拒絕醫治，理由是病人已有腹水，到了晚期，無法痊癒了。到了這個階段縣委兼站長羅舜德（當然是共產黨員）出來了，要把苦妹子留醫，劉翔提出反對（簡直是不可想像的事），雙方展開鬥爭，劉翔的理由是現有八萬多病人，六十年也治不完，光是晚期病人就有五千多，都來留醫留在那裡。可是羅舜德卻不理這些，一定要把苦妹子留下，給她醫治，結果不但苦妹子的病治好了，所有八萬名患血吸虫病的人都治好了，方冬哥和苦妹子結了婚，生活自然很幸福，結尾照例又感謝「黨」和「毛主席」一番，劇情也就完了。至於那位專家副站長原來估計六十年都治不完的病人，何以很短時間就治好了，這一點讀者可以不必問，橫豎有「黨」和「毛主席」就成了。這種創作格式，是目前大陸上最流行也最安全的，照這樣格式去寫，保險不會出亂子，至於有沒有人看，就不必管了。

釋耒集

摹擬

凡習一藝，首須從摹倣入手，稍具學習經驗者，舉能言之，然此特就入手時言之耳，若其藝既成，則必自標新意，別立機杼，以個人言，必如是然後可謂之善學，以社會言，必如是然後可謂之進步。明代文人，尊古而尚摹擬，屠隆文論有言：「明興……始力與漢周之文，詩自三百篇而下，則取初唐，厥後諸公繼起，氣昌而才雄，徒衆而力倍，古道遂以大興，可謂盛矣，然學士大夫之蠢起其間者，或抱長才，而乏遠識，蹈厲之氣盛，而陶鎔之力淺，學左者得其高峻而遺其和平；法史漢者，得其豪宕而遺其渾博，模辭擬法，拘而不化，獨觀其一，則古色蒼然，總而讀之，則千篇一律也。」此等論調，貌若高明，實亦浮淺者，夫學左而遺其和平，學史漢而遺其渾博云，不過謂其不善摹擬，拘而不化而已，仍不以模擬為非也，使學左者兼有其和平，法史漢者兼有其渾博，則必曰：「識者自知其為周漢之文，不作昌黎以下語，斯其至乎」？不知文之一道，一時代有一時代之思想內容，一作家有一作家之精神面目，模擬蹈襲，縱極工巧，終非本色，況未必能工乎？清人王晫，做劉義慶世說新語體例，撰為今世說一書，叙錄清初順治康熙兩代數十年間之人物，加以品藻，句模字擬，幾於亂真，四庫全書總目提要論之曰：「刻畫摹擬，頗嫌太似，所稱許亦多溢量。」考王氏之所以必撰為如是之一書，其初心不過藉以標榜聲氣而已，書中敘述已事，竟至於曰：「早年高隱，甚負才望，意思深遠，博學擅才藻，一時名聲滿江左」，則其人之不甘寂寞，實已溢於言表，頗有類於今日之洋場名士。然但論其文，亦覺其不入倫類，蓋世說新語之所以可取，在使人得以想像魏晉間人之曠遠閒適，即其人之為任誕、簡傲、輕詆與忿狷；雖或可惡，實則往往可喜，然此等人品，亦僅魏晉時之社會能有之，若清初順康之際，除自矢甘為遺民、憔悴老死於山林者之外，大率埋頭習舉業，或疲其心力於訓詁名物，十九侷促如轅下駒，必以之強附於豪爽，棲逸諸名目之下，近於自欺而欺人，亭林先生為朱明德之廣宋遺民錄作序云：「余嘗遊覽於山之東西，河之南北二十餘年，而其人益以不似，及問之大江以南，昔時所稱魁梧丈夫者，亦且改形換骨，學為不似之人，朱君乃為此書，以存人類於天下……吾老矣，將以訓後人，冀人道之猶未絕也。」讀亭林此語，則今世說之所記，寧得有一言之真實邪。

栗海彈心錄

鴉片（上）

鴉片之害，足以喪身破家，亡國滅種，乃至天地易位，日月倒行，父母妻子，恩情廉恥而不顧者，其為害中國，究始於何地何時何人，文獻不足考徵，大多以意度之耳，中國本草綱目，名阿芙蓉，其花似芙蓉也。其果名罌粟，以其果象罌、實象粟也。本草取果殼以治痢疾，印度取其果汁以製煙膏，西方藥劑，取其膏以製嗎啡，自是紅丸、白麵，海洛英之毒徧天下。而中國受害最深，故操術不可不審。

中國之有罌粟，是否早於印度，抑隨佛教移植東土，不可得知，但中國止因其所以利人，不取其所以害人，且不獨鴉片為然，此非中國人之知性，善於西方人，亦非中國人之機智，不善於西方人。由於愛人親仁之文化根源不同，有以啟迪其利人之心，泯滅其害人之心，故從不以其利己者害人，亦不以其害己害人。五千年來，苟非善良之俗，厚生之具，不與鄰國共之。猶可於今之韓國日本緬甸交阯諸邦，禮俗生計中識之。設中國儒家中恕之道，義利之辨，一旦崩潰，則其用以害世界者，或較英人之以鴉片毒害中國為尤甚。今中共數年之間，已少露其牙角，倘舉世坐視其「人民公社」之成功，可能使東西兩半球無國界，人類大搬家，若或幻想中共蘇俄，因此分裂，我敢斷言，中共軍工業未成熟，原子武器未完成，決不參商蘇聯。蘇俄未毀滅美國，或緊緊控制美國之前，決不摒棄中共。以美國當前無目的無原則之外交政策，行如此之軍援經援，使與國喪失自主，如此之談判會議，使與國失却信心，實無異保障中共俄共，從容部署，訓練控制。已不欲為而又擊人之肘，無非自私自利之心，偷安旦夕而已。自以武器進步，經濟繁榮，可保毋虞，人莫予毒，絕無已飢已溺，民胞物與之量，要知古今事變，無一不生於自恃無虞之中，（故天道忌盈，而尤忌巧，（天道即人情）今日之繁榮，亦即異日不景之前奏，今日之享樂，無非異日煩苦之後果，此事理之常，歷歷不爽者也。甚願美國朝野，深深體念此意。**阿公**

飲茶漫談（二）

鄭珪

因此有人於一六八九年直接由廈門辦運茶葉到英國，才將茶葉抑低到每磅三元。到十八世紀，茶已成為英國主要飲料。

茶葉除由海路運歐西外，更用商隊經利凡脫（Levant）地方由陸路運至歐洲其他各地。最初由此路到達者，為一六一八年由中國公使所攜帶之數箱茶葉，饒贈於莫斯科俄國朝廷，不過那時茶葉尚未為俄人所好，因此自贈品茶到達莫斯科二十年後，亦未發生任何影響。

二、必也「解名」乎？

要說茶，先得把它的名稱弄淸楚。茶古時有許多別名！其在植物學上屬雙子葉植物山茶科。我國在漢代以前，還沒茶字，最早的字書東漢許愼的「說文解字」之藏，其草部中僅有茶字，許氏解說：「苦茶也從草余聲」。按茶屬木本，今茶字在草部且由其上下字看來，均為草本植物，茶是苦菜，是無當于「若飲之事」的茶底意義的。在此期間，曾有若干僅憑臆測之茶葉的文獻，所謂臆測者，因茶字直至宋元以後始有確定之意義，在此以前則係用茶之以外之數種其他植物代替。現在我們先從茶談起，茶字見于爾雅者凡三。

釋草曰「茶，苦茶」郭注引詩經「誰謂茶苦，其甘如薺」為證疏云：「此味苦可食之菜，本草一名選，一名游冬，易緯卦驗玄圖云：「苦菜生於寒秋，經冬歷春乃成，月令孟夏苦菜秀是也」此其一。

又曰「蔈，荂茶」註云：「即芀」疏云：「按周禮掌茶及詩有如茶，皆秀也」此其二。

釋木曰：「檟，苦茶」晉郭璞注云：「樹小似梔子，冬生葉可煮作羹飲。今呼早采者為茶，晚取者為茗，一名荈，蜀人呼之苦茶」。然則爾雅釋為「苦茶」的「檟」其與「茗」「荈」係一事當即今日之茶。茶字之演變成「茶」」是有着一個悠長的轉變的，顧炎武於唐韻正九麻「茶」字下有云：「愚游泰岱嶽，觀覽唐碑題名，見大歷十四年刻茶藥字，貞元十四年刻茶宴字，皆作茶。又李邕娑羅樹碑，徐浩不空和尙碑，吳通微楚金禪師碑茶毗字，崔琪靈運禪師碑茶椀字，亦作茶。其時字體尙未變，至會昌元年柳公權書玄秘塔碑銘，大中九年裴休書圭峯禪師碑茶毗字俱減此一畫。則此變於中唐以下也。」由這一段話我們可以看出，「茶」字作「茶」在貞元十四年尙且如此。至陸羽著茶經（約公元七八〇年時）中述當時代表茶者有五字：「一茶，二檟，三蔎，四茗，五荈」茶字其意義有三，一苦菜，二草，三茶。檟字見爾雅，意即苦茶。蔎是蜀西人稱茶為蔎。茗是晚收的茶，荈是啜苦咽甘之茶，此外又有酪奴之名，名稱雖然不同，其實都是茶的意義。

三　茶葉之種類及其產地

茶葉的種類繁多，名稱也不統一，通常有所謂紅茶、綠茶、烏龍茶、包種茶、黑茶、青茶、黃茶、白茶等。相同的茶葉往往有數個名目，如安徽六安的有稱綠茶，有的稱蓮心。（待續）

海嘯慶談薈

廣州撤守秘聞

民國卅八年暮春，中央政府由南京遷移廣州，準備固守華南兩粵與川滇黔等地區，繼續動員戡亂，而以台灣為補給總樞紐。這時候，華中軍政長官白崇禧所部廿萬大軍，駐防粵漢路南段自衡陽迄粵北邊境沿綫，國軍胡璉、劉安琪兩兵團屯守粵北韶關至廣州外圍一帶，對共軍以逸待勞，擬作最後一次決戰，深信可以殲滅賊酋林彪的第四野戰軍，確保南中半壁江山，進而光復中原。當時白長官曾在廣州對若干立監委員與國大代表說是「最近必定打一場大勝仗給各位看看」，且由衡陽抽調桂軍一師到達韶關協防，所謂「兩廣聯合作戰」之說，甚囂塵上，上海雖於五月下旬淪陷，然粵省人心鎮靜，匕鬯無驚。蔣總統以引退之身，亦兩度由台灣赴廣州指導軍政大計，他對國軍將領剴切訓勉，警言「廣東就是你們的死所」，激勵將士們發揮「義無返顧」。論兵力、形勢、軍備，以及民心士氣，廣州決無不戰而棄這之理，然事出意外，迨雙十節後第二日，廣州竟以自動撤守聞，這是甚末緣故呢？稽其內幕，乃係共諜作祟所致，而湘人劉斐實為此中首要份子。

據說劉斐（維章）於民國廿三年即已加入共黨了。但他隱蔽有術，素為桂軍統帥李白諸公所稱許信任，歷久參預機密，抗戰時且膺中樞參謀次長職責，掌理軍機，戰後復員，仍任軍政要職如故。他跟今日聞名的共幹劉仲容，黃啓漢等，尤其深得白崇禧的信賴，在「華中長官公署」時期最為活躍。這與老共黨冀朝鼎當年潛伏中央銀行，深受孔祥熙信任庇護的情形，如出一轍，亦即國府養兵四百萬而終告崩潰之基本因素也。

劉氏以李白親信人物，曾受命為北上和談代表之一，和談破裂後，他奉毛共密令，悄然南來，入金陵游說李代總統投降不遂，繼到武漢晤白崇禧，迨湖南失守，他來香港居住，從事對國府文武人員的策反工作。卅八年九月初某夕，劉應白崇禧約，秘密赴廣州商談國事，行蹤極端詭秘，但為李代總統左右親信幹部所調悉了。是夕，邱昌渭、程思遠、馮樹、黃雪村等在廣州「愛羣酒店」玩羅宋牌，有人談到劉維章潛來廣州事，馮樹（華中軍政長官公署副秘書長）謂此事大不可，若被台灣知道，將遭到通敵攜貳的疑謗後果，急囑黃雪村馳往李代總統處報告，而白氏與劉維章已在座，黃述衆意，白氏指為不經之談，罔所顧忌。然台灣方面早知李濟琛，黃紹竑在香港別有企圖，茲又得悉劉維章與李白在廣州密談通宵的情報，深恐釀成奇變，即密令胡璉、劉安琪兩兵團趕快撤防，經海南島轉輸到台灣，白崇禧聞胡、劉兵團後撤，亦將調駐韶關協防之桂軍一師，星夜撤回湘南。如是乎訊，廣州乃不戰而拱手奉送敵人了！維時各方議論紛紛，皆謂台灣不該隨便撤退胡、劉兩部在前綫駐防的主力軍，為有意跟李白不合作，頗多微疑詞。詎知當時曾發生這種危疑震撼的秘密情況，不得不然，黃維兵團在淮海戰役中之覆沒舊事，可為殷鑑。試看後來白部廿萬大軍在湘桂境內全部被敵人消滅，即知共諜為禍之烈，而劉斐、劉仲容、黃啓漢的功勞確實不小啊！時人謂大陸河山不是打完的，乃是撤完的。孰為之，孰令致之，其中的功罪是非，只好讓後世歷史家來評判了。

諸葛文侯

國大會議的趨勢

（上接第2版）亦養了六個月的光陰。我們要想在短暫的國大會議期間實行修憲，必無暇徵詢民意，根本就違背了民主憲政的原則。他很坦白地說道：「你們以為我個人對現行憲法是滿意的嗎？非也。可是，這部憲法原係全國各黨各派共同起草製定的，是中華民國對世界表示施行憲政之治的圭臬，使共匪亦沒法攻訐我們不是民主憲政制度。假使今日隨便予以修改，而國民大會代表又多是本黨同志，共匪就有口實攻擊我們政府是一黨專政了，豈非授人以柄嗎？」接着談到大家要求他連任的這項問題，笑謂：「你們說我為甚末不走大門，而要從後門進來呢？（這時全場鼓掌歡笑）是的，我也知道這不是光榮的事，但為着國家前途的利益，個人出處的小節，也就不暇顧慮了。我一心只要完成反共復國的使命，藉以取贖過去領導無方的罪戾，因此而忍辱負重，在所不惜。如果你們以修改憲法使我連任，那我是絕對敬謝不敏的！」又說：「你們要行使創制、複決權，目的是在制衡立監委員的權力。我可以告訴大家，深切地感受立監委員之困擾者，殆莫過於我了，大家要制衡他們，我個人難道不願意嗎？然為顧全大局，維護國家利益，只好希望大家相忍為國，共濟時艱為上」。又謂：「你們說我受了中央常委們的朦蔽，然我却十分清楚你們對這次國大會議問題的一切主張和批評，朦蔽之說，不攻自破了」。最後特別聲明他對於一般軍公教人員生活的艱困情況無時忘懷，只因政府財力支絀，決不漠視的改進，蔣總裁一口氣說了兩小時的話，他把大家要發洩的悶氣和看法，都說出來了，和表示我並非不明下情，而態度始終和藹慈祥，大衆亦屏息聽取，頗受感動。散會後，大家相互談論今日這回事，都說「大老闆，究竟有他的高明之處，不愧為領袖風度」。記者默查蔣先生這番話，對國大代表們必有相當的影響力，可以消弭許多人對現狀不平不滿的抑鬱心情，這比下命令開教訓的方法有效多了！

自由報

THE FREE NEWS

半週刊每星期三、六出版

第十一期

零售每份港幣壹毫

社長：雷嘯岑

督印人：黃行審

社址：香港銅鑼灣高士威道二十號四樓

20 Causeway Rd. 3rd. Fl.
HONG KONG
TEL. 771726

電報掛號：7191

承印者：田風印刷廠

地址：香港高士打道221號

中共反美十年的心理病根

奚蒙

中共反美十年的長篇紀錄上，最近添上了一筆：宣佈美籍天主教神父華桂理為美國間諜，犯有圖謀「顛覆新中國」的罪行，判徒刑二十年。此事已引起美國政府及民間輿論的憤怒。

粗淺地看，這是中共針對下列諸事的一種洩憤行為。例如：中美在台灣聯合舉行「藍星」軍事演習；美國駐遠東使節在碧瑤會議獲致結論：對中共仍應採取不承認政策，免於承認之後對南美地區發生影響。

這是一個鮮明的對照，美國反共十年，仍堅定地維持其對中共不承認的原則，中共反美十年，也作出蠻橫到底的露骨表現。

但中共反美是一種連續有計劃的運動，在心理上有其無可消解的仇恨毒素。要了解這點，深入的剖析是必需的。

反美是由這一代到下一代的運動

毛澤東在開始囊括整個大陸時，便已立即推行長遠的反美運動，其中心意義是：改造中國人對西方資本主義強國的依賴性，培養最後對「以美國為首的資本主義國家」總決戰的「敵愾」。換句話說，這是對四億人全面徹底施行的心理改造運動。所謂「敵愾」就是仇恨心理。因為中共深知對美最後決戰不是眼前的事，所以心理改造不只着重在現在的青年人，尤其着重在未來的青年人，現在的兒童。它把反美運動的宣傳材料（仇恨心理毒素）放在小學教科書裏面去，其理由在此。

毛澤東開始推行這個長遠運動的初期，美國的杜魯門政府正在採取艾契遜的「讓灰塵自清」的消極政策。這政策不足以轉移中共這個長期大運動的毫末，已是十分顯明的事實。

在中國進行抗日聖戰時期，美國有好些軍政大員受到中共宣傳的愚弄，輿論亦未對中共的毒害性格具有足夠的警覺，中共一面進行其對美國人的欺騙，一面已是有計劃地對中國青年人進行反美的「心理改造」。那時分佈在抗戰大後方的左派作家，對於凡是和美國思想界學術界文藝界有關的著名人物，如非施以圍攻，便是暗放冷箭，胡適和林語堂為什麼會在那時為左派文人衆矢之的呢？他們自己或許還以為是由於個人或文壇上派系的怨恨，而不知道由於他們被中共列為「親美」文化人的代表，和「右傾青年」崇拜的偶像。

想挖出毛澤東輩反美心理的根，就必須看到：他們早經確定消滅資本主義的戰鬥必要進行到底，美國是資本主義國家最後的堡壘，對美國作戰是最後而且是最大主要的一戰，中國人民一貫的心理傾向不利於這最後的一戰，因此，必須及早的有長期的、大規模的，有週密計劃的，把「仇恨之苗」種在每一個人的心裏，要由這一代到下一代由親美變為仇美。

說得更清楚一點，這不是反美，而是仇美。十年以來，中共在大陸在海外的宣傳，所有對美國的詆譭，誣揑，謾罵，由小學教科書到大學講義，由新聞紙到無線電廣播，由遍佈鄉村里巷與城市街道的標語壁報到基層共幹的口頭講解，由「紙老虎」到「細菌戰」的名目創造，花樣繁多，種類豐富，發盡怪論，用盡奇思，其目的只有如上所述的一個：為了最後一戰預作心理上的最佳準備。

美國民間反共團體做的一件事

美國民間的反共團體，如認為應該替中共反美十年的思想和行動作一個總結，不妨把它十年來大陸由幼稚園到大學各級教科書彙集起來，加上一份「人民日報」和主要青年讀物的彙刊，再搜集同時在香港出版的左色報刊和書籍，把它們的教材，報導，評論，小說，圖畫，詩歌，雜文，戲曲，口號，俗語，凡與反美運動有關的都摘錄出來，加以細密的統計和分析，然後標舉來源，列表提證，輯成一本「圖文並茂」的專書，大量印發，普遍散播，料當可使美國大多數人發現：自有人類歷史以來，從未有過一個「政府」對於轄移人民對另一國家的愛憎作過如此可驚的努力，也從未有過一個國家如此無端遭受誣謗與仇恨。事實勝於雄辯，無端終竟有端，美國大多數人要尋出中共如此行為的所以然，就得向共產黨要征服世界的決心，及永遠以仇恨為根的心理去尋求。

十年來，中共在大陸大量殺人和遍施奴役，都創造過人類歷史所無的紀錄，而反美十年運動所創造的奇蹟，也屬史無前例。身當其衝的美國人，如到今天仍未能對這「奇跡」作一次詳盡透徹的研討，找出它由來的真因，使之成為週知的常識，如非太疏忽，便是太渾噩，總也得算是現代一件難以索解的奇事。

史太林的大陰謀

毛澤東輩的心理是由史太林一脈而來的。當第二次世界大戰爆發，德軍大舉東侵之前，史太林對蘇俄人民培養對美的仇恨心理，也有過極為努力的時期，到了德軍長驅侵入俄境，蘇軍節節敗退，史太林卒靠美國大量物資的援助，纔能整軍再戰。這事實，使他不能向人民宣傳美國是紙老虎，只因他心理最明白，他自己的軍隊才是紙老虎。二次大戰結束，史太林一帆風順，利用西方國家的心理弱點而大有所獲，卒因估計錯誤，指動韓共南侵，激動美國號召聯合助韓作戰而扭轉了戰局，使他下不了台，他便驅使毛澤東造成中共「抗美援朝」的人海戰。這不只使用中國人民的血肉築成俄邊的長城，而且是深謀遠慮地，使中國人在戰場上和美國人認真拿性命對拚，替毛澤東所支配的仇美心理指導找出了足以支持理論的事實。這是大陰謀家轉嫁仇恨的最大毒計。在戰後，原在莫斯科的反美仇美運動大本營搬家到了北平，其可尋的軌跡如此。說穿了，中共發動罵美國為「紙老虎」也是由俄共指使的，不這樣，中國人民的血肉便糟蹋得不夠狼藉盡致，仇恨在心理種根得不深。

中國人自己會認識誰是中華民族真正的敵人。美人則要認清中共的性格，切勿誤把中共代表中國。

時事述評

蔣總統當選連任

盧家雪

國民大會第三次會議，前日選舉中華民國第三任總統，結果，蔣總統以一四八一票的絕大多數當選連任。

來自各地的國大代表，能克服憲法規定的困難，一以民意為依通，實已無負於全國國民的委托，克盡其代表全國國民行使政權的責任。我們於慶賀蔣總統繼續領導國人之際，願於此對國大代表們致其敬佩之忱。

蔣總統之豐功偉績，為舉世所週知。今日國土未復，赤禍猖熾，大敵當前，國家多難，自由中國的中樞領導者，必須為有人格感召力，必須為能洞燭機先，必須為有卓絕智慧與堅強意志，凡此皆惟有蔣總統具此條件。一四八一的絕大多數票當選連任，足證人同此心。誠如大韓民國駐華大使金弘一所說：「蔣總統連任第三任總統，是中華民國海內外人民一致的願望。」又誠如美駐華大使莊萊德所說：「中國人民將可在中華民國的這位偉大軍事政治領袖之繼續的堅決的振奮的領導下，獲團結於自由之中。」這是國際友人們對於蔣總統當選連任後所發表的談話，足證蔣總統之連任，不僅為中國人民的共同願望，同時也是自由世界人民的共同願望，更表明了友邦的熱烈支持。所欲為國人進一言者，即國家元首經已由民意表現而選出，則今後應如何團結奮發，共同致力於光復大陸重建中華之鉅業，猶有待於國人之共同努力。

今天是民主時代，談政治就得有民主精神。蔣總統既以絕大多數的票數當選，則縱在過去持有異見者，亦當放棄個人的成見，服從大多數人的公見。

最近一個多月以來，海外有極少數人士對於蔣總統應否連任問題，持有異見，這種現象，乃為在民主政治下常見的現象，我們希望這些持有異見的人士，不是為了個人恩想；我們更希望在蔣總統膺選連任以後，大家捐棄成見，徹底擁護支持；我們更願乘此機會，呼籲政府從速召開反共復國會議，共商國是，發掘新人。今天的台灣，各方面均有長足進步，但盡人皆知，不能以此種進步為滿足。今天的最大任務是反攻大陸重建中華，不論在朝在野，均宜以此一大前提為鵠的。我們「惟有全國上下，團結一致，拿自己的力量來搶救大陸上自己的同胞，拼自己的性命來收復大陸上自己的失土。」願國人三復斯言。

自由談

消弭貪污之道

報載台灣最近發生了兩椿貪污案件：一為高雄法院檢察官高嵩公然受賄四十五萬元，已由司法行政部下令停職緝拿到案訊究；一為台北電影業團體指控行政院新聞局影片檢查處，公然以影片商致送「紅包」多寡，為檢查去取的尺度，正由監察院派員澈查中。這真是駭人聽聞的事！

任何一個國家的政治界，都不免有貪污份子存在，猶之乎任何地方都有鼠盜滋生的情形一樣。但其事態之可恥可驚，却以咱們貴國為首屈一指。

這類貪官污吏雖屬知識界中人，平日對人侈談「廉潔政治」的義理，強調「精神勝過物質」之說，激昂慷慨，頭頭是道。如果只是聽其言而不觀其行，他們不特無愧為反共救國的志士仁人，亦係實行「總統訓示」的忠貞幹部，沒有不令世人肅然起敬，而使行政首長另眼看待，引為驕傲的。可是，按諸實際行為，他們竟係一些愍不畏法的貪殘之輩。我相信這些傢伙至少亦是受過某種特殊訓練的，言僞而辯，行僻而堅，順非而澤，過去使共黨輕易席捲大陸的主力是這類人物，如今腐蝕、摧殘着自由中國反共復國的政治機能者，也是這般混蛋，可悲孰甚，可恨又孰甚哉！

不過，話得說回來，一個公務人員的俸給，如其不能維持最低限度的生活支應，經常啼飢號寒，感到衣食維艱的痛苦，然又據有生財漁利的職權，要想他們「不見可欲」，自甘窮困，這等於教餓貓置身魚肆中，而希望它不攫取眼前食物以充飢，寧有是理乎？若從這種角度來看台灣公務人員的貪污行為，其事雖可惡，其情固可憫也。

我認為政府如果厄於財政上的困難，不容易提高公務人員的待遇，倒不如乾脆實行裁員減政，緊縮機構，同時將台灣的人口向外遷移，若有自願到別處營生者，亦聽其出境，不必強留。這樣或許可以減少一些生產與消費不平衡的弊害。至於發展工商企業云云，說來好聽，問題甚多，不談也罷。或者有人耽心到人口外移之後，萬一他們投奔於大陸共匪統治之下，豈不糟糕？對曰：假使他們不知死活，無所不為，那末，讓他們留在台灣，貽患社會，其後果對於國家前途的危險更不堪設想啊！

小啟

本報二月份稿費單業已寄出，請各文友每週星期一至星期五下午三時——六時到本社經理部治領。

赫魯曉夫訪法前夕

戴安娜

赫魯曉夫在緊要關頭生病，已經不只一次了。巴黎人現在就在猜測這個問題：這一回的「流行性感冒」，是不是又爲去年招待英首相開「牙痛」的再版？

巴黎航訊

赫魯曉夫在行將訪問巴黎的前夕，突然說是患了「流行性感冒」，而宣佈予以展期。當這消息由法國外交部宣佈後，幾乎震驚了法國政府，這些日子來，巴黎市上的人們，紛紛以此爲話題。街談巷議之間，不約而同的都發出一個問題，那就是：赫魯曉夫究竟是否眞正的患了流行性感冒呢？還是除了感冒以外還有其他的有關外交上的問題呢？或者是根本沒有感冒而純粹是患的外交病呢？

幸而蘇聯的「塔斯社」在十四日跟着宣佈：「赫魯曉夫將於三月廿三日抵達巴黎訪問，將在巴黎逗留直至四月三日。」這就足以證明老赫患的病並不嚴重，但也更令人懷疑到外交病的可能性了。

「牙痛」與「流行性感冒」

赫魯曉夫在緊要關頭生病，這已不是第一次了。英國的麥美倫首相在去年訪問莫斯科時，老赫曾說「牙痛」，避不見客，當麥美倫憤憤要打道回英時，他的牙痛又霍然而愈。巴黎人現在就在猜測這個問題，這一回的「流行性感冒」，是不是又爲去年的「牙痛」的翻版？

這且不去管他，橫豎赫魯曉夫到法國來訪問，已是確定的了。問題却是，法國政府對於這件事的警備工作，却是大大地傷腦筋，弄得非常尷尬。

令得法國政府至感不安的，莫過於那一千名反共人物的被强迫「休假」了。法政府爲了預防在老赫訪問期間有任何嚴重事件發生，已經將這些犯有「嫌疑」的外國人，送到法國海岸外一個小小的科西嘉島上去，一直要等到赫魯曉夫訪問完畢離開法國以後，纔能將這些反共人物放出來。爲了這件事，某些外國政府都已表示嚴重的關切，（包括中國在內，因爲這些被「招待」的外國人中，有三個是中國人。）法政府一方面要顧慮到赫魯曉夫的安全，另一方面又得顧及國際間的輿論，本來已是尷尬萬分。現在，赫魯曉夫突然說要延期訪問，那不是更尷尬嗎？

反共人物强迫「休假」

看來，這些反共人物，是命中注定要在科西加島上多過七八天孤寂的日子！而法國政府，却又無端端要多損失七八天的照顧費用哩！

據右翼的「震旦」報估計，老赫延期訪問，至少要令法國政府損失四十萬元，包括酒店房間的預定費用，包辦伙食者所購買的易於腐爛的東西，伺候命令的運輸費用，以及全國各地佈置好的裝飾。

巴黎許多地方，已經在十三日就懸掛了許多新裝的旗幟，現在，也就只好除下來了。有些公共場所的旗幟和標記，更且被那些狂熱份子偷偷地撕下，這些損失，當然是法國政府負担的了。

法共損失百萬

但最慘的，還是法國的共產黨呢！法共爲了要「讓羣衆狂熱的和歡喜的歡迎赫魯曉夫」，（法共總部向他的黨發出的命令。）當然要加工製造一番。他們預備了好些交通工具從法國各地把那些黨徒以及若干無知的民衆載運到巴黎[illegible]區，當假期旅行一般，同時，印備了數以百萬計的小册子，逢人散發，單是這些費用，據估計已超過百萬美元，現在，赫魯曉夫一聲「流行性感冒」，這一百萬元的花費，就不免烟消雲散了。

當這篇通訊寄到香港時，赫魯曉夫大概會來到巴黎了。十天的訪問，老赫將要在這個極自由的國度，宣傳一些什麽樣子的狗皮膏藥呢？

雖然沒有人能夠知道他會說些什麽，但由於訪問日程之被修改到八九次之多而仍不能令老赫滿意的這一點來看，我們却可以分析到，這中間是存在着若干問題的。

法國總理戴高樂是一個嚴肅的人，是一個有機智而不隨便講笑的人，這種個性和赫魯曉夫比較起來，是有差異的。我們可以預料得到，赫魯曉夫到法國來訪問，必然會要大力拍人家的膊頭，俯身吻吻一些法國孩子的臉孔，如同他過去訪問印度印尼或美國時所幹的一樣。

一個有趣的問題是：當美國的前驅五號衛星經已離開地球一百萬里正向太陽疾進的時候，赫魯曉夫將怎樣對太空研究的問題軍大炮呢？

還有，法國的自製原子彈經已於上月在撒哈拉沙漠爆炸，他將會乘機恭維一番呢？（看來是不會的）或者是加以揶揄一番呢？據巴黎人士的估計：對於這一方面，老赫的論調當不會過火，因爲他深深知道，戴高樂這個人是個强人，不是好惹的。但有一點却可以確定，那就是赫魯曉夫如果談到法國的原子彈試爆這個問題時，必然會要拉到核子武器停爆以及東西裁軍的問題上去的。

挑起法德間的仇恨

這個鑛工的兒子，永遠不會放過任何可以宣傳的機會。據此間法共的分析，赫魯曉夫不願訪問太多的法國城市，却願意集中于凡爾賽宮雪恩宮的參觀。這些地方，是兩次大戰中德國侵略法國的紀念地，他可能在參觀凡爾賽宮的時候，乘機談談當年的往事，藉以刺激一下巴黎人，挑起法德間的仇恨。

無論怎樣，赫魯曉夫之訪問法國，是不致改變即將來臨的高峯會議中的任何情勢。

本報特稿

北非名城丹吉爾

李康

屬於摩洛哥的北非名城「丹吉爾」，這個自一九二三年以來，即成爲中立的安全的國際化自由市，到本年四月十七日，就要結束它的國際身份了。

丹吉爾是一個無稅城，許久以來，即被公認爲是投機家，和走私者的天堂，由於它是一個國際性的都市，所以國際間諜當然也不會放過這個探聽情報甚至可以說是交換情報的地點。這個海口，委實是多采多姿的，每一年中，歐洲美洲各地湧到這裏來的遊客數以萬計，這些旅遊者來到這裏的目的，一方面是利用這兒的經濟上的好處，另一方面是他們可以在這裏毫無拘束地尋幽探勝，跑遍那些花街柳巷，去領畧那種近於瘋狂的而又是充滿了羅曼蒂克氣氛的刺激生活。

但這裏的人口，充其量也不過是十萬人。在這十萬人口的都市，在過去五十年來，却曾經發散過莫大的光輝，現在，這光輝正日漸黯淡，因爲，摩洛哥政府已決定在下月十七日終止它的國際性都市的身份。

對於像丹吉爾這種具有特殊性質的都市，如果一旦廢除了它的自由身份，將是一個可怕的打擊。早在一九五六年，摩洛哥從法國統治下獲得獨立的時候，就經已下令廢除那個國際管理局，這個管理局就是一向統治這個港口的。雖然是這樣，但丹吉爾仍未被剝削，在過去的四年中，摩洛哥政府仍然承認丹吉爾可以享受它的特殊地位，但一到下月十七日，這一點特殊地位也得宣告終了。

五十年來，丹吉爾的特殊地位，使得這裏的十萬居民，彷彿是住在最廉價的天堂。世界最著名的美酒，各種牌子的名貴香烟、汽油、攝影機，各種日常用品，從全世界各地湧到這個都市來，然後再以最低廉的價錢轉運到各地去。

在意大利法國以及地中海沿岸諸國的美國香烟，幾乎有大半是由丹吉爾轉運過去的。

國際私梟們有他們自己的快艇，這些快艇在走私途中，如果遇到意大利或者法國的海岸巡邏艇，他們會毫不客氣地啟火。

投機份子把這裏當作天堂，爲的是這裏的地理環境和政治環境特殊的原故。鄰近這裏的港口，是直布羅陀和休達港，那些也是國際知名的港口，而且也都是有它們的特殊權利。但比較起丹吉爾港來，直布羅陀和休達港，顯然又要遜色了。

五十年前，英國、法國、西班牙三國，對於控制這一地區，展開了非常激烈的競爭。到結果，導致了丹吉爾的特殊地位之出現。一九○四年，英國與法國簽訂了一項協定，規定它的特殊地位，法國和西班牙也簽訂了一項同樣的協定，規定它的特殊地位，到一九二三年英法西三國共同簽訂了一項條約，規定丹吉爾永久中立。一九四○年西班牙單獨佔領該城，到一九四五年，又再度恢復它的特殊地位，一直到今天。

丹吉爾是在列强勢力的夾縫中生存的，當然，如果沒有這一夾縫，丹吉爾也不可能成爲一個北非名城，自然更難發散它的光輝了。（由於武器發展的關係，影響到戰畧戰術的變化；由於戰畧戰術的變化，影響到某些地區。在五十年前，認爲重要無比的地方，拿現在的戰畧眼光來看，它的重要性自然還得加以重新估計。看來，丹吉爾的光輝已逐漸發散殆盡，恐怕也很難恢復了。

自由港的地位一告結束，居住在丹吉爾的十萬居民，可能會要感到黯然神傷。但這也是無可奈何的事了。數以萬計的旅遊者，今後是否還會像過去一樣的湧到這個都市來，那已是一個疑問了。那些規模宏大的銀行，是不是要搬到隣近的港口如直布羅陀或休達港那些地方去呢？這也是一個大問題。銀行如果搬去，旅遊客如果不再來，國際私梟們如果再不能拿這裏作轉運的大本營，丹吉爾是不是還能有昔日的光輝呢？

可以斷言，過去的已成過去，永不會再回來了！

中共新聞政策剖視

（二）

一得

中共是一個極權集團，其對人民的剝削奴役無所不用其極，而束縛人民自由的特徵，無過於箝制人民思想的極權新聞政策。中共的新聞政策，是完全依照俄共老大哥的新聞政策而厘定的，在此政策之下，大陸所有報刊均由黨一手包辦，即使有少數號稱「民營」報如北平「光明日報」，上海「文滙報」，北平「大公報」等，亦由黨絕對控制，僅屬傀儡一名。「光明日報」曾坦白地供認：「解放後從前屬於國民黨的報紙和出版社，都已收歸國有，反人民的報紙和雜誌，一律加以封閉。從共產黨一產生的時候起，就向羣衆傳播馬克斯、列寧主義的思想，宣傳共產黨的政策，鼓舞和組織廣大勞動羣衆爲人民民主和社會主義的革命而努力。」至於中共對於每一間報紙的控制，可謂嚴密之極，中共「黨關於報刊的決議彙編」明令：「黨委應該給編輯部以一般的政治方針和指示，並注視其執行這些方針。」中共「華中局」「加强黨報工作的決定」並通令每一黨員，均須爲報紙寫通訊，否則須受組織批評，這是爲了加强黨員與報紙間的聯繫，藉收互相監視牽制之效。其次，各機關均須以報紙爲經常業務之一。中共此舉，目的在於黨與各階層組織中，佈置成一個嚴密的通訊網，從黨員所寫的「通訊」中調查黨員思想，及其所服務機關的業務情況，從而控制之。另一方面，亦在透過此網箝制輿論，控制羣衆思想。

本來，報紙是人民傳播思想知識的媒介，但中共却一手把報刊收縮起來，變成黨向人民控制的工具，可見於下列各點：（一）宣傳工具——劉少奇在「論黨」一文中說：「一切報紙，必須系統地宣傳毛澤東思想。」又「新華日報」的社論：「黨的報刊，是黨向羣衆進行宣傳教育的有力武器。」基於這原則，中共報刊所載者全爲黨路綫的宣傳文字，對所有「新華社」稿件，不論其爲新聞、評論，甚或副刊文字，有全部刊登的責任。曾訪問大陸的日本讀賣新聞副總編輯高木健夫曾抨擊中共：「中共的報紙不注重新聞的迅速報導，他們倒是在細心地研究着應如何確實地傳達官製的事實。中共的新聞，只要黨不予發表，報紙也就只有不予報導的自由，絕無報導的自由。」故中共報紙，全部記載均爲黨路綫的傳聲筒，與政府公佈無異。（二）組織工具——「人民日報」社論曾說：「在動員和組織人民羣衆積極參加社會主義建設和社會主義改造的偉大事業方面，應該使黨和人民的報刊充份發揮作用。」可見中共以報紙爲組織羣衆的一大基石。至於組織之法，乃在通過地方幹部，全面發動羣衆組織「讀報組」，由讀報組進行組織，幹部在讀報組上有系統地向每一羣衆進行疲勞轟炸式的宣傳。另一方面，以「通訊員」及一些「投書」的「讀者」，透入各機關階層，佈成一個變相的特務組織。「北平日報」每日接到的「讀者來信」達一千六百封之多，此等「來信」的用意如何，可想而見。（三）鼓動工具——列寧於創辦「火花報」時稱：「我們需要一種報紙，把階級鬥爭和民衆風潮的火花，吹成大火。」中共即依照這爺爺的先進經驗而行，利用報紙「深入細緻般」鼓動羣衆，使做成一種心理趨勢，而盲從中共政策而行。因此，一般報社的編輯部均設有時事、城市、農村、民運、服務、讀報連絡等各組對外活動機構，切實負起煽動羣衆的責任，而報紙的每一篇言論，均充滿了鼓動性。

社會小說

香港地

木客著

二、恭喜發財

這個婚典也算相當熱鬧，一堂濟濟的賓客中，絕大多數是譚福祿眼裏的生面孔，他想擺脫彭鑑然，別再和他同坐在一處，免聽那些不堪入耳之言，便用眼向四處打量，希望另外找幾個熟人，設法脫身移座。就在他東張西望當中，遠處正在有人向他招手，他認得那人也是一位隔別已久的老友，姓梅，名叫大亮，素來是個老實頭子，便自欣然走向他那裡去，撇開了這個長舌的哈哈先生。

梅大亮年在五十以上，面貌清瘦，是所有男賓中穿着得最欠講究的一個，布衣一襲，短打裝扮，還好在舊而不殘，似是經過潔洗剛剛穿上身的。不過，人們一眼看了便會明白，穿這樣衣衫來做「飲衫」的人，有九成是來自木屋區的難民了。

他悄悄的坐在來賓座位末尾的一行，見了譚福祿走來，便拉着手請坐在身邊，低聲說道：「你也來觀禮，很好，那個哈哈先生和你說些什麼？」

譚福祿素知梅大亮的性格，和彭鑑然剛是相反，知他這樣發問，定是看不過彭鑑然剛才那副輕薄嬉笑的嘴臉神情，故此要知道那刻薄鬼說的是什麼話。他便毫不隱瞞的，把彭鑑然剛說過的話複說一遍。

梅大亮聽得縐眉蹙額，大不高興，只是哼了兩聲，並沒其他表示。譚福祿便向他問道：「那刻薄鬼所說的事，是真的嗎？」

梅大亮輕喟一聲，答道：「真是真的，但我們總是新郎的長輩，既然沒辦法向他勸解，便該有哀矜之心，怎該看這是說笑話的好材料呢？你對張家的情形是太隔膜了，大概不知道新奶奶為了這宗兒女婚姻，流了多少眼淚。你沒留心看她今天的神色嗎？對人歡笑背人愁，那眼淚只合向肚裏咽下去。」說時，他微一抬手，向張君寶的太太那裏一指。

譚福祿循他的指點望去，見新奶奶正在背着臉，拉着她的女兒，附耳說着話。這女孩子在苦着臉兒，搖頭頓足不迭，似乎在和母親鬧別扭。（十一）

鄉村洗衣婦（上）

田發譯

馬蘭碧是三蘇西村唯一的洗衣婦。她是非常有力氣的黑人婦女，因為她的腿彎曲，所以行動起來像隻鴨子。

有時馬蘭碧疏忽了，把衣服亂七八糟地堆在地上；她用力洗擦衣服竟至把鈕扣洗掉，也不設法改進，如果她那粗糙的手指揉搓薄襯衣裏就會扯破了；她發覺直到離開這兒前就有麻布襯衣的。

有時她用四條肥皂，如果髒污或汗漬仍然洗不乾淨，就買點蘇打把衣服洗得漂亮了。有時打五六桶水才倒滿洗衣盆；現在她只要打三桶水滿兩盆用了。

現在，馬蘭碧好像熨燙等事，不會再不注意或悄悄了。她有一盆木炭可供四個熨斗的熱量，手上裏一層布熨燙衣服。但是她現在象積些錢，如果暫時用不着，就一半化在買炭和修理熨斗方面。她實在沒有空把這工作做得更好。把熨斗口的熱氣對着襯衣和褲子，做成摺疊，每星期六便把燙好的衣服放在盆子裏，交給鄉村洗衣作去。

上次南北戰爭就爆發在三蘇西村，自然足夠使人訴苦了。

村上有三十戶人家住在甘蔗田邊砍甘蔗輸送到兩里外的糖廠去。其中有十五家洗衣作要依靠馬蘭碧來維持營業。

這老婦人並不留心去訴苦，時常約定下週的工作會做得再好些；她的心機都用在洗髒污和熨燙上。有一次接了一件麥麥利奴絨衣，衣主人說那壞的地方不是打魚的網弄破，歸罪於她，便拒絕付工資。

週旋到底，馬蘭碧是「十足厚顏向人」的，告訴村民，去通知洗衣作付她的報酬。

「你知道了，」她歇在茅屋裏補麻布襯衣，向這婦人說：「我們打了一次架，全部代價損失了。自此刻起，我要變更洗衣價錢；一件襯衣現在只要八分錢，以後要十二分。現在洗衣服要一先令，以後要十八分錢。」

這消息惹起村人不大不小的騷擾，紛紛議論着。

「你知道馬蘭碧，怎麼現在要漲洗衣價錢呢？你想到嗎？現在看她不在意的辦法，即使不用煩惱地看那壞衣服，或者賠償鈕扣好啦！」

「是的，實在的啊！我希望我們村上能有其他的洗衣婦，她就這麼辦啦！」

「好吧，如果有時間，在黃昏時我自已洗衣服。就是這女人做的那些事！」

一位主婦代表到芒果樹下低矮的屋去訪問馬蘭碧，在那裏足足討論了兩小時。洗衣婦反駁——他們有時不了解——如果他們不按她的規定就自己洗滌衣服好了。

在這方面她失去五個主顧，但她並不因此氣餒。積聚了充足的錢省儉度日，她知道在村裏沒有一點別的轉機了。

但是這當兒馬蘭碧自有辦法。村民的徵求意見傳到另一小村湯凱城，一個黑人婦女馬勃羅考伯希望去三蘇西村作洗衣婦。

馬勃羅考伯來到的一天，簡直是件大事。她以狂呼和微笑迎逛着，使村民足夠慎重地不敢委託自己太多的希望，因為不敢確定她會不會變成第二個馬蘭碧。

然而馬勃羅考伯是個愛清潔的婦人，第一天她關於洗衣的談話引起注意了，說她祇希望在洗衣作取得戰前的報酬。她說她在湯凱城經歷的洗衣工作，現在喜出望外地完全滿足了。

經過這次長談，的確這種工作態度不合理，不能用作勒索代價的方法，村上三個人知道此事，立刻每個人都了解了，這談話造成一種空氣，正是馬勃羅考伯所需要的。

當馬蘭碧聞知此事，便姍姍而至油漆店在一張大厚紙上寫了九個紅字，說她研究一種機器洗衣的新方法，能把衣服洗得像新的一樣。村上沒有電，不論如何祇是一種欺人之談；然而首先在馬蘭碧的生命中喪失了名譽。

生活常識

冰淇淋的演進（下）

文敏

一八五一年，美國鮑特摩爾城，有一個牛奶商人，因為發覺把過剩牛奶製造冰淇淋有利可圖，於是，即開始在美國華盛頓、波士頓、紐約等大城市，設立工廠大量製造。後來，其產品運往巴西和英國各地；英國商人出了五百美金的代價，才好不容易的把這個嚴守秘密的冰淇淋的新式製法，買了過來。

不過，英國人設廠大量製造冰淇淋，直到第一次世界大戰後始有的。那時，在倫敦一家最大的冰淇淋公司的主要人，從美國帶回製造雪糕的機器，即於一九二二年六月，設廠大量製造，推銷各地，利市百倍。他們並使用三輪車，把這些製造的冰淇淋，運到各馬路口，船埠碼頭，街頭巷尾，以及各戲院門口、車站、鄉村、小鎮去大量銷售，供應民衆食用。

不久，各廠商也跟着到美國去購買製造雪糕的新式機器，紛紛仿製，形成了英國歷史上冰淇淋工業盛極一時，風行全國！

談狗

士明

狗，歷來雖被視為至穢至賤的東西，但在中外古今紀傳上好像一向是光榮的。

我認為狗唯一給人討厭的，是牠喫食糞便與骨頭的至穢的習性，不然牠那智勇兼備，有時捨己救人，是仁而近於俠的可歌可泣之處實在令人可愛！美國上議院議員佛斯德（Vest）曾說過下面幾句精警的話：「在這個自私自利的世界上，人們唯一的絕對無私的朋友就是他的狗，無論貴賤貧富，無論飢寒飽暖，狗都不肯離開他的主人……這樣不知世態炎涼的狗，確是人類中不容易找得出的。」怪不得我國心理學家郭任遠先生深表同情而欣然自認是和動物發生戀愛的瘋子。

晏子春秋：「晏子使楚，楚人以晏子短小，為小門於大門之側，而延晏子，晏子不入，曰：使狗國者，從狗門入，今臣使楚，不當從此門入。」楚國君臣，本欺晏子短小，想借狗比喻同晏子來羞辱他的，反而給晏子予以反擊。

韓信被縛於未央宮頓足嘆曰：「敵國滅，謀臣亡，狡兔死，走狗烹」，英雄末路，亦至可悲。甚至我們至聖孔夫子流亡出國時也曾被人嘲笑他做纍纍若喪家之狗。

據搜神記：「昔高辛氏時，房王作亂，難以懲之，辛帝有犬，字曰：盤瓠，其毛五色，忽走投房王，房王飲酒而臥，盤瓠齰王首而還，帝封盤瓠為會稽侯，美女五人，食一千戶，後生三男六女，其後子孫益昌，號為犬戎之國」。又五代史四第附錄：「狗國，人身狗首，長毛不衣，手搏猛獸，語為犬嗥，其妻皆人，生男為狗，生女為人，自相婚嫁，穴居食生，而妻女皆人食云。」

二次世界大戰中，日寇鐵蹄到處蹂躪，人們屋舍田園被日軍炮火擊毀了，許多人流離失所，輾轉於溝壑食樹皮草根以度日，當香港淪陷，我國學者滯港無法逃走頗多，而竟有某貴人派了專機攜婦與狗鴻飛冥冥，祇棄祖國如敝屣的接狗逃難佳話。

隨園詩話：『紀曉嵐先生在烏魯木齊數年，辛卯賜環東歸，畜一黑犬，名曰四兒，戀戀隨行，揮之不去，竟同至京師，歸途中守行篋甚嚴，非主人至前，雖僮僕不能取一物，一日過七達板，車四輛，半在嶺北，半在嶺南，日已暮黑，不能全度，犬乃獨臥嶺顛，左右望而護視之，先生為賦詩曰：「歸路無煩汝寄書，風餐露宿且隨予，夜深奴子酣睡後，為守東行數輛車。」「空山日日忍飢行，冰雪崎嶇百廿程，我已無官何所戀，可憐汝亦太癡生。」』

狗的嗅覺特別靈敏，夏日炎熱，許多狗拖了舌頭出來在屋角喘氣，那是因為狗脂肪太多，汗汁不能從皮膚出來，故在舌頭發洩的緣故。

我國人養狗大都用做守門，西洋人養狗除了看門行獵之外，還訓練牠從事偵探，至於那些有錢的西婦，養小洋狗只是作為愛玩的良伴與外出時攜帶藉它增加自己的派頭。

大陸文壇萬花筒

郭小川「望星空」

岳騫

去年十一月號的「人民文學」上，發表了郭小川的一篇「望星空」新詩。這首詩在共區引起極大的爭論。

郭小川這個人在海外知道的不多，在大陸卻是有權有勢的一個準文化官，擔任作家協會秘書長，作協黨組的副書記。作家協會是中共控制文藝工作者的一個最重要機構，書記處第一書記茅盾，書記是老舍、邵荃麟、劉白羽、曹禺、臧克家、吳組湘、章靳以（已故）、張光年、陳白塵、嚴文井。另外中共在作協裏面又有一個黨組書記處，由邵荃麟任書記，劉白羽任一等副書記。作協與黨組的關係，有類於省人民委員會（省政府）和省委會（省黨部）、矛盾好似鄧寶珊，程潛，周建人一類的省長，有職無權，邵荃麟等於各省第一書記，才是真正的主腦，郭小川既是作協秘書長，又是黨組副書記，其人之重要可知，按說思想應該是最靠得住的了，那知道也有了問題。

郭小川所以爬得這樣高，也與他的作品有關，他以前寫過「投入火熱的鬥爭」；「向困難進軍」；「雪兆豐年」。都很合中共胃口，被許為最有希望的青年詩人。那知這首「望星空」卻作了一百八十度的轉變。

望星空寫於中共十周年「國慶」前夕，郭小川站在北平的街頭上，寫出下面的幾句詩：「在偉大的宇宙空間，人生不過是流星般的閃光，在無限的時間的河流裏，人生僅僅是微小微小的波浪。」

這幾句詩若是在自由世界的報刊上登出來，不會引起任何人的注意，但在共區不然，一個詩人詩作得好壞，無人理你，但是若不合乎共黨的要求，馬上就大禍臨頭，重而勞動改造，輕而也丟了飯碗。這就是毛澤東規定的政治標準第一，藝術標準第二。

郭小川的思想消極和蘇聯作家法捷耶夫的自殺，是同一個演變過程，都是經共黨一手提拔的作家，也曾熱誠信仰過共產主義，最後發覺受了騙，只有走向自殺或消極一條路。所以郭小川詩的結尾說：「呵星空，只有你稱得起萬壽無疆！」「比起你來，人間還不輝煌。」這時正是「國慶」前夕，他為什麼會這樣想呢？

釋未集

考據與古文

舊傳姚姬傳氏欲師事戴東原，而爲戴所婉拒，此事非虛，則姚之欲附庸於當時考據之學，以乾嘉時代論之，亦殊不足怪，而考據家實薄古文，戴氏有與方希原書云，「事於文章者，等而末者也」對古文家之自矜載道，亦持異議，故曰：「如諸君子（指子長、孟堅、退之、子厚）之文，亦惡睹其非藝歟」？然所謂考據家云者，原絕少能文之士，論語：棘成子曰：「君子質而已矣，何以文爲。」子貢固已駁之矣。戴氏所言，即不免爲若干怠於學文之士所藉口，借考據以自掩其迂拙，夫文之不可以已，不獨見於子貢之駁棘成子，其後王仲任亦持此說，故曰：「著作者爲文儒，說經者爲世儒，……世儒當時雖尊，不遭文儒之書，其迹不傳」。此見文章自有能事，自有其不朽之生命，實不必附庸於考據也，然後世學者，偏於考據家之氣餒，以爲非通考據，即不足以言文，遂以誤治考據之法治古文，古文乃益以蕪穢，其道日就沉晦，未必非考據家之過也，昔者蘇子瞻，負罪謫居黃州，撰赤壁賦，皆在自抒其悒鬱，借曹孟德，周公瑾鏖兵之事，聊發感慨，以爲文章波瀾而已，然此等文字，一入考據家之目，則斤斤然曰：赤鼻非赤壁，東坡何其昧於地理邪？不知東坡之於赤壁，原自有記云：「黃州守居之數百步爲赤壁，或言即周瑜破曹公處，不知果是否？」又與范子豐尺牘云：「黃州少西山麓，斗入江中，石室如丹，傳云曹公敗所，所謂赤壁者。或曰非也，時曹公敗歸華容云云，今赤壁少西對岸即華容鎮，庶幾是也，然岳州後有華容縣，竟不知孰是」。此東坡之考據也，未必卽爲昧地理，然若使子瞻當日，以此瑣屑字句，納入赤壁賦中，則其文字之蕪穢，必將與後世考據家文字相伯仲矣，則東坡之爲東坡，未可知也，又赤壁賦：「惟江上之淸風，與山間之明月，耳得之而爲聲，目遇之而成色，取之無禁，用之不竭，是造物者之無盡藏也，而吾與子之所共適。」此最末一語共適之適字，曾有某考據家，據其所見之刊本，謂實爲食字，考據家所重者爲證據，確有此一刊本，自不得謂其非是，然考諸與范子豐尺牘，實云：「今日李委秀才來相別，因以小舟載酒飲赤壁下」，既曰載酒，未必遂無肴饌，何物老傖，遂忍令大蘇啖淸風明月下酒乎？漢景帝曰：「食肉未食馬肝，未爲不知味也，學者毋言湯武革命不爲愚。」不言考據，果遂不得爲文人邪？

曲齋

栗海彈心錄

鴉片（下）

清道十九年，英國以兵力要脅洋藥（鴉片）互市，驅至鴉片戰爭，而南京條約，由是鴉片之害，其惡皆歸於英。蓋從古國際間，絕無以害人之物，強人承受，明自載諸條約，有之自英始，是亦西方文明之本質，又獨怪乎英人。若干年後，西方文明之評價，難免不與洋藥等值。

至於始作俑者，不必盡屬英人，印度爲鴉片產地，一五九七年英人至印度，浸潤二十年之久，印度人始入轂中，乃創設東印度公司，以總攬利權，其時尙有荷南人法南西人，與英國角觸其間，正當中國萬歷年間。

英人至中國，始於雍正初年，中英爭波互市，則在乾隆二十年，其時法國人早至廣南，荷人遠在唐宋已至中國，據此則洋藥互市之初，不必盡爲英國人。嘉慶年間，舉國以害之所在，迭申禁令，英以利之所在，迭遣使臣申請，卒釀成鴉片戰爭。自是洋藥輸華，遂爲英人所獨佔，因緣形成沿海沿江工商航業經濟侵略網者百年。今則一一拱手獻之共產黨，且須低首下心奴顏婢膝以事之，向之以是施於人，今則以是反於己，天道報施之巧，非人謀所能左右。

降至淸末，廷議內地弛禁，設七省土膏局，自是洋藥式微，而土藥乃張，民初厲禁，嗜者處死刑，民五以後，嗜者捉將官裏去，而運之稅之傳之者，又多爲捉人之人。民二十以後，厲行禁毒，販毒運毒售者處死刑，而設廠製毒者，又多爲殺人之人。至抗戰軍興，政府西遷，其勢少殺，悠悠矛盾以致人於死者又數十年，今中共又踵英人之後，以其利己者害人，其毒化世界，恐將無孔不入矣。

阿公

飲茶漫談（三）

鄭珪

有的稱蜂翅，其實性質相同，形狀也差不多。名貴的茶葉是供有閒階級和文人學士的賞識和享用，所以茶商爲了號召起見，往往巧定名目，雖然茶葉的名稱複雜，但它命名方法，概括地說不外乎幾種，或者因地取名，如福建武彝巖茶，雲南普洱茶，錫蘭茶，爪哇茶。或者以顏色定名如紅茶綠茶或者以形狀命名如銀針茶，瓜片。或者以採收時節以定名如雨前茶等。

世界茶葉最大產地以中國居首位，但其輸出量反不及印度，印度茶葉產量雖佔第二位，卻爲世界上茶葉輸出最多之國家。錫蘭爪哇及蘇門答臘次之，日本、印度、支那及尼亞薩蘭又次之。我國產地以浙江、福建安徽、江西、湖南、台灣、湖北等省爲最著。印度產地以阿薩姆及森馬沙爲最多。錫蘭以中央省爲發省薩巴省爲主要。日本以靜岡縣產額佔百分之六十。次爲京都，鹿兒島，三重，熊本，奈良等地。

四　飲茶的藝術

中國古時飲茶出之以閒雅的姿態，講究細細地品評，以消其晝夜的空閒，故不僅爲了解渴，且享受到許多樂趣而成爲一種藝術，不過今人喝茶爲的是交際活動，以羣居集會爲風尚，此古今人生活環境不同的緣故。

會飲茶的人，他是淺斟低酌，慢慢的喝細細地嘗，而不是係店舖中的以茶奉客。這種雅舉不是普通人所能辦到，也不是人來人往論碗解渴的地方所能辦到。林語堂在生活的藝術一書中說：「一個人在神清氣爽，心氣平靜，纔已滌前的環境中方能領略到茶的滋味。因爲茶須靜品，而酒則須熱鬧。茶之爲物，能引導我們進入默想人生的世界，飲茶之時而有兒童在旁哭鬧，或粗蠢婦人在旁大聲說話，或自命通人者在旁高談國事，則是十分敗興的事。」

陸羽茶經說到泡茶之前，要注意到煮水的方法，沸騰時水中的泡沫只能像蝦眼大小，若如魚目，則水老不可喝，品優良的香茗，應以泉水沖泡，其味極佳，又云：「其火用炭，次用勁薪」。

茶葉和泉水的選擇卽爲一種藝術，十七世紀初期的文人張岱在其所著陶庵夢憶中寫他評選茶葉和泉水的情形云：『周墨農向余道閔汶水茶不置口，戊寅九月至留都抵岸，卽訪閔汶水于桃葉渡。日晡，汶水他出，遲其歸，乃婆娑一老，方敘話，遽起曰：「杖忘某所」，又去。余曰：「今日豈可空去，」遲之又久，汶水返，更定矣，睨余曰：「客尙在也耶，客在何爲者」，余曰：「慕汶老久，今日不暢飲汶老茶，決不去」，汶水喜，自起當爐，速如風雨。導至一室，明窗淨几，荊溪壺成宣窯瓷甌十餘種皆精絕，燈下視茶色，與瓷甌無別而香氣逼人。余叫絕。問汶水曰：「此茶何產？」汶水曰：「閬苑茶也」。余再啜之，曰：「莫給余，是閬苑製法而味不似。」汶水匿笑曰：「客知是何產？」余再啜之，曰：「何其似羅岕甚也！」汶水吐舌曰：「奇！奇！」余問：「水何水？」曰：「惠泉」余又曰：「莫給余，惠泉走千里，水勞而圭角不動，何也？」汶水曰：「不復敢隱。其取惠水，必淘井，靜夜候新泉至，旋汲之山石磊藉甕底，舟非風則勿行，故水不生磊，卽尋常惠水猶遜一頭地，況他水耶！」又吐舌曰：「奇！奇！」言未畢汶水去。少頃持一壺滿斟余曰：「客啜此！」余曰：「香撲烈，味甚渾厚，此春茶耶？向瀹者的是秋採。」汶水大笑曰：「余年七十，精賞鑑者無客比。」遂定交。』在當時，他實爲一位罕堪敵手的鑒識家。

蘇東坡也是最講究喝茶的，他有一首煎茶詩云：「活水還須活火烹，自臨釣石取深淸，大瓢貯月歸春甕，小杓分江入夜罐。茶雨已翻煎腳處，松風忽作瀉時聲，枯腸未易禁三碗，坐聽荒村長短更」。可算是茶的知己了。（未完）

海嘯廛談薈

杜月笙軼事

已故上海聞人杜月笙，於民國十六年春間在淞滬協助國民革命軍制止共黨暴行，計擒共酋宣中華置之於理，乃開始嶄露頭角，聞名社會，初受任爲國民革命軍總司令部參事，每與當代政治人物相往還，然未博得名公鉅卿的重視。維時宋子文綜理國府財政，常在上海居留，杜氏欲通款於宋，特挽交通銀行職員唐某，轉託中央銀行總務科長某向宋介紹說項，相約晤面。杜往見宋時，對央行傳達招待諸員工，曾斥現洋萬元作贄禮，手面之濶綽，可謂前無古人，但與宋氏談話不過數分鐘，僅係普通應酬而已。

既而杜與其老友楊志雄談及欲結交宋氏而未能，殊覺悵惘，楊謂此易易事，我爲君作曹邱生，必有以副君之望，蓋楊宋交誼素厚，言必有中也。未幾，宋氏果然約杜宴會，傾談良久，嗣是交往密切，非同泛泛了。國府財經事宜，多以上海爲樞紐，杜氏憑其在上海社會的潛勢力，直接間接協助宋，兩人漸成莫逆之交，杜氏的社會地位亦日見上昇，一般大人先生對他的觀感卽已迥異昔時，自黃郛以次的各個上海市長，沒有不出入杜氏之門的。民國十八年宋子文自美國簽訂美棉借款合同歸至滬江，羣衆鵠立碼頭歡迎者逾十萬人，聲勢隆壯，得未曾有，雖國家行政元首亦未膺受如此殊禮者，而從中策動主持其事的就是杜氏。當年財政部發行的「愛國獎券」和「航空獎券」等，都交給杜氏總銷售，可見宋杜關係之一斑。

對日抗戰軍興，杜氏隨中央政府入川，對撤退或接濟淪陷區志士義民，搶運後方物資等事，盡力獨多，但私人經濟頗拮据了。他到重慶後，以交通銀行董事身份，寄居該行樓上，杜氏老友交行董事長錢新之，曾給他法幣二十萬元的存摺，資其支應，惟以杜氏平日疏財仗義的作風，區區廿萬元，何濟於事呢？然亦不便卻還，爲之躑躅顧慮，啼笑皆非。有杜氏友好顧嘉棠諗悉其情，就商於四川美豐銀行董事長康心如，康慨然以百萬元法幣支票本贈杜，乃得維持其舊時場面。日後杜氏每跟友好談到這段故事，卽稱首苦笑，感嘅萬端。

上海將告淪陷於共黨之前，毛酋澤東派人對杜氏百般游說撫慰，企圖拉攏，杜攜家到香港以避之，毛酋仍飭共幹潘漢年暗中聳慂他回滬，誘脅備至，他怵於過去對共黨的仇隙，固不敢以生命爲賭注，而此時台灣局勢亦岌岌可危，美第七艦隊尙未東來協防。他思前想後，憂悶抑鬱，痛感走投無路，生趣頓見低落蕭瑟了。他的體質素不強健，抗戰入川後卽患喘疾未癒，民國四十年春間病頗劇，旋漸痊可。是年八月十二日接其親信舊友陸京士自台灣來電，謂次日乘機飛港，杜語人曰：「明天京士若能來，我卽有救，否則必死無疑」。這時他的病狀已大見好轉，聞者皆詫其不經。詎京士果以颱風大作，航機停飛之故，誤期三日始到港，杜與陸在其私邸聚餐，懇談平生未了事項很多，意興亦甚歡洽，越數日忽然疾甚，終於長眠不起，不亦怪哉！

諸葛文侯

生活小品

從「相論」到「械鬥」

姚詠萼

北方人叫「吵架」，我們家鄉──浙江永嘉叫做「相論」。「相論」兩個字的涵義，卽是「互相理論」的意思。人們偶或發生誤會，因而爭執起來，我們不叫「吵」叫「論」。「論」與「相論」又有分別：雙方唇鎗舌戰，你來我往，叫「論」；聲勢洶洶，而紅耳赤，各不相讓，才叫做「相論」。「論」而到達相當程度，傍觀的人，不免勸解一番。雙方心裏明白，也就趁機「收梢」，斯斯文文地自顧走開了。事情也就這樣算了，很少揎拳捋袖，以至頭破血流，打到派出所裏去的。兩人「相論」而致驚動官府，可以說絕對沒有：「吵架」不叫「吵架」而叫「相論」，不是沒有道理的。

上海人叫「吵架」爲「相罵」。「相罵」的意思很明白，卽互相對罵，就字義上推敲，「罵」比「論」已進一層，粗俗一點了。罵的範圍很廣，小罵、大罵、粗罵、野罵，看那時的情緒而異。對方的祖宗三代，以至於夫婦子女有關的話，都是罵的對象，取之不盡，用之不竭，罵的範圍也就伊何底止了。

現在台灣都說國語，吵架之事也常發生，此時此地當然沒有人說「相論」或「相罵」的，都說「吵架」；於是一開口就「吵架」，一舉手便「打架」了。是不是大家營養不良，易動肝火呢？抑或是局促這個佩島太久了，心情不舒暢，無處發洩那股怨忿呢？（一）

自由報
THE FREE NEWS
半週刊每星期三、六出版
第十二期
每份港幣壹毫
社長：雷嘯岑
督印人：黃行書
社址：香港銅鑼灣高士威道二十號四樓
20 Causeway Rd. 3rd. Fl. HONG KONG
TEL. 771726
電報掛號：7191
承印者：田風印刷廠
地址：香港高士打道221號

論國民大會的創制權與複決權

薩孟武

這次國民大會對於行使創制、複決權問題，爭論甚為熱烈，見仁見智，各有千秋。國立台灣大學法學院長薩孟武先生，以學者的立場，從學理上闡述其對於此項問題的見解，藉供各界人士的參考，我們樂為刊佈，希望引起讀者共同討論之。——編者附識——

國民大會第三次會議已經閉幕了。閉會之初，國大代表們所欲爭取的為創制複決兩權。如果國民大會不是代議機關；如果國民大會之外沒有另一個代議機關的立法院；如果國民大會代表純粹起自民間，沒有一位兼任事務官，則國民大會所欲爭取的，我們自應高舉兩手，表示同意。

不幸得很，國民大會却是代議機關。而中國的代議機關除國民大會之外，又有一個立法院。且依憲法規定，立法委員不得兼任官吏，反之，國民大會代表則無不得兼任官吏的限制。於是問題就發生了。

有民主經驗的國家只怕代議機關權力之大，沒有民主經驗的國家常怕代議機關權力之小。議會設置兩院，就是要使兩院互相牽制，以減少代議機關的權力。元首的否決權，法院的法律違憲審查權，其目的都是一樣，要藉以牽制代議機關的活動。

吾國的立法機關是採用獨院制的。吾國憲法第一六條規定行政院對立法院負責，他方又不許立法院有不信任行政院的權。這已經是一種矛盾了。殊不知立法院表示不信任，乃有各種方法。在外國，凡議會否決或修改內閣提出的重要法案，都是出於表示不信任內閣之意，內閣往往因之崩潰。吾國如何呢？既怕代議機關權力之大，同時又採用了獨院制，而不知獨院制之議事難免有草率疏忽之弊。法律草率疏忽大有害於人民之權利義務，比之不信任投票只推翻行政院者，為患更大。

憲法為減少立法院的權力，於是又置國民大會，這個國民大會是依據採中山先生的遺教而設置的。它有創制複決的權。但它也是一個代議機關，其與立法院的關係又與兩院制不同，各得獨立行使自己的立法權，立法院通過法案之後，即可成為法律，不需國民大會表決。而國民大會創制法律之後，也不須立法院表決。問題就在這裏。

在兩院制之下，必須兩院的意思一致，而後才成為議會的意思。所以政府若能控制一院，雖然政府所要求的未必通過於議會（因為政府不能控制的一院也許不予通過）。但政府所反對的，議會亦必不會通過（因為政府所能控制的一院一定不予通過）。即在這個時候，議會只能消極的不許政府做其所要做的事，絕不能積極的強迫政府做其所不願做的事。反之，國民大會與立法院的關係則與此殊。政府所要做的，立法院縱予通過，而國民大會卻得利用複決權，使其撤消。政府所不願做的，立法院縱不通過，而國民大會又得利用創制權，使其成立。一國之內有兩個代議機關，而這兩個代議機關又得獨立行使職權，這是史無前例的特別制度。

兩個代議機關，選舉人相同，被選舉資格相同，選舉程序相同，所不同者，一個人數少，一個人數多，一個任期長，一個任期短而已。然而一個稱為政權機關，其地位乃在另一個代議機關之上，理由何在，我們實難理解。名之為國民大會，則信任，名之為立法院，則不信任，這在法理上是說不通的。何況任期長短乃與人民意思之代表成為反比例。蒲萊士(J.Bryce)曾說：「兩院選舉的時期若先後不同，則新選舉的議院可以謂為人民意思的真正代表」。今依吾國憲法規定，國民大會每六年改選一次，立法院每三年改選一次。如是，則在第四年之時，立法院所代表的是當前的民意，國民大會所代表的是三年以前的民意。代表三年以前民意的代議機關，其權力乃在代表當前民意的代議機關之上，後者所通過的，前者得否決之，後者所否決的，前者得通過之，而前者又能代表國民行使 Abbe Sieyes 所謂 Pouvoir Constituant，即憲法修正權，其所根據的學理何在，吾人實難理會。

大約制憲之時，許多研究憲法學的國民代表已經知道此種制度之不合理。所以一方依孫中山先生遺教，設置國民大會，他方又把國民大會的創制複決兩權延期到「全國有半數以上之縣市曾經行使創制複決兩項政權時」，方得行使。國民大會原是代議機關，代議機關能否行使創制複決，與人民能否直接立法，似無關係。如其有之，何以另一個機關的立法院卻不必受此拘束，而得自由提案，又得自由表決呢？何以國民大會不得創制、不得複決普通法案，而得創制，又得複決憲法修正案呢？這在法理上都可以成為問題，所以吾人以為制憲會議本來反對不信任一個代議機關（立法院），而又信任另一個代議機關（國民大會）之說，同時不欲一國之內有兩個獨立行使職權的代議機關，致令政府兩姑之間難為媳，故用拖延之法，使國民大會的創制複決兩權成為具文。

更進一步言之，立法院的立法委員不得兼任官吏，這是憲法明文規定的。所謂官吏是否包括政務官在內，解釋上頗有問題，而其不得兼任事務官則為鐵一般的事實，反之國民大會代表可以兼任事務官，又為有目共覩的事。以包括事務官的代議機關，而竟稱之為政權機關，其權力反在不包括事務官在內的另一代議機關之上，這種制度確是全世界所少有的。

憲法用拖延之法，不使國民大會行使創制複決兩權，這固然是制憲會議的一種妥協，然其用心之苦，我們亦不能否認。本屆國民大會將行使創制複決兩權的提案，留待「憲政研討會」——新組織的機構——作通盤籌議，俾與其他有關修憲問題的各案一併處理，這是明智的抉擇，值得吾人讚揚的。

——完——

時事述評

「神仙故事」般的共黨諾言

盧家雪

一名投向西方的前蘇聯外交家卡茲納夫尤夫，（前緬甸蘇聯大使館新聞官，去年六月自其任所投向西方。）在美國參議院安全小組委員會作供的供詞，經已於二十三日發表了。他說：「以青年人為反共思想的主要呼籲對象，及有公開行動反抗共黨政權，並不是一件使人驚異的事情。……蘇聯的年青人，並不欲像他們父親那樣生活。他們想過一種有用生活，要變成他們生活的主人，並非其奴隸。」他又說：「老的一代於共黨叛變期內，給共黨的漂亮諾言所誘惑。他們很多都真的相信共黨政權會帶給他們一個新的無產階級的社會，也真會帶給他們以和平與快樂的生活。當他們認識到共產黨領袖的這些諾言除了是『神仙故事』而並無其他的時候，那已經太遲了。」

拿「神仙故事」這四個字來形容共產黨人的諾言，那真是再恰當不過的了。一切神仙故事，都是美麗而荒唐的，共產黨的諾言，往往是表面非常動聽，却永遠不能兌現。其荒謬不經之處，且有逾於神仙故事，直是鬼話連篇。

共產政權的本質，是與和平二字絕緣的，當然更不要說到會帶給人們以任何快樂。可是，在共產黨頭目的口中，却經常把「和平」「快樂」這些字眼搬出來，作為那些從不會研究過共產政權本質的人們的最佳催眠曲。

在蘇聯是這樣，在中國大陸也是這樣。

俄共頭目赫魯曉夫剛正訪問巴黎，就在大談其共產式「和平共存」的濫調。所謂共產式的和平濫調者，乃是「和平」是對自由世界說的，這兩個字的含義，在共產黨人心中是：你們必需和平，而我們却可以隨時破壞和平。至於「共存」二字的解釋，那就更妙了。共產黨人口中的「共存」，不是相互的，平等的，而是以共產黨的利益作出發點的。換句話說，共存是以共產黨為主體，自由世界必得依附共產黨而共存，再說得明白些，就是東歐附庸式及中共附庸式的共存。

這就是共產黨所謂「和平共存」的真正面目。

據合眾國際社二十三日的電訊報導，波蘭駐印尼的官員，又向美國尋求政治庇護了。這位官員是前駐椰加達的波蘭大使館一等秘書克洛勒基及其家屬。「神仙故事」一般共產「天堂」，何以他們所派出來的外交官員們，只要有機會就要投奔自由世界呢？

只有對於這些投奔自由的共產集團的外交官，令共產黨至感尷尬。這些年來，我們所聽到的有關共產集團外交官投奔自由的消息，委實很多，却從不會看到共產黨的宣傳者對此加以任何辯釋。

在蘇聯，四十年的「神仙故事」，現在正開始給年輕的一代解剖了。在中國大陸，十年的地獄生活，經已使得中國人民徹底覺醒了。

有誰能相信這種荒誕不經的神仙故事般的諾言呢？中國人民，必然會以自己的力量來推翻中共政權的。

更正：本報第十一期報頭下「第十一期」誤為「第一十期」；時事述評中「不是為了個人恩怨」，誤為不是為了「個人思想」。僅此一併更正。·編者·

自由談

醜事

這次國民代表大會中，代表們除却表現喧鬧爭吵的景色以外，更發生打鬥情事，世人皆視為醜態，實則可醜者在彼不在此也。前年日本衆議院的武劇，女議員的衣衫亦被撕破了，袒胸露臂，大出洋相，最後議長祇好乞援於警察，纔告平息。咱們的國大會議尚未鬧到這種地步，何醜之有？

我所認為可醜的，乃是某些代表們對於別人的發言若與己意不合，即嘘聲大作，吼聲羣起，不讓別人說下去。這簡直是「暴民專制」的作風，先給異己者以心理上的普遍威脅，箝制他人之口，迫使大家非一邊倒式的盲從附和不可，這那有絲毫的民主氣味呢？假使教這類先生們執掌國政，我相信他們一切言行的專橫獨裁，必不亞於史達林、希特勒之所為，殆可斷言。

然而，可醜可歎的事實尚不止此。那般不許人倡異議的人——即激烈的修憲論者，半途中忽然作出一百八十度的大轉灣，百鍊鋼化成了繞指柔，居然說「我原來是主張修憲的，為着顧全大局，如今亦贊成修訂臨時條款了。」然則前幾天霆聲吼止別人發言贊成修訂臨時條款的暴行，所為何來，居心又安在哉？

一個有識力有定見的政治人物，不管自己的主張是否為大衆所贊同，但必須擇善固執，始終不懈，縱使主張失敗了，亦無所謂，「衆人皆醉我獨醒」，雖敗猶榮，這樣纔算是政治家的風度，而且關係個人的人格信譽，豈可隨便鬧着玩兒的？近代人梁啓超時而保皇，時而反對復辟，時而擁戴袁世凱，時又反抗洪憲帝制，政治思想與行為，隨時自相矛盾對立，乃詭稱為「不惜以今日之我，與昔日之我宣戰」，聊以解嘲。他一生在政治上沒有甚末成就可言，毛病就在無定見，既無定見，便談不到節操，難怪他的老師康有為入民國後，就瞧他不起了。

奉勸倡言民主憲政，從事議會生活的士大夫，如果真要反對專制獨裁政治的話，首先就得講求自己的心理建設，以身作則，樹之楷模。否則中國再喧嚷民主口號一百年，還是一句空話，民主之神，決不會跟我們接近的，念之勉旃！

馬之先生

俄共指揮中共反美

本報特稿

張文殊

當蘇俄總理赫魯曉夫正在法國大唱其「和平」的時候，當東西高峯會議即將在五月舉行的時候，亞洲的局勢卻並沒有鬆弛分離。相反的，中共却咄咄逼人地連續幹出了幾件事，有意向美國挑戰。

從去年八月金門炮戰以來，中共對美國的紙上「警告」已是無數次了。這些文字上的東西，美國人是不在乎的，可是，三月十八日，公審美國籍的華柱理主教，同時以「美國間諜」的罪名，判處華柱理主教二十年徒刑，這就使得美國人產生了極大的反感與憤怒了。

美國人的憤怒，中共頭目自然不會沒有事前的分析，何以它偏要在這個時候，幹出一件這樣的事來呢？

本報上期第一版，吳紫先生所作「中共反美十年的心理病根」一文說到：「美國大多數人要尋出中共如是行爲的所以然，就得向共產黨要征服世界的決心，及永遠以仇恨爲根的心理去尋求」。這倒是真正抓到了病根。本文不想從這一方面再加研究，卻願就當前的情勢略予分析。

中共判處華柱理主教的事，是三月十八日。這當然不是個什麼特殊的日子。如果單純地從三月十八日這個日子來看，根本上沒有可以值得分析的，可是，如果把從三月十五日到十八日，在遠東區所發生的事件來綜合研究，就大有文章了。

讓我們先看看下面這個時間表吧！

一、三月十五日，美國駐亞洲各國的使節和軍事負責人舉行會議於菲律賓之碧瑤。會議中所討論的是有關於對中共問題的政策，爲期三日，至十八日終止。

二、三月十六日，中美聯合的大規模軍事演習，（名爲「藍星」演習）在台灣海峽開始，爲期一週。演習登陸戰術，美國第七艦隊全部參加，同時出動駐沖繩島的海軍陸戰隊。

三、三月十六日，中共組織的「中國拉丁美洲友好協會」在北平成立。同時宣佈「支援拉丁美洲人民週」，宗旨是「支援和援助古巴對美國帝國主義的鬥爭」。

四、三月十八日，美國駐亞洲各國的使節會議閉幕，與會的美國官員一致支持美國政府的不承認中共政策，同時拒絕中共入聯合國。同日，中共在上海公審美國籍的華柱理主教，並以「美國間諜」罪名，判處主教徒刑二十年。

上述四件事的時間，都是發生在三月十五日到十八日之間的。這個時間不是偶然的巧合，而是中共有意利用這個時間採取針鋒相對的行動，來對付美國。

中共反美是一種基本政策，也是俄帝所付給它的基本任務。

美國的第七艦隊橫阻台灣海峽，使得中共對于他們所時常叫囂的「解放台灣」，已成爲不可能了。若干人遂以爲中共之遷怒美國，即是由於美國第七艦隊的關係，其實這都是皮相之論。只要瞭解中共的基本政策，以及中共與俄共的附庸關係，我們就不難發現到：即令美國撤去台灣海峽的第七艦隊，即令台灣爲中共所攻陷，（當然，後者是永無可能的事）而中共的反美仇美，也是會一成不變的。

克里姆林宮的共黨頭目們，必須要讓中共反美，然後方能使其在世界事務上，具有舉足輕重的地位。這就是今日中共反美的最大關鍵。

有些人甚至認爲，當赫魯曉夫正在到處大賣「和平」膏藥的時候，中共竟然到處生事，便以爲這是蘇俄與中共之間有了裂痕。這種看法，不僅粗淺幼稚，而且是不明事理。

中共在亞洲的所作所爲，都是經過俄共製定的，它的一切活動的時間表，是握在俄共頭目的手上。從列寧史太林一直到今天的赫魯曉夫都是如此。

赫魯曉夫愈是高唱「和平」，中共就變本加厲地去幹，這是一件事情的兩面，孤立地或單純地去看，都是不對的。

只要把這些事實加以冷靜的思考，就可以得出一個結論來了。

中共如果不加緊替俄共作反美工作，赫魯曉夫在世界事務上，還能有今日這樣的份量嗎？

解答了這個問題，就可以解釋中共何以要反美。

只有一件事，美國的立場是與赫魯曉夫一致的，那就是拒絕中共入聯合國的問題。赫魯曉夫決不會讓中共入聯合國。他會很巧妙地在適當時機策動中共製造出一些不能入聯合國的事。當印度邊境的事件正在開始談判的時候，華柱理主教的判刑事件，又以一種新的姿態配合這個時間發生了。

中共之不能自主，中共之成爲俄帝的附庸，從這一件事實中，澈底的表露了。

埃及的納塞，在赫魯曉夫心目中，大概是想把他培養成爲第二個毛澤東；古巴的卡斯特羅，可能是想把他培養成爲第三個毛澤東。但中國大陸的人口資源及其與蘇俄接壤的領土，使得他利用中共的機會多過於利用埃及或古巴。

這是一個值得注意的問題，可是，若干國際評論家們，每不從這一方面去作分析。一般人士的看法，多以爲中共之反美，乃是由於第七艦隊橫阻台灣海峽，或者是由於美國之支援台灣，其實，這只是表面的因素之一，並未觸及其基本問題的核心。自由世界的人們，如果不能徹底瞭解這個問題，則愈談愈複雜化，結果乃必然是落到像現在這種情形，找不出一個基本的對共政策。

俄共高唱「和平」與中共大力反美，這正是現階段蘇俄意圖分化自由世界的基本策畧，分析當前國際局勢，對於這一點，是不可不注意的。

得天獨厚的阿根廷

南美通訊

戴安娜

要瞭解阿根廷這個國家，只要瞭解她的首都布宜諾斯艾利斯就行了。在這個首都及其周圍，住了將近七百萬人口，而整個阿根廷絕不過兩千萬人，那就是說，有三分之一的人口住在阿根廷的首都。

南美洲的大國，首推巴西，其次是阿根廷，如以其國土的面積比較起來，二千萬人口實在不能算多。再加上有三分之一的人口湧到首都來，剩下來的一千四百萬人散佈在這一大塊土地上，也就算不得什麼了。

同美國一樣，阿根廷人的祖先都是純粹的歐洲人。美國人的祖先以英國爲主，阿根廷人卻是以西班牙人爲主。其次是意大利人，德國人，法國人和英國人的血統雖然也有，但不很多。因此，這裏的語言主要是通用西班牙語的。

從外貌上看去，阿根廷人和北美洲的人是差不多的。可是，今天的北美洲，工商業發達，交通便利，富冠全球，而阿根廷卻彷彿還留在古老世界中，不論在任何一方面，都不能和北美洲相提並論。

在阿京布宜諾斯艾利斯的街道上，古老的汽車，[illegible]，這些汽車的駕駛者，幾乎永遠不知道交通孔道上的紅綠灯，他們只是隨意地開車或停車，在他們看來，紅綠灯不過是作爲這一個大都市的點綴品。比較起倫敦巴黎那樣的歐洲大都市來，這裏像是要退後一百年了。

除了古老的汽車而外，甚至還有古老的馬車在街道上招搖而過。馬車的蹄聲及其鈴聲，在晚上，似乎也別有風味，但畢竟已經是落伍的東西了。布宜諾斯艾利斯這個城市，在南美洲上，大概算是第一號都市。她和巴西的聖保羅一樣，都是很有名氣的，可是，聖保羅在人口方面，或者在商業方面，比較起布宜諾斯艾利斯來，似乎又還要略遜一籌呢！

正因爲它是這樣一個古老的都市，所以，這裏還保存一些古老的或者可以說是傳統的習俗和禮貌。阿根廷人的祖先，雖然是純粹的歐洲人，但這種傳統的禮貌，在今天的歐洲大陸，卻已不大多見了。一百年前的歐洲大陸，大酒店的侍者，對待客人的禮貌是週到的，那種週到，並不像現在一樣，是看在小賬份上，而是出自內心的甚至可以說是出於習慣的禮貌。今天的阿根廷，仍然保留着那種傳統的習俗和禮貌，他們從沒有想到要加以改變，當然，這種好的習慣，倒也是不必加以改變的。

如果你是一個慣於過夜生活的人，住在布宜諾斯艾利斯這個地方，大概是再好也沒有的了，任何一個都市，都不敢自誇爲不夜城，而阿根廷京城却眞正是一個名符其實的不夜城。午夜後的布宜諾斯艾利斯，簡直就像一個剛剛出浴的少婦，美極了。由於阿根廷人習慣要在晚上九點鐘或以後纔進晚餐，餐以後，休息一個時間，化妝出遊，這大概是十一點到十二點這個時間，這也就是說，一切節目都要在午夜以後纔開始的，一直要熱鬧到凌晨四五點鐘，纔拖着疲乏的步伐，回去享受那寧靜的清晨。

你可以說這未免有點近於胡鬧，但在另一方面看起來，阿根廷人纔眞正懂得享受呢！

阿根廷人是得天獨厚的。二千萬阿根廷人，同時也有二千萬頭綿羊，有三千七百萬頭牛，彭斯巴大草原，一望無涯，恰好作爲這幾千頭牛羊的牧畜之地。石油的蘊藏量也很豐富，據專家估計，阿根廷的石油蘊藏量，在全世界占第九，這當然是一宗很有價值的財產。

問題卻在，阿根廷的政治是不穩定的。大獨裁者貝隆雖然已經下台了，可是，貝隆留下來的阿根廷，卻是千孔百瘡呢！

——完——

中共新聞政策剖視

本報特稿

——得一——

因有上述種種任務，中共的報紙報導並不注重真實性，中共的新聞指示」曾經自認：「爲了達成一定的政治作用，我們的新聞，分寸上的誇大與縮小，是無可避免的。」所謂「誇大」與「縮小」，實質上就是製造謊言。因此，中共報刊並不能自由行銷各地，只能在分配指定的地區內發行，以免謊言在事實面前被戳穿。

因爲中共以報紙爲對羣衆進行煽動的工具，所以報紙上的文字，均須依照黨定路綫集中火力，如「和平解放台灣」，「鼓足幹勁大躍進」，「反右派」，「反右傾」，「全民增產節約」，「全民煉鋼」以至最近的「全民養豬」等各項運動，全大陸的報刊在各該時期均集中力量於這些問題上工作，務求做到一種瘋狂的巫式心理，使人民理智爲之麻痺。

依照中共所定的新聞政策，對報刊的經營手法亦異於自由世界，其爲對報業取締剝削新聞自由，乾脆收拾起全大陸報紙，由其一手包辦，更超越了一切檢查制度，其次，將大陸報紙依照行政地位編定等級，組成一個完密的報業宗法體系。上級的報紙，經常檢舉其次級報紙的錯誤，該次級報紙於被檢舉後須立刻自行檢討錯誤，呈報上級。在中共報紙之中，「人民日報」向不轉載其他報紙的社論或其他文字，而「人民日報」的社論及其他文字則被指定爲其他所有報紙轉載對像。因此，在中共的報業宗法體系下，報紙與報紙之間，層控制。而每一報社內，亦均設有「黨秘書處」，用以監督該報。

在編輯方面，各報均採取同一格式，編輯只能依照黨的指示而編排，不能有所變動。新聞刊登與否，及刊登的地位如何，各編輯並不能隨自己意思安排，因爲「新華社」的稿件各報須全部列登，各報編輯並經常收到「密件」、「親啓」一類的訓令，其中說明如何處理當天新聞。編輯既不能選擇新聞，又不能隨意增刪，如將新聞「輕重倒置」，則須受批判。中共通訊社所發稿件往往連標題，所用字號，列登地位亦注明，所以數十種不同報紙，在同一天中可能版面完全相同，這是中共報紙一大典型。至於採訪，則多係由組織爲達成一定的政治作用而指定的集體行動。「人民記者」並無自由採訪權，亦無自由選稿權。在採訪時必須攜有組織介紹信，才能得到被採訪的機關及個人的合作，採訪後，通常均由各機關發予經首長簽署的新聞稿，攜回報館發表。在評論方面，中共報紙的評論均以「黨的路綫」爲依歸，其立論並非根據客觀事實而加以主觀推論，乃爲根據主觀事實加以主觀述說，充滿命令氣息。其次，因爲「黨的路綫」隨時變動關係，中共報紙的立論觀點亦隨時更換，今日大捧某人或某機關，明日却大罵該人或機關，毫不以爲恥。中共報紙又有「讀者投書」一欄，乃專用以整肅下級幹部及協助宣傳的。

綜上言之，中共的報紙，純爲黨對羣業的箝制工具，並無獨立性，根本無資格稱爲傳播民衆思想的媒介物。

眞正的民主自由莫不奠基於新聞自由，而新聞自由則必須符合聯合國人權憲章第十九條所規定：「人人應不受政府干涉的思想自由與表達自由，此種自由包括發表意見之自由與採訪收受與傳遞的自由，既不受國界的限制，亦不問其爲口述、筆寫、印刷、繪畫或其他利用視覺及聽覺的傳佈方式，但表達自由亦有其相對的義務與責任，如有違反，則須受法律上明白規定的懲處及限制。」中共的新聞政策，於上述規條無一不觸犯。只要看其對新聞事業的加以嚴密控制，可見中共之多次侈言民主，根本爲不足一哂的可恥謊言。（下）

社會小說

香港地

二、恭喜發財

婚禮快要舉行，新奶奶却忙着和女兒鬧些不相干的事，情形顯是可怪。這女兒年紀在十四五歲之間，也該懂人事了。她和母親越說越氣，越鬧越僵，後來竟然淚如雨下，掩面哭泣。新奶奶似乎也沉不住氣，戟指向她說話，是怪她偏在這時哭哭啼啼的意思。這女兒索性掉頭便走，急足要離開這個禮堂。

事出意外，立即引起一陣騷動。梅大亮所坐的位置剛好接近，便一躍而起，攔住這女兒的去路，喊道：「白麗，別走，我有話和你說。」

白麗是新郎的妹子，在理不該在這時候做出掃興的事，梅大亮和張家的關係特別好，此時出手要把白麗截住，自是應有之舉。不料白麗仍要奪路而逃，哭得更是利害。

梅大亮見情形不對，立即緊跟在白麗後面，同時向譚韞祿招手道：「你也跟我來。」

譚韞祿早就覺得這婚典不大正常，心裏納悶，再遇到這宗奇事，更覺可疑，當下便跟着梅大亮向外走，要問明白這宗奇事的底裏。這樣他們兩個便一前一後的，終於把白麗在酒樓門前截住。

白麗似乎受了很大的委屈，掩着臉哭道：「我不回去，你們追我做什麼？」

梅大亮苦口勸道：「白麗，今天是你哥哥娶親的好日子，你怎能這般任性呢？」

白麗憤然頓足道：「是什麼好日子？我不認他做哥哥。他是個不要臉的騙子！」

譚韞祿回憶剛才白麗和母親有說有笑的光景，聽了這話，越覺難以索解，便也插口道：「這話不該隨便說的。你哥哥怎會是個騙子？」

白麗不哭了，竟是昂頭睜眼大聲道：「是，他是騙子。他騙了我的女朋友！」這話一出，頓教譚韞祿和梅大亮一齊愕住。（十二）

木客著

鄉村洗衣婦（中）

田光譯

星期六她不能得到任何一件髒衣可洗。整個星期完全失掉主顧。她懸弄人的機器洗衣方法，也成了大笑柄。鄉村孩子們也嘲笑她。他們看見她時便高喊道：「洗壺道洗衣婦啊！」

如果馬蘭碧看到馬勒羅考伯在路上停歇了，她就翩翩地走另一邊，轉過頭，好像她心有愧疚。而馬勒羅考伯只微笑而已。

馬蘭碧還沒到茅屋去想挽回名譽的辦法。首先是恐佈對手的語言。

「你知道了，」她在店裏向鄰婦人說：「新來的洗衣婦是個稍於勤苦的女人。她並不會洗衣，而且她的黑色鄉巴佬的，留心她不要把村上傳染疾病啊！」

但是馬勒羅考伯響應鄰人心，縱然比她在湯鍋旁犧牲一點錢。她的工作延長到晚上鈕扣和睡衣脹。她這件事造成生意上的友誼；對於孩子們特別慈和，給他們買糖果和講小個女的故事。

馬蘭碧現在想當選生了，得當馬勒羅考伯是個女妖，晚上會變成吸血動物。鄰居們妨礙單的人，迷信鄉鄰發兆的凶邪，變成不可言說的惡魔來源了。

某天晚上一從受傷的動物闖進一家天井並發起帶血的脚爪。第二天早晨馬蘭碧向他們說：

「哼，昨晚看到馬勒羅考伯加緊的工作了。我不知道你們怎能允許女妖住在村上。」

他們開始幻想了，晚上騷擾着紛擾的原因，其實與馬勒羅考伯是無關的，而一種不可言說的容氣無論如何是因她而起了。很快便看得出與她是有利的，馬蘭碧警告家家戶戶要小心鍾愛孩子的新來的洗衣婦！——同時是得樂堅的女妖。她更大勢講說了。一天晚上她噴一加崙毒物在村中央一棵大的桑樹根上，第二天推論說是馬勒羅考伯的行徑，這樹經過一星期要枯死的。她開始製造一種黑色恐怖使村民反對她的對手。她教導詭異的液體洗台物，骸骨，蘆葦和其他的東西，她茅屋裏的鏡子反射着一個十字架。

事情演變到村民聽說桑樹死了。枯萎起來，如馬蘭碧所說，兩週中只剩下一副骨架樹立着。

村上的女人紛成了槃議的局面。

「這件事的發生正如馬蘭碧所說，想馬勒羅考伯就是個女妖。」

「我們要她拿出證據來——要她去照鏡子，看她頭上的十字架成什麼樣子。如果她真是女妖，是竟站立不住的。」

馬勒羅考伯其時閒聽而去。這樣一來馬蘭碧要憑魔術去驅御她了，唉，天哪！不過兩通遊戲就發而已啊！

一天早晨，馬勒羅考伯到六里路外的阿努卡村去了一趟。她臂下帶了小包和柔和的微笑回來了。

前兩天很熱，有陽光的早晨，她把洗衣作要的乾衣服晾在芒果樹間的繩上，一羣主婦溜進天井裏來了。馬蘭碧不在其中，這當兒她們友善地說明並不來取什麼。

「看她的屋子吧，——我敢打賭看不出任何鏡子。我也和你打賭，你不過在她屋裏發現一塊古怪的東西，如骸骨，鳥羽，瓶子之類，頂多可以發現一副骨架而已。」

馬蘭碧最後想到一件無價之寶——她鬼鬼祟祟地進了馬勒羅考伯的茅屋，藏起她應用的東西達到邪惡的目的，她只在屋裏移動一下鏡子，和靠近床頭的一個十字架。

馬勒羅考伯掛好一套黃褐色衣服便轉臉看見這女人。她們的視綫接觸了。

「馬勒羅考伯，」馬蘭碧說：「我們聽說那晚是你魔術工夫在村上作神靈凶邪的散步。」

「你胡說什麼？」她伸手在她的臂上逼視地說。

「那麼，我仍檢查你的屋子好了。」她仍一齊到茅屋裏去。最後一分鐘，瓶子和骸骨突然地飛出窗外去了。

「是真的吧？是真的吧。」這女人在屋裏橫衝直撞地瘋狂了：「你真有魔術工夫啊！我們在你屋裏都看到啦！」（未完）

科學知識

玻璃工業的新貢獻（上）

文敏

最近，在美國的賴得勃遠征飛機場，某次竟有一位穿白衣的人，安閒地走入一團熊熊的電光火石之中，其熱力大約有華氏二千度。可是，那人在烈焰中逗留達兩分鐘之久，然後從容步出，連皮膚的一點焦傷的痕跡都沒有。原來這是一種新型空軍救火衣，穿上了它，內部的熱力永遠不能超過一百三十一度以上；它是用數層玻璃布和玻璃羊毛製成的！

玻璃是二十世紀一種新興的工業，用途廣大，千變萬化。如美國奧溫士康寧玻璃纖維公司所製成的玻璃絲綫，細軟異常，一個小孩子玩的石彈大小的綫球，其絲綫竟有九十七英里長，這種細軟而細軟的玻璃纖維，是防熱及防冷的最佳原料，原子時代的飛機及汽車工業，都利用它作為防熱和隔聲之用。

不久以前，康寧玻璃纖維公司，曾舉行過一次公開表演，以證明這種玻璃新出品的隔絕冷熱的效能。工人們在熊熊的火爐上放了一個尚未燒好的燒餅，另外又放上一紙箱的冰淇淋；紙箱外面是用玻璃纖維包裹好的。同時，他們又將一壺滾熱的咖啡，也用玻璃纖維包裹好，然後放進一個電氣冰箱裏去。這樣，經過大約半小時之後，那個燒餅已經燒好了，而那一紙箱的冰淇淋，仍舊是冷冰冰的；可是，回頭再用手把那壺咖啡從電氣冰箱裏提出，倒在盃子裏，却也仍舊是熱騰騰的。這適足以說明現代玻璃發明品的奇蹟。

別錯字辨

別字和錯字是有分別的。然而，我常見到不少人的大作，常把它們混為一談；且行將蔚為風氣。

其實，錯字——係指字的本身組織上出了毛病之謂。對於它所應該表達的意義，却無妨礙。例如「忠」字腹內藏「心」，有人易之以「水」，誰也不會誤為意義全非的。往好處說，是「瑕而不疵」。但這是一種護短說法，不足取信；該拆穿說，錯字就因此才會如此流行的。

我嘗奇怪，寫這些錯字的當事人，固然錯了（明知其為錯誤及能寫又當別論），怎麼他會有這些「莫須有」的鉛字來將錯就錯。有時錯到這種地步，是不能像別字先生可以諉說是手民之誤的。我且以為，後者錯的影響更大，無異是對前者作僞證，反而使其成為合法化了。

別字——係指本當為此字而誤為彼字之謂。它不同於錯字，類其本身組織健全，沒有變形；但往往不成德不量力，有亂臣賊子之不良行徑。換句話說，它是敢於擅離自己職守，去管旁人的閒事。故同為有識之士所詬病。如古已有之的「別風淮雨」，本就是「列風淫雨」之誤，「別」「淮」本身固沒有差池，但以之代替「列」「淫」，顯見「別」有用心，是在故犯他人。此風自不可長也。

又如今之習見「牴犢」一詞，「牴」就是「舐」之別字。查「牴」屬「牴觸」；它可以與「觝」以及「抵」聯通家之好，可就不能自以為「舐」。「舐犢」可也，「牴犢」則「牴觸」矣。

還有使我費解的，有正反兩面意義的「利害」一詞，竟亦有人使之一面倒當「厲害」用了。這個「利」雖人見人愛，無如於「厲」不合何！要不是怕詞彙時下一些名作家，我真想呼名喚姓，給他們以「厲害」看看。

話說回來，錯字和別字也確有難分界說的。如去年歲次「戊戌」，很多人寫作「戊戍」的那個「戍」字，說它是個錯字，該無不當，因為它把「戌」字肚裏一橫寫作一點，使它組織上出了毛病。但就「戍」字本身說，無懈可擊，它可以堅決否認錯的。可是，它不應該李戴張冠，冒充「戊戌」。故而，說它是個別字才是理所當然。

右例尤足令人感到高度詭異的，莫過於盛負時譽的書鑑家們，居然也製造這一文字史上的「戊戍（戌）政變」；「歲次戊戍」，出之於他們的詩書體上，可以說屢見不鮮，似不可不辨。

亞聖說過：「予豈好辯哉，予不得已也。」筆者深有同感。雖然，我的「辨」，未能同於孟之「辯」，但「辨古通辯」，似可通融；誰涉嫌「古為今用」，殊為罪過。

陳曉風

魯迅救不了巴人

岳騫

最近中共鬥爭王任叔（巴人）忽然扯到魯迅頭上去，倒是很少有的事，也許魯迅受崇拜的日子不多了。

事情是這樣的，巴人在「論人情」及「真的人的世界」兩篇文字中，都引用魯迅的話「一要生存，二溫飽，三要發展」。魯迅這幾句話原見於「華蓋集」中「忽然想到」的一篇雜文中，魯迅下面還說「苟有阻礙這前途者，無論是古是今，是人是鬼，是三墳，五典，百宋千元，天球河圖，金人玉佛，祖傳丸散，秘製膏丹，全都踏倒它。」

魯迅的文章可貴處就是氣壯，假若魯迅生到現在，在大陸未逃出來，還有機會能發表文字的話，相信在「祖傳丸散，秘製膏丹」下面還要添上「什麼主義，何種思想」，也要全部踏倒它。

巴人今天舉出這三句話，意義相當深遠，因為今天中共就是不要大陸上的人民生存，更不必說溫飽了，當人民的生存受到威脅，日日在死亡綫上掙扎，任何宣傳詞令，都是白費，因為老百姓沒有心情理會這些，他們只想到怎樣能吃得飽。

巴人明知道這種話說出來要犯罪，於是拉出魯迅來作擋箭牌，橫豎話是魯迅說的，與我無涉。

那知道中共今天利用魯迅時機已經過去，架出魯迅也沒有用處，中共需要文學批評家姚文元，最近在讀者半月刊第四期，發表一篇文章，批判巴人的人性論，率直說出魯迅當時「還沒有完全拋棄進化論的觀點」，這頂帽子給魯迅戴上，就把魯迅的偶像毀了。是王任叔害了魯迅，還是魯迅害了王任叔，這筆賬只要留着到閻羅王那裏再算了。

其實王任叔此時拉出魯迅來作擋箭牌，足見他還是看不透行情，魯迅假若活到現在，情況不會比馮寅初好多少。

這種說法是有事實根據的，中共統治大陸十年，文藝界方面經過幾次整風，凡是和魯迅有關係的，如胡風、馮雪峰、蕭軍、丁玲，都一個一個倒下來。而和魯迅作對的郭沫若現在却成為中共文化界活的偶像。被魯迅罵成「白衣秀士」的周揚，現在更掌握着文藝界生殺大權，假若魯迅不死，能向郭、周俯頭嗎？他們容得下魯迅嗎？

釋耒集

論自處之道

曾國藩撰聖哲畫像記，論次自文王、周公、孔、孟以下，凡三十二人，以爲君子處世，無日不憂，亦無日不樂，獨莊周、司馬遷、柳宗元三人者，傷悼不遇，怨悱形于簡冊，於聖賢自得之樂，稍見違異，近讀柳宗元貶竄之後，寄京兆許孟容書，憂悽怨憤，不能自勝，一涵無可奈何之情，殊足令人生感，如曰：「賢者不得志於今，必取貴于後，古之著書者皆是也，宗元近欲務此，然力薄才劣，無異能解，雖欲秉筆𥳑縷，神志荒耗，前後遺忘，終不能成章，往時讀書，自以不至觝滯，今皆頑然，無復省錄，每讀古人一傳，數紙以後，則再三伸卷，復觀姓氏，旋又廢失，假令萬一除刑部囚籍，復爲士列，亦不堪當世用矣。」又與李翰林建書云：「惟欲爲量移官，差輕罪累，即便耕田藝麻，取老農女爲妻，生男育孫，以供力役，時時作文，以詠太平。」絕望可憐之情，使人酸卒讀，世人韓柳並論，往往指宗元思想傾向老莊，頗似故使韓柳判然有別，爲議論之波瀾而已，實非有當于事實也。貶竄之禍，自古文人學士，得之者實繁有徒，即韓退之亦曾謫居比柳州更爲僻遠之潮州矣，其雲橫秦嶺，雪擁藍關之句，未遽如此嗚咽欲絕也。宗元思想，若近老莊，自當稍能委心任運，以自解免。若蘇子瞻，則絕不如是，當其貶黃州時，與趙晦之書云：「某謫居既久，安土忘懷，一如本是黃州人，元不出仕而已。」及貶惠州，與程正輔書云：「某覩近事，已絕北歸之望，然中甚安之，未說妙理達觀，但譬如元是惠州秀才，累舉不第，有何不可？」如此而曰近于老莊，則雖不中亦不遠矣。司馬子長，慷慨忿嫉，其所撰游俠列傳序曰：「昔者虞舜窘于井廩，伊尹負于鼎俎，傅說匿于傅險，呂尚困于棘津，夷吾桎梏，百里飯牛，仲尼畏匡，菜色陳蔡，此皆學士所謂有道仁人也，猶然遭此災，況以中材而涉亂世之末流乎？其遇害何可勝道哉」！人生處境，憂樂無常，惟在人之自處何如而已。曾氏以莊周、司馬遷、柳宗元同爲一類，易地而處，正恐未必盡然。概而論之，柳不如司馬之慷慨，而馬又未若蒙叟之曠達，而一死生，齊彭殤之說，究不免于荒誕而遠于人情，是則如曾氏之所云憂以終身，樂以終身，無所於衍，何所爲報之靡既，又非中材之人可以企及者矣。

曲齋

粟海彈心錄

張之洞　續一

張文襄公之爲政也，尙情而不任法，寧拙而不事巧，厭下雖無迹可尋，而人自不欺，於事惟持大體，而事乃永逸。凡所興建，必使當事者有餘，不使不足，然後始能盡其才。常語人云，大公之下，必有至私，苟無其私，公亦不立，水太清，所以無大魚也。然自身則一片冰心，照昭在人耳目，故所遣兵勇，廠局、四局、四樓、（甲乙丙丁、猶今之賓館，）以及各級校舍，直至抗戰之前，無一不巋然若新。以視後世建築，一經風雨，便爾夭折，未可同日語也。當時各省羈吏，多以好大喜功譏之，是皆已不欲爲或不能爲，而又忌人所爲也。

然亦有其總核周至，計較分寸者，則爲科舉過渡時之公教制度。師範制，分縣級，府道級，省級。府縣級，爲普及國民教育之師資準備。省道級，又爲府縣級之師資準備。普通制，分高等小學、縣府中學、文普通、武普通。普通制，爲當時縣府諸生而設。專科則以類分，當時有理化、高工、農林、鑛務、鐵路、方言、測量、陸軍各校，大學制，僅有法政別科、附講習、自治各班，兩湖師範，附數理各班。反存古學堂。專門以上各校，遣監督提調。中學以下，遣堂長校監。學生成績不良，責教師，教師不稱責校主管，主管不職，責司道府縣，分層未嘗假借，有時親詣講堂聽講，故化工「敎習」多德國人，法政敎習多日本人。尤斤斤於東、西、南、北、中五路高等小學學生之食宿衞生，從不寄耳目於左右。學生八九寄宿。

張公起居，異於常人，治事每徹夕不休，佈亦信宿，屬下無從窺其意，常於午夜傳命外巡，破曉出轅門，然後告以所之。與今之被巡地方，被檢機構，馬路牆壁，厨房廁所，皆得從容整理清除者不同，清制總督出巡，戈什哈，四騎四步，另有儀仗，張公每減從不及半，若至小學，必按時與學生共早餐而去。故當時各校提調校監執事人等，未有敢辭職守者，各校月一至，數至，不一至，不可得知也。數年之間，校風肅然，校績斐然，各省舉辦新政，靡不求材於鄂，取則於鄂，非偶然也。

文襄北闈孝廉，殿試第三名，欽命湖北學臺時，甫逾弱冠，閱諸父老，飲食尙須保母隨行照料，州縣供應，每望而不敢下箸，試鄖陽施南兩府，經義時文題，諸生多未能完卷，試武昌漢陽兩府時，輒數月始放榜，試生膏火不繼，府縣敎官爲之請，公曰才月餘耳，應試諸生，安有不具資斧一錠者，聞者噓然，謂其不怍成棄。然掄才多名下，試畢執弟子禮於監利螺山，王柏心子壽先生之門，殷勤請益焉。清制，學使例須州縣供應。一錠，銀五十兩。

阿公

飲茶漫談（四）

鄭珪

用陶土的茶壺，據說能吸收茶的佳味，所以茶壺不宜多洗，年代長久的茶壺泡出來的茶味更美，我曾聽說有一種茶壺用了多年，吸收各種品質優良的茶味，以後只要倒一些熱水就如喝到好茶，同時用綠色透明杯子盛茶，能映出悅目的顏色來，當開水剛倒入壺中再滴茶杯時，不要斟滿一杯後，再滴另一杯，應該循環的慢慢滴滿，這樣就會每一杯濃淡渗陳，不至第一杯很淡，最後一杯很濃而氣味相差很多。

藏茶的器具以錫罐爲最好，裝後要密封，不取用時不可開啓，如若經觀了這一縮，不獨茶要變，並且香味亦差。

如果身無事牽，邀了二三知己，在斗室裏泡了一壺清茶安閒坐上幾個鐘頭，隨意啜茗撩天，則到處充滿着親熱的空氣！「吾齋之中，不尙虛禮，凡入此齋，均爲知己，隨意欵留，忘形笑語，不言是非，不侈榮利，閒談古今，靜玩山水。清茶好酒，以適幽趣，臭味之交，如斯而已。」在這種境地。我們方能領略到喝茶的樂趣。

飲茶之事以中國最早，其風之盛行也當以中國爲最盛，現今若干國家之文學家、藝術家及雕刻家，顯已因茶而獲靈感之源泉。

若飲自初即助詩思，詩經云：「採茶薪樗」又云「誰謂茶苦，堇荼如飴」。西晉詩人張載（孟陽）有句云：「芳茶冠六情」。杜小山亦有句云：「寒夜客來茶當酒。」唐代爲中國茶極盛時期，河南詩人盧同有飲茶詩一首，膾炙人口。「日高三丈睡正濃，軍將扣門驚周公，口云：「諫議送書信，白絹斜封三道印，開緘宛見諫議面，手閱月團三百斤。聞道新年入山裏，蟄虫驚動春風起，天子未嘗陽羨茶，百草不敢先開花。仁風暗結珠琲蓓，先春抽出黃金芽，摘鮮焙芳旋封裹，至精至好且不奢，尊之餘合王公，何事便到山人家？柴門反關無俗客，紗帽籠頭自煎吃。碧雲引風吹不斷，白花浮光凝碗面。一碗喉吻潤，二碗破孤悶，三碗搜枯腸，惟有古文五千卷；四碗發輕汗，平生不平事，盡向毛孔散，五碗通仙靈，六碗肌骨清，七碗吃不得，惟覺兩腋習習清風生！」

白居易亦有涉及茶之詩：『食罷一覺睡，起來兩甌茶，舉頭看日影，已復西南斜。樂人惜日促，憂人厭年賒，無憂無樂者，長短任生涯。』像這一類的詩，如要集在一處，至少可以成一大册呢，然而好的實在是沒有多少。

在此故國不堪回首而又生活担子加在肩上，白天似牛馬的奔走忙於衣食，縱然不得已而向茶館一坐，圖個不聞不問，享點清福，兩手捧了茶杯，瞪眼望着氤氳上揚的茶煙，但這心情，這滋味，也就哭笑不得。（全文完）

海嘯慶談會

大陸淪亡的主因（上）

諸葛文侯

對日抗戰勝利結束之初，華中京滬一帶物價，較之戰前，不過增長到三倍左右而已。當時有些朋友由重慶捷足飛赴上海看看，「關金券」三五百元，即可購得大把物品而歸。汪政權財政部長周佛海在滬與潘方先遣大員戴笠、杜月笙等（他們都是先在安徽屯溪工作，日軍宣告投降，即聯袂先到上海），商討法幣與僞幣之比率時，周氏根據物價指數，以及僞儲備銀行發行的鈔票和其庫存的金銀數量，仔細核計，認爲法幣一元當僞幣二十或三十元最合式，東南一帶的金融必不致混亂，而物價自然不會有大的波動。倘中樞認此項比率不妥當，則最多也不可超過一與五十之比。這段經過情形，後來周氏在南京老虎橋監獄中，曾經跟我詳細談述過。

既而重慶的中央財政部，根據中央銀行副總裁陳行由漢口報來的物價與幣制行情，毫不考慮地即頒佈法幣一元合僞幣兩百元的命令。如是乎，以上海爲樞紐的東南各地物價大爲波動，繼長增高，瞬息突變，而全國財政金融乃陷於極不穩定的狀態中，民生日益凋敝，人心大感失望，然公營和國營事業復隨時帶頭加價，更使物價有如脫韁之馬，無從羈勒了。

這時候，國軍各部皆在南京設有辦事處，專司領取餉械之責。中樞按月發放餉糈，並不愆期，對於在東北以及在華北各地區駐防勦匪的部隊，餉項尤其供應無缺。可是，他們派在南京辦事的軍需人員，早晨領到鉅額餉金，下午即運赴上海市場作各種投機買賣，至少亦須經過一個月之後，賺取了幾倍利得，纔將額定薪餉發給部隊的下級官兵。當時我有一弟在國軍六十×師任少校參謀，屯戍浦口至明光一帶，他每月來南京向我索零用錢，說是他所領得的薪金，其價值只能買十來包香烟而已。

從「相論」到「械鬥」

姚詠蓴

生活小品

吵架而至於打架，事情就嚴重了。打架失了手，打出人命來，豈不麻煩，法醫要來驗屍。兇手逃跑了，警察先生又要緝兇。誰是誰非，必需驚動法官開庭，律師出席，吵吵鬧鬧，官司打到了三審，若是無罪獲釋，雖可以還我自由，但這其間，時間、金錢、精神的損失，是無法補償的了。設或官司敗訴，說不定要賠上一條性命啦！有些人仗財恃勢，打打官司是無所謂的，有錢可使「鬼推磨」，「王法」固然可怕，「錢能通神」，也不會弱到那裏去。因此無法無天，胆大妄爲的人，這個社會上還是不少。

你打我一拳，我踢你一脚，這個叫做「打架」，是公平交易，誰也沒有吃虧。國大開會，代表們打架，起因還不是由「吵架」而來嗎？一方被打，一方不敢還手，這是學校裏小學生被老師體罰，或嫌疑犯被刑警訊審時才有。這種打法不在打架之列，乾脆叫做「挨打」，是沒奈何的事情。三四個人或十多個人打一個人叫圍剿，被圍剿的，沒有不送掉性命的。這種事情，常發生於太保或流氓之間，動不動非死即傷。

還有一種叫械鬥的，譬如東村與西村積仇，大家都把怨恨壓在心頭，一旦爆發，眞個似黃河缺口，不可收拾了。於是械鬥發生了。雙方都召集自己的人馬，約定地點，而扁担、鐮刀、梶棒便是械鬥的好武器。爭得人仰馬翻，鬥死了人，不報官廳，鬨聲不響，自己抬去埋葬的，大陸時代的山鄉僻壤，是常有的。（一）

花朝疊韻奉和天石

達凱

庚子春二月訪黃天石先生於其寓齋，承以花朝疊韻三首見示，因次韻和之。

爲愛幽林遠市朝，水光山色共魂消。
惜花好趁花生日，賞月何當月半宵。
簷雨數枝籬影淡，樓台一角笛聲嬌。
司勳原是多情種，淚盡江南咽晚潮。

其二

詩情我最愛前朝，偶得佳題興未消。
明燭夜闌燐遠夢，杜鵑聲細怨寒宵。
風前舞影春難盡，雨後斜陽草更嬌。
欲向五陵尋好句，奈它雲暗不通潮。

其三

東皇原亦喜花朝，故遣春風促凍消。
芳訊報來歌子夜，黃昏人約憶元宵。
於今家國普塵絕，從古江山睡意嬌。
爲問錢塘橋畔水，日斜可有舊時潮。

自由報
THE FREE NEWS
半週刊每星期三、六出版
第十三期
每份港幣壹毫
社長：雷嘯岑
督印人：黃行奮
社址：香港銅鑼灣高士威道二十號四樓
20 Causeway Rd. 3rd. Fl. HONG KONG
TEL. 771726
電報掛號：7191
承印者：田風印刷廠
地址：香港高士打道221號

現階段非洲的民族運動

金達凱

當前世界局勢不安的基本原因，一是共產集團的滲透和顛覆活動；一是民族主義運動的抬頭。而民族問題之處理失當，又往往給共黨造成滲透機會。過去亞洲，現在拉丁美洲和非洲都是如此。本文所要說的，則是非洲的民族問題。

一、非洲民族運動的現勢

非洲共有五十九個國家和地區，其中包括埃及、蘇丹、利比亞、突尼斯、阿爾及利亞、摩洛哥、法屬西非洲、赤道非洲、西屬撒哈拉、幾內亞、利比里亞、加納、多哥、尼日利亞、塞拉勒窩內、岡比亞、喀麥隆、剛果、安哥拉、埃塞俄比亞、索馬里蘭、佉尼亞、烏干達、坦噶尼喀、桑給巴爾、馬達加斯加、羅得西亞、南非聯邦、巴蘇陀蘭、斯威士蘭、西南非洲、貝專納、聖赫勒拿等地。它們的命運，長期被控制在西歐幾個國家手中，英、法、意、西班牙、葡萄牙、比利時等國都在非洲擁有數量不等的殖民地。

二次大戰後，非洲民族積極爭取獨立，不少新國家逐漸產生，除埃及、利比亞、蘇丹、摩洛哥、突尼斯、幾內亞、加納、俄塞俄比亞、利比里亞等已先後獨立外，而在今年一年中，又有五個新的國家產生，這就是原屬法國托管的喀麥隆和杜哥蘭，屬意大利托管的索馬里蘭，屬英保護的尼日利亞，屬比利時的剛果。喀麥隆已于今年一月一日獨立，杜哥蘭定於四月二十七日獨立，剛果定於六月三十日獨立，索馬里蘭定於七月一日獨立，尼日利亞定於十月一日獨立。

此外，英法兩國還準備通過「制憲會議」和普選，以擴大佉尼亞，坦噶尼喀，烏干達等地的自治權。

歐洲殖民國家的這些讓步，對動盪的非洲局勢，自可發生一種緩衝的作用。但由于非洲民族意識的普遍覺醒，即使殖民政策局部修正，仍然不能滿足廣大土著民族的要求。因此，為爭取自由獨立所爆發的暴動事件，仍不斷發生。尼日利亞的「西非獨導報」曾強調說：「現在，什麼東西也不能阻擋非洲民族主義的浪潮，從阿爾及利亞的阿爾及爾到非洲的岬角，從佉尼亞的高山，羅得西亞的平原到尼亞薩蘭的湖泊，民族主義的響聲，已產生巨大的迴音」。這雖是宣傳詞令，但可由此瞭解他們的願望，與非洲民族運動發展的趨向。

二、非洲民族問題的肇端

非洲民族問題，自一方面來說，是殖民統治引起的問題。殖民者製造政治權利上的不平等，製造經濟生活上的不平等，將數百萬白種移民與二億四千萬的土著民族，劃成懸殊的兩個階級，因而激起廣大黑人的反抗。此次南非聯邦的流血事件，就是現實的事例。

南非聯邦的種族歧視政策，主要表現於「種族隔離法案」和「通行證法」。前者是將白種人、黑種人和其他有色人種隔離居住；後者是專用於黑人的一種身份證。這個證件須由僱主簽名，才能生效，否則即不能外出旅行，或不能離開原僱主而另找工作。據美聯社南非三月二日的電訊報導，南非黑人每年因通行證問題而受捕者，達五十餘萬人。在此情形下，黑人忍無可忍，乃舉行暴動，而南非政府白人警察竟開槍擊死示威者二百五十餘人。這種種族殘殺，不僅引起當地黑人進行更大的反叛，亦引起二十九個亞非集團國家的憤慨，要求聯合國召開特別會議討論。即南非的保護國英國亦表示不滿，如倫敦「每日鏡報」所說：「除非南非政府把可鄙的種族法廢除，否則這種恐怖還要繼續發生。昨天的悲劇可能只是南非反叛的開始」。這是正確的看法。

自另一方面來說，則是共產集團對非洲的積極滲透。在十八個月前，蘇俄已在幾內亞建立起在非洲的橋頭堡。在那裏經營電台和現代化印刷廠，並建築蘇聯展覽館。其次則通過貿易或援助，以支持非洲民族對西方的鬭爭。中共自一九五八年以來，即遣派「貿易代表團」前往非洲活動，與若干國家簽訂「貿易協定」，並不斷邀請各國民族主義份子或左翼份子前赴中國大陸觀光，以播種民族糾紛的種子。甚至偷運武器直接支援非洲地區的叛亂。據倫敦「新聞紀事報」本年一月六日消息，中共援助阿爾及利亞叛軍武器中，有自動步槍、機槍、小型高射砲及地雷等。

此外，共產集團還利用亞非中立集團，以打擊西方在非洲的活動。本年一月一日共黨利用的「亞非人民團結理事會書記處」在開羅舉行「帝國主義滾出非洲日」，蘇俄以至各附庸國的報紙都發表社論，與以鼓吹，說明了他們幕後的聯系。

在此情況下，殖民主義者的愚昧措施，即無異替共黨做開路工作。而一經共黨滲透，則民族運動又必隨之變質。這是當前非洲民族問題的所在。

三、非洲問題的關鍵

非洲之為歐洲殖民主義者所覬覦，之為共產集團所覬覦，除因非洲擁有廣大土地和衆多人力外，還有豐富的礦藏，如黃金、金鋼鑽、鋼、鐵、鈷等的產量，佔自由世界產量很大的比例。而更重要的，則是它的戰略價值，如美記者約翰‧根室在其所著的「非洲內幕」中指出非洲對西方世界的重要性，不僅因其有重要的礦藏，有重要的軍事工業原料，而且它是西方的最後防綫。

因此，美國已注意到非洲局勢，決定加強對非洲的經濟和軍事援助，美負責非洲事務的助理國務卿薩脫斯威特最近在美參議院發表的報告中，要求在一九六一財政年度撥一億五千七百五十萬美元援助非洲，並以北非的利比亞、摩洛哥和突尼斯三國為援助的重點。這對非洲局勢當有某種程度的改善。

自然這更為蘇俄集團所反對，「真理報」和「消息報」不斷發表社論加以抨擊。因此，非洲問題，不僅是殖民國家與非洲土著間的問題，且是美國和蘇俄之間的問題，也是自由世界的大問題。而解決問題的基本條件，一是改變種族歧視的殖民政策，一是改善非洲人民的生活待遇。而這當有待西方明智者的抉擇。

時事述評

可悲的南非暴動

盧家雪

一個多月以前，本報駐倫敦的記者蕭鑾先生，曾經寄來一篇通訊，題為「道義的憤怒」，（載本報第一期，二月十七日出版。）在那篇通訊裏，說到南非的種族歧視，並謂此乃為一悲劇。到今天，距離該文發表之日，尚不到一個半月，而南非的黑人與白人之間，卻真的由於種族問題，發生了最大的衝突。

這次衝突，據若干外電報導，使用了「最惡劣的衝突」這種字眼，其嚴重的情況概可想見。

民族運動，是這個世紀中最容易令人嚮往的一個名詞，同時，也最容易惹起衝突。南非洲的黑人與白人之間，由於種族隔離，在平日積怨已深，因此，只要有一點小事，略為牽涉到種族問題者，則星星之火，即可以燎原。

冷眼看南非的暴動，我們實在也只能慨歎一聲，認為這真是文明社會的最大悲劇。除了慨歎而外，還能表達些什麼呢？

我們不必瑣碎地去研究這中間的原因，種族與膚色的歧視，簡直是毫無理由可說的。如何調和並融合種族間的歧視，有賴於人類道德的覺醒；而此種覺醒，非三五年可以見效，可能要一百年，也可能還要比一百年更多的日子。

這真是一個悲劇，一個無可奈何的悲劇。

大政治家的智慧與胸懷，在此類悲劇的醞釀階段中，當然亦有其疏導消散之功；問題卻在大政治家不世出，而狹隘自私的平凡政客，卻又無此魄力，無此智慧，更無此胸懷。

人類的智慧，可以上探星羣，下探地心，何以一談到政治問題，種族問題，就不免錯綜複雜，自擾擾人？

這不僅是一個悲劇，簡直是一個莫大的諷刺。

種族歧視，不限於南非，即號稱文明國家如澳洲如美國，亦在所難免。美國務卿赫德於前幾天在記者招待會上聲稱：美國贊成把南非暴動的事件提到安理會討論。當時即有記者反問：如果有人要把美國的黑白問題向安理會提出又將如何？赫德的答復是：這兩個問題全然不同，美國正在設法逐步解決這類問題。

這樣的答復，在我們看來，實在也非常勉強呢！

地球上的問題，已是如此錯綜複雜，則火箭征空之類的科學，是否可以代表人類的進步，委實大成疑問。

我們究竟是生活在文明社會？抑或是經已倒退到野蠻時代？說到南非的暴動，可就更難措詞了。

自由談

舍本逐末的毛病

馬五先生

去年在日本東京舉行的國際新聞會議，拒絕南韓與中華民國參加，認為中、韓兩國「沒有新聞自由」。今年又將召開這種同樣的會議，據說南韓已被邀正式預會，然自由中國僅能派觀察員列席，理由是南韓政府對於限制新聞自由的尺度已經放寬了。我不知道南韓對出版品的管制方法，究竟放寬到了甚末程度？卻為咱們被許可派觀察員列席這種遭遇而悲憤不置！

憑良心說，台灣方面的新聞自由現象，無論如何亦比過去在大陸上的情況進步得多。如「自由中國」雜志和「公論報」的言論，對於政府一切措施的指摘批評，常是情詞激越，火氣十足，有時候且使旁觀者亦感覺有些過分了。然而，政府並未對他們加以箝制壓迫，書報檢查機構更無任意扣押情事。似此自由程度，即號稱民主自由先進國家的英美，亦不過如是吧?!

思之思之，咱們仍被別人指為沒有新聞自由的原因不外兩點：一是曾經在立法機關和輿論界鬧得烏烟瘴氣的出版法；二則台灣對於海外的中國人所辦反共刊物，如非完全禁止入口，便是既許進入銷行，而又隨時檢扣。因此，乃被國際人士譏以沒有新聞自由的惡名，求全之毀，不亦冤乎！

現行出版法修正頒佈以來，何曾使用過多少？縱然沒有這項法令，出版界的言行，亦不會比現在的情形更壞到那裏去，何況尚有刑律與違警律在，犯之者自不能逍遙法外，為用此紙老虎式的出版法為哉？說到海外反共刊物之被禁扣，尤其太不成話。海外刊物對本國庶政得失，以及臧否人物的言論方針，決不致超過在台灣發行而被視為「反對派」刊物的那種程度和份際，幹嗎要厚彼薄此，寬內嚴外呢？負虛名而受實禍，小不忍則亂大謀，此之謂也。

一個國家在世界上博得信譽的基本條件，是在人權之普遍保障，法治之表裏相符。至於行政元首之如何產生，應否連任，這純粹屬於內政問題，別人並不重視，沒有研討的興趣。戴高樂總統藉兵諫以起家，李承晚總統為連任而修改憲法，乃至於拘禁國會議員，何嘗損害了本國的國際地位呢？明乎此，即知我們犯着舍本逐末的毛病，非改正不可！

法國的氣運在轉捩中

曾上游

巴黎通訊

第二次世界大戰後，由於法國內閣不息的輪流轉換，政局擾攘不安，使法蘭西的和諧與文明的完美素質陷於孤單，昔日爲國際政治舞台冠蓋滿京華的花都——巴黎，成爲嚮往享樂與醉心藝術的富豪墨客旅遊的勝地。凱旋門和艾非爾鐵塔，凡爾賽宮和羅浮博物館……供作人們憑弔與瀏覽而已，法蘭西的光輝逐漸呈現褪色，更使一生住在火山上的法國人（一個世紀來，法國已遭受三次大戰；一八七一年的普法戰爭，一九一四年及一九四二年兩次世界大戰）更加抱怨、恐慌。從幽靜的香榭麗舍大街（總統府在這條大街）到繁鬧的蒙巴納斯大街，從巍峨高聳的艾非鐵塔到污濁緩流的塞納河充滿着有如冬天早晨的天氣，法國人的面孔若隱若現的蒙上一層憂鬱。

戴高樂重振法國聲威

自從蓋拉德十九屆內閣結束了動盪的第四共和國（一九五八年四月十五日），法蘭西第五共和國在戴高樂領導下，最棘手的措施將是如何去制服那班職業政客，來推行他的「新政」？這其中，如何穩定法郎，健全投資和發展工業，從而解決延續五年的阿爾及利亞紛爭。其次，改組陸軍和試爆核子武器，從而提高法國在歐洲及世界上的地位，重振法國的聲威。

在解決阿爾及利亞的問題上，戴高樂斷然不顧極端分子的壓力，宣佈聽由阿人獨立或合併的選擇。這項決策一度引起在阿爾及利亞苦戰的陸軍強烈反對，而他們竟是把戴氏擁上總理以至第五共和國總統寶座的主力。當戴高樂運用威望懾服駐阿法軍將領，順利地把他們撤換或予調防之際，接着發生法籍移民叛徒在阿爾及爾市中心區佔領若干政府機構。反對政府的決策，造成第五共和國面臨一次內戰的危機。在上月下旬，香榭麗舍宮與阿爾及爾的電訊聯絡，每天廿四小時不斷的往返頻繁，戴布里內閣每一位閣員都呈緊張期待的表情。一向酷愛自由，企求安定的法國人，自是感到禍患之來臨，無不變形於色。他們除了寄望戴高樂能施展鐵腕，化險爲夷之外，還能夠作出什麼表示呢！

迨至本月一日，駐戍阿境陸軍在巴黎政府命令下對阿爾及爾叛徒採取強硬行動，迫令叛徒投降及崩潰，這才使法國政府及人民鬆了一口氣。善後的問題便是排除政府內的死硬右派分子，包括陸軍的動搖軍官。三日國民議會通過授予戴高樂總統爲期一年的特權法案，好讓政府推行阿爾及利亞政策及實施新政舖平道路。

三位部長受到排除

緊接着敉平阿爾及爾叛亂之後，戴布里內閣於五日宣告改組，三位重要部長受到排除，其中尤以追隨戴高樂多年的親信蘇斯特里最爲受人注意。蘇氏不特在內閣中是一位重要成員（副總理兼海外領土及撒哈拉事務部長），且也是國會中占多數席位的新共和國同盟的有力人物，由此足見戴高樂此次整飭官箴，樹立權威，推行新政的決心了。不過，這是一項措施，是否會解除阿爾及利亞的危機呢，倒是令人懷疑的，法國人担心戴高樂同時向左右兩派鬥爭，是不是會被他們夾在中間的狹縫裏，結果弄得左右不得動彈？

戰後法國人已被遞嬗不寧的政局攪得眼花撩亂，他（她）們所需要的是安靜地過着和平自由的生活。那些興波作浪的職業政客，翻雲覆雨的金融寡頭，在人們心目中是預顯厭惡的一撮人物。因此，法國人對於戴高樂——這位第二次世界大戰的英雄抱着無限的希望，祈求從他的新政中產生「奇蹟」，來復興法蘭西精神。國民議會卒以四百四十一票對七十九票的絕大多數通過授權法案，不正是這一願望的說明嗎。

法國進入原子俱樂部

現在，戴高樂按照他的意願一步步朝着新政的途道走去，儘管這條途道仍然有着崎嶇險厄，但他的決心是不容置疑的，且必能獲得舉國人民的支持。最能振奮民心，給法國帶來復蘇的氣運的，莫過於本月十三日在北非撒哈拉沙漠試爆原子彈的成功了。戴高樂拒絕美英的勸告，及不避蘇俄的抨擊，終於能把他的國家帶進原子俱樂部，使它在維護自由世界的貢獻上更能盡其責任，表現了法蘭西精神的甦醒。

在赫魯曉夫即將前來法國訪問的時候，這個原子彈的試爆，委實是具有深長意義的。共產黨全不遵守諾言，抑很尊重人家的武力，法國能自製原子彈，即是表示法國也已具備了毀滅對方的力量，這對於未來的高峯會議，至關重要。而其最重要的，乃是由於這一原子彈的成功試爆，增加了法蘭西民族的自信心，他們已感到法蘭西在世界舞台上又將開始担任要角。

春天給人們帶來喜悅，巴黎的人們開始從冬天的蟄伏跑上街頭活動，每張臉孔都呈露喜色。香榭麗舍大街兩旁的濃蔭樹木茁出青綠的嫩葉，漫步在塞納河邊的遊人增多了，他（她）們欵欵交談，爲第五共和國的成就而歡欣慶祝。他們覺察到法國的氣運在轉捩中。（二月十五日寄自巴黎）

國大代表黃石華發表談話

修正華僑投資條例較前進步惟不理想

（本報特訊）本報發行人黃石華氏，於上月回國出席國民大會，曾與本報社長雷嘯岑氏連名提出兩項重要提案。一案爲「籲請蔣總統繼續連任後，即行召開反共復國會議，交換反共復國意見，團結海內外，從速實行反攻，拯救大陸苦難同胞，以慰海內外之殷望。」另一案爲「籲請政府救濟港澳教育文化忠貞人士以利復國。」該二案提出後，深受各方面之重視。黃氏爲香港中華廠商聯合總會董事，平日對工商業方面之問題，特別留意，此次在國民大會中，特別對於如何引導華僑回國投資事，多所闡發。頃以「修正華僑投資條例」經已於本月十八日由立法院三讀通過，記者以黃氏爲香港工商業巨子，特叩詢其意見。承發表談話於次：

此次立法院通過之修正華僑投資條例，較前確爲進步，如投資範圍擴大；投資資金孳息放寬結滙滙出限度；營利所得給予優惠待遇，初創期依法予以減免；對投資事業所顧慮因國防因素被收購徵用明加限制保證；統一事權，將審議委員會改隸經濟部；手續較前簡化，手續完備後限期四個月核准；對投資用地亦會作成決議，請行政院切實注意，此皆較前進步之處，惟距離理想甚遠，仍不切真正誠心回國華僑投資之需要。

機器設備進口應予免稅

黃氏認爲新條例對華僑回國投資有關機器設備進口免稅，未予規定是大缺點。世界各國對外來投資有關機器設備進口，均予以免稅優待之明確規定。即中南美各國如巴西政府，對外來投資機器設備，一律免稅，並可由政府貸欵百分之八十，五年期內免納利得稅。其他如智利，巴拉圭，阿根廷等，對歡迎外來投資均予以機器設備進口之免稅，亦可說是最切實際起碼之優待條件，東南亞新興國家，年來亦會積極歡迎外資，如泰國政府，對歡迎外資，機器進口一律免徵進口稅，並可貸欵百分之五十，免稅十年，他如馬來亞亦有明確規定，現我國所謂修正新例亦無此優待，據未證實之調查過去政府對華僑回國投資，機器進口須徵貨物稅百分之十，利得稅百之廿，儲蓄稅百分之三五。今日在共匪極力爭取華僑之際，一華僑回國投資，其意義有若共匪起義之飛行員。

澈底檢討華僑投資政策

黃氏復指出：目前香港有許多廠商欲來台投資，吾人現就政府年來歡迎僑資及工業產品出口之成就與香港加以比較，據調查數年來眞正華僑回國投資，不過四千二百萬美元，去年台灣省整個工業產品出品，不過一億六千餘萬美元，惟反觀香港十年來，由外面流入之資金，達卅億美元，去年香港製品出口達二十八億港元。約合五億美元。黃氏更謂香港廠商百分之九十五爲吾僑胞所經營，今天香港工業之成就，完全爲僑胞之貢獻，論環境台灣爲自已國家，政府爲自已政府，較香港爲安全，而香港爲英國殖民地，地接大陸但僑胞願意將如生命之財產投在香港，在此一點則須吾政府澈底予以檢討。

繁榮祖國經濟　儲備復國力量

黃氏又謂：香港爲彈丸之地，養活三百五十萬人，負担港府軍、政建設龐大開支，英國人取之於香港者在商業及銀行收益甚大，十年來港府存英殖民地部之基金達八億港元。本人深感吾政府和立法當局鮮少有工商實際經驗，其態度恰怕老百姓佔便宜賺錢，所定政策辦法均缺乏遠大眼光，未明先予後取的道理，至於英國人在香港則不然，種種給人方便使你安心投資，香港沒有什麼經濟政策，（如有，便是傳統的自由經濟政策）但香港今天之繁榮則是不能否認之事實，吾政府如欲僑資大量回國繁榮祖國經濟，儲備復國力量，似須再加檢討和努力，本人在國民大會所提籲請政府，改善投資環境，寬免華僑投資設廠一切進口機器設備稅項，以引導華僑回國投資一案仍望政府當局予以重視。黃氏更強調謂民主國家立法議員及政府當係依民意來制訂法規，不可全憑官意閉門造車。

北越區內情況混亂

梁文英

西貢航訊

北越自從被共黨侵佔以來，人民就過着很悽慘的生活。如所週知，共產黨根本就是一羣強盜的集合體，他們並沒有學識上、經驗上足夠資格治理地方。在東南亞，他們只是利用地方上貧乏，經濟落後，以一個毫不能實現的理想引誘無知愚民盲從他們去作亂，也因爲國際間的矛盾，使他們在混亂中得以乘機搗亂。當他們侵佔了地方後，是無法以正途方法治理的，只有不斷地搗亂。越共的文化水準更是低劣，當他們攫得了大片土地後，根本就不知如何着手處理，無可奈何只有抄襲俄共和中共的老套，因此，大批俄共大鼻子及中共幹部，都以「專家」的身份被請到北越，北越的政權，實際上就由俄共及中共以幕後操縱。越共自從去年十二月卅一日與中共簽定了貿易協定後，協定中已明文規定中共有專利經營及管制北部大部份地區的多項行業，如海產、建築、輕工業、鐵路等。據來自北越的消息，中共已大事開築由中共至北越的交通綫，以便加強控制北越。這些措施，已經引起北部工人的非常反感，民衆亦起了很大憂慮，越共當局正在大事鎮壓中。

自從越共把持政權以來，第一步即抄襲了中共的老套，先行「土地改革」，「清算」，「鬥爭」等把戲，弄至人心惶惶，不可終日。在這些把戲弄完之後，即普遍設立「農村合作社」，以剝削各農民勞力所得。此外設立很多「集體農場」，以奴役人民的勞力。然後，越共的搗亂指標指向商業，大企業早已爲越共掠奪殆盡，繼又將小商販的經營沒收，計至去年底止，只是河內一地，各業小商販被全部沒收資本的，已達二萬五千二百七十八人。在上述各小商販的人數中，有二千零二十名，因爲資本微薄，被越共強迫他們一面替國營的貿易機構賣貨，一面又參加各項副業的生產工作，至其他的一萬一千七百二十九人，則被驅入共黨的各礦區，企業或各「集體農場」做苦工。以上僅是河內一地，並且是見諸越共報章的，至河內以外各地，及未經報章透露的，情況當然比這更爲嚴重。越共又深知民衆不滿，如不維持武力壓制，則反抗行動隨時爆發。因此，河內廣播電台報導：越共自二月起又加強驅迫青年男子一律參軍。

因爲越共的倒行逆施，使社會治安秩序混亂非常，因此民衆怨恨大起，而反共份子更不斷乘機向越共機構和個人進行狙擊性的活動，使越共公安人員疲於奔命。爲此，越共決定施行全面性的戶口普查工作，作爲「整肅」、「鎮壓」的根據。這項戶口普查工作，是在本年三月一日零時開始的，越共規定所有越共區人民在這個時候統一登記每戶常住人口，此後人口流動遷徙，必須即日向公安機關辦理遷入遷出登記，否則查出以後，以「壞份子」治罪。在舉行戶口普查之先，所有十六歲以上的男女，都被迫分別集中，參加「學習」，並作過若干次的試驗性質的突擊檢查。所有越共區的華僑人口，則編列爲「特殊戶口」。同時進行普查工作，均由一批赤色僑團協助當地公安機關辦理。越共又爲了摧毀家庭制度，最近頒行了一項新婚姻法，對男女關係大採隨便性質，父母、夫婦、子女們之間，皆不再受到互相間之任何約束，更規定夫婦並無同居之義務，亦無互守忠誠之義務，並隨時可以單方面無條件式離婚，可謂放任之極。

由於越共統治殘暴，不堪壓迫的北越人民，最近紛紛逃亡到南越自由區，並均獲得此間的救濟與協助。

社會小說

香港地

二、恭喜發財

究竟白麗所說被騙的女朋友是誰呢？是不是指正在和她哥哥舉行婚禮的跛新娘呢？這是譚福祿和梅大亮都急想知道的呢。他們便立即向她追問下去。

白麗憤然搖頭答道：「不是！他騙了我的女朋友，再去結識他現在的新娘。」

這問題簡直越弄越複雜，顯得內容不太簡單了。譚福祿眞料不到這小子竟有如此斗膽，不禁吐吐舌頭，想道：「估道如今少年出英雄，却竟是這等英雄。」

梅大亮却用手執住白麗的肩膊，問道：「你這話當眞？那麼，你就不該在這時候才發作了。你是幾時知道你哥哥對人不起的呢？」

白麗面色發靑，答不出話，似乎氣極了。她先向懷裏掏出一封信來，大力塞向梅大亮的手掌裏，才答道：「你瞧！這是我剛接到的信。我給朋友罵得頭上出煙了。不發作怎成？」

梅大亮聽了，才明白這究竟是什麼一回事，便長歎一下，看着譚福祿作了一個苦笑，道：「我們倒錯怪了她，且別勸她回禮堂去吧！其實這時回去也沒甚意思。我看，還是找個清靜地方，請她喝杯清茶，由她慢慢下了一口氣，把內情說個明白，才正合理。」

譚福祿眞想不到看婚禮會看出這等事情，只合贊成，更無話說。於是，他們便一齊走向附近一家茶樓去，覓個雅座，坐下喝茶。開始研究有關新郎的事。

他們一面看信一面聽白麗的解釋，知得事情大概是這樣：白麗有個女朋友，是由接做縫紉內衣的工作才認識的，也給她哥哥輾轉相識了，不知怎的便暗中來往得好親密。她被他用去了不少錢，還不打緊，而他現在的新娘也是由她偶然介紹相識的，他竟利用她做引線的針孔，貪新棄舊，秘密發展到結婚的階段，還一直瞞着她，絕不洩漏半點消息。到了昨天晚上，她才知道有這一回事，憤無可洩，便托人帶一封信來，是叫白麗主持公道，向她那薄倖的哥哥討回從前騙去的錢。

（十三）

木客著

家政考試

江雲

張慕榮小姐參加高中畢業會考回來，在她爸爸面前，說得眉飛色舞。據她說，這一次的家政考試，沒有一百分也有九十八分，言下大爲得意。

張老頭子平日最疼愛這個女兒，如今見她對於會考成績如此滿意，當然也甚爲高興。但張老頭子對於家政科的內容却一點也不清楚，便道：

「家政科究竟包含些什麼呢？」

「啊！」張慕榮小姐用一種近於驚嘆的口吻回答道：「內容非常廣泛，諸凡烹飪衛生生育家政預算等等有關家庭的事，都得經過考試的啦！」

老頭子略爲皺皺眉，然後說道：

「妳還是沒有結婚的女孩子，妳怎麼知道生育的問題呢？」

女兒的臉微微地紅着，她上齒咬着下唇作了一番表情，然後說道：「爸爸，你專愛說笑話，所謂生育是專說育兒問題呀！」

「哦，原來如此。那末妳對於育兒問題有什麼心得呢？」

「爸爸，書本上全說得清清楚楚的，隔幾點鐘餵一次奶，怎樣換尿布，還有，三個月大的嬰兒每天要吃多少葡萄糖，要多少澱粉質，書本上都有規定。六個月大的嬰兒又需要些什麼，書本上也說得明明白白。」

張老頭子望着自己的女兒，有意無意地一笑，不覺又問道：「育兒問題，我明白了，那末烹飪問題呢？」

「哦，這更容易了，烹飪就是煮飯作菜，書本上那些方法，簡易可靠，只須對住時鐘，照着規定時間就萬無一失了。」

老頭子又是一笑，半晌，纔說道：

「孩子，盡信書不如無書，煮飯作菜還要根據書本，妳爲什麼不肯下廚房去呢？」

「爸爸，我現在是和你談家政科考試，不談下不下廚房的問題。」

「也好，那末我再問你：家庭預算這條題目是怎樣的呢？」

「哦，這條題目很簡單，不過是一個月入八百元的家庭預算而已。」

張老頭子連忙問道：「這個八百元的預算，是以一夫一妻爲計算單位嗎？」

「爸爸，這還用說，當然是一夫一妻的小家庭呀！」

老頭子又是一笑，半晌，纔又說道：「孩子，不是我作爸爸的故意潑妳的冷水，我說這些什麼家政考試，那簡直是騙人的。」

「爸爸，這是高中畢業會考，怎麼說是騙人的？」

「哼，還有什麼用？一夫一妻月入八百元，這樣的預算誰不知道？我們的家政是要月入二百元養活五六口纔行呀！爲什麼不出一個八口之家月入二百元如何維持的家政試題呢？」

「爸爸，八口之家月入二百元，那怎麼好維持呀！」張老先生默然不語。張慕榮小姐也不好再說，只是在想，想了半天，突然說道：「一家八口，月入二百元，那根本就不能看電影了！」

「孩子，你還想看電影？只怕連飯都吃不飽哩！」

「爸爸，我想不會有這樣的家庭吧？」

「哼，在香港，這樣的家庭實在不能算少呀！」

「那他們是怎麼生活下去的呢？」

張老頭子望着自己的女兒又是一笑，說道：「那些人要是參加家政考試，纔眞正夠得上一百分啦！像你這樣一夫一妻月入八百元的預算，誰都可以達到一百分，這算得什麼？」

話沒說完，張慕榮小姐哇的一聲哭了，她一把眼淚一把鼻涕的說道：「爸爸，你的女兒高中畢業了，你應該高興纔是，你怎麼你還要潑我的冷水呢？」

女兒一哭，張老先生就有些着慌了，他連忙笑嘻嘻的道：「乖女，作爸爸的怎麼好潑妳的冷水，我現在正在物色一個月入八百元的女婿呀！」

保良局昨推出新總理 黃石華等十六人當選

（本報特訊）香港保良局本屆總理任期屆滿，已於昨廿五日該局禮堂推舉下屆新總理，已定廿八日中午複選新主席總理，定四月六日就職。推舉總理已順利推出，計有：馬錦明、任鍾永康、方東來、陳卓堅、林文傑、李福兆、黃秉乾、吳文政、王澤宏、呂趙聿致女士、梁紹榮、陳錫乾、周伯謙、黃石華、李志雄、王明榮女士等十六人，而新主席以馬錦明呼聲最高，林文傑鍾永康將蟬聯首總理。（坤）

玻璃工業的新貢獻（中）

科學知識

最近，美國又出品一種玻璃窗簾，不怕太陽猛曬，不怕風吹雨打，不怕火燒，不怕霜雪；而且也不用燙熨漿洗，也永遠不摺皺，不變樣，美觀耐久，大方實用。

現在，美國有許多盛大的壘球運動會，都使用巨大的玻璃防水布保護球場，以免因風霜雨雪的日子，而影響及球賽的進行。例如，在幾年前，紐約人隊對克里夫蘭黑人隊的一次盛大球賽中，在比賽期間竟接連地暴風雨數天，幸得此種玻璃防水布掩護球場得宜，才使這場球賽始終不斷歇地完成。

還有一種玻璃可以吸收熱力，使來自室外的任何熱力，不能達到室內。如果公共汽車，火車，工廠和私人住宅的窗戶，裝設了這種防熱的玻璃，便可以使車廂內和屋內，清涼爽快，輕鬆舒暢。

目前，又有一種新問世的玻璃，能夠吸收光線，使室外的任何閃光，强光等等，不能侵入室內。而且，它同時又可以使室內的燈光不透出屋外，這對於愛好寧靜的人來說，實在是莫大的恩惠。

文敏

鄉村洗衣婦（下）

馬勃羅考伯很快地恢復了急智。「你在這裏看見這些事，」她擺着手喊：「不關我的事，我敢發誓。」她用兩個食指比劃着大聲說：「我知道都是馬蘭碧搗的鬼，因爲從我來村上洗衣起，她便懷着惡意了。」

這女人開始嘮叨無言了。於是突然一面鏡子照到馬勃羅考伯的臉。洗衣婦說：「謝謝你。」她把一塊花布披在頭上，直照着鏡子。但是，好像因一陣憤怒，她把鏡子推落在地上了。

「這是眞憑實據，」一羣人密議着：「如果她眞是女妖便不敢照鏡子。馬蘭碧必須停止！看起來馬勃羅考伯並沒有罪啊！」

馬勃羅考伯把握着轉變了的局勢。「靜一靜，」她說：「讓我們證明馬蘭碧用一面鏡子和一個十字架來欺騙人。我有一面鏡子和一個十字架藏在抽屜角落，正使我有機會用到它。」

她帶着從阿勞卡買的一個小包站到一邊。領着一羣人到馬蘭碧茅屋去，

「注意，我們這兒有一面鏡子和一個十字架，」馬勃羅考伯慇開小包便在人羣前面踏步而行了。鏡子照着她很快地移動，鏡子照着馬蘭碧的臉，同時把十字架舉在她的頭上。

「馬蘭碧，」當衆人在天井裏她喊道：「你愚弄人還說是我底術工夫，當時是你的天下啊！到天井裏來讓我們證明你啊！」

馬蘭碧害出茅屋訴控道：「在我的天井裏你說話爲什麼這種腔調啊？」她命令着，希望保持一種從容的神情而感嘆錯誤。

每一個人聽着馬勃羅考伯奇異的談話，並不猛烈地密談着，但是每個人看見馬蘭碧在畏縮恐怖中，臉上表現出極度驚嚇的神情。她開始動搖，似乎顫抖了。於是她抱頭鼠竄，尖叫着逃回茅屋去。

村民使馬蘭碧離開這異常的生活，馬勃羅考伯因她的離去而站立起來了。

幾天以後，村上又安靜下來了。當馬勃羅考伯到阿勞卡村去時帶回的特製鏡子和十字架，是個最聲名狼藉的男妖在安全地帶供給她的。她贈與他的是兩瓶甜酒和三隻雞鴿。

田毅譯

大陸文壇萬花筒

「洞簫橫吹」變了直吹

——岳騫——

「洞簫橫吹」是一個四幕話劇的劇本，遠在一九五六年十一月「劇本月刊」上發表，發表之後，曾在大陸各地上演，以後由舞台劇改編製成電影，一九五七年七月，中國戲劇出版社出版了單行本。被認爲是一部最有教育意義的作品，不料最近受到指責，「洞簫橫吹」變了直吹，專門吹毛求疵的東西。

作者海默也是一位新進作家，過去原是中共一手捧起來的，可是最近不知怎麼也倒了霉，接二連三被批評，去年二十四期「文藝報」，曾經批評過他的兩篇小說，此事與本文無涉，將來有機會再說，現在只說一說「洞簫橫吹」的故事。

「洞簫橫吹」寫成在一九五六年底，正是毛澤東大搞農業合作化運動之後，所以這個劇本的目的是在鼓吹合作化，背景就是兩個農村合作社，一個村是個典型社，由縣委書記安書記坐鎮，另一個是窮村，却無人理會，出了一個積極份子劉杰，是一名復員軍人，剛從韓國前線回來到家鄉，於是他就抱着奮勇去窮村辦社，這本來是一件「好事」，也是毛澤東大力提倡的。可是安書記竟然不能批准，雙方面就展開了鬥爭，安書記爲什麼不肯批准呢？原來恐怕劉杰辦好了社，搶了他的鏡頭，阻了他的升官之路，不能靑雲直上。可是劉杰不服，向上面控告，最後派了省委書記查，安書記被撤職，劉杰的社也終於辦成功，「辯明是非」，戲也就完了。

這一個劇本，若就表面上來看，實在和毛澤東的思想相吻合，所以演出以後，頗得共幹好評，各地都作爲教育劇本，上演給落後份子看，後來索性又改爲電影，出版單行本。那知泰極否來，最近却倒了霉，本年度第一期「劇本月刊」，對這個劇本大加指責：

「覺得洞簫橫吹，吹出來的調子，是多麼的不對頭，宣洩着對黨的無限怨氣，表現出劇本的傾向有根本性質的錯誤。」究竟錯誤在那裏，仔細看了全文，覺得只有一點，就是在不該攻擊黨委，尤其是高唱「政治掛帥」的今天，黨書記都是至善至美的聖賢，替天（黨）行道的英雄，攻擊了黨委書記就等於反黨，不論文字再好，過去如何受到重視，現在也完了。昨是而今非，好惡隨時間變更，這就是中共的文藝政策。

釋耒集

老子、韓非

司馬遷史記，以老子韓非合傳，始則曰韓非之學，歸本於黃老。繼又曰：「韓子引繩墨、切事情、明是非，其極慘礉少恩，皆原於道德之意。」後世承學之士，頗有疑者，蓋老子因應變化於無爲，而韓非獨任刑名法術，何至同出一本。故南史王敬則傳云：「敬則與王儉同拜開府儀同三司。儉曰：「不意老子竟與韓非同傳」，儉於當日，自視爲清流，而目王儉爲濁流，其不可混爲一類，亦猶道之與法，無爲之與刑名之不應同出一源也。及北宋蘇軾爲韓非論，則曰：「事固有不謀而相感者，老莊之後，其流乃爲申韓。」所謂不謀而相感，其說實極飄忽，不足據之以論定。清初張爾田撰史微內篇之二原法有云：「蓋道家者，君人南面之內術，法家者，君人南面之外術也，法家以道爲常，以法爲本，人君所以齊淫慝，懲不軌，常補於治者也，老子云：魚不可以脫於淵，國之利器，不可以示人，聖人知其然也，故立法以示天下。」考之老子之學，雖曰無爲，而其終則在於無不爲，故曰：「將欲喻之，必先將之，將欲弱之，必先強之，將欲廢之，必先興之，將欲奪之，必先與之。」近人錢穆先生，以爲老子之言無爲，實爲一最精於打算之人，其曰：「聖人不積，既以爲人己愈有，既以與人己愈多，天之道，利而不害，聖人之道，爲而不爭。」又實爲其精於打算之明證。依此以言，則韓非之學，雖源於老子，而實已越過老子，又因其越過老子，故雖明效大著而禍敗亦立見。故太史公曰：而老子深遠矣，謂老子深遠，則韓非之所得，爲淺近而狹隘矣，然其譽陳義詳密辨博，賤仁義而輕文學，一切違道趨利，殘民厚主，其視人民，不過供人君爲耕戰之工具而已，故韓非之所兢兢者，在促人主修明法制，執勢以御其臣下，重賞嚴誅，得操其柄，使賢不肖皆盡其力，所謂操其柄云者，實本於老子之任自然，而其所以離棄人情，則若合符節，是則老子與韓非同傳云者，司馬遷撰史，豈遂無微旨哉。猶憶舊讀史記陳丞相世家云：『始陳平曰：我多陰禍，是道家之所禁。』又曰：『陳丞相平少時，本好黃帝老子之術』。是所謂陰禍者，固亦本於黃帝老子之術矣，世之言老子之學者，往往獨表其淸虛之一面，尤諱言其學與權謀術數有關，亦可謂不善學者矣。

曲齋

栗海彈心錄

癸丑之役（一）

阿公

壬子改用陽曆，元年二月，國民黨成立本部，舉孫公爲總理，黎公爲協理，兼湖北支部理事長，八月國民黨懸牌於湖北支部，開除黎公本部協理，支部理事長職。此少數黨人之意見，鑄此大錯，亦予所謂人存倖心者也。而本部事後亦未加糾正。十月選舉參衆兩院議員，國民共和兩黨，竟形成對立，黎公雖聲言不參加任何黨派，自亦不能無介然於其中，遂爲民二討袁必敗之局。

癸丑二月二十日，袁世凱刺殺宋教仁事起，七月，湘粵皖贛四督備戰，實則借此興問罪之師，不必爲宋也。其時漁父所持政見，不僅反對袁氏，而亦不黷於孫公，觀袁氏以重金收買南京第八師獨立，則袁之殺宋，實爲挑撥之舉，而民黨失之於躁，遂墮袁氏術中。

南京當時兵力，第三師陳懋修，第一師陳之驥，裝備訓練較精，倘督都程德全之意是從，而程主重，度不中則不發。不聽，辭職而去。黎公袖手，南北行人奔走於鄂中者，概予拒絕。武漢好事者，不論誰屬，皆一一制止之。袁部段芝貴第一軍，乃得與海軍總司令湯薌銘，會攻九江，佔領湖口，馮國璋、倪嗣冲、張勳等，遂得會師東南，當時所稱贛寧之役，經月而事敗，龍濟光督粵、馮國璋督蘇、李純督贛，倪嗣冲督皖、湯薌銘督湘，袁氏之勢成矣。其自誤以誤國亦在此。

附「張之洞」文續二

清道光二十九年，長江黃河大水，漂沒無數，加以秋霖傷禾幾盡，仁宗罪己，詔求直言。王先生以主事在籍，應詔言事，備論西南吏治不修，民情艱苦，西北漢回不協，武備廢弛，及其應與應革，預籌預防之道，後皆一一如其言。左宗棠銜命西北，每事諮訪，是以此故，後世知文宗之中興，而不知仁宗之憫人罪已，實有以啓之。而世之任天下之重而委過於人者，當知所省也。王先生曾隨學使閱卷陝甘數年，故能習之詳實，有百柱堂文集行世。

先生晚年掌教荊南書院，而其爲教也，納事功於學術之中，張文襄由是迴翔館閣，始習吏事，兼通西方產業興革之故，初督兩江，鬱鬱不得志，迴旋兩廣，少行其意，再督兩湖，乃放手經綸天下事，未始非王先生有以教之也。

略論中西文學批評的比較

——兼談治學態度答邢光祖教授（註一）

一、引言

這個題目，表面看來似乎是有點誇大而不切實際，費力而不討好。因爲古今中外，有關文學批評的論著浩如煙海，蕪雜猥多，一個中型圖書館，恐怕也收藏不了這一類的書籍。像我這樣一個流寓香港的人，在相當忙碌而參考資料又極端缺乏之下，要大膽寫這一類題目，豈非蚊蟻負山，不自量力？梁實秋先生說得好：「在我們今日言文藝批評，其事甚難。一方面要通曉我們本國的文藝傳統，一方面也要了解西洋的文藝思潮。二者缺一不可，缺一則不足以語文藝批評，因爲中國文藝根本是接受了外國文藝影響的成績。」接着梁先生又說：「中國文藝批評，夙來缺乏系統，往往失之斷片零星，勉強連絡起來也不能成爲完整的體系。西洋文藝思潮，雖然也很繁複。但是，因爲大家輩出，作品俱在。而且多年來經學者整理，粲然大備。（例如從希臘的亞里斯多德的「詩學」起，每一時代，都有幾部大著。」（見文藝創作第三十五期）照這樣看來，中國文藝批評，既然未經整理，能否成爲一個完整的體系，尚未可知，想拿一些零星斷片的材料，來和已經整理「粲然大備」的西洋文藝批評較量短長，豈不是爲時過早，除非經過整理完竣以後，此刻尚無比較的可能嗎？

我明知寫不好，很難交卷，爲什麼一定要這樣一個題目？因爲在台北近年出版的「中國學術史論」二集中，邢光祖先生論「中國文藝批評的特質」一文，有些問題，曾經引起我和他一次筆戰（註一），雖然耽擱了許久，我覺得仍有加以論列的必要。此外，還有一個重要的原因。此時此地，我們正迫切需要文藝理論和批評，「自由學人」四十六年五月號齊桓先生「文學批評的任務」曾經以痛苦者的心情，期待着批評者們對文學作品有所批判或對文藝理論有所建樹。我覺得他這種誠懇的態度，很引起文藝作家和批評者的共鳴，使我很受感動，想在這方面有所致力。於是，好像比較東西文明一般用意，或作爲中西文化範疇中的一畝園地，試將中西文學批評內若干點，不揣冒昧，作一個粗略的比較。

二、

在未正式討論本題以前，還得向讀者聲明的是：（一）以地域論，中國幅員大逾歐洲，人口亦相差不遠，本題所謂「西方」，當然以整個歐洲爲對象，不過，因爲東歐開化較遲，故此很少提到，主要的仍以猶太，希臘，拉丁（羅馬），英、法、德，意諸國爲代表，至於美國批評精神本不甚發達，文學批評歷史又短，恐怕也很少機會提到。（二）以時間論，一切文史哲藝的批評探討也和社會科學底起源一樣原來是很早的，從若干世紀以來，人們都在發表意見，累積有關的知識，但如果要把這些知識作爲有系統的一門學問來看待的話，那麼，它們的歷史，都不會很長，也許還是相當短的。在歐洲文評，雖肇基於古代的希臘拉丁，但要等待文藝復興以後，文學藝術哲學科學才是進步，數百年來，文學批評在彼邦已逐漸成爲獨立完整的學科，在我國，零星的文評材料雖然多，但直至近代明清兩朝，這一門學問依然停留在舊式詩文評階段。五四以來，新文學運動日盛，文藝的譯述創作日多。同時西方的文藝批評，也就趁機輸入中國，引起文壇注意，並且成爲大學文學系課程之一。但直至今日此項成就，仍屬無多，真正有資望的文學批評論家，還是寥寥可數。如果我們不願堅持「中體西用」的成見，過份蔑視西方文學批評的進步，必然迫自承認許多地方很需要「迎頭趕上」，此所毋庸多所討論，只附帶地提及而已。此外，可以爭論及辯論的問題，比較似乎仍在於古代的中西文評方面。（三）爲尊重批評的道德及精神起見，絕對避免謾罵及意氣用事，凡可以刺激對方情感的字樣，一概不敢引用，以資回敬。（待續）

永研

海嘯慶談薈

大陸淪亡的主因（下）

中央政府由重慶還都復員之際，國庫尚存有美元十億以上，在各地區接收的物資，爲數更難估計。然當局者對於暴漲的物價，始終不能控制，且讓公營國營事業帶頭加價，不啻推波助浪，唯恐物價之不跳躍，庸才誤國，如斯爲甚。一般高級軍官，因有南京辦事處的軍需人員替他們領取官兵餉項，以從事投機買賣之故，無不腦滿腸肥，財富大積，而行政院長宋子文又將國庫僅有的外滙，以低額官價，大量批給上海的少數資產階級賺去，予取予求，十分慷慨。至於民間的疾苦，軍隊下級官兵之啼飢號寒，恝然無所容心。我認爲這才是神州陸沉的基本因素，縱然沒有毛共存在，而其他的陳涉、吳廣之流，亦所在多有，一夫揭竿，亂者四應，實爲勢所必至，理有固然。

國府自重慶還都，直到撤離大陸，財政金融情形，經常在混亂之中，拿不出有效的對策來。最後的金圓券政策，更似久病者亂藥妄投，適以增其危殆之勢。某院長一接任，即將他的「機密費」兩億元取出，交予京滬有關銀行，趕忙變成私人外滙。政府嚴令禁止民間自由買賣金銀貨幣，然京滬市面上遍處聞得叫賣「袁大頭」之聲，叮叮鐺鐺，悅耳奪目，卻未見憲警加以干涉取締。不特此也，卅七年冬間，我住在南京中山東路「和平日報」營業部樓上，一夕五更時分，忽聞附近槍聲大作，急起開門省視，方知係相距不遠的農民銀行大門口，集有大堆羣衆，等候向人購買黃金一兩（政府規定的），這些人都有憲兵警察暗中支持維護，爲着爭奪排在前面的位置，彼此互不相下，憲警從而庇祖之，不惜開鎗示威也。我觀此悲劇，即知國家的大勢已去，危在旦夕了，踉蹌襆被出京，由滬轉粵，逢難海隅，乃恍然於古書上所謂「土崩瓦解」之說，確係實情。默察大陸淪陷的原因殊多，但財政經濟上的無能與營私，實爲潰敗的主因。我述此往事，旨在希望後人知所鑑戒，好自爲之，莫使後人復哀後人也。噫！

諸葛文侯

從「相論」到「械鬥」

生活小品

姚詠亭

我鄉浙江瑞安縣有林垟，閻夏呲鄉的兩村，有一次爲了選舉鎮長，兩地的人你爭我奪，發生意見，「論」起來了。後來越「論」越大，變成「相論」。「相論」不決，雙方準備械鬥。一面挑選精壯人馬，羅致能拳腳的人物，一方預備械鬥時應用的傢伙。我的外子是林垟人，我們雖不常在林垟居住，但那時剛在抗戰期間，因此躲在家裏。械鬥叫開之後，我家一向無人住的樓上，那些陳年百代堆積着的老賬簿，都給那些械鬥的人搬運一空。當時我們也不知道拿這些賬簿作何用處，後來才知道這些賬簿，是準備械鬥時，參加械鬥的人捆綁在身上要害處，以擋刀槍堤棒的。那時林垟街上，天天人聲鼎沸，讓許紛紛，大有非「滅此朝食」不已之勢。我說，我們家鄉「吵架」叫「相論」，是一點不錯的。像這樣嚴重的形勢，誰也以爲必能釀成大流血的慘劇的，可是結果，非僅械鬥的場面沒有發生，甚至連「打架」的鏡頭也未出現，還不是僅止乎「相論」而已。這並不是一件奇怪的事情，孟子說：「衣食足而後知榮辱」，生在這個魚米之鄉，大家有自己的田地房屋，妻子兒女，自己的行業和前途，誰肯認真去拚命呢？有人說：「千古艱難惟一死」；又說：「生死大矣哉！」一個人而不怕死，還有什麼說的？有句土話：「蝕本生意無人做，殺頭生意有人做。」然也，這個社會太可怕了！我但願這個社會，不要「吵架」，僅止于「相論」便成。（完）

自由報

THE FREE NEWS

半週刊每星期三、六出版

第十四期

每份港幣壹毫

社長：雷嘯岑

督印人：黃行齋

社址：香港銅鑼灣高士威道二十號四樓

20 Causeway Rd. 3rd. Fl. HONG KONG

TEL. 771726

電報掛號：7191

承印者：田風印刷廠

地址：香港高士打道221號

蔣總統連任以後

雷嘯岑

國民代表大會第三次會議，順應海內外各界人士的要求，選舉蔣先生連任三屆總統。這是一樁非常的舉措，經過了若干的周折籌議，也引起了社會上許多不同的疑難辯論，孰是孰非，唯有留待後世歷史家來作公允的評判，此刻我們所欲言者，在彼而不在此。

蔣總統曾經公開說過：一個獻身於革命事業的人，他的出處進退，只問是否有益於國家，無暇計及個人的利害得失。這種摩頂放踵以利天下的犧牲精神，的確令人欽佩，而國大代表會議以修訂憲法上的臨時條款使蔣先生連任，也就是相信他能夠完成光復中原，解救人民的革命任務，因為「革命」這個詞彙的涵義，只可適用於反共抗俄的行動，非所語於內政措施也。職是之故，我們認為蔣總統這次俯順輿情，接受國民代表的推戴，毅然連任行政元首之位，一定胸有成竹，不負人民喁喁之望的。從這種角度設想，我們亦願據述所見，藉供參考。

中華民國政府播遷台灣，歷時已逾十年，大陸上被共黨奴役摧殘中的五億民衆，固然渴望政府及早反攻，還我自由，海外幾千萬的華僑，亦莫不引頸延跂，切盼自由祖國之復興，居留在台灣的千餘萬同胞，自然人同此心，更不待言。此時此事，殆如桑棗末世的情形，「先入關者王」，誰能打倒共黨暴虐政權，誰就是全民所擁戴的領袖，當呼萬歲，唯命是從。蔣總統在這次國大會議閉幕典禮中致詞，表示三年之內，必能領導大家回到大陸，把現行這部憲法完整地帶還給全國人民，將功贖罪，其言悲壯沮惻，允符衆望。老實說，如果沒有這種決心與作為，則連任便係毫無意義的事，在蔣總統個人實有莫大的損失，且使將來的歷史上，留下一些令人發生疑問的痕迹，所為何來呢？我們可以這末說，連任總統與反攻復國，具有不可分離的密切關係，否則國大代表修訂臨時條款以凍結總統任期的憲法明文規定，乃是一項歷史罪行，適所以陷蔣先生於不義！

再就現實的情況而言，台灣境內在近十年來，生產發達，人口激增，社會安定，生活康樂，基於國際形勢所趨，台灣永不會淪喪於俄共集團之手的。可是，以島國而偏安的局勢，必然可暫而不可久，久則惰性潛滋，人心痺痿，所謂「薰風吹得游人醉，錯把杭州作汴州」的下意識，沒有不普遍發生的。當年鄭成功據守台灣，奉大明正朔從事復國運動，他臨時對大陸實行軍事反攻，大軍常常打到鎮江、江陰一帶，直薄金陵城下，人心振奮，應聲四起，乃使清帝康熙寢饋難安，竟至於強迫東南沿海二十里以內的人民，一律撤至內地，免為鄭氏所利用。假使天假鄭氏以遐齡，滿清王朝能否控制中國大陸，那是很成問題的。這證明島國的生存必須不斷地進取，才有前途，保守偏安，終成末路，現在的內外情勢雖然跟過去不一樣，但人情與義理却無二致。譬如目前海內外人士對於政治問題，每有意見參商的表現，聚訟紛紜，莫衷一是。然國軍反攻的號角一旦響起，無論規模大小，這類不調協的現象，馬上即將一掃而空，化乖氣為祥和，殆可斷言。不特此也，國軍秣馬厲兵，於茲十載，將士們皆盼望及早打回大陸，一顯身手，再要荏苒歲月，精神難免苦悶，形成「師老」的結果，尤非國家之福。所以，蔣總統在國大會議閉幕典禮中對大家所作的諾言，自應適時兌現，以赴事功。至於成敗利鈍之數，不可不衡量，但亦不能過於審慎，更不宜俯仰由人，坐待時機之來臨。韓戰發生時，我們決計參戰而未取得國際友邦的同意，實為毛共始料所不及。迨後大陸上又有因「鳴放」而激起的反右派運動大動亂，我們亦袖手熱視，對大陸同胞未作「桴鼓之應」，繼而再有「人民公社」與西藏事變，都是我們反攻的大好時機，可惜亦都忽略了。雖有智慧，不如乘勢，過去許多有利於反攻的形勢，我們都未能把握而利用之，讓敵人從容坐大，實係最大的失策，懲前毖後，尚能因循自誤嗎？

最近執政黨的臨時全體會議宣言說是：「當前亟應力求解答之第一課題，厥為如何開拓新的局面，網羅新的人才，掌握新的機運，團結與運用一切自由民主之反共力量，早日徹底摧毀匪共政權，以拯救大陸同胞於水深火熱之中」。這話一點不錯，全國人士皆有同感的。國父孫先生以革命家的卓識和魄力，認為「知難行易」，我們現在既然知道政府當前的第一課題應該力求解答了，坐言起行，自屬易易。蔣總統是三民主義的虔誠信徒，亦為孫公創業垂統的繼承者，息壤在前，義無返顧，將何以「團結與運用一切自由民主之反共力量，早日徹底摧毀匪共政權」，這是行動的時期了。對於軍事行動，固然不能不考慮外在的條件，謀定而後動，至於「開拓新的局面，網羅新的人才，掌握新的機運」，這純粹是內在的政治問題，可以自主解答，自由行動的。我們認為廣收人才，廣開言路，容納異己的主張，放寬用人的標準，就是開拓新局面的不二法門，而其前提即須改變舊觀念，實行新作風，否則仍是陷於「知易行難」的窠臼，無以自拔，政局有如一池死水，連微波蕩漾的形色亦不可見，新的局面從何開拓呢？蔣總統是自由中國現時唯一具有領導能力和聲望的人，海內外的中國人士，連同倡言「各行其是」的反對派在內，異口同聲，沒有不承認的。政治是管理衆人之事，民主生活沛然為時代潮流所趨，莫之能禦，我們覺得上述開拓新局面的方法，卑之無甚高論，行之並不困難，然對於「團結與運用一切自由民主之反共力量」，效用至宏，影響至大，對日抗戰時期的往事，即係很好的例證。蔣總統既以自我犧牲的精神，連任三屆行政元首職位，今後除却團結與運用一切自由民主之力量，以期早日摧毀毛共政權，光復大陸河山以外，可說是沒有其他的問題值得思慮的。全國人民所以要求蔣總統連任的目的在此，蔣總統為爭取個人將來在歷史上最後一頁的光榮地位，其關鍵亦在乎此。時機迫切，稍縱即逝，萬一再過五六年，依然困守台灣，那時候，國內人心和國際關係，是否像現在一樣，都是對我們有利，那就很難說了！

時事述評

西方記者的怪論

盧家雪

狄克遜爆肚

美國華盛頓郵報的一位專欄作家狄克遜報導說：尼克遜考慮赴中共區訪問，藉以增強其競選總統的政治地位。這消息，美國務院經已否認！

粵劇裏的丑角往往在台上臨時「爆肚」，隨時胡謅一些笑料，以娛觀衆；這位專欄作家，庶幾近之。

西方的新聞記者，有若干乃專以「爆肚」為能事，獨標怪論，初不計及其是否近情近理，亦從不計及其是否能不為識者所笑？彼等亦明知此種新聞，必遭否認，但這無礙於他們的「爆肚」權威；[illegible]後，即令僅有三個鐘頭的驚世駭俗，而在彼個人及其所屬的報社看來，似乎也是值得的。

笑罵由他笑罵，怪聞我自爆之。此語可以贈給這位「專家」狄克遜先生的。

國會議員的神話

與狄克遜有異曲同工之妙的，還有英國的國會議員拉左維拉。這位議員早在一個多月前，就曾爆肚預言，三月二十八日，中共將爆炸原子彈。

今日，三月二十八日之期已過，中共的新聞廣播均未提及原子彈。

這當然又是屬於爆肚新聞！

作到了國會議員，似乎不必借此種怪論來驚世駭俗。再說，中共區縱有核子爆炸，亦只屬蘇俄的移花接木，這一點，只須對中共內情略有研究者，都能知道。並不能驚世駭俗呢！

驚世駭俗的大事

真正能驚世駭俗者，在這一週來，倒是應該推南非的暴動。

三百年來的非洲大陸，移植過去的白人，所加諸於當地土人的壓迫，內情究竟如何，以地區遼遠，鮮為遠東人士所深知。此次暴動，暴露了非洲的黑暗內幕，這纔真正的使世為之驚，俗為之駭哩！

不能再容種族歧視的悲劇，在二十世紀六十年代上演了。聯合國安理會是有權處理這事的。

據外電報導，南非黑白事件如提出安理會，將會引起程序的辯論。如果這樣的事，還要辯論程序，那也不啻是又一驚世駭俗的事呢！

自由談

南韓的民主現象

馬五先生

最近南韓舉行總統大選時，執政黨與在野黨的選民發生流血暴行多起，死傷纍纍，而以馬山市最為嚴重，支持在野黨的人士，被殺者十人，傷者百人以外。消息傳播全球，震驚世人視聽，美國當局尤表關懷，認為大韓民國的民主政治是否能夠維持於不墜？然韓國駐美大使梁裕燦，却說這樣情形才是真正的民主政治——人民為着本身的利益，不惜流血鬥爭。妙哉斯言，阿彌陀佛！

如果民主政治的真諦就是要以暴行奪取選票，那末，世界上無數倡導民主憲政生活，創立選舉制度的大學者和政治家們，死者一定在地下椎胸頓足，生者必然在地上切齒傷心，覺得天下許多罪惡，皆被一般利慾薰心的官僚政客妄假民主之名以行，可恥亦復可恨也。

我以為韓國執政黨要想辯解這場醜劇，到不如老老實實地承認本國是新興的獨立國家，對於現代民主憲政生活多不習慣，為着政權得失而採取暴力行動，這與男人為爭奪女人而打鬥格殺的心情一樣，並不稀奇。若硬說這是真正的民主表現，自欺欺人，未免太過於鴨屎臭吧！

美國當局焦心着韓國的民主政治從此敗壞，亦係只是知己而不知彼的半吊子思想。韓國現行這套憲政制度，原是美國朋友以自己的尺度衡量別人而創造的，李承晚總統更是美國朋友一手培植起來的英雄豪傑。硬把西方經過漫長歲月試驗改進而來的現代憲章，用揠苗助長的方法，不分青紅皂白，行之於東方產業貧乏、文化落後的新興國邦，希望它名實相符，後先媲美，結果那有不糟之理？即如日本，它在二次大戰以前，國內沒有共黨份子存在活動之餘地，戰後由美軍佔領管制，替它創造了一套民主憲法，灌輸了若干憲政思想，容許共黨自由活動，享有合法地位，如今日共勢力乃彌漫着社會各階層，成為日本政治上的癌症了。這都是美國只見森林而不見樹木的天真作風所賜，利未滋生而害已沉重，豈僅韓國而已哉！

真正的民主生活是要循序創進，而且須從教育入手，再輔以產業發達，社會組織力強，而統治階級亦開明睿智，公誠謀國，庶幾乎可望有所成就。光靠一些白紙黑字的憲章法例，那是無用之長物，徒供野心家資為爭權奪利的工具罷了。

國大會議曲終人散

（上接第二版）在路上千萬不可撞傷或撞死國大代表，這有胸襟上掛着代表的圓形證章和長紅色綢條者，老遠就得停車讓路，以免闖下大禍。這是形容國大代表在開會時的威風，使那些平素駕車橫衝直闖，撞死行人不算一回事的軍車司機，也得誠惶誠恐，謹防惹到國大代表，可謂虐謔也已。目前有幾位國大代表跑到中山堂舊會場上巡迴憑弔，只見有某些地區的全體代表，在大門口拍照以留紀念，回憶前情，不勝於悒，乃集體創作了八句詩歌，記者特為錄下，藉作本篇通訊的結語，詩曰：「曲終人散拍照片，與君相約冰箱見，吹打彈拉要六年，幾番開會幾番慘！椅背空留號碼圖，白紙黑字仍重現，袞袞諸公去復來，大家又有好戲唱。」（三月廿九日於台北）

國大會議曲終人散

野鶴

（本報特稿）轟轟烈烈搞了四十天的國大代表會議，已經曲終人散，台北市中山堂亦呈現着門前冷落車馬稀的淒涼景色了。若問這次大會的成就，除了投票選舉總統副總統而外，似乎都說不上對國家前途有甚末大的裨益吧？

選舉正副總統乃是國大會議的唯一職責，依法行事，毫無嚕蘇的。可是，這次大會因為發生了如何使蔣總統連任的問題，意見就龐雜了。大家爭吵了幾十次，結果還是以修訂臨時條款擁護蔣總統連任的法門，而這一道法門之得以順利進行，又不能不歸功於大會主席團諸公之苦心孤詣，努力折衝，尤以現任行政院副院長兼國大代表會議主席團之一員的王雲五氏，最爲辛勞。他在通過臨時條款修訂案之前一剎那間，站在發言台上，大聲疾呼地說道：「我是做買賣出身的人，最講究信用，希望大家相信我的話決不虛偽」。經他這末負責保證，臨時條款修訂案纔完成了三讀的程序，順利通過了。讀者如追問「王賢達」向大家保證的究竟是怎末回事呢？說穿了並不稀奇，那就是政府同意在未來的六年之內，得召集國大代表臨時會議，討論有關修憲問題，同時國民大會設置一種「憲政研討會」的機構，讓各位代表一律担任委員職務，從事研討修憲案。這憲政研討會由蔣總統與陳副總統分任委員，而以這次國大會議的八十四位主席——本來是八十五位，其中一位鄭彥棻主席辭職，而社會賢達莫德惠又未遞補上——爲研討會綜合小組的當然委員。如此這般，不論是修憲者或反修憲者，都佔有一份「研討憲政」的委員名位，且在三幾年內又召集臨時大會，因而皆大歡喜了。蔣總統爲鼓勵代表們熱心研討修憲問題起見，且贈送每人以「各國憲法彙編」兩厚冊，彌足珍貴。至於外間紛傳國大代表們藉臨時條款要求提高待遇之說，事出有因，卻非主要條件，國代表們所爭的是平等生活。例如：立監委員在台灣的住宅內裝置一架電話，依法定的一萬五千元裝置費，只繳半數就行了，然國大代表却絲毫也能減少；立監委員若出國，無論是因公或因私，外交部會給以「官員護照」，國大代表縱然是出國公幹，抱歉得很，祗能以普通國民的護照；十年來未曾入台灣報到，參加過一次會議的立監委員，住在異域照樣地領取歲公費（只不領出席費），且以官價外滙率滙，然國大代表每月規定的生活津貼區區台幣一千元，在海外居住的，一律不許支領。大法官早已解釋過，國大代表與立監委員都是具有「國會議員」的同等資格，但其日常生活待遇乃差別懸殊若是，大家當然要鼓噪了。假使立監委員的薪公費降低到每月只領一千元台幣，則不巧立名目，支領公帑，則國大代表們雖欲提高待遇，也無從啓齒了。「王賢達」之保證，即是保證今後民意代表生活一律平等，而這所謂平等的內容，特歸大遇物質，這是社會人士所未瞭解的。

三月廿一日投票選舉總統的結果，全體出席代表一千五百多名，一致選蔣先生連任，其中只有二十八張廢票。這廿八張廢票之中，有兩張是投票人自作聰明，表示忠貞，竟在選票上加蓋紅圈以外，再加蓋自己的私章，以致無名投票變成了有記名，當然列於廢票之列。其餘的廿六張投的是空白票，這表示一千五百多名代表之中，亦有二十六名反對蔣先生連任，允符民主政治的本質，如果沒有一張反對票，那却是有礙觀瞻哩！廿二日票選副總統的結果，陳辭修先生所得票數，不多不少，比蔣總統相差了一百票，眞是恰到好處。是日下午舉行全體會議，大多數代表依然神氣十足地熱心辯論那些「送請政府參考」的無關提案。殊不知總統選舉事宜一經完畢，代表們的行情便如市場上的滯銷貨品一樣，市價突告低落，沒人問津了！有位說雜代表湯志先坐在會場樓上，覩狀大發感慨，當時撰寫了一首歌詞曰：『今日代表至上，明朝代表至「卡」，夕陽雖好近黃昏，何必再說廢話？早晚行市大不同，縱然舌敝唇焦，又何補於一落千丈的身價？』按「卡」字上下相連，中間缺少一筆，成爲可上可下的形象，國大代表們投過了總統選舉票，能事已畢，雖未宣告閉幕，而剩餘價值可說沒有了，再要像煞有介事，討論提案，剌剌不休，寧非「至卡」嗎？但記者認爲這次眞正「至卡」的國大代表，應以「莫賢達」德惠先生首屈一指。他在大會開始時，領銜主張修訂臨時條款，致犯衆怒，連主席團的位置亦搞掉了，并且受盡了代表們的冷嘲熱諷，他担任大會開幕典禮的主席時，還有許多人準備當場要轟他，給他下不去，幸而旁人從中疏解，曉以大義，就是有若干外國使節到場觀禮，萬不可鬧出笑話，損害國家聲譽，這才化險爲夷。但會議結果，依然通過臨時條款修訂案，莫柳老原是功首，竟至成了罪魁，不亦冤乎！事後尚有人給莫柳老寫下幾句評語道：『以臨時條款起家，兩行熱淚考試院；以臨時條款傾家，一票之差主席團』。按第一次國大會議時，領銜提議在憲法上附以臨時條款的，亦是莫柳老，他在說明提案理由之際，曾經激動得泣下沾襟，後來當局者敦柳老出任考試院長，頗有酬庸之意云爾。

這幾天，國大代表正受着公家的招待，集體赴台灣中南部參觀各種工業建設，餘音嫋嫋，不絕如縷。唯執政黨和大會秘書處各位負責處理國大會議問題的人，算是大功告成，不辱使命，鬆了一口氣了，善哉！善哉！在此四十天會期之中，國大代表們最受社會人士詬議的一樁事，即爲每次集體赴郊區參觀某種軍事演習，或參加某項集會時，乘坐着五十輛巴士，招搖過市，路上行人必須佇立着讓代表們所乘長龍式的車輛通過後，才准行動，有如清道警蹕，歷時甚久，以人民代表而阻礙着人民行路之自由，實在有點那個，難怪要招來物議的。因此乃有缺德鬼宜說一個笑話，說是：在國大代表開會期間，凡屬有車階級——尤其是軍車——的主人，都特別叮嚀着司機：（下轉第一版左下角）

大陸上的抗暴運動

本報特稿

筱臣

去年的西藏抗暴運動，迄今回顧之下，整整已經一週年了，雖然西藏的反共由於中共的全力鎭壓，似乎已經平息，班禪亦回到拉薩去。但整個大陸的「毛澤東路綫」與「反毛澤東路綫」的明爭暗鬥，不僅使共黨內部和偽政權發生了基本的動搖，即人民反極權，反奴役，反暴虐的運動，亦循着滋生的機會，這是星星之火，是永遠不會熄滅的。從下面一些事例中，就可以看出大陸人民抗暴的近況。

四川：四川各地人民反抗「人民公社」，現已到了行動的階段，因之中共的鎭壓殘殺人民的暴行，亦變本加厲。據大陸來的消息，在去年四川省合川縣「徐家人民公社」，由於平時伙食常不繼，加以共幹無饜的奴役，致該地人民在忍無可忍之下，揭起抗暴，當將公社所存糧食，全部取出，分給饑民，「公社」共幹加以「鎭壓」，但爲激憤的人民所毆斃，當場擊斃共幹一人，事後調來大批武裝部隊「鎭壓」，當捕去抗暴人民二十餘人。

今年二月北平廣播報導「中國青年」的一篇文章，敍述四川一個十四歲的兒童，爲了保護「人民公社」的財產，和一個過去的地主的格鬥中，犧牲他自己的生命。這是中共官方性的刊物初次報導公社中發生騷亂的文章之一，特別是關於過去的地主。北平廣播引述該報導甚爲簡略。廣播說：該報論稱讚這個兒童是「少年先鋒」，並且要求所有的兒童和少年學習他的榜樣。

東北：另一消息，在大陸推行反右傾運動中，現已發現大規模的「反黨集團」，去年十二月在「整風」期中，著名的東北鋼都鞍山發現了一個組織龐大的「反黨集團」，組成份子係以鞍山鋼鐵公司大連石灰石礦內的共黨團員幹部及青年工人爲骨幹，普遍礦，遠在內蒙鄂托克旗的包頭鋼鐵公司高級共幹裘承英等多人，也是該組織主幹人物，目前東北若干地區廠礦的高級幹部，已被特務監視，並正秘密進行擴大追查，但中共尚未敢公開宣佈。同時，興安，海拉爾地區的「領導幹部」及「管理幹部」六百餘人，已被指爲有「右傾思想」，顯將受到整肅而人人自危。

山西：據「山西日報」十一月十一日的報導，去年一年中曾掀起四次反抗行動，最後一次因「公社」社員反對估產太高所引起的，他們說：「產量估得太高，國家收購就更多，積極份子爲了討好，不顧社員生活。」「山西日報」說：這些農民的叫喊，因爲得不到要領，曾將一千多斤糧食焚燬了，當時造成極混亂的局面。

「山西日報」最後承認，以上四項反抗行動均由中共用「對付敵人」的手段擊退了。所有參加反抗活動的共幹，黨員及農民們，在遭受殘酷的鬥爭後，都押往「勞動營」去受磨折。

粵北：據交通界消息，粵省連陽縣（粵共合併連縣，連山，陽山等縣而成），二月下旬曾發生一次有一千多人參加的暴動，後經共軍鎭壓，始告平息。

消息中說：這次暴動是在青蓮墟發生，因該墟主花雞咀，黃牛灘及界灘一帶，有五萬餘奴工被粵共強迫趕建連江的五條大壩和四個船閘，由於過度勞動及衣食不足，有不少奴工染病及死亡，上月下旬，有些患病民工因要求返回原住地療養，共幹拒絕，引起不少工人的憤怒，當時有的竟提出增加糧食配給的要求，共幹認爲是受「反動份子」所策動，乃將要求改善生活的民工扣押。因而觸犯衆怒，在一呼百應的情況下，暴動於是爆發，在騷亂中有些已修的工程破壞，並搗毀了很多建築材料。

據該消息說：這次暴動，被共軍擊斃及擊傷的民工約達一百人，雖有六百餘人被拘去，迄無下落。

總之，中共的暴政固已如火如荼，加緊奴役人民，永無休止，但人民爲了達到爭生存、爭自由、爭平等，不甘心屈服於暴政之下，也必然是與日俱增的，且看將來的演進態。

南非悲劇前後

本報特稿

李明

南非聯邦種族歧視的大悲劇，到今天還在上演，未來的演變如何，極爲世界人士所關心。

悲劇的起因，由來已久，已過去的非洲，民族主義的浪潮不如今日之甚，所以不爲外界人士所注意罷了。九百六十萬非洲土人，在三百萬白人的支配下，忍氣吞聲地過着奴隸般的生活，種族間的仇恨，早已蘊積在黑人的心頭。恰好這次南非聯邦頒佈了黑人需要用通行證的制度，就爆發而爲黑人的大暴動，南非警察在處理過程中，失之過激，竟至出動機槍掃射，死傷了平民二百餘人，這一來，更是火上加油，一發不可收拾了。

白種人向南非移殖，應該遠溯到三百年前。一六五二年，荷蘭人到了非洲，這以後，便是荷蘭人的天下。十九世紀初，英國的力量進入非洲，荷蘭人的勢力被逐漸排除，至二十世紀初期，一九一〇年，南非聯邦機正式成立。

種族隔離政策，跟隨着南非聯邦的成立而來。到一九二六年，這種政策更訂爲法律。根據這一政策，規定在歐洲人居住的地方，任何有色人種，包括非洲土人及亞洲人，都只能充任勞工，不得訓練熟練技工或半熟練技工。

現任南非總理霍維特，是推行這一政策最力的人。例如身份證明法，本是一九二六年赫克茲總理所製訂的，在過去，並未嚴格執行，而一到這位霍維特總理上台，就把那種不合理的隔離政策，澈底推行。

白色人種與有色人種，不僅是在居住的地方要加以隔離，就算是黑白男女發生性的關係也要受法律判裁。凡白色人辦的學校、交通、娛樂場所、食堂等，總之，只要是公共場所，就有種族隔離。黑人不得越雷池一步。

而由於白種人在南非掌握了經濟命脈，黑人就只有俯首聽命，忍氣吞聲。

一九五九年南非國會又通過一項法案，這法案的名稱是「原居民自治法案」，准許某種程度的黑人在原居地自治，但卻限定黑人所居住的地區，不得超過全國國土的百分之十三。這當然又是一種無理的措施，使本來已極受壓迫的黑人，現在又更增加一項居住的限制了。近千萬的黑人，僅能居住百分之十三的土地，再加上通行證制度的頒布，更使得黑人們動彈不得。在這種政策之下，黑人們之終須起來反抗，早已是意料中事了。

南非聯邦雖然也有國會，但這個國會完全是白人控制的。下議院議員的席位分配，是國民黨一〇二人，聯合黨四一人，進步黨十一人，原居民代表不過七人；上議會議員的席位分配，是國民黨七十七人，聯合黨八人，而原住民代表不過四人。從這裏可以看出，南非聯邦的議會根本就是白種人的天下，這些議員們所代表的民意，也只是白種人的民意而已。

可是，今天這個時代，畢竟已不同於一六五二年那樣的時代了。也不同於一九一〇年那樣的時代了！甚至比較起一九二六年那樣的時代，也有了很大的差別。

從第二次世界大戰以後，民族主義的浪潮，已經吹遍了落後地區。十年以前，中東各國的民族主義，所掀起的波浪，猶令人記憶猶新；而現在，一九六〇年，這一般民族主義的浪潮，正開始推進到非洲的海岸。

但願人類的智慧，能盡量發揮出來，好好地處理這一浪潮，不要讓其成爲更大的悲劇。

香港地
社會小說

二、恭喜發財

這似乎不算得是一宗太過新奇的事件，但好好一個青年人竟會有這等行爲，也該說是十分可駭了。譚福祿和梅大亮相顧嗟嘆一番，便再向白麗說些勸解的話，認爲事已至此，今天決不會吵出什麼結果，不妨等待幾天之後，再叫她哥哥還錢給那女朋友，料他已經娶了一個濶氣的新娘，總不至賴這一筆債。

白麗忽然苦笑了一下，搖頭道：「他已不是我的哥哥。剛才也是我錯了，錯在還想向他實問幾句，其實還有什麼用？他已經有了濶氣的太太，連老母和弟妹都不必再理會了。我媽媽也再沒有這個兒子了。」

她說得神情淒婉，却不再爲此而流淚，最後，她表示立即要去找那位女朋友，臨別時還是苦笑說道：「算了，不要再提我的哥哥了，但我決不至令那位女朋友受累。我家裏兩架縫衣車都憑她借錢買來的。我曾經憑一雙手賺了錢還給她，現在便再憑一雙手去賺錢還給她吧！我媽媽常說，錢是要辛苦賺來，笑着用去才好，今天，一個有錢的媳婦剛要入門，便累得她偷偷哭了兩場，我們還該想法子使她笑啊！」說完了這幾句話，白麗走了。譚福祿和梅大亮都留在茶座裏苦笑，一時沒得話說。

過了一會，譚福祿喝了兩口苦茶才道：「這小子心術壞透了。」梅大亮却冷哂答道：「這小子很懂得利用關係，叫他去搞政治倒好，這是厚黑學一門的天才。」譚福祿料不到梅大亮也會說出這樣俏皮的話，一時感慨萬端，帶憤說道：「我們逃難到這裏來，沒出息已是可悲，如果第二代都成了這小子般無賴，還有什麼好望？」

梅大亮聽得眉頭陡緺，猛灌了一口苦茶，忽又舒眉道：「再不要說這小子了。我們也不必去喝今天的喜酒。好在事情有壞也有好。別的不說，單看白麗這女孩子的志氣，你我那能及她？難道這便不値得樂觀嗎？來來來，你我都爲白麗乾這一杯。」

譚福祿見梅大亮突然來這一手，慷慨地舉起茶杯相邀，一愕之下，也欣然和他碰起杯子來。（十四）

木客著

十八般武藝
蘇提

時代變了，潮流當然要變。卽以「十八般武藝」爲例。在從前，所謂十八般武藝，當然是指能刀能槍這些玩意兒，但一轉到今天，十八般武藝全變了。不信，有鄙人的大兒子阿狗爲證。

阿狗是一間中學的學生，這間中學我是根本沒有去參觀過的，只是在平日同阿狗閒談中，偶然知道一鱗半爪。我可以斷定的是：這間學校絕不是上海的野鷄學校，而是正正式式在教育司註册的，既然是名正言順的，我忝爲家長，自然是應該放心的了。

說也是的，阿狗平日回來的時候，同他媽媽談到時下的電影明星，眞是口若懸河，如數家珍，甚至他也每天還要看報剪報。說起來，這都是可喜之象。談電影明星，當然不是課程份內的事，但現在的潮流畢竟不同了，課外知識也應該知道一點，纔能作個現代青年。何況，他提到那些明星的英文名，好像比「聖佛蘭西斯哥」那些名字還要長，而他居然能說得抑揚頓挫，這就足以證明，他的英文程度大概已經有了八成了。鄙人是不懂英文的，不過，我深深知道，在此地，英文最吃香，上寫字樓，打皇家工，一切非英文莫辦，甚至帶街也得說幾句半鹹不淡的英語，是則阿狗最低限度已有資格作「帶街」了。

我就是一個獨生子，惟其如此，他最得他媽媽的寵愛，他媽媽常常當着我說：「此吾家千里駒也。」我雖不敢希望他是吾家千里駒，但無論如何，我也不希望他一竅不通的。

有時候，我看到他剪報之後，便在書房裏開留聲機，也不免走過欣賞一下，天哪！他竟然剪的是什麼「舞事通」，「女人性心理」，這一來，我就不能不爲之氣脹了。我把他媽媽叫了過來，我說：「吾家千里駒作的好事，你看，這是些什麼東西？」

阿狗先是微微臉紅，隨後却坦然自得地說道：「爸爸，我說你眞是大鄉里，你知道，現在的潮流已經變了！」

好傢伙，十幾歲的孩子就說「潮流」，我簡直氣極了。我說：「不管他潮流不潮流的，總之，一個青年人所應該具有的基本條件，是古今一樣的。要是在從前，像你這樣大的孩子，早已是十八般武藝，件件皆能了。現在，你呢！你這老不上進的傢伙，你說呀，你說你有什麼技能？」

阿狗怔我一眼，立即站到他媽媽那邊，然後慢吞吞的答道：「爸爸，你怎麼知道我對十八般武藝，件件不能呀！」

「既然如此你照說吧！」

「不過，這又是個潮流問題了。」

「混賬，又是什麼潮流。」

我聲色俱厲，沒有嚇到阿狗，倒把他媽媽嚇怕了。她拉着這個寶貝兒子的手，面向着我道：「十幾歲的人，何必嚇他呢？阿狗，你說吧！說的好，爸爸喜歡；說的不對，有我。你說吧！」

「唔，你說呀！」我又補上一句。

「爸爸，這又是一個潮流問題。」

「放你的狗屁，總是什麼潮流的，究竟你懂得些什麼呀！」

「爸爸，眼前的十八般武藝已經變了！」

「變當然是要變的，這個用不着你說。」

「眼前的十八般武藝，是，是，是跳舞，看電影，演戲，打麻雀，玩十三張，賭馬，輪盤賭，裸體寫生，還有……」

「不許再說下去了。我來問你，這些東西你懂幾件呢？」

「爸爸。」

「你說呀！」

「我，我是十八般武藝，件件皆能呀！」

我的天啦！這眞是潮流變了！

東華三院新總理十九人經已選出

（本報特訊）東華三院庚子年新總理，前（廿六）日選出共十九名，計爲張玉麟、余縉國、鍾錦泉、曾正（以上連任）、黃堉芬、鄺國理、甘光孝、諸兆鴻、賀錦平、周文軒、曹紹松、陳經緯、黃頌民、趙梅勳、唐翔千、湛兆霖、何世柱、彭垂裕、鄒鏡泉等。（坤）

玻璃工業的新貢獻（下）
科學知識

有一種玻璃纖維與可塑物的合成品，資料堅硬異常，比金屬品有過之無不及。目前，它已經被證實可以製成避彈背心，防彈玻璃車窗，以及各種防彈設備之用。玻璃纖維與可塑物混合製成的釣桿及小艇，在近兩年來，也風行歐美。因爲玻璃釣桿的彈力比竹竿竟好得多，而且經久耐用，携帶方便。至玻璃小艇因顏色鮮艷，美觀奪目，其重量僅及木舟的重量之半，故輕快敏捷，速度甚高。

美國最近的另一種玻璃新發明，是曬相玻璃，它含有化學物質，使它具有永遠不變的相的底片，放於其上，在紫外線之下感光，再用電爐冲曬出來。這種曬相玻璃，只要將照則所得實像，維妙維肖，巧奪天工。

在最近，美國並有一種玻璃絲製成的袍子出品，這是華尼吉亞大學的教授們發明的。據說，這種玻璃袍有避免愛克斯光輻射線襲擊之功能，故有某些專家相信，它將是原子時代避免原子彈外衣製造的上好原料，或許這也是避原子彈衣的初步成功吧！？（節譯自「科學文摘」）

文敏

望海樓隨筆

別離
徐學慧

人生最苦是別離，何況是在這個兵荒馬亂的時候！

十幾年來，經歷過的別離場面太多了，有時候，客中送客，更是愁思茫茫，無以自遣，儘管你强作鎭定，終難免在那默然一別之間，百感交集。

年輕時候，對於別離一事看得過份淡薄，總覺得那些老年人揮淚相送，跡近多餘。而今，年事較長，體味頗多，連自己也不免要淚下沾襟，這纔深深地感到相聚之可貴。

眞正的說起來，聚散本無常。其來也，若衆鳥之飛於林；其去也，如柳絮之飄於地；用不着歡欣，也用不着愁苦。風可以吹着浮萍相聚，也可以吹着浮萍分開，若將離合比浮萍，則所謂悲歡苦樂，也眞是無謂了。

然而，人之所以異於柳絮浮萍者，畢竟還是因爲他具有柳絮浮萍所沒有的「感情」，因此，我們也就無法作到凜若冰霜的程度。任憑是英雄氣概也好，兒女情懷也好，旣能感到相聚時的溫暖，也就無法不勾引起離別後的淒涼。

「風蕭蕭兮易水寒，壯士一去兮不復還。」這是英雄式的離別情調。

「牽衣頓足攔道哭，哭聲直上干雲霄，爺娘妻子走相送，塵外不見咸陽橋。」這是兒女情長的離別情調。

「山中相送罷，日暮掩柴扉。春草年年綠，王孫歸不歸。」這是朋友們的送別情調。

「季子平安否？便歸來，平生萬事，那堪回首。行路悠悠誰慰藉，母老家貧子幼，記不起從前杯酒……」「我亦飄零久，十年來，深恩負盡，死生師友。……問人生到此淒涼否？千萬恨，爲兄剖。……」看他如說家常，而宛轉反覆，痛快淋漓，兩人心跡，一一如見。這是知心朋友的送別情調。

「人去闌干靜，楊柳晚風初定，芳春此後莫重來，一分春少，減却一分病！離亭薄酒終須醒，落日羅衣冷，繞按幾曲流水，不會留得桃花影。」這是男女之間的道別情調。

大抵人與人之間的可貴處，要在別離時方能顯出其眞情。平日呼嚾相聚，談天說地，很難看得出每一個人的內心；只有到離別時候，原形畢露，想要壓抑都是壓抑不住的。不過，這又不能應用到政壇上人物了。政壇上人物的別離情調，是一揮手，一微笑，送往迎來，無絲毫情感。那已是存心表演，而非惜別呢！

大陸文壇萬花筒

風格特殊的婦女小說
岳騫

本年三月八日是婦女節五十周年紀念日，全世界都在慶祝，但是以中共最爲起勁，看各地出版機構都紛紛出版有關鼓勵婦女勞動的書籍，其中比較特殊的是上海文藝出版社出版，茹志鵑著的「高高的白楊樹」一本短篇小說集。

說這本書特殊，並不是內容方面敢唱反調，也不是本書有什麼新的成就，而是全書所收的十幾個短篇中，全數是描寫婦女的生活。女作家出版短篇小說集的太多了，可是短篇集中的短篇全是婦女的故事，似乎以茹志鵑爲第一人，可見這本集子並不是把平時所寫的短篇小說收集一起，而實在是爲了三八節的任務，獻禮而作，這點是最特殊的地方。

這本小冊子雖然是短篇小說集，但就故事內容來說，也可以算是一個長篇，因爲各篇故事是有其聯帶關係的，目的是寫出中國婦女一連串的生活，從「黑暗」走到「光明」。例如開始的一篇「妯娌」，寫一位農村老太太趙二媽的生活保守，思想落後，對「黨」的政策處處表示懷疑，這是第一個階段，也是作者筆下「解放」初期的一般情況，因爲趙二媽所想的只是自耕自食，只要兒媳抱孫子，這種思想就和人民公社，公共食堂立於反對地位了。第二個兒子後來娶了媳婦（積極份子）之後，家庭面貌才有變化，由於第二個兒媳婦的影響，趙二媽同大兒媳婦感情也恢復了，大家都前進了。第二篇「如願」，裏面的主角是何大媽，個性就比較趙二媽堅決的多，雖然也[illegible]

釋未集

今文之靡

清人鄭板橋論詩，極推工部與放翁，惟此兩人雖並為大家，而自有其絕不相同之特色，蓋以為杜詩題目大而人物多，陸詩則題目小，而幾于無人物可說，此則由於子美雖中經喪亂，但終得目覩中興，集中收薊北、復兩京、剿賊壕、洗兵馬之作，均一時實事，令人歡喜欲狂者也。而放翁則終其一生，未見王師北上，杜門憂國，淚盡胡塵，故只能寫花開花落之閒情，賞淡月微雲之幽韻，以小題小語，聊完詩債而止。此則世運之盛衰，足以影響文章風格之振靡，雖豪情雅量如放翁，固亦無如之何，故放翁集中，縱多壯語，但均為想像中之樓閣，如「北望中原淚滿巾，黃旗空想渡河津」及「老夫壯氣橫九州，坐想提兵西海頭」之句，讀之愈使人覺其處境之可哀，而不免于廢書太息者也。

日者第三屆國大會議閉幕，照例發布宣言，此間若干報紙，評其文曰：華而不實，且摘取：「我們要使一座自由民主的燈塔，放射強烈的光芒，消除我國大陸的黑暗」等語，以證其所謂華而不實者，以我輩觀之，實固無有，亦極不華，大抵近似冰心女士一類之力作，為五四遺種之流傳，固當與桐城無關矣。然再四思量，以此時此際之心情，縱陸贄蘇軾復生，撰寫此類文字，亦不易面面俱到，故只能盡量使用抽象性字句，如強烈的光芒，神聖之使命，或英明之領導等等，至若反攻、光復、消除黨見、反共救國會議之類，屬於板重字句，一經說出，即毫無迴旋餘地，自以少說為佳。今我輩讀此文告，但覺其熱情洋溢，不自知已惝怳迷離於光明黑暗之間，於是大陸河山，日復渺遠，嗟乎革命文學，末流竟至於此，鄒蔚丹、章枚叔，等而下之則戴季陶、陳布雷，死而有知，必以為天地悠悠，不見來者而愴然涕下也。

考之廟堂文學，首稱西漢之董賈，後世韓愈、陸贄、歐陽修、蘇軾，雖亦事理明辨，委婉盡情，而氣象迥不侔矣，昔馮道為唐明宗陳說人民疾苦，背誦聶夷中田家詩，附以俚語曰：我願君王心，化作光明燭，不照綺羅筵，照向流氓屋，語雖淺俗，猶含悲憂惻隱之情，今我政府播遷，稱曠古未有之浩劫，國大代表，在非常狀態之下，集會選舉總統，而閉會宣言，乃一如宗教團體集會，神巫祀神祝福之濫調，何其靡乎？

曲齋

栗海彈心錄

癸丑之役（二）

湖北當時兵力，尚有蔡、熊、吳、王四師，劉作龍、杜錫珪、朱兆熊三混成旅，石星川江南旅，鄂第一師，黎天才第二師，與袁氏所部相等，誠得一言，亦足以左右當時之局，而戢袁氏之謀，容或漸入憲政軌道，就令演成南北兩政府，亦較後此差強人意，惜黎公未能有此耳。

說者謂有以漁人之讓進者，實則黎公非深謀遠慮之人，左右亦無雄才大略之輩，果爾，則民國以來，不止無魏，亦且無晉，又謂有以脣齒之說進者，斯則足以觸其忌而動其心也。此予所謂必敗之局者在此。

湯薌銘之為袁氏用也，亦自有故，武昌起義時，湯化龍以湖北諮議局長之重，才器縱橫，頗負衆望，未始不可與黎公爭，湘督焦譚，是其例也，而任內政部長，兼黎公幕友。此正睽而求同，渙而求合之時，彼此相需，渺無痕迹，正不必究其前者政見為何如。乃南北停戰議和，竟為黨人所逐。湯氏自此倡五黨合一之政論，數月之間，遂與民黨為敵，國會成立，湯化龍與吳景濂選衆議院議長，而民黨失敗，且名流如梁任公、蔡松坡、林宗孟等，俱願為之左右，亦可藉其人之一斑矣。所不可解者，既逐其兄矣，又以全部海軍投其弟，寧能冀其操刀而不割者乎。既與蘇督不相謀矣，又視第三師以為己力，寧能保其不生二心乎。以新造之局，而措置若此，其為計之疏可知。洪憲之誤國。伏於此矣。民黨以此自誤，亦因以誤袁氏，陳叔寶不投降，隋煬廣未始非明君，朱友貞不敗死，李存勗何嘗非英雄，可慨也夫。（完）

阿公

略論中西文學批評的比較

三

從希臘精神與先秦時代中國精神的比較所引出的文藝批評發達與否的認識，根據專家研究（註二）希臘思想之構成，有悠久的過去，在公元前六世紀，大約相當於孔子誕生時代，民主城市已經出現，法律已脫離神權而世俗化，能用文學廣泛地記載思想的象徵。這時詩人與哲學家輩出，科學（特別是物理學）進步，其後一二百年合理的思想更穩定了進步的意識，數學、天文學、醫學、技術、文學、藝術同時發達，原子論，相對論都顯示着新的精神。三大哲人蘇格拉底、柏拉圖、亞里斯多德，都是這時代的偉大人物。他們和詭辯派同時帶來了批評和分析的精神。配合着自由城邦的發達，使希臘許多有名的城市進入自由批判及議會政治時代。而柏拉圖的文藝對話集和理想國就在這時期完成，書中所稱述的談話，猶之乎孔子和有子的門人稱為「論語」一樣，而成書時期，也正相差不遠。又從荷馬到柏拉圖約四五百年之間，希臘大詩人輩出，他們的詩歌留傳下來的，至少在數量上遠比中國詩經為豐富，僅僅是一部伊利亞特，就在一萬五千行以上，比較詩經三〇五篇，可要多出幾倍，而所謂荷馬時代的早期文學，除史詩外，抒情詩、哀輓悲歌陰比克（Jambic 長短音抑揚格的[illegible]）[illegible]。希臘人好美，喜愛自由討論文哲藝的問題，習慣於感覺上思想上很徵細的分別，而希臘語也是最富可描性的語言，因此說出來或寫出來的，沒有中國單音字的文章意義這些含混。因此，在孔子老子的教訓裏，多是些微言大義，而在蘇格拉底，柏拉圖[illegible]析條理，比較[illegible]而且有些學問[illegible]開始組織成系[illegible]文藝復興以後[illegible]術研究奠立了[illegible]當孔子說「修[illegible]誠」這句話的[illegible]希臘人已開始[illegible]學了，當孔子[illegible]以後不久，希[illegible]已能分析詩文[illegible]和方法，接着[illegible]「詩學」的專[illegible]在我國同時期的著作偶然談及文學的，還只是些斷錦零素，不成系統。（按蘇格拉底生於孔子死後九年，柏拉圖生於孔子死後五十年，而亞里士多德則比孟子大十二歲）。當柏拉圖指實詩人的罪狀，要把他逐出「理想國」而同時肯定詩人應有的態度和應遵守的規範時，孟子可能還沒生出來，這是從時間上我們可以相當清楚地比較中希兩民族對文藝理論分析工作的先後的。至於虞書的「詩言志，歌永言」，（按郭紹虞文學批評史根本不提虞書，朱東潤的文學批評史綱雖則提及，却認為不足信）詩大序的「詩者志之所之……」等語，如果眞是唐虞或春秋時代說的話（卜商如果真作了「詩大序」，那也是戰國初期了），也不過是些「詩底定義」或有關詩學原理之類，而是文學理論的萌芽，而不能算正式的「文藝批評」。因為大家都知道文藝批評，必須眞正批評文藝作品，而不是空泛地說一兩句原則性的話如「詩言志」，或「溫柔敦厚，詩教也」之類，就可以當作文藝批評的。所以嚴格說來：希臘的文學批評，要從亞里斯多德的詩學和修詞學算起；中國的文學批評，要從劉勰文心雕龍，鍾嶸詩品算起，這兩者時間相差大約有六百年，如果將曹丕典論，也作為文藝批評的話，（這雖然不是什麼專著）那麼時代也在亞里斯多德之後，約四百餘年。

這裏，我們可以斟酌邢光祖先生的論點，他以為：「中國文評及美學理論發明之早且多，遠非西洋文評所能比擬」，所根據的一個大前提就是要將羣經諸子裏面偶然提及的有關文學理論的零星斷片，也算作文學批評，他先肯定了這一點，於是從虞書的舜典到孔孟老莊中的不以作品為對象的隻字片言，來證明咱們中國「文評」發明之早而且多。他說孔子的文藝批評早於柏拉圖的文藝對話或亞氏的詩學，我以為邢先生對這問題似乎有兩點沒有注意：第一，他將文藝理論和文藝批評（前者是 Principles of Literature 後者是 Literary criticism）混作一談，因為批評是理論的具體運用，沒有批評作品的理論，只是文藝理論，而不是文藝批評。第二，將先秦關於文藝理論的片段意見來和西洋古代有系統的文藝批評作比較，而多少忽略了性質不是完全相同或份量相差太遠的東西不能拿來比較的道理。

這也就是我在本題內應有的第一點意見。（二、待續）

永研

幽默選粹

莫明其妙

・家琳・

在德克薩斯州克萊機場的高級飛行學校中，一位剛來的飛行教官對他那七個學生，在練習編隊飛行中不服從他的指導，甚表不滿，就訓了他們足足十分鐘說：

「你們這羣傢伙想當戰鬥機駕駛員，就該好好的跟我飛，下次飛行你們都得緊跟着我，不管發生了什麼事情，都不准你們離開我，知道了嗎？」

誰知在下回編隊飛行時，恰巧教官的那架飛機引擎出了毛病，他只有用滑翔來在一塊高低不平的地上作緊急降落，他那七個學生，不管他教官怎樣叫他們離開去，也一架跟一架的追降下來。（譯自品珍）

海嘯慶談薈

袁世凱的忠貞幹部

近代政治人物陳宧、湯薌銘，皆為袁世凱所倚為心膂之寄的忠貞幹部，然結果乃是使袁氏恚忿而死的負心人，政治生活的殘酷性，實在可怕。即此足以證明一般擁有統治權位的人，平日如專門玩弄權術，使貪使詐，而不知致力於修德推誠工夫者，最後沒有不自食其果的。

鄂人陳宧初隨黎元洪入京，供職袁政府參謀部，位居次長，代黎核閱文稿，因黎兼任參謀總長之故，陳藉此得以夤緣袁氏父子。迨帝制運動起，陳與袁克定結盟拜把，過從更密，奮擁老袁稱帝，旋由克定推薦，任陳氏為昭武將軍，督理四川軍務，責其坐鎮西南，防制滇黔桂諸省異動，紓袁西顧之憂。陳於離京赴任之前，陛見袁氏時，曾伏地叩頭，籲請早登帝位，以慰民望。袁下令京津各文武大吏，分別祖餞陳氏，優禮有加，並特撥鉅款供應沿途所需，另派第十六混成旅長馮玉祥率部護送出發，袁克定且送陳至楊村車站方道別。知遇之隆，後無來者，誰能想像陳氏對袁世凱會有不忠貞的行為呢？然而，蔡鍔的護國軍一入川境，陳宧并未積極戰鬥，即電請袁氏退位，說是「不能不代表川人與項城告絕」了！

湯薌銘亦是鄂籍，曾留學歐洲習海軍，一度加入國父孫公的革命團體。繼而潛入孫公寓舍，盜取歐洲留學生參加革命黨的名冊，獻之於當時滿清政府駐法國公使孫寶琦，而寶琦不予重視追究，將名冊付諸一炬（詳情見當年留德學生朱和中所撰革命文獻）。辛亥武昌起義後，南京臨時政府成立，湯又以「老同盟會會員」資格，到南京招搖鬼混，終以過去的叛逆醜行昭彰，無法倖進。既而他的哥哥湯化龍與梁啓超等組織進步黨，為袁世凱效勞以對抗國民黨，薌銘赴北京入海軍部供職。適二次革命之役失敗，湯由乃兄力保，受袁任命為「湖南查辦使」，率北兵入湘，大事誅戮民黨人士，旋以「靖武將軍」督理湖南軍務，對革命黨人草薙禽獮，屠殺唯恐不多，時人稱為「湯屠戶」。維時長沙城內有新闢寬敞馬路一段，名曰「又一村」，地點緊接督軍署後院，每天午後二三時起，行人經過「又一村」，即聽聞自督署傳出的犯人受酷刑慘呼之聲不絕，為之心悸不已。我當年肄業省立第一中學，曾於「又一村」聽過這類慘絕人寰的聲音，至今不能忘懷。

雲南護國軍興，程潛於民國五年春，由貴州方面帶着二三千軍隊入湘西，隨處收編一些民間武力，號稱萬人，實不過五千，且械彈與餉項俱缺乏，然湯屠戶雖擁大軍，不敢一戰，竟於五月廿九日以措詞激烈的電文，促袁皇帝退位，聲言「如必舉全國而犧牲，惟有以干戈相見」。反噬情形，視陳宧尤為惡劣，能不教袁氏氣結心塞嗎？湯屠戶原想藉獨立以戀棧，無奈湘人恨之刺骨，反湯運動遍地勃發，最後他祗好湊雜北軍潰退的亂兵中，潛逃到武漢去了。

川湘兩省為華南咽喉重鎮，備制着粵桂滇黔諸地區，而物力財力胥富有，川湘若無虞，南中的革命運動必難發展。袁世凱深悉此中關係，乃選拔平日極端親信的陳宧、湯薌銘，分別綜持兩省軍政，認為萬無一失的。詎知患難來臨時，首先倒戈相向者，就是這兩個心腹幹部，袁氏自然非氣死不可了。就陳湯二人的品格來說，陳於袁死後，隱居天津不復涉身仕途，尚有些許廉恥之心。湯屠戶却是昧廉鮮恥之徒，晚年還不甘寂寞，投入張君勱的民社黨，企圖重溫過去利用進步黨以升官發財的美夢，可鄙孰甚哉！

諸葛文侯

自由報
THE FREE NEWS
半週刊每星期三、六出版
第十五期
每份港幣壹毫
社長：雷嘯岑
督印人：黃行奮
社址：香港銅鑼灣高士威道二十號四樓
20 Causeway Rd. 3rd. Fl.
HONG KONG
TEL. 771726
電報掛號：7191
承印者：田風印刷廠
地址：香港高士打道221號

香港台灣之間的工商問題

馮一蘅

香港現在的經濟繁榮，得力於工業有輝煌成就，台灣現在的經濟穩定，得力於農業有豐富生產。兩者都已是衆所公認的事實。香港工業在這十年間的飛躍進展，論者大都歸功於自由經濟，每引與戰後西德及日本的經濟復興並稱；台灣農業在這十年間的重大進步，則顯是實行「耕者有其田」的成功。愛護自由中國的輿論近每發出疑問：爲什麼台灣的工業發展，遠趕不上香港？是不是政策有了錯誤？抑或老作風依然沒有改進？輿論的督策是有益而合時的。因爲台灣確實應該由農業進步再加上工業進步，及時開步向前走。

台灣人口逐漸膨脹，養軍費用浩繁，外援只是暫時可持，如不速行建設工業，打開經濟出路，怕不只負担不起反攻的重責，連保守也有問題了。這是常識，不須多贅，近看副總統兼行政院長陳誠在國代大會的演詞，和籌備投資條例及外國人投資條例相繼修正等事實，可知自由中國政府確已開始認眞注意此事，至於能否向香港看齊，那就要看今後事實上的努力了。

我們對此事期望極切，另有一個說法：近年由大陸到台灣的人也和到香港的人一樣，投入農業是困難而不適宜的。香港如無新興的工業容納突增的二百多萬難民，情況當然不堪設想。台灣工業的擴展旣然不及香港，由大陸到台灣的人便只有擠向政致兩途求出路，粥少僧多，而又別無可以舒洩之道，那不只使大家吃苦喊窮而已，許多不必要的磨擦和怨懟都由此而生，其對於人心風氣影響之壞，當然不細。試想，香港大多數難民家中的婦女，都可藉手頭工作來幫補家計，這種家庭工業如能在台灣蓬勃興起，大多數收入微薄的公教人員豈不是可以減少一部份養家的顧慮嗎？

當然，如談台灣工業十年來竟無進步，那是不公平的。工業生產量的增設，按實學道，樣有數字可積，其中石油加工生產等，尤有顯著突出的成績。但全盤遠遠比不上香港，也是事實。

單就人力的豐富與廉宜而論，台灣當較香港具有發展的較佳條件。但除此以外，台灣卻有許多地方比香港爲不及。如作持平之論，我們應該從多方面觀察和研究。

美國國際合作署專家賴伴勒氏，近曾在台灣公開演講，盛讚香港經濟奇蹟的說這是自由經濟成功的模範。該署駐華分署署長郝樂遜也說，台灣投資氣氛應予改進，藉以吸引外來資金，並曾舉出香港爲例，說香港能夠有長足的進展，乃因工商投資較爲自由之故。這種論調大概可能給自由中國政府以良好的刺激，但我們不妨指出：香港吸收外來資金的優越條例，是那穩定而有歷史信用的幣値，和十分自由的外匯市場。至於工業突趨發達的因素，則爲資金、入力、與技術的大量湧入，政府在政策上又能善導於無形，而在航運的便利，向外採購原料與器材的方便，銀行制度的完善，各國有悠久歷史的大銀行與大商行在此所引起的接觸與媒介作用，原日商業貿易線網的廣闊等等基礎上，有大部是台灣不能倉卒學步的。

我們應該從政策、作風、基礎、機會等等，分論合觀，求出台灣工業進步不及香港的原因，才可循以明瞭今後應該改進之道。

以往台灣經濟當局對於鼓勵新興工業，增加對外輸出，似乎缺乏信心與努力，在心理上似傾向於保守，今後如想從新有所振作，須待破除的困難當然不少，我們認爲，吸引外來的資金，技術，輸入有利於增加生產的器材，配合來用以發掘台灣的地利，運用台灣的人力，藉以有利於台灣經濟的開發，增加一般人就業的機會與收益，先決還是資本。就情理來說，與其吸引外資，不如吸引僑資。香港的工業資金有大部是由各地僑資湧滙而來的。從前國府曾屢次失去僑資寄托的信心，固然幣値不定是一個主因，「官僚資本」亦應負「排除僑資」的重大罪咎。目前要吸引僑資，最要仍是「示信」，當然也要掃除一切官僚作風。

我們要鄭重提出如下一點：今天政府當局屢說重視新的人才，對海外人才也迭示延攬之意，便須知凡在海外工商界能夠生根立業的僑胞，都是實事求是，從艱苦環境中奮鬥中出來的人才。放眼向反攻復國的前途看，將來大陸需要大規模的賑濟，和一大筆復興各地產業的資金，如不事先和他們有所聯繫，臨時籌措是不成的。如在台灣區區一隅之地，仍不能先示以信，廣行吸引他們投資，怎能談到引用他們的才力和財力，爲重建大陸而樹立遠大的目標？這是一股重大的力量，你不能吸引他們，便等於排除他們。如何「示信」是目前的策劃，而最終目的則是貫立永久的大信，爲未來復興大陸產業造好了規模，開創了風氣。這種眼光與打算，是政府當局所應有，而且應該及早展開工作的。

別以爲「示信」與「立信」是易事，也別以爲吸引僑資與振興工業可憑官樣文章而獲致。破壞自己的信用是咄嗟立辦，重建起來便要千辛萬苦了。起自商務印書館的王雲五先生最近在國代大會主席團上說出一句話：「我是做生意的人，請大家信任我說話的信用。」這話說來輕鬆，應該聽出眼淚。商人失去信用就會有破產之災，這和官僚的不知信用是什麼，而仍可長袖善舞，當然是各處極端的。台灣如要培成「重商」的觀念，便該知依法向商人課稅是政府之權，便商與利商是政府之責。工商原自關連，不便商便不能興工，原是原理。目前台灣各級機關的作風，與「便商」剛好背道而馳，就我們所知，香港有好些熱心想由台灣辦貨到香港進來的商人，大都說起來便搖頭，原因是怕麻煩，怕做沒有把握的生意。麻煩在乎台灣有些機構，似以禁制[illegible]和留難商人爲他們的職責，來貨難有準確的把握。向台灣辦貨等於要向衙門諸方拜托，衙門多而又限制嚴，並且朝令夕改，通過這一機構又要別一機構，辦一次貨便要演一齣「過五關」，這確怪他們沒有信心的。港台相隔一衣帶水，香港商人運銷台灣工業製品在香港猶且如此陌生，似乎無可尋覓和無可聯繫，如不把這種觀念作風一掃而空，猶强說什麼反攻大計，豈不等於癡人說夢？

我們贊成以若干國營工廠移轉民營，並即利用以爲吸引僑資昭立大信的始基，猶如確立健全稅制，認眞公平地有效地善用國家銀行資金，設立證券交易市場，使法治精神與合群信任普遍提高，都非一體努力不可。只要方針確定，逐步前進，對於香港工業實有和現有優點固要吸收，同時對於香港工業現已發現的缺點也要及早防備。香港正遭遇過不少困難，新的困難也陸續產生，這與最初植基不夠穩固是有關係的。香港正由「工業革命」走上「學術革命」和「組織革命」，台灣也確實需要一個「工業研究投資小組」，就「人、地、物」三者之宜來作適當的權衡。說廬萬語千言歸結不外一句：這是一條唯一的生路；但前面荊棘以難。要有眞認識，以絕大誠意和努力去掃除陳腐，以示信和立信產生向心的力量才成。

時事述評

戴高樂與原子彈

盧家雪

法國的原子彈試驗又舉行第二次了。

這一顆原子彈，政治性大過科學性。

首先是試驗時間的安排之妙，妙在俄共頭目赫魯曉夫將要離法返蘇之前。

其次是戴高樂的談話之妙。戴氏說：

「法國將繼續原子爆炸試驗，直至其他核子國家廢棄他們的核子武器儲藏品，或者在美國允肯的合作下，令法國成爲一個完全成長的核子國家爲止。」

絃外之音，赫魯曉夫當然了解，美國人也是可以理解的。

美國的原子秘密，截至今天爲止，只有英國可以分享，而法國不與焉。戴高樂想要分享美國的原子秘密，却向俄國的赫魯曉夫吐露心事，這正是一石二鳥的政策。

運用之妙，神乎其技矣。

二次大戰後，有若干國家是在美蘇的夾縫中，利用其矛盾，而從中取利。

戴高樂是一個有名的政客，對於利用矛盾，自是高手。他夢想把法國成爲一個核子國家，而捷徑乃莫過於分享美國之核子秘密。

問題却在，美國早已拒絕了此種請求。

於是乎，法國乃不理會核子停試的議論，而自試其原子彈矣。一個還不足，繼以二次，此亦無非表示法國已有決心要成爲「原子俱樂部」之一員，同時令得當前正高唱入雲的核子武器停試論倍增困難。

利用國際上的矛盾，而使得法國在國際舞台上，重任要角，正是現階段戴高樂的外交政策中心。

今天的國際局勢，愈複雜就愈微妙，愈微妙就愈能緩和緊張。

此非怪論，而是今日國際問題的基本形態。

戴高樂之所以提出此種論調，畢竟還是由於法國已經掌握了原子彈的初步知識，自己已經能夠站起的原故。假若法國的情況，一如戴高樂未上台前那樣混亂，則今日的分享原子秘密之說，就算不被人譏爲痴人說夢，也是不會有人重視的。

自由談

談國是會議

馮五先生

報載：國大代表會議中，有人反對政府召開「國是會議」，認爲國大代表集會即係國是會議，何必另起爐灶呢？又謂海內外各黨各派人士果有反共救國的奇策妙計，早應貢獻政府，何待開會陳述呢？甚至說召集這種會議是違憲的！吾聞其語，不禁喟然而歎曰：近代中國知識份子之常識，抑何譾陋乃爾！

說國大會議就是「國是會議」的人，其心情犯着誇大狂的毛病，便要包辦反共救國這項非常之業，訑訑拒人，罔知份際，卻忘了自己從民國卅七年到現在，已經開過三次國大會議，除了吵嘴打架而外，究竟提供了甚末反共救國妙計？歷史紀，俱在錄可資檢查的。若謂召開國是會議便係違憲，尤堪發噱。憲法上所規定的，都是些政治制度，政府因時勢需要而召開國是會議，乃屬於政略問題，即是運用治權的技術問題。把政治制度與政略政術混爲一談，如此纏夾二的言論，其常識的幼稚，殊堪驚駭。不特此也，憲法規定國民代表大會的職責，只是選舉，罷免行政元首，創制、複決國家法律，而後二者依法尚在保留期間。然國大代表竟要自封爲「國是會議」，這是不許別人過問國是，不是最彰著的違憲行爲嗎？自己公然違憲，而對於主張團結海內外反共力量以共赴國難的人，妄加以「違憲」罪名，眞是豈有此理！

我認爲不管是召開「國是會議」也罷，「反共救國會議」也罷，有一個先決條件必須具備，那就是政府當局的軍事反攻計劃大體準備完成，進入實施階級了，召集這種會議才於事爲濟。當年盧溝橋事變發作後，政府決計抗戰，一次「廬山談話會」，便把全國各黨派各階級人士團結起來，一致抵抗外患，大家相忍爲國，歷八年而不渝，即爲最好的例證。假使軍事反攻行動遙遙無期，那末，這種收治性的會議就沒有必要。持反對論調者，不從這項事理設想，唯以排他主義，阻礙國人共赴國難，剝奪中華民國人民過問國事的公民權，而又自命爲民主憲政的實行者，寧不令人噴飯乎？

如果認爲反共救國這項非常之事，毋須乎團結全國力量，亦可成功，吾無間言，因爲這是相信太陽可從西邊出來的道理，還有什麼可說的呢！

展望下屆新閣人選

台北通訊

野　鶴

國大會議閉幕已經一週，台北的政治氣氛，另是一番情況了。最爲社會人士所關心推測的事情，就是新選總統就職之後（五月中旬），行政院照例要提出總辭呈，靜候總統的重新任命，現任陳兼院長是否蟬聯下去呢？這是人們揣測紛紜的一大課題。有的說是陳副總統今年將代表我國政府分赴各友邦報聘，歷時必不少，勢難兼任內閣總理的繁重職責了。有的認爲行政院長如非陳副老總兼理，再尋不出像他這樣勇於負責，而又爲各方所敬重的人，例如他在立法院有時候發點脾氣，大家也就能夠諒解，不致引起無謂的風波，換上別人，行嗎？況且蔣總統最近曾經表示今年是國家最艱苦奮鬥的一年，決非全靠「個人號召」所能濟事的，從這種意義設想，行政院長更須以陳副總統兼任爲最上之策。有的卻說現任總統府秘書長張岳軍將出而組閣，另由蔣經國先生担任秘書長或副院長，老成持重的張氏，配以壯年有爲的蔣氏，剛柔相濟，大有作爲，各方面皆沒有走不通的。還有人知道中央銀行總裁兪鴻鈞最近經總統召見了兩次，因而推測兪或許捲土重來，再作馮婦哩！這些傳說，似以第二說最爲合理。

衆說紛紜的政治行情

不過，行政院在五月間必須改組，却係一定的，即令陳副老總照樣兼理院務，但有幾位「管部」閣員，勢將更換。首先就是外交部長黃少谷堅辭不肯再幹了。他去年冬間即已再三求去，並且懸賢自代，但陳院長勉他勉爲其難，等到今年五月政院改組時再說，黃氏說他對外交是個外行，有如一個伶工，本來沒有這齣戲的素養，硬要登台演出，而且不許照扎了，實在感覺困苦之至。黃氏是現時在政壇紅得發紫的人物，辭去外交部長，當然另有高就，最可能也最適當的位置，即是改任中央黨部秘書長，他對各方面的人緣都很好，條條道路走得通，教他做中央黨部秘書長，尤稱適材適所。其次將易人的，當是僑務委員長了。現任的陳淸文，是英國劍橋大學出身的，以閩人生長於馬來亞，精通馬來語，又能說粵語，而其人平正溫和，操守甚佳，陳兼院長根據這些條件，乃請他綜持僑委會。詎知陳氏乃一純粹的交通技術人才，對於普通行政事務毫無興趣，更談不到經驗，他最怕應酬周旋，當衆演說，然僑務委員長的職務却以應酬說話爲主要功課，他幹這門活路實不相宜，自己個人痛苦極了，對國家又殊少建樹，於公於私，他都有掛冠之可能。繼任者有高信的傳說，此刻言之過早。再其次是司法行政部和內政部亦有換人的消息，教育部長梅貽琦如果也自已不以年老請辭的話，必將照舊連任的。至於經濟、財政、國防、外滙貿易委員會等首長，假使陳兼院長繼續任職，決不致有所更張。前任教育部長張其昀，在這次國大會議中立下了殊勳，深爲總統所倚重，因此有人傳說張氏勢必入閣，且將再任教長，借資熟手。但據張氏對其好友談心時的表示，他以陽明山國防研究院的教育長工作最感興趣，在未打回大陸以前，無心涉足行政界，而以潛心研究學問，撰寫專門著作爲得計，他的書生本色依然十足，其言頗堪信任。如果張岳軍出任行政院長，則總統府秘書長一席，似非張其昀氏莫屬，黃少谷亦大有可能也。

轟動一時的社會新聞

台北的政治新聞大概報導如上，且附帶紀述一些社會新聞罷。第一樁大新聞就是菲律賓華僑姚嘉薦去年在台北「自殺」案，近由司法行政部調查局平反了——姚氏並非自殺，乃係被人謀財害命，用「巴拉松」毒死的。司法行政部調查局採用現代的各種科學方法和工具，使嫌疑人犯自動供出殺人的經過情形，錄音指證，沒法狡賴。中央研究院院長胡適，前天（三月廿九日）偕同台大校長錢思亮，特赴司法行政部訪晤調查局負責辦案人員，參觀各種儀器和案卷，胡氏甚讚許辦案人員能以「大胆假設」「小心求證」的科學方法，昭雪一個寃死的命案，頗爲難得。當年檢驗姚嘉薦屍體，認定是自殺的法醫葉某，業已縲絏在身，變成階下囚了。有人說，谷鳳翔的司法行政部長位置，或許叨藉這樁人命案件的光，暫時不致動搖，也未可知。第二樁大新聞是台灣電影業公會，公開檢舉行政院新聞局電影檢查處貪污，說該處以商人所送「紅包」多寡作爲檢查影片的去取標準，紅包送得多的，影片就容易「完璧歸趙」，否則胡亂地予以剪裁，弄成前後不相銜接，沒法在戲院上演；又說該處新造的一座房屋，亦是由外商影片業者贈送的錢而來的。這些指摘之詞，遍載台北各報紙上，迄今已逾五日，然新聞局影片檢查處却無一語辯駁，充耳不聞，大有笑駡由他之勢。監察院已派人着手調查，將來必有詳細報告公諸於世的。社會人士皆相信電影業公會的指控不虛，否則商民素來害怕官府，決不敢宣揚這種關係重大的黑幕事情，下文如何，要待臺諫御史來答復了。

（二月卅一日）

血肉砌成的中共建設

本報特稿

一　得

中共「國務院副總理兼國家計劃委員會主任委員」李富春，三月三十日在中共御用機構「人民代表大會」，向千餘名代表中共而不代表人民的「人民代表」誇稱：「一九五九年國家預算內的基本建設投資總額完成了二百六十七億元（地方和企業自籌的投資約五十億元不在此數之內），比一九五八年的二百一十四億元增長百分之二十四點五。一九六〇年國家預算內的基本建設投資爲三百二十五億元（地方和企業自籌的投資約六十億元不在此數），比一九五九年增長百分之二十一點七。」中共的建設款項，全部搾自民間，除了搜括所有產品外，更在提倡「五年計劃」時，說是爲了「改善國民經濟，提高人民生活水平」。藉着這動聽的名詞，到一九五九年止，先後發行了六次「建設公債」，「購債」所搜括的民脂民膏總數達美金十八億以上，至地方上的「公債」還不在此數內。

有很多人都有一個錯誤的觀念，那是說中共雖然殘暴，但在「建設」方面的確有些成就，但實際上，中共推行的「五年計劃」，尤其是「基本建設」方面，並不是像他所說「提高人民生活水平」，而剛剛相反的，它是降低人民的生活水準，陷人民於半饑餓半死亡的境地，以實現其擴軍備戰的陰謀，及滿足其獨裁統治者的物質慾望。現在再以實際數字以證明這點。據中共「國務院副總理兼財政部長」李先念去年十月中旬發表的「十年財政總結」透露：中共十年來用於「基本建設」的投資共計一千一百四十三億元「人民幣」，按照中共外滙牌價，約折合美金五百餘億。以此數目計算，大陸人民包括初出世的嬰兒在內，每人約負担一百元美金，在一向經濟並不發達的大陸，這是一個使人民透不過氣來的負担。既然在建設方面用去了這個多錢，人民應當從建設成果中獲得實際的利益才是，但事實上，大陸人民的生活水平却日低一日，到現在，每人日僅得四市兩米，日用品全部奇缺。那麼，中共不顧人民死活，搾命搜括所得的民脂民膏是用作什麼，「建設」了些什麼呢？答案是：一方面日以繼夜的趕築全大陸的戰略鐵路，擴建製造軍火的重工業。另一方面不惜勞民傷財地在北平大興土木，擴修和興建各種宮殿館舍，以供毛澤東以次各頭子的淫逸享樂。除了純私人性的以外，目前北平已建成的大規模的「文化宮」、「招待所」、「俱樂部」、「大飯店」、「體育大厦」等專供俄共老大哥到來巡視，各「兄弟國家」到來觀光時，及赤色特殊階級活動的場所，眞是林林總總，形形色色，數不勝數。以去年十月才建成，現在中共「人民代表」集會地的「人民大會堂」爲例，可見中共的窮奢極侈，官僚惡習。中共動員了一萬四千多名工程人員，費了十多個月的時間，徵調了十八個省市的建築工人六七萬而建築完成這大會堂，堂內能容納萬餘人。建築面積達十七萬一千餘平方米，體積一百五十九萬六千餘立方米，所用大鋼樑每根重達一百四十噸。至於裝修工程，僅大理石，花崗石等就用了十七萬多平方米。說到設備，更是窮奢極侈，彫欄玉砌，金碧輝煌，僅聲，光、電、空氣調節就有一千多個大小工程項目。這樣的一座建築美奐美輪的「大會堂」，却只是供中共高階層幹部所召開的集會之用，至於人民，則因場外戒備森嚴，連走近也不能，更談不到享受這「建設」了。

如果人民個個飽衣足食，家家富足，這些建築物的興建，不算得什麼。問題就在目前大陸人民都在缺衣缺食的悲慘情況中，中共的「建設」，不特無補於民生，且更降低了人民的生活條件，因爲用於這些建設物的一切人力，財力，物力，都是取之於民，簡直是人民的血肉堆砌成的。中共如此吮吸人民膏血，對輾轉呼號的人民熟視無睹，可以說明了這政權的殘暴性，也說明了中共的所謂「建設」與改善人民生活有極不相容的矛盾性，它的「建設」愈推進，人民的生活將愈悲慘。

·菲律賓通訊·

菲國排華自食惡果

琀　然

與很多新從殖民地變爲獨立國一樣，菲律賓的政治措施可以說是未上軌道的，行政組織凌亂，官員缺乏足夠的資格與經驗，加上所受教育不良，無爲國爲民的抱負，貪污普遍，獨立後的菲律賓，就一直在這種情況之下。而使菲人最爲不滿的，乃是因菲律賓在爲殖民地，屬於複式經濟組織的地方，大資本企業由白種人的統治階級所操持，中層資本及商業則多由僑居的華人所擁有，菲律賓人只有作奴工。獨立後，非人就十分妒忌經濟爲外人所操持，但大資本的白種人有強力後台，非人不敢動其分毫，便只是從華僑入手。十年來，菲律賓排華的目的不外一個，就是要把華僑所握有的強大經濟力奪取過來，所謂「非人第一」的政策，不外如是。自從職業菲化案及零售商菲化案實施以來，華人在菲已受甚大歧視，前者是規定外僑不能參加律師，會計師，藥劑師，各種工程師及技術人員考試。華僑青年除可參加醫師及護士考試外，其他均不能參加考試而取得執業資格。後者是規定零售商店，如屬個人經營的，只能經營至店主死亡爲止，如爲合股經營者，有下列情形之一，必須停止營業：營業執照規定之期間屆滿，股東之一死亡；自零售商菲化案實行滿十年後，一切合股零售商，概須停業，自此案實施後，華僑投資大減，外資亦紛紛轉移陣地，以致失業者大增，物價飛漲，幾年來經濟不僅沒有好轉，且日加惡化。

非人不從正當手法以收購外僑資本，只知掠奪壓制，甚而目光淺窄，知識薄弱的議員，且以排華排外爲其競選的政治資本，結果受害者，仍是菲律賓國家本身，部份議員及官員亦已漸漸看出這種盲目排外的措施不當。菲副總統馬卡巴格爾最近曾發表演說，說他對所謂「非人第一」政策，亦衷心贊成，但那却非目前菲人所推行的盲目排外政策，他說，這種政策的受惠者並非一般非人，而純爲一批官僚以及終日在鬧市咖啡館內無所事事的流氓而已。他指出眞正的「非人第一」政策，應施行於廣大農村地區，眞正的政策施行後，對外僑亦無敵視之意。他承認現政府對於此政策的眞正意義何在，尙不明瞭。一個政府對於施行多年的政策，而尙不明瞭其意義，可謂胡塗之極，而這却是副總統所自認的。

素以提倡所謂「非人第一」政策及推崇狹隘民族主義思想著稱的排外份子，如牙鄰省衆議員李萬，最近在衆院發表的一篇演詞，自認盲目排外不當。他首先抨擊現在一部份非人，利用「非人第一」之口號，四出推動排外運動之行徑，不但不能有助於菲律賓之建國工作，反而將引起國內社會紛亂，及國際間輿論的非議，使菲律賓在國際上成爲孤立一員。

他說「非人第一」並非「非人獨佔」之義，「對於不良外僑，我們固然盡可能排除他們，推行我們的法律將他們驅逐出境。但是那些善良守法的外僑，我們怎能對他們和不良外僑混爲一談呢？」

他說最近菲政府推動一個吸引外資運動，西德工商界訪問團來菲訪問後即指出因有種種「菲化」案限制，利潤又有被凍結可能，則沒有大資本家敢來冒險。他們並反問：「菲律賓要吸引外資，是否具備有容納外資的條件」。李萬說這問題到現在仍無人敢答。最後李萬建議說：「與其出盡力量招引外資來菲發展工商業，我們何不以公允合理的態度及政策，好好地利用已在國內的華僑及其他外僑的資本呢？」

非人的盲目排華，現已逐漸自食惡果，但能明智地覺察到這危機的議員及官員，可惜爲數甚少，故種種非化案，仍在議員間醞釀中。

社會小說

香港地

三、文章有價

他們不顧悶酒而歡喜茶，經過碰杯以後，精神一振，便索性打開話匣，詳談一回。

譚福祿回想當年，和張君寶，錢鏗然，梅大亮三個，都是常時見面的難友，如今張君寶墓木已拱，遺下兒女都已成人，錢鏗然靠着那副打哈哈的本領，據說近年常做地皮房屋買賣的經紀人，相當寫意，自已胡亂靠着卜相為生，也算混得不錯，只梅大亮仍然挺着一副硬骨，住在九龍仔木屋區裏，不脫常年窮相，當下慨然生感，便開口向梅大亮動問，想知道他近來家境怎樣。

梅大亮老老實實地答道：「我還是那個老樣子，住的是那間用筆桿架成的老屋，老妻每天忙着織手袜，我也忙着嘔心肝寶腦汁。說好不好，說壞不壞。」

譚福祿自然省記得起：梅大亮是許多逃難朋友中來得較遲的一個，那時曾把本身親遭的慘事，寫成一篇幾萬字的文章，寄給一家雜誌社，因它材料真實，文筆生動，居然獲得重視，預支了五百多元稿費，他立即用這筆稿費頂受了一間木屋，以後就常對朋友說，他住的屋子是用筆桿架成的，穩是不穩，住卻可住，只要風吹不破，雨打不穿，他便可以長做「山人」，不愁被僱租人敗了詩興。

故事兒上心頭，譚福祿便笑着問道：「你還是靠搖筆桿來過日子嗎？大概是文章有價，越發得意了。是那幾家報紙雜誌買你的文章？一篇文章換來一座房子，一住便是幾年，如要認真計算，稱得上一字百金了。」

梅大亮搖頭一笑，做個手勢一比，答道：「話不是這麼說，那不是我的文章有價，而是我懂得打算。其實我那時賣的不是文章，而是有血有淚的材料。換句話說，這不過是賣眼淚吧了！這些年頭，每一個逃到這裏的人，雖只光身一條也還帶有一副可以賣錢的眼淚呢。賣錢多少是看你的機會，也得看你會不會賣，但這等如一個可以搾出汁來的鮮橙，汁給搾乾了，橙便不是鮮橙了。一被搾了汁的乾橙怎還賣得有價呢？我不善說吹牛皮的話來騙你，文章有價當然有人，但決輪不到我。」（十五）

木客著

養犬記

蘇堤

王先生最近突然想到要養狗了！養狗的目的何在，王先生並沒有說明，不過這幾天王先生天天去狗場相狗，倒是事實。不僅是相狗，王先生還不厭其煩的請狗場主事人飲茶，在飲茶的時候，他們詳細地研究每一頭狗的家世，以及牠們的近況。

王先生言談之間，透露出他特別喜歡那頭純黃色的狼狗，表示價錢出高一點都不要緊，不過他需要知道那頭狼狗的詳細家世。

在狗場主事人的渲染下，那條狼狗成了全世界只有三頭。一頭在巴西國家博物院，另一頭在非洲一個土王的家裏，而現在這一頭還是去年他在智利向一個愛爾蘭人手上買下來的。他也表示他不輕易將這頭名狗賣給一個普通的人，因為，普通人不知道愛護畜牲，還是隨隨便便賣給一個顧客，不僅有辱禽獸，更且有沽狗場會譽。

這麼一說，王先生的買狗之心，當然更加迫切了。他幾乎是用一種求情的口吻向狗場主事人說道：「像我這種身份的人，可以買下這頭狗嗎？」

「身份當然是夠了，因為，王先生你也是上流人。不過，我是不大願意賣這頭狗的，這樣的名狗，價錢方面……」

「這個倒沒有問題。」王先生毫不考慮的說：「只要你肯出讓，價錢沒有什麼談不攏的呀！」

「去年曾經有一個名流，想要買下這頭狗，他出了一萬美金，我還沒有賣哩！其實，那一次相差也只有五千美金的數目呢！」

「好吧！就是一萬五千好了！」王先生立刻開了一張支票，雙方約定下星期五用汽車來接去。這筆交易非常順利，王先生在臨行的時候，特別問到這頭狗的名字，據說牠的原名是一個很長的拉丁文，但帶到香港來，已經換了一個中國名字，名叫「茉莉」。

王先生覺得他簡直是作了一件光宗耀祖的事，他想，這個消息應該趕快回去報告太太纔是正理。

回到家裏，王太太正和幾個朋友打蔴雀。王先生用一種極其親熱的態度，把他的太太叫過一旁，然後堆着笑臉說道：「太太，我今天總算是作了一件極有意義的事了。」

王太太一心就想到打牌，不耐煩的說道：「什麼事，快說快說。」

「說起來，我相信你也會贊同的。我們結婚這麼久，還沒養過孩子，所以我想……」

這一下，王太太着急了！她睜大着眼睛說道：「你這老不死的，你可是想再拿一個回來？」

「不，不，哪兒的話。」王先生笑着說道：「不過，我覺得家裏沒有小孩，有時候不免覺得枯燥，所以，我在狗場裏買下了一頭名狗。此狗說起來頭大，全世界只有三頭，牠的祖先是……」

「少說廢話，你只要說說，養狗有什麼好處？」

「哦，好處多着啦！譬如說，養一頭名狗，可以在社交場合中，大出風頭，使許多上流社會的人對我們肅然起敬。」

「這個，唔，這個……」王太太有些心動了。

「還有，一年一度的狗展會，對于最好的狗，可以由大會送一個銀盾。」

「難道我們還少了銀盾嗎？」王太太反問一句。

「太太，這個妳就有所不知了。妳可知道，銀盾上還要刻上狗主人的姓名呢！人以狗出名，這也是揚名一法呀！」

王太太沉思一下，說道：「也好。不過，狗主人的名字要寫我纔是。」

「這個，這個，我看還是寫我們兩個吧！」

王太太笑了，王先生也笑了，他們現在隱隱約約地覺得自已真正已是名流！

胡適與黃純青

小丞

前幾年逝世的台灣民族詩人黃純青與胡適之有一段佳話，深富歷史意義。

先是胡適之的父親鐵花，官台東州時，曾著有「台灣日記」和「台灣稟啓存稿」等書。黃純青任台灣文獻委員會主委工作時，認為有歷史價值，因將兩書印行，親任校閱。當時並應胡適之之請，為之作序。

四十一年冬胡博士來台講學，黃純青又寫了一篇文章，題為「台灣胡適」，考據胡適博士之識字發祥地。

隨着又由文獻委員會開了一個歡迎會，由黃純青致詞，中有：「我們是一羣台灣文獻的工作者，徵文考獻，不敢不勤，但我們願以『假羅漢』的資格，來請『真觀音』給我們指示一切。」推崇備至。

接着是胡博士答詞，他說台灣是他的第二故鄉；做孩子時，曾先後在台灣住了一年零十個月，許多朋友都把我當作半個台灣人，我到台南去，台南縣長說我是台南人，我到台東去，台東縣長要我做台東人，兩個地方我都植了樹，台南植了一顆榕樹，台東植了兩顆樟樹，這也許是替將來文獻委員會，造一點小掌故。

四十三年，黃純青先生在二月廿六日歡渡八旬華誕的時候，胡博士恰在台北，曾親自踵其寓所祝壽。現在黃純老已歸道山，胡博士是否也有山陽鄰笛，愴懷掛劍之情呢！

談文學批評

徐學慧

批評一件文學作品的好壞，並不是盡人皆能的。老實說批評比創作更難。創作者可以自由自在地處理一切的題材，而批評者則絕不能憑自己的心意，發出一些削趾適履的理論。

任何一件作品，都是經過作者嘔過心血的，他有他個人對於某一事物的見解；一切題材的處理，都從這一觀點出發。批評家固然應該有自己的主觀，可是，當他着手分析別人的作品時，他應該是純客觀的，否則，他就不可能有真知灼見。

一個作家從事創作的時候，他的心理過程是從生命的內容而突進到意識心理的表面；而在批評家看來，卻是由意識心理的表面逐漸進入生命的內容。這中間的過程，剛好是相反的。因此，批評家每每是將作品上的有意識心理的內容，觸發到潛藏在他心底的無意識的內容；兩兩相形，批評的現象乃能成立。

照這樣說，文學批評似乎又是純主觀的了，是的，批評家的言論本來是純主觀的，不過，搜集資料，應該有絕對的客觀性。任何一個人的作品，如果僅只是單純地憑作品去批評，必歸於失敗；因為一件作品所牽涉的範圍至為廣大，與時代背景，社會環境，個人涵養，都有很密切的關係，每一點蛛絲馬跡，都會弄得融會貫通，然後纔能批評一件作品的好壞。其實說「好壞」也是沒有一定標準的，因此，這就涉及批評者自己的修養了。

一個作品的好壞，在許多批評家眼中，並不是一致的。各人有各人的意見不同，我們也就無法求其一致，如果先有批評家的意見存乎其中，再去讀某一個人的作品，那就永不會有好結果，因為你已先入為主了。

鑑賞他人的作品，必須先讀原文，儘可能在讀者自己的心目中，描繪出一個粗枝大葉的印象，然後再去閱讀各個批評家的意見，以補其不足。不幸的是，一般人都有先讀批評家再讀原文的習慣，這麼一來，作者與讀者之間，便自然愈隔愈遠；而批評家倒好像文學經紀一般，橫在中間，剝奪了讀者的思想權利。細想起來，這也是怪有趣的。

惟其如此，就不免給那些野心家以利用的機會。常見有若干莫明其妙的「文學作品」，往往一紙方出，四方响應，那些職業批評家們，不惜連篇累牘，同聲歌頌，弄得烏烟瘴氣，昏天黑地。此種現象，絕非讀者之福，因為，這是文學批評上的「愚民政策」。

大陸文壇萬花筒

何其芳又受攻擊

——岳騫

去年十月一日是中共竊國十周年，大陸大小報刊一齊奉命歌頌，紛紛出專號，「文學評論」自然也不例外，去年十月份出版的第五期「慶祝建國十周年特輯」，共發表了五篇相當長的文章，都是有關「國慶」的，其中第一篇是毛星的「對十年來新中國文學發展的一些理解」。最近忽然受到批評，大陸近來對文藝作家翻舊賬的作風，確實越來越兇了。

「文學評論」是雙月刊，創刊於一九五八年，原名「文學研究」一九五九年始易今名，是一個大型刊物，份量僅次於「收穫」，較「人民文學」篇幅還要多些。「文學評論」是中共科學院文學研究所的機關刊物，文學研究所的所長是何其芳，所以文學評論的主編也是他。

依何其芳的身份去担任文學研究所的所長自然不夠，但是在中共的文藝幹部中，何其芳確實還是比較高明的一個，他的散文，詩歌都還可誦，無論如何在戰前就算是成名的起碼作家。在他主持下的文學研究所，自然沒有特殊人才，不過在文學方面也都還有相當成就。

過去，他們這批人是專門研究古典文學的，從一九五八年三月陳伯達提出反對「厚古薄今」口號之後，他們為了配合「黨」的文藝政策，才轉而研究新文學，何其芳同毛星都在內。一九五八年也可以說是大陸上最瘋狂的一年，小麥畝產六萬斤的笑話，就是在那時造出的。文藝方面大力提倡民歌，一時文藝界全被民歌佔據，似乎中國根本就沒有文學，假若有的話，就是民歌。

何其芳以前是成名的新詩人，對舊文學也懂得一些皮毛，自然看不起「天上沒有玉皇，海內沒有龍王，我就是玉皇，我就是龍王……」這一類怪東西，曾經在「文學評論」提出批評，結果引起了一場大混戰，到了一九五九年下半年才算不了而了。不料這次毛星的一篇文章又引起舊事重提。

毛星的這篇文章被攻擊的重點是未提到新民歌，小小說，活報劇一類東西，這些東西正是共區文學的正統。過去新民歌論戰時，何其芳的態度堅不屈服，這次卻首先豎起降旗，在本年第一期文學評論，撰文歡迎讀者批評，並承認自己（包括毛星在內）的錯誤。不過是否能過關，還很難說。

釋未集

非常之情

古人云：能立非常之功者，必有非常之才，其言誠是矣。而予則以爲又必須有非常之情，蓋勢之必不可抑，力之所不能致者，惟非常之情足以動之，人處危疑狂瀾之際，既已儀秦失其辯，良平失其智矣，聖賢仁義，尤迂闊而無補於成敗也。容齋續筆載：「楚昭王遭吳闔廬之禍，國滅出亡，父老送之，王曰：父老返矣，何患無君？父老曰：有君如是其賢也，相與從之，或奔走赴秦，號哭請救，竟以復國。漢高祖入關，召諸縣豪傑曰：父老苦秦苛法久矣，吾當王關中，與父老約法三章耳，凡吾所以來，爲父兄除害，非有所侵暴，毋恐。……秦民大喜，已而項羽所過殘滅，民大失望……劉氏四百年基業，定於是矣。唐明皇避祿山亂，至扶風，士卒頗懷去就，流言不遜，召入諭之曰：朕托任失人，致逆胡亂常，須遠避其鋒，卿等倉卒從朕，不得別父母妻子，朕甚愧之，今聽各還家，朕獨與子弟入蜀，今日與卿等訣，歸見父母及長安父老，爲朕致意。衆皆哭曰：死生從陛下，自是流言遂息。又唐德宗以朱泚之亂，出狩奉天，陸贄勸德宗痛自咎悔，以言謝天下，制書所下，雖武人悍卒，無不感動流涕，識者知賊不足平。」因而曰：凡此數端，異代同符，而深怪靖康、建炎之際，不聞有此，而南宋果遂以偏安終其祚運，而吾人讀史至：「韋后（宋高宗生母）南旋，欽宗赴車前泣曰：歸語九哥（指高宗）與丞相（指秦檜），我得爲太乙宮使足矣，他不敢望。后許之，且誓而別，及歸，始知朝議不欲欽宗南歸，遂不敢言。」家人骨肉之間，防猜如此，則苟爲小朝廷之皇帝，亦云倖矣。考諸我國傳統思想，全一切滅去人情者，嘗首推法家之商、申、韓非，而其術足以致富強而摧敵國，使賢不肖各盡其力以事其君長，因其如此，故亦無待於講求教化，而個人行誼之善惡，尤無足輕重，故韓非曰：「法莫如一而固，使民知之，罰莫如重而必，使民畏之」。蚩蚩者氓，畏法亦誠是矣。而修言法治之商君，不幸竟死於法，史記商君傳云：「孝公卒，太子立。公子虔之徒告商君欲反，發吏捕商君，商君亡至關下，欲舍客舍，客人不知其是商君也，曰：「商君之法，舍人無驗者坐之」。商君喟然歎曰：「嗟乎，爲法之弊，一至此哉」。由是可知，去人情，法不足恃也。

曲齋

粟海彈心錄

公教制（上）

阿公

周制、大司徒掌邦教，以鄉三物教萬民，三物、三事也，萬民，衆民也。經書凡言萬民，皆指一國之人而言。一曰六德。知、仁、聖、義、忠、和也。二曰六行。孝、睦、友、婣、任、恤也。三曰六藝，禮、樂、射、御、書、數也。知者、覺也。猶今言知識也，然較知識語辭義深，與智同。故曰：「知理之速，行之，如矢也」。由此可知周制公教，首重智育。惟知乃能充實精神物質的兩面。仁者、人也。人之心也。心存乎仁，則人我物我兩利。斯可爲人矣。聖者、通也。達於事理也。人於事理無不達，則可謂之聖矣。故曰「睿則聖」非佛家所云聖凡之謂，亦非后世所云神而化之之謂。由此可知周制教育，無階級觀念，故曰人皆可以爲堯舜。是之所謂聖也。任者，負荷之謂，又恩信相親之義。恤者，顧也，又憂戚之義。孝於其親，友于兄弟、睦其九族而和其姻親，故行自親親始。至於仁民愛物，則德有所離，而行知所止也。禮樂、治世之具。射御、捍衛之術。書數，庶事之技。古今不必盡同，而其所以爲藝則一，又必學焉而後效，習焉而後察也。

周制、萬二千家爲鄉，八口爲家之中數。約今縣二之一，或四之一。國語十卒爲鄉，十里爲鄉，管子十率爲鄉，皆云二千家。此侯服之制，不必同於畿甸也。

鄉教、周庠序之教也。殷曰序，周曰庠，一也。自畿甸至於荒服無不同。孟子告齊宣王「謹庠序之教、申之孝弟之義」，是也。庠序，猶今制小學也，惟學齡至於十五耳。小學而能習之以藝，導之以行，養之以德，視今之德育智育，而尤加備焉。它可知矣。

周制太學五學，皆建立於中央，辟雍最尊，亦曰璧雍、取璧之圓，雍之以水，以象教化之流行也。水南曰成均，水北曰上庠，水東曰東序，水西曰瞽宗。由此可知自鄉教至於國教，皆公教也。

略論中西文學批評的比較

四

既然提到中西文評發展的時間份量和系統化的問題，跟着要談一談中西文評內容和派別的比較。

（一）試先就中國文藝批評所根據的原理及方法言。

劉勰批評前代論文之辭，少所許可，他曾說到：魏文典論，密而不周；曹植序書，辯而無當；應瑒文論，華而疏略；陸機文賦，巧而碎亂；摯虞流別，精而少功；李充翰林，淺而寡要。其他同類著作，也是汎議文意，未能振葉尋根，找出文學的源流。於是他發憤著書，「選文以定篇，敷理以舉統」，寫成一部「文心雕龍」，這部名著，如今已成爲中國文藝批評的寶典，也是大學中文系的必讀書，不需要在這裏加以分析。它代表當時文學思想，也旁採儒家的文學概念，因此他雖信仰佛教，仍然不脫儒家的傳統――以經爲文的正統文，所以能有價值，也因爲能翼贊經術，發揚聖道。否則便是雕蟲小技的藝，不登大雅，開後來韓派古文「載道」的先聲。他同時頗欲矯正六朝文浮華的流弊，也就是後來蘇氏父子稱讚韓愈文起八代之衰這種觀念所由起，這個「載道」的觀念，一直使得往後一千多年，中國文學，大部份受着儒家道統範圍所束縛，似乎已把文學降爲倫理道德的附庸，要等到五四運動時期，受了外國文藝思潮的衝激，然後纔正式得到自由和解放。但是，西洋文學除宗教的影響有相當力量外，很少受到道德觀念束縛的。

其次是「詩言志」一派，這派以鍾嶸詩品，皎然詩式，司空圖詩品爲代表，而演其緒餘者則爲嚴羽及王士禎的神韻說，袁枚趙翼等的性靈說，翁方綱的肌理說等。他們論詩，大抵以性情靈感爲主，而不甚注重格律，（沈德潛雖持格調說，亦不反對性情，翁方綱雖反對神韻說的空泛，特揭「肌理」二字，以救其虛，但仍屬言志派。）此派大可補救「載道派」之流弊，並能把握文藝的精神和獨立性。但在儒家思想籠罩之下，也未能起決定性的作用，例如清汪薇編詩倫一書，古今詩非有關五倫者不錄。所選俱以能立教垂訓者爲主，亦白居易自敘其詩，以「諷諭類」爲最重要，似乎主張「詩以載道」。否則失了風人之旨。杜甫詩對後代的影響，大於李白。王維「詩史」的頭銜，似乎比較「詩仙」「詩佛」爲隆重，地位比較重要，也因爲他的詩注意寫時代事實，憂國懷家忠義奮發和後來的大詩人白居易陸放翁，辛稼軒一般。這可見「載道派」的力量，不獨滙成古文辭的主流，並且佔據詩國已經很久了。

其三、陰陽剛柔之說，見於姚鼐復魯絜非書及曾國藩聖哲畫像記。此說應用美學理論――優美感覺與崇高感覺（康德）以評論文藝。朱光潛在「文藝心理學」上已有論及，茲不復贅。

其四、文藝問題，見於曹丕典論及韓愈答李翊書，也是中國論文的名言。在他們之前，劉彥和本有「風趣剛柔寧或改其氣」之言，宋張橫渠因此以氣爲萬物之本，氣之中又涵有陰陽二性，陰性主靜，沈而下降，陽性主動，浮而上升，於是就將文氣之清濁有體，文章聲氣之長短高下疾徐，與柔性美和剛性美又聯繫在一起了。王國維人間詞話，似以境界之大小釋剛柔，也可自成一說。邢先生引林語堂以柏格森的「生命的躍進」（可譯「Elan Vital」）釋文氣，我覺得是有問題的。（三、待續）

永研

自然世界

滅跡的恐龍（上）

陳永昌

恐龍的故事是極有趣的，我們常常以爲恐龍一定是龐大的爬蟲，其實並不然，雖然有些恐龍是地上生物的最大者，有些却是雞一般的小大。恐龍大體上可以分作兩大類，其一是有爬虫類骨盤的，其二是有鳥類骨盤的，前者包括食肉獸及水陸兩棲者，後者則包含鴨嘴恐龍，裝甲及有角者。恐龍的足跡遍佈古代岩山上，很容得到正確的考據。

恐龍在動物學中是屬於涼血的爬蟲綱，用肺呼吸，皮膚外面有鱗片。中古代的爬虫種類很多，體積很大，是地面上最有勢力的動物，這時候的恐龍有高至八丈以上的，但都早已滅跡了。現在地面生存的爬虫，多半是比較很小的，例如龜、蛇、守宮、鱷等。

中生代裏地面上動物的種類已經很多，但是最發達的是爬虫類，所以這時代稱爲爬虫時代。三疊紀中爬虫的種類已不少，侏羅紀中的爬虫種類更多。這時候的爬虫有適於水中游泳的魚龍類和游龍類，有適於陸地上行走的恐龍類又有適於空中飛行的翼龍類，這幾類爬虫的體積很大有長到百英尺的，可算是陸地動物中空前絕後的大動物；形狀很多，有二足行走的，有形似犀牛的；分佈很廣，全世界各處都有。在侏羅紀中，爬虫式的鳥類已經出現了。

海嘯廛談薈

李烈鈞自委都督

民黨鉅子李烈鈞（協和）清末畢業於日本士官學校後，應雲貴總督李經羲招邀，入雲南于役軍旅之事，洊任至雲南講武堂提調。辛亥革命之前數月，李派到武昌、南京各地參觀新軍秋操，未屆期而武昌新軍大舉義旗了。李原係同盟會員，遂留武漢參預革命行列，並對其故鄉江西策劃獨立，另有同學友好彭凌霄、歐陽武、俞應麓等在贛活動，他自己受任爲武昌革命軍大元帥黃興、副元帥黎元洪的參謀長。未幾，江西宣佈獨立，馬毓寶據九江開府稱都督，歐陽武等在南昌亦成立軍政府，彼此互不相下，社會秩序騷然。旅鄂的江西同鄉乃向武昌大元帥府請願，乞派李烈鈞回贛收拾紛亂局面，以期早日會師北伐。

是時也，大元帥黃興以失守漢陽引咎辭職赴滬，由黎副元帥綜持一切，但黎恇怯無魄力，李氏請黎接納贛省民意要求，任命他爲江西都督，黎雖然不拒卻，亦不下命令，李固請之，黎謂：「你自己照辦好了。」李即撰寫令文與任命狀，先教監印官蓋好大元帥府關防，再請黎氏加蓋元帥私章。因爲他是帥府的參謀長，這些公文手續自然容易辦理，而黎大元帥這時候對革命前途的成敗殊感憂惶，祗好隨隨便便地應付着，讓李氏自封都督，也無所謂的。繼任李氏的參謀長職位者爲鄂人李書城，此人現在大陸投共了。

李氏憑着革命軍大元帥的號令，帶領少數武裝衛隊，乘坐停在武昌江面的海軍楚豫艦，直航九江登陸，馬毓寶聞李到岸，親來艦上相見，李即席剌殺之，撫綏其部屬，還赴南昌接江西都督任，局勢乃告底定。既而國父孫公就中華民國臨時大總統職位於南京，正式任命各省都督，李氏當然亦在其內。他與廣東都督胡漢民，安徽都督柏文蔚，皆爲同盟會會員中之健者，極爲袁世凱所嫉視，後來反對袁政府大借外債最力的，就是這三都督，而李氏尤其激烈，所以，袁氏於民二春間，首先下令免去李氏的都督職務，暫派歐陽武承其乏，因而激起湖口討袁軍之率先發難，終於釀成二次革命之役。

民國十四年愚隨李協和將軍在張家口於役西北軍中，一日餐畢談天，李慨然述往事，笑謂「我廿九歲做江西都督，而且是自己委派的！」乃將其中詳情見告，兼及湖口討袁軍作戰經過。據當時革命進攻湖口革命軍的北洋部隊，係馮國璋所屬的李純一師，兵精械足，其勢張甚，袁世凱又任命李純爲九江鎮守使，以堅其進取之心。討袁軍多爲臨時湊合的地方武力，人數不滿五千，僅林虎所領一團有戰鬥力而已。然鏖戰匝月，討袁軍迭傳捷訊，蓋李純麾下有旅長耿毅（鶴生）係民黨人物，曾在陣前倒戈起義也。洎是耿與李協和寒成生死患難之交，永矢不渝，愚於張家口初晤耿氏時，協和先生介紹道：「這位耿大哥是北方豪傑之士，你們青年人應該師事之。」往後愚從李公日久，看他對耿氏遇事言聽計從，風義甚篤。迄民國十九年冬，耿在上海與民黨前輩居覺生先生等，因政治關係被淞滬警備司令某誘捕鎗斃，協和時隱居匡廬，聞訊震怒，長電斥某無禮悖義，殆激於愛護耿氏的深摯友誼而然者。

諸葛文侯

自由報
THE FREE NEWS
半週刊每星期三、六出版
第十六期
每份港幣壹毫
社長：雷嘯岑
督印人：黃行奮
社址：香港銅鑼灣高士威道二十四號二樓
20 Causeway Rd. 3rd. Fl.
HONG KONG
TEL. 771726
電報掛號：7191
承印者：田風印刷廠
地址：香港高士打道221號

闢「漢禍」謬論

劉龔三

西方淺薄之士，一向惕於所謂「黃禍」之說，既持優越感以臨人，欺凌詐騙之不已，又恐東方人終將有抬頭之一日，故造「黃禍」之說以自警，其情畧似惡主防範可憐奴，其心理則集殘暴猜虞刻忌而俱備。近十年神州陸沉，中國人方掙扎於水深火熱之中，力求挽回此一空前之人類大災厄，而西方乃有所謂名記者與著名歷史家，反倡為「漢禍」之說，一則主張美國應與蘇俄合作應付中共，二則以漢族勢力膨脹威脅西方為話題，作為討好蘇俄的論調。離奇荒謬，不只漠視當前眞正禍害，且於歷史正確事實茫無所知，此所謂「專家」及「歷史家」的謬論，中國人應挖出其心理病根，痛斷而切斥之。

倡為「漢禍」謬論的人，近有美國的「蘇俄問題研究專家」薩里伯利氏，及英國著名史家湯因比氏。兩人地位均不尋常，持論若出一轍。薩氏是合衆社駐莫斯科通訊員，及紐約時報的研究蘇俄問題專家，近著「莫斯科與東方紀遊」一書，便提到漢人的巨影將在今後一個世紀籠罩世界，成為亞洲十億以上人民陣營的領袖。他因此覺得，美國極需要蘇俄合作，蘇俄亦極需要美國合作，乃謂：「我們與蘇俄認眞談判，此其時矣」！

至於湯因比氏所作相似的言論，數年來屢見報章，其心理病因均由惕於「漢禍」而起。

當前世界人類的禍害，是「紅禍」而不是「黃禍」，尤其不是「漢禍」。如在西方人心目中有所謂「黃禍」或「漢禍」之說，則在相對的一方面，東方人便應視當前的「白禍」為必須排除。蘇俄正以「東方的代表人」自居，向西方人士所視為「落後地區」的國家，鼓動仇恨，要他們以最狹隘而激烈的民族主義驅逐西方勢力，今天西方正須向亞非國家爭取友誼以對抗蘇俄，而薩氏湯氏之流，乃着力於提倡壓制未來的「黃禍」或「漢禍」，則蘇俄提倡排除當前的「白禍」，豈非振振有詞，益可大姿其挑撥之論？賊入善人之室，鄰人不協力驅賊捕賊，猶且竊語賊曰：速自警惕，防遭反擊，我將與汝協力！如此怪論，乃出於所謂「專家」與著名史家之口，固由於罔察事實，亦由於不識歷史。

「黃禍」之說，起於西方，始自成吉思汗所屬蒙古鐵騎，橫掠亞洲而至歐洲之時，所謂「漢禍」之心理陰影其淵源在此。按據史實，當歐洲人受蒙古鐵騎震撼的同時，漢族在中國所受的屠殺凌辱，亦屬史無前例，當時蒙古人為第一等人，色目人為第二等人，漢人南人（曾在南宋旗下抗元的漢人）則為第三第四等，漢人南人不得養馬藏兵器及習武藝，入夜不得外出，在室內不許燃燈，如受蒙古人色目人毆打，不准還擊，生殺搶奪，一任蒙古人之意。試問蹂躪歐洲的鐵騎與漢族何關？元亡，漢人建立明朝，當成祖兵力極盛時，漢族亦只勉可自保，旋又續受外侮，明亡於滿，漢族繼為滿族武力所欺壓，迄滿清之衰，西方勢力侵入，垂百年猶未脫羈絆，而日本武力續起為虐，俄人繼之，且挾其共產邪說而來，遂至有陸沉巨禍，今日漢族在大陸所受殺戮奴役之慘，倍甚於昔日蒙古人以鐵騎建立大元帝國之際，湯氏既是史家，能列舉史實以證明漢族將成世界其他民族的禍害否？

中國武力最盛的朝代，不過秦、漢、及唐，自宋以後，即無足觀。秦築萬里長城，亦不過重防守而不重攻畧。漢武帝之營邊新策，守在境外，持旨猶不外消禍而不在取利。唐人聲威遠被，文化之功多，非特武力。即此作證，西方人士何得便謂漢族將成未來禍害。

今日世局，有與當年蒙古人橫跨歐亞，威脅整個人類的局勢相似，其中有大同亦有小異。蒙古人粗獷野蠻，勇於殺戮，挾騎射之長，發明快速集結優厚兵力突擊一點以衝破敵人整個防衛體系之戰畧，更因佔有世界「腹地」（歐亞心臟）的地利，故能宰制東西，所向無敵，今天俄共是鑄造仇恨以推行野蠻殺戮，其政畧戰畧與戰術的陰狠惡毒與繁雜精細，超過當年蒙古人何只十倍，又同樣佔有世界「腹地」的地利，所恃不是騎射，而是由科學工業產生的現代海陸空新武器，故其所取資於中國大陸，不似當年蒙古人的簡單，而是包括地面人口與地下資源。漢族所遭禍害倍慘者以此，整個世界人類倍受威脅者以此。

湯氏如為進步的歷史家，具有超越的頭腦與眼光，便該知解決人口膨脹是整個人類共同的問題，而不應單獨着眼在漢族。未來世界不當有某一個民族對整個人類威脅的問題，人類的眼光已望向太空，理想已不局限於舊有的劃區分配勢力一類陳腐之說。必謂有之，則今天「英語民族」就已是整個人類的威脅了，湯氏能承認此說否？如有人倡偏激之論，完全抹煞西方文明對整個人類的貢獻，湯氏能以著名歷史家的地位表示贊同否？漢族人口較多是事實，但決不要只看人口膨脹，而不問其文化精神。近百年間，各國與各個民族人口突飛猛進的程度，顯已遠過漢族，中國百年來災禍頻仍，人口從未有過正確統計，中共只是胡亂編造六億數字以威嚇西方國家，其實仍不會超過四億幾許（胡適博士曾有詳論），以美國及俄國人口急激膨脹的趨勢而論，很快便會各達二億，此進彼退，形勢甚顯明，奈何西方學者猶對漢族人口嫉忌如許？印度人口數字之多，僅次於中國，日本人口膨脹亦速，奈何湯氏等偏於此時據其「遠見」而發謬論，使世人玩視當前赤禍之迫切可畏，而寄其幻想於飄渺無根美俄合作？中國大陸近十年受戮及受折磨至死的漢人，每年動以千萬計，大漢奸毛澤東久已實行史太林所訂「消滅二億中國人」之毒計，吾人方為此而痛心疾首，而湯氏等反代俄人劃策，請俄人注意其前所奪自中國之大片無人地帶，勿被漢人「入侵」，妙想天開，至此而極，寧不知俄共控制中共，其深謀遠慮之處，乃在乎自北面壓迫大陸人力向東南亞衝擊，使世界上兩個人口最多的民族，在此一地帶拚殺至兩敗俱傷，彼乃乘其後以拾取利益耶？俄共由北而來的壓力，驅使中共南侵，其勢比二次大戰時驅使日本南侵，尤具有較大便利與較優把握。薩氏與湯氏之流，何必代俄人過慮乎？

漢族有優越智慧與文化，其寬厚與和平之民族精神，決將有助於世界之邁向大同，及創造人類康樂生活與高度文明。湯氏曾讀孫中山先生之三民主義否？三民主義之中，民生主義獲於台灣實驗「耕者有其田」，今已為世人所共譽。其民族主義之精神何在，湯氏等亦知之否？湯氏今方享盛名於英國的歷史家之林，由於其持說如此，吾人乃不禁思威爾斯氏而太息了。

「殺人亦無限，立國自有疆，若能制侵陵，豈在多殺傷？」此乃中國詩聖杜甫代表漢族歷代詩人所表達的心聲，湯氏等如能以史家公正眼光，詳考中國史的詩歌精神，當知「漢禍」之說，亦癡亦愚亦妄了。

「生於其心，害於其政」，西方與聞政事之有識者於此，確不能不明辨其是非與曲直。

時事述評

應派特使悼馬來國王

許明柱

獨立不到兩年的馬來亞國王嚴端逝世了，消息傳來，令人不勝悼惜之至。

馬來亞是一個新興的國家，雖然她的面積不大，但她是一個堅強反共的國家。她的人口不多，但華僑卻佔了百分之四十以上的比例。她的建國歷史極短，可是她已經積有十年以上與共黨武裝頑寇份子作戰的經驗。她的種族繁多，而馬來亞到今天並未積極的推行狹義民族主義。最可貴的是：馬來亞不僅忠於自由世界的理想，而且還對自由中國表現了她同情與欽佩的友誼。如果不是此次國王逝世，那麼副總理兼國防部長不久就要來我國訪問。這說明馬來亞不但值得爭取，而且要積極地爭取。

爭取的起點最好派一個部長級的特使團趕到馬來亞去參加嚴端的葬禮。

我們必須認清：今天談東南亞外交，絕不是局部的、點線的外交，而是要普遍的作一番深入的面的外交。當印尼在蘇加諾所謂「指導民主」下瘋狂的排華，緬甸乃至印度懾於中共的武力只求自保時，馬來亞應是我們聯越南、泰國、菲律賓之後積極爭取的友人。因為馬來亞的北方是泰國，南邊的就是新加坡，與新加坡遙遙相對的是婆羅洲，這些地方都是華僑世界，特使團能在這些地方走走，豈不事半功倍？

阿登諾——可敬的榜樣

當阿登諾這位西德老總理與他的經濟部長艾爾哈特為爭執領導西德實權而出言不愼時，我曾為他惋惜！因為一位忠誠謀國的老人，不能為目的不擇手段，用不負責的流言來中傷自己一手提拔的幹部。

然而，在阿登諾與艾爾哈特握手言和以後又僕僕風塵於倫敦、巴黎、華盛頓、東京之間作爭取各國的實地訪問時，我對這位老政治家又恢復了由衷的敬仰！

以一八十四高齡在飛機上生活數十小時之久的老人，以一寧肯請新聞記者「原諒疲倦少提問題」但不依老賣老的老人，可謂一個好榜樣。

自由談

國際間的雜牌隊伍

馬五先生

從民國十六年國民革命軍打倒軍閥，統一全國後，直到對日抗戰時期，內戰連緜不輟，而一些翻雲覆雨暮楚朝秦的濫隊伍，即大為得法了。這方爭取他，那方拉攏他，要官即加官，要錢就給錢，一切編制與人事經理，完全自由處置，誰也不敢干預他們。這也就是內戰循環無已的主要原因，受苦難的祇是老百姓。我以為這情形只有咱們中國這種落後國家纔不以為怪，又誰知今日的國際間亦一模一樣，如法泡製，而以美俄兩國為主體。

戰後美國實行援外計劃，藉軍經援助之力以廣結與國，聲勢張甚。既而蘇俄亦照樣行事，且宣稱不附帶任何政治條件，好像是慈善佈施的形氣。如是乎，一些國際上的無聊政客如尼赫魯、蘇卡諾、宇努之流，乃相率標榜中立政策，在國際間搔首弄姿，惺惺作態，對於美俄兩方的軍經援助——尤其是經援——皆樂於領受，嫌少不怕多，而美俄當局也就喜歡[illegible]諷兒，拉攏親近之不遑。實則像印度、印尼，緬甸這些剛剛脫離殖民地生活的新興獨立國家，無論就軍事、經濟、政治、文化諸潛力設想，對世界和戰前途，皆不發生影響的。他們有許多地方尚未具備着立國的條件，其本質殆如中國過去內戰時代的雜牌部隊，擁着一些破爛的機械，掮起某某軍、師、旅，或者某某支隊的旗號，東勾西搭，待價而沽，誰給他的利祿多，他就擁護誰；誰想整頓他的內部，希望他們蔚成節制之師，他又蟬曳殘聲過別枝，拖着濫隊伍投向他方去了。

今日美俄不惜以人民血汗之資，贍予一般中立國家，實際效用不啻是把金錢投入鼠洞中，充其量不過博得宣傳上的暫時口實，聊以自慰而已。我實在替美俄的人民叫冤枉，鳴不平，這些中立主義者對於世界和平，究有多少貢獻呢？萬一發生世界大戰，他們不但是毫無舉足輕重的能力，而且將成為美俄任何一方的濫包袱。眞正的中立主義者，必須有左右大局的力量，庶足以消弭國際間不必要的戰爭行為，現時只有美俄兩國堪以語此，連英法亦不夠格啊！

一國之內有雜牌部隊，動亂必然頻發，國際間有中立主義的雜牌國家，世界亦永遠不會安寧的！

中廣扼殺民營電台

胡魯

台灣通訊

台灣全省三十座民營無線電台，現已面臨生死存亡的威脅，成千員工，上萬眷屬正在爲未來的艱困憂慼。原因是中國廣播公司挾著國家的資本來和民營電台從事非法的，不公平的競爭——！換句話說就是無情地扼殺這民營的三十座電台，由中廣來獨霸市場。因此，現在民營台與中廣已展開了求生的鬥爭。不過，在不守法紀、不講道義的情況下，民營台是否能夠鬥得過威武禀禀的中廣公司，是要打一個大大的「？」的。

話要從頭說起，最近這些年來，因爲中共以其強力的電波和無數的波長，向台灣展開廣播心戰，全省各縣市各鄉鎮的聽衆，任何時間打開收音機，都會聽到中共刺耳的廣播，而黨營公營的中廣電台，波段太少，無法攔住中共的電波。政府主管部對這個情況感到頭痛，於是決定了一個政策，鼓勵民間普設廣播電台，來一面消極地抵擋中共電波，一面積極地對大陸從事廣播心戰的反擊。在這一鼓勵下，一時民營電台像雨後春筍樣地成立起來，不到幾年的工夫，在各縣市就成立了三十座。因此，等於在空中撤下了密不通風的鐵網，至少中共的廣播電波，是很難侵入台灣領空了。這是很有效的一項心戰措施。

不過，在心戰任務上，民營電台和公營電台雖然所負的相等，而在設備經濟人才等等方面，雙方都無法對比。因爲公營台的設備是國家資本，經費由國家編預算，人才可以用高價聘僱，甚至員工還可比照公務員領實物配給。而民營的是小本經營，一切靠自己，並不能從任何一面得到一文的補助和支持，相反地却要接受政府重重地監督和交付的義務。

由於這個緣故，民營電台的經濟維持，完全靠招攬播報工商業廣告。在最初的幾年，因爲台灣工商是沒有廣播廣告的習慣，所以各電台的業務非常冷淡，窘困不堪，挺不住的只有倒閉。但這兩年情況已逐漸改善，若干電台不僅收支平衡而且還有餘力來加强設備，從事改進，這是艱苦奮鬥的成果，也是可喜的現象。

政府爲了維護民營電台的生存發展，因此在「廣播無線電台設置規則」第二十二條第四款中明文規定，特許民營電台播報商業廣告。此外又以明文規定，禁止公營電台播送商業廣告，這是非常合理的。在過去民營台艱苦時代，大家相安無事，可是近來廣告業務有起色了，引起公營台之一的中國廣播公司的眼紅，居然置國家法令於不顧，而招攬起廣告來，於是糾紛發生了。

中廣是黨營的事業，當然可以稱爲民營事業。但是，這個黨營事業和其他的黨營事業不同，好比中央日報也是黨營事業，但它是獨立經營，不向國家支領經費，與其他民營報紙，從事公平合法的競爭，所以彼此不會發生糾紛。而中廣公司是被政府徵用的，員工實物比照政府機關配給，全部經費悉由國庫開支，房屋由政府撥用，器材由政府專案撥款購買，器材進口及房屋土地捐稅一律豁免，這樣優厚的待遇，是百分之百地證明它是「公營」的。既是「公營」，就得遵守禁播廣告的限制。可是，最近一年來，中廣看到商業廣告的生意不錯，就命令各地分台招攬起廣告來，而總公司也要正式播送營業廣告，這就威脅了民營台的生存。因爲中廣是國家資本，設備好，電力强，人員水準高，節目較充實，工商業者當然願意把廣告送到中廣去播。長此以往，民營台除了關門大吉外，是無路可走的。

面對這種情形，民營台祗有向中廣提出交涉，但傲然無物的中廣負責人，不會把民營台放在眼中，所以不予置理。民營台祗好向主管的交通部陳情，交通部長認爲中廣無理，就指令中廣不得播報商業廣告，應即停止。可是中廣也不把交通部放在眼中，仍然拒不理睬。民營台以中廣是黨營的，而所有民台的負責人除了一、二人外都是黨員，黨營事業和黨員經營的事業，本質上應該是一家人，既然政府的力量達不到中廣，那就祗好關起門來一家人自己談，因此就向黨方陳情。先是黨的財委會的主管的立場制止中廣不得播報廣告，但中廣還是不理。後來主宣傳政策的陶希聖氏出面調解，民營台爲了息事寧人，乃提出兩項建議：第一、把交通部按月購買各電台的聯播節目費屬於民營台的八萬台幣（全年約九十六萬元）全部捐贈政府，轉撥中廣，以彌補該公司的困難；第二、同意中廣播報公營企業及各級政府的政令廣告，而民間私營的工商業廣告，則由民營台招攬播報，中廣應放棄爭取。

黨政雙方對民營台的這兩項建議，非常同情滿意，希望中廣採納，但又爲中廣悍然拒絕，近且一不做二不休，出高價收買民營台的業務和節目優秀人員，以拆民營台的台，這樣一來，陶希聖的調解也失敗了。此間自立晚報於三月二十九日發表社論說，這已不單純是民營台的生存問題，而是政府法令的威嚴是否還有效的問題了。到了大家不守法紀的時候，社會就會失去秩序。台灣是彈丸之地，粥少僧多，大家維持生存原本不易，而中廣不知憑藉什麼特權，居然想一鍋端，因此它已破壞了團結，失去了同情。（三、三十。）

中共「增產」數字透視

一得

中共財經頭子李富春在「人代會」誇稱：「根據國家統計局的統計，一九五九年我國工農業總產值達到了二千四百一十三億元」。李富春說：「兩年大躍進的結果，已使我國提前三年完成了第二個五年計劃的指標」云云。很多人就會問，照目前大陸的淒慘情況看，既有這麼多的產品，那些產品到底是到了甚麼地方去呢？

照公佈中的數字，沒有一樣是不增產的，尤其是煤，中共說：「超過英國同年產量百分之六十以上」云云。事實上的表現，大陸上普遍缺煤，電力減少供應，城市入夜一片漆黑，「人民日報」不是大叫工廠也要「節約用電」嗎？如此的煤量增產，其謊言不攻自破。說到鋼鐵「增產」，則更屬可笑之極，中共大吹大擂的「土高爐」，業多時以來已成了老廢，兒童學生蒐到垃圾堆中拾鐵屑已成了「正常課業」，門窗鐵枝全部拆除，又何來鋼鐵「增產」呢？至於糧食，照中共公佈的「增產數字」，以其自已宣佈的七億人口分配計算，則每人每年有七百斤以上，每月達五十八斤，每天可得近二斤多。每天有糧食二斤還要鬧饑荒，啃番薯根吃谷殼，要海外親人每月郵寄兩磅飯焦回去救濟，這道理又怎麼說得通呢？

其實，中共的「五年計劃」早已罩上一層失敗的慘淡暗影，由於原料缺乏，工業早已普遍陷於半停頓狀態，「人民日報」多次不打自招承認依靠搜集的野生植物和廢爛物資來勉強維持生產。農業更無「豐收」與「增產」那回事，因爲豐收增產條件如肥料、耕畜，中共都缺乏，更加上天災，及農民不合作，何來豐收？在耕地上，中共刊物屢次透露不足，而提出「深耕密植，多種多收」口號，但早已失敗而不再提。其次肥料，中共「農業部長」廖魯言在去年十一月間說：「今年肥料普遍不足，尤其是機製化學肥料，與各地需要量相差甚遠」。再談到自然災害，中共「人民日報」在一月二十三日社論曾說：「一九五九年我們遇到的自然災害，是幾十年來未曾有過，全國受災面積達六億畝，佔全部播種面積百分之三十」。而且事實是：受災面積可達百分之五十，因爲中共前此曾宣佈：全大陸耕地約十五億畝，可耕地十三多億畝。從自然災害及大陸人民饑荒情形看來，大陸不論早造或晚造，既未「豐收」，更未「增產」。中共「八中全會」雖自打咀吧，推翻其前所公佈的糧產數字，但削減後仍屬騙人之言。

李富春說去年的「基本建設」投資二百六十七億元，限額上的施工項目一千三百四十一個，完成者六百七十一個。這與周恩來去年公佈：「投資額由二百七十億元削減爲二百四十八億元，施工項目由一千零九十七個降爲七百八十個」，數字前後不符。去年十二月十八日「人民日報」曾大聲疾呼：「基本建設必須堅持集中力量，保證重點的方針」，「最好的方針是一擁而上，齊頭並進」，「人力物力是有一定限度的，技術力量，建設材料和設備供應，都不可能在同一時間內滿足各方面的需要。」因此，該報說：「不要把戰綫拉得過長，把力量分散平均使用，而應優先發展重工業。」由此可知中共的「基本建設」根本無法完成任務，又從何「提前三年完成第二個五年計劃」？

中共是一羣狂妄浮誇的人的結合體，他們的計劃和指標，缺乏客觀情況根據，亦無科學分析，統計數字只要爲達到某一項政治目的主觀想像，而揑做出來的，「是思想性的工作」，「爲主義服務」，觀其去年八月間「八中全會」竟大事削減其在四月間「國家統計局」已公佈的「統計」數字，可見其公佈的數字絕不可靠。這次李富春大事吹牛的目的，還是在於向外顯示「强大」，同時更定高今年的生產指標，他說：「一九六〇年發展國民經濟的任務，總的來說是：更好地貫澈執行黨的社會主義建設的總路綫，在過去兩年連續躍進的基礎上，爭取國民經濟繼續全面更好的躍進」。他又說：「一九六〇年國民經濟計劃是繼續躍進的計劃，又是經過努力可以完成和超額完成的計劃。」這就是說，中共自欺欺人，信口開河地提報去年「增產」數字的目的，不外作爲今年不顧人民死活，瘋狂加强括削的藉口。表面上中共詭計百出，但拆穿了不過如是，不值一錢的。

本報特稿

南非黑人的通行證

李明

此刻尚有波浪的南非種族衝突事件，其起源是由於通行證的制度。

究竟通行證制度是怎樣的，以及怎樣引起大流血事件，相信有些讀者尚未明瞭，以下便是關於這一事件的簡略報導。

南非聯邦的黑人，必須攜帶通行證，這制度並不是最近興起的，算起來，已經有一百五十年的歷史了。在過去，雖然訂立了這種制度，但並未嚴格地執行，而且在執行的技術上，亦不像最近幾年來這麼嚴格而冷酷。

現任南非總理是一個倔强而剛愎的人，他一上台以後，便加强一切歧視法律的嚴格執行，而尤以通行證制度最爲顯著。

在黑人看起來，這張通行證就是他的枷鎖。他必須隨時帶在身上，否則，他就隨時會被補。從這一條村走到那一條村，固然需要通行證；即使是從一條馬路的左邊走向右邊，也同樣需要通行證；而更殘忍無理的是一個黑人站在自己的家門口，那怕他所站立的位置在門前僅三五尺的距離，只要這時有警察掩至，如果他沒有帶通行證的話，對不起到警察局去再說吧！不是罰款，就是坐監。

這張通行證上面寫的是什麼呢？那就更妙了。姓名、地點、種族以及正面照片當然不用說，除了這些以外，還有幾處空白地方，却是用來黏貼他的納稅收條，登記他每次被補的事件。

通行證由聯邦政府發給，却須每月由持有人的雇主（白種人）在上面簽上一個名字，這等於是考察行爲了。但請別小看了這雇主的簽字，假定沒有這項簽名，則這個黑人就算是持有通行證，也不發生效力。在那個時候，他已被視爲一個失業者，而對付失業的黑人，通常是將其押往一個指定的土人居留地去的。

這種制度，當然會引致非洲黑人的憤恨。多少年來，黑人們力圖解除這種束縛，於是乎，在上月二十二日，終於爆發了這震驚世界的大暴動。

是一個烏雲密佈的早上，在距離約翰尼斯堡外約四十哩的一個市鎮，名叫沙普維爾鎮。這個鎮上的非洲黑人，最初是一個個地，到後來，三五成羣，到最後，成羣結隊浩浩蕩蕩地朝當地的警察局前進。

這些人中間，有男人也有女人，有老年也有少年，他們全都沒有携帶通行證，他們準備集體被補，他們想藉此作爲一種抗議，抗議通行證法令的束縛黑人，因而想藉以表明通行證的無效。

慘案就在這一大羣黑人逼近警察局的時候發生了。一位神經緊張的警察扳動了槍擊，一個黑人應聲倒地，這一來，禍事就鬧大了。

幾近於瘋狂的黑人，狂呼，狂跳，抛石頭，而警察們也在極度緊張的情緒下，把手提機關槍扳動了。

倒海排山般的黑人羣衆，走在最前面的，已經作了犧牲品。死的死，傷的傷。在不到一分鐘時間後，地上滿是鮮血；混亂的羣衆，在無情的鎗彈鎮壓之下，也只有奪路而逃了。

南非聯邦警察總局長於三月廿六日宣佈：自現時起，直至再行通告爲止，南非民衆不須再攜帶通行證。

這是不是死傷了幾百人的代價呢？無論如何，今後的南非，如果執政者不能對種族問題作妥善的處理，總是會要發生問題的了。

在二十世紀六十年代，還有這種種族歧視的事件，那簡直是文明世界的莫大恥辱。除非白種人能夠有道德上的覺醒，否則，冤怨相報，將永遠沒有停止的時候。必須知道，種族問題根本不能用武力解決的。

社會小說

香港地

三、文章有價

梅大亮做出的手勢，正把自己比似一個被搾乾了汁的橙，看得譚福祿一笑，便問道：「照你這樣說，你現在嘔心肝，賣腦汁，是拿文章向那裏出賣呢？究竟寫的又是什麼東西？」

梅大亮答道：「如果說得好聽一點，我是在替人家做槍手，寫好了一些東西，給別人換上一個名字去賣錢。說得俗氣一些，我造的是『山寨貨』，由得那些經紀們送給廠家去，賣給顧客，算是上等的名廠貨色。」

譚福祿聽梅大亮說出了內幕，才恍然大悟，知道爲什麼只是他勤寫文章，卻不見他有文章發表。

照譚福祿所知道的商場習慣，許多著名商廠的出品，並不一定是自己設廠製造的，只是零零星星的在市面收集回來，加上了特殊標誌，便拿去賣高尚的價。這種代人製造貨品的小戶，例不出名，他們的貨品便叫做「山寨貨」，賣出的價錢很低，當然是有吃虧之處的。但這種買賣方式也會在文壇裏面流行，當然不是譚福祿所能了解的。他便替梅大亮抱不平，說他不該把貴貨賤賣，損失了本身應得的利益。說話之間，自然免不了「亂世文章不值錢」的慨歎。

梅大亮卻並不似他那樣容易發牢騷，還是一本正經的，正色對他說道：「老譚，難道你在香港胡混了好幾個年頭，還不明白香港是一個什麼樣的地方嗎？香港原是世界有名的商港，要在這裏活下去的人都該懂得做生意的道理。在這裏做生意，誰也不能沒有經紀而打得開門面的啊！經紀是香港最主要的職業之一。那些憑介紹買賣賺佣錢來過活的人，你可知道有多少？他們都是在一定的需要裏面，纔有生存的把握。各種行業都有經紀，難道我們這一行，卻是例外？」

這一來，梅大亮是拿經紀做話題，要大發議論，給譚福祿大開茅塞，譚福祿便只好靜聽下去。（十六）

木客著

棺材爭奪戰

蘇提

王光和王明是兩兄弟。兩兄弟都開了一間長生店，王光的叫「福壽」，王明的叫「壽福」。

開長生店也如同開藥舖的人的心理一樣，口裏雖然悲天憫人，希望人家不病不死，而實實在在，要是不病不死，他們還做什麼生意呢？

在同行如敵國的前提下，就算是兄弟之間，也不免要發生衝突。

偏偏這條街上，就只有兩家長生店。任何一個病人，只要病勢稍爲嚴重，「福壽」和「壽福」就要開始騷動。他們初是派人去探問病情，然後王光和王明親自出馬，棺材爭奪戰便轉入白熱化，好幾次就在病人家裏大打出手，據說有一次，那個病人本來還可以延續一些時候的，就爲了他們打架，一氣之下，一命嗚呼，弄到後來，鬧到法庭，還打了一場不大不小的官司。

自從那次事件以後，他們兩兄弟都不約而同的收斂一些。可是，這只是暴風雨前的沉悶，誰都知道，他們兩兄弟是不會就此罷休的。

果然，一個月之後，王光那家「福壽長生店」就在報上大登其廣告了。長生店登廣告，已是別開生面，偏偏那廣告內容之繁複，廣告地位之巨大，簡直使得那些百貨公司的聯合大減價，都爲之黯然失色。這一來，「壽福長生店」就大爲震動了。王明詳細地研究過那篇廣告之後，立即召開了一個壽福長生店全體會議，商量對策。

經過了三日三夜的反覆商議，決定來一個大減價的攻勢。而這個攻勢的主要點，則是實行「買一送一」的政策。

棺材店都有買一送一的嗎？這樣的競爭，簡直是豈有此理了。王光到底是大哥，第二天便剪着那段廣告親自跑到「壽福」去找王明。

常言說的好，見面有三分義，莫說他們到底是兄弟手足？當下說到兩間棺材店的營業前途，王光便坦率說道：「老二，你我弟兄，不該這麼鬥氣了。」

「大哥，這也是情非得已。老實說，只要我們兩弟兄經營有方，大家有個默契，還怕沒有前途嗎？」

「老二，只要你我都明白這一層，就好辦了。」

兩弟兄商議的結果，便是採取輪流制。這個協議，大約維持了兩個月左右的平靜，又開始明爭暗鬥了。

爭鬥的原因，乃在貧富不均。因爲富人死掉了，他的家裏可以買一副上好的棺材；而窮人死掉以後，最多也不過照顧他們一副薄板棺材。爲了這個問題，王光和王明，又在一家富有人家的客廳裏，展開了前所未有的棺材爭奪戰。

這次戰爭，雙方打得頭破血流，而病人已經死去了三天，停屍在床，棺材問題還是不能解決。

結果當然又是鬧到法庭。法庭判決，王光和王明合送上好棺材一副，另外王明先動手打人，判罰五百元，並驅逐出境。

棺材爭奪戰總算是告一段落了，王光的「福壽長生店」，現在是獨家發行。但世事偏有出乎意料之外的，那就是一個月之後，報紙上又有「壽福長生店」的大幅廣告。內容是：

「本號現已遷移國內，總店設廣州，支店設上海、漢口、北平。自備上好棺材，現每日供應至少在十萬副以上，深感供不應求。僅此奉勸香港各界人士，暫勿返回大陸。良以在人民政府專政之下，棺材業殊欣欣向榮，而本號實感難於供應也。壽福長生店白」

王光默默地看完，不發一語。他又在想：當初爲什麼不把他遞解出境呢？

兩個月後，王光的「福壽」也關門了。門口貼上了一張白紙黑字的告白：「本號本貨暢其流之義，現已遷移廣州。各界諸君如欲惠顧者，請移玉廣州爲盼。」（完）

宋代香料貿易史稿序

王韶生

吾粵高涼一郡，自民國建元以來，綰虎符，腰金紫者，幾於後先背望；而篤志潛修，恥衒道藝者，尚寡其儔。豈不以聰明特達之士，莫不欲黽志功名，置身通顯，以爲宗族交遊光寵，毋爲是埋首故紙堆中，窮年矻矻，屏棄世務，致聲名寂寞也。晚乃獲覩林子天爵，蓋能篤精史學，庶幾有志於顯門名家之業者，不其可貴也歟！于抗戰後期，余與黃君徵五講學於桂頭，林子負笈來遊，以勤學稱。嘗深入傜山，採風問俗。閩亂既厲，同播遷於西江鶴溪。流離顛沛之餘，林子仍孳孳矻矻，無懈於乙部。北風雨雪，燈火熒熒，共學於荒江之濱。及今思之，情景恍如昨日。迨抗戰勝利，名史學家羅元一教授奉命接長文理學院，林子獲從問學，治史方法，日漸邃密。己丑南徙，林子與其師友，相率來港，講學授徒，益恢張前業。夫松栢凋於歲寒，雞鳴不已於風雨，不以險夷貳節。嗚呼！何其壯也。比年以來，林子研治宋史之餘，纂成宋代香料貿易史稿一巨冊，凡二十餘萬言。元一教授爲之游揚，獲燕京哈佛學社資助出版，世之欲究宋代香料貿易史蹟者，是書固卓然大備矣，曷待余一言爲重耶？余獨樂乎林子志事之足尚，與元一教授宏獎人才之美意，足以爲來者勸焉。故畧敍其微旨如此。

談諷刺

徐學慧

諷刺大概是經常伴同着幽默的。在幽默之中帶些諷刺，必得其人有機智，方能於不露痕跡而不失體統之下，收到你所欲諷刺的效果。

在聰明人口中，幽默便是真正的諷刺；在愚笨人口中，諷刺便變成了無謂的牢騷。牢騷而出以諷刺語，其結果是不但別人無所動於中，相反的，倒反而顯出你的說話技術之拙劣。

人與人之間，說話本非易事，而說諷刺話尤非易事。

要將諷刺下一個定義很難，總而言之，是不用正言，而託詞以感人者。但談到託詞，又是談何容易。幸而對方是聰明人，他也只付之一笑而已；假如遇到那個被諷刺者，爲一心地狹仄的人，則一言賈禍，也是說不定的。

一個人，如果自問聰明智慧還不夠說諷刺話的時候，最好還是少露鋒鋩。人類的情感有時候是很微妙的，他可以任憑你發一場牢騷，或者是動一場脾氣，卻不能忍受那種要通不通的諷刺語。

何況諷刺語的用場，也並非隨時隨地都可以表現的呀！

第一，必得看着對方是什麼人？第二，還得看你所要諷刺的是什麼事？第三，還得看你和那個人的交情深淺如何？

對交情甚深的人，用不着諷刺；對交情過淺的人，不屑於也不應該諷刺，嚴格的說起來，在私人往還之間，諷刺之語，也是很難有機會使用的。

在古代，臣對君是需要應用諷刺的。不過，那是諷而不刺就是了。到今天，君臣之道雖廢，仍然有上司與下屬的關係，但在這種關係之中，應用得到諷刺之道的，卻也絕無僅有。原因乃在諷刺的人無此氣魄，被諷刺的人又無此度量，這麼一來，諷刺之道，便成了報章雜誌的專利品了。

報章雜誌上的諷刺話，或者諷刺畫，範圍廣泛，並不指名道姓，然而，三言兩語，倘能有諷刺之遺風，亦屬難得。至於私人往還之間，不是牢騷，便是漫罵，有許多指桑罵槐的言語，言之者固自以爲盡諷刺之能事，實則遠離正道，去真正的諷刺之道遠矣。

李義山的「宣室求賢訪逐臣，賈生才調更無倫。可憐夜半虛前席，不問蒼生問鬼神。」杜子美的「憶過瀘戎摘荔支，青楓隱映石逶迤，京華應見無顏色，紅顆酸甜只自知。」這是諷刺詩的最高境。看他說得如此委婉，而委婉之中，又涵蘊着多少深情厚意。言之者有心，聽之者並不能罪，能將諷刺的工夫，修養到這種地步，可說是能事畢矣。

然而，這需要絕頂聰明，尤需要存心忠厚。必兼而有之，始足以談諷刺。

大陸文壇萬花筒

自從毛澤東的舊詩經詩刊發表之後，接着又出了專集，甚至在一片反對厚古薄今聲中，毛澤東的詩詞十九首（目前加上瘟詩共二十一首）竟然出版了仿宋木刻本，也沒有人敢說半個不字。可見共黨一切法令規章都是管理小幹部及老百姓的，大頭子不受此種約束。

因爲毛澤東的詩詞引着路，共黨大小頭領都在作舊詩，一時形成風氣；有些幫閑的文人就把目光轉到死人方面，第一個被注意的是魯迅，魯迅過去作的幾十首舊詩，逐首拿出來討論，盡量附和說魯迅擁護共產黨，硬向死人頭上楔釘，橫豎魯迅死了，不能再起來辯白。

「魯迅舊詩箋注」的笑話

岳騫

最近，「廣東人民出版社」出版了一本「魯迅舊詩箋注」，共輯了魯迅舊詩四十六題，六十一首，同時又把瞿秋白的「王道詩話」、「迎頭經」二題五首一併輯入，全書共包括詩四十八題，六十六首。此外還有一些殘章斷句，作爲附錄。

魯迅舊詩本來和毛澤東的詩詞不同，尤其是「瘟詩」（詞）純粹是「燒餅歌」，是共產黨的 [illegible]

[illegible]

怎麼注都可以，怎麼注都不通，魯迅詩並非如此，儘管其中也有晦澀之處，但若肯用心，並不難索解。 [illegible] 說是和人民有關，[illegible] 成大笑話了。

魯迅舊詩共六十一首，[illegible]

釋耒集

黃梨洲先生于明亡之後，撰明夷待訪錄，首著原君一篇，以為人君者，必「不以一己之利為利，而使天下受其利，不以一己之害為害，而使天下釋其害，此其人之勤勞，必千萬于天下之人，夫以千萬倍之勤勞，而已又不享其利，必非天下之人情所欲居也。」但後世之為人君者，以君為主，天下為客：「其未得之也，屠毒天下之肝腦，離散天下之子女，以博我一人之產業，曾不慘然曰：我固為子孫創業也，其既得之也，敲剝天下之骨髓，離散天下之子女，以奉我一人之淫樂，視為當然，曰：此我產業之花息也。然則為天下之大害者，君而已矣。」其所以不滿於後世之為君者，溢于言表矣。至清人唐甄，則其論尤為激烈，潛書室語篇有曰：「大清有天下，仁矣。自秦以來，凡為帝王者皆賊也。」妻笑曰：「何以謂之賊也？」曰：「今者有負數匹布，或擔數斗粟而行于塗者，或殺之而有其布粟，是賊乎？非賊乎？」曰：「是賊矣」。唐子曰：「殺一人而取匹布斗粟，猶謂之賊；殺天下之人而盡有其布粟之富，而反不謂之賊乎？三代以後，有天下之善者莫如漢，然高帝屠城陽，屠潁陽，光武帝屠城三百，使我而事高帝，當其屠城陽之時，必痛哭而去之矣，使我而事光武，當其屠一城之始，必痛哭而去之矣。吾不忍為之臣也。」此等持論，或均不免為書生之見，而國家之所以有君，果將為天下，抑為一家乎？誠如黃、李所論，為天下，則非人情之欲居，為一家，則市井之間，人人可欲，三代之政不可復，君長終將以天下為其私產，故曰：「自秦以來，凡為帝王者皆賊也」。

以人君為賊

舊讀後漢書，所記有所謂漢濱父老者，其言特見清冷，請為錄之如后：「漢濱父老，不知何許人也，延禧中，桓帝幸竟陵，過雲夢，臨沔水，百姓莫不輟觀之者，有老父獨耕不輟，尚書郎張溫使人問之，老父不容，溫乃下車，自與之言，老父曰：我野人也，請問天下亂而立天子邪？理而立天子邪？立天子以父天下邪？役天下以奉天子邪？昔聖王宰世，茅茨采椽而萬人以寧，今子之君，勞人自縱，逸遊無忌，民無觀焉，子又何故欲人觀之乎？溫大慚，問其姓名，不告而去」。夫勞人自縱，逸遊無忌，而偏又欲人觀之，則其役天下以奉天子之私心，灼然可見矣，使今日而有漢濱父老，為之執鞭，所欣慕也。

曲齋

粟海彈心錄

公教制（下）

中國公教制度，始於三代，備於成周。周公定周制，遠在公元前一千一百餘年，可以窺知文化根基之深厚，氣局之磅礡。春秋戰國之際，百家爭鳴，萬花齊發，非偶然也。晚近數百年，東西學者，鮮有脫然於其思想之外，不為周秦諸子之奴。即馬列之徒之所論列，亦可於墨法家藪中，得其仿佛。秦併六國，焚書坑儒，廢公教以愚黔首。劉氏馬上得天下，師其故智，昧於大體。幸得漢儒，守一經相終始，師生以承以續，斯文賴以不墜。文景以來，始建辟雍。武帝時，太學擴至二百四十房，千八百室，生徒三萬人，至唐猶得學舍千二百間，漢唐之盛，有由來矣，而基府不固。降及於宋，太學改稱國子監，而有內舍外舍之分，制度狹小，內舍生纔二百人，明清仍之，每下愈況，國教之意盡泯。乃自漢而後，私人講學之風盛，而門戶傾軋之習以起，漢魏之古今文，宋之南北派，明之朱陸，清之漢宋，水火者二千年。或重辭章，或重義理，或重考注，要之偏於文學者，十九而德行不二三。實由教育之根基虛弱，治世常少而亂世常多。至於兵刑錢穀治世之具，農工商賈厚生之事，則自漢以來，不列於學官。學者懵懵，恬不為怪，此曠世而無有以技藝鳴於世者也。

爰及清末，西方國家，遂得挾其奇巧以陵我，舉世不知深究其故，乃並固有文化而亦病之。東來得扶，西邊又倒，不揣其本，而齊其末，蹉跎至於今日。自法式革命，至於俄式革命，日式教育，至於美式教育，民主共和，至於民主集權，可謂極盡其變矣。而國計日蹙，民生日困，人心日離，卒致共產之徒，呼嘯以起。此其故可深長思矣。

阿公

略論中西文學批評的比較

其五、我國文學定義及詩文分類，自來就眾訟紛紜，繁雜猥多，莫衷一是，使讀者、作者乃至作詩文評者，如在山陰道上，應接不暇，彷彿霧裏看花，驟難分辨。一方面固然因為我們的歷史長，作家多，文學遺產異常豐富。文學體式，變化多端，另方面也因為文學批評文學理論的研究不發達，同時沒有將別國的文體來參稽比較。無法觀其會通。還有，我國科學一向不發達，文藝沒有科學的幫助，科學精神和科學方法的影響，也是使得我們的文學藝術，比較落後的重要原因。（藝術上如音樂，雕刻，建築，舞蹈等從漢代通西域以來受外國影響較多，繪畫則於六朝唐時受佛教影響，清代及民國受西洋畫影響，比較及觀摩機會較多，情形與文學不同）吳江薛鳳昌文體論（商務版）自序說：「文無定體，凡言體者，其後起也；……漢魏以上，文多創體，漢魏以下，文善多因體，能文之士創體為上，因體次之，味乎體與乖乎體者，斯為下矣。」近年趙友培談文章體裁（見中國一周），認為是一個很困難的問題。原因是文章體裁不斷的創新和生長，而發展到相當時候，就得有衰歇，有停滯，有分裂，有蛻變，有新生。而且其發展不是直線形的，卻是複線和曲線型的。有時新舊體裁並存，文言與口頭語並用，古典派的遵守成規與趨新派的標新立異，各適其適，折衷派則調和新舊，兼容並包，於是詩文體製，孳乳增多，名目繁雜。使編纂家難於歸類。例如蕭統文選，劉勰文心雕龍，姚氏古文辭類纂，曾氏經史百家雜鈔。分類都不甚相同。甚至彼此牴牾或名異而實同，或名同而實異，錯綜紛紜，瑣碎繁雜，使人難於分辨。而且小說，戲劇，向不正式列入文學範疇，其地位不能與詩詞，駢文，古文相比擬，甚至純文學與普通文章的定義和界限，選家亦多混淆不清，衡以現代文學詩歌、小說、戲劇、散文四大分類，就可看出我國文學舊式的分類法，有怎樣的不妥當處了。再如就詩底體式而論，廣義的詩與非詩（散文）對稱，所包含的有詩辭、樂府、歌謠、騷賦、詞曲、歐劇、乃至箴銘頌贊及有韻的哀祭文等體製。但是，前人及近人說詩，避未能分析其本質及流變，以觀其會通，這些都不能不說是歷來中國詩文評論的疏虞或缺點。（此義因篇幅所限，不能在此闡發。詳參考拙著「詩底諸體辨析，分類及其會通」篇）

其六，據呂思勉「文學評判之標準」篇（見台北版中國語文學研究）稱：「昔人論文之說，汗牛充棟，或則一時興到之言，或則偏端觸悟之語，多無當於論文之本原……」這些話很可支持蘇雪林女士的下列論點：「中國在漢以前，文學定義，混沌不明，……齊梁之際，才有正式的文學批評成立，……但我們的文學批評，沒有西洋的法則細密週到，缺少西洋的博大精深，堂皇冠冕的氣象。」這些話和抗戰後期陸侃如為傅庚生「中國文學欣賞舉隅」一書（三十二年，開明初版）作序言說的：「中國之有近代式的文學批評，始於王國維先生」，似乎有相同的看法。查王著「紅樓夢評論」在一九〇四年，至一九一〇年，才寫成那部鼎鼎大名的「人間詞話」，到現在還不過五十年左右，靜安先生的評論詞和戲曲，所以異於舊式詩文評，而能開中國現代文藝批評的新紀元，其中一個重要原因，就是他深受西洋現代哲學、美學，心理學及倫理學的影響，誠如陳寅恪先生所說：他「能取外來之觀點與固有之材料互相參證，凡屬文藝批評及小說戲曲之作，如紅樓夢評論，宋元戲曲考等是也。」（語見海寧王靜安先生遺書序）。寅恪先生學術泰斗，與靜安先生相知甚深，侃如是靜安先生的信徒，所評都非虛語。靜安先生對文藝批評的造詣所以超越古人，就在於融貫中西的工夫。同樣，五四以還這四十年間，極少數人如朱光潛，李健吾，梁宗岱，錢鍾書，陸侃如輩在文藝批評上有一些成就，其成功的秘訣，亦不外「取外來觀點與固有材料相印證」，而中西融貫以觀其會通了。（四、未完）

永研

滅跡的恐龍（中）

陳永昌

白堊紀的前期裏，最大的幾種恐龍已經滅亡了，餘下的恐龍，體積較小，但形狀的變化比以前更多。到了白堊紀的後期裡，這些奇形怪狀的大爬蟲也都滅亡了。（按中生代分為三個紀，即為三疊紀，侏羅紀，白堊紀。）

恐龍的普通形狀為頸及尾皆長，前肢短於後肢，但也有前肢長於後肢的。恐龍的古跡遍佈全世界，最多發現乃為美國西部懷俄明，近今在亞洲新疆天山迪化附近地方侏羅紀地層中掘出恐龍遺跡，此為在亞洲第一次的發現。

較重要及龐大的恐龍者有斑龍，劍龍，及越城龍。斑龍產於歐洲中生代之白堊紀及侏羅紀中，齒長一寸半許，體長三丈餘，前肢短於後肢，今但發現其化石。劍龍體巨大似獸，頭小頸短，頸之前方無齒，鼻竅開於頭端，背之正中線上有多角形大骨板一行，脊椎堅固，前肢比後肢短，尾端附近之皮膚中具有棘四對，體長也有三丈餘，為古生物之奇異特出者，其化石發現於北美之侏羅紀。越城龍頭骨至今尚未發現，其大腿骨長九尺許，以此推之，全體當長十二三丈，其片斷化石發現於世界各地。

海嘯慶談薈

耿毅被捕始末

民國十九年中原大戰爆發前後，國內常有人醞釀異動，當時領軍督備淞滬的某君，原係李協和舊部（某與和曹浩森皆係李在江西都督任內的幹部，且某由李資送日本留學深造。）而某之得任滬上警備司令職位，又係受知於桂系某大將所致。綜此歷史關係，異動者認為此人大可爭取合作，託由居覺生，耿毅等潛赴上海游說，某表示同情，但謂他日若舉事，祗願奉行老長官李協和的號令，其他非所樂從，盼李能來滬指示一切。耿毅聞之大喜過望，即馳語某曰：「我與協和關係，你是知道的，我現在可以全權代表協和，跟你談判一切，必要時，協和自然親來上海主持，不成問題。」某謂：「如此，可先行商訂協約，以資信守」。彼此經過若干次秘密談判後，擬妥合作計劃，訂期於某日在外百渡橋海軍聯歡社藉宴會形式，正式簽字，雙方負責人皆須親自出席，不得推派代表，以免洩漏云。

相約宴會之日，居、耿等按時馳赴海軍聯歡社，見酒席具備，執事者慇懃接待，屋外四周皆佈置著哨兵，關防嚴密，居、耿不以為意，但詢某司令何尚未蒞臨？執事者答以適在部內會議，稍待即來。再過一小時，有戎裝高級軍官率士兵一排，乘車馳入聯歡社，向居、耿宣稱：「奉司令官命令，爾輩在滬圖謀不軌，擾亂治安，聽予緝拿法辦。」旋將居、耿加以手鐐，載上囚車，即夕解赴南京去了。協和在廬山驚聞此事，以某縱因政治上的利害關係，與居、耿不能合流，然二人皆係民黨前輩，豈可對他們妄施銬鐐之辱，非禮悖義，莫此為甚！即以長電致某斥責，某亦皮唇相稽，舊時袍澤，頓如水火了。

居、耿押解到南京後，當局以其為老同志，未加深究而省釋之，一幕政治趣劇，迅即曲終人散，歸於岑寂。然協和與某之間，卻因芥蒂日深，無從清解了。後來某以此役功勞，衣錦還鄉，主理省政，協和適居其武寧縣故里，倡辦地方公益事業，闢公園，設電廠，縣令亦樂效馳驅，所費殊不貲，協和除解囊相助外，又向各方募捐，不足則移地方公款挹注之。事後縣令核計移用省庫公帑約千元，呈請省府准予報銷，詎某主席駁斥不許，飭其勒令主辦人賠償，給協和以難堪，政治恩怨之深中於人心，有若此者！

耿鶴生晚年僑寄京華，鬱鬱不得志，曾告愚：甚欲出任江西星子縣長，以其位居廬山下，又毗鄰鄱陽湖，環境清幽，政簡而民樸，且為當年陣前起義討袁的馳驟之地，足娛晚景。然徒託空想，如今李、耿諸公的墓木已拱，想回往事，感慨萬端，不覺擲筆三歎，淚盈於眶矣！

諸葛文侯

自由報

THE FREE NEWS

半週刊每星期三、六出版

第十七期

每份港幣壹毫

社長：雷嘯岑

督印人：黃行審

社址：香港銅鑼灣高士威道二十號四樓

20 Causeway Rd. 3rd. Fl. HONG KONG

TEL. 771726

電報掛號：7191

承印者：田風印刷廠

地址：香港高士打道221號

自由中國通權達變之道

李承彥

自由集團與共產集團現正互相繼持，表面不變，而內部各都有微妙的變動。將來怎樣由各種微變與漸變演成突變與巨變，當是未來歷史之謎。但，自由中國當局對此，必須察變於微，精細考究這裏面因果相乘的律理，對於通權達變之道，多所悟解與運用，才可以應付當前非常複雜與艱苦的戰鬥，把握獲致最後勝利的契機。

共產集團內部之變，不外由主奴之間的矛盾與衝突演成。所可變者：一是赫魯曉夫對俄國人民加緊控制或略為退讓，二是蘇俄對其附庸國加緊壓迫或略示優容。這裏面自有很多值得研究的地方，可惜姑息主義者每因此而發生幻想，自我陶醉。相反的一方面，自由集團內部之變，卻是花樣繁多，多姿多彩，而且好醜不一，最難推料。

非洲在變，南美在變，中東在變，東南亞在變，西歐在變。綜合起來，這五年間變動也真不少。非洲是西歐若干國家由亞洲撤退的中途站，勢須靠此來重整旗鼓；當然認為不能再退，但黑人新建國家之多，有如雨後春筍，共黨第五縱隊接踵而來，新的冷戰壞業已開闢了。南美由古巴革命引起的變動，給共黨以建立第一個橋頭堡的機會。中東和東南亞一樣，是一部份中立主義者大跳其左右搖擺舞的表演場，五年之間，變得最是奇詭眩目。同樣，西歐由於法國戴高樂的崛起，及西德經濟力量的激增，已釀成西方國家內部的暗鬥。這大都是各個國家民族為着本身經濟利益，以及在國際的地位與聲譽，相競相磨，相激相盪所致。誰的頭腦靈活，手段高明，便可在一面對共鬥爭與一面對內競爭中，壯大自己，達成兩重任務。誰的認識模糊，技術拙劣，其結果如非陷入共黨圈套，便是在顛倒錯亂的可憐狀態中，斲喪自己，貽誤大局。前者的例樣，是法國與西德，後者的例樣，是印度與印尼。

法國戴高樂總統一面款待蘇俄總理赫魯曉夫，一面試爆原子彈，接着訪問英國，接受重大歡迎，同時在手裏緊捏着一張和西德密切合作的底牌，所說的完全是縱橫捭闔的一套術數；西德阿登諾總理也是着着向外找關係，看他訪問日本所造成的聲勢，和訪問西班牙商設軍事基地的遠略，都以通權達變，力爭主動為原則。這兩個突出的例子，都有該受我們深思的地方。

在這多變與權謀百出的現局裏面，決不能不講通權達變之道。執「以不變應萬變」的老話來說，所不可變的是反共抗俄，光復大陸，復興中華的國策，所可變的是手段與術數。因為要應付萬變，這「應」字就需要通權，不通權無以達變，不必固執也不能固執。

所謂通權，不一定就是要玩詭詐的權術，只是在肆應上加強機動性，以及多一些寬容性。不論是在官式外交或國民外交，最忌呆滯固執，不知變通，不爭取主動去抓機會，反因過度死硬的態度產生了「排他」的不良觀感，以致不可能廣泛運用複雜的關係，達到最主要的目標。

兵法有說：「運用之妙，存乎一心」，就外交方面運用各種關係來說，尤其如此。舉一個例：西德總理阿丹諾這次訪問日本，發表演詞，明顯的把日本拉入堅強反共的陣線裏面，每一句話都說得斬釘截鐵，對日本輿情影響很大，同樣的話如由美國總統艾森豪到日本來說，可能引起左傾論客的嚴重鼓譟，阿丹諾卻能運用日德過去的關係感情，不怕盡言，頓使日本大部輿論翕然，沒有惡劣反應。由此可以看到；運用上毫釐之差，相去便不只萬里。只看這種例子，我們便該想到怎樣發現我們曾經忽略了的各種關係，直接或間接的，適當地予以運用了。

大家都知道，中立主義者是善變的，他們不能列入反共陣營，但卻算得是非共國家。依常理說，非共總比投共與附共為好。中立主義淆亂自由世界的是非與曲直，毀蝕鬥志，滋長頹風，誠然是危險的，可厭可鄙的，但事實也是可哀矜的，而他們的動機也不盡相同，我們便該深察其情，看準他們變動的方向而作機動應付。這種應付，如沒有更大的機動性與更多的寬容性，便有似膠柱鼓瑟與刻舟求劍了。像印度尼赫魯前此所為，對我不只忘恩負義，兼且落井下石，如徒因憤激不平，便將整個印度唾置不顧，不從正反兩面同時設想，完全放棄了在世界這個重要角落把情勢扭轉的企圖，便等於徹底的為淵驅魚，為叢驅雀了。最近聖雄甘地之孫拉謨漢訪問台灣，一批中國反共文化人士，也應邀參加在印度新德里舉行的一項亞非會議，討論西藏問題，這自然都是好事。但如果我們沒有更大的機動性與寬容性來應付今後同類的事情，恐怕仍將有迂緩之弊，不能迅速把握時機，便難免在不知不覺間遭受損失了。

自由中國今天處境的艱苦在乎托地於台灣一塊小地方，實際担承大國的任務，國地小便遭人猜忌，正因如此，對於肆應與運用上講求通權達變之道，確要比其他國家更特別注意。我們要自知在那些地方受人欺重，在那些地方受人鄙薄，以及在那些地方受人疑忌，進而講求應在那些地方去消滅誤解和在那些地方去排除壓力，例如：為了減少國際對我實行反攻大陸的壓阻與牽制，便要從四方八面去做移轉機勢的工作，不放過任何可以講話的機會，和不放過任何可運用的外交關係。向歐處看，西歐局勢目前的微妙轉變，有沒有容許我們向近東方的地方作活動力，向東南亞看，東南亞各國家處境成了反攻大陸的可不可以逐漸轉成一種強有力支持國際的空氣呢？這在我們看來，都可依據通權達變的原則，加以考慮和研究。今天，自由中國對外講話最具號召力量的人，當然是蔣總統，可不可以出國訪問一次，或由副總統代行呢？這就變化國際形勢的整個劇情來看，也是不可缺少的吧！

事實是，今天我們需要造變，決不可止於應變。既要造變，如不多作機警的活動，怎成？

自由談

大可哀也！

世界上最擅長「以不變應萬變」的策略者，當以共產黨人首屈一指，他們憑着馬克思造出的所謂「唯物辯證法則」，在國際間時而豎目瞪眼，講打講殺；時而嬉皮笑臉，示好說和。他們是以世界革命，征服全人類為經，萬變不逾其宗，而以各個擊破，擒賊先擒王為緯，詭術層出無窮。這樣，便使自由世界一些強大國家的政治人物神智昏迷，步法凌亂，或者如飲狂泉，或者如索亡子，常被共黨玩弄於股掌之上，然猶自鳴得意，不亦大可哀乎！

在二次大戰以前的階段中，英國隱然居於世界盟主地位，法國唯倫敦的馬首是瞻，俄帝乃以擒賊先擒王的策畧，在全球各地區進行反英運動，教唆世人從事於盲目的反英宣傳。此時凡有對俄人說英語者，亦遭到唾棄鄙視的反應，這是民國十五年我在蘇俄親身經驗的。又如一九二七年中國大革命時，第三國際曾經訓令它在中國的第五縱隊——毛共集團，積極製造反英帝的風潮，最好是能夠鼓惑民衆打死幾個英國人，教英政府出兵干涉，擴大亂事。但切忌涉及日本人，因為日本緊鄰中國，日軍朝發而夕至，亂惹不得的。（詳情見當時在上海的俄共牛蘭被捕後，政府搜獲他的文件。）

二次大戰以後，美國已取英國的世界盟主地位而代之，英國退而步戰前的法國後塵，一切追隨美國，如是乎，俄帝即以盲目反美為急務了。無論國際間發生任何事端，皆視為「美帝」所指使的，萬方有罪，罪在「美帝」。即人們害着便秘的毛病，亦指為是「美帝」從中作祟。所以，儘管艾森豪、尼克遜，乃至於民主黨參議員富布萊德之流，爭向莫斯科表愛情，飛媚眼，而俄酋赫魯曉夫與米高揚亦到美國擺首弄姿，表示友好，但其反美策畧，決不猶夷；儘管美國時以允許毛共加入聯合國，邀約毛共參預裁軍會議作香餌，企圖取得毛共的好感，互相妥協，但毛共最近還要把一個美籍的傳教師，加以「美帝間諜」罪名，判處二十年徒刑。無論這些事情，如果不從俄帝「以不變應萬變」的世界革命策畧求解釋，那就沒法兒想得通了。

這類擺在眼前的現代事實，誰也一目了然，毫無疑義，祗有天真幼稚而又衝動成性的美國政治人物，竟爾自作多情，認魔鬼為朋友，希望跟他修睦要好，長享和平，安全，繁榮的幸福生活，不亦大可哀乎！

馮玉先生

時事述評

郭德祿奔向自由

盧家雪

中共駐倫敦「使館」的爵司郭德祿，獲得英國的政治庇護了。

他有一妻二子女居於大陸，卻甘願冒此後難晤家人的危險，毅然奔向自由，於此益足徵自由之可貴。

對於中共來說，郭德祿之投奔自由，其重要性不下於在北平投一枚氫彈。

共產黨人的花言巧語，往往由身居鐵幕或駐外人員一一戳穿；萬語千言，不如一士投明棄暗。

鐵的事實，非花言巧語所能掩飾，共產集團之必敗，蓋已不待煩言。

敬仰與慰問

我們於此向郭德祿氏深致其敬仰之忱，順達慰問之意。

英國為承認中共的國家，而郭氏竟然在倫敦投向自由。對於自由世界來說，這是一個訊號；這訊號，將促使那些對中共尚有迷戀者，徹底檢討其政策。

難道這還不是檢討的時候嗎？

自由與人性尊嚴

外交政策，固然基於現實，惟現實必不能蔑視人類的基本精神。自由為天賦人權，有了自由，才能顯出人性的尊嚴，我們必須盡其所能，使普天下失去了自由的人們，解除他們的枷鎖。

十年來的英國對華政策，經已在逐步轉變中，這是事實，我們希望由於郭德祿事件，而加速其轉變。

據電訊報導，郭氏在記者招待會上，某記者曾詢以其有無考慮到如此作法，將令其現尚居留在中國大陸之家人受苦。郭氏答稱：彼縱不投奔自由，其家人亦同樣受苦。此等言語何等沉痛！

中國大陸有如屠場

今日的中國大陸，有如大屠場，其未死者，則如處大監獄。而監獄雖限制行動之自由，尚未至限制思想之自由，今日共產黨人之所作為，則連思想自由亦橫加限制，其慘酷之處，乃又令自由世界之監獄亦相顧失色。

蒼生何辜，何以罹此浩刦？

落幕的鑼聲

大陸的城市公社已在開辦中。亙古未有之慘劇，竟一幕一幕的上演於中國大陸。這慘劇中的演員，是我們的父母兄弟姐妹；這慘劇上演的地點，是我們的田園廬舍。這一幕大悲劇，究竟要到什麼時候才能落幕呢？

看郭德祿氏的投奔自由，使我們意識到，落幕的鑼聲就要敲響了！

但願幕急落！

從財經政策到物價

張健生

台北通訊

自由中國當前的金融與經濟問題，工商業與物價波動問題，雖然未臨嚴重的階段，但的確是一件爲各方面所關注的事。在「生之者寡而食之者衆」的情況下，而主張「統制經濟」與提倡「自由經濟」的紛爭，甚囂塵上，因此由理論的紛爭，進而使財經當局與民間的看法和做法尚有一段距離，致步調既不一致，所以影響財經政策上的措施。

現行的銀行政策

立法委員張九如「最不滿意政府現行的金融政策」，因爲「現行的銀行政策是工商界的致命傷」。誠如大家所知道的，台灣銀行屬於國家銀行系統，其目的應以服務工商業，而不是以盈利爲目的；更不是控制工商業。但是代理國家銀行業務的台灣銀行，去（四十八）年的盈餘爲二億八千一百餘萬元，較四十七年度增加一倍，如以該行法定發行額二億元而言，即高達百分之一百四十以上，這不是不當利得嗎？政府當局常譏諷老百姓貯藏黃金或美鈔是落伍的愚蠢的觀念，那末，銀行不以服務工商業爲目的而以盈利爲目的，並以緊縮信用與貸款爲手段將作何解釋？是否亦同於人民的窖藏金鈔呢？

台銀去年的放欵；對公營事業放欵三十億七千餘萬元，佔放欵總額的百分之六八・四。對民營事業放欵十億四千三百餘萬元，佔放欵總額百分之二三・三。對同業放欵二億八千六百餘萬元，佔總額百分之六・四。對軍政機關放欵八千五百餘萬餘元，佔總額百分之一・九。（四月二日台北各報）根據上述放欵的情形，公營事業仍佔首位，而民營事業僅佔公營事業的三分之一。於此可見政府的金融政策了。

經濟上的統制政策

工商企業的發展，是國力培育的最重要的一環，發展工商之道雖多，但最重要的因素，不外乎經濟的自由，與科學的成就。政府爲了穩定金融，安定民生，於是物價由政府採定，進出口由政府代辦，若干重要物資由政府標售配給，許多專利公共事業由政府公營，這些措施，在非常時期本無可厚非的，但在經濟上是統制政策。再加上少數官吏貪墨不法，那就弊端百出，不堪聞問了。現代經濟發展的途徑，捨自由企業，自由貿易而莫由。西德復興是自由經濟發展的顯明例證；而共匪統制經濟是違反人性的，所以引起大陸人民普遍的反抗。

瑞士是歐洲的小國，人口少，物資也不多，然而由於瑞士政府在政治上經濟上絕對自由，所以經濟發達，國力富強。就香港而言，其經濟發達，工商繁榮的情形，物價的穩定，這不是說明了自由企業的絕對正確呢？

目前台灣工商業已面臨嚴重關頭。台灣工商業在內銷方面；不因人口的增加而同時增加，因爲人民的所得銳減，稅捐負責日增，所以購買力弱，內銷不如理想，因此，只有打開國際市場，爭取外銷，但是，爭取國際市場，必須提高品質，減低成本，才能與外貨競爭。

資金運用與人事管理

台灣工商業表面上很繁榮，而實際上的困難卻很多。就一般國營事業而言，有兩個亟待改進的問題：一是資金的有效運用，一是人事的合理管理。資金運用問題：許多國家事業機構，因爲資金運用的不當，而形成浪費。在費用方面，因種種複雜的關係，不但不能節約，而且逐年增加，均爲不可否認的浪費，無形中影響了成本。至於人事問題；國營事業機構的人事，是國營事業的一個大包袱。如國營事業機關的技術人才，因待遇的不合理，而紛紛求去。在國外的技術人員，亦因此裹足不肯返國。技術人員因待遇低而求去，因而技術上不能進步，技術上不能改進，而影響品質不能提高，成本不能減低，如何在國際市場與人家競爭呢？同時，國營事業機關中的冗員太多，影響技術人員的工作情緒，減低生產效能，所以增加成本。這就是國營事業機關品質不能提高，成本不能減低的兩大原因。故必須減少浪費，實施人事精簡政策。

稅捐與高利貸

民營工商業方面，同樣的發生兩大問題：一是稅捐的不合理，一是高利貸的負担，這兩個問題不解決的話，民營工商業的前途是不樂觀的。國營事業人事與資金的積弊，將影響繳庫的盈餘，進而影響政府預算的平衡，即間接加重民營工商業在稅捐上的負担。其次是政府對扶導民營工商業沒有一貫性的有效的政策，故大多數民營工商業在資金週轉方面，都感到困難，所以不得不向黑市的高利貸求援，和受其壓迫而透不過氣來。

經濟部長楊繼曾認爲，「提高物價可以助長節約」，在這種政策下，因此，公營的公路、鐵路、電信、電力等，自本年一月份首先漲價，接着食米、砂糖、食油、黃豆等民生必需品，也相繼上漲，幅度之高，爲八年來所罕見。由於電力與交通運費價格提高，致生產成本增加，工商業在「羊毛出在羊身上」的原則下，售價當然是「水漲船高」了，倒霉的是升斗小民，與薪水階級的公教人員。其中以食米由二元二角一台斤漲到三元六角，眞是駭人聽聞。因爲台灣是產米區，尚且如此，如果像香港和日本非產米區的話，將是不堪設想了。政府爲了調整軍公教人員的待遇，因爲財源無着，所以遲遲未加薪。最近，據報界消息，政府決定從七月份加薪，而所以將烟酒公賣價格從三月底提高，其盈餘作爲加薪之用。於此可見政府的財政，仍就是沒有辦法。這種「飲鴆取卯」的政策，無異「火上添油」，公務員未蒙其利，卻先受其害了。（四月四日）

論中共的「城市公社」

筱臣

中共最近召開的第二屆第二次的「人代會」，據中共的廣播說：「會議的主要議程有：聽取李富春關於一九六〇年國民經濟計劃草案的報告，李先念關於一九五九年國家決算和一九六〇年國家預算草案的報告，譚震林關於爲爭取提前全國農業發展綱而鬥爭的報告，全國人代表大會事務委員的工作報告等，並且通過各項決議。」

最值得注意的是中共僞總理李富春於三月卅日在僞人代會上報告時透露，前此公佈而又中止的城市「人民公社」，最近已在各城市逐步推行。李富春說：「由於人民羣衆政治覺醒的提高，由於大躍進形勢的開展，我國廣大農村實現了人民公社化。現在，全國各城市正在大辦人民公社，大辦街道工業，大辦郊區農業，大辦公共福利事業，大辦公共食堂，廣泛地組織居民的經濟生活，把城市人民進一步地組織起來，並且使成千上萬的城市家庭婦女從家務勞動中解放出來，參加社會勞動，這一切，不僅有利於生產建設的發展，而且有利於城市社會生活的澈底改造。」

按中共僞政權於一九五八年在設立鄉村「人民公社」之同時，曾說明推行「城市公社」之制度，但在一九五八年底，因受各方面（包括各城市中共的黨組織與幹部）的反對，乃將成立城市「人民公社」之計劃予以擱置，藉資和緩。

其實中共的城市「人民公社」，並未因此而澈底停辦，實際上另以一種方式試行舉辦，自一九五八年以來，城市「人民公社」的推行，仍然是暗中摸索進行。

在北平：據這一次「全國政協委員」在分組討論時，所謂工商聯的委員凌其峻即在工商聯小組中說，城市人民公社和街道工業正在迅速發展。他說到參觀北平市西城區街道工業的情況，這個區從一九五八年下半年開始組織街道工業生產，目前已經有五百九十四個街道生產單位。

在南京：目前南京公社的雛型組織，已成立了一千多個，被集中的奴役人民達三十多萬，已辦起的公共食堂一千七百七十所，托兒所，幼兒園二千一百廿八所，服務站九百廿六個。

在重慶：重慶市已成立公共食堂六千多個，實行「生活集體化」的人民，佔全市居民總數的百分之八十二左右，還辦起二萬多個托兒所及服務組織三千多處。

在武漢市：武漢市不論男女市民都全部參加生產勞役，不能洗衣，縫補，甚至飲的開水，也要依靠「服務組」供應代辦，連婚喪也受「服務組」控制。最值得注意的，是市民出外勞動時，要把房門的鑰匙交由共幹掌握的「服務組」管理。

其他各城市類似以上的組織，不勝悉舉，這以上的組織，也決不是短期內所能完成，可見這兩年以來，這城市「人民公社」的組織，一直是在逐步地發展着。

農村的「人民公社」既已遭受了人民的反抗，迄今尚未停止，何以要繼續興辦的城市「人民公社」，反而加緊推行，全面展開呢？一般的觀察，認爲防止農民逃入城市，或者是爲了減少物資的供應以及消滅黑市的經營，這些當然不失爲原因之一；但是主要的，唯一的是要貫澈今年的「國民經濟計劃」。

這一個計劃當然又是一個全面奴役的計劃，至於怎樣執行這個奴役計劃？李富春經已說得很明白：「依靠人民公社的組織，不斷地加强「黨」的領導，實行「政治掛帥」，開展大規模的羣衆運動。」這就是說，更嚴厲的奴役運動又要在城市中展開了。

台北將有電視設備

張道明

台北航訊

台北在今五年月間，將有電視出現。目前在亞洲，電視不算得是新玩意兒了。可是在台灣，卻落後一步。台灣談辦電視，並不是從現在才開始，遠在四、五年之前，就有美國和日本的廠商動腦筋在台灣設立電視台了，只是茲事體大，要資金、要設備、要人才，總沒有談得攏，辦得成。但本年初，最高當局在一次宣傳會報告指出：電視一定要辦。怎樣辦？由中國廣播公司由小而大的辦。於是，台灣即將有電視的傳說，乃不脛而傳了。

交通部在四十八年四月間公佈了三種關於在台灣設立電台的規則，這三種規則是：電視廣播台設置規則，黑白電視廣播技術標準規範，與電視廣播接收機登記規則。規則中規定先在台北、台中、台南、高雄、花蓮五個大城市設置電視台。每個城市暫設一個電視台，先開放黑白電視。規則中並且規定電視廣播電台的設置，除由政府設置外，以國民個人或組織公司設置爲限。至於電視廣播接收機每年繳納執照費銀元四十元，折合新台幣一百二十元。此外，並規定電視技術標準：一、暫先開放四個電視頻率；即一七四至一八〇兆週。一八六至一九二兆週。一九八至二〇四兆週。二〇四至二一〇兆週。二、圖像的掃描線條採用美國和日本的方式，規定五二五條，並採用二對一之間的掃描條。由於辦電視的資金大，初創期間又要賠錢，所以在政府公佈設置電視規則後，已整整一年，迄今尚未有人申請。現在，由中廣公司總經理魏景蒙與華南銀行董事長劉啓元，和本省實業界鉅子林忠，與日本東京芝浦電氣株式會社的董事長石坂泰三，洽談合作在台灣辦電視的事宜。有關方面的計劃，先在台北設置第一座電視台。耗資約美金一百五十萬至二百萬元，原則上是商辦。

中日合作投資的原則，我方資金不得少於百分之五十一，日方不得多於百分之四十九，至於投資總額，現在尚未作最後的決定。不過，日方希望拿電視發射機等機件作爲投資，而電視接受機最好實現鈔。但我方希望電視接受機進口，能採長期付款方式。因爲電視接受機較電視台本身重要，在初辦時，我方由日方進口電視接受機，以後將進口零件，在台灣裝配，漸漸地由我們設廠製造零件，自己製造裝配。

魏景蒙認爲台灣辦電視，不妨以「迎頭趕上」而辦五彩的，五彩電視成本較黑白電視貴百分之二十五到三十。因爲黑白電視不易改爲五彩電視。同時，電視節目工程人才也需要培植，除延聘日美專家來台訓練部份人才外，並擬選派幹部到電視發達的國家去學習。

中國廣播公司已經接受國民大會的委託，在本年五月二十日，中華民國第三任總統副總統就職的那一天，一連舉行一週的電視表演會。這次表演會，全部由芝浦電氣株式會社協助，包括人員，發射機，和電視接收機。日方工作人員約二十名，在五月初來台，並攜帶五十架尺寸不同的電視接受機，在示範演出時，這五十架電視接受機將分別安放在台北市五十個不同的地方，播送節目供市民欣賞。

社會小說　香港地

三、文章有價

梅大亮拿着「經紀」做題目，一口氣說下去，給譚福祿開喻道：「有人要買某種東西，卻不知道那裏有這東西出賣，同時，也有人正在要把這種東西賣出，卻不知道那裏才有買客。這便使雙方都需要一個做經紀的人來接洽。經紀是在人、地、物、時四者之間，把握住買賣雙方實在需要的樞紐，從中取利的。這本是十分淺顯的道理，當然你也知道了，用不着我來饒舌。可是，我勸你不必替我擔心，硬說我給文壇經紀佔奪了什麼利益，這無非要你看得更為透澈一點，知得在這裏出賣什麼也好，無論賣腦汁，賣氣力，賣眼淚，賣屁股，賣靈魂，賣面皮：…」

他說到中間忽然一笑，把話歇住，看了譚福祿一眼，才繼續說道：「說到賣面皮，你不要怪我吧！從前你對我說過，在神廟門前擺卜相檔口，靠一副長鬚來招徠顧客，必然想到在這地方賣面皮也有許多方式呢！像張君賣的兒子，便是靠賣倌臉來發財，比你自己不同。」

譚福祿被梅大亮揶揄端扯上，沒得好說，好在梅大亮很快便接續道：「我說到賣屁股與賣靈魂，也不是總而言之，凡你需要賣東西而又沒有直接買賣，給經紀人從中取利是天經地義的事，這決不要有什麼怨言才好。這裏大多數人都講買講賣，你要懂了解『需要的定律』，時時把握住它，不要放鬆，那才合乎做人的正道，馬虎不得！」

梅大亮說這番話時，特別將「需要的定律」五個字說得堅實而響亮，似乎擲地可作金石聲，使譚福祿覺得份外刺耳。可是，什麼是「需要的定律」？他不懂。他只好怔怔的望着梅大亮，等候他作一個圓滿的解釋。梅大亮不待他發問，已從他的一雙眼睛裏看出他在懷疑什麼，當下笑了一笑，呷一口濃茶才道：「這個定律不是我自己杜撰出來的。發明這個定律的人原是一位『老香港』，我不過是拾人牙慧，替他廣傳播了。」（十七）

木客著

畢業

蘇提

勝光中學的校長梁勝光，現在又為了自己的學生在想出路了。

在眼前，商場一片淡風，裁員解雇之聲，此伏彼起，一個中學生能夠作些什麼呢？

梁勝光從心內想到，這一百五十多個將畢業的學生，假如能有一個妥善讓他們安頓下來，當然是一件好事。可是，究竟把他們安置在什麼地方，倒也是一個大費周章的問題。眼看着他們就要畢業了，是升學呢？還是就業呢？

「就業」這個問題，大概是不必浪費思索了。大學生還有行乞街頭的，漫說還是中學生？那末，賸下的一條路就是升學了。

談到升學，他自己是勝光中學的校長，當然瞭解這些學生們的程度，要這些學生去考大學，有如駱駝要穿過針孔，那也是絕不容易的。

這麼一來，問題可真是複雜了！

經過了三天三夜的考慮，梁校長始終想不出一個好辦法來。他自己只開了三家米店，這三家米店的掌櫃，早已給他的內姪和大舅佔住；雖然他可以巧設司理襄理各種名目，但充其量也不過是安插十來個人，而且還要支他們薪水，這當然是一件頂不合算的事。

再說他開設的兩間酒館，要是肯做「伙計」的話，也未始不可臨時安插幾個學生。可惜中學生就有這麼一種特質，他們的眼睛長在額角上，平日說話慣了「哈囉」，「蜜斯桃」，此刻要他們對茶邏杯酌作「伙計」，恐怕也沒有誰願幹的。

除了米店酒館而外，就只有一家影劇院和元朗的農場了。影劇院的工作，對本屆畢業的十幾個女學生，倒是一條最佳出路。他決定先把這十幾個女弟子叫來問問再說。

這些女弟子們，一個個被傳到校長室來。梁勝光首先問道：「妳們畢業後的出路有了頭緒嗎？」

回答都是說沒有，就好辦了。既然沒有，梁勝光先是皺着眉頭，然後非常關懷的說：「有一家電影院，是我的一位朋友開的。他想要雇請十幾位帶位女郎，在一年見習期間，不給月薪，供膳宿。我想，在百業凋零聲中，大多數畢業即失業，現在，諸位對這份工作該感到滿意了吧！」

梁勝光這番話，是有他個人的如意算盤的。現在他這間電影院的帶位女郎，月薪一百二十元，要是全部換上自己的門徒，一個月又可以省下一千多元。而且，說老實話，這些學生們的程度，考大學雖然絕無希望，但作帶位女郎倒是可勝任愉快的。為的是她們平日讀書就喜歡去看電影，現在天天在電影院中，豈不是兩全其美的事！

可是，世間事偏偏就有這麼掃興。你一味關心，她們倒反而一片冷淡。其中有幾個女生居然說到，女生畢業後的天然出路是結婚。這樣的話，梁勝光雖然不願意聽，卻也奈何不得。對女學生的利用，算是沒有多大希望了。賸下一百四十個學生，他可不能再放鬆了。在畢業典禮舉行的那一天，梁勝光校長笑逐顏開的向全體畢業同學致詞，說到最後，他宣佈他的偉大計劃道：「本校長對諸位畢業後的出路至感關切。本人一向主張中學畢業之學生應力求深造，而此種深造又必須以學習專科技術為最佳。三個月前，本人即已籌設一高級農事實驗研究所，蒙各方人士贊助，刻已粗具規模，研究所研究期間，僅為一年，期滿可發研究生文憑，諸位均為本校學生，有優先入學的權利，每月僅收實驗費八十元。如有意者，可即至教務處報名，隨即繳費。」

典禮完畢以後，報名者一百二十五人。一個月後，研究所在元朗正式開學了。

還是過去的農場，不過是多了一塊「高級農事實驗研究所」的牌子，另外多了一百二十五個不須薪酬還要月繳八十元實驗費的「工人」！

新嫁娘

介人

舊式盲婚趣事，常見於詩人筆下，朱彝尊有「嫁女」詩云：「嗘嗘重嗘嗘，鴛鴦隨野鴨。誰家可憐窈窕娘，容顏清妙意難量。大姑先兒仲姑嫁，小姑獨處猶無郎。阿婆嫁女重錢刀，何不東家就食西家宿？」末句之諷甚於劍戟，蓋朱氏在清代就是主張自由婚姻最力的一個。

同時，在馮夢龍所著的「廣笑府」中，即有關於新嫁娘的兩則笑話：

一、「女初出閣，正哀哭間，轎夫覓槓不得，乃帶哭曰：我的娘，轎槓在門角裏！」（卷六周憢第十七篇「覓轎槓」）

二、「一新嫁娘者，途中哭泣甚哀，轎夫不忍曰：小娘子，且抬你轉去何如？女應曰：如今不哭了！」（卷六風懷第十五篇「不哭」）

另外，還有一則類似的笑話，已忘卻出自何人手筆。據說有某家女富男貧，男家恐女家賴婚，實行强搶，誤背小姨以去，女家追呼曰：「搶錯了！」小姨在背上道：「不錯，不錯，莫聽他，快走！快走！」

以上三則笑話，對舊式的盲婚的情景，如照如繪。到了娶家以後，鬧新房的情形，也是令新嫁娘難堪的，內心雖然很甜，但在四方八面的調侃嘲笑的氣氛之下，大多數顯得忐忑不勝其羞澀，詩人黃公度「人境廬」的「新嫁娘」詞，就有如下的描述：

幾分羞澀更矜持，心善防人人不知；怎見人來佯掩避，背人却向鏡轉窺。

論世界權威（上）

徐學慧

劉龔三先生於上期本報發表了「闢黃禍謬論」一文，可謂深得我心。

英國史學家湯因比於四月三日向紐約哥倫比亞廣播電台所發表之談話，意謂如彼為蘇聯人，則「應對中國（指中共）比對西方國家更懷憂慮。」並謂在未來一百年中，黃禍的暗影將籠罩世界。此種謬論，劉龔三先生經已力斥其非，本文為隨筆性質，不擬對此多所論列。所不能已於言者，即為英國幾個名學者之真價值。

湯因比為英國有名的歷史學家，如同羅素為英國有名的哲學家一樣，都是有名氣而又受人尊重的。但我必須在這裏加一個附註，那就是：不論湯因比與羅素的造詣如何，他們只能在英國受到尊重，充其量，也只能在西方受到尊重。至於在東方人眼中，這種所謂名史學家與哲學家，其見解之淺薄與幼稚，直已不待言說。

湯因比或羅素之學術，對英國而言，可能大有用處。為英國人所尊重的史學家或哲學家，未必可以成為世界權威，因為他們的史學與哲學，局限於地域與國界，不能放之四海而皆準，當然更不能俟之百世而不惑。

西方國家尤其是英國，其宣傳技巧之妙，倒是不能不令人佩服的。幾乎每一個時代，英國人都會巧妙地捧出一個甚或幾個學者當作「權威」，硬要把他們擠入世界學術權威名單中，因而令得他們的言論，在其他國度的人們心裏，樹立一個偶像。

像湯因比這樣的歷史研究者，怎麼能算是世界性的史學權威呢！最低限度，他就不明瞭東方的歷史，而就他們所作的談話來分析，他對中國的歷史文化，簡直全無所知。

如是淺薄的人，居然要縱談世界的未來，寧非一大滑稽？三年前，羅素發表狂論，謂西方國家與其擴張軍備，毋寧被共產黨統治；三年後，湯因比又發表謬論，謂黃禍暗影在未來將籠罩全世界。而此二人的談話方式，又如出一轍，同為哥倫比亞廣播電台播出。對於這一點，除了欽佩西方的巧妙宣傳而外，實在是一無是處。

然而，他們都被認為是有名學者。他們的謬論，正被廣大的西方電訊網傳播全世界。

在共產黨統制區裏，一切學術都是要服從政治的。英國是一個自由國家，而英國的幾個名學者，卻全是為英國的政治觀點服務，鮮有公平之論。細想起來，這又是國際政治的一大滑稽劇。

小啟

本報三月份稿費單業已寄出，請各文友每週星期一至星期五下午三時——六時到本社經理部洽領。

大陸文壇萬花筒

郭沫若研究「拍」

——岳騫

去年郭沫若編了一個劇本「蔡文姬」，敍述「文姬歸漢」的故事。郭沫若編這個劇本的真正用意是在拍毛澤東的馬屁，有意把毛澤東比成雄才大略的曹操，自己則比成身世飄零的蔡文姬，幸得毛澤東念舊，把他從外國（日本）召回來。這種比擬是不是符合，姑且不論，但是郭沫若為了達到拍馬屁的目的，卻也費盡了心機，第一步他先策動一項替曹操翻案的事件，把戲台上的白臉改為紅臉，當時引起大陸史學界的羣起而攻，就連思想比他還左的「北京」市副市長吳晗也認為豈有此理。郭沫若和另一個幫閒翦伯贊當時非常狼狽。

郭沫若並沒有氣餒，緊接着就把「蔡文姬」推出來。本來「蔡文姬」只是一個劇本，任憑你怎麼編排，別人也不加理會，可是郭沫若又進一步，從歷史方面着眼，指出胡笳十八拍確是東漢末年蔡琰（文姬）作的，這一來又引起軒然大波，一年中就這個問題與郭沫若辯難的人，何止百人，其中最有價值的要算是劉大杰先生。

劉大杰先生寫過「中國文學發展史」，對這個問題比較郭沫若高明的太多，大杰先生先後發表了四篇論文，條舉縷析證明胡笳十八拍是唐人作品，就文字本身來說，決不可能出於漢末，它完全是後人嫁名於蔡琰的。

因為大杰先生的證據太充足，郭沫若一時被打得啞口無言，可是以他的為人，決不肯自動認輸，以他今天的地位，也不能認輸。於是又在苦心孤詣找材料，準備反擊。

最近一期「文學評論」，他又寫了一篇「為拍字進一解」，這次他不敢正面進攻，卻繞着灣子抓着一個「拍」字作文章，說「胡笳十八拍」的「拍」字是「首」的，這樣一來，是根據突厥語系各族語言研究，「胡笳十八拍」就變成了「胡笳十八首」，直接把劉大杰先生所提出「拍」是唱「拍」「扭」或「拍彈」的理論推翻了。這原是唐代以後的唱腔，是否能站得住，恐怕郭沫若自己也沒有信心，不過他肯用力去搜集許多材料致證一個字，治學精神還是可嘉的，最低限度比較專門作新詩歌頌「史大林爺爺」要有意義的多。

可惜是他的一個「拍」字理論尚未站住脚，竟然又舊事重提，以為拍字既然是首，就證明胡笳十八拍一定是蔡琰作品，這一來可能又要引起一番爭論，失敗的恐怕還是他自己。

釋耒集

漢宋人異論

劉向上校戰國策序，以爲其時：「上無天子，下無方伯，力功爭強，勝者爲右，兵革不休，詐僞並起，當此之時，雖有道德，不得施謀……故孟子、孫卿，儒術之士，棄捐於世，而游說權謀之徒，見貴於俗。」其所以如此之故，則向亦言之至爲詳切，如曰：「戰國之時，君德淺薄，爲之謀策者，不得不因勢而爲資，據時而爲畫，故其謀扶急持傾，爲一切之權，雖不可以臨國教化，兵革救急之勢也，皆高才秀士，度時君之所能行，出奇策異智，轉危爲安，運亡爲存，亦可喜，皆可觀。」依此以言，可見漢時士大夫論事，觀點所在，原極側重時勢，不尙道德仁義之空論，是知通經致用之語，並非門面語頭，未若後世搢紳之士，高談仁義而遠於事情也。戰國策一書，因所言大抵爲從横捭闔，譏詆相輕之語，其說或甚工，而其事或甚陋，嘗道學者尤擯斥之，故至北宋時，書已殘缺，曾子固奉旨獨校史館書籍，校事既畢，撰爲戰國策目錄序上之，其持論即與向之原序不同，且以劉向爲惑於流俗，而不能篤於自信，因列舉孔子孟子，獨明先王之道，追二帝三王之治，以爲：「其變固殊，其法固異，而其爲國家天下之意，本末先後，未嘗不同也。」因謂戰國之士：「不知道之可信，而樂於說之易合，其設心注意，偸爲一切之計而已。」是故：「蘇秦、商鞅、孫臏、吳起、李斯之徒以亡其身，而諸侯及秦用之，亦滅其國。」道統家視之，此則所謂戰國策之罪案也。夫以孔子之聖，又生於春秋之世，封建之制，向未致於大壞，終身棲棲遑遑，席不暇暖，而仁義之說，固未嘗有合於當世也，今以孔子所無可如何之勢，責之於儀、秦、代、厲之屬，此實宋人過高之論，以今日觀之，則曾子固之所言，遠不如劉向之深切而確當也。東坡論封建，曰：聖人不能爲時，而孔子號曰聖之時，其作春秋也，曰：我欲託之空言，不如見之行事之深切著明也，孔子之聖，未嘗離事而言理，故主乘殷之輅，服周之冕，樂則韶舞，其所以因革而損益之者，亦如夏葛而冬裘，渴飮而飢食，不敢立異以爲高，務在適於時而已，唐宋以後，道統之爭起，昌黎廬其居火其書之論，歐公本論已深不謂然，是逆横干譽，賢者亦所不免，子固之文，不如是作，則將不足爲唐宋之古文，而唐宋古文之必如是作，此唐宋古文之所以衰乎，吾不得而知之矣。

曲齋

粟海彈心錄

變道（上）

當窮變之時，事宜改革，理窮而法變也。易曰「窮則變，變則通。」又曰：「革而當，其悔乃亡。」窮而不變，非善處窮也。變而不通，非善爲變也。然變與動近，動則有善有不善。故吉凶悔吝生乎動。改革與反覆近，易曰：「君子豹變，小人革面」是也。失之毫釐，謬以千里，古今從政者之大忌。曷爲反覆？今是而昨非，我是而彼非，甲是而乙非，甚至我是而我非之，凡事之不便於我與不出於我者，忤於我而拂於我者，甚至優於我者，皆反之覆之。以王介甫司馬君實之賢，而事出反覆，其誤國與不肖者等也。西漢文、景之制，未必盡是，王莽得國，以其行於漢也，乃並三十稅一之土地制度而亦革之。北宋神宗之政，未必盡非，司馬光柄政，以其出於安石也，乃並保甲免役之法而亦罷之。而王氏當日亦然。此所以同歸於敗也。曷言窮不知變：「周官」所以治周也，非爲漢爲宋而預制之也。乃莽與安石，竟欲事事而仿效之，亦與晚近之以主義教條爲政，强天下之大以從我，不容有議之非之者正同。此予所謂「明知事實人情不相應，必求理論措施之强合，」故心日勞，事日拙，而猶瞑行不已。是之謂窮不知變。曷言不善爲變？事會每至窮變之際，上下相應，乃至舉國相應，而往往敗於庸妄者之手。漢桓靈時，竇武何進，失之於庸。清德宗戊戌政變，康有爲失之妄。以心術論，庸猶可恕，而妄不可假。此康氏之幸，德宗之不幸，亦中夏之不幸也。何以故，康氏師廖季平之說，主公羊而泯夷夏之防，迎合滿室。不知漢儒公羊學家，以天下公器、惟有德者居之。創五德遞興之說，不可私於一人一姓。是豈康氏意在保皇，而絕漢族革命之義乎？

阿公

略論中西文學批評的比較

這個道理，也可取證於嚴又陵先生，他說：「從事西學之後，平心察理，然後知中國從來政教之少是而多非，即吾聖人之精意微言，亦必能通西學之後，以歸求反觀而後有以窺其精微而服其不可易也，是以新學愈進，則舊學愈益昌明。」

毋庸諱言，自明季以來，三四百年間，我中華學術各部門，大體上已不能與歐西先進國家齊足並進，文藝批評，也不例外。用又陵先生的話，引申其意，就是要從事於西方的這門學問，參稽比較，明白了自己的「少是多非」，然後透過「新學」（西方的文藝批評及其有關的學問），始可昌明「舊學」（中國舊式的詩文評）。我想：這大概是公正不偏的說法。

如果我們承認上述觀點相當正確，那麼，對於邢光祖先生所說：「五四運動以來，許多遊學外國的人士，每每把歐美的文評理論，來闡釋中國文學……致使光焰萬丈的中國文藝批評，未能在世界文壇上佔得其應有的地位。」云云，就不得不表示應有的懷疑，因爲邢先生似乎不贊成以西學闡釋中學，與上述陳寅恪，王靜安及嚴又陵諸家「取外來觀點與固有材料相參證」這種態度和方法，大相逕庭，這樣是不是有點「故步自封」呢？敢請讀者下一公平的判斷吧。

（二）從西方文藝批評演進的趨勢看

上面我們曾經說及西方文藝批評，其源遠流長，至少不亞於中國，而其波瀾壯濶，體系完整，卻更比較我們進步，例如文藝復興以後，英法兩國的文藝批評，名家輩出，蔚然大備，拙著「文藝論集」，已分別介紹，此處不擬贅述。只要我們稍爲虛心一點，準知道要跟隨時代進步，必須取人之長，補我之短，然後才可迎頭趕上他們已有的造詣和成績。

至於在希伯來，希臘，羅馬的上古時代，他們文藝批評的基礎的確相當深厚，而其範圍，亦相當廣濶。除文學批評的本身而外，和它有關係的聖經的批評，歷史的批評，戲劇的批評，及藝術的批評等，都對於它的發展有很大的幫助，茲分別畧述於左：

大家知道基督教聖經在西方文學上的地位是異常重要的，論其重要性還可能超過孔子的經書於後來中國文學的關係，這是一部極偉大而能感動人的書，有許多篇極美麗的文字，特別是舊約，可說是猶太國民文學總集，因爲內容的繁雜豐富，版本文字的異同，各國翻譯的問題，於是有許多考證，訓詁及批評，總稱爲「聖經的批評」（Critigue biblique）。這些批評，合後來各國文學和文批評很大的影響，也好像漢代經生和清代漢學家對儒家經典的研究批評一樣，是一種超利害的公平無私的努力，這樣，也使得聖經的文學價值，更能宏揚於世界。

第二種是歷史的批評（Critigue historigue）這是蒐集和批評史料的工作，但因爲古代若干著名的歷史著作，同時亦兼具高度的文學價值，如希臘的Herodote（480-425 B.C.），Thyeydide（460-395 B.C.）和中國的司馬遷班固所寫的歷史，都屬於這一類，因此，要批評他們的歷史著作，及資料來源，同時也多少牽涉到文學的範圍，這一門學問，在西方和中國，都相當發達的。

還有西方比中國發達得最早的一種評論學，就是戲曲的批評（Critigue dramatigue），戲劇本屬文學的一部份，此種批評有時雖兼評論演出的成績，但仍以劇作爲主，與文藝批評的關係原是非常密切而不可分的。希臘的戲劇批評，可以亞里斯多德的詩學爲代表，這是中國所望塵莫及的。自然，我們的戲劇發展較遲，是一個最重要的原因。

第四，藝術的批評，在西洋也發源於希臘時代，到公元三世紀的時候，希臘籍的修辭學家老Pilostrate也是第一個拉丁藝術批評家，有專門評論繪畫的著作，名爲「畫論」（Tableaux），還有卜令（Pline）兩兄弟，也很有名，他們的年代，都比較中國的顧愷之謝赫還早。（顧愷之四世紀而謝赫五世紀人物）謝赫的「六法論」，在藝術史上是很有名的，但那時佛教藝術已流傳中國，謝赫的理論和畫評很可能受印度的影響，至於寫字的藝術，是中國所特有。自衛夫人王羲之以來的書法評論，倒是中國所獨創的。（五、未完）

永研

海嘯慶談薈

邵力子是否共黨？（上）

邵力子（仲輝）在民國十五年以前，與葉小鳳（楚傖）號稱爲上海「民國日報」──國民黨機關報──的兩大柱石，而以邵氏最爲青年學生們所讚許，因爲他當時主編該報副刊以及特刊之類，思想前進，言論開明，青年學生未有不知其名者，我也是當年仰慕他的一個學生哥。記得民國十年冬間，我以留日湖南學生代表因事回國，道經滬濱時，曾專誠叩訪邵氏於民國日報社樓上，覩其樸素的衣著，聽其和悅的談吐，不勝心儀傾佩之至。越二年，忽然在民國日報上看見他否認自己是共產黨的文字，爲之大吃一驚，心想他這種自白，一定事出有因的。那時候，沈玄廬、戴季陶等人，皆以民黨要角而倡言馬克斯學說，然我們在東京的八十多個國民黨員，卻跟當時混入本黨的幾個共黨份子，如湖北省的何畏、馬念一、李國琛（此人後來眞正投入了國民黨），奉天省的陳一新，山西省的王樹聲等，天天鬥爭不歇。我曾經寫信給邵力子，請敎他如何爲黨奮鬥之道，他回信甚不以反共爲然，從此就跟他不通音問了。

民國十六年我在南京又遇見了邵氏，這時他是革命軍總司令部的秘書長，我已廢去學名，改以字行，他不認識我了。看他依然布衣布履，不減樸素風度，後來他跟傅學文結婚，租賃一間狹小而破舊的民居作新房，表現着清苦生活。但我在南京龔家橋陳雪暄（調元）公館內，曾親眼看見他遺落了湖南主席何鍵賄賂他的二十萬元支票於陳宅客室臥榻中，第二天纔由陳氏還給他的這種秘密事情，從此對他那樸素的外表作風，深懷疑問了。

對日抗戰軍興，我在重慶西南日報主持筆政，常以「南雷」筆名，跟共黨的重慶「新華日報」從事筆戰，那時邵氏担任國民黨宣傳部長，遣人查詢「南雷」是何許人？旋有以我的眞姓名奉告者，他忿然道：「某人爲甚末要寫這類文章，以破壞全國聯合抗戰的國策呢？」未幾，蘇俄駐華大使盧幹滋偕共酋周恩來，持着重慶西南日報赴湖南南嶽向我最高統帥抗議，說西南日報破壞中蘇邦交，拆散全國聯合抗戰力量，非究處不可。最高統帥爲敷衍蘇俄起見，赫然震怒，致電中央宣傳部查究是誰撰寫反共抗俄的文章？這時邵力子已卸去中宣部長職務，由周佛海承其乏，然邵氏以中常委資格，仍替共黨張目，對我指摘甚力，幸而周佛海是堅決反共的，他祇敎西南日報自動停刊，聲明與掃蕩報合併，不復究問其他，即電呈最高統帥備查了事。

諸葛文侯

自然世界

滅跡的恐龍（下）

陳永昌

現在讓我們談談，爲甚麼恐龍會滅亡呢？根據現代美國著名大動物學家羅馬（Romer）所說，原因大概可分爲四大點，茲僅簡要譯述之：甚麼事故致令恐龍全部滅絕這個難題，並不是普通一個確實理由可以解答的。現在我們由四方面研究討論一下，至於眞的答案，還有待深一層的科學探索。

（一）食物──很顯明的爲了牠們要吃的草木植物因天氣關係漸次死絕，而其他植物又不適合牠們作食料，於是素食的恐龍先後相繼餓斃。同時因爲素食恐龍是肉食恐龍的基本食物，前者的滅亡，引致後者的消失。

（二）地理──很多恐龍是低地潮礁的生物，白堊紀時，陸地漸次浮起，於是減低了恐龍適當的居地，結果是數目上漸次的減少而致全部滅跡。

（三）天氣──當時天氣轉變得突然寒冷，尤其是北美地區。

（四）競爭──「適者生存，不適者被淘汰」，這是達爾文的天演論，至今仍然是不變的道理，當時恐龍漸感無法與哺乳動物及鳥類抗衡，前者在氣力上雖然不敵恐龍，但智力則遠過之，後者雖細小，卻能飛遁空中，避開恐龍的撲食。

最後，羅馬說這麼一句話：「也許洛櫟山脈是殺死恐龍的眞兇！」

自由報
THE FREE NEWS
半週刊每星期三、六出版
第十八期
每份港幣壹毫
社長：雷嘯岑
督印人：黃行審
社址：香港銅鑼灣高士威道二十號四樓
20 Causeway Rd. 3rd. Fl.
HONG KONG
TEL. 771726
電報掛號：7191
承印者：田風印刷廠
地址：香港高士打道221號

反共救國會議果眞會召開嗎？

關德辛

國民黨為提名總統候選人舉行的臨中全會所發佈的宣言，最近行政院長陳誠在立法院的施政報告，使沉寂多時的反共救國會議又甚囂塵上。如果由目前的政治風色設想將來「會議」的美麗遠景，未免過於樂觀，過去難產的潛在因素依然存在，雖然這不是「死結」，若想解開亦不單純。保守一點的看法：此種會議即使開得成，亦恐難達到理想效果。

我們知道這次國大在台開會，執政黨在黨內黨外會遭遇到若干困擾：首先是海內外部份民主自由人士反對修改憲法，之後是黨內代表們的意氣之爭。現在國大閉幕，總統副總統人選已獲得連選連任，一切圓滿。但在過程中，執政黨所面臨的政治態勢，不得不考慮在新政府成立後有收攬人心加強團結的開拓作法，這或者就是反共救國會議舊調重彈的來龍去脈？

主動權操在執政黨

會議是要由政府在台灣召開的，主動權操在執政黨。現在尙難有迹象看到執政黨對召開此項會議具有誠意，如果只不過是放放空氣當一種政治策略來要一下，仍然是一張一再展延的遠期空頭支票而已。

站在執政黨主觀立場，不同意召開此項會議也可以言之成理：第一、政府退處台灣十年來在軍事、美援運用、農村建設、土地改革各方面都有很好的成就，凡此皆是執政黨努力的結果，並沒有靠在野民主自由人士（包括青、民兩黨）幫忙。第二、將大陸失敗歸咎於民主自由思想的勃興，弛廢了執政黨一向引為自豪的黨性、黨紀、黨德，授共產黨以可趁之機。因此，將民主自由人士視同毒蛇猛獸，避之惟恐不及。第三、民主自由人士的力量是一盤散沙，根本不會對反共救國有多大貢獻；召集他們來商談國是，必然是發言盈庭，徒亂人意，豈非多此一舉？持這種論調者可能在執政黨內佔有相當份量，即使執政當局要召開此項會議，也許還要下一番疏導工夫。至少在心理上先得有起碼的準備——能承認對方的價值，有誠意與對方談——才行。

心理上的準備倒並不單指執政黨，在野民主自由人士何獨不然。近年來，政府機關所主持的報紙、雜誌固然動輒替言論激切的人扣帽子；而在野民主自由人士也似乎以「對台灣唱反調」為談民主自由的時尚，以能挖到政府瘡疤為樂事。各走極端的結果，可能導致政府的一意孤行，索性把過去「訓政」的一套搬演出來，其奈我何？而一向以爭取民主自由為職志的在野人士也將自貽揠苗助長之譏。朝野之間激盪而產生的乖戾之氣絕非國家之福。民主政治在中國是一個「先天不足，後天失調」發育不全的幼兒，尚在邯鄲學步階段，生命極為脆弱。沒有強大反對黨；沒有能實際制衡政府的國會；社會沒有產業基礎；大衆沒有民主生活習慣。已經有的青、民兩黨和立、監兩院只能勉強作為民主政治的門面裝飾，談不到其他。在這種現實大環境，民主自由理想必然是欲振乏力無有落實處。

我們無法在一夜中醒來實現了民主自由理想。在目前，執政黨所缺乏的是，對民主政治的眞諦尚未十分了解；在野民主自由人士亦嫌操之過急，嚮往歐美各國的民主政治，而未澈底研究其發展過程。平允來說，現階段中執政黨所需要的是對民主政治的信念和誠意；而在野民主自由人士則是忍耐和恆心。

民主政治實施的尺度

反共抗俄是舉國一致所奉行的國策，大家的意見是不會有距離的。將來反共救國會議如果開得成，會中所爭持的必然是政治問題，換言之也就是民主政治實施的尺度問題。由於大家對於民主政治精義了解程度的不同，自然不易達成完滿的結論；如果大家對這未來可能召開的反共救國會議所寄希望過高，可能會感到失望。但一個問題需要仔細去研究，就能知道理想和事實是兩回事，不能併為一談的。假使會議開得一切如理想，就民主政治言民主政治，我們所缺乏的條件因素太多了，既然參加的人沒有耶穌在內，也就沒有人能創造「五餅二魚」的奇蹟；來滿足廣大民衆的需要。

我絕不是低調，我個人的看法：民主政治能在中國澈底實行，絕不是三年五載的事。是要經過長期痛苦考驗的。以大鐘來作比喻：如果由鐘面一點鐘開始作為民主政治的進度方向，由十一點鐘作為極權專政的倒退方向，今日中國的政治局面正是兩針相併的正午十二時，固然可能正常的向前走，也可能因人為的因素而往後退；南韓一向為美國宣傳是亞洲民主櫥窗，最近自由、民主兩黨因競選而發生的流血事件是值得我們以為殷鑒而知所惕勵的。因此，我覺得我們當前應當注意督促政府的是大方向的正確，只要政府不開民主倒車，我們應該幫助政府朝這目的地慢慢地，穩健地前進。

在野民主自由人士在將來參加反共救國會議時，如果目的只在肯定政府傾向民主政治大方向，而不急圖事功，想亦不致太過失望。

歐美各國的民主政治基礎建立在自由經濟和私人企業制度上。計劃經濟、管制辦法、以及一連串的國營、公營企業，天生是民主政治的死敵。我認為提倡民主政治的人，不應把眼光只放在政治方面，如果不在自由經濟政策方面有建設性的主張；談反對黨，談選舉，談議會……都是本末倒置，是不會生根的。將來的反共救國會議，如果大家提出在自由經濟方面的建議，督促政府施行，這種工作表面上似嫌迂緩，實際是民主政治的奠定基石工作，比要求若干政治開明作風還更有意義。因為沒有基礎的民主政治，浮動變化性太大，並且難能保證其必然能持久？

今日在海內外從事民主自由運動的人，絕大多數是文化界的知識分子。拋棄名利，甚至不顧自己的安全，在國家危難之際挺身站在時代的前面，百折不撓，為的是什麼？對國家有什麼貢獻？這些在將來歷史上自有定評，有抱負的人固用不着互相標榜，對於淺見之徒的橫加誣衊也用不着介意。文化思想工作，本身就是一個潛在的力量，不像一枚裝上核子彈頭的飛彈那樣使人容易想像到它的威力。在國際反共鬥爭中，雖然誰也承認這是總體戰，是人類思想的鬥爭；但除了極少數反共國家如西德等重視哲學家、教授的反共言論外，即以美國為例，她仍然是以銀彈、飛彈，作為反共的兩大主要武器，雖然她也有「美國之音」和「美國新聞處」來從事對共產黨的思想文化鬥爭，但究竟內容不夠充實，無法形成一種波瀾壯濶的思想文化戰局面。影響所及，一般接受美援的反共國家，只知爭取軍經援，自然也就疏忽思想文化鬥爭的一環了。美國本身未能在這方面——思想文化鬥爭——作積極發揮，在冷戰中化費數以億計的金元只能與蘇俄打成平手，甚至還要一直在應付自由世界陣營裏所發生的反美情緒。理由很簡單，美國在領導自由世界反共，只有物質的幫助，缺少精神體的領導。艾森豪總統曾說過一句名言：「美國的力量不在飛彈，不在經濟，這些係屬次要。美國力量在美國人具有道德勇氣，這些才是不能征服的。」可惜美國沒有把這種精神力量批發到各反共國家，他們還以為美國武器和美金才是反共最重要的法寶呢！

時代嬗變的主要觸媒

中國知識分子在歷史上一向不是政治主體人物，但却是時代嬗變的最主要觸媒。自孫中山先生倡導共和，締造民國，他才眞正為中國知識分子吐氣揚眉。他為中國知識分子建立一個榜樣：非但能自為政治主體人物，而且還能創造時代。我們不能不承認，孫中山先生的偉大力量本體便是他的思想。

今日中華民國將孫中山先生手著的三民主義載在憲法中，任何政黨執政必得要承認思想文化的創造力量；同時也更應以建立民治、民有、民享的國家為天職。

推翻滿清腐敗政府尚需憑藉文化思想力量，何況今日面對暴恣兇殘的中共政權。在反共鬥爭中，無論從已往歷史，從當前國家處境來看，中國的知識分子都是一股不容忽視的力量。中國知識分子固然不會妄自菲薄，政府也應加以重視。

未來的新政府如果以團結海內外一切反共非共力量為施政第一要着，實已掌握到契機的轉捩點。絕不應徘徊瞻顧。新政府有無政治大智慧，這是一項考驗。

我們的反共鬥爭是和國際有關連性的。鑒於最近艾森豪和赫魯曉夫分別到世界各地旅行並互相訪問；西方國家的高階層會議召開有期；種種迹象顯示美蘇的冷戰是屬於溫和性的持續進行，而不致在短期內導致熱戰。在這種形勢下，似乎我們的反共策略仍適合三分軍事七分政治的原則。所謂政治反攻，即照政府的說法：早已開始。也應予加強。而如何加強，召開反共救國會議要不失為最足採取的途徑。

最後我希望反共救國會議能儘早召開，至於收獲如何倒在其次；大家能在一起坦白談談總比不談好。國家到此地步再不能閙意氣了！政府也好，「大知識分子」也（胡秋原先生語）好，以國事為重，彼此將就點罷。

自由談

談新聞自由

近來在日本東京舉行的「國際新聞學會」，只許自由中國的新聞人員鄭渭南以「觀察員」身份列席，而拒絕其他的我國記者申請入會。鄭氏在會議席上指斥該會竟成為政治性的學術團體，表示抗議後，旋即退席羞與為伍。這是值得讚許的正義行動，不亦快哉！

然而，「行有不慊於心，則反求諸己」，別人說咱們這個國家沒有新聞自由，究竟是否屬實呢？若以在台灣境內發行的報章雜誌而論，有些經常批評庶政得失，對政府深致不滿的報紙，固然未受到政治壓力，我行我素；即專門以抨擊政府當局的措施為主要課題，認定政府有百非而無一是的刊物，也沒人加以干涉。這種言論新聞自由的事象，在英美那些民主憲政之邦，也不過如是而已吧！似此情形，竟被譏為沒有新聞自由，實係一種無理的侮辱，我們應該抗議的。

不過，在另一方面，海外華僑社會中許多奉行中華民國正朔，以反共抗俄為職志的刊物，因其闡揚民主自由思想，對政府措施常作善意批評，而其立意遣詞，又遠不如在台灣發行的某些刊物那樣偏激嫉憤，却不許進入台灣，縱或核許內銷了，每有被檢扣，甚至於被撤消進口證的危險。這種近乎「除良安暴」，「欺善怕惡」的作法，對內有失大公無私，賞罰分明的政府信譽，對外卽予人以藉制新聞自由的大好口實，用意安在，殊所未喻。如果別人拿這類事實來指證我們是沒有新聞自由的國家，其將何詞以自解乎？

任何一個國家的政府，都應該有其一貫的新聞政策，若不許人民享有言論新聞自由權，乾脆就事同一律，絕無例外，反之亦然。像咱們現在的作風，兩者皆不是，完全因人事關係或某種利害觀點來作新聞自由的尺度，寬嚴不一，厚薄隨意，結果乃是沒有新聞政策，終致因小失大，使國家榮譽蒙受不必要，不公允的損害，何苦來哉！

職是之故，我認為政府必須釐訂一套新聞政策，切實執行，決不瞻徇假借，尤其不要政出多門，自亂步驟才對。

馬之先生

略論中西文學批評的比較

（上接第四版）

二、謝康：評邢著我國文藝批評的特質。（香港，自由人，四十七，一月初旬的。）

三、邢光祖：申論我國文評的特質。（「自由人」，四十七年三月初旬的兩期。又人生雜誌二〇五期轉載。）

（註二）參看 P.M.Schuhl: Essai Sur la Formation du Peuuple Greo GroBet: Histoire De la Litterature Greogue.

（全文完）　永研

台灣的選舉潮

台北通訊　野鶴

國大會議的熱鬧場面剛告閉幕，而台灣各縣市長的選舉運動又接踵而起，目前朝野各方面人士正在密鑼緊鼓的氣氛中，積極策劃進行着，因爲本月廿四日就要全省人民投下神聖的一票了。

執政黨所忙的，是首先決定各縣市候選人的提名，然後通知本黨黨員一律予以支持，俾得當選。這工作看似容易，實甚複雜。政黨提名本黨同志競選，原係民主憲政的常事，也是政黨政治的應有方法。可是，一鹿在野，百人逐之，各地方自認爲有資格提名競選的同志，所在多有，甲如被黨部看中了，決定提拔，乙就大不服氣，聲言脫黨自由競選，不惜同室操戈，而誰應提名，誰該退讓，這其間的分寸，卻很難作出使大家心悅誠服的定評。有些人平日對黨務很熱心，忠貞之至，但在地方一般人士的心目中，認爲他只是一個「黨混子」，不孚衆望；有些爲地方民衆所推崇的人，或以未曾掛名黨籍，或者雖然入黨而不爲黨部所信任，難得提名。職是之故，黨部決定提名的競選人，即不容易博得本黨同志的一致支持。如基隆市長一席，執政黨提名該市黨部主任委員李國俊，然市府主任秘書國民黨員周某亦要競選，他隨着現任市長謝貫一，在基隆市幹了十二年的幕僚長工作，在當地各階層人士的關係，遠非李國俊所能幾及，彼此競選結果，李某的勝算即很渺茫。如是乎，黨部乃責成謝市長遵從黨紀，勸令其幕僚周某放棄競選計劃，謝在公誼上自然非服從黨的指示不可，但在私情上又不便硬教周某退讓，他祇好稱病謝客，表示不作左右袒。據聞這問題採用交換條件可告解決，即李當選市長，周即轉任市黨部主委，兩人相互易位而已。李、周都是外省人，如此處理，尚易協調，其他各縣市的情形卻不相同，一般競選者，十九皆屬本省人，黨部顧得姑來嫂不顧，未獲提名的，動則以脫黨競選相標榜，脫黨並不犯法，誰也奈何他不得。現在台北縣和台南市皆有這種情事發生，使執政黨大傷其腦經。記者從本省人士的閒談中，知道這類不守黨紀的表現，其癥結所在，係由過去歷次選舉中，黨部提名的候選人，多半不洽輿情，如非聲名狼藉，或資望淺薄的倖進之徒，即係素來只顧自己謀生，不問地方公務的隱逸肥遯之士，這些人物一旦貴爲縣市長，前者胡行妄爲，不知天高地厚，後者無心作吏，也無能治事，形同傀儡，曠廢職責，二者皆爲民衆所詬病，因而民間對提名候選的縣市長，乃有「賢者不爲，爲者不賢」的觀感，而政黨的控馭力即低減了。在醞釀提名的階段中，有心逐鹿者，從縣市黨部活動起，再經過省黨部，最後到達中樞，精力、財力和物力，所費不貲，他日若獲選，失之東隅者，自必收之於桑榆，貪污瀆職情事，在所難免，這又平添了地方民衆對「黨官」的不良印象。每一個競選人所耗費的財力，依據最保守的估計，至少在台幣五十萬元以上，至於幾個較大的都市，如台北、基隆、高雄等處，一次競選費用，即非百萬元以上不行。地方自治係進步的政治措施，但台灣人卻以「選舉災害」爲苦，眞正安份守己的尋常百姓們，皆認爲縣市長儘可由政府委任之，只要任用得人，不管他是本省或外省籍的，老百姓都一樣的愛戴，三年來一次選舉潮，勞民傷財，實在大可不必。這些話，是一位台省青年詩人對記者感慨說出的。

執政黨除卻應付上述內部的選舉潮以外，還有一項最傷腦經的外在麻煩，更須特別應付，那就是在野的青年、民社兩黨，對地方選舉所提出的種種要求。他們對於過去的歷次選舉情形，皆表示不滿，認爲執政黨有把持操縱之嫌。因此，這次青年、民社兩黨，聯合地方上無黨無派人士，曾向國民黨及政府，提出十五點要求，主要是他們必須與執政黨共同辦理選舉，享有切實的監察權力，從印製選票，以至於選民名冊，投票開票方法，競選人演說時間和地點及其他講演的內容，在野黨派都得從中監察督導，更不許軍警憲藉口維持秩序，實行助選，這些要求表面看來都很合理，誰亦不能否認的，然實際上問題不是那末簡單。譬如憲警到場維持秩序，能說不應該嗎？如果沒有憲警維持秩序的話，成千上萬的人從事投票選舉，而競選人各有助選團，比那運動場上的啦啦隊更具利害關係，啦啦隊且有臨時大打出手的事情發生，誰能保證以千萬人計的選舉工作不會滋生事端呢？軍警憲除臨場維持秩序，當然不應干預選民投票行爲，但他們也是一個公民，享有選舉權，若穿着便服來投票，即不能說他們是「去助選」吧！印製選票的格式，紙料，以及印刷工廠的地點和印刷能力，都要經過在野黨派的審核許可，這在歐美各民主國家的選舉工作中，似乎未之前聞。提出這類要求的用意，不外乎防止舞弊，但在野黨派人士既然要與執政黨共同組織監察機構，實行監視選舉進行事宜，何必還要干預這類瑣瑣之務呢？綜觀在野黨派提出十五點要求，不管是否過去歷次選舉結果，都係違法舞弊的假玩藝，然則並非執政黨員的吳三連、高玉樹等人，過去何以又能當選台北市首善之區的市長呢？在國大會議期間，執政黨與青年、民社兩黨的聯絡工作，是由中常委陶希聖氏負責的，目前關於地方選舉問題，仍由陶氏與兩黨不時接洽協商，最後當能取得協議，不成問題。

民社黨籍的國大代表楊金虎，據說是有個台省籍的國大代表，國大會議開始時，曾在刊物上發表文字，指說一般非台籍的國大代表，皆已喪失了「土地、人民」的代表對象，沒有資格說話了，只有台省籍的國大代表才配作民意代表；繼又在蔣總統招邀年逾六十歲的國大代表宴會席上，公然說出「台灣人民在日治時代的自由權利，亦比現在爲多」的話，當時行政院陳兼院長問他：台灣人在日本帝國主義統治下的殖民地生活中，即讀書選擇的自由亦沒有，以視現在祖國政府統治下的自由生活孰多呢？他瞠目不知所對的，但他在刊物上嘵嘵譁咋，攻訐政府辦理選舉舞弊。這類人的思想體系，實與躲在日本的自稱「台灣總統」，以及在大陸上投共的謝雪紅一流人一鼻孔出氣。然政府優容之，並未加以箝制，這證明所謂「台灣只有胡適之才有言論自由」的說法，是絕對錯誤的。

台省的地方選舉毛病不少，確係無法諱言之事，而執政黨每次提名的候選人，多屬不孚衆望，亦增加了地方人士對於選舉的反感。政府依照憲法，促進地方自治，結果所[illegible]爾一島，人口不過千萬，這是應該深切檢討反省的。中央政府亦在此，寰[illegible]如果台省地方選舉亦辦不好，一旦打回大陸，還能希望將二十餘萬方里的人民自治事業弄好嗎？（四月七日）

台灣縣市長選舉競選前哨戰

健生

（本報台北訊）台灣省第二屆省議員暨第四屆縣市長選舉，定於四月二十四日在全省各地由選民投票改選。省議員及縣市長候選人，已於四月三日分別在各縣市選務所，辦妥登記手續。其中縣市長部份，除高雄市、宜蘭縣、苗栗縣、台南縣、澎湖縣等縣市，均爲一人競選，這五縣市的候選人，乃係國民黨提名的。其餘十六縣市，縣市長候選人有三十七人之多。其情形如下：基隆市競選市長者，國民黨提名李國俊，民社黨則爲林番王。台北市國民黨提名現任市長黃啓瑞，以無黨派姿態競選者爲高玉樹，林清安。台中市國民黨提名邱欽洲，黨外有何春木。台南市國民黨提名辛文炳，青年黨爲葉廷珪。台北縣國民黨提名謝文程，原爲國民黨籍的李梅樹，竟脫黨競選，而無黨籍者爲劉秉義。桃園縣國民黨提名吳鴻麟，黨外有周朝王，被開除黨籍的曹成金亦參加競選。新竹縣國民黨提名彭瑞鷺，黨外則有林維洲。台中縣國民黨提名何金生，青年黨爲現任縣議會議長王地。南投縣國民黨提名洪樵榕，現任縣長，無黨籍者爲蕭伯川（按蕭於四日撤銷登記）。彰化縣國民黨提名呂世明，脫黨競選者楊連基，黨外人士石錫勳。雲林縣國民黨提名現任縣長林金生，脫黨競選者爲黃文斗，青年黨則爲現任縣議員蘇東啓。嘉義縣國民黨提名現任縣長黃宗焜，黨外人士爲許竹模，無黨籍的余登發。屏東縣國民黨提名李世昌，民社黨的何具纓也參加競選。台東縣國民黨提名黃拓榮，社會人士爲林德村。花蓮縣國民黨提名柯丁選，黨外有徐輝國競選。

台灣省二十一縣市，競選縣市長者四十二人。三人競選縣市長者，有台北縣、市，桃園縣、雲林縣等四縣市。一人競選者有六縣市。國民黨提名二十一人，民社黨員以個人名義競選者有三人。青年黨也有三人。脫黨競選者也有三人。此外，大多數係地方社會賢達參加競選者頗爲「茂盛」，原是一種好的現象，不過，投開票所增加一位監察員的問題若不解決，則黨外人士且有中途放棄競選的可能。

台灣省議員原爲六十六人，本屆因人口的激增，致增加七人，共爲七十三人。而參加競選者總計一百三十五人。候選人最多的縣市：有花蓮縣，應選一人，但競選者有四人。次爲台東縣，名額爲一人，而候選人卻有三名。最輕鬆的是基隆市，名額與候選人相同，所以成爲有選而不必競，甚至一票也會當選。

本屆選舉，以台北市、桃縣、中縣、雲縣、嘉縣、高縣、屏縣、彰化等縣市，最爲激烈，目前，已進入「短兵相接」的階段，尤其是台北市的選舉戰，盛況空前，爲歷屆所罕有。高玉樹雖然出國遠在紐約，但其心仍在台北，對選舉事宜，經常以長途電話問其家人探詢眞相，最爲關心選政的人所重視，至於高玉樹是否在選舉之前返國，參加競選的行列，還是個謎。

國民黨當局對選舉事，極願開誠佈公，與在野人士合作，但主其事者又缺乏信心。在野黨却以懷疑的態度，各行其是，各走極端，誠屬不幸。但願雙方開誠相見，和衷共濟，這倒是每一個選民所關心的。（四月七日）

中共無力發展工業

本報特稿　一得

史達林曾經說過：「馬克斯主義的經濟路線是以工業爲主的。」中共竊國後，不知中國向爲以農立國的地方，只知盲從俄共爺爺的話而行，因此，也婢學夫人，大叫大嚷「建設社會主義的工業化新中國」。多年來，中共所發的公佈，都是以發展工業爲前提的。固然，這是與中共政權的好戰性有關，因其好戰，故必須加強製造軍火的重工業及全大陸戰略性鐵路的建設。但是，這種盲目地只顧工業的經濟政策到底是行不通的。十年來，大陸民家十室十空，少壯流放四方，老弱轉於溝壑，哀鴻遍野，嗷嗷待哺，靠啃番薯根吃谷殼充飢。中共頭子們雖無視於此等人民的死活，但在現實面前亦不得不低頭，內心上承認其過往的經濟政策失敗。因此，中共今年的經濟路線改變，據中共財經頭子李富春在「人代會」稱：「一九六〇年國民經濟計劃的安排，應當進一步地確定以農業爲基礎，以工業爲主導，使優先發展重工業和迅速發展農業互相結合，應當繼續執行工業以鋼爲綱，農業以糧爲綱，全面安排的方針」，又說：「我們應當把工農業積極支援農業，使農業逐步地建立在現代化的基礎上。」「爲了促進農業的迅速發展，工業、運輸、商業、金融、教育、科學、文化、衛生各部門，都要把支援農業當做自己的重要任務。」這實在是中共無力發展工業的表示。

我們如果往深一層看，這是中共過去多年來，強調優先發展重工業，事實上，中共的農業如果沒有發展，則工業同時也不能發展。以實例來說，一九五四年，因天災嚴重，各地失收，到翌年，輕工業生產便比一九五二年直線下降，一九五五年全年投資額僅比一九五四年多百分之三。直到現在，中共發展工業的資金來源，主要還是靠農產品。中共外銷的貨物，有百分七十爲農產品，輕工業製品的原料，有三分之二來自農產品，大陸各地日用消費品，有八成由農產品及農業副產品製成，如衣服、鞋襪、油脂、水果、魚肉、穀米、蔬菜等。過去中共投於工業上的資金，全部來自沒收人民的資財，在一九五二年全面「土改」，沒收富戶大批財產之後，於一九五五年的投資，便比一九五二年增加百分之八十四。到一九五五年，中共在農村中，進行農業「合作化運動」，獲得了大量農民財物，到一九五六年，投資比五五年增加百分之五十九。一九五八年開，中共又再加強沒收農民資財，而實行「人民公社」，一九五九年投資額，便即比五八年直線激增百分之九十三。「人民公社」實行後，農民除了一條驅殼外，已一無所有。中共以往所用沒收農民資財以用於工業投資的辦法，今後難於繼續。因此，中共乃必須用提高農業生產的辦法，來增加投資，這是今年中共「經濟路線」改變的主因。

中共的重要經濟幹部胡梯雲曾在「天津日報」撰文說：「欲將每畝耕地提高糧產額及開墾耕地，業已遭受勞力缺乏的限制，提高米麥的畝產額，必須實施耕作園藝化，如此，工人要增加兩倍到三倍之多。目前大陸的農民，大部份被派往工地修築堤壩，勞力已出現矛盾問題。」

因此，中共今年除在城市建立公社，以榨取更多勞力外，並大嚷：「改進農業技術」，但「農業機械化」卻並不是空嚷可以成的，要有大量資金，向蘇聯乞舊機器也要大量農產品交換，中共亦無力拿出這些，因此農業也就不易增產，農業不能增產，中共也就無法有充足的經濟力去使「工業躍進」，李富春的「計劃」仍將成具文。

社會小說

香港地

(十八)　木客著

三、文章有價

梅大亮給「需要的定律」作一個辯釋，舉一個例是：假如有一個朋友求你做一宗事，你不必顧慮到什麼交情，只要你認定這是有利可圖，而他又非求你不可的話，你便應該開到最高的價，不要有半點游移。理由很簡單；你在這一小時裏對他賣了交情，他却會在下一個小時裏對你反眼不相識，因爲那時他已無所需要於你。需要是隨時會變更的，他在這一分鐘非常迫切地需要你，可能跪在你的面前，雙手捧着幾千論萬的鈔票，求你接收，但到了下一分鐘，需要不存在了，即使你哀求他借一塊錢也會被拒絕的。你別以爲這是不近人情，悻悻然要和他割席絕交，須知他只是把握「需要的定律」，因時、因事、因地、及因人而圓滑運用吧了。說不定再過一分鐘，他又會爲着新的需要，嘻嘻哈哈的向你獻殷勤呢。」

梅大亮把這個社會人與人間的關係，說得如此寒心，却還一口咬定，認爲把握住「需要的定律」，才是做人的正道，似乎有些矯枉過激，貪圖一時口頭之快。

譚鵬緣非常留心聽梅大亮說這一頓話，神情變得嚴肅，面部像罩上了一層冰氣，一直等他說完，沉默地想了一會，才搖頭嘆道：「你我都讀過了古書，總會明白『市道』是什麼意思吧！在這裏，做人做事，總不免偶然講講『市道』，但把『交道』和『市道』完全渾做一起，還說這就是做人的正道，我便不敢苟同了！你不要把我們全看得這樣沒希望，沒情趣。難道你賣文賣得日子太久了，對什麼事也都容易想入非非，便常會在不知不覺間，慣於拿話嚇人嗎？你說得大家做人都如此沒趣，怎不回家鄉去嘗嘗共產黨統制的滋味？」

他們兩個原想輕輕鬆鬆的清談一刻，散一下心，却不料在這「一盅兩件」之間，竟然扯上了這個並不簡單的話題，彼此有了意見上的衝突，兩顆心都給縈上了一塊鉛似的，沉重得很。

這樣的事和這樣的話，其實並無足怪。目前香港九龍有這麼多的茶樓，每天早晚在那裏『擺龍門陣』的人何只百萬，只怕談風花雪月的倒不太多，像這樣聽了便要傷腦筋的話，却是隨時隨處都可聽到呢。

時裝

江雪

她獨坐窗前，默然不語，現在已是黃昏時候。她怎麼樣也想不出一個方法，能讓女兒曼芳有一套時髦的衣飾。因爲她沒有錢，而添置衣服却是需要錢的。

她有點埋怨那些時裝設計家了。天天在搜盡心思，爭奇鬥巧，弄得這些愛時尙的小姐們，窮年累月的要爲自己的衣飾過份緊張，生怕趕不上時代。眼前，她的女兒曼芳，就是爲了要添置最新款式的衣飾，已經向她哭訴了幾天了。

曼芳的哭訴當然也有她的理由的，她說：「我也這麼大了，媽不是常常鼓勵我去參加社交生活嗎？可是，在那種社交場合中，像我這種落伍的衣飾，怎麼好意思見人呢？前幾天，大偉邀我去參加一個舞會，還沒終場，我就走了，因爲我根本不敢下舞池去。大偉雖然沒笑我，但我究竟很難爲情呀！媽你就是一個女兒，妳難道就忍心讓妳的女兒作一輩子的老姑婆嗎？」

由於沒有時裝而牽涉到作一輩子的老姑婆，這套理論，也眞虧曼芳想得到，說得出。她好言好語的安慰着女兒，同時保證在今年年底以前一定有一套時裝給她着上。

那知不說猶可，一說出，曼芳就立刻淌出了眼淚。

「阿媽，妳以爲到年底再着新衣服，那還是時裝嗎？哎喲，妳根本就是存心想要妳的女兒在外出醜，我，我，我眞想死了。」

時裝與死，本來不發生任何關係，但曼芳却能以眼淚鼻涕將它融合起來。這就令得作母親的不能不有點恐慌了。她默然不語，獨坐窗前；現在是黃昏時候。

她從窗前默然地站起來，她並不怨自己的女兒多事。她知道女孩子是沒有一個不愛美的，而時裝却是表現美的要着。她慢慢地行近曼芳身畔，用手帕拭去了女兒的眼淚，輕輕地說道：「妳且告訴我，最新的時裝究竟是什麼樣兒呢？」

曼芳沒有回答。她在想到上星期六參加的那次舞會，最惹人注目的那位張賽仙小姐的時裝。她還清楚地記得張小姐出場的時候，播音器裏傳出來的介紹詞。介紹詞中說到就是一九六一年的最新時裝。

「妳說啦！妳不說，我怎麼知道現在流行的是什麼時裝呀？」

曼芳仍然不肯說話，她猛然起身，跑到那邊從手袋裏掏出一張報紙出來，原來那報紙上面正登載着張賽仙小姐的時裝照片。她遞給她媽媽，她仔細端詳，稍爲問了曼芳幾句話，然後若有所悟似的說道：「我的乖女兒，妳別哭了，妳再哭，媽媽心裏難過啊！今天晚上，好好兒睡吧！明天，媽會替妳想辦法的。」

「眞的嗎？」

「當然是眞的呀！」

第二天早上，一覺醒來，曼芳發現床邊的衣架上多了一套新衣裳，顏色和款色都和張賽仙小姐那一套一九六一年型差不多，她眞是高興極了。她穿起來，端詳又端詳，一切都很滿意。

她走到媽媽房裏，媽媽正在梳妝，她走上去就是一吻，說道：「媽，原來妳早就替我製好了。爲什麼不早些告訴我呀？」

作媽媽的沒有出聲，只望着女兒的新裝在出神。半晌，纔笑道：「明天晚上，妳同大偉參加舞會回來，記得告訴我，看外面的人有什麼意見就是了。」

曼芳從舞會回來，歡天喜地的說出盡了風頭，許多人都要求她能告訴她們這是什麼時裝公司定製的？

她笑了一下，這纔在箱子裏掏出了二十年前的照片。

「媽，這是誰呀？」

「這是二十年前的媽媽！」

「那時妳也穿這個衣服嗎？」

「是的，這是二十年前，最流行的時裝！」

春思

（三首，用李義山無題韻）

馮吉煌初稿

其一

元社花朝取次來，迎春簫鼓響輕雷，山中日麗青鸞舞，江上風和紫燕迴；剩有情歌懷故里，可憐金粉誤庸才，杜陵如有還鄉日，種竹培蘭願未灰。

其二

傾覆方知創業難，流鶯百囀又春殘，匣中霜刃鋒猶利，扇底桃花血未乾；千字稿酬供半醉，一身愁病怯輕寒，香江爭似瀟湘綠，忍對晴波仔細看。

其三

百年興廢恨重重，妙手難將心創縫，閱歲誰能知本末，惜亡何用卜窮通，故宮楊柳無情綠，南國櫻花別樣紅，如此春光豈天意，深宵無語對東風。

望海樓隨筆

論世界權威(下)

徐學慧

英國人對於政治權術之運用，已臻化境，彼等大捧湯因比或羅素之流，尊之爲世界學術權威，亦無非基於此種權術的至高妙用。

此一妙着，容或爲大多數人所不能瞭解；但只須深入探討，即可悟其來龍去脈。國際政治，本來就是集權術之大成。所謂高下優劣，全視其運用之技術。

站在英國人的立場，捧羅素或湯因比爲權威，不僅無可厚非，亦且有其必要。

站在湯因比的立場，發出此種謬論，也是無可厚非的。因爲，他的「權威」來自英國人苦心孤詣的培養，如果失去了他的基本立場，則此種權威將會在一朝一夕之間烟消雲散。

然而，這樣的權威，是英國的權威，而不是世界的權威！

共產黨對於學者的運用，比較起英國人來，已低一着。共產黨明令學術服從政治，而學者乃爲政治之附庸；英國人以政治培養學術，而學者乃爲政治開路。此中高下，不待煩言。

美國立國尙淺，對於這一套的運用，在近四十年，雖已略有所知，然以無純熟技巧，終鮮成就。故其結果，乃只有憑藉其在商業宣傳上的設備，爲英國的政治動向作宣傳。此又爲國際政治上一大滑稽劇。

如果要以史學眼光來看，我國可以大言不慚的說，世界性的學術權威，只有中國可以產生。（當然，我不是指現在的中國大陸）這原因乃在中國的文化內涵與夫民族精神，而這些則又爲湯因比之流所從未研究到的。

漢人在可以預見的未來，必能影響世界，自屬無可置疑。惟此種影響，必非黃禍或漢禍，也是可以斷定的事。湯因比的觀點，並非從史學觀點出發，而是以英國的利益充其量也只是以西方的利益爲前提。

這樣的學者，怎麼能列入世界權威呢！

英旗無落日，過去在維多利亞女皇時代，國力之盛，如日中天。一百年來，英國人慣常以英國之權威，當作世界權威；以英國之標準，當作世界標準；是則把湯因比當作史學的世界權威，亦自毫不足怪。

世界權威學者而有此種局限於地域國界甚或種族的言論，是亦足以爲「世界權威」四字之諷刺矣。「權威」云乎哉！「世界權威」云乎哉！

大陸文壇萬花筒

沈雁冰言不由衷

——岳審

四月五日「人民日報」刊出中共政權文化部長沈雁冰在中共人代會上發言，其中有一段話是很可笑的。

沈雁冰說「修正主義者夸夸其談資產階級的虛僞的人道主義，人類之愛，人性論，以來反對階級鬥爭，反對無產階級的黨性，以寫眞實爲幌子，實質上是主張寫社會生活的陰暗面，以抹煞社會主義社會生活光明面是主流這一事實，來攻擊社會主義制度，挑起人們對新社會的不滿，提倡資產階級早已破產的濫調創作自由，文藝自由……：」這一段話假若出自周揚、錢俊瑞等人之口並不希奇，從沈雁冰口內說出就太可憐了，因爲沈雁冰並非共產黨員（到現在爲止，尙未見中共宣佈他入黨），對文藝創作也眞眞正正是個行家，竟然說出這種言不由衷的話，文藝若沒有創作自由，大家固定在一個範圍內寫，這種東西寫出來又有誰看，最近十年來共區出版了許多小說，詩歌，戲劇，爲什麼對社會未起絲毫作用，就因爲是缺乏創作自由。

其實文藝本身先天就具有反抗性，也以專寫社會生活的陰暗面才有價值。俄國受共產黨統治了四十二年，只有一本「齊伐哥醫生」受到全世界讚揚，但是這本書在蘇聯却成了禁書。

就以沈雁冰自己來說吧，他當年寫了一部「子夜」，那是徹底攻擊資本家的書，在當時成爲暢銷書，沈雁冰也一舉成名。假若那時沒有創作自由，只准他寫歌頌的東西，試問沈雁冰寫得出寫不出「子夜」？

再說「解放」後，既然「新社會」充滿了「新事物」，以沈雁冰那管生花妙筆，專就文藝小說而論，大陸尙無人超過他，爲什麼又不寫幾本歌頌「光明」的巨著，和「子夜」媲美。

不但如此，一九五八年大躍進時，作協開躍進會議時，沈雁冰以作協第一書記身份並未出席，由邵荃麟代爲宣佈，計劃寫兩個長篇，幾個短篇，結果大躍進一年過去了，沈雁冰却連一個字也未寫，爲什麼呢？還不是因爲缺乏創作自由。

從中共政權成立到現在，沈雁冰一口氣幹了十年的文化部長，儘管有職無權，也算是個不倒翁，平時總算敷衍得不錯，可是這次談到實際問題，茅盾先生就露出矛盾來了。

釋耒集

為政

論語子張問政，子曰：「居之無倦，行之以忠。」陳義至為淺近，而政治上之實效，實必如是而後可以有成。唐史稱洛陽經黃巢之亂，城無居人，縣邑荒圮，……但頹垣餘堵而已，僖宗光啓三年，張全義為河南尹，招懷理葺，復為壯藩，容齋隨筆，刪錄搢紳舊聞記云：「全義初至之日，白骨蔽地，荆棘彌望，居民不滿百戶。乃於麾下百人中，選可使者十八人，命之曰屯將，人給一旗一榜，於舊十八縣中，令招農戶自耕種，流民漸歸。又選可使者十八人，命之曰屯副，民之來者綏撫之，除殺人者死，餘但加杖無重刑，無租稅，歸者漸衆，又選諳書計者十八人，命之曰屯判官。不一二年，每屯戶至數千，於農隙時，選丁夫，敎以弓矢槍劍，為坐作進退之法，行之一二年，得丁夫二萬餘，有盜賊即時擒捕，關市之賦，迨于無籍，刑寬事簡，遠近趨之如市，五年之內，號為富庶，於是奏每縣除令簿主之，喜民力耕者，知某家蠶麥善，必至其家，悉召老幼，親慰勞之，賜以酒食茶綵，遺之布衫裙袴，喜動顏色，見稼田無草者，必下馬觀之，召田主賜衣服，若禾下有草，耕地不熟，則集衆決責之，或訴以缺牛，則召責其鄰伍曰：此少牛，如何不衆助，自是民以耕桑為務，家家有蓄積，水旱無饑人，在任四十餘年，至今廟食。……」五代史全義傳，書之甚略，大抵以為全義媚事朱温，不顧節義廉恥，因而沒其救時拯物之功，此則俗儒之見，不足與言圖事者也，今按全義治洛達四十年，使白骨彌望之荒塲，五年之內，號為富庶，則可謂居之無倦者矣。且也既庶之後，使各力耕以求富實，又敎之弓矢戰陣以除盜賊，則可謂行之以忠矣。然則所謂仁義敎化之道，明王聖主修明之治，果有以逾于是者乎？頗怪若干文學之士，點綴經語，動則曰致君為堯舜之君，使民為堯舜之民，自謂仲尼之門，羞稱五霸，而三代之盛，遂僅得見於上書言事時之徵引，或墓碑行狀上之揄揚，文人學士，固不屑為張全義，亦無人能及張全義也。孔子曰：「故君子名之必可言也，言之必可行也，君子於其言，無所苟而已矣」。後世經生文人，藉仁義敎化話頭，潤色其空文，曰：我衞道翊敎也，我將以致君澤民也。則眞荀卿子之所謂小人之學，以為禽犢者也。

曲齋

粟海彈心餘

變道（下）

假范希文天子無北面之議，而間人母子，冀合德宗。不知文正之議，在明肅垂簾聽政時，與西后還政，德宗臨朝，已有十年者不同。果承清廷特達之知，正應忠告善道，委曲詳明，從容自處，進退裕如，安有言計不遂，竟蒙殺身之禍，而如此草草者也。有識之士，當不若是。予竊以康氏所言，未必切中時弊，徒為德宗蠹禍而已。且自古書生自處，急功近利，昧義滅倫，以要世用，未有如康某其人，平日匈中所畜，概可知，故其晚節多醜行。雖然，康氏習於雜家，祖述故事，主功利而尚縱橫，猶是陳龍川一流人物。較之「五四」以後，觸識文字，便爾前無古人，後無來者，不侔矣，故得以長[illegible]。清光緒二十八年，頒定學堂章程，三十一年廢科舉，通飭縣設高等小學，府設中學，以次專科至於大學，其時省，道、府、縣師範學堂，招收學生，限制學歷品行年齡至嚴。以備普及國民教育師資之準備，自是秦漢以來，文教制度一大轉變，各級組織規模，雖亦借鑑於人，而精神氣象，仍屬漢家。與今之師生，言必稱美國，前此言必稱蘇聯者，誠不勝今昔之感。

由此可知遜清末政，並非固必不變者。從而軍政改制矣，司法改制矣，地方議會樹立矣，質之世之變不知變，與夫要求民主而未能實行者，又何如。就清室論清室，予故曰敗於庸妄者之手。

阿公

略論中西文學批評的比較

上述四種批評（聖經、歷史、戲劇和藝術批評），有些根本就是文藝批評的一部份，有些和它底關係也相當密切，甚至於不可分的，因為文學和藝術，本是孿生的兄弟，在美學的基礎上，各種藝術，都有相通的道理，藝術批評、戲劇批評發達，自必可以幫助文學批評的進步。蔡元培先生以文學作一般藝術的總代表，雖說有點武斷，却也不無相當的理由。從古以來，中國人一向偏重文學，以為可以代表一種「道」，另一方面却相對地輕視各種藝術（除音樂和書法列於六藝範圍之內），以為是未能進於「道」的一種技藝，和形而下的玩意兒。因為有了這種偏見，所以古代希臘藝術均衡發展的情形，遂為中國先秦時代所不及。同時也就直接間接影響藝術批評和文學批評的進展。

邢光祖先生論及中西文藝批評的比較時，似乎忽畧了上述這些有關的重要因素，如果同時注意到這些連帶關係的問題，自然會得到不同的結論。

以上（一）（二）兩節所列舉的幾點意見也算是本題應有的答案吧。

五、餘論——從文評說到治學態度

此外還有一些附帶的問題，也想和讀者及邢先生討論一下：

（一）關於文學批評的目的，本有多種說法，但最主要的功用我以為該是亞諾德（M. Arnold, 1822—88）說的：「去認知和傳播世界上所知所想的最好東西之一種公平無私的努力。」根據這個定義相信文評家的任務應該注重認知和傳播，欣賞和讚揚，自己首先是好作品底好讀者，欣賞者，其次是讚美者，宣傳者和媒介人，最後，如果有必要和可能的話，然後指正錯誤，作為作家的指導人，所謂批評「作家的作家」，評論「作品的作品」，其中積極的意味，應該多於消極的意義，建設性的鼓勵的工作，應該多於破壞性的教訓態度。誠如斯忒德曼（Stedman）所云：「批評家必須承認一個詩人裏面的最好的東西，因而成為他底最好的鼓勵者。」（語見Hunt文學概論所引）筆者在「評邢著『論我國文藝批評的特質』」一文裏對於文評的目的和功用，就是從它底積極的意義來認定的。

邢先生的態度和我不大相同，當他說：「一個批評家該是決定文學作品價值，釐訂法制或準則的人」時，他底態度，我想，大概是側重「判斷批評」（Judicial Criticism）的，大凡側重判斷的態度，自難免偏於指摘錯誤消極方面的工作多一點了。這種工作，當然也有必要，但不能因此便否定了鑑賞派和印象派批評的價值。

（二）邢先生在「論我國文藝批評的特質」一文（頁二，第九及第十行）明明說：「法國巴斯卡的凝思集，可說是詩話」。經我指出凝思集不是「詩話」也不是文學批評之後，邢先生在「申論我國文評的特質」篇裏仍然肯定說：「凝思集」與中山詩話，六一詩話同為一類，還隱然有認為文學批評之意。其實這問題很簡單，只要查一查十七世紀的法國文學史，就可以明白了。（中文本的吳達元法國文學史上冊頁一九一——一九四，亦可參看）。

（三）邢先生在「申論我國文評」一篇文的末段舉出英國詩人A. Waley最近因研究詩人袁子才著了一本批評傳記而得獎，證明西洋學者攻研中學的研究和鼓勵此種研究的風氣，值得讚揚。我同意邢先生這種看法，但我却要問一問：西洋學者寫中國詩人的批評傳記，用力之勤，是不是也可證明他們對文學批評的努力邁進呢？

又我們既然羨慕人家在這方面的工作，仔細研究，在他們看是一個外國作家的中國詩人，邢先生為什麼又不大贊成或鼓勵中國留學生如胡適之，朱光潛，吳宓，梁宗岱之流去研究外國詩人，美學家或文藝理論家，多多介紹他們的理論呢？邢先生還種態度，似乎前後不一致，已頗令人費解了，至於因此責備我「妄自菲薄中國固有的著作」，也是一種誤會，我的基本態度，在前文評論邢著的最後一段中已經反覆聲明，是「融貫中西材料，參稽互證，以觀其會通。」也就是近代中國學人嚴又陵，王靜安，陳寅恪諸家和我的朋友朱光潛，梁宗岱等所採用的「取外來觀點與固有材料相印證」的態度。現代學術本天下之公，早已衝破國界，各民族文學共同造成世界文學的總體而無分軒輊，同時沒有比較法，及學術文化交流也就沒有現代學術，自從比較文學的方法，應用到文學批評以後，這門學問已經逐漸變成世界性的，同時也造成劃時代的進步。如果我們固有的文藝批評，眞是光焰萬丈，如同邢光祖先生所說，又何妨平心靜氣，拋除成見和「文章是自家的好」這種觀念，將它們拿出來和西方文藝批評作全面的比較，然後擇善而從，這就是說吸收西洋學術以發展中國固有學術，以造成中西新舊融合的結果。我想這該是「有志整理與究討中國固有學術的人」應有的「勇氣」吧！與其抱殘守缺，不如取精用宏，一方面要溫故，一方面也要知新，這樣做去，對中西文評的比較研究可能會有所裨益。淺見如是，不知讀者和邢先生以為何如？

（註一）請參閱下列三種有關資料：一、邢光祖：論我國文藝批評的特質。（見台北、中華文化事業委員會出版的中國學術史論集二。）

（轉第一版左下角）

風流名士許南英

道南

曾任香港大學文學系主任的許地山，這是在近代文壇有聲於時的。他的父親許南英先生，曾兩度赴台灣，在台灣留下了抗日的殊榮，在台南也留下很多風流韻事。

其時台南某妓寮有雛妓黃查某，生得嬌小可愛，清秀瀟洒，善彈琵琶唱南曲，她對文人墨客，別有殷勤的招待，所以許南英先生和她甚暱。

先生縱情詩酒，每每嫌她的名字不雅，就把查字頭上木字，移到某字邊，改為「且梅」，一字之差，湊成了雅致，他們和韓荷生與杜采秋一樣的風流傾慕，所以在許南英的「窺園詩草」有：

「題畫梅贈黃且梅雛妓」（民國元年壬子）

相別二十年，復覩春風面？老幹茁新條，玉英飛雪片。

又贈黃且梅（民國五年丙辰）

百千萬刧滄桑感；二十三年花月痕。

蘊叟壬子題且梅舊句也。丙申來遊，重過其處，買醉終宵，百端交集，與謝籟軒戲用此聯，續成一律：

嘯天幻蜃竟成雲，隔海濤聲斷客魂。綠酒紅燈歎昨夜；青衫皂帽坐黃昏。百千萬刧滄桑感；二十三年花月痕。風雨五更天欲曙，淒涼舊事不堪論。

從這兩首詩看來，已極盡溫馨柔艷的能事，然而美人遲暮，才子多情，何物且梅，竟能隨先生珠玉於不朽，也是榮幸之極了。

又據台南市連應榴先生（雅堂先生令兄亦即現任台灣民政廳長連震東之伯父）云：台南娼寮四美人，珍珠嫁陳雨三，玉盞嫁與許南英先生，喜鵲嫁與施士浩進士，玉釵嫁與某巨商，名士美人，終成眷屬，亦佳事也。

海嘯慶談薈

邵力子是否共黨？（下）

抗戰時期在重慶設立的「中蘇文化協會」，表面是由孫科主持，實際却以邵力子負責最多，也最賣力氣。繼而張溥泉（繼）先生從西北陝甘一帶考察回渝，他在國民黨某次中全會議中，痛述共黨份子滲透我黨政軍各方面的事實，且謂「總裁身旁即有共黨份子潛伏着」，指的就是邵力子，但大家仍不敢信以為實。

迨民國卅八年初，蔣總統在南京召集中樞黨政軍大員會商應否「引退」問題時，邵力子即原形畢露了。當時預會者廿餘人，張治中極力主和，但不便說出投降的話，邵力子却很乾脆地說道：「打人家不過，就祇好投降」。意思是要蔣總統趕快退位，以便共黨來執政。蔣總統聽着他這番話，會緊握拳頭，在桌上磨了幾下，然後答復道：「邵先生，你該知道民國元年孫總理讓位於袁世凱的那回事，實際是受着本黨同志的勸說壓力而然的。袁氏一旦當國，本黨即被暴力摧殘，終致釀成後來幾次流血革命的悲劇。這項歷史教訓，我們不應該忘記啊！」邵氏坦然不以為意，嘿不作聲。疾風知勁草，板蕩識忠臣，在患難之中，就容易看出一個人的本質了。

綜觀上述各項情由，邵力子至少亦是個未曾公開暴露真面目的老牌共產黨徒，混在國民黨內，乘機竊發，為共作倀，所謂紅心蘿蔔是也。世人每以邵氏之親共，是受了傅學文的影响，我却不相信此說，邵氏并非沒有知識的人，傅氏亦不是具備着絕代佳人之魔力的婦女，邵氏深受民黨厚恩，迥異尋常，豈肯隨便喪志變節嗎？

諸葛文侯

自由報
THE FREE NEWS
半週刊每星期三、六出版
第十九期
每份港幣壹毫
社長：雷嘯岑
督印人：黃行奮
社址：香港銅鑼灣高士威道二十號四樓
20 Causeway Rd. 3rd. Fl.
HONG KONG
TEL. 771726
電報掛號：7191
承印者：田風印刷廠
地址：香港高士打道221號

染血的笑臉

奚豪

本文剛寫在中共頭目周恩來飛印度與尼赫魯舉行「和平談判」的第一天。我們決不要忘記：周恩來是由赫魯曉夫預先替他舖路的。沒有赫魯曉夫月前到印度那一行，就不會有周恩來今天這一行。說蘇俄和中共爲了對印度問題而發生歧見，顯出兩者之間有了裂痕，那是白日說夢而已。我們應該說：這是俄共導演「將錯就錯」這一個劇目第二幕的開始。

蘇俄在其征服世界的預定時間表上，曾經有過錯誤的安排。韓戰是由於這種錯誤引起的。當韓戰趨勢顯然對蘇俄十分不利時，俄共便驅使中共參戰。這是「將錯就錯」成功的一例。

看蘇俄在中國三十年忽進忽退而終於併吞大陸的一篇歷史，我們該承認它是一貫是長於將錯就錯的。

韓戰似以雙方不勝不負而結束，而眞正勝利者則爲俄共。自由世界未能利用它的第一個錯誤造成扭轉世界大局的機會，再讓它冒着犯下第二個錯誤的危險，挽回了垂敗的定局。這樣，俄共將錯就錯是成功了。

俄共今天在印度的一切安排，仍屬將錯就錯的做法，實在顯而易見。中共完全聽它的命令而行事，對印度用硬或用軟都是不由自主的，奉命表演的。如果西藏不會爆發轟轟烈烈的反共抗暴運動，中共和印度之間的糾紛便不會有發生得這麼快——雖則稍遲必然發生。周恩來和尼赫魯目前的談判是導源於西藏之戰。而西藏事變的性質，對俄共也和對中共一樣，是亞洲的匈牙利事變。

西藏爲什麼要變？是因中共的控制和壓迫一天比一天加緊，苛酷到不能繼續忍受下去。中共這樣經營西藏，不是爲它自己而是依照俄共所排的時間表，完成它所要担負的任務，要由西藏開闢一條侵印的道路。中共在西藏自信沒有錯，只是錯在俄共催逼得太緊。西藏變得突兀，對中共只是聲威的打擊與兵力財力的消耗，對俄共便是一個時間表的撕毀和一條對外擴展路綫的中斷。對付「亞洲的匈牙利事變」要用辣手，是有原來匈牙利事變前例可援的。而且單獨用辣手對付西藏還不夠，必須將錯就錯，藉炫耀武力來重建中共在這一個角落的聲威，並且乘勢直逼印度邊境，開闢可熱可冷的戰場，爲未來對印度展開長期糾纏的有利局面。這就是中共稟承俄共對西藏事變所採取及已實行的全盤策略。俄共在暗裏嘉奬它做得好，在表面却要緘默。

將錯就錯的第一幕就此結束，是軍事上的硬功；第二幕立即揭開，是外交上的軟功。

向更遠的事情作一次回溯，我們如不把印共、中共與俄共看作三位一體，而認或強說印共是孤立的，硬指它與俄共中共是絕緣，便等於從前美國誤認或強說中共只是「溫和的土地改革主義者」硬指它與俄共並沒多大關係一樣，由此而發生的幻覺與幻想將使自由世界繼續失去印度。

其次，我們如認爲年前周恩來對亞非中立集團賣弄「和平五原則」，大搞「國際統戰」，只是中共本身的事，與俄共無涉，並且強說中共已在這方面與俄共爭取領導權，其荒謬之處也不只是可笑的，實在是可怕的。

讓眼前事實來做說明。由於西藏這個緩衝區域已被突破，印度尼赫魯的眞正恐慌在乎下列的一點：印共對外絕緣的表面形勢已在急劇急變。中共和印共對他「裏外交煎」的可怕陰影已壓在頭上。事實更在另一方面說明，在近兩個月裏，俄共赫魯曉夫出馬到印緬等國在先，中共周恩來出馬到印緬等國在後。難道這又是互爭領導？或是「搶做和平生意」？誰也應該看得清清楚楚，赫魯曉夫是替周恩來做鋪路工作，幫助他把年前向亞非中立集團佈下的綫索和關係，從頭來一次綴鋪，然後把將錯就錯的第二幕演得越發精彩。這便證實以下的一點：年前周恩來向亞非中立集團所表演的一切，都是遵命演出的，完全不是爭取領導那一回事。

近來印度輿情憤激，亞非各國對中共都沒有好評，很多人認爲：中共已用自己的血手打破了周恩來的笑面，讓亞非中立集團看出它原來的猙獰面孔。這將是它無可補償的損失。

眞的，將錯就錯這類戲並不好做，但共產黨並不怕做。須知西藏事變一開始，中共便決定要把假面具暫時放下。它如非血洗西藏，便要退出西藏。血洗西藏是兇，進逼印度邊境也只是兇上加兇，「和尙吃狗肉，一件穢，兩件也是穢」，中共那時需要表演軍事上的硬功，要對西藏鎭壓而亦同時對印度尼泊爾示威。它自以爲處在「治重症當用峻劑」的蛻變階段，等如蘇俄用大砲坦克壓平匈牙利事變，那管外面世界有什麼惡評，何況將錯就錯還會有更大的收穫可期？

到了目前，中共陳兵印邊，挑起邊疆糾纏，替俄共業已改訂的時間表佈成新局，那怕染了血的笑臉沒有人賣賬？笑臉要染血才會兼收「嚇、嚇」的奇效呢！不見緬甸和尼泊爾相繼和他簽約談歡，都接受了周恩來的染血笑臉嗎？印度不會成爲例外的吧！

不管印度輿情怎樣憤激，俄共和中共做好做歹，專向尼赫魯身上做工夫，只要嚇倒和騙倒尼赫魯這一個人，就不怕印度逃得出他們的掌心。他們有一個深遠的看法和做法是：將尼赫魯放在內外交迫，進退兩難的困境，將由於對他個人的「虐待」而掌握到多方面的便宜，假如反對尼赫魯的人硬把他拖下台去，印度內部勢必發生嚴重分裂和混亂，那時印共乘機起來，很快便可使用混水摸魚的手法，使印度由魚爛而淪亡。

蘇俄在中國三十年顚覆侵略的經驗，轉用於印度，必見事半功倍，印度如不能吸收中國人在大陸反共三十年失敗的教訓，必將失敗得更慘而且更快。我們不妨說，蘇俄在印度十五年——由第二次世界大戰結束時開始計算已有很可觀的進展，印度人如不善自打算，大概還可掙扎五年吧！十五年加上五年便是二十年，比三十年還更短呢！

周恩來到印度演這一幕，只是奉行一個新的顚覆計劃的開端。他笑也吧，哭也吧，咆哮也吧，都是演戲應有的做作和表情。這幕戲演下去，將花費相當長的時間，奉派出場的將不限於一個周恩來。我們冷靜地看下去吧！蘇俄正在「秉弱攻昧」，印度一向就弊在弱而又昧。

（完）

時事述評

馬寅初的命運

盧家雪

年達八十高齡的馬寅初，被中共撤去他的僞北京大學校長的職務了。

馬被撤職，並非意外事件。這一個典型的中國智識分子，他的思想，他的人格，他的精神，是注定不能容於中共的。

經濟理論的權威

馬寅初在經濟理論方面的權威性，非共黨的教條主義所能攻破；再加上馬寅初那種忠於眞理忠於學術精神，又使得他不怕圍剿，不怕批判，這一來，他自然要被害怕眞理的共產黨，視爲洪水猛獸了！

十年來，有多少智識分子被整肅，而馬寅初獨能出長「北京大學」，這並不是中共對馬有偏愛，而是由於馬寅初三個字，尙有可以利用的價值。

卓越人格光芒四射

十年了，十年時間的「思想改造」，不僅不能改變馬寅初，反而由於這個老頭兒的卓越人格之光芒四射，廣泛地影響了中國大陸的青年學生與智識分子，這倒眞是中共所意想不到的事。

一九五八年四月到八月，馬寅初曾經遭受了中共一般御用學者的圍剿；中共的機關刊物如「經濟研究」、「計劃經濟」、「人民日報」及「光明日報」等，亦大肆攻擊。幾個月的圍剿與攻擊，不僅不能攻破馬寅初的理論，反而使得馬寅初的名字，成爲中國智識分子中間所崇拜的偶像。

一九五九年十一月，馬又在「新建設」上面發表了一篇抗拒中共「改造」的文章，那些御用理論家又再度圍剿。至於淸算四十年前的舊賬。

單身匹馬出來應戰

可是，馬寅初不僅沒有屈服，反而在「北京大學」刊物上，發表了一篇文章，題爲「重申我的請求」，下面所引便是那篇文章中的警句：「我雖年近八十，明知寡不敵衆，自當單身匹馬，出來應戰，直至戰死爲止。」

這是忠於學術的精神，這是堅持眞理的精神，這也是傳統的中國智識分子的精神。

智識分子的典型

這種精神，共產黨是絕對不敢讓他傳染到青年學生的思想中去的。他之所以被免去「北京大學」的校長職務，是早已注定的了。這只是又一次暴露中共對於智識分子的鎭壓，也是又一次證明中共「改造」智識分子之失敗。

馬寅初被免職了，跟着來的是不是被整肅，此刻尙難斷言。但有一點却是可以斷言的，那就是：不論馬寅初今後的命運如何，他的人格，他的精神，將在中國智識分子中產生無可估計的影響。

自由談

說士大夫

今之知識份子，即古之士大夫階級也。在農業經濟社會中，「士」的地位經常是農民的領導者，亦爲左右社會各階層生活動向的中心力量，所謂「士爲四民之首」這句說明詞，確非虛譽。

因此，士在農業經濟時代的社會地位，高於從政人員，他們動則說「不事王侯，高尙其志」，又擺出「天子不得臣，諸侯不得友」的氣派，遇事跟政府對抗，要求統治者減刑罰，薄賦稅，表示其代表農工商說話的社會領袖身份。這其間的基本原因，即係「士」在農村社會的生活容易解決，樂得淡泊明志，淸高自居。然一旦「學而優則仕」，他們便高談忠君尊王的義理，視農民的利益爲次要了。這是「士」在農業經濟社會中的一般情況。中國原係以農立國的大陸國，在閉關鎖國時代，農民乃是治亂興亡的中心力量，每有革命運動發生，都由農民起帶頭作用，而以知識份子爲領導人。

迨海禁被西方新興的資本主義浪潮衝破以後，工商企業日益發展，農業經濟社會逐漸由萎縮而趨於崩潰之境，「士」的社會地位雖然保存着，但生活基礎却垮了，怎末辦呢？工商企業在「士」的傳統觀念中，那是一種不屑爲的「賤業」，自己根本亦沒有這類技能和資力，老農老圃的生活，孔聖人且自認不行，讀聖賢書的士大夫更不必說了。如是乎，大家只有向着一條路徑疾趨競進，藉着「學而優則仕」的聖人垂訓，拚命地搞政治活動。恰好西方由資本主義所派生的民主政治學說，亦隨着工商業產品輸入到了中國，大家用舊瓶裝上新酒，舞着「民主」這面大旗，爲爭取政治而奮鬥，至於民主生活的條件是否具備，如何設法創進它，一概存而不論。及其弊也，政治權位有我一份，便是民主，沒有我的話，無論怎樣亦是不民主的獨裁專政，非反抗打倒不可的。這就是現代中國士大夫的特質，而民主憲政生活始終未能在我國生根發育滋長的所以然，也可以恍然大悟了。

所以，現代中國的「士」，較諸西方各國的知識份子容易對付，統治階級只要瞭解古人所謂「使天下之士皆有所養」這句話的作用，雖不能蔚成盛世之治，至少也可產生小康局面，孫中山先生念念不忘「天下爲公」的古訓，良有以也。

馬五先生

文化輸入受到考驗
內政部圖禁印西書

魯人

台北通訊　台灣西書業，現正遭遇到一項厄運。政府爲了保護美國出版商的權益，正採取干涉的步驟，禁止台灣西書業影印一切外國書籍。內政部警政司長黃佑，於三日發表談話，謂政府將發布警察性命令，禁止西書商人影印外國書籍，理由只有一點，那就是維護國家的「榮譽」。目前教育部參事劉英士，向立法院內政委員會作證時，主張禁印，已印者予以查封沒收和焚毀，並且要「槍斃」個把書商以示鎮壓。

內政教育兩個主管部表示了如此激烈而肯定的態度後，立即引起全體西書業的恐怖，乃於四日緊急集會，商討對策，當即通過了一項請願書，於四日下午聯合到內政、教育、外交等部請願。內政部由田部長炯錦親自接見；教育部梅部長貽琦拒絕接見，經一再要求後，由次長李熙謀接見；外交部黃少谷部長不在，無人接待。

請願者主要提出三點要求：一、說明影印西書在我國現行法令下是合法的，請政府不能採取行政的措施發布警察命令予以查禁或查扣；二、西書業是合法登記和納稅的商號，請政府勿在法律之外以行政命令禁止營業；三、政府應給予時間，以使西書業與外國出版商洽商版權問題。

對於上項請願，田部長表示已有了解，囑西書業靜候政府處理。李次長表示，劉參事代表教育部對立法院報告，係奉令而行，但教育部並不主張要「槍斃」西書商。

這件事的發展，和中國文化的發展息息相關，故已引起社會的普遍注意，尤其是教育、學術、文化界更爲重視。現在要畧述事情發生的經過。

台灣各大學的教科用書，在以往都是靠從國外進口原版書，往往一冊書即須台幣百餘元或數百元，對於學生是一個極大的負担，而且向國外購書乃是不易之事，例如外滙的申請不一定順利獲准，即使獲准，也須經過一段時期；在寄運方面，航空費太貴，付不起郵費，祇好平郵航海寄，等一本書到時，可能已經過了一個學期。在這種情形之下，讀書人實在感到困難。於是若干大學就與西書業合作，以照相版影印西書，以供給學生的教科用書。這種書多半是專門性的，一般人不需要購讀，而一個學系的學生常常只有一、二十人！所以影印出來等於是成本的積壓，商人的利益是有限的。他們着眼於教育文化前途，並把營業利益看得長遠，由此也就接受影印了。

後來部份書商，因經不起資本的積壓，就想到影印暢銷的西書，來獲取利潤，既可維持教科書的供應，又可惠及一般讀書人。於是，影印西書就成了一時風尚。不過，有了利潤，西書業就發生競爭，常有某一書被數家同時影印的事發生，定價因之賤廉。西書商都願獲得版權，所以都曾個別的與國外書商要求簽訂翻版合約。可是，台灣市場小，一本書充其量賣一千冊，而外國出版物一冊書常銷數十萬冊乃至百萬冊，所以外國出版商都不願爲此少數書籍而麻煩，極少同意簽約。

去年有兩家西書商以百萬元資金影印了大英百科全書，每套售價纔台幣一千八百元，折合美金不到美國原版書價的十分之一。許多美國讀書人平常也不敢想望有一套大英百科全書，因此若干在台灣的美國朋友，就買了廉價的影印版帶回國去，這才引起了大英百科全書出版公司的重視，透過外交途徑來制止台灣西書商翻印此書，並且正式向中國的內政部登記，獲得此書的在台版權。

見了洋人就怕的內政部官員們，爲了促成此事，甚至修改了法律來適應之，居然大模大樣的「審查」起經過數十位諾貝爾獎金得獎學者們所共同著作的這套學術寶典，平常人幾年看不完的鉅著，居然在短短的一個多月內就「審查」通過，結果，內政部得了三千數百美金的審查費！就輕輕地出賣了文化權利，使洋人獲得了在華版權。而且更不經過法律途徑，違背法律不究既往的精神，以警察命令沒收了兩家書店的大英百科全書，幾乎使他們破產。

這件事過去後，本已風平浪靜。可是，最近又發現台灣影印的其他西書被旅客帶回美國出售圖利的事，美國書商以書籍倒流影響他們的權益，因此又透過外交途徑，向中國政府提出交涉，要求禁止倒流。我內政部乃立即採取行動，通知郵局海關，禁止一切影印西書携帶出口。這應該完全符合洋人的要求了，可是內政部竟然一不做二不休，要採取途徑完全禁止西書的影印，更加上教育部的湊熱鬧，主張禁止，沒收，焚毀，和槍斃，於是，我們的這兩個部，就成了美國書商的保鑣律師了。

任何一個文化輸入不平衡的國家，都是不願受著作權和版權約束的，美國爲翻印英國的書，兩國打了幾十年的官司，美國國會吵了五十年才勉強同意加入國際版權協約，其他如日本等國也莫不如此。現在中國是一個新文化落後的國家，我們不要冒充文化的濶佬，阿Q似地談國家「尊嚴」去接受國際版權的約束，否則我受損失的絕對不是少數的西書商，而是全體讀書人和國家的文化。官員們不讀書，當然是不知其利害的。（四九・四・五・台北。）

共黨對非洲的陰謀

秦泰

四月十一日「美國新聞與世界報道」刊載南非聯邦一項聲明稱：有兩個獲强有力共黨支持的組織，煽動不滿情緒，導致反政府暴動。

南非政府這項聲明指出的是否正確，我們姑勿置論；但共黨的挑撥離間和滲透政策，往往選擇這種落後民族或殖民地，作它潛滋暗長的溫床，却是事實。

遠在五年前，觀察家就一致指出：全非洲差不多兩億黑人，僅由三百萬白種歐洲人加以統治着；英、法、比、葡，西各國，在「沙哈拉」南部三十多處地區，只有三處仍受她們管轄。其中有些地方尚能保持鎮靜，和平相處；但民族主義的狂潮，進展非常迅速，共黨適應潮流，乘虛而入，以坐收漁人之利。

共黨在非洲使用的政策，與在任何一處相同；惟技術上畧有差別，它們懂得看風駛舵。由於非洲出產鈾礦，及其他重要資源，對國防有莫大貢獻的，美國及其盟邦自不肯輕易放棄。因此，蘇俄便運用上述藉口，對非洲人鼓吹民族主義的革命，並從中予以協助，志在打擊西方國家。

同時共黨赤化非洲也分爲幾種步驟進行，因爲：（一）非洲語言複雜，遍百萬種以上，於是蘇俄苦心孤詣，把幾種流行的非洲語言，編印「非俄字典」，包括八百多種東非人民通行的「斯華希利」語。（二）蘇俄刊行雜誌，及廣播無線電，俾他們增進智識，認識外間的世界，脫離羈絆，爭取自治。（三）蘇俄表示沒有種族歧視，鞏固友誼，給予學位，並允許有充分的獨立自由。

果然發生了效力，最先對於政治感覺興味，認識外，世界的是黃金海岸（即現在的加納）的人民。他們因爲順應輿情，接着成立議會制度，可算是非洲殖民地的創舉。但事後調查，任首相的克林馬，却與共黨有勾結，他先後在美在英求學時，就與共黨發生了關係。他利用沒有署名的共黨證，乘機學習共黨組織。一九四七年返回黃金海岸，進行設立「西非蘇維埃社會主義共和國聯邦」，以資標榜。

西非與南非，同是共黨的目標。西海岸的「亞奇拉」和尼加利亞的「拿高斯」，所有沙哈拉南部地區，共黨俱存心覬覦。美國新聞處在當地設置圖書館，數度被人搗毀。而尼加利亞共黨的宣傳，實是無孔不入，當地的蘇俄新聞處，散佈宣傳刊物，多數由中歐的國家寄發，甚至倫敦的蘇俄大使館，也負責散播工作。由於尼加利亞經濟豐富，近幾十年來人口增加的速率很高，由三千二百萬增至五千萬的趨勢。也像黃金海岸一樣，是純粹非洲人的國家，在本世紀可能成爲非洲的印度。該國人民希望於一九五六年獨立，現在定於今年十一月獨立。

一九五四年「堅耶」鬧的「茂茂」生番叛亂，是英屬東非一件最傷腦筋的事情，也是共黨在非洲的一大成就。由於當時英國曾調勦軍隊一萬七千人，每月差不多耗費二百萬元，損失人命達六千至七千，包括棕色、黑色、及白色人種。據說「茂茂」的槍械，多數由共產黨接濟的，以窺造成「馬來亞」及「印度」等地相同的游擊戰爭。而領導「茂茂」生番作恐怖行動的，便是羅比遜和堅逸他兩個黑人左翼領袖，他們兩人都在美國的林肯大學受過教育，這間歷史超過百年以上，專門栽培黑人的大學，曾給予他們學位。就在這個時候，他們便結識了黃金海岸的克林馬，和拿高斯民族主義運動領袖色克等人，並策劃回國如何發動民族運動，加上共黨滲透份子的慫恿，這類反殖民運動先後在非洲發生。但結果不如共黨的理想；而且這些領導人物，大多被判入獄。

現在西方國感到最頭痛的是，距西南部二千里的南非聯邦。二次大戰後，英美之注意南非，因由於有着鈾產甚豐的關果；而站在人道主義的立場，亦希望「種族歧視」的觀念，早日消除。但與英國意見相左的南非前總理馬蘭和現任總理弗胡特，都認爲人類絕不是生下來就平等的，黑種人只配作挑水砍柴；適其他有色人種也是低劣民族，故實行種族隔離。因此，一九四八年以來，這一塊美麗而不愉快的地區，二百六十萬白種人，經常受到一千一百萬棕色人及黑人的恐怖行動而感到坐臥不安。共黨從中挑撥，並煽動不滿情緒，以民族主義爲標榜，與白種人展開其生死鬥爭。反正鬧子鬧得愈大，共黨便獲漁利。如不劍及履及採取有效制止，後果將不堪設想！

本報特稿

中共農業發展剖視

一得

中共農業政策主持人譚震林說：「一九五八年我國社會主義建設大躍進，全國農村在一九五八年下半年普遍地實現了人民公社化，農村人民公社的實現，爲生產力的更大發展開闢了廣闊的道路，使我們在一九五八年和一九五九年取得農業生產的連續大躍進，糧食兩年增長百分之四十六，棉花兩年增長百分之四十七。」他又說：「全國農業發展綱要」要求：從一九五六年開始，在十二年內，糧食每畝平均年產量，在三種不同的地區，分別達到四百斤、五百斤、和八百斤。這是四十條綱要的中心。一九五九年，達到和超過綱要這個規定的，已經有五百〇四個縣，佔全國一千七百八十六個縣的百分之二十八，已經有二億八千六百七十七萬畝糧食耕地，佔全國之二十四。全國農業發展綱要的要求；棉花的畝產量在十二年內，按照不同的情況，分別達到四十斤、六十斤、八十斤和一百斤皮棉，一九五九年，絕大多數棉田的畝量都超過四十斤，總計畝產皮棉六十斤、八十斤或一百斤以上的，共有二百〇四個縣，三千六百四十八萬四千畝棉田。除了糧、棉以外，油、麻、絲、茶、糖、菜、烟、果、藥、等各種農作物，幾年來也都有不同程度的增長。」

如所週知，大陸人民缺衣、缺食的程度，是一年比一年加深。現在，港民每月郵寄兩磅飯焦回去救濟親友已成風氣，回大陸探親的儲婦一律買粗布作袋，回去拆了給親朋作衣也成了人盡皆知的事了。這樣，譚震林所說的糧棉「增產」是在被窩裏幻想出來的謊言，已是無可疑義，不值一駁的。無論從大陸現況，過去中共屢次招認肥料，耕畜，農具，耕地都極缺乏，加上連年天災看來，「增產」論調是無論如何不能成立的。

中共的每一項報告數字都是包含了政治上的作用，並不根據實際情況調查的，如過去大嚷米糧畝產十六萬斤，即屬可笑之極。「八中全會」竟會把「國家統計局」已公佈的糧食統計數字加以大事削減，更可證中共之所謂「統計」，是全不足信的。那末，譚震林這堆信口開河的數字目的在於什麽呢，且看他自己露出的尾巴：「我們必須看到：提前實現全國農業發展綱要，並不是一件輕而易舉的事，按照綱要要求的水平計算，全國糧食總產量應該達到七千二百億斤到七千五百億斤，每人平均一千斤或稍多一點。還應當進一步爲爭取每人平均至少一千五百斤糧食而奮鬥。」「實現農業發展綱要，還是全體農民和全國人民要繼續完成的重大任務，」「要提前實現，這必須再經過幾年的努力，我們要走的路還是長的。」「現在全國的形勢很好，在一九五八和一九五九年連續大躍進的基礎上，不但一九六〇年能夠繼續躍進，而且在整個六十年代也能夠爭取持續躍進。」這便是說，中共搬了那堆數字的目的，是硬要在這些「基礎」上「躍進」鞭策農民拚命接受奴役，以達到每人爲其生產千五百斤糧食。

這一方面反映出中共經濟已臨破產，不得不捏做數字以刺激農民，搾廹最後一滴血汗；另一方面，也反映出今後中共農業政策無辦法之餘，只有空喊「躍進」。但躍進要靠人力物力各方面的條件，過去兩年的「大躍進」，使中共經濟陷於枯竭，更因倒行逆施，天怒人怨，「右派」與「右傾」，證明黨員及投靠份子已大起分裂，衆叛親離。現在，中共要加強奴役，以圖實現其高不可及的「農業發展綱要」，大陸經濟力在中共壓搾之下早已枯竭，「躍」不起來是必然的。同時，這只有加速其內部的分裂，今後中共將要不斷「整風」了。

社會小說

香港地

三、文章有價

梅大亮沉默了好一會，似乎被譚福祿剛才所說最後的一句話刺傷了他的心。他經過了半響的思索，才用越加嚴肅的語調回答道：「譚兄，你問得不錯，我們長在這裏發牢騷，這社會是冷冰冰的，鳥烟瘴氣的，那麼，為什麼不回去受共產黨的統制？老實說，不待你今天這樣問我，我已經焦思苦想了很久很久，要說的話多得很啊！」

他好像覺得以後又要說一段很長的話，特別向譚福祿手上拿了一根香烟，燃了火，猛吸了幾口才道：「我向來是不抽烟的，這時也得找一點刺激才成。你大概還未見過那些由大陸來的『說客』吧！最近我會過一個。

這傢伙很會做作，經常拿着幾幅說是齊白石寫的花啊鳥啊，四處兜售，說這是共產黨特准他運到這裏來換錢，供他個人做旅費開消的。不管我們怎樣罵共產黨不好，他照例說的是幾句頗為動聽的老話。他說：『共產黨在大陸的政府不好，你在這裡又好在那裏？在這裏，你天天憂柴，憂米憂住，憂職業，憂兒女做壞事，還要怨這個那個。在大陸你就不必有這麼多的憂慮了。什麼樣都有政府替你安排，你辦不到要風便得風，要雨便得雨，最低限度也可無憂無慮過這一生啊！你想想，從前你有過幾天真正是無憂無慮的日子？共產黨縱然有千般不好，只這一點好處就夠你享受了。何況，現在只是過渡時期，大家為它吃點苦也應該啊！難道你要等到將來什麼都弄好了，才回去享完完全全的福份？』這傢伙有一張會說話的嘴巴，就是看透了我們心裏永遠拋不開的苦處，專拿這些話來打動打動。譚兄，你道共產黨利害不利害？它把我們趕到絕處，還有辦法叫這些鳥龜忘八蛋來挖苦我們，向我們尋開心，拿我們做傻瓜。你道我們該怎樣回答他才是？你剛才問我的一句話並不算得十分新鮮呀！他問得比你還兇呀！」

譚福祿只是聽人說過，近來港九各處的難民木屋區裏常有一些來自大陸的「說客」在活動，勸人回去，卻不會和他們接觸過，這時聽梅大亮說出這樣的一大堆話，心裏是憤慨夾雜了迷惘，面上卻又熱辣辣的，自覺很不好過，一時不知拿什麼話去對梅大亮解釋才好。（十九）

木客著

選美記

蘇提

自從「世界小姐」競選新聞傳來，張教授就立刻沉迷於實驗室中來了。誰都知道張教授有發明天才，單是專利品就好幾種，這回沉迷在實驗室中，準是又有什麼靈感了。

競選的日子愈來愈近，張教授的工作，也就愈來愈緊張；到最後幾天，竟然茶飯不思，彷彿神經病似的，從實驗室中出來，立刻把門鎖上，那情形之秘密，有如原子彈發明的前夕，許多朋友都向他道賀，說張教授這一回又有驚人發明問世了。

張教授每一次聽到朋友們道賀，只是那麼淡淡地回答道：「還沒有什麼大發明，最多也不過是弄到三萬美金，三萬美金根本不算一回事，不過是本人對這項工作有興趣就是了。」

連東西都沒有發明，他就預計到只能得到三萬美金，要是在旁人口中說出，大家一定會懷疑這個人有神經病，可是，張教授不大不小，有了幾樣專利品，前些時候還發表過一篇愛因斯坦的相對論評判一文的，無論如何，在我們這個城市，張教授也算得是個科學界權威，他說要三萬美金，人家就絕不會懷疑到會是二萬九千九百九十九的。

不過，話雖是這麼說，人們終究有點懷疑，究竟是個什麼東西，只值得三萬美金，而且又是剛好三萬美金呢？這是一個大疑團，這個疑團是急待解釋的。

附近的人，都在紛紛猜測了。

終於，在世界小姐報名截止的那一天，張教授的影子竟然在報名處發現了。這真是大新聞，許多人都擁到報名處來參觀，都想要知道張教授到這兒來的秘密。

這位科學界權威，也像一些紅影星一樣，大家都認得的。因此，當他來到報名處的時候，那些辦事員便很有禮貌的招待張教授，問道：「教授，有什麼指教嗎？」

「不敢，不敢。我是來替人報名的。」

一聽到張教授說是替人報名參加世界小姐競選，可把全辦事處的人都震動了。於是乎，填表冊，拿相片，整間屋子裏的人都忙個不停，差不多忙了二十分鐘，手續完畢，這纔又有人向前問道：「這位張如花小姐，是張教授的？……」

「哦，這是我的女兒！」

事情是愈出愈奇，連太太都沒有一個的教授居然有了女兒，真是絕大的新聞了，礙于張教授的權威，卻也不敢多問。

好容易，到了正式選美那天，全部小姐出場，只見張教授扶着張如花小姐很早就到了評判員台下，張教授待他的女兒站定，便大聲詢問評判員道：「選美的時候，要不要說話的？」

這時立刻有辦事員走過來，向張教授解釋，說是假如不會說英語，那末不開口也行。

張教授點了點頭。

不一會，大會開始。千萬雙眼睛都注視在張如花小姐身上，為的是她實在太美了。大腿、眼睛、眉毛、頭髮無一不美，評判員一致認定，張小姐應該名列冠軍。一陣歡呼聲，大家像一窩蜂似的走過來和張教授握手道賀。就在這熱烈聲中，猛不妨有人一推，卻把張如花小姐推倒了，原來張小姐竟是個橡皮製的假人。

這個秘密一拆開，全場譁然了。許多落選的小姐，羣起鼓噪，要求重新評判。

張教授是個科學界權威，評判員為了尊重這位權威，只好過來請張教授發表一點意見。

張教授不慌不忙地走到台上，說道：「諸位女士，妳們要求重選，是可以的。不過，本人有一個提議，事先必得在僻室嚴格檢查，不得塗脂抹粉，畫眉毛，搽唇膏，戴義乳，還有：……」

話未說完，那些鼓噪的小姐們，一個個溜走了。全場只賸下四五十個五十歲以上的女人，可惜她們沒有報名，是來觀禮的。

文壇舊話

復興關之憶

小丞

抗戰時期的重慶復興關，為成渝交通孔道，後為中央訓練團所在地，這是中樞訓練抗戰幹部最高的搖籃。

關上有夜雨寺，在中央訓練團址後，唐人李商隱夜雨寄北詩云：

君問歸期未有期，巴山夜雨漲秋池；何當共剪西窗燭，卻話巴山夜雨時。

此為千古名作，夜雨寺命名或本此。關下有邑人萬氏別業，樓名「漲秋」，負山面水，風景絕佳。趙香宋有聯云：

談笑傲紅塵，杖藜行歌，忽相思俊逸參軍，清新開府；

平泉開綠野，經綸小展，也愛飲雨中青樹，檻外長江。

復興關原名浮圖關，關控重慶形勢，向為兵家所必爭之地，四川內戰時，也不知犧牲了多少將士，滑人某銘曰：

嗟哉浮圖關！奇哉浮圖關！劍閣玉門不一般。劍閣有山山可沿，玉門有柳柳堪攀，惟此一關獨來，兩江環，將軍有令，壯士無顏。

文詞險勁，刻嚴而高與其地相稱，刻關內名石壁上，今尚存。

浮圖為梵語音譯，亦譯佛圖，浮屠、佛陀即西域之窣堵坡（搭），又為佛教徒之通稱，關名浮圖，蓋形其險峻孤聳如壘立之塔一樣。今聞台北陽明山亦有類似訓練，不知亦有當年氣象否？

經驗

徐學慧

經驗雖不能說是萬能，但最低限度，有經驗作依歸，可以減少錯誤，可以令我們減少幼稚和淺薄。

在民主政治的措施上，我們實在太缺少經驗了。正因為缺少經驗，所以任何法案之修訂，或政策之更張，便不免流於一意孤行。這一意孤行，嚴格的說起來，仍然是由於缺少經驗。

經驗之獲得，原於實踐。不論其為成功或失敗之經驗，都是最可寶貴的。科學家在實驗室中如此，將軍在戰場上亦如此，政治家在政治設施上又何嘗不如此。

自身沒有經驗可資依歸，則吸取他人之經驗以作參考，亦屬必要。吸取他人的經驗，有兩條途徑：其一為實地考察他國之政治措施；其二為熟讀並精研他國之政治歷史。可惜這兩種途徑，都未能為時人所注意。

偶爾有些大官們也出洋考察，那也不過是一個名義而已。我個人就從不相信，出洋致察三幾個月就可以通彼邦法制的。（此乃指真正以考察為目的的人來說；至於名義考察，當然更不足論。）至於那些不會出洋的官員們，整日裏案牘勞形，開會演講，連報紙都懶得看，自然更不用說是能有興趣讀他國的歷史與政治了。宋儒謂一日不讀書則覺胸中閉塞，今則從政十年或數十年而不讀書者大有人在，其閉塞之情形為如何，當亦可想而知。

既無自身的經驗可資憑藉，又不肯吸收他人的經驗以資改進，那是相當危險的事。過份地相信個人的智慧，因此乃堅持由此而產生出來的抽象理論，在政治上來說，這並不是聰明的作法。英人柏克於其所著「最近國家情形之觀察」一文中說：「政治學不應以人類理性而應以人類本性為根據。理性不過是政治的一部分，而非極重要的部分。」此誠為一針見血之論。

當然，個人的智慧並不是全不重要。我的意思是說，在相信個人智慧的時候，同時也需要顧慮其他大多數人的智慧。換句話說，大多數人所表現的意見，卻令全無智慧，亦能形成一種情勢，而此種情勢，卻是任何一個政治家在任何興革的時候所必須考慮的。

由於中國民主政治歷史之淺，所以，中國的政治家之缺乏經驗，也就是無可避免的了。由於缺乏經驗，乃不免過份相信自己的理性，此亦無可如何之事。多讀一些書，取人之長，補己之短，亦未始不是補救之道。

然而，這畢竟只是治標而已。政治並不是三兩個人的事，最主要的乃在普遍提高國民的政治意識。

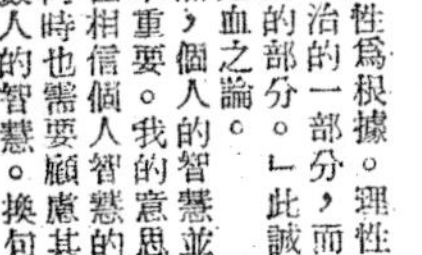

大陸文壇萬花筒

創作之難

岳騫

繼郭小川「望星空」之後，又有一位新詩人蔡其矯遭到批判。蔡其矯和郭小川一樣，都是「解放」後成長的新人，完全是在新社會中長大，也是經共產黨一手捧紅的，可是到了最近卻不合共產黨的尺碼了，這倒不是共產黨變，而是他們變了。

蔡其矯於一九五六年出版了一本詩集「迴聲集」，其中大部份是歌頌共產黨的統治，又能配合上「黨的政策」，所以受到重視，一砲而紅。接着作者又出版了一本「濤聲集」，主持文化的共幹已經覺得不對路，到了一九五七年正當大鳴大放時，作者又出版了第三個集子「迴聲續集」，此後就成了斷線的風箏，無影無踪，再也看不見他的作品了。

本年二月號的「詩刊」，曾有一篇專文對蔡其矯提出批判，該文所指的錯誤，在我們看來實在是很正常的，例如他在「你和海」的一首詩裏所舉的一位水兵，在軍艦上工作時，看見「水上的波紋」，當是愛人「光輝的微笑」。「月下的波光」是愛人「明亮的眼睛」，風吹拂着臉是愛人的手在「輕輕的撫摸」，拍着船舷的海水是愛人的「低語」……這類情形在一個初入伍的水兵來說，實在是很自然的流露，但是中共文化幹部卻指是「愛情至上」，是「腐朽的資產階級個人主義心情。」

還有一篇「西沙羣島散歌」，敘述一位海員從海外「返國」，這本來是一件有「意義」的主題，可是作者在最後卻道出海員回國的真正原因而是懷念愛人，想起了家鄉「彷彿愛人親愛的顏臉在樹後藏着」。其實這也是寫實，真有那麼一個傻瓜敢回去，一定是為了父母和妻子，決不是想到了毛澤東和共產黨。

其中有一篇「前哨」，描寫中共強徵壯丁驅往海防前線，聽其自生自滅的情景，頗為逼真，如：「在無人迹的海濱，在多風的亂石纍纍的高山上，站立着我的小棚，好像是覆舟後的漁夫，漂流到這荒涼的小島，為自己草草築成一個避難所，以後就為人類所遺忘。」中共恨透了這首詩，蔡其矯受批判的基本原因可能在此。

釋耒集

詩義不可求

曲齋

孔子刪詩，論語不記其事，孟軻、荀卿，發揚孔學，亦未嘗言孔子會刪詩，今若求孔子對詩之意見，自宜闕於論語，至他書所引，以至大戴經解所言，均未必可信。論語言詩，除興、觀、羣、怨之說外，則曰：不學詩，無以言，而不能專對，雖多亦奚以為云者，不過曰學之不善，與不學等耳。至孔子教伯魚，則謂不為周南召南，其猶正面牆而立也與，豈以為周南召南王化之始，君子樂得淑女，而修己治人，實造端於夫婦邪？若唐棣之華，巧笑美目之喻，僅屬斷章取義，其歸終在於「思無邪」一語，可見詩義原極淺近。迨漢之初，詩列為經，朝廷立博士，各守師承，門戶之說以起，傳注有多至數萬言者，於是異說紛紜，後學無從抉擇，而所謂詩教云者，無非牽強附會，模糊影響之說矣。今所傳韓詩外傳首卷第二章云：『孔子南遊適楚，致於阿谷，有處子佩瑱而浣者，孔子曰，彼婦人其可與言矣乎，抽觴以授子貢曰，善為之辭，子貢曰，吾將南之楚，逢天暑，願乞一飲以表我心。婦人對曰，阿谷之水，流而趨海，欲飲則飲，何問婦人乎？受子貢觴，迎流而挹之，置之沙上曰，禮固不親授，孔子抽琴去其軫，子貢往請調其音，婦人曰，吾五音不知，安能調琴，孔子抽絺紘五兩以授子貢，子貢曰，吾不敢以當子身，敢置之水浦，婦人曰，子年甚少，何敢受子，子不早去，今竊有狂夫守之者矣。詩曰：「南有喬木，不可休息，漢有游女，不可求思」。此之謂也』，外傳體裁，述事以明詩，今此所云，乃謂孔子使門人挑游女，登徒之行，無論聖人不為，而竟借以說詩，則可謂誕妄之甚矣。文按劉向列仙傳云：「江妃二女者，不知何所人也，出遊於江漢之湄，逢鄭交甫，見而悅之，欲下請其佩，……遂下與之言曰：二女勞矣，二女曰，客子有勞，妾何勞之有，……遂手解佩與交甫，交甫悅，受而懷之中當心，趨去數十步，視佩，空懷無佩。顧二女，忽然不見。詩曰：『漢有游女，不可求思。』此之謂也」列仙傳所述本於魯詩。藝文志曰：三家魯最為近之者，其說又不過如此，不知所以合於孔子所說者，果何在也。後世朱熹作詩集傳，於漢廣一詩，為之說曰：「文王之化，自近而遠，先及於江漢之間，而有以變其淫亂之俗，故其出遊之女，人望見之，而知其端莊靜一，非復前日之可求矣。」則又僅為說教，而非論詩，則詩義之不可求，固已久矣。

栗海彈心錄

學術與自由（上）

·阿公·

學術滋於自由，發揚光大於自由。然自由猶砂也，而不必盡善。學術猶金也，而必求之於砂。故金生於砂，砂不必盡金也，學術可貴，亦不盡可貴也。苟世無自由，則並學術之不可貴者，而亦無之，遑論可貴。亦或統於一尊，限制自由，則其學術究必歸於淺薄虛驕，頹廢老死而後已。前者之弊，夫人知之，後者之害，鮮有及之者。

漢武能除百家，其用心與秦皇焚書坑儒，以愚黔首，容或不同，而其所以狀賦學術則一。故自漢至魏晉，五百年間，經生謹守師承，人手一經，絕無創作者，其故在此。

後世九流、百家、三墳、五典、八索、九丘之說，大多視為江湖術士，卑不足道，不知此中正大有天地。

漢書藝文志，云周秦諸子：「百八十九家」，言百家者損文也。又謂百家存者十家，可觀者九家，九流之名自此始。

九流可得指實者，一儒家流，二道家流，三陰陽家流，四法家流，五名家流，六墨家流，七縱橫家流，八雜家流，九農家流，並小說家流為十家。然則湮滅無聞於當時者，百八十家，殊可嘆也。

孔安國書傳云，三墳。伏羲、神農、黃帝之書，言大道也，又謂三墳，三氣也。三墳、三禮也。

五典，五帝之書，又謂五常之教也。

楊柳

鄭珪

楊柳是最重要的風景樹和行道樹，它象徵着青春，所謂「楊柳依依」「楊柳勸春色」，征人的心被它軟軟地牽繫住了，因之它成為點綴春天不可少的東西，我們且看詩人的描寫：『春心自浩蕩，春樹聊攀折，共此依依情，無奈年年別』『湧金門外柳如金，三日不來成綠蔭，我折一枝入城去，教人知道已春深』。一條柳枝，不但表示出深摯的離情別意，而且還給故知帶來江南的春色。

到了清明，柳條更是佳節的象徵，中國風俗考上說：「寒食清明，人家插柳滿簷，青青可愛，男女亦咸戴之」，此俗始于唐，如歲時記云：『唐朝于清明取榆柳之火，以賜近臣，順陽氣也』，又酉陽什俎云：『唐中宗三月三日賜侍臣細柳圈，帶之可免蠆毒」，蓋本為取榆柳之火，或戴以免毒，後則併為一事，只於清明日舉行』，歲時記又云：「五代時江淮間，寒食日家家折柳插門」。夢粱錄亦云：「清明日家家以柳條插門上」。所以習俗相傳就有「清明不戴柳，紅顏成皓首」之諺，又云「清明不戴柳，生下無娘舅」，甚至於說：『清明不戴柳，來生變黃狗』，這就可見古人重視柳的一斑了。

柳在古代，聯結着聖人君子，有過光榮的歷史，據淮南子註：「展禽之家，有柳樹，力行惠德，因號柳下惠」。我們知道柳下惠是『聖之和者也』，陶淵明則於宅邊種着五株柳樹，自號是五柳先生，在那五株柳樹之下，他暗度着淡泊名利杖履之跡，而柳也正是最為和暢的樹。

楊柳姿態輕盈婀娜，同時又最能給人引起聯想，「芙蓉臉楊柳腰」是古代詩人讚美美人的名句，咱們看到窈窕細腰的女人穿着長袍走路或跳舞時的婆娑柔態，就立刻想起楊柳在風中迴旋動盪的姿勢一樣，張潮即因此認為楊柳為世上四種最惑人的事物之一，而說「柳令人感」。少婦因於春日上翠樓「忽見陌頭楊柳色」而「悔教夫婿覓封侯」，蕭道成因楊柳而想起風流可愛似張緒當年，韓君平因楊柳而想起「昔日青青今在否？」的章台妓女。

我國古代送客，每每折柳以為贈別，此風係始於漢，如三輔黃圖云：「霸橋在長安東，跨水作橋，漢人送客至此橋折柳贈別』。王維送使西安有句云：「渭城朝雨浥輕塵，客舍青青柳色新」。李白憶秦娥詞亦云：「年年柳色，灞橋傷別」，因此又想起唐詩紀事中雍陶折柳的故事，雍陶典陽安，送客至情盡橋，問其故，左右曰：「送迎之情止此，故名」，雍命筆為一詩云：「從來只有情難盡，何事名為情盡橋？自此改名為折柳，任他離恨一條條」。

楊柳種類很多，有黃楊、白楊、赤楊、蒲楊、杞柳等，然供觀賞用者以垂柳為最，柔枝下垂，令人如對婀娜的美女，楊柳性喜濕潤，適於池濱橋畔點綴，新春長絲，迎風飛舞，初夏濃烟，綠蔭宜人，劉禹錫詩：「輕盈嫋娜占年華，舞榭妝樓處處遮」，其樹姿秀麗早已膾炙人口。

楊和柳原是兩種不同的植物，柳是落葉喬木，高約二三丈，葉狹長，枝細長下垂，花深綠色，邊緣有鋸齒，排列成穗狀，實熟種子上帶有叢毛如絮，暮春時節花老絮出，隨風飛散，好像飛雪一般。故唐韓翃有詩云：『春城無處不飛花，寒食東風御柳斜』。從前的人常常把楊和柳視為一物，但事實上，楊的枝硬而揚起，葉狹長而尖，葉的背面有短毛作灰白色狀，柳枝弱而垂流，這是楊和柳不同的地方。

前人詠楊柳的詩句很多，不勝枚舉。在「山窮水盡疑無路，柳暗花明又一村」接着「楊柳岸曉風殘月」「日暖風和近午天，傍花隨柳過前川」，再配以繁花如「才過闔門分曲檻，弄晴繁蕊麗如妝」，「人約黃昏後，月上柳梢頭」，試想情景是如何鮮麗？氣氛是如何溫文？像這一種歲月，像這一種人間，悠然地度下去，是夠使人銷魂的。

海嘯廔談薈

胡漢民李烈鈞交惡記（上）

諸葛文侯

胡展堂與李協和皆係同盟會中堅份子，素為國父孫公所器重，數十年間患難相從，號稱孫公的文武兩巨臂。然胡李二人自民國十二年起，彼此極不相能，洎後李在政治上常受胡氏齮齕，鬱鬱不得志，迨孫公下世，李竟不能立足於廣東革命陣營中，北走幽燕，受馮玉祥聘為「西北軍總監」。迄民十六年國民革命軍佔領贛省，李適丁母憂回籍，是時胡展堂以反共關係，早被蘇俄顧問鮑羅庭發配到莫斯科從事「思想改造」已歷兩年，方由俄京回至上海，不問革命政府事，譚延闓乃推舉李氏出任江西主席，這是他一生第二次最得意的階段，但好景不常，未逾年即為武漢汪精衛政權擠廹去職了。

胡展堂個性方正，私生活極其謹嚴，頗有理學大師的風範，李協和則跅弛不羈，放浪形骸，尤有雅人之疾，其先天的本質上，即已迥然立異，格格不相入了。民國十二年起，兩人開始交惡。是歲初，李協和與劉震寰各率滇桂軍入粵驅逐陳炯明，陳戰敗出亡，其殘部洪兆麟、李雲復、尹驥各師，悉由李協和改編節制，孫大元帥在滬任命協和為「粵閩邊防督辦」，在孫公未返粵以前，並暫代大元帥職務，聲勢烜赫，震鑠南天。旋旅滬民黨要員們建議孫公，謂協和係軍人，代行大元帥職權，恐有疏虞，宜派一文人赴粵相助為理，孫公頗以為然，即命胡展堂前往。胡蒞粵，自然先訪李，詎李竟饗以閉門羹，架子甚大，胡氏本屬崖岸自高之人，自信在革命黨的資歷與功績並不亞於李，論學問且可為李師，此來又係奉總理之命，而李待之如此無禮，恚忿殊深，急電促孫公速入粵，胡李乃從此交惡，幸孫公以豁達大度，領導群倫，兩人尚未公開決裂，但內心上實已水火不相容，裂痕永難彌縫了。會聞民黨前輩張溥泉，覃理鳴諸公談過，民十三年初孫公籌設開創黃埔軍校，擬先設籌備處，內定以李協和為籌備主任，蓋即將來之校長也。胡展堂認為李氏私生活糜爛，難勝師表人倫的教育重任，期期以為不可，孫公旋改派今總統蔣先生承其乏，這時蔣先生尚在蘇俄考查未歸國也。

李受此打擊，侘傺無聊，民十三年秋初，孫公派他赴日本從事外交工作，尤注重與在野黨派人士聯繫，李在東京與尤養毅，以及政友會首領床次竹二郎等過從甚密。是年冬十二月，馮玉祥回師北京，囚禁北洋政府總統曹錕，由黃郛組織「攝政內閣」，特任李協和為參謀總長，李置之不答復。既而孫公應段執政邀請北上協商國事，道經日本神戶，電囑李氏偕行。孫公溘然崩殂於北京，民黨遽失重心，馮玉祥乃欲網羅民黨要人，藉資號召，擬聘戴季陶為秘書長，李協和為全軍總監，戴避之若浼，急走天津寓梓南下，李則怵於「胡代大元帥」——孫公北上後，命胡展堂代行帥府事——不慊於己，未便回粵，然亦絕不願接任段執政之參謀總長，徇徐京華，抵不住馮玉祥的卑詞厚禮以相招邀，即於民十四年春間，偕同老友方聲濤、歐毅等，前往張家口參預馮氏戎機，其用心是要使馮軍皈依三民主義，成為民黨在北方的一股強大實力，可謂公私兼顧也。

得失利弊

讀書隨筆

陳宗敏

陳軫為齊說昭陽曰：「今君相楚而攻魏，破軍殺將，功莫大焉。冠之上不可以加矣！今又移兵而攻齊，攻齊勝之，官爵不加於此；攻之不勝，身死爵奪，有毀於楚；此為蛇為足之說也。不若引兵而去以德齊，此持滿之術也。」昭陽曰：「善！」引兵而去。

又說楚王毋絕齊交曰：「夫秦所以重王者，以王有齊也。今地未可得，而齊先絕，是楚孤也。秦又何重孤國，且先出地絕齊？秦計必弗為也。先絕齊後責地，且必受欺於張儀；王必悔之，是西生秦患，北絕齊交，則兩國兵必至矣。」楚王不聽，遂舉兵伐秦，秦與齊合，韓氏從之，楚兵大敗於杜陵。

這二段古事，記昭陽的接納忠言和楚王的拒絕勸告，結果昭陽得以保身，而楚王幾致辱國。然而昭陽與楚王之得失，都根據各人利害觀點上，或納之，或拒之。昭陽之停止攻齊，是聽了陳軫的提醒。於是由先自以為攻齊之「利」，透視背後可能發生的攻齊之「弊」，楚王則只顧一味聽張儀的話：「臣請使秦王獻商於之地方六百里，若此齊必弱，齊弱必為王役矣，則是北弱齊西德於秦，而私商於之地以為利也。則此一計而三利俱至。」而不聽陳軫「是西生秦患，北絕齊交，則兩國兵必至矣。」這即是楚王的近視眼只看到「商於之地方六百里」之「利」，而不及慮「兩國兵必至」之「弊」。

孟子言義不言利，義者，宜也。又「行而宜之之謂義」。所以利固是人人所欲取，然必須合於義，亦即所謂取利於宜，而不悖於理，則利是可眞實是利，否則利必生弊。（完）

自由報

THE FREE NEWS
半週刊每星期三、六出版
第二十期
每份港幣壹毫
社長：雷嘯岑
督印人：黃行奮
社址：香港銅鑼灣高士威道二十號四樓
20 Causeway Rd. 3rd. Fl.
HONG KONG
TEL. 771726
電報掛號：7191
承印者：田風印刷廠
地址：香港高士打道221號

可怕的心理漩渦

嚴鉞

最近，從莫斯科看自由世界，該鼓掌喝彩的是有兩宗大事，一是五萬英國人集合在倫敦舉行反核子戰大巡行，二是南韓軍警與學生在漢城演出大流血案。

把這兩宗似是不相干的事串合來說，我們請大家注意到非常重要的一點事實：自由世界內部正在出現了在心理上激動的可怕漩渦，這種漩渦擴大下去，「圍堵主義」的堤防後面自必產生嚴重危險。

先說英國人在倫敦舉行反核武器大巡行一事。恐怖的核子戰該受反對，這是無須細說的。沒看過美國「和平篇」一類影片的人都會知道，核子戰將可毀滅人類。英國哲學家羅素一輩所倡反核子戰的理論，原都在常情常理以內，誰也不能說它不對。但我們也可依據常識指出：反核武器在自由世界內部所造成的心理影響，如不同時積極設法把它帶入鐵幕裏面去，便是「行之不以其道」，換句話說，是把宣傳的目標選錯了，縱使這是一個合時的運動，但在「非其地」來推行，對「非其人」來呼籲，單叫這一方放棄對那一方的抵抗，絕不以同等努力同時對雙方有所作為，而且故意把視線從戰爭的眞正來源移開，這難道也是常理常情所許可的嗎？

再依據常識看，只有獨裁極權的國家才易於突然發動戰爭，難道像羅素那樣的人，還會認為民主國家會自動地忽然把氫彈狂擲嗎？宣傳和呼籲不向眞正有發動戰爭的地方去進行，反而努力於解除自由世界的原已薄弱的「心防」，徒以「不抵抗」和「甘作奴役」來號召，這對於正在竭力於推動戰爭的一方，不是幫忙得太過份嗎？

悲天憫人是對的，但悲天憫人而要發展救世宏抱，必須以大智大勇配合而行，像耶穌基督背負十字架，勇於犧牲個人以救世，應為今天悲天憫人的知識份子所共同仿效。目前，在鐵幕後面有無數知識份子正在受苦受難，有無數科學工作者聽不到外面的呼聲，自由世界像羅素一流的高級知識份子，能不能以殉道精神登高發起，聯合幾千人幾萬人作一次穿入鐵幕的遠足巡行，把自由知識份子為人道而反核子戰的聲音，由這方面帶到那方面去呢？

倘有其人有這種大智慧大勇氣來發動徵求，來一次全面的而不是單獨對一方面的眞正有意義的大運動，中國自由知識份子甘願冒死以從的料必不少，至少我個人敢這樣說：縱使血濺大陸，亦願跟從諸君子之後，死而無怖。可惜，截至目前為止，我們只看到「埋頭在沙堆的鴕鳥主義」在流行，西方大部份知識份子認為鐵幕是決不可躍越的，核子彈甯願萬萬不可投進去，連其他一切可以影響到鐵幕後面的辦法都不必想。他們在鐵幕之外盡力擴張恐懼心理的散佈，這種心理猶如不斷擴大轉動的漩渦，只在自由世界內部打滾。而鐵幕永遠是安全的。而我們這邊卻會斷送在這種漩渦之中，連「圍堵」也不配說。

再看在漢城發生的大流血案。血案由於有人反對最近選舉總統與副總統的結果而起，口號是要宣佈這次選舉無效，再來一次選舉。提出抗議的遊行陸續起來，由馬山蔓延到漢城和各城市，軍警與遊行的民衆對立。學生是發動這次事變的主力。遊行民衆被射殺，演變到搶械暴動，劫掠焚屋與攻打衙署，於是軍隊在戒嚴法令下採取一切緊急處置。北韓共黨也乘機發動支援暴動的宣傳。

當然，李承晚政府要對此事負責，它的反對黨也有應負的責任。共產黨滲入活動是一個該受重視的因素複雜，[illegible]的美國在許多[illegible]干係是不可能完全推翻的。

這是民主政治未成熟的東方國家為選舉而流血的大悲劇。它留給美國的教訓是什麼？光是對李承晚政府發脾氣便成嗎？幾年前被號為「偉大愛國者」的李承晚，會弄到今天對青年學生有此一事，是怎樣造成的呢？是共產黨發動那麼多青年學生來借題發揮的嗎？事實果是如此，南韓完了。如其不然，是誰發動的呢？反對現政府的政黨利用青年學生來進行純潔的政爭，竟發展到這種悲慘程度，讓他們血肉橫飛，給共產黨以從中煽動，移轉鬥爭目標的絕大機會，如非本身的心理不正常，便是技術拙劣到能發不能收了。現政府對於用槍彈去把小事造成大事，起初有人不擇手段，後來幾乎失去控制，這是何等殘酷與顢頇？青年心理經此一亂，今後將何所恃以對共作戰？勇於內鬥者初或未暇計及，得益的當然只有共黨了。我們要知道「其來有自」，對於韓國這次慘變的各方心理背景，理宜加以研究。

像韓國這樣的國家，本是小國，被剖為二，生產不足，經濟不發達，前須拒虎，後須防狼（這是基於歷史事實的自然心理），內須防奸，人口逐加漸增，青年缺乏適當出路，軍費永遠沉重負担，天天都得準備作戰，愛國的執政者只有希求統一全韓，重奠國基，才可以永遠生存下去。但這點熱烈的純正的願望一向被外面大力壓止。不必諱言的，李承晚久已被西方一部份政客和論客視為攻擊的靶子，他是這個可悲的時代「不受歡迎的偉大愛國者」之一，他沒有愛登諾那樣良好的條件，國民的質素和經濟開發的能力都很差，對外要拼命不成，對內要受友邦的指摘和制肘，而這種指摘和制肘又影響到國內反對力量的滋長，配合了青年無處發洩的苦悶心理，及因經濟沒有出路而揹覺的社會羣衆心理，積而久之，各自的痛苦變而為相互的怨懟，幾方面的心理漸漸成為對立，一時的摩擦和某一方單獨失去控制也就會成大禍了。這是由於另一方式產生的心理漩渦，也可說是長期「圍堵」必然的產物。

西方國家自己要保國，但決不許別人復國，在心理上不幾把志切復國的反共同路人看作是不忠實的合作者，而別求其自以為可用自己力量培出來的合作者，更絕不設身處地，代那些永遠站在第一線的反共中堅份子設想一下，也絕不對他們內外受逼的心理狀態有所體諒，尤其是不深考那些地區的羣衆心理要怎樣妥善引導才可不致演成可怕的漩渦，而唯以本身天眞的想法，他們切求在外表上一律戴上美國式的帽子，這正是「以若所為，求若所欲，必有後災」。漢城血案的災害如不從根本去檢討，「後災」還有不少，等着瞧吧！

由於有鐵幕的存在，自由世界內部經常產生諸種不安定的心理，這既不能穿向鐵幕求發洩去，便只有在自己的「圍堵」堤防後面演成漩渦，化為大禍。這是必然的，無可避免的。俄共策劃心理作戰的總指揮部必已對這種心理作過精細研究，並且知道應該怎樣去利用它。他們踞在高高的鐵垣上面，看我們的「圍堤」堤防後面的漩渦越演越大，正在歡祝他們終於看到美國遭遇一次「西方式的匈牙利事變。」我們眞要當心，這不只是我們的劣作，更可能也是他們的傑作。這可怕的心理漩渦啊！美國人清醒點看看！西方有責任感和有勇氣的知識份子們也用心看看。

時事述評

漢城暴動事件

盧家雪

發生於南韓漢城的暴動流血事件，刻正震驚自由世界。

此次暴動事件的起因，據觀察，乃由于馬山學生反對三月十五日的總統選舉。

內幕如何，局外人當難于推測，但僅只是由於反對選舉的結果而終至演變成為十九日的漢城大悲劇，則此一示威運動之中途變質，殆可斷言。

敏感而衝動

青年學生，是敏感而易於衝動的，在任何時代，或任何國度，學生們是普遍地對現實不滿的。不滿的情緒加上衝動的性格，乃最易被人利用，而其可悲者，乃在於被人利用而不自覺。

在今天的民主國家之中，利用學生作為困擾現政府之法寶者，約有下列幾種人：

一為失意政客。

二為在野黨或反對黨。

三為潛伏的共黨份子。

這幾種人的目的雖然不同，而其慣於利用學生作為困擾政府的法寶，則固並無二致；最多也不過是手段的運用方面有些差別而已。

暴動的背景

韓國的學生暴動，究竟是什麼背景呢？

最初或許是由於反對黨所發動，但一放而不能收，遂乃使得潛伏的共黨分子乘虛而入。我們實在沒有理由不相信，此次南韓的暴動事件，有共黨份子滲雜其中！

筆者於第七期本欄中會經指出：「左派分子之意圖，首先在藉機生事，故意製造緊張氣氛，如情況需要，可以利用外圍分子作犧牲品，製造幾處流血事件，用苦肉計來騙取他人的同情，然後，以血的事件發動示威，再進而至於罷工罷課，以增加社會的不安。」三月七日，日本北海道的學生與警察衝突，是用的這種手法；這一個星期來，韓國部分學生與警察衝突，也同樣是用的這種手法。

困擾政府的法寶

那些具有衝動性格而慣于不滿現實的學生，往往是政爭的犧牲品，純潔的天眞的青年學生們的血，就是給他們用以困擾現政府的無上法寶。

這幾天，韓國經已戒嚴，李承晚總統亦於二十日發表聲明，呼籲韓國人民自制，以表現其愛國精神，我們相信，暴動事件可能不會再擴大下去。

不論怎樣，我們經已於此次暴動事件中，看出南韓的危機了。十幾年前，在上海南京等地的學生們所發動的「反飢餓運動」大遊行，和今日南韓上演的學生暴動，其中的類似之處，難道不值得深思麼？

自由談

丟駕的紳士

英國前任首相艾登撰寫的回憶錄，我在報紙上看過幾章譯文後，覺得它的內容平凡，詞意蕪雜，比較其岳叔邱吉爾所寫的二次大戰回憶錄，遜色多了。可是，艾登在其憶述往事之中，卻引起了世人不少的反感，如說日本與中華民國簽訂和約是受着美國的壓廹，即其一例。

最近日本外相藤山愛一郎對艾登之言，力予闢斥，說中日媾和實係出於自願的，尤其日本方面，深感我國蔣主席當年宣佈不報復主義的仁恕政策，由衷地認定現在台灣的自由中國政府，乃是中國唯一的合法政府云云。日首相岸信介亦聲言：無論別人對中日和約怎末說法，但日本總是接受該和約的約束。這些聲明不管是給艾登臉上以一支沉重的巴掌，教他面紅耳赤，無詞以對哪！

英國民族性素有「紳士派」之雅號，而艾登先生的平日風度，更令人有「標準紳士」的觀感，顧何以他對於邦交密切的美國，竟表示這種極不禮貌，出以藉詞攻訐的態度呢？此無他，美國現任總統艾森豪及已故國務長官杜爾斯，當年對英法進兵蘇彝士運河之役的策略，不特使艾登首相大為「丟駕」，黯然下台，而其一世英名亦隨之掃地以盡，政治生命即從此宣告完結了。所以，艾登對於美國當局的私人怨毒，極其深重，眞是沒齒難忘，特別對杜爾斯恨之刺骨，乃在撰寫回憶錄時，情不自禁地要向美國放冷箭，殆屬人情之常。

不過，談到中日和約這回事，我們卻不能不責怪英國政治人物傳統的現實主義之自誤誤人。中華民國對日抗戰八年的結果，只因英國一時的利害關係，竟被摒除於國際盟友集體簽訂和約之列，實為中國人的奇恥大辱，而反對中華民國參加舊金山和會最賣力的，就是艾登這般紳士們。縱使美國眞有督促日本與我單獨簽訂和約的事實，亦正足以表現美國在外交行為上尚能講究一點道義，決不像艾登們之趨炎附勢，專幹損人利己的勾當，庸何傷乎？日本當局反擊艾登的嘴巴，固其宜也。

一個政治家的回憶錄，最好是等到自己翹了辮子以後纔發表，不然就得以絕對客觀態度，作公允的陳述，偶有私人恩怨好惡之見夾雜着，即沒有不弄成鴨屎臭的。艾登的晚節如此，惜哉！惜哉！

馮五先生

展望日本的造船業

本報特稿

梁剛

日本和西德都是兩次世界大戰中的戰敗國家，但環顧全世界，經濟復興迅速而又最有成就的，卻也是這兩個戰敗國家。這不能不說是一個奇蹟。

日德兩國的工業基礎，在戰前本來是很好的，要想恢復，當然比較那些沒有基礎的國家來得容易。再加上這兩個國家的刻苦淬厲，也是主要因素。但無論如何，我們不能抹煞那幾個機會，像奇蹟一般的經濟復興，就是由於一連串的機會造成的。

僅只是拿日本的造船業來說吧！

日本的造船業，在戰前固然也是在世界市場上占有地位的，但最多也不過是居於第三四位，比較起英國與德國來，總是要略遜一籌的。可是，大戰以後，直到今天，纔不過是十四五年光景，局面卻全部改觀了。

今天的日本造船業，已一躍而居世界第一位，而且不只一年地連任此種首席地位。據統計，單是去年一年，日本的船舶輸出，即值美金三億六千七百七十餘萬元，這個數字，比日本全國的棉織品，鋼材等輸出的數量還要大。

究竟是甚麼機會，使得日本的造船業在短短十餘年之內，能雄霸全球，執世界造船業之牛耳呢？

要回答這個問題，第一、必需追溯到十年前的韓戰。

如果韓戰不爆發，日本的經濟復興，尤其是造船業能否有今天這樣的成就，那是不無疑問的。美國前任總統杜魯門下令干入韓戰，對於日本來說，不啻是一個强心劑。由於美國與韓國相距過遠，一在韓國用兵，自不能不以日本爲補給基地，也正因爲如此，美國纔不能不加速扶助日本，使之成爲供應韓戰的兵工廠，日本的造船業，就是在這一個大好機會下乘機復甦過來。

韓戰結束了，造船的新式技術及設備，卻因而建立了基礎，於是，另一個絕好的機會，又降臨到日本造船業的頭上，那就是我們所要說到的第二點，蘇彝士運河的戰爭。

這個機會，比較韓戰還要好，因爲，蘇彝士運河的戰事，正牽涉到造船業的王國——英國。

蘇彝士運河的戰事發生後，英國和法國需要向希臘方面購買船隻，以應急需，而希臘方面把船賣出去，勢不能不再事補充，於是乎，這單都先船舶的生意，便自然而然的落到日本造船業的身上。再加上運河被埃及封鎖，若干國家既不能預料這場封鎖會要延長多久，勢不能不作長遠打算。因爲繞道好望角來運油，所需要的船舶噸位當然比前更多，同時又需要增加遠程船舶，而一向以造船業稱霸全球的英國正處自於戰爭之中，這一來，日本的造船業就自然而然地要負起這個供應的責任了。

從一九五七年到今天，日本的造船業始終居世界首席，就是一個最好的證明。

一九五七年，世界各國向日本所訂購的船舶噸位，達四百零一萬噸，據說這是日本有史以來有關造船業的最高記錄。

一九五九年，完成新船達一百七十萬噸，雖然較前減少，但到了一九六〇年，各國訂造船舶的定單又紛至沓來，預料今年的船舶交易不會少過一九五九年，而據一般專家的估計，一九六一年的市場可能更要好景，原因是今日世界各國的船舶，約有五千萬噸具有十年以上歷史，在除舊更新的情況之下，舊的需要退休，自然需要新的登場。

自大戰後，日本的船舶輸出，以巴拿馬爲首位。利比里亞次之。美國又次之。據統計：巴拿馬購入日本的船舶共達二百一十萬噸，利比里亞購入一百六十萬噸，美國四十四萬噸，英國、法國、荷蘭、義大利等國共購入二十一萬餘噸，挪威瑞典等國共購入三十三萬餘噸，墨西哥、巴西、古巴等國共購入六萬四千噸，印度、伊朗、巴基斯坦等國共購入七萬八千噸，土耳其、希臘二國共購入二萬九千八百五十噸，中華民國、香港、泰、越、菲等國共購入十五萬噸。

何以巴拿馬和利比里亞這兩個小國，獨能購入這麼多的船舶呢；大概稍爲熟習船運情況者，都知道上述二國對船舶僅只是收少數登記費，並沒有其他任何的課稅，因此，有不少船東，尤其是希臘船東，就在日本購船，而在巴拿馬或者利比里亞註冊，以期減少課稅的費用。今日公海上的船舶，多數是懸掛巴拿馬或利比里亞的旗幟，就是這個道理。

造船業替日本帶來了經濟繁榮，更且由於造船的蓬勃，使得日本的造船技術又向前邁進。目前日本的新船建造時間，比較戰前已經縮短一半，船舶本身的重量，也已減輕了十分之一，加上他們採用了新式方法，使得鋼鐵材料也節省了十分之二。瞻望前途，實在是值得鼓勵的。

從第二次大戰結束後，到今天，纔不過是十五年光景。日本的造船業，居然能在短短的時間內，雄執世界之牛耳，這應該是一個奇蹟。這個奇蹟的產生，如果說完全是幸運，那當然也是極不公平的說法，但幸運之神特別垂青於這一個戰敗的東方國家，卻也是無可否認的事。

韓戰爆發，使得日本的造船業，在一朝一夕之間，就恢復了舊日的基礎，再加上蘇彝士運河的事件一發生，全世界的船舶業巨子都不由而同的把目光集中到這邊來，生意送上門，眞簡是時來運轉，我們除了把它叫做「機會」而外，似乎也不好作其他的解釋呢！

中共對外關係動向

一得

在中共御用機構「人代會」收鑼的那天，周恩來作了一項「目前國際形勢和中國對外關係問題」的講話，按照一向的慣例，此類會議的「外交」報告，一向都由「外長」陳毅出馬，此次由周恩來親自演講，是中共現階段外交政策的說明，故特別引人注目。

在該項「講話」中，我們至少可以發現了幾點，首先，周恩來咒罵美國「侵略」，要與美國「鬥爭到底」。並說：「中國政府再一次聲明，中國人民堅決反對美國製造兩個中國的陰謀；任何國際會議和國際組織，只要有可能出現兩個中國的局面，中國絕不參加；任何國際協議，如果沒有中國代表的參加和簽字，將對中國毫無約束力。」這說明了中共始終仇恨美國，美國一些政客以爲可以以「承認」來安撫中共，只是幼稚的幻想。另一方面，也顯出中共圖向裁軍會議與高峯會議敲詐。觀乎毛幫近來不斷製造緊張，如向印度索地等，不外以軍事威脅使國際間承認其「大國」地位，俾濟入國際會議，這野心已由周恩來一口說明了。

周恩來說：「美國統治集團大力扶植日本和西德的軍國主義復活，這兩個國家正在重新成爲亞洲與歐洲的戰爭策源地，阿登諾和岸信介在美國的慫恿下公開進行勾結」。「岸信介政府和美國簽訂的軍事同盟……不僅威脅中國和蘇聯的安全，而且首先直接威脅東南亞各國人民的安全。」這就說明了共黨集團對於德日兩國的日趨强大，充滿恐懼心，因爲這將阻礙它在歐亞的擴展。因此，俄共狂罵阿登諾，毛幫叫囂反岸信介，都是配合一致的有計劃行動。

最值得注意的是，一項國際性的統戰陰謀，正由中共策動，周恩來在以「反對帝國主義殖民地」爲藉口，而企圖向亞洲、非洲、拉丁美洲大規模發動統戰攻勢。他說：「老牌帝國主義企圖用某些形式上的讓步，來保持他們的殖民利益，而美國帝國主義則玩弄各種手段鑽進非洲，企圖取這些老牌帝國主義的地位而代之」。他利用南非聯邦的種族歧視紛爭機會說：「中國人民衷心地同情和支持他們的正義鬥爭。」他煽動廣大人民「加强亞洲各國的團結，反對帝國主義的侵略政策和戰爭政策」。他說：「中國同亞洲、非洲、拉丁美洲各國的友好關係和經濟文化交流，有了進一步發展。我國最近又同非洲和拉丁美洲二十多個國家和地區建立了經濟和文化的聯繫。」所謂「經濟文化交流」，即爲大事滲透傾覆之謂。

在共黨有一個所謂「和平攻勢」，是西方國家所不瞭解的，中共現即圖以非軍事方式達到其協助俄共赤化世界的陰謀。在周恩來發表此項「外交」講話前，中共即在北平成立了一個「中國拉丁美洲人民友好協會」，作爲對南美統戰的機構，據公佈該會宗旨爲「支持拉丁美洲人民反對帝國主義，反對獨裁統治的正義鬥爭，增進中國和拉丁美洲各國人民之間的友好關係，促進中國和拉丁美洲各國人民之間的文化交流。」周會發表講話後次日，北平又成立所謂「中國非洲人民友好協會」，其宗旨據公佈爲：「支持非洲人民反對帝國主義，反對殖民主義的正義鬥爭，增進中國和非洲各國人民之間的友好關係，促進中國和非洲各國人民之間的文化經濟交流。」該兩會的組織均甚龐大，各有「理事」達百餘之衆。

中共對南美及非洲的外交滲透傾覆活動已見諸行動，在「人代會」期間，忽忽派出一個包括廖承志、劉寧一、鮑爾漢三名中央委員的龐大代表團到新獨立的幾內亞去參加「第二屆亞非人民團結大會」，駐幾內亞「大使」並拉攏該國總理前赴大陸「訪問」，而中共在幾內亞一個新獨立小國的「大使館」中，竟有「職員」達八百名。中共對該國目的爲何，用意已明。

南美及非洲向爲落後地區，人民困苦，便於共黨煽動炫惑，現中共向上述地區發動大規模統戰陰謀，實爲自由世界不容忽視的問題。

社幹與社員的新婚

本報特稿

筱臣

中共自一九五八年創辦了「人民公社」以後，拆散了人民的家庭，摧毀了中國幾千年固有的倫理道德，更驅使人民走上了奴役的道路，致令招來普遍的人民的憤恨和不滿。但中共的一意孤行，在最近「人代會」開會期中，還强調要加强城市「人民公社」的普遍設置，這種倒行逆施，在今天的中共政權是屢見不鮮的。

至於「人民公社」的共幹，更是騎在人民頭上，經常是監視着人民的思想和行動，他之氣勢凌人，每每令人不敢逼視，尤其在待遇方面，有着天淵的區別，姑以社幹與社員的新婚典禮而言，那是不可同日而語的。

湖南古丈共幹「唐家坡人民公社」的「黨委書記」黃一新，去年農曆五月與「女生產大隊長」胡柳容結婚，據「人民日報」報告他們婚禮的盛況：

計請了二十六桌酒，在每一「生產隊」挑了一個人爲他辦喜事，親自從猪欄提出四頭猪，又叫人在塘裏網起七十三斤魚，煮了四担米的飯，到了太陽還有兩丈高的時候，就敲鑼收工，三百多個正副隊長和共幹齊集到「公社」裏吃喜酒。宴後大家鬧了一陣子新房，打了四桌麻將，兩枱明錢寶，十二枱「跑胡」和「點點紅」，鬧了整整一夜……」

這一場共幹新婚，有人認爲正好像强盜娶壓寨夫人的情景。至於社員們的結婚又是怎樣的呢？

據最近四月五日的「人民日報」的報導，貴州都勻市全民生產隊羣引食堂，是貴州省的紅旗食堂之一，最近爲社員辦一件了結婚的喜事，事情的經過是怎樣的：

楊正英大媽最近爲了第二個兒子要結婚，已決定在今年三月十日，眼看離這個日期越來越近，如今都在食堂食飯，家裏要請這麼多客人怎能辦到呢？

食堂的共幹李時英對楊大媽說：「嗄，大媽怎不早透過信呢，像這樣的喜事，食堂早有規定的，你老人家不用操心，都交給食堂辦好了。」

於是楊大媽把這一件喜事，交給食堂去辦了。在結婚這一天，這天社員們我還是照常工作做活路。這天飯廳門口貼了一張通知：

「社員同志們：今天是楊正英，羅顯明兩家接親的日子，按生產隊的規定，本月食堂改善生活的日期（按即舊日鄉村慣例初一十五打牙祭），由原定十五日改到今天，開席時下午五點半，晚上俱樂部演唱花燈劇……。」

於是婚禮的儀式就在食堂的飯廳裏舉行了。到了下午開席的時候，除了隊裏原來吃飯的三十二桌人外，還給客人開了六桌，每桌按照食堂初一和十五改善生活的標準，又格外增添了一個油煎盤子。

從以上的記錄來看，可見社員新婚的筵席，只是照平常的食堂開飯，增添了一個油煎盤子，祗是油煎盤子沒有說明是葷抑或是素菜，即令是一盤紅燒猪肉，社員新婚的可憐相，足夠令我們看了爲之寒心。

共幹新婚是如何的排場，社員新婚又是何等的寒酸，這眞是一種階級懸殊極不公平的待遇，乃一再侈言改善人民生活，人人一律平等，這眞是極其强烈的對照。「人民公社」之所以遭受到普遍的反抗，這當然爲勢所必然，從這些細微小事，用來觀察它的前途，它之失敗也是註定的了。

社會小說

香港地

三、文章有價

兩個又是面對面的緘默了許久，梅大亮很快便把一根香烟燒完了，譚福祿趁着再遞給他另一根烟的機會，首先開口問道：「那傢伙該死，你怎答復他？」

梅大亮燃着另一根烟，忽然一笑道「我答覆得很簡單，我就是說：『你回去你那無憂無慮的世界吧！做一條不要思想也不要吸空氣的虫！』我還更問他：『你們那裏的世界真的是無憂無慮嗎？你敢說錯半句話嗎？不怕被拿去勞改嗎？這裏的空氣縱然惡濁，但還有許你自由呼吸的空氣呀！你真的喜歡一個沒有空氣的地方嗎？說自由便是空氣，或許你認為比喻太過。那麼，我說自由便是人類社會的酵母嗎？沒有酵母便發不成麵包，你說是不是？你們的社會簡直連一點酵母也沒有，怎會造成一個像樣的社會呢？你說！』……」

梅大亮似乎在朗誦他的得意之作，一絲笑容在陰沉的臉上擴展開去，猶如滿天烏雲漏出的一劃光線在發火。他哈哈笑了兩聲才續道：「譚兄，你說我答覆得好不好？你別以為我怪你剛才侮辱了我，其實，這樣的互相頂撞，裏面就有了我們要用血淚去爭取自由啊！我有我發牢騷的自由，你有你拿話頂撞誰的自由。那真好！」

這些話在梅大亮口裏隨便衝出，真教譚福祿自愧不如，什麼血淚啊，用血淚去爭取自由啊，大概都是梅大亮在寫文章時寫慣了的句子，故此隨口道來，不覺臉紅，譚福祿要學也學不來的。

譚福祿正想回答他幾句話，梅大亮偶然抬頭一看壁上時鐘，啊的一聲叫道：「糟！我忘記這個時候剛有一個約會，廢話說得太多，幾乎誤事。我們走吧！」說了，他便起來搶着去會鈔，待會過了鈔，一齊下樓，還回頭笑道：「譚兄，今天這一談也感有味，好在你我朋友之間，你不需要我什麼，我也不需要你什麼，彼此沒有買賣！」

梅大亮本是老實人，今天卻因過度興奮而改變了原來態度，居然在臨別時也要和譚福祿說還笑話，還執住他頷下幾根長鬚，笑道：「你如不怕我取笑的話，此時如無需要，把這東西除掉也好！」

他竟是要勸譚福祿剃鬚棄寶，拋掉那曾經靠來救饑救苦的生財工具，頓使譚福祿怔了怔，呆呆立定，梅大亮卻嘻嘻哈哈的掉頭自去，不再理他。（二十）

木客著

善舉

丁香花

當廣播電台播出九龍大火的消息後，張先生就忙起來了。他首先跑到天台上隔海相望，只見濃煙直冒，一片火海。於是乎就幾個箭步下樓，換西裝，打領結，刷皮鞋，忙個不休。

張太太剛從外面打衛生麻雀回來，一見張先生這副忙相，便道：「幹嗎這麼失魂落魄的，是不是那個妖精又打了電話給你？」

張先生沒有回答，口中哼着歌曲，像是完全沒有聽到張太太的話，這可把張太太氣急了。「告訴你，今天晚上得陪我在家裏，哪裏都不准去。」

張先生仍然沒有理會，卻一心找那根「司蒂克」。直待在牀底下找出來的時候，他纔如夢初醒一般的說道：「真美麗，真美麗啊！這簡直是千載難逢的機會。」

「梅生，我說過不准出去，就不准出去！聽到沒有？」

這回張先生可真的醒過來了。他望望太太，然後笑着說道：「太太，我是去看大火呀！」

「什麼大火？你發神經病？」

「別說廢話，現在九龍大火呀！」

「哎呀，你這死鬼，到九龍那邊看大火，怎的事先不說呀？去年九龍城大火，我正大着肚子，沒有去看，哎喲，這真是千載難逢的機會啊！」

這一來，大家志同道合，就好辦了。

過了海，為了避免擁擠，他們叫了一架「的士」直駛九龍城。下得車來，人山人海，天台騎樓高都成了最好的觀火地帶。濃煙直衝上天，消防員正拿着水龍向大火處噴射，祇見一道道白光，在那紅紅的火舌中，穿插交舞，這光景可把張太太看呆了。

正看得出神入化的時候，張先生的「司蒂克」，跟着那一股吞吐的火舌一上一下，不知怎的，卻打在張太太的腳上，當場絲襪洞穿，好在僅僅擦傷一點表皮，張太太瞪着眼睛望望張先生，又罵了一聲死鬼，這樣又回頭看大火，也顧不得痛了。

「梅生，你去年看到的那場大火，可有這般美麗？」張太太輕輕地拉着張先生的手臂這麼問。

「呵，這個，這個一年比一年大，去年那個小得多，小得多啦！妳快瞧，那邊又吐出新的火舌了！」

「這真是太美麗的了！梅生，我說你真能幹，你怎麼知道九龍這邊有大火的？」

「別說這些。那邊又燒起來了，八成怕會燒到我們這邊來啦！」

「怕什麼，火燒過來，我們又可以轉過那邊去看。」

這一場火，一直從黃昏時候燃燒到晚上十點半鐘，張太太她們直看到十點三刻纔離開。

當然又是「的士」，又是在老地方「彌天大酒店」消夜，回到家裏，已是晚上一點鐘。

「太太，真對不起，看一場火還損失了一雙絲襪。這就是二十五元八角那一雙吧！」

「死鬼，這算什麼呢？祗要有這樣的場面可看，漫說一雙，就算損失十雙是也值得的呀！」

這一次觀火，總計來往舟車費，消夜費，絲襪損失費，一共是五十七元八角。

第二天，張先生上寫字樓去了。張太太又換上一雙新的尼龍絲襪，準備再到九龍城火場作一番巡禮。剛一開門，就看到有一隊人馬過來了，張太太回身把門關上，然後在小洞裏張望一番，問道：「幹什麼的？」

「我們是街坊福利會，替九龍城火災難民募欵救濟的。發發慈悲吧！救人一命，長生不老呀！」

張太太怕他們妨碍「巡禮」火場的時間，便從手袋裏掏出了兩張一元鈔票遞了出去，還特別囑咐那個收錢的人道：「對不起，在報紙上公佈的時候，請千萬記得張梅生夫人捐欵兩元。」

文壇舊話

梅園趣話

小丞

北平又在中共控制之下，召開其所謂「人代會」和「政治協商委員會議」，在出席的「政協委員」名單，偶然看到榮宗敬其人，不禁使筆者想起梅園的一件趣話。

梅園是江蘇無錫的名勝之一，面臨太湖，一片梅海，真是極其絢爛。它是榮氏的別業，主人就是紗廠巨子榮氏兄弟，他倆附庸風雅，又值事業鼎盛，在二十多年以前，真是資本家又兼聞人，赫赫一時呢！

在民國十二年的時候，有某名士為之題額，額為「思豳堂」，表面上看起來真是文雅極了，字亦雄偉可觀。後來到民國十五年的時候，此額才被除去，有人詢問究竟。據說有人向榮氏兄弟解釋，所謂「豳」者，係象徵一山兩豕，梅園適在山上，兄弟昆仲適為二人，這實在含有諷刺的意味，所以榮氏兄弟才把它除去。

第三次大戰

徐學慧

第三次世界大戰，早在第二次大戰結束後就開始了。或謂此乃為第二次大戰之延長，對此，我個人並不同意。第二次大戰與第三次大戰的分別，就在基本的戰略戰術上。這中間是截然不同的。

十年前，筆者主編世報筆政，即曾以「第三次世界大戰的特徵」為題，寫了一篇文章，大意是說，第三次世界大戰早已開始，而其特徵者，一、敵友不分明。二、戰場不分明。三、界線不分明。四、有冷戰而少熱戰。五、有小戰而無大戰。其時韓戰尚未爆發，越南之戰亦尚鮮接觸，筆者即預言韓越之戰終必爆發，後果不幸而言中。

時隔十年，國際情勢雖有若干變化，而其基本特徵則依然未變。今天的亞洲、非洲、乃至拉丁美洲，其情況之紊亂，誠屬前所未有。此種紊亂的情況，即為共產主義滋長的溫床，除非共產集團的頭目是癡人，否則，他們決不可能在這個時候挑起大戰的。

西方的政略或戰略家，衷心期望共產黨不要挑起大戰，而不知此則適中共產黨的詭計。以韓國為例就可以知道了。艾森豪總統當年競選總統之際，即以韓境休戰為其政策，韓戰後果休戰矣，一道三八綫，在表面上經已維持了南北韓的平靜，可是，共產黨在南韓內部所從事的地下活動，又有誰能知道呢？

最近一個星期來的反政府大示威，經已震撼南韓，據十九日的外電報導，數千名被催淚彈弄到淚流滿面之學生企圖衝入李承晚總統之別墅。這樣的事件，如果說不是出於共黨分子從中策動，又有誰能相信呢？

冷戰不成，繼以熱戰，熱戰不成，又繼以冷戰。冷熱手法交相為用，而自由世界乃疲於奔命矣。美國為自由世界之領導國家，而美國的外交政策，乃以阻止熱戰圍堵共黨為滿足，圍堵之結果，便形成今日世界各地的紊亂情況。南美洲為美國之後門，如今，後門裏亦有共產黨矣，他們又幾曾假借熱戰呢？

自由世界尤其是美國的基本政略與戰略，是應該加以檢討了。

阻止了有形的共產黨，而不能消除那些無形的共產黨，這個樣子的反共工作，也不過是自我陶醉而已。

談裁軍，談停試核武器，在我們看來，不論其成功與失敗，都無關宏旨，今天的南非、南美洲的古巴，東南亞的緬甸印尼阿富汗等地，何嘗有共產黨的正規軍隊呢？然而，風風雨雨，擾攘不寧，卻沒有任何一個人敢於否認，那些地方有共產黨的幽靈！

大陸文壇萬花筒

一本「啟蒙」的書

——岳騫——

最近上海文藝出版社出版了李岳南著「與初學者談民歌和詩」。這本書只能算是文藝雜談或隨筆一類的東西，因為它既不是文學概論，也不是文學史。內容就是隨手抓些民歌和詩加以解析，使水準較低的讀者可以了解，這種書假若能寫得好，對初學者確實有點啓蒙作用，可是卻不容易寫得好，作者若沒有高深的文學修養和寫作技術，寫出來一定非驢非馬，成為笑談。李岳南的這本大作就是屬於這一類型的。

因為這本書名是談民歌和詩，而民歌又是目前最當令的「文學」，所以其中談民歌的篇幅較多。由他舉出的民歌中，我們可以看出大陸上所謂民歌，仍是「大躍進時代的」風格，其荒謬處仍是出乎想像的，例如其中一首：

一個桔子十斤半，一棵麥子十斤麵，一對西瓜一噸半，地球上上班，月球上去吃飯。

這是什麼玩意，和「天上沒有玉皇，海內沒有龍王，我就是玉皇，我就是龍王。」可稱先後「媲美」，但是像這種東西對於文學固然談不到有何價値，就是對初學者來說，如若人人都學了這種風格，豈不變成了一羣瘋子。

另外還有一首：

別看高爐小，不怕你們笑，我們代表總路綫，走的是陽關道。

這首民歌好壞且不必說，李岳南加以解釋更妙了，他說：「這首民歌，在語言運用上也很新穎別致，第一句是作者的敘述語氣，可是第二句陡然一轉，作者已叫高爐發言了。」從這種解釋看來，作者對這首民歌尚未十分懂，按照語氣來看，四句都是高爐說的話，所以才有你們，我們的句子，假若第一句是民歌作者的話，豈不又了「人神同台」。

外，作者介紹古代詩歌時，舉例說：「我們讀過杜甫的三吏、三別和白居易的秦中吟，不是比讀一部唐代史書所提供給我們的社會知識更豐富嗎？」由這一段話來看，作者可能就未讀過唐書，盲目在胡扯。

目前大陸上這類書籍觸目皆是，因為只有這種書才能出版。

釋耒集

詩社講會

韓非子五蠹篇云：「其帶劍者，聚徒屬，立節操，以顯其名而犯五官之禁，」依此以言，則標榜聲氣，實先起於遊俠，而太史公傳游俠，又以俠者爲「不矜其能，羞伐其德」。其言與韓非適相反。此蓋好惡不同，毀譽隨之而異耳，使俠者不欲顯其名，則豪戶徙茂陵時，郭解寬至使衞青爲之緩頰，是俠者之有高名，又不待言矣。此風漸染而及於儒生文人，遂當起於漢代之鄉舉里選，所謂推財讓爵，以立名譽者，不可僂指數也。漢末魏晉之間，益以清談相推許，士大夫以風度標格自矜，毀譽均過其實，孔融，禰衡，嵇康，阮籍之徒，所在不免，究其所以如此之故，則不外爲士大夫之好談而矜名，昔柳子厚復杜溫夫書有言曰：「三辱生書，書皆逾千言，抵吾必曰周孔，周孔安可當也。語人必於其倫，生來柳州，見一刺史即周孔之，今而去我道連（是時劉禹錫在連州）而謁於潮（韓愈在潮州），又得二周孔，去之京師，京師顯人爲文詞立聲名以千數，又宜得周孔千百，何吾生胸中擾擾焉多周孔哉。」然則此種風氣，至唐而益甚矣，夫譽人不以其倫，則受者雖爲俯，是缺反變而爲罵矣。而辯許溢量，迨於明人之有詩社書院而臻於極點，明人劉侗，於奕正合撰之帝京景物略一書，曾戲崔魏之徒，請禁書院詩社奏疏有云：「聚不三不四之人，說不痛不癢之話，作不深不淺之揖，啜不冷不熱之餅。」其語或近謔劇，實亦切中其病，故陳乾初傳云：「社集講會，以爲無益身心，飾婉辭不赴。」可知當日之所謂學院詩社，高才遠識之士，不免視爲畏途。聖賢、才子之所以可貴，以其不世出耳，今但費口舌之勞，使周公、孔子徧地，子雲、相如接踵，則其人之不三不四，其語之不痛不癢爲何如邪？王逸少之會蘭亭，蘇子瞻之遊赤壁，因王蘇均有高名，而此等事遂隨在有人效顰，吳敬梓撰儒林外史，寫滿代文人，亦不免仍存詩社習氣，所謂即席分韻，用斗方繕寫詩稿送人之故套，杜愼卿即以爲似雅而實俗，對胡三公子所主持之西湖詩會，又特別加以挖苦，謂匡超人原自不能作詩，乃於集會之前一夜，向書店中取閱詩法入門一冊，漏夜點灯苦讀，明日於諸名士喃喃賞手之際，遂亦照作如儀，並自謂比別人更好，嗚呼！此詩社講會之所以不爲人所重也。

曲齋

海嘯慶談會

胡漢民李烈鈞交惡記（下）

民十六年春，國民政府在南京宣佈清黨反共，李協和以不受武漢汪政權之誘惑，被廹辭去江西省主席職位，東下入金陵。當時蔣總司令對李極其敬重，推之爲國府五常委之一，胡展堂亦爲國府常委，但他致力於黨務，不預政事，其餘三常委蔡元培，汪兆銘，于右任，皆未到國府實行服務，李氏不啻爲綜持中央治標的行政首長。還是他一生最得意的第三階段。繼而蔣總司令辭職去國，胡展堂亦拂袖離京，李仍主持國府政務如故，且爲「特別委員會」的重鎮，與所謂「西山會議派」人物張繼，謝持，覃振等合作無間。

民十七年首夏，蔣總司令由日本回國復職，胡展堂亦重來南京，中央黨政機關於秋間重新改組，時寧漢政府已告合流，譚延闓被選任爲國府主席，其他各文武要人皆有所安排，獨李協和一人向隅，譚氏在中央政治會議席上曾爲協和說項，胡展堂怫然曰：「復成橋慘案該李負責，中央不懲辦他，就算寬大了，豈肯再予起用？」次日，馮玉祥囑內政部長薛篤弼持其親筆函往晤胡氏，亦專爲協和疏解，仍無效，李即踉蹌出京赴滬了。按所謂復成橋慘案者，係十七年春間，南京各界民衆舉行慶祝討唐（生智）勝利大會，游行到復成橋之際，突有大隊學生與警察引起格鬥，當場被警方開槍擊斃二人，李氏正在國府辦公，聞訊大爲震怒，下令嚴究兇犯。這時我担任國府機要秘書，目擊其情，確與李氏無涉。慘案的眞正內容，乃係國民黨內部派系之爭，有人故意製造這項流血事件，藉以打倒西山會議派，然不以李協和爲對象，唯胡展堂則利用此案作爲排斥李氏的口實而已。政治生活之殘酷無公道是非，古今一轍，曷勝慨歎！

李氏經此一蹶之後，政治生命即蹭蹬不復再起，直至民國卅三年二月病逝重慶，皆處在「冠蓋滿京華，斯人獨憔悴」的寥落境況之中。他的後半生事業之所以衰落，實與胡展堂大有關係，而胡李交惡之所由來，其癥結在此也。假使胡先生具有恢閎能容的大政治家風度，李氏亦不致抑鬱以終其生，兩賢相厄不已，僅未如張耳陳餘之拔刀相向罷了。吾儕後生，除表示悼惜而外，尙何言哉！尙何言哉！

諸葛文侯

閒話大理石

瑩萼

大理石，又名點蒼石，以產於雲南大理縣點蒼山而得名。爲石灰岩之變性，有白色，雜色兩種，白色爲火成石灰岩，由粒狀之結晶質石，集合而成，可爲造像碑坊之用，亦名寒水石。雜色爲水成石灰岩，質極緻密，含鐵及黏土等不純物，有黑、黃、青等彩色，具山川雲物之狀，可爲屏風，或嵌於牆壁桌椅之中，大理所產者，即屬雜色大理石，馳譽於世。

石有眞有假

近年坊間，可以人工製造，魚目混珠，有時可以亂眞，但內行人仔細鑒別，眞僞立辨，因人造究不如天然之美觀，故通稱爲人造大理石。據珍玩考載：「大理府點蒼山出石，白質黑紋，有山水草木狀，人多琢以爲屏。」大理石最早爲人發現者，約在唐代。據滇一統志載：「唐李德裕平泉別墅，有醒酒石，酒醉一踞即醒，即今雲南大理之點蒼石也。」自唐以後，歷代均視爲珍玩，上等者價兼金，列爲貢品。此後騷人墨客，對大理石吟詠亦甚多。

大理石賦

猶記前人中，有大理石賦一篇，最爲精彩。其中有句云：「其陰岩顯瀑，黛潑乳滴，停蓄剖甃，飛欄椽壁，則仙人佛子之所窩宅也。蠶漱遂洞，奇花虬松，青牛白鶴，金膏瓊液，則幽人隱士之所遊歷也。枯槎老枿，燃脂流血，龍顛虎躓，雪灰霜白，斷橋臥水，偃蹇皺裂，則山農野叟荷鋤持斧之所咿嗄蹤踏也。荒林古塚，缺烟淡月，妖狐狡兎，風嗥而雨嘯，山鬼木魅，暘睒而跳擲，則騷人遷客之所哀吟，吊影，驚心而動魄也。」其描寫大理石之文采圖象，可謂盡善盡美矣。

十品四大類

大理石花紋，以逼眞入畫者爲上，然佳構畢竟不可多得。前人曾有將大理石，分爲十品四大類，四大類中，更就石面文采，又分爲多種。十品計分：（一）層巒疊嶂，（二）積雨初霽，（三）翠山傑立，（四）雪意未晴，（五）雪峯千仞，（六）岩岫半微，（七）冰石雲月，（八）雲山有逕，（九）淺絳微黃，（十）孤嶼平湖。四大類計分：（甲）天文四時：（1）湘烟春霧，（2）夏山欲雨，（3）華岳升晴，（4）寒江雪浪，（5）天際烏雲，（6）寒風曉雪，（7）相送柴門月色新。（乙）山川草木：（1）峯際孤桐，（2）蕉林天影，（3）紅梅夾渡，（4）杉林茶焙，（5）雲深採藥，（6）翠微黃葉。（丙）仙佛靈異：（1）移流仙府，（2）閬水花峯，（3）天台應眞，（4）雙仙畫石，（5）降魔圖。（丁）鳥獸蟲魚：（1）龍飛鳳舞，（2）蜻蜓點水，（8）杜于啼血，（4）石屏鷓鴣，（5）山君嘯傲，（6）寒雅唱晚，（7）魚躍於淵。名目繁多，花式各別，堪稱洋洋大觀。

雕琢實工夫

大理石製作處，在點蒼山之麓，經營是業者，計有四五十家，門戶相對，櫛比而居，叮噹鑿石之聲，終日不絕於耳，無形中，已自成一小村落。各店在山中，均擁有若干礦坑，僱工開採，互不侵佔。石由山上採來，就材作物，先成雛形，次加雕琢，再爲磨光，以是步工作，最爲艱繁，而磨工作時亦最多。及至磨光後，再塗以黃蠟，文采畢現，光瑩潤澤，是爲成品，即可運至大理及昆明各埠出售。製石舖中，將石質分爲三種：（一）雜綠花：五色俱備，生成天然山水，蒼翠欲滴，秀麗可愛，其質溫潤而清涼，盛銷廣東與南洋。（二）水墨花：花紋有濃淡粗細，效各種山水之折皺法，，其產於蒼山之三陽峯，價較昂。（三）淨白石：產於雜綠花中，作碑坊墓石之用。三類之中，以水墨花，最爲名貴，雜綠次之，淨白石則極普通。

遙望大陸之錦繡山河，無盡寶藏，竟淪入鐵幕之中，良深浩歎！

粟海彈心錄

學術與自由（下）

八索、八卦之說，申其意也。又謂索，素也。著素王之義也。九丘，九州之志也。又謂九丘，九州亡國之戒也。又謂丘者，區也。區別九州之宜、以施其教也。春秋時，「楚子狩州來，次于乾谿」，左史倚相趨過。王語右尹子革，此良史也。是能讀三墳五典，八索九丘，」子善視之。由此可知墳典諸書之重要且貴，大抵亡於秦而絕於漢，孔氏去古未遠，故猶能言之。

自是「離婁之明。師曠之聰。公輸子之巧。」不復爲世所重矣。且奇技、淫巧、蠱斷者，有禁焉。後世工藝之守常，科學之窒息，漢武不得辭其咎。淫，濫也。淫巧者，過於巧也。蠱斷與近代專利義近，人與獎勵，我與禁止，利害雖非絕對，然此中距離，實即中美今日物質巧拙貧富之距離。要知禮樂百年而後興，生聚十年而可成，無庸自餒也。

秦漢以前技藝之巧，有史實可考者，「魯昭公之子班，魯之巧人也。作木鳶，乘之而飛，登以遊覽。又六國伐宋，公輸班作木鳶以窺宋城」，竟用於軍事矣。又韓非子謂「墨子爲木鳶，三年乃成，飛一日而敗」，敗者，自毀也。恐後世用以賊人，此皆春秋戰國間事。

鳶之爲物，鷙鳥也。狼喙而虎鉤，視力强而疾，盤旋空中，見有物可食，則瞥然直下攫之，鮮能禦之者。顧名思義，則與今之飛機無以異。墨子之學，尙同主兼愛，故自成而亦自毀之。當公輸班之窺宋也，墨子仕宋爲大夫，且能絀公輸班以存宋，是必有以制其木鳶者也。惜其技不傳，其名不著。予嘗謂中國人之機智，非不善於西方人，由於愛人親仁之文化根源不同，有以啓廸其利人之心，汨滅其害人之心。亦非中國人之知能，不惡於西方人也。

陳壽三國志，世稱良史，其傳述諸葛武侯，出祁山伐魏時，以「木牛流馬」，轉運資糧。並載其制作之法及其尺寸甚詳。壽，西蜀安漢人，初仕蜀，後入魏，當非出自傳聞也。

清同、光間，左宗棠用兵西北，師次肅州，發見譙樓，儲有明天啓年間所製開花砲彈若干，專摺入奏，言之綦詳。天啓，熹宗年號，距文襄當時，已二百四十餘年，然則中國之有此利器，早於西方百數十年，乃至二百年。

二千年來，因有前半截之罷除百家，禁止奇技淫巧，才有今日之工藝落後，民生窮困。因有前此之統於一尊，遂使國人之心思才力，走向箇體之延伸與成就，而與整體形成對立，不相爲謀。因此整體箇體之要求，處處摩擦，交受其害，然則居今之世，如何而可，一言以蔽之，整體生存，重於箇體成就。又必能除一尊，使箇體成就，有所附麗。箇體整體，成爲一元，生存成就，方有着落。否則一方講究控制，一方要求自由，彼此在窄狹路上爭奪，終是抱頭痛哭之局，無有是處。

·阿公·

海角詠懷

集唐句　漁翁

獨上江樓思悄然（趙嘏），心隨明月到胡天（皇甫冉），窗含西嶺千秋雪（杜甫），門鎖南山一朶烟（王建），誰念爲儒逢世難（盧綸），懸知此地是神仙（裴漼），榮枯盡寄浮雲外（許渾），大半生涯在釣船（李咸用）。

瀟洒江湖十過秋（杜牧），人間亦自有丹邱（韓翃），峯懸驛路殘雲斷（賈島），思起鄉關滿眼愁（李紳），高閣清香生靜境（溫庭筠），楚天涼雨在孤舟（李端），從今四海爲家日（劉禹錫），稚子敲針作釣鉤（杜甫）。

憶舊

集唐句

十年往事只如風（韋莊），澹蕩春光滿曉空（崔湜），桑地故人成遠夢（李端），松醪一醉與誰同（李商隱）？

春思於今未易量（獨孤及），年來親友總凋傷（竇城），舊交已盡新知少（許渾），猶自音書滯一鄉（柳宗元）。

洞庭猶憶在前林（劉滄），遙隔天涯共此心（李商隱），山月不知人事變（雍陶），更無消息到如今（李遠）。

數行添記舊離愁（李紳），長笛一聲人倚樓（趙嘏），對此獨吟還獨酌（劉禹錫），夕陽惟見水東流（韋莊）。

自由報
THE FREE NEWS
半週刊每星期三、六出版
第二十一期
每份港幣壹毫
社長：雷嘯岑
督印人：黃行當
社址：香港銅鑼灣高士威道二十號四樓
20 Causeway Rd. 3rd. Fl. HONG KONG
TEL. 771726
電報掛號：7191
承印者：田風印刷廠
地址：香港高士打道221號

論一九五九年大陸糧食的產量

鄭學稼

在這次僞二屆人代會第二次會議上所發表的李富春報告中，最使人懷疑的，是關於一九五九年糧食的產量。他說：去年大陸產糧五四〇一億斤，這是可能的嗎？

共產黨政權的統計數字，一般地全是捏造的。最有捏造數字天才者是中共。就一九五八和一九五九兩年所發表關於糧食的生產量而言，他們曾留下很大的笑話。因爲他們不僅捏造數字，而且公開承認自己有捏造數字的本領。

讓我們先說關於捏造數字的事實。依中共的公報，一九五七年糧食產量三七〇〇億斤，這本是誇大的。到一九五八年十一月二十八至十二月十日中共六中全會時，宣稱該年糧食可增產到七五〇〇億斤，也就是比一九五七年增加了三八〇〇億斤。毛澤東們是大賭徒，喜歡用賭博的術語。當時曾宣傳他們在糧食戰線上，翻了一翻。一九五九年五月十四日僞國家統計局發表「關於一九五八年國民經濟發展情況的公報」，證實六中全會預計的正確，說一九五八年糧食產量是七五〇〇億斤。根據那「翻了一翻」的本領，一九五九年中共六中全會和同年四月廿一日李富春在僞二屆人代會第一次會議報告，却誇稱一九五九年糧食產量，可達一〇五〇〇億斤，也就是比一九五七年翻了三翻，比一九五八年又翻了一翻。

儘管全世界人士對那天文學數字表示懷疑，中共宣傳家們却說那是會兌現的事。因爲，毛澤東的時代，是不斷出現奇蹟的時代。依共產黨的自吹，生活在「偉大毛澤東時代」裏，鬼可以變人，當然一九五九年糧食的產量，也會比一九五七年將翻了三翻。可是，紙不能包火！在僞國家統計局公報發表後四個月，也就是在一九五九年八月二至十六日中共八中全會時，那羣中委們却發現離開「主席」龍庭的毛澤東並不能和三翻的牌。該全會公報說：過去關於農業增產的數字，應該「核實」，核實後發現一九五八年糧食產量不是七五〇〇億斤，只有五千億斤，也就是減少了二五〇〇億斤。因爲中全會是全能的機關，它的「核實」，絕對是眞實的，所以一九五九年八月廿六日僞國家統計局的公報，承認同年四月十四日的公報是捏造。這是中共與蘇共最大不同之點：自斯大林起，關於農業的數字，一貫地捏造，但決不肯公開承認；中共政權却有承認捏造的勇氣。

因爲一九五八年糧產數字減少了二五〇〇億斤，那一九五九年的產量計劃，當然也比例地更改。當時八中全會公報很謙遜地說，一九五九年的生產量，只能比一九五八年增加百分之十，即五五〇〇億斤。

一九五八年五千億斤的產量是可疑的。因爲農業的增產，有四個條件：第一、是耕地面積的增加；第二、是每單位面積產量的增加。就後者而言，必須改革農業技術，改良種子和增加化學肥料，這些條件今日大陸都談不到有大進步。如果一九五八年的五千億斤是捏造，那一九五九年的計劃數字，當然也不可靠。可是，李富春在這次僞二屆人代會第二次會議上却說一九五九年糧食產量爲五四〇一億斤。這是可能的嗎？讓我們給與「核實」一下。

大陸的可耕地面積，中共報導不一，有的說十八億餘畝，依譚震林在一九六〇年「紅旗」第六期說只有十六億畝。他是政治局中負責農業的，所說的十六億畝，當然有權威性。在那十六億畝中，種糧地，依譚震林在這次僞人代會的報告，只有十二億畝。

一九五九年不是十二億畝都有收成的。依李富春在一九六〇年「紅旗」第一期「迎接一九六〇年的新躍進」論文，曾如此說：『一九五九年我國的農業遭到了九十年來僅有的嚴重的自然災害，受災面積達到了六億多畝，約佔全部耕地面積三分之一以上。』共產黨人的宣傳習慣，「是報喜不報憂」，是誇大成就和遮掩失敗，究竟受災面積有若干畝呢？李先念在這次僞人代會明白地說：「六億五千萬畝」。依去年新華社的接續報導，受災區達十七個省，它的面積該不止六億五千萬畝。由災害時間之長，很可能那六億五千畝是毫無收成的。

受災區，包括種糧食的田和種棉花的田。依譚震林在這次僞人代會的話，一九五九年全國棉田實收面積八五〇〇多萬畝。我們由中共的公開報導，知道早在一九五七年種棉花面積已達八〇〇〇萬畝，一九五八至一九五九年種棉地擴大，可能達到一億畝。依種棉區受災情況去估計，一九五九年種棉田受災面積亦以三分之一計，即約等於三〇〇〇萬畝。這等於說，糧食田受災面積約爲六億二千萬畝。

依一九六〇年四月一日人民日報社論「爭取夏季全面大豐收」，全國「根據農業部門調查，全國『三類苗』約佔百分之十左右」，是指沒有花極大勞力和肥料，產量極低的作物。也就是說三類苗田是土壤瘠壞的田。中國農民稱這類田爲「脫裏莊」，該社論告訴我們：「低產田，三類苗的收穫好壞，對夏季全面大豐收同樣有着決定性的影響。如果把全國所有低產田平均畝產量提高到二〇〇斤，全國就可以增產一〇〇億斤糧食。」

這等於說，全國低產田或三類苗有五〇〇〇萬畝（如依前述農業部門的調查，估計二億畝之十，應爲一億二千萬畝）。在一九五九年大天災中，這類田是沒有收成的，因此，在受災六億二千萬畝種糧田中，中共應追農民救災，能有收成的，只有 6.2－0.5＝5.7 億畝。

災田每畝收成量，我們可作如此的估計。當中共的國家統計局宣佈一九五九年糧食收成不是七五〇〇億斤時，曾說一九五九年可增加總產量百分之十，即五五〇〇億斤。全國種糧地一二億畝，最高的同時又是最大希望，收成量五五〇〇億斤，即每畝平均約爲四六〇斤。由於大天災，收成量以半數計，則 5.7 億畝收成爲 5.7×230.＝1311億斤。

未受災田12－6.2＝5.8億畝，每畝最高的又是最大希望的產量四六〇斤，即共收成5.8×460＝2668億斤。

由之，一九五九年的最誇大收成量，依筆者的估計爲2668＋1311＝3979億斤。

李富春報告一九五九年收成五四〇一億斤，比三九七九億斤多了一四二二億斤，即多了三分之一。這個虛報的比例，恰和一九五八年的五〇〇〇億斤虛報七五〇〇億斤的三分之一比例相合。這是偶然的嗎？

假使一九五九年受大天災的六億二千萬畝種糧地，全沒有收成（這是極可能的），那該年糧食最高的收穫量不會超過三千億斤。就爲這個原因，去年大陸發生大糧荒。

時事述評

南韓與時代悲劇

盧家雪

筆者在上期本欄中，論及南韓學生暴動事件之背景，曾經說到：「最初或許是由於反對黨所發動的，但一旦放而不能收，遂乃使潛伏的共黨分子乘機而入。」因此，「我們實在沒有理由不相信，此次南韓的暴動事件，有共黨分子滲雜其中。」

本報同文嚴鐵先生亦曾於上期本報第一版以「可怕的心理瀰爲」爲題，說到「反對現政府的政黨，利用純潔的青年學生來進行政爭，發展到這種悲慘程度，竟讓他們血肉橫飛，給共產黨以從中煽動移轉鬥爭目標的絕大機會，如非本身心理不正常，便是技術拙劣到能發不能收了。」

這幾點意見，經已由於南韓駐美大使梁裕燦在華盛頓的一個婦女組織所發表的演說得到了證明。

據路透社廿四日的電訊報導，梁氏稱：共黨特務是漢城上週流血暴動之主謀者。梁又認爲南韓青年因爲聯軍所達成之休戰條約阻礙彼等進擊北韓敵人，所以至感苦悶，因此，彼等終於成爲政府及最近選舉之待罪羔羊。起初，在韓國之學生示威乃在有限制下進行者，繼而共黨煽動分子介入，吾人之保安軍官乃面對一羣憤怒、武器以及不可理喻之羣衆。」梁氏又稱：南韓危機可能是「克姆林宮數項狡猾戰略之一」，以及可能被共黨利用爲另一次南侵之「序幕」。

筆者之不憚繁瑣引述梁氏的演說辭，絕無意藉此以證明我們在上期所作的分析之正確，我們所要研究的是：今後的韓國局面究將如何？

由於休戰條約所引起的苦悶，遂致進一步將此種苦悶化爲對於政府之失望，此種人情之常，亦爲今日南韓社會之基本形態。

此種形態，「硬漢」李承晚，既無力改變，則縱令李氏辭職，而以張勉代之，對此亦不能有任何作爲。

這是一個時代悲劇的形成，是西方尤其是美國所「發明」的「圍堵」政策所導演而成的。除非揮軍北進，統一全韓，否則，我們實在也看不出有何解決的良策。

截至目前爲止，李承晚已宣佈退出自由黨；南韓內閣閣員經已提出辭呈；國民議會準備修憲。凡此種種，也不過是治標而已。根本的問題一天不解決，南韓是一天要担任悲劇角色的。

自由談

代人受過乎？

馮五先生

自由中國三軍總參謀長上月在菲律賓發表談話，說是對戰爭不感興趣云云，當時國內輿論界大爲震詫，頗致抨擊之詞。事後據個中人傳出內幕消息，那套非戰言論，乃是總參謀長的隨員自作聰明，用英語代爲聲明說的。然其長官又不便予以否認，避免多惹是非，弄成騎虎之勢。況且出於隨員之口的說詞，別人亦不會相信這不是主官的意思啊！

上述情形如果屬實，我希望一般紆青拖紫的政府文武大員，知所儆戒，無論對內對外發言，必須謹守份際，不要越位管事，漢文帝的丞相不答復君王錢穀之類的問題，請他去問主管者，就是這種道理。尤其是軍人，凡屬涉及政治問題的話，最好少說爲是，像彭總長在菲律賓所遇到的新聞記者詢問，只要告訴他們以事關政策，不在本人職責範圍之內，無可奉告就行了。這樣的詞令，不失身份，也不致得罪人，不亦宜乎！

其次是一般大人先生的隨員，決不能隨便讓他代長官對外立言，否則不但是有失體統之虞，且有招搖撞騙的後患。若係隨帶出國的翻譯人員，更不能濫肯自己的意見，向外人胡說八道，賣弄說事，但其基本條件還是知識水準關係。每見要人們的隨員，多半都是些書記馬弁出身的親信人物，這類角色，教他捧捧場，挾皮包，固然勝任愉快，萬無一失。一旦遇逢大場面，由於知識淺陋之故，上焉者信口開河，莫名其土地堂，下焉者受寵若驚，言行肉麻當有趣。一個得力的隨員，他的學識應該優越於其長官，才算是合格的人選。試看英美各國要人出國公幹的隨員，不是學有專長的學者，便係獨具造詣的科技專家。咱們中國一般文武要人所用的隨員，在國內是嘍囉之流，到國外呢，最上等的，亦不過只會說幾句市井中之洋話的買辦人才而已。這次彭孟緝先生在菲律賓到處碰釘子，黃蓮滋味，代人受過而不能說，覺對於自己的事業前途，或許不無裨益吧?!

中共會與俄共分裂嗎

——西方國家應該覺醒了——

秦泰

截至目前為止，還有許多短視的西方人士，相信中共將會與俄共宣告分裂的。簡直是一種可憐亦復可笑的幼稚的夢想。而這種夢想，遠在十年前，當中共席捲中國大陸的時候，就在西方人士尤其在美國人的心目中醞釀着。所以處處都遷就中共，目的便是希望它能有這麼一天；想不到他們迄至今天還未覺醒過來，實不能不使我們感到驚奇！

西方國家之所以有這種幻想，多半受了印度的中立外交政策的影響。尼赫魯認為：中國人民，天然的合作者是蘇俄，可是蘇俄卻不能不離開中國人民。印度應着自己的利益打算，企圖離間中共與蘇俄。其辦法是：令到中共除全面倒向蘇俄之外，尚有可走之路。因此，冥頑的尼赫魯曾主張美國承認中共，希望運用國際會議便利中共脫離莫斯科。大家都知道中共政權不能獨立，但他們認為中共對蘇俄交涉，可恃以挾持蘇俄的地方多，而蘇俄可恃以挾持中共的地方少。假如能夠勸勸中共，像印度一樣的採取獨立的外交政策，則蘇俄在遠東的地位即完全崩潰。

同時，西方更相信蘇俄對于中國局勢，比美國對于中國局勢更傷腦筋。正如最近美國一位官員所說，蘇俄將感到中共它的威脅，比來自西方國家的威脅更大。但是，我們要知道，中共與俄共的結合，絕不是像普通盟國的結合一樣的；而中共政權純粹是在蘇俄操縱下的傀儡政權。它的一舉一動，都得要仰承蘇俄的意旨。其被控制和操縱中共的情形，可從下列事實看出。

根據中共「北平市政府外僑管理處」一九五三年二月廿五日的統計：俄駐北平大使館，就擁有俄籍人員五百五十八人，此外還有蘇俄顧問團的技術人員約六萬五千人不在其內。

這個蘇俄大使館，早就是北平城裏最神聖，最有權威的機關。上自毛澤東，劉少奇，朱德，周恩來等，下至無知市民，可說沒有一個不對它恭而敬之的。它在名義上雖仍算是一個使館，然其現行組織，卻與中共偽國務院不相伯仲。因為它也分有政治，文化，貿易，工業，交通及農墾等部，每部都設有一高級首長擔負的主任；另外尚有武官和新聞兩個處。

再根據中（共）俄同盟條約附表第三「蘇俄技術顧問團任務分配表」看，蘇俄技術顧問人員，已控制了中共所有的細胞組織。在軍事方面如陸、海、空軍和兵器製造等，計有俄籍技術顧問人員一萬九千五百人；在工業方面如鋼鐵、紡織、鹽、冶、煉油、機器製造、電器、造船、汽車、印刷、造紙、橡膠等工業約二萬一千五百人；在交通方面如公路、鐵道、航空等約九千人；他如農業和森林約七千人；教育、文化、和電影等界共約六千五百人；司法和外交各二百至五百人；一般行政工作三千人；市政二百至五百人；調查工作一千至二千人；檔案五百至一千人。

這六七萬人是公開出來的數字，還有不能公開的，當然沒有計算在內。同時在這六七年當中，陸續從莫斯科增派來的助理武官、學習領事、助理秘書及交通助理員等，委實無法統計。特別是它們的權職，更有如下的界予：（一）凡配屬單位舉行的會議，只要內容稍為重要的，顧問都要參加；（二）凡配屬單位擬定的工作計劃與總結，顧問都要參加審核，並充分提供意見；（三）凡被配屬單位指定的工作，如屬于技術部分的應負全權責任；（四）凡執行業務所需要的資料，得商請配屬單位，充分搜集或親自徵求；（五）凡所屬單位的人事獎懲致核黜陟事項，顧問都要站在工作成效方面盡量建議，但不得對外洩漏；（六）如與配屬單位的主管意見相左，應擬請使館大使或顧問團處理，不得直接發生衝突。……

總之，今日的中國大陸，如果沒有蘇俄顧問常駐的機構，就不是重要的機構；沒有顧問參加的會議，也不是重要的會議；沒有顧問審核的計劃，更不是重要的計劃。同時中共自已也不諱言，它們建黨以來，一切設備係完全向「聯共」學習、模仿、脫胎來的。

不錯，中共在共產黨集團中，是蘇俄的衛星國之一，永遠不能脫離蘇俄的控制。但是蘇俄還不放心，為更進一步的加緊控制中共起見，故于去年四月蘇俄提拔它的親信劉少奇為中共偽主席，表示北平與莫斯科的關係，更加密切。由於劉少奇是一個不折不扣的的國際共產黨員，當中共處此內憂外患的今日，劉少奇他必然登場，顯然倚賴克里姆林宮的支持和協助。蘇俄已企圖把自己的親信走狗置之于高位上，來表現它的權力。

蘇俄的詭計多端，不僅中共命運由它擺佈；即西方國家也被它玩於股掌之上。一九五〇年六月廿五日，蘇俄驅使中、韓共在朝鮮半島放火，美國立即派出第八軍及第七艦隊加以堵截；一九五六年七月廿六日蘇俄慫恿埃及，造成蘇彝士危機之後，美國不得已而產生了艾森豪主義；一九五八年八月，俄共又驅中共在台灣海峽發動局部戰爭，造成遠東緊張局勢，企圖牽制美、英分別出兵黎巴嫩及約但的行動。但中共經過兩個多月的猛轟，轉而停停打打，以及單打雙停；可是毫無收獲，且造成騎虎難下，又不得不乞靈於蘇俄。所謂「解鈴還需繫鈴人」，蘇俄為欲替中共掩飾和解脫，於是提議西方三強退出台灣海峽，以使世人注視台灣海峽的目光，隨着冷戰重心轉移到歐洲方面去。

從上述種種方面看來，中共與俄共根本沒有分裂的可能跡象；而西方的幻想，未免過於天真。假如再不覺醒過來，那是非常危險的。

中共與外蒙的交惡

彼臣

盛傳劉少奇即將訪問外蒙之際，外蒙由巴揚勒．賈爾卡賽漢率領的訪問團，應「人代會常委」朱德的邀請，卻已於四月八日到達北平，賈爾卡賽是外蒙的共黨「中央委員」，從一九五六年開始到現在，一直是擔任這一項聯絡和「對外聯絡部部長」。

彼此訪問的代表絡繹不絕，在去年八月外蒙「部長會議主席」澤登巴爾所率領的外蒙訪問團前往北越之際，特於八月二十九日，繞道武漢與毛澤東晤面。內容談了一些什麼，鐵幕的消息總是諱莫如深的。

接上中共「人代會」的訪問團，由林伯渠率領前往訪問，歸來還提出了報告。

在去年外蒙為了慶祝中共的十週年，外蒙各地還舉行了十五天的「中蒙友好活動」。到現在，外蒙的「中委」賈爾卡賽漢又到達了北平，而劉少奇又將訪問外蒙了。

這裏有跡象可以顯示中共與外蒙的關係緊張，亟待加以彌縫。在蘇俄卵翼下產生的「蒙古人民共和國」，事實上僅維持名義上的獨立，就行政上的管轄，它既不屬於俄共，也不屬於中共，但由於界於兩者之界，它與雙方都保持着微妙的關係。

莫洛托夫仍舊是駐外蒙的大使，然大多數時間並不駐在任所。在某些重要據點上，蘇俄設置了領事，反而中共在外蒙的領事館竟付闕如。

由於一九二〇年以後中國在外蒙的地位已被蘇俄攫取，現在中共想要在這裏重建勢力已不容易。中共的政策是每年遣送十萬中國「工人」到外蒙各地「從事建設」，年屆期滿，復以新的工人代替；雖然中共着意於外蒙的控制及其統戰工作，但在外蒙長久居留的中國人卻為數有限。

目前雖有跡象，顯示中共對外蒙採取顯著的攻勢，在北平雖有外蒙的學生和學者，但人數不多，中國人在外蒙從事研究者則更為少見。反之在內蒙中共已經設立了一所「蒙古歷史及語言研究所」，惟外蒙則並未設置。年前，蘇俄、中共、外蒙曾經計劃合編一部「蒙史」，後來又因中共的退出而沒有下文。

最嚴重的問題，是在去年的四月，在外蒙的一度整肅之後，該地會發生親俄份子與擁毛份子的敵對示威，並釀成兩派惡鬥。事情的經過是這樣的：

親中共的擁毛份子抗議整肅蒙古第二書記丹巴及另外五名共幹。這六人的被黜，是為了討好赫魯曉夫，因為他們曾在前俄外長莫洛托夫與毛澤東之間做聯絡人員。親中共的份子曾在首都庫倫及其他城市發動示威，要求撤消對丹巴的懲處。同時，又有傳單到處散發，要求莫洛托夫出面干涉，認為他的斡旋，「最能保障蒙古的政治及思想要求」。親俄的蒙共積極份子則舉行反示威，因而有拳腳交加的惡鬥。

當時，蘇俄立即派了一名中央委員及另一名內政部官員赴外蒙調查示威真相，以及莫洛托夫與丹巴的關係。同時，外蒙親俄份子「認為只有畢沙萊夫才是蘇俄駐蒙的真正代表，他名義上是領公使銜的參事，但實際上則控制名義上以莫洛托夫為首的蘇俄駐蒙大使館」。

因為有了以上的嚴重分裂，外蒙大部份的親俄份子與中共交惡，使得中共在外蒙的工作失所憑藉。儘管有澤登巴爾的武漢之行，與林伯渠的外蒙訪問，對於這一個內部的派系鬥爭，並未能弭患於無形，中間仍存在極分歧的裂痕。

所以朱德才又有邀請賈爾卡賽漢來平之舉，而劉少奇更不惜以「主席」之尊，親自赴外蒙訪問。總之，外蒙實際上是受着共黨的控制，然無論俄共也好，中共也好，都是以暴易暴，為數一百萬外蒙人的命運，始終還是無法脫離共黨的魔掌。

·岷尼拉通訊·

菲共活動又趨活躍

琯然

共產黨叛亂份子在菲律賓曾一度猖獗，但在菲國政府軍隊的武力掃蕩下，「虎克黨」武裝搗亂份子的活動已漸告平息，現在菲，菲共已無大規模的武裝搗亂，菲共武力被壓抑後，即轉從事於文化經濟上的滲透，傾覆活動。在中共侵佔大陸初期，左傾思想會一度甚為普遍，但隨後不久即告消沉。近年內，因為菲政情混亂，一般政客以「菲人第一」為政治資本，盲目排擠華僑，做成社會情況上的不安，菲共便乘勢大事活動。

據菲律賓國家調查局局長駱萬最近在國會稱：菲律賓之共黨破壞及宣傳份子，正利用行政當局的「菲人第一」政策來達成其目標。駱萬在衆議員阿班駱所主持的擴大國家調查局組織法案的公開辯論會中作證，他舉出事實和數字，以支持其所獲的情報，指出菲共黨已經加强其對菲的破壞性滲透，特別着重於經濟破壞的事實。他說：除此之外，菲島的共黨同情者已成功地將中共所出產的衣料傾銷到菲島去。

菲總統加西亞對於衆院反菲調查委會有關菲共活動的報告深表關懷，但他叫毋須過份緊張。他呼籲人民保持鎮靜，透露說：政府中情報機構均時時向他報告有關共黨在菲國活動的情報，他已命令情報署長赫美里斯詳細研究及調查反菲會的報告，加呈交一份調查結果的報告。加西亞同時對反菲調查會關注國家安全加以讚揚。

反菲調查委會同時又揭露一羣效忠共產黨的學生組織，該委會主席帛禮斯向衆議長羅慕斯正式提交報告書，指明該共黨組織為「國家準備委員會」，有九名菲籍學生已經被認明為此組織會員，帛氏並建議提控此九名學生犯「傾覆」罪。反菲調查委會同時透露，該組織係隸屬由共產黨支持的「全球民主青年聯盟會」及「國際學生聯合會」，其中有一名會員基禮莫地未牙，會預言國際共產主義將於一九六〇年控制菲律賓，他會出席莫斯科舉行的第六屆青年節。反菲委會主席稱：該組織學生職員違犯現行政府政策前赴共產國家訪問，因此他建議重新檢討現行的護照法規，以免持有菲護照者前赴共產國家。他指出該組織只是共黨從事顛覆的非法組織之一部份，尚有其他類似的非法組織，反菲調查委會發現正進行深入調查。目前，該共黨組織正滲透菲各地學校中，並企圖在菲國的農業學校中組織幹部，以破壞菲律賓農業生產和經濟發展的中心。

反菲活動調查委會主席帛禮斯同時警告學生領袖勿從事顛覆與滲透活動，他向附從該左傾學生組織的學生領袖挑戰，說該委會已掌握甚多證據，若該組織的學生領袖再從事活動的話，他決即拘捕繩之於法。

但最富諷刺的是，當帛禮斯主席向各報記者發表警告左傾學生領袖，不得再從事傾覆國家活動的談話後，在二十四小時內，他即接到未署名的恫嚇信，警告他勿干預學生的活動，否則將遭不良後果。帛禮斯又發表談話，說他不畏懼任何恫嚇，而對其所發表的事實，即「國家準備委員會」為一與國際共黨有密切關係的左傾學生組織一事，將堅持不移。另一方面，菲保安隊與岷警局已派員駐守帛禮斯在奎松市的住宅，以預防不測事件發生，而那封恫嚇信，則經已轉交國家調查局檢驗筆跡。

其後，衆院勞工及反菲二調查小組，召訊該「國家準備委會」主席莫哈密上校，莫上校作證中承認該會在不覺中為共黨滲透，其活動彼本人亦受矇，該會並曾接到北韓及其他共產國家政府，對該會工作表示讚揚，並稱之為同志。他目前會在岷市一家報紙發表公開信揭露一羣與共黨有關的學生活動。現在，他歡迎國家深入調查該會高級份子的身份，以便改組該會高級及基層組織。

社會小說
香港地

三、文章有價

且說梅大亮別了譚福祿，急忙忙跑到碼頭，趁船過海，到香港那方面去，爲的是和一個朋友約好了，在一家咖啡室見面，會同到另一個朋友家裏去問病。

原來這一天，梅大亮排好了時間表，中午是向張家致賀，參觀婚典，下午是向一位「爬格子」的朋友致候，看他從醫院回家休養以後的康復情形。

「爬格子」這種職業，據說在香港三百六十七種職業中，也算頗有地位的一種。

香港之大，究竟共有幾種可以謀生的職業呢？這似乎難以統計，但據梅大亮個人所作調查統計，最近列成了一個表格，不多不少是三百六十八種，而爬格子亦是其中之一，他本人便隸屬於這門職業之內，結交了不少同業。爬格子是寫稿的別稱，但凡寫稿的人，爲了便於計算字數，慣用有格的稿紙來寫字賣文，天天拿筆桿在格紙上爬來爬去，結果便不是筆桿爬格子，而是整個人都爬上格子上面去了。

這一天，梅大亮要去致候的病人，是一個著名多產的偵探小說家。這人頗有寫作天才，一天能寫好幾千字，爲着要多產，便由每天五千字膨脹到一萬大關。雖則人的腦筋也像橡皮一樣有伸縮性，常常可以由短拉到長，或者由長拉到短，但人終竟是肉造的，這位多產作家爲着不堪腦筋膨脹之苦，乞靈於一種有特殊效力的藥物，吃了可以補腦提神，吃得日子一久，不只成了習慣，反而成病。他的病說來眞是稀奇，大概因寫偵探小說寫得太多了，患的是心神怔忡的怪病，常覺有人要謀殺他，有一天病情突然惡化，在過海輪上發現有一個向他跟踪的刺客，使他失魂落魄，便在輪船泊岸之後，發足向岸上狂跑。

他這一跑足有好百丈遠，由尖沙咀碼頭跑到電車路，曾經躲向一家咖啡館裏，歇了一會，仍覺那個刺客跟隨不捨。沒奈何，他只好走出咖啡館，拚命跑向附近一家相熟的商店，希望得到朋友們的掩護，但過度的恐慌使他支持不來，便在半途大喊救命，結果是被警察抓住，送到警局，再轉送醫院檢驗和留醫，僥倖在醫院裏過了一個休養的時期，精神稍稍復原，才出院回家，繼續調治，算是逃過了一場大難。（二十一）

木客著

銷囂運動

江雪

首先應該聲明，這個「銷囂運動」，絕不是拿來作募捐之用，也不是拿來競選議員，更絲毫沒有推銷某種牌子的貨品的企圖，它是由許多街坊名流純粹在顧全公德的大前提下發起的。

我們這些坊衆之中，「名流」甚多。有以「世界小姐」起家，有以「狗展」或「鷄種展覽」起家，有以「旅行小姐」起家。有人估計十年八年之後，這個城市裏將有名流過多之患，好在那是以後的事，至少在目前，「名流」還是可貴的。

且說這些「可貴的」朋友，爲了響應「銷囂運動」，也着實忙碌了一番，經過幾番事前的交換意見之後，這才在有一天的晚上，聚集在「丁名流」的寓所開會。

丁寓高踞四樓，照說在這裏開會應該最適合的了。問題卻在天氣太熱，名流裏雖然有電扇送風，究竟人多火氣重，因此，有一位朋友提議到天台開會，就立刻獲得全場鼓掌同意了。

到得天台，清風送爽，果然別有洞天。名流們一面捲「麻雀」，一面談「原則」，直談到深夜兩點鐘，賓主才盡歡而散，約定第二天再談。

第二天晚上，「麻雀局」沒有了，代替的是西洋娛樂「十三張」，據說這是丁名流自己「悟」出來的，據丁名流說：我們既然是研究「銷囂運動」，顧名思義，就是銷除喧囂，身爲名流，理應以身作則，方能作到「君子之德風，小人之德草。」這個意見，大家深爲贊同，都覺得丁名流畢竟是參加過「鷄展」的人，思慮週詳，面面俱到。

可惜的是，名流對名流，只有在無關痛癢的場合，纔能維持他們的紳士風度，一到了牌桌上，雀局也好，十三張也好，也就顧不了多少禮貌，照樣臉色鐵青，聲如洪鐘，威震遐邇，偏偏這裏又是四樓上的天台，居高臨下，一呼百應，要不是隔鄰左右三四樓的坊衆，高聲哀求，請名流們修修陰功，作好事，恐怕那天晚上的喧囂之聲，還會鬧到天亮的。

這一回，賓主並未盡歡，原因就在左右坊衆，不知親仁善鄰之理，這種高聲哀求，然與是對名流們一大諷刺，但這又有什麼辦法呢？名流們討論的是「銷囂運動」，議論未成，卻已妨礙到人家，自己理虧，還有什麼好說？因此，到第二天晚上，「雀局」沒有了，「十三張」沒有了，這是眞正「銷囂會議」。名流們大抵火氣未消，對於銷囂的原則雖然一體贊同，而對於銷囂的技術卻又有了幾種不同的意見。一種是要硬性的用官府力量禁止喧囂，一種是用軟性的勸導方式去啓誘，還有一種是主張由街坊會用獎金的方式獎勵那些終年不喧囂的朋友，議論紛紜，莫衷一是。談到刺激的時候，名流們各抒己見，互不相讓。有的聲如洪鐘，有的聲如破鑼，有的聲如狼號，有的聲如犬吠，一個個都想拿聲音去壓倒對方，談到三點多鐘，還是沒有結果。最初有些左右坊衆，也曾高聲哀求，到後來，哀求也沒有用了，沒有辦法，只有乞靈於「九九九」。

警車開到，四路把守，幾個警探直奔四樓天台，一看都是些街坊名流，倒也不好意思。便笑着問道：「諸位先生，深更半夜在這兒開什麼會呀？」

丁名流答道：「我們在這兒開銷囂會議。」

「銷囂會議是什麼意思呀？」

「那就是說研究怎樣銷除喧囂的方法。」

「可是，諸位先生現在就……」

話沒說完，會場名流都覺得有點難過，大家負氣告辭。到得樓下，名流們一個個鑽進了自備汽車裏，汽車開動聲，全街震動，名流告別聲，將這深夜三點多鐘的寂靜，打破得一乾二淨。

看情形，要是這些名流們對於「銷囂運動」還是這麼熱心的話，那末，這條街上的坊衆們，就只有暫時遷地避囂的了。

——完——

燒餅歌

漁翁

我國預言七種：如劉伯溫的燒餅歌，李淳風與袁天剛的推背圖，太公望的乾坤歌，諸葛亮的馬前課，李淳風的藏頭詩，邵康節的梅花數，黃蘗的禪師詩，均爲未卜先知，料事如神的心理學，而燒餅歌一部讖書，更具神化，其中「手執鋼刀九十九，殺盡胡人方罷休」，兩句爲清末民間所樂道。

伯溫名基，浙江青田人，年十六，舉於鄉，二十三歲，會試而爲進士，除江西高安縣令，與當道不合，辭官歸，閉戶研究天文兵法學，明太祖取與，牧中原，定天下，基謀爲多，封誠意伯，太祖常呼爲老先生而不名，較先主之於諸葛，殆尤過之。

燒餅歌，爲太祖與基的問答詞，其所以較其他預言流行最盛者，以其論過去的興亡，絲毫不爽，如「八千女鬼亂朝綱」，指魏忠賢當國，「奔走梅山上九重」，指崇禎崩於梅山，「雨水草頭眞主出」，指滿人入主中華。可是從光緒後，無註解，閱至「黃牛山下有一洞，可容十萬八千衆，先到之人得安穩，後到之人半路送。」所謂一洞者，咸以香島擬之，是耶？非耶？俟他日爲之徵。

圍堵政策

徐學慧

有形的東西可以圍，可以堵；無形的東西，不是以語圍堵。

美國對於共產黨的圍堵政策，似係始於杜魯門，至艾森豪而發揚光大，遂形成今日世界對共之尷尬場面。

國家政策的製訂，端賴執政者的智慧。智慧之產生，十分之三原於天賦，十分之七基於瞭解。美國的政治家，對於共產主義的瞭解程度，雖不能說完全無知，但在我們看來，他們的瞭解，還是大大不夠的。

思想與主義的戰爭，怎麼可以乞靈於圍堵政策呢？發明圍堵者，簡直是集滑稽與幼稚之大成。

如謂圍堵可以收效，何以緬甸阿富汗印尼等地，幾已成爲共產主義之溫床？如謂圍堵可以收效，何以今日之拉丁美洲，亦有共產黨人藉機生事？

十幾年的對共作戰經驗，仍不能改變美國人的圍堵觀念，事誠可怪！

美國的政策，似以圍堵爲滿足，而共產集團亦以美國人之躊躇滿志爲滿足，天下滑稽之事，寧有逾於此者？

第三次世界大戰，早已開始，而美國的某些官員們，乃口口聲聲以能防止三次大戰之爆發而沾沾自喜，彼等以爲談大戰必涉及軍事武器之使用，卻不知今日之戰爭，有不費一兵一卒而足以亡人之國者。如以此衡量美國的外交政策製訂者，則謂其爲天下之至愚，亦不爲過。

圍堵二字，卽就字面的意義而言，亦屬被動。十幾年來，美國的對共政策，則不僅爲被動的，更且是助敵的。

中國大陸之淪亡，非亡於共產黨，而亡於美國！

使當年美國的執政者，而對於中國共產黨之本質，有十分之二三的認識，則勝利以後之對華政策，應不致愚笨到那種地步。

大錯鑄成，乃又以圍堵爲得計，此誠爲本世紀一大悲劇。

政治家的智慧，縱不能看到百年以後，最低限度，也得審愼瞭解當前的情勢。美國的執政者，究竟有幾個是瞭解共產黨的呢？

對共作戰，必須針對共產黨的政策，主動地打擊之。萬不能存半點苟安心理，更不可存有不使美國人流血卽是上策的觀念。此種觀念，實在是似是而非的。

圍堵政策，其用意乃不過是令今天這一代的美國人或不要流血；但圍堵政策的後果，卻要令下一代的美國人流出更多的血。

要什麼時候，美國人才能大澈大悟呢？

大陸文壇萬花筒

鬼話連篇

岳騫

本年二月山西平陸縣曾發生六十一個築路民工因食野生植物中毒的事件，中共曾派飛機由北平運藥品去救濟，這件事在海外報刊已有詳盡報導。大陸上更是展開如火如荼的宣傳，總計有關文字若集攏一起，印成專集可能會超過百萬字，其內容更是謊話連篇，厚顏欺世。其中最荒謬透頂的要算中國戲劇出版社出版的「爲了六十一個階級弟兄」劇本。

這件事情的眞正經過是六十一個築路民工因爲食了野生植物製成的糕點，大吐大瀉，變成了急性霍亂，共幹束手無策，還是老年農民想起中國土法茶豆湯可以解毒，告訴給所在地張村人民公社黨委書記聽，書記當時也算大慈大悲，撥出了幾升茶豆，煮了湯灌下去就止住了，及至藥品運到，也只有少數受毒較重還未痊癒，輕毒的已經沒有事。可是在中共宣傳下，自然把飛機運藥這件事誇稱古今中外所沒有的「德政」，宣傳與事實完全變成兩件事。

「劇本」是由中央戲劇學院實驗話劇院集體創作，就編排演出了這個戲，中國戲劇出版社和工人出版社印刷廠費了二十二小時出版了這個劇本。

劇本內容是從平陸縣委書記劉誠寫起，當他知道張村人民公社發生這個事件之後，馬上趕到地方進行搶救，看到了病人情況之後，立時派人（當然是民工）冒着狂風巨浪，黑夜搶渡黃河，到三門峽工地去索取特效藥。以後又坐鎮醫院，日夜指揮，最妙的是對於治療病人方面，醫生要聽他指揮，中共對這種作風叫做「政治掛帥」，結果病人治好了，自然又說是黨的正確領導。

另一位被「表揚」的人物是張村人民公社的黨委書記，他的最大功績是當六十一個民工病倒之後，他又組織了老弱婦孺去接班，使工程進行不會受到阻礙。

還有一位英雄人物是空軍的一位駕駛員，因爲他決定派飛機去運送藥品，不理政委的意見，當然又是「政治掛帥」。全劇的中心人物就是這些，至於中毒的民工，民工的家屬，以及最初獻計用茶豆湯解毒的老人的建議都未提，因爲他們與宣傳無關。這個劇本上演情形如何，尚未見報導，不過相信賣座一定不差，因爲戲票是組織銷售的，人民固然沒有看戲的自由，可是也沒有不看的自由，尤其是有「教育」意義的影片。

釋耒集

教與學

班固漢書藝文志，敍錄儒家之學曰：「祖述堯舜，憲章文武，宗師仲尼。」後世以孔子爲萬世師表，其源蓋出于此，堯舜文武之業，集大成于周公，而孔子則學周公者也，故曰久矣吾不復夢見周公。又曰：郁郁乎文哉，吾從周。然孔子敎人學，則往往依其人才性之高下，以定其程度之淺深，故樊遲問仁，曰愛人，問知，曰知人。他日再問，則曰：仁者先難而後獲，及務民之義，敬鬼神而遠之，可謂知矣。孔子未嘗敎人以旦夕之功，一蹴而至于周公文武堯舜也。至孔子自述其學，由十有五而志于學，循序以至于七十而從心所欲，不踰矩；及其晚而喜易，猶曰加我數年以學易，可以無大過矣。是孔子之所以成學，固自有其程序，亦未嘗一蹴而至于周公文武堯舜也。章學誠文史通義，外篇卷第三家書六有云：「人之才質，萬變不同，已成之才，推其何以至是，因而思所效法，道亦近矣。然有不可據者，不容不察也。觀前賢自述生平得力，其自矜者，多故爲高深，如戴東原言：一夕而悟古文之道，明日信筆而書，便出左國史漢之上。此猶戴君近古，使人一望而知其荒謬。……都門某先達，擅時文名，其先實學邃茲而後取法乎先正。因絕口不言前業，雖固亦無傷，未免使後學之已誤所趨者，不知其道之術可變也。」昧章氏所言，其所謂誤後學者，胥在于故爲高深。自矜其所已獲，諱有所謂家法師承者也。孔子言學，主擇其善者而從之，未嘗及家法，論其原則，但曰好古敏求，多學而識之而已。而其所以成功，則在乎學如不及，猶恐失之，與夫發憤忘食，樂以忘憂，不知老之將至云爾。孟子，學孔子者也，其致曾交，不過曰徐行先長者，及徐行後長者即可以至于堯舜之道，此亦孔子所云：孝弟者，其爲仁之本歟。其陳義之平近，使非出于孔孟，未有不群起而非難之，指爲俗學者矣。孔門自曾子、子夏、子思、孟子以後，論學之精且詳，固無如荀子；然亦曰：『學莫便乎近其人，禮樂法而不說，詩書故而不切，春秋約而不速，方其人之習君子之說，則尊以徧矣，周於世矣。』所謂法而不說，故而不切，約而不速云者，一言以蔽之，陳義過高，承學之士無由幾及而已，然則學者自矜其已成之業，忘其所以至是之由，故爲高深之論，以之言學，亦孔門之罪人也。

曲齋

海嘯廬談薈

制憲秘辛（上）

中華民國現行憲法之創制，導源於對日抗戰時期全國各黨派聯合抵禦外侮，中樞順應時勢需要，設立「國民參政會」，頒佈「抗戰建國綱領」後，國民黨決計要還政於民，實行民主憲政之治；籌劃於抗戰末期的各黨派（共產黨在內）政治協商會議，而由戰後的制憲國大代表會議聿觀厥成。在制憲階段中，歷盡艱困周折的過程，其事殆非常情所能測度者，說來眞是感慨萬端，不堪回首。

當制憲工作進行之際，共產黨與青年、民社兩黨以及所謂「民主同盟」，都是站在同一戰線上，目的只求防制國民黨執政的權力擴大，因爲共產黨亦知道它是不能依憲政常軌來攫奪政權的，其他黨派更無論矣。職是之故，他們唯一的用心，就要使行政元首無權（實際即是以蔣先生爲對象），使中央政府無能，而將民意機關——立法院——的制衡權能特別加強增大。共產黨且藉口「保障少數黨利益」之說，無論在政府或民意機構中，都要求享有否決權，它這項主張，自爲其他各黨派人士嚮往。這些基本因素，即爲現行憲法的先天本質所在。明乎此，纔可以對修憲問題的是是非非，洞見癥結，鞭辟入裏，纔不致流於空疏理論或感情用事之爭。

在制憲會議中，國民黨當然希望能以「五五憲草」爲藍本，實現國父孫先生的政治理想。可是，各黨派避之若浼，認爲毫無商量餘地。當時設置「綜合委員會」綜持其事，各黨派都有代表參加，初以孫科爲召集人，但爲憲法第一條的國體問題，爭執吵鬧了一天亦不得要領，民社黨代表徐傅霖尤其表演得十分激烈，動則拂袖退席，拒絕討論，氣得孫科亦肝火大動，拒作召集人，嗣經吳鐵城對各黨派代表多方疏解敦勸，改由王世杰承乏孫氏的職務，然爭論了一個整天，亦僅通過第一條和第二條的草案條文，到次日又被在野黨代表推翻了，理由是他們不承認「基於三民主義，爲民有民治民享之民主共和國」這種詞句，表示其唾棄三民主義的反對黨氣派，却指不出三民主義對於中華民國國體究有甚麼損害？以致激起了無黨無派人士的反感，胡適、傅斯年等人，當時皆不以他們妄逞意氣之爭爲然，發言抨擊，王世杰嘗嘗滋味後，他也不願作召集人了。如是大家推舉陳誠繼任，陳氏以自己不懂法律，堅辭不幹，綜合委員會議乃陷於停頓狀態中，最後經蔣主席吩咐陳氏勉爲其難，並且指示他不妨遷就各友黨的意見，以免制憲工作半途而廢。

諸葛文侯

談名

陳永昌

名成利就，人間快事，捨此其誰？

很多人在社會上之所以能刻勤刻儉，奉公守法，乃爲保守名譽，而那些釣譽者，往往又裝模作樣，來一套甚麼慈善家，社會公益名流，使人不禁作嘔，若不是爲了「尊姓大名」之能刻於牆上，或「尊容大相」之能懸於客廳上，又那會慷慨解囊呢？捐一毛錢給乞丐也要商量一下呢！

爲了名，人們不惜用各種手段以得之。「十年窗下無人問，一舉成名天下知。」這是致名的一種艱苦忍耐的方法，談何容易，莫以爲李政道楊振寧之能聲馳國際，是一朝一夕的事，寒窗十載，可也夠人受了。

「不飛則已，一飛沖天，不鳴則已，一鳴驚人。」有些人以爲成名並不靠一連串的佳作，只需偶然的成就，便會出名了！這個是不對的，成功是沒有偶然的，所說的偶然乃是應到成功的時候了。譬如說，從沒有寫小說的人，最初的一本小說出版後，居然能震動文化界，惹起各方的注目，這並不是說他是偶然的成功了，而是他已達到了成功的地步，以前在各方面的磨鍊，使他能寫成這本出色的小說。

很多文人是「一罵成名」的，要成名便要罵人，不罵人便不會成名，不管你罵得對與否，總之你有膽量去罵人，你不愁不成名的。理由簡單顯淺，不罵人便沒有人注意你，沒有人注意，縱使你能寫龍飛鳳舞的文章，別人也只暗暗的欣賞，人數總不會多。還有，要罵人切不可罵無名小卒，要「擇人而噬」，如甚麼鴻儒名流之輩，這一來，就算被罵的人不出而自衛，很多閒人會起而反對或辯駁，因此你的名字便會常常被提起，且不難使人有這樣的感覺：「此公居然罵當代俊傑，想也有相當「料」吧！」這一來，不難則身名流之列，收「一罵成名」的效果。

很多人本來不應成名的，但有些人想從他身上得到利益，便諸多方法，竭力捧之，如此這般，他便被「捧紅」了。最顯淺的譬喻，莫如拿電影界的影星。有些甚有名氣的紅星，簡直不會做戲的，只是「得個樣」，做活動模特兒則可，做主角則覺有小材大用了。可是，她有後台，製片家一於「捧」，廣告費用其三兩萬不足惜，只要她「紅」便是了，紅了後，不愁沒有機會刮回來的。

最悲慘的成名方法乃是自殺。用自殺而使自己成名者，在電影界裏比比皆是，買了幾樽安眠藥，吃了數粒便睡覺去，吩咐工人依時撞爛房門，依時打電話召救傷車及報警，還寫了封不倫不類的遺書，以示「死的決心」，一切順利進行，進醫院洗胃無事。次日報紙頭條，不是她的新聞還有誰？於是她所主演的電影也跟着推出，觀衆爲了要看這「自殺者」的廬山眞面目，無不樂意購票，姑不論好與醜，她畢竟是出名了。

曹操說：「不能流芳百世，亦要遺臭萬年。」誠然，大丈夫焉可寂寂無名地過此一生呢？

可是世人很多爲了好名，而把這一生糟撻了，到頭來便有「虛名誤我」的感覺，不由慨嘆萬千。長年累月拚命掙扎，盡力爭取名譽，一生一世，奔波勞碌，目的爲何，爲了個爛臭名，以致失却生活的原意，失去很多生活的眞正樂趣。這麼說來，倒不如寂寂無聞地過着一生悠閒自由自在無拘無束的常人生活了！

粟海彈心錄

中日美外交（上）

中日八年戰爭，日本之傾竭以謀我，與我之殫竭以抗日，曾不遺餘力，且日人之屠殺我戰俘，虐劉我人民，蹂躪我婦女，掠奪我公私財富，何嘗稍存道德倫理國際公法之觀念，而有所忌憚。及其無條件投降也，我國一本民胞物與，以直報怨之傳統文化，力主寬大，務存大體。日俘所在，配以俘糧，日僑所在，處以安全，百萬之衆，一依公法遣送回國，未嘗少事羈留勞役。論者謂日本人之於中國，未必知所懺悔，於蔣公未必知所圖報，是又淺之乎視中國文化，與西方現實主義者之論蔣公矣。要知德之於人，發於中而施於外，無小大衆寡，利害得失，一若天心然。不責報於人，不存德色於人，爲中國文化之最高原則，是豈世之泛言道義者哉。然則日本戰前戰後，何以乖戾至於如此，豈由人文與地理有密切關係，所由致也。海國民族，知性多主向外，大陸民族，知性多主向內，向內者必求其心之所安，罔瞻前而顧後，向外者不必求其心之所安，每得隴以望蜀，以故數十年來，常相左而不相謀，相仇而不相親。然則中日終無相謀相親之時乎？是又不然，乃先論中美。

中美自有國交以來，號稱親善，且較日英易處，按之實際，則亦泛於捕風。視爲親善，則有時落井下石，如杜魯門先生之白皮書。視爲易處，則有時突如其來，如羅斯福先生之雅爾達會議，至於馬歇爾以特使身分東來，事事主張，處處干預，一若以客卿自居。迨中共羽翼已成，則又抽身便走。此予所謂泛如捕風者也。若謂不親善不易處，則亦有時呼之相聽，慷慨相助，其故安在？實由美國之精神文化，與吾人絕不相同，苟非外來威脅，利害與共，乃至威脅相同，而彼此利害各別，則應之助之，又當別論。倘或責以仗義執言，拔刀而起，我敢斷言其必無。故美之反共乃相對而非絕對，誠得中共放棄仇美，蘇俄回心親美，則軍援經援，北約東約，皆可立地勾銷。其故又安在？美國朝野，孤立主義，根深蒂固，二十年來，生產消費，繁榮享樂，深入人心，已不復知有天下未來事，更不復爲天下未來事著想。然則美國不可與交乎？則又誤也，在美蘇對立之際，與夫海未晏河未清之候，彼美猶是吾人好友，但只可與言利害，至於正義是非，大可束之高閣，知此可以談軍援經援矣。

我敢正告世人，蘇俄是避戰而求戰，美國是備戰而不戰，五年內外，彼此毀滅之期至矣，造物不容擁有毀滅世界武器的國家並存，使人類永無安寧休息。更不容擁有毀滅世界武器的國家獨存，使人類盡成奴隸牛馬。可斷言也。

阿公

森林與德國文化（上）

林沙

讀書隨筆

森林的氣氛是很複雜的，但在複雜的氣氛中仍有明顯的特徵：森林具有生機勃勃，堅忍，沉鬱，浩莽，剛勁，倔強，嚴肅等等氣質，而在世界的民族中，德國人正具有這些氣質。現代著名的史學家房龍曾經說過：「德國人的性格，離不開森林的影響」。因此森林可說是德國人的母親，而德國人則是森林的赤子，德國的文化與森林的關係是邁密切的。

偉大作家歌德，在「浮士德」中曾有下面的二句話：

「我愛大樹，大樹是祖先。」

「到森林中去，到有樹有石的地方去」。

在「少年維特之煩惱」中，也有一些文字是讚美樹林的，可以說，在歌德的著作中，對於樹木，對於森林，都曾用過許多情愛的話來讚美和歌頌。

近代哲學家的鼻祖康德，他亦是代表着德國人對森林的愛好者。當他在鄉下居住的時候，每天總是按時的在附近的小樹林中漫步，因爲他每天的時間都很準確，他的散步幾乎成了附近居民的時鐘。康德曾說過：「仰觀星辰，遨遊森林，是足以給我沉思瞑想的機會」。他就是用這種機會來觀察和深思宇宙肅穆底理性與秩序，與歌德以情愛來讚美樹木是有些差別的，這是文學與哲學不同的地方。

自由報

THE FREE NEWS

半週刊每星期三、六出版

第二十二期

每份港幣壹毫

社長：雷嘯岑

督印人：黃行書

社址：香港銅鑼灣高士威道二十號四樓

20 Causeway Rd. 3rd. Fl. HONG KONG

TEL. 771726

電報掛號：7191

承印者：田風印刷廠

地址：香港高士打道221號

怎樣開拓新局面？（上）

雷嘯岑

自由中國執政黨最近發表宣言，說是今後亟須解答的課題，首為開拓新的局面，把握新機運，網羅新人才，團結與運用一切自由民主之反共力量，以期早日摧毀大陸上的匪共政權云云。這些見解很對，路綫亦很正確，問題就在能否坐言而起行，行之是否於事有濟？

要想早日摧毀大陸上的共產政權，必須以政略支配軍略乃可。換言之，即以政治力量為主，軍事行動為從。然默察自由中國現在的政治情況，似不足以語此，所以執政黨宣言指出的急切課題，可謂切中肯綮，實獲我心。孫中山先生創發「知難行易」之說，皆在鼓勵世人選事擇善力行的勇氣，亦與古人所謂「為政不在多言，顧力行何如耳」的義理相脗合。執政黨眞有解答其所擬定之課題的決心，我認為至少至少亦須以行動來剔除幾點現存的障礙因素，否則還是徒託空言，無裨實際的。

放棄舊觀念

現有的政治局面，是從大陸上帶來的那套憲政體系，一切法令規章，固然一仍舊貫，即人事行政亦係「猶吾大夫崔子」，且加以所謂「人事凍結」的措施，唯恐舊有狀態之不堅固。整個政局便如一部破敝而龐大的機器，生產力極其薄弱，而消耗力卻倍蓰於往昔，經常祇是擦些機油，修換幾顆螺絲釘，毫無增進生產效能之可言。如果舊有那套作法是對的，大陸又何至於淪陷呢！誰都知道，今日自由中國的軍事建設是進步多了，然政治情況殊少革新的迹象，此中癥結所在，就是舊觀念根深蒂固，一成不變，而其所以然的最大因素，一方面是高層統治人物怵於過去的失敗，除卻舊時的少數親信幹部以外，對任何人皆潛存着不敢信任的心理，另一方面則為一般在政治上若有既得利益的人士，視台灣為安身立命之所，不求有功，但期無過，以鞏固有祿之處。上上下下皆抱持着强烈的保守觀念，新局面如何能開拓？新人才如何能夠網羅？海內外一切自由民主反共力量又從那裏去團結呢？任何良法美制，皆需要優良的人才來運用施行，庶幾有豸，白紙黑字的憲法，本身原屬無機體，不會自動發生行為能力的。開拓新局面的基本條件，即為改變舊觀念，而易以恢宏奮發，勇於進取的心情，把現有破敝而龐大的政治機器，教一般技術高明的工程人員，參預管理運用之勞，實在不堪使用的某些部分，不妨予以廢棄。滿清咸同之際的政局，比現在自由中國的情形更艱危百倍，然以孱弱無能的清室帝后，能夠信任曾國藩、胡林翼這般素不親近的漢人，授以權柄，言聽計從，終致創造中興之局，使垂危的國祚，得以綿延，這是值得取鑑的近代史事。今日任何一個希望自由生活的中國人，沒有不愛護中華民國的，也沒有人想要奪取國民黨現階段在政治上的領導地位。可是政治是管理衆人之事，國家到了現在這種危急存亡之秋，每一個中國人對於跟自己有切身利害禍福關係的國計民生問題，都有不能漠視的責任，也有過問的權能，執政當局更有網羅全國人才，集中各方力量以共濟時艱的義務。此時投身於政治工作，是犧牲，不是享受，是爭取自己自由生存的一場戰鬥，不是貪圖個人虛榮的政客行為。政治上如果沒有新陳代謝的機能，而實行「人事凍結」的關門主義，所謂「網羅新人才」，「開拓新局面」，即為自欺欺人之談。舊觀念不放棄，則一切革新計畫與團結運動，皆係空口說白話，不會發生絲毫作用的，反攻復國云乎哉！？

憑着舊觀念來處理非常時期的國事，內部是暮氣沉沉，相率以維持現狀，苟安瞎混為得計，一般文武公務人員，祇知道天天開會集議，爭權推責任，以製造檔卷為成績，以議論空談為服務，對於實際問題，誰也不願負責解決，唯一妙訣就是向上級請示，層層請示的結果，事無鉅細，皆須最高當局一個人來作主，因而貽世人以「獨裁政治」之譏，實在冤透了！「開會為服務之本」，「請示為負責之本」，這是當前自由中國內部政治現象的總說明。旅居海外的僑胞們，目擊着這些令人沮喪失望的情形，也嘗到過舊觀念支配下的政治滋味，對於執政當局所發出的號召和諾言，皆採取保留的觀望態度，甚至有認為是一紙無法兌現的空頭支票的。如是乎由失望而逃避，因逃避而苦悶之餘，流於憤世疾俗的偏激心境，離心力即逐漸擴大，殆屬自然之勢。現實狀態如此這般，若不痛下決心，徹底改革，而欲開拓新的局面，豈可得乎？

表現新作風

舊觀念放棄後，自應繼之以新作風，精行勵與事實來團結運用一切反共力量，才是國家復興的氣象。新作風的第一着，即為改變用人方針。若由於過去在大陸上的失敗而不敢信任一般平日少所親近的人，還等於被蛇咬了一次即怕見黃蟮的恇怯心情，怎能夠網羅新的人才呢？老實講，招致神州陸沉之禍的主要原因，首先是日本軍閥侵略吾國，掀起了八年戰爭的浩劫，予共黨以坐大的機會。其次就是人謀不臧，把全國的財政金融搞得一團糟，以致民生凋敝，經濟破敗，因而軍心渙散，人心喪失，文武百官皆喪失了自信心，構成魚爛之勢，縱使沒有共產黨的乘機作亂，亦會有其他的陳涉吳廣之流起來叛變的。我們在大陸上最大的失敗之處，是經濟的潰敗，如是不失敗於經濟，幾百萬現代裝備化的國軍，豈是極劣勢的共黨武力所能擊敗的？當年主持財經事業的人，如今多半仍在台灣高據財經要津如故，而台灣現時最大的問題又是經濟問題，即此可以證明用人方針如不改變，將來很有可能使「後人復哀後人」的危險。如果顧慮新人對國家和領袖的忠貞問題，那又是沒有信心的自卑感作祟。人心的好惡行為，基於先天的成份不過十之二三而已，源於領導方法者實佔十之六七。滿清王朝當年以垂危的局勢，而付託新人曾國藩胡林翼以軍事和財政經濟上的無比權力，聽其獨行，不予防範，——亦無從防範——但望其克奏戡亂救國之功。曾國藩原是一個失意落在鄉里的高考及格（進士）的漢人，胡林翼初亦不過是一員不為朝廷所重視的蠻荒之邦的行政專員（廣西道台），他領兵後到湖北與洪楊軍作戰，才被擢升為鄂省民政長官（巡撫）。滿清室帝后若以曾胡自己能否忠貞從事為任用的先決條件，根本就不會任用他們，用了亦不會放讓他們放手做事，久於其任的。因為他們素非親近幹部，又無政治的派系淵源，誰也不能保證他們對君主始終忠貞不貳。曾胡等人如其心懷叵測，乘機謀叛，當他們手握重兵之時，祇要發表一篇反對清帝的革命宣言，滿清王朝便不打而自倒了。由於滿清帝后對他們推心置腹，特殊信任，毫不懷疑防制，而不聽取特務人員的小報告，也不猜疑於左右大臣以及封疆大吏，如文官之流的讒言中傷，二三其德；曾胡等人亦就深感知遇，以圖報答之道。滿清室帝后在危難時期，領導得法，果使士人效忠，下樂受智勇的驅策，皆以國士報之，所謂「以國士待我，我亦以國士報之」者，滿清王朝的中興業績，決非偶然的僥倖。若專講小忠小信，其後果必不至如葉公好龍而鶴，方法不對的辦形。領導國家，對個人，對人關係，皆極其深切而鉅大，可不愼哉！

李承晚辭職了

盧家雪

韓國之父李承晚，終於辭職了。其辭職書之全文稱：「余為尊重國民議會要求余辭職之議起見，余茲提出辭職。余將在餘年作為一個公民，為人民與國家而服務。」

當年一紙命令釋放俘虜一萬四千，是拒得起；今天，三十個字的辭職聲明，結束了他的政治生涯，是放得下。這位八十五歲的老人，一生致力於韓國的復興，近十幾年來，他為致力於韓國之統一，殆欲在垂暮之年，親手實現統一的韓國。可惜，韓國的分裂之局與世界的分裂之局相關連，西方的[illegible]相持之政策，一日不改變，則韓國統一的理想，即一日不能實現。十幾年來，不僅是韓國人民怨聲載道，就是李承晚心目中，又何嘗不是充滿了悲憤！

政治家風度

美國總統艾森豪稱許此一聲明，具有政治家風度。不錯，拒得起，放得下，是大政治家所應該具有的風度。

美國與南韓

西方國家，口口聲聲要反共，而對於亞洲的堅强反共領袖，往往是極盡排抑之能事。此種事例，為中國不待明說。自由世界的領導國家美國，其外交政策，一貫地只是想推銷美式民主到東方，對於各國的文化背景，社會狀況，教育程度，經濟情形，不問，其結果，乃必然是格格不入。南韓局勢之癥結，乃在分裂過久，怨情苦悶。此種情況，非李承晚所能改變，亦非張勉所能改變，再說得坦白些，任何一個韓國人起來掌政，充其量也不過是一新耳目而已，至於根本問題，不是任何一個韓國的政治家所能改變的。這是一個悲劇，一個時代悲劇。

悲劇與滑稽劇

美國政府一再否認干預此次的南韓事件，但美國以自由世界的領導地位，其所推行的反共政策，及其對韓國推銷美式民主政策，是不是也間接影響到南韓的暴動呢？

李承晚是下台了！李承晚成為此一時代悲劇的犧牲者，並不出奇。奇怪的卻是美國人，韓國人，日本人，共產黨人，對於李承晚之去，似乎都是一致歡呼，如此的「一致」，寧非一大滑稽劇？

讀自由

學問與事功

馮三先生

偶讀近代人辜湯生（鴻銘）筆記，中有一條云：「丁未年張文襄（之洞）與袁項城（世凱）由封疆外任，同入軍機。項城見駐京德國公使曰：張中堂是講學問的，我是不講學問，是講辦事的。其幕僚某將此語轉述於余，以為項城得意之談。余答曰誠然。但要看是辦何等事，如老媽子倒馬桶，固用不着學問，除了倒馬桶以外，我不知天下有何事是無學問的人可以辦得好？」快人快語，聞之不禁拍案叫絕！辜氏於役張之洞幕府中頗久，對於張氏自有好感，但他這段話卻非阿好之詞，蓋有至理存焉。不學則無術，沒有相當的知識學問，而想辦好一樁事，那是罕有的奇蹟。至於創業垂統，馬上得天下的領袖人物，又當別論。然亦不能馬上治之，仍賴有學識的士大夫替他幫忙才行。一般搞政治，居高位，掌理國計民生問題的人，如果學識謭陋，必然誤盡天下蒼生，貽禍無窮。袁世凱自信為具有治事的磐磐大才，並不需要甚末學問，可是，他積數十年辦事的經驗，終於弄出洪憲皇帝夢的一幕醜劇，悲忿而死，為天下笑。假使他稍有學問，即能明白事理，洞悉時代潮流，又何致於鬧成多行不義必自斃的下場呢？

民國肇建以來，軍人變成了萬能的人物，自命允文允武，無所不通，亦無一而非天生身居高位的蓋世英雄，「羣兒致貴矜身手，翻笑先生好讀書」（近人詠周處讀書所的詩句），因而內亂不休，國事總是一團糟，漸積而釀出了一個絕聖棄智，根本鄙視學問知識的共產黨來，以暴力竊據大陸，奴役人民。共產黨更自信為具有辦事能力的超人，視袁世凱為豎子，等而下之的舊社會各路英雄，尤其不值一顧。這就是政治上不講學問，只講辦事的總報應。在民國卅八年以前的幾十年之中，政治上如其能讓一般有學問，有知識的人士，分負治國牧民的職責，中華民國即不致發生今日這種危難的局面。袁世凱思想之流毒，大矣哉！

本報特稿

從南韓暴動事件談到 李承晚與美國的恩怨

秦泰

素以倔強見稱的韓國總統李承晚，已在南韓學生空前暴動的流血慘劇下而屈服，結束其十二年來的個人統治。有人說李承晚的這樣讓步，純粹由於美國的壓力所致。

不錯，當韓國青年示威暴動如火如荼的時候，美總統艾森豪會表示準備取銷南韓之行；國務卿赫德的義正詞嚴，在在是給予李承晚的壓力。由於今日的南韓人民需要美國援助，李承晚政府更需要美國支持，因此，他對美國不得不加以讓步；同時李承晚對美國的現實主義，非常的瞭解。在他五十餘年的革命奮鬥時期裡，居在美國的時間頗長，華盛頓幾乎成爲他的第二故鄉。他曾經接受過美國給他英雄式的歡迎，卻也嘗試過美國務院和總統府的閉門羹。是故，李承晚與美國的恩恩怨怨，可以從下述看出。

第一次碰到釘子

如所週知，李承晚於一九〇四年初到美國的時候，還是廿九歲的青年，除由他的朋友供給小部分川資外，並沿途向被放逐的韓國人士籌募用費。他的任務是請求當時的老羅斯福總統，出頭干涉日本之侵略韓國。那時正在日俄之戰以後，老羅斯福總統在樸資茅斯處理着善後的問題。而當時的李承晚卻是被韓國獨立會推舉參加樸資茅斯會議的代表，他和一個同伴抵達美國之後，居然設法取得老羅斯福總統的許諾，讓他們到薩加摩爾山他的別墅裏去見他。李氏和他的同伴都穿着租來的禮服，前往拜訪這位美國總統。羅氏對這兩個韓國青年的陳詞頗爲注意，並囑他們以書面交送國務院轉呈他，以便在國會裏提出討論。

可是李氏一到達國務院，就碰了一個釘子。官員們板着臉孔告訴他，說他沒有代表韓國的資格，因韓國原有代表團駐在華府，一切的官式公文都由他們致送。但當時的韓國代表團正受着日本方面的控制，自不肯代爲致送文件。結果老羅斯福沒有看到那件公文，致使韓國終被日本併吞了。

第二次又被拒絕

一九一九年間，韓國曾經發生大規模的示威行動和消極抵抗運動，被日本當局槍殺了兩千四百餘人。抗日派領袖在漢城召開秘密會議，樹立起反抗日本統治的韓國新政府，推李承晚爲大總統。後來李氏逃到上海活動，且集中全力去爭取各國對這個韓國政府的承諾。適威爾遜總統正在提倡民族自決，爲各小國爭取自主的權利。正因爲如此，李承晚滿以爲會促成韓國獨立。但當他到達華府時，威爾遜總統已赴巴黎開會去了，而美國務院竟拒絕發給李承晚以其所求的護照。理由是：當時美國正要倚使一個強有力的日本盟國，去維持太平洋方面的和平局面。國務院中的人都以爲如果發出護照給李承晚，將會觸怒日本的。

直至珍珠港事變發生後，李承晚又以爲他的機會來到了。於是向美國當局提議，利用韓人組織游擊隊，來擾亂日本的後方；同時請求美國政府承認韓國臨時政府，亦如對其他流亡政府一樣。惟美當局又恐怕此舉可能引起蘇俄方面的不快，因而拒絕接納。李承晚又建議挑選諳日語的韓國青年一百人，加以特殊訓練，即派遣日韓兩國去執行破壞後方的工作。這建議雖被美方採納，但後來也未實行派遣出去。直到日本投降以後，美蘇協議把韓國分爲南北兩部，而分別作暫時的佔領。當時李承晚急於請求回到南韓，結果也經過好幾個月的延擱，迄未把他送走。李承晚急不及待而終於自動起程返國，可是送行的却沒有幾個人。

留學生活像難民

至於李承晚留學美國的時間很長，也等於難民一樣地曾經在華盛頓度過很多不愉快和令人沮喪的年頭。在那些時期裏，他會不斷地跑進國務院去向美國政府官員求助；但結果所得到的卻只有置之不理，或嚴詞拒絕，最好的待遇，也不過是虛與委蛇而已。

在第一次世界大戰之後，以至第二次世界大戰之前的二十多年間，李承晚會數度往返於夏威夷與美國之間，其中停留時間最長的是在華盛頓。那一方面讀書，一方面致力於祖國的獨立運動，那不但是他一息不懈的志向；而且已經成爲了他個人生活的一部份。但當時美國的獎學金的數目，大都是很有限的，通常只能供給一個人的學費；而於革命運動的活動費，李承晚便設法謀得各地的演講邀請，每次所得的酬勞，最多也不過是五十塊美元罷了。他在普林斯頓大學求學時，便認識了後來主持美國政府的威爾遜教授。當時威氏對這個異國青年的矢志不移，及其不修邊幅而別具威嚴的風度，特加青睞，並謂李承晚將爲「恢復韓國的獨立救星」。

受英雄式的歡迎

「時來風送滕王閣」，李承晚一生最得意的是韓戰期間，在那三年戰爭裏，各地的報紙差不多每天都刊有李承晚那幅堅毅不移的照片；尤其是矢志反共而不屈不撓的愛國精神，更爲世人所稱道。因此，一九五四年七月，韓戰結束不久之後，李承晚重到華府訪問時的情形，跟他當年在美國受盡冷落的情況相比，實有天壤之別；當時他所受到的是一種歡迎英雄的盛大接待儀式。他與艾克總統乘着轎車，夾在飄揚着美韓兩國國旗的汽車隊中，浩浩蕩蕩進入華府的大會堂，接受該市的榮譽鑰匙；同時在白宮裏又是艾森豪總統的貴賓。從前很不容易獲得機會去引起美國官員的注意，而那次卻竟然被邀向美國兩院聯席會議發表演詞了。

雖然，李承晚畢生所追求的目的，至今仍未達成。韓國會有一句流行的話，說「韓國一日不統一，李承晚就一日不會死。」可是，今天的韓國形勢，統一尚遙遙無期；而南韓內部卻已發生了空前的嚴重危機，李承晚的反共政府亦已支離破碎，李承晚個人的聲望更受到無可補救的損失；這到底是韓國青年的頭顱和血之影響所及，抑是美國的強大之壓力所致呢？

綜合報導

南韓暴動事件

李華

南韓的示威運動，於本月十九日表現在漢城的大暴動，似乎已達高潮，隨後李承晚總統於二十日發表聲明，請求韓國人民表現其愛國精神，與遵循負責當局之訓令。以期迅速恢復秩序與安定。

在一般的情況下，總統發表了聲明，暴動當應該逐漸趨於平息。可是，這次的南韓暴動，却與一切人士所預期的相反，事件不僅沒有趨於平息，反而更加擴大。

至本月二十三日，李承晚總統之左右手當選副總統李起鵬宣佈：渠將考慮放棄其職位，俾設法緩和南韓日漸增加之政治危機。

就在李起鵬作此次宣佈之同時，在職副總統張勉亦宣佈辭去副總統一職，並要求李承晚一同辭職。

在這次暴動事件的幕後，張勉無疑是一個主要人物。他是反對黨民主黨領袖，他公開地抗議三月十五日的選舉不公平，並要求重行選舉。

二十四日，李承晚總統正式宣佈辭去執政黨自由黨最高領袖之職務。據其所發表之聲明稱：「余認爲作爲總統，對於脫離該黨，將係較爲妥當。」渠續稱：「由於該項立場並無黨派利益或任何傾向之故，余將可與人民共同鼓勵各政黨潔身自愛，與大公無私爲國家之利益而服務。」渠並謂「內閣閣員經已提出辭呈，俾承認對於四月十九日暴動期間所發生一切事情所負之責任，此等辭呈將予以接納。」

但同日張勉宣稱：渠之選民除李承晚總統辭職及舉行新選舉之外，一概不予接納。又稱：整個事件集中於一點，此即爲馬上舉行新選舉。

同日，中共北平電台宣佈：中共之「青年聯合會」和「學生聯合會」昨致電韓民主青年同盟中央委員會，對南韓「爲反對美帝支持下的李承晚而展開的英勇鬥爭」，表示「最堅決的支持」。

同日，韓駐美大使梁裕燦在華盛頓一個婦女組織團體發表演說稱：共黨特務是漢城上週暴動之主謀者，梁氏稱：南韓危機可能是「克姆林宮數項狡猾戰略之一」。

二十五日，情況突起變化，約有二百名大學教授突率領五千名左右之羣衆，在漢城舉行示威，此爲四月十九日流血暴動後頒佈戒嚴法的來在漢城所發生之一次示威運動。

同日，七千親共韓僑在東京集會，要求南韓總統李承晚去職。

同日，國民議會反對黨民主黨議員，向國會提出緊急動議，要求李承晚總統立即辭去行政首長與國家元首之職務。

二十六日，李承晚總統聲言，如人民欲渠去職，則渠將辭職，又稱：「余將同意選行新的選舉，並同意一個以總理爲首之新政體。」茲摘錄其原文：

「余自國家獲得自由之後返國以來，經常雅欲從事人民所希望與追求之一切。余與所有愛國同胞共同生活，余死而無憾。余接消息，謂吾人之青年學生及其他愛國同胞，刻正向余提出數項要求，余將根據本人之判斷而順從渠等之願望。余要求吾人之同胞，牢記三八綫以北之共黨部隊，刻正尋求每一項機會向吾人發動進擊，因此，吾人應儘可能不予共黨的機會。」

同日，五十萬示威羣衆，在漢城街道遊行，要求李承晚立刻去職。

二十七日，李承晚宣佈辭職。其辭職書稱：「余爲尊重國民議會要求余辭職之議案起見，余茲提出辭職。余將在餘年作爲一個公民，爲人民與國家而服務。」

二十八日，李起鵬全家自殺。國會緊急會議通過議案切實保護李承晚。

南韓暴動的情況，截至執筆時止，有如上述。李承晚經已去職了，韓國的局面究竟是怎樣的呢？任何人都無法回答這個問題。在反共戰爭中，南韓竟發生了這樣的動亂，非韓國人民之福，亦非自由世界之福。

本報特稿

「民兵代表會議」透視

筱臣

中共從四月十八日起，正在召開「全國民兵代表會議」在開幕的這天，除毛澤東劉少奇沒有參加外，其他要員幾乎全體參加，而且賀龍還代表了中共的中央致以祝詞。

據「新華社」的報導，這次召集全國各地戰線上的民兵代表，將有以交流工作經驗，進一步動員全國民兵，和全國人民一道，爭取在一九六〇年各項建設事業全面的更好的持續躍進中，充分發揮骨幹和突擊作用，作出更大的貢獻。

這一次「民兵代表會議」，是繼二月間所召開的「民兵工作會議」，以及三月間的「軍隊政工會議」之後繼續舉行的，這一連串的有關軍事的會議，顯見中共對於軍事的佈署，軍事人員的訓練，是極其迫切，而有加強會議之必要。尤其是這一次民兵會議的全體代表，毛澤東在四月二十三日這一天，特別予以延見，面示機宜。

猶憶一九五八年九月，正當「人民公社」成立不久，台灣海峽緊張之際，中共即已發出「全民皆兵」的號召，截至一九五九年一月初爲止，據不完全的統計，共組織了民兵二億二千餘萬人，其中有武裝的基幹民兵，已有三千萬人。三千萬人中，參加過實彈射擊訓練的已有四百萬人（一九五九年一月一日，「人民日報」。）這一舉動，中共自己也並不否認定爲了積極備戰。

因爲一九五九年一月十九日北平「中國青年報」在一篇「全民武裝，保衛祖國」的文章中說：「民兵可以爲正規軍積蓄億萬的具有高度政治覺悟和軍事素養的後備兵員，充分保證正規軍的補充和擴大，而在戰時又可以作爲一支強大軍事力量，配合正規軍作戰，使敵人陷入四面被包圍的困境。」

又說：「廣大的民兵，就是『第二解放軍』；因此，民兵建設，是我們黨的軍事路線的重要組成部份。」

根據上述的論調，民兵既是「第二解放軍」，那麼擴大民兵，就等於擴大共軍。該文最後特別強調：「決定戰爭勝負的不是武器，而是拿武器的人；不是技術裝備，而是人民羣衆。廣泛發展民兵組織，可以最大規模地吸引全國人民參加國防事業，其威力遠在任何武器之上。這是被長期中國革命戰爭所屢次證明了的眞理。」

因此，賀龍在開幕這一天，他所致的祝詞，亦明目張胆地提出：「我們必須加強人民解放軍現代化的同時，加強兵力建設，作爲防禦帝國主義者侵略的準備。如果帝國主義膽敢向我們發動侵略戰爭，就一定要使他們淹沒在我國全民皆兵的汪洋大海裏。」

以上一連串的會議，和他們所發表的言論，已經是劍拔弩張，不管是給世界和平莫大的威脅，也可說是給即將召開的高峯會議所謂裁軍問題莫大的諷刺。迷信中共也要和平的西方政論家們，大概也應該醒悟了吧。

不過，筆者最後還要提到的，就是台灣海峽的多事之秋，中共隨時隨刻都在伺機而動，這一次「民兵代表會議」，可能同時還要加強台灣海峽的威脅，在自由中國當局說來，又不能不加以警惕而予以注視的！

社會小說

香港地

三、文章有價

這人姓丁名乾，雖是一個優秀的偵探小說家，但由爬格子爬得過度而害上這種怪病，在事實上表現出他只是一個低能的偵探。梅大亮念着同業之誼，對他的病十分關懷，這天約好了一個朋友齊到他家裏去探問，雖不必說到「兎死狐悲，物傷其類」那樣慘，心裏總也有一點惆悵呢。

梅大亮到了一家咖啡館，揀個雅座，喚來一杯咖啡，正在喝着，那位先前約定的朋友來了。這人姓白名芷，幹的也是「推筆」生涯，正在任職一間大報館裏，編輯文藝副刊，平時和丁乾最談得來，常常到丁家去聊天，所以梅大亮要約他一起去。白芷年紀很青，爲人爽朗，只是就外表看，却帶有點「阿飛」的味兒。他頭髮剪得短短，衣着隨便，既似阿飛，又似是一個不修邊幅的摩登青年藝術家。他才正坐下，便向侍者打個手勢，只說了「咖啡」兩個字，隨即燃着香煙猛抽，笑道：「梅公，你也敢喝咖啡？」

原來白芷有了很濃重的咖啡癮，每天至少喝六七杯才夠癮，更可怕的是抽煙也經常要抽三包至四包，據說他的「煙士披里純」是靠這兩種東西產出來的，梅大亮認爲這種習慣有碍衛生，曾經勸他不要太過放縱，白芷大大不以爲然，互相駁論過許多次，此刻梅大亮是破例喝咖啡，故此被他拿這話來取笑。

梅大亮正想自辯，白芷已經對他揺手示意，即道：「我們不必說那廢話了。有一宗事要找你商量。有人想辦一家反共的報紙，請我起草計劃和預算，我自已不想幹，打算介紹別個人去接做這宗生意，朋友中只你算得是合格，你去吧！」

白芷說什麼話都是「開門見山」的方式，此時一開口便談起辦報的生意經，要介紹給梅大亮一條門路，梅大亮見此事來得突兀，總得先弄清它的來由，才好考慮考慮，當即答道：「你爲什麼自已不幹，要我來幹呢？出錢的是誰？」

白芷把香煙從口唇的夾縫裏取下來，向小碟子上面彈了彈煙灰，笑道：「出錢的是一個做大陸生意發財的人。但出面的不是他，而是他的妹子。這家報紙是要用鮮明的反共態度出現的。我可幹不了。說到反共，你知道我不是那『一皮』啊，你也算得是反共作家了，這宗生意便合由你出馬去做。」

（廿二）

木客著

教學研究

蘇提

徐江春是現任中學教師，平日也發表些有關教學研究的文章在報章上，因此，這次舉行的教學研究會，徐先生自然也參加討論了。

那天到的人數甚多，幾百個「收入在可恥程度」的教師們，濟濟一堂，大家對於怎樣增進教學效能的問題，發達了很多意見。人多嘴雜，意見就自然分歧，談來談去，竟然涉及各個人的私事，問題就多了。說得慷慨激昂的是王老師。

據王老師指出：在座者有好幾位先生，一到晚上，是在新塡地擺測字攤的，另外還有一位先生，居然在一家四級酒店開了一個長期的廉價房，公寓占卦算命，不過是換了名字改稱「小諸葛」。他又說：有許多教師自已不批閱學生文卷，而以兩個仙的時價請人代改，像這樣不負責任的教學法，又怎能不產生「沿步路過」的文學出來呢？

王先生這一席話，切中時弊，許多「同行」鼓掌。

鼓掌方停，那邊有一位張先生又站起來了。他說：「一提到這些教育界敗類，本人實在非常痛心。據本人所知，若干同仁中，尙有接寫書信，代人打字，代塡人口登記證者。此種行徑，影响教育界的名譽，至深且大。我們今天在這兒討論教學效能，如果不能將此種敗類作風澈底改變，則教育界的前途，實在是不堪樂觀的。」

鼓掌聲响澈屋頂，大家都覺得這件事，實在有優先討論之必要。

討論了大半天，沒有得到任何結論。會場裏的空氣非常緊張，那些擺測字攤代寫書信的教師們，幾乎要拂袖退席了。這時候，突然有人提議請徐江春先生出來說幾句話，他們認爲徐先生平日在報章上發表過許多論文，對於這樣的事，自然有他的高見。

徐先生先是謙遜一番，然後說道：「要想在會場中來解決這件事，實在非常簡便的，問題却在，散會以後，實際上應該如何解決？」

全場屏息凝神，大家都覺得徐先生到底是教學研究專家，三言兩語，就平息了衆怒。只聽到徐先生繼續說道：「在未曾解決這個爭端之前，本席想問問剛纔發言的那幾位先生，他們每月的薪津是多少？」

王先生連忙回答道：「我只是五百元一個月。」

張先生說：「我除了伙食房租，總不過四百二十元。」

徐先生笑了一笑，問道：「假如你們幾位每月的薪津，減爲一百五十元，連交通費在內，請問你們又有什麼感想呢？」

張先生和王先生都沒有回答，另外一位李先生却回答道：「徐先生的話只是假設，而不是事實，所以我們用不着考慮這個問題。」

「再假如將諸位的薪津減到每月六十元，試問諸位怎麼活下去呢？是努力教學呢？還是利用一些機會去謀點其他的收入呢？」

這一次，張先生說話了，他說：「幾會聽到有六十元一個月的教師呢？」

徐先生笑道：「不僅是只有六十元，而且還得欠上半年年不發呢！」

「可是，那是學店，不是學校。」

「不錯。問題乃在香港的學店太多。而這些在學店作伙計的師表們，在這種可恥待遇之下，難道說代寫書信，擺測字攤，也是有辱斯文嗎？本人現在要作結論了，對教育界的敗類，絕對不是那些代寫書信代塡人口登記表的教師，而是那些給以可恥待遇的校主，因此，要想加强教師們的教學效能，首先必得安定其生活。」

又是全場大鼓掌，但鼓掌又有什麼用呢？說話的聽話的都是些可恥待遇的人，却沒有一個是「校主」。

國字的問題

原子

幾年前爲了簡字飛過帽子，就此沒人再提，可是簡字仍在流通。

月前某縣呈禁簡字，部批「核尙可行」。近教部以中共毀滅我國傳統文字，推行拉丁化，破壞結構，混亂形聲，針對此一嚴重問題，須用正楷，自上而下，由右而左。

我國文字，自古以來不斷的變遷，是自然的由繁而簡，能否用政令改變此趨勢，是不無疑問的。

今就台北大報的「奇字」，略舉一二：如步字從少，蝦字從殳；偏字從心旁。兪字，上則有從人有從入，下則有從巜有從刀。成了四種體形。又如東洋來的「豊」字，不論公司行號或身份證上，多以此代替豐字。西洋的明星譯名或洋狗，全用茜作西音。

此等形聲，小民亦能心領神會，不禁三嘆。限於法令，苦難下筆，嘆也無用。既不任其自由發展，也應拿出個合理可行的辦法來！不然正楷還是空洞，國字仍無標準，僅是「自上而下，由右而左」的形式，則國字還是問題。

勞工神聖（上）

徐學慧

望海樓隨筆

共產黨也要紀念勞動節，那眞是天地間一大滑稽事。他們從不把人當作人，不承認人類的自由，更不承認人性的尊嚴，則其對於千千萬萬勞工之不能尊重，自是勢所必然。

在民主自由的國家裏，勞工有能工的權利，那些大的工會領袖，領導着勞工爭取工作的減少，爭取工資的增加，勞方與資方在不斷的談判與商議之中，將這個社會逐步推動，這已是我們習見的了。可是，在共產集團統治下的勞工，能有能工的制度嗎？能有爭取工時減少的權利嗎？沒有，一切都沒有。在共產集團社會中的勞工，只有默默無言加緊生產的份兒。如果說這就是神聖，我相信世界上將無人敢從事於此種神聖的工作。

據最近的廣州來客談：今日大陸人民，早上六點鐘即需赴工地勞動，十一時喫「雙蒸飯」一碗，（雙蒸飯就是煮兩次，米少而飯多，不能抵餓。）休息半小時，下午二時半，喫白粥一碗，休息半小時，下午五時放工，晚上七時開夜工，一直作到凌晨一時二時不定。這就是所謂「大躍進」的現狀。

生活又如何呢？胼手砥足，一個月可得「工資」一元三角到一元五角，在這一元幾角之中，尙須用去電芯費四角左右。（因開夜工是要自備電筒的）糧食配給，每人每日糙米七兩，（限於作苦工的，）至於比較不要太流汗的工作，僅能配得四兩或五兩。）油一兩至二兩，豬肉三個月還吃不到一兩。

對於增加工作時間，減少待遇，共產黨都美其名曰「自願」。但共產黨的頭目們，又不時向其所統治的人民提出警告，表示一切都得服從黨的領導，這已是自行否定了有任何「自願」的存在。這種笑話，拿共產黨人慣用的唯物辯證法出來，怕也不容易得到解釋吧！

張三李四平日都是吃飯的，但王五一手持槍，一手舞劍，却笑嘻嘻地說：爲了更大的利益，我們得節約糧食；爲了節約糧食，你們得喫豬糠。李四表示豬糠不是人喫的，王五一槍把他結束了，於是，張三喫豬糠，而且表示喫得很有味的樣子；於是，王五乃可以「理直氣壯」的對人說：張三是自願喫豬糠的，請問，張三是不是自願喫豬糠呢？

在刺刀和槍尖之下，吃慣白飯的人，可以改吃豬糠，可以改吃觀音土，甚至可以改吃牛糞。同樣，在「反革命份子」，「右派份子」，「反動份子」，「頑固份子」，「小資產階級」的口號之下，（這些口號，卽是代表刺刀和鎗尖。）成千上萬的人「自願」增加工作時間，「自願」不要工資，「自動」超額完成任務，這已不僅是可能，而且是必然的。

大陸文壇萬花筒

賽詩會

岳騫

一九五八年文藝大躍進時，在文藝方面出現了前所未有的大量民歌，以後民歌就成爲詩歌的主流，更普遍的發展向每一個角落發展。

兩年來大陸產生的民歌，最保守估計應在百萬首以上，不必談到人力，就是浪費的紙張，也相當嚇人。可是中共仍然不感滿足，最近在城市鄉村舉行賽詩會，更大量的製造民歌。

賽詩會是一個新名詞，有類於古代應制詩，又好似朋友聯句，所不同者就是在質與量的方面。

賽詩會從何處開始，尙未查出，賽詩的形式城市和鄉村不同，鄉村與鄉村之間也不相同，試以河北省東鹿縣爲例，據一月號詩刊報導，那裏每逢農歷十五，月光明亮，就來個「快活日」，鑼鼓一敲，人們都聚攏來賽詩。

賽詩時，聚集一大羣農民，大家爭先恐後的順口謅，不問什麼體，若干句，只要是歌頌共產黨，鼓吹大躍進的，都算是詩，作得特別多的，也會受到嘉獎。

東鹿縣有百分之七十人口參加賽詩會，成立了五千多個創作組，由縣委書記審閱稿件，領導創作。當然這個數字太誇大了，因爲東鹿縣有五十萬人口，百分之七十參加了賽詩會，就達三十五萬人，假定每人作一首吧！也有三十五萬首，每月出產這麼多的作品，交由一名縣委書記審閱，此公每天就要審閱一萬二千首詩，還要評定甲乙，假定他每天工作十二小時（吃飯大小便除外，每小時要審閱一千首詩，每分鐘也要審閱十六七首。不必談審閱，只是看一遍吧！也做不到，廣東俗話「大話怕計數」，共產黨的宣傳沒有一件能以按實計算的。

賽詩會都是些什麼作品呢？試舉一位老大爺的詩爲例：「躍進號角震天响，積肥打井幾夜忙，全家來個大競賽，爭取五好紅滿堂」。這還是比較好的，等而下的就不想可知了。

中共爲什麼提倡賽詩會，據第五期文藝報自供是「把文藝創作當作進行階級鬥爭和推動的重要武器。」又說：幾乎所有羣衆文藝活動搞得熱鬧紅火的地方，生產成績都是頂瓜瓜的。賽詩能增加生產，這就不怪共產黨大搞賽詩會了。

釋未集

錢穆先生國史新論一書，以專節論中國歷代知識分子之人品風格，及其思想抱負，以爲三國時代，承東漢之末，門第世家，已露頭角，由於時世擾亂之所激，原日臻繁榮開雅之東漢式名士，一入三國，均一變而爲激昂慷慨之豪傑。但仍帶有濃厚東漢之名士氣息，此則由於東漢社會風氣，植基深厚，其流風餘韻，一時猶未至於消散也。如所週知，諸葛亮與司馬懿之渭上臨兵，羊叔子與陸幼節之荊襄對壘，雖屬兵戎相見，而較諸西漢時代之韓、彭，以至東漢初年之馮、馬，其間一種風流儒雅之書生面目，自發與之截然不同，故綸巾羽扇，緩帶輕裘，遂爲千古仰慕之風流標格，後此亦終成絕響，此則有關世運升降，知人論世，所不可不知者也。

三國人物

近讀三國志吳志太史慈傳，其間雜敘孔融、孫策、劉備、華歆諸人事跡，則所謂書生而豪傑，豪傑而書生之人品，均一一可以概見。初，太史慈爲東萊郡奏曹史，郡守與刺史有隙，曲直未分，訴於洛陽，以章先聞者爲善，州章已先去，郡守使慈晨夜取道急追，詣洛陽給州使毀而敗其章，轉以郡章上之，州受其短，由是知名，而爲州家所嫉，恐受其禍，乃避之遼東。孔融時爲北海相，聞而奇其人，數遣人訊問其母，並致餉遺。旋融以黃巾寇暴，出屯都昌，爲賊管亥所圍，慈從遼東還，母謂慈曰：「汝與孔北海未嘗相見，至汝行後，贍恤殷勤，過於故舊，今爲賊所圍汝宜赴之」。慈卒伺隙入都昌見融，突圍馳至平原，見平原相劉備曰：「慈東萊之鄙人也，與孔北海親非骨肉，比非鄉黨，特以名志相好，有分災共患之義，今北海被圍……危在旦夕，以君有仁義之名，能救人之急，故北海區區，延頸恃仰，使慈冒白刃，突重圍，從萬死之中自託於君，惟君所以存之」。備斂容答曰：「孔北海知世間有劉備耶？」即遣精兵三千隨慈，賊聞兵至，解圍散走。事畢，其母曰：「吾喜汝有以報孔北海也。」及慈隨劉繇戰敗，爲孫策所俘而降，繇死，餘衆歸華歆，策遣慈視繇兒子，並撫其餘衆來歸，諸將以慈北人，去即不歸，策曰：「太史子義雖氣勇有膽烈，然非縱橫之人，其心有士謨，志經道義，貴重言諾，一以意許知己，死亡不相負，諸君勿復疑也。」依此以言，孔融恤慈母，是東漢名士規模，而孫策之雅量，劉備之慷慨，太史慈之勇烈，以至其母之深明大義，均不可及，嗚呼，三國何其多賢耶？

曲齋

粟海彈心錄

中日美外交（下）

中日自甲午以來，割地賠欵，政治軍事侵畧，彼此實無外交可言。但曾幾何時，珠還合浦，城復于隍，只留下若干血迹，徒供後人憑弔，此意可與日本朝野道之，以其學術文化相同，自可引爲深省。有之，則自中日戰爭結束始。我政府務存大體，不以人之施於我者，施之於人。且力主維持「天皇」制度，冀免彼邦內部陷於混亂而不可收拾，然「存亡繼絕」平等相處，十年之間，並未使日本朝野人士，有所領悟者何也？願先從日本學術文化之根源考覈，庶幾可以瞭解此中癥結。

日人德川光圀，師事朱舜水，舜水授以春秋義法，編纂日本國史，倡尊王之大義，爲其後廢封建之張本。（舜水明末乞師日本不遂，終老於日，日人師之，稱水戶學派，圀即國字，爲唐時所造，即此可知日本接受漢文之深，日本字典註此字甚詳，我國晚近辭書反缺。）至於我國經書，則自隋唐以前，已傳至日本，文武天皇時，中央設大學，地方設國學，一以易、書、三禮、毛詩、論語、孝經、春秋左氏傳，爲其教學課本。而迄今不替，約在我國唐中宗玄宗之時。明代中葉，朱子格物致知之學，陽明知行合一之學，先後東渡。日本德川時代，朱子學之藤原惺窩，陽明學之中江藤樹，同時崛起，朱學主持官教，王學流布民間，爲日本學術極盛時期，遂有此後「開國」之盛。百餘年後，王學特起，著述之精，推大鹽中齋，門牆之盛，推佐藤一齋。西鄉隆盛，私淑佐藤，伊藤博文，吉田松陰弟子，吉田又爲佐藤再傳弟子，其開學術事功學者頗多。此經學所以爲日本學術文化之根源，陽明學爲日本學術事功之結晶。伊藤維新，雖極主接受西方物質文明，而不主全盤歐化者在此。故至今日本朝野名流，猶視漢學與陽明學爲其文化主流。

當其戰爭結束之初，我國使臣，純一軍事化，已落第二義。隨人俯仰，且淪第三位。從此而往，習於外交辭令，酒會節目者，便稱上選。又安能望其深入而有所短長哉。深願今之外交當局，與從事中日文化協會之士，知所選擇去取焉。

阿公

王王孫與金石

人物評述

孫旗

近代人視金石爲藝術，似乎不應忘記王王孫其人，而且印象中此人年當六七十。因爲他在金石藝術上享盛名，垂三十年矣。

談金石，便不能不談中國文字，亦不可忽畧雕刻；中國字初爲象形，因此有所謂「書畫同源」之說。其實，中國畫乃由書法之綫條演變而來，一筆一劃寓有書者之精神性格，字體之演變亦多由此以致。所以後來人以臨摹碑帖作爲陶冶性情之用。中國之印璽始於夏商周三代，初則以帝王昭民以信守，此乃實用之目的，至漢而體法漸備，遂而講求美，此乃藝術之目的，西方人往往視中國之印璽爲雕刻美術，其理或亦由於此。如果我們在藝術中找出圖案畫來與印璽比觀，似乎頗有其相類之處。至少，印璽是以書法爲本，雕刻爲用者，殆無疑問矣。

王王孫，年四十八，安徽滁州人，童年時代以大草書門聯，鄉里驚異，南京「中央日報」列出「滁州神童王王孫」，遂蜚傳遐邇。其家爲滁州豪富望族，王父勉其習字，傾家蕩產而不惜。其時有曾作京官任交通馬豹章者，素以小學家聞於京，聞其鄉出一神童，乃以愛才若渴之意，援王孫赴平，多方游揚，待之以上賓，初爲吳佩孚刻漢印，並囑其與平之齊白石、壽石公等名流，共事切磋；馬豹章先供其舊房藏書予王孫研究，後則囑其往觀北平國立圖書館小學、金石等典籍三千餘部，兼及館藏之殘篇斷簡、手抄稿，一年零八月而盡閱。王孫於此得識「湖南才子」易君左。

待王孫再赴平，直上三代殷商掘土，下而秦火後典籍；時年十八，日本考古家大村西崖，得馬豹章之便請其刻印，王孫以對日本印象不佳，不願操刀，後以馬之囑，不已而改變甲骨刻「痛飲倭奴血」以抒憤。當時大村西崖不識印文，久思而得；嗣大村以王孫爲可造之才，乃邀其赴日入東京帝大研究院考古系研究，二十歲返國，鄉人益極重視其才。

抗戰時入川，廿七年以正氣歌刻石，名震一時，受知於文化藝術界，中央大學教授宗白華極讚之，獲教育部藝術第一獎。廿九年假重慶中華書局三樓展出金石書法，時不知者莫不訝王孫已六十許人，實其年僅二十七八而已。卅年作林主席子超清客，參商印璽事，先後參展出廿餘次，惟其個人則分文不取，計捐西南藝專（時謝無量任董事長）五十萬，瀘州樹風中學二百萬，卅年豫災捐以正氣歌刻石售資一千二百萬；流落西南之男女藝人受其資助者，不盡枚述；故當時報界呼爲總司令，女人則謂爲唐僧肉。

民十六會游滬上，得清末民初國畫大家二吳之吳昌碩（甸廬）啓發，神國畫之資於藝術。傾其家富之資於金石，實乃踐其父志，從事碑拓、錢幣、磚瓦、鼎銘、玉石之搜集研究，由甸廬而周金，各派源流，不究其常與，尤偏嗜莫營，從天發神讖入手；收古人書法文字精造，神采韻味，融會貫通；近則參以宗周彝鼎，法古而不泥於古，行氣用刀，中鋒直上，一氣呵成，或莊嚴雄健，或詼諧風情，完白（鄧石如）後、昌碩（吳甸廬）後所不可多覩者。

王孫之金石造詣，論功力已臻展苑第四段，「全身力」——即運氣於一力點；鎔殷周齊楚，會通南北各派，統一中見錯綜，堅實中顯奇逸；以其個性而致摩大攻堅，齊白石固腕力遒放不羈，惜用腕力偏鋒，動則有餘，靜則不足，而王孫腕力雖強，始能入於圓熟；以其天賦特厚，性倔強，一洗元明以來纖巧之風，遂爲近代印史，另闢天地之一人。

王孫渡海來台，眞可謂落拓王孫，惟其志節，不以時窮而稍改，一仍其卓然淡泊，獨立自處，精研上古以迄近代之公私印史，發前人之所未發，一時碩彥，莫不重之；求篆刻印若者非其人，則雖予以萬金而不可得，是乃眞藝術家者。復以大篆行草畫梅，頗似八大，寥寥數筆，意趣天成；或紅雲一朵，寓蒼茫荒寒之境；收藏富，鑒別益精，日人曾譽其爲「中國印聖」洵非虛語矣。

森林與德國文化（下）

林沙

樂聖貝多芬也是對森林有特殊的喜愛者，他在鄉居之時每當痛苦震撼着他的心靈時，他便在森林中欣賞風光來忘卻苦痛，他時常覺得一株樹比一個人更爲可愛，他的「田園交響曲」便有些地方是讚美林木的，他創作「英雄交響曲」時爲了要寫出英雄氣魄的音樂來，時常在森林中徘徊，飽聽狂風暴雨的怒呼，樹木狂亂的聲調，因此森林又在音樂史上成爲雄偉無比的一段傑作。

由於這些例子，我們更覺得用龍的那句話是有道理的。有人說德國人是「文化的野人」，因爲德國人的骨子中血液裏都充滿着蠻人的粗野氣質，而這股粗野的氣質，惟有接近森林的人才會感染得到。在那神秘的森林中，榛榛莽莽，荊棘蔓延，野獸縱橫，處於這種環境中正要日夜勤勞的與自然掙扎，身體和意志日夕受到大自然的鍛鍊而堅強起來，永遠不敢弛鬆，也永遠不滿現狀，所以奮鬥和爭取正是他們民族的特色，這種精神使德國成爲優異的民族。

高入雲霄的樹木，正能給人類一種崇高的感覺，德國人又從這裏學會了服從秩序的習慣，繁盛茂密的森林，又給人以隔離塵世的清新環境，德國人的哲學，苦學深思，正是森林環境所給與的；德國人的粗暴強悍，也是那浩莽蔥蘢的森林氣所影響的；德國人的性格就是在森林中培養出來。

海嘯慶談薈

制憲秘辛（中）

陳誠担任召集人之後，主張大家對於某一條文如有爭執時，即暫行存而不論，經研討其次的條款，這方法頗見效，祇有三個大問題很不容易得到結論，即國體、國都、國民大會問題是也。還有就是在野黨提出許多關於防制軍人干政的意見，亦要求訂爲憲法明文。幾經折衷磋商後，在野黨對國體問題，表示不復堅持己見——即同意「中華民國基於三民主義，爲民有民治民享之民主共和國」這條原文，國民大會集中於首都舉行（張君勱最初極力反對國民大會在首都召集）。唯剩下國都問題沒法子達成協議，因爲這問題形成了南北的區域利害之爭，超越黨派關係了。黃河以南的代表，主張定都南京，黃河以北的即要求以北平爲永久的國都，各有理由，相持不下，決無妥協之可能。最後還是蔣主席主張不將國都地名列入憲法中，大家才適得息爭的。到今天看來，幸而有此一着，否則中央政府遷移台灣後，對大陸上的統治權，在法理上即站不住腳了。至於防制軍人干政，軍隊國家化問題，推定小組召集人陳誠負責起草，結果乃構成現行憲法「基本國策」之一章。

憲法上所附「動員戡亂時期條款」，亦是經過各黨派人士協議決定的。當制憲工作進行之際，各個在野黨派人士的內心上，都知道國家前途凶多吉少，不會因爲有了一部憲法，就可以產生國泰民安的奇蹟，附以臨時條款，使政府當局於遭遇緊急事變時，對於應變策畧，得不受憲法明文拘束，殆爲事勢所必需。這在共黨方面絕對不能贊同，尤其是臨時條款之上加以「動員戡亂」字句，共黨更視爲不可容忍的事。但除了「民盟」份子以外，青年、民社兩黨對於這一點，都與共黨各行其是，不復採取聯合行動了。就是「民盟」的要角梁漱溟，亦會經與青年、民社兩黨站在一邊，贊成召開國民代表大會，通過憲法，實行和平、民主的憲政生活，後來梁氏被周恩來連哭帶鬧地痛斥了一番，又將自己已經簽署在協議文件上的名字塗去的。所以，當時毛共堅決反對召開國民大會，政府給共黨留着的國大代表名額一八〇位，始終空懸，而「民盟」份子亦甘心附共，拒不參預國大會議了。青年、民社兩黨最後與共黨分道揚鑣的原因，乃是見着當時國軍收復張家口之役，毛共被打得落花流水，深知今後國共絕無妥協的希望，若再跟毛共聯合行動，豈非違背自己初衷，放棄其政治理想，自毀其政綱政策，而喪失其生存的大道嗎？這就是臨時條款在第一次國大會議順利通過的所以然。

諸葛文侯

本報已奉僑務委員會核發台教新字第三二三號登記證

自由報

THE FREE NEWS

半週刊每星期三、六出版

第二十三期

每份港幣壹毫

社長：雷嘯岑

督印人：黃行齋

社址：香港銅鑼灣高士威道二十號四樓

20 Causeway Rd. 3rd. Fl. HONG KONG

TEL. 771726

電報掛號：7191

承印者：田風印刷廠

地址：香港高士打道221號

怎樣開拓新局面？（下）

雷嘯岑

用新人的義理已如上述，且進而談談行新政的方針。新政的範圍很廣，目前自由中國亟須改進的重大問題，就是經濟事業，試以經濟問題爲例證罷。

完全倚賴外援的經濟政策，有如飲鴆止渴，自貽大患，必須竭盡所能以發展本身的生產力，才是自立自強之道。可是，像現在我們法令滋彰，窒礙重重的現行制度，縱使全世界第一流的財經專家來主持其事，亦將束手無策。去年八月我在西德旅行時，曾經詢問彼邦人士：西德經濟復興如此迅速有效的秘訣安在？他們說是很簡單，政府採行自由經濟政策，以全力扶植民間工商企業，獎勵生產品儘量輸出，贊助他們必需原料品之輸入，予以各種方便，必要時且補償他們的意外損失，總期運用美援經費能得到加倍的生產成果——即使一元美金運用成爲兩元的代價，如是而已。爽考我們當前的經濟建設，法令多如牛毛，管制重重疊疊，而且涉於無謂的刁難阻碍，一個海外的僑商，要在台灣從事進出口貿易的話，除掉塡寫幾十種表格，奔走五六道衙門之外，談到結滙和貨物進出口問題，其手續之繁複艱難，聞之令人咋舌，見之使人寒心，許多無理的管制，更教人難以忍受哩！

香港是蕞爾小島，當地絕少生產能力，與台灣決不可同日而語。但最近十年來，人口由六十萬激增到三百五十萬，市面日益繁榮，幣制始終穩定，物價很少波動，當地政府不特毋需消耗幾許公帑而一切建設突飛猛進，每年還要繳納幾億元的港幣給英倫政府，它所憑藉利用的，就是中國人的財力和人力。連年來，東南亞各地區瘋狂地實行排華政策，稍有資財的華僑，大家將其財產逃避到了香港，加之以兩百萬以上的中國政治難民，隨時出賣勞力，乃構成了香港經濟建設的兩大支柱。我們政府早已頒訂清華僑回國投資的優待條例，然僑胞的資財却願意集中於外國殖民地，而不樂於享受祖國的優待生活，且視台灣爲畏途，這是甚末原故？香港政府發行的通貨，目前約爲港幣十億元左右——即爲新台幣七十億元，若以港台兩地的生產力與人口作比例，台灣即使發行兩三百億元的通貨，亦係平常之事。然台灣發行額最多不到二十億元，而物價乃隨時波動不已，人民的經濟生活日趨艱困，政府的財賦收入每感枯竭，這又是甚末原故？我雖然不懂經濟學，也能瞭解一些經濟常識問題，認爲這些莫名其妙的經濟現象，都是從沒有一定的經濟政策，以及繁苛重疊的法令與機構中產生出來的。兩年前，我問過香港大學經濟系主任教授葛蘭（Kurb[illegible]）先生——他[illegible]到台灣考察經濟情形——對台灣的經濟前途有何感想？他認爲專靠美援是很危險的事，因爲美援乃有時間的限制，並非永久性的經濟來源，即令永遠不斷，久而久之，本身的經濟上亦會發生大毛病的。就台灣的經濟情形來觀察，人未盡其才，地未盡其利，物未盡其用，貨更未暢其流，今後若要發展本身的生產力，振興工商企業，消除經濟危機，現有的經濟建設方針，固然需要重新檢討釐定，而一切不合時宜的舊有法令與疊床架屋的駢枝機關，更非徹底變革不可。顧名思義，政府設置的經濟部，應該是綜持經濟事業的最高權力機關，負有處理經濟事項的專責。然事實並不如此，它跟其餘的行政衙門一樣，事無鉅細，皆得徵求所謂「有關機關」的同意，今天召集委員會議，明天舉行小組會議，後天還要來一次綜合會報，芝蔴綠豆般的問題，一次又一次的會議，擱之不歇，一遍又一遍的談話，說之不盡，雖都有權過問，誰也不願負責，至於行政效率之低落與否，那是不在考慮之列的。政治上必須分層負責，各盡職守，纔有政績可觀，我們現在的行政機能，却是分層而不負責，負責而不分層，遇事向着上峯推，實在推不掉了，即請示於最高當局，作最後的決定，好壞皆與本身無關，自不會影響現有的政治地位。憑着這種作風，配以「人事凍結」的法令，表裏融合，百密而無一疏，極盡其「少做少錯，不做不錯」之能事，善哉善哉，阿彌陀佛！

我聞人言，台灣現行的財經措施，全是爲少數資產階級謀利益。這話是否正確，固屬疑問，但以稅收情形而論，越是有錢的豪商富賈，他們逃稅的方法即越多，而一般商店之公然舞弊，使用兩種帳簿以便逃稅的勾當，却係無可否認的事實。區區島國，人口不過一千萬，中央政府亦在此，而對於整頓稅收，控制物價，乃始終拿不出有效的辦法來，我不相信從政的袞袞諸公盡是些低能兒，這其間的癥結何在，眞令人百思而難於索解了。過去在大陸上滲透潛伏於中央銀行的老共冀朝鼎，他於毛共政權僭立後，在報上發表過一篇「我怎樣搞垮國民黨的財政經濟」的文字，縷述他如何利用、慫恿我政府財政當局的幕後策劃人某氏，製訂一些自殺性的財經計劃，鼓惑當局付諸實行的經過情節，列舉事證，如數家珍。如今在台灣主持財經事業的衆位英雄，都是當年國府財經當局幕中的親信幹部，我不知道他們亦有人看見過冀朝鼎這篇丑表功的文字否耶？懲前毖後，對於自由中國的經濟建設前途，不能不表示深切的杞憂啊！

經濟問題關係國家的生存，這問題如果缺乏適當而有效的改革方案，則一着失錯，全局皆非，所謂新局面，新機運，自無從談起，而一切自由民主的反共力量，亦將無所施其技了。我要大聲疾呼地提出警告：過去喪失大陸的主因是經濟，今後能否自力更生，早日摧毀共黨政權的基本力量，還是經濟。若要網羅新人才，應以網羅財經方面的新人才爲急務，由今之道，不變今之法，那是很危險的！

自由談　談領導人物

馬五先生

在任何一種社會生活中，必然需要領導人物，這是不期然而然的定律，無可置疑的。

可是，領導人物之形成，乃是漸積而自然發展的結果，既非憑藉一時的詭謀巽術所能獲致，也不是利用金錢魔力或政治地位即可攫得的。作爲一個領導人物的基本條件，在思想上應有「正其誼不謀其利，明其道不計其功」的犧牲精神，在行爲上應有「先衆人之憂而憂，後衆人之樂而樂」的恬淡作風，又配之以卓越的智識，高尚的德行，經常爲大衆服務，不矜不伐，任勞任怨。果能如是，無論搞政治團體也罷，幹社團生活也罷，領導人的地位一定衆望所歸，非公莫屬，而且大家心悅誠服，始終愛戴。否則縱使因利乘便，僥幸形成領導地位，亦如建築在沙灘上的高樓大廈，隨時皆有傾覆的危險，因爲沒有具備着領導人物的基本條件，只是彼此利用於一時，內部的人心是渙散的。所以，歷史上凡是乘機竊發，用武力打天下而取得最高統治地位的領導人物，如果依然採取「馬上治之」的策略，而昧於修德克己，虛懷下人的與天下人共治之的義理，結局未有不失敗者。

現代的一般知識份子，無論搞甚末團體生活，唯一的急務就是爭奪領導地位，却不想想自己是否具備着上述那些構成領導人物的基本條件。因此之故，即令某一團體的成員只有三個人，他們亦是同床異夢，彼此爲着爭取領導地位而不相爲謀，終致演出殺雞案會，打狗散場的醜劇，給世人以笑柄而後已。俗語所謂「秀才造反，三年無成」，正是知識份子幹團體生活的總評判，可哂亦復可恥也！

不度德，不量力，阿貓阿狗皆以領導人物自居的惡疾不掃除，現代知識份子即永遠幹不成一樁有益於國家民族的好事情，殆可斷言。世有持吾說以從事於團體生活的賢豪志士乎，爲之執鞭，所欣慕焉。

時事述評　美國的「專家」

盧家雪

當南韓示威運動正鬧得如火如荼之際，美國政府極力否認干預南韓，大有「此地無銀三百兩」的精神，而實則明眼人一看就知道這只是外交上的掩眼法。

果然，當南韓事件稍趨平靜以後，美國的「專家」們就自詡其勝利，而大放厥詞了。

據外電報導：「美國的專家們，鑒於南韓和土耳其的騷動，正將美國對若干亞洲及拉丁美洲國家的政策作忍痛的修改。……有些專家曾警告美政府，愼勿將自稱爲反共，而在取得美國支持之後，即破壞民主權利的他國領袖，認爲美國的可靠盟友。……美國官員們，現正分析南韓和土耳其的事件，擬獲得教訓，以適用於南越、台灣、寮國和泰國。這些國家均需要反共，並仗賴美國援助。」

美國「專家」的意見如此，則美國政府的外交政策如何，已是不問可知。

如此專家

作爲一個中國人，提到美國的對外政策「專家」，雖不致談虎色變，也總是有些那個的。中國大陸之淪於鐵幕，這些「專家」們居「功」至偉。當年的艾契遜國務院中，如果沒有那些把中共當作「農業改革運動者」的專家，如果沒有那些力主國共聯合的專家，如果沒有那些投井下石的專家，則中國大陸是否會淪於赤化，誠未可知。

假定中國大陸不是如此迅速地淪陷，我們實在有理由相信，早在十一年前，美國的「專家」們就會要來一次「慶功宴」的。

專家至此，蒼生苦矣！

以近十年的美國外交政策來看美國的「專家」，我們只能說，這些專家除了懂得以美援作武器，以干預爲手段而外，幾乎一無所知。

富伯萊的談話

拿美參院外交委員會主席富伯萊最近所發表的談話來說明，就可以知道了。

富伯萊於五月一日在電視節目中答復記者詢問，表示對於美國干預他國內政的傾向，認爲是「很危險的事」。但在同時，他又表示謂「美國可能迫得要對土耳其有所行動，像對南韓一樣」。

這也就是所謂「專家」的眞正面目。

如果美國的外交政策，仍然一貫受這些專家們的影響，則今後一切接受美援的國家，除了極少數而外，行將竟日紛擾。此則可以斷言。

錯誤的專家，指導錯誤的外交政策，簡直太危險了。

強權政治的傳統

當然，站在美國專家的立場，他們可能沒有錯。今日世界，仍然是一個有強權無公理的時代，而傳統的強權政治，則是一貫以均衡勢力爲最高指導原則。

就整個世界的形勢來說，是如此；就強國所要加諸於其他弱國的內部措施，亦復如此。

在此一指導原則之下，一切的援助，也得從均衡着眼。所謂均衡，也不過是說得好聽些而已。最確切的說法，應該是以援助作餌，而引起被援助國內的鷸蚌相爭。

是誰獲得漁人之利呢？

美國的專家們，自謂「勝利」，自然以爲獲利的是美國。

可是，再從深處大處着想，我們是不是也可以這麼說：此種外交政策的演變之結果，獲利的將會是共產集團呢？

用傳統的強權政治的方式，來對付今日世界的反共國家，行見擾攘無寧日矣！美國的對外政策，需要澈底檢討，現在是時候了！

新聞界的新聞

話劇演員控告報館

野鶴

台北通訊

自台南高等法院分院推事高嵩利用職權，收受訴訟當事人賄賂台幣四十五萬元貪污案被發覺，高嵩瑯璫入獄以來，社會輿論為之聳動，大家注意到高某何以敢於知法犯法，愍不畏死的內在原因？新聞記者尤其不肯放鬆這項大新聞的索隱分析。經過各方面的調查印證，知道高某原是個幹警察工作出身——他是中央警校畢業——再受司法人員訓練後，搖身一變而貴為法官的荒唐人物，對於嫖賭生活素所愛好，且喜歡跟一般所謂交際花、電影明星、戲劇演員之類的「迷死」和「累得死」一流人廝混，手面濶綽，揮霍無度，以致入不敷出，因而利用職權，大事貪污。高雄法院於拘捕高嵩，實行偵訊之際，曾經檢查他的私人函件，發現了若干名女人寫給他的信扎，內中盡是向他要錢的，從三千元到三五萬元不等，信中對高某的稱呼，皆非普通社交的常態，有的稱「漢傑兄」（高嵩的別號），有的直呼「漢傑」，而一切詞句又寫得很懇密，不似泛泛之交的情狀。據法院公佈的名女人信件不下十餘封，寫信的女人有台語電影明星李湘芩，崔冰，有平劇名坤伶戴綺霞，有話劇演員張茜茜等。台北的「徵信新聞」首先刊載這項消息，但只是列舉「名女人」的姓名，並未將信件內容披露。大概該報因此而受到了這般名女人的詰問責難，為表示消息真確，並非捕風捉影之談，隔幾天，索性把她們寫給高嵩的原函，摘要發表了一部分，並且冠以「風流債」字樣的標題，如是乎，麻煩來了！中有張茜茜者，是位演話劇的有夫之婦，她的丈夫藍天虹亦是同類的藝人，見着「徵信新聞」所載這項新聞，大為惱怒，夫婦間自然發生勃谿，迫得兩人從台中台南趕回台北市舉行記者招待會，說明張茜茜寫信給高嵩是索取戲票錢，別無不可告人的曖昧事情。張的丈夫藍天虹由於心情激動過甚，當場指明「徵信新聞」斷章取義，污損張茜茜的人格名譽，而「徵信新聞」方面亦不示弱，曾由外勤記者對張茜茜提出警告，說是將要繼續揭發她和藍天虹其他的各種花邊新聞，教她們自愛些。這樣一來，張藍二人勢成騎虎，下不了台，乃由張茜茜出面，向台北地方法院提出自訴，指控「徵信新聞」污蔑人格，毀壞名譽。這案件現由台北法院檢察官受理，進行偵查中，今後必有精采的新聞出現，且聽下面分解。張茜茜又在報紙上發表「我的控訴」一文，擇述本案情節甚詳，為使海外讀者明瞭真象，便作茶餘酒後的談助起見，茲將藍天虹，張茜茜自訴狀原文轉載如左，其中是非曲直，讀者自可辨別的。

藍天虹張茜茜的自訴書

「自訴人：藍天虹，男，卅五歲，四川人，住台北市徐州路八號。

張茜茜，女，卅二歲，四川人，住址同右。

被告余紀忠，男，年籍不詳，徵信新聞報發行人，為自訴被告妨害名譽事件，僅將犯罪事實證據及應犯法條分陳於左：

一、犯罪事實

竊自訴人夫婦自幼從事話劇工作，廿年來適逢中日抗戰及共匪叛亂各戰爭，因此對勞軍宣慰及社教宣傳之神聖任務未敢後人，曾獲政府獎勵頗多，社會人士亦多贊助，四十八年間在台南勞軍公演時，承台南高分院推事高嵩贊助代銷戲票共計一萬元，當時僅收進二千五百元，尚欠七千五百元未付，自訴人張茜茜曾先後致高嵩兩函，以需款為由示催討票款，不料在本年三月間，高嵩因瀆職案被押辦人員在其辦公桌抽屜內發現該函，不意為被告之徵信新聞報在三月卅一日第四版用以黃色標題「風流債」，「名女人」，內容並云「張茜×等名女人給高嵩的信件稱呼「親熱」，稱他「漢傑」（高嵩之號）信內均「坦白」直言，具自己的名亦只寫「茜×」、「張茜×」，在一封給高嵩信中並要高嵩立即給她六千元，說她在左營的弟弟，等着沒有錢用，似與高嵩有相當交情的口氣」另云：「張茜茜並恐高嵩與台中陳×惠有交往，將此事宣揚，陳之母親也寫了一封很長的信，大事罵高嵩，並指張茜×不應該宣揚人家的壞事」，極盡誹謗之能事。自訴人乃於四月六日招待新聞界澄清所誹謗之事實並公開要求該報公佈各信的內容，該報後於四月八日將兩信片段於第三版刊出，仍用「名女人」為標題，自訴人藍天虹急欲明瞭該函之真相，於四月十三日親赴台南高檢處，具文請求閱覽原函，奉首席檢察官正式批覆：「查張茜茜致高嵩的信件有二封，信中對高嵩之稱呼一封為漢傑，一封為漢傑兄，內容係借款，並無涉及男女私情，所請閱覽，因偵查中信件未便公開，礙難照准。」足證兩信既無私情，亦不應在高嵩案件偵查中公佈各私人函，且竟以黃色標題大事誹謗，不但妨害自訴人之名譽，且亦違反出版法之規定。按名譽為人之第二生命，自訴人實忍無可忍，特提出自訴。

二、證據及應犯法條

被告余紀忠為徵信新聞報之發行人，其散佈文字公然侮辱自訴人張茜茜之事實，有本年三月卅一日第四版及四月八日第三版的報紙可查，其所誹謗之事實非真實，亦有台南高檢處公文可證。被告等之行為，應觸犯刑法第三百十條第二項之罪刑，與違反出版法第三十四條規定登載禁止公開訴訟事件之辯論行為，當另依行政程序聲請處分。被告之罪證明確，應請依法偵查起訴，以保人權，用儆不法，至為感禱，謹狀台北地方法院刑事庭公鑒。」

張茜茜向社會控訴

我是一個女演員，也是一個家庭主婦，我的先生也是一個話劇工作者，我們有兩個孩子，大的男孩和小的女孩已分別進入初中及小學一年級就讀了。來台十年中，我除了相夫教子外，一直就站在戲劇工作的崗位上，對勞軍和社會公益事業，從未後人。

社會的公正先生們！現在我遭受意外的橫禍，將我推入了痛苦的深淵，令我無以自拔。事情的經過是這樣的：去年我帶領劇團去南部演出，因為旅費食宿等開銷很大，而且勞軍的開銷又純由劇團負担，門售收入很難維持，所以請求當地機關團體及社會熱心人士贊助銷票，在台南演出時，高嵩先生也是代為銷票的一位。後去兩封信向他收票款，不好言明催討，會先[illegible]誰知事隔許久的今天，竟惹出這樣大的橫禍來！高嵩因瀆職貪污案被捕，台北徵信新聞報四十九年三月三十一日赫然刊載：「高嵩案今首度偵訊六被告，續查出風流債，名女人香箋另有新發現，彼此翻底牌，開口要六千」，其對象竟是對我影射，使我不勝駭然。新聞內容稱：「本報台南三十日電：四十萬元之案賄案主角高嵩的『風流孽債』越查越多，台南高分院在查閱高嵩之一二九封交往信件中，計有李湘芩十封，崔冰三封，戴綺霞三封，張茜×兩封，以及台中陳×惠及新化的李×如兩小姐的大批信件，李湘芩、崔冰、戴綺霞、張茜×等名女人給高嵩的信件稱呼『親熱』，稱他『漢傑』（高嵩之號）信內均『坦白』直言，具自己的名亦只寫『湘芩』，『茜×』。張茜×在一封給高嵩的信中，並要高嵩立即給她六千元，說她在左營的弟弟等着錢用，似與高嵩有相當交情的口氣。張茜×並悉高嵩與台中陳×惠有交往，將此事宣揚，陳之母親也寫了一封很長的信，大罵高嵩，並指張茜×不應宣揚人家的壞事」……我做夢也沒有想到高嵩案件會將我牽涉進去，當我見到徵信新聞報這條消息時，我和外子正在台南演戲（外子為接洽勞軍事宜及嘉義演出而忙着，還未見到該報消息），我不敢即刻告訴他這件事，因為我怕他影響他的工作情緒，當晚，我偷偷地躲在被子裏哭了一夜。我想：我只不過為了工作向一個不知道將要犯罪的男人寫了兩封平常的信，我有什麼過錯呢？在百思莫解的情況下，我幾乎鑄成大錯，用自殺來洗刷我的清白。在嘉義，外子知道了這件事，氣的暴跳如雷，馬上就要趕回台北去招待記者，公佈此事的真象，我們會為這件事發生爭端，結果，外子依了我，僅將預定好去台中、新竹等地的戲停演，草草結束嘉義的演出，趕返台北說明這件事。

當我在台北舉行記者招待會之前，徵信新聞報的周記者來家訪問我，希望我在招待會中，不要提及「徵信新聞」四字，周記者說：「冤家宜解不宜結」並勸我息事寧人，只要讓大家明瞭這件事的真象就夠了。為了周記者是外子的朋友，同時也真想「息事寧人」。四月六日在記者招待會上，我並未提到「徵信新聞」四字，不料招待會進行了一半時，外子由台南取閱那兩封原信無結果而返，一時激動地指責了「徵信新聞報」。

當晚外子不在家，徵信新聞的周記者又來了，他說：「天虹在記者招待會中惹了大禍，他們的發行人余紀忠和總編輯對天虹在招待會中當着各報記者指責徵信新聞而大發脾氣」，他站在朋友的立場，不希望我們與他們鬧翻，因為我們是演員。演員最好不要得罪報紙，要我同他一道去見見他們的吳採訪主任，去時，吳主任很客氣地對我說「張小姐，謝謝你在記者招待會中沒有提我們的報紙，但是藍先生講的話似乎欠考慮，我們很生氣，不過我們並不在乎，如果藍先生對這件事情要追究到底，我們並不怕，頂多是其他幾家報紙替你們登一篇，而我們又回一篇，反正我們自己有的是地盤。我們愛寫多少就寫多少，但是寫來寫去，還不是把妳張小姐做了題材。妳自己想想，老把你同高嵩寫在一起，又有什麼好處呢？假若藍先生要搞到底的話，等這件事情結束後，我們沒有辦法寫妳，但是寫藍先生我們却有足夠的資料，我們可以從他的私生活寫起。老實說，他與洪明麗的事情還沒有結束呢！他還有一張同洪明麗抱着跳舞的親熱照片在我們報館，就是說他不在乎吧，我們還可以從洪明麗寫起，我們可以從各方面去打擊洪明麗」。最後，吳主任又要求我向各報替他們打招呼，要求登消息的時候，不要提到「徵信新聞」。為了息事寧人，為了不讓周記者為難，也為了不替天虹樹敵，我答應了那位吳主任的要求，曾託人向另外幾家報館的記者打了招呼。那知道，世界竟有令人難測的險惡。徵信新聞的發行人余紀忠先生，第二天却到處說昨晚我去他們那裏向他們求情，又於四月八日將我給高嵩的兩封信發表，這兩封信的內容，原很平常，但該報所用的標題却是：「名女人與高嵩的信，本報與人為善，曾予保留，茲應要求，予以部份披露」，消息的尾巴上，又故意賣關子，附註幾條，意思說：「高嵩有關信件，本報新聞來自確實可靠線索，並為顧及當事人起見，仍取保留態度，只予部份發表，現外間對此事頗多誤傳，而且要求發表真象，本報至此不能不以原文作部份之披露」。

徵信新聞報的這種措施，我不懂究竟為了什麼？既然鑄錯於先，不但不肯勇於認錯，反而做成種種圈套，欲將人推入陷阱，同時故弄玄虛，將我的信不完整發表，斷章取義，含沙射影，以歪曲事實蒙混讀者，期將讀者引入撲朔迷離的境界中。不知真象者，也許還以為徵信新聞報『與人為善』，替我保留了些不可告人的事呢！徵信新聞報究竟何所居心，不把我的兩封信全文發表呢？

我是個職業婦女，我還要在社會上立足，要與人騖共處，並且要我留下餘地讓我的丈夫做人，讓我的子女將來在社會上擡得起頭來，我勢須把這件事弄清楚，不到水落石出，我是絕不干休的。

現在我要向社會人士控訴，控訴徵信新聞的惡行，控訴徵信新聞對人權的迫害！新聞最重真實，絕不應該斷章取義，捕風捉影。只顧商業利益，罔顧新聞道德。我這次所遭遇的無妄之災。就是被一種不道德的行為所謀害，使我到處受到歧視；我的在中學讀書的兒子，也為了同學的訕笑而羞進校門。

我反對徵信新聞在我頭上按上「名女人」的頭銜，我更否認徵信新聞在報上發表我與陳×惠小姐所謂「彼此翻底牌」那件事，我根本不認識這位陳小姐，而向高嵩討票款的信中，也從未提到有陳小姐這件事，更未涉及任何男女私情，台南高分院檢察處的通知可以證明此點，茲抄原文如下：

「查張茜茜致高嵩之信件有二封，信中對高嵩之稱呼一封為漢傑，一封為漢傑兄。內容係借款，並無涉及男女私情。所請閱覽，因偵查中證件未便公開礙難照准希即知照。首席檢察官章愚。監印王啟瑞」。

我要求徵信新聞賠償我的名譽損失。我十多年來一直潔身自愛過着嚴謹的生活，我也頗以能在廣大觀眾心目中樹立了「生活嚴肅」的印象而自慰，這點名譽和事業，是我一點一滴用血和汗含辛茹苦建立起來的，正因如此，我才格外痛惜我的名譽被污損，人格被誣蔑，為了保障女權，維護正義，我也向社會的公正先生們以血淚控訴！

香港地

社會小說

三、文章有價

梅大亮聽得有這樣一段奇聞，便問道：「做大陸生意的人怎會辦起反共報紙呢？你這話是真是假？」

白芷噗的一聲笑道：「這怎會有假的呢？做哥哥的做大陸生意發財，做妹子的怎不可以辦反共報紙？這些年頭，家庭父子兄弟姐妹之間左右相反，各走各路的，真不知有多少，何況這裏面還有真假陰陽之別，有些人更要借此來唱其雙簧，藉收左右逢源之益呢！」

個中道理，並非太過微妙，梅大亮一聽便明，立即搖頭，說：「反共作家這銜頭，我可不敢接受。其實連我自己也不知道，是因要反共才成爲作家的呢？還是因要吃飯才走上寫作這條路子。而且，我既沒有辦報才能，做人也十分呆板，如要學人唱「左、右、左」的雙簧滑稽戲，更加不配。我看還是你自己想辦法去應付吧！」

一說到「左、右、左」這句話，梅大亮忽然想起一個問題，接着笑問道：「前次見面時，你不是說過，你們編輯部近來常掛上綠燈嗎？那麼，你替人辦一家反共報紙，又有什麼不對？」

梅大亮這話是有來由的。因爲白芷從前說過一個笑話，說他的報館老板是一個中立主義者，報裏既有走左路的記者，也有走右的編輯，竟是一個「梅花間竹」的形格，互相牽制監視得十分有趣，他自已的態度也是忽左忽右，令人捉摸不定，白芷自認是報裏的「超然派」，曾經打趣似的向「波士」提議，最好在編輯部入門處，掛上紅燈綠燈各一盞，每晚由他按紙發出燈號，以便編輯和記者們知所遵循，求取當晚態度的一致，庶免互相抵觸，致干未便。這個笑話是梅大亮聽得慣熟了的，所以今天有這一問。

這時，白芷前面剛擺上一杯熱騰騰的咖啡，他又向侍者打了一個手勢，再要一杯冰淇淋，然後順手將煙頭向碟上一放，笑道：「這一會，我們的波士怪得很，天天在吹無定向風，綠燈固不是，紅燈也不是。」因此，他笑時做了一個鬼臉，雙手在桌上擺了一擺，顯得輕鬆幽默之至。（廿三）

木客著

上流社會

春枝

張先生和曼娜小姐，現在已是打得火熱了。

照理，男大當婚，女大當嫁，既然彼此情投意合，接着來一個同偕白首，這簡直是天經地義的事。

張先生也不是沒有向曼娜小姐求過婚的，曼娜小姐也不是不肯答應，問題倒在曼娜小姐的父親，那個五十來歲的老頭子，頭腦還是那麼古板的，一定要先看看這位未來的女婿，他纔放心。

這一點，張先生雖然心中不太願意，可也沒有辦法。經過和曼娜商量之後，他決定去見這位未來岳父。

那天，張先生特別換上一件上等薄絨西裝，鼻樑上架着一副金邊眼鏡，手上拿着一個公文皮包，那皮包裏裝着的盡是張先生的隣居王老師的著作，十足像個上流社會的紳士模樣，然後叫了一輛「的士」直駛到曼娜小姐的家。

女用人把他領到客廳裏，曼娜小姐隨即出來招呼。

沒有多久，曼娜的父親出來了。他拿着一個煙斗，一面抽着一面微笑地踱進客廳，張先生立刻站起來，急步上前，握手爲禮。

「這位就是張先生嗎？」

「是的，他就是佐治，」這是曼娜的回答。

張先生立刻堆笑說道：「老伯，真是久仰，真是久仰呀！」

「不用客氣了，時常聽曼娜說到，所以特地請張先生過來吃個便飯。不用客氣，我們隨便談談。」

「本來早就該過來問候老伯的呀！」張先生爲了要表示客氣，不由得又要撒一番謊，他說：「不過，因爲在下有三間公司的業務，說麻煩也不太麻煩，但是雞零狗碎的事，倒是每天都有的，所以就失禮了。」

「哪兒的話，張先生過去是……？」

「哦，過去在天堂大學畢業，後來到歐洲去了一趟，學的是政治經濟，不過，慚愧得很，人太笨，沒有學到什麼，還望老伯多多指教。」

「豈敢？豈敢？像我一樣，已經是過時代的了。說句不怕失禮的話，真是連跳舞游水攝影之類的時髦玩意兒，一點都不會哩！」

「其實，就是懂得這些玩意兒也不過是應酬應酬而已。」

「應酬也是需要的。像我們老頭子，每天只知道吸煙飲酒，有時候，撓幾圈麻雀，看看跑馬，實在也沒有多大意思。張先生你公餘有些什麼消遣呢？」

聽到「消遣」二個字，張先生立刻在心裏打了一個轉，心想吸煙飲酒固然是自己所喜歡的，但決不能在這裏當場道破，便道：「公餘之暇，讀讀詩詞，或者到海邊散散步，我竟是連麻雀都不會打哩！」

曼娜的父親對於這次的問話相當滿意，像張先生這樣英俊的人，又無不良嗜好，怎能不令人心滿意足呢？

然而，他老人家到底是慎重的，他藉故退到曼娜的房間，叫工人把曼娜小姐請出來，問道：「這孩子聽他自己說，全無缺點，簡直是個完人，我也覺得滿意，不過，婚姻大事，究竟不是好玩的，妳且說說他究竟有沒有缺點？」

曼娜遲疑了一會，答道：「缺點當然不能說完全沒有，最主要的就是喜歡說謊。」

「這還了得！」曼娜的父親也來不及再說下去，連忙跑到客廳裏對張先生說道：「曼娜說，張先生喜歡說謊。是嗎？」

張先生是一怔，但隨即又是若無其事的說道：「這個，老伯是上流社會的人，當然很清楚。在上流社會的紳士們當中，如果不說謊，老伯，你想一想……」

曼娜的父親低着頭不作聲了。

憑着他四十幾年的社會經驗，上流人與說謊，有時候簡直是分不開家。爲了表示他也是上流社會的人，更爲了未來的女婿也是上流社會的人，這老頭子可沒有理由反對張先生同自己女兒結婚了。

釋「忍」字

生活漫筆

戈北指

唐朝的張公藝，九世同居。唐高宗有天臨幸他家，問他家人如何能夠處得和睦，張公藝書寫「百忍」以進。這是歷史上很有名的「百忍之家」。

忍字從刃從心，當初倉頡造這個字，大概就是象徵把一把刃插在一個人的心中，這種「插刃入心」的痛苦，沒有堅強的耐力，確實很難忍受得住的。

按照一般的解釋，忍字包含有兩種意義：一種是一個人的度量——容人之量；一種是對一切艱苦環境的抗拒力。中國人受儒家傳統思想的影響，講究忠恕之道，所以一切都以忍讓爲先。西方信奉基督教的國家，則講究寬恕。其實寬恕與忍讓兩者是二而一的。

從前越王勾踐，爲吳王夫差所敗被圍會稽山上，越王只好忍辱求和。然後臥薪嚐胆，十年生聚，十年教養，終於一舉滅吳，湔雪了當年的恥辱！

戰國時，齊國乘燕國內亂出兵襲擊，燕被攻破，生靈塗炭！後來燕昭王即位，立志復仇！廿八年之後，終於大敗齊國。

廿八年的「忍辱負重」，總算得到了揚眉吐氣！

不過像勾踐與燕昭王這種「忍辱負重」的精神，是在「忍」字的背後，更有一個「幹」字，所以能發生作用，若忍而不幹，那就是頹喪，墮落。我們今天，不但需要「忍」，更需要「幹」！

勞工神聖（下）

徐學慧

在有形與無形的種種威脅之下，任何方式的「自動」，都不是出於人類的本性。中共對於大陸億萬勞工之奴役與磨折，不論其用什麼方式來推動，亦不論其用什麼言語來掩飾，在明眼人看來，早已是洞若觀火的了。

根據中共的政策，乃是欲驅舉國爲奴工，是以上山的上山，下放的下放，大學教授補雀，大工業家掃街，電影明星拔草，縣長推車。諸如此類，無所不用其極。而彼等乃名之曰「大躍進」。

把「大躍進」這個圈套套在人民頭上，就只有增加工作時間的自由，而不能有要求減少工作時間的自由；只有減少或不要工資的自由，而不能有要求增加工資的自由；勞工到了這步田地，還能有什麼神聖呢？

人性的尊嚴與人類的自由，在共產黨的極權統治之下，是完全被否定的。所謂「勞工神聖」，在共產黨看來，這也不過是在未曾奪得政權以前，作爲煽動工人階級的一個口號，如今，大權在握，「勞工神聖」這個口號，就有些刺耳了。這些年來，左派報紙以及其一切宣傳機構，幾乎不曾聽到有人高呼「勞工神聖」，而只是改說「工人當家」，寧非怪事？

改說「工人當家」，其妙處乃在可以把一切增加工時減少工資的不合理情事，完全推到工人自己身上，因爲這是工人們自己當家。（「人民公社」成立以後，所謂工資問題，已經根本沒有了。）當然，這也不過是在字面上作文章，而其奴役勞工的本質，則是根本無法掩飾的。

一個奴役勞工的集會，居然也要紀念五一國際勞動節，簡直是世界上一大滑稽。全中國大陸的人民，在「人民公社」的束縛之下，在「上山」「下放」等種種奴役名詞之下，在「十五年內趕上英國」的口號之下，在「增產節約」「大躍進」等口號鞭策之下，幾乎已是舉國皆勞工了。這就是說，最低限度，在十五年之內，這些勞工們不可提出減少工作時間的問題，而到了十五年以後，如果趕不上還要再趕；如果趕上了，又得以美國爲目標。美國的生產力，超過英國又不知多少倍，即是又不知需要多少年纔趕得上美國。好了，人家也在進步，你天天在後面趕，究竟要趕到什麼時候呢？怪不得共產黨報紙也說今天中國大陸上的工人是「千軍萬馬奮不顧身」，既然今天的工人「奮不顧身」，那末一八八六年芝加高工人爭取三八制合理工作時間的運動，豈不是白費心機？

既然白費心機，則共產黨又何必慶祝「五一」呢？

望海樓隨筆

郭沫若的新詩

大陸文壇萬花筒

——岳齋

四月二十日的下午，北平中共「文聯」禮堂內舉行了一個「支援古巴人民詩歌文藝會」，這個會的發起人是西班牙的共黨詩人拉斐爾·阿爾貝蒂和古巴詩人紀廉，用意是向全世界左傾文化人呼籲，捐款爲古巴購買飛機，抵抗美國的「侵略」。

遇到反美的事，中共特別上勁，召集留在北平的文人及新興的共幹詩人，共有三百多人開會，主持人是毛澤東的竹馬青梅伴侶，也會寫新詩的蕭三。

在會上朗誦了許多人的詩歌，其中包括有郭沫若、田間、老舍、蕭三、田漢、袁水拍、謝冰心、阮章競、郭小川、徐遲、聞捷、王亞凡、劉嵐山、李學鰲、韓憶萍、曹洪森、靳開鑾、高長福、范以本等人。

其他各人的作品還未見發表，只有郭沫若的新詩卻見到了，題目是「獻給加勒比海的明珠」。

郭沫若的詩主題自然是反美，所以也用盡一切惡毒的字眼兒咒罵美國，其中有一段：

美帝國主義是全人類最兇惡的敵人；
它眞是橫行霸道，絲毫不講道理；
它在全世界佈滿着軍事基地，
任意蹂躪別人的主權，不分東西；
納粹遺孽，皇道殘餘，都成了它的伴侶；
而它卻僞裝着一個救世主的樣兒。

這一段詩雖然是罵的美國，可是若除去中間佈滿基地的一句，轉贈蘇聯似乎更爲合適，郭沫若當然不會罵「蘇聯大伯伯們」（也是郭的名句），可是卻無心犯了「聖諱」。

郭沫若這首詩據他自註是四月二十日作於上海，當天下午就在北平召開這個會議，郭沫若並未趕到參加，他這首詩若非用電報拍發，就是打的長途電話，足見郭沫若適到應分表演時是何等的賣力。

不過，郭沫若自從「入黨」之後，似乎日漸走下坡，去年創作了一個劇本「蔡文姬」，受到各方面的圍剿，寫了一本百花詩，雖然未受到指責，卻也未得好評，這次寫的詩按說是站穩立場了，可是，會不會再出問題，也很難說。

釋耒集

撰史之難

史、漢優劣，前人論者紛紛，然詆史記者實首自班氏父子，漢書司馬遷傳贊有云：「……至於採經摭傳，分散數家之事，甚多疏略，或有牴牾，亦其涉獵者廣博，貫串經傳，馳騁今古，上下數千載間，斯以勤矣。又其是非頗謬於聖人，論大道，則先黃老而後六經，序游俠，則退處士而進奸雄，述貨殖，則崇勢利而羞賤貧，此其所蔽也」。此等議論，出於東漢之世，固自不足為怪，然至范曄，已不謂然，故班彪傳論云：「彪固譏遷以為是非頗謬於聖人，然其（指漢書）議論常排死節，否正直，而不敘殺身成仁之為美，則輕仁義，賤守節，愈矣」。明季李卓吾，以己意轉前代史傳為藏書，于司馬遷傳後，繫之以言曰：「班氏父子譏司馬遷之言也，班氏以此為遷足以譏遷也，當也，不知適足以彰遷之不朽而已，使遷而不殘漏，不疎畧，不輕信，不是非謬於聖人，何足以為遷乎，則茲史固不待作也，遷固之懸絕，正在於此。……夫按聖人以為是非，則其所言者，乃聖人之言也，非吾心之言也，言不出於吾心，又何貴於言也，此遷史之所以為繼麟經而作，後有作者，終不可追也已。」謝肇淛五雜組事部第一，亦嘗論之曰：「史記不可復作矣，其故何也？史記者，子長仿春秋而為之，乃私家之書，藏之名山，而非懸之國門者也，故取捨任情，筆削如意，它人不能贊一詞焉。即其議論，有謬于聖人，而詞足以自達，意有所獨主，知我罪我，皆所不計也。……太史公與張湯、公孫弘等，皆同時人，而直書其惡，不少貶諱，傳司馬季主而抑賈誼、宋忠，至無所容。封禪書言武皇迷惑之狀。如此等書，今人非惟不能作，亦不敢作也。」清人章學誠，著文史通義，論史重在史意，故以馬班陳范諸史，為一家之學，而後世設局所修，不出一人之手者，直一代之史料而已，不得謂之曰史也。持論與李氏謝氏，正復相似，余又嘗讀李氏續藏書，以明人而述明事，求其所以彷彿于太史公者，竟不可得，凡所敘錄，幾于無一而非賢人碩德，大抵本來面目，十不得其一二焉。故謝肇淛又曰：「所謂御史在前，執法在後者，即有域外之議，欲破拘攣之見，已兢兢不保首領是懼矣。司馬溫公作通鑑，詳慎，久而未成，人即有飛語謗公，謂利得餐錢，故爾遷延，公遂急于成書，致五代事多潦草繁冗。」然則撰史之難，抑亦甚矣。

曲齋

中日美外交（下）

粟海彈心錄

然則如何捨相左而相謀，變相仇而相親，應首先重振固有學術文化，始能消散意氣，化乖戾而為祥和。又必大開大闔，計久遠而去近利，方能臻於至善。當前中日環境，困難重重，只求一心反共，不可少涉他想，精神互為支援，物資互為流通，矛盾互為消除，未可強以所難。而世界大局，已鑄成美蘇當下對立，未來俱毀之定型，即有睿智，不能為美國謀，謀未必聽，聽亦為時已晚。是之所謂因果劫數者歟。吾人應於此時將兩國前途，好好舖平，奠定基礎。事預則立，不預則廢，以免物換星移，措手不及，而覆轍相循也。

未來世界，乃原子和平事業世代，非原子武器軍備世代，故中日兩國國防，仍將建立於陸海空軍，陸軍因兩國所處地形不同，容有參差。至於海空兩軍，自可謀歸一致。

基於減輕國民負擔，與相謀永久和平之原則，似當取則英法兩國之互不設防，予則以此猶為不足適應將來。為兩國「自求多福」計，莫若海空兩軍，採取聯合編制，至誠相與，共同建立，其為益之大，不止合則力厚而負擔輕，分則力薄而負擔重也。否則異日軍備競爭，仍無了局，比鄰相處，嫌隙易生，往事具在，所當警惕者也。

基於兩國共存共榮之原則，技術物資，充分互資互益，舉凡兩國所有者，不應求之他國，俾工農資本，互為挹注，不致外溢，民生幸福，自可不為時間所限，而能按程預期。其福利後人，不可以道里計也。

基於學術文化合作之原則，學校文史地理課本，與夫社教科目，必先求彼此協調，凡屬傷害兩國國民情感之名辭語辭述語等等，自今以往，悉予修正剔除，不使兩國國民，復存不良觀念，然後徐圖固有學術文化之去取圓融，保固開創，使後輩生於斯，育於斯，作於斯，息焉遊焉於斯。無相賊害之心，而有禮讓之風焉，至若關稅平等，居留自由，與夫人口之自我限制，則有不待言者也。誠能一一如此，三十年後，現存之大美聯邦，已往之大英王國，當亦不足指數，是皆有國者意中事，在人謀之善與不善耳。

阿公

文學與性情

周塵

談文學離不了性情。所謂性情之作，這是文學批評上的一句術語，它所代表的意義是文學作品內涵的一種最高境界。換言之也即是說文學作品的內容，應該是本乎性情。這說法由來已久，按理是無待多贅，但以近來有不少文學之士，於此仍有若干歪曲之見，于文學本身不無影響，深覺有提出來談談的必要。

第一、有些人說，一切文學都是為了宣傳，凡是與宣傳無關的都不能稱為文學作品。按說文學是不能離開人生而獨立的，既然與人生有關，則必然有其實用價值，這一點我不否認。但以其有實用價值，而加以利用，當然不會離題太甚，進且作為達到某一種目的的手段，這卻不應該是文學的要求，因為文學本身是無為而為的。

第二、有些人說，文學與性情有關，但這有關卻被特定在某一時代人性的特別厚重上，比方在中國的歷史上先秦文學非常發揚，有人便以此認為這是由于那時代的人性情特別厚重的緣故，賦離騷的屈原固然是一個，就連侯嬴也拿來比附。說這種話的人據筆者所知，有的是黌門學者，但有一點是筆者樂于指出的，就是籠統得不合邏輯。不錯，文學與性情有關，但關鍵不在某一時代人性的特別厚重上。假如要說性情厚重，我倒願意舉出太初時代的人，不懂投機，那不會取巧，但是渾渾噩噩，也無所謂文學。因此我認為談文學，便牽扯到某一時代人性特別厚重，以證明它和文學的關係，不論如何總是危險。何況，即令是對也不見得于文學的本質有所證明啊！

其實，文學作品**說**起來原本就是表現性情的一種形式，這是無庸置疑的。外國人說它是思想的文字的表現，但這中間有個要件，就是必須通過作者自身的想像和感情，而寫于非專門形式之中的，因此，無疑的它是應該包含有作者本人的真摯感情在內。而我們中國一向的文學傳統觀念，卻更是以性情為文學的骨幹的。尚書說：「詩言志」，這就是說文學作品是在表現性情。雖然這在當時容或有些含蓄，但經後漢的衛宏引申出來：「所謂在心為志，發言為詩」：情動于中而形于言」，即可看出這兩者間一開始便有其不可分離的關係。基因于此，後來的文人學者都奉它為衡文的鐵律，于文學無所談則已，否則必然搬出性情。

中國最早而又最有系統的談論文學的書，大家都知道是文心雕龍，在風骨篇裏劉彥和說得好：「詩總六義，風冠其首，斯乃化感之本源，志氣之符契也；是以怊悵述情，必始乎風，沈吟鋪辭，莫先于骨，故辭之待骨，猶體之樹骸，情之含風猶形之包氣。結言端直，則文骨成焉，意氣駿爽，則文風生焉，故練于骨者，析辭必精，深乎風者，述情必顯」。所謂「怊悵述情，必始乎風」，所謂「深乎風者，述情必顯」，凡此都可一言以蔽之，就是吐納英華，莫非性情。而這性情其來却自結言端直和意氣駿爽上，所謂直，所謂爽，在這裏我們都可以當它無非是個真。而這真可就和他前後時代的人，如曹丕祖瑩等人對於文學的意見，在基本上是一致的。魏文帝說：「文以氣為主，氣之清濁有體，不可力強而致」，這就是說：文學作品完全要本乎個人的至性，其間不單不能夾什有絲毫的外力，而且也不能有絲毫的不自然氣味，所以他又說「七子于辭無所假」。與北史祖瑩所說：「文學須自出機抒，成一家風骨」如出一轍。前前後後一連串的呼應，給歷史作了一個呼應，這呼應道出了這古老民族文學對內容的一致要求，這要求是：文學作品必然要本乎性情，自出機抒，不能有絲毫的假借，絲毫的勉強，絲毫的作偽。換句話說也就是一個文學者工作者必先要有其個人的充分的自由意志，必先要有真摯的感情。沒有真摯的感情和自由意志是不足以言文學的。然而自由的意志，在目前，不是隨處可有，而真摯的情感卻更不是到處俯拾，信手即可拈得的。因此夠格的文學作品也就愈顯其可貴。

南唐李煜，所以能成為一代詞宗，王國維在人間詞話裏說他是生于深宮之中，長于婦人之手；因為生于深宮，和外界隔絕，所以他持有一顆赤子之心；又因為長于婦人之手，世故不通，這就和俗話說的「多入世一分，便減損一分性情」很相近。因此我們可以說，大凡老油子，專門看風駛舵，整日拿着雞毛當令箭，對寫八股三復斯言的作家，包管寫不出什麼好的作品。只有如後主這樣天真未鑿的人，才能創造出香艷的一斛珠這些妙詞來。至若他的後期作品，如簾外雨潺潺，春意闌珊，羅衾不耐五更寒，夢裏不知身是客，一晌貪歡，獨自莫凭欄，無限江山，別時容易見時難這些名句，雖然在思想上已經不同，似乎不能相提並論，但有一點卻是相同的，就是他的旨趣仍然是本乎性情（儘管這性情已不再是白擬式的），這却應該遷功于國破家亡後給他的慘痛教訓。因此我們又可以說：文學是來自痛苦和絕望，不痛苦而絕望，也不會產生出好的作品來。

海嘯廔談薈

制憲秘辛（下）

綜查現行憲法全部條文，除了「總統任期六年，連選得連任一次」這一條，是採用「五五憲草」原文外，其他皆與「五五憲草」背馳，弄成了一種既非國父孫中山先生所創立的五權併行制度，也不是歐美各民主國家行之有效的三權鼎立制，不倫不類，非馬非驢，且與吾國國情扞格難通。蓋立法的用心完全在對付蔣先生及其所領導的國民黨，并未為國家民族的生存發展利益設想。所以，他們（在野黨派）更要以嚴酷的明文，限制修改憲法，必需有全體國民代表總額四分之三以上的人數出席，取得出席人數三分之二以上的同意，才可以談修憲的話，事實上，如不得到極少數人的贊成，憲法即永遠不能修改，因為全體國大代表三千餘名之中，共黨額定為一八〇名，青年黨佔有一〇〇名，民盟八〇名，民社黨四〇名，共計為四百人，無黨派者尚不在內。國民黨若要修憲，須有總四分之三以上的人數出席，換言之，如果非國民黨籍的代表拒不出席，或臨時退席，修憲之議即永遠無法談起。似此以極少數人的意見來箝制極大多數人的行動，殆與俄共在聯合國的否決權作祟方法，如出一轍，只有搗亂作用而已。第一次國大會議時，國民黨籍的代表佔着絕對多數席位，若要否決這部由張君勱氏負責起草的奇特憲法，固屬容易之事。但國民黨領導人認為有法勝於無法，本黨既已決計結束訓政，向全國人民發出了諾言，應該忍讓遷就，促其實現，使國家進入憲政常軌，樹之楷模，徐圖改進可也。這些經過事實，今日許多人不是健忘，即明知故昧，而以主張修憲者為大逆不道，真是時代的悲劇，亦為現代知識份子的莫大悲哀。

平心而論，現行憲法需要大修特修的地方很多，但不宜輕率從事，目前亦非修憲的適當時機。如其硬要昧着良知，罔顧國家利害，認為現行憲法實係金科玉律，不可改易一字，否則國家危亡可立而待。這種理論祇是對人而發的意氣之談，所謂借題發揮是也。若說真是出於為國為民的動機，稍有常識的人，誰其信之呢？

諸葛文侯

暮遠樓詩三首

伍叔儻

作詩為施維雄兄壽

一尊敬為先生壽。願作太平蕭散身。好傍溪山勝絕處。仰看高鳥俯沈鱗。

丙申十月丸山讀書

舊事秦淮恨有餘。太平翻憶我生初。今朝實在無心讀。一卷南唐馬令書。

題朱慕蘭女士髑髏圖

修眉秀目雪肌膚。見說雙鬟一世無。今日行為泉下土。不應示我髑髏圖。

自由報

本報已奉僑務委員會核發台教新字第三一三號登記證

THE FREE NEWS

半週刊每星期三、六出版

第二十四期

每份港幣壹毫

社長：雷嘯岑

督印人：黃行奮

地址：香港銅鑼灣高士威道二十號四樓

20 Causeway Rd. 3rd. Fl.
HONG KONG
TEL. 771726

電報掛號：7191

承印者：國風印刷廠

地址：香港高士打道221號

中立主義與我國的外交

宋文明

中立主義特別是亞非中立主義，自一九四九年夏天開始形成以來，直至今日，已成了國際關係中的一股主要浪潮。這一個國際第三勢力的最初策動因素來自於新德里，以後由新德里而雅加達，而開羅，而阿克拉，最後蔓延到歐洲，拉丁美洲及世界各地。現亞非兩洲獨立國家已達三十以上，但在這三十多個國家中，與美國具有同盟關係的只有五國，與英國具有同盟關係的只有六國，與法國具有同盟關係的只有三國。假若再除了其中的重複關係，這三十個國家中與西方大國集團具有軍事互助關係者，只有菲律賓，泰國，巴基斯坦，伊朗，土耳其，與馬來亞六國。不過其中馬來亞，只與英國有聯防條約，而與法美兩國則無。伊朗[illegible]，而又與法國則無。因此這三十多個亞非國家中與英美法三國同時具有同盟關係者，約僅當亞非國家總數的八分之一。另外，美英法三國雖在亞非五個國家內分別建有基地，並以軍援分別給予其他五國，但以這些國家在政治上常常追隨中立主義路線，所以很難把它們視之爲一種西方的正式盟國。這種情形使我們清楚瞭解，不論西方在亞非地區建有一道防衛連鎖，不論它們在亞非地區的締盟努力如何活躍；但亞非地區實際上就是一個中立地帶。這種中立浪潮不但沒有隨時間演變而緩和，反而日益澎湃。

在過去，我們以爲拉丁美洲是美國的後花園，受長期門羅主義的庇護，在國際政治上該與美國完全一致。但由於受了亞非中立主義及國際環境的不斷影響，近年來拉丁美洲各地也開始逐漸產生了一種中立主義的傾向。一九五八年夏天，即美國尼克遜副總統訪問南美受辱以後不久，美國生活雜誌曾就「在東西冷戰中你們支持西方？東方？或完全中立？」一題，在拉丁美洲各地舉行了一次廣泛民意測驗，結果這一在去年七月二十八日所發表的報告中顯示：在委內瑞拉的京城加爾加斯，支持在東西冷戰中守中立的爲百分之六十八，在秘魯京城利瑪贊同守中立的，佔百分之三十四；在墨西哥京城贊成中立的，佔百分之六十六；在哥倫比亞京城波哥大贊同守中立的，佔百分之四十九；在烏拉圭京城蒙得維多主張守中立的，佔百分之五十一；在阿根廷京城布宜諾斯艾利斯主張守中立的，佔百分之六十二。以上只是一種民意測驗，僅代表拉丁美洲一般人民對中立主義的觀感，對於實際外交並無多大影響。可是一九五九年三月底，古巴總理卡斯特羅在哈瓦那公開宣佈了一項中立主義的外交政策。他說：「爲何我們要選擇一邊？爲何所有美洲國家要參加一個集團？爲何不宣佈我們有生存權利？它們有現代化的防空設備以抵禦原子攻擊，我們甚至連一個藏身的小洞都沒有，爲何不說這些老實話？爲何不說古巴參加了所有戰爭，但當戰爭一告結束，古巴的權領即被制滅？」嗣後在訪美期間，卡斯特羅曾將這一說法稍加沖淡，但隨即又回到了原來立場。直至最近，古巴這種作風更爲明顯。這證明就是近在美國身旁的古巴，也已正式採取了中立主義外交路線。這種情形再加上瑞典，瑞士，奧地利這些歐洲正牌中立國家；加上愛爾蘭、冰島，南斯拉夫，以及日本等國的左右搖擺；中立主義的氣燄可說越來越高漲。

由於中立主義已形成了一種龐大的國際勢力，所以今日世界各國，不論它們對於中立主義的本質作何看法，可是在外交上，它們對於中立主義都採取一種現實的態度。所謂實在的態度者，即根據各國本身的利害關係，及各地中立傾向的不同程度，儘可能爭取與中立主義國家的接觸及合作。就是素以堅強反共聞名的韓國總統李承晚，對此一事的態度亦不例外。一九五九年二月三日，李承晚在答覆記者詢問的一項書面談話中如此表示：「我的政府今年將尋求外國特別是亞非國家的更加積極的支持與友誼。我們不應不顧那些瞭解共黨主義不深而反共產主義不力的國家，我們的任務，必須要爭取它們參加自由世界的大業，而不是把它們趕跑。我們不能強迫它們放棄中立主義，但我們可以勸說它們」。由李承晚這一態度中我們可以看出，不論你對中立主義作何看法，但若對於這一反共不力的中立主義竟要採取一種斷然的排斥政策，實在不是一種明智的作法。這本來也只是一種國際常識，但今日我政府當局對中立主義的應付態度卻異乎是。我看到我們駐美外交代表曾公開斥責中立主義比共產主義更邪惡危險，我也曾聽我們主持國民外交的團體，在自己邀請的印度賓客面前大肆痛詆尼赫魯。不必再舉別的例子，這些已足證明今日我國在對於中立主義這一問題上，不僅沒有確切的瞭解別人，而且也根本沒有瞭解自己。

我們如把中立主義，視爲共產主義同路人，視爲比共產主義更邪惡危險，視爲勢不兩立的仇敵，結果，我們已明顯看出由此產生了三種對自己不利的影響。（一）正如上面分析，中立主義今日已形成了一種國際間的龐大勢力，其範圍與影響越來越廣，而且按照美國政論家李普曼氏的解釋，中立主義的所以日漸抬頭，是戰後大國影響逐漸式微的一種象徵，這種演變過程亦將日益加速，沒有力量可以阻止的。果如是，那末，我們今日採取與中立主義誓不兩立政策的結果，總有一天，將使中華民國政府在國際上完全陷於孤立的地步。（二）中立主義有各種各樣的程度，有的偏左，有的偏右，有的親共，有的反共，中間頗多參差。假若我們把中立主義一概視之爲共黨同路人，一棒子打倒一船人，那對於中立主義國家的任何外交活動都將無從作起。因此一個國家只要一宣佈實行中立主義，我們即與這個國家的一切關係立刻惡化，使我們又減少了一個與國，增加了一個敵國。把中立主義視同敵人的作法，使我們的整個國際宣傳完全擠進了牛角尖。我們也知道中立主義國家有許多政策是錯的，也有許多是對的；但在我們的所有國際宣傳中，把這些中立國家的一切幾乎無一不是受共黨的操縱和爲共黨的利益而着想。結果，這種聊以自慰的曲解宣傳，不僅削弱了政治效果，失去了應有的國際立場，而且也時常造成一種矛盾，無法自圓其說。本來作這種宣傳的目的，在攻擊中立主義；結果卻爲中立主義所攻擊。

我深自覺得中立主義，可以解釋爲任何主義，但不能解釋爲同路人主義。因此一個反共國家儘可以作自己的反共宣傳，儘可以希望中立主義國家一起來反共，儘可以說中立主義在國際政治上有毛病；但絕無理由，亦絕不能把中立主義看成爲不兩立的敵人。任何鬥爭中有一條共同的原則，便是爭取第三者，今日的中立主義，便是國際關係中的第三者；我們不設法爭取中立主義者，一開始竟把中立主義視爲敵人，爲淵驅魚，自動把中立主義列在敵人的一邊，實在是一種政治上的錯覺和外交上的自誤。

我們應該知道，自由中國與中共之間的鬥爭，最後將取決於全世界的民意，取決於大多數聯合國會員國的看法，取決於其中一票或兩票之差。榮辱成敗，間不容髮，差之毫釐，謬以千里。因此在最後關頭到來之前，如何爭取與國，改善全世界對自己的觀感，實爲一切外交活動的重點所在。

時事述評

「民主」的流行性感冒

盧家雲

這一個多月以來，遠東中東各地，似乎是患了一種「民主」的流行性感冒。

繼南韓示威運動之後，土耳其也發生示威了。

自然又是反政府，自然又是打的「民主」旗號。

其尤可笑者，乃在南越的所謂「新反對集團」。」

根據美聯社的報導：南越前任內閣部長十人，領導成立一個新反對集團……他們已向吳廷琰總統提出一項長達七頁的請願書，……要求開放政權，保障基本民權，開放言論與新聞自由，改組軍隊，承認他們與合法的反對黨。」

前任的內閣閣員，由於他們當時的政策不得人望，乃致引起吳廷琰總統的上台，如今，這些過氣政客竟又要吳氏承認他們的地位。如果說這也算是「民主」，則普天之下，應該沒有不民主的事了。

民主不是潮流，但無論如何，不能變爲流行性感冒。我們需要民主，我們也同情那些爭取民主的人。

應該注意的是：民主不能用暴力去動搖國本，有如南韓之暴動；民主也不能故唱反調以自高，有如南越那些過氣的內閣閣員。

民主應該從普遍教育着手，應該從改善生活着手。

推翻這一個政府，換上另一個政府，並非民主。因爲教育之普遍，並非一朝一夕所能致。

將甲國的政體，強加於乙國，則縱令甲國爲民主，而乙國卻未必然。此因文化歷史社會背景不同之故。

美國以有民主共和二黨相互牽制爲民主，何以法國的多黨政治，反使當時的執政者一籌莫展呢？戴高樂將軍一上台，要求國會授以全權，乃能大力闊斧，放手幹去。是亦足以證明，法蘭西式的民主，並不同於美利堅式的民主。

但有一點卻是相同的，即法國人與美國人的文化水準與政治操守。戴高樂之能東山再起，只因他生於法國。假定他生於遠東的弱國，而又要過份地依賴美援，則今天的示威運動，恐不會在漢城，恐不會在伊斯坦堡，而早發生在巴黎矣。

環境不同，體制各異，英國的帝制，美國的兩黨，法國的多黨，究竟什麼是民主，什麼是非民主呢？

自由談

政治權力中毒

大韓民國總統李承晚，最近怵於各地區民衆對這次的總統選舉不公允，而連續示威反抗的情況，聲明願意辭職，下令重行舉辦大選，又贊成修改憲法，實行內閣制。外國記者說他對於民衆的要求屈服了，似有諷刺意味，我卻不作此想。民之所好好之，民之所惡惡之，以國家的公僕地位，接納主人翁的意見而行事，正是民主政治的楷模，焉用諷刺爲哉？

不過，我因此不禁爲李總統深致惋惜。他一生從事復國運動，受盡了痛苦折磨，四肢亦被殘傷了。幸而及身得奏復國之功，成爲大韓民國的開國元勳，視北美合衆國的偉人華盛頓，殊無遜色。華盛頓作過相當時期的行政元首以後，毅然退隱，恰到好處，留給人民以深厚的去後思，永矢弗諼。李總統每次連任皆先行修改憲法，甚至有拘囚議員的情事，相激相盪，乃釀成了目前全國騷然，且招致國際盟邦干涉內政的結果，迫而表示願意引退。假使他在這次大選中，仍然容許反對黨取得副座職位，不堅持清一色的局面，則選舉上的「不合法」現象，必不致那末嚴重，人民的反感自然降低，而最近各地區民衆的示威騷動行爲，自不會發生了。一念之差，貽患無窮，竟使李承晚先生的「大韓民國華盛頓」榮譽，毀於一旦，這不是極堪惋惜的事嗎？

政治權力有如鴉片煙，很容易慢性中毒的。凡是能夠見幾而作，適可而止，不陷入政治權力慾的迷魂陣者，便不失其爲大政治家。古往今來，許多英雄豪傑，仁人志士們，爲國家人民盡辛苦艱難，創業垂統，勳績彪炳，不可一世，終致弄得晚節莫保，爲後人所歎惜竊笑不置，推究其中原因，全係政治權力中毒所使然，可不懼哉！

壓力愈大，反抗力亦愈強，這項物理定律，同樣適用於人理，看了韓國的政治現象，更足以證明其正確性了。

馮正先生

美日新約面臨最後難關

秦泰

最近以來，由於南韓的政潮發展得如火如荼的關係，差不多每天都佔了世界各地報紙的重要地位，把許多的重大新聞都掩蓋着而不令到人們加以注意。其實，對於日本安危攸關的美日安全新約，亦已面臨著最後難關。儘管日本外交當局對於南韓的暴動事件，為抱著「隔岸觀火」的幸災樂禍的心情；但日本國內的左派工人學生及左傾份子的一再發動示威運動，企圖阻止國會通過該項美日新約的陰謀，正方興未艾，是日本對於此一問題的措施不能不加慎重考慮，則其情勢的發展將會演變到如何地步，誰也不敢逆料。

由於去年十一月下旬以來，日本左傾人士對於該項美日安全新約的猛烈抨擊，不遺餘力；並且經常與俄共中共相呼應，大唱雙簧。當日本首相岸信介赴美談判該項新約的前夕，單是東京一地便有五萬至十萬包括共產黨徒、社會主義份子、工人、學生和教員，經過東京大小街道，高呼「結束與美國的軍事聯盟」的口號，且曾數度衝入國會大厦廣場，與大厦周圍的政府警察發生激烈衝突，結果除雙方約有一百人受傷，十名學生被捕之外，同在全國六百多個地區參加示威遊行，估計也有五萬人以上。自一九五二年五月以來，這是最大而最嚴重的一次暴動。

尤其是岸信介起程赴美那天，東京情況更形緊張。從東京市到羽田機場的沿途上都擠滿了左派學生和工人，特別在羽田機場的周圍學生羣衆不下三萬人，高呼口號，響澈雲霄，假如不是警方的嚴密佈置，阻止示威羣衆的話，那末岸信介的專機能否起飛，頗成問題。

表面上那次的暴動事件，是由社會黨「日本勞工組合總評議會」、「日本共產黨」、「日本學生自治政府協會全國聯合會」及其他左翼人士所組成的「反對修改安全條約人民委員會」所策動的。但據一般觀察家的看法，則是由莫斯科和北平的幕後策動。其證據可以從下列看出：

（一）據東京美新處和日本警察局的調查，第二次大戰結束後，蘇俄派在日本的特務，約有五千名，由特姆尼斯基和朱曼卓夫領導地下工作。他們都是沒有正式外交官護照的黑市人員，除偵探和搜集在日美軍的一切情報外，特別是對日美聯防方面的進展，他們極力加以破壞。由於他們的看家本領是策動赤色工團，學校，及左翼團體，作罷工罷課以及示威遊行等等的勾當。而日本國會進行討論修改美日新約的時候，又正當謠傳美國計劃在西太平洋成立新軍事集團，將被稱為「東北亞公約組織」的消息，因此他們的煽動工作更變本加厲！

（二）在日共示威反對美日修約較早時，中共就很明顯地支持日共，並曾先後與日共總書記宮本顯治及日共主席野坂參三的「聯合聲明」公開支持日共進行「革命」。所以當時野坂參三和社會黨書記長淺沼稻次郎及工會總評議會事務局長岩井章等，曾公然乘着宣傳車，在街上指揮示威人員。共黨曾的行動，更顯而易見。又今年四月十九日，共偽總理周恩來在「人代會」中，也曾極力抨擊日美新約，竟說「日美新約是違反日美兩國人民的利益的。」並說「這對於日本人民是一個災難性的條約，不但威脅中國與蘇聯的安全，而且威脅東南亞各國的安全…。」這種挑撥性的胡說，顯然在煽動日本朝野，企圖使美日關係發生波折。

事實上，蘇俄和中共之企圖破壞美日關係，不自今日始，遠在一九五五年七月三十一日，當杜勒斯和重光葵的聯合聲明發表時，其中有這樣兩句：「日本應當首先負起防衛本國的責任；同時應盡一切努力建立起對於維持國際和平及西太平洋的安全保障，能作出貢獻的條件。」所謂貢獻的條件自然是指日本在必要時「出兵海外」，莫斯科和北平認為抓住了機會，極盡挑撥離間的能事，因而當時日本國內也曾引起一陣大風暴。

然而，今年元月十九日在華府簽字的美日新約，是代替一九五一年簽訂的臨時條約。從第二次大戰所遺留下來的影響，至此已告一段落，在今後的美日關係上，將不復再有戰敗投降的痕跡存在了。因此，岸信介表示決定於四月廿六日國會閉幕以前，不惜採取任何行動，以達到批准該約的目的。可是當日本國會兩黨激烈辯論的時候，日本全國各地約有二十五萬人參加反對該約示威。除外，且有九千餘名左派學生在國會前與警察發生激烈衝突，結果重傷學生四十餘名，直到深夜尚未平息，所以國會便把該項新約暫時擱置下來。

由於社會黨受着中俄共的幕後慫恿，決心阻止國會批准該項新約，因此，岸信介首相對此一問題也着實費了一些腦筋。社會黨人士對於阻止這一新約之獲得通過，在理論上當然是站不住腳的，譬如他們說，日美新約之訂立，是為了對付中共和蘇俄，但中共是「愛好和平」的國家，日本用不着擴展軍備去對付呀！關於這一點，岸信介也毫不客氣地反駁說：既然中共是如你們所說的「愛好和平」，何以中共要保持幾百萬大軍？相反的，中共可以有幾百萬大軍，則日本何以不能加強武裝自衛？這一反擊，可謂正中要害，可惜，問題倒不在會議場上的理論，而是在會議場以外的行動。據日本的左派份子揚言，他們可以在必要時，發動五十萬人的大示威，假定此種大規模的運動終於實現，則流血事件勢必無可避免。左派分子一向就善於用苦肉計的，犧牲幾個學生工人來製造流血事件，以導致日本國內的大混亂，在他們看來，這並不是沒有代價。這種動向，岸信介政府當然也看得很清楚，且看他運用什麼手法來防止此種流血暴動之再度發生。

就在下月，艾森豪威爾就要訪問日本了。日美新約，是不是在艾森豪訪日以前可以通過呢？

台灣地方選舉軼聞

野鶴

台北通訊

最近台灣的地方選舉，全省十七個縣市長競選結果，只有基隆市長林番王和高雄縣長余登發不屬於國民黨籍的——林是民社黨黨員，余是社會賢達人物——其餘十五位都是執政黨提名當選之士。但據熟悉當地內幕情形的人說，林番王與余登發之獲得勝利，實係不可思議的事，而其癥結即為人謀不臧，此中經過情節，頗可供一般吃選舉飯——也可說是幹民主憲政活路的人士作借鏡，值得一述的。

基隆市的林番王自從台省實施地方自治以來，每屆選舉他都是競選人之一，而每次他都是止於陪選姿態，臨陣退却，形成了職業的陪選家，代價只是補償他的競選費用，不教他受到物質上的損失而已。這次他依然出來競選，但對手方的執政黨提名競選人李國俊不諳竅要，掉以輕心，認為林氏不過是湊湊熱鬧，殊不足畏，我行我素。如是乎林氏勢成騎虎，只好硬着頭皮當真地從事競選工作，而以「哀兵」的詞色到處向羣衆求情幫忙。然對手方李國俊却以勝算在握的心情，未能深入民間活動，他是外省人（粵籍），藉着市黨部主任委員的地位，僅跟社會的上層人士打交道，在基隆市組織了一個「李氏宗親會」，作為助選的主力軍。林番王亦就如法泡製，利用「林氏宗親會」名義來號召，基隆市區居民林姓多於李姓，而李國俊又非台省的土著，這一手法自然搞不過林番王了。林氏又造出兩句競選口號：一是「台灣人選台灣人」，二是「光復基隆市」。為甚末說「光復基隆市」呢？因為自從台省光復以來，基隆市長一直都是外省人謝貫一担任着，林氏這一句口號的用意，就是在打擊對手方李國俊，挑起一般選民的區域觀念，而其潛在效力乃很大。林番王憑着這些技術，就把那被視為實力雄厚，穩操勝券的李國俊擊敗了！綜查李氏這次失敗的原因，十分之五由於輕敵，十分之三由於技術不夠積極老練，十分之二就是籍貫和平日的信譽關係。

高雄縣長余登發之獲勝，更是意想不到的奇蹟，事前不特一般社會人士皆認為他絕對沒法戰勝執政黨的提名候選人，連他自己亦毫無信心的。詎料時來運來，忽然有人替他造機會，一夜之間，就使選民的心理發生激變，竟有一萬多票臨時改變目標，投給余登發了，說來令人可嘆亦復可哂呢！

四月廿三日是競選運動的最後一天，次晨便要實行投票了。余登發在廿三日最後一次的競選演說時，曾對執政當局的行政措施，猛烈抨擊，當然難免有些過火的地方。聽衆中有幾位現役軍人深感不平，當場對余氏提出質問，指斥他所說的某些事情完全是捕風捉影之談，余氏自不肯屈服，彼此舌戰唇槍，形勢至為緊張，而其站在演說台下的助選人員，亦就加入這項爭論，跟那幾個「丘八哥」短兵相接，由辯駁而謾罵，最後繼之以動手毆鬥，結果是「丘八哥」打勝了，但羣衆却不以打架為然。當時在場維持秩序的憲警，即將那幾位現役軍人帶到附近的警察所去，以免事態擴大惡化。然羣衆數百人亦隨擁到警所門前，用擴音機指着軍警辱罵，情勢洶洶，難以理喻。舊任縣長急以電話報告國民黨的省黨部，請示應付方法，省方以茲事體大，轉告中央黨部，幸而中央黨部秘書長唐縱處置得當，回話教警察人員千萬不可使用強力對付之法，挨罵不許還口，挨打亦不許還手，同時教憲兵把那鬧事的軍人帶到憲兵隊去，向羣衆宣佈必將依法懲辦，這樣一來，羣衆的情緒乃告和緩。大家從警察所門前撤退了。可是，余登發即利用這場打鬥的事情，作為拉票的口實，說執政黨使用軍警干涉地方選舉，並且箝制競選人的言論，公然動手打人，欺壓弱者。他的詞色如怨如訴，哀感動人，就在廿三日一夕之中，原來決定擁護執政黨提名候選人的選民約有一萬名左右，皆變成余登發的支持者，而余氏乃以一萬餘票的多數，奪取了縣長的寶座。這不能不歸功於幾個「丘八哥」為執政黨提名競選人幫倒忙的後果，實為余登發意料所不及的幸運也。

論中共的農業發展綱要

筱臣

中共的「全國農業發展綱要」是一九五六年一月由中共中央以草案形式公佈的。到一九五七年九月，又經中共「八屆三中全會」加以修正，在同年十月又公佈，這修正草案，一直到今年四月六日，經譚震林（中共中央書記處書記兼中共國務院副總理）以「國務院」名義向中共的第二屆全國人民代表大會第二次會議提出報告，才於四月十一日由中共中央人民政府正式公佈。

這綱要實施的期間為十二年，即自一九五六年起至一九六七年止。綱要全部共為四十條。內容頗為廣泛，對於農林、畜牧、農村副業、肥料、水利、推廣新式農具、墾荒、病虫害、水土保持、水陸運輸、鄉村郵電、農民教育、文化都有所論列。

其中心幻想是在十二年內，糧食每畝平均產量，在三種不同的地區，分別達到四百斤，五百斤和八百斤。全大陸十二億畝糧食耕地，總產量要達到七千五百億斤。譚震林為了欺騙搾取農民更多的血汗，特給農民描繪出一個永遠不能實現的幻景。譚說：「將來實現農業發展綱要時，每人每年平均至少有一千五百斤糧食和二百元的收入。」

在譚震林所提出的「提前實現農業綱要」的報告裡，雖然竭力誇張共黨「大躍進」的成就，而在計算方法卻大玩魔術，將前年和去年的農業生產數字合併起來，說「糧食兩年增長百分之四十六，棉花兩年增長百分之四十七」，以掩飾去年「躍進」的失敗。

更可笑的是譚震林一面誇張「大修水利」的成績，說大陸十二億畝耕地的灌溉面積已達十億七千萬畝，隨後又說，要繼續努力，「爭取提前實現」，「灌溉面積在十二年內達到九億畝的要求」，當場拆穿自己無恥的謊言。譚震林報告的字裏行間，反映出他對大陸農業發展的悲觀情緒，認為儲備一兩年的糧食，改善農民生活，還需要長期的努力，「再苦戰幾年」，即使實現了「農業發展綱要」，農業也不等於完全「過關」，因為「農業根本出路在於機械化」，而在中共現正集中力量發展重工業的政策之下，農民已經淪為牛馬，「機械化」不過是對大陸農民殘酷的諷刺而已。

實際上，譚震林早在第四期的「紅旗」半月刊上，就曾經承認農業生產指標，因受耕地面積和人力所限以及自然災害的影響，而不能綱實現。

這些現象，說明大陸在一九五九年不論早晚造糧食，既未「豐收」，更未「增產」。而且恰恰相反的是：因災害嚴重而造成普遍的減產，如果一定要說有「豐收」的話，那只是一些番薯和玉米，而把這些雜糧配給人民代替主糧。「人民日報」在三月廿四日強調：「把玉米提到主糧地位」，就證明這一點。

必須指出：不要說大陸農業生產因種種限制而無法發展，即使能實現其「綱要」的要求，也祇能適應其搜括，人民口糧的配給量是絕對不會有絲毫增加的。不論任何政權，最少也必須給老百姓以「吃得飽」的最低生活，如果連吃也吃不飽，而要他們勒緊褲帶去勞動，甚至要做額外勞動，其結果必然遭受反抗而被打倒的。

社會小說　香港地

三、文章有價

白芷一向就是那麼放浪隨便，對什麼都似滿不在乎，愛說愛笑，但也容易動怒發氣，說他有趣固可，說他是荒唐怪誕也對。這時他喝了幾口咖啡，又吃起冰淇淋，居然吃得津津有味，教梅大亮看了也得發笑。

咖啡和冰淇淋是冷熱相反的東西，白芷卻愛將兩者同時吃喝，並且不像南洋那方面的吃法，把冰淇淋放在咖啡裡勻和了才吃，而是喝了熱的又吃冷的，吃了冷的又喝熱的，說這才刺激得有點味道。有一個時期，他還喜歡拿西瓜和咖啡一起吃喝，說這比較拿雞烤腿送佛蘭地酒，有異曲同工之妙。

看白芷這個人的生活方式和做人態度，梅大亮就常常想起頹放詩人蘇曼殊來。雖然蘇曼殊寫的只是舊詩，白芷寫的卻是新詩，作品絕不相同，但梅大亮認為：白芷就是蘇曼殊一類的人，該說是摩登式的蘇曼殊。白芷從來不贊成這種說法，自說生平最佩服的人只有一個，就是美國電影明星占士甸。梅大亮很少看美國電影，本來不知道占士甸是誰，為了白芷說過那一句話，才去找尋占士甸的影片來看，可是看了以後，他竟還一口咬定，占士甸和蘇曼殊並沒有多大分別。

他們兩人從前有了不少爭論，以上所說只是一點點罷了。現在，梅大亮看白芷一連要了兩杯咖啡和兩杯冰淇淋，便不禁縐着眉勸道：「算了吧！還是適可而止吧！到底你這種吃法有什麼好處？」

白芷笑了一笑，再燃起一根香煙。梅大亮替他算了一算，這已是他坐下來狂吸狂然的第五根香煙了，只見他猛吸了一口煙，連煙氣都懶得噴出來，立即喝了一口咖啡，然後說道：「這有甚麼好處嗎？難說得很。我只覺得這才夠刺激罷了。做人一天沒有刺激，就是做得不過癮，把兩種各走極端的東西同時受用得來，從這中間找點刺激，不也很好嗎？看完左的刺激，再去看右的罵左的，那也是刺激，有刺激就覺得有癮。我們天天都是在各種大的或小的刺激裏面去討生活，好在還覺活得有癮啊！有一天會覺得什麼都無癮時，那便……」

他說到「那便……」這兩個字時，又笑了一笑，擺了擺手，不說了。梅大亮看他這種模樣神情，真有幾成似銀幕上的占士甸，不禁心裡一愣。（廿四）

木客著

提高女權

寒江雪

不知怎的，婦女俱樂部門前，今天特別熱鬧。許多人在門口張燈結彩，喜氣洋洋，最初還以為是什麼集團結婚之類的喜事，仔細打聽，纔知道今天是婦女福利會一年一度的盛會。

根據我的經驗，年年此會，照例要有些名女人出來演說一番的，而這些名女人演說，又照例要提到男女平等，提到女人不是弱者，歸納結果，照例又是女人應該站起來。

正抬頭四顧間，忽覺得肩膀上給人拍了一下，回頭一看，原來是周小姐。

周小姐究竟是不是小姐，那是一個耐人尋味的問題。有人說，周小姐已經離過兩次婚，現在正在和某商店的總經理作「異性相吸」的運動，是否確實，不得而知。但無論如何，在今天這樣的場面，遇到周小姐，倒是不能不令人肅然起敬的。

當下向她微笑點頭，說道：「小姐，今天的大會，想必又是妳主持的了？」

她也是那麼微微一笑，笑得那麼神秘，然後輕輕說道：「沒有辦法，為了婦女界的前途，我怎麼好推卻呢？」

我跟着又是微笑點頭。在周小姐面前，微笑點頭，是我唯一的武器。聽她說話的聲調是那麼急促，我知道她很忙，便連忙說聲抱歉，想來一個乘機而逃，卻不料，一把拉住，說道：「走，你不參加大會嗎？」

「哦，這個。我當然是願意參加的，可惜，我是男人。」

「笑話，男人就不能參加婦女大會嗎？老實說，這個社會，男女之間裏還存在着很大的距離，就是你們這些男人們自己造成的。」

經周小姐這麼一請，我只有暫時晉升為來賓了。

好容易，等到大會開始。

周小姐胸掛「主席」紅條，拖着那對三寸半的高跟皮鞋，配合她那種時髦步伐，慢慢地行近擴音機前，用一種令人毛骨悚然的特殊聲音，開始致詞。她說：

「婦女運動，絕對不是空談，一切都應該從自身作起。」

全場大鼓掌。

「男人是人，女人也是人，聰明智慧，原是一樣，為什麼女人一定要把聰明智慧浪費在塗脂抹粉的上面去呢？」

全場為了周小姐之塗脂抹粉，而發出暴風雨般的鼓掌。

「年年都聽到人家說什麼尊重女性呀！提高女權呀！其實這種口號就大大值得研究。女性如果自己不能站起來，則所謂平等之說，就根本是空談了。」

全場鼓掌，繼以歡呼。

演說過後，歡呼聲達五分鐘。許多名流紛紛向她握手致賀，她似乎毫不介意，卻走過我這邊來，問道：

「對於我的話，寒先生有什麼高見嗎？」

「好極了，好極了，前無古人後無來者，婦女界有此，婦女之光。」

幾句話說得周小姐滿懷高興，我順便說道：「等一會我們一道喫飯去。」她也點頭同意。

喫飯的時候，我儘量叫菜，這一頓飯，喫掉八十五元。我暗暗地吩咐侍者把賬單送到周小姐面前，只見她面色由紅轉白，然後低聲說道：

「寒先生，你沒有帶錢嗎？沒有錢何必請小姐上酒家。」

「別什麼小姐小姐的了，男女平等，今天無所謂誰請誰，今天是妳們的節日，算是妳請我了。」

「這個，這個，這個……」

周小姐把手上的鑽石戒指偷偷地除下來，送到我手上，示意要我送到××大押去。

這一回，算是把女權提高不少了。

誓詩

讀書漫筆

崇洵

胡適之先生曾填過一闋「沁園春」，那時，正當新文學運動推展之際，所以這闋題為「誓詩」的「沁園春」，流傳得十分普遍。原詞如下：「更不傷春，更不悲秋，以此誓詩。任花開也好，花飛也好，月圓固好，日落何悲？我聞之曰：「從天而頌，孰與制天而用之？」更安用為蒼天歌哭，作彼奴為？

文章革命何疑，且準備搴旗作健兒。要前空古，下開百世，收他腐臭，還我神奇。為大中華，造新文學，此業吾曹欲讓誰？詩材料，有簇新世界供我驅馳。」

五四運動距今四十一年了，雖不能說是沒有成果，但事實表現在文學上有逆流現象。因此又令人想到「文學改良芻議」裏的「八不主義」，今天，「八不」的對象，像是復活了。

有人說過，近年台灣的藝壇，如果也學以往批評家予以分類，無以名之，只好稱做「無聲時代」。雖說這種解釋不免過火，可是，實在也找不出其他妥貼的名詞來。

公主下嫁

徐學慧

美麗的賢慧的英國公主瑪嘉烈，終於還是出嫁了。二十世紀最偉大的愛情悲劇，由瑪嘉烈公主與唐生上校合演，自一九五五年十月卅一日公主發表不嫁唐生的聲明起，一直到唐生和那位比利時煙草大王的女兒結婚為止，前後經歷四年多的時光，幾乎不斷在全世界人們的心頭縈繞。到今天，這一偉大悲劇，由於唐生之先於公主而結婚，經已破壞了悲劇的氣氛，再由於公主之下嫁鍾斯，遂宣佈黯然閉幕。

公主與唐生兩心相愛，而終不能同偕白首，當年的一紙聲明，實已贏得全世界人士的無限同情。人類的心裏，固樂於欣賞喜劇，但一個完美的悲劇，卻較喜劇更能引起回味。

然而，不到五年時光，唐生終於另娶了，瑪嘉烈公主也終於另嫁了。一娶一嫁之完成，也正顯示出這一悲劇之落幕，這固然也是一件好事，但在我們東方人看來，偉大悲劇在半途被沖淡，總不免有些悵然於懷。

前幾年，唐生過着放浪生涯，周遊世界，在一般人的心目中，總以為唐生是不會再娶的了，退一萬步，縱要再娶，也得在公主下嫁之後，可惜，此一估計，竟是完全錯了。唐生竟先公主而結婚，其在公主心頭所引起的感覺又將如何呢？

東西文化之不同，在此處亦可略窺端倪吧！如果唐生上校是東方人，我們固可斷言，他會盡量壓抑自己，來完成這一偉大愛情悲劇的。

肉體之愛，人世間所在多有；惟獨精神之愛，亙萬古而常存。假定一則丫角以終老，一則鰥居以度年，則此一愛情故事，寧不令千秋萬世後的有情人，為之頂禮焚香，低頭膜拜？

然而，不到五年時光，唐生娶了，公主嫁了。

一個絕佳的悲劇場面，竟然被破壞得一無是處。看來，還是得讓今日的溫沙公爵獨步了吧！

西方文化，每有非東方人所能領悟者，唐生之毅然結婚於公主下嫁之前，是其明證。我們無意鼓勵或勉強他人演悲劇，但無論如何，當一個難得的悲劇降臨到自己頭上，倒也大可不必為了世俗的慾望而甘願加以破壞的。

如今，這個故事，已經結束了。這兩個悲劇演員，卻在演至半途，突然改變劇情，急轉直下，使得人啼笑不成，眼淚不落，倒也是相當尷尬的。

除了例行的祝福外，還能說什麼呢？

望海樓隨筆

大陸文壇萬花筒

馮沅君言婉而諷

岳騫

在中國文壇上，陸侃如和馮沅君要算是一對理想夫妻，兩人在一個學校教書，研究一個問題，共同著一部書（中國詩史），套用一句古話，真可說是「神仙眷屬」，而今卻也和一般學者相同，過着生死兩難的日子。

中共佔領大陸時，陸馮伉儷在山東大學教書，以後也未更動，最初中共對陸侃如頗為尊重，推他任山東大學副校長，又是九三學社的山東負責人，所以在那一個期間，陸侃如表面上是相當風光的。

一九五七年大鳴大放時，陸侃如首先提出黨委退出學校的呼籲，得到整個大陸學者教授的普遍支持，中共恨透了他，到了反右派開始時，把陸侃如列為重要右派份子，撤消了一切職務，連帶他成名著作中國詩史也成了問題。當時中共文化幹部似乎是採取各個擊破政策，還留有餘地，只攻擊陸侃如，不理會馮沅君，即使批判中國詩史一部書，也只批判陸侃如著的詩經部份，後來又逼着馮沅君也出頭攻擊了陸侃如一陣，才算了結。

從那時起，陸侃如固然無聲無息，馮沅君也未曾發表過作品，夫妻兩人以沉默作為無言的抗議。

最近關於文學史上又鬧出兩條道路的鬥爭，在大陸搞得烏煙瘴氣，這段事情的因果寫上一萬字也說不完，簡單些說是由於茅盾寫一篇「夜讀偶記」，把中國文學作品分成現實主義和反現實主義，後來北京大學中文系專門化一九五五年級學生編寫「中國文學史」，根據茅盾的思想，硬把中國文學史上的作者分成兩派，一派是現實主義的文學家，一派是反現實主義的文學家，對前者盡量恭維，對後者則無情漫罵，這本劃時代作品問世之後，引起文藝界大譁。

在這個「熱火朝天」的鬥爭中，陸侃如已經沒資格說話，馮沅君也一言未發，最近共幹終於逼她寫了一篇文章，評論這件論爭的是非。馮沅君本來就具有溫柔敦厚的個性，加之目前的處境，她敢得罪誰呢？只有輕描淡寫的說上幾句無關痛癢的話，不過她也指出硬把歷史上的人物分類是很困難的，每個人的作品都有多面性，抓住一點而否定全體，不僅不公平也是不切實際的。

釋耒集

仁義與氣力

先秦諸子，韓非最晚出，而實集法家之大成，其文汪洋恣肆之外，亦復雄悍可畏，以秦始皇之沈鷙，讀其文詞，竟至於曰得與此人爲友，死且不恨，則其餘可概見矣。五蠹篇有曰：「上古競於道德，中世逐於智謀，當今爭於氣力」。故韓然主「仁義用於古不用於今」。天下致公然謂治國理民不必仁義者，亦實自韓非始也。非與李斯之學，相傳均出自荀卿，且謂斯自以爲不如非，故非入秦後，即爲所譖殺，惟後此始皇兼併六國，焚書禁學，坑殺術士，實以李斯爲謀主，而凡所措施，胥不出五蠹一文所論之範圍，是秦皇之所以得天下，及其所以治之之術，雖曰本諸韓非，固未嘗不可也。惟秦混一之後，不數載而天下即大壞，陳勝吳廣，以戍隸遷徙之徒，奮臂起於大澤之間，竟以覆秦宗社，漢興，至武帝之世，司馬遷撰史記，爲秦始皇本紀，以賈生推論秦所以覆亡之故，次於其後，賈生爲此，引野諺曰：「前事不忘，後事之師」。則其欲以秦事爲漢殷鑑，舉可見焉。賈生論秦亡，皆在仁義不施，攻守異勢，其所持論，與韓非適相反，然亦有絕相類者，韓非曰：「民之政計，皆就安利而避窮危，今爲之攻戰，進則死於敵，退則死於誅，則危矣。棄私家之事，而必汗馬之勞，家困而上弗論，則窮矣，窮危之所在，民安得勿避？」賈生曰：「先王見始終之變，知存亡之機，是以牧民之道，務在安之而已，天下雖有逆行之道，必無嚮應之助矣。故曰：安民可與行義，而危民易與爲非，此之謂也。」夫明明知民畏窮危，而必驅之使蹈窮危，亦在所不恤，則以爲氣力之可任也。明明知民樂安養，故不惜約法省刑，輕賦少事，務使亂離之後，人知更節修行，各慎其身，則以爲非仁義不足以持其後也。韓非、賈誼，其所見同，而所以爲言乃適相反者，所操之術異也。治國理民，以爲氣力之可任，故曰：「今人主處制人之勢，有一國之厚，重賞嚴誅，得操其柄，以修明術之所燭，雖有田常、子罕之臣，不敢欺也。」此韓非之文之所以廉悍可畏者也，然又安知「陳勝、吳廣，才能不及中人，非有仲尼、墨翟之賢，陶朱、猗頓之富。」遂足以亡秦乎？孔子曰：「儒有忠信以爲甲胄，仁義以爲干櫓，戴仁而行，抱義而處，雖有暴政，不更其所。」依此而言，則儒者未嘗不尙甲胄干櫓，其所以卓絕，特在歸本於仁義而已。

曲齋

棠海彈心錄

因果與反攻（上）

春秋左氏傳云：「無使滋蔓，蔓難圖也。」爲後世之養癰遺患，諱疾忌醫者言。亦即爲今之美國朝野言，不禁爲當時鄭伯言之也。又云「多行不義，必自斃」，爲後世之巧取豪奪，殘民以逞者言。亦即爲今之共匪黨徒言，不禁爲當時叔段言之也。從滋蔓，行不義，故其罪難逃。

公元前二百六十年，秦趙構兵，趙師敗，秦人坑趙降卒四十萬。此役在中國歷史爲空前。四十年後，楚項羽率江東子弟八千，西向攻秦，大敗秦師，坑秦卒如之。此役在中國歷史爲絕後。

三國時，曹操殺伏后，並殺其二子。未幾司馬師廢其主曹芳，司馬昭殺其主曹髦。而司馬氏之子孫，兄弟相殘，與懷、愍之死於胡人之手者尤多。[illegible]梁、陳。七朝六姓，皆以篡奪得之，亦無一不以篡奪失之。「天道不[illegible]」，而報施之巧，點滴不爽，靈驗如是哉。

秦始併吞六國，一天下，務以苛法制民役民，爲子孫帝王萬世之計，乃父子相及，僅得十有四年。陳勝吳廣，屯卒百人，揭竿而起，天下響應，子嬰肉袒繫頸以死，嬴氏遂絕。

王莽巧語花言，要結人心，以奪取天下，厲行繁苛，塗炭人民。光武淮陽，興師問罪，至莽自焚之日，其歷數與秦始同。

洪秀全等起事金田，以「三點教」相號召。摧殘文化，滅絕倫理，兵力所及，省縣孔廟，私家宗祠，靑年兒女，焚燒擄掠殆盡。清咸豐三年，建號天國於金陵，至同治三年而亡，爲時亦僅十一年。

黃巢、朱溫、張獻忠、李自成等，俱曾橫行一時，殺人如麻。溫死其子友珪之手，腹腸膏血圖塗。餘皆碎尸萬段，無一得保首領者。此即左氏所謂必自斃也。

質之今之中共，其殘酷制民，焚書坑儒，倍於嬴秦，其橫征暴斂，絕人私產，甚於莽新。其毀滅文化，摧殘文字，過於洪楊，其殺人之多，東薄沿海，南號交趾，北至內外蒙古，西及流沙寶藏，無處非刑場，無地非血窟。則又黃、朱、張、李諸賊，所望塵莫及者。「罄南山之竹，不足以書其惡，傾東海之波，不足以滌其腥。」根絕倫常，拆散家庭，使父不得有其子，婦不得有其夫，兒女號泣，不得有其父母，極人世之慘痛，古今中外，未有如今日中國之大陸同胞。予老矣，不能執干戈以剪除同仇，然古人不我欺，必有一夫夜呼，從者四起，揭竿以梟朱毛之首者也。爲期當不在遠，願國人振懽以俟。

阿公

台灣的初期美術

莊鵬文

臺灣的美術是從大陸移植過來的，後來，受了日本美術的影響極大；但是臺灣美術家始終保持着大漢民族的精神，不論國畫、西洋畫、彫刻，都表現着民族文化，與日本人對抗過來；因此，臺灣的藝術才有今日的發達。

臺灣之初期美術，是遠在道光、咸豐年間，有一位臺灣板橋閩人林本源家設有「汲古書屋」，聘請中國大陸文人來臺灣講學，於是中國大陸文化從此頻繁地傳入臺灣。當時，由中國大陸來臺灣的文人書畫家非常之多，並留下了許多足跡與貢獻。如擅長書道的呂世宜、沈葆禎、陳南金等人，善於書畫的葉東谷、謝琯樵、林覺等人，此外，還有王霖和善畫蘭石的郭尚先，也有被稱爲詩書畫三絕的蔡廈道開凱，在臺灣都有過影響。那聞名一世的福建林琴南及許綸卒也曾來過臺灣。除書畫家外有鄭陶畫隸中外的龔王，都是來自中國大陸的。據當時的有關史籍及資料來說，那時在臺灣出身的書家很少，書家多，如臺北大龍峒的張書紳，臺中的呂遂甲，嘉義的林啓東、蔡燮霄，臺南的許南英等人都是日據前的書家。能畫的有臺北艋舺（即現萬華）的吳鴻業，嘉義的許禹門、許子蘭，臺南的林朝英等人。

日據台灣以後的書家，台北有林知義、杜逢時、洪雍平以及畫竹的洪以南，新竹有張純甫、黃四君子的李逸樵，鹿港有施梅樵，台南有羅秀惠等人。畫家台北有蔡雪溪、蔡大成、蔡九五，新竹有鄭香圃、鄭江立、范耀庚、陳湖古、張金柱、陳心投，台中有呂汝濤、施壽柏、彰化有林天野、黃元璧，嘉義有蔡碩軒、宋光榮、蔣才、周雪峯、林子有，台南有潘科、呂璧松等人。由此可見，台灣的美術始自「文人畫」，前述的「文人畫」並無多大的美術價值，其作品的內容陳舊，皆是倣古臨摹，缺少近代感覺和新的創造。直至受過新教育之靑年，逐漸到日本和法國去留學以後，才有新的美術創造。最先留日的是台中市人劉錦堂，於民國初年考進上野的東京美術學校（即現東京藝術大學之前身）。

其次到日本學美術者，有天才彫刻家黃土水，他是台灣出生的一位值得記念的藝術家。黃土水係台北市艋舺（萬華）人，自幼酷愛藝術，早就顯露其藝術的天才，在日本政府所辦之國語學校（即現台北師範學校之前身），在學中，努作時間，他雕作了一座木彫觀音菩薩像，大爲日人梅村老師及同學們讚歎，遂以此爲機緣，受了日本政府當局的選拔，畢業後即被保送進東京美術學校在日本彫刻界之權威高村光雲的指導下砥礪，後來從本科轉進研究科，跟名彫塑家朝倉文夫深造，至民國八年他二十五歲時，還是在學中，其最初名作「山童吹笛」竟入選日本帝國美術展覽會，轟動當時整個日本藝壇。黃土水不但爲台灣出身的藝術家開闢了一條新的路徑，亦爲台灣揚眉吐氣。畢業後，返回故鄉，其時曾爲林熊徵、郭春秧等人塑造了幾個胸像，並受台北市人的委囑，爲萬華龍山寺彫刻了一尊全身的釋迦牟尼像，後又忽忽東渡日本，自力在東京近郊的池袋，新築了一座塑像所，以後更專心努力製作了不少的傑作，先後入選日本帝國美術展覽會或其他公私展覽會，一時名斐日本藝壇之人物。

民國十九年十月，日本依例將舉行第十二屆帝國美術展覽會，黃土水爲參加這次出品，從事最初而最後的大作「水牛群像」，灌注渾身的精力，因此過度勞瘁成疾，是年十二月二十一日這位天才彫刻家就在日本永別了人間。享年僅三十六歲。

黃水牛的「水牛群像」彫刻，懸排在台北市中山堂後面的石壁，在高九尺長十八尺的臺上，浮刻着一幅富於詩意的南國特有底悠閑幽靜的夏天風景。在繁茂芭蕉的背景之下，有五隻馴致的水牛，交頭接尾放在綠野之中，兩個裸體的牧童，天眞爛漫地一個拿着一根竹桿，騎在一隻低垂着頭慢吞吞的正在吃草的水牛背上，一個站在另一隻水牛的前面撲撫着牛頭，那隻牛受其愛撫，表示着十分愉快的神色，伸長着脖子站着。其技巧的透徹，構圖的雄偉，詩意的橫溢，眞是不愧一代之名作。

庚子談義和團

漁翁

義和團之亂，時在光緒二十六年——庚子，距今六十年。其淵源，出於「白蓮教」的一支派。「白蓮教」爲秘密結社，即佛教的「白蓮宗」，晉沙門慧遠與其同志劉遺民、雷次宗及名儒劉程之等十八人，結社於廬山的「東林寺」，亦稱「蓮社」。按謝靈運一見遠公，肅然致敬，乃於寺內鑿池，種白蓮，此爲「白蓮社」之所由來。

白蓮教，又稱「焚香教」，造作經卷畫像，流布各處，其後建立名目，聚衆結社者甚衆，「八卦教」，即其中之一，本伏羲氏所畫：乾、兌、離、震、巽、坎、艮、坤八卦中，而有離宮坎宮等名稱，以鼓吹其名爲「天理教」，以符咒天文，預言人事，爲人所尊信，其中習義和門拳法者，又稱之曰「義和團」。

義和團首先傳教者，爲郜生文，河南商邱人，[illegible]，皆稱爲南方離宮頭殿眞人郜老爺門下，其後，餘黨自立幫章，以「勿貪財，勿好色，」爲戒條，反宗教侵略及廢除不平等條約，並揭言以咒語避槍炮，提出「扶淸滅洋」的口號來，遂於光緒二十六年，起事於天津，號「義和團」。慈禧太后與王公顯貴，皆爲其所惑，贊助之，召其衆入北京，稱爲義民，欲假其力量，以雪歷年外人侵略之恥辱。

因此，蔓延直隸山東山西各省，毀教堂，鐵路，電線等，並圍攻各國駐京的公使館，殺死德使克林德、和日本使館書記杉山彬，致召英，俄，德、美、義、奧、法八國聯軍之禍，各國艦隊由大沽口攻入天津，未幾京城失守，慈禧后率德宗——光緒倉皇奔避於西安，而京畿附近各省，地被蹂躪，人被魚肉，至爲悲慘！

翌年六月，淸廷派大臣李鴻章求和，賠款四百五十兆兩，誅首禍諸臣，許各國駐兵北京，保護使館……等喪權辱國的「辛丑條約」。

當十九世紀末葉，各國正從事武器的比賽，淸廷不在科學上求進取，而爲迷信所惑，以肉體與武器鬥，實屬愚昧之至。値庚子而回溯六十年前事，不禁感慨萬千！

談（醋）

錦堂

開門七件事，柴米油鹽醬醋茶，「醋」這種東西，是日常所用的調味品，我們在生活上實少不了它。

醋是什麼時候纔有的？習俗上有這樣一個傳說：劉伶嗜酒無度，他的妻子怕他多吃了鬧禍闖事，於是便在他飲酒之時，偷偷地把鹽梅辛辣一類的東西攙進去，這樣便成了醋。此說不可據爲信史，不過醋的發明是在酒之後，大約沒有問題。酒是有了穀物就已有的，而醋的歷史，恐怕也要推溯到商周的時代去了。晏子春秋外篇有「醯醢鹽梅，以烹魚肉」這句話，禮記內則中也載有「和糝菜肉」之說，則醋之爲物，亦由來久矣。

考古時的「醋」字，原應作酢，說文解字：酢，醶也。徐鉉曰：「今人以此爲酬酢字，反以醋爲酢字，時俗相承也。」醋，客酌主人也，徐鍇曰：「今俗作倉故切，酬酢非是。」現在日本的醋仍作「酢」字，日本的文化襲自中國，至今還保存一點古風。

自由報

本報已奉僑務委員會核發台教新字第三三二三號登記證

THE FREE NEWS

半週刊每星期三、六出版

第五十二期

每份港幣壹毫

社長：雷嘯岑

督印人：黃行奮

社址：香港銅鑼灣高士威道二十號四樓

20 Causeway Rd. 3rd. Fl. HONG KONG

TEL. 771726

電報掛號：7191

承印者：田風印刷廠

地址：香港打士高2號

艾森豪在倒退中

奚豪

看近來世局種種變化，流年似乎對美國總統艾森豪不大吉利。南韓政變已使他傷透腦筋，美機在蘇俄境內被擊落事件也使他大失面子。他雖不久便可結束政治生活，但美國聲望現正迅速下墜，未來禍變不知胡底，這位「和平總統」的下場恐怕會是相當黯淡的。

從艾森豪今天吃到的苦果，遠溯它的遠因，我們不妨指出艾森豪究竟失敗在什麼地方。

赫魯曉夫給艾森豪的打擊

如果不是高峯會議舉行在即，美國一架偵察飛機在俄境被擊落也不是大不了的事，艾森豪的面子也不至被撕至片碎，赫魯曉夫以及整個共產集團所加於美國的猛烈抨擊，也不至哄動全世界，使美國當局窮於招架。

赫魯曉夫使用非常惡毒的權詐手段痛擊艾森豪，那是顯而易見的。美機在俄境邊緣作偵察飛行已是很久以來的慣舉，如說這是罪行，雙方原屬均等，赫魯曉夫偏選擇這個時候才發動攻擊，熾烈責罵包含有侮辱威嚇，以至挑撥離間諸種作用。艾森豪只能在對方「權變」的拳頭下面被打至彎腰。

安協主義者害了艾森豪

艾森豪最先錯在答允參加高峯會議。赫魯曉夫費了很長時間的努力，把艾森豪一步一步的帶向高峯會議去，然後以一夜之間的權變，剝盡艾森豪的面皮，使他成為破壞這個會議的頭號罪人，再不然，也使他以負咎之身和沒有光彩的面目走到會議場去。

艾森豪是被誰誘導向高峯會議去的呢？事實只有兩個人，一個是赫魯曉夫，另一個是英揆麥米倫。而現在赫魯曉夫要打擊的只是艾森豪一個，艾森豪卻不能怨怪麥米倫騙他走上這一條險路上去。這就是艾森豪跟着安協主義者後面瞎走所應得的惡報。姑不論赫魯曉夫這次「權變」是由於國內的壓力或中共的壓力——西方安協主義的論客們只能借此來解嘲——但誰和共產黨交手而不預先考慮到他們「權變」的各種可能，誰就註定要吃虧，這在我們已看成一個定律，可惜艾森豪竟然不懂。

南韓目前危機導源於安協主義

同樣論證可移用於艾森豪在南韓所遭受的困惱。追源禍始，南韓今天的困亂也是安協主義者造成的。

當年艾森豪以不光榮和不徹底的方式結束韓戰，只是遵循安協主義者透過杜魯門手上劃定的藍圖而進行。他不敢實行乘勝統一全韓的上策，只取勉強休戰的下策，這就注定韓國必須長期劃分南北，也注定南韓李承晚政府必然在內外交迫的情況下演成今天的悲劇，更注定以美國為首的聯合國軍，必須處在喧賓奪主的地位，長駐韓境，引致無窮的後患。

安協主義者當年唆使杜魯門向韓國召回麥帥，是他們的第一次勝利，接着，促使艾森豪尷尬地結束韓戰，將美軍永遠「掛」在韓國戰綫上面，又造成了第二次勝利。到今天，累積的禍亂因素發作起來，受罪受苦的是李承晚和韓國人，受困惱的是美國艾森豪政府，而安協主義者却不妨躲在幕後說風涼話，罵這個罵那個。

很顯明的，艾森豪最近所受兩大打擊，都不是突然而來的。他如「知幾」，最初能夠自有作為，不肯接受安協主義者的幕後指導，便不致盲目地走上險境，更不會在其末期的政治生命史上，以孤獨地陷入苦戰而結束了。

固然，安協主義者仍可慶祝南韓「民主革命」的成功，以能夠拔去李承晚這個眼中釘而深自欣幸，並可預料南韓將可換上一個「肯聽話」的政府——一個名符其實的專為美國「看守」基地的政府，然後與日本打通交道，進一步達成中日韓菲四國「看守同盟」的締結，其後再等待中共與蘇俄鬧分裂，但事實擺在眼前，南韓動亂迄今未寧，學生示威運動已有一部份露出了變質的傾向，韓共正以忍耐的心情和沉潛的力量逐漸將「反李」運動轉變為反對任何新成立的傀儡政府，最終演成反美政變，更由民變串演成兵變以趕走美軍。如果有一天，南韓軍隊被迫要使用實彈射擊對付新的示威運動，藉以保護由美國所認可的新政權，韓共便有希望達到逐步擴大南韓內部裂痕的目的。美國有把握收拾南韓目前非常紊亂而煩怨的人心嗎？新的領導中心怎能樹立起來和穩定下去？

艾森豪自己的錯誤

回溯艾森豪當初坐上美國總統寶座的時候，共產集團內部變亂迭起，危機百出，他却以坐觀和等待為得計，一直到今天，他的任期快要結束，却輪到自由世界內部發生種種變亂，蘇俄共和中共却乘時協力，對他發動空前猛烈的追擊，這難道不是「人謀不臧」的自然報應嗎？這與流年不利有什麼關係？

事實擺列得清清楚楚，毛澤東正在重新向亞洲非洲和南美煽起反美運動，這與赫魯曉夫撕破艾森豪面皮的傑作，剛是同時並舉的。美國已在三處前綫——南韓，土耳其，南越——發現不穩定的危機，自然要防範一個「離心運動」在自由世界內部，逐漸成長。這就是他多年來跟從安協主義的錯誤指導應來的果實了。

圍堵政策失敗的証明

當然，艾森豪本身還不是軟體的安協主義者，只是圍堵政策的忠實執行者，但在「圍堵」的堤防後面，他決不能永遠保持全面的安定和鞏固，也決不能堵絕敵方的滲透和破壞，而且他在若干行動上仍不免受安協主義者的牽制或誘導，於是，他在多年任期之內，事事都以被動對主動，苦苦跟隨着莫斯科播放的音樂拍子而跳攤，卒不免有今天大大錯的禍事了。

艾森豪的失敗，就是圍堵政策的失敗。他在實驗這個政策的時間並不算少，後代歷史家或可同情他在這一段時間裏避免戰爭和維持和平的苦心，但不可能替他的失敗作曲筆的解釋。尤為不幸的是，他已成了安協主義的犧牲者，却沒有為自己坦白訴苦的可能。艾森豪是第二次大戰時西歐戰場上的「英雄」，那是「時勢造英雄」。以後，他由軍人轉變為政治家，而最初「時勢」也對他相當有利，但他却白白放過了機會，今天落得這樣狼狽肆應，雖善其後，實是太可惜了。在他個人是太可惜，但在整個世界卻是太可痛啊！

時事述評

美機被擊落與高峯會議

盧家雪

美國的一架飛機，於本年五月一日，被蘇俄擊落了。

赫魯曉夫當作一件大事，大發狂言，遂[illegible]西方記者筆下的[illegible]，發出一連串的遐想。他們遐想到高峯會議開不成，他們遐想到艾克或取消訪蘇。

他們並不會想起，蘇聯擊落美機，此為第十三次！

他們並不會想到，高峯會議對於解決世界危機並無重要性。

他們也不會想到，艾森豪[illegible]成爾與赫魯曉夫這些人的心目中，都不過是借高峯會議作宣傳，原不期望其有什麼大的成就。

他們更不會想到，艾森豪訪問蘇聯只是完成他自己在總統任內的一件歷史性的任務，讓後世史家大書一筆，美總統訪問蘇聯。

他們當然不會想到，赫魯曉夫如果不在高峯會議前夕製造這些危機，那已不成其為共產黨的外交策略。綜合這許多因素來分析，我們可以斷言：高峯會一定開得成，艾森豪也絕不會中止訪蘇。

高峯會雖然開得成，但不可能產生任何實質成就，這也是我們可以斷言的。美國對共政策是如此的因循，再加上自由世界的國家意見分歧，以之與赫魯曉夫這個大流氓週旋，如不為赫魯曉夫所玩弄，那纔是沒有天理。西方政客一向是跟着共黨的魔笛在跳舞，明知道這樣的會議絕無結果，却也不能不開；明知道艾克訪蘇無益，却也不能不去。主動權操在共黨手上，還能希望有什麼成就呢？

今日世界的情形，是西方人有力量而恐共，東方人反共而又苦於力量薄弱。在此種矛盾的情勢下，共產黨人自然是要盡量利用此種矛盾的。赫魯曉夫的內心裏，何嘗不畏美國的力量，但他看準了美國執政者與美國人民的心理，所以，他敢于裝腔作勢，口出大言；只要有機會可以利用，必然不肯放過。此次美國飛機之被擊落，那正是他求之不得的機會呢！

據「紐約時報」八日所發表的專文稱：從美國官員對蘇俄所發出美機從事間諜活動之指摘所舉行的冗長討論，已反映出巴黎高峯會議是現一種「新的以及悲觀的評價」。其實，這也不過是站在美國人的立場來看而已。在我們東方人的心目中，對此次高峯會議，幾乎從無人寄以樂觀的評價。我們只是感覺到：即將來臨的巴黎高峯會議，只是讓西方政治家們，有機會再聽一次共產黨的魔笛！

自由讀

南韓的政治猛劑

最近南韓政局發生激變，舉世矚目，認為這是自由世界的一種非常現象，觀感各有不同。

我對南韓這次的政變情形，有兩點視為最可稱道的事：一是那些示威抗議選舉不公允的青年學生們，有些人聲言如果李承晚總統宣佈上次選舉無效，重新辦理大選的話，他們還是投李氏的票。這表示學生們的純潔心情，只在反抗違法舞弊的選舉方法，對於開國元勳的李承晚先生，還是愛戴的。憑着這種意志以從事愛國運動，使共黨無法滲透煽惑，擴大事變，不至釀成親痛仇快的結果。這與我國一般青年學生過去在大陸上被共黨利用，狂喊「反饑餓」，「反壓迫」的口號，罔知所屆，甘作別人工具而不覺的情況，迥然有別，令人欽佩。二是新當選的副總統李起鵬全家自殺以謝國人，這亦是難能可貴的壯烈行為，足以廉頑立懦，挽救頹風。李起鵬原是奉命操縱這次不公允選舉事宜的總管人物，千夫所指，實無旁貸。但他如果是個毫無政治節操的官僚份子，在衆怒難犯之下，很可以憑藉李承晚總統的親密關係和政治權力，攜其子女玉帛，拿着「官員護照」，遠走高飛，到外國去享受廣公生活，他却毅然舉家自殺以殉國，這種犧牲情神，視納粹德國宣傳部長戈培爾當年舉家殉難的情形，尤為悲壯淋漓，可泣可歌。他之一死，不僅是表現自己對國事措施失當的責任感，更為本黨領袖——李承晚總統——分謗受過，使李氏的「國父」聲望不致掃地以盡。我稱贊他的地方，就是這一點。

南韓青年學生這次的愛國運動，對國家民族前途的重大影響，比我國四十年前的「五四運動」殆有過之。可是，這類行為有如醫治宿疾而用猛烈藥劑，是死馬當作活馬醫的冒險方法，絕對不能常用的。因此，我希望在幕後導演這場悲劇的人，無論是本國人或外國人士，皆須借取教訓，顧念大韓民國的生存利益，不好隨便鬧着玩兒啊！

馬五先生

縱論台灣地方選舉

張劍聲

台北通訊

台灣省議會第二屆議員暨第四屆縣市長，已於四月二十四日分別選出，全省二十一縣市四百多萬有選舉權的公民，在一百二十六位省議員候選人中，選出省議員七十三人；在三十五位縣市長候選人中，選出縣長十六人，市長五人。

在七十三位當選省議員的中間，有十五位省議員爲青年黨員及無黨派的人士，其中有六人都是以最高票數而當選的，而向號爲敢言的老議員，如李萬居，郭雨新，李源棧，林清景，郭國基等，均名列前茅。即現任縣市議會議員的李秋遠等，也是榜上有名。尤其是台北市議員中，被各方一致公認無望的郭國基，結果亦以四萬六千四百二十四票當選。相反的，由三軍黨部提名在台南縣參加省議員競選的李銶，大家在投票前的看法，是最有希望的人，可是，選舉揭曉後，他落選了。前者沒有組織力量，更無行政上便利的個體，從事競選，居然當選了。後者有龐大組織力量的政黨支持，又有若干重要的票源，可以調配，事實上，他是落選了。誠如自立晚報所說，「國民黨是一個歷史悠久，衆具龐大組織力量的執政黨，在這次選舉中藉着行政上的許多便利，從事逐鹿，其不能獲得全勝已屬意外；何況來與無組織，或無行政上便利的一些個體，乃至一個黨外人士與國民黨提名的候選人角逐，其雖落選，但所得之票數與當選者票數之距離，又是那麼的接近呢？因此希望國民黨的負責人士，不要再沉浸於華而不實的歡悅中，應該好自提高警覺與檢討。」（四月二十五日）

選民水準逐漸提高

最使人感覺奇異者，國民黨提名的省議員候選人，像宜蘭縣的陳世榮，在蘇澳，三星一帶發表政見時，不僅未以國民黨的三民主義及政綱政策作爲競選政見的藍本，甚至連黨提名的事實，也加以抹煞，他向選民宣佈：他不是任何人所支持的，他競選省議員係個人的志願云云。而青年黨籍的郭雨新，却以「政治民主、經濟自由、保障人權，崇尚法治，改善人民生活，促進農村與社會經濟繁榮」等等，爲競選的政見。後者竟以最高票當選，前者屈居第二了。由此可見，台灣的選民水準，是一屆比一屆提高了。

「賄讓」流言亟宜檢討

縣市長方面：除基隆市長與高雄縣長爲黨外人士外，其餘十九縣市長均爲國民黨提名的候選人當選。不過，這次縣市長選舉，有八個縣市是一人競選的。這八個縣市是：桃園，苗栗，南投，宜蘭，澎湖，高市，屏縣，台南縣等。台北徵信新聞乃認爲一部份縣市的一人競選不無遺憾，說是：「一人競選的現象反映出選民的實施有待改善」。因爲「有許多縣市都發生競選者登記後臨時自動撤銷退出的不正常情事。如果所傳『賄讓』流言是事實，那更是執政黨所宜認眞檢討的。黨員的提名，在決定前必須有一定的原則，決定後更應循着正軌提名競選，而不論有無其他強硬的對手，必須以公平正當的競爭來取勝，不可假借任何威逼利誘的手段。」

陪選市長獲票六萬

台北市選民爲四十二萬七千零三十四名，而國民黨提名的候選人黃啓瑞，得票二十一萬五千三百十四票，佔百分之五十零點四二。而另外一位候選人林清安，被輿論界指爲市長陪選人，竟獲得了五萬五千八百六十票，如此高票，不但林氏沒有想到，即黃啓瑞也感到意外，因爲林清安在競選期間，只有一輛宣傳車，作點綴性的宣傳，林本人也沒有參加什麼政見會，居然獲如許之多的票，若再加上二萬〇三百七十八張廢票，不是說明了有七萬六千二百三十八票不同意黃啓瑞連任嗎？

「黑馬」余登發

基隆市長當選人林番王與高雄縣的余登發，是過去歷屆選舉都參加而迭次落選的人，這次執政黨提名基隆市黨部主委李國俊爲市長候選人，按常理來說，李國俊有組織的力量，與全體黨員的支持，當選不可能有問題，而競選的結果，李國俊以七千三百三十一票之差，而敗在屢競屢敗的林番王手上。其次是余登發以二萬四千八百八十三票的絕對多數，擊敗黨提名的戴良慶，而躍登高雄縣長的寶座，這匹「黑馬」居然當選，誠如某報所說，「莫非選民有意和當權者開玩笑」？這正是當頭棒喝。

從大體上言，本屆的選舉，已較過去進步，但若干地方的候選人，仍未遵守「節約守法」的意旨。而少數候選人的銀彈攻勢與安全措施，貽「賄選」之譏，實爲美中不足，若能及時糾正改善，則選舉後的訟爭，可能絕跡。而將樹立地方自治的楷模。

總之，欲求選舉進步，政治民主，必須建立政黨政治，加強政黨活動，政黨提名的候選人，是否符合人民希望，只有訴諸選民，任由選民以自由意志去選擇適當的人選，所謂組織的力量應以民心爲前提。（四月卅日）

台灣司法界流年不利

張健生

台北通訊

在四月間，台灣司法界連續發生了幾件轟動社會的非法案件，這些案件的當事人，都是現任司法官，所以引起此間朝野人士的重視和關注。

自從台南高分院推事高當賄索四十五萬元案，被司法行政部調查局偵破後，案情亦經公佈，於是成爲各報社會版的頭條新聞，竟歷時近月而不衰。正當該案鬧得滿「台」風雨之際，姚嘉荐被謀殺案，又經調查局法醫葉昭渠的檢驗：姚嘉荐係自殺而非謀殺。調查局負責人又在立法院作證，公開指出：葉昭渠法醫在檢驗姚屍時，確有接受「紅包」五萬元的重大嫌疑，於是姚案節外生枝，兩位法醫在報端各自發表言論，由筆墨官司進而公堂相見，最後，葉法醫只好接受法律的裁判了。

司法行政部長谷鳳翔於斯時隨即重申「整飭司法風紀」的命令，行政院長陳誠在立法院報告施政時，其中關於司法行政方面；對司法官將厲行工作考核，增強司法效能，加強司法人員的業務檢查，嚴格審查推檢辦案書類，督飭增進檢審效能，與調度司法警察指揮等等。當這兩位行政首長的命令與施政公諸報端不久，又有兩個案件發生了。一是台北地院刑庭推事蘇士鵬與立法委員彙律師業務的梁肅戎，因不良少年兪耀華殺死才立民的案子，發生爭論，蘇推事在「人言可畏」之下，不得不一再延期宣判，重開辯論庭，接受被害人才立民辯護律師梁肅戎及死者父親的請求，作現場表演，根據現場資料，爲審判的重要論證。跟着，高雄地檢處檢察官蔡戶受賄六千元的案子，再度被調查局查獲。蔡戶受賄案，係發生於四十八年。因蔡戶偵查女醫師鞠林阿喜涉嫌爲「癮君子」注射嗎啡，在首次偵查庭時，鞠某當庭收押，可是在一星期後，以六千元的代價，鞠林阿喜女醫師獲得交保釋放，該案最近始被治安人員查獲，而將蔡戶等八人移送法院法辦。這兩案的發生，無異給當局一大諷刺。

就在這個時間，台北某報刊登了兩篇讀者投書，指陳司法界的種種黑暗和非法侵害人權，投書者都是受害的當事人，受害人現身說法，揭發內幕，較千百篇的評論更有力而動人。這眞實而動人的故事，竟引起「英文中國郵報」的記者重視，該報記者杜形乎持某報「讀者投書」，到司法大廈請求谷部長發表意見，豈知該部「臨時」發言人的答復，避重就輕，既未列舉事實作肯定的否認，也不承認有這回事。可是，當郵報將某報「讀者投書」和訪問記一並刊出後，却又使司法當局感到相當的頭痛與困擾，但又無法加以澄清。某報的讀者投書，經英文中國郵報轉載後，等於火上加油，而震驚整個社會。

司法界的非法事件，歷年來，層出不窮，的確到了嚴重的階段，國人談到司法問題，有如「談虎變色」。自從「奉命不上訴」案發生後，政府所受到的損失，實在是更大更深，而立監兩院委員，省縣市議會議員，視「司法」爲四大害之一。不久之前，最高當局在某次紀念週會上，也曾痛陳司法人員的爲害，必須予以整飭，維護司法風氣。

平心靜氣的說，政府不是不知道法治的重要性。相反的，行政院長在立法院報告施政時說：「厲行檢舉侵害國家社會法益及危害基本人權之犯罪。切實辦理提審，懍重被告羈押，減滅冤獄賠償之發生。注意綏刑制度之運用，啓廸人犯自新」。話雖如此說，但事實似乎恰恰相反，以致立法院每次會期中，還是照例有司法獨立，加強法治保障人權的嚴厲質詢。若是追本窮源的說一句，問題的癥結，由於主管司法行政者，爲了達成所謂司法配合國策的任務，而種下了今天的惡果。司法人員在奉命配合國策的觀念下，養成一種蔑視法治的觀念，於是執行法律的人員，更不知道法律爲何物，有時爲了個人的企圖和利益，便乾脆不依法定程序，審訊、逮捕、拘禁、傳喚，這結果，便是所謂「法之不行，自上犯之」，曷勝慨嘆！

大陸春旱的大威脅

筱臣

本報特稿

今年大陸的春旱，一直是連續幾個月之久，而且地區也極其普遍，如果說去年的洪水特大的災害爲百年來所未有，則今年這種的春旱，也是百年來罕見的。

根據四月廿四日「人民日報」的社論，以「繼續堅持羣衆性的抗旱防旱」爲題，即已很明白的顯示出今春以來旱災嚴重的消息。該社論一開首便說：

「今年的春旱發生得早，而積也很廣，從北方到南方十幾個省區都會先後發生春旱，受旱面積，最多時曾達五億多畝，其中許多地區是在去年大旱之後，又出現春旱的。」

該社論又說：「特別是淮河以北和黃河流域旱災仍然很嚴重，有些地區仍在繼續發展。目前，山西受災面積仍在二千萬畝左右，山東比較嚴重的受災面積仍在四千萬畝左右，其他如甘肅、陝西、河北以及東北一些地區受災面積也不少，據有關部門統計，現在全國小麥地和春播地受旱面積仍在二億畝以上，而且集中在黃河流域及淮河以北。」

由於旱災嚴重，所給予中共當局的威脅太大，所以各地抗旱的情形，也顯示出異常緊張，手忙脚亂。在山東，根據「新華社」濟南四月廿三日電稱：「今年山東旱災嚴重，地處山區的平陽縣，由七萬七千人組成取水突擊隊，劃分打井，挖山泉，引水上山，整理渠道和攔水截流六條戰綫。」

在貴州，旱象比較嚴重的畢節，安順，黔南等地區，有一百六十多萬人投入了抗旱運動。各地機關幹部，學生，城鎮居民也參加了抗旱工作。

在福建，因該省旱象爲時較久，對該省春耕，已發生嚴重影響。閩共爲此特號召全省人民進行「抗旱保豐收」，並以五百萬人力投入「抗旱澆麥運動」。現該省各機關學校均已停止辦公及上課，而將整個人力「支援抗旱運動」。

在廣東，據廣東僞省長陳郁在「人代會」席上指出：廣東除最近開始下有一點小雨外，自去冬至今春，連乾旱了七八個月，雷南等縣且有十個月以上根本沒有下雨。粵共在無可如何中，掀起了大規模的抗旱運動，特別是攔河堵壩的運動。

至於因旱災帶來的直接災害，還有最嚴重的火災，由於目前不少地區仍然乾旱，山區燒荒、燒肥，以及副業生產用火，均可能引起火災，星星之火，可以燎原，往往是一發而無可收拾，這也給予中共以莫大的威脅。

在四月廿九日的「人民日報」上，即已透露出，東北各省和內蒙，均已成立了防火組織的指揮機構，在黑龍江更設立了指揮站一百五十多處，組織了基幹防火隊，隊員共達二百多萬人。在三月上旬特別由湖南，湖北，貴州，四川，廣東，廣西六個省區，在長沙市召開了交界地區一百零四個縣的護林防火協作會議。

從上的現象觀察，這春旱給中共當局的威脅實在是太嚴重了。因此，在「人民日報」的社論上，它也認爲自然災害是一件壞事，只是一方面又強調旱災帶來的困難，當作推動生產，推動水利事業建設不斷前進的動力。

而這種強詞奪理的論斷，一望而知爲遁詞，自我解嘲。看來，中共的防旱運動將是長時期的工作，只是人民益加困苦了。

社會小說　香港地

四、高的低的

白芷雖未說完那一句話，梅大亮已不願再追問下去了，便等他喝完咖啡，催他立即動程，到丁乾家裏去。白芷並沒發表什麼意見，只從衣袋裏掏出一頁薄紙來，遞給梅大亮看，說道：「這是一首給小丁問病的小詩，剛只寫了幾句。你試看看，這裏面是沒有『乳房』的啊！」

梅大亮只喜歡寫舊詩，白芷寫的卻是新詩，曾經發生過多次嚴重的爭論。白芷時常嘲笑梅大亮，說他如不用劍和酒這些字眼便寫不得詩。梅大亮也回嘲白芷，說他如不用乳房這些字眼便寫不成新詩。剛才白芷說那句話是有來由的，無非博取一笑，免再惹起辯論。

梅大亮接來一看，見紙上果然寫有四行詩句：

和合石還未騰給你息勞
歸主的一塊空地
你這爬格子英雄該爬到
滙豐銀行那樣高
別聽那糊塗的醫生勸你
戒吸咖啡和香煙
叫他到墳場去念他朝君
體也相同的名句

這在梅大亮眼裏看，確乎是無可批評的，便只有苦笑一下，答道：「這幾句眞的是沒有乳房了，只怕你續寫下去，再由滙豐銀行說到更高更高的山尖，那麼，山尖就會變成乳房了。」

白芷又是擺一擺手，笑了一笑，將詩稿拿回，再不說什麼。以後，他們便一直由中環乘車到灣仔，訪丁乾問病了。

到了丁乾家裏，梅大亮覺得這還算是一個樣子不錯的家庭。這是一層新樓，劃分為一個大廳，兩個小房。丁乾把他自己的睡牀放在廳子裏，牀前便是一張很大的寫字枱。照梅大亮的眼光看，這也就是丁乾的「工廠」了。他慣把從事寫作的人看作是腦力的勞動者，但凡勞動者都要有一個工作場，這工作場雖不似一般工廠需要頗為寬大的地方，但也需要一個相當幽靜的環境。這時，梅大亮才踏足入門，一眼便看到那張特大的寫字枱，還看見丁乾正在伏案寫東西，便不禁吃驚似的在心裏說道：「他在病裏還要開工嗎？」

丁乾知道有客人來了，也剛抬起一張蒼白透着青色的臉，看是誰人來訪，手裏還握着一管墨水筆。（二五）

木客著

舊詩人

春枝

他是神州的王孫，生來一副倜儻不羈風流自賞的六朝風度。賈生、張生是他的前身，清風明月是他的伴侶；他多情，多到非數學上的除法所能除盡；他也善感，善到非心理學家所能解釋；他一腦子的楊柳蠻腰，桃花人面故事；他出門十里，相別一週，立刻便成遊子，立刻便有寄內懷人之詩。

他窮，但他有提高生活水準的奇計。他想：斯文同骨肉，何妨以詩為媒，去引起某軍政權威或詩壇盟主的青睞？於是，他對天搔首，伏案傷神，將些古人陳句，東抄抄，西摘摘，居然成就了一些「上巳修禊」，「荷塘消夏」，「中秋賞月」，「重九登高」之類的傑作，油印出來，像公文一樣的分平行，上行，（注意，沒有下行，）分贈各方，這些傑作，在他看來，其中有幾首儼有杜意，有幾首直逼坡公，而有幾首置之長慶集中，簡直莫辨楮葉，可以亂眞了。

如果在敬陳××大吟壇或者請×丈存正之後，居然得到×××翁的歎賞，他就頓如梁園詞客，遇到了知音，頓脫龍飛，頓時身價百倍，而事實上，他也確因獨具隻眼的×公的推轂，活動了一個有給的虛職，這一來，眞叫他不得不相信詩有穩定生活的抽象價值。

他狂。狂得目中無餘子。怎麼啦，如我的詩才，雖不能雄視海內，也不愧江東才子，區區的寫字樓皇家工，非我之志也。他起了擊楫的雄心，投鞭的壯志，他要乘長風而破萬里浪，哼，他甚至要攬轡中原而兼善天下了。可惜，生不逢辰，壯情難遂，蛟龍無雲雨，終類池中物，梧桐樹，三更雨，往往是「濕蠟銅壺夢不成」。

他徘徊而惆悵，隨便跑到那個亭子裏，都像到了「新亭」，照例哭泣。哭笑無常，牢騷滿腹，他相信文章憎命達，他要借酒澆胸中塊壘，他恨無買山之資，不然，披髮入大荒，未嘗不可成就幾首「山居秋暝」「山居即事」之類的田園逸品。

他失意。頭上雖無二毛，照例也要說兩鬢斑的。眼前儘管是花天酒地，詩句裏卻絕不忘記由花轉到愁，由酒轉到恨，彷彿不這樣，就永遠得不到佳句。他怨天尤人，不老而傷老，不卑而嗟卑，見飛燕而傷春，聞雁唳而悲秋，家無後苑，卻詠梅花，天有繁星，偏曰夜雨，觸景必有傷情，入眼皆為愁慘，傷愁到聽覺與視覺都起了變化，常把春天當作秋天，高樓當作茅屋，鬧市變作荒郊，要問他的理由，照例笑而不答，此中有眞意，難與俗人言。

電燈照耀如白晝，他偏要說「孤燈苦吟風燭夜」。鬧來學庾信的登樓，隨便聽到什麼鳥聲，一概認為杜鵑，於是他無端的血淚，濕透了鮫綃。當他回到梧桐院落，天不作美，黃昏後又下起瀟瀟雨來，更加上鴛鴦瓦冷，翡翠香消，他眞個是魂消魂，斷腸斷腸了。

要是眞能腸斷魂消，也就好了，可惜，魂竟不消，腸終難斷，於是乎就眞個有「剩者新詩寄斷腸」了。

他閒。閒得要把「雲山漸欲為閒身」，成天沒有事，也得要說偷得浮生半日閒，便不妨閒處得閒行，煙樹迷濛，暮雲縹緲，小軒臨水，發悲滿庭，偶念到紅塵朝暮何時了，眞覺得人人念念皆堪悔，更逢着良辰佳節，忽發幾聲驚歎歲月，萬事空年，這一來，他又有出塵超俗之想了。

詩人本來已非俗物，出輒每招雲作伴，與松仍與鶴為鄰，人氣不屑有了，他覺得他也已有了仙氣。於是「與僧共理清宵話，掃壁閒尋古蘚詩」，與僧為友，與鬼為鄰，他怡然自得了。

他苦，閒愁最苦。平生與世難周旋，惟有清遊獨便。慢慢地，他厭世了，他心灰了，絕塵但驚天似水，流年不記幾成絲，此身死去詩猶在，未必無人粗見知。他眞的死去了。

夏至

南橋

「紅了櫻桃，綠了芭蕉」。夏至一眨眼又快到了。這時候百物欣欣向榮已到極點，而夏天到了夏至這一天，白晝已長到極點，照物極必反原則，則陽光過此就一天短一天，一直短到冬至，然後再逐日加長。

俗有「夏至未來莫道熱，冬至未來莫道寒」之諺，所以在夏至以後天氣便一天熱過一天，所謂炎炎的艷陽天是也，據酉陽雜俎云：「貓目睛旦暮皆圓，及正午則豎如一綫，其鼻端四時皆冷，惟夏至日暖。」有貓的人家到夏至日大可一試。

古時夏至也很熱鬧，天子必須親率公卿大夫舉行迎夏之禮，其地點為南郊，且穿赤衣，以符夏為赤帝之意。

但古人除了迎夏以外，便無其他儀式，不像立春之被人重視，直至明時，始有立夏嘗新的風俗，到了清朝名目更多，且亦視為佳節，如清顧清異錄云：「立夏日，家設櫻桃、青梅，供神享先，名曰立夏見三新，飲宴則有燒酒、酒釀、海螄、饅頭、麵筋、芥菜、白筍、鹹鴨蛋等品為佐，蠶豆亦于是日嘗新，酒肆餽于主顧以酒釀燒酒，謂之餽節，家戶以大秤權人輕重，至立秋日又秤之，以驗夏中之肥瘠，又取隔歲撐門炭烹茶以飲，茶葉則索諸左右鄰舍，謂之七家茶以辟注夏之疾者，或小兒嗜貓狗食餘，俗名貓狗飯，是日雖寒，必著紗衣一襲，并戒坐戶檻，俱令人夏中壯健」。

筆海樓隨筆

作家

徐學慧

要想成為一個作家，必須有哲學思想作基礎。哲學是教我們如何思想，如何觀察，而所貴乎作家者，乃正是思想與觀察呢！

不論你所思想與觀察者為何，你卻必須具有這種能力。否則，筆觸所及的東西，乃必然沒有中心思想。任何沒有中心思想的作品，刊載在報章或印成單行本，那只是欺騙讀者，浪費紙張。

文學作品，絕不是寫些黑字在白紙上面，就可以了事的。我們必需能從作品中，看到作者的人格與思想，領略到作者對於人生問題的看法。這當然不是一件容易的事，但也正因為如此，纔顯出作家之可貴。

香港作家的作品，大約有十分之七是沒有中心思想的，這也就顯示出，這些作家們缺乏了哲學基礎，因此，在那些作品中，處處表現得非常貧乏。盡是在女人的大腿三角褲中打滾的愛情小說，不論其如何描繪得有聲有色，總也超過不了勞倫斯所著「查泰萊夫人之情人」一書吧！但勞倫斯這本小說成為世界名著，而香港有如許多的愛情小說，幾乎都只有拿來包鹹脆花生的分兒，這究竟又是什麼道理呢？一句話，勞倫斯描寫男女性交問題，特別着重時代背景，它是包含着一個很深刻的社會意義在內的。而香港作家筆下的愛情小說，性交就是性交，除性交以外無他物，這就顯得貧乏了。

作家這個頭銜，本來是應該非常清高的。但在香港這個地方，作家，教授及女明星，可以說是三種最廉價的動物。諸君如有機會在幾家較為著名的餐室或夜總會坐坐，將可以發現到：凡是衣着較時髦而面貌不算太醜的女人都被視為紅伶明星，而那些清瘦的較為不光鮮的男人，可能不是教授，就是作家。作家如此之多，讀者上當的機會也比例增多。我個人就曾經買過幾本所謂名作家的作品，勉強看到一半，就擱在一旁，再也看不下去的。

一篇作品而沒有思想，儘只是一些幼稚的描寫與無聊的對白，能有什麼用呢？我固知道，香港有若干作家，他們的作品，比較起初中學生投到學生園地的稿件好不了多少，這些東西，照道理實在只有包鹹脆花生的分兒，如果還要人家化錢來買，那也未免是太過「造孽」了。

轟動一時的法國女作家薩岡，其成名之作「日安，憂鬱」，成於十九歲之時，像這樣的人，乃為不世出之才，實在很少。但在香港，有些年輕朋友，纔只是寫了一篇中學生式的文章，就自以為是不可一世呢！

大陸文壇萬花筒

毛瘟詩遺患無窮

岳騫

毛澤東於一九五八年十月作了兩首「送瘟神詩」，迄今已歷一年的時間，到現在還是留給大陸學人的禍患，正是方興未艾，大陸上所有刊物最近都奉命研究毛澤東作品，其中最難學習的算是毛澤東的詩詞，尤其是兩首毛瘟詩，更不知難倒了多少學者詩人。

毛澤東的詩，據郭沫若說是學自三李（太白、長吉、玉谿生），實際上和三李絕不相干。最得力處還是劉伯溫的燒餅歌，就是怎麼解都可以，怎麼解也解不通，這種「風格」。當瘟詩剛發表後，許多人為了邀寵，一齊撰文捧場，加以註釋，其中一馬當先的郭沫若，先來了一篇毛瘟詩詳註。郭沫若當時所以這樣註，第一，他自以為作了多年文學侍從之臣，對主子之心思比較揣摩得來，自然能合乎上意。那知道註解發表後，竟然闖了大禍，眞非始料所及了。

禍是由於「坐地日行八萬里，巡天遙看一千河」兩句。郭沫若說這兩句是罵一些懶人，四肢不動，五穀不分，晚間不睡，白天不起。因為地球自轉一日是八萬里，那些懶人一動不動就行了八萬里。那知道這篇文章發表之後，毛澤東大發雷霆，把郭沫若找去告訴他這兩句是「寡人自道」，並不是罵什麼懶人，這一來把郭沫若嚇苦了，不得不趕快在人民日報上發表一篇更正文字，自承過去註解的錯誤，是由於對毛澤東思想體驗的不夠，以後當努力學習毛澤東思想。郭沫若雖然碰了釘子，但以後註解毛瘟詩的依然很多，最近江蘇出版社出版了吳天石著「中國革命的偉大史詩」一本書，就是從頭到尾註解毛澤東詩詞的。要緊的是這本書註解又犯了許多錯誤，郭沫若註錯的兩句，這位吳同志又錯了。他把這兩句解釋為：「我們在地球上由南至北，走八萬里的路程，還是在血吸蟲病流行的區域，我們飛到天空中巡視，從東到西，看遍千萬條河流，也只見血吸蟲到處在肆虐」。這種注法當然不妥，第一，中國面積沒有八萬里，第二，中國也不是全部都有血吸蟲。其他錯誤還很多，看情形又要受批評，同郭沫若一樣，求寵得禍，這都是受了毛瘟詩之害。

釋耒集

孔墨不相容

韓非子顯學篇曰：「世之顯學，儒墨也。儒之所至，孔丘也，墨之所至，墨翟也。」韓非生於戰國之末，其曰顯學，不言莊老楊朱，而但曰儒墨，是戰國末期，諸子之學，足與儒學相抗衡者，僅一墨翟而已。考其持論，亦無一不與孔子相反，舉其大者，如孔子宗周，墨翟則用夏，孔子言仁主親親，墨翟則言愛主兼利，孔子畏天命，敬鬼神而遠之，墨翟則非命而尊天事鬼。孔子主慎終追遠，隆於葬祭，墨翟則主短喪薄葬，且非禮樂。其所以故爲立異，不過欲與儒家角立並驅，以上接二帝三王之傳統而已。但墨學之不行，其故不在其立異，而在其背於恒情，莊子天下篇有曰：「其生也勤，其死也薄，其道大觳，使人憂，使人悲，其行難爲也，恐其不可以爲聖人之道，反天下之心，天下不堪，墨子雖能獨任，奈天下何，離於天下，其去王也遠矣。」以其如此，故墨子之道，除緣飾遊俠之徒，謂爲近似之外，二千年來，中絕已久，獨韓昌黎，好爲異說，其讀墨篇有云：「儒墨同是堯舜，同非桀紂，同修身正心以治天下國家，奚不相悅如是哉，余以爲辨生於末學，各務售其師之說，非二師之道本然也，孔子必用墨子，墨子必用孔子，不相用，不足爲孔墨。」以至相反之道，武斷曰必互相爲用，此不過欲以文詞相馳騁，而不知已自背其非聖人之志不敢存之大旨矣，明人胡應麟，撰九流緒論，許昌黎讀墨之旨曰：「余以退之未嘗讀墨也，公孟子謂墨子曰：昔聖王之列也，上聖立爲天子，其次立爲公卿大夫。今孔子博於詩書，察於禮樂，詳於萬物，若孔子當聖王。豈不以爲天子哉。子墨子曰：夫智者必尊天事鬼，愛人節用。合焉爲智矣。今子曰孔子博於詩書，察於禮樂，詳於萬物，而曰可以爲天子，是數人之齒而以爲富也。凡翟與其徒擬議，槪如此，使墨而過孔，必將爲桓魋之要，爲武叔之毀，孔而遇墨，兩觀之誅，亡所事少正卯矣。」清末民初，自孫詒讓，梁啓超以下，亦相與發揮墨學，思持之以救世，奉之爲教主，其所持論，亦稍稍擯斥孔孟矣。以近世人，又如梁之善變，漸于西方勞工神聖之說，健羨其科學文明，不自覺神往於墨子，殊不足異。而生平尊信孟子如韓愈氏，乃有孔子必用墨子之說，則謂子孟墨翟兼愛爲無父之論，反爲離經而叛道矣。

曲齋

海嘯慶談薈

汪精衛的特長（上）

諸葛文侯

作爲一個政治家的條件很多，但平日對人的語意詞色，關係尤其重大，必須具有一股永恒的熱情，給人們以親切之感，而其言論豐采，又能使任何人皆認爲滿意，不特可以吸引一般社會羣衆的傾慕心情，且可化敵爲友，消弭政治前途的阻礙於無形。在近代我國的政治人物中，除了國父孫先生而外，只有汪精衛堪以語此，餘子碌碌，不足觀也矣。玆述區區親歷的故事，以證吾說爲不變。

在民國廿八年以前，我一直都是反對汪氏的，原因是他常有親共的言行，民十六年我曾經跟幾位國民黨老同志通電指斥汪氏沒有政治節操，要求當時的蔣總司令勿與汪氏合作。這件事到民廿一年汪氏担任行政院長時陳公博還對我提起，汪氏當然是知道的。我自從通電罵汪以來，直至民廿七年，未曾見過汪氏一面，他當年在南京以行政院長兼任內政部長，我是內政部的首席參事，亦與汪氏無一面緣，常作尹邢之避，這當然是我的幼稚病。民國廿八年汪氏以國民黨副總裁地位，駐在重慶主持中央黨務時，我在重慶西南日報任總主筆之職，每與共黨的「新華日報」從事筆戰，而對俄共及其第三國際批評甚力，因此激怒了蘇俄大使，親赴湖南南嶽向蔣委員長抗議，說西南日報故意破壞中俄邦交，損害對日抗戰的國際合作力量。蔣委員長即電令重慶中央黨部查究，要嚴懲執筆撰文的人，我與社長汪觀之兩爲驚惶，先找宣傳部長周佛海，請他從中緩頰，周氏勸我們去見汪副總裁，我祇好託汪觀之先容，試探他對我的感想如何？結果他甚表歡迎，約我次晨九時到他的公館一談。

書劫

周塵

據說：「倉頡造字時，天昏地暗，鬼哭神愁」。這傳說，類似寓言，不可信，但有它的意義。就是自從人類有了文字以後，本來是相安無事的社會，從此多事了。

隆古之世，以無歷史記載，其詳已不可考。不過，據歷來學者的研究和推測，人由猿猴蛻化而來，蛻化之初，數目不多，頭腦也很簡單，渾渾噩噩，打發着日子。到了後來，人類蕃衍多了，原始的樹木果實鳥獸虫魚，不夠分配，人與人間，便開始有了鬥爭。最先是看那個的胳膊粗、有力、牙齒堅利；慢慢也曉得了利用腦子，一個人不行，可以集合一羣人，但要集合一大羣人，光憑手式、語言是不夠的，於是便產生了文字。有了文字，古今才得貫串下去。這種連結貫串表現於文字的，便是一頁一頁的簡冊，後人總稱爲書。所以說到書實在是文明進化的原動力，應該盡力維護的。但就另一方面看，它却又是災難的始作俑者，因爲有了它，人類却始終不見和平。三代以前書尚守於王官，所以還沒有鬧出大亂子。及至衰周，王官失守了，官書流爲私學，農道墨儒陰陽名法諸家便乘時幷起，相互爭鳴，你說你有道，我說我也有理，亂糟糟的，因此一鬧，便來了個春秋戰國之世，相研相殺。所以等到秦始皇出而幷吞天下後，因鑒於「入則心非，出則巷議」的人羣是非常可惡的，追源禍始，便乾脆把這害人的東西——書本，點上火，一把燒燬。漢祚嗣興，便只有憑這些老的記憶，將知道的用今文重新刻在竹簡裏。如此一來，雖然難免傳僞散佚，但就整個文化而言，可就持續了下去。

漢末王莽篡位，長安兵起，據說宮室圖書，又付之一炬。至此，微露曙光的文化又打了一個折扣。當時的人因感於古史的有欠詳盡，便各憑已見主說，穿鑿附會。蝌蚪文因之大興，與今文幷駕齊驅，入主出奴，各是其是，弄到後來，眞僞都不得而知，至今仍聚訟紛紛。這又是文化中衰的一個原因。其後五胡亂華，劉石憑陵、侯景渡江、周師入郢，因爲刀兵，書本又不知丟了多少。古代文化，經此一劫再劫，就益發茫昧，大戴禮的失傳，便是其中之一例。幸好自隋唐以後，雕板印刷漸興，書本的裝訂比較容易，雖然社會仍是戰亂相尋，但以流行漸廣，不易絕跡，加之歷代的帝王雖未能積極獎拔學術，但亦懍然於焚書的有違天心，不敢主動的頒佈什麼禁書之令，要不然書本的刼數，眞不知伊於胡底。這種情形，一直維持了很久，到了滿清，以異族而入主中原，一方面他固然知道書本是有助於文明的發展，但另一方面於衆多的異已者，又不能不心懷顧急。所以在他的措施上，積極了，一方面網羅書籍，如開四庫館，表面上是對學術的重視，實際有回復官書之意。而這表現在另一方面的則是頒佈禁書令，焚書、殺人，以文字惹禍的，比比皆是，如南山集，莊氏史案都是。文化至此，不免又經一場浩劫，讀書人因怕頭落地，便只好埋首在故紙堆裏，以考據爲能事。於經世致用，鮮有所知，流風所及，帶來了滿清的一蹶不振，外人叩關，八國聯軍入北京，頤和園一把火，文淵等閣的書又掃地皆盡。書本有知，也要自嘆遇人不淑。

綜觀上面的史實，可以知道書本關係文化的至深且鉅。而歷來書本的缺失，則不是壞於異類，盜賊、老粗、就是心懷不軌的人。所以就本位文化上說，這些都是民族罪人。

然而今日，有人竟敢冒天下之大不韙，以人民民主相標榜，而在大量竄改書本，頒佈禁書令，燒燬典籍，甚至要拉丁化，俄化文字，其非民族罪人而何？除非時代倒流，回復到原始的混沌社會，否則，這樣的倒行逆施，是永不會成功的。

社會主義和共產主義

新書評介

太阿

像一切狡猾的統治者一樣，共產黨人是擅長於玩弄字眼的。當他們對海外僑胞說話時，開口閉口離不了『祖國』，『愛國』這類的字眼。他們是因時因地因人而更換字眼的。所以他們時而稱自己的黨爲『共產』黨，有時則稱爲『社會主義』政黨。

在共產黨人的口中，『社會主義』和『共產主義』是常常互換使用的，全看怎樣用方便而定。事實上，共產主義是共產主義，社會主義是社會主義，兩者絕不是一回事。共產黨不過是存心玩弄字眼好達到魚目混珠的目的。

憑了這套詭計，共產黨不知騙了多少理想主義者，特別是理想主義的社會主義者。甚至於某些左派報紙的專欄作家也同樣地被騙而不自覺。因此，本港千秋書館最近出版的名著『社會民主與共產主義』一書就特別值得推荐了。這本書不只指出了社會主義和共產主義的基本區別所在，而且一再強調社會主義與民主不可分割的關係。

作者考茨基（Karl Kautsky 1854-1938）乃是恩格斯死後最權威的馬克思主義解釋人，他對今日共產主義罪行的指證，無疑是值得重視的。

粟海彈心錄

因果與反攻（下）

阿公

說者，有謂反攻之舉，體大事艱，必得友邦支援，方有制勝之理，若以人口土地軍備相較，斯言自不無理由。然此乃西方現實主義者之議論，不足語於興廢得失之故。誠如所言，友邦傾全力以從我，勝負之數，猶未可必。若舍軍備等等，而以人心向背爲從違，則國民政府負有不可逃避之責任，且具有必然勝利之事理。何以故？人類悠悠數千年之歷史過程，無一非小制大，寡制衆，弱制強，循環所構成，今豈異是。故曰，民猶水也，水能載舟，亦能覆舟。又曰，順民者昌，逆民者亡。民是民非，外無是非，民利民害外無利害。至於制度之美惡，當國之賢否，而運亂得失立見。民之覆之載之者，亦猶銖兩之不失毫釐。此漢光武昆陽之戰，得以突騎數千，破王莽兵百萬。唐肅宗憑靈武孤城，憫人罪已，收復兩京。洪楊之亂，江忠源、曾國藩、胡林翼、羅澤南等，書生治軍，起而以維護文化禮教自任，卒能削平大難。要知洪楊起事之初，三點教亦足麻醉「亂種」，（曾湘鄉語）林啟榮據九江，曾胡環而攻之，四年之久，李續賓破城之日，數萬人無一降者。質之中共，絕無如此戰鬥意志。胡文忠策反之謀自此始。

雖然，百足之虫，至死不僵，武王伐紂，猶血流而漂杵，項羽覆秦，尚破釜以沈舟。「民吾同胞，物吾與也」，爲企求減少損傷計，當先之以政治反攻，而軍事隨之。政治云者，端在順應人心，策反中共。至於主義教條，赦免寬大，皆可置而不議，何以故？執言主義，彼固盡非，而我亦未必盡是。桓溫北伐至洛陽，感慨言之，「使神州陸沉，百年丘墟，王夷甫諸人不能不任其責」。若執言赦免，收攬中共之心，竊恐適得其反，人類各有其自尊心理，難保不引起不良反映，頑強到底。韓信已是王者，李世民已定河北，而劉黑闥猶翹然以起。中共當日，只言「陣前起義」，不謂望風投降。凡此皆反攻前後，所當諱言者也。

撥亂之際，羣龍並見，「幾人稱帝，幾人稱王」亦屬意中。就反共論反攻，則計亦良得。惟有屛機巧，竭至誠，平心靜氣，不矜不伐，以謀相處而求國是。周易、乾卦，「用九，見羣龍，无首，吉」。无首者，无自以爲首也。庶幾可以歸於統一。

予固不以反攻爲甚難，而以善後至不易，臺灣天賦雖厚，究屬彈丸黑子。取畢斯士，非所能任，又當旁及各地僑胞，誠懇相期，共濟艱難，香港尤爲切近，此正睽而求同，渙而求合之時，人之好善，誰不如我。倘此之不獲，則各地同胞，亦將覩見其隱。周易、泰卦。「九二、包荒。用馮河。不遐遺。朋亡。得尚於中行」。象曰、「包荒。得尚於中行，以光大也」。此象此數，或即爲此地此時此事而設。誠得一一如此，賊不足平，民德歸厚矣。附註：朋者，比也。古之人比於朋，今之人，多比於黨，比則進於私矣。泰卦，上下交泰之象，九二主爻，上應六五，而初三兩爻皆陽，九二居中，故有朋比之嫌。九二、致泰者也。包荒之量，馮河之勇，不遐遺之慮，爲其固有之德，又必去此朋比之私，始得尚於中行光大者也。讀泰卦九二，當著重朋亡二字，苟少涉一念之私，則泰無由致矣。

本報已奉僑務委員會核發台教新字第三二三號登記證

自由報

THE FREE NEWS

半週刊每星期三、六出版

第二十六期

每份港幣壹毫

社長：雷嘯岑

督印人：黃行奮

社址：香港銅鑼灣高士威道二十號四樓

20 Causeway Rd. 3rd. Fl. HONG KONG

TEL. 771726

電報掛號：7191

承印者：田風印刷廠

地址：香港打士高道221號

正視「中國火球」的悲劇

奚蒙

有五千年歷史的中國，今天成為人類最大悲劇的主角，在「兩個世界」當中被看作一個「火球」，這邊要踢來，那邊要踢去。正視這個悲劇，努力於反共抗俄的中國人應要知道，及時撲滅這個「火球」的災害，只能靠中國人自己認真努力。

華萊士最近一篇談話

最近，美聯社有一頁電訊說：前美副總統華萊士稱：「除非蘇俄與西方解決歧見，否則，中共可能成為全球窮困者的領袖，使廿一世紀變為中共的世紀」。華萊士在抗戰時到過重慶，是中國農民之友，曾經誤信中共是「溫和的土地改革者」，對它表示同情，近年才承認這種觀察是錯誤的，已把中共看作人類的邪魔，像最近這種論調，顯然又和西方一部份好為怪論的「專家」們合流，期望出現一個由美俄聯合對付中共的新局。

這種「專家」大都患有「恐黃病」與「恐漢病」，自有他們一套理論，也有他們一個大陰謀與大運動。我們從深處看，可以作出一個假定：這些一貫宣傳蘇俄應與西方合作對抗中共的人物，其中包括很有地位的學者和政治家，自非幼稚無知，何以故為謬論？由個中消息可以看出：他們很可能共同替某一個集團做長期心理作戰的工作，這個集團也明知蘇俄和中共不會在此時分裂，他們要做的工作就是：積年累月地散播此種理論與消息，要在蘇俄與中共之間佈下心理上猜疑的種子，圖使兩者終有一天要鬧出衝突。這個集團眼中的中國（中共），是一個「火球」，蘇俄把它踢過來，他們要很巧妙地把它踢回去，使蘇俄自受其害。他們非因討好蘇俄而發出「合作」的邀請，只是希圖製造衝突，將向南滾動的「火球」推轉向北去。他們同時也希望再見到一個支離破碎的中國。

蘇俄導演的悲劇

蘇俄早就使用各種方法將中共製成「火球」，要從北面用壓力推它向南滾，決不會不明白有人想玩這種踢來踢去的把戲。因此，它對於控制中共和使之發燒打滾的謀略和行動，必然越做越精密、越徹底。

「中國火球」大悲劇的大導演原本是史太林，現已由赫魯曉夫出馬去代替。

這並不必是有意說得過份恐怖。事實就是這樣可怖和可痛。中國人在受統治於蒙古皇朝的時候，蒙古人南征北討，兵威震駭世界，仍未曾利用人口最多的漢族作為征戰的本錢。只有在今天，中國人纔不幸如此悲慘地被煉成一個可以貽禍世界的火球，循此推演下去，將可使四億人口變為沙虫，全球人類同蒙浩劫，這不是有史以來最大的悲劇是什麼？

中國人自己要努力

別人眼中的火球，就是我們本身的血肉。我們要明白那些想把火球踢來或踢去者存什麼心，打什麼算盤。我們自然知道，中國本身決不想成為向外燃燒的毒火，製造「火球」只是蘇俄和毛澤東劉少奇周恩來一羣邪魔的事。中共已將整個大陸改變為一座「大兵營」，更將數億人的衣食移用於建立軍需工業，揚言不怕核子大戰，決心進行「世界革命」到底，這都是「火球」向南移動的訊號，西方「專家」們的「遠見」和「高論」，顯然敵不過蘇俄的實幹和狠幹。

使「火球」在裏面燒不起來，那是中國人自己的事。中國人並不是命定地要做這個大悲劇的主角。只有中共瓦解，「火球」才會委頓，這工作仍須由中國人担任。這事實的認識和這道理的廣泛傳播，我們目前似乎還做得不夠。這真是中國人要一致起來自救的時候，大家不只打倒把中國造成「火球」的元兇巨惡，還要想到今後更長更遠的問題。拒絕接受被踢來踢去的和被支配的命運，中國人必須有其自己的主動。

對幾方面透徹的認識

我們可以直截了當地指出：一、蘇俄對於利用中共發動戰爭及消滅中國人口的計劃，正在加緊進行。二、西方國家對於中國問題的看法不離如下幾點：（一）中國人民很難擺脫中共的控制；（二）逐漸膨脹的中共將可能與蘇俄發生衝突；（三）中共向外擴展是可怕的，但可藉「圍堵政策」將之阻截。三、西方國家的「圍堵政策」與妥協主義永遠是有連繫的。妥協主義者對中國並無好感，心裏擺脫不了「恐黃病」與恐漢病」的陰影。他們對自由中國的任何合作，都只是一時的與片面的利害關係，並無真實的道義責任感。在於「圍堵政策」執行的技術上，他們目前不能不與堅定反共的自由中國合作，但在長遠的均勢政策上，他們卻更重視一個仍在搖擺當中的日本。對於限制自由中國揮軍反攻大陸，他們的主意是無可變更的，但對於協助自由中國防守台灣外島，他們卻要看整個形勢有無變更而作彈性的處置。四、自由中國朝野共同的看法是：（一）根據中國歷史上抗暴運動傳統的法則，深信大陸同胞如有機會，容易推翻中共政權；（二）大陸現如一個隨時可以燃發革命運動的火藥庫，最迅速的燃引便是由台灣揮軍反攻大陸；（三）中共政權決不能擺脫蘇俄的控制，發生衝突。（四）中共將不停對外侵略，發動有形無形的戰爭，但這都不是自動的，而是奉行蘇俄的命令。

切實由自己做起

我們由認識蘇俄，認識中共，認識西方，和認識自己，從而認識「中國火球」悲劇的成因，求取中國人自救的方法，那便只有從兩方面去想：一是如何設法打破限制，實現反攻大陸；二是如何在正式揮軍反攻之外，盡可能設法在大陸造成一個新運動與新形勢。一切的矛盾都不必[illegible]，一切的危險與困難都應該正視，這是中國人需要從新振起精神，為着自己的命運，就自己的主動去努力扭轉機運的嚴重關頭，消極的期望與等待是不成的了。

西方妥協主義者有其奇異的想法和做法，也有其不可忽視的影響，罵是罵不轉的。知己知敵與知他，如何全心全意向大陸，建立反共的新力量，才是中國人自己必須做而且可能做得成功的一件大事。

時事述評

艾克是否會中止訪蘇

盧家雪

為了美機事件，赫魯曉夫正在大做文章。除了攻擊那些供給基地給美國的國家而外，居然又暗示到艾森豪訪蘇將不受歡迎。

如果把這「將不受歡迎」的字眼，解釋為不受赫魯曉夫歡迎，那倒是一點不錯。事實上，赫魯曉夫訪問過美國以後，即一直在想方法拖延艾森豪訪蘇的行期，但究竟由於未便撤回邀請，尚不敢公然形諸辭色，如今，美機事件一來，就不免情見於詞了。

當然，這也不過是赫魯曉夫一廂情願而已。事實上，艾克是必然要去蘇俄看看的，除非有其他不可預測的重大變化。

這一點，筆者在上期本欄經已說到。十二日傳來的消息，證實了我們的看法。那就是，美共和黨議員摩爾於謁見艾森豪以後所透露，謂艾森豪表示，除非赫魯曉夫撤回其邀請，否則，他仍然訪問蘇俄。

老赫是否撤回邀請

赫魯曉夫是否會撤回其邀請呢？在正常情況之下，他將不可能撤回這種邀請，因為，他經已去過美國。而此種訪問，在外交戰場上，慣常是對等的。但他也可以把美機壓境之事，解釋為非常情況。在非常情況之下，拒絕艾克訪蘇，就成為正常的了。

真正的問題，倒並不在這裏，主要關鍵，還是在美國的力量。赫魯曉夫如果真要撤回邀請，即無異是封閉了今後與美國交往之門。而這一點，實為老赫所不願，亦有所不敢。

西方記者傳出推測，謂未來的高峯會議中，可能談到艾克延期訪蘇。這一看法，有其表面的理由。

艾森豪是否同意延期

艾森豪是不是同意延期呢？

第一，他的總統任期無多，如一再延期，在時間上並不許可。第二，日韓等國的訪問日期均已確定，如延期訪蘇，是否又要延期訪問日韓？是否又能為日韓當局所同意？

從任何角度來分析，展期訪蘇，並無充分理由。

赫魯曉夫可以藉美機事件大作文章，艾森豪何嘗不可以藉這個事件來作文章呢！「開放天空」，「解除鐵幕」，不就是最好的題目嗎？美國國務院經已在這一方面開始作文章了。這是對的，也是應該的。

美國應採取主動

跟共產黨人交手，必須採取主動，堅持要「開放天堂」，或者是「解除鐵幕」，就是採取主動的作法。

採取主動，必須以強硬態度出之。此則由於共產黨人一貫的是怕硬而欺軟。

美國務卿赫達聲明「決以武力支持盟國」，這一態度很對。十年來的美國對共政策，如果一貫地是這麼強硬，也不致弄成今天這種局面了。

然而，總算美國執政者畢竟已領悟非強硬不可的教訓。

自由談

如何不打自招？

馮正先生

蘇俄宣佈在其領空上擊落了一架美國飛機，說是「美帝」越境偵查的挑釁行為。美國務院起初聲明這架飛機是沒有武裝的測候機，因為機上儲備的氧氣不足，以致駕駛員神志恍惚，不明飛行方向，誤入俄境；繼又承認這架飛機是負着偵查有無敵人突襲的例行任務，不打自招，證明俄酋赫魯曉夫的指摘攻訐是應該的。似此幼稚拙劣的宣傳技術，要想跟俄帝從事冷戰以制勝，這不是天大的笑話嗎？

幸而美國物力豐裕，財力雄厚，且有若干從別國避難到美國求生存的科技專家，孜孜汲汲，昕夕不懈地研究，製造原子武器以自衛，使俄帝有所忌憚，不敢隨便使用武力以實行世界革命計劃，否則在美國當局低能的政治領導方法之下，自由世界人類早就完蛋了！

反抗共產帝國主義的基本力量是文化精神，金錢與武力乃屬次要。美國人每每強調生活水準提高，即能夠消弭共產主義侵入之說，這祗是以己之心度人的片面真理，也就是從商業出發的功利思想，失之淺薄。即如現在美國一般人民的生活水準，可謂世界第一的優裕程度了。然美國社會各階層，尤其是各個大學和國務院之中，最近十餘年來，被國會議員檢舉，或由中央情報局發覺的共黨份子和其他同路人，已經不在少數，而且都是些有相當地位，有高尚職業，生活甚為優越的知識份子，這又是甚末原因呢？

搞政治外交，英國人確實比山姆叔叔要高明些，可惜英國人太窮了，對外不能施行「英援」經濟計劃，祗好相形見絀，讓新興的金元王國坐上世界盟主位置，發揮其商業觀點的政治外交方法，因而自由世界在冷戰中經常居於被動招架的劣勢地位，毫無主動反攻的能力，這才是自由人類的致命傷！

小啟

本報四月份費單業已寄出，請各文友每週星期一至星期五下午三時至五時到本社經理部洽領。

震驚鐵幕的一本宣言

李毓田

共產黨手捧馬列聖經，滿以爲可以贏得這個世界，對自由世界滿不看出眼裏，爲所欲爲。不料，最近全球各地突然出現一本宣言，却惹起莫斯科大爲震驚。這本震驚鐵幕的宣言究竟是什麼呢？

共產黨人手捧馬列聖經，滿以爲一定可以贏得這個世界，對自由世界滿不看在眼裏，爲所欲爲。不料，最近全球各地突然出現一本宣言，卻惹起莫斯科大爲震驚！

這本宣言即「思想形態與共存」，內分「道德重整的目標」、「共產主義的目標」、「共產黨的戰略」、「共產主義擴張的階段」、「道德重整帶來的答案」、「一位經過訓練的共產黨員的話」、「遠東」、「共產陣線」和「思想形態將決定一切」。在這裏，它不僅赤裸裸地，揭發了共產黨所喊「共存」口號，在戰略上的作用和眞正目標，而且還貢獻出一個最高的思想形態，即戰勝共產主義的思想形態。

信天理（良知），世界應該由已改變了人性的人去控制；另一則爲共產主義』。

創造「新型的人」

又說，「道德重整曾經宣佈，它所注意的是在創造『新型的人』。這個人他必是具有一個道德的思想形態、一個新工商業的動機和聯合行動的新基礎。……道德重整所創造出來的新型的人，發現工業的基本問題，是道德的而非經濟的』。」按挪威共產黨發起人之一的漢斯．柏克霍說道：「在蘇聯建國程序上，新型的人的創造，還是一個特解決的問題。所討論的問題，不外乎是『我們將如何創造一種新型的人？』我們深信，硬把人壓進一個定型裏，並不足以解決這件事……如果我們無法找到一類具有新的氣質、新的體型的人，任何盡善盡美的制度，都不能帶來和平與自由」。此人現在正爲道德重整而奮鬥，所謂創造新的氣質、新的體型的人，正是道德重整最後的目標。

道德重整代替階級鬥爭

該論文又說，「道德重整深信這些觀念，『在工業上足以代替勞工和雇主的階級鬥爭』。」按宣言是這樣說：「卜克門博士說：『只有人類有了一個新精神以後，工業才有一個新精神。工業能成爲新秩序的前鋒。在新秩序下，全國性的服務，代替了自私，而工業計劃亦以天理（良知）爲基礎。當勞工、管理和資本在天理下結合的時候，工業才眞正地取得了國家生命中的地位』。……」

這篇論文在結束時問道，道德重整的經費從何而來？它向俄國人民呼籲，須注意世界全部報章列載卜克門博士的講演詞，因爲在那裏，卜克門博士曾引證了兩種德國報章作例子。有人問道：「這是什麼人拿出來的錢呢？」當下回說：「在屋隅有一個人答覆：『這些錢是那些德國的和歐洲其他國的男女們，相信卜克門博士在這個世界思想形態紊亂中所給的基本回答，拿出來的。』」

私人捐款致力道德重整

據麥肯諾島道德重整部最近估計，這本宣言單在歐亞兩洲，已經用去了一百二十五萬英磅，正合港幣兩千萬圓。這些錢都是私人捐出來的。例如，有一個人賣掉一排公寓，捐出二萬五千磅。又有許多人賣掉壽險、產業和珠寶。一個已經捐出所有資產的公司律師，而又把他的壽險抵押出去。一位已婚的人剛得到一萬一千二百五十磅的遺產，便統通都捐出來。一個女音樂家，貢獻出她的大鋼琴。

這是一個思想形態時代，人們不只須要有哲理和計劃，而更須要有熱情。有無比的熱情，才能夠迎戰無比的危機。

共產頭目手忙腳亂

自由世界的戰士們，這次可眞正擊中了共產黨的要害。難怪共產黨首腦們大動肝火，指揮所有的宣傳機構——塔斯社、眞理報（Tzvestia）茲維斯梯亞、（Trud）脫魯得，世界馬克思信徒評論和莫斯科、塔什干、北平無線電台以及各處電視、漫畫等等工具，對道德重整加以猛烈攻擊，總計已發表專論有三十八篇，廣播則達百次之多。

不過，在攻擊宣傳戰中，事實上共產黨人是不得不承認這本宣言的眞實性的，並且有的刊物還把這宣言的原則宣佈給俄國人民看。本年一月十三日在「蘇維埃作家協會」出版的「文學與生活」雜誌裏，便有這樣一篇文章。它首先警告讀者說，「道德重整正在有效地發展中，它是與時俱進地在吸引西方注意。……一個廣泛的宣傳攻勢業已開始，有一本宣言說明，『自由世界思想形態的頹勢，有應該結束的必要』」。

第三次大戰業已開始

該論文繼續說，「這宣言一開始便倡言，戰爭事實上已在進行。『第三次世界大戰業已開始。即使當我們在慶祝一九一八年武力戰爭結束的時候，蘇聯卻正在計劃藉思想戰以擊敗並奴役自由世界。今日世界有兩種思想形態供人抉擇：其一爲道德重整，它確

吉隆坡通訊

馬來剿共鬥爭勝利

・文英・

爲了反共而施行已歷十二年的馬來聯合邦緊急條例，將於今年七月三十一日正式終止，這已由馬來亞的新任元首希沙慕丁於四月十九日在國會正式宣佈。他並說：緊急條例終止後，爲維持國家安全，憲法中將增加必要時當局有權對任何人作預防性拘禁的條款，但此項措施僅爲對付不法者，一切奉公守法的人民無需驚慌。他又說：除非各種方式的共黨恐怖活動全被消滅，馬來即無眞正之和平可言，而馬來聯邦獨立以來的最首要任務，即爲摧毀共黨，我們相信最後必能完成此一任務。

馬來亞當局之所以決定在七月終止緊急狀態，乃因爲馬共武裝搗亂份子的主力已被消滅，殘餘份子已竄向泰國邊境，對治安上的危險已不復存在，這實在是馬來亞政府的最大功績，足爲東南亞所有受共黨滲透的國家所效法。

對於扣留的馬共，聯合邦設立了一個檢討委員會，從一九五六年起，該委會每六個月檢討被扣留的共黨或其同路人一次，看其是否應釋放，或分幾個階段減輕被扣留者的罪狀，至完全釋放爲止，該委會設有委員三十七名，多爲非政府官員，主席則爲怡保史密大法官顧德。據顧氏稱：四年來，該委會已釋放了二千五百零九名被拘留人士，包括投誠的馬共，馬共的支持者及涉嫌和進行顚覆活動有關人士。其中有二千零八十六名完全恢復自由，另外四百二十三名的行動受限制。至現在，全聯合邦的三個拘留營——雙溪大年、巴生及華都牙也，只剩下八十一名被拘留者，包括八名投誠的馬共，幾名馬共支持者，其他是涉嫌與顚覆運動有關的人。而前馬共「指揮」哇希溫紐，亦在今年三月獲釋。

被釋放的拘留者，目前都已獲得新生，他們正從事木工，電器，打金及其他職業，他們都是以前在拘留所中受到熟練的專門技術訓練。一九五八年集體投誠的大部份馬共，目前是本邦的小園主，而一部份釋放的拘留者，則恢復了以前的職業，年青的拘留者，也重新投到學校的懷抱去，其中有幾名正在新加坡的馬來亞大學攻讀。

使這些被拘留者釋放後獲得新生，全是因爲檢討委員會、政治部及各志願團體，都竭力爲他們尋找職業的緣故，這是使他們成爲良民的徹底辦法。顧德大法官說：「我還沒有發現關於僱主拒絕僱用已釋放的拘留者，我們儘量將他們安排在適當的崗位上，到現在爲止，他們實際上都有職業，被拘留者釋放後，很少再度被拘留，他們大多數品質良好。」這是馬來亞當局的高明手法，因爲共黨的一貫手法，是製造仇恨，而貧窮即爲其最可乘的機會，如各人均得飽足，則共黨便無隙可乘了。

緊張狀態結束後，馬來亞政府即訂定計劃發展農村經濟，以把整個國家推向進步之途。在政府的鄉村發展政策下，第一個步驟，是使政府機構可以順利工作，首先，以全力使馬來官員受良好的訓練，因現在若干歐籍官員——主要是技術官員，尚不能由馬來官員代替之。現在由英人担任的聯合邦總監職位，計劃中明年可以由馬來亞官員担任。

繼之，馬來政府制訂具體發展農村計劃，並決定推行的優先次序，編造預算，考慮籌措所需基金的方法。農村發展的第一步，是以土地撥給沒有土地的人，實行耕者有其田，以逐步改善失業局勢，並解決聯邦經濟問題。第二步是以土地撥給擁有不足夠的土地的人，凡無力一次過付還地價的，可分期攤還，或於七年後所種植之樹膠可開割時付還。馬來亞政府的目的，是使村民及其家屬每月可獲三百元入息，以維持生活水準。

馬來亞副總理已下令各州縣政府官員就各州縣擬就發展細則，而各地縣長需全力集中此點工作，因農村經濟一穩定，則共黨將再無從滲透。

寒流侵襲下的大陸

筱臣

今年大陸的春旱，連續數月之久，已經給予中共莫大的威脅，筆者已略爲簡報。乃者夏行冬令，天道的反常，若干地區又遭受到寒流的侵襲，這又給予中共的「農業計劃綱要」莫大的打擊，這眞是禍不單行，大陸上的自然災害，一直是與中共結下了不解之緣。

根據四月廿八日「人民日報」的報導：在蘇北，新沂縣在三月三十日的夜裏，寒風一陣緊似一陣，清明時節這樣冷，眞是多年罕見，該縣的「縣委書記」鮑有成晚上在鄉下檢查工作，感到氣候驟冷，第二天可能發生霜凍。他立刻趕回縣裏，和技術員一起商量。技術員建議和薰烟法防禦。

他就親自拖了一捆草放在麥田崗頭上崗頭點火薰烟，頓時，縷縷青烟籠罩了大地，麥田上卻氣溫不再降低了，據說試驗成功了。深夜兩點多鐘，他就召開了廣播大會，動員全縣人民一齊上陣，田頭薰烟防晚霜。這天夜裏，從縣委書記起，到公社，大隊，生產隊的幹部，都是通宵達旦，進行鬥爭。

在湖北，從三月中，下旬以來，由於西伯利亞大寒流南下，以及湖北連綿陰雨，寒潮頻繁，各地氣溫雖數度降到零度以下，有時飄雪，由於陰雨多，低濕時間長，致使早稻秧苗因凍發生腐爛現象，返青無望。據來自武漢的消息：這一損失將嚴重影響插秧工作，還誤農時。

據稱：在寒潮侵襲期間，進行全體動員日夜「苦戰」，秧田加上覆蓋物，牽上防浪繩，搭起防風陣，挖薰烟審，但結果毫無裨益。秧田是一片黑綠，普遍腐爛，返青復活無望。

目前湖北各「人民公社」，還在秧田實行「洗澡、吃菜、加餐三結合」的辦法進行挽救，所謂「洗澡」就是排除秧田中由於爛秧所生的銹水和汚水，灌上清水，洗除秧苗上的綠延和黑皮，企求腳秧能夠復活；「吃菜」即普遍噴上波爾多液和六六六粉；「加餐」即連續三天追施秧肥，但結果效果甚少，消息中說：有些地區放棄挽救的措施，有些改種其他農作物，有的只好採直播早稻的方法進行補救，但因此而誤農時，影響收成。

在粵北，來自韶關的旅客談稱：近來粵北原野竟然到處出現「抗寒流」人潮，除耕地搭棚防止寒流摧殘農作物外，並準備集中力量搞「人造暖流」發動人民上山割荒草枯枝，燃起萬千火頭，以抗拒寒流南下，共幹們揚言「即使是冰天雪地，我們也要把冰雪打發走，保證生產指標不打絲毫折扣」，話雖如此，但督促人民「鼓幹勁」的共幹，又嘗不憂心沖沖，害怕今年會下不了台呢？

寒流既於初夏向亞熱帶的廣東挑戰，而且情況嚴重到需要「人造暖流」來保護農作物，其他各省區向與廣東相差懸殊，所受到寒流的威脅，應該是更加嚴重，可知被關閉在無比龐大的天然冰霜裏的數億人民，是如何的被迫作勞役，及時搶救與天鬥爭了。可是鬥爭的結果，又能搶救多少農作物呢？

今年度一開始就鬧旱災，若干地區的搶救旱災工作尚未完成，接上又遭受到寒流的侵襲，這種天候反常，都是給予中共「大躍進」和「大豐收」莫大的諷刺。繼此以往，更何況今後的天時難保不更嚴重反常，如果再有「特大洪峯」或大旱、虫患，人民即令鼓足幹勁，恐怕亦沒有「餘勇可賈」呢！

香港地

社會小說

四、高的低的

丁乾顯得是一個病後欠補的可憐相，停了筆在苦笑，連起來迎接客人也勉強得很，只站在那張寫字枱的旁邊，伸出一隻黃瘦如柴的枯黃的手，和梅大亮及白茫兩個各握了一下，一邊握手一邊說道：「難道你們來看我，這兩天我大概沒什麼病，不開工寫東西也不成了！」

白茫才坐下來，便哈哈兩聲，對梅大亮笑道：「梅老兄，你該贊我一句料事如神吧！我贈給他的幾句詩，說他爬格子還更要爬得比從前出力，現在你看他，不就帶病開工嗎？」說了，已從衣袋裏掏出那頁還未寫完的詩稿，送到丁乾面前。

梅大亮看丁乾的樣子忒是可憐，倒覺白茫拿這首詩向他開玩笑，詩裏全是些不吉利的話，未免太過，卻見丁乾看得發笑起來，笑時那張尖嘴露出積垢的牙和蒼白的牙肉，越顯得是貧血和欠缺營養，好在神氣還似什麼都滿不在乎的，笑着對白茫道：「你這詩寫得不錯，我該用鏡框把它裝起來，掛在牆上，和那幅畫互相對襯，倒是天造地設般巧妙。」說時，他把那頁詩稿揚了一揚，同時用手向墻上一幅畫指了一指。

這時，丁太太已捧出幾個茶杯，向客人獻茶。梅大亮看這廳裏各種陳設，簡單得很，空氣陽光都十分充足，環境也相當幽靜，很適合寫作和養病的人，便向丁太太手上接過茶，順便說道：「謝謝你，這地方很好啊！租金不會太貴吧！」

丁太太年紀還青，說話爽直，聽了竟然哼的一聲答道：「這地方怎不好？爲了租這一層樓，他差些連性命也送掉了。」

她說得神氣不好，話也突兀，頓教梅大亮莫明所以，正在詫愕，白茫已在另方面連聲叫妙，哈哈笑將起來。

梅大亮轉眼看向白茫，見他站在廳子的一邊，正在欣賞墻上一幅水彩畫，似乎看得十分開心，似有小兒得餅之樂。梅大亮覺得奇怪，便也湊上前去，看個究竟，正是不看猶可，看了便自納悶，心想道：「白茫大驚小叫，這算得是什麼畫？」

（廿六）

木客著

試鏡頭

蘇堤

鄭奇小姐居然想要作電影明星了。

這也難怪，她的家就在影片公司附近，每天晚上都有拍片鏡頭可看。當她看到水銀燈下的明星一個個花枝招展，架子十足，一片既出，萬人爭仰，這對於一個少女，簡直是極大的誘惑啊！

每一次，鄭奇小姐參觀拍片回來，少不免都要對鏡出神。她總覺得，以她這樣的人材，如果不作個明星，那簡直是有忝上天好生之德。日子一久，這種念頭就愈來愈強烈，她決定要去碰碰機會。

機會終于來了！那是有一天晚上，當影星們拍片休息的時候，她居然見到了鼎鼎大名的紅星安娜小姐。

「安娜小姐，作爲一個影迷的我，可以有這種光榮，和妳談幾句話嗎？」

這位安娜小姐雖然是一個大明星，倒還沒有明星架子。她看到眼前的這位小姐，亭亭玉立，口齒伶俐，便笑着說道：「別客氣，談談話有什麼不可以呢？小姐，妳有什麼需要我幫忙的事嗎？」

鄭奇小姐的臉微微地有點紅了。她看見這裏坐着許多的人，不免有些胆怯，便低聲說道：「安娜小姐，妳看我可以上銀幕嗎？」

「妳是說妳也想過水銀燈下的生活？」安娜小姐瞪着眼睛望住她。

「是的。我的家就住在附近，我到這兒來參觀拍片也快一年了。我一直對這個東西有興趣，就是沒有機會，所以，安娜小姐，我想大胆的問妳，如果要想作一個像妳這樣的大明星，需要些什麼條件呢？」

安娜小姐笑了，女人總是喜歡別人恭維的，她見鄭奇小姐這麼恭維她，便笑着回答道：「別客氣了，小姐，妳今年還不到二十歲吧？」

「我，哦，我今年十八歲。」

「唔，好極了，年齡方面是夠條件的，小姐音樂方面……」

「哦，我是學鋼琴的，我雖然不敢說有音樂天才，可是曾經也下過一番苦功。」

「還有，對于跳舞、游泳、騎單車、攝影，我都有相當基礎。小姐，妳看，像我這樣的人，能有上銀幕的機會嗎？」

安娜小姐又是那麼一笑，笑得那麼神秘，她仔細端詳這個女孩子的身材，然後回頭對一個胖胖的男人說道：「王導演，在發掘新人的政策下，我們不能放過任何一個有天才演技的青年。來，我爲你介紹一個新人，你和她談談吧！」

這個王導演只是簡單地問問鄭奇小姐的家庭，然後，約定第二天晚上八點鐘在湖光道××號再談。鄭奇小姐眞是高興極了，第二天晚上，她加意修飾，打扮得非常美麗，準時到了湖光道。

這是一所精緻的小洋房，門口有一個小小的花園，她按了一下電鈴，只見那邊花徑中有一個人出來了，定神一看，就是胖胖的王導演。

「王先生，你好！」

「鄭小姐，妳眞守時，準八鐘。」

在客廳裏坐下，王導演問了些不相干的話，始終沒有談到拍電影的事。鄭奇小姐終于忍不住了，便鼓起勇氣問道：「王先生，我可以有試鏡的資格嗎？」

「有的，有的。」

王導演很開心，他站起來，示意要鄭奇小姐跟着她到那邊內室去。

「王先生，什麼時候可以試鏡呢？」

「就是現在，就是現在。」王導演向她全身打量一番，說道：「小姐，情人散步的經驗，妳不會沒有吧？」

鄭奇小姐沒有回答，她的臉泛紅了。

「那末，接吻的經驗呢？」

「這個，這個，王先生，試鏡頭不是試這些吧？……」

「不錯，這就是明星第一課。假如連這個都不會，妳還能作到大明星嗎？」

「那末，我……」

「不要緊的，每個大明星都是這麼紅起來的。來，我們就在這張沙發上試試吧！攝影場的還早着哩！」

尼庵揮春

介人

清淨寂寥的尼庵，四大皆空，應該是不識有人間歲月的；但附庸風雅，僧尼亦即在多有，所以到了春回大地人間新歲的時候，尼庵中亦多作揮春之舉，藉資新年點綴。因此，亦留下了若干諧趣。

相傳某邑有洪萬爹其人，爲一廪貢生，學識淹博，向之徵文乞詩者頗多，顧萬爹好飲啖，凡有以詩文相懇託的必饋遺酒食，否則不應。其居處附近，有一尼庵，庵中諸尼，俱識萬爹。某年歲暮，萬爹偶過尼庵，諸尼乞萬爹爲書一春聯，萬爹許之，歸後，以紅紙書一聯，遺僕送去，則僅有八字，上聯爲「一心只想」；下聯爲「兩手板開」。尼見之，羞憤交併，罵萬爹之缺德。住持老尼說：「這是萬爹索饋贈，你們速具禮物送去，必有佳聯。」尼如其言，萬爹見禮物至，遂就原紙各續三字，成爲：

「一心只想天台路；
兩手板開佛法門。」

獨立製片

望海樓隨筆

徐學慧

影城荷里活有許多獨立製片公司，主其事者幾全屬於老牌明星。獨立製片有許多好處，最好的就是能夠不受公司約束，選擇劇本亦有自由，可以說，促成那些老牌明星之所以要獨立製片的動機，乃是由於那些資本龐大的影片公司平日對他們拘束過甚所致。

香港明星很少有老牌，即有亦並無可觀的票房紀錄。可是，獨立製片的風氣，並不稍遜於荷里活。如果要說這是一種怪現象，相信有些人會不同意。他們可能這麼說：爲了發展電影事業，爲了公平競爭，任何人願意搞獨立製片公司，均宜予以鼓勵，而不能加以嘲諷；對於這一說，我個人並不能完全同意。

所謂獨立製片者，乃是指那些明星們脫離了公司的羈絆，而獨資自組公司拍片。因此，談到獨立製片，乃必然是指那些刻正從事電影藝術工作的人。不錯，香港的若干獨立製片公司，其主持者均爲現在從事影劇工作的影人，這一原則是相符的。可是，有一個最大的原則，值得提出來愼重研究，那就是：香港的若干獨立製片公司，（並非包括全部）幾乎都是新星主持，這中間就存在着一個很大的問題了。

新星而搞獨立製片，除非她有很大的本錢。但據我們所知，有雄厚資本的實在很少，普通不過是三幾十萬在那兒活動，有的甚至連三幾十萬都沒有。這個樣子的獨立製片，與影城荷里活的獨立製片，在意義上就完全不同了。有人說，香港若干獨立製片的新星，其所以甘願化錢來幹這些玩意，一方面固然可是登龍之術，另一方面也是證明她們實在無心上進。這些話，如果細想起來，倒也不算刻薄。這也就是間接地警告她們所服務的公司，你們得待我客氣些，我自己也有公司了，如果不客氣的話，我可以立刻和你折檔呢！

對於某些新星之所以熱中於獨立製片，用上述理由來解釋，並不寃枉。在我個人看來，獨立製片公司愈多，則香港那些明星們乃更不會上進了。已經負有盛名而在演技上已臻爐火純青境界的老牌明星，爲了更能自由地發揮自己的藝術天才，而組織獨立製片公司，以與那些大公司爭一日之短長，這値得予以鼓勵。然而，還只有老牌明星可以担任，最低限度也得在電影界混上十五年；至於那些三幾年的新星，實在是用不着這樣的。

「戰鬥到明天」的風波

——岳騫——

一九五一年共區一位作家叫做白刃，寫了一篇長篇小說「戰鬥到明天」，描寫抗戰期間八路軍英勇抗日的故事。

白刃本身就是一個軍官，曾經親身經歷過抗戰，於是把所見所聞的，加上大部份共黨宣傳材料，寫成了這樣一本書。這本書一出版就鬧了一場大風波，因爲書中保留了百分之幾的眞實故事，使共黨受不了，所以剛出版就被袁水拍和陳亞丁在「人民日報」和「解放軍文藝」上大肆抨擊，袁水拍過去寫詩的筆名叫馬凡陀，現在担任人民日報文藝版編輯，要算是中共文化頭子周揚手下第一級爪牙。陳亞丁是解放軍總政治部文化部（現已撤銷）副部長。一九五七年毛澤東擺下「陽謀」搞鳴放時，首先起而反對的就是陳亞丁，此人之權勢可想而知，經這兩個文武打手一反對，「戰鬥到明天」只好收起來出版待明天了。

「戰鬥到明天」最使中共反感的是它保留了一點點眞實故事，其中有解放軍在敵區活動時，因爲受不了日軍圍剿，不得已只好投降，白天作偽軍，晚上作八路軍，作了壞事是偽軍作的，作點好事就是解放軍作的。這還不算，爲了達到目的，並且派出漂亮女幹部向日本軍官及偽軍首領獻美人計。同時書中又描寫日本一個軍曹渡邊，對於八路軍的善意頗爲感動，以後給予他們許多方便。

以上這些故事，凡是在淪陷區住過，領教過八路軍抗日功德的，都可挺身作證，絕對是百分之百的眞實，誰都知道陳毅受了傷「皇軍」派車送到上海醫治的事，但是在今天，共產黨如何還能讓人揭這個瘡疤。白刃當時受了處分，把已出版的書全部收回，勒令重寫，首尾過了七年的時間，修訂本於一九五八年八月由「作家出版社」出版，其中如假投降，美人計都刪去了。

書雖出版，也准與發行，但是事情並未了。「北京文藝」本年一月曾發表了三篇對該書批評的文字，其中只有北京師大中文系二年級現代作品研究小組予以肯定，其餘都是反對的。北京文藝二月號，又發表三篇攻擊文字，三月號又有一篇，都是否定「戰鬥到明天」的，四月號的預告還有幾篇，看情形這本多難的小說，又要收回了。

釋耒集

名臣與儒臣

曲齋

易乾文言：「九五曰飛龍在天，利見大人，何謂也？子曰：同聲相應，同氣相求，……雲從龍，風從虎，聖人作而萬物覩。」謂君臣際會，所以致太平也，然賢聖之君不世出，世襲之制，尤不能保君主之弈世而皆賢，矧帝王之後，悉多驕盈庸儒者乎？是以言致治，不得不取資於廢宰相始，亦言治重在用人之意也。近讀李溫陵藏書，世紀列傳總目後論有云：「夫人臣之難遭，亦如聖主之難遭也，倘得名臣以輔之，亦可以輔幼弱而致富強，然名臣未必知學而實自有學，自儒者出，而求志達道之學興矣，故傳儒臣，儒臣雖名為學而實不知學，往往學失故步，踐跡而不能造其域。卒為名臣所嗤笑，然其實不可治天下國家，亦無怪其嗤笑也。」其所持論，於儒者實深譏之。因憶王安石傳云，安石以上書言事，神宗不次召見，問為治若唐太宗何如？安石對曰：陛下當法堯舜，何必效唐太宗。神宗嘉其言，遂一心信用安石，而熙寧之政，即欲比蹤韓范，且不可得，遑論房杜矣。且唐宋以後，所謂儒生，大抵出身科目，早年則制藝帖括，勞其神思，中晚則記誦辭章，耗其精力。其所謂學，十九優於坐議立談，而短於當機立斷。孔子所謂「為趙魏老則優，未可以為滕薛大夫」者也。謝在杭五雜組載：「伊川見人主折柳條，便欲禁制之，說書時顏色莊嚴，儼以師道自處，此即子弟如是教之，亦苦而不入，況萬乘之主哉？陸秀夫於航海之日，負十歲幼主，而日書大學衍義以講，不知何為，近於迂而戇矣。大學說明德，便說新民，中庸說中和，便說位育，孔子一行相事，便墮三都，誅少正卯，更無復逡巡道學之氣。顏淵問為邦，孔子便以四代禮樂告之，何嘗又以克己復禮，使之教百姓邪？宋儒有體而無用，議論繁而實效少，縱使諸君子布滿朝端，亦不過議復井田封建而已，其於西夏，北遼，未必便有制御之策也。」孔子言學，曰下學而上達，事功即在學術之中，舍學術而專言事功，恰自韓非，但言學術而不足以成事功，實始於後世之拘儒。伊川序明道先生行狀云：「道不行，百世無善治，學不傳，千載無眞儒。」其說在學術之外，似又別有所謂道者。不知有眞儒則必能行道，不行之道，徒虛言耳。孔子曰：「人能弘道，非道弘人。」固未嘗離人以言道也。

粟海彈心錄

中共土改（上）

阿公

中共以「土改」欺騙馬歇爾、司徒雷登，而從事外交分化。以「翻身」欺騙貧農惰農，地痞流氓，而造成階級鬥爭。故其初期，舉行計口分田制，而當時鄉村諸色人等，及其共幹，皆得平均分受其間，除東北西北外，計口無過一畝八分者，有不及一畝者，耕地破碎至此，眞正農民，自無法耕種，生產銳減。故有第二期之「生產合作，統購統銷」之改制，自是符合蘇聯之農場集體，勞力集中之法則。而社員體力之強弱，工作之勤惰，技藝之優劣，無法分別協調，不能不以所獲總額，除統購外，平均的分配。由是強者弱，優者劣，勤者惰矣。人情至此，嚴刑峻法，有時而窮，故有第三期「人民公社」之圖窮匕見。

當時此間研究土地問題者，頗多心存欣羨，而主土地國有。集體農場。土地歸現耕農民所有。予亦參與其間，則斷言中共為必敗之局，何以故？共產黨徒，為對內奪取政權計，乃以「土地從新分配，「工商民族資本」為號召。為對內對外鞏固政權計，又不能不搾取農民收益，沒收工商資本，藉此完成軍備工業，乃至工業化。不知農村收益，工商收益，止此一桶水，反復傾倒，仍是一桶水，在經濟上不產生任何作用。反而平添不可思議之浪費。由是「大躍進」之呼聲起矣，大躍進也者，予曾比之兒童「跳繩」，然，看似跳得起勁，實則未前進分寸，一旦精疲力竭，興趣索然，則仆地跌倒，圖窮而匕首見矣。此「人民公社」之所由來，故蘇俄魔鬼亦為之不懌。

讀者論壇

文化的前途

——作者與編者的責任——

鄧堅民

文化是人類精神的表徵，它無形中促進了社會政治各方面的進步，其含義雖廣，但就一般所稱的文化工作的意義，就無形中專指新聞、出版、寫作等事業而言。文化工作者，因任重、行苦、格高，往往獲得社會人士尊重，尤其對於從事文化工作者，皆予以相當的重視。文化工作者對社會負有至為重大的使命，照說是應該深自檢點，深自奮勉，但揆諸現實，卻往往有未必如此者，這倒是值得予以提出來討論的。

近幾年來，由於時局動盪，頗多缺乏正確觀念不為社會後世着想之徒，冀圖藉文化而掘金，自築門墻，捧出不務實際的作者多如牛毛，以致市面充沛濫造作品，不論其損益優劣，惟白紙印黑字者均屬佳章，徒使讀者浪費金錢時間毫無裨益，以致，使人誤認文化為詐騙之術，棄如敝屣，而一般嚴謹作者亦多不幸蒙受歧視焉！

作為一個寫作者，在很多人的觀點上，認為凡能寫兩篇文章的人，即已具備做作者的資格，將做作者看得非常容易，不觀察現實，不分析社會心理，大肆閉門造車做其空中樓閣，事後則又死拉關係，找人吹捧，誤人傑作乃能大批出籠，使文化不脛的走下腐敗墮落之途徑。

作品的目的，並非以能夠發行出版即成功，其可貴在能夠化人氣質與轉移風氣，此種成功的作品或不朽巨著，自然不是能寫兩篇文章的人就能夠作成的。而大都出於具有豐富學養和對於社會有深刻認識者。

因此，作為一個作者，是時代的導師，必需有超時代的眼光和深邃思想，更須有高深的理論和心理的分析，此種基本的因素促成，多賴於宇宙中的一切學說，都能夠不斷的加以博學，加其豐富的生活體驗，在實際上細心研究而嚴格批評，所以其作品不只受當代社會讀者歡迎，即數代以後依然博得讀者拍案嘆止的讚賞，原因：是作者的寓意不能否認耳！

一種水準以上作品蘊藏了啓發人類的思想與激勵人類向上的活力，在意識上明辨是非，使讀者有種似可意會而不可言傳的神妙，更能夠堅毅不屈於環境的限制者是：安謐的時代，隱惡揚善重於感化力量，紛亂的社會中，隱善揚惡，斥責歹徒喚回良心而令其不致為非作歹，確實負起作者使命大膽暴露罪惡反映人生！

做作者是否容易抑或艱難，至此明顯已極。

雖然，做作者並非容易，但是，普天下的事物成就，每多由艱難中得來；一般容易成就的事物，也由於容易而難以成就。然則，很多被硬捧出場的濫竽作者，已矇混讀者享譽多年，其作品無法達到水準與永遠滯留在低級不進的原因，固屬於觀點上的錯誤，另方面也屬於無恢宏度量，不肯接受嚴格的批評，專喜虛榮誇讚的毀譽，惟以能賺錢為成功，不獨自棄於讀者，並且是文化中的罪人！

不論作者所持的態度如何？其作品的優劣如何？目前，惟一能夠使文化質素提高的或受歡迎以蓬勃的大權，併集於編者手中，編者的態度嚴正無私，不合水準的作品，則無法流諸市中，倘令所有的編者都忠實於文化，無疑的水準必上昇，否則亦隨着低落，換言之，今日的文化能否步上新途徑，完全基於作者的良心，懸崖勒馬一反頹風，而豎立標準的取捨尺度原則，不以捧作者為愛護文化，而是毀滅作者及扼害文化的偽善者，不以為嚴格要求或批評作者為打擊，方是愛護作者與促進文化，此種觀點尤為首要。

中國幾千年以來，西洋人多視為禮義之邦的強國，其原因？並不是我國歷代武功很強，更不是我國歷代的政治都倡明，但能博得西洋人士歷久悅服不衰的因素，實由於我國高深悠久的文化歷史驅使，也由於歷代文化人士的衷誠努力所促成，此種榮譽的保留與發揚，端賴今日主宰文化興落的編者，面對着當前的文化工作，能否忠實於文化而導向康莊大道！

海嘯慶談薈

汪精衛的特長（下）

我周時前往，汪與陳璧君、曾仲鳴及其兒女們正在進早餐，他一見着我，即起身搬動椅子請我坐在餐桌間一道吃飯，說是你來得正好，嘗試一下我的廣東味家常便飯罷！」他那種一見如故的熱情，即令是假做作，亦教人發生好感。繼而他領我進入書房對坐而談，我申述來意後，他以興奮的情調答道：「你們是本黨的文化別動隊，中央日報不能或不便說的話，你們來說，厥功甚偉，我以為應該令嘉獎才對。」我說：「總裁不是這樣想法，他為着外交關係，要懲辦我們，如何是好呢？」汪謂：「你放心，我這副總裁雖然沒有權力自由處理這件事，但要維護一個忠貞同志，我的意見總裁亦不至於完全拒卻的。」又說：「前幾天，蘇俄大使持着一疊西南日報來見我，請我制止反俄言論，我答以西南日報是民營的刊物，像這類的報紙，全國不知有若干種，中央黨部和政府那裏管得了許多呢？大概俄使因為我不理會他的要求，就跑到總裁前面去告狀了，眞是笑話！」我聽了汪氏的一席話，勇氣為之大增，又由於他那種熱情洋溢的親切詞色，使我內心上潛存着的反汪情緒，亦消除了一大半。

下午我在報社寫稿，汪氏來電話找我，他說馬上派人送一文稿來，教我列在「社論」地位中。我問：「文稿是否副總裁署名的？」答曰然。我說：「副總裁署名的文章，應該特別處理，另行闢欄刊登，以示尊崇。」他說：「毋須，務必作社論刊出。」只好遵辦，他撰寫這篇社論稿的用意，就是鼓勵我們的勇氣，表示國民黨副總裁亦是西南日報的社論作者，間接讓蘇俄大使知道，自已識相點，不要再嚕囌。後來這樁公案由宣傳部長周佛海報告蔣總裁以處理方法——西南日報與掃蕩報聯合出版（事實上亦未照辦），也就沒有再追究了。

看汪氏對於我這個異已者的應付態度和言行，即知其平日對人接物之道，自有他的特長。他對任何一種人的言談，都能夠教你心滿意足，感覺「汪先生」是個和藹可親的政治家，自然而然地對他發生向心力。環顧當代一般達官顯宦之胸襟狹窄，妄自尊大，訑訑拒人於千里之外的那副損像，能不令人有黨豬異味之歎乎？至於政治主張的是是非非，又當別論，搞政治如不具備對人永恆表現着熱情而親切的氣度，縱然搞一輩子亦只是個官僚份子而已，不配談政治家的資格。

諸葛文侯

象棋

漁翁

古以棋為卜，據西京雜記載：「八月四日，竹下圍棋，勝者終年有福，負者終年疾病。」又方術記云：有十二棋卜，黃石公用之行師，萬不失一。今日所流行者，為唐代牛僧孺所創，是則象棋之流傳，已非一日。

歷代帝王文豪好棋者，委實不少；稗史載宋太祖於陳橋兵變前，亡命西嶽山，遇詩人陳搏與道者下棋，一時豪興勃發，欲參加其間，陳曰：「勝則如何？」太祖曰：「如余敗，以華山為質！」結果，棋敗數局，即書券售華山以為戲，及太祖黃袍加身，陳入謁，出下棋券，太祖遂賜詔華山免征稅，以重諾言。因此，後人有「失口賣華山」一種流行語，至今猶傳為佳話。

宋室末葉，文天祥好棋，詠生日詩，有「客來不必籠中羽，我愛無如橘裏枰」之句。又山中六言句云：「夜靜不收棋局，日高猶臥紗窗，」其酷愛心情，竟流露於字裏行間。

有明一代，更為盛行，明太祖與中山王徐達，在莫愁湖畔下棋，徐達勝，太祖以湖賜徐，並築樓於湖上，御筆題曰「勝棋樓」。樓上聯語，琳瑯滿目，就中以衡陽彭玉麟一聯為最生色，聯云：「王者五百年，湖山具有英雄氣；春光二三月，鶯花合是美人魂。」

本報已奉僑務委員會核發台教新字第三二三號登記證

自由報

THE FREE NEWS
半週刊每星期三、六出版
第二十七期
每份港幣壹毫
社長：雷嘯岑
督印人：貢行審
社址：香港銅鑼灣高士威道二十號四樓
20 Causeway Rd. 3rd. Fl
HONG KONG
TEL 771726
電報掛號：7191
承印者：田風印刷廠
地址：香港高士打道221號

冷戰到達新高峯

方南

英美法蘇四國高峯會議這時正在舉行，而冷戰也剛正到達新的高峯。誰是這次冷戰的主動者？當然是赫魯曉夫？他爲什麼要在高峯會議舉行之前造成冷戰的高峯？是偶然的衝動嗎？還是按照一個早已妥訂的計劃而進行？

這應該逐節分析，求取答案，不可含糊了之。

冷戰新形勢的成因

共黨集團主動地把冷戰帶到新的高峯，是由於兩件事：一是毛澤東狂熱地從新號召亞非及南美各國的反美運動，二是赫魯曉夫藉擊落越境美機事件給美國以極度汚辱，和給土耳其、巴基斯坦、挪威、日本等國以嚴重威嚇。

擊落美機可看作是偶發事件，但赫魯曉夫由這偶發事件所賣弄的姿態，顯然已有了不惜把戰爭帶到邊緣的決心。他爲什麼會「衝動」到這個地步？是不是不想錯過打擊美國聲譽的機會？抑或，因爲受到國內反對派或中共的壓力？

這裏應該特別注意的一點事實是：早在擊落美機事件爆發之前，中共已猛烈發起反美的新運動，其導因則爲：南韓發生慘烈政變，土耳其政局也隨而動盪不安，南越亦有可能發生政潮的跡兆。

冷戰中心在亞洲

由南韓政變帶給美國的憂患，顯然是不鄲的。這是第一幾的反共國家可能由內亂引致內潰的第一個例子。這已必然大大鼓舞了中共毛澤東，也大大鼓舞了俄共赫魯曉夫。依此推論，如說冷戰被帶到新的高峯的起因，是南韓政變刺激起來的，在邏輯上當然說得通。類如我們腐敗軟弱，內部分裂潰亂等等，都可能招致共黨放胆展開侵略行動。我們如無視南韓土耳其最近各種動亂所給與赫魯曉夫的鼓勵，忽視他們乘勢爭佔上風的機動性，那就冥頑得太過可怕了。「牽一髮則動全身」的古訓，這時應該爲我們所熟諳。別以爲南韓事變已成過去，共黨也像我們從前對匈牙利事變那樣安於袖手傍觀，不想加以利用。

高峯會議雖在西方舉行，冷戰中心則在東方。日本尤其是冷戰中心的中心。毛澤東在中國大陸各城市發動了一千二百萬人，爲「日美安全條約」舉行龐大示威運動，日共在受到毛澤東的鼓勵，毛澤東在受到南韓事變的鼓勵，赫魯曉夫則在其擊落美機的恐嚇言詞中，給予日本政府以精神上重大的壓力。這如不作爲一整個運動來看，我們倒是自我陶醉得太過利害了。

一個最壞的看法

以上只就比較令我們安心的角度來看。還有最壞的看法是：由南韓以至土耳其的動亂，事實是由共黨藉良好掩蔽來燃引火線，經過長期縝密佈置，依一個遠大計劃而導發起來的。中共和蘇俄據出而作出的一連串的新行動，目的是把這種動亂利用到最大限度。於是，冷戰新高峯的出現，是完全符合了他們的意願，並且是按步就班和分工合作所造成的。

陰沉可怕的暗影

事情果眞如此嗎？南韓政變不會是由共黨發動的吧！由最近種種消息看，明顯的證據當然沒有。不過，我們也不妨這樣看：深遠的「用間」決不可能從事變的表面即時看得出來。共產黨的陰謀家不只有辦法，把中立的帶向左，更把幼稚的左傾者，轉變成瘋狂，也有辦法把右的帶向更右，使之自行毀滅。他們善於咬甲倒乙，然後利用丙去收拾甲。三十年來，中國有過多次反英反美運動，其中有幾宗不是由共黨從中策動的呢？那一宗是在當時立即暴露的呢？單舉一個例子來說，廣州在抗日復員之後，示威的羣衆會經衝毀沙面英國領事館，那時誰不說國民黨當局的壞話？而事實都是：那時廣州市國民黨黨部對於應否禁止遊行羣衆經由六二三路，事前已有過一場爭辯，並曾有人故意製造工人打架事件，企圖把遊行隊伍預先衝散，而結果還是失敗了，共產黨在幕後導演這一場戲的成功，對當時局勢會有極重大的影響，但直到今天，眞證仍然被掩蔽着。憑這種例子去看南韓今天的局面及其惡劣的影響，我們確不應忽視最陰沉可怕的一種因素。

照我的看法是：由南韓事變引起了裏裏外外的波動，自由世界本身並未看得怎樣嚴重，同時也忽視了敵方在此事明明暗暗的各種做法。這是跡近麻木與疏忽，該指出是很可寒心的一種表現。

加强冷戰的高峯會議

誰也知道，目前需要有一個高峯會議的原因，只是緩和冷戰，解決重大的糾紛和爭執而已。但在高峯會議舉行之前，蘇俄偏要從新發動冷戰，把它帶到新的高峯？那麼，在共黨眼裡的高峯會議，顯然不是用來緩和冷戰的，而是用來加強冷戰的了。

他們在高峯會議加強冷戰的作用又在那裏呢？依據赫魯曉夫的種種表演作爲推測的根據，作用仍在乎打擊美國的聲望，使自由世界內部業已發生的「離心運動」擴大下去，喚起亞洲人尤其是日本人認眞「蔑視美帝」。赫魯曉夫把全世界的視線吸引到高峯會議去，然後讓大家看他怎樣在高峯會議痛罵美國和玩弄美國。他在證明一個事實；美國是不妨「蔑視」的。

赫魯曉夫目前擴大冷戰的主要企圖，是在「心理戰場」打一場太大的勝仗，摧毀自由世界「心防」的最軟弱地帶，然後擴大裂痕，乘勝進攻。

我們如認爲赫魯曉夫這樣做，是由於蘇俄內部或中共的壓力，那也是錯誤的。大家如複查一下赫魯曉夫從前對待共黨內敵人所慣用的策略和手段，便可知道：他在這次高峯會議前所玩出的一套術數，純乎是「赫魯曉夫式」，不必有任何懷疑。

時事述評

艾森豪進退失據

盧家雪

在五月十一日出版的本報，筆者曾經說到：「即將來臨的巴黎高峯會議，只是讓西方政治家們有機會再聽一次共產黨的魔笛。」到今天，赫魯曉夫的魔笛果然狂吹了。

他聲言：要將高峯會延期六個月到八個月。

他又聲言：撤消邀請艾克訪蘇。

從表面看去，這是兩件大事，實際上，這根本是一幕滑稽劇。

東方人從不認爲這樣的高峯會議能有任何成就，也從不認爲艾克訪蘇能對國際局勢有任何改進。許多西方的有識之士，亦同抱此種見解。

滑稽劇延期上演

一幕滑稽劇之延期上演，實在是算不了什麼的。

我們早就說過，「美國對共政策是如此的因循怯懦……以之與赫魯曉夫這個大流氓週旋，如不爲赫魯所玩弄，那纔是沒有天理。」今天所發生的兩件事，使艾克能在事前略加思索，原應早採主動，宣佈在此種惡劣氣氛之下不參加高峯會議，不準備訪蘇。

可惜，艾森豪智不出此。

本報第二十五期刊有奚蒙先生所撰「艾森豪在倒退中」一文中有幾句話說得很恰當。奚蒙先生說：

「艾森豪最先錯在參加高峯會議。赫魯曉夫費了很長時間的努力，把艾森豪一步一步的帶向高峯會議去，然後以一夜時間的權變，剝盡艾森豪的面皮，使他成爲破壞這個會議的頭號罪人。」

西方政治家的智慧，果眞是如此愚昧嗎？

艾森豪進退失據

據外電傳來，謂艾森豪在會議之前，經已準備了兩份講演辭，其一爲準備老赫提到美機事件的，另一爲如老赫對美機事件完全不提的，現在，這兩份演講稿都無用了。作爲一個大政治家，實在是應該有些氣魄的。

十五年來，西方政客跟着共產黨的魔笛跳舞，那些痛苦的經驗，難道還不夠警惕麼？

艾森豪的總統任期就快屆滿了。想不到末期的政治生涯，竟陷入此種進退失據的苦境中。誠不免要令人懷疑：縱橫捭闔，或有別才。

杜爾斯如尙在人間，艾克或不致有如今日之尷尬。

人之云亡，邦國殄瘁；急風驟雨，每念良臣。艾森豪總統是不是也有這種感覺呢？

據說西方領袖認爲老赫的聲明太過於含有侮辱性。不錯，這實在是一種侮辱。這但種侮辱之來，是誰招致的呢？

妥協主義者的幽靈

如果艾森豪而能擺脫西方妥協主義者的幽靈，怕不會有今天這樣的尷尬吧？

如果艾森豪而能在赫魯曉夫狂叫之際，聲言不出席高峯會議，大概也不會有今天這樣的尷尬吧？

而今，尷尬的局面經已形成，高峯會議極有可能流會；作爲自由世界的領導者艾森豪，今後將何去何從，這問題倒是值得研究的。

幻想與共黨打交道的美夢，應該可以醒了！

西方國家倘能於此種侮辱與尷尬的局面中，一舉而揚棄其姑息主義，妥協主義，修改其騎牆政策，等待政策，則亡羊補牢，猶未爲晚。

至於高峯會議之開不開得下去，那是用不着多所顧慮的。

自由談

玩火

這次南韓的激劇政變，無可諱言是受着美國務院對韓局一篇聲明的影响，以致李承晚總統毅然引退，讓那位社會賢達的許政先生出來攝政，從事激進的政治改革，就目前情勢看來，當然是好現象。可是，在一個新興獨立而尚未具備民主政治基本條件的國家，又與共產政權比肩對立着，一旦進行猛烈的政治改革，必期跟美式的民主生活看齊，事實上能否一蹴而幾，將來是否會發生意外的不良後果，殊堪顧慮。此中問題甚多，錯綜複雜，一言難盡，唯有盼望未來事實證明我這種替今人担憂的心思，是多餘的話！

土耳其最近的學生示威反對現政府運動，亦與南韓情形相伯仲，政府出動陸軍來鎮壓，表面上示威運動已告和緩，實際後患堪虞。幸而這次李承晚未使用軍隊之力以對付學生，否則南韓的局面還堪設想嗎？

南韓與土耳其的動亂局面，不管在幕後導演者是本國人？抑爲外國人？均不免有玩火的危險。如其適可而止，因勢利導，針對內外情況，逐步改革，循序推進，而不採取盲動猛攻的激化措施，即係自由世界　福音，否則後患之來，將有莫之爲而爲，莫之致而致者，玩火之人，必召焚身之禍無疑也。

南韓此次大選的搞法，實在亦太不像話了。美國基於盟友的立場和責任，表示不贊成的意見，未始不可，望之也切，即責之也殷，殆係情理之常。但我懷疑華府當局此舉，具有聲東擊西的作用，即對南美那些反美政權如古巴之類，將不惜採取干涉行動，乃先在東方示其端，教他們知所警惕取鑑，不要得意忘形，罔知自愛，且可以杜塞俄共集團攻訐宣傳的口實，所謂一石二鳥政策是也。果若是，我更希望華府當局愼重將事，好自爲之，天眞幼稚的作法，千萬使不得。其始也倘，將畢也鉅，一着失錯，貽患無窮，火是不好隨便玩弄的啊！

馮五先生

從美機被擊落事件

展望東西高層會議

秦泰

「百年成之不足，一旦毀之有餘！」這句流行的成語，恰是東西高層首腦會議的最好寫照。

由于一九五八年十一月柏林第二次危機發生之後，西方國家的首腦們爲欲消除此一危機及解決其他各項問題起見，便不惜風塵僕僕地奔走呼籲，如喪考妣，費盡九牛二虎之力，才勉强促成雙方同意于今年五月十六日在巴黎召開東西高層會議。

當時西方國家的首腦們尤其是英首相麥美倫，興高彩烈地滿以爲憑此會議便可解決世界許多懸而未決的重大問題——包括柏林德國問題在內——緩和世界緊張局勢，使多年來的冷戰亦將解凍。然而，製造世界緊張局勢及冷戰冰塊的蘇俄卻不此之圖，故于東西高層會議開幕的前夕，蘇俄總理赫魯曉夫認爲有機可乘，藉着蘇俄于五月一日擊落美國那架U——二偵察機，作爲猛烈攻擊美國的證據，得意洋洋地大肆渲染並指責美國空軍侵犯蘇俄領空，極盡小題大作和挑撥離間之能事，企圖破壞東西高層首腦會議，非常顯然！

其實，在此非戰爭狀態下而擊落一架非武裝的別國飛機，也用不着這樣大驚小怪；何況美國當局起初還保持鎮靜並解釋該機氣象裝置發生故障而誤入蘇俄領空的。特別是當東西高層會議行將開鑼之際，蘇俄如果無意損害該項重大會議的話，那末更應該審慎考慮而多少保留一點餘地，以免影響高層會議的氣氛。可是，現在的緊張局面，已由蘇俄一手所造成，因而迫得美國騎虎難下，便硬着頭皮承認這架被蘇俄擊落的「無武裝民用」飛機，大概是在蘇俄上空作搜集情報而飛行的。並要求赫魯曉夫的演詞對擊落美機事件，提供一步的詳細說明。否則，艾森豪總統將可能改變其訪蘇計劃。

這樣一來，美蘇關係已更進一步的惡化了；冷戰解凍的希望亦已完全消逝無餘。東西高層會議雖能如期召開，但其前途是絕對悲觀的。原因是大家都知道，與其說是東西高層首腦會議，毋寧說是美蘇兩極權集團的鬥爭，美蘇無疑地是雙方唯一的主角，高層會議的成敗與及世界人類的命運問題，在在繫于它們的一念之間。今天美蘇兩國爲着飛機事件既然鬧得如此惡化，高層會議開與不開，根本不足輕重。正如美國官員們所說：「赫魯曉夫如果繼續將美國飛機事件大吹大擂，則不難將容日東西首腦會議的友好會談的展望破壞。今後數日間赫氏的舉動，將決定艾森豪出席首腦會議的心情。……」同時外交權威人士也認爲「飛機事件，已使世人對高層會議的些微希望亦歸于暗淡了。除非赫魯曉夫對于事件自抑制，否則他會把高層會議的一些機會破壞淨盡！」

不錯，東西高層會議的前途如何，純粹以赫魯曉夫對此飛機事件的態度爲轉移。但截至目前爲止，赫魯曉夫不僅沒有抑制他對此事件的誇大，而且正方興未艾呢。據五月八日塔斯社電訊稱：美國飛機「海盜式」的飛行，是美國軍人的挑釁與侵略行爲。…………同時莫斯科的報紙對美飛行員鮑華斯被捉的窘態，會用漫畫來嘲笑攻擊美國自承蒐集情報飛行的失敗。蘇俄這一舉措，顯然不惜激怒美國而企圖分化西方陣營和促使美國本身發生內閧，坐收漁人之利。

事實上，蘇俄對西方尤其對美國的冷戰攻勢，往往是擇時機的。如所週知，從一九五〇年到現在的十年之間，蘇俄及共黨集團襲擊美國的飛機，先後不下十三次之多。其中固有出乎偶然的，卻也有預謀的。例如一九五六年八月廿三日，正是美國上屆大選兩黨展開競選之際，而一架美海軍巡邏機在中國東海作例常的巡邏飛行時，突然遭受到共機攻擊而告失蹤，機上的十六名官兵也無下落。後來收聽北平的廣播，始證實該機的失蹤事件，是蘇俄慫恿中共所作的勾當，故意造成當時緊張局勢，目的在擾亂美國的大選，和擊擾英法及總統納薩對于蘇彝士運河危機的姿態，而使西方陣腳發生動搖；果然不錯，當時倫敦的運河國際會議一無所成，致英美發生重大歧見，蘇俄則收事半功倍之效。

今天赫魯曉夫又依法泡製，選擇美國大選的開始和東西高層會議的前夕，表演它的慣技，起碼可以獲得下列的效果：

（一）在此美國選舉期間，假如艾森豪政府對于飛機事件不加以適當的處理和爭回若干面子，則這是在野黨民主黨攻擊執政黨共和黨的最佳材料。據外電報導，除民主黨總統的可能候選人薛明頓與詹遜以及該黨副領袖曼斯菲爾等，已向艾森豪總統提出質難外，連艾森豪的前任裁軍顧問史塔生也說這架飛機可能是美國軍人故意派去蘇俄的，用意在阻止高層會議，並要求艾氏予以撤職處分。

（二）赫魯曉夫在東西高層會議前夕做成這一有利于蘇俄的形勢，已加强了他將在會議中討價還價的地位，而迫使西方國家有許多問題必須向蘇俄讓步；同時蘇俄現已捉住美國這一痛腳——美已承認該機負有情報任務——赫魯曉夫將在會議中更振振有詞，乘機挑撥離間英法與美國的關係而收各個擊破之效。所以赫魯曉夫始終表示他仍將出席巴黎高層會議，目的就在這裏。假使艾森豪拒絕出席高層會議，那末赫魯曉夫更有理由把破壞高層會議的全盤責任，推向美國頭上。（編者按：赫魯曉夫已聲明高峯會議應延期召開。）

至于艾森豪將是否依照計劃訪問蘇俄，那是另一問題；而美國現已處于進退兩難的尷尬地位卻是事實。艾森豪在這次冷戰鬥爭中已敗了一個回合給赫魯曉夫之手，也是不能不加以澈底檢討的。

本報特稿

周恩來在印度碰壁

一得

由於與鄰國的邊界紛爭，中共在亞洲臭名四播，在一向與之大談「和平共存」的亞洲國家中印像一落千丈，中共爲求平抑各國人民的激烈反感，乃由周恩來分赴緬甸、印度、尼泊爾三國作其「訪問」，談談「邊界問題」，自四月十五日抵緬甸起，至廿九日離尼泊爾止，一連多日。在十多天的旅程中，可謂受盡冷淡，一無所獲，談判亦無結果。

先說緬甸之行，雖然周恩來落力賣笑，發表的「聯合公報」只又再高唱「萬隆精神」濫調，及望首腦會議對和平作出貢獻等空泛之言而已。關於邊界問題，只說決心「使兩國的邊界問題盡早得到全面和最後的解決」，並無實際決定。

周恩來的主要目的地還是在於印度，緬、尼之行只爲在政治上的作用。周恩來赴印的主要目的，是在於平抑印人對中共的強烈反感，因爲中共今後利用亞非國家的地方仍多，周恩來此行大嚷「和平共存五原則，萬隆精神」可以證明此點。名目上，周恩來是爲談判邊界問題而赴印的，但周酋根本就對這方面絕無誠意解決紛爭，因爲在周之赴印前，中共於四月三日照會印度，內容一再駁斥印度政府對中英邊界問題之觀點不正確，並重申中共對中印邊界的立場說：「第一、中國的歷屆政府從來不承認英國對中國西藏和新疆地方的領土要求；第二、在西姆拉會議上和會議後，中國政府明確聲明不承認英國和西藏地方當局當時和他日所簽訂的條約或類似的文件；第三、中國政府和西藏地方當局對於英國過去破壞中印傳統習慣綫，侵佔中國領土的非法行動，屢屢提出了抗議和交涉；第四、中華人民共和國成立後，中國政府也明確地向印度政府說明中印之間存在着未定界問題，和中國從來不承認所謂麥馬洪綫的立場。」照會并說：「印度政府在來照中提出的各種異議並不能動搖上述中國照會（指去年十二月二十六日中共對印度照會）所提供的事實和中國政府的立場。」如有誠意談判問題，又怎會在行前發出如此「照會」呢？周恩來的目的，只是企圖平靜印人的反抗情緒，但觀其在印時所受印人普遍冷淡對待，下機時周酋大談以和平共存五原則解決問題，尼赫魯却立刻發言稱：我們的友好聯繫受到大壓力，並說和平必須不僅是外表的，而必須是內心的，直接指出中共口是心非，則周恩來可謂枉作小人。

歸根看來，所謂邊界問題中共其實並不志在取得全部五萬一千哩土地，因此周酋離印前對記者說：「麥馬洪綫，不能爲中共所接受，但吾人不會越過一步。」中共的眞正目的，乃在拉達克區（一萬二千哩），控制該區後，即能建築由新疆貫通西藏的軍事性公路，該路築成，中共對印度、尼泊爾、緬甸等各地的軍事威脅將大加强，這是俄共與中共訂定的策略。中共既已派軍駐拉達克區，做成事實後，則勢無退回之理。至其一再堅持重新劃界，取回五萬一千哩土地的立場，不過爲採取「進兩步，退一步」的策略，以平抑國際輿論的責難，根本，中共就無意取得拉達克區以外的地方。

本來，尼赫魯對中共之取得拉達克，是無可無不可的，他以前一再宣稱該區是無用的地方，這是有意對中共進駐該區採隻眼開隻眼閉的態度。但是，印度民衆却大譁起來，黨內黨外的壓力迫使他們採取堅定立場不可，在野黨一再申言尼赫魯不能在這次談判中「喪地辱國」，尼赫魯迫而對國人聲言不放棄寸土。談判期間，在野黨、在朝黨、印度與論界都虎視眈眈，尼赫魯也就不容與周恩來妥協了。周恩來離印後，尼赫魯稱不能放棄拉達克區領土要求，從而交換中共對麥馬洪綫的承認，並多次指斥中共「侵略」，說中共是擴張主義者，他無意訪問北平。這一來，周恩來「進二退一」的策略既不得逞，博取印人好感的目的亦不可達，可謂完全失敗，只有諉過於印度，說中共已經讓步（指不越麥馬洪綫），而印度却不讓步。以爲博取世界與論的同情了。

多哥蘭與我建立外交關係

介人

來自台北的消息：中華民國已經和非洲新獨立的多哥蘭共和國，建立正式外交關係。在中多兩國政府協議下，中國駐多哥蘭大使館已於四月廿七日在多京樂梅設立。中國政府並已派前駐大溪地總領事回部辦事，姚定塵爲該館參事，在未派大使前暫代館務。姚代辦已由慶賀多國獨立慶典特使劉鍇陪同於同日下午四時向多政府總理賀林波呈遞到任書。

這一個新獨立的國家多哥蘭，位於非洲西部的幾內亞灣北岸，西鄰加納，北面、東面與法屬西非相接。面積五萬五千平方公里，人口一百二十萬，居民絕大多數是非洲黑人，語言共有四十種，首都樂梅市，人口約四萬人，多哥蘭百分之九十以上的居民從事農業。主要農產物有咖啡，可可，棉花，棕櫚仁和花生，咖啡和可可的產品，佔出口總額的百分之六十。

多哥蘭在歷史上是一個多難的民族，曾經遭受葡、英、法、德的侵略，第一次世界大戰期間，英、法分別佔領了它的西部和東部。一九二二年，國際聯盟將東、西兩部分別委任法、英統治。二次大戰後，聯合國託管理事會又決定，多哥蘭繼續分別由英、法託管，西部多哥蘭在一九五七年三月六日加納獨立後，併入加納。現在宣佈獨立的是法國託管這部份東部多哥蘭。

近年以來，多哥蘭人民迭次要求結束託管，實現民族獨立，他們一再向聯合國大會提出呼籲，要求獨立。一九五一年，多哥蘭曾掀起大規模的反法浪潮。一九五六年九月，在法國托管區首府樂梅和埃威族居住的地區，更爆發了反法的猛烈示威。

法國爲了緩和多哥蘭人的反抗，曾在一九五六年八月通過一項法令，宣佈多哥蘭爲法蘭西聯邦內的「自治共和國」，同年十月，法國又舉行了「全民投票」。參加這次投票的佔居民百分之四十，他們當中有百分之七十二投票主張取消托管制度，成立自治共和國。

聯合國大會終於一九五九年十二月五日通過決議，同意該國於一九六〇年四月廿七日獨立。這一個新興國家，是本年內繼喀麥隆共和國後第二個獲得獨立的非洲國家。

多哥蘭政府總理奧林波，曾於本年三月一日致函蔣總統，正式邀請中國政府派遣一個代表團赴多京樂梅市，參加該國獨立慶典。中國政府於接受邀請後，以駐加拿大劉鍇大使爲慶賀特使，並以外交部前駐大溪地總領事回部辦事，姚定塵爲特使團參事團員，前往多京參加獨立典禮。

中多兩國建立外交關係的聯合聲明，是由多哥蘭總理奧林波與中國慶賀獨立特使劉鍇於四月廿七日在多京共同簽署公佈的。這是中多邦交的創舉，也爲中多邦交寫下了一頁新紀元，行見中華民國在外交上又增多了一個友好的與國。

社會小說　香港地

四、高的低的

丁乾見他們都有賞畫的雅興，便也離座而起，和他們立在一處，口講指劃的，把壁上所掛的一幅水彩畫，詳細說明一番。

梅大亮看這幅畫，顯然是小孩子的作品，妙在寫得毫無章法和筆致，而且是毫無道理。畫裏有一個人似在水底幹些什麼，不容易看得清楚，細看時，才發覺那裏有個飯鍋，還有個生火的爐子。

梅大亮猜不出這究竟是畫些什麼，丁乾已從傍解說道：「這是未來畫派的傑作，是我的兒子阿傑在學校裏得奬的作品。它的畫題就是『水底煮飯』。你們看他算不算得是天才」？

聽了「水底煮飯」這個畫題，梅大亮簡直嚇得一跳，白芷卻銜着一根香煙在唇上，仰頭欣賞着，仍然連聲說妙。

丁乾接着笑道：「不瞞兩位老友，這只是補壁的裝飾品，說不上什麼傑作。阿傑是在參加童子軍露營時，在海濱學人寫生，後來被拿去比賽，居然有人賞識，說這孩子能夠幻想到未來人類能在水底煮飯，足見有特別豐富的想像力，因此給他一個嘉奬，列為上選之作。雖說這是阿傑寫生的劣作，才會把在岸上煮飯的人寫在水平綫下，但既然有人誇奬這是傑作，說他是了不起的天才，我也樂得把它裝裱好了，借壁上尺許地方掛起來，讓他留做光榮的紀念呢！」

丁乾說了這段笑話，那副青青白白的臉才真正露出一絲愉快的笑容，這是真正的笑而不是假笑，尤其不是苦笑，大概這就是「父母愛子之心，無所不至」的自然表現吧！大凡做父親的提到兒女稍為得意的事，大都會自然而笑的。梅大亮對這種心境和形容最能了解，所以看到丁乾這樣笑時，也不禁跟着微微一笑。他這笑也是愉快的，只是帶有一點淒婉的味兒。

白芷的見解又和他們不同。他並不輕視這幅天趣盎然的畫稿，當下伸出手來，用力拍向丁乾的肩頭，正經的說道：「你不懂你的兒子。你的看法是錯了，你不能說這不是一幅畫，而是一幅怪東西。」（廿七）

木客著

街坊福利

蘇　堤

鄙人一向是留心街坊福利的，儘管我是家無隔宿之糧，手無縛鷄之力，似乎與「有錢出錢，有力出力」的大口號，有點不大符合，但還有什麼關係呢？所謂留心「福利」，并沒有什麼明文規定，只是每個人盡其力之所能，就俯仰無愧了。

譬如說，我從不打牌，晚上不開收音機，（事實上我根本沒有錢買收音機）不隨便吐痰，天天自掃門前菓皮廢物，（有時為方便起見，當然也不免順水推舟的把廢物向樓下梯口一掃，但這也不過是偶然為之。）這些，都是推己及人，先求其在我而已。

為了使每一個街坊都能求其在我，為了對街坊福利有點貢獻，我一有機會，便到處宣傳。

小丁小王和老陳這幾個喜歡打通宵麻雀的朋友，自然是我的宣傳對象。

「打牌是妨得街坊福利的呀！」當小丁他們正在竹戰方酣的時候，我又開始宣傳了。

「什麼福利不福利，你自己去照照鏡子吧！你在這條街上，究竟對街坊有些什麼福利？也不自量。」說這話的是小王。

「福利雖然沒有，但公德我是講究的。」

「別開玩笑了，」小王說，「你整天整晚不出去，有什麼公德。老實說，要是每個「街坊」都像你一樣，我們這條街怕會要變成死市了。再說，昨天街坊福利會通過的公德運動，你看過那幾條原文沒有？」

「這倒是沒有看到的。」我說。

「所以，我說你是口頭掛着「福利」，而實在你是根本不留心福利的，我看你還是回去多多研究吧！」小丁這小子的詞鋒倒是頂犀利的，這麼一來，我只有暫時放棄宣傳，先回去研究一下再說。

回到家裏，街坊福利會「公德運動」的章程，已經放在我的寫字枱上了。拿起一看，覺得句句都是金玉良言，尤其是裏面的十二條，更是針針見血。這十二條項目中，第十一條是「街坊公益事務有錢出錢。」我因為限於環境不能實行。第九條，「包租人應予自我檢討」，我非包租人，自然無須檢討。第四條，「切戒小孩當街大小便。」我目前還是單身漢，自然無須「切戒」。除了這三條而外，其餘的差不多都是我早已實行或已在實行，現在成問題的，就是第七條了。第七條的原文是「比戶近隣，或同一層樓之街坊近鄰，應打招呼，力求親切。」一想起這一點，我就不能不慚愧了。

為了促進街坊福利，我決定從對戶一家芳鄰開始交際。

那一天，黃昏時候，我在窗口看到我的芳鄰從外面回來，我就一個箭步，下樓，抖擻精神，想和她交際一番，親熱一下，可是，畢竟沒有這個勇氣。這樣約莫過了半個月，在無可奈何之中，我寫了一封情意纏綿的信。這封信如果說是情書也未嘗不可，不過我是處處從「街坊福利」這一點着眼的。

又過了半個月，芳鄰全然沒有什麼表示，我又重新把福利會章程拿來一看，當我讀到「故此種業務，但求實踐，不須化錢」的那幾句話，我恍然大悟了。

我決定登門請教。

開門的正是那個女人，這真叫我喜出望外，她一見面就說：「蘇先生，你的信收到了，不過，我和你……」

「這沒有甚麼，我們都是為了促進街坊福利呀！」

「那末，請到客廳裏坐坐吧！」

我坐在客廳的沙發上，那女孩子並沒有陪我，正感到無耐時，外面有電鈴聲，那女孩子從裏面房跑去開門，進來的都是四個差人。

「瘋子在那裏？」最高的這個差人這麼問。

「在客廳裏。」

「我，我，我是這位小姐的街坊呀！而且，我今天到這裏來，是為了促進街坊……」

「福利」二字還沒說出，我就被提出去了。

浮山懷古

本　際

桐城方進士以智，明末四公子之一；明亡，就浮山披染薙髮，號藥地和尚，有詩文集行世。見桐城耆舊傳。

公子傷夷夏，飄然竟入山！心超於世外，髮落在人間；流水傳消息，行雲自往還。緬懷三百載，高躅待誰攀!?

宜蘭訪成一星雲上人

彭楚珩

一月六日，訪成一、星雲上人於頭城宜蘭，車經萬山後，瀕海而行，卽景感賦。並用本際上人『浮山懷古』韻。

煙雨迷離際，幽人過萬山。操心空海上，着眼數峯間；浪去隨風捲！愁深遣夢還。遍尋龍不見，縱見豈堪攀!?

望海樓隨筆

小說材料（上）

徐學慧

小說家筆下的材料，雖不一定是作者的直接經驗，（事實上也不可能）但安排這個故事的地點及其所要敘述的環境，畢竟以自己所熟悉者為宜。

讀萬卷書，不如行萬里路，此語對於一般小說作者，實具有莫大的價值。遊歷名山大川，可以擴展胸際；遊歷通都大邑，可以增加知識；而對於各地的人情風俗氣候環境如能有相當研究，亦可以說是間接地增加了你的寫作資料。

我們當然不能苛求於一個作家，而要他上通天文，下通地理，但無論如何，要想成為一個有希望的作家，對於這些日常知識，却也必須有些研究。作家筆下所要描述的，包括心理學，哲學，宗教思想，生理學，社會學，動植物學，民俗學等，如果說對於這些全無研究，則其所寫出來的作品乃必然趨於貧乏。

貧乏只是顯示這個作者之無才，倒還沒有可以值得非笑之處。最難過的倒是，某些作者，很少遊歷外地，而要在他的筆下，將這個故事安排在他所不曾去過的地方，這一來，笑話就多了。

香港的武俠小說，幾乎都愛以明末清初的俠義故事為背景，於是乎這些作者，乃不能不在筆下描述三百年前的北京城。三百年前的北京城，與現在當然有別，你任意描述，當然沒有什麼關係，但對於氣候山川方面的描寫，可就不能任意了。

前些日子，本港某報有一篇武俠小說刊出，那位作者先生在該文的第一篇就描寫到雍正時代的北京城，他說：這天晚上，雪下得很緊，當然，在北方下雪，那是一點也不出奇的事，可是，這位先生却出人意料地加了一個想像的人造月亮進去。他說：雪下得很緊，可是，月亮却在這時吐出清光，照啓着大地。我的天，這是什麼氣候呢？從雍正到現在，也不過是二百年，二百年的時間，人事變化當然很大，但氣候變化是不會很大的，這位先生居然在大雪紛飛的晚上看到了月光的清澤，想象雖然很美，其奈與現實不符何！

從這一段描寫來看，就可以證明這位作者大概連下雪的光景都沒有見過，當然更不要說他去過北方了。對於一位作家來說，對於自己所不曾去過的地方，如非萬不得已，最好是避免描寫，否則，信筆所之，胡亂寫去，不但為識者所笑，亦且有損令譽呢？

大陸文壇萬花筒

魯迅爭奪戰

——岳　騫——

魯迅曾被毛澤東譽為「聖人」，共產黨也曾經利用魯迅的招牌欺騙過千千萬萬的純潔青年，可是共產黨一旦佔有了大陸，建立起政權，魯迅的一些「大弟子」首先遭了殃，這種現象也許又是矛盾中的統一了。

人所共知魯迅生前最親信的文人是胡風和黃源，當徐懋勇寫信氣死魯迅時，信中特別舉出「胡風之詐，黃源之諂」，激動了魯迅的肝火，很快死去。

魯迅死後，胡風、黃源還是留在共黨文化圈子裏工作，不過，因為他們不肯同意中共的文化政策，與中共文化最高負責人周揚時起齟齬，但是，他們當時是在「白區」工作，周揚也不能把他們怎樣，到了整個大陸變色，周揚握有文化界生殺之權，這兩人就難逃劫數了。

胡風首先被鬥垮了，並且一大批文化工作者，胡風來往的人，都被指為胡風份子，其中有些人如阿壠、路翎、舒蕪等至今生死不明。接着就是比較和魯迅接近過的共產黨員，如馮雪峯、丁玲、蕭軍（此君被整肅的最早，經過勞動改造後，放出來寫了一本「五月的礦山」，又惹了禍）等人，同樣的遭了殃。

到了鳴放一時，魯迅最後一個「親人」黃源（担任浙江省文化局局長）又被指為右派份子遭到清算；到此為止，魯迅這一系統的人恐怕只剩下許廣平和海嬰孤兒寡婦了。中國有句成語「愛烏及屋」，俗語又說「打狗還看主人面」，只要看到中共對待魯迅的手下如此慘毒，可以想見魯迅「假使此時身未死」，最要「天安門外看殺頭」了。

就因為魯迅死了，而且到今天還受到一批青年人的崇拜，中共不肯放棄這塊招牌，必要時仍然拿出來照一照。最近中共文藝批評家姚文元寫了一本「魯迅——中國文化革命的巨人」，又把魯迅捧上天。不但把魯迅說成生民以來未有的聖人，甚至還說他到死時已是一個共產主義者。

恭維魯迅不算，特別又指出胡風、馮雪峯、華崗（中共前山東大學校校長，以文抄公聞名於時）等是魯迅的叛徒，只有作者——姚文元才是衣鉢傳人，其實魯迅死時他讀未讀中學還是問題。魯迅生前曾說有人善於利用死人，不料他自己死後竟然給中共時刻利用着，魯迅地下有知，不知「橫眉」還是「俯首」。

釋耒集

人才

論語：「子言衛靈公之無道也，康子曰：夫如是，奚而不喪。孔子曰：仲叔圉治賓客，祝鮀治宗廟，王孫賈治軍旅。夫如是，奚其喪？」此言衛之不亡，徒以有仲叔圉，祝鮀，及王孫賈耳。是則上雖無道如衛靈公，猶得賴二三賢者，以支持其祚運，則人才之於國運，其關係爲何如乎？容齋隨筆載：『傳曰：不有君子，其能國乎？古之爲國，言辭抑揚，率以有人無人占輕重，晉以詐取士會於秦，繞朝曰：子無謂秦無人，吾謀適不用耳。楚子反曰：以區區之宋，猶有不欺之臣，可以楚而無乎。宋受鄭賂，鄭師慧曰：宋必無人。魯盟臧紇之罪，紇曰：國有人焉。賈誼論匈奴之嫚曰：倒懸如此，莫之能解，猶謂國有人乎？後之人不能及此，然知敵之不可犯，猶曰彼有人焉，未可圖也，一士重於九鼎，豈不信然』。考之國史，歷代皇室，最不競者實爲東晉，此固永嘉喪敗之餘，偏安建業，而繼體之君，除元帝，簡文帝外，年齡均不足二十五歲之故也，趙翼二十二史箚記論此事曰：『運會方隆，則享國久長，生子亦早，故繼體多壯年，所謂國有長君，社稷之福也。及其衰也，人主既短祚，嗣子自多幼冲，固非人力所能爲矣。然東晉猶能享國八九十年，則猶賴大臣輔相之力，明帝、成帝時，有王導、庾亮、郗鑒等。康帝、穆帝時，有褚裒、庾冰、蔡謨、王彪之等。孝武時，有謝安、謝玄、桓冲等，主雖孱弱，臣尙公忠，是以國脈得以屢延。……』爲國必賴人才。此言尙矣，而人才不世出，先必藉國家社會之作育，又須有一定之制度，使之養成地望，從容躋於公輔之地，然後乃得以竭其才力，盡其忠忱，余舊讀明末人張岱所撰石匱書，述袁督師崇煥傳，云「上曰：袁崇煥斬帥以踐約，市米以資盜糧，今勾引入犯，對壘不戰，又堅請入城養病，意欲何爲，本當族誅，姑開一面之網，袁崇煥即着會官凌遲處死，妻子流三千里口外爲民。」又爲之論曰：「崇煥以齷齪庸才，焉可上比秦檜？」深怪其不近情理，而廿二史箚記則謂：崇煥得禍由於大璫少所結好，毁言日至，竟罹極刑，乃京師小民，亦羣以爲奸臣賣國，至有生啖其肉者，其蜚語皆出自內閹云。又曰：崇煥之寃，直至我朝（淸）修史時，參校太宗實錄，始知乃我朝設間之故。崇禎帝心知宗社之危，日日求人才，又日日戮人才，是衞靈公之不若，國安得而不亡乎？

曲齋

栗海彊心錄

中共土改（下）

阿公

中共昧於事理，濫擬掠奪地主，富農，自耕農之收益，可以彌補龐大支出，不知自民十以後，農村資本，已瀕枯竭邊緣，生產遞減，海關統計，米麥棉花進口，逐年增加，是其明證。故中國急需增加農產百分之十，方可使農村安定，免於飢饉，與確保二十年以前低農業生產百分之二十，以達成軍備競爭者截然不同。中共盲目夜行不已，而欲維持「建設總路線」之不崩潰，寧有是理。然則中共因甚不向農民低頭，改絃更張，而冥頑到底？要知共產黨允許農民生產自由，勢必引起工業反映，至於無法收拾。故中共今日所處之境，前臨深淵，後乃懸岩，進退皆是死路，縱無一成之中興，必有三戶之亡秦，可斷言也。

老子論政「大公之下，至私存焉」，予嘗反其意以論國民經濟，至私之下，大公存焉。自生民以來，「天下攘攘，皆爲利往，天下熙熙，皆爲利起」，此人類之至私，亦即人類之大公，此游惰者在所必禁也。苟制私，則不攘不熙，國家必陷於貧乏窮困。故曰，「農不出，則乏其食，工不出，則乏其事，商不出，則三寶絕，虞不出，則財匱少」。今昔雖殊，而人性猶一也。馬克斯無視人類自私心理，尤其農民自私心理，所作關於農業進化分析，及其組織農業生業之辦法，務使農民失去勞力與生產關係之感覺，人非木偶，孰能胼手胝足，俯首聽其命者哉？違反正常經濟進化，向其次也。馬克斯以其流離窮困孤獨之身，一以憎恨心爲其思辨幻影，猶之蛇齒蠆尾，固不自知其液之毒也。今則於中共一見之。

讀者論壇

談中文系

我是中文系的學生，但是我却包括我自已在內的時常爲我們自己感到不安和惶恐。一般大學的現象，到了大二開始時，中文系同學轉系的數額最多，剩下的寥寥無幾的人數，在這些剩下的同學來說，大多數分成兩部份：佔小數的是顧意爲自已的興趣而學習的；佔大多數是得過且過。

在認識上既然分不清求學問和求利祿在人生境界上的不同，也看不出中文系學科所包容的內涵，因而完全打掉了學習過程中的興趣，且進而對中文系的所學所習之是否切於應世產生了疑問。於是中文系不成爲成就才智的處所，反成爲培養惡習慣於閒散而無一技之長的「游士」。這些人一出社會，不是變成以「縱橫之術」干顯貴，求進身的大小政客，巨商豪門僱用的刀筆奴才；便變成一羣怯弱無能，頹廢失志，終生荒時曠日的寄生虫！甚至於我曾親眼看到些中小學校的國文教員，他們雖不至於阿媚寄生，但他們也很多充滿了類似的色彩，這不僅是中文系的慚愧，而且是中文系的悲哀！

本來，中國人讀中文系，應該是最根本，最穩實的一系，但在中文系，却很難像他系可以將來在社會上糊口的本領。兼且它已失掉科舉三元登龍參相的歷史性，所以中文系反而變成浮動不穩的一系，這一點是不可否認的，因爲在中文系內，腦子思考的培植，遠較身手技能的訓練佔較重要的成份。但若要因此便謂中文系是最容易獲取文憑的一系，則不免「以管窺天」，而亦因此謂中文系「出路」狹窄，更是「故步自封」，不見中文系學科的廣度和深度，不見中文系幹路支道的複雜殷盛及暢達。

在中國文學的範疇中，至少包括哲學、史學、文學、政治學、倫理學、社會學，其他法律，教育、經濟，在廣泛的意義下，也未始不可包括在中國文學的旗幟下以爲附庸，這些學科，獨立起來都可以自成一門學問，而且都是浩如烟海。況且，今日讀中國文學，對於世界思潮，例如有關近代民主制度的產生，近代社會制度的形成，以及種種世界名人思想學說、文學精華，亦不能完全茫覩。實際上，中文系的同學爲時間精力的限制，只好就各人所興趣而精益求之，但若就思想上的廣充拓展而言，涉獵所至，又不得不廣，所謂「爲學要如金字塔，要能廣大又能高」，用在中文系的同學，更爲切當中肯。

一位中文系同學，雖然不用誇張「爲往聖繼絕學，爲萬世開太平」的繼往開來的重任，但其在書本以外的生活體驗及對國家時局的關心及了解，無論從文學的養成需要或是從自我的教育意義上說，都該是不可疏畧的。何況在文學創造上說，豐富的情感及豐富的生活經驗是好作品的最大因素，都須求之於社羣之間的生活體驗，所以呆呆板板的惟古是崇，該非中文系同學所切需。

胡適先生曾說：「一切主義，一切學理，都該研究，但只可認作一些假設（待證的）見解，不可認作天經地義的信條；只可認作參考的材料，不可奉做金科玉律的宗教；只可用作啓發心思的工具，切不可用作蒙蔽聰明、停止思想的絕對眞理，如此方才可以漸漸養成人類的創造的思想力，方才可以漸漸使人類有解決具體問題的能力，方才可以漸漸解放人類對於抽象名詞的迷信。」中文系的同學，應記起這段話，加上對實際生活的體驗，庶幾可以免去「多烘」的名號。

陳宗敏

海嘯慶談薈

得意即失意（上）

政治生活經常涉及權力問題，因而激沙揚浪，覆雨翻雲的事家所在多有，大家爲目的不擇手段，雖生死患難之交，亦不免釀成凶終隙末的結果。權利關係越重大者，越就不容易全始全終，忠而被謗，信而見疑，所謂得意即失意的史鑑，古今來不勝枚舉，茲述現代名人李烈鈞所遭遇的同樣情事，以資吾說焉。

民國十二年春初，李氏率滇軍與桂軍劉震寰沈鴻英等部入粵驅逐陳烱明之役，戰功獨多，陳軍殘卒洪兆麟所部李雲復尹驥兩師，盤踞潮汕一帶，見大勢已去，聲稱服從革命政府，歡迎孫大元帥回粵，孫公在滬電令洪部歸李烈鈞收編節制，任李爲粵閩邊防督辦，兼代行大元帥職務。聲勢之隆，權力之重，爲人生不可多得的風雲際會，且以追隨孫公革命多年的老同志關係，尤非一時互相勾結利用的政客軍閥行爲所可同語也。然李氏仍不能逃避「得意即失意」的政治定律，寖至憂讒畏譏，抑鬱失勢，幾乎一蹶不振，終且潛離粵省，不復厠身於革命策源地，不得已而北走胡以求出路，可慨也夫！

當陳烱明敗走之後，李爲撫綏洪兆麟所部，坐鎮潮汕，而廣州及其附近各重要地區，皆由滇桂軍楊希閔、劉震寰、沈鴻英各部佔據之。這些軍隊之入粵，絕無革命意念，志在搜刮財富，以鄰爲壑，紀律廢敗，自不待言。迨孫公回至廣州，開府主政，目擊這般客軍蠹擾閭閻的情形，深知其並非革命武力，決不可靠，乃一面以大元帥命令，指定劉、沈各部移防西北江地帶，同時徵調原在福建駐居的「東路討賊軍」總司令許崇智，率其全部粵軍回粵，如是乎李協和噩運降臨了。許軍奉命回粵，必須道經潮汕，然潮汕係洪兆麟軍的駐防地區，由於陳烱明舊部的關係且爲一年前叛攻總統府的禍首，洪聞許軍來，內心上慄慄危懼，帥府知其然，即電令李協和護防，督飭洪部移赴閩境，接防原有許軍駐在各縣。洪兆麟更恐慌，蠢然亟思異動。是時外間謠諑朋興，既說李協和對大元帥的處置亦頗不滿，又說孫公只相信許崇智是可靠幹部，餘皆視同化外。李氏處此境地，既不能不服從孫公的命令，又害怕洪兆麟部因移防而激起變故，有虧職責，乃向孫公建議，自願率部進取江西，兼與湖南，唯請籌給相當的軍餉。孫公雖嘉許李氏圖贛規湘之策，然洪部即將叛變的情報紛至，併傳李氏亦與洪沆瀣一氣，擬獨樹一幟，別謀發展，李氏進退維谷，憂讒畏譏，憤而毅言掛冠遠引，以明心迹。試看當時大元帥府秘書長譚延闓於是年三月十七日致李函，即可知其梗概了。譚函云：

俠黃（李別號）先生左右：自奉冬日電示，嗣音闃然，深爲翹企。昨日始得江電，極慰懷仰，已呈元首，同此嘉欣。道腴（周震麟）諸公到潮，一切想更有商定，聞元首言，許軍在閩尙有駐防諸縣，均可由公部塡防，至後方接濟及種種，皆別有指揮。弟日在元首左右，乃深知待公之誠，外間種種謠傳，實不可信。來電有超然遠引之志，竊謂非宜，公以身許國，艱險備嘗，天下望公者多，未可以退爲言，失各方面之望。元首已將握實權，總兵符名義畀公，非以虛位名領諸將者可比，望慨然自任以濟時艱。弟憶公臨別之言，今亦以此自矢，當亦同此心也。電邇且不詳盡，故以書達。

諸葛文侯

呂純陽

漁翁

俗傳張果老、漢鍾離、呂洞賓、韓湘子、鐵拐李、曹國舅、藍采和、荷仙姑等爲八仙。考神仙通鑑等書，皆不備載，惟元劇本有八仙慶壽一曲，蓋其名始於元代也。在八仙中；雖以張果老爲首，而爲人間所馨香崇拜者，其惟呂祖——純陽道人乎！

呂祖，京兆人，原姓李名瓊，字伯玉，爲唐之宗室，妻金氏，生四子，少穎異，十歲能文章，咸通中及第，兩調縣令，民咸德之。値武曌禍國，誅鋤皇族，夫妻棄家亡命於山洞中，時惟兩口，遂改姓呂，易其名爲嵒，取郤冀夫婦相敬如賓之義，故字之曰洞賓，其後妻亡而身孤，純屬陽性，復別號純陽子，晚年，易黃冠服，並姓名而不用，僅以回道人自署，縱觀於宇宙之間，寄傲於煙霞之外，而成爲一飄飄者。

純陽在終南山得道後，不知所往，但岳陽樓石碑上，鐫呂祖像，並列呂之親筆詩一首云：「朝遊東海暮蒼梧，袖裏青蛇胆氣麤，三醉岳陽人不識，朗吟飛過洞庭湖。」登斯樓者，睹呂像，莫不肅然起敬！樓面對君山島，島上有朗吟亭，遺純陽墨蹟多起，足見其仙踪，漂渺於洞庭湖上，而爲人所不知也。

今日避秦而流亡於海隅，埋名隱姓，身世如斯者，不知凡幾，瞻呂祖像，讀呂祖文，撫今思昔，不禁感慨萬千！

本報已奉僑務委員會核發台教新字第三二三號登記證

自由報

THE FREE NEWS

半週刊每星期三、六出版

第二十八期

每份港幣壹毫

社長：雷嘯岑

督印人：黃行奮

社址：香港銅鑼灣高士威道二十號四樓

20 Causeway Rd. 3rd. Fl.
HONG KONG
TEL. 771726

電報掛號：7191

承印者：田風印刷廠

地址：香港高士打道221號

世局劇變當中幾點認識

奚蒙

英美法蘇四國高峯會議因赫魯曉夫一罵而流產，帶給美國以「國恥」第一頁，世局猶如夏雲多變，向新的方向轉動。這裏指出應受注意的幾點：

西方的覺悟與團結

一、我們首應注意西方對此事覺悟的深度。此事固有可悲的因素，但亦有可喜的現象。可喜第一點是：美國人受了強烈的刺激，認爲艾森豪個人所受的恥辱也就是全國的恥辱。民主與共和兩黨一致表示支持艾森豪，使赫魯曉夫對美國內部所施一切離間與挑撥完全失敗。可喜第二點是：西方國家堅定地團結起來，各國朝野意志都沒有動搖的跡象。輿論同情艾森豪因期求安協而致犧牲了個人的聲望。安協主義者亦因在高峯會議碰壁而有走到了盡頭的警惕，對美國也有內心引咎而不能有所執難。這都可以產生從頭覺悟與從新振作的勇氣，但如覺悟還不夠深，安協主義幽靈仍未驅散，刺激稍緩，惰性又生，以後怕仍不免示敵以可欺與可侮。

二、赫魯曉夫這次在高峯會議的驚人表演，如單就離間美國內部與恐嚇西方國家這兩種作用來說，他是失敗的。但他手上仍保留有機會和時間。他已毫不留情地將艾森豪一筆勾消，再不屑認他做對手。他可在今後八個月內繼續玩弄手法，擺出隨時可與東德簽約的姿態，擴大由柏林問題產生出來的危機，試圖影響美國下屆總統的選舉，並乘美國新舊總統青黃不接的時機，重演「將戰爭帶至邊緣」的故技。

赫魯曉夫要使東方動搖

三、從另方面看赫魯曉夫這次的收穫，至少有兩點是很重要的。一是：他已在事實上塡補了鐵幕在天空的大缺口，迫使艾森豪宣佈不再派出從事高空偵察的飛機。二是：他已使蘇俄第一次確實佔有壓倒美國的聲威，並在國際壇坫上享有最使人發動的發言權。這種聲威的獲得，正是他在第一顆俄製「人造衛星」升空時所渴求的。

四、蘇俄必要獲得這種聲威，才可在亞非及拉丁美洲擴大「騙、嚇、拆」的活動。東方國家對美國的信念如有輕微的動搖，都是蘇俄眼中重大的勝利。赫魯曉夫把冷戰在西方擴大，主要的是收穫實在寄望於東方。由巴基斯坦經過日本以至土耳其的一線，他會認爲在這個時候是可以顚覆和動搖的。只要東方的動搖成爲事實，他並不怕西方的覺悟將產生什麼積極行動。據此，自由世界這方面的良好展望，必須以西方的覺悟振作，配合東方的穩定不移，才可抵擋得住赫魯曉夫這番空前猛烈的攻擊。假如二者之中，有一方面洩氣，便會使蘇俄越加得勢。

由台灣海峽到日本與南韓

五、中共在這個時期必定不甘寂寞，務求有所表現。它如不因前年金門砲戰的苦頭吃得太大，台灣海峽必即揭開戰幕。這時它有必動的決心，若在沒有可勝的把握，而且要顧慮再敗的後果。大概只有這一點才可使它勒轉馬頭，轉向南越或其他方面動念。

六、日本是蘇俄和中共協同傾力顚覆的主要對象，在美國聲威突降的今天，他們必定設法在裏製造冷戰風潮。同樣，韓國如在這時再次爆發熱戰，南韓和聯合國軍隊處境必比以前不利。故此，熱戰在韓國，冷戰在日本，都應該是美國耽憂的兩件大事。原已穩定的東北亞局勢可能變似東南亞同樣動盪。

美國只能招架下去

六、業已蒙上了「國恥」污痕的美國，今後自必知恥發憤，弊在艾森豪任期將滿，只能苦苦招架，盡最大努力去應付柏林未來危機，注視亞洲由北至南各種可能的變化，只這兩項工作已是十分吃力，怎也說不到改絃易轍，另作雄圖，揚棄圍堵政策，解放受奴役的國家了。新作風與新期望都只能夠期望之下屆總統，而誰是下屆總統卻不能預料。單就這一點看，自由世界如能在今後半年之間，以西方及美國人心的覺悟爲契機，辦得到穩守陣勢，不怯不亂，抵得住敵人在半冷熱中東西呼應的波浪攻勢，更不至遭受「伐選」的暗算，便該是可喜之至，再不能有什麼奢望了。

熱戰不利於共產帝國

憑冷靜的觀察，作客觀的評斷，自由世界沒有任何可以樂觀的地方，最近冷戰趨勢仍要讓蘇俄掌握主動。至於熱戰，卻是另一回事。美蘇在飛彈方面擁有均等的力量，美國在遠程轟炸機和核子潛艇比較佔先。除非蘇俄自信可在彈指之間將美國全部實力摧毀，全面的熱戰對它並沒有什麼利益。撇開核子戰的恐怖性不談，單就中國大陸和東歐兩個地區來說，一旦爆發全面戰爭，共軍倒戈和人民起義必然大量出現，赤色帝國將會呈現冰消泡縮，迅速解體的奇觀，這是俄共軍事首腦們自己會考慮到的。近來由東德逃到西德的難民仍如潮湧，中國大陸人民大部份陷入餓死的絕慘境界。如說這是有利於共黨發動全面大戰的條件，恐怕連俄共中共自己也不敢相信的吧！

西方要消除冷戰失敗的主因

自由世界本身具有可戰的實力，更在敵人內部擁有歸附的人心，卻在冷戰中慘敗到這般田地，無非是安協主義者在內部丞爲熒惑，平時製造恐共的氣氛，播散敗戰的論調，有事時則牽制住各種足以打擊敵人的行動，以致應勝而敗，反順爲逆，化主爲奴，有被動而無主動，主呆守而忌進攻，循此不改，冷戰的失敗仍會繼續下去的。美國人這次所受的刺激不爲不大，恥辱不爲不厚，照理應該大澈大悟，澈底了解從前失敗的癥結，以「知恥近乎勇」的精神，作一百八十度的大轉變，把舊作風舊觀念完全拋棄，才可希望在敵人內部擊敗敵人，爲自己以及爲人類解除巨禍。但美國人的覺悟能不能達到這種程度呢？這當然很難說。我們所可說的只是：西方如在此時還不認眞覺悟與振作，怕就要看到東方陣線的動搖與分解了。

時事述評

「高峯會議」之崩潰

高峯會議終於開不成，對於自由世界來說，這倒是可慶之事。

赫魯曉夫以小丑姿態，在巴黎盡情表演，美國總統艾森豪，乃因此而受盡了嘲弄與揶揄。這無異是對那些高唱安協主義者的大諷刺。

一切幻想與共產黨打交道的人，都得醒了！

使因此而加強團結，一致對共作戰，則今日艾森豪所受到的嘲弄，將化爲此後自由世界的力量。

艾森豪於十九日訪問葡萄牙，他在里斯本發表談話稱：關於高峯會議之崩潰，無由引起沮喪或驚惶。又說：我們不獨並不氣餒，反而必須勒緊褲帶，咬緊牙根。

無人沮喪或驚惶

其實，只須對近十年或者近二十年來的國際政治略有研究，即早已斷定這樣的高峯會議永不會成功，因此，對於高峯會議之崩潰，除了某些安協主義者而外，大概是不會有人沮喪或驚惶的。

大韓民國代總統兼外長許政說得好，他說：高階層會議的瓦解，毫不令人驚異，因爲這是暴露了共黨眞正的面目。又說：高階層會議的瓦解是是幸運的，因它可提高自由世界的警覺，並加強其防務。

這誠是一針見血之論。

此次高峯會議之崩潰，東方人幾乎一致叫好，這是由於在了解共黨策略的問題上，東方人比較深入。而且，東方的國家，差不多都深受共黨之害，此種深入的了解，是由血的經驗中所領悟到的。

血的經驗最可貴

副總統陳誠於評論高峯會議之崩潰一事稱：當共黨自己不行的時候，就磕頭；和對方力量相等時，搖頭；當它比別人強大的時候，就要殺頭了。現在是蘇俄的搖頭時期。又說：永不能在議席上與共黨解決各項事情。

此語應作爲艾森豪總統的座右銘。

對於應付共黨的策略，艾森豪所具有的經驗，似乎是不夠深入的。

這不能不令我們回憶到：美國的故國務卿杜爾斯在垂危前夕，猶不忘送一本有關共黨問題的書給艾森豪總統。

杜爾斯會經說道：高峯會議是沒有用處的。萬一會議失敗，則徒使國際局勢更加緊張。

今果不幸而言中……

環顧世界，在西方，那些所謂政治家們，如謂爲對共黨問題全不瞭解，亦不過份。因此，東方政治家的寶貴經驗，在此時此地，就更顯得重要了。

周雖舊邦其命維新

蔣總統與陳副總統昨日已在台北就任行憲後第三任正副總統，中國人民在此時對二氏之再行「徵召」，實具有深長意義。

國家多難，世界亦多難，如何在多難之中，團結內外，廣納人才，恢宏氣象，自力更生，再進而反攻大陸，解救倒懸，這就是今後六年內的急切課題。

人才與國運，至關重要。我們總感到，過去對於人才培植的工作還作得不夠，拔擢人才的制度亦未建立，今後應如何培養拔擢，是應該予以特別注意的。

「周雖舊邦，其命維新」，我們深願見有新氣象，新作風，新精神，新局面。

盧家雪

自由談

艾克的訪問外交

馬五先生

美總統艾森豪今夏訪問遠東的日本與南韓時，對中、非二盟邦過門而不入。我方人士有的感覺失望，有的表示憤慨，實則大可不必也。

美國昂然以自由世界的盟主自任，但其領導自由人類從事反共產極權主義運動的策略，完全是以安協姑息爲主旨的，他們內心上最關切的一件事，就是如何能夠避免本國不受越洲飛彈的襲擊而保持着安全繁榮生活的世界盟主地位於不墜。職是之故，美國對於自由國家的外交作用，亦完全從自身的利害設想，無所謂「集體安全」，更談不到甚末道義問題，艾森豪的訪問外交，其意義亦不外乎是。

日本具有現代化的工業基礎與潛能，人力亦未可輕視，地理環境又與蘇俄緊鄰，而其政治行爲表現着中立姿態。美國一面既害怕它倒向俄共集團，藉以報復二次大戰的亡國恥辱，同時即想以美元的魅力拉攏它，至少亦不要化友爲敵。所以，艾森豪的訪問外交節目中，自然少不了日本。至於南韓的情形又不同，韓軍六十萬以上皆在前線與俄共集團對壘着，李承晚總統隨時說要衝向前線去，統一全國。過去自由釋放俘虜一役，曾使艾森豪大傷其腦筋，萬一李承晚先生一旦心血來潮，教前綫的韓軍自由行動一下，美國便有被拖下水的危險，豈是好玩兒的？爲消弭美國自身危險起見，艾克的心裏儘管對李承晚有些討厭，却不能不敷衍他，以免激起意外事件。所以艾克訪問南韓的用心，殆與買糖果給頑皮的小孩一樣，絕無眞實的友情可言。

自由中國與菲律賓，既不像日本的兩面人作風，使美國提心吊膽；又不如南韓之隨時可以闖下禍事，教美國慄慄危懼。艾森豪之過門不入，良有以也。誰要以所謂集體安全和盟邦道義之說，希望艾克同時訪問台灣與馬尼剌，誰就是迂腐而不識時務的冬烘思想。

（編者按）此稿早已寄到，祇以其他各稿更爲切合時局，故將此稿壓後。惟文中所論艾克訪韓之用心，則並無過時也。

台灣橫斷公路概況

張健生

【台北通訊】穿過中央山脈，貫通台灣東西的橫貫公路，五月九日正式通車了。它，不止於經濟價值，且有高度的戰略價值。這條公路興建於四十五年七月七日，預定三年完成，旋因兩次颱風及「八•七」水災，使工程進行增加困難，未能如期完工。但人定勝天，終於克服了。

東西橫貫公路分為主線、支線及供應線，總計全長三百四十八點一公里，主線由台中縣東勢鎮起，溯大甲溪上行，經達見、梨山、越合歡埡口後，再循立霧溪下行，經關原、古柏楊、西寶、合流而達太魯閣，與東部幹線的蘇花公路啣接，全長計一百九十四點二公里，支線由主線的梨山分岔折向東北，仍溯大甲溪上行經環山、勝光、越思源埡口後，再循宜蘭濁水溪下行經英陵、南山、四季、土場、芃芃，再連而達宜蘭，全長計一百十一點七里，供應線則係解決該路全面施工時，中部地區之糧食與材料供應而修築，自霧社以迄合歡埡口，全長計四十二點二公里。

該路工程係行政院退除役官兵就業輔導會擬訂輔導計劃之一，而委托省公路局辦理，下設梨山、合流、四季三工程處，負責工地施工事宜，各工程處下設工務段，橋樑隧道工務所、機械築路隊、養路隊、儲運所、保養場、供應社、診療所等，分別辦理管轄區內的工作。該路施工期間，以人力為主要運輸工具。該路全線工程經費，總計新台幣四億二千五百七十一萬一千三百七十元及美金一百三十九萬八千元；其中美援款項新台幣三億零七十六萬九千元及美金一百三十九萬八千元外，餘款新台幣一億零三百九十四萬二千三百七十元，概由我政府負担籌撥。

該路施工時，每天最少有一千多人，最多的時候有一萬零八百五十人在工作；所耗人工（工作天）為五百四十二萬二千四百八十五人；使用機械築路，為七萬八千二百四十九小時；施工時，所需糧食、蔬菜、雜貨、煙酒等日用物品，達六千五百二十噸。

一個動人的故事；當美方經援首批開山機、鑽孔機等，運到台灣後，對如何運到山上的問題，美方顧問，全都束手無策。可是，我們的工程師，卻以微笑代替了回答。技術人員連夜將一架鑽孔機拆卸，把機件分別由二十四個榮民背上山，第四天，美顧問人員到白楊考察隧道進度時，始發現那架鑽孔機已經工作了一整天，這就是人定勝天的一個例證。

據經濟部橫貫公路經濟資源調查團的書面報告稱：公路沿線各地農業資源的開發，以大甲溪及宜蘭濁水溪流域一帶的希望較大，立霧溪流域各地，以農業天賦較薄，無法寄予較高的希望，總計全線各地可能開闢的耕地面積，為四千多公頃，其中可新墾面積為一千三百公頃，開墾休閒輪耕地面積為一千一百公頃。全線各地可能容納移民墾殖人數，約五千二百四十人。可能發展的農作物，除水田宜種稻，旱地可種雜糧外，台中縣和平鄉內有梨、蘋菓、杏桃及馬鈴薯等，宜蘭縣太平鄉內有各種夏季蔬菜。

林業方面：該路沿大甲溪、濁水溪、立霧溪諸流域的木材，總蓄積量達二億一千七百萬立方公尺。棲蘭山林區，木材蓄積量達一千一百八十萬立方公尺，已經砍伐，運出原木計一萬七千立方公尺。大甲溪林區，並已籌備妥當，可安置退除役官兵三百多人，及榮工隊員五百人，從事伐木工作。

礦產方面：沿線礦產資源頗為豐富，尤以立霧溪流域蘊藏極豐，主要礦產為金礦，餘為白雲石、大理石、筆鉛、煤等，尚有銅、鐵、錳礦等，正在探勘中。

水電方面：電力公司已完成的天輪發電所，可發電七萬九千五百瓩，谷關發電所，可發電十八萬瓩，達見高壩業已定案，即待興工，一旦完成，將可發電三十六萬瓩，屆時，所有工業用電，當可解決。此外，尚有青山、馬鞍寮、石崗等發電所，正在逐步計劃興建中。僅此大甲溪發電計劃，如全部完成，可供發電量一、三八四、〇〇〇瓩之鉅。至濁水、立霧兩溪已有發電所外，尚有合歡溪等十處，可資計劃開發。

植桑養蠶：橫貫公路兩岸隙地及六十餘村落，其可栽桑面積，範圍相大，據初步估計，可栽桑五千萬株，有關方面，正擬訂一項栽桑一千萬株的計劃，三年內的一切開支，包括養蠶栽桑的設備，僅需一千三百萬元，至第四年即可自給，七年後能收支相抵，並可容納二千五百人就業。計劃中有九項要點：一、確定蠶業政策，增產蠶絲，力求纖維原料能以自給或外銷。二、訓練蠶桑技術人員。三、培養優良桑苗，便於分年植栽。四、沿途路工房屋，將來改作蠶室，以節省物力財力。五、修建烘繭，便於儲藏繭絲。六、設立製種場，自製優良蠶種，生產優良原料。七、建設繅絲廠，繅製高級生絲，增加收入利益。八、培養蠶桑林，生產優良桑葉。九、管運桑株，促使充分發育，增產桑葉量。

橫貫十二景：橫貫公路沿線，山雄水秀，風光綺麗。為發展本省觀光事極重要的地位。花蓮的太魯閣及文山溫泉，名聞中外，而霧社、合歡山、大禹溪一帶，山勢雄偉，風景絕佳，均可闢為國家公園。南嶺一帶，山勢平緩，高達海拔三千公尺以上，冬季時大雪紛飛，大地呈現一片銀色世界，除可供遊客欣賞雪景外，更可提倡滑雪運動，以招覽遊客。據估計，沿線觀光事業開發之後，年獲收益可達數億元新台幣。

此路通車後，無論就經濟、國防、交通和文化而言，皆有極大的裨益與影響。不過，路線所經之地，均係山地，故地質不佳，施工既屬困難，日後養護更屬匪易。今後之養路工程，為重要課題。這條公路完成後，使中南部到花蓮的人士，由兩三天的行程，縮短為七小時，將不知減少了許多時間。

五月十四日寄於台北

台峽戰火會重燃嗎

本報特稿

新兵

最近，台峽局勢又引起人們的注意。這是因為：

（一）共軍在金門、馬祖對岸增加兵力。陸軍已增至四十萬人，比較過去任何時期為多；空軍有二百五十架噴射戰炸機進駐杭州機場，又有米格十九型噴射戰鬥機出現；海軍方面則其四十艘潛艇中有三十六艘調配於台峽兩端；同時中共正改善福建前線的野戰醫院，並策劃撤退傷患的方案。美國合衆社在台北發電說：上述有關中共增加軍事活動的消息，與一九五八年夏間中共發動砲擊金、馬前的消息相同。

（二）周恩來最近在河內訪問時，大叫大嚷要「解放」台灣和金門馬祖。

（三）中共慣於製造緊張局勢以推行其新措施。前年它推行農村「人民公社」時，曾以大量砲火轟擊金門，現在它又大搞城市「人民公社」，故技重演，當非意外。

（四）高峯會議舉行期間和艾森豪來遠東訪問期間，中共可能來一次搗蛋。

（五）國軍在金、馬前線取消休假，顯示該處情況緊張。

是否共軍最近會對台峽發動一次新的攻勢呢？我的看法可能與許多人相反，我認為不會的。高峯會議期間不會，艾克東來期間不會，甚至半年之內也不會。

為什麼我持這種看法呢？

首先，我認為問題不是中共想不想攻佔台、澎、金、馬，而是它有沒有能力攻佔台、澎、金、馬。台灣、澎湖距大陸較遠，戰事當中海軍的作用頗大，而中共海軍的主要力量是砲艇、魚雷艇和潛水艇。那些艦隻只適於作防禦性的作戰，特別是海岸的防禦戰，要作遠程攻擊或登陸都不適宜。用那些艦隻在台灣海峽與美國第七艦隊和國軍艦隊交鋒，實無異以卵擊石，老奸巨猾的毛澤東，怎會找那最不利於自己的地方與別人作戰？至金門、馬祖，攻打本比台灣容易些，但因一則國軍堅決守衛，二則艾克宣佈協防，蠻幹下去，後患無窮。艾森豪前幾天還重申協防金馬的決心，中共怎會揀此時下手？

其次，中共如果在高峰會議和艾克東來期間動武，只會給人以一個嗜戰者的印象，從而加深人們對它的敵意，這點對中共說來，只有壞處，沒有好處，除非毛澤東發了神經，否則斷不會行此下棋。

再次，我認為中共推行城市「人民公社」和繼續實行高速度的備戰措施——「大躍進」時，確需要有一個緊張的局勢。但製造緊張局勢的方式有多種，不一定要真的動武。由於國軍有備和美國協防，中共攻打台、澎、金、馬，不唯難以獲勝，而且有引起與美國大戰的危險。與美國大戰，中共肯定吃虧，因為它只有招架之功，沒有還擊之力，中共的武器目前還沒有發展到能對美國本土破壞的階段，所以，現在中共所採的策略是：動口而不動手，調兵而不用兵。大叫「美帝國主義好戰」，大叫要「解放台灣」，與印度談而不和，俱屬於動口而不動手。增加金、馬對岸兵力，屬於調兵而不用兵。這樣的心理作戰，既可增加緊張氣氛，又能避免大戰而招致自身的毀滅。

最後，我認為國軍加強戒備，不唯不是表示戰火將起，而正是表示大戰難成。上面我已說過，共軍是慣用「避實擊虛」策略的，如果金、馬防務空虛。能夠一舉打下，迅速造成既成事實，美國也無奈何的。孫子說：「毋恃其不來，恃吾有以待也；毋恃其不攻，恃吾有所不可攻也。」國軍注意敵方行動，經常保持戰鬥狀態，正是我肯定台峽戰火最近不會重燃的前提。

台灣海峽的新危機

本報特稿

秦

平息甚久的台灣海峽，中共是不是準備再製造一項新的重大的危機？已引起各方面的密切注意！

這一問題很簡單，若根據最近種種跡象顯出，如果推測和判斷，則可求出一個比較接近事實的答案來。因為：

（一）凡在國際重大會議開會期間，共黨集團照例要製造事件的。

（二）中共僞總理周恩來和陳毅同時到達東埔寨，一般認為那裏是亞洲最敏弱部份。特別是周恩來在河內會大放厥詞，謂「中共將一定要解放台灣！」

姑勿論周恩來這一談話是否生效，但據外部報導，自本年二月開始，金馬對岸的中共陸空部隊，調動頻繁；尤其最近兩週來，金馬對面的中共陸軍已增加到四十餘萬人，較過去任何時期為多。空軍也有俄式米格十九型飛機及俄製飛彈，先後進駐福建沿海地帶；另有二百五十架噴射轟炸機調駐杭州。至於中共海軍在若干時日前，便有小型艦艇自舟山羣島沿海岸大量南移，目前係指向馬祖對岸的大陸海岸，並更向南移一百五十哩進抵金門對岸；另有三十六艘潛艇調配於一百哩寬的台灣海峽兩岸。

上述有關中共增加軍事活動的消息，與一九五八年八月中共發動砲轟金馬前夕的消息相同。因此，若干方面相信中共即使不能在高層會議期間製造事件，亦可能在艾森豪六月訪問日韓時對金馬離島發動攻擊，當係最好的示威。蓋艾氏的訪問台灣，將被認為美國堅決支持中華民國的表現；亦將增加中華民國政府在國內外的聲望。

據較早的消息：中共在馬祖當面地區的軍事部署，係以第十兵團的第二十八軍為主力部隊；共補充部隊則為建甌地區的第八兵團第二十四軍，及駐蒲田的第八兵團第二十二軍。關於共軍在該地區分佈的情形大致如下：（一）第十兵團司令部駐福州。（二）第八兵團司令部駐建甌。其餘分駐於建湯、浦城、水吉、南平、沙縣、三陽、永吉、建甌、古田、福州、福清、長樂、平潭、連江、羅源、霞浦、福鼎、安、寧德、蒲田、仙遊、惠安各地。（三）福州海軍基地司令部駐福州——第四艦隊所屬的一部分艦艇，分駐霞浦、福州、馬尾、蒲田各地。其實力較優的「東海艦隊」，約有三十五艘軍艦悄悄南移，企圖開到馬祖北面的三都澳。並且三都澳附近原有魚雷快艇五十艘，機帆木船三十至五十艘，目標似在馬祖島。（四）馬祖對面的福州、龍田、澄海及連城等機場，除駐有中共空軍第十二師整師飛機外，在這些機場和路橋鎮機場，還分別駐有五十至七十架俄製米格十七型和十九型噴射機。

還有中共在金門對岸的部署，其重點置於廈門。主要地面部隊為中共第十兵團所屬的三十一軍，其輔助部隊為駐在圍頭灣地區的第十兵團第二十九軍，及駐在廈門港地區的第八兵團第二十五軍。同時自蘇俄供給中共空軍的米格十七型和十九型噴射戰鬥機，早已進駐澄海城、龍溪、汕頭等基地，中[illegible]然擺出了進攻台灣的姿態，實際上是一種陰謀：（一）以「解放」台灣為號召，轉移大陸幹部與民衆的視線，藉以抵銷內部人事鬥爭及糧荒的慘況；（二）是聲東擊西，實則它的動向可能指向東南亞以攻擊整個亞洲呢。

社會小說 香港地

木客著

四、高的低的

丁乾見白芷認眞誇贊他的兒子，當然歡喜，但還要白芷說明理由。

白芷卻是輕輕鬆鬆的笑道：「這又有什麼理由可說呢？你看兒童寫字，大都寫成七顚八倒，驟看可笑，細看卻是樸拙可愛，有一種說不出的味兒。有些大書家寫成那樣的字，說是『頑童體』，也很得人愛重呢。說穿了，無非是愛那種天然風趣吧了！我寧願愛這一幅『水底撈飯』，欣賞你那兒子在寫畫時由腦裏浮動的靈感和天趣，不想看那些沒有一點生趣的死氣沉沉的畫。說句老實話，我的新詩還比不上這幅畫好，因爲我還要在字句上面扭屁股似的扭得怪難看，沒有這幅畫寫得那麼純任自然呢。其實，我很懷疑我寫的究竟是不是詩呀！」

白芷隨口扯上了這一篇「詩論」，梅大亮簡直懶得去聽，同時也懶得再看這幅怪畫，便自走向另一個角落，和丁乾的太太聊天，想知道她剛才爲什麼要說小丁險些爲了這層樓子丟了命。

丁太太歎了一口長氣才對他辨釋道：「梅先生也是寫稿的人，當然知道寫稿要有清靜的地方才寫得快呢。我們從前住的一個房間，太嘈鬧了。一層樓住上好幾個家，打麻雀的，開收音機的，打兒女的，日夜吵個不停，叫他怎能寫得舒服？他就是爲了自己筆下寫得快，便拼命的寫了一大堆稿子，換來一筆錢，頂受了這一層樓，滿以爲租金雖也貴了一點，好處就是清清靜靜，可以由自己做主意，選擇沒有孩子的人家才分租出去，那知這算盤是打錯了。我們用去一筆錢，一連幾個月都要納幾百元的租金，願意分租的人都是有孩子的，沒有孩子的租客卻是難找。這一來，便害了他日夜動筆去寫稿，他筆下快雖是快，但人的腦子總不是機器，便算是機器吧！過度使用也會有時不靈的呢。就是爲了這個原故，他才有這場大病。你看慘不慘？」

丁太太一口氣說出個中因由，眼也紅了，顯見她愛惜她的丈夫，也有「悔教夫婿爬格子」的哀痛。（二十八）

淑女之夜

丁雯

「巴黎之夜」是香水，「香港之夜」是頭腦，「平安夜」是耶穌誕，「夏威夷之夜」是時下那些雜亂裏新興的玩意兒，「凄風苦雨之夜」是那些鹹水詩人筆下的常用詞，這些什麼「之夜」，陳仔都很清楚它的來龍去脈，惟獨對於「淑女之夜」，卻感到一片困惑。他是一個鬚眉大丈夫，大丈夫而接到一張「淑女之夜」的請帖，簡直是怪事。

他把那張請帖，從頭再讀了一遍。

「茲定本月某日假座天堂夜總會舉行淑女之夜，敬請攜伴參加，俾增光寵。」

既然是淑女之夜，理宜由淑女邀請紳士作伴，纔是正理。可是，請帖上寫得明明白白，是要陳仔攜伴參加呀！

他滿腹狐疑的來到女友王小姐那裏。王小姐聽他敘述事實以後，笑道：「這個我早知道了。」

「究竟是怎麼一回事呀？」

「不必追問。」王小姐神秘地一笑，「到時候你就知道的。不過，在淑女之夜，你得聽我指揮，我的意思是說我們女人採取主動。你知道嗎？」

「知道，知道。總之，一切聽妳的好了。」

到得那天，陳仔和王小姐坐了一架「的士」來到天堂夜總會，王小姐打扮得特別漂亮，一坐到車上，即便說道：「今天晚上，你得聽我指揮，還記得嗎？」

「當然記得呀！今天晚上是淑女之夜，而不是紳士之夜。這是特別爲妳們淑女之夜而設的啊！」

這幾句話說得王小姐非常高興，一路哼着小曲，不覺就到了天堂夜總會。着紅衣的看門侍者立刻跑過來開車門，下得車來，陳仔微笑地望着王小姐作紳士狀，忽地後面有一輛汽車跟着到來，車門開處，下車的竟是小丁和張姑娘。

小丁今天穿得西裝畢挺，襟頭插上一朵小紅花，彷彿是結婚的新郎。陳仔一見小丁，連忙上前握手，笑道：

「小丁兄，久違久違，想不到今天在這兒見面？」

小丁道：「今天雖然是淑女之夜，但孤陰不生，淑女總歸離不了紳士；表面上看去是淑女之夜，實際上還是紳士之夜啊！」

陳仔非常同意這個意見，但爲張姑娘所反對。她說：「你們這些鬼男人，明明是淑女之夜，你們一定要說是紳士之夜，你以爲女人一定要靠男人才能生活嗎？哼……」

話沒說完，陳仔那個的士司機走了過來，說道：

「先生，你們的車錢還沒有給我呀！」

陳仔笑了一笑，說道：「今天晚上是淑女之夜，你去問我同車的那位小姐吧！」

「已經問過了，他說沒有錢，要我來問你。」

「這就奇了，淑女之夜，要紳士付錢。」

陳仔將車錢付過了，一行四人，進入天堂夜總會。

今天晚上，天堂夜總會特別熱鬧。紳士淑女，衣香鬢影，濟濟一堂。仔細留意夜總會的情形，和平時沒有兩樣。在吵吵鬧鬧中，只見有一位紳士上台宣佈道：「今天晚上是淑女之夜，請諸位淑女紳士盡情快樂。」

宣佈之後，舞會開始，一直到深夜兩點鐘，侍役將賬單送來，仍然又遞到陳仔面前。

「今天是淑女之夜？」陳仔笑着問道。

「是的，先生，今晚是淑女之夜。」侍者陪笑回答。

「既是淑女之夜，何以要紳士埋單？」

「先生，這是規矩呀！」

「那末，爲什麼又叫淑女之夜呢？」

「這個就不知道了。」「這個就不問那個胖胖的紳士吧！這個淑女之夜，就是他們這幾位紳士發起的啲！」

蘇州山歌

澄海

山明水秀的蘇州，不僅是風景宜人，那裏的山歌，頗多男女調情之作，也是富有魅力的。山歌像七言絕句一般，都只有四句，因此蘇州人稱爲「四句頭山歌」。以蘇州山歌而編成書的，已有數種：有顧頡剛的吳謌甲集，後來又印出了明末馮猶龍的「山謌」，今錄數首於下：

女：結識私情弗要慌，捉着子奸情奴承當。拚得當官雙膝饅頭跪子從實說！「咬鐵嚼鐵我偷郎。」

顧頡剛批道：「如此熱情，如此剛勇，眞使人覺得一字一句裏都藏着血淚。」

姐搭情哥郎睏在一橫頭，忽然雞叫巳經到子五更頭，世上官員只有欽天監第一無見識，你閏年閏月爲啥勿閏子五更頭。

這一首山歌，因自己熱戀情人而埋怨到欽天監，可說是想入非非。

弗見子情人心裏酸，用心模擬一般般。閉子眼睛望空親一個嘴，「接吻」，接連叫一聲「賣貨好心肝。」

是擬情，又妙絕，山歌到此，眞是入了化境，望空接吻，這應該是別開生面的。一般做香奩詩詞的自以爲細膩熨貼，恐怕也不會想到如此刻劃入微。

小說材料（中）

徐學慧

香港無雪，寫大雪紛紛之中有月光出現，騙騙那些終年不會見雪的人或者可以，可是，在北方，見過雪或者來自北方的人正多着呢！當然，這位武俠小說作者，並無任何騙人之意，那是可以斷言的。他根本不會見過雪景，他在這一篇會去過北方，甚至可以說他根由於他僅只是知道有雪月爭輝的這一句成語，然後通過自己的想像，就在大雪紛紛之下弄出個月亮出來了。

應知雪月爭輝之景，不是沒有，但絕不是下雪的時候，而是融雪的時候。在北方，冰雪將要融化的時候，大抵是晴明的日子居多，地上有雪，天上有月，雪月交輝，其景至美。可惜這位武俠小說作者，在他的文字中運用了兩次「雪下得更緊了」的筆法，這就萬不能把月光在這個時候出現的。

此種寫法，只有使內行人一看就知道這位作者未免有孤陋寡聞。既然如此，則以後的描述，大概也可以不必再事細看了。

很少有人不崇拜作家的。作家之所以值得崇拜，乃是因爲他具備了人生經驗與各方面的知識，而這些知識與經驗通過他的筆下，傳達到讀者面前，把我們的知識與經驗也豐富了。如上文所述的那位武俠小說家筆下的「雪月爭輝」，他就剛好相反，不是豐富了我們的知識，而是混淆了我們的知識。此種最普通的起碼的常識，家的熟習的環境或生活習慣，不要僞充內行。因爲，諸如此類的錯誤如果犯得太多，將令讀者對他的文字失去信心。

一篇小說的創作，如果是那麼簡單地可以敷衍塞責的話，則作家之所以爲作家，也就太沒有價值了。作家雖不必是一草之微，也得在平日對於這些東西有些認識，才能描寫得生動呢！

生理、心理、社會、民俗、地理、哲學、動植物等科學的專門知識，但無論如何，我們必須具備有關這些學問的起碼知識。草木花草之名稱及其特性，看來乃是動植物專家的事，可是，當小說家在描寫風景的時候，一花一草的描述，不能確切，很可能也不應該在一個作家筆下被錯誤地描述的。

對於一個作家來說，這種錯誤是相當嚴重的，因爲在讀者的眼中，此即爲不忠於藝術。或必曰：作家非超人，間有錯誤亦在所難免。不錯，我絕不是說作家不應有任何錯誤，我只是向那些小說家作一個忠告，希望他們對於那些不太

大陸文壇萬花筒

新民歌與「冒牌貨」

岳騫

自從「大躍進」以來，大陸上出現了千奇百怪的事情，「新民歌」也算是其中之一。

平情而論，中國過去的民歌，確有些很有價值的東西，但是有一個重要的前提，就是民歌本身必須純潔，自然。也就是所謂「天籟」。一旦加進去鼓吹生產，歌頌共產黨的口氣進去，已經不是民歌，而變成了「官歌」「黨歌」，試問還有什麼價值？

大概毛澤東有意把新民歌當作共黨政權的時代作品，如唐詩，宋詞，元曲一樣，所以新民歌成了天之驕子，誰反對新民歌就是反對「黨」，早些日子，中共高級文化幹部何其芳就碰了一個釘子。

人都有一種傻勁，越是禁書越要看，越是不准講的話偏要講，不久以前，中共一位作家吳雁就公開說過：「七個字一句的東西就叫做詩，我寧可站在夏日炎炎的窗前，聽一聽樹上知了的叫聲，而不願被人請去作這類詩篇的評論家。」以後吳雁雖然被鬥得很慌，但是同情吳雁的人依然很多。最近在整風學習時，一位老作家居然說：「新民歌都是千篇一律的口號，偶爾有好的，也是知識份子加工的冒牌貨。」這種說話比吳雁更能擊中要害，尤其是目前中共正在大力宣傳新民歌的優點，對此更不能不辯，第六期「文藝報」有一位署名亞蕘的作者，寫了一篇文章爲新民歌「辯護」，他特別舉出新出版的四川歌謠一本集子爲例，其中共選了一百八十五首民歌，出版的是經過修改的，不過據亞蕘說，修改的並不太多，一字未改的共有九十一首，佔百分之四十九，他特別舉出一首未改的，題目是「太陽臉上有煤烟」，是歌頌煉鋼的，詩共四句，全文是：「高爐聳立入雲端，離天只有三尺三，爬上爐頂抬頭看，太陽臉上有煤烟。」

這種民歌大概是眞未改過，但是它的內容之空洞荒謬，根本就沒有絲毫的價值，像這一類東西，不問眞的也好，冒牌貨也好，想在一個時期變成文學的主流，恐怕只是一種妄想了。

釋未集

讀經

章實齋文史通義曰：「六經皆史也，古人不著書，古人未嘗離事而言理，六經皆先王之政典也。」又曰：「至於官師既分，處士橫議，諸子紛紛著書立說，而文字始有私家之言，不盡出於典章經制也，儒家者流乃尊六藝而奉以爲經，則不獨對傳爲名也。荀子曰：「學始乎誦經，終乎讀禮。」莊子曰：「丘治詩書禮樂易春秋六經。……」荀莊皆出子夏門人，而所言如是，六經之名起于孔門弟子亦明矣。」錢賓四先生，早年所著國學概論一書。分述孔子與六經之關係，于易則曰孔子言易，見于論語者有二。謂聖人學易，不過在庸言庸行之間，而不涉于圖書象數（按此採顧炎武說），比於博弈猶賢，非韋編三絕之旨，並不信十翼爲孔子所作之說。於春秋則曰：春秋固孔子作，誠有功于文獻，而粗略簡陋，不勝後儒之尊美。于詩書則曰：孔子刪詩書，無徵于論語，並無徵于孟荀，今傳詩書，出秦火後，亦非孔子當年誦說之舊本。于禮樂則曰：禮自孔子時而不具，孔子已不見有禮經，而樂與詩合，本非有經。因而曰：名之曰經，此皆後起之事，非孔子以前所本然也。由前言之，六經與先王舊典，後儒不得不習，由後言之，孔子雖未嘗作一經，而孔子以詩書禮樂教弟子，取法于先王舊典，則孔子于舊典中加以比次論列，似亦應有之事。亦不得存而不論。惟士生今日而言誦經，一則苦于家法之茫昧，有歸口便錯之譏，再則苦于傳疏之紛紜，有如入迷山霧海之感。故錢先生云：「治書者，先勞精于今古文之眞僞，治詩書者又耗神於齊魯韓毛之異同。」實則二千年前，司馬談已早有：「儒者以六藝爲法，六藝經傳以千萬數，累世不能通其學，當年不能究其禮，故曰博而寡要，勞而少功。」之論矣。西漢時如此，若又益以東漢以來，歷代經生儒者之異說，人治一經，縱窮老盡氣，諸家傳疏猶未遍也，得言論經以致于用邪？故後世儒生，眞欲誦經則近于愚而惑，自以爲能通經則矜且妄耳。近讀皮鹿門先生經學歷史，論今人讀經之言，平實可採，謹錄之如后：「今欲簡明有用，當如漢志所云：「存大體，玩經文」而已。如易主惠氏義，參以焦循易章句、通釋諸書。書主伏傳史記，輔以兩漢今文家說。詩主魯齊韓三家，參以毛傳、鄭箋。春秋治公羊何注、徐疏，兼採陳立之書。治左氏者，主賈服遺說，參以杜解。三禮主鄭注，孔、賈疏。後儒臆說，極摒勿視，則專治一經，固屬易事，兼通各經，亦非甚難。」

曲齋

粟海彈心錄

黃道周張煌言（上）

有明諸儒，出入程朱陸王，而無矜持門戶之見者，黃道周石齋一人而已。弱冠掇高科，文采藉甚，存養猶人所難能。至南都，朋濟歡宴無虛日，一夕友人相約以秦淮名妓顧橫波嬲之。夜闌人靜，主人星散，室惟一榻，無可爲計者，寒甚，橫波笑詰石齋，君將何以置我，石齋告以天寒共被無傷也。橫波隱然而笑，不過爾爾，自以羅襦襟解，薌澤襲人，偎傍之際，極盡嫵媚，而石齋鼻息入睡矣。橫波猶以書生故態視之，未幾轉側相向而臥，橫波婉轉就之，終宵了無所得，早起，辭氣笑貌，一若無男女之嫌者。橫波至此，驚爲天人。此情此境，設以佛門阿難當之，猶須文殊師利，將咒往護。（事見楞嚴經）橫波後嫁龔孝升，順治入關，孝升迎降，博洽工詩，與錢牧齋吳偉業，稱江左三大家。

崇禎十一年，平臺召對，石齋極言楊嗣昌誤國，忤旨，幾斃廷杖，指斥垂斷，後戍辰州，送者悽切，公曰無慮，書完孝經三千紙，即放還矣，亦若前知者。乙酉六月，南都淪陷，朱聿鍵監國於福州，召公授吏部尚書，武英殿大學士。公逆知鄭氏無遠謀，偷安島隅，慨然自請出關討賊，而政在鄭氏，終不得一兵以行，從廣信至衢州，義從者至衆，後爲門人婺原令所誤，乃爲清兵邀伏所執。洪承疇勸之降，可保不失三公位，公笑而責之。留公南都獄中，日誦尚書周易，數月貌加豐，正命前夕，老僕持鍼綫而哭，公曰得正而斃，是爲考終，汝何哀爲。友人哭之，共酒食與訣，啖飲酬酢如平時，酣寢達旦，顧謂僕曰：曩某以卷索書，心許之矣，未可曠也。和墨伸紙，作小楷，又行書，幅甚長，乃以大字竟之。親加印已，緩步而出，趺坐就刑。可謂知天立命，了達生死者也。予幼時業師，授公所著孝經集傳，易封正說，必盥手焚香，正襟危坐，迄今思之，猶令人肅然。

說者石齋之死南都，友人多婉轉阻之，與文文山之死燕市，王炎午生祭於其前，張千載賻死於其後，恰相反。蓋以石齋之於明室，君臣義絕，可以無死也。而石齋之死，又當別有會心，爲民族萬世立命者乎。

阿公

清初來台採硫之郁永河

郁永河，字滄浪，浙江仁和諸生，性好遊，嘗遍歷閩中山水。清康熙三十五年冬，閩省垣火藥庫災，毀硝磺五十餘萬斤，無纖介遺，典守者負償賠之責，聞台灣淡水有磺可煮藥，欲派吏往，而地尚未闢，水土惡，險阻多，在昔鄭氏時代，原爲流戍罪人之區，故無敢至者。永河慨然請行，於康熙三十六年正月起程，二月二十一日，乘舟渡海。二十三日，抵澎湖。二十五日，至台南。據其所著裨海紀游稱：

「余以採硫來居台郡兩閱月，爲購布、購油、購糖、鑄大鑊、冶刀斧鍬杓、規大小木桶、製尺秤斗斛，種種畢備。布以給番人，易硫土；油與大鑊，所以鍊硫；糖給工匠頻飲，并浴體，以辟硫毒，鍬平土築基；刀斧伐薪薙草；杓出硫於鑊；小桶凝硫，大桶貯水；尺秤斗斛以衡量諸物。又購脫粟、鹽豉、釜、甑、碗、箸等，率爲百人具，計費九百八十金。」

又紀當時台南一般社會情形，謂：「街市以一析三，中通車行，旁列市肆，彷彿京市大街，但隘陋耳！婦人弓足絕少，間有纏三尺布者，便稱麗都，故凡陌上相逢，於裙下不足流盼也。市中用財，獨尙番錢。番錢者，紅毛人所鑄銀幣也。圓長不一式，上印番花，實則九三色，台人非此不用，以庫帑與之，每蹙額不顧，以非所習見耳！地不產馬，內地馬又難於渡海，雖設兵萬人，營馬不滿千匹。文武各官乘肩輿，自正印以下，出入皆騎黃犢。市中挽運百物，民間埒遠適者，皆用犢車，故此戶多畜牛。又多蔗稍，牛嗜食之，不費芻藁。鄭氏之治台，立法尙嚴，犯姦與盜賊不赦。有盜伐民間一竹者，立斬之。民承峻法後，獨有道不拾遺之風，市肆百貨露積，委之門外，無敢竊者。」

永河所需既畢，乃於四月初七日北行，率平頭數輩，乘笨車就道，隨行給役者凡五十五人，時知交均以雞籠淡水水土瘴癘爲患，沮其行。永河則以既受人託，不欲中止。且笑謂：「吾生有命，蒼蒼者主之，水土其如余何！余計之審矣，不可以不往！」乃欣然就程，途經各社，自斗六以北皆荒蕪，森林蔽天，麋鹿成羣，番人亦多馴良，所以至供糗糧，負矢前驅，爲左右衛。蓋其時漢人尙鮮至，未肆干擾，番人得無事，故無敵愾之心也。永河在途凡兼旬，始行抵淡水，命通事張大先赴北投築屋。五月初二日，永河乘舟由淡水港入，前望兩山夾峙處曰甘答門，水道甚隘，入門忽廣，如大湖，渺無涯涘。行十里許始至，而工伕糧糈鼎鑊亦由海道運達。永河遂使張大邀約各番社首領聚飲，告以採硫事，與約一筐易布七尺。番喜，各負磺至，命工煮之。磺有黃黑二種，質沈有光，以脂燃之，颯颯有聲者佳，反是則劣。產磺之地，爲內北投，石作藍靛色，有沸泉，草色萎黃，無生意。山麓白雲縷縷，如雲乍吐，是爲磺穴，穴中毒燄撲人，觸腦欲裂，耳聾如震雷，地岌岌欲動。左旁一溪，水如湯沸，即今日北投諸溫泉發源地也。

永河採硫，頗歷艱苦，始則工伕多病痢，繼而廚者亦病，至無人執爨，呻吟斗室，病者以船送歸，仍繼續採煮如故。顧毒蛇惡蚊，出沒戶闥，爭噬人，且苦熱，新募工伕亦前後病。居無何，風雨驟至，屋毀。永河自持斧伐木以支，而山水暴發，不可居，乃涉水行三四里，至巖下番人家。日暮，無所得食，脫衣與番易雞，煮而啖之。水退，再集工人，築屋煮磺，遂竟其事。十月初七日，返閩復命。永河居台半載，著裨海紀遊，番境補遺，海上紀畧等書，爲後之治台者所取資焉！

耘農

海嘯慶談薈

得意即失意（中）

李氏費盡心機，與脣舌，纔使洪兆麟部勉強答應讓開潮汕防地，但洪軍叛志仍甚濃厚，蓋目前既痛失其割據搜刮的潮汕財富之區，將來更逆料其必不見容於革命政府，挺而走險，遲恐無及矣。孫公亦深以此爲憂，李協和只好想出進取江西窺圖湖南之計，藉以安撫洪部，因洪氏係湘人，所部多三湘子弟。但此時陳炯明仍潛伏惠州，嚮向洪軍策反不已，孫公乃派老同志周震鱗（周與洪兆麟同爲湖南寧鄉縣人）爲勞軍使，前往潮汕犒洪軍，又顧慮李協和或有誤會，以爲是對他不信任了，另以親筆函致李解慰之，此十二年五月十九日事也。函云：「協和兄鑒：道腴兄來告急云，洪兆麟已受北方任命，其舊部李雲復尹驥已大搖動，將有離兄而回擊潮汕之勢，救急之法，只有假他以名義，由彼更用其同鄉感情，則必能破壞洪氏之計劃，於是遂許之以勞軍使，幷督率該兩師之任務，其唯一目的，乃在破壞洪逆之圖謀而已。此目的一達，則道腴兄之任務便爲終了，此後該兩師仍歸兄命令編制調遣，道腴不得稍事參預於其間，以礙軍事之行動。此意已託賡笙兄（按係贛人楊賡笙，時任李之秘書長）轉致矣，今更作詳函述之，如有必要，可將此信示道腴也。兄圖贛之費，此間因事變迭生，不克如期應付，然已另行設法向奉天籌借五十萬，專爲兄入贛之用，閩滬上同志亦有欲助兄一二十萬者，亦併催促矣。早晚得當再報聞。」

孫先生如此預防洪軍的逆謀，李協和亦殫精竭智以期彌縫各方嫌隙，消弭隱患，但洪兆麟怵於許軍之壓境，惴惴難安，加以陳炯明從中誘惑，最後乃實行叛亂，攻擊許軍，林虎亦挾其一旅之衆，盤據興寧五華一帶，受炯明唆使，抗拒革命政府，林原係李協和舊部，癸丑二次革命之役，曾在湖口受李指揮，與北洋軍作戰甚力者，今亦與李立異反助，於是前此誹謗李氏對革命不忠實之人，更藉爲口實，振振有詞了。洪部叛離之後，李氏圖贛計畫乃成泡影，而許崇智軍在潮汕又爲洪軍所擊破，東江仍被叛軍竊據，直到十四年孫公逝世後纔告敉平。李協和辛苦經營，立下汗馬功勞，結果落得內外皆不討好，負謗招尤，黯然回到廣州，還要受到許多求全之毀，怒氣吞聲，無可申訴。孫公對他雖無猜疑之心，然亦不免聽受左右親信幹部的浸潤之詞，致令李氏投閒置散，撫髀興嗟，原有滇軍統帥職位亦喪失了。李氏在短短半年的時間內，由赫赫元戎，淪爲沒沒無聞的散淡之人，恍若作了一場噩夢，得意即失意，如響斯應，不亦怪哉！

諸葛文侯

屐話

介人

南來以後，大家都習慣了穿木屐，據說這與香港脚有關，穿了木屐，大大的可以祛除濕氣。祗是在高雅的地區或樓房，木屐的滴答之聲，震入耳鼓，尤其是電影院中，木屐究非所宜。

木屐的由來，據說也是我們祖先剩下的遺習。孔子到蔡國去，在客店裏住宿，一隻木屐，給竊兒偷去，藏在賊家，因爲這木屐有一尺四寸長，和常人的不同，後來終於被發覺了。這是見於論語隱文註的。

黃帝定宮室器用衣服貨幣之制，是不是這衣服制度中已有木屐，固然無法探討。但古人席地而坐，只有着屐，才會合用，故在孔子前已有木屐，這是可以想像到的。後來關於木屐的史實：如謝太傅的折了屐齒，楚王的玉屐，子晉的高屐，許許多多，不勝悉舉。

在東北，鄉村婦女在下雨天氣，把屐穿在鞋子上，這便是釋名上所說的「臘泥」，一雙屐化不了多少錢，樸實的鄉村，所以還會偶然發現。

「七賢老死獨南奔，神有江亭隕淚痕。函夏盡爲新土宇，醉鄉不失舊乾坤。金貂曾入丹陽市，蠟屐應歸白下門。惆悵黃門墓前柏，不禁三度見風塵。」這是元陳樵的一首「蠟屐」詩，世事的滄桑，便是木屐的滄桑呀。

本報已奉僑務委員會核發台敎新字第三二三號登記證

自由報

THE FREE NEWS

半週刊每星期三、六出版

第二十九期

每份港幣壹毫

社　長：雷嘯岑

督印人：黃行審

社址：香港銅鑼灣高士威道二十號四樓

20 Causeway Rd. 3rd. Fl. HONG KONG

TEL. 771726

電報掛號：7191

承印者：田風印刷廠

地址：香港高士打道221號

從U——2飛機事件看世局

雷嘯岑

蘇俄藉着美國U——2式飛機在俄境擊落事件，掀起一陣極猛烈的反美宣傳攻勢，使它自己所再三要求，而爲英國政府所竭力贊許的高階層會議，臨盆夭折，一拍兩散。這是赫魯曉夫自從演出「鞭屍運動」以來的第二齣政治戲劇傑作，用意決不簡單，但他預期的效果，最大亦不過是對外爭取一時的冷戰上風，對內增加一些鎭懾人心的作用而已。試看赫魯必須先將放射「太空船」進入行星軌道的消息發出，然後才到巴黎表演鬧劇，故意對美總統艾森豪開頤笑，即知其色厲內荏的心情，昭然若揭，無論赫魯今後再唱出任何狂悖的論調，對於目前這種僵持狀態的國際局勢，決不會發生多大的影響，殆可斷言。

美國當局這次却不免應付失當之譏，致爲赫魯所愚弄，始終招架不迭，處於被告地位，殊屬可惜，亦復可哂。當赫魯初次聲言用火箭擊落美機之際，白宮的文武大員信以爲眞，認定美機在五萬尺高空被火箭攻擊墜地的結果，必然人機俱毀無疑，乃聲明U—2式飛機是沒有武裝的測候機，駕駛員由於機上儲備的氧氣不足，一時神智惝恍，迷失方向，誤入了俄境。詎料赫魯即繼續宣稱機雖毀而人却未亡，且以照片作證，如是乎白宮當局大爲驚惶，料想個中秘密必由駕駛員口中合盤托出，給俄帝以攻訐的資材料，祇好前言不符後語，承認是有意派去偵查蘇俄軍事動靜的軍用飛機，又說駕駛員早就奉有命令，一旦被俘時，儘可把任務據實陳述，毋須隱瞞。另外更對蘇俄保證，以後永遠不恢復這項天空的偵查行動了。如此急不暇擇的應付方法，寧說不是幼稚低能嗎？赫魯曉夫瞧着這種情形，自然膽壯心雄，認爲美國眞是「紙老虎」，殊不足畏，且料定共和黨政府爲着大選關係，決沒有走進「戰爭邊緣」的勇氣，而艾森豪本人不特無法跟羅斯福一流人物相提並論，即如杜魯門那點基於大國自尊心的幹勁亦付之缺如呢！所以，他到巴黎乃敢於對艾森豪表現狂悖無禮的態度，而對英法當局格外親切。赫魯原是擅長表演滑稽鬧劇的政治丑角，賦性狡詐而粗中有細，像艾森豪的婆婆媽媽作風，決不是他的敵手。赫魯從巴黎走到東柏林，又聲言六個月以後，希望再舉行高階層會議，這意思是替美國民主黨助選打氣，要使美國的兩黨外交政策歸於破裂，各行其是。他這類狡詐淺薄的冷戰技倆，明眼人一見即了然於懷，誰也不會受其愚弄的。可是，艾森豪這位死心眼兒要做「和平總統」的自由世界領導人，却明知故昧，甘被俄帝玩弄於股掌之上，而自以爲得計，奈之何哉？

俄共自從立國以來，數十年間，利用外交人員的特殊地位，公然在別國從事間諜工作，中經所在國政府發覺而驅逐出境，或逮捕法辦者，不一而足——在美國尤其數見不鮮，即其担負間諜任務而中途向所在國政府自首，要求政治庇護的外交官，亦屢見迭出，不勝枚舉的。美國在西歐天空偵查蘇俄動靜的一架飛機，這算得了甚麼事呢？赫魯竟藉此指摘美國總統是派遣間諜到蘇俄的人，不歡迎他訪問莫斯科，發佈措詞的宣言，狂妄到了極點。然美國當局還是以「哀兵」的調色相應付，不敢指述俄共數十年來派遣間諜到別國作亂的累累事實，眞是怪事！如果蘇俄的內部不發生激變，在今後六個月之內，美俄雙方爲着U——2式飛機事件，勢必鬥嘴不休，喧囂譁咋，徒亂人意。同時俄帝很可能唆使其附庸嘍囉，在亞洲方面發動局部戰爭，藉以引起英美間的歧見，擴大西方列強的矛盾對立關係，而其唯一作用，即爲孤立美國，攏裂自由世界的集體聯防組織。艾森豪這次對蘇俄採取犯而不校的忍辱含詬態度，目的或許是在促進西方自由國家的精誠團結，教大家認識俄帝的眞面目，不要受其蠱惑，而予敵人以離間分化的機會，用心可謂良苦。但團結是一回事，團結之後的領導方法又是一回事，在韓戰發生以前，西方列強的團結精神何嘗不堅固呢？即如印度，當時亦曾經派有醫務隊在韓戰場服務，尼赫魯並不以中立主義者自居。迨韓戰一停止，艾森豪入主白宮後，倡導所謂「願意跟敵人在半道握手」的妥協姑息政策，且默認英國對越戰導演「東方慕尼赫」悲劇，自由世界的團結精神即從此渙散，而中立主義乃應時興起，艾森豪又從而贊美之，說美國亦是憑着中立主義才強盛起來的。

此外，美國對於一般接受美援的東方自由國家，更以安全互助條約，束縛其在軍事行動之自由，不得反攻，越是直接受到共黨侵略的友邦，這種軍事束縛即越甚。像這樣的團結作用和領導方法，其目的祇是教一般弱小的自由邦國，爲一二強權國家的利益而從事反共鬥爭，大量推銷強權國家的工商業貨品，消解其生產過剩的經濟危機而已。共產主義者教人民忍受本身的生活痛苦，專爲下一代創造伊甸樂園；反共的強權國家，則教一切自由人類忍受當前的災難，先爲一二大國的安全繁榮而苟且偷生，以靜待鐵幕世界之自行崩潰。如果鐵幕世界眞有不打而自倒之可能，自由人類的反共運動即不啻是自尋煩惱，狂費心機了！

我們固不是好戰論者，但亦否定所謂「戰爭可以永遠避免之說，尤其對於專恃暴力以進行世界革命的共產主義者，決不相信能有依談判妥協方法而獲得和平共存的奇蹟出現。美國在擁有原子優勢的階段中，強調「嚇阻政策」，理論上雖然說得過去，事實上並未收到「嚇阻」的效用，相反的，若干自由地區且在這「嚇阻政策」之下，淪入鐵幕了。如今美國的原子優勢業已喪失，降爲「原子僵局」的相持狀態，一旦俄帝自信其擁有原子優勢時，它就再也不屑談甚末「和平共存」的濫調，要以武力爲解決爭端的唯一手段了。艾森豪先生的和平美夢，過去自我陶醉以誤人，現在自慚形穢而誤己，將來很可能由於美國的領導錯誤而斷送整個自由世界。我們看美國這次應付U—2飛機事件的張皇失措情形，實不能不慨此杞憂也。

時事述評

美機事件移安理會

U—2機事件的辯論，從巴黎移到聯合國來了。

蘇俄之將此事投訴安理會，那是必然的，因爲安理會是個最好的宣傳場合。

聯合國多數外交家，都預料蘇俄證實美機「侵略」案得不到安理會法定的七票通過，這一點，蘇俄方面也早在意料中。明知不能通過而偏要提出，那只是爲了宣傳。

這一個案件，由於高峯會議之崩潰，已經逐漸緩和下來。

當西方國家因此而更趨團結的時候，當美國朝野因此而一致支持艾克的時候，狡猾的赫魯曉夫，自然要見風轉舵。

據外電報導，美國駐聯合國代表洛奇將在安理會中極力說明，間諜活動有如歷史一般悠久，而且蘇聯也從事這種活動。

又據外電報導：安理會若干會員國，刻正草擬一項建議，俾安理會能協助美蘇二國消除彼等惡化關係。

美國國內的競選波浪

可是，在美國國內，這一案件的波浪，却是剛剛捲起呢！

民主黨的肯納第作尖刻的批評說：「U—2間諜事件，是使人震駭的總統錯誤領導。」

民主黨主席杰特拉說：「美國政府的許多錯誤及缺點，現在都暴露明顯。」

民主黨的史蒂文生指出：由於美國的錯誤政策，遂致招致赫魯曉夫以侮辱的機會。美國的競選運動，經過這次事件，更爲尖銳化了。

民主黨人，當然是不會放過這個機會的。

再過六個月，白宮的寶座又要換人了。是共和黨人繼續坐下去呢？還是民主黨人起而代之呢？

現在來作推測，尙屬爲時過早。可以斷言的是：赫魯曉夫這一連串的手法，對美國大選是不能說沒有些影響的。

看起來，艾森豪先生倒眞是有點流年不利了。

東京在緊張氣氛中

巴黎之會，已弄得尷尬萬分，訪蘇的計劃，在一夕之間化爲泡影，如今，日本方面的問題，又跟着發生了。

東京刻正在緊張氣氛中。

狂妄的左翼分子，這幾天正舉行示威，由反對日美新約逐漸變質爲反艾克訪日。

日本社會黨及其他左派團體，且將向美駐日大使提書面要求，促艾森豪取消訪日之行。

五百警察保護岸信介的官邸，泛亞社記者形容此爲「類似圍城的官邸」。

在這樣的情形之下，艾克訪日是否能受到熱烈歡迎呢？

據新社記者就曾經報道，日本政府當局甚至于想要求艾克取消訪日，但又爲了缺乏戲劇化的理由而不得不將此項要求擱置。

中共乘機攪風攪雨

現在，距離艾克訪日之期不到一個月了。日本的左派分子正在國內攪風攪雨，中共且又乘機在協助這些左派分子攪風攪雨呢！

看今天香港的左派報紙，大版編幅又在煽動台灣人民反美了，是不是鑒于艾克有可能訪台之說，而故意製造此種「緊張」氣氛呢？

盧家雪

自由談

假如我是艾森豪

馮五先生

假如我是艾森豪，聽着赫魯曉夫在到巴黎以前，連續發表那些激烈抨擊美國的言論；瞧着赫魯既到巴黎以後，又聲言只願拜訪英法首相的那種藐視美國的狂妄無禮之態度；至少至少也要自動表示暫行停止訪問蘇俄的原有計劃，且俟兩國間恢復友好氣氛再說。艾氏表示一點保持美國國格和其個人人格的自尊觀念，而俄帝的洲際飛彈未必就會突襲到美國境內來吧？

又假如我是艾森豪，當赫魯藉着美飛機被擊落事件，指着美國申而詈，盛氣凌人的時候，既經白宮國務院聲明承認這項例行偵查的自衞行動不自今日始，而且以後還須繼續從事的話，即不顧在赫魯曉夫譁咋的宣傳威脅之下，甘作「衰仔」，忽爾消艾克訪問莫斯科的宿約，自認晦氣之外，馬上又下令停止美機在西歐方面的天空偵查行動，且聲言此後永遠不再恢復，其意若曰：「赫魯曉夫總理你饒了我罷，小的下次再不敢有此荒唐行爲了！」不特此也，赫魯在巴黎故意自翻前言，而表現其認錯悔過的僞裝象。縱然如此，俄帝未必就敢大動干戈，掀起原子戰爭吧？

然而，艾森豪這位「和平總統」的忍辱含詬工夫，實在深厚到了曠絕古今的程度，讓赫魯聲言撤揚言準備飛機回國，表示羞與艾氏爲伍，參加高層會議，而艾氏惶惶然在預備會議席上，再三說是要以「忍讓精神」對待赫魯曉夫總理的無禮作風，及其不正確的指摘，唾面自乾，犯而不校，偉大的「艾森豪主義」，愧煞英國的張伯倫先生，更使我國那位特級鄉愿人物婁師德在九泉之下，認爲「吾道不孤」，甘拜下風哩！

自由世界憑着這類的低能人物來領導，若謂可以制勝共產極權侵略主義，那不是神話嗎？希臘神話裏的「司芬克斯」圖像很兇惡，據說它有降魔制邪的功能。假如我是艾森豪，一定斥資塑鑄若干座金質的司芬克斯，放在華盛頓和倫敦，作爲抵抗俄帝的「泰山石敢當」，亦視現在這種丟架失格的作風強得多！

慕義師訪華與中西關係

本報特稿

秦泰

自從中華民國政府播遷台北之後，世界民主國家元首及其文武大員前往訪問的，絡繹不絕。其中包括韓國前總統李承晚，萬王之王的伊朗王巴里維，約但王赫辛，南越總統吳廷琰，菲賓總統加西亞，以及正在台灣訪問的西班牙陸軍上將慕義師將軍等。

慕義師是在加西亞總統離華不到幾天抵達台北的，他是西班牙最高參謀長兼國防會議主席，他率領西班牙軍事代表團一行六人，在台灣作九天的親善訪問。其任務是奉西班牙元首佛朗哥之命，來華和中國官方商討加強兩國軍事合作及聯繫的問題。

中、西的邦交由來已久，直至西班牙內戰緊張，首都馬德里危急的時候，我國錢公使才奉調他遷，致無形中停頓下來。由於當時我國抗戰亦已開始，政府西遷的關係；加以佛朗哥剛好得政權，暗中與軸心國家加緊聯繫，對我國自然不表好感；雖然我國政府還都既定之後，曾派由當時駐葡萄牙公使與西國進行洽商恢復公使問題，却沒有結果，且不久西班牙便承認了南京偽組織，並互派有使節。

因此，大戰結束後，西班牙幾乎被各國遺棄；在外交上陷于孤掌難鳴，很想拉攏各國，同時中國當時又列為五強之一，更是它拉攏的對象。然而，那時候聯合國正在爭辯西班牙的問題，不久又通過了絕交的議案；于是我國祇有追隨大家而沒有答應西班牙這一要求。一九四八年冬，于斌主教曾就到歐洲之便前往西班牙時，西政府特加歡迎，西國教育部長當面送給于氏三十個免費學額，作為溝通中西文化和促進邦交之用。雖然于氏此行係屬私人訪問，但對于雙方的國際關係不無幫助；可惜當時正值我國國內時局緊張，沒有作進一步的計劃，致復交事宜于是擱淺。

一九五〇年八月底，陳立夫，曾琦和于斌三氏曾聯袂到西班牙觀光，並且還到夏都聖巴斯的巡去拜訪過西國外交部長，表面上大家都說是私人性質的致祭，並不代表政府；可是在私人的口吻裏透露出一些復交的語氣，特列是西國外長當時曾經有堅決的表示說：「……佛朗哥元帥是具有正義感的……恢復邦交是以理想不衝突為原則，絕不以地盤勢力計較的……。」

發表之後，接着又有李士珍將軍到西班牙考察，亦曾獲得西政府的熱烈招待。李氏曾表示他在那次的考察中，所到各國中以西班牙的招待最為熱烈。而中、西的文化協定，却談判得很久，直到一九五七年二月中旬始在西班牙首都馬德里簽字。由于當時我國外長葉公超的赴歐之便，順道報聘西班牙，並代表中國對該文化協定簽了字。同時西班牙駐華大使孔德，亦于同年二月杪來華，呈遞到任國書，從此兩國恢復了正常關係。

也許一般人聽到「西班牙」三個字，腦海裏往往浮起「鬬牛」和「獨裁」這樣的印象來。但對于西班牙的實際情形，恐怕大多都很隔膜。茲概略敘述于下：

西班牙位于伊伯利安半島，面積僅五十萬三千方公里，人口約二千四百八十五萬。全國的行政區域分為五十省，九千二百五十五個市和一鎮，只有首都馬德里和巴塞羅那的人口超過一百萬，其餘以小型市鎮為大多數。那裏的人種極端複雜，因為該國有好多時候均為別國附庸，自紀元前九世紀起，便被腓尼基人所據；七個世紀以後，又被羅馬征服；四世紀之後，日耳曼人侵入，建立西哥德王國；七百十一年被阿剌伯滅亡；過了三個世紀，又分裂為許多小國；迄至一四七九年阿拉崗王斐迪南多和加斯德勒女依薩伯拉結婚，于是西班牙王國才開始成為蔚然大國。

十九世紀初，西班牙曾被拿破崙征服，一八一二年公佈了有名的卡地新憲法；一八六八年發生革命，成立共和政體；一八七五年又恢復帝制；一八九八年由于古巴發生叛亂，引起了美西戰爭，結果西班牙大敗，失去了古波多黎和菲律賓。第一次世界大戰時，西班牙保守中立，國內努力整頓，各方都有進步。一九二三年里凡拉實行獨裁，積極改革；可是一九二九年的世界不景氣，蔓延到了西班牙，造成經濟動盪，引起了一九三一年的革命，改建共和政體。一九三九年佛朗哥打倒左派，各黨聯合組織的陣線而奪得政權，直至現在。

正因為這樣，西班牙的人便成為條頓，摩爾，凱爾脫，巴斯克等民族的混合種。而其文字和語言，卻導源于拉丁，法文，和意大利文相近。由于中世紀時代，西國非常強盛，所以擴殖事業發展得很廣，除本土外，並擁有南北兩美和菲律賓。雖然，後來藩籬盡撤，可是西班牙文卻是當今世界重要語文之一呢。

西班牙固為一個「鬥牛」著名的古國，然其文化並不落後。當紀元前一世紀，羅馬帝國佔領西班牙時期就已有了私塾，其後教會興辦的學校日益增多，科目以文法、倫理、修辭、算學、音樂及天文等等。至於公立學校，是阿剌伯人入主時期開始的，並設有圖書館。不過西班牙也有古老的大學，像薩拉曼加大學，法耶多利大學，雪維亞大學都是在十三世紀創立的。

目前最高學府有國立最高科學研究院，另有大學十四所，學生共有四萬六千人；中學有一百十九所，學生共有二十四萬人；小學共有三萬五千多所，學生竟達四百餘萬人。初等教育是義務教育，中等以上學校由政府設立許多獎金，使貧苦學生也有升學機會。因此在二千五百萬人口中，學生竟佔全人口的五分之一，可見它的教育向稱發達。

雖然，我國在西班牙的學生向來很少，這多半是一方面由于文字關係，西班牙文在國內根本沒有用；另一方面則是因為對西國教育情形隔膜，西班牙文的學校也沒有，聽見哪家大學用西班牙文作第二外國語的。所以，留西的人數不多。但至一九四九年起却有了一個新的轉變，正如前段所說西班牙教育部長當時送了中國三十個留學生名額，于斌主教回國後便選拔了一部份學生前往。惟其中大部分是天主教修士，他們到達後則散處各大學裏面，在馬德里還組織一個「留西學生會」呢。

大陸輕工業無法增產

一得

大陸經濟情況的發展道路，顯然由於遭受連續挫敗的教訓，目前已不敢再唱工業化和優先發展重工業的濫調，而要「以農業為基礎」了。並且在農業發展方面，也避重就輕的不敢談「基本建設」，而只從「加工」和「綜合利用」這些左道旁門中，獲得一時的飲鴆止渴作用。中共財經頭子李先念在中共輕工業部門及輕工業工會聯合召開的「農業產品加工會議」中即大喊要在農產品方面搞其「一條龍綜合利用」，以圖提高產量，通過此一辦法解決整個經濟上的困難。

其實，過去幾年中，共幹已在搞農產品加工和各種物資的綜合利用了，但實際上根本無濟於事，主要有下列各種原因：

一、技術非常落後，勞動生產率低，所謂機械化、半機械化等技術設備，據中共招認，還達到全部加工行業中的百分之二十。二、各個加工環節沒有統一在原料產地建立一貫的加工系統，因而使原料供應發生了空前的困難，「綜合利用」成了空談。三、據中共供認：目前已經實行「綜合利用」的資源，僅佔全部可供利用資源的一小部份，大量資源還未被共幹「充分」利用和重視，實即無法加工綜合利用。

基於以上數點，「加工」和「綜合利用」原料，對中共的輕工業生產一直無濟於事，現在李先念要求輕工業部門，紡織工業部門，財貿部門的共幹，應該全部動員，在農、林、牧、副、漁的基礎上，大搞「一條龍加工綜合利用」，以求增加產品。

其實，工業生產的多寡，是脫不了原料的限制的，原料供應不足，則無論以何種方法，「加工」也好，「綜合利用」也好，亦無法弄出魔術性的戲法，使工業「躍進增產」來，中共既然站在「唯物觀點」，自然深曉其中道理，則李先念之高唱「一條龍加工綜合利用」，反影出中共的經濟已在無法可想，只有搞些掩眼玩意了。

再深一層透視，李先念之大喊「加工綜合利用」，是有一個內在因素的，因為中共去年輕工業因原料缺乏致生產萎縮，影響物資出口，帶來經濟危機，今年特擬定擴大工業原料作物播種計劃。但因大陸可耕地只有十二億（據譚震林在「人代會」公佈），而中共今年經濟口號又是「以農業為基礎，農業以糧為綱」，在耕地不足的情況下，一般共幹即認為擴大播種工業原料作物是與糧爭地，對該項指示延不遵行，各地「人民公社」不安排工業原料作物的種植計劃，甚至有些「人民公社」對工業原料的播種面積竟比去年縮小，如浙江、江蘇、安徽、陝西、新疆各省區，至今棉花播種的面積，僅及原指定的百分之二十到三十。黃河流域植棉面積，最多的河北、河南、山東、山西等省也只播種了二分之一。春播油料作物的播種均離指標甚遠。

共幹與農民對於種植工業原料作物的怠工，主要原因是吃不飽，故對於與其本身肚子無切實利益的勞動，一致採取消極態度。以河南為例，據「河南日報」說：河南扶溝縣於四月五日完成了十五萬畝棉花播種任務，緊接着該縣又發動了一個群眾性的「保面積、保質量、保全苗的檢查驗收運動」，由一千二百五十名共幹組成三百二十二個檢查驗收組，以「公社」為單位，從四月六日到十二日分別深入田間，邊解決思想問題，邊檢查播種面積，邊落實土地面積，邊插標訂措施，邊建立檔案，逐隊逐塊，邊檢查播種質量，不料通過全盤檢查後，全縣共比報告數字少播棉花一萬五千九百十六畝，已種了的有二分之一以上的棉田，既未種到頭，也沒種到邊，而棉種又多未用土掩蓋，還有五萬六千多畝棉田，如此一來，十五萬畝棉田中實際種了的又有多少呢。這例子正說明了大陸低級共幹與農民對播種工業原料作物的消極怠工情況。

要消除這種怠工情況，必先使農民普遍吃得飽，這樣就要多種糧食作物，而如此一來，又因耕地有限，就無地種工業作物。因此大陸的輕工業原料始終無法增產。中共既無法「人定勝天」，在不能增產原料，保證工業原料的充份供應，而又要「繼續躍進增產」的口號下，便只有喊喊「一條龍加工綜合利用」的口號了，至於這口號是否能使輕工業「增產」呢，大概李先念也心知肚明吧。

中共供認大陸人口銳減

筱臣

中共對大陸人口的數字，一向是誇大的，一九五四年十一月宣佈為五億八千二百六十餘萬人，近年又宣佈已有人口六億，從此以後，所有文書均以六億為準。

中共為什麼要誇大人口數字呢？積極方面，則在誇耀軍力勞力之鉅大，以為威脅世界之張本；消極方面，則在掩飾消滅人口之罪行，其用心實為險狠。並且在前四年，居然提倡節制生育運動，採用若干土法古方，無知勞工婦女，因而隕胎致命者，又不知若干人。

前年「大躍進」以來，一面舉辦農村「人民公社」；另一方面大煉其鋼鐵，以致其他各業生產窒息，運輸方面又發生了極大的困惑，乃深深感到勞動「人手」日少，勞力缺乏，乃至不得不動員婦女；婦女乃至在學青年，均納入生產陣營，做着超體力的勞動，更加之以營養缺乏，人民的身體更感到無法支持，中共至此，始感到消滅人口的非計，得不償失。

因此，近年以來，很少談到節制生育，似乎這一運動，又無形中予以放棄，而且還感到人口銳減，竟然予以公佈，公然供認不諱，這種前後矛盾，心勞日拙的苦衷，亦不難想像今天中共對於人口政策所感到的困惑。

據偽內務部最近發表的一項有關人口及醫藥衛生的公報顯示，大陸蒙族、藏族、回族、維吾爾族及僮族各少數民族人口，十多年來業有顯著的衰減。

據該公報統計，蒙族人口在一九四九年統計，共有一百四十二萬餘人，現已減至一百廿萬餘人，減少了約百分之十五。藏族人口在一九四八年統計有二百八十九萬餘人，現已減至二百一十二萬人，減少達百分之二十五。聚居在西北各省的回族人口，在一九五〇年所作的調查，總共為三百四十萬人，現已減至二百九十五萬人，大約減少了百分之十四；散佈在其他各地的回族人口尚未計算在內。

估新疆最大多數的維吾爾族，一九四九年所作的統計，共有三百六十六萬人，現已降至三百廿八萬三千餘人，減少約百分之十。廣西僮族人口，根據一九五二年廣西省「公安廳」調查統計，共有六百六十二萬人，現在統計僅剩五百三十萬人，減少達百分之二十以上。雲南彝族人口，一九五〇年原為一百二十餘萬人，現為一百零九萬人，減少約百分之九。其他較少的少數民族人口，中共未作新的統計，上列各主要少數民族，十年來的人口的下降率，總平均達百分之十九強。

至於人口所以銳減的原因，該公報亦有透露，據稱，此等少數民族十年來人口銳減的主要原因，係病害嚴重，醫藥缺乏，死亡率太高，出生率低，死多於生，以致人口普遍下降。據謂，以蒙古為例，該地區的察哈爾盟與伊克昭盟，十年以來，曾五度發生鼠疫，共有腫脹、瘧疾、血絲病等疾病交替流行，但該地區的醫院，十年來非但未有增加，且因所有教會及私人醫院取締，而減少了一半左右；並且醫藥品的供應亦異常困難，西醫早已絕跡，中醫的供應僅能適應實際需要量的百分之三十光景，還有疾病，不論輕重，均只能用土方土藥醫治，以致患者死亡率，一般都在百分之三十以上，結果乃使該地十年來總共死亡了四十七萬餘人，而致生死相抵減少到比原有人口還少二十一萬人。

總之，中共的暴政，在「土改」、「三反五反」，以及「整肅」「整風」之下，殺人無算，更加以「大躍進」以來，奴役人民，草菅人命，營養奇缺，勞動過甚，均不失為人口銳減之主要原因，更加以醫藥缺乏，疾病流行，人口銳減，此為必然現象，少數民族人口既已銳減，其他各省區的漢族人口，其死亡當亦不在少數，可以斷言。

社會小說

香港地

四、高的低的

梅大亮聽了這個悲慘的「作家的故事」，心裏固然給丁乾以萬二分的同情，同時卻爲自己感到萬二分的慶幸。因他在這許多年來，在九龍仔的木屋區裏，有了一座「用筆桿架成的房子」，解決了居住的問題，省卻許多煩惱，比起丁乾今天的處境，還算得是倖運之至呢。雅靜的洋樓雖然好住，發狂似的病症卻不好染呀！

閒話說過，梅大亮才開始向丁乾詢問他那天鬧出怪病的經過，以及在醫院裏接受醫療的各種情況。丁乾便說出他爲何因寫偵探小說太多而弄到精神緊張過度，爲何靠吃提神醒腦的藥品來勉強維持，最後爲何因刺激過度而患了失眠和怔忡的病症，以至因「疑心生暗鬼」而發生幻想，發覺有賊人在船上和路上向他追踪，要殺害他這個萬能的偵探。所有這些事情，梅大亮本已聽白芷說過一個大概，但沒有像丁乾自己說得那麼生動。他眞說得有笑有淚，臨末還哈哈笑了幾聲道：「那天我進了醫院，差些便被醫生送進神經病院去了，要不是我雄辯滔滔，把他駁得無話好說，今天你們兩位便要在神經病院裏面看我，不會在這裏和我談詩論畫了。」

白芷覺得這番話非常有趣，便嘻了一聲說道：「作爲一個作家，能夠清清醒醒的在神經病院住上幾個月，那愁沒有頂好的寫作題材，你是錯過機會了，你是怎樣和醫生辯駁的呢？」

丁乾聽了這話，笑得頗爲愉快似的，答道：「我是寫偵探小說的，在神經病院學不到多少東西，神經病人能給我看的緊張恐怖，怕也不給我太有用的刺激。還是你們寫詩的到那裡去住，才好有驚人的創作吧！那一天，我只憑做偵探的頭腦和口才，要那醫生向我盤問許多問題。我說：『你如不能提出問題證明我是神經病者，我自然就不是神經病者了。』結果，他只好從別方面去研究出我的病因，後來還和我打上交情，成了很要好的朋友。他自比是華生醫生，勸我這個福爾摩斯暫時休業。你們看，這事情妙不妙？」

丁乾說到最末一句，竟惹得大家一齊大笑起來。（廿九）

木客著

慈善事業

三個月以前，太太就向我提了備忘錄，說是在這個月之內，恐怕要動用銀行存款的一部分。備忘錄內並沒有說明動用存款的理由，只是說明備供參考。

其實，太太這些手段，我是早領敎過的。她之所以這麼慎重其事要向我提供備忘錄者，無非是知道我爲公司的業務可能在兩個月之內有南洋之行，她必得在我臨行之前，使我有這麼一個印象而已。

果然，在將去南洋的前一個星期，正式談判就開始了。那一天，晚餐的菜特別豐盛，太太圍着圍裙，故意在廚房與飯廳之間穿梭上下。這種現象，根據我個人的經驗，這就是暴風雨快要到來的預兆；我故意裝得非常鎮靜，等待暴風雨來到。

爲了表示我的體貼起見，我不能不說幾句關懷的話了。我說：「太太，別那麼辛苦吧！讓工人去作廚房的事，我們在這兒談談不好嗎？」

她望了我一眼，回答道：「我太肥了，多做些廚房裏的事，會變瘦的。」

肥女人想變瘦，倒也是人情之常。不過太太有此感覺，就連我這個作丈夫的，也感到她確實有點近乎臃腫。於是我便趁勢補充道：「對了，瘦一點也不錯。」

她沒有作聲，看她臉部表情，似乎非常同意我這種說法。我當然不會放過這種恭維太太的好機會，便又接着說道：「古代的美人，大抵都是清瘦的居多，如西施、趙飛燕、林黛玉、陳圓圓她們……」

「我問你，趙飛燕的服裝是怎樣的呢？」

趙飛燕的服裝究竟是怎樣的，我當然不知道，但總不外是穿綺着羅珠光寶氣那一類的形色。於是，我憑藉想象把趙飛燕的服裝又大事形容一番。

話剛說完，太太一屁股坐在我的大腿上，她自動了我一下，說道：「你什麼時候去南洋？」

剛說到趙飛燕，又提到南洋，這簡直有點風馬牛不相及了。可是，太太說的話，還好意思追問理由嗎？我照實回答她是下個星期。

「什麼時候回來呢？」

「這可不一定了。兩個月或者三個月都很難說。」

「那末，」太太稍爲思索了一下，說道：「留八千元在家裏吧！」

八千元這個數目，在我看來，實在不算小了。現在我在這個公司裏，月薪一千五，另加津貼八百，合計二千三百元，三個月也不過六千九百元，還要短少一千一百元，這個預算眞是從何算起？

可是，太太的脾氣我很清楚，多一事不如少一事，犯不着同她分析，我立刻拿出支票簿來，開了一張一千一百元的支票。

太太接過一看，把支票一丟，三十六條魚尾紋在眼角全部顯露，說道：「我提的備忘錄你就完全不記得了嗎？」

「記得的，不過，備忘錄沒有說明理由和數目。」

「哼，你現在想造反了。」太太已經兩手叉腰，「立刻開一張八千元的支票給我，我偏不宣佈理由。」

八千元的支票一開，一場暴風雨總算是平安渡過了。

三個月後，我從南洋回來，太太滿面笑容的到飛機場來迎接我。回到家裏，還沒坐定，她就拿出許多報紙上登載的照片給我看。在四大古裝美人的名下，居然看到「張莉娜飾趙飛燕」的字樣。我啼笑皆非的問道：「這是什麼玩意兒？」

「罰你！」太太笑得合不攏嘴，「這是時裝表演呀！」

「時裝表演想必有個目的吧？」

「當然，那是爲了救濟孤兒。」

「天哪！救濟孤兒，爲什麼不把我那八千元的支票乾脆送過去呢？」

「親愛的，這是寓慈善於娛樂呀！」

僧與妓

介人

相信杭州靈隱寺僧了然，爲了迷戀妓女秀奴，弄到一貧如洗，秀奴跟他斷絕來往，他依然迷戀不捨。有一天晚上，了然喝醉酒往尋歡，秀奴還以閉門羹。了然一時獸性勃興，把她擊斃。那時蘇東坡守杭州，親自審驗此案，見了然肌膚上刺着「但願生同極樂國，免教今世苦相思」之句，立即援筆作判：

「這個禿奴修行忒殺，靈山頂上空持戒。一從迷戀玉樓人，鶉衣百結渾無奈。毒手傷人，花容粉碎，空空色今何在？臂間刺道『苦相思』，這回了卻相思債。」

了然旣已削髮爲僧，乃竟破壞清規，鬧出情殺事件，咎由自取，他之死是不足惜的。又民國十二年被官府驅逐出境，北平西山某大寺主持，明誠和尚，四大未空，六根不淨，每入城作狹邪遊，纔前門外朱芳同妓女釵花，卿卿我我，爲時甚久。一日，釵花問之曰：「禪師近來做些甚麼正經？」明誠微歎說：「如此年華，祇有瞎混，做一天和尚，撞一天鐘。妳呢？」釵花笑答：「我麼，唉，還不是做一天鐘，撞一天和尚！」

香海樓隨筆

小說材料（下）

徐學慧

如果是純粹出於幻想的東西，那末，任憑你怎樣描寫都沒有問題；如果是普通人所不可能知道的東西，例如帝王的深宮生活，那末，憑作家的想象來描寫，縱然錯了也沒有問題。可是，一牽涉到實際生活中的東西，作家縱沒有直接經驗，也應該有間接經驗，那是不能憑幻想胡亂寫下來的。

香港的武俠小說家，爲了遷就史實，而要以北方的都市爲背景，當亦爲無可如何之事。但北方與南方只是一個地理上的名詞，北方並不是有如帝王宮殿一般爲一普通人所不能知者，描寫北方的事而用一種描寫深宮的心情胡亂下筆，那也不過是欺騙自己。對於一個作家來說，此種欺騙自己的事，是得不償失的。

寫北方在大雪紛飛之中有月光，亦如同寫香港的冬季有大雪，是同樣的滑稽與幼稚。讀到這種牛頭不對馬嘴的文字，我們乃特別感到，讀萬卷書，行萬里路，對於一個作家，實在是太重要了。

美國最著名的小說家海明威所著「老人與海」一書，雖然有人說這個故事是由一個古巴老漁夫告訴他的，但我們都知道，海明威這個人，本是個捕魚打獵的能手，「老人與海」一書中所描寫海上釣魚的情形，如非身歷其境，大概也很難得有如此細膩吧！這就足以說明，一個作家，何以必需要有各方面的常識和經驗。

當然，我並不是說，任何一個作家，必需描述自己的直接經驗。事實上，那也是不可能的。小說家筆下，常要描寫小偷，而作家不可能去作小偷；小說家筆下，可能要描寫到殺人犯，而作家不可能去殺人；雖然如此，但無論如何，每一個作家卻不能不注意到一個基本原則，那就是：對於自己筆下的描述，如無直接經驗，亦應有間接經驗。否則，寧可避免描寫到這一方面的問題。這就是藏拙。

小說家當然不可能爲了要描寫殺人犯而親自動手殺人，但有一點卻可以確定，任何一個小說家，如果必需要在自己的小說中安排一個殺人犯的情節，他乃應該在平日從有關方面研究殺人犯的心理狀態生活狀態。同樣的，一個不會見過雪景的作家而要描寫「雪月爭輝」，他乃必須從北方人或者是去過北方的人那裏吸取一些經驗。他如不這樣作，即是有意欺騙讀者。

讀者是絕不可能欺騙的，受害的卻是作者。本身用任何不負責的態度來從事藝術活動，大概是很難獲得任何一個讀者同情的。

大陸文壇萬花筒

郭小川的國際糾紛

——岳騫——

郭小川在一九五九年十一月號人民文學上所發表的「望星空」詩，被共幹攻擊的經過，本欄曾經予以報導，目前這件公案尙未結束，竟擴大爲國際糾紛，說來到也十分有趣。

事情經過是這樣的，郭小川詩集發表之後，一九五九年十二月上半月出版的第二十三期文藝報，有一位署名華夫的作者，向郭小川大肆攻擊，這件事情在共區本來也是司空見慣，不過這次也許因爲郭小川本身就是一個文化官，所以他的事情特別引起注意，南斯拉夫通訊社北平記者發了一篇特稿回國，一九五九年十二月二十七日的南斯拉夫「解放報」和「消息報」同時刊出，並且對郭小川十分表示同情，說他已「開始遭到不幸」。

當心國際消息的人都知道，西方記者刺探鐵幕消息的地點，東方是香港和東京，西方就是維也納和貝爾格來德，尤其是從南斯拉夫官方傳出的中共消息，更認爲有絕對的權威，郭小川這個消息，馬上就經各地轉載，認爲是鐵幕內第二個齊伐哥醫生事件。

消息發展下去，雖然未必能傷到毛澤東的毫毛，但在宣傳上究竟是一件丟臉的事，何況中共對南斯拉夫更有強烈的反感，經南斯拉夫發出的消息非更正不可，否則豈不算敗於狄托之手。

「解鈴還是繫鈴人」，中共只有把郭小川找出來闢謠。第七期的「文藝報」發表了他一篇文章，題目是「不值一駁」，據郭小川說法，在大陸因爲作品犯了錯誤，受到攻擊而改正的人，非常多，受到益處的也不是他一個人，但是南斯拉夫記者誤會了，他誤會的原因，在於他們是修正主義者，他們提倡創作自由。

郭小川的這個理論是否站得住，我們不必去研究，因爲不論中共和南共都是共產黨，也都是人世的魔鬼，誰是正統馬列主義，誰是修正主義，更不値得我們去審判。不過只有一點，就是南斯拉夫畢竟還有一點創作自由，中共連這都沒有，就人而論，狄托還比毛澤東高明，假若說狄托是個魔王，毛澤東不過是個牛頭馬面而已。

釋耒集

思想統一

董仲舒賢良對策，引論語「子曰：無爲而治者，其舜乎」。爲之解云：「改正朔，易服色，順天命而已。」自古帝王易代，必有所謂改朔易服之舉，至曰順天命，則居之不疑之詞而已。唯封建制度，陵夷至於戰國，已不能復返於西周之舊，則必將廢侯衛而入於大一統之局面，故戰國學者，無論儒、墨、刑名，均持一統之論，孔子所昌言正名復禮之義，孟子荀子，已不復斤斤拘守，而孟子且有勸諸侯爲天子之論，荀子於君道篇亦云：「君者何也？曰能羣者也，能羣者何？善生養人者也，善班治人者也，善顯設人者也，善藩飾人者也。善生養人者，人親之，善班治人者，人安之，善顯設人者，人樂之，善藩飾人者，人榮之，四者俱而天下歸之矣。」其見於墨子者，則尚同中有云：「方今之時，復古之民，是一人一義，十人十義，百人百義，人數滋衆，所謂義者亦滋衆，是以人是其義，而非人之義，故交相非也，內之父子兄弟皆作仇怨，而有離散之心，天下之亂，若禽獸然，無君臣上下長幼之節，父子兄弟之禮，是以天下亂焉，明知民之無正長，以一同天下之義，而天下亂也，是故選擇天下賢良聖知之人，立以爲天子，以從事於一同」。及秦始皇混一區宇，李斯亦上言曰：「古者天下散亂，莫之能一，是以諸侯幷作，語皆道古以害今，飾虛言以亂實，人善其所私學，以非上之所建立，今皇帝幷有天下，別白黑而定一尊，私學而相與非法敎：……入則心非，出則巷議，禁之便，臣請史官非秦記皆燒之，非博士官所職，天下敢有藏詩書百家語者，悉詣守尉雜燒之，有敢偶語詩書者棄市，以古非今者族。……」始皇用其策而終速亡，然其失未必全在是也。漢興，初用黃老之術，文景之世，朴野無文，不足以彰一代之盛治，至武帝，始舉賢良方正之士，使對册言治天下之道，董仲舒乃上言曰：「春秋大一統者，天地之常經，古今之通義也，今師異道，人異論，百家殊方，指意不同，是以上無以持一統，法制數變，下不知所守，臣愚以爲諸不在六藝之科，孔子之術者，皆絕其道，勿使並進，邪辟之說滅息，然後統紀可一，而法度可明，民知所從矣。」綜而觀之，墨翟、李斯、董仲舒之所言，未嘗有異也，而異者在其術，墨子近於宗敎，李斯純任詐力，董仲舒則侈言法天尊古。後世儒者非李斯之焚書禁學，其亦昧於通變之義者乎？

曲齋

海嘯廔談薈

得意即失意（下）

當湖油移防問題鬧得很緊張之際，章太炎在上海會致書李協和暢論大局，提示若干主張，從章氏函中所述各節，可以領悟當時廣州革命政府所處的惡劣環境，以及孫公應付軍事之艱難實況，難怪他要創辦黃埔軍校，訓練黨軍呢！章函是十二年三月四日寫的，可稱珍貴的革命文獻，其詞曰：

協和我兄左右：周圍軒來，略悉近況。此次中山回粵，力不在已，而桂軍更與北方通欵，然於名義尤順中山者，以滇軍可畏耳。中山果識其情，與各軍一體交歡，原不致別有他變，但恐偏袒汝爲（許崇智別號），使各軍離心，則孤僨之勢必難久長。尤可慮者，中山以滇湘（洪兆麟軍）二軍爲非族類，而又不敢明言斥逐，於是力斥蓂賡（唐繼堯）炎午（趙恒惕）違背護法，不能姑容，意在使滇軍攻唐，湘軍攻趙，以爲驅遣地耳。究之，滇軍未必肯去，果去，中山亦無以自保，恐蓂賡未倒，而中山已先倒矣。湘軍攻趙，組安與周道腴蹔未始不贊成，然以中山之命，回軍攻其桑梓，湘中主軍必盡力抵抗，兩軍相持，或使吳佩孚乘間生心，則趙炎午未去而湖南先失矣。此二事者有害無利，事實昭然。然中山天性倔强，不可勸告，兄處今日唯有力撫洪部，婉勸滇軍，使其安心駐粵，然後粵局可保。終之蓂賡炎午雖有瑕疵，本未嘗負罪於民國，即其反對中山，亦非若競存（陳炯明）之甚，何爲必不可容哉？中山返粵，純賴滇軍之力，負担餉項，義務宜然，又安可獨專其利也。論中山今日之勢，未必優於黃陂，但能恢張大度以待各軍，扶持大義以視同盟，其勢自可安穩。若只顧粵人吃飯，則覆亡可待矣。大禍不再，當亦中山所深知，而吾諄諄屬蔭莘，亦深不願其自敗，所望勉之而已。

諸葛文侯

蔡松坡將軍軼事

羅稻仙

一代英雄蔡鍔松坡將軍者，推翻洪憲，再造共和。其豐功偉烈，舉世咸知，姑不詳贅。茲紀其軼事數則，亦足想見其爲人。

松坡以庚辰生於湖南邵陽之小東鄉。其母嘗夢一虎自屋後松林沿坡而下，醒而生公。故名庚寅，而字之曰松坡。邑人多以生年命名，此特諱「辰」爲「寅」，暗寓「屬虎」之意也。夢境亦何足憑？顧太夫人言之如繪，邑人至今猶傳爲美談。其後竟成虎將，亦足異已。

松坡家世清貧，父業縫衣，不足自贍。乃西遷桃花坪，營客店，母且賣漿以佐食。一夕，邑中名秀才樊錐春徐先生止宿焉。夜讀蘇子瞻留侯論，其聲琅琅。松坡裁八歲，傾聽若有所得者。樊先生怪而問之。對曰：「見公讀書甚樂，遂不覺流連不忍去」。樊先生執手與語，驚其聰穎絕倫。歎曰：「孺子可敎也。胡不就塾」？其父具以貧告。樊先生慨然以作育之責自任，挈公俱歸。樊先生博極羣書，寫作均佳。有索壽序者，未嘗起草，輒伸紙揮毫，工整如宿構。自得此神童，敎之養之，不遺餘力。松坡亦不負師命，遂以十二歲補邑弟子員。方進考棚，以人擠不得前，跨父背而入。同考生多能道其當年黃髮垂肩情狀，相呼爲「蔡家芽粒」云。邑人呼童子爲「芽粒」，猶吳人之稱周瑜爲周郎也。適梁任公創辦時務學堂於長沙；松坡負笈從遊，學益進。迨戊戌政變，康梁爲袁世凱所賣。任公亡命日本，念念不忘時務學堂諸高足，屢轉召松坡及范源濂往留學。湘潭名士葉德輝亦雅愛此兩生，扃戶固留不獲也。比至，松坡習陸軍，源濂習師範。以貧故，二人僅具三褌，交滌而互着。其後松坡則再造共和，源濂則歷掌敎育。此文武兩生者，爲梁門生色不少。

松坡沉毅有遠略，慨然以天下自任。其行事深得孫子兵法之三昧：「能而示之不能，用而示之不用」。留日時，不去辮，亦不加入同盟會。歸國後，歷任廣西雲南軍職，甚獲當道信任。遂猛得培養滇桂兩省革命潛力。不僅清廷不能窺其隱，即恩師樊先生亦不能知其意。方其任廣西新軍督辦兼陸軍小學堂監督時，樊先生心雄萬夫，會畢業日本陸軍速成學堂，嘗暗示松坡以監督相讓。松坡以樊先生在同盟會有籍籍名，恐啓桂督張鳴岐之疑；遲遲未報命。樊先生不能耐，至謂「孺子不足與謀」。遂拂袖而去，尋歸道山，且無後。歲辛亥，黃克强首義武昌，松坡舉雲南以應，遂屋淸社。常流涕而語人曰：「獨恨不及樊先生見之耳」！

袁世凱將稱帝，對松坡監視綦嚴。松坡乃狎妓自放，遂得出京抵滇。比召舊部唐繼堯等商大計。唐頗持兩端，而以餉械不足爲辭。松坡訝然曰：「余去君代，尙有餉銀若干，槍彈若干，載在交冊。此皆余預儲以備非常者，今何往耶」？唐語塞，乃付以羸卒五千，餉胥亦不時給。松坡喟然曰：「兵事無萬全，求萬全者無一全。男兒報國此其時，雖千萬人吾往矣」！遂率以入蜀。當其前者，爲曹錕第三師，張敬堯第七師，皆北洋軍精銳也。松坡鬥智不鬥力，曹張皆敗走。但松坡亦稱曹張能將兵，遂成孺子名；其後皆極一時之盛。復因討袁電文，出自任公大手筆，由滬拍滇露佈。松坡雖能上馬殺賊，下馬草檄；然不敢贊一辭也。文事武功，時稱雙絕。遂以八十三日結束洪憲王朝。足報當年戊戌政變一箭之仇。顧松坡以少擊衆，心力交瘁，宿疾益加劇矣。

松坡由蜀赴日就醫。抵滬之夕，黃克强步趨問切。英雄識英雄，二公雖非同黨，素稱莫逆。克强肺疾已入第三期，聲嘶力竭，悒悒不可爲懷。於其東渡後，每日電詢病狀，習以爲常。旋數日不得一字，甚怪之。忽接滬電，竟以克强噩耗聞。松坡哭之甚慟，益不支。忽思食台產西瓜，其味愈至隆冬而愈美，贊不絕口。故人唐蟒侍疾在側，爲之一喜。孰意此一代英雄者，竟以是夕與世長辭耶？唐扶柩返湘，葬於長沙之岳麓山，去克强墓數十武耳。

閒話菊花石

漁翁

菊爲陶淵明所愛，淵明生於東晉喪亂時代，以菊爲隱逸之花，乃藉以避世。岑參行軍九日思：「遙憐故園菊，應傍戰場開。」彼在軍旅間，不眷眷于田土財物，而獨憐故園之菊，恐踐踏爲戰場，其愛護爲何如？可是彼輩所愛者，縱耐寒傲霜，而終不免於凋零，又不如千年不改柯之「菊花石」爲更可貴也。

此石產於湖南瀏陽縣東鄉之永和鎭，土人由小河水底拾出，稍假彫琢，而枝葉如生成一班，用以作管城，硯田，水池、花盆，及其他各種之用具，形形色色，莫不琳瑯可愛！

二十年前，余巡視是邦，路經永和，見居民入水取石，逵一小時之久始出，非識水性者莫能焉。余得一石，石上山川人物，樓台亭榭，無不畢肖，乃携之歸，火不能焚，水不能浸，復不慮戰馬之踐踏，嶙峋偃蹇，實有類於余，置座右，而賦之以歌云：「瀏東五十里，有鎭曰永和，山嶺形崄巇，居中夾一河，河內產奇石，石上菊花多，土人善泅水，採取細琢磨，突怒多偃蹇，嶙峋復嵯峨。吁嗟乎！世人爭羨庭前桂，池中荷，一時香色睥睨，安得天然品，千年不改柯，我今得一石，琳瑯勝玉珂，鮮姸含生意，枝葉自阿娜，朝朝傍座右，對飮發長歌。」迨抗戰進入第七年，余邑失陷，日軍過我家，舍財物而不掠，獨携菊石以去，因此品不僅馳名於國內，抑見賞於海外也。

栗海彈心錄

黃道周張煌言（下）

明海上正朔十八年，張煌言蒼水，以事不可爲，徒苦父老，乃散軍居海上懸山嶼，惟山南可通舟楫，餘則巉岩，畜雙猿覘動靜，船在十里外，輒鳴樹杪，得爲之備，後爲僞裝行腳僧某所執，至寧波，淸提督舉酒賜曰，遲公久矣。護送之省城，夜半，蓬下有唱蘇武牧羊曲者，公披衣起，扣舷和之，酌酒勞曰，爾亦有心人也。詢其姓名，則防卒史丙也。（公無後，左右無一降者，其遺著賴史丙以傳。）過錢塘，舟中拾一箋，有句云，北行莫作黃冠想，靜聽先生正氣歌。公笑曰，此王炎午後身也。

文文山在理宗朝，知贛州，曾奉使議和，才器縱橫，文彩藉甚，元世祖慕其爲人，必欲生致之。其家富有，性極豪奢，故炎午慮其節全而爲之生祭也。當文山貴時，友人張千載避不與面，被執過江西，則須候於道左，文山異之。而曰，此某今日之責也。伴送至燕市，日以美肴酒佐食，三年如一日，卒緘其首以歸，付文山家人葬之，君子之愛人以德，至矣。

君主制之官吏，可爲而不可爲也。爲民父母，位尊而責重，漢制宰輔，得罪多賜死，自唐以後，竄逐邊荒，明尤甚，長吏城郭疆埸之隳跌，雖賢者不得免焉。至於蠹民誤國之罪，國有常刑，及於妻奴，庶乎惡有所懲，善有所勸也。

民主制之官吏，不可爲而可爲也。爲民傭僕，權重而責輕，一旦續緣得官，所識窮乏，鷄狗升天，鮮廻避之條，無連坐之法，頌功不庸存是非，超遷無須論功過，窮極人間之欲，攬盡天下之財，此固丈夫得志之所爲也。倘或眷薄寵衰，自可從容綢繆，捆載襁負，逍遙海外。縱令罪大惡極，事後根究，無奴可及，無家可抄，而亦未如彼何。猶可放言高論，肆無忌憚，中傷父母之邦，以事文飾。生民以來，未有如今日官吏之便宜者也。此巧言令色者多，「犬吠」，「雞鳴」者衆，權門之下，所以趨鶩蹌。

往者，父兄樂有賢子弟，子弟樂有賢父兄，今則父兄樂有貪汚之子弟，子弟樂有貪汚之父兄。人情至此，匪伊朝夕，履霜堅冰自廢廉恥始。今之八德，無廉恥。

阿公

本報已奉僑務委員會核發台教新字第三二三號登記證

自由報

THE FREE NEWS

半週刊每星期三、六出版
第三十期
每份港幣壹毫
社長：雷嘯岑
督印人：黃行靈
社址：香港銅鑼灣高士威道二十號四樓
20 Causeway Rd. 3rd. Fl.
HONG KONG
TEL. 771726
電報掛號：7191
承印者：田風印刷廠
地址：香港高士打道221號

高堦層會議無結果便是結果

關德辛

舉世矚目的高堦層會議已經瓦解了。赫魯曉夫過去用微笑製造了「日內瓦精神」「大衛營精神」替此次會議舖路，現在，在會議前夕，他利用U—2型偵查機事件，大肆喧染，指責美國：「對蘇聯所作的侵略行動，已破壞這項全世界人民懷着希望盼待着的會議。」赫魯曉夫這種翻雲覆雨的手法，充份表現其本意——以高堦層會議當策畧運用。因此，即使會議開得成，在赫魯曉夫百般刁難下，亦必然無法達成任何協議。今無疾而終，更爲乾脆。

赫魯曉夫的冷戰原則，師承史達林，毫無改變。而策畧運用之精巧，似乎是青出於藍，已有凌駕史達林之勢。蘇俄的冷戰原則：掌握主動，隨時變更世界的一張一弛局面，從而爭取對本身有利的空間，以達到分化，削弱，困擾西方陣營及自由世界的目的。所謂一張一弛局面，也有其一定限度，如果以寒暑表譬喻，假定以沸點比作世界大戰，以冰點比作世界和平，水銀柱的激升或下降，均操於克里姆林宮，既不會讓它達到沸點，也不會讓他達到冰點；眞正的大戰和眞正的和平，均非蘇俄所需要。高堦層會議的演變過程，赫魯曉夫在最後五分鐘，將地球先生由和平美夢中拉到戰爭恐懼邊緣，事實上這種「美夢」和「恐懼」都是無謂的自作多情。

高堦層會議本身，原應具有重大意義，但在俄酋赫魯曉夫運用下，已變成一幕令人啼笑皆非的鬧劇。處境最尷尬的自然是美國艾森豪總統，他被赫魯曉夫着實的玩弄了一下。自從杜勒斯死後，美國喪失了一位最了解蘇俄，最有智慧、勇氣、魄力的偉大外交家。西方陣營的對蘇俄冷戰，也因杜勒斯之死而成爲羣龍無首。杜勒斯生前，力排衆議，堅決主張强硬對付蘇俄，反對談判妥協。他的堅定意志和滔滔雄辯，對美國及西方陣營防止了妥協主義的氾濫；對於廹使蘇俄無法施其詭譎技倆。杜勒斯若不死，即不會有高堦層會議的召開。

高堦層會議雖然胎死腹中，蘇俄的收獲已極豐碩。第一、赫魯曉夫已經以國賓身份，訪問過美國，上電視，發表演講，到處旅行與美國各階層人士廣泛接觸，收到一部份宣傳效果。艾森豪總統棋差一着，被赫魯曉夫畧施小計，輕輕給揩鬍了。第二、赫魯曉夫藉「偵查機」事件，指責美國破壞會議，美國雖然加以駁斥，但破壞會議的責任已成了互相推諉各執一詞的說法。第三、赫魯曉夫因訪美，訪英，訪法而大大增强了國際地位，相反地，艾森豪總統因爲無法去莫斯科，又到巴黎空跑一趟，國內外聲譽均受損失。

美國與蘇俄互相以飛機，潛艇窺測對方，多年來已經是一項半公開的軍事秘密。這次赫魯曉夫借題發揮，U—2飛機事件本身並無重大意義，亦絕不像赫酋所喧染的那樣嚴重。換言之，即使未發生該一事件，赫酋亦必然另找其他藉口，以達到破壞會議目的。

裁軍，德國統一，禁止核子試爆，是高堦層會議的主要議題。共產主義的終極目的既然是赤化世界，只有緊張而複雜的局勢，才能產生有利空間，適合共產帝國的生存和發展。因此，蘇俄斷不會具有誠意與西方國家認眞談判，解決問題，但也不能將存在的問題質然訴諸戰爭，因爲蘇俄根本沒有完成作戰條件，特別是附庸國家所暴露出來的弱點，東歐的陸軍一旦在戰事爆發後，掉轉槍頭對蘇俄的可能性，遠比爲俄帝負責前驅的成份爲大。

共產黨的策畧巧妙而狠毒，赫魯曉夫過法鞭屍史達林，並不表示否定了史達林，恰正相反，他的這一着反而顯示他才是眞正能傳史達林衣缽的人。他在權力鬥爭，內政，外交各方面無一不師承史達林的故智，對於共產黨教條的服膺不貳，亦與史達林如出一轍。赫酋的「千面人」作風，決非感情衝動，他的性格粗中有細，具有冷酷的理智。這次他之所以要澈底破壞高堦層會議，並非由於U—2飛機事件」刺激了他的情緒，而是含有深刻用意的：（一）赫魯曉夫原想利用會議來擴大西方陣營歧見，特別是英法兩國對德國問題的不同觀點。會議前戴高樂總統的訪英，英倫所表現的熱誠，强烈顯出英法團結一致的趨勢。赫魯曉夫鑒於利用會議來擴大西方陣營歧見的企圖已被西方國家覺察，感覺若在會議中糾纏，難以達到目的。（二）美國與論界在赫酋訪美時，曾天眞地反映出美國公衆將來在選擇下屆總統會考慮到赫酋的態度，即堅强的與溫和的選擇。因此，赫酋不願在破壞會議後，同時替美國公衆帶來了選擇「堅强的下屆總統」的啓示，所以他就向民主黨很技巧地送秋波，其寓意若曰：「我們還是有誠意談判的，只不過不願以艾森豪爲對手罷了」。因爲艾森豪是「當場被抓住的小偷」，（赫魯曉夫語），並且他的任期也只有幾個月了。他的諾言不能算數。」赫魯曉夫了解艾森豪，了解尼克遜，了解民主黨的一般總統候選人的性格。尼克遜一向在對蘇俄政策上與艾森豪的看法有距離，現在艾森豪並未以私害公，仍然支持尼克遜。艾森豪是赫魯曉夫比較喜歡的，但尼克遜便不同。由赫酋不惜用最下流的語氣攻擊艾森豪，可以看出他厭惡尼克遜之深。他希望在美國公衆間造成一種錯覺——如要談判，乃可選民主黨。當然，民主黨任何一個候選人決不是不忠於國家，也不會沒有智慧，但赫酋卻不是這樣看法，他覺得尼克遜對蘇俄的認識，是美國當前政治人物中，次僅於已故杜勒斯的一個；別的美國人當選爲美國總統固然並不一定對蘇俄有利，而尼克遜當選對他卻是有害，殆可斷言。（三）赫酋最怕談判弄假成眞，騎虎難下。他知道眞正和平的出現也就是鐵幕崩潰的信號。在他訪美時，可能已在盤算如何使艾森豪不能到莫斯科。他的訪美收獲，不願因艾森豪訪俄有所抵銷或超過，因此，他亟需儘快將此事告一段落，以避免與艾森豪競賽，情形極像中國武師的比武，雙方相約每人先讓對方打三拳，現在輪到赫酋挨揍，他卻要賴了。他怕艾森豪進入鐵幕，是他蓄意破壞會議的另一因素。

冷戰主動始終握在俄共之手，一收一放間操縱着西方國家的神經，對整個自由世界非但不値而且是不智的。艾森豪兩屆總統的柄政，苦心孤詣忍辱負重，到今天將屆任滿時被敵酋罵爲「小偷」。我們固不忍說這是艾森豪咎由自取，但無論誰當選爲下屆美國總統，總應該認眞檢討這次高層會議的經過，引爲前車鑑。否則，杜勒斯在九泉之下，亦不會瞑目的！

時事述評

台海風雲漸緊

盧家雪

台灣海峽的風雲，在經過一番平靜之後，又漸行緊張了。

台警備司令黃杰上將指出：共機隨時可能襲台。

太平洋美軍總司令費爾特海軍上將，亦直截提出警告，謂中共可能採取某種侵畧行動。

赫魯曉夫破壞了高峯會議，在歐洲引起了前所未有的緊張；此刻赫酋乘機縮手，再由其奴才中共出來在亞洲攪風攪雨，藉以維持其不斷的緊張氣氛，這原是很自然的。

就共產黨的策畧來說，也是必然的。

經過一百零九天的沉寂，共軍經已於二十四日向馬祖前綫開炮十六發，繼又於次日開炮三十九發，是否爲進攻馬祖之前奏呢？

可以預料到的是：此種緊張局勢將維持一個時期，直至克里姆林宮另有決策爲止。

至于會不會進攻金門馬祖，那已不是中共本身所能決定的了。中共所能做的只是增加紛擾，製造緊張，配合俄共在國際舞台上的政治與外交攻勢。

歐洲方面一緩和，亞洲方面乃必然要製造緊張，這已成了共產集團的習慣。而最敏感的地區，乃莫過於金馬。共產黨如果不經常製造緊張氣氛，他們還能趁渾水摸魚麼？

米達斯衛星的昇空

亞洲的局勢儘管如此緊張，但此種緊張局勢不可能爆發大戰。

美國的米達斯衛星，昨已昇空成功。這一科學成就，在U—2機事件鬧得滿天風雨之際，實在是具有深長意義的。

科學之不斷進步，使得今日世界的軍事學家幾乎隨時要修訂戰畧。在這樣的情況之下，有誰能訂定一個大戰的戰畧戰術呢？

昨日之U—2機，比較起今日的米達斯衛星來，顯然又是落伍了。明日之科學進步又將如何呢？沒有人能夠正確估計科學進展的限度，而戰畧戰術卻又只依附於科學武器的。

當然，科學進展是一件事，正當的防備又是一件事。再進一步分析，我們直可以說：正因爲大戰之難於爆發，共產集團才必然要在個別地區製造小戰。台灣海峽的金馬地區，當然是共產黨的目標之一。

有理由相信，中共是必然要在這一敏感地區製造些緊張氣氛的。

自由談

國家之恥

馮子先生

有個中央民意機關的代議士，最近在議會中對於行政院的總預算案提出書面質詢，內容以攻訐大法官和國大代表爲主旨，因爲他憤恨大法官不該解釋立監委員和國大代表皆屬於「國會議員」之列，又痛惡國大代表主張行使創制、複決權。明白串述直言無隱。這已經跟他質詢對象的「五十年度總預算」離題太遠，近於胡扯了。

然而胡扯尤不止此，請看他所持的理由：「大法官精研法律，善解憲法……擬請自下年度起，每位配給新式大洋房一棟，美國新型轎車一輛，秘書一人，女打字員一人，侍役三人，月支法律研究費兩萬元，不須單據報銷」；「國大代表力爭創制複決兩權之實現……請自下年度起，每位配房一所，新式三輪車一輛，秘書一人，女打字員一人，侍役二人，月支憲法調查研究費一萬元，不須單據報銷」。此外滿篇充溢着市井無賴口吻的嬉笑怒罵之詞句，不屑引述，汚吾筆墨。但他自認爲得意之作，還要鉛印原文，對外公開散發哩！

議員在議會發言，雖是對外不負責任，而且對任何一項國計民生問題，皆可以過問的。但立言必須就事論事，詞意必須莊重嚴肅，主張必須謹守職責與份際，方不失其爲代表人民意志的堂堂議員風度也。像這位代議士在議會的言行，簡直把那神聖莊嚴的立法院視同茶樓酒館，口不擇言，胡說八道，他連憲法上明文規定立法委員對政府預算不得爲增加的決議這點常識亦莫名其妙，其他更無論矣。大法官和國大代表未嘗不可批評指摘，然不能出以無賴的腔調，汚毀議會的身價。如果立法委員個個像唐某這種作風，試問成何體統？中華民國又是個甚末樣兒的民主憲政國家呢？

這個號稱爲民意代表的代議士，他在議會丟醜失格還不夠，更要將其「高論」印成傳單，散佈於社會，唯恐醜態之不彰，他視社會人士皆爲無知無識者流，眞是荒謬絕倫，膽大妄爲之至。詞而闢之，意在爲中華民族保持人格而已。噫！

台灣的政治新氣象

野　鶴

（台北通訊）

這幾天，台北社會上一般人士最熱烈的談話題材，莫過於第三任總統副總統就職大典，以及行政院改組消息了。現在把這兩項情形分別縷述於次：

總統就職大典於今晨（廿日）十時在中山堂舉行，參加盛會的人數不下兩千名，有各友邦的外交使節，有國大代表和立監委員，有各國文武機關的高級人員，濟濟一堂，堪稱壯觀，而蔣總統於宣誓就職後，在台上宣讀就職宣言時，其聲音特別嘹亮朗爽，精神格外充沛嚴肅，尤爲難得的好現象。典禮簡單而肅穆，歷時不到一句鐘。前兩天的氣候炎熱如盛夏，昨夜忽然大雨一場，熱浪消褪，今晨恍若初春，因而中山堂大廳的樓上與樓下雖然擠滿了人，亦不感覺鬱悶，這不能不多謝天公作美了。記者躬逢大典，目擊詳備，認爲執事人員有幾點安排欠妥之處，值得研究的：一是總統副總統在未宣誓就職之前，似應以「平民」身份，坐在禮堂中的特定位置上，等到司儀官高呼「宣誓人就位」時，即由國大會議主席團事前推定的一位年高德劭的總代表，聯同總統府參軍長，陪着總統登台，這樣比較隆重合式些。這次總統仍是循着平時慣例，從主席台的後邊，踱身走到前台，好像是做「紀念週」的格式，未免太簡率了。二是宣誓時應該仿照美國總統就職的儀制，面對着監誓官，而手宣讀誓詞，另外還要一手按着聖經──我們可用憲法代替。現在却是面向總理遺像宣誓，以致站在台上的那位監誓官──司法院長謝冠生，形同旁觀的來賓，場面殊不緊湊協調。三是有些外國來賓沒有坐位，站立着觀禮，而一些忝屬「東道主」，又可稱爲「保姆」的國大代表，多擠在前面的座位上，昂然不屑讓座，殊非主人應有的態度。最後總統於禮成先退出禮堂之際，僅對大家揮手告別，而未走到台下跟外賓席上的友邦使節逐一握手道謝，似乎太過省促了。美國總統就職時，常有因爲跟來賓握手以致臂膊發腫的，這是民主政治的風格之一，在這種戲劇化的偉大場面之中，尤須來演一番，以壯觀瞻。以上這些情節，完全是執事者不會安排的關係，總統本人是無暇計及諸如此類的細微末節的，而安排這類節目的人，且須具備着見聞博洽的常識，與夫崇尚民主生活的觀念，否則很難適如其份，恰到好處。記者參預這項盛典已有三次了，認爲第一次在南京的場面，即比在台灣這兩次爲佳，原因何在，吾不得而知也。

談到內閣改組問題，大概不外如我在一個月以前所報導的情形，即行政院長還是由陳副總統兼任，只是各部門的主官略有變動而已。外交，交通，教育三部長，本人求去心切，未便强留，而行政院秘書長陳雪屏亦自請解職，不願再幹，但人選尚在斟酌之中。前天蔣廷黻回國述職，實際乃是應陳院長的電召，希望他回來主持外交部務，然他堅決婉辭了。現在黃少谷去意甚堅，陳院長亦已同意，黃氏舉薦杭立武以代之，只看蔣總統意下如何？如果蔣總統認爲黃氏不必更動的話，那他只有繼續幹下去，不敢說別的，事實上繼任人選亦很費考慮，黃少谷幹了兩年，雖無重大的建樹，亦無失職之處，在這兩年中，他解決了中、菲遺僑談判的懸案，新建了中東與北非方面的若干邦交，目前正向南美方面加緊外交工作，另易新人，也未必能夠以弱國的地位，在外交上創建奇蹟吧？因此，黃氏個人認爲此時去職是恰到好處，再幹就難免不栽跟斗，但蔣總統却不會作如此想法，黃氏近來乃爲此事而心情忐忑不寧，有如待決之囚呢！交通部長袁守謙可能調任行政院秘書長，他跟陳院長原係過去辦青年團的老搭擋，其人其才，亦爲最上乘的幕僚長資質，以此調配，可謂允妥。外交部的繼任人選，以唐縱呼聲最高。教育部梅貽琦先生的繼任者，計有陳雪屏，張其昀，倪文亞等人的傳說，且有說請蔣經國屈就的，據記者觀察，此四人之中，只是倪文亞有些可能性，其他三位，不過說說罷了。還有僑務委員長一席，現任陳清文太外行，成績不佳，似非換人不可，這位置總不外是由粵閩人士來坐，馬超俊，高信等，都有問鼎之心，但未必實現，近日有人向陳院長建議，不如請薛岳勉爲其難，他在華僑社會的名望，及其平素在政治上沒有甚末劣迹，而又勇於任事的精神，或許可以做出一些成績來。此外，司法行政部有由陶希聖繼任之說，確否須待事實證明。至於中央黨部秘書長一職，唐縱如轉任交通部長或內政部長，則以張其昀作馮婦的可能性最大，黃少谷如能辭去外交部，他又比張氏的可能性更大了。總而言之：現階段咱們政府的高級官員，總不外是十來個台面上的知名人物調來調去，有如打麻將搬莊然，不會有生面孔出現的。即如近來謠傳中之林崇墉作財政部長，何浩若作經濟部長，縱使成爲事實，也都是舊酒裝新瓶，說不上「新人新政」的。

（五月廿日下午於台北）

聖保羅埠的華僑

明　華

（南美通訊）

有着南美第三大都會之稱的聖保羅，位于巴西的東南部，與里約熱內盧，聖多斯，庫里的巴等城市相距甚近。在八十年前聖保羅還是一個荒涼的山埠，但八十年後的今日，它居然擁有居民二百五十萬；並且觸目皆是新型建築物，星羅棋布的製造場所，儼然成爲巴西第一大工業區。

聖保羅的氣候相當於廣州或香港，語言却以葡萄牙語爲最通行。居民多半嗜賭若狂，好賭如命，因此酒吧和賭場到處皆是。這裏的居民以歐洲遺族爲最多，其次是黑種人和混白種，以及黃種人。而這些黃種人中多爲華僑，他們在這裏都是刻苦耐勞，朝作暮息的！但每星期也有一天或半天休息。

華僑在聖保羅埠經營的事業，以油染業爲主，其次是餐舘酒吧和辦庄。在抗戰時期，每間華僑油染店，普通可獲利六千至一萬元（據公價巴幣與美幣爲一與十八比一）；但十餘年來，因舖租，稅項，原料，工資倍增，一般來說，每月所獲比戰前稍減；有的每月可獲利數萬元，却也有虧本歇業的。這完全要以地點的優劣，與經營方法的得失而定。此外，餐舘業，酒吧業，獲利也相當可觀。惟有辦庄業則駕乎上述數業之上。此刻辦庄，就是由祖國各大城市辦來的名貴國產。但此種辦庄營業數不多，而且大陸淪陷後，不但有許多名貴產品已經停止生產；同時自一九五〇年起，巴西政府亦禁止一切非必需品入口，因此，辦庄的黃金時代早成過去了。

僑胞的各行商店門前，都不約而同地寫着美麗的「中國商店」或「中國××店」等的大字招牌，使初到這裏的中國人一看見就感到非常的興奮。由于這裏的僑胞人數不多──大概一千人左右，所以他們的聯絡很是靈活，祗要有一個新來的中國同胞踏入他們的舖頭，不到一天，便可傳遍整個聖保羅的僑胞都會知道，如入故鄉。同時華僑對於僱用工人，也多請自己僑胞幫忙，在不得已時，才僱用「老番」。但僑胞工人每月所得的報酬却高過「老番」四倍至十六倍不等，除供給一個小家庭的每月正當開支外，還有點盈餘。

令人覺得奇怪是這裏的華僑，對于社會組織似乎不太感到興趣。現存的名目有二：一是「國民黨支部」，據老華僑說：這個機構，僅是一種形式的結構，從沒有見過甚麼活動。二是「中華會舘」，也是「門雖設而常關」的。這是令人說來很沉痛而又羞恥的事，就是連國慶大典據說也停止慶祝多年了。可是他們對于反共却很熱心，在大陸未淪陷前，他們的「戡亂捐款」，不到一星期便籌積了約巴幣一萬二千元，這也可說表示聖保羅華僑的政治立場。

由於聖保羅的華僑人數不多，生活甚爲單調，所以他們每於工餘之暇，則大多數群集于「聖保羅俱樂部」，有的看看陳舊的報紙，有的却大談生意經；有的暢談國家大事，或世界局勢，却也有去碰「彩氣」的。如果已經結婚的僑胞，則帶着妻兒去看電影。

聖保羅的華僑人數，在抗戰時約有一千二百名；現在只八百餘名了。其銳減的原因有二：一爲滿載「旋唐」，由于巴西發展困難，他們稍有積蓄，則返回香港（不能回原籍）或澳門；一爲病故的多，因爲這裏時時發生疫症，死亡率較高；同時來自祖國的華僑青年也少得可憐。據說最近數年，憑正當手續申請入境而有永久居留權的未滿十八歲的青年華僑祗有三人。大陸淪陷後，有許多有相當年紀的僑胞，很想他們的子侄脫離苦海，逃到樂園，骨肉重聚。但一方面是大陸出口不易；再方面是當地政府不肯發給護照，致使他們的計劃無法實現。因此有許多已逃出鐵幕的華僑家屬，追得有些人以海員的身份入境。據聖保羅時報刊載共有八人，彼輩未更換身份證以前，居留權相當危險。即以海員資格入境而言，所費亦需美金一千元至一千五百元，這一數目，確非一般僑胞所能支付，這也是構成聖保羅華僑銳減的因素之一。

華僑對于教育文化，似乎不大重視；俱樂部總算只有一份國民黨報三藩市「少年中國報」，每次到達，雖已失去時間性，但仍不失爲一部份僑胞的精神食糧。

至于華僑土生子女（包括混血兒）的教育問題，相當嚴重。直到現在，聖保羅仍未有一所像樣的華僑學校，所以適合學齡的兒童們，只好一味讀葡萄牙文，無從接受祖國的文化。是故，對祖國的一切自然沒有認識；國家觀念，非常淺薄，這是令人關懷的。

中共技術革命愈革愈亂

一　得

中共頭目之一，「中委」兼「政治局」候補委員薄一波，在五月十五日出版的中共中央理論刊物「紅旗」，發表了一篇關於「技術革命」的文章，其中暴露了所謂「技術革命」，不過是中共在「一窮二白」，加强搾取勞力的勾當。現在，把薄一波在「紅旗」上所說的，與「人民日報」前所招認的綜合看來，就可知中共此一運動的眞相。

所謂「技術革新」和「技術革命」運動，中共早於一年前即已倡行，不過自這次「人代會」召開，高唱「繼續躍進」後，將這運動推向最高潮而已。大陸各地報刊，近來一連多日均連篇累牘，刊載有關「技術革命」的宣傳文字。各報共幹對「技術革命狂」的談不絕口。至於甚麼是「技術革命」呢？說來可笑，這並非以科學條件、科學方法改進技術，只是思想鬥爭，據「人民日報」說：「技術革新和技術革命的過程，也就是思想鬥爭的過程，因技術革命是通過人來進行的，所以必須不斷解決人們思想上的矛盾，只有把政治工作和思想工作作爲靈魂和統帥，才能使技術革命發展」。該報並透露推行「技術革命」的動機，是根據毛澤東「窮則思變」的思想，要求工農業，以及其他生產建設等方面，不增加設備，不增加人力而達到增加生產，降低成本的目的。薄一波在「紅旗」也說：「目前各地許多現代化大企業技術革命，主要不是靠向國家要投資要設備，而是靠大搞群衆運動，這是工業戰綫上的新氣象。」由此看來，企業既然不增加設備，還要「一廠頂數廠，一人頂數人」，則中共的「技術革命」，是在大陸物資奇缺乏情形下，加强搾取工人勞動力，加强對物資的利用，以解決人力和原料缺乏的危機，可無疑義。

說到「技術革命」是怎麼搞的，薄一波舉了一個很可笑的例，他說：「福建省福安縣閩東電機廠就是自力更生，土法上馬，不斷革命，製造第一流洋設備的一個典型，這個廠的車間分散在八間茅屋和竹棚，設備極爲簡陋，僅有兩台破舊的皮帶車床，一把八磅鎚，幾把老虎鉗，沒有一個技術專家，絕大多數工人是剛放下鋤頭的青年農民，眞是又窮又白。可是他們發揚『窮棒子廠』的精神，採取土辦法，克服重重困難，進行了三十項重大的技術改革，終於製造出性能良好的小型電動機，在華東四個省、市電動機質量評比會上，經專家鑒定評爲第一。」那些「專家」的「鑒定評判」標準如何我們不知，且不加置論，但以這樣設備連機器店也不如的「廠」，究竟如何搞「技術革命」，却是大堪研究，且看薄一波說：「我們現在不少創造，革新，並不是由現代化的大企業用洋辦法搞出來的，而是由中小企業用洋土結合的辦法，甚至用土辦法搞出來的，」至於「土辦法」，據薄一波的形容是「沒有辦法，就七咀八舌，人手不夠，就七手八脚，材料不足，就七拼八湊。」眞是滑天下之大稽。

這樣的「技術革命」，無怪中共「長沙市委」說：「大變大亂，小變小亂，越變越亂。」四川省「人代」蕭松立也坦白招認：「有不少人認爲搞技術革命是自找麻煩，自討苦吃，因爲原材料不足，要搞技術革命，困難多，認爲不能搞。」

中共遭受大批幹部反對是必然的，其實那些反對幹部的論點都很對，因爲那些技術是實際而科學性的，並不能靠吹牛玩弄出戲法來，但薄一波却硬說反對「技術革命」的幹部是有「右傾頑症」，因此他在「紅旗」中號召「各級領導同志，要站穩脚跟，毫不動搖的，硬着頭皮頂住，並且給予堅決的回擊。」是不是硬嚷「回擊」、「鬥爭」，就可以使「技術革命」搞好，「無利變成有利」呢？那就要問中共的頭目了。

香港地

社會小說

四、高的低的

木客著

笑話說完，問候的話也說完，梅大亮和白芷便向丁乾告別，當然希望他再休息一個時期，不要太過費神寫稿，但那是說了等如不說的廢話，他們也懶得多說了。

這一天，梅大亮正似出山之雲，在九龍和香港躑躅了不了時間，在問病完畢之後，便趕回九龍仔木屋區去。他和白芷分別時，白芷還囑咐他，好好替他擬一個辦報計劃，他卻直言拒絕，懶得再動腦筋。他做人有一點好處，就是表裏如一，不做拖泥帶水的事，此刻把白芷替人辦報的念頭打斷，正似快刀斬麻，落得乾淨。

他由香港渡海到九龍，轉搭巴士，然後步行回家，在轉入九龍仔木屋區之前，看到那裏正在有人移山填地，大動工程，忙個不了。他早知得這裏將有一個新的住宅區出現，巍峨的大廈和幽雅的洋房花園，將見一幢又一幢的在那裏建起，卻料不到工程會進行得這樣熱鬧而迅速，當下停足呆看了一會兒，才繼續趕路。

這個木屋區佔有一片廣大的地域，一條臭溝的兩傍建有無數大大小小的木屋，雖是雜亂無章，卻都住滿了人。梅大亮一邊走一邊是這樣想道：「這個新的高貴住宅區，剛剛位在廣大的木屋區的前面，可說得是相映成趣了。是什麼力量把這個新的區域建築起來的呢？是人力，是機械，是腦汁，是資本，這四種東西都是少不了的，大概還算資本是最重要的啊！」他想着走着，不覺便走入一條窄窄的街道。這街道很窄很長，也很熱鬧，是整個木屋區入口的唯一孔道，什麼樣的商店都集中在這裏開設，形成一個百物市場，其中包括了菜市和肉市。他走了不遠，忽聽得有個熟人的聲音在向他呼喚道：「老梅，在這裏歇歇腳吧！忙些什麼？喝碗豆漿才回去吧！」

梅大亮一看，有人在一家新開張的店子門前，向他打招呼，仔細一看，才認得還是賈大夫。（三十）

屈原會見記

寒江雪

飲了幾杯雄黃酒，頗覺有些醉意。我的酒量本來就不足以驕人，此刻更逢着佳節良辰，也不免因酒生愁，有些感慨。

糊里糊塗走出門外，一個人來到海邊，正惆悵間，忽覺有一隻手在我的肩頭一拍道：「寒先生，你也想學學這種時髦的跳海玩意嗎？」

回頭一看，不是別人，正是夢寐求之的屈大夫。這一喜真是非同小可。連忙伸出手來想和他行個握手之禮，也許屈大夫從沒見過這種禮節，只見他雙手相握，行揖讓禮。說道：「寒詩人，我們不必客氣吧！」

話雖是這麼說，我究竟不敢隨便。屈大夫的「離騷」，我是拜讀過的，對於他的道德學問，自然不敢贊一詞，只是對於他最後懷沙自沉的那一着，委實不能同意。好在這些都是幾千年前的事，也不必再說了。當下我很有禮貌地問道：「屈大夫，許久不見了，近來好吧！」

「別提了，這些日子來，我的心情很苦悶。」屈大夫說到這裏，把聲音特別放低，又四處張望了一會，纔又接着說道：「這附近沒有共幹吧？」

「放心，放心。」我故意把聲調提高，「這裏是自由區，哪來的共幹？」

「哦，這就好了。寒先生，不瞞你說，我從洞庭湖飄到這裏，還不會喫過東西，如果寒先生肯方便……」

「大夫，你這是說哪裏話來。我們一道上那間酒樓去。」

「啊！寒先生，那間酒樓我不能去。你看，那些出出入入的人，都不是着的本國服裝，八成是洋人吧！」

「那些都不是洋人呀！他們不過是洋人的崇拜者。去吧！那些假洋人，不要去理他們就是了。」

「寒先生，還是替我弄幾個粽子來喫喫吧！」

沒有辦法，我只有替屈大夫去買幾個粽子來。

把粽子喫完，屈大夫抹抹嘴，神色好多了。他習慣地四處張望了一會，這纔低聲說道：「這種美味，我已是七八年沒有嘗過了。」

「大夫，你從天堂來，沒有粽子喫？你該沒有記錯吧？」

大夫的臉色陡變，他睜着眼睛，很激動地說道：

「寒先生，你說我從什麼地方來？你再說一遍。」

「我說你從天堂來，何以沒有粽子喫？」

「天堂？」屈大夫兩手握拳，差點沒打在我頭上，「你說今天的大陸是天堂嗎？」

「大夫，請別誤會。我也是聽人家說的。」

「誰說的，誰說的？」

「共產黨人說的。大夫。他們說今日大陸豐衣足食，又說大陸人民個個快樂，又說……」

「哼，這簡直是鬼話。」屈大夫停了一下，說道：「這樣的話，你也相信嗎？」

「我當然不信。不過，我總認為像大夫你這種德高望重的人，又是二千幾百年前的人物，他們不會清算到你頭上吧！」

「一言難盡，寒先生。」屈大夫又四處張望了一會，說道：「對不起，齊白石從那邊過來了，我得避避他。」

「齊白石？畫畫的那個齊白石？」

「可不是？看他臉有笑容，準是拿到鈔票了。」

「齊白石怎麼會到這裏來拿鈔票？」

「寒先生，你眞是……齊白石的畫，不是大批大批的在這裏換外滙嗎？」

「可是，齊白石會經罵過共產黨是匪的呀！」

「那有什麼關係。香港不是有許多左報記者，着美國衣服，吸美國香烟，而在筆下大罵美帝嗎？啊！寒先生，對不起，我得去了。」

盧冀野的抗戰詞

文壇軼話

道南

過去的一般人認為詩詞歌曲為雕虫小技，為士大夫階級的消閒品，其實這完全忽略了它在文化上的價值，要知詩詞歌曲能激發人的思想，陶冶人的性情，它充滿不少的人情味。尤其是在今天反共抗俄的大時代中，我們更應將民族的意識由它充分的發揚出來。

已故詞人盧冀野的詞，就頗多獨到之處，什九係鼓吹中興民族戰鬥史實的抒寫，悲壯雄烈，躍然紙上。如他所填的「滿江紅」，係道古北口的將士。詞為：

「如此乾坤，當慷慨悲歌以死，君不見胡塵，殘山賸水，萬里投荒關塞黑，幾家子弟揮戈起，問江淮若個是男兒，無餘子。且按劍，重新誓，嘗肯酒，英雄淚，縱天乎亡我，死而已矣，叱咤風雲驚四海，憑君一洗瀰天恥，細思量五十萬胡兒，三十九年心事。」

當時冀野任參政員，曾代表政府宣慰西北，增加了不少的詞曲資料，其中過朱仙鎮謁鄂王詞有云：

「問神州，今日何時，對一樹槐花，吾欲無辭，斜日荒祠萬方多難，日讀遺詩，算只有英靈不死，是誰教少保班師，五十萬胡兒，獻笑於斯，歡樂於斯。」調寄「折桂令」，寫出無限感慨。大陸撤守，他因家室所累，未能南來，在大陸淪陷的第二年，即抑鬱以死。令人有「惜則惜千山寂寞無人唱」（于右老句）之嘆，是則令人不勝懷想！

端陽（上）

望海樓隨筆

徐學慧

端午這個節令，在筆者的故鄉湖南，是普遍地被重視的。是日也，懸艾葉於門，飲雄黃之酒，喫粽子，一到午後，鑼鼓喧天，紅男綠女絡繹於途，龍舟競渡的兩岸，人山人海，熱鬧極了。

每一條船上都有一條龍擺在前面，我們稱此龍為龍王菩薩。每年四月底鄉人齋戒沐浴，自廟中恭迎龍王菩薩至其村，然後日日以酒肉供奉。初一日至初五日，每日下午均有賽龍舟節目，初一日在本鄉，初二日在上游五里處，初三日在下流五里處，每五年的初四日，必至下游十五里處訪問。該處為一較大市鎮，河流較寬，龍船亦較多，普通多在十五條船左右。競賽並無獎品，惟勝利者有先放鞭炮和放銃之權。（銃者以鐵鑄成，長約五尺，尖端約八寸處有二孔，口朝天，中塞以硫磺硝末，上蓋以土，下有導火綫，火發則硝末衝土而出，其聲至大。鄉間有喜慶事，恒用此，數里外可聞其聲，有如大炮焉。）

每一條船有自備銃手，沿岸跟踪，不時放銃以助興。如至他鄉訪問，為地主者亦無需具備任何食物犒勞，惟必須放銃二響到四響以為迎接，這是一種禮貌。臨別時亦然，有如迎送什麼元首而放禮炮。

在鄉間，最能吸引青年男女者，莫過於賽龍船。端陽這一節日，在湖南是一個很重要的節令，其引人入勝之處，只有從正月一日到十五日的舞獅可以比擬。」舞獅是一種冬天的運動，而端陽競渡卻是一種最良好的夏季運動。只要龍船鼓一響，鄉下青年幾乎是如醉如狂，而那些少女們，則競相着新衣，着花鞋，搖白扇，前往觀賽。

鄉間多聚族而居，族大者可多至萬人，由於支派之不同，龍船也就不只一條了。在兩岸參觀者，各為其船吶喊，有因忘形而至於被擠落水，則亦相與大笑。划船子弟，取其壯者，大約每船容划手二十四人（即左右各十二人）鼓手一人，鑼手一人，另舵手二至三人，共二十九人；服裝顏色各依其傳統，大抵以白衫藍衫居多，衫上繡有其所屬地區之名。人皆裹巾於頭，防腦部過份受水之冲激也。

鼓手與鑼手，多由年長者任之。鄉人多健康，六十歲左右的人從不認老，敲鑼擊鼓者多半是五六十歲的老年人。這當然是由於這些老年人的興趣使然，而另一個原因，則是由於老年人經驗豐富，能臨危不亂，指揮若定。我說指揮若定是有理由的，我們鄉間的龍船，划手以槳入水的時間要根據鑼聲，而鑼聲卻又是根據鼓聲而來。鼓聲二下，鑼聲一下，相間而成為五月裏瘋魔了鄉下人的龍船鼓。

馬烽在轉變

大陸文壇萬花筒

岳騫

馬烽是中共一手捧起的作家，經過十年仍然未被清算，說來也算難得了，與他同時嶄露頭角的如蕭也牧、孔厥、郭小川等人，或者受到批評，或者已送去勞改。馬烽所以成為不倒翁，全因為他能把握住中共文藝政策，什麼時候應該寫什麼？寫什麼才能配合「黨」的政策，都拿得很準。因此中共文化幹部，對他特別賞識，一直紅了十年尚未褪色。

不過，人究竟是有人性的，人性可以壓抑，但不能泯滅，遇到適當時機，人性自然就流露出來。馬烽最近發表了一個短篇小說集；無意中就暴露了共黨的醜態和罪惡。

這篇短篇小說集，共收了十二個短篇，由人民文學出版社出版，作為「國慶」十周年向「黨」的獻禮。集名是「我的第一個上級」，也是其中一個短篇小說的篇名。現在就談談這篇代表作，「我的第一個上級」吧！

這篇小說中的主人物「田副局長」是一個共產黨員，老幹部，當然也是一個英雄，過去曾經替共黨拚命打過江山，在作戰中受到疾病侵襲，患了關節炎，兩腿不良於行，因此個性也變了。田副局長以前在部隊裏怎樣英勇，小說並未敘述，只是說到他現的麻木不仁情形，確實可以使人發笑。其中有這麼一段：

有一次老田下鄉去了，獨個住在一間房子裏，半夜裏起了大風，忽然屋頂上卡嚓一聲巨響，把他驚醒了。他躺在被窩裏動都沒動，拿手電向屋頂照了照，只見房樑快要折斷了，好像馬上就要倒塌的樣子。他看了看，自言自語的說：「我就不信等不到明天」！翻了個身，又睡着了。

像這種幹部你從他身上能找到一絲一毫英雄的形象嗎？目前大陸上中下級負責幹部，絕大部份都是這種能吃不能做的傢伙，也算被馬烽寫絕了。

像「田副局長」這種人只是頹頂，到還不壞，另外一篇小說「四訪孫玉厚」就不同了，他描寫孫玉厚是一個農民，積極份子，共產黨員，因為太積極了，受到區委書記的壓迫，他不服向上控訴，由區委到縣委，再到地委，各級組織都是官官相護，壓制他，打擊他，最後他受不了壓迫，終於吐血死了。這篇小說對共黨黑幕、暴露得比較深刻，是否會出問題，還很難說。

釋耒集

帝王事業

資治通鑑：「隋主問取陳之策於高熲，對曰：江北地寒，田收差晚；江南水田早熟。量彼收穫之際，微徵車馬，聲言掩襲，彼必屯兵守禦，足得廢其農時。彼既聚兵，我便解甲。再三若此，彼以爲常，後更集兵，彼必不信。猶豫之頃，我乃濟師；登陸而戰，兵氣益倍。又，江南土薄，舍多茅竹，有所儲積，皆非地窖，若密遣行人因風縱火，待彼修立，復更燒之。不出數年，自可財力俱盡。隋主用其策，陳人始困」及滅陳之師將出，乃下詔曰：「陳叔寶據手掌之地，恣溪壑之欲，劫奪閭閻，資產俱竭，驅逼內外，勞役弗已；窮奢極欲，俾晝作夜；斬直言之客，滅無罪之家，欺天造惡，祭鬼求恩，盛粉黛而執干戈，曳綺羅而呼警蹕；自古昏亂，罕或能比，君子潛逃，小人得志，天災地孽，物怪人妖。……：天之所覆，無非朕臣，每關聽覽，有懷傷惻。……」夫始則虛牒誘敵，使之疲于奔命，又復焚其積儲，使百姓傷夷，及其既困，乃貌爲憂痛，曰每關聽覽，有懷傷惻。此則所謂：其詞若有憾焉，其實乃深喜之者也。孔子曰：君子疾夫舍曰欲之，而必爲之詞。然則隋之得國，與所謂弘濟蒼生，騷造區夏，出于弔民伐罪者，固有間矣。按隋主之所以爲此，以言自謀，可謂週密極矣，然先後兩傳，享國僅三十六年，平陳之前，殘殺宇文氏子孫，殆無遺類，而開皇十年，陳之故地，羣雄即紛起作亂，大者擁衆數萬，小者亦數千。是煬帝之敗，身頭見之矣。據趙翼廿二史劄記所載：「文帝五子，長太子勇，被廢後賜死，次煬帝，爲宇文化及所弒，次秦王俊先卒，次越王秀，廢錮，死江都之難，次漢王諒，以反誅。計五子中，除秦王俊外，無一非不得其死者，勇子既嶺外杖死，俊子皆爲宇文化及所害，煬帝三子，長太子昭先卒，次齊王暕，趙王杲，皆死江都之難，均無子，昭子代王侑，爲唐所立，未幾禪位，數月而殂，次燕王倓，遇害于江都，次越王侗，稱號東都，爲王世充所弒，是隋氏子孫，亦幾無遺種矣。」自昔帝王創業，未嘗不思爲千萬世子孫設想，而史稱煬帝臨被弒前，「嘗夜置酒，仰觀天文，謂蕭后曰：外間大有人圖儂，然儂不失爲長城公，卿不失爲沈后，且共樂飲耳，又引鏡自照，顧謂后曰：好頭頸，誰當斫之。」然則三十六年，徒一夢耳。

曲齋

海嘯慶談薈

軍閥悲歡離合記（一）

諸葛文侯

民國十三年十月廿三日，吳佩孚麾下的「討逆軍」——討伐張作霖——第三路總司令馮玉祥，自熱河前綫潛師馳回北京，囚禁北洋政府賄選總統曹錕，殺其嬖人李彥青，逮捕前湖南督軍張敬堯，通電反對內戰，倡言和平救國，而赫赫一世的直系軍閥爲之解體，吳佩孚乃從此一蹶不振了。

馮氏之倒戈，係跟張作霖通謀的。馮張二人除結拜爲金蘭之交而外，另由張給馮以鉅額軍費。相約推倒曹吳後，擁戴段祺瑞出來主政，關於北洋政府所轄各地區的軍政權位，亦由張馮平分秋色，無相侵奪。這是張馮二軍閥爲反抗曹吳而攜手合作的蜜月期間，兩人隨時函電往還，磋商要務，稱兄道弟，倍極親密。

迨吳佩孚由榆關回師再「討逆」——討叛逆馮玉祥——敗績，踉蹌南逃之後，張馮二人初因清故宮財寶的保管問題，滋生芥蒂，當馮氏派兵驅逐溥儀出宮時，不許其攜帶宮內任何身外之物隨行，而由李某易某等組織「故宮博物保管委員會」管理之。當時謠傳北京四城常有棺材抬出，內中所藏者並非屍體，實係故宮寶物，而城門衛兵皆爲鹿鍾麟所部的馮軍，這些棺材必歸馮氏所有無疑。謠言既盛，張作霖自然不能不相信幾分，對「煥章老弟」（馮號煥章）不無耿耿於懷，但不便騰之於口，藉此反目。繼而彼此爲着爭奪直隸省地盤，奉軍李景林與馮軍張之江在直省境內發生火併，李指張部爲赤化份子——因馮玉祥此時頗拉攏國民黨人——張罵李爲軍閥餘孽，是時作霖與玉祥的蜜月交情已告終了，唯吳佩孚又在湖北揭櫫「討賊軍」的旗號，而以張馮爲目標，由於大敵當前，彼此皆忍讓，不顧破裂。旋由段執政從中調解，預定把直隸督軍讓給馮系人物，而將山東的地盤交與奉張支配，暫時得告苟安。（未完）

電影是什麼

楚南

電影是什麼？一般人只有通過放映機所展開的故事畫面，知其然而不知其所以然，固然難怪了。所可怪的，是一些電影工作者也只一知半解；雖然我們的電影也有了幾十年，可是要與西方電影新思潮比較，我們還是一個落後地區；面臨如此的局面，如何徐圖改進，似乎是不僅必要而且陸不容緩的事情了。

對於電影稍加注意，便都知道它是文學、藝術、科學、商業的綜合結構，舉凡投身於電影事業的人，只知其一而不知其全部，根本已不可能發揮其眞正的職能了。說一個懂文學的人可以幹電影，當然可以，不過未必幹得好；一個懂藝術的人也可以幹電影，也是如此；一個懂得攝影機和技術的人可以幹，但未必幹得好；一個懂得商業的人，自然也可以幹電影，不過幹得好不好，也是一個未知之數；反過來說，把這些人集中在電影機構中也許會把電影事業幹得像樣，尤其每一個電影工作者對於文學、藝術、科學、企業都懂，那麼電影事業恐怕會幹得轟轟烈烈的。現在世界各國把電影當作企業來幹的，當推美國好萊塢，好萊塢有雄厚的資本，有各種各類的專門人才，並且在人才中挑選最好的第一流的，在企業目的的統攝下，所以美國執世界電影的牛耳，好萊塢的影片發行到全世界各地，連極權國家都在內，這固然是資本主義國家的拿手本事；但是如果要把電影當着企業來幹，也勢非如此不可；換句話說，不如此，在世界電影市場中便沒有地位。

對於電影的看法不同，因此利用電影爲工具的方式也就不同，蘇俄乃至中共認爲一切藝術爲政治服務，利用電影作爲政治宣傳的工具，通過電影教育人民，改變思想，這樣的電影，凡是達到政治目的，盡了政治宣傳的職能，由國家來負擔經費，自然也不必談什麼企業和藝術了。

把電影視爲企業或藝術，也不失爲一種明智的看法，因爲要票房紀錄高才能增加企業利潤，可是想造成高度的票房紀錄，當然不是政治說教，而是藝術的潛移默化的效果。重視電影藝術，當以意大利、法國爲最了；第二次大戰後意大利新寫實主義運動發其端，（以羅西里尼的作風爲代表），引起電影藝術的新思潮——映像論，爲電影打開一個新世紀，追求現代中最現代性的課題，即是用對位法統一台詞中含有詩的表現和映像具有的視覺表現，運用攝影機表現的視覺映像，把角色所含蓄的潛意識形象化地表現出來，這種題材可以寫成詩，也可以寫成小說和戲劇；十九世紀傳統的觀念，只能使觀衆在黑白片上看到無聲的畫面，映像論却主張觀衆要由看得見的事物聯想到看不見的事物，綜合映像的視覺表現和聲音的聽覺表現有機地統一起來，映像論是綜合無聲電影和有聲電影而產生的。我們可以說一句中肯的話：映像論是從美學打開電影藝術的門了。

我們的電影究竟是政治宣傳呢，企業呢？還是藝術呢？似乎都沾着一點份兒，反過來說什麼都不是。中影，中製，台製三家公司，應該有企業化的能力的，可是所拍的片子又不以企業利潤爲目的，重在宣傳（台灣以及海外華僑地區爲市場），每年由中影送一部片到亞洲影展去，代表國家的電影成績，可是在台灣幾乎沒有片子可以放映。這眞是怪事，看來，我們的電影工作，似乎是在裝點門面，每年「小兒科」地拍一部片子去亞洲影展亮亮相，即使得了獎，對於電影事業亦無何補益，何況在「搶」「趕」狀態下拍成的片子，難免「粗」「製」「濫」造，或者「偷」「工」「減」料的情形，根本上也難於得獎呢！

影展審查是根據藝術性高的，如日本的「手車伕之戀」，就以其毫無政治宣傳，藝術性高而得「威尼斯電影節」的「最佳電影」獎，爲日本爭光；反之「美女湖」在東京丟醜，「飛虎將軍」見不得外國人，何以不能鑑往知來？

我們衷心期望，我們的電影寧可企業化，藝術化！

端午節弔屈原

漁翁

古詩云：「節分端午候誰言？萬古傳聞爲屈原」，是則端午節，爲紀念二千二百三十四年前的大詩人——屈原，已無疑義。屈原名「平」，別字「原」，生於春秋時楚之姊歸縣，即今湖北宜昌西北之姊歸縣。幼穎異，博聞強識，尤嫻於辭令。楚懷王時，屈原已二十餘歲，被任爲「左徒」，後改充「三閭大夫」，時楚國已日趨貧弱，與齊、燕、趙、魏、韓各國，均面臨強秦侵略之危險，楚邦人物，分爲兩派，一主聯秦，以圖苟安，一主抗秦，以求自強，兩派爭持，互不相下。屈原係愛國忠貞之士，力主聯合五國，用「合縱」法，以拒侵略，經擬具保土衛民計劃，惜不見用於懷王，且被放逐於江南，時已五十四歲，在湘水流域，渡過九年之流亡生活。

到楚襄王十九年，屈原已六十三歲，秦將白起攻楚，楚軍敗潰，翌年拔郢都，（今湖北江陵縣），屈原聞國都淪陷，知國事已不可爲，決一死以明志，在襄王二十一年五月五日黃昏時，抱石塊投入汨羅江中。

屈原死後，經過三日，始由當地民衆撈獲，葬湘陰縣東汨羅山上，有碑文曰：「故楚三閭大夫之墓」。

相傳龍舟競渡，起源於汨羅江民衆，爲發動船隻，打撈屈原屍首，相會於武陵郡（今常德縣）東門外招魂，今其地尚有「招屈亭」遺址。又傳屈死後一年，其姊以粽子投水中，意在使魚類吃粽，而不傷害於屈，於是後人倣而效之。迄今五月五日，到處競龍舟，裹粽子，成爲民間最熱烈之令節。同時以屈爲最偉大之愛國詩人，飲水思源，而又以「詩人節」稱之，足見意義之重大也。

粟海彈心錄

土地問題（上）

阿公

中國自古無農奴之說，且士農一體，祿足代耕，朝廷序爵，鄉黨序齒，君親稼穡，后親蠶桑，皆所以崇農重農也。三代封建，宗廟世祿而已，與土地制度，渺不相涉，自三代至唐宋，土地分配，一以戶爲單位，魏晉以後，百分之二十爲永業，相沿至明，始盡成私有矣。近人有謂土地私有始於秦，不知何所據而云然。凡引用蘇俄及東歐諸國奴農一辭者，無非爲共產黨張目，使中國自尊之農人，蒙受侮辱。

管子治齊，「修封疆，正千佰。」千佰，即阡陌。衞鞅相秦，距管仲約三百二十六年，然則阡陌不始於秦，而始於齊，明甚。今之人必欲以土地私有始於秦者，遂其農奴之說，厚誣古人耳。周制八家爲井，井九百畝，此王畿千里之制。齊則不拘井必九百畝亦不拘井必八家，因地之宜，任民之便，此侯服之制，不必同於畿甸。然則齊之千佰非私有者，又明甚。大抵周秦漢魏，寓公於私，故曰，「百畝而助」，不云什一。「什一始於井田廢弛之後，故漢制三十稅一。南北朝以後，寓私於公，實亦不得不爾，故有二十永業之制，而授田還田猶一也。相沿至明，國有之制，不復存矣。此時代進化，正亦不得不爾。

自禹貢辨土壤爲九州九等以來，歷代相沿以爲賦民等差，九州雖有禹貢、周禮、爾雅九州之別，要之滇黔未入於荊、梁、東北未入於幽冀，玉門以外，未入於涼雍，可以斷言。（九州無涼州，取行文之便耳，）四千年來，肥沃磽确，非一成不變者，且人口分佈，多寡懸殊，欲求授田之均，賦民之公，是豈易言，不均不公，何以爲政，強而行之，勢必大亂天下。且隨時隨地，授田還田，其繁重難行，尤有不可勝言者也。

「積體農場」此眞正農奴制度，利害得失，更不足論。

「土地歸現耕農民所有」要知中共由分配土地而「生產合作，」現耕農民，已化私爲公。今變而爲「人民公社」，現存之男女老弱農民，俱屬公社之雇工，東西強合，千百成羣，尺寸之土，已非所有，何者歸甲，何者歸乙，實苦漫無歸法。強而行之，其亂滋甚。

自由報

僑務委員會核發台救新字第三二三號登記證

THE FREE NEWS

半週刊每星期三、六出版

第三十一期

每份港幣壹毫

社長：雷嘯岑

督印人：黃行蕾

社址：香港銅鑼灣高士威道二十號四樓

20 Causeway Rd. 3rd. Fl. HONG KONG

TEL. 771726

電報掛號：7191

承印者：田風印刷廠

地址：香港高士打道221號

悼閻錫山先生

雷嘯岑

前任行政院長閻錫山先生，於五月廿三日在台灣逝世了！閻氏是參預辛亥革命之役的中華民國開國元勳之一，亦是中華民國國運艱屯，中樞政府播遷西南以至台灣時期的行政院長。他眞是跟中華民國相依爲命，無間安危的愛國志士，在現代政治人物中尋不出第二個。當此風雨晦冥，中原河山尙待光復之際，遽爾長眠不起，一般社會人士固然同聲悼歎，不無老成凋謝之感，閻氏在九泉之下，亦抱有「但悲不見九州同」的遺恨吧！

閻氏自民國肇建以來，直到大陸淪陷，四十年間，始終在中國政壇上活躍着。譽之者說他有爲有守，以身許國，不愧爲國民革命的一員健將；毀之者指他依違時勢，戀棧怙權，無異於隨俗浮沉的官僚政客。人生在世，有如戲台上的演員，一般觀衆的褒貶毀譽，都是基於一時的主觀見識，作片面的批判，難免以偏概全或見小失大的毛病，必須蓋棺然後可以論定的。如今閻氏去矣，人間一切的恩怨好惡之見，皆已化爲雲烟，歸於幻滅了。我們憑着他四十年來留下若干有關國計民生的事迹，提要鉤元，試作客觀的價值判斷，藉以表示對於一個開國元勳的認識，似屬義所應爾，不落恒蹊。

閻先生主持山西的軍民兩政，垂三十又七年，中經民國十九年一度下野赴大連小住而外，曾未離開過晉省。他在內戰連綿不輟的長期動亂之中，肆應撑持，使山西人民免於水火刀兵的災難，而又不喪其志節，這就是難能可貴的績業，迥非當代任何一個方面大員所能望其項背的。即以張作霖在東北力征經營十餘年，形同化外的軍閥割據基礎，結果亦有部將郭松齡倒戈之變，又有其子張學良與楊宇霆同室相戕的慘劇發生。閻氏治晉數十年，不特政通人和，四境乂安，且於共匪圍攻太原市，守軍力盡援絕，省垣陷落之際，閻氏所屬的文武將吏五百人，全體赴難殉國，既沒有所謂「陣前起義」的叛將，也沒有臨難降賊的貳臣。這種震爍千秋，可歌可泣的義烈行爲，雖說是五百壯士忠愛國家民族的天性有然，視死如歸。然閻氏平日立身行己及其領導方法，若不是對大衆具有深刻的感召潛力，曷克臻此！否則廣袤的大陸變色時，何以未聞有同樣的情形出現，而只見若干經常對人以「不成功，即成仁」之信條相標榜炫耀的武官文員之流，臨難苟免，降者，叛者，逃生者，自首者，所在多有，恬不知羞呢？即此一端，足以證明閻氏治晉卅年，尤稱毋負於桑梓，也對得起國家了！

迫南京撤守，中央政府播遷羊城，保有西南半壁河山的危急存亡之秋，閻氏毅然出任行政院長兼國防部長，臨危受命，以「戰鬥內閣」自矢。這時候，不特戎馬倉皇，鋒烟遍地，飛芻輓粟與調兵應變之不遑，而且外有美國「白皮書」之精神打擊，內有層出不已的政潮干擾，政府又時而留粵，時而移川，局勢之惡劣，人心之渙散，士氣之低落，適構成土崩瓦解的狀態。閻氏鎮靜苦撑，不稍氣餒，督責政府遷到西康，亦要戰鬥到底。我們回憶國軍在川陝境內與共匪決戰不利，政府決計遷到台灣的那段往事，代總統李宗仁棄職遠颺，蔣總統尙未復出視事，統攝國家元首與三軍主帥的職責，只剩下閻氏一人，身處大局逆轉，風聲鶴唳的艱危局面中，光是收拾殘局，籌劃退路，而其任務之繁劇，頭緒之紛亂，如非飽經憂患，識力堅定的人，未有不焦頭爛額，智窮力竭，弄成束手無策，一籌莫展的下場者。然閻氏頗有莊子所謂「大旱流金石而不熱，巨浸稽天而不溺」的勇氣和魄力，使政府各部門人員暨所屬軍隊，以及可能搬移的公有物資器材等，分別集中到台灣，爲國家保存不少的力量。憑着他在這種非常而又萬分艱危局面的應變事實來觀察，我們認定閻氏是自有行政院以來，成績最優異突出的一位院長，亦非阿好過譽之詞啊！

閻氏還有一種普通軍人所不及的地方，就是他平日好學深思，對於政治問題和社會問題，都能夠縱深探究其本源，解析其義理，皆從實事求是的觀點出發，而予以折衷的論斷。如卅年前他所倡導的「村治」政策，廿年前所鼓吹的「兵農合一」說，十年前主張的「勞資互利」論，晚年所著述的「世界大同」的獨特見解，不膚淺，不庸俗，也非拾人牙慧之談，一是皆以國父孫先生的三民主義思想體系爲圭臬，擷其精華，附以新知，發揚光大，煞費苦心。像他這樣紆靑綰紫，封圻專閫數十年，經常浸潤於養尊處優之生活環境中的舊式軍人，尙能好學不倦，以期跟着時代前進的求知精神，環顧並世儕輩，有誰堪與比倫呢？

綜觀閻氏一生的事蹟，對國家，對人民，都可謂功多於過，瑕不掩瑜，而其維護中華民國的奮鬥意志，到老尤爲篤實，臨危更彰義勇，貞下起元，永垂模範，所謂摩頂放踵以利天下者，非耶？詎料天不憖遺，竟以微恙而溘然逝世了！在閻氏個人，行年將近八十，事業諸多不朽，生寄死歸，固無所謂。但値茲國難深沉，大陸淪於賊寇，同胞尙待解救的今日，老成謀國如閻氏者，實在死非其時，亦非其地。人之云亡，邦國殄瘁，這就是我們對於閻先生捐館而不勝其悼痛之情的良知所在，我們平日跟閻先生素少往還，並無私誼之可言，只爲天下蒼生痛失斯人耳。

時事述評

亞州的政治風暴

盧家雪

土耳其的孟達斯政府在一夜之間失勢，發動政變的是土耳其的陸軍。這是繼南韓李承晚退位以後第二件大事。而這些大事都發生在亞州。

軍人干涉政治，不論其所持之理由爲何，畢竟是非常危險的事，但願土耳其的新政府能夠謹愼從事，不致爲了政治上的變化，而影響到國家的力量。

這幾個月來，一連串的政治風暴，在亞州發生。今天的亞州局勢，比較過去任何一個時期，都要更爲動盪不安。原因何在，是值得深長思之的。

李承晚飛檀香山

李承晚昨已偕其夫人飛往檀香山。據公開宣佈的理由：是檀香山韓僑協會會長邀請其前往作一短暫時期的休息。

這當然是沒有理由的理由。一個韓僑協會的會長，能夠有此力量邀請一個下野的政治人物出國休養嗎？

看來，此中最大關鍵，還是在美國政府的態度。

艾森豪前已公開表示，如得新政府同意，他將在訪韓之日，訪問李承晚。這句話，對於李承晚的安全，具有莫大重要性。

鑒於南韓陸軍有異動迹象，美駐韓大使麥格魯特將軍經已於上週連續兩次警告稱：陸軍高級官員可能繼上月間對李承晚政府之民衆暴動之後，進一步發生不穩情勢。

外電報道，美韓雙方，對此事深表憂慮。

在這種情勢之下，李承晚突然出國，可以說是美韓當局煞費苦心安排下來的結果。

蛛絲馬跡，正顯示出南韓內部尙潛在着嚴重的危機。

日本局勢的演變

在南韓的對面，日本的危機卻可能演變到要影響太平洋甚或世界的局勢。

在美國總統即將前往訪問之前夕，日本國內發生一連串的嚴重的反政府示威運動，社會黨淺沼稻次郎且以一政黨領袖之尊，至於請求艾克取消訪日，誠屬一大怪事。

反對日美安全新約者，爲左翼分子所發起，演變到今天，若干非左翼分子亦被其煽動。如果要繼續下去，難保不發生嚴重的流血事件，而這正是日本的左翼分子與站在一旁鼓勵策劃的中共所求之不得的。

本欄于三月九日出版的第七期中，曾經說到岸信介的兩面手法。文末說到：「與虎謀皮者，必自食其果，岸信介此種騎牆政策，正把日本推向更大的苦難中。」到今天，岸信介眞正是自食其果了。

日本政府對共黨的騎牆政策，種下了今日的禍根。假定在幾年前，岸信介政府能夠斷然禁止日本的共黨活動，何至有今日之難堪？

使左翼勢力而在日本得勢，使日美安全新約而終予擱置，則其影響固不僅限於日本，而將及於全世界。

據來自日本之人士稱：日本當局對此種局勢，自信有把握控制，因日本之國情與南韓不同。

此說如經細究，亦不無道理。且看岸信介如何應付此一風暴？

自由談

「相聲」之詞

馬五先生

對日抗戰時期，曾在重慶的娛樂場所，聽過「相聲先生」所說的一段故事，內容是這樣的：

有個在美國讀書七年，獲得了博士學位的中國留洋學生，回國來共赴國難。據稱他在美國發明了一種現代科學化的器具，名曰「兩洋飯桶」，奇妙精微，效用甚宏，羅斯福總統要他貢獻給美國政府，他不肯，一定要報効於祖國。親友聞之大喜，即敎他一面設廠製造，一面具呈政府，請求准予專利權若干年，並集資爲他作設廠之用。呈文首先送到行政院，再由政院按照法令規章，分別交給各有關部會審核簽復意見，如此公文旅行了一年，各有關單位的復文總告齊備，然後又由主管機關召集大家會議，共同決定答復原申請人曰：「查兩洋飯桶，核與國計民生無關，所請專利，應毋庸議！」親友們曾醵資贊助洋博士設廠的，而今向政府呈請專利權，公文手續就辦了一年，結果只是「應毋庸議」一句官腔，不免失望而憤慨，乃請洋博士姑且製造一二具，試行銷售於市面，以觀成效。迨將洋博士製成的「兩洋飯桶」樣品詳細檢查，只是一個四方型的木盒子，中隔一塊洋鐵皮，一邊可裝稀粥，一邊可裝乾飯，如是而已。親友們這才恍然大悟，原來這位留美博士就是「兩洋飯桶」啊！

這段故事形容政府機關的腐敗官僚作風，鞭辟入裏，淋漓盡緻；又對那些祗會說說洋話，穿穿洋服，跳跳洋舞的留洋博士，碩士之類的先生們，挖苦透頂，教人啼笑皆非，眞是絕妙好詞，得未曾有。

我複述這故事的用意，是在提醒現時自由中國政府各部門的公務人員，你們對於一種普通的例行公事，是否基於「有關機關」的理由，左推右拖，東牽西扯，從事公文旅行一年半載亦毫不稀奇，了無愧怍呢？如果跟上述故事的情形差不離，則所謂「政治反攻」之說，不啻自我諷刺，而大家經常掛在嘴唇邊的「反共救國」口號，也就大可不必瞎喊了罷！

高峯會議破裂的剖視

新兵

旨在緩和國際緊張局勢的四大國首腦會議，在巴黎開會的頭一天即宣告破裂，而表示美蘇關係好轉的邀請艾克訪蘇請柬，亦被赫魯曉夫取消，這兩事來得如此突然，使舉世為之震驚，許多人担心大局會迅速惡化，他們的目光緊緊地注視着蘇聯領袖在返國途中訪問東德之舉。因為赫魯曉夫近幾個月來曾一再揚言，如在首腦會議中不獲協議，蘇聯將與東德簽訂單獨和約。但他到了東柏林之後，態度轉趨和緩。他說，六個月至八個月之內，不會與東德簽訂和約，亦不擬變更西柏林的狀況。人們聽了他這番話，似乎又鬆了一口氣，赫魯曉夫既然不在對德和約問題上進一步惡化國際氣氛，為什麼早幾天又要破壞高峯會議呢？這個問題使許多人感到迷惑，連艾克從巴黎回國以後，也對人說這是一個謎。然則這問題真的不可解嗎？不會的。如果細心觀察，任何事情的發生都有其綫索可尋。在我申述對此問題的見解之前，我想先指出目前出現的一些幼稚的、可笑的論調。

幼稚的、可笑的說法有兩種，第一種認為赫魯曉夫破壞高層會議是因為受到國內斯太林主義份子和軍人的壓力。其實，談這種話的人對蘇聯的情況全不了解。在蘇聯境內，斯太林份子經過赫魯曉夫上台以後的幾次大整肅，已經完全失勢，馬林科夫、莫洛托夫和卡岡諾維奇等人是斯大林份子的主要領袖，如果斯大林份子有決定赫魯曉夫行動的力量，馬、莫諸人的處境現在怎會如此？至最近蘇聯內部人事的變動，更不足說明此事，因為新任要職的人沒有一人是斯大林份子的，談到軍人的壓力，說者沒有大概注意到近年蘇聯黨軍之間的關係：朱可夫是因為不願紅軍受黨之強力控制而被免職的，而馬林諾夫斯基是因為擁護黨對紅軍的絕對領導而上台的。

第二種同樣幼稚、可笑的說法是認為赫魯曉夫破壞高層會議是因受到中共的壓力。他們說，中共不高興一個沒有它參加的大國會議的舉行。中共希望能夠以一個主要角色出現國際舞台而處理世界事務，這點當無問題。但如果認為中共因不能參加高層會議，便脅迫赫魯曉夫加以破壞，那是天真得太可憐了！西方人士每每把共產國家之間的關係，看作自由世界國家之間的關係。這樣難免不大錯而特錯。其實，蘇聯與中共的關係是主奴關係，中共怎能脅迫赫魯曉夫改變主張而對它屈從？如果說中共不願沒有它參加的世界性會議舉行是老克破壞會議的原因，那麼，上次在日內瓦舉行的高層會議為什麼又能如期進行？

最平實的看法，高層會議的破裂是赫魯曉夫自己製造的，他這樣做法包含着三惡毒的意圖：

（一）離間盟國的關係

赫魯曉夫明知在首腦會議上討論裁軍，德國和柏林等問題難有結果，與其在會議後就那些問題與西方三國互相指責，不如藉着美機偵察事件把高層會議破裂責任推在美國一國身上，如此較易爭取世人的同情，也會引起盟國間對會議破裂責任的爭論。

另外，赫魯曉夫知道英國十分害怕會議破裂，如果他就諜機事件向美國提出強硬的要求，艾克雖不會接受，但英國為了害怕會議破裂，很可能對美國施以壓力，這樣可以造成英美之間的齟齬。但這個陰謀竟然失敗，使他掩不住內心的失望，以致在巴黎的破裂以後，赫魯曉夫在一個記者招待會中，坦率地對美國表示遺憾。

（二）影响美國的大選

赫魯曉夫聲言把高層會議推遲六個月八個月以後舉行，分明是針對美國大選而發的。六個月以後，即今年十一月，是美國大選的日子，由於美國憲法的限制，艾克在今年的選舉中已無當選連任的可能，老克把會議推遲到美國大選之後，意思就是不要艾克做對手。許多人都看到這一點，但問題並不止這一點。

赫魯曉夫不要艾克為談判對手一事，無異向美國人民宣告：如果你們希望談判，希望和平，就不要再選艾克之類的人做總統。老克深知美國人的弱點，他最近曾說：「我到過美國，在那裏會見過各階層美國人民，我深深相信，各階層美國人民都不願意戰爭。」他企圖利用美國人民怕戰的弱點，誘使美國人民在今年大選中，選出一個較為軟弱的總統來。

（三）製造緊張的氣氛

共產主義者以統治世界為目標。為了達到這個目標，武力是一項極其重要的東西，故蘇聯自建國以來，對於擴充軍備的活動就一直未曾停止過。但是，最近這種備戰活動在國內受到很大的阻力。

赫魯曉夫是以清算斯大林起家的。他既清算斯大林，他的做作自不能與斯大林同出一轍，于是他對人民的管制稍為放鬆一點了。人民說話機會多一些之後，就把積壓在內心多時的改善生活的要求如暴風雨般洩發出來，在人民的巨大壓力下，赫魯曉夫不得不在本月初舉行的蘇聯最高蘇維埃會議上，宣佈要縮短工人工作時間和降低物價，但這些措施與蘇聯的擴軍備戰政策是有牴觸的，要使擴軍能繼續進行，老赫便用此計惡化國際氣氛，以為繼續要人民勒緊褲帶的藉口。

一方面要惡化國際氣氛，一方面現在大戰又沒有把握，這就是赫魯曉夫既破壞高峯會議，而又不在對德和約問題上攤牌的原因。

台灣物價波動情形

健生

台北通訊

邇來此間物價上漲的幅度，為七年以來所罕見。其上漲的原因雖多，但問題的重點，是現在強調自由經濟，過去則重於管制，兩者都失之矯枉過正而流於偏，加之浪費和消費，勢所難免，而主管機關亦未盡到調劑或管理之責，有關措施，諸多不合實際。

台灣省物價，自四十三年以來，其一般指數雖有漲有跌，然其幅度尚不甚大。如四十四年上漲百分之十四，四十五年之漲勢減為百分之十二點七，四十六年復減為百分之六點五，四十七年更減為百分之二點一，但四十八年則上漲百分之十點八。今年三月份的物價指數，與去年三月份相比較，則其漲率竟達百分之二十一點六，為民國四十二年以來所沒有。

如米價上漲百分之三十，這是糧食局領導的結果。自從「八．七」水災發生後，糧食局配給的戶口米價為一台斤二元一角，而今春則上漲至一台斤二元五角五分，自本年四月四日起調整為二元七角，此為官價，然而黑市價格，則為一台斤三元五角，幾乎為百分之七十。物資局配給的美援黃豆，上漲百分之四十。自四十六年六月至四十九年一月，其牌價為每公斤六元六角。但自今年二月起由配售制改為標售，并將底價提高為七元五角，而市價暗盤交易，猛漲至十元一公斤。黃豆油漲百分之三十三，花生油漲百分之四十五，物資局供應市場之花生油及黃豆油的牌價殊少變動，市價亦頗以穩定。但自本年一月份起，物資局突經呈准台灣省政府將配售改為標售，將花生油底價自十四元四角提高至十六元五角，將黃豆油底價自十三元五角提高至十六元五角，因為投標者互相競爭，出價恒在底價之上，故消費者負担自更沉重。白糖漲百分之六十六，台糖公司掌握大量食糖，但只管外銷，而將供應國內市場需要的責任，完全諉諸蔗農。本年蔗農手中僅有食糖九萬五千噸，以之供應全省，平均每人所得九公斤左右，自屬求過於供，於是蔗農及糖商正好奇貨可居，昂價而估，故其漲價頗烈。水泥漲價百分之四十四，水泥原非政府掌握的物資，主管機關最近且曾開放進口兩萬噸，以供急需，然因遲遲不作決定，以致市價日漲。

正在物價猛漲之際，菸酒公賣局在三月二十九日突然宣佈漲價，漲率達百分之二十八強，這是「八．七」水災後的第二次漲價，政府以增加公教人員待遇為理由，籌措財源，但自七月份增加待遇辦法，迄今猶未定案，卻先行增加公教人員的負担了。公賣消費品，公營物資或公有勞務之上漲，不獨被指為政府領導漲價，而其管理民間物資之法律的及道德的地位，自亦隨之削弱。

物價上漲，立法院的質詢，監察院的糾正案，均指責政府未善盡其職責，但經濟部長認為少數物資之一時的價格變動，不必嚴格去管它，因其對國民經濟及人民生活，並無重大的影響，而漲價總比發鈔好。故政府本此理論主張，採取放任態度。

物價治本之道，重在節約，杜絕浪費。據行政院主計處及美國安全分署的統計：政府的消費，民國四十七年為八十二億元，較四十一年的二十六億元，增加百分之二百零八強；在同一時期，國民所得（生產毛額）；四十七年為四百四十億元，較四十一年的一百五十億元僅增百分之一百六十四點五。這顯示着政府在浪費人力財力之處，仍所在多有，如果不杜絕浪費，不能樽節消費，政府與民間將無餘力以投資於生產事業，則發展生產將受影響，而欲穩定物價，更戛戛乎其難哉！

監察院認為以加價作籌款方法，藉以解決財政問題，無異飲鴆止渴；綜觀八七水災後，政府增闢財源之方法，在原則上似準備以物價為犧牲，則一般物價安得不飛躍上漲？故政府今後如不能在賦稅政策方面為大力之改革，并澈底整頓稅收，杜絕中飽及逃漏，則物價將永無平抑之望。

中共農業困難重重

言之

中共自從在「人代會」由李富春及譚震林發表今年經濟計劃，是「以重工業為主導，農業為基礎，優先發展重工業，並迅速發展農業」，「重工業支援農業」的方針後，大陸共報即一再強調農業的重要性。農業生產不敷消費，一向就是中共所無法解決的問題，自「人代會」中共頭目喊出「以農業為基礎」後，一般嘍囉便以為大陸的經濟危機已經解決，近來共報不斷寫文章大吹大擂，但都脫不了「人代會」共酋說的老套，即：一、全力發展農業，協調工農業關係，「以農業為基礎，按優先發展重工業和迅速發展農業互相結合的原則，更好地處理農業，輕工業，重工業部門之間的關係。」二、「以糧為綱」，發展「多種經營」，以「把糧食增產帶在首位，以糧食為綱的前提下，農林、牧畜、漁，各業同時並舉，糧食作物和工業原料作物同時並舉」。三、以養猪為中心，全面發展畜牧業，「全民養猪」，「以猪養田」，「以田養猪」，圍繞着養猪，全面發展養牛養羊養雞養鴨等等副業。四、加速農業技術改造，大搞農田基本建設，「實現農業機械化」，「技術革新」、「技術革命」。五、繼續整頓「人民公社」，改進經營管理措施，領導幹部搞試驗田，拆毀自己家中的小灶，到「公社食堂」去共食（按：據中共理論刊物「紅旗」稱：領導幹部過去向不入食堂，且有不入公社的，由是此種官僚作風使農民大起反感），並由貧農掌握食堂，以圖提高「公社」農民幹勁，此即「結合社會主義教育工作」，此進一步整頓「公社」。

共報把上列各項叫得震天價響，以為一下子就把過去的危機全部翻過來了，但就現目客觀情勢分析，中共該等政策仍有許多困難。首先，在發展農業方面必先有大量肥料，中共的化學肥料根本尚不能保證經濟作物的最低限度需要，因而在糧食生產方面，歷年都仰給於自然肥料。但自然肥料因肥源缺乏，去年十月以後，中共雖然動員百分之四十的農村勞動力發起「積肥運動」，但進展甚為遲緩，各地所積肥料僅得一千七百多億担，不但數量不足中共目標一半，肥料質量亦大成問題。今年一月後，中共掀起「全民養猪」運動，又企圖增產糞肥，提高肥效，但養猪所需的飼料，猪種，猪舍及養猪人手等，較之應付肥料問題還要大感棘手，最近廣東「南方日報」即已招認養猪運動不止無大成績，且已一敗塗地，可見肥料問題已到化學肥不敷使用，猪肥亦用無可用。

其次，中共多年來曾大事修水利，但大多草率從事，未能發揮灌溉效能，去年又逢特大天然災害，水災地區，水利工程十九毀於洪水，旱災地區，則普遍乾涸，水利工程又形同虛設。去年十月以後，中共的「修水利」運動，每日投入勞力七千四百萬人，號稱進行施工的工程達一百五十多萬處，但工程粗劣，新修灌面積未見增加。今年春間大陸旱災，受旱面積達五億畝，佔大陸可耕地十二億畝五分二以上，去月廿四日「人民日報」社論供認去年所修水利工程根本無濟於事，又供認機械灌溉的機器陳舊破爛不堪使用。因此該報社論大呼要保證農業生產不受旱災影響，可見因水利問題無法解決，今年大陸農業勢將減產。

最後，中共因農業生產遲滯，限制輕工業發展，直接影響輸出貨財，財政收入資金積累及農民生產情緒等，早為中共供認不諱的事實。尤其在農村方面，物資的缺乏，農民的消極抵抗，更使快速發展農業的可能性大為削弱，加以中共「優先發展重工業」「備戰的原則又不放棄，軍火工業的進展仍將抵銷農業發展速度，「迅速發展農業」為不可能的事。

綜上觀之，雖然共報口沫横飛，描出一幅美景，但空言無補於事，中共要農業發展，並非短期內可成的。

社會小說

香港地

四、高的低的

這位賈大夫，姓賈名叫大任，原在軍隊裏面當醫官，來了香港之後，也是住在木屋區內，過着很刻苦的生活。因他懂得醫術，區內難民遇着有疾病時，多就近請他診療。他權且當了黑市醫生，收取極廉宜的診費，經常替人開方打針，也着實做了不少好事，人們便喊他做賈大夫，他的名聲因此開揚起來，生活門路也藉此打開了。

梅大亮和賈大夫原屬鄰居，從前曾爲他做醫藥顧問，常有來往，因他在發財以後，立即遷居，在熱鬧的市場裏開了一個診療所，才斷了聯絡，這時見他在一家新開的商店門前露面，說話全是生意人的口吻，不覺愕了一愕，猜不出這是甚一回事。

賈大夫不由分說，一把拉住梅大亮，一直拉入店裏坐下，才對他說道：「這是我新開的店子，你好意思不賞臉光顧一下嗎？」

梅大亮看這店子，賣的是餃子、包子、鍋貼之類，店門前還寫有幾個大字「衛生豆漿，全日供應」，顯是專門消費廉價飲品和食品的平民食堂。店裏陳設很簡單，生意似乎不錯，門前熱騰騰的冒起烟氣和香氣，那是由一個大鐵鍋發出來的，那裏正煎着好幾十個鍋貼，招引了不少兒童在看熱鬧。

梅大亮覺得這生意經還算不錯，虧賈大夫想得出這門生活，便向他問道：「賈大夫，恭喜你做老板啦！你那間診療所怎樣了？」

賈大夫先獻上一碗豆漿，再來了滿滿的一碟鍋貼，才笑着答道：「診療所還照舊開着，這是和朋友合夥開門面的小店子，今天上午才弄好門面，下午便開張做生意。看我們的東西還算不錯吧！」

梅大亮見得賈大夫眞有辦法，便向他恭維幾句，賈大夫却是笑道：「這有什麼值得恭維？我起初做了衛生地主，後來又做了黑市醫生，一步又一步的走下去！在我們木屋區裏居住的人，不是很需要這樣的一個食堂嗎？大家既然有這需要，我們爲什麼沒有人動腦筋去供應呢？梅老兄，你說這話對不對？」

賈大夫提到「需要」這兩個字，像電火一般閃入梅大亮的腦子裏。（卅一）

木客著

學店剪綵記

蘇提

正人中學正在粉飾門面，「東主」施大昆先生忙上忙下，忙裏忙外，忙得個「不亦樂乎」，却是紅光滿面，笑容可掬，看來，這間學校是有些前途的了。

在粉飾門面期間，全校停課，教職員學生皆大歡喜，施大昆東主拿着他那支生花妙筆，在一張大紅紙上，寫了幾個大字：「裝修內部，暫停營業」，這張紅紙貼在校門口當眼處，着實吸引了不少人的注意。

學校門口張貼這種佈告，可稱大膽作風。但施大昆東主滿不在乎，就在這張佈告貼出後的第八天，正人學校舉行了一個盛大的剪綵典禮。

這一天，應邀觀禮的來賓很多，施大昆先生又是忙上忙下，忙裏忙外，忙得個「不亦樂乎」。大家以爲剪綵的名流，不是教育司，也是個太平紳士，再不然，也是個民選議員，可是，掌聲起處，四個打扮得妖冶的小姐魚貫登台，中間有兩個還是競選過世界小姐而被錄取在九十九名以外的。

許多來賓就不免竊竊私議了。

大家認爲這是學校，不是舞場，「剪綵」本來就是多此一舉。剪綵而用「世姐」，尤屬荒天下之大唐；但施大昆先生是個有錢的人，在這個都市裏，有錢人做的事，十有九是不會錯到那裏去的，因此，私議也僅私議而已，誰也不敢形諸辭色哩？

且說剪綵過後，跟着就是「鷄尾酒會」和演說。施大昆先生起立致詞，首先感謝嘉賓的蒞迎的盛意，然後一轉轉入正題，他說：「敝店下一年度的營業方針……」

話沒說完，全場鬨笑，只見有位朋友在他耳邊私語了幾句，這纔聽到施先生繼續說道：「敝店乃敝校之誤，請諸位原諒。」

又是一陣大笑，施大昆先生將兩手一揚，接着說道：「敝校校舍寬敞，空氣新鮮，這是諸位來賓有目共見的。其實，這種外表的美，並不能代表一家學校的精神，最主要的問題，乃在人事是否配合得宜，收費是否過高，設備是否完善。」

全場鴉雀無聲，這以後便是畫龍點睛的句法了。他說：「第一點，從下一年度起，本校採隨到隨考制。本校長一向認爲教育天下英才，乃世間一樂，因此，對以往那種有學生而不能進學校的現象，深感痛心。現在，我們就針對這一點，來一個澈底的解決。」

「第二點，本校職員，全部女性。此等女性，均出身高貴，和易近人，絕無傲慢顧客之弊。」

說到此地，剛才說話那位朋友又在他旁邊耳語了幾句，只見他連忙更正地道：「『顧客』二字爲學生之誤，請諸位原諒。」

又是一個見諒，這一回，全堂鼓掌了。在鼓掌聲中，施先生很得意地說道：「第三點，各生往返學校，咸感交通不便，本校特備校車接送，每位照「的士」起碼價目收費，所費不多，而對各位學生之安全，固極具保障也。」

「第四點，文具紙張書籍均由本校統銷統購，茶水亦由學校供給，每人每日僅收茶水費三毛，絕無茶樓中淨飲雙計之弊，足見本校長無時無刻不以減輕學生負担爲原則也。」

施大昆先生僅僅說了四點，繼即作了結論說：「諸位，學校與社會是應該打成一片的。本校長竭誠歡迎各界人士的善意建議，尤望在諸位來賓的幫助下，使本校得以欣欣向榮。」

鷄尾酒會算是功德圓滿了。當那些紳士們魚貫而出時，有一位名流不禁衝口說道：「這那裏是一間學校？」

不是學校又是甚麼呢？許多人都有這個疑問。當大家帶着一片疑惑的眼光去到學校門口時，施大昆東主帶着笑容和每一位賓客握手道：「請介紹，請指教，敝校是正正式式在工商署登記過的呀！」

天哪：這原來是一間學店！

吹牛之術

生活漫談

陳永昌

凡將事實誇張虛報其大叫吹牛，吹牛名詞之來源是起於澳門，相傳葡人初到澳門，只要求當地人士給與一牛之地，以便買賣交易，豈知他們竟能把牛吹大了，佔地越佔越多，牛吹得太大，終於爆了肚皮，於是把牛皮牛毛牛骨牛肉，實行拖得儘量遠，今之澳門，葡人靠吹牛吹回來的。

生存在這個多姿多采的現代社會，眞個要懂得吹牛之術，否則「執輸行頭，慘過敗家」。中學畢業，胡混地入了警界，作二級幫辦，被派在督轅府作守衛，竟對人自驕是總督副官，其實總督未與其交談過一句，更無緣與其作密切之關係，不論學識地位天資，皆屬車載斗量之徒，只是荷槍守夜，何來「副官」之名？要如是，督轅府內全是副官，連在那裏澆花的園丁也是副官了，在那裏戍守的英籍將官也只是稱守長，粗獷之夫竟自稱「副官」，何吹牛之有？「副官」之名相當了得，局外人不陶醉者幾希，怪不得容易招得那些「飢不擇食」的女性，誠恐失却副官太太的「榮銜」。

在公司裏當一個職員，竟對人說是什麼買辦，全公司的貨物全經他手，儼然成爲公司得力的支柱。每月收入二三百元，出外交際，氣度昂然，畢挺西服，雪茄士的，皮鞋擦得如面鏡子，場面之講究，態度之瀾綽，連總經理也大嘆不及呢？拆穿西洋鏡，原來晚晚瞓在「爲食街」的大牌檔喫兩毫錢的「冷佬粉」以充飢呢！

端陽（中）

徐學慧

龍船上的鼓聲既如此重要，因此，年輕人皆不敢充任鼓手。爲的是稍有差池，則划船手無從聽命，划槳的時間必不會一致，乃必然要影響到船行的速度，這麼一來，就無法與他人競爭了。

不會有過賽龍舟經驗的讀者們，很可能會要懷疑，我在上文所說的「稍有差池」四字，是不是有點過甚其詞呢？筆者年輕時在鄉間會經扒過龍船，此種經驗我是有的，十幾隻龍船同時在一條小河上，鑼鼓聲此起彼落，交相入耳，眞箇是只要稍有差池，則本船之鑼聲乃合着另一船之鼓聲，那就天下大亂了。

基於這一原因，龍船上的鑼鼓手，似乎是不成文地要由年長而有經驗者充任的。鼓手坐船之正中，擊鼓的槌用繩紮在手上，以防脫手。（在龍船比賽進行中，那是萬萬不能脫手的。）

何時擊鼓應快，何時應轉慢，由鼓手斟酌當時情形自定。划槳手一到了龍船上，即早已被告誡着唯鑼聲是聽，不能有半點自主，因此，鼓聲緊則鑼聲急，鑼鼓急則划槳者乃拚命而前，水花濺起往往高丈餘，划槳者全在水花中，有趣極了。

二十四個划槳手，前六名又必以年紀較大而特別壯健者充任，這一點，有賽船經驗者自知其中道理。香港環海，海水無所謂上下流，但亦有順流逆流，那是由於暗潮的關係。在淸水河裏，上下流極分明，龍船如逆水而上，划槳雖較易用力，而船不易前進；至於順流而下，船之前進雖較易，但划槳者須用大力，乃能使槳深入水內，而後推進之力始夠。前六名水手必須用全力開水路，後面之水手乃有水路可循，槳入水愈深則力愈大，龍船乃愈快。因此，每一隻龍船上，坐前三個艙位上的划槳手，乃必爲精壯無疑。

賽一次龍船，那些划槳者的手，食指與大姆指的中間，是很有可能皮破血流的。不過，這拜不要緊，亦無人加以介懷，今天皮破了，明天下午龍船鼓響，又躍躍欲試矣。

在鄉間，端陽這一個節令，可以說，是瘋魔了每一個人的。扒龍船這一個習俗，究竟流傳了多久，那是考據家的事。無論如何，這一饒有意義的民間習俗是值得提倡，而且應該加以發揚光大的。

西方人有划船比賽，與我國的端陽競渡，其用意全同，且講到規模之大，普及性之廣，則西方的所謂划船比賽，簡直難以望其項背呢！

大陸文壇萬花筒

文藝創作的新方向

岳騫

最近一年來，共區文藝創作方面又有了一個新的態度。在過去，「文藝必須服從政治」，「文藝寫作一定要配合政策」，爲了宣傳土改，丁玲寫了一本「太陽照在桑乾河上」（現已成爲禁書），爲了宣傳土改必須殺人，周立波寫了一本「暴風驟雨」，爲了「抗美援朝」，楊朔寫了一本「三千里江山」，爲了推行合作化，周立波又寫了一本「山鄉巨變」，諸如此類，舉不勝舉。不過，其中有一點要特別指出的，那時文藝雖然必須服從政治，但是，文藝本身還是文藝，只是寫作時要以政治爲背景，如若撇開政治意味來看，換句話說，假若讀者不是中國人，未曾受過「土改」，「合作化」，「抗美援朝」幾次運動之害，仍然以爲這些作品還是小說，等於我們今天讀到托爾斯泰的「戰爭與和平」，羅曼羅蘭的「約翰克里斯朵夫」，密契爾的「飄」，雷馬克的「西線無戰事」與「人」，又何嘗沒有政治成份在內，當然這種比法有點擬於不倫，不過，就事論事，實在如此。

可是，最近一年來，共區「文風」又變了。過去是用文藝宣傳政治，現在則是用政治指導文藝，題材不能隨便訂，必須要拿社會的新人新事爲背景，過去的文藝作品那一套，故事的結構，人物的個性，都用不着了，只把眞人眞事寫下來就成了。

這不但小說如此，話劇，電影也是一樣，最近一部影片「爲了六十一個階級弟兄」，就是山西省平陸縣六十一個民工因爲喫野生植物中毒的故事，經「中國青年報」記者加以報導，報導內容不提民工中毒原因，只說是中共派機運藥品去營救，這個故事單純的極點，也是大陸六億民衆一般生活情況，可是中共竟出動全國力量去宣傳，由報紙上的消息編成話劇，再進一步又編成電影。由這件事情開了端，中共又把一些「英雄故事」都搬上舞台或銀幕，如廣州擒死女工向秀麗（中共宣傳是爲了救廠而燒死）的「英勇」故事，也編成話劇。中共「文藝報」鼓勵作家以後要專門寫這些東西，因爲這種故事具有共產主義的思想和風格，是能配合「黨」的政策，至於是否受到觀衆的歡迎，「文藝報」就不計及了。

釋耒集

物價

史記平準書曰：「漢興，接秦之弊，丈夫從軍旅，老弱轉糧饟，作業劇而財匱，自天子不能具鈞駟，而將相或乘牛車，……而不軌逐利之民，蓄積餘業以稽市物，物踊騰糶，米至錢萬石。」此言物價之升，實出於奸商乘時操縱，故高祖初年，即下令賈人不得衣絲乘車，重租稅以困辱之。然此舉亦殊無效，至孝景時，鼂錯上書論貴粟，猶曰：「商賈大者，積貯倍息，小者坐列販賣，操其奇贏，日遊都市，乘上之急，所賣必倍，故其男不耕耘，女不蠶織，衣必文采，食必粱肉，……因其富厚，交通王侯，力過吏勢。」平準書又曰：「自孝文更造四銖錢，至是歲四十餘年，自建元以來，用少，縣官往往即多銅山而鑄錢，民亦間盜鑄錢，不可勝數，錢益多而輕，物益少而貴。」大抵生產匱乏，由於軍旅徭役之繁促，物價騰踊，由於奸商蠹民之操縱，而其間又有官僚資本，附益其勢，故至武帝時，卜式即言曰：「縣官當食租衣稅而已，今弘羊令吏坐市列肆，販物求利。」考漢興自高祖改鑄秦錢，至武帝行五銖錢，復皮幣，漢之幣制，固已屢更矣，其目的，均在於平抑物價，而率無大效，則商賈之足以蠹國病民，其由來遠矣。趙翼廿二史劄記，述唐代前後米價貴賤云：「貞觀時斗米三錢，玄宗東封泰山之歲，東郡斗米十錢，自安史之亂，兵役不息，田土荒蕪，兼有攤戶之弊，……十家之內，五家逃亡，即令未逃之五家，均攤其稅，是以逃戶愈多，耕種愈少，代宗永泰元年，斗米一千四百，較貞觀開元時，幾至數十百倍。」依此以言，則物價之不易平抑，又不獨前漢為然也。近讀宋人軼事，節引春渚紀聞曰：「宗汝霖（澤）尹開封，物價騰貴，至有十倍於前者，公呼作坊餅師至訊之曰：自我為舉子來京師，今三十年矣，籠餅每七錢而今二十何也？餅師曰：自都城經亂以來，米麥起落，初無定價，因襲至此，某不能違衆獨減使賤也。公因出兵厨所作餅示之。且曰：此餅會計麵工之費，枚止六錢，若市八錢則有二錢之息，今將出令止作八錢，敢增價者斬，今借汝頭以行吾令也，即斬以徇，明日餅價如舊。」余等生於清末民初之際，四十年以還，政府幣制亦屢更矣，抗戰勝利，發金圓券，不及兩月，即成廢紙，舉漢、唐、宋三代所見之事實，固莫弱親見之矣，政府不乏桑弘羊，楊國忠之倫，惜獨無卜式與宗汝霖耳。

曲齋

粟海彈心餘

土地問題（中）

阿公

中國社會組織，經濟組織，交相建立於家庭農業，故家庭為社會中心，農業為經濟中心，極與美國之家庭農場相似，惟所佔幅面，相差甚遠，機械耕芸，人畜耕芸之不同，至若土地私有，家庭組織，並無二致。而中國農村互助之善良風俗，恐為西方國家所未有者，春耕秋穫，人畜發生故障，而鄰里人力畜力相助，疾病相維，大多出於自然。故能以微弱之農業經濟，周旋於工業經濟侵略剝削者百年，喘息於對外對內戰爭之間者數十年，設使西方任何進步農業工業國家當之，未必猶能維持支撐於不墜，此豈私有制之不善，而衰落至此，是亦有故。八十年前，中國國民經濟動向，微論工商仕宦，幾無不由都市而流入鄉村，農業資本，甚少流入都市，因此農村經濟，隨時隨地，得到周轉調濟，水利牲畜，肥料種子，不患短闕廢弛，且清室祖訓：「寧可亡國，不可加賦，」故遜清二百六十餘年，未嘗直接誅求農民，「田家作苦，歲時伏臘，烹羊炰羔，斗酒自勞」安居樂業，亦足自慰。自是而後，海禁大開，都市繁榮，士夫宦豪，工商餘資，不復轉向農村，而農村資金，反多移徙都市，幸地方安堵，秩序井然，農村猶得依賴自力，以事爭扎。乃民國以後，負担加重，生產遞減，農民呻吟於不肖官吏軍警，土匪劣紳之下，不得斯夕少休者數十年，因此堰塘溝洫淤塞，肥料畜力缺乏，米麥棉花進口，逐年增加，是豈土地私有不善之所致歟？八年艱苦抗戰，向以土地為對象之正稅苛雜，征實之外，征借、征購、積穀、省級公糧、縣級公糧、保甲穀、教育穀、共計八種，以農民為對象之役政，兵役、夫役、義務役、臨時役、國民兵役、及組訓軍訓，共計七種。加以軍公糧之集中通案，主管從未考慮民力艱苦，稍存愛惜，近者十里二十里，遠者數十里百里，男女老幼，肩挑背負，喘息呑嗟，猶有守候終日而不得交劄者，凡此種種，老百姓安得不仰天太息，此共產黨所以崛強而起也，又豈土地私有不善之所致歟。

蔡元培與北大

道南

黨國元勛，儒林宗師，現代中國新學術新文化的保姆——蔡元培先生，係於民國二十九年三月五日在香港逝世，卜葬於香港墳場，今年恰好是他的逝世二十週年紀念。猶憶當他逝世以後，國民政府褒揚云：「國民政府委員蔡元培，道德文章，夙負時望，早歲志存匡復，遠歷重瀛，研貫中西學術，回國後，銳意以作育人才，促進民治為己任。先後任教育總長，北京大學校長，及大學院院長，啟導新規，士氣昌明，萬流景仰。近長中央研究院，提倡文化事業，績效彌彰。方期輔翼中樞，裁成後進，高年碩學，永為黨國儀型；乃以舊疾未痊，滯居嶺表，遽聞溘逝，震悼良深。着給治喪費五千元，並派許崇智前往致祭，生平事蹟，存備宣付史館，用示崇重勳耆之至意。此令！」這是蔡先生的殊榮，關於他一生事功勳業，從這一道令文中可以畧知梗概。關於他之嘉言懿行，各方的評述很多，不擬重贅。惟筆者所感到的，蔡先生的偉大成就，首要的由於「兼收並蓄」。他常常主張：「無論何種學派，苟其言之成理，持之有故，尚不違自然淘汰之命運者，雖彼此相反，而悉聽其自由發展。」

所以他延攬教授，總是多采多姿的。講舊文學的有「桐城派」「文選派」，如黃季剛、陳介石、陳漢章等，講新文學的，如陳獨秀、胡適之、魯迅、沈尹默、錢玄同、李守常等，同一門學問，有幾個人講授，彼此主張不必相同而可以相反，儘管錢玄同在一個教室主張用羅馬字音代替漢字，黃季剛卻在另一個教室大罵「錢玄同野狐禪，辱沒太炎門風」，一面陳獨秀、胡適之辦「新青年」，攻擊孔子，攻擊舊禮教，另一面有些教授就在教室裏搖頭歎息道：「楊朱為我，是無父也，墨子兼愛，是無君也，無父無君，是禽獸也。」甚至如辜鴻銘，紅纓垂辮出入校舍，籌安罪人劉申叔病體龐羸，指揮講壇，都是取重他們的學問，因材器使，量才禮聘，故能兼收並蓄，發揚光大。北大人才，盛極一時，而近代新文化新思潮，在他寬宏的器局，遠大的識見主持之下，便能發榮滋長，推演成一股大潮流了。

至於他待人接物，極其和靄，那一副慈祥愷惻的神氣，凡是與他接觸的人，莫不感到如坐春風，和氣迎人。他儘管醉心於法國革命時代所標榜的「自由」「平等」「博愛」的口號，但他別有見解，總是從克己方面做出發點。他說：「用中國古義證明：『自由者，富貴不能淫，貧賤不能移，威武不能屈』是也；古者蓋謂之義。平等者，『己所不欲，勿施於人』是也；古者蓋謂之恕。博愛者，『己欲立而立人，已欲達而達人』是也；古者蓋謂之仁。」他就以仁、義、恕，做日常處世接物的道德範疇。

同時，他主張「躬自厚而薄責於人」，因為人我固然應當平等，但是有主觀、客觀之分。一個的行為，常常含着許多的原因，例如遺傳呀，感情呀，……這些都有着支配行為的勢力，在我，做了一件事，其一切原因都可以反省而得，因之遷善改過，都可以努力而成。而在他人呢，其所有成因，旁人全不明瞭，所以責備便不會確當。他有過這樣的說法：「責己重而責人輕，乃不失平等之真意，否則跡若平等而轉為不平之尤矣。」這真是自律生活的圭臬，也就是至理名言。

總之，他之一生嘉言懿行，均足為後進楷模，他之受到國府褒揚，與夫一代學人之崇敬，實至名歸。不沼居屬，倏逾廿年，歲月成湖，蔣海同悲，老成凋謝，際茲先生逝世二十週年之候，言念哲人，遺風未遠，又安能不寄以高山仰止之思！

海嘯慶談薈

軍閥悲歡離合記（二）

未幾，駐紮山海關內至灤州一帶的奉軍大將郭松齡，忽然起兵反叛張作霖，事前會與馮玉祥秘密協商過，馮氏採取中立態度，暗中監視着直隸督軍李景林，不使他妨害郭軍的行動，事成許他改任熱河都統，李亦欣然同意。詎料郭氏倒戈之舉，轉瞬即歸失敗，而馮郭同謀的內幕亦為張作霖所洞悉了。急切整飭內部，又着持段執政將直魯兩省區任由奉軍駐防，尤注意於京漢、津浦兩路的交通據點，另派奉軍進駐北京市郊。對於李景林亦視同叛徒，不復予以支持，旋由段執政任命馮系的國民第三軍軍長孫岳為直督。同時作霖由張宗昌游說拉攏，願與吳佩孚從事妥協，主張聯合對付馮氏，題目是「討赤」。馮氏深感自身已處於孤危的環境中，再三向作霖疏解，請其勿信外人挑撥，合作到底，作霖要馮氏先發表一篇「反赤化」暨贊成張對國事意見的宣言，然後再談其他問題，否則各行其是，不相為謀，從此愛莫能助了。詞氣咄咄逼人。與佩孚此時亦想利用奉軍力量，先將最痛恨的敵人馮氏打倒再說，對於作霖修睦的要求，表示首肯，因此，作霖即不屑再與馮氏論金蘭之交，成為囚総隊末了。馮知張吳聯合以圖已於勢難以抵抗，乃親筆譔寫長函致作霖大發牢騷，指摘張氏種種過失，實為一紙絕交書，此十四年十一月間事也。其詞曰：

雨帥大哥：共患難以來，本期為國共死，不期吾兄迷信權利，被人所誤。逐孝伯（按係王承斌）於直隸，同志寒心，驅鄭某（按係鄭士琦）於山東，軍人解體；顧一堂早走而得皖省（按係指奉軍將領姜登選新任皖督），任兼帥（盧永祥）速去而刧江蘇（按係指楊宇霆督蘇）。對同志如彼，而對共患難者如此。多年舊友，以軍長節制軍長（按不知其所指者究係何人），至今不得徵權，豈非過河拆橋？新進少年能花言巧語，見敵即跑，不加之罪而仍握大權（按係指張學良），我兄仍如是之顛倒也。芝老（段祺瑞）之對傳良佐，雖棄湖南而逃，仍加以將軍頭銜，賞罰有失，一敗幾乎不起，我兄豈非親見之乎？茲閱來電，逼弟宣言，弟在去年和平救國之役，我兄知弟有無宣言，我兄思之未也？弟與吳（佩孚）有不併立之事，我兄思之未也？宣言真正有效與否，我兄思之未也？顛倒至於此極，誠非弟之所料及。今也京畿增兵數萬，是追弟宣言，逼弟宣言，弟已決定無論如何不受逼迫而宣言，非為強搶，與非合作到底者，非為見新厭舊，為排除異己，非為花天酒地縱己之慾，乃為犧牲性命以為國家為人民也。如我兄認弟有合作之必要，有幫忙之必要，弟即來合作，幫忙，否則唯有靜待繳械而已。唯盼兄平心靜氣，思之又思，尤盼為現在之人民一思，京城為首都外交所繫，尤盼念及。弟祥十一月十四日（未完）

諸葛文侯

談左宗棠

漁翁

左字季高，湖南湘陰人，道光時，由邑庠而舉於鄉，咸豐初，洪楊軍起，以四品京堂統軍，轉戰於浙江福建間，旋平陝甘，定天山，累官總督，拜東閣大學士，封恪靖侯，論功不在曾文正公下。

當左駐防西北時，寓兵於農，勉民以教，平靜時，說禮樂而敦詩書，有事之秋，執干戈以衛社稷。對於植樹，尤感興趣，軍行之處，即舉行植樹運動，在陝西省內六七百里地方，種樹達三十萬株，在甘肅涇川至玉門關一帶，綿亘數千里，所植更不可以統計，後人稱之曰「左公柳」。光緒初，楊昌濬西行，見夾道楊柳，綠如帷幢，覩景生情，即成一絕云：「大將籌邊尚未還，湖湘子弟滿天山，新栽楊柳三千里，引得春風度玉關。」

唐詩人王之渙詠涼州詞，有曰：「羌笛何須怨楊柳，春風不度玉門關。」以楊柳須春風之吹而生，奈春風不過玉門關，則關外何有楊柳之可怨？今楊以左氏遍植楊柳於關內外而有此作，可見王之涼州詞，不能成為定論。後之人慕左氏之功德，做召伯甘棠去後思而頌之曰：「崑崙之墟，積雪皚皚，杯酒陽關，馬嘶人泣，誰引春風，千里一碧，勿剪勿伐，左侯所植。」是則左氏之遺愛，印人之深有如此者。

三十年前，余西北行，據當地居民言：此樹為湖南左文襄公所植，雖半為世人所盜伐，而「左公柳」之石碑尚存，余湘人，見之亦與有榮焉。

自由報

僑務委員會核發台教新字第三二三號登記證

THE FREE NEWS

半週刊每星期三、六出版

第三十二期

每份港幣壹毫

社長：雷嘯岑

督印人：黃行奮

社址：香港銅鑼灣高士威道二十號四樓

20 Causeway Rd. 3rd. Fl. HONG KONG

TEL. 771726

電報掛號：7191

承印者：田風印刷廠

地址：香港高士打道21號

心理作戰的一課

奚蒙

近來美國輿論注意研究的問題，例如U2機的偵察飛行應否負有破壞高峯會議的責任，赫魯曉夫是否受軍人控制或被中共施以壓力，中共是否打算向東南亞展開新行動等等，再不然，便是討論艾森豪總統承認U2機的間諜行爲是否合理之類，議論紛紛，相當熱鬧，但對於目前眞正可憂可慮的事體，他們並未認眞加以注意。美國在過去半年來所犯的嚴重錯誤，此時應該從頭檢討，但他們却把對象弄錯了，輕重倒置，本末不分，殊屬可嘆。

我們可以指出：今天美國是失敗在沒有心理作戰的正確指導。今天情況緊急的戰場是在南韓和日本，而不在其他。美國人如果指責艾森豪，只應指責他對敵情判斷的愚昧，其他都是多餘的。

美國不知己亦不知彼

試想想，艾森豪在幾個月前預定訪問的國家，是蘇俄日本和韓國，而自由中國及菲律賓不與焉。現在是蘇俄拒絕他的訪問，撤回邀請；日本政府要親戰線隊去作接待的準備，幾百萬日本左翼份子正在動員起來，想再給他以一次重大汚辱。韓國的局面更可傷心。他將對着一羣傷心流淚或焦躁憤激的人，說不定兵變會湊巧在那個時候發生。他無可奈何地，這時只有宣佈訪問中菲，不再拒絕遠方面輿論的邀請了。前之所欲赴，今之所被拒，於是前之所拒，又變成今之所赴了。這不是顯得太可笑嗎？幾個月間的變化是如此重大而迷離，在歷來美國總統出國訪問的紀錄上有過同樣的一頁嗎？

對個人的嘲笑並無用處，必要找出「何以致此」的基本原因。一個公正的評判是：艾森豪並未了解敵情。他既不知己，亦未知彼。

日本是一個大戰場

此時環視亞洲的危機，應該放眼在北面。日本已成爲一個大戰場。日共已能動員幾百萬左翼份子參加戰鬥，這難道還並不是一場沒有炮火聲光的大戰嗎？莫斯科正在竭力開闢許多個不容美國使用原子彈的戰場，日本是其一，南韓是其二。近來美國輿論似乎忽視了南韓政治危機所能導致的大變，其實那方面的情形是最嚴重的。駐美國的外交使節曾經高興地看到李承晚被趕下台，現在才逐漸顧慮到他們本身也會變成李承晚。

正視南韓的危機

我們如能正視南韓的危機，便應該看到下列各點：

一、李承晚起先是被推倒，繼而被汚辱，青年人消失了一個信仰中心，再看不到誰值得信仰，只能亂怨亂罵以求發洩苦悶情緒。目前的情形是：警察挨罵，議員挨罵，校長挨罵，高級的軍官挨罵。而亂怨亂罵的學生也常互相打架。最不好是李承晚也出國去了，許政的看守政府恐亦不穩，軍隊的中級軍官用口頭向上級放炮，振振有詞地說：他們也是選舉舞弊案中的罪犯，因爲他們會發佈過破壞公平選舉的命令。這樣的人心，這樣的秩序，誰能去從頭收拾？美國人出面去收拾嗎？不能，美國人如再出面干預，火頭就會直接燒向美國人身上。潛伏的共黨份子如在適當的時機喊出幾個漂亮的口號，煩亂的人心便會似着迷中魔一般受到指導，什麼樣的事情都可幹得出來了。

二、駐在韓境的美軍只是「客軍」，六十萬的南韓大軍才是決定韓國命運的主力。如果南韓大軍發生兵變，美軍也不能動武，誰也不能想出一個權宜收拾的好辦法。由此而導成的悲劇是不堪設想的。

檢討的一個大錯必須認真

試想想，韓國如此，日本如彼，假如美國在韓國的一條防線垮下去，日本左翼的聲勢怎不更加熾盛？美國在太平洋的防綫怎能維持？本來東北亞的防衛綫是堅強的，雖則日本應該稍嫌搖擺，但有一條穩定的韓國防綫擺在那裏，總可放心，現在是情形不變，東北亞的可憂尤甚於東南亞了。這是一場心理作戰的大仗，各方面心理上的連鎖反應，是萬分微妙複雜的，共產黨在日本是明幹，在南韓是暗幹，蘇俄和中共的呼喝叫囂，都含有指導作用，不明眞相的日本人和韓國人墮入彀中，如飲狂藥，固是可惜，奇在不久以前美國還有意助成南韓的「民主改革」，完全沒考慮到會發生一串又一串的變動的可能性。試問，這是不是美國輿論應該認眞檢討的一個大問題？但直至目前，美國輿論在這方面的感覺仍屬如此遲鈍，反而着力討論一些不相干的事，這距離「知己知彼，百戰百勝」的標準太遠了，焦頭爛額是應該的。

時事述評

你死我活的矛盾

盧家雪

西藏西南部班禪駐地附近，又爆發了一次激烈的反共新鬬爭。

據電訊報導，過去三週內，西藏游擊隊會與中共軍在西藏西南部激戰。

在東歐，波蘭方面也發生了流血大暴動。

五千示威羣衆，縱火焚燬兩架警車，乃至公共建築物，亦遭受石塊之襲擊。

鐵幕內所燃燒起來的憤怒火花，往往是給予自由世界內那些放言高論的政客們以一莫大諷刺。

美國的退休元帥蒙哥馬利，週前自北平訪問歸來，即曾大放厥詞，大捧中共。

中共的露骨表示

但不到一個星期，共產黨却公開表示，共產集團與自由世界「決沒有也決不會有什麼我活你也活的積極共處的友好合作的關係。」

請看這一公開表示的原文。

「我們的經驗，告訴全國人民，告訴全國文化工作者，也告訴全世界一切被壓迫民族及其知識分子：被壓迫民族同帝國主義間的矛盾，是你死我活的矛盾。在被壓迫民族與帝國主義者之間，決沒有也決不會有什麼『我活你也活』的『積極共處』的『友好合作』的關係。」（這一段話是偽國務院副總理陸定一於六月一日在共所謂「全國教育和文化、衛生、體育、新聞方面社會主義建設先進單位和先進工作者大會」上致詞的一部份。）

共產黨慣常把自己及其同路人稱爲「被壓迫民族」，而把西方國家稱爲「帝國主義」，因此，這一段話的正確說法就是「共產集團與西方國家的矛盾，是你死我活的矛盾」。

這一露骨的表示，對於西方國家的某些政客，正是一劑清涼散。

一切幻想與中共打交道的人們，實在也應該醒悟了。

麥美倫悟道

英首相麥美倫於本月二日在倫敦一保守黨女黨員大會上發表演說稱：「東西之間的外貌與意趣之差異，太過深長了。如要解決，殊非輕易。」這倒是悟道之言。

在共產黨經已公開表示不是你死就是我活的情形下，能解決些什麼呢？

在根本上無法解決的情況下，其結果乃必然訴之於戰爭。

滑稽的是：「戰爭」這個名詞，也已被共產黨靈活運用了。

今天的情形是：自由世界從不敢談戰爭。上自總統下至庶人，都是這樣。而中共之間，則動輒以戰爭爲威脅。

畏首畏尾身其餘幾

美國對于金門馬祖之不敢公開保衛，唯一的理由就是怕引起戰爭。

當年韓戰不敢讓聯軍飛機越鴨綠江，唯一的理由就是怕引起戰爭。

畏首畏尾，身其餘幾？

這簡直是一個時代的滑稽劇？

艾森豪就快要東來了，當他蒞臨台北與馬尼剌之際，回想到在高峰會議開幕以前那種拒不訪中菲的情景，是不是也有些感想呢？

騙嚇拆的連環作用

我們認爲：赫魯曉夫把艾森豪引誘到高峯會議上面去挨罵受辱，是「騙」的第一部曲。借痛罵艾森豪的場面去顯示蘇俄的威風，使美國在東方的盟邦看看他的顏色，是「嚇」的第二部曲。再在日本鼓動空前猛烈的反美風潮，是「拆」的第三部曲。這「騙、嚇、拆」三者的連環作用，主要仍在拆散美國在國外各處的基地。由騙到嚇都屬於心理作戰的範疇，拆才是主要目的。由赫魯曉夫說過的話再由馬倫斯基以軍人身份再說一次，而且故意加强語氣去說，這無非增重「嚇」的力量而已。這原是很膚淺的道理，只有鑽入牛角尖而想入非非的西方論客，才會替赫魯曉夫的命運耽憂，說他已受軍人力量所控制，原諒他不得已而痛罵艾森豪的「苦衷」！

艾森豪的「苦旅行」

從另一個角度看，艾森豪訪問自由中國原是一件大事，如果他能在這一次「苦旅行」中得到大覺大悟，借此機會來透澈認識中國反共人士的深思與遠慮，以後還好好地利用他們的影響力量，爲扭轉當前局勢而共同努力，那才不枉此行。假如不然，這也不過是循行故事，實假面子，則此行的意義也就有限得很，不必重視了。這絕對不是「徒尙虛文」的時候，艾森豪先生只要回思這次「苦旅行」的由來，便該明白我們這些「逆耳之言」，也只對事而非對人，希望他珍惜教訓，善用餘時，抬起下頜，化恥爲勇吧了！

自由談

當伊嘸介事

因爲赫魯歇夫聲明取消他邀請美總統艾森豪訪俄之約，近來中美兩國的輿論界，紛紛推測艾森豪下月訪問日本以後，或許要順便到台灣一行了。別人作此觀察與期望，那只是一種「新聞眼」而已，無關宏旨的。自由中國的朝野人士，最好是默不作聲，當伊嘸介事。艾氏如其願意來華訪問，自然熱烈歡迎，他不來，也就犯不着死七八顆地期待他，乃至於哀求他賞臉枉顧。何以故呢？

記得上月我國與菲律賓輿論界熱烈希望艾總統於訪問日韓後，順路光臨台灣和馬尼剌一行之際，華府白宮的發言人，再三奉命聲稱「總統先生晤得閒」，說是即令在台北和馬尼剌兩地各停留一小時，亦將就誤白宮許多急待處理的要公哪！我們既已自討沒趣，被人「剃眼眉」，那又何必恬不知羞地硬要「托大腳」，强人以所難呢？「朋友數，斯疏矣」，個人的交際周旋之道有然，國際間的外交行爲亦然。我們應該保持一點自尊心，不要爲着無足輕重的面子問題，而使國格與人格掃地以盡才是。

今日流行着的「訪問外交」，始作俑者是英國首相麥美倫，他在口頭上說是爲要促進世界和平，叩訪莫斯科，實際却是爲着爭取國內的選舉利益—藉和平口號以騙取選民的同情擁護。所以，他當時從莫斯科訪問回來，即大倡「高層會議」之說，且表示美國如不同意，則英國不惜單獨從事。艾森豪瞧着麥美倫果然因此獲得了大選的甜頭，如是乎見獵心馳，亦想利用「訪問外交」來延續共和黨的政權，要在今年的大選中擊敗民主黨。俄酋赫魯歇夫看透了西方政治人物這類半吊子的心情，暗中竊笑，玩弄魔術，他基於「反美至上」的策畧，在緊要關頭，乃給艾森豪一支悶棍，拒絕艾氏的「親善訪問」，且使高層會議臨盆夭折，間接教麥美倫亦難以爲情呢！

台灣與馬尼剌對於美國的大選問題，沒有甚末可以利用的價值，艾森豪當然無暇訪問，道理至爲淺明。「訪問外交」根本就是徇私詐騙行爲，我們還要盼望艾森豪紓尊過訪，眞所謂其愚不可及也！

編者按：此文於五月二十九日收到，其時老艾尙未宣佈過訪自由中國，現在，老艾又說要過來了，總算是「認眞畀面」。可惜，這一「畀面」是在赫魯曉夫的太不畀面之後，就不免太那個了。馬五先生所說的「當伊嘸介事」，是値得我們深切反省的。

馬五先生

從智利空前浩劫談到
世界各地大地震

秦泰

素有世界長廊之稱的智利，從五月廿一日開始，曾先後發生強烈的地震，海嘯以及火山爆發等等，遭受到空前的浩劫。據外電報導：在短短的十天中，智利的損耗，頻傳可觀，而且其中死亡的數字約達六千人以上，無家可歸的災民約有百萬之多；該國南部約有四萬平方哩的地方已經沉沒，最大島嶼都已完全改觀，估計損失的財物將達兩億美元！

雖然，智利的上述浩劫尚未完全停止，可是地震專家及地理學家們提出嚴重的警告，可能再有強烈的地震發生。由於智利的地形南北特長，而且是世界最狹長的國家，位于南美洲西岸，面積七十四萬一千方公里，海岸綫最長，西南全部沿着太平洋與大西洋之交；加以國境安達斯山脈之西斜面，傾斜激急，山脈間火山甚多，特別是南部沿海山脈，陷落缺而成無數的島嶼，據悉智利所處的地區，是在地殼比較脆弱的地帶，因此，智利的地震極多，並且歷有可考，適在一八二二年十一月十九日，由智利沿太平洋海岸曾發生一次爲時二十天的強烈地震，南北延長達一千二百哩，爲當時世界歷史上受震幅度最廣的一次。更令人奇怪的是那次智利沿海岸升高了五尺，原在海底的貝殼也露出水面；同時自那次地震以後，幾乎每日或隔日便要發生一次輕微地震，一直到次年的九月秋才停止呢。

但是，如與智利這次地震相比較，其強烈的程度卻是小巫見大巫。因爲這次受震的幅度來說，那次只有一千二百哩，而此次卻有四百萬方哩地區均已沉沒。是故，地震學家與地理學家都很担憂智利將是否像一八二二年一樣地延續下去，顯爲嚴重。由于智利的地震，而從紀錄上研究，地震的分佈地區是有一定的規律性，主要的分佈地區有三個地帶：一爲地中海，阿爾卑斯山，高加索，喜馬拉雅山地帶；一爲太平洋西岸的山脈島嶼地帶，即指智利等地——以及另一爲太平洋東岸如日本等地。

正因爲這樣，由智利的地震而引起狂大海嘯，曾襲擊日本東海岸，造成了巨大的凶災中，先後傷亡的數字近千人，無家可歸的最低限度在十五至廿萬人，民財產損失估計約一百萬英磅，相信全國農業及漁業損失估計超過四百五十萬英磅，合計在七百萬英磅以上。不過，日本向有地震王國之稱，根據統計，該國每年平均計有大小地震一千四百四十七次之多，即每日平均地震四次；而最著名的地震爲一九二三年九月一日的東京大地震，橫濱也被焚劫，死亡人數一，東京達八萬四千三百人，橫濱也被焚劫，死傷四萬百人，居民共五十萬座。另一次面積最廣的地震，是發生于一八九一年十月廿八日，其發源地在濃尾平野，受災面積約佔全國面積的五分之三！

據地震學家的統計，在世界歷史上最大的一次地震，是一七五五年十一月一日發生于葡京里斯本，在六分鐘之內，全城的建築物夷爲平地，結果死亡六萬人，由於那次地震的波及于西班牙，摩洛哥，所以非洲沿海地也同時發生地震，統計受震區面積，比歐洲還要大四倍！

又據地震，一七八三年二月五日，意大利發生一次地震，在兩分鐘內便把卡拉畢亞半島的城鎮和鄉村屋宇，毀滅了一半，死亡人數達三萬。……

亡。同年三月廿八日，土耳其西北部地震，死亡一千〇四人。同年六月十日，死亡三百五十……伊朗西北部……是發掘出來……八千三百人，……當時伊朗王妹……四萬平方公里……拜然中部的……東北部蘇俄……各城市與鄉……了印度與緬……爭先逃避于……發生于伊朗……二人，受傷……哥强迦……亡人數竟達爾……的四分之一……爲廢墟。使……遊覽名城，而……留下的祇是……屍首而已！

台灣的艷聞韻事

野鶴

台北通訊

近來台北社會人士最關心的新鮮事情，除却行政院改組的官吏升沉消息以外，就是幾項有關風化問題的花邊新聞了。

首先值得報導的，即爲不久以前，向台北地方法院控告「徵信新聞」誹謗名譽的那位話劇演員張茜茜，最近她的丈夫藍天虹因爲鬧出三角戀愛的桃色事件，家庭鬧大起風波，又成爲最突出的新聞人物了。她跟徵信新聞的「風流償」官司，剛由在台北作客的香港自由報社長雷嘯岑，協同川省宿將楊森從中調解，其條件是先由徵信新聞刊載消息，聲明過去張茜西女士致函高雄高等分院推事高嵩棠取代銷戲票款一事，標題與內容不符——標題有「風流償」字樣——表示更正之意，然後由張女士向法院撤回「自訴狀」。當雷楊二氏邀同雙方當事人見面和談時，張女士的丈夫藍天虹亦在場，楊將軍曾對衆人特別介紹藍氏，說他乃是川省軍人，且任楊氏所領部隊師長之藍文彬的侄兒，擅長電影話劇導演工作，希望新聞界多予指導提携。他們夫婦願意接受和解的原因，也就是不欲與新聞界人士結怨成隙，適可而止。詎料相隔旬日，藍天虹即與台籍電影明星洪麗明演出「風流劇」，一面在家裏跟張茜西從事冷熱戰，釀成婚變現象，難以收拾。一面又要在醫院內侍候洪麗明坐蓐生子，恪盡生父的責任，義不容辭，情形相當狼狽。日來據報紙紀錄藍天虹的風流艷事頗多，而且都是電影戲劇界人物。當年他跟張茜茜相識時，已與「農教影片公司」——即現在的「中央電影製片廠」之前身——女演員周向明熱戀着，終被張氏挖奪過來，正式結爲夫婦，而周氏即從此一蹶不振了。據張茜茜聲稱：只要藍天虹不再跟洪麗明糾纏，洪氏所產的小孩，她願意領回家撫養。然洪麗明却要藍氏離異，位正妻宮，否則訴諸法庭，亦所弗惜。張氏已育有一男一女，與藍同爲川省籍，洪氏係台灣省彰化縣人，現在亦已產下一子，這場「爭座位」的糾紛，尚在僵持狀態中，究竟如何解決，殊不可知。但藍天虹，張茜西，洪麗明的名字，近來經常出現於報紙上，張氏且發表許多談話，若就戲劇演員的生意經設想，他們三個人皆已頗有所獲，很可能繼續表演下去，以觀後效，反正戲劇界中人對於男女間的桃色行爲，那是滿不在乎的，越是鬧得有聲有色，震動遐邇，越就「噱頭」十足，得其所哉，祇不過社會風俗遭些殃而已。

台北市正鬧着上述三角戀愛醜劇之際，台東的仁愛路國民學校亦發生古今罕見的韻事。緣該鎮有廿餘名新張艷幟，開始營業的妓女，曾於上月（五月）十八日假「仁愛國民學校」，大擺筵席廿餘桌，集體宴請當地各界人士，報告她們從事賣笑生活，希望幫忙照顧的情由，該校教員侯先杜且爲她們担任招待來賓的職務，而當地鎮長亦在酒席筵前發表演說，替妓女們說項捧場，這不是古今奇聞嗎？

這項消息很快地就傳播於台北新聞界，爲之大書特書，台省教育廳大爲驚詫，下令該縣府教育科，不敢不奉命，乃先將該校校長教務主任侯淑專嚴加申斥，次對招待來賓的教員記大過一次，輿論指摘之下，未便就此了結，尚須作進一步的處置。至於當地鎮長原是民選的，且爲羣妓亦係民衆一份子，他應邀在選民的職業表示鼓勵之意，在道理上似無不合，即在法律上亦不犯罪，政府既然允許娼妓營業謀生，鎮長爲之捧場，原屬應有之義。因此，省府民政廳對於這樁新奇的事，迄今尚未表示態度，不知如何是好？據新聞記者到台東實地採訪所得，當日筵宴大張時，二十幾個艷裝濃抹的「老舉」，袒胸露臂，周旋於衆賓客之間，風光旖旎，笑謔喧騰，而其地點又爲時聞絃歌之聲的黌舍，眞是中外稀有的趣聞，如果將當時情況攝入鏡頭，製成影片，必能轟動全球，賣座不衰哩！記得國府奠都南京後，南京城內夫子廟一帶，盡係娼寮所在，孔廟適築於秦淮河邊，有人集夫子廟語一聯曰：「王孫自可留，駐馬新杯，無情最是台城柳；夫子何爲者，傷麟怨道，隔江猶唱後庭花」。現在台東鎮國民學校，乃直接供作鶯燕亂飛，高唱後庭花曲的宴樂場所，並不隔江，殆視南京夫子廟壇，更爲香艷生色，猗歟盛哉，嘆觀止矣！

內蒙牧民反對公社

筱　臣

內蒙古大部份位於蒙古高原，拔海約一千公尺，賀蘭山與興安嶺的高峯逾一千五百公尺。氣候是大陸性，冬季冷而長，平均溫度爲攝氏表零下十度，夏季短，溫和多雨，無霜期一百一十至一百六十日。除興安嶺與東南部大塊農業地區外，平均內蒙全年降水量不到十英吋。

據北平「地理知識」月刊載，內蒙自治區一四〇萬平方公里是草原，牧業人口佔全區人口十分之五，但牧業收入高，估提牧業總產值的百分之三十五，估工農業總產值百分之十八點八。這八十多萬平方公里草原中，有一部份是沙漠。

牧畜以綿羊、山羊、黃牛爲最多（合計佔牲畜總數的百分之五十七點八），猪、馬、騾、駱駝較少。羊能適應乾燥的氣候環境，牧區人的衣、食、住都取自羊身。黃牛與馬要求水草多，飼養較難，猪只分佈於農業區。

內蒙古農區、半農、半牧區的牲畜總數，佔總頭數的百分之五十七點八，牧區佔百分之四十二點二。

各種牲畜頭數，羊佔牲畜總頭數的百分之十五點四三，猪佔百分之六點七，馬佔百分之三點四二，騾佔百分之三點二六，駱駝佔百分之零點八六。

在一九五七年度（牧業年度）內蒙牲畜總頭數爲二千二百三十九萬頭，一九五八年爲二千五百萬頭左右，一九五九年度爲二千八百萬頭。

一九五六年，內蒙供應外省與輸出國外的牲畜一百多萬頭，肉類七百三十多萬斤，皮張二百七十多萬張，毛絨八千七百多噸。中共獲利甚豐，因而對游牧區有了興趣。

中共在內蒙推行「合作社」，把自由的蒙族游牧民納入組織，以便易於控制，這個規定，一直爲游牧民所反對。直到一九五六年底止，只建立五百個合作社，入社牧民只有百分之二十三的戶數。據內蒙中共「黨委」第一「書記」，內蒙人民委員會「主席」烏蘭夫說：到一九五八年強制進行「人民公社」以後，百分之九十的牧民，才不得不加入公社。

這一變化，非常勉強。但牧民的生活資料全被控制，無從反抗。到一九五八年九月初，內蒙設立了五十多個公社，一九五九年一月，公社已遍及內蒙。一九五九年六月底，牧區公社已經有了一百五十三個。

這一來，牧民失去了一切獨立性。而且，定居時亦有各種困難，定居點的選擇極關重要，中共對此從沒有妥善辦法。因此，據中共出版的雜誌報導，「一部份人對牧區的改造，建設事業懷有不滿情緒，個別有人破壞行爲，特別是一些反革命份子和破壞份子還乘機進行造謠破壞。」中共再要嚴重打擊他們，在極端的威脅之下，據中共的報導：「百分之五十的游牧民族已經定居，百分之二十五已經半定居，其餘仍在游牧。」

共產黨的教育是政治的工具，自一九五八年「政治掛帥」後，牧業合作社（公社的前身）辦起了學校，學校也辦起了牧場。冬天有短短的寒假，學生集中在學校裏作工，夏天有三個月暑假，學生回家去參加游牧。

中共透過牧民子弟來推動牧民定居化。牧區中肄業期改爲七年，教學水準甚低，課程內容完全是宣傳馬克思主義，列甯思想，毛澤東思想，體力勞動是必作的，還要受軍事訓練。學校用蒙文，但漢文功課逐漸加多。

社會小說

香港地

四、高的低的

梅大亮曾經和譚輻祿談過「需要」這個問題，心裏猶有餘慨，這時聽到賈大夫又提及這兩個字，不免引起回憶。可是賈大夫並未知道他的心事，仍然口若懸河的說下去道：「梅老兄，你看看呀，那是賣牛肉的，那是賣豬肉的，那是賣菜的。這裏有人開雜貨店，那裏有人開藥材店。你看，連賣電手筒和墨水筆的店子也有了。這裏如沒有人需要這些東西，誰去開這各色各樣的店子？有了這需要，就會有人想到怎樣去供應，誰供應得最先和最好，誰就發財。梅老兄，你說是不是？我也是為發財才開這家衛生食堂的啊！你問我有什麼把握，我只能答覆你一句話，這是有人需要它呀！」

賈大夫指東劃西的，向這條長街上的對戶鄰居亂指一頓，使梅大亮看得目不暇給，果然發覺這裏的店子也有多種不同的性質，竟是複雜得很。

梅大亮聽着看着，心裏在想道：「原來如此！這條街道是我走熟了的，平時看這些店子都似雲烟掠眼，不覺有什麼值得注意，如今給賈大夫一提，才發覺這裏面也有一些該受注意的道理。」

他想了一會，吃過豆漿和鍋貼，便同賈大夫道謝，說覺得這些東西倒合受用，遠勝過了常吃那些咖啡冰淇淋。

離開賈大夫這家平民衛生食堂，梅大亮沿着這條窄長街道走去，一路留心看兩傍大大小小的商店，替他們點算和分類，不消片刻，算來竟有二三十種之多，便又邊走邊想道：「賈大夫說得不錯啊！這條街道可比一個城市，什麼都隨着人們的需要而建立起來的。人們需要飲酒，就有賣酒店，人們需要發洩性的苦悶，就有賣淫的娼妓。人們有了太多的罪惡和苦惱，需要懺悔，就有了教人知道怎樣去懺悔的人，於是就有了教堂。」

他越走得遠，想的也遠，忽然看到前面人聲鼎沸，看熱鬧的人塞斷了半條街，走上前看看，才知道這是黑社會的惡漢和一個賣菜的小販吵架，雙方打將起來，弄得不可開交。（卅二）

太客著

纏足

寒江雪

我們這層樓上的住客中，張師奶要算是打扮入時的了。且不要說她出水芙蓉般的髮式，蛇腰一般的身材，就憑那雙四寸高的高跟鞋，也就大大的值得恭維一番了。

憑良心說，張師奶這個人並不太壞，可惜的是她愛高談闊論，以致使許多的同樓住客，都不敢在下午七八點鐘的時間，到我們的公共客廳裏去聽「誰的呼聲」，因為那一段時間，照例是張師奶發表意見的時間呀！

單純是發表一下意見，倒還不算甚麼，妙就妙在張師奶還愛徵求人家的意見。而每一次當別人有反對意見提出來，張師奶又照例要口沫橫飛一番的。

提反對意見擇得最多的，就要算是隔房那個年輕小伙子小陳。

少年人最不肯讓人，這一點張師奶也不是不清楚。有時候，遇到小陳絕對不肯讓步，張師奶照例是「你這小孩子懂得什麼」，就這麼一句，戛然而止，拂衣而起。根據張師奶的看法，勝利的是屬於他自已；但根據小陳的看法，張師奶不過是精神上的勝利，而他則是實際上的勝利。

現在，為了纏足的問題，他們又發生「磨擦」了。

這次爭端的起源，是由於張師奶在客上看到了一條消息，大意是說有一位德籍博士在這裏演講「中國舊時之纏足風俗」。張師奶認為這是一件大事，必得在公共客廳裏提出討論的。

她指出纏足是惡習，在過去，不知束縛了多少女人，為什麼到現在還要提起過去這些侮辱女性的事來作話題。當張師奶「演說」完畢，照例逐一詢問我們的意見時，我沒有開腔，老丁只是微微一笑，老王雖然也說了幾句，但都是附和的，他說：「女人纏足，我是反對最力的，不過如今卻又看到……」

王先生還沒說完，張師奶立即插口道：「你又看到了些什麼呢？」

王先生的眼睛正盯在張師奶那雙四寸高的高跟鞋上面，見她這麼一問，也不便再說了。張師奶見王先生不再開腔，也不便徵求小陳的意見，便宣告纏足問題，勝利閉幕。

就在這時，小陳插嘴道：「為什麼不徵求我的意見就宣告勝利呢？」

有小陳開腔，這場高論就有了波浪了。

只見張師奶冷笑一聲道：「這個問題寒先生金先生和王先生他們都沒有意見，就沒有輪到你說話的份兒。」

「笑話。」小陳漲紅着頸子道：「你以為纏足問題就已成過去了嗎？」

「那當然啦！那些不合時代的習慣，侮辱了女性幾千年，難道還不許讓它過去嗎？」

「別說廢話。我問妳：纏足的害處究竟在那裏？」

「這還不清楚嗎？束縛天足，行動不便，這已經夠害人的了。」

「這個我完全同意。可是，」小陳邊說邊指着張師奶那雙四寸高的高跟鞋道：「像師奶妳這雙皮鞋，是不是也算得是類似纏足呢？」

張師奶的臉微微一紅，說道：「這個是合時代啦！」

小陳笑了，他笑得很得意。只見他手舞足蹈了一番，然後說道：「這個就叫做洋式的纏足。請問洋式纏足和舊式纏足，除了形式不同而外，其後果又有什麼分別呢？所以說，妳要批評舊式纏足，就得先不要洋式纏足，妳總有說話的份兒呀！」

話猶未完，張師奶驀地倒到了地上。

幸而沒有受傷，據張師奶說，是高跟鞋的跟斷了，重心未穩，所以有此意外。

但張師奶仍然堅決否認，這不是洋式纏足。

暮遠樓詩二首

伍叔儻

問雲

角者為牛蠶者馬，倏然而有忽然無。問雲不下廉纖雨，伴月橫天作畫圖。

馬料水書所見

水落沙平初不知，晚來潮滿欲無涯。門前一件尋常事，恰似麻姑三見時。

達賴情歌

介人

西藏達賴六世倉洋嘉錯，是一個天賦浪漫不羈的人，少年英俊，文章瀟洒，雖然尊處「僧王」地位，但活潑天眞，掩不住他的風情奔逸，所以後宮秘苑時有幽歡，深研佛學之外，對於兒女私情，未嘗忘懷；最稱美艷的事，莫過於他迷戀着一個多情女郎，大有如曼殊和尚所謂：「華嚴瀑布高千尺，不及卿卿愛我情」的情況，以致藏民非議，而教職亦因以見削。

他創作了不少的情歌，輕鬆淒麗，纏綿悱惻，遣詞造意，獨具一格，流傳民間之後，至為青年男女所歡迎，且每用作交際舞曲，茲選錄數首，藉以見其風韻。

（一）郎心跳，姐露貝齒微微笑，正在誘郎郎心跳，妳是眞個有情意，發個誓兒使郎曉。

（二）着了魔，自從愛上美嬌娥，夜裏相思睡不着，爲了日裏難到手，精神恍惚着了魔。

（三）噴噴香，路上相遇多情郎，小姑全身噴噴香；猶如拾得白松石，却又隨手拋路旁。

（四）苦相戀，自從與姐苦相戀，夢裡時共姐相見；爲了愛情早遂心，佛法難移我意志。

（五）柳鳥戀，柳樹愛上小小鳥，小鳥也愛柳絲條；相親相愛勿分離，不怕老鷹來取巧。

大陸文壇萬花筒

圍剿李何林

——岳審——

本年第一期文藝報上發表了李何林的「十年來文學理論與批評上的一個小問題」，此文同時又經一月八日河北日報發表，按照文藝報出版時間來算，河北日報發表還早了三天，究竟是李何林一稿兩投，還是兩間報刊有意的安排，目前尚未判明。

關於這篇文字內容，筆者在本欄曾作介紹，不過，最近根據各方面資料看起來，對這篇文字有點懷疑，何以在中共如此嚴密控制下，李何林這篇反對毛澤東思想的文字，竟然能在中共文藝方面領導刊物「文藝報」上發表，假若沒有人授意，文藝報編輯敢挑起這個担子嗎？假若有人授意，則授意的人目的何在，是為了反毛澤東的文藝政策嗎？似乎又不像，因為大陸正在鬧得天翻地覆學習毛澤東的著作時，未必有人敢在「文藝報」上反毛，因此推斷只有一個可能，就是毛澤東又擺下陽謀，利用李何林作個釣餌，引誘老虎落陷阱。

不過，經過那次鳴放之後，大陸的讀書人都學聰明了，無論你共產黨出什麼花頭，我只是跟在後面捧，決不說一句逆耳之言。所以李何林文章已發表了四個多月，沒有發現一篇共鳴文字。其他一些唱反調的人，如巴人，于黑丁，方紀等都還能找到幾個擁護的人，只有這一次例外，也許大家都感到事情嚴重，其他的人即使被指為「修正主義」「右派份子」，罪名也都是反對馬列主義，馬克思，列寧固然不能反對，可是冒犯一點也不要緊，因為這方的神仙不靈，只有「毛澤東思想」千萬反對不得，任何人「褻瀆」了它，眞是現世現報，比雷公雷殛還來得快，大概由於這一點，所以李何林的見解變成曲高和寡了。

既然沒有人捧，就不能不加以鬥爭，否則豈不是承認李何林說的對了。最近大陸報刊上鬥爭李何林的文字，發表的實在不少，河北日報一月十一日，一月十四日，二月四日，文藝報二、三、四、五各期，蜜蜂第三期，人民文學第三期都出現了反駁文字，中共文藝界的重要打手張光年，李希凡，蕭殷都出馬了，李何林這篇文字若不是有人授意而寫，看情形還眞要有點麻煩哩！

釋耒集

人君之度

蘇子瞻爲范增論，述項羽於鴻門之會，不殺沛公，以爲猶有人君之度，子瞻持論，有縱橫家習氣，謂爲橫說豎說，皆無不可之態，實則鴻門之會，龍戰方酣，彼此爭天下，千載一時之機，稍縱卽逝，羽不欲爭天下則已，否則必殺沛公，若曰羽不欲乘人之危，不欲以衆暴寡，特縱沛公，使決雌雄于疆場之上，然此特英雄本色耳，未足以言人君之度也。至于孟子所稱，「行一不義，殺一不辜，以有天下，不爲也。」此則以人君德之於上古傳說中之聖王，所謂有大德者必受命，其事茫昧，不足資爲論據，余平居無事，偶或究心舊史，歷觀帝王世紀，其間創業垂統之君，固指可數，總此以往，所謂一國之政，握之於權臣者有之，決之於后者有之，甚或爲宦奴閹豎所包圍者亦有之，稱之爲君者，特傀儡而已，循例受祿而已，等而下之，則暴戾恣睢，殘民以逞，終至身死國滅，爲天下笑。而能繼體守文，上不愧於祖宗之創業，下無負黎民之瞻望者，以余觀之，二千年來，特一漢文帝庶幾可以當之。小戴禮記曰：「樂只君子，民之父母，民之所好好之，民之所惡惡之。」論者每稱，漢承暴亂之後，民所好者爲休養生息，而文帝獨能順民所願，爲政務在節儉，平情而論，不聞其爲堯舜之民，抑桀紂之民，其所好者，固莫不爲休養生息而止，漢書匈奴傳云：「……匈奴日以驕，歲入邊殺略人民甚衆，漢甚患之。」而文帝乃使使遺匈奴單于書曰：「漢與匈奴，鄰敵之國，……今天下大安，萬民熙熙，獨朕與單于爲之父母，朕追念前事，薄物細故，謀臣計失，皆不足以離昆弟之歡。……朕與單于，皆捐細故，俱蹈大道，墮壞前惡，以圖長久，使兩國之民，若一家子，……莫不就安利，避危殆。」又史記南越尉佗傳，載文帝與南粵王趙佗書曰：「前日聞王發兵於邊，爲寇災不止，當其時，長沙苦之，南郡尤甚，雖王之國，庸獨利乎？必多殺士卒，傷良將吏，寡人之妻，孤人之子，獨人父母，得一亡十，朕不忍爲也。」考漢初至文帝之世，國力富實，遠非匈奴、南粵可比，文帝以强藩入承大統，方富於春秋，使竭中國之力，未嘗不可以一戰而勝也，其所以不此之圖，不過爲使民就安利，避危殆，不欲爲得一亡十之舉耳。今之當國者，固亦有仗武力而恣爲虛聲恫喝者矣，使稍諳前史，則若此之徒，詢妄人耳。

曲齋

粱海彈心錄

土地問題（下）

孫公領導國民革命，手訂耕者有其田之土地綱領，誠得後人不加曲解，循序漸進，自是由農業經濟，進至工業經濟過程中之至當原則，悠悠數十年，竟無一加措意，遂致今日之局面且全非。爲今之計，又當以適應環境，順從人心，迅速處理，爲第一要著，而徐圖改善。舉凡一懸擬之方案學說，與夫幻想之外來支援，皆當束之高閣，而爲如下之主張，亦當授權地方政府，斟酌損益。

一、田賦確定省縣所有，縣級佔百分之八十，土地問題，省級督導，縣級實施。

二、原有自耕農，佃農，所佔土地復原。未加入「公社」之現耕農民仍舊。

三、原有地主，具有人力資力，申請反還土地者，當按其人力資力，反其土地，或讓撥他處土地。

四、獎勵勞資合作，建立私有農場。

五、宗族共有之祖宗墓田祭田，私家所有之祖宗墓田祭田，概予發還。

六、國民政府所屬官兵，以及中共官兵，之歸農者。地方政府，一依上項原則，妥爲辦理。

七、除上項外，凡從事農業生產者，鄉政府得便宜行之。

大亂之後，但患有田無人耕種，不患有人無田耕種，但患有人有田無資本經營，不患有人有資本而無田經營，竊願政府當局，緊記此言。

後周平兩淮，南唐獻江北地，生民流離，世宗思有以安集其民，問司牧能得畜力幾何，牧監告以未穿鼻者六萬餘頭，世宗嗟嘆不已。蓋以唐末五代之初，牧監猶常得八十萬頭，補民間春耕不足者，卽此以台幣等値計之，約四十餘億。由是知農村復業之未可輕言，卽一耒一耜，民間亦不易得，故曰稼穡艱難。若與書生謀之，鮮有不誤盡天下蒼生。矧今後之局，更難措手，附彈及此，以告來者。

阿公

略論摹擬

嚴平

文藝貴在創造。這是因爲文藝作品乃是作者個人基於長期的醞釀或瞬間的感發，憑其妙筆所寫下來的個人性靈理想與夫人類生命躍動的篇章。德國尼采曾說：「我祇愛讀那些用血寫出來的作品，」因爲祇有「用血寫出來的作品」才是經歷了超越前人或同輩的經驗，獲得了深邃的瞭解，并體味了新穎的意義之後的一種具有特殊精神面目的記錄，所以能使讀者受到感動，發生共鳴。美國的文藝評論權威巴比特教授（B. Babbitt）說：「近代藝術的最大野心，正如文藝復興時代晚期的某些藝術，就是追求新穎，」「這裏所謂新穎，就是獨創，既不拾前人牙慧，也不落同輩窠臼，否則該一作品就僅能稱爲情緒的複製，內容或形式的摹擬，這些都是文藝作品的大忌，而原是一般文藝工作者所深惡痛絕的。」

我們的前賢對於文學上的摹擬，也多加以筆伐。王充說：「飾貌以强類者失形，調辭以務似者失情。百夫之子，不同父母，殊類而生，不必於似，各以所稟，自爲佳好。文必有與合，然後稱善。……必謀慮有合，文辭相襲，是則五帝不異事，三王不殊業也。」韓愈也說過：「惟古於辭必己出，降而不能乃剽竊。」胡仔在苕溪漁隱叢話中說得更明白：「宋子京筆記：文章必自名家，然後可以傳不朽。若體規畫圓，准方作矩，終爲人之臣僕。若襲習陳言，規摹舊作，不能變化，自出新意，亦何以名家？魯直詩云：隨人作計終後人；又云：文章最忌隨人後；誠至論也。」袁中郎也說：「若同摹當人一致知，一般庶日，衆人所顰者，我亦顰之，如蠅之逐臭，卽此便是小人行徑。」顧亭林則云：「近代文章之病，全在摹仿，卽使逼肖古人，已非極詣，況遺其神理而得其皮毛者乎？……效楚辭者必不如楚辭，效七發者必不如七發，蓋其意中先有一人在前，旣恐失之，而其筆力復不能自隨；而此壽陵餘子學步邯鄲之說也。」

可是反觀台灣文壇，若干作家却專事摹擬，這是叫人洩氣不已的。首先揭發此一「行徑」的是中國婦女週刊的一篇社論，目標是鍾靈編導的「歸來」，因爲「歸來」一片所根據的藍本原是香港地某作家所著的長篇小說「代價」，而鍾某僅略加更動，便據爲己有，更繼之是徵信新聞的副刊「人間」上方以直君以「創作與摹擬」爲題，揭發了張□兩兄弟」的「心魔」，乃是法國莫泊桑「漱蘭」的中國版。其實，台灣文壇上豈僅祇有這兩種「作品」是摹擬的？請讀者讀一讀陳紀瀅的「荻村傳」，牠是不是魯迅「阿Q正傳」的改頭換面之作？彭歌的「殘缺的愛」，是不是從法國的「田園交響樂」一書蛻變而來？師範的「未走完的路」，是不是因襲了法國羅曼羅蘭的「約翰·克利斯朵夫」？其他類似事實，恕不枚舉！

在這個大時代裏，大好題材，俯拾可以說得上一句「俯拾皆是」，祇要作者能本其智慧，悄予選擇，細加體會，發掘該一題材的特殊意義，然後利用新穎的形式，就不難擱造出動人的新的作品來，何必因循前人或同輩的蹈轍，畫地爲牢，作繭自縛呢？文藝的作者和批評家原是非常嚴刻的。杜甫在「寄高適岑參三十韻」裏曾說：「更得清新否？遙知對屬忙。」在「新吟」裏又說：「賦詩新句穩，不覺自長吟」，除去模擬而事創造，正是杜甫成功的清新地方，也是世界上所有大作家成功的地方，有幸台灣若干作家，三復杜氏之言！（寄自台中。）

海嘯慶談薈

軍閥悲歡離合記（三）

馮氏這封信是他自己秘密寫成的，左右親信幹部皆不知道。他寫好之後，交給他的高等客卿李烈鈞先生查閱，李極力勸他莫發出，曾將原信留中，我當時隨李先生在記室，目擊其情。越兩日，馮來索取原件，謂彼已決定辭職出國，此函非發不可。李謂原稿字迹太潦草，應交爲謄正，以示莊重，卽命我司鈔胥之勞，因而原件乃庋藏李先生處，今猶存在也。張作霖閱及此函，當然生氣，更與吳佩孚積極勾結，而馮乃於十五年一月一日通電辭去本兼各職——他以西北邊防督辦兼任甘肅督軍——前往莫斯科以避張吳之鋒，冀圖保存實力。馮出國後，卽由原任北京衞戍總司令的馮軍大將鹿鍾麟把曹錕從延慶釋放出來，一面對曹道歉賠不是，另又電請吳佩孚入京主持軍國大計，誓言擁戴服從，佩孚知其詐僞，嚴詞反覆，復電敎西北軍解除武裝，聽候處置乃可。鹿等惶遽之餘，私念吳與段祺瑞素有深怨積恨，段在北京執政，吳必不願入京與段周旋，爲表示擁吳誠意起見，急不暇擇，竟派兵包圍執政府，收繳衞隊槍械，段在私邸得訊，潛走東交民巷避難，旋通電去職，北洋軍閥政府從此崩潰了。

段執政旣走，而「吳大帥」仍不來，「張大帥」亦攻訐馮軍以倒戈謀叛爲常業，大倡「討逆」之說，與「吳大帥」的「討賊」之聲相應成趣。吳氏心目中的「賊」與「逆」，原係以張作霖爲首，而馮玉祥次之，如今張旣要「討馮逆」，北京附郭又爲奉軍所盤據，故亦樂得順應時勢，以毒攻毒，乃通電贊成張說，主張合力靖難。鹿鍾麟等枉作小人，無可爲計，祇好率部退出京畿，回到居庸關外，保守張家口老巢，以待時變。馮軍撤退後，張、吳卽聯袂入京，策劃「討逆」的軍事行動，從是年五月開始進攻南口，到八月中旬，馮軍以內部意見不一致，奉玉祥電令棄守張家口，全軍集結綏遠轉赴甘肅，戰爭方告結束。南口形勢奇險，易守難攻，當時吳、張聯軍雖有少數飛機，但所用炸彈重量不過二十磅，我隨馮軍退出北京時，曾在西直門外火車站月台上，親受吳、張聯軍的飛機轟炸追襲，其威力殊不足畏也。戰端旣啓，鹿鍾麟以「東路總司令」坐鎭南口，指揮作戰，防綫始終未被吳、張聯軍攻破。唯西路——亦卽大後方的大同鎭方面，山西閻錫山增兵警戒，隨時可以截斷張家口與綏遠間的鐵路交通，陷馮軍於「腰斬」狀態中，當時代理西北軍統帥張之江，嚴令旅長韓復榘由綏遠境迅速進擊大同而佔領之，然韓平日與鹿鍾麟極不相能，不肯賣力作戰，僅進至距大同不遠的「孤山」地區，按兵不前，讓晉軍在大同不時出擊，屢斷西北軍交通運輸，以致由外蒙運來供應馮軍的械彈與醫藥品等，皆無法及時接濟，張之江無可如何，曾於夜間在總部跪地向上帝告哀，而南口與張垣乃於十五年八月十二日放棄之了。迨民國廿八年對日抗戰之際，韓復榘以抗命通敵罪被拿問，政府遂頒「戰時軍律」，依馮玉祥議，派鹿鍾麟爲訊究韓氏的審判長，我在重慶聞訊，卽告朋友曰：韓向方死定了！

馮玉祥與吳佩孚由直系軍閥袍澤，反目成仇；張作霖與吳佩孚由生死冤家，化敵爲友。悲歡離合，詭譎爲幻，而其內幕情節，皆爲着個人爭權奪利，沒有絲毫爲國爲民的意念可言。尤其是馮玉祥，捉曹放曹，擁段倒段，致張作霖書，極盡反覆之能事，滿紙「國家」「人民」，侈言「爲國共死」，實則他的私慾與吳張尤有甚焉。蘇老泉有言：「世之不近人情者，鮮不爲大奸慝」，信不虛也。（完）

諸葛文侯

老尙風流

文壇軼話

道南

今年五月廿六日爲黨國元勛李石曾的八旬壽辰，他既不做壽，亦不避壽，任其自然。當時于右老送一壽聯云：

是革命老兵，亦文化鬥士；
喜故人上壽，有仙侶同心。

此聯的頌揚，極爲得體，且極親切，末句尤具風韻。這是說他前年才與田寶田女士締結良緣，而田女士才貌雙全，正當盛年，魚水和諧，白髮紅顏，一時傳爲佳話。其時賈景德卽撰有嵌字聯爲賀，妙文妙人，不可不錄。聯爲：

「李」下早成蹊，老尙多情呼「寶」「寶」；
「石」人亦刮目，「曾」無一葉不「田」「田」。

嵌字之妙，極其自然，頗具匠心。賈景德亦賦性風流，頻傳有續婚之說，當不禁爲之羨煞！

猶憶民國三十五年，李石曾一度曾與林素珊女博士結婚，其時李已六十八，而林猶盛年，當時張一麐先生曾賀以詩云：

春風先日到公家，連理枝頭嫩欲芽。白首元勛新伴侶；紅顏博士老才華。堪誇倒蔗甘難及；卽此寒梅韻亦佳。更喜歲星臨貴婿，奎光長照眷如花。

因爲林李結婚，係請吳稚暉先生爲證婚人，故末句及之。

僑務委員會核發台教新字第三二三號登記證
內政部頒發僑台報字第零叁壹號內銷證

自由報

THE FREE NEWS
半週刊每星期三、六出版
第三十三期
每份港幣壹毫
台灣售價台幣二元
社長：雷嘯岑
督印人：黃行奮
社址：香港銅鑼灣高士威道二十號四樓
20 Causeway Rd. 3rd. Fl.
HONG KONG
TEL. 771726
電報掛號：7191
承印者：田風印刷廠
地址：香港高士打道221號
台灣總經銷處
台北市西寧南路110號二樓
電話：三〇三四六
台郵撥儲金戶九二五二

對於土耳其政變的觀感

雷嘯岑

土耳其繼南韓之後，亦發生了不流血的政變，舊政府整個垮台，一般高據要津的顯赫人物，皆在縲絏之中，束身待罪。激起政變的原因亦與南韓相同——爲的是選舉不公允，而其內幕情形更如出一轍，後先媲美，眞教世人嘆觀止矣！

土耳其的兩黨政治——民主黨與共和黨交互執政——始由該國開國元勳凱末爾總統熱心培育扶持起來，繼經前任總統，現爲在野黨領袖伊諾努竭力贊襄，使其發揚光大，蔚成現代民主憲政的之規模。詎料由於政治權力中毒的結果，致令「本是同根生」的兩黨領導人士，浸成仇敵，急切相煎，因而逼出軍人實行「苦迭打」的反民主憲政舉動，可說是莫大的悲劇，而民主黨的內閣總理孟德斯實不能辭其咎。南韓的李承晚總統被迫去職，尚有一個國會議長兼新選任的副總統李起鵬全家自殺殉身，替李承晚分謗受過，表示一些政治節操。土耳其的孟德斯總理，卻黯然隨着本黨領袖拜耳（現任總統）暨國會議長郭瑞旦等人，被流竄於黑海與愛琴海之間的一個孤島上。就這點情形來說，韓國的民族性及其政治風格，殆視土耳其更值得贊許哩！

人類的先天性質都具有強烈的支配慾，貪戀政治權力，乃是人之常情，爲着鎮奪政權，不惜採取一切不可告人的卑劣殘忍手段，而美其名曰爲國爲民，古今來人們由於政治權力中毒而演出的悲劇和滑稽劇，形形色色，不勝縷述，禍國殃民的現象所在多有。這民主憲政之說興，政黨政治制度確立，政權的取得，一是皆以人民選舉爲本，這原是極其明智而合理的辦法，可以消弭人間若干不必要的災害。然而，權力中毒甚深的政治人物，卻悍然以非法選舉的手段，強姦民意，打擊政敵，任何騷人聰明的醜態行爲都做得出來。如南韓的執政黨每屆選舉之前，必修改憲法一次，甚致逮捕反對修憲的議員，利用軍警力量以箝制在野黨的選舉活動，在最近的大選運動中，民主黨領袖張勉要想租得一個競選演說的場所亦不可得，人民投票時，且由警察公然在旁監視着。土耳其的執政黨亦復「見賢思齊」，頒佈所謂「游覽法」，禁止政敵們競選旅行，共和黨領袖伊諾努前往一個省城作競選演說之際，竟被軍警脅制他的行動自由；又在國會內設置所謂「非法活動調查委員會」，藉以干涉一般異己者的競選言行。似此倒行逆施，不顧廉恥是非的搞法，那有不激起社會大衆憤憤不平的心情呢？等到民衆的反抗力一致爆發時，雖有軍警亦變成強弩之末，無所施其技了。這時候，權力中毒者所恃以維護政權，取得選舉勝利的一切法令與實力，皆屬心勞日拙，無所用之，而本身適成爲「國人皆曰可殺」的衆矢之的，只有一條失敗之路請君入甕。李承晚之懍然下野去國，孟德斯之俯首流竄於荒島，實爲政治權力中毒的應有結果，這與抽鴉片烟，吞海洛英，癮大而毒深的情形一樣，到頭來除了傾家蕩產，貽害自己和子孫之外，別無生路可尋，早知今日，何必當初呢！

南韓政變以後，暫由無黨派人士執掌中央政務，而由國會議員修訂憲法，然後實行選舉，重新組織正式政府，同時分別撤懲一般過去從事非法選舉的文武大吏，這些措施仍不失爲民主憲政的常軌，無可非議，且在政變過程中，南韓的軍隊始終未捲入漩渦，保持不以武力爲政爭工具的優良制度，尤爲難能可貴。搞民主政治如果利用武力，根本就與民主生活背道而馳，縱不出現軍人獨裁的反民主政權，亦將產生暴民專政的惡果，二者都是民主生活的大敵。因此，我們對於土耳其今後的政治前途，殊不敢容予樂觀。在陸軍首領古塞爾控制之下的「全國團結委員會」，把議會解散，並逮捕執政黨的全部議員，封閉民主黨總部，禁止其活動，卽共和黨領袖伊諾努亦曾被幽囚於軍中。另由軍方遴派一些號稱爲法學專家的人，起草新憲法，作爲辦理選舉，組織政府的圭臬。那些奉命制憲的「法學專家」，在軍人頤指氣使的環境中，他們自不可能憑着良知良能替國家草擬大經大法，而不得不仰體軍方的意旨以從事。將來根據新憲法實行選舉時，政黨的活動既受到限制，不用說，極大多數的當選者，必係軍方所贊許支持的人士，而未來的總統，亦卽非古塞爾將軍莫屬了。綜觀這些作法及其意義，都與民主憲政的常軌格格不相入，古塞爾便是藉武力篡奪政權的始作俑者，結果還不是以暴易暴嗎？儘管古塞爾將軍現在信誓旦旦地向人民發出諾言，保證法律之前，人人平等，要維護人民應有的自由人權，毋許侵奪。這些話很動聽，可是，目前除了拜爾，孟德斯，郭瑞旦等幾個政治罪人以外，許多議員和民主黨全體黨員的基本人權，卽被軍方剝奪殆盡了，這又如何解釋呢？古塞爾所徵出的諾言，或許是出於誠意的由衷之談，因爲此時他尙未沾染權力中毒的毛病，運智勝過私慾，愛國心很濃郁，他的政治思想與言論的價値標準頗爲高貴，動機亦很純良。一旦浸潤於政治權力的毒素中，日積月累，若疑他能夠出汚泥而不染，避免中毒的危險，誰其信之？所以，我們預測土耳其政局的未來趨勢，如其古塞爾將軍當選爲行政元首的話——事實一定如此——土國的政治狀況，或將步武印尼蘇卡諾所標榜的「指導的民主」形式，亦非意外的事。好在土耳其沒有共產黨滲透活動，而美國與土耳其的關係亦甚密切，諒不致釀成如印尼那種動亂不安的局面。但是，軍人利用時機與武力以奪取政權的惡例既開，從大處遠處設想，土耳其的民主建國精神，業已變質，加之以統治階級容易權力中毒的普遍流行病，誰也不敢保證土耳其的民主生活一定是向上發展，而沒有類似孟德斯一流人再度出現吧？

民主憲政的精髓就是選舉制度，運用選舉的唯一原則，卽爲實行政黨政治，沒有反對黨存在，便無民主生活之可言。所以，凡是嚮往民主生活的國家，無論在朝在野的政治人物，必須有尊崇法制，容忍異己的習慣與修養，否則所謂民主云云，只是騙人的咒語而已。至於選舉這回事，原不見得就是完全能夠表現眞正民意的方式，但在世界上尙未創發更好的民主生活方法以前，全民投票選擇管理衆人之事的代表，比較是合理的。在文化落後，產業不發達的國家，選舉制度更不容易毫無遺憾地發揮其功能，貴乎一般熱心政治活動的知識份子，能把國家人民的利益，置於個人利益之上，而其癥結卽在執政者權力中毒的深淺程度如何？選舉方式以外的政變玩藝，不問是何性質，皆足以斲喪民主憲政的生命，不是爲訓也。

時事述評

西藏的抗暴運動

盧家雪

西藏游擊隊的武裝抗暴，這幾天又有更進一步的消息。

據新德里「政治家日報」報道稱：「西藏游擊隊在最近數月內，與中共佔領部隊所發生之激戰中，曾遭受「巨大」之死傷」。」該消息又稱：「單獨於本年三月在拉薩東部之一次戰役中，曾遭受「巨大」之死傷。」該消息又稱：「單獨於本年三月在拉薩東部之一次戰役中，約死亡游擊隊二千四百人。」該報又謂該等游擊隊，於去月（五月）曾破壞中共四架轟炸機。

在西藏高原上所發生的事情，自由世界的人幾乎從不予以注意。爲自由與生存所作的犧牲，委實是具有深長意義的。

奇怪的是，自由世界的目光，僅只是注意到那些表面的變化。赫魯曉夫的一喜一怒，西方的政治家簡直要把它當心理分析來研究，而對於鐵幕內或者鐵幕邊緣的巨大變化，卽令加以注意，亦從不敢以行動表示，這眞是絕大的矛盾。

今日世界，受赤禍之荼毒烈者莫過東方，而東方則又以中國爲最烈。

西藏抗暴，不自今日始。七八年來，不時有消息傳出，而以達賴出奔達到高峯。

自由世界，對於西藏的抗暴運動，究竟有些什麼援助呢？

據新德里「星期日報」稱：「中共經在西藏展開新的恐佈行動。」

又據泛亞社加爾各答五日的電訊報導：班禪喇嘛已遭共軍監視。

班禪之遭監視，是必然的結果。情況發展到今天，班禪實際上已無可予利用之處。何況班禪亦爲一喇嘛，他的地位建築在藏人皆爲信侶，而現在，中共的恐怖行動，乃在滅藏族人，是不管澈底消滅班禪的徒衆。在這樣的情況之下，只要班禪稍有智慧，他是不會再被中共利用的。

大吉嶺方面傳來的消息，謂班禪之左右人物曾舉行秘密會議多次，而且曾秘密進行反共工作。這就是最好的證明。

達賴經已出亡，中共是不容許班禪再逃出西藏高原的。

在這一神秘的高原上，西藏人正在爲了維護他們的傳統，進行着激烈的抗共鬥爭。

自由世界的人們，對於他們能有些什麼幫助呢？

共產頭目一喜一怒，是用不着他費心機去研究的，因爲這僅只是技術之運用，是而本質則永不變更。我們所要研究的，是怎樣以有效的實際行動，來支援一切受苦難的人民。

自由談

可哂的人道主義

美國法院判處了一個姦殺案罪犯蔡斯曼的死刑，英美社會人士羣聲起哄，在蔡斯曼未行刑之前，紛紛提出減刑的要求，既處決以後，譁然爲之抱不平，深表痛惜。當然，這些人都是站於人道主義的立場，而發此大慈大悲的議論，善哉善哉！

不過，中國大陸上最近十年來，被共產暴虐政權非刑慘殺的人民，爲數至少亦在兩千萬名以上——毛酋澤東也公開承認殺了八十萬人！卻未聞英美人士有如對蔡斯曼被判處死刑的這種反對抗議之聲，相反地，還對中共暴政隨時表示稱贊敬畏之言，許多高級知識份子如學者教授之流，且要求本國政府與中共親善合作，說是不能不承認現實。共黨最厲害的現實行爲，就是殺人刦財，既可以承認中共殺人如麻的殘暴政策，爲甚末又要反對美國判處一個姦殺罪犯死刑的現實法令呢？明察秋毫而不見輿薪，何其陋也！

卽此可知英美一般人士心目中的人道主義，乃是有人種與地域差別的。膚色有別的亞非人類，千千萬萬被暴虐政權慘殺了，亦毫無所謂，漠然毋動於衷，最後還要跟殺人魔王攀交情，結友誼。西方人士的宗教思想，未必就是這樣的本質？果若是，自難怪毛共對於西方的傳教士，一律加以「帝國主義間諜」的罪名，隨便拘捕入獄了。

歐美大國間的一些名流、學者、議員、及其所謂「問題專家」們，對於亞非地區的事情，隨時「牙擦擦」，表示其領導自由世界的優越感，卻適事以犧牲別人，成全自己爲唯一原則。如是乎，欺善怕惡，僞仁僞義的嘴臉，充分流露於世人之前，恬不知羞，令人齒冷。從大處深處推究其根源，不能不說資本帝國主義的文化思想爲厲之階，此俄共集團應力之所以日見猖獗也歟？

馮五先生

動盪不安的土耳其

秦泰

在這一個月以來，土耳其一直在動盪中。軍人居塞爾登台，前總理曼達斯已爲階下囚，被放逐在一個孤島上，未來演變如何，正爲全世界所注意。

歷盡滄桑的古國

土耳其是一個歷盡滄桑的古國，當羅馬帝國强盛時代，擁有歐洲的大部分和北非西亞的一部，土耳其的一部分土地也在其中。到三九五年羅馬帝國分爲東西，現在土耳其的伊斯丹布爾，便成爲當時東羅馬的京城－君士坦丁堡。直至十二世紀初葉，蒙古軍西征時，土耳其斯坦地方的突厥族被迫西遷，阿斯曼建立帝國，這就是土耳其的開始。一四〇二年蒙古軍帖木兒大破土耳其，迨察台汗國衰微，土耳其轉盛；一四五三年滅掉東羅馬，建都君士坦丁堡，並改稱現名（伊斯丹布爾）。其版圖橫跨歐亞非三洲，爲土耳其最强盛時代。

但至十八世紀以後，土耳其積弱，土地日削，外患日亟，到一九〇九年發生革命，改行立憲，不久又引起了巴爾幹戰爭，土耳其敗北；接着第一次世界大戰爆發，土耳其不幸叅列戰敗國，任人宰割，成爲東亞病夫。于是凱末爾崛起，組織國民黨，收羅士卒，于一九二〇年另在安哥拉成立政府，首先擊敗希臘，光復小亞細亞；一九二三年參加洛桑會議，恢復了國際地位；同年土耳其皇室退位，改爲民主共和國，公推凱末爾爲土國首任總統。而雄才大畧的凱末爾，得秉國政之後，加緊力圖改革，奮發自强，十年生聚，把土耳其煥然一新，成爲遠東的第一强國而滌除了東亞病夫之恥。他的豐功偉績，使土耳其人都尊他爲國父而不名。這次示威遊行的學生，且曾企圖衝入他的墓前，作哭泣的憑弔呢。

一件誤會的事情

土耳其現在的人口約有一千八百萬，原是突厥民族，跟我國新疆的回族出于同源，風俗語言和文字都相差不多，所以對于前往土國的新疆同胞非常的客氣，他們認爲是一家人。同時土耳其的家族情形，也像中國一樣沿用父系制度，父親爲一家之主，但一夫可以多妻，直至第二次大戰後，始由法律明文規定，爲一夫一妻制，男女實行平等，于是離婚事件就漸漸地多起來了。土耳其人的服裝也從舊時的回教服裝改穿西裝，並且廢止了從前所戴的紅帽子。當廢止紅帽子以後不久，曾經發生過一件誤會的事情：據說在一個正式的大宴會上，卻有一個人仍然戴着一頂紅帽子，土耳其總統看見了覺得這人眞是膽大妄爲，非但違反了政府命令，而且竟敢在本大總統面前大模大樣地戴着紅帽子，實在氣不過，就親自跑到那傢伙面前不問靑紅皂白，伸手就把那頂紅帽子抓過來往地下一丟，弄得那人莫名其妙！想不到這人是埃及派駐土耳其的公使，弄得場面非常的尷尬！

由于土耳其是純粹的回教國家，回教徒是忌食豬肉的。所以在土耳其很難買到豬肉，不是熟門熟路的人休要問津。而當地的肉食則以牛羊肉爲主，食油大都用羊油。因此初到那裏的人覺得很不慣常，好在當地水菓豐富，葡萄酒也頗著名，正是羊羔美酒，的確別具風味。

研究中國的文化

土耳其的教育步進得很快，從前文盲特多，並且男女的知識程度也相差很大。自從實行改革以後，國民教育確已普遍化了。不要說小學生不必化錢讀書，就是中學大學也多是免費的。祇要學生能夠及得上，就不管貧富都有享受高等教育的機會。當年凱末爾還收認了不少乾女兒，給她們受高等教育，作爲男女平等的示範。除學校教育以外，無綫電教育也在推進中，使一般不能升學的靑年，也得有工作進修的機會。還有一個大改革，使是廢止了阿拉伯文而改用英文字母附土耳其語拼音。凱末爾秉政時代，在國立大學裏開設了一個中國學院，研究中國文藝、史地和中土兩國歷代的交往。惟其學生不多，原來的一位教授對于中國古文尙有研究；近來又有一位女教授，據說她曾經在北平留過學呢。

提起凱末爾總統收認乾女兒的問題，說來非常有趣。由于土耳其人原是遊牧民族，性格強悍豪爽，凱末爾出身軍旅，自然是一個典型的人物。他在軍政上的努力，博得了民衆的擁戴和全世界的稱頌；但偉人不拘小節，和生活方面素喜醇酒與美人。可是他卻有與民同樂的氣概，凡是有功於國的文武官員，他都可以把乾女贈送，表示酬勞，屬下也引以爲榮。

饒勇善戰的勁旅

正因爲土耳其人的性格強悍，所以他們的軍隊最是驍勇善戰。第二次大戰後，土國實行採取征兵制，全國有常備兵五十萬，後備軍也有五十萬，而且其中可以實地作戰的成份極高。分編成三個軍團：一個駐東面的俄土邊界；一個駐于土耳其和保加利亞邊界；另一個則留在後方隨時接應。其他還有幾個獨立軍團，守護南部。總共起來，土國有實力充足的陸軍三十五個師，比大西洋任何一個締約國的實力都有過無不及！此外並隨時可以征召受過訓的壯丁約二百五十萬人。

土耳其軍隊還有一個優點，就是恰好配合西方國家的通盤戰略。西方國家在東方所缺乏的陸上實力，恰是土耳其的長處；土耳其缺乏海空的進攻力量，也恰是西方國家的長處。西方國家的海軍又可以保衞海上的供應線，源源不斷地接濟土耳其陸軍的需要。美國爲着補救土國上述的兩個缺點，極力改善。在此國際風雲激盪的今天，土耳其的內部問題，是不可忽視的。

中共利用公社備戰

一得

爲了全面備戰，中共在大陸全面推行「人民公社」，先用暴力在廣大農村中推行，獲得經驗與基礎後，現以全力加速在城市推行。中共企圖於這制度成功後，澈底地鞏固其對大陸人民的控制，掌握全人力，亦掌握所有物力，成爲一切集體化戰鬥化的組織。而這種組織對中共唯一的好處，就是在一剎之間能全面動員，受俄共命令對外侵略。在現階段中，中共一方面正在緊張地整頓農村公社，加强對農村公社的控制力，健全農村公社的組織；另一方面，則全力推行城市公社，務期於最短期內，達到全面公社化的目的，將力量提供俄共作征服世界之用。最近，中共更召開了兩次變相的軍事動員會議，其一爲「全國民兵代表大會」，另一爲「解放軍積極工作者代表大會」，這兩項會議中共軍頭子們一再叫囂鼓吹戰爭，要人民完成作戰準備，更要求共軍幹部加强政治學習，提高士氣，準備隨時作戰。近來大陸中共掀起的反美狂潮中，共酋們毫無避諱的高呼戰爭即將到臨，都是中共要完成備戰的一個顯示。

其實，中共的建立「人民公社」，根本就並非爲了其所宣傳的「改造」社會面貌，「創造社會主義的國家」，而實際上就是爲了便於以全力作戰。中共如完成了城市公社的組織後，所有大陸人民使全部納入嚴密的組織中了，工作、生活、行動、思想，都要受這組織的控制，絕無個人自由，中共的勢力，直接伸引到基層去，而樹立强有力的基礎。中共的宣傳機構一再說人民參加公社是出於自願的，而且生活資料也歸個人所有，這全是與中共組織公社體系相反的騙人之語。既爲了要控制每一個人，則所有人民必須加入，一點自由都沒有，如不加入，後果就是衣、食、住、行都被斷絕，成爲無可生存的人，至於一切生產工具，都沒收歸國家所有，如此一來，中共要人民作甚麼，人民就要作甚麼，一點反抗不得，這樣的組織體系，最宜於作戰。

在另一方面，如要作戰，必須充實生產，然後有作戰的實力。生產則脫不了勞動力，中共的公社，是要集中全大陸所有的勞動力爲戰爭而工作。中共自己也不諱言設立城市人民公社是「解放婦女的勞動力」，所有街道工業成立後，出品產值都有增高，至城市公社建立，在高度的壓搾下，自然替中共生產更多財富。至現在，大陸的重工業和機械工業，絕大部份都在全力爲戰爭物質而生產，不能担負民用生產，民用生產任務，必須另由公社工業、街道工業負担，中共把戰略物資與民用物資範圍劃分後，對其高速度備戰的提早完成當有極大幫助，這也是中共要加速完成全面公社化的目的。

再者，中共組成公社的目的，據招認是實現「全民皆兵」，把人民公社作成一個戰鬥體，在公社中，把政治、經濟、軍事都合成一體。中共強迫公社所有自四十五歲以下的青年受民兵訓練，在每一公社中都組設有民兵師，中共的目的，是把這種民兵訓練成變相的野戰部隊，當戰爭掀起時，立刻有數目龐大的軍隊以供調用。在北平召開的「民兵工作會議」，與共軍參謀總長羅瑞卿在五月十五日在「紅旗」半月刊上所發表的文章，均不諱言此點。中共的如意算盤是：戰時這大量民兵作爲不斷的炮灰來源，而在平時，這些民兵又是生產奴役的主要對像。

從以上各點看來，中共之全力推行公社，主要作用乃在於加速備戰，企圖當戰事發生時，每一公社都成爲一個獨立作戰單位。因此，中共對公社化是事在必行的，無論大陸人民如何反對，國際間如何指摘，它必然竭盡暴力以促其成。當此國際共黨陣營聲勢尙在囂張，中共暴力尙未崩潰之際，在一定的時間範圍內，中共的公社制是可以仗暴力施行的。但這違反人性尊嚴的制度，始終在人民心中埋下炸藥，中共以公社爲備戰手段，但當其掀起戰爭時，人民心中的炸藥將會爆發，一發不可收拾，所以另一方面，中共不啻是在自掘墳墓。

中共加緊勞役婦女

筱臣

中共推行人民公社的目的固然是多方面的，但通過農村人民公社或城市人民公社來勞役大陸婦女，卻是其目的之一。所以，自從中共在農村推行人民公社後，由於農民的家庭被拆散，鄉村家庭的炊具被銷毀，夫妻兒女離散。於是，大陸所有農村婦女，便在「解放婦女」的口號下，被編入集體勞役的人羣。

在城市方面，據本年三月五日「人民日報」報導，大陸上的女職工，已由一九五七年的三百萬人增加到一九五八年的八百多萬人。她們一部份是担任大企業的手工業操作，部份是參加城市街道工業，據北平、天津、瀋陽、濟南等四十三個大中城市一九五九年底統計，已成立了四萬四千多個街道工業單位，有一百四十萬勞動者，其中絕大多數是婦女。

在農村方面，婦女被迫從事生產勞動的人爲數更多。據本年二日「人民日報」報導：去年大陸農村婦女出勤人數，經常達到婦女勞動總數百分之九十以上，不少地區更達到百分之九十五。

據說這些參加生產勞動的婦女，不僅是担任輔助性的勞動，有些更任關鍵性的勞動成爲農業生產中的「全把式」。寧夏的婦女普通參加耕地，湖北有一百四十萬人成爲犂田，整地和深耕的「能手」。浙江有一百五十六萬婦女，福建有五十萬婦女成爲農業生產的「全把式」。過去揚場，趕大車等一向是男性幹的活，現在也由婦女担任。黑龍江拜泉社公社婦女，一九五七年只能做三十二種簡單農活，一九五八年就担任七十八種農活，到一九五九年又增加到八十二種農活。

據同一消息：目前大陸在麥田和棉田管理，積肥收割等方面，都以婦女爲「主力軍」。婦女參加積肥人數，一般都達到女勞力百分九十以上，作男女積肥勞力百分之四十五以上。山西婦女到本年二月止，已經積肥二十億零九千多萬担，送肥二億四千五百多萬担。

在興修水利方面，多數婦女亦被迫參加。據河北，山東，山西，甘肅，北平等十四個省市的統計，去年參加水利建設勞動的婦女有二千一百多萬人。山西瀉曲水利工地上的三千多名婦女，每人每日挖土達三立方公尺。河南許昌專區的長葛，堰城等六十五縣，將二萬婦女組織四千六百個「花木蘭抗旱突擊隊」，要她們在三天內担水澆地五十多萬畝。

此外，中共要各地婦女耕種「豐產試驗田」。據湖北，河北，山東，福建，遼寧六個省統計，由婦女耕種的試驗田達二千八百多萬畝，參加的婦女達一千萬人。湖南隆回縣每一婦女担任耕種一畝「高額豐產田」。

即在同時，中共女中央委員蔡暢（李富春的老婆），則更發表了一篇以「循着列寧所指引的婦女澈底解放的道路前進」的文章，號召大陸上所有婦女，一齊離開家庭，一齊都去從事社會勞動。據蔡暢說：「正如列寧所指出的，婦女在法律上的平等還不是實際生活的平等。」

於是，蔡暢根據列寧的這種錯誤荒謬說法，又進一步說：「集體生活總比個體生活優越得多」，「孩子的照顧將成爲公衆的事情」，同時，蔡暢又指斥「老婆做的飯才香。」這實質上是資產階段思想和舊社會遺留下來的習慣勢力在作怪。蔡暢現在是根據中共意旨，主要在拆散家庭，奴役所有在大陸的婦女。

社會小說

香港地

四、高的低的

木客著

打架的事情本來沒甚好看，只因這個黑社會的惡漢，名叫牛犀利，和梅大亮同里居住，也是慣常見面的人，所以，梅大亮也得停步一看，擠在人叢裏看熱鬧。

牛犀利據說是姓牛，自認有一對很犀利的拳頭，故此叫做牛犀利。另有一個綽號是「大有希望」。這個綽號的起源，是因他愛好賭錢，但逢賭必輸，每拿到牌張在手上時，照例說一句「大有希望」，臨末是十九變成無望，人們見他這種口頭習慣十分可笑，便喊他做「大有希望」。這個名號倒也別緻，傳到梅大亮耳裏，不禁被吸引住，便存心要結識他，看他生成什麼樣相，臨了識得他的廬山真面時，又不禁笑將起來，料不到這樣一個粗魯無文的人，卻會在口頭上掛上這樣一句文縐縐的話，並且成了綽號。

這時，梅大亮看牛犀利揪住了那個擺檔小販，拳打腳踢，口裏「媽媽聲」的呼喝不停，罵那小販不識相和不懂得規矩，敢向太歲頭上動土，一派恃強凌弱的話，那小販也真可憐，吃了拳腳不打緊，連靠來做吃飯本錢的籮子担子也給搗毀了，只落得個欲哭無淚，嘶啞求饒，「大佬」長「大佬」短的哀呼不迭。

梅大亮看不過眼，但也礙得在這個地頭裏，像牛犀利這種「爛仔頭」是不好惹的。便只好暗暗嘆了兩口氣，仍自走路回家，低頭默想。

他這時是這樣想道：「這裏本來不需要像牛犀利這樣的人，為什麼竟會出了一批批的，成為一種特殊職業份子，靠欺負別人來賺飯吃呢？」

想了一會，他才恍然悟道：「這又有什麼不可解呢？原始的部落都需要自衞，在進行自衞的戰爭時，自然而然的需要強力的指導。這些指導者後來便成為皇帝。歷來皇帝大都是殘暴的，為了反抗殘暴的皇權便需要革命，也需要行俠仗義的人。那些行俠仗義的人後來又走了樣，便成為牛犀利那樣的傢伙了。」

梅大亮像追求一個算術題目的解答一般，到了求得正確答案時，便不禁呸的一聲，唾了一篤口水，罵道：「好一個牛犀利，沒出息的傢伙！」（卅三）

世界小姐

春枝

「世界小姐」，又開始選舉了。

上叨天地造化的宏恩，我居然接到了一張聘書，榮任世界小姐香港區預選會評判員，說起來，真是聖恩浩蕩，上次的香車美人選舉，鄙人亦忝屬評判之一，誰說福無雙至呢？

聘書送到以後，賀客盈門，居然有許多打扮得古靈精怪的女士們，登門求教，備極慇懃。鄙人不是傻瓜，當然知道他們的來意，無非是事先拉拉關係，以便本人屆時執行評判大權時，或能先入為主，無意有意的給她們以較高的分數。對於這一點，鄙人本來在行，一個個應付她們，應付得她們笑臉迎人，纖紋畢露。有一位太太更是露骨地表示，假如她此次競選成功，願將淺水灣別墅一座相贈，同時負担環遊世界旅費。

我現在簡直已是側身名流了。

最初我是想瞞着太太的，但一看到聘書送來的第一天，就有這麼多的賓客盈門，覺得瞞着她也非善策，便爽性把世界小姐選舉章程全部給太太過目。

太太先是歡喜，漸漸緊張，到最後竟是似若沮喪，默不出聲，頭往後仰，終於暈過去了。想不到自己成了名流，而太太還沒來得及作名流夫人的心理準備，這就無怪她會暈倒。經過一番急救，太太悠然醒轉，謝天謝地，總算她還有福氣。我一面將她扶住，一面笑着說道：「這回總算我們是出頭了。」

「出頭？你這老不死的，誰希罕你出這種風頭？」

這句話太出意料，我連忙糾正道：「太太，當世界小姐評判的人，都是名流呀！」

「名流，誰希罕什麼名流？」太太的表情很嚴肅，似乎又不像說笑，這簡直是一種很嚴重的變態心理。當即說道：「話不是這麼說的，九流三教中，以名流為第一，正如同日本圍棋界的幾段幾段一樣。妳得知道，社會地位一到了名流，就如同日本的圍棋界到了九段。親愛的，我們真是幾生修到啊！」

話沒說完，太太驀地推開我的手，彿然站起，一手叉腰，一手指着我的鼻尖，說道：「少說廢話，這一次我不許你担任評判。」

這就奇了，太太居然不希望丈夫作名流。我連忙懇求道：「好太太，機會難逢，這次機會一過去，我的名流地位又不知到什麼時候才得升上了。」

太太沒有回答，她行近穿衣鏡前，對鏡凝視，左右顧盼，半晌，才回轉身來說道：「打令，你不能作名流，我作了名女人，夫以妻貴，還不是一樣嗎？」

「哦，妳的意思是……」

太太轉怒為笑說道：「假如說我能在預選中獲選的話。」

「什麼，選世界小姐？」我幾乎懷疑到我的聽覺有問題了。

「是的，我早就希望為這麼一個機會，親愛的，你不是時常說我是世界上最美麗的人嗎？不過，剛才你給我看的選美章程上面，說明評判員的家屬不得參加競選，所以……」

太太笑了，從她的笑容裏，我分不出是甜是苦。三十六條魚尾紋在眼角上，分明顯露，分明已是美人遲暮之年。我只有婉言相勸道：「你已經四十有三了，年齡方面怕有問題了，因為選美會規定是十八歲到二十八歲啊！」

「死鬼，你懂個什麼？我把游泳衣着上，怕不要年輕二十歲。而且，我……」

我的天！四十三歲的女人，二十八寸的肥腰，還希望着件游泳衣去競選世界小姐，叫我怎能不暈過去呢？

喜晤中龍書此奉贈

石叟

亡命暫經南海端，故交重晤雜驚歡。訪名深喜詩詞健，避世終悲天地寬。塊肉驟餘生亦偶，韻文翔後憶艱難。升沉忽及十年事，持飯轉當夢裏餐。

附註：余于人生雜誌及星島日報海天一角欄，覩中龍兄詩詞，始獲通函晤見，故詩中云云。

瀛海樓隨筆

端陽（下）

徐學慧

中國的民間習俗，大都是以時令來配合運動的。從這些地方來看中國古代的政治家，我們真不能不佩服他們的智慧。瑞陽賽龍船，重陽登高，八月十五賞月，三月踏青，元月舞獅，七月祭鬼，這些節令，是饒有意義的，而且，也是大規模的。它不僅令人從這些節令所附帶的運動中，獲得了身體上的鍛鍊，同時，更可以乘機灌輸一些有關的歷史智識。

屈大夫沉於湖南的汨羅江，他的歷史，幾乎每一年到端午節來臨的時候，必定要在人們口中提到。賽龍船在筆者的故鄉湖南人眼中，那是一年中幾件大事之一，其風靡人的程度，大概只有元月舞獅可以比擬。當我們還是小孩子的時候，我們就會從那些貼在楹柱上的對聯向年老的人發問，從那些問答之中，我們知道了這一位忠臣的史跡，同時也知道為何要作粽子的原因。

相傳屈大夫投江以後，後人為紀念忠魂，多有至汨羅江畔祭奠，而傾酒漿麥飯於江以弔之者，一日，忽有人夢屈大夫告曰：所傾麥飯盡為魚蝦所搶食，可以粽葉裹飯而以五色縷繫之，於五月五日午時投江，則魚蝦不得爭食矣。這當然是神話，但這樣的神話流傳了許多年代，我們並不把它當作神話看待，反而覺得這樣的傳說極具人情味，如同七月七日，九月九日的那些傳說一樣，我們不覺其俗，而只覺其美，這就是中國的民間節令，為何被普遍地歡迎的緣故。

自中共盤據大陸，這些饒有意義的民間節令，也就遭遇到厄運了。前年春天，共產黨已經要人民「打破常規度春節」，所謂打破常規者，即是不放假，不慶祝，仍然要開工。過年為中國人民最熱烈慶祝的節令，尚且如此，則對於端陽競渡的紀念，也就不問可知了。

中國文化，乃由於這些極具意義的民間節令，始能形成其光輝燦爛，如今，中共正要消滅中國文化，乃自然要運用政治力量使這些民間節令的紀念沖淡而至於消滅。

除去了中國的民間傳說，神話、寓言，以及流傳了數千年的民間節令，則中國文化將不會有這樣多采多姿，那也是任何人都可以想像得到的事。此文見報之日，讀者諸君之中，想亦有去大埔看過「番鬼佬」扒龍船者，於此亦足以證明，中國民間節令的影響力之大。

我常常這麼想，只要中國人民仍然熱愛端陽，熱愛重陽，熱愛七夕與中秋，熱愛元宵與清明，則中國文化將不會淪亡。

文壇軼話

嵌名趣聯

道南

上月報載前新疆主席盛世才因涉嫌誣諂國大代表，而引起了若干的糾紛，蟄伏已久的盛世才，久不聞其動靜，為了人與人之間的恩怨，使他頓成為新聞人物。

猶憶第二屆國民代表大會在台北集會時，國代大會五百多件提案中，指名要求清算舊賬的共有二件，其中有一件所攻擊的對象就是盛世才，他也是出席的國大代表，雖然屬於舊賬，但是提案的代表都強調這是為着「整肅紀綱，明辨是非，並無私人恩怨。」

這次盛國大代表之受到誣諂，是否與前此提案有關，不敢臆揣，總之他與國大代表之間的私人恩怨，是有着歷史淵源的。

只是使筆者聯帶想到在抗戰時期，重慶曾盛傳一副炙膾人口的嵌名聯語，其中也涉及盛世才，聯的全文如下：

介石居正應欽盛世才；

南京重慶成都新中國。

上聯是人名，全係名詞，但其中名詞有的作動詞用，其意義又不同了。這一聯的主題，完全係頌揚蔣總統的盛世英才，領導抗戰，光復南京，於盛世才亦無褒貶。迄今讀來，此聯還是有新的意義。

大陸文壇萬花筒

上海「作協」的會員大會

岳騫

最近上海解放日報及文藝報先後報導了「中國作家協會上海分會」會員大會的簡單經過。

這個會議是經過二月二十五日開始的，到四月十三日才閉幕，整整開了四十九天，試想一個作家會議，居然會開四十九天，那裏會有這麼多的事要商討，可能就是一個變相的思想改造會議，其次這個會議開會期間，對外是絕對秘密，不用說局外人不曉得，就連文藝報也不知道，直到大會閉幕，經「解放日報」報導之後，文藝報第八期才擇要轉載，文藝報雖然不是「作協」的機關報，但是關係却十分密切，作協上海分會召開大會，居然文藝報都不知道，其中必有奧妙。

作協上海分會主席是巴金，開幕時巴金也在大會上致開幕詞，當然是些無關緊要的廢話。不過巴金到了今天還能站穩這個位子已經不易，一九五八年他的作品曾被一些「讀者」連續攻擊幾個月，攻擊的文字都是登在文藝報及其他刊物上，結果竟未打倒巴金，也算是萬幸。

巴金致詞之後，就由中共上海市委宣傳部副部長徐平羽作了「關於當前政治形勢」的報告。

接着就是作協上海分會書記處書記任乾作了「兩年來協會工作和今後任務」的報告，葉以羣和孔羅蓀分別就「當前文藝理論工作和文藝思想中所存在的問題」，作了專題發言。其次作家在會上發言的還有魏金枝，郭紹虞，翻譯家草嬰，夢海，青年作家胡萬春，唐克新，徐錦珊，李寶根，胡寶華，還有文藝理論家徐俊西，陳冀德，戴厚英等。

由會議經過看來，今天在上海的作家，還能出頭講幾句話的，除去擁有主席名義的巴金之外，也只得魏金枝和郭紹虞二人，而魏金枝本是老共產黨員，郭紹虞又是一個歷史學家，舊日成名的作者，沒有一個人還能站住脚，除去少數人去了北平，絕大部份都倒下去了，十年來大陸上未出現過一篇真正像樣的文藝，老作家如茅盾，巴金，張天翼，謝冰心等人都未寫過一篇真正的作品。這就是中共自稱的「新社會」糟蹋了多少有用的人才。

釋未集

軍事政變

史家譏前漢立國時，爲軍吏之治，蓋以宰相，御史大夫，京兆尹等官，如蕭何、曹參、周勃、陳平、張蒼、趙廣漢、張敞之倫非出身卒伍，以軍功起家，則出身獄吏，以刀筆擅政也。大抵天下未大定，非武人不足倚爲心膂，用以誅鋤叛逆，其次則危民易與爲非，必待之以嚴刑，以戢其狡焉思啓之志，則獄吏尚矣。雖非盛德，聰明特達如開國之君，未嘗不知，蓋勢實如此，即今舜禹爲之，亦無可如何者也。數月以還，自南韓政變，李起鵬自殺，李承晚出亡後，繼之以土耳其之不流血革命，由陸軍將領，起而推翻政府，今李承晚雖去國，而南韓陸軍，又傳有不穩之說。竊嘗論之：以武人主國政，或武人出而左右大局，操奪政權，僅形式不同而已，其揆一也，國家之重軍人，蓋因大亂之後，烽火間作，則倚之以求安，將亂之際，亂未遽至，則倚之以備戰，既倚之，則不得不崇其官階，厚其祿餼，張其權力，而弛其制馭，於是驕兵悍將，由此而出矣。考諸國史，唐末藩鎮之禍，即循此而來，所謂魏博牙兵者，尤爲跋扈，按魏博六州，號天雄軍，自田承嗣盜據後，召募牙兵，皆豐給厚賜，年代既久，父子相襲，姻黨膠固，變易主帥如兒戲，自田氏後一百五十年，主帥廢置，均出其手。然此不過變易主帥耳，所謂禍難，猶在其一軍之中也，洎至五代，則軍隊往往擁立禍徧天下矣。考五代諸帝中，首爲後唐明宗李嗣源，其次爲廢帝從珂，再其次則爲後周太祖郭威，最後始爲宋太祖趙匡胤，史載嗣源事云：「趙在禮爲軍士皇甫暉等所逼，據鄴城叛，莊宗遣嗣源討之，方下令攻城，軍士張破敗縱火噪呼，嗣源叱之，對曰：城中之人何罪？但思歸不得耳。今宜與城中合勢，請天子帝河南，令公帝河北，嗣源涕泣諭之，亂兵呼曰：令公不欲，則他人有之，我輩狼虎，豈識尊卑，……許之，乃擁嗣源入城，與在禮合，率兵而南，遂得爲帝。」至於軍隊之利於爲此，不過欲得重賞，恣劫奪而已。然當軍士思變時，主將雖涕泣以諭，亦無如之何？則其平日之驕橫，可以想見矣，而趙匡胤之黃袍加身，亦如出一轍，正不足爲怪，今土耳其事，大體已定，南韓則正當危疑之頃，其事或不必與國史相吻合，要之兵凶戰危，又出之以威劫，終不免爲僭亂之舉，可斷言也。

曲　齋

詞林雜憶之一

少年往往江南醉

近代詞人之作，自以彊村所爲最爲富麗精緻，此因其步武夢窗、清眞，得其潛氣內轉之功并刻意雕求字面，四聲格律之故；王國維人間詞話所謂學人之詞者是也。民國以來，沿其波者，頗不乏人，以余所見，要以喬大壯氏爲能承其遺緒。

喬氏四川華陽人，早歲習外文，於法語造詣頗深，故得歷任國府外部、敎部高職。其後改習中國文學，文宗魏晉，詩體晚唐，均能及其藩籬，而以所爲慢詞，尤能傳夢窗神髓，雖有時未免近乎支離晦塞，然要其潛氣所注，驅遣飛卿玉谿於模山範水、柳昏花暝間，合夢窗、碧山而一之，自是一時作手。余尤喜其所爲小詞一闋，以爲淸雋脫塵，饒有魏晉人深致，今惜已未能全部省憶，聊節錄之，以當嗜者一嚐：

少年往往江南醉，商略歌聲和酒意，鏡中不信去來潮，樓下君看深淺水……

余又嘗獲讀其贈別暮遠樓主詩，中有句云：「此去門前卽長路，由來天際誤輕陰。」均淸新俊逸可喜，所得轉在夢窗之上，殆所謂無意求工而自工者歟！

喬氏貌中人，蓄長黑髯，體頗羸弱，然酷嗜杯中物，余猶憶其任敎重慶中央大學時，每値被酒登堂，則辭朶俊發，平居則强舌似不能辭者，故諸生雖常致憂其病酒，然亦未嘗不幸其被酒也。

喬氏生丁世步艱難，家國多故之秋，故其平生於蘊有苦澀意味之「潮」字，似別有會心。前所舉詞勿論矣，當抗日勝利復員之際，余居白下時，曾獲喬氏贈書中堂一幀，喬氏因以雕刻名家者，其款識中有取姜白石詞句「算潮水知人最苦」一章，陽文篆刻，最爲古樸渾成，余雖於此道外行，然亦每對之翫賞不忍釋，孰知其竟成爲彼日後自沉蘇州河之讖耶！

丁　雨

詩詞漫談

名士袁子才（上）

長安居

清代詩人，其名聲之著者當推袁枚。這位先生的隨園詩話，雖然不怎麼精警，但他那一片名士風流的態度，倒也是別饒風味的。

枚字子才，號簡齋，錢塘人，乾隆四年進士，先後作過溧水，江寧，江浦等縣縣令，四十歲卽告老歸田，闢一園於江寧城西，名爲隨園，又以隨園自號。嘉慶二年卒，年八十一。

袁子才的詩文甚富，交遊亦廣，同時雖有趙甌北（翼）蔣心餘（士銓）二人與袁並稱爲「三大家」，但趙蔣的聲名不及隨園遠甚；隨園好收女弟子，可能也是他之所以著名的一個因素吧？

袁曾因事至杭州，寓西湖孫某的「寶石山莊」，有女弟子徐裕馨張秉彝等十三人以詩受業，大會於湖畔，袁卽席畫隨園雅集圖以留紀念，并題詩云：「紅妝也愛魯靈光，問字爭來寶石莊。壓倒十三株李樹，星娥月姊在門牆」。其風流倜儻有如此者。

在江寧城西的隨園，四面並無牆壁遮攔，每遇春秋佳日，遊人絡繹不絕。中有所謂「倉山雲舍」，「蔚藍天」等廿四景，均有題詠。門前懸一聯，集唐人句：「放鶴去尋三島客，任人來看四時花。」客廳中懸有其自撰聯云：「不做公卿，非緣福命終緣嫩，難成仙佛，既愛詩書又愛花。」

從四十歲致仕隱居以後，一直到八十一歲，他那後半生的生活，倒是過得相當快意的。他主張詩尙性靈，頗爲時論所尙，因此其所爲詩亦復淺近易讀，嘗有詩云：「但肯尋詩便有詩，靈犀一點是吾師；夕陽芳草尋常物，解用都爲絕妙詞。」此處靈犀一點，出自晚唐李義山之「身無綵鳳雙飛翼，心有靈犀一點通。」意思是說作詩要全憑性靈，不可有半點勉強，立論本來不錯，借末流所趨，多是浮華空泛，終乃至詩道大病。

他與蔣心餘趙甌北同列爲三大家，他們之間的私交也很好。子才好詩而不喜曲，心餘則不僅好詩而又歡喜度曲，因此，在他們之中，也發生了一個饒有趣味的笑話。一日，心餘以其所撰曲本前來，子才一見，問是何物，心餘明知道他是不喜歡曲的，便道：「就算先生小病一場吧！拙撰曲詞，寵賜披覽。」子才聽他這麼說，不得已只好接過曲本。

小啟

粟海譚心錄續稿未到，暫停。

編者

海嘯廔談薈

桂軍與共諜關係（上）

十年前，大陸淪陷之際，國軍各部多有臨難叛變情形發生，然不若白崇禧所率桂軍廿萬人，並未經過激烈戰鬥而全軍覆沒，片甲無存之失敗慘狀也。推究根源，卽係共諜份子在桂軍中的潛伏滲透最久，作用最大，因果相應，理有固然。如劉斐，李任仁，劉仲容，韓練城之流，皆爲桂系軍政界的重要幹部，關係極深，最後爲害亦甚烈，人謀不臧，自貽伊戚，於共黨何尤焉。

劉斐號維章，湖南醴陵人，乃父擅岐黃術，頗著聲譽於鄉郡。民五西南護國軍討袁之役，廣西陸榮廷部將譚浩明，曾率軍攻入湖南，佔領長沙，綜持湘省軍民兩政，權力等於都督。維時李宗仁，白崇禧任桂軍營長職務，入湘境駐防醴陵縣（與長沙接壤），常請劉父爲治所部官兵疾病，極有效驗，且不受酬，李白頗爲銘感，漸締深交，劉父語李白：有子名斐，年少略具聰穎氣質，他日願兩公推愛提携，不勝企幸。李白慨然應諾，相期毋忘。既而譚浩明率部離湘，陸榮廷勢力逐漸膨脹，控制兩粵，軍隊日益擴張，李白的地位亦隨之上昇了。劉父常與李白通音問，重申前約，李白欣然邀其子劉斐赴桂省，初在軍中從事文書工作，以其資質慧敏，認係可造之材，遣其投入軍事訓練機構，學習軍旅之事；繼命其担任軍中低級職務，成績殊不惡，迭予拔擢，位列軍官；旋卽資送其赴日本士官學校留學，歸國後服務桂軍有年，洊成高級幹部，深爲李白所倚畀。這就是劉維章與桂軍的歷史關係，他是李白一手培植起來的「世家子」，宜其信任甚專，言聽計從也。

劉維章與李任仁和另一廣西人楊必聲之加入共黨，係由皖籍共幹朱蘊一介紹的，聞有說是民國十九年，亦有說是民國廿三年者。蓋自民十五年北伐以來，桂軍長期馳驟於中原各省區，劉李于役軍中，因而受共黨煽誘入彀，固不稀奇，他們都是桂軍的高級幹部，共黨交給他們的使命自然重大，他們的隱蔽方法亦就極其巧妙，使李白無從發覺。如老共冀朝鼎當年潛伏中央銀行甚久，曾經我政府特務機構檢舉發其爲共諜，而孔祥熙竟言願以生命財產担保冀某決不是共黨份子。李白對於劉維章的信任庇護心情，視孔氏之左袒冀朝鼎爲尤甚，殆屬意料中事。

對日抗戰軍興，李白表示全力擁護中央，桂軍率先出境北上作戰，劉維章亦以李白推轂，官拜中樞最高統帥部的參謀次長，職掌作戰計劃，參預密勿，他的共諜任務，從此乃得到儘量發揮的大好機會了。他到中央服務以後，直至大陸淪陷爲止，卽未曾回到李白左右效勞過，爲的就是要發揮共諜的最大作用——由「點」擴張到「面」，而另以同志滲透桂軍，接替他的舊有使命。他對桂軍最著的共諜殊勳，卽爲援引共黨份子甘肅人韓練城担任軍職，積資升至四十六軍軍長，民國三十六年韓率部在徐州一帶剿匪，全軍被敵人解決，獨韓氏隻身生還；時論譁然，以有劉維章在中樞從中掩護解說，韓氏不特不受處分，而白崇禧當時且大罵徐州行營主任薛岳指揮失當，冤枉犧牲了桂軍的實力。後來共黨佔領甘肅省時，韓練城赫然榮任該省「軍管會」副主任，白氏方悟過去自貽伊戚之非，然已噬臍莫及了。這不能不說是劉維章的共諜傑作之一吧！最可怪的乃是白氏素有「小諸葛」之綽號，既已經過韓練城這種慘痛的敎訓，他對劉維章還是深信如故，三十八年春劉以我政府和談代表，北上投歸秧歌王朝後，奉命南來進行策反工作，蟄居香港，是年秋間，李白在廣州籌維保衛大西南的軍事計劃時，白氏猶秘密邀約劉維章夤夜潛至廣州，參預軍事機密，這豈非令人不可思議的今之諸葛亮作風嗎？（未完）

諸葛文侯

自由報

僑務委員會核發合敎新字第三二三號登記證

內政部頒發僑台報字第零叁壹號內銷證

THE FREE NEWS

半週刊每星期三、六出版

第三十四期

每份港幣壹毫　台灣售價二元

社長：雷嘯岑

督印人：黃行審

社址：香港銅鑼灣高士威道二十號四樓

20 Causeway Rd. 3rd. Fl. HONG KONG

TEL. 771726

電報掛號：7191

承印者：田風印刷廠

地址：香港高士打道231號

台灣總經銷處

台北市西寧南路10號二樓

電話：六三〇四二

台灣郵撥戶九二五二

分裂與團結之戰

嚴鉞

一個隱形的戰鬥正在激烈地進行，無聲的炮火雖不比有聲的那樣驚心動魄，但戰鬥的意義和性質同樣不容輕視。

中共頭目這幾天透露了口風，使我們更加透徹地認識：共黨目前用全力推進中的冷戰行動，其主要目的爲「孤立美國」。周恩來會說：美國現正「空前孤立」。劉寧一說：「我們要站在世界人民反對帝國主義及其走狗的鬥爭的戰線上，從這個戰線出發來推動鬥爭，發展國際統一戰線，團結一切可以團結的力量，最大限度地孤立帝國主義，特別是美帝國主義」。

我們必須認識：自由世界如未支離破碎地分裂，美國便不會孤立。中共頭目從那裏看到美國是在「孤立」呢？據周恩來說，他是看到南韓，土耳其，和日本的紊亂情況而提高了信心，認爲美國決不是不可以被擊敗的。

美國「空前孤立」？

讓我們看看美國是否眞的「空前孤立」，和看美國當局最近忙的是什麼。

如說美國在西方已被孤立，那是完全荒謬的。艾森豪雖在高峯會議吃了赫魯曉夫一記悶棍，但在美國內部以至整個西方陣營內，他的地位未受削弱。

在莫斯科和北平軸心的計算裏，如要有効地孤立美國，必先打擊艾森豪及其可能的繼承者尼克遜。赫魯曉夫當先向高峰會議出馬，向艾森豪展開非常毒辣的打擊。他在個人的表演上似乎是成功了，但我們可以指出：

一、美國內部，由民主黨過氣人物史蒂文生發起的「清算艾森豪」運動，已在黨內觸了礁，被前任總統杜魯門等一干人壓制下去。

二、最可注意的還是英國的動態。英國朝野的言論最近表現得很沉着，大部份沉聲不響，執政黨當局似在埋頭準備的狀態中，不再對姑息主義作迷戀式的宣揚。

三、西德朝野的意志和態度如前堅定，法國亦然。

艾森豪在西方站得很穩，爲了針對共黨要「孤立美國」的惡毒運動，便要傾注全力在東方和共黨搏鬥，而以訪問日韓中非爲特別賣力的工作中心。

艾森豪努力團結

很顯然的，艾森豪訪問中非的眞正用意，已不是尋常的禮貌表示，而是認眞向積極反共的國家打氣。他對南韓的一切措施都顯得非常小心。他在着意給李承晚以穩安的安排，然後從一團亂絲似的南韓政局中，運用許政爲串絲的針孔。無聲的幕後安排如能繼續奏功，他有希望把亞洲反共前線這個重大缺口彌縫得來。對日本，他的訪問必須透過最嚴密的考慮：起初他還有點猶豫，但終於決心在那裏打一場心理上的大仗。日本是他此行的一個主戰場，他如獲得成功，勢將給與共黨的「孤立美國」運動以極大諷刺。

努力團結，避免分裂，使美國仍能屹立而不孤。這是艾森豪最近作戰的目標。我們應該期望艾森豪成功，但也必須在這一次波瀾壯闊的險惡戰鬥中，來一次自我檢討。

反共國家的內部問題

先說李承晚，他聽到周恩來利用南韓政變做話柄的狂謬宣傳？其他[illegible]這次政變負責的人，如把周恩來談話的內容加以綜合分析，又該怎樣惶惶不安？對內任何偏狹的行動，都含有招致分裂以至潰亂的危險，這分裂和潰亂正是敵人所期求的。分裂後的彌縫比之分裂前的調和，難易相去，如天與壤，至於由分裂而造成潰亂，那更不消說了。「爲親者痛，仇者快」的事情，在整個自由世界反共國家的內部來說，近來是不是表現得太多了？爲仇者所快還不打緊，使之「見獵心喜」，饞涎欲滴，因而提起了他們本已萎弱下去的侵略勇氣和信心，敢於發出新的瘋狂行動，那便會導成無可補救的大害了。姑息主義者對外的軟弱當然給敵人以誘惑，反共者對內的死硬傾軋所產生的禍患，也一樣給敵人以誘惑。那同樣是要不得的。

日本的例子

在日本，由共黨，以及左翼份子所鼓動的反對日美安全條約的一切行動，都顯得如火如荼，有聲有色，岸信介會說這是「少數的有聲之聲」，日本還有大多數的「無聲之聲」，那才是眞正的民意。他說得對，但爲什麼「無聲之聲」會在一時表面上看似被「有聲之聲」所壓倒呢？自由的維護者在一個民主國家裏面所表現的力量爲什麼如此薄弱？「以無組織對有組織」的弊害不是太顯明了嗎？日本的自由力量爲什麼要讓左傾勢力首先佔取了宣傳優勢，才發覺事情不妙呢？日本最大的幾家報紙，爲什麼經常會把反共消息予以壓置或削弱，反之，却給共黨的宣傳以有利的幫忙呢？

看日本目前的榜樣，我們應該看到很重要的一點：一個正常的民主國家，如讓共黨發展其組織力量，直接或間接達到了能夠控制輿論神經中樞的地步，很爲有利地利用其所享有的自由來謀殺自由，那就必然造成民主的嚴重危機，讓少數邪份子有辦法造成切持多數的惡劣形勢。

共黨不是沒有弱點

這次「孤立美國」，共黨運動，雖不會有重大成功，但也不會完全失敗。他們在任何一個地方，有一點很小的收穫，也會認爲值得欣慰的。因爲所有這些戰場都開闢在自由世界的裏面去，他們只患無所得，決不患有所失。而這就值得美國人用心從頭檢討一番了。看另一方面的事實，共黨對外要孤立美國，對內却高喊團結。它這「團結」的口號給內部受壓迫的人民聽，當然是沒有用處的，對外却是爲了進行「統戰」。在鐵幕後面，眞正的孤立者是共黨本身。共黨和人民之間沒有團結可說，只有壓迫與反壓迫的對立鬥爭。這種形勢，一向未被美國切實把握來運用，反而讓共黨從容地向自由世界內面製造分裂，狂喊「孤立美國」，而美國所能做的也只是孤苦彌縫內部，但求團結得一時便暫安一時，彌縫得一處便暫時放心一處。這豈不是太吃力而且太笨拙嗎？在分裂與團結之戰裏，自由世界的領導者要有更高的智慧和更大的勇氣才成。

時事述評

從西藏到日本

盧家雪

西藏人民英勇抗共的消息不斷傳來。自由世界的政治家們對此視若無睹。

外電盛傳，班禪喇嘛繼已自西藏逃抵新德里。而此間左派報紙則又登載中共通訊社發佈的消息，報導班禪在前幾天還出席歡送登山的隊員。消息很混亂，有如達賴出走的前夕。班禪是不是能夠像達賴一樣地離開西藏呢？

開赴西藏的中共部隊，比較達賴出走時已增加，這是事實。中共監視班禪自然要比過去監視達賴更爲嚴密，這也是可以想像得到的事實。在這樣的情形之下，班禪要想逃出西藏，當然比達賴更難了。

不論班禪之是否能夠逃出，有一點是可以斷定的，那就是中共在西藏的統治政策之失敗。同時，也可以推測到：更嚴厲的恐怖的統治，即將在西藏實施。

自由世界對於這一方面的情勢，難道眞正是視若無睹嗎？

尼赫魯的象牙之塔，是已直接感受到來自喜馬拉雅山方面的威脅了。達賴尚在印度作客人，班禪又有出走之說，幻想與中共「和平共存」的尼赫魯，也應該清醒了些吧？

屬於英國的保守黨右翼份子的「每日快報」，於本月七日社論中評論：「倘若班禪逃出，則印度會遭遇危機。」其實，印度之危機，早已註定在尼赫魯之容共親共，與班禪之能否逃出並沒有多大關係呢！

自由世界如不能改變其反共政策，則遭遇危機者豈僅印度而已。日本現在不是已經面臨着一個大的風暴嗎？

岸信介已聲言，將以有力行動，對付激烈學生。艾森豪亦聲言，訪日計劃，並無改變。日本的左派學生聲言，必要時不惜以暴力對付艾克。日本擁有七百萬會員的日本國際青年協會，則向美駐日大使表示：決誠意歡迎艾克訪日。

距艾克訪日之期不到十天了。根據各方面的情況來分析，艾克之訪日，大概不會再有多大變化。

本欄早在六月一日即已說過：「據來自日本之人士稱，日本當局對此種局勢，相信有把握控制，因日本之國情與南韓不同。」

十天來的演變，證明此一人士之觀察確有獨到之處。只要看岸信介之一步一步緊似一步，就可以知道，日本當局對於局勢之控制，確是有相當把握。

然而，僅只是控制此種局勢，使艾森豪能夠順利訪日，並不能據此以謂日本國內的局勢已趨安定。對於共產黨及其被利用的爪牙，如果沒有明確的對策，則日本的未來演變如何，殊難斷言。

日本的安危，關係于亞洲者至深且鉅，願執政者好自爲之。

自由談

談政客與政治家

馮五先生

日本首相岸信介原係一個策士式的人物，平素在政治上擅長縱橫捭闔的政客作風，似不足語於政治家之列。可是，最近爲着批准日美安全條約這回事，他却表現了一些政治家的氣魄。始也不惜運用警察力量，以制止社會黨在議會裏無理搗亂的非法行爲；繼而無視日共及其同路人所策動的反美示威運動，聲言美總統艾森豪來東京訪問時，保證其絕對安全，不用顧慮；又聲明他決無辭職的意念，給那些藉口反對日美安全條約而要求他辭職的人，當頭一棒，毫不客氣。這表示岸信介對於關係國家安危存亡的重大問題，頗有摩頂放踵以利天下的魄力和勇氣，可謂難得。

日本社會上，目前流行着一種左傾幼稚病，而以文教界人士感染這種毛病最厲害。他們祭起「中立主義」的旗幟，拾取國際共產集團的宣傳詞令，盲目地從事反美運動，而置國家民族利益於度外。假使執政者對於國事沒有眞知灼見，擇善固執的智能，而以媚世悅俗爲主，必然誤盡天下蒼生，自己亦弄成身敗名裂而後已。像日本前任首相鳩山一郎之流，便是典型的政客官僚人物，可小知而不可以大受也。

五十年前的日俄戰爭之役，日本以戰勝國而接受「不割地，不賠款」的議和條件，且要派代表到戰敗國的樸斯茅斯地方去談判。當時日本人民羣起抗議暴動，焚燬政府的公廨，更用炸彈炸去了外交大臣大隈重信的一條腿，然大隈決不改變初衷，照樣進行和談。原因是日軍不能再戰，而俄方尚有餘力作困獸之鬥，但又不能對民衆洩漏此中的隱情，只讓天皇洞悉其秘奧，主管當局即甘受「賣國」的駡名，爲國家利益而忍辱含詬，不惜以身殉國。所謂政治家，應該具備着這種才智與魄力纔行。

現在的日美安全條約，關係日本生存前途甚爲深鉅，岸信介能夠效法先賢，堅持其原有主張，而不被虛憍幼稚的民氣所挾制嗎？這就是政治家與政客的分別所在，跂予望之。

軒然大波的「匪諜」案

健生

台北通訊

最近立法院司法委員會，連續質詢國防部及警備部，於本年三月三十日至四月三日，分別逮捕國大代表林伯雅，王崇熙，及國民黨中央黨部第四組總幹事宋念慈，與台北工專教授王立士等人一案，社會人士頗爲震驚。本案原檢舉人爲前新疆省督辦兼主席盛世才，被檢舉人的罪名爲「潛台匪諜」，證據是三十三年盛任主席時的舊檔案。立委們激昂質詢的消息，被台北各報跑「要聞」的記者獲悉後，乃於五月二十三日的晚報與翌日的日報，均分別刊載出來。某民營日報復於二十五、二十六日，以「專欄」的地位，發表此一消息的來龍去脈。在輿論的指摘下，警備總部不能緘默了，由該部發言人王超凡中將公開說明本案的經過。不料：警備總部發言人的聲明，卻引起另一當事人的不滿，宋念慈於三十日分函各報，指說警備總部有關渠之消息，「內容殊嫌簡略，易滋誤會」，並將經過事實，合盤托出，以正視聽。

盛世才爲什麼忽然檢舉林伯雅等係「潛台匪諜」呢？這其間別有原因，即私人挾嫌誣陷之所爲也。因爲盛世才於數月前，正在進行領取出國護照時，事機不密，爲西北旅台人士以及過去曾遭其荼害者所悉，即紛紛向政府當局提出警告性的建議，反對盛世才出國，以免成爲「吳國楨第二」。反對盛出國者，包括西北的國大代表與立監委員，致盛世才出國的計劃成爲泡影，因而增加了更深的政治恩怨。盛在老羞成怒之下，乃於去年九月間，將其在新疆省主席任內，偵辦所謂「陰謀暴動」人犯宋念慈等親筆自白書，向警備總部檢舉。據該部發言人說：警備總部在受理本案，係基於職責所在，且經過半年的調查工夫。本年三月間，該部乘林伯雅來台之際，爲了迅速澄清本案，乃密傳宋念慈詢問，根據宋的供述，核與盛世才所提供資料相符，該部認爲「確有重大嫌疑」，即於四月二日傳訊林伯雅，四月三日傳訊王崇熙與王立士。分別偵訊的結果，始發現宋等前在新疆及到警備部後之供述，內多不實。「除宋念慈確係『中共』與『聯共』黨員，及王立士過去曾參加共匪外圍組織外，（國大代表）林伯雅、王崇熙二人，並未發現具體的涉嫌事實」。警備總部乃於當（四月三日）日下午將林伯雅等「送回」原所了。對於盛世才這種公報私仇的行爲，各方面皆不以爲然，而受害人之一的宋念慈，尤爲憤憤不平，據他向報界訴述：他於民國十四年因參加留日學生討張排日團，在天津被人引誘參加中共，爲跨黨份子，其後與中共關係時斷時續，九一八事變後，轉入聯共，在僞滿機關內蒐集日軍情報。二十四年春，鑒於蘇俄出賣中東路，且進而承認僞滿組織，並無真正援助東方弱小民族及援華之誠意，且深感此項爲人作嫁之工作，對國家之抗日大計，無貢獻，乃毅然脫離匪黨組織關係，逃離東北，二十四年六月到達新疆，當時新疆省督辦盛世才，正由俄帝支持，乃誣指宋氏爲帝國主義走狗。二十年十月，盛世才奉俄共命令，以「反蘇」罪名，將宋氏逮捕下獄五年，迭由俄共暨中共匪徒審訊『叛黨』『反蘇』經過。二十七年，盛世才赴莫斯科朝拜史達林，勾引八路共匪全面入新參政。迨三十一年盛世才歸誠中央，恢復中國國民黨組織，宋氏獲釋後，即正式宣誓加入中國國民黨，且經盛世才派爲新疆日報社社長，並簽保爲省黨部委員。三十二年奉命赴重慶中訓團受訓。距三十四年四月，盛世才又以莫須有罪名，製造大規模冤獄，指宋氏爲陰謀暴動首領。三十五年蒙軍委會軍法總監部新疆積案清理審判團調查清楚，純係誣枉，宣判無罪開釋在案。旋經陳立夫先生簽准入中央黨部宣傳部（今第四組）工作迄今。因此，盛世才是否有故意誣陷他人爲「匪諜」的嫌疑，唯有採取法律途徑以求解決了。

至於立法委員爲什麼會羣起仗義執言，代抱不平呢？這是因爲盛世才在檢舉書中，曾牽涉幾位立法委員，所以，立法院在開秘密會議審查國防預算時，即有人提出來質詢的。立法院認爲警備總部在逮捕嫌疑人犯之前，沒有盡到調查本案的責任，事實尚未弄清楚就抓人，殊非尊重人權之道，尤其像盛世才的身世及其爲人，盡人皆知，治安當局不重視本案的「背景」及人權，難辭操切行事之咎。

盛世才在新疆的犖犖惡行，見諸於官文書者，有外交部編印的「蘇聯對於新疆之經濟侵略」白皮書。該書紀載盛世才在輸誠中央後，第一次上書蔣委員長時，曾坦白承認他「對馬克思主義夙具信仰」。所以他在「主持新疆省政府伊始，即樹立反帝親蘇兩大政策。」他在「一九四二年（三十一年）曾建議蘇聯政府，在新疆成立蘇維埃政權」。他出賣國家領土而說是「藉以測探蘇聯政府對新疆是否有領土野心，和是否真正執行馬克思主義」。但事實上，盛世才早就在（兩年前）一九四零年十一月二十六日，與蘇俄簽訂「盛蘇五百萬金盧布貸款合同」了。

又據中國邊政協會出版的「盛世才怎樣統治新疆」一書中，記載盛世才在新疆推行六大政策：「反帝」、「親蘇」、「民平」、「清廉」、「和平」、「建設」等，所謂「反帝政策，是反中央的政策」。於是，盛世才在三十二年八月十一日深夜，將現任國大代表林伯雅，林繼庸，與立委張志智，監委曹啓文，等加以逮捕。同年四月間，將宋念慈等逮捕，罪名是「陰謀暴動」與「推翻政府」，在刑求之下迫供，寫成供詞誣經軍委會軍法總監何成濬（前內政部長）等分別依法審判，並宣佈無罪在案（軍委會判決，法新審字第五二二號判決書）。豈知盛世才在十五年後的今天，爲報私怨，竟將此項屈打成招的「自白書」案卷，向治安機關檢舉，其動機惡劣極了。說到盛世才的「清廉政策」如何？據前新疆省社會處長顧耕野在「我心目中的盛世才」一書中說：盛世才殺死新疆省財政廳長陳德立之後，即奪取其財產，計鑽石九百粒，及其他粉紅色，藍色（羅馬醫夫傳家之寶）一件。由此可見盛世才的「清廉」行爲了。至於他之所謂「建設政策」，顧氏書中指出：「以我中央政府爲假想敵，哈密，猩猩峽的設防，接近內地各邊卡的嚴密封鎖」與「統制全疆人民生活必須品」而成立「土產公司」，實在「迪化市……就有公開大監獄八個之多」。這些都是盛世才去美的目的，是作寓公，因爲他的子女均在國外。目前，各方面對治安機關如何查究他的誣告罪，極爲重視，盛世才要恐不逃，反而自貽伊戚，這是應有的報應嘛！（五月三十一日午夜）

馬戲團驚擾市議會

弓治長

台北通訊

台北市議會第四屆第九次臨時會議，於五月二十八日舉行。議員們爲了日本矢野馬戲團租用新公園爲演出場地的問題，而掀起軒然大波。全體議員對於議長張祥傳違反議會決議擅自同意該團在新公園演出，及市政府濫用「職權」提出指責。議員黃奇正更是「一鳴驚人」，指責張祥傳議長曾接受「紅包」十五萬元，因而轟動全市，與輿論紛紛的指責，所以張祥傳不得不發表書面聲明，冀能澄清他本人會「私下接受馬戲團方面經理人二十五萬元新台幣，而出賣議會」的外界種種傳說，意在表明心跡，替自己洗刷一番。張議長的聲明，沒有澄清民間的謠傳，反而使議會同仁更爲「光火」，而有罷免議長張祥傳之倡議。這是台北市近日最熱門的新聞。

日本矢野馬戲團，去年秋間，即會申請來台獻技，當時有關方面以「八七」水災之後，實行節約爲詞，致未批准。乃爲時未越一年，該團全部人馬竟於近期抵達台北，團員們並分別拜會各行政機關及報界，但究竟從何而來台北，外間幾乎是事前一無所聞，其保密功夫，誠令人驚嘆不已，緣台北市議會在該團來台之後，議決不許借用新公園場地演出，並將議決案於五月十四日送市政府執行。然而市政府卻以「係奉府案核准」爲理由，必須應允租用新公園爲演出場地，同時，以「下不爲例」爲保證。這種無視市議會決議案的非法作風，已屬十分可「議」。而議長張祥傳居然不待五月二十八日之議會臨時會的討論，逕用議長權力，逕行決定，欣然同意，並函復市府查照。張議長這種迫不及待的做法，不能令人無疑。於是「查無實據」的紅包之說，卻「事出有因」了。

張祥傳近年來時運頗不順利，去年秋間，他與友人投資某報，意欲解決宣傳問題，結果弄得面紅耳赤，不歡而又無法立刻可以散夥。今春其女張彩鳳參加本屆省議員競選，化了錢沒有當選事小，反而選訟纏身。張祥傳自己因負責本屆台北選務，又被省議員落選人控告他違法選舉。近爲馬戲團的場地風波，被報界轟得焦頭爛額，議會同仁更不諒解，且進行簽署罷免他的運動。這真是所謂「禍不單行，福無雙至」了。

如果張氏處理不慎的話，很可能導致一場極不利已的糾紛，將自己的前途毀於旦夕之間。

馬共活躍泰馬邊區

宇立

曼谷通訊

馬來亞聯合邦的劉共工作已告一段落，該聯合邦政府元首曾宣稱全聯邦的「緊急狀態」於七月卅一日結束，但實際上馬共並未全部肅清，其頭目陳平率領殘部移駐馬來亞與泰國邊區，該等殘部據官方宣稱爲數約七百人，但實際上可能不止此數。

陳平率殘部移駐泰馬邊區後，共黨策略即已改變，由武裝的游擊戰改爲滲透顛覆活動，由陳平下令，指示外間的共黨份子活動，其情報組織極爲嚴密，故在陳平主持下的馬共，已抵達泰馬邊區後並未爲泰人所發覺，是由於馬共越過泰方生事而起的。當時，一名泰國的華裔膠商陳維琳（泰名乃[illegible]），在泰馬邊境上的勿洞縣郊外，被四十名武裝馬共所架走，同時被擄的有一位朋友，汽車司機與兩名持械護衛的泰國警察，陳維琳被強迫簽下合約，允諾分期十月清付贖款三十萬銖（泰幣）後，即將他釋放，但隨行警察槍械則被繳除。行前馬共並威嚇他們說，不許報案，否則將嚴厲報復，並要泰警當局轉報邊防警察總部，今後不得干涉馬共的活動。真是荒謬已極。

陳維琳回家後本不擬報案，但以警察失槍，事實上非向當局報告不可，警方據報後，深爲震動。乃沙立元帥並以兼警察總指揮的身份，派遣邊防警察副總指揮乃蒼少將，前往宋卡府實地調查。因此，乃激怒了陳平率領下的馬共，首將陳維琳膠園中的主要工頭一網擄去，後更假借「工代表」名義，向陳維琳提出通諜，要求將膠園全部收入一半撥交「工人」所有，但陳維琳沒有如限答復，馬共即威脅其三千名工人不得開工，否則格殺勿論，生產乃陷停頓。

因此，陳維琳上書國務院長乃沙立元帥，要求徹底圍剿泰南邊區地帶的馬共，此即引起泰國朝野的重視，要求檢討泰馬雙方多年「合作」的進剿方法。泰官方乃於四月廿七至廿九日，在曼谷召開加強剿共會議，由現任內政部常務次長鑾警察上將爲主席，並邀請馬來亞聯合邦派代表團參加，馬來亞即派陸軍參謀長（作戰署主任）摩爾中將率領代表團參加，經兩日會議，並無若何具體結果，聯合公報只稱：所有討論事項已全部獲達協議。並謂該項會議並將在本年底再在吉隆坡召開。

但據泰國內政部次長鑾警察上將事後接見記者，就泰馬兩國代表舉行征剿邊境馬共會議問題發表談話稱：馬來亞代表向會議提出保證，馬來亞政府決於本年七月卅一日午夜十二時起，宣佈解除全國戒嚴令，但將在泰馬邊區，另頒佈一份特別法令，俾進行征剿邊境上的馬共。泰警察上將除表示兩國的共同武裝部隊得自由越境進行征剿馬共外（按此項辦法已施行數年），並未透露兩國對消滅活躍於邊區的馬共有何等具體計劃。

自該項會議召開後至最近，時間已近一月，但泰馬兩國政府，對於該等馬共的清剿迄未獲得如何成效，馬共份子依然四出活動，其出動人數自三數十至百餘不等。事實上，清剿工作亦有其相當困難之處，因泰馬邊區大部份爲開闊無人跡的森林地帶，馬共份子又並無一定的基址，行蹤飄忽，其出現地點，常爲無軍警或軍警人數甚少地區，及至大批軍警趕至，則馬共份子又不知去向。因此，乃使兩國負責清剿者大感頭痛。至五月底止，泰馬兩國清剿部隊與馬共迄未獲正面接觸，但馬共越過泰境搗亂的小事件卻不斷發生。泰馬清剿當局在無辦法之餘，乃以飛機空投四萬份傳單在「攻勢地區」內，呼籲彼等早日出來投誠，但根本無效，邊境居民甚爲不滿。

香港地

社會小說

四、高的低的

木客著

這樣整整忙了一天，梅大亮回到他所住的木屋裏，才得到眞正的休息，回想一天所見所聞，不免有許多感慨。

他這間木屋有丈來闊，長約三丈多，築在一個小山坡上，一邊靠着山壁，兩面臨空，只有一面可以通行。在那兩面臨空的隙地上面，他圍好了籬笆，築有雞舍和豬舍，租給鄰戶來養豬。在豬舍和他的住屋之間，有一條頗闊的通道，每在太陽下山之後，他慣在那裏放一張帆布床，當風小睡，倒也寫意。此外，他還在籬笆傍邊牽藤種瓜，添了一些綠色點綴，頗有幾分雅致。雖則這裏經常也有風火之驚，但總因所佔地形較好，一向有驚無險，所以他簡直把這間木屋看做香港少有的安樂窩，曾經有人出到三千元高價向他收買，他也不答應出賣。

這間木屋也有一個好聽的名號，叫做「文山書屋」，因這個小山有幾條屈曲的里巷，統叫文明里，分爲甲乙丙丁四個區域來安設住戶門牌。他的住屋被排在文明里甲第一號，儼有高佔鰲頭之勢，這使他靈機一觸便喊這小山做文山，而且起了「文山書屋」這個名稱，有時對外面陌生的人提及，人家還以爲他眞的是山居逸士，過的是無限風雅的生活呢。

梅大亮靠賣文爲活，太太懂得幹織手襪的工作，兩口子不用納租，都有固定收入，每月除了衣食的開銷，有餘便貯蓄下來，間中滙寄一些款子回大陸去，救濟在家鄉裏挨餓的親友，算得是「行有餘力，則以助人」。照梅大亮的意思，保留門前那間豬舍，別租給別人養豬，改作別用，便不必常要接觸到一般臭穢之氣，適合衛生之道，也可保持鼻官嗅覺的清淨，犯不着爲了區區租金的收益，把這一片隙地弄得污髒不堪，妨碍他每天在門前小睡時的舒適享受。無奈他的太太堅要多收一點租金，不肯將就，因此屢次發生了口角衝突。他這一天回到家裏時，特別覺得疲倦，照例把帆布床張在門前，躺在上面休息一番，一面接受涼風，一面吸受那股腥臭的豬矢味。（卅四）

合照

梁尚燕

晚上十點鐘，張御風到我這裏來了。這個人是無事不登三寶殿，他一來，不是求錢，便是求事，絕沒有好說的。

一陣寒暄之後，只見他還是天南地北的，却不提到錢字，這就有點奇怪了。人家既不提到錢字，我自然更不好說，賓主之間，各懷鬼胎，直敷衍了近半個鐘頭。

終於，我只好委婉地問道：「近來的情況還過得去嗎？」

「還好，還好。」張御風滿不在乎地回答。

只要他不借錢，我就輕鬆得多了。我正待恭維他幾句，却見他又接着說道：「梁兄，你知道我近來又有了一件新的嗜好嗎？」

張御風的嗜好，如賽馬，賭錢，飲酒，幾乎無一不精，再多幾樣嗜好，大概也不離嫖賭飲吹，我微微一笑，沒有答覆。

「說來好笑，我以前歡喜集郵，現在卻又喜歡搜集名人照片呢！」

「搜集名人照片，倒是有趣。但不知你搜集的是世界的名人，還是中國的名人呢？」

「哦，都不是，我搜集的是香港的名人。」

「香港有什麼名人呀？」我問。

「香港怎能沒有名人？」張御風神秘地一笑，「譬如說，太平紳士，爵紳，大銀行的董事長，同鄉會的會長。儘管他們離開香港就不名，但在香港，他們畢竟是名人呀！」

我沒有說話，我知道，如果再說下去，十一點鐘的「藏雀」之約，簡直無法赴會。於是我也燃起一支香煙，默默地不發一聲，我想他一定得走了。想不到，他突然又要求我幫忙。這傢伙，要我幫忙，就是要錢，要錢何不早說？經我反問之後，纔知道不是要錢，他只是要我將張爵紳和我的照片送一張給他。

這種小事，自然無所謂幫忙，不過，張爵紳是很小和人家合照的。上次和我在光大銀行天台的合照，據許多朋友說，這簡直是破天荒的事。他們說，拿到了和爵紳的一張合照，就等於是在滙豐銀行開了一個戶口。這我怎麼能送給他呢？

但到底經不起他的請求，我應允借給他複印一張。

總算把這個客人送走了！

大約一個禮拜光景，張御風來了。這一回，他是西裝畢挺，容光煥發，他把爵紳的照片送還給我，還特別道謝一番，然後天南地北的閒談一會，這纔告辭而去。

就在當天下午，有名銀行的董事長朱不如來了電話。

他在電話中問，我認不認識張御風先生。

「啊，我認識的。」

「認識的就沒有事了。」對方只這麼說了一句，立刻收線。這簡直令人非常納悶，莫不是張御風出了什麼事。

第二天上午，我到有名銀行去看朱不如。他一見面就說道：「昨天御風兄到這兒來過的。」

「是張御風嗎？」

「是的。他昨天來到這裏，說是和幾個朋友合股作了點出口生意。缺少十萬元資金週轉，想要我暫時調動一下。你想，我和他只見過幾次，交情並不太深，而且，十萬元也不是個小數目。他見我畧感猶豫，隨即叫我打個電話給你，同時將你和張爵紳以及御風兄三個人在大光銀行天台的合照放在這裏，你想，大家都是面子上人，還要意思不借嗎？」

朱不如邊說邊把那張合照拿給我看。

天哪！他竟然把自己複印在張爵紳的旁邊，這一來，就變成三人合照了。

謝冰瑩在星洲

介人

最近在某刊讀到易君左先生所寫的「星馬行踪」，有一段的小標題爲「謝冰瑩女士別來無恙」，是知謝冰瑩仍陪同她的丈夫賈伊箴在星洲。

說起謝冰瑩，使我們想起了「五四」新文化運動，那一個高潮激盪的時候，使得新文學的文壇上，產生了幾位熠熠發光的巨星，在這些巨星中夠得上稱一流女作家，恐怕祇有謝冰心、蘇雪林和她了。

丁玲固然也可以稱得上是一個女作家，然而文學造詣和個人操守方面，却遠不及她們三人。有人說：在寫作和生活體驗方面，謝冰瑩和丁玲是大同小異的，只是謝大姐沒有丁玲那麼多的風流醜史。兩個人的生活觀點不同，成就也有了高下。歷史是無情的，丁玲在幾度婚變之後，如今在政治方面，又受到慘酷的清算，丁玲自己也曾說過這樣的話：「我自己毀滅了我的前途」。

至於冰心女士，自從投共後，寫了不少的「言不由衷」的文章，讀了令人作嘔，當然難以引起人們的共鳴，她過去的光輝也爲之褪色了。

謝大姐所寫的「女兵自傳」，我想讀過她這本書的人，必然會一致推崇，這是一本文筆流暢，有奔放的熱情，有動人的情節，有豐富的生活的一本好讀物，沒有見過她的人，一定以爲她是一個雄赳赳，氣昂昂的女子，有巾幗氣概的女兵。然而實際上，她却生得纖弱瘦小，面孔黃黃的活像一個林黛玉般的典型人物。

政治家（一）

徐學慧

政治家並非萬人皆能，必須有風度，有魄力，有智慧，能創造時勢，亦能順應潮流。說政治家不需要權謀術數，那是騙人的話。問題却在這種權謀術數的使用，是否能合乎天時地利人和，這中間就是一門大學問了。

商鞅徙木立信，令乃大行，這就是政治家的權謀術數。關於這些問題，中國的法家闡述得最清楚；其實，不僅是法家如此，儒家又何獨不然。「民可使由之，不可使知之」，此爲儒家的權謀術數，對不對且不必管它，我只是想藉此說明，幹政治是需要有權術的。

近百年來，中國的政治家太少，這是事實。談中國文化，我們可以誇於世人，但談到政治上的權術之運用，我必須要說一句，中國人是遠不及英國人的。我之所以特別舉出英國人，而不說美國人法國人或西班牙人者，第一，由於我居住在英國的殖民地香港已逾十年，殖民地的政治雖不能說是英國政治的全盤面目，但最低限度，我們是可以從其施政方面瞭解一部分的。第二，英國政治一向安定，從一二一五年的大憲章之頒佈，至今已七百五十年，磨練，激盪，使得英國政治光輝燦爛，莫能當焉。

中國從帝制下解放迄今，不過四十九年，四十九年較之七百五十年，實在相差太遠。中國人民，從智識分子到村夫愚婦，如僅就政治上的修養，不，我應該說是，如僅就政治觀念來說，全部是一張白紙，換句話說，那眞是什麼都不懂的。

在法律的製訂或廢棄方面，英國人運用的手法，實在比我們高明。

就拿這一次的足球博彩法案之被否決案來說吧！

足球博彩之醞釀爲時已久，目前在香港立法局會議席上，輔政司經已將此次博彩法案提出一讀。一讀之後，羣情反對，報章輿論，多予抨擊，若干社團機構，且爲文上呈，表示反對之意。至上週立法局會議上，首席非官守議員，放棄投票，繼而另七名非官守議員相繼反對，十一名官守議員也跟着放棄投票。擾攘多時的足球博彩法案就是這樣被否決了。

報載某博彩公司的負責籌備人於事後對記者稱：港政府已於年前暗示必予通過，此次竟遭否決，殊出意料。其實，在懂得英國人的政治運用者看來，足球博彩之遭否決，是一點也不出乎意料的。（未完）

筆海樓隨筆

大陸文壇萬花筒

漫天烽火鬥巴人

岳騫

自從本年第一期「文藝報」中共宣傳部秘書長林默涵發表「更高地舉起毛澤東文藝思想的旗幟」一文中，抨擊到巴人（王任叔）之後，這位中共前駐印尼大使，現任人民文學出版社社長的老作家，算是交了霉運，到現在爲止，五個月來在海外能看到的抨擊他的文字，約有二十多篇，若是加上不能出口的雜誌（可以見到目錄），大約共達一百篇以上。

林默涵那篇文章，只是輕輕一筆帶到王任叔的頭上，所攻擊之點也只限於他的「求同存異」論，指責王任叔認爲社會主義思想和無產階級思想可以和平共存，是犯了大的思想錯誤。此外並未給王任叔加什麼帽子，那知後來越鬥越兇，範圍也隨之擴大，現在鬥爭的重心在巴人寫的一篇「論人情」，提倡「人道主義」，被共產黨認爲是大逆不道的事，目前已經封巴人爲修正主義者，再升一級就是右派份子了，最後是不是升到帝國主義特務還不知道，但是僅僅右派份子頭銜也是夠資格去北大荒「愉快地墾荒」去了。

怎樣「論人情」呢？巴人說：「人情是人和人之間共同相通的東西，飲食男女，這是人所共同要求的，花香，鳥語，這是人所共同喜愛的。一要生存、二要溫飽、三要發展，這是普通人的共同希望。」

巴人以爲「人情也就是人道主義」，所以他又說：

「我們當前文藝作品缺乏人情味，那就是說，缺乏人人所能共同感應的東西，即缺乏人類本性的人道主義。」

巴人爲什麼忽然提倡人道主義呢？這裏頭有個原因，據巴人說他曾經接觸過一些青年朋友，都是幹部，有的是青年團員，有的是共黨員，但是都是地主或資產階級家庭出身。在土改及三反五反時期，他們的家庭來信訴苦，他們是一概不理，到了現在，鬥爭已經鬥過了，父兄都窮得沒有飯吃，他們也不肯寄一個錢回去，表面上是站穩了立場，但是想起父兄對他們的愛撫，夜間只有一個人在偷偷哭泣。王任叔因爲接觸到許多青年人都這樣告訴他，所以他才發憤寫了一篇「論人情」，不知那篇文字發表後，要動搖百分之八十共黨黨員的「黨性」，抽掉了中共統治者盤据的金字塔基層的石頭，中共爲何會放過他。

釋耒集

鶴林玉露：「少陵詩：小兒學問止論語。蓋以論語爲兒童之書也，趙普再相，人皆言普山東人，所讀者只此論語，蓋亦少陵之說，太宗嘗以問普，普曰：臣生平所知，誠不出此。昔以其半，輔太祖定天下，今欲以其半，輔陛下致太平」。宋史趙普傳亦云：「家人見其斷國大事，闔戶觀書，取決方策，他日竊視之，乃魯論也」。始普教村童學于山下，身本卑微，人或以此陋之，然考之本傳，則太祖隨周世宗親征滁州之役，大爲南唐大將皇甫暉所敗，因訪得普，用其策，循清流關背後小徑，潛師浮西澗，徑至城下，斬關而入，竟以擒暉，盡收淮南地，李璟於是割地稱臣，則其智略，有足多者，又太祖即位後，「一日大寒，雨驟至，上已不悅，雨又不止，左右皆恐，普因奏曰：外間百姓正望雨，時雨難得，可令樂官就雨中奏樂，上大悅，乃終宴焉。」而太祖獎節鎮之權，收其精兵，制其錢穀，亦一一出自普所獻議，則普之不同于世俗陋儒，又可知矣。近閱蒙齋筆談，有云：「韓魏公每爲人言，自少至老，終始所踐履，惟在一部論語，未嘗須臾敢離，公晚鎮北門，已六十餘矣，韓玉汝爲都轉運使，每間候，至則直抵臥內，几案間不見他物，惟一睡盂與論語，乃信[illegible]不謬。」[illegible]一代名臣，咸德加于夷狄，在館職時，凡所與游，皆一時英俊，而石曼卿意氣豪邁，恒戲侮同舍，獨不敢稍慢韓公。歐陽修文章冠天下，亦以政事自負，獨曰：果百歐陽修，何足以望韓公？而韓公自云，但曰：終始踐履者，亦惟一部論語，則論語一書之體大思精，所謂仲尼之業，已試之效者，豈虛言哉。去年秋季開學，余受聘爲某學院諸生授論語，自余始讀論語，迄今已三十餘年，因其爲少年時所習，強半猶能記誦，自覺孔子于論語中所恆言者，獨仁與禮最爲競競，孟子曰：「國君好仁，天下無敵」。此趙普之所謂以其半爲太祖定天下者也，禮經曰：「安上治民，莫善于禮」。坊民正俗，非禮無以立事，故孟子曰：「經正則庶民與」。此又趙普之所謂：今欲以其半爲陛下致太平者也。總孔子言仁諸說，則仁者，人類本性之自然流露也，人能不悖其本性，則近于仁矣，不悖于禮，禮則依乎人情，隨時而適，根于仁心，不悖于禮，則所謂道也，孔子曰：「誰能出不由戶，何莫由斯道也。」夫古之天下，亦今之天下也，然則定天下，致太平之方，寧有異乎？

（論）（語）

曲齋

談睡

漁翁

睡者，倦而閉目也，爲人生起居休息惟一部門，在每晝夜二十四小時內，至少有三分之一的時間，寄於睡眠中，如果睡不以時，卜晝卜夜，或以夜作晝，必召致眼迷神昏，食不甘味，影響身體上的健康，至深且鉅！

午睡，亦爲養精提神之方，在每日清早起牀工作，到正午十二時，不免有所疲倦，乘午餐後休息時間，予以半小時或四十分的小睡，那麼，精神由疲倦而興奮，使午後工作，很愉快的繼續下去。

如患失眠症者，今則服安眠藥少許，可使之睡，但古時也有妙方，據述異記載：「桂林有睡草，見之則令人睡。」又南越筆記載：「采睡菜根爲鹽葅，食之使人好睡。」按睡菜一名瞑菜，叢類茨菰，根如藕，產熱帶地方。可是安眠之法，服藥不如養性，清心節欲，力除不必要之思慮。大學上所謂定而後能靜，靜而後能安，安而後能慮，慮而後能得，凡有所得，必須從「定」字上着眼。

古人領略睡的滋味，委實不少；陸放翁詩云：「相對蒲團睡味長，主人與客兩相忘，須與客去主人覺，一半西窗無夕陽。」又呂滎陽句云：「老讀文章興易闌，須知養病不如閑，竹床瓦枕虛堂上，臥看江南雨後山。」直已把睡的逸趣，流露於字裏行間。

談到獨睡，尤爲益壽延年的妙丹。宋朝包安叔，登進士後，歷宦州縣，年八十八，猶爲樞密院隨龍官，精神健旺如少年。賈似道見而羨之，詢問攝生之道，包曰：「我有祖傳的丸子藥，」賈請授秘方，包答道：「五十年來，因服獨睡丸，才有如此的健康」。又彭祖八百壽，而致壽之方，據云：「服藥百劑，不如獨臥」。顧況云：「服藥不如獨自眠，從她別嫁一少年。」此言老年人，不應娶少婦。陸放翁亦云：「九十老翁緣底健，一生强半是單棲。」不近女色，或減少性慾，足以益壽延年，乃是鐵一般的經驗。

詩詞漫談　名士袁子才（下）

長安居

大約讀了一半光景，蔣心餘問道：「子才也還有可取之處嗎？」子才也毫不客氣的回答道：「只有兩句。」「有兩句也好，你且說是那兩句？」子才答道：「任你聰明，猜不出天情性。」蔣心餘聽了不禁大笑道：「先生畢竟是詩人，不是曲客。」子才愕然，心餘續道：「你知道我這十一字的藍本嗎？」子才想了一會，搖搖頭，蔣心餘道：「你不是有兩句詩嗎？造物豈憑翻覆手，窺天難用揣摩心。這就是我這十一字的藍本呀！」袁子才一陣大笑。

（蔣心餘，名士銓，一字苕生，江西大，善度曲，著有香祖樓，空谷香，冬青樹，臨川夢，雪中人，四絃秋，一片石，第二碑等九種曲本。）

袁子才的詩，究竟是怎樣的呢？空說無憑，且先錄幾首舊詩。

「華表凌霄落照遲，一期孤憤萬人知。梨花寒食燒香女，纖手都來折桂枝。」

「江山也要偉人扶，神化丹青即畫圖。賴有岳于兩少保，人間方覺重西湖。」（謁岳王廟）

寫到這裏，我倒又想起一個故事來了。

民國卅八年春，筆者寓居西湖。一日，與錢公來先生泛舟湖中，（錢先生，東北遼寧人，工詩，現任總統府資政，應已七十餘矣。）舟過蘇堤六橋，錢先生突謂不可無詩，乃請先吟，詩爲七言絕句，第一句爲圖字韻，第二句爲湖字韻，第四句押蘇字韻。猶憶第二句爲「人間畢竟重西湖」。余曰：「先生爲此詩時，胸中得無有袁子才之句乎？」錢先生大笑曰：「你年事尚輕，居然記得起袁子才的詩句！那你一定歡喜讀隨園詩了！」余應之曰：「小時候最喜歡讀他的詩，但現在，卻也覺得不過如此。有些詩，都是以前讀過，印象[illegible]。」當時余卽步錢先生原韻，和詩曰：「[illegible]花嬌勝畫圖，[illegible]西湖，[illegible]知何處姓蘇。」錢先生擊船叫道：「老弟，這首詩勝過隨園要多了！」余曰：「要說勝過隨園，那是錢先生過獎，不過，隨園的詩也還是跳不出他個人的圈子，且不過盛唐了。」經過十年來的變亂，我對隨園詩的觀感，仍然是沒有改變的。

大抵清初詩人，多學唐代，道咸而後，乃極力模擬宋詩。然而，都不過是唐宋人的圈子，這倒是時代使然，誰也無可奈何的事。

袁子才提出以性靈爲詩，在原則上並不錯。可是，他之所以提倡性靈，原是怕埋沒了自己的天才，乃欲假性靈之說，來掩飾[illegible]，然「江山也要偉人扶」的句子，怕也不能傳至今日吧！

聰明的袁子才，但他這個人覺得立在詩壇的地位，將生於其前的大詩人王漁洋，他的攻擊得體無完膚，他的論詩絕句有云：「一代正宗才力薄，望溪文集阮亭詩」。（阮亭爲王漁洋的別號）言外之意，似乎只有他的詩纔配稱爲一代正宗，也未免太誇大了。

且莫說王漁洋是[illegible]以與袁子才抗衡，就算是同時代的趙甌北和蔣心餘的詩，較之袁子才，也是不遑多讓的。

蔣心餘的「金陵雜詠」有云：「豈有君臣說中興，滿城花月唱春鐙。風流略似清談後，秋草茫茫十一陵。」

趙甌北的「楊妃」一詩云：「鼙鼓漁陽爲翠娥，美人若在肯休戈。馬嵬一死追兵緩，妾爲君王拒賊多。」

像這樣的詩，應該也是可圈可點的了，可是，八百年前，五代的花蕊夫人不是已經有了類似此種風格的詩麼？

照我個人的看法，袁子才他們這些性靈派的詩人，最多是像呂東萊的博議一般，故意賣弄些小聰明，作作翻案文章，以圖炫世惑俗而已。怪不得洪北江批評袁子才是「通天神狐，醉後露尾」呢？

海嘯廬談薈　桂軍與共諜關係（中）

李任仁是廣西人，清末畢業於廣西「優級師範」後，曾任廣西省立第三中學校長，初無藉藉名，但思想左傾。民十六年春閉國府大舉清黨時，李氏被指目爲共黨同路人，畏罪流亡在外，投奔白崇禧幕中，時白氏任國民革命軍總司令部參謀長兼東路軍前敵總指揮，駐防淞滬，制裁共黨甚力，然對李任仁却信任之。洎是李藉白氏庇蔭，仍回桂省活動，一度且由李白推轂，榮任廣西省教育廳長，他對李白的政治影响力，從此逐漸增强，成爲「桂系」的中堅份子了。對日抗戰軍興之前，上述介紹劉維章、李任仁等加入共黨的浙籍老共朱蘊一，曾到桂林活動，經人發覺密報於李白，白氏初頗震怒，詰責李任仁不應結納共黨人物，旋亦漠然置之。蓋此時廣西正在高唱「三自政策」，不受中央政府節制，各方懷有反動異國的文人政客，皆向廣西滲透，李白亦藉此自重自豪，冀張聲勢，而劉維章、李任仁的共諜工作，即奄有因利乘便的效用了。當年被李白處決的桂省建設廳長黃公度——著名托派份子——他遭殺身之禍，最大原因，一爲與桂軍將領廖磊（白崇禧的親信幹部）極不相能，一則李任仁等從中構陷——凡屬第三國際派的共黨份子，皆視托派爲不共戴天的死敵也。李任仁憑藉着白崇禧的優容信賴，遂成廣西政壇上的元勛重臣，大陸淪陷前夕，他已貴爲廣西省參議會議長了。李宗仁代理總統職務之初，首先以議會名義，通電各方，要求擁戴李德公「早正大位」的，就是李任仁。此舉在表面上好像是他對「李德公」的忠貞行爲，實則利用我政府內在矛盾而擴大之，奉行共黨所謂「政治瓦解敵人」的策略，乃共諜策反的高度技術，惜乎此中得失利害，非李白當時所能瞭解，即到今天，也未必頓然領悟吧？據聞白崇禧於卅八年冬間，統率桂軍回到桂省時，曾責備李任仁的反中央政府言行過甚，貽害大局，任仁反唇相譏道：「你們若對中央忠誠不貳，縱有十個百個李任仁，亦沒有貽害大局的能力。」其然，豈其然乎？

劉仲容也是湖南人，他於民國十九年奉閻錫山之命，代表閻氏赴桂省遊說李白，共同反抗中央，因此甚受白崇禧賞識，擢其在桂省工作，成爲白氏的核心幹部，替白氏掌理機要文電，參預軍政機密，言無不從，計無不行。對日抗戰中期，他與黃啓漢隨從白氏在重慶担任秘書職務，常常到美國大使館跟謝偉志、范德宣幾個親共的美國人士周旋，甚爲密切。劉仲容是共諜，黃啓漢也非共黨份子，他祇是藉侈言民主以乞取外援而企圖干祿倖進的熱中之徒而已。當時白崇禧在政府頗不得意，劉黃即以「打通美國路綫」爲理由，在美國人面前，爲白氏鳴不平。久之消息外露，一日最高統帥面詢白氏：「聽說有劉某黃某是你的秘書，他們常在美國大使館走動，不知所爲何事？」白氏聞之惶遽，即斥責教劉、黃二人出國游歷，以避嫌疑。

諸葛文侯

南海絕筆

文壇軼話

道南

來自最近中央社的消息，遜清光緒年間「戊戌政變」的主角康有爲，他的夫人康梁隨覺女士，現在尚在人間，不過這位八十二高齡的老太太，晚年境況不佳，貧病潦倒，患了子宮瘤，躺在台北鐵路醫院裏，昔日的榮華富貴，如今已是過眼雲煙了。

讀了這一段消息，使吾人回憶及康南海先生：他生於戊午年（一八五八），卒於丁卯（一九二八），享年七十歲，丁卯年二月初五日是他的七十生日，二月廿八日就是他的死期，上距做壽僅二十八天，正是攬揆稱觴之後，即是蓋棺論定之時。

當他七十做壽時，溥儀方逃居天津張家花園，賜以玉如意及題「嶽峙淵清」匾額爲壽。他在青島以平日罕爲之謄錄筆法寫謝恩摺，歷敘平生悲辛沉鬱。寫完，投筆曰：「吾一生心事已了。」旋以腦充血在青島山路寄廬別墅逝去。因此人們稱這本謝摺是他的絕筆。謝摺中有：「宜使親宗以祈死」，和「付子孫傳後世，以心肝至誠，戴高天厚地之恩，願效節廉輸誠之報」等句，使人讀起來好似遺囑一般，也有人認爲讖語，他果然一瞑而不返了。

無可否認，四十歲以前的康有爲，他之思想行動是前進的，倘如他所寫謝摺中所云：「若非衣帶之密詔促行，飛鷹之兵艦煤絕，則久已上巴黎斷頭之台，灑東市朝衣之血，今卅載，墓木拱矣。」這時他恰是四十歲，當和譚嗣同成爲肝膽兩崑崙了，那還有晚年開倒車玩復辟的把戲呢？

自由報
僑務委員會核發台敎新字第三二三號登記證
中華郵政登記台字第一一八二號
內政部頒發僑報台字第零參壹號內銷證
THE FREE NEWS
版出每星期三、六　半週刊　第三十五期
每份港幣壹毫　台幣二元
社長：雷嘯岑
督印人：黃行奮
社址：香港銅鑼灣高士威道二十號四樓
20 Causeway Rd. 3rd. Fl. HONG KONG
TEL. 771726　電報掛號：7191
承印者：田風印刷廠　地址：香港高士打道221號
台灣分社
台北市西寧南路110號二樓
電話：三〇三四六
台郵撥儲金戶九二五二

透視日本的反美騷動

雷嘯岑

近來日本社會黨藉口反對「日美安全互助條約」，初則使用非法搗亂的手段，在衆議院演出軟禁議長，妨害公務，跟警察激烈搏鬥的醜劇；繼則策動東京一帶的左傾工人暨青年學生，不斷地示威遊行，圍攻議會及首相官邸，且在飛機場困辱來東京公幹的美國總統府新聞秘書哈格第，而以阻止艾森豪總統訪問日本之行為職志。這是戰後日本政治上最大的一場動亂，也是日本在美國長期督導培育之下，推行民主政治生活的一種反動現象，流弊所及，很可能葬送日本於死亡的命運中，可嘆亦復可哂。

綜觀社會黨反對日美安全互助條約的一切言行，無一不是複製俄共集團的反美論調，而模仿其暴亂作風。中俄共基於它們實行世界革命計劃的事實關係，要使日本脫離自由世界的集體防衛組織，由中立而孤立，任其蠶食吞噬，當然視日美聯防條約為生死關鍵所在，千方百計地必須予以破壞。岸信介政府既已毅然決然在國會通過了日美安全互助條約，又邀請美總統前來訪問，不特互助條約雙方立即付諸實施，俄帝蠶食日本的希望以後斷於幻滅，而反共最堅決的岸信介政權，亦將持續於不墜。在東方首目反日的南韓李承晚政府已告解體，倡導很久的中、日、韓軍事聯防體系，勢必應運產生，藉以填塞整個自由世界在遠東方面的一大漏洞，這是俄帝慄慄危懼的事情，非傾全力以從事鬥爭不可的。所以，這次日本的動亂，實質上是美俄勢力的角逐，誰能佔取優勢，誰就對亞洲有盟主的地位，在東亞角逐中，誰就成為最後勝利者。

艾森豪總統不因日本社會黨導演反美的惡劇，而變更其預定的訪日計劃，可謂明智的決策。艾氏如果像美國參議院外委會主席富爾布萊德之流的見解，害怕到東京受侮辱而裹足不前，美國在遠東乃至全亞洲的聲望即掃地以盡，而日本亦就從此完蛋了！至於日本首相岸信介決不接受社會黨及本黨——自民黨——政客河野一郎，石橋湛山等人的辭職要求，也不失其為政治家的風度。

事實上，艾森豪到達東京時，除卻少些被收買的無聊分子遠遠地舞一下反美旗幟，叫幾句口號以外，必不致受到其他的侮辱，何以見得呢？日本天皇裕仁一定親臨飛機場迎接「國賓」，日本人對於天皇的偶象崇拜觀念，普遍潛存着，他們當着天皇的面前，自然而然地不會作出暴亂的行為，此其一。前幾天在飛機場圍困哈格第和美大使麥克阿瑟第二的無聊分子們，會再三聲明他們並非「反美」，意思是表明他們的動亂作用，對內重於對外，此其二。日本民族性的特質，褊狹而現實，怕強而欺弱，面對着強大的美軍實力，目擊着優裕的美援和美元，對於世界盟主的美國總統，他們決不敢隨便侮慢的，此其三。有此三項因素，加以日本政府當局責無旁貸的保安措施，我認為艾克到達東京郊外羽田機場後，大可以跟日皇同車併駕，進入市內，不宜改坐直昇飛機，悄然走到美使館，致失身份和體面。

有種種事實證明社會黨這次是受着俄共集團的金錢誘惑驅使，利用外交問題以期達奪取政權的目的，一般參加示威暴動的無聊份子，為的是每次能領得三百至一千日元的津貼款項（一位日本工商界代表在美國如是云云），而日本的「學聯」與「勞工總會」則藉此獲致俄共集團的大量經費接濟，若說他們眞是為着思想鬥爭，即社會黨魁淺沼稻次郎亦不足以語此，其他更無論矣。在此攘奪政權這一目的上，自民黨的政客官僚們，與社會黨是一致的，如河野一郎之流，居然以第三者姿態，出來調停社會黨與本黨對「日美安全互助條約」之爭，而以岸首相辭職為「政治休戰」的先決條件，說是大家可以好好地歡迎艾森豪總統訪問日本，這是甚麼政黨政治的軌則呢？祇有共產黨人的思想是不折不扣的反美，他們志在破壞日美邦交，阻止日美聯防條約之實現，為目的不擇手段，無所不為，留日華僑聯合會指出當日在東京示威暴動的人群中，即有一百多個中共份子混雜在其間，這跟毛共過去在中國大陸上策動青年學生[illegible]亦即中國有的「民主同盟」相伯仲。日美安全互助條約是一項立國的大政，是是非非應該以超黨派的立場來衡量，尤其不宜將美國總統應邀訪問這回事，與安全互助條約混為一談。日本人如果眞的要反美，就不應該接受美國的軍經援助，像目前社會黨這種搞法，徒然讓日本人的醜態，難怪鄉表現左傾思想的東京朝日新聞，也說是「國家之恥辱」哩！

中年以上的日本人，內心深處或多或少的都存有反美意識，因為日本是被美國戰敗的，日本人極不能忘懷，然而現實環境，不便形之於外。青年的日本人受了戰後經濟破產，社會解體的痛苦生活，道德崩潰的共產黨所謂「國際共存」的宣傳麻醉，一知半解地而對於共產主義，因而嚮往，對安全互助條約的導向戰爭，盲從共黨的鼓噪，至於此外的政客則藉此為題，以希望混水摸魚，取得政治權位，國際共黨從事利用這些情形來擾亂，此次日本大騷動的內容，如是而已。

歡迎美總統艾克先生

但衡今

美總統艾克先生，此次遠道訪問遠東，為美國歷屆總統之創舉，凡我同盟反共國家，朝野上下，莫不歡欣鼓舞，預候嘉賓。至若自由民主之中國，尤屬億萬一心，至誠相與。艾克先生，自可於中國軍警禮貌警衛之外，無庸加以戒備，俾沿途農村市井，男女老幼，俱得一瞻來賓丰彩為幸，得其一二。

但中國內地羣衆，與夫此間之雍容道左者，不論耳聞目見，叩其內心之沈重，實難免於悲從中來，破涕為笑，而有不能自已者在也。

中國大陸人民，淪於共匪之瘋狂醜惡凶殘之下，展轉呻吟，求生不得，求死不能，今已十有一年，雖屬自遺伊戚，而友邦「兩個中國」之外交政策，事前事後，竟構成如此重大之災害，實亦不能辭其咎。台灣逼處匪幫，呼號之聲相聞，休戚之情相關，凡有血氣，孰能漠然恝然，不亟思有以振救之。無如友邦決策，只許單作聯盟前綫防禦，不容少存自我任何企圖。

自金馬坐待匪砲攻擊以來，我陸海空軍將士，靡不推胸泣血，對內且須強為笑語，對外未能少形辭色，此中艱苦，亦為友邦人士，身歷其境者，乃能得其髣髴。益以區區一隅之衆，養兵數十萬，我政府殫竭於上，國人重負於下，長夜漫漫，又豈人情所能忍受，事理所能永恒者也。雖然，和平二字，固未可厚非，設若治絲益紛，當斷不斷，古今之以此養癰遺患，瘡痛益深，甚至亡國破家者，曾屢見不一見。在此未可多著議論，而省自我陳述之匪是。猶記一九五九年二月六日，美國人士主辦之沖繩晨星報社論，立論雖專為西藏反共而發，其目光實已貫注到全局，茲摘錄於下。

「西藏的反共民衆，今天不但為他們作戰，也是替我們作戰，援助他們，也許可以替我們省下許多生命的損失」，這是晨星報站在美國利益立場上，連想一九四九年放棄援華政策，而有韓國戰場死傷十多萬青年，所得的結論。

其次「協助西藏是辦得到的，也是應該做的，長距離的飛機，可以到達這個孤立的地區，空投軍火與給養，如果說西藏不值得給予援助，就等於說這個世界，今天只是進行強權之爭，而不是進行一種維護自由與民族自決的戰爭」。這是晨星報從美國對自由世界責任來立論，以一個僻遠的西藏反共行動，應值得重視，乃從而論及「中立金馬」與韓國「限度戰爭」之非計。

其次，「坐在後面鼓掌稱贊別人英勇是不夠的，一若我們對匈牙利事件之所為，別人的勇氣是有了，可是我們卻膽小到不敢給予支持，膽小到恐怕敵人不高興我們」。這是晨星報從美國猶疑政策，而自行走到屈服強權的邊緣。益陷世界於水深火熱之中，與自身徘徊瞻顧而莫衷一是。從而論及：「中共公社制度，已把中國人的忍耐心忍耐到最後的程度，祇要再有一點刺擊，他們決將起而推翻共黨，不願再在共黨統治之下，過著獸類的生活」。正說明了中國大陸千眞萬確的事實，與羣衆百分之百的心理，及中共統治搖搖欲墜的現象，與美國現行外交政策足以遺害於將來。本報僅節錄晨星報論據於右，提供艾克先生訪問中國旅途參攷，與未來外交之決策。反共同盟幸甚，自由民主幸甚。

在此猶有未能已於一言者，東西民族立國為政，自各有其固有文化、歷史、國情，未可舍己從人，亦未可強人從己。己所不欲，勿施於人，在東方為忠恕之道，在西方為利害之辨，人與人國與國間，亦必忠恕乃能相處，乃能久要，邇來韓國事件，土耳其事件，新聞傳聞，美國俱牽涉其間，悠悠之口，不必盡信，而蛛絲馬跡，自難免於瓜田李下之嫌。學生軍人，雖未可謂為絕非民意，然亦不可謂為盡屬民意，事勢演變推移，可能因此形成多黨政治，軍人干政，更可能與共匪以乘隙蹈瑕之機，有一於此，皆非反共同盟之福。要知自由民主國家，政治需要安定，需要協調。設或有力者以一時之愛憎為是非，「東食西宿，朝三暮四」。江南之橘，難保不逾淮為枳，縱能傾國庫軍備以資人，則人將惟利是視，而害不盡同。一旦利盡交疏，事到臨頭，反眼若不相識，落井而又下石者亦有之。自今以往，竊願美國朝野人士，自處處人，有以善處之也。

自由談

偽君子

報載：閻錫山先生在台北逝世後，許許多多的政界人士，分別馳赴殯儀館悼唁，安葬之日，到場祭奠執紼者尤衆，猗歟盛哉！

閻氏交卸行政院以來，卜居台北郊區逾十載，據說平日很少見有[illegible]訪，眞是冠蓋滿京華，斯人獨憔悴，似乎誰也不認為他是個值得欽崇的人物。他一旦去世了，無論和他親近與不親近的，知與不知的政治人物，一致悼念，關懷備至，眞情乎？假意乎？吾不得而知之也。人與人相處，禮節在所不免，但須恰如其份，方見誠意，過份就是虛偽的動作了。世界上虛偽言行最多的，殆莫過於吃政治飯的人，自古有然，於今為烈，一副趨炎附勢的現實相，一派矯揉造作的偽慈悲，令人瞧着作嘔，頭之肉麻。像閻錫山這類開國元勳，大家如果認定他對國家確有功績可取，或者覺得他個人立身行己方面，亦有值得敬佩的地方，那末，當他生存的時候，亦不妨稍加存問，以示不忘，否則各幹各的活路，生固無足道，死亦不相干。這才是去偽存誠的眞性情，運用於政治上，即有可觀。只看近世一般政治人物，對生人勾心鬥角，六親不認，對死人故作親熱，一往情深的詐偽行為，即知治亂興亡之道，由來者漸，決非偶然。

古時對於一個去世的人，非至親好友不報喪，不執紼，不臨哭，表示着人與人之間的眞摯情誼，也就是禮之所宜，不踰份際。現代人對於婚喪禮儀，任意胡來，莫名其妙，適以彰其虛偽的心情，去禮遠矣。見微知著，即小喻大，今世政治生活之卑汚齷齪情形，愈演愈烈，馴致釀成神州陸沉的奇禍，推究其根源，我們一般人汨沒了眞性情，實在作偽，恬不為怪，是主要的因素。所以，一目了然的眞小人並不可怕，可怕的乃是蒙着各樣假面具的偽君子也。

馮五先生

台·北·通·訊

台灣忙着歡迎「國賓」事宜

·野鶴·

美國總統艾森豪訪華行期在即，自由中國政府當局為着歡迎接待這位特級「國賓」的籌備事宜，近旬日來，各個有關單位忙得不亦樂乎。自從白宮新聞秘書哈格第到台灣接洽安排之後，一切節目已告決定了。

艾總統預定在菲律賓訪問一天，休息半天，於本月十六日乘坐軍艦前來台灣，在強大的海空軍警戒護衛之下，徜徉乎太平洋上廿四小時，經過中共竊據的海岸邊緣，於十八日直達台省基隆港，這不啻是對共匪所謂「侵略領空領海」的一〇五次警告，給以一大諷刺，教它吹鬍瞪眼，哭笑不得。艾氏在基隆港口接受當地民衆的迎接儀式，然後乘坐直升飛機到達台北松山機場，再接受自由中國官方與民間自蔣總統以次卅萬人的盛大歡迎，即赴台北市外「圓山飯店」駐節，休憩數小時，再赴美國駐華大使館與各個外交官員暨派駐台灣協防的美海空軍將領，以及軍事顧問團高級幹部們見面，聽取他們的業務報告，繼即前往總統府面晤蔣總統，完成「國賓」的訪問禮節。晚間蔣總統設宴招待，由我國各文武大員作陪，表示歡迎之意，宴畢，兩國元首單獨懇談一次，十九日是星期日，艾克無論在甚末地方，這天早晨一定要到教堂做禮拜的，是日清晨蔣總統先陪着艾氏赴教堂做禮拜，然後回到士林官邸作第二次的談話，艾氏的訪華節目，乃告完畢，下午就要啟節前往南韓。我國中樞各個民意機關會邀請艾總統蒞臨講演，格於時間關係，恐怕來不及了。

我政府當局關於這次歡迎接待特級「國賓」的準備工作，有幾點相當費力操心的事：一是艾總統到達基隆和台北時的民衆歡迎場面，人山人海，接踵摩肩，而艾氏又喜歡向民衆露面講話的，治安人員應如何恪盡職責，以維護「國賓」行動的自由與安全，實在不是一樁輕鬆的事兒，預計這天在基隆市歡迎的民衆不下十萬人，在台北市歡迎的當在二十萬人以上，要維持這種特別熱烈偉大之羣衆行列的秩序，談何容易呢！這次隨着艾總統來台的美國新聞記者有六十五位，此外還有歐洲和東南亞各國的記者群，綜計有一二百人之多，在「國賓」留台期間，不能發生一點紛亂的現象，以免貽羞全球，有玷國格。所以，我方治安人員所負責任甚大，他們這次的緊張辛苦情形，乃是生平未曾體驗過的。二是艾總統到達台灣之際的坐車問題，按照艾氏出國訪問的慣例，都是使用他自己專車運來的一輛敞車，車上有四個座位——正面兩個，倒座兩個——正面兩個座位是艾氏和代表當地政府出迎的元首并坐着，倒座則為隨侍艾氏的保安人員，艾氏在這敞車上跟當地的歡迎羣衆揮手為禮，表示親切之意，必要時，他就站立車中對羣衆作簡單的演說。這次艾氏訪華，由於我政府聲明不必煩勞友邦遠道運送車輛前來，他那種特製的敞車，祇好不隨帶來台，任由我方替他準備了。可是，我方僅有蔣總統使用的一輛閱兵敞車，車上座位只能容納兩人，殊不合適，據說美國駐台軍事顧問團某將軍有一輛敞車可坐四個人，願意借給我們使用，但我方既已拒却白宮運車來台於前，若又借用美方的車輛，似乎有所不便，怎末辦呢？祗好臨時將蔣總統那輛敞車加以改造，加大車身，使其能夠容納四個座位，好在台北的兵工業器材和技工都齊備，改造一輛敞車尚不難，然政府當局亦煞費苦心了。三是我方對於艾總統訪問期間，應該提出些甚末要求的事，經過再三研討的結果，我方決定不提出任何新的要求，除表示精誠團結，一致爲反抗共產極權侵略運動而努力奮鬥之外，一任「國賓」自動提示意見，他愛談論甚末問題，我們就跟他談甚末問題，不作其他的表示。因爲艾克在未被赫魯曉夫「翻眼眉」之前，他再三聲明無暇來華訪問，如今他變初衷，惠然肯來，我們如果對他提出甚麼要求，未免太不自尊自愛了。萬一他表示一種敷衍應酬的詞色，豈非多此一舉嗎？四爲我方民衆赴基隆碼頭和松山機場歡迎「國賓」時，事前應否有所策劃限制？一般民衆以看熱鬧的心情，必然不約而同的大家出動觀看美國總統的手采，要限制亦就很難，若聽其自然，又恐怕秩序欠佳，大煞風景，欲期兩全，殊非易易，唯有責成治安人員臨機處理，妥爲指導督促而已。在艾克訪華期間，我國政府例應派遣一位侍衛長隨侍他，這項人選以蔣緯國少將最適宜。他是蔣總統的兒子，且在美國參謀學校讀過書，而去歲伊朗王來華訪問時，亦是派他擔任侍衛長的榮譽職務，適材適事，駕輕就熟，再沒有比他更適當的人了。

此外還有一種不能不顧慮到的可能發生之事，即大陸上的毛共，或許沿襲它們過去對杜勒斯到台灣訪問時的故技，於艾總統到達台北之日，向金馬發動一次騷擾性的軍事攻擊行爲。如果眞有此事，我軍決計予以猛烈的反擊，且不限於自衛手段，將乘機進攻廈門、福州，給毛共以重大的打擊。日來美方軍事人員亦迭次發表聲明，說是毛共若有軍事進犯行動，即將猛烈報復，以示懲戒。毛共如非忽然發狂，自尋死路，決不敢輕舉妄動的，即令它只是對金馬一帶從事砲轟，我軍亦就會大舉反擊，不復容忍了。不過，共黨常有瘋狂性的行爲，難保它不盂浪闖禍，上帝要消滅一個人的生命，即先致他發狂，我政府對於這項可能發生的意外事變，必須有切實的準備與決策，換言之，到了這種階段，我方的軍事行動，即大可不受中美安全互助協定的約束，自由採取應有的措施了。

艾森豪總統訪問遠東各國的消息正式發佈後，日本的共黨及其同路人鬧得最兇，不斷地發生反美示威運動，菲律賓亦有人表示對美國不禮貌的論調，近日沖繩島也有反美的消息傳出了。南韓雖然沒有類似的動態，但國內的政局正在動盪之中，使艾克訪韓之行，感覺美中不足，唯有自由中國的情形是安定的。這表示中華民國，不愧爲遠東的安定力，關係東亞的安危前途甚鉅，希望朝野人務須珍惜這點固有的潛能，爲整個國家民族設想，不要自暴自棄爲上，例如立監委員和國大代表們，紛紛要約艾總統個別到會講演，這便是不識大體的表現。艾氏只在台灣停止廿四小時，他那有許多空閒時間向三處的民意機構周旋？三個民意機構幹嗎不能聯合起來，作一次集體的邀請，使「國賓」便於應付呢？你們平日對內互相齡齕爭雄，原屬無關宏旨的，對着「國賓」亦表演各行其是的阿Q精神，何苦妄自菲薄乃爾哉！

（六月十日於台北）

本報特訊

自由中國的政治動態

李明

這次行政院局部改組之後，立法院有一百六十多名立委，由徐源泉領頭，提出動議，說第三任總統就職後，未將行政院長提名送交立法院徵求同意，是藐視立法院的職權，違背了憲法，其勢洶洶，似有掀起政潮的模樣。但總統府的看法却不承認這是有違憲的意味，何以故呢？提名行政院長的總統還是原有的人，被提名的行政院長亦是舊任人物，行使同意權的立法委員依然「猶吾大夫崔子」，三方面皆無變動，而舊任行政院長在第三任總統就職前，雖曾提出總辭職呈文，但經慰留了，即不發生閣揆的人選問題，自不須再有提名徵求同意的官樣文章。美總統艾森豪第二次當選就職後，并未將國務長官杜爾斯提請參議院同意，即系最好的例證。如果立法院認爲舊有行政院長不稱職，儘可依然照憲法規定行事，也不必，亦不應該藉同意權的口實，來倒閣，因爲憲法對於行政院長的任期并無規定也。蔣總統對這問題祇好當伊嘸介事，若要理會，即無異自已承認「違憲」了！他只是在紀念週上勸告大家不要鬧意氣，爭權利，政府的機構雖然個別設置，利害是共同一致，情誼是彼此一家，沒有甚末分別的。行政院長陳誠，更不便表示意見，一聽總統處理。看情勢，這項政潮將如一個水泡，很快就要消散。至於一部份立委提出這項異議的動機，亦是藉題發揮的成份居多，原因是陳院長最近在立法院會中，答復某委員的質詢時，詞色很不客氣，引起了一部分立委們的反感。

行政院這次局部改組，在一般人士的觀感中，并沒有特別的刺激，不過是一種官海升沉常態而已。交通部長新換沈怡，似乎殊出意外。沈氏在曼谷担任國際防洪局長的職責多年了，月薪在美金千元以上，何以棄却那種職責單純，待遇優厚的國際差事，而願意回國來自尋煩惱呢？實在沈氏到明年就要依法—聯合國的法規—退休了，但身體尚強健，樂得以其餘年爲祖國服務，交通事業亦是他的本行，因而欣然受命，至於待遇問題，并不介意，縱使到台灣來貼錢作官，也不在乎，他自信是貼得起的。次爲外交部長黃少谷與西班牙大使沈昌煥對調，亦非局外人的始料所及。黃氏求去心切，原係盡人皆知之事，但以他那種雍容和諧的處世接物風度，與縝密思考頭腦，穩健悃愊的言行，在自由中國現時的政治人物中，實爲數一數二的傑出人才，致他出使異域，在黃氏個人固然得其所哉，對中央政府却是一大損失。從前譚組安先生在中樞政治上素具「甘草」的雅謚，人們皆漠然不以爲意，迨他去世後，連那極端自負的胡漢民先生亦深感「太傅沖和未可師」，思念不已了。這次黃氏之去國，實非其時。僑務委員長陳清文對僑務本是外行，他以建設部門的專家，一旦担負着繁紛雜遝的僑務委員長職責，用非所學，公私交困，實在強其所難，另易新人，原屬必要。可是，繼之者乃爲打破傳統習慣——辦僑務必須粵閩籍人士——的湖北人周書楷，而且是個在任的職業外交官，這眞是北平話所謂「玄事兒」。據說，周氏聽到調任的消息後，向外交部同仁報告時，爲之放聲大哭，好像是出喬木而入幽谷的落寞境遇，又如教他離席衽而趨水火的悲慘命運，十分沮喪。旋有人勸他，說他由簡任官（外交次長）擢升爲特任官，亦大佳事，將來由僑務委員長調任外交部長，那就容易了。周氏的愁懷，聞此說纔稍爲開展些。教育部長梅貽琦本來極力求去，但以他的聲望與學識，久爲世人所稱道，要想找到一位份量相稱的繼任人，殊感困難，經陳院長懇切挽留，再請「我的朋友胡適之」從旁敦勸，他祇好勉爲其難，但教部政務次長浦薛鳳將予更換。內政部長連震東由台灣省民政廳長一躍而登上特任官之位，可謂異數，他如果不是台省籍，決沒有這種意想不到的幸運吧！？司法行政部長鄭彥棻，是留學法國習法科的，但他回國十餘年間，一直是幹着黨政工作，從未涉足司法界，這次忽然由管理僑務的中央黨部第三組主任調長司法行政部，有人說是中樞決計要整飭改進僑務的先聲。

至於各個舊任「長」字號的袞袞諸公，除黃少谷氏內定爲西班牙大使外，內政部長田炯錦回到蒙藏委員長的老位置，無所得失；交通部長袁守謙新任「革命實踐研究院」主任，地位并未降低；只有陳清文尚無新職發表，大概不會投閒置散的。像這樣的人事安排，我們看不出有「開拓新局面」的氣象和趨勢。自由中國的人才不是沒有，眞正的人才却非招之即來的，揮之即去的，求才是一回事，用才又是一回事，不能恢宏氣宇，運用「使天下英雄入彀中」的智慧，但知所識窮乏者得我，或者基於一時的現實關係以爲用人的標準，人才却不容易羅致。普通的官海升沉，對反共復國的非常之役，沒有甚末作用可言，引不起社會人士的興趣。

基隆政壇的遞嬗

思公

這次台灣第四屆縣市長選舉，國民黨提名李國俊爲基隆市市長候選人，與民社黨所提候選人林番王對壘，於四月廿四日舉行全市投票，李國俊竟以七千餘票之差，慘敗於林番王之手，這個突如其來的大轉變，對國民黨基隆市黨部及若干人士來說，無異是青天霹靂的大驚異。

現在矗立在基隆港濱邊的市府四層大廈，到六月二日即將另易新主，未來四年的歲月，素以雨港聞名的基隆市，勢必在政治上增加它的風和雨。

一、李國俊在基隆領導黨務七年，而竟慘敗於林番王之手，其人之懵昧無能，自可想見，今後國民黨，必會提高警覺，團結黨員，加強領導，以圖再振，現在基隆市議會共廿席，國民黨佔十七席，本年底第四屆議會改選，勢必又是民社黨和國民黨，最激烈的一次爭奪戰，國民黨既退出市府不得不加強市議會的據點，如民社黨不能獲得過半數的議席，則前任市長謝貫一向所倡導的人和政策及強調「府會一家」將成過去，各方反對派勢將紛紛崛起，林番王縱有民社黨撐腰，要想施展他的抱負，當很吃力。

二、謝貫一具有政治手腕，不失爲老謀深算的政客，主政基隆十一年建設地方很不錯，一切都能平靜渡過，林番王以商從政，這次選民丟了李國俊的票，而投林番王的票，並不關於政權的交替，而是希望林番王在今後改革政治風氣方面能有所作爲，但政府自遷台後，即實行人事凍結，對於政治風氣的改障，恐仍將一如往昔，林番王大概也無法作大刀闊斧的革新。

社會小說　香港地

四、高的低的

常語有道：「如入芝蘭之室，久而不聞其香，如入鮑魚之肆，久而不聞其臭，」梅大亮對這種豬矢味感受慣了，便不覺得怎樣難受，只是這一天太不湊巧，他剛正覺得十分疲倦，需要一頓舒適涼快的享受時，那個養豬人却要清潔豬舍的糞穢，弄得他很不愉快，免不了說幾句埋怨的話。不料，這却惹起了他的太太反唇相稽。

梅太太原是一個在鄉間長大的女人，嫁給梅大亮好幾年之後，才到城市居住，一直保持那一股鄉下婆的氣息。她識字不多，和梅大亮的知識程度相差頗遠，所以處理事情的方式各有不同，梅大亮每每為了遷就她的意見，感到苦惱。可是這回逃難到香港來，梅大亮却靠了她的艱苦支持，耐勞吃苦，才有辦法在這個木屋區裏住得下去，而且生穩了根，立定了業。

梅太太這時拿養豬做話題，對梅大亮發氣道：「你總怪我將這地方租給人家養豬，難道這不該用來養豬，該用來種花不成？你也不問問你自己，小時候在鄉下是怎樣過活的呢？你也和我一樣，是在豬矢味裏薰大了的。難道你敢說不是？這裏人人都要吃豬肉，誰去養豬？豬就是在這種地方養的。你想想，這地方不租給劉大嬸養豬，這兩年劉大嬸怎能掙給兒子一筆本錢，好去別的地方借地開耕，養活了一家幾口？難道我為了幾個租錢才叫你受豬矢氣味？」

鄉下人說鄉下話，梅太太這一頓翻駁，登時堵住梅大亮的口，連半句自辯的話也說不出。梅太太氣魄很好，不說則已，一說便是長長的一篇教訓。她當下歇了一歇，又接住說下去道：「誰不想在酒樓上面吃香噴噴的菜？你到街市買菜去吧！拿肉的、挽菜的、擠在你的前前後後，地是濕滑的，味是腥臭的，滿眼都是血淋淋的，滿耳都是嘈嘈吵吵的，你們這種斯文人每就是這樣，只想坐在廳子裏吃又香又好看的菜，天生你們命裏是要享福的呀！怕受豬矢味却要吃豬肉，怕到街市買菜却要吃好菜式。哼！……」

她正說得起勁，巷子的下邊却有人高聲喊梅太太。

（三十五）

木客著

人名漫談（上）

汪學文

人各有姓，亦各有名。其姓既已述過（參見本報五至八期「姓有多少」「千家姓考」及「三字姓源流」諸文），似應再一談其名。

物之名始於黃帝，禮記祭法云：「黃帝正名百物」，疏曰：「上古雖有事物而未有名，黃帝為物作名」；而人名之始，其時當較物為早。人名各有其義，而命名之取義雖參互不一，然多有規律可循：

聯名制——所謂聯名制乃親名之間有連鎖關係的命名制度，其由來已久，後曾演變為「以父祖之名或字為氏」制及固定姓氏制；其種類計有「父子聯名」（如春秋越先世「無餘」與「餘善」是）、「母子聯名」（春秋楚先世有「連母名」之制），以及「祖孫聯名」（如春秋宋公子蕩之孫名蕩意諸，蔡公子朝之孫名朝吳等均是，並見春秋世族譜）之分，而其方式則有「親名前聯型」（見前例）與「親名後聯型」（台灣阿美族有此型）之別。聯名制迄今似仍行之未衰，且以「後聯型」為多，蓋今日父母為子女命名時，每愛借用己名一字，稱之為小某、幼某，此一方式，另具「下一代」之意，較古制已有進步。

同名制——同名制常與聯名制並存於同一族屬社會，例如春秋鄭國系譜中即有同名者，但限於叔伯父與姪、叔伯祖父與姪孫之間，而父子及祖孫却無同名之現象。近代則有若干氏族，父子之名在習慣上不僅不使其同字，且不使其同音同韻，此適與同名或聯名之制相左。

排名制——排名之方式頗多，主要者為倫序制，俗稱行輩制。以輩言，即將成語或詩句列次，每代取其一字作命名之用；以行言，即按「出生別」命名。宋人洪邁夷堅志所載宋時雜事，有「南城田夫周三」，「臨川人董小七」，「徽州婺源民張四」等，這些人即係以排行為名。俗語有所謂「張三李四」者，朱子語錄云：「易惟說這個道理如此，何曾有張三李四」，但語中人雖不可考，其所以用張李之姓與三四之名，却並非無因，「張」「李」二姓或係由「張王李趙」而來，「張王李趙」乃「黃帝賜姓也」（見風俗通），其族均繁，又據通俗編稱謂章云：「張王李趙語，係依梁書張甲，王乙、李丙、趙丁之次，非俚俗所偶然杜撰」，而「三」「四」二名似即由排行而來也。除行輩制以外，類乎春秋楚鬻熊之後，世稱熊氏之制，亦有視之為「世代排名制」者，此說似欠妥，因為由楚鬻熊而熊麗、熊狂、熊繹……，顯然係由聯名制或「子孫以父祖名字為氏」制演化為固定姓氏制。

聯姓制——古代婦女除乳名外，其本名大都是在姓下加「氏」字，稱為「某氏」，已出嫁者則再冠以夫姓，稱為「某某氏」。這種「姓名」之變化，其關鍵不在「名」而在「姓」。

以數字命名——以數目字命名，除排行外，另有以父母年齡合算者。據清俞樾春在堂隨筆卷五謂：「徐誠庵見德清蔡氏家譜有前輩書小字一行云：元制庶人無職者不許取名，而以行第及父母年齡合計為名，此于元史無徵，然證以高皇帝（明太祖）所稱其兄之名，正是如此，其為元時令甲無疑矣。現在紹興鄉間頗有以數目字為名者，如夫年二十四，婦年二十二，合為四十六，生子即名四六，夫年二十三，婦年二十二，合為四十五，生子或為五九，五九四十五也」。又據承休端惠王統宗繩蟄錄云：明太祖之父叫五四，名世珍，二兄重六，名興盛，三兄重七，名興祖，而明太祖本人叫重八，名興宗。由此可見明太祖一家原均以數字命名，至於世珍、興宗之類學名官名性質之名字，或係明太祖後來所追立者。

詼諧文人

漁翁

古之最詼諧者，首推漢朝東方朔，字曼倩，武帝時，為金馬門侍中，以諷諫得名，長於文辭，作「答客難」一篇，娓娓動人，揚雄班固以下多仿之。

有清一代，崇尚文學，而其博學強識，首推南袁北紀，南袁名枚，字子才，以風流稱，北紀名昀，字曉嵐，以詼諧聞，紀河間人，生而穎異，弱冠入詞林，為清高宗——乾隆帝所厚愛，乾隆遊江南，命紀隨行，一日，在某寺前見江中有小漁舟，乾隆囑紀賦詩一首，以漁舟為題，限尤韻，並嵌十個「一」字於內，紀即占前兩句云：「一篙一水一漁舟，一個漁人一個釣鉤」，吟哦稍延片刻，乾隆笑拍其肩而催成下句，紀接着云：「一拍一催還一笑，一人獨釣一江洲」，尤以最後一句，饒有雅緻。

紀在翰苑，為最出色人物，擢卿貳，入清帝之「值南書房」，時值炎夏，紀體肥畏熱，嘗赤身露體，忽聞帝至，着衣不及，遂倉皇避入床下，乾隆就坐觀書，不發一言，紀以帝離去，不覺失聲曰：「老頭子走未？」乾隆怒，命出而斥之曰：「爾何以稱朕為老頭子？」紀不卽不離奏曰：「老者，皇帝萬歲，頭者，居萬人之上，子者，乃天子也。」帝笑而赦之。

紀總纂「四庫全書」，為一代碩學鴻儒，心靈手敏，開口成章，尤其性好詼諧，時人目為東方朔第二，其遺聞軼事，至今猶傳為佳話。

政治家（二）

徐學慧

任何一條法律，均不能垂之千秋萬世，把它當作是解決某一項問題的試驗，那正是英國人製訂法律的方法。唯其如此，所以他們在製訂法律之初，乃特別着意於當時的輿論反應。

巴克爾（H. T. Buckle）在其所著「英國文化史」一書中，描述喬治三世時代的一位政治人物柏克的特色，有一段說得好極了。他說：

「在他（指柏克）一生最得意的時期中，他的政治原理並非空想的而是實際的。這一點，實在可以奇怪，因為各種關係都可以引誘他採用相反的途徑。他所有的資料之豐富，可以使他較當時任何政治家易於作綜合的結論。常常，可以說凡有機會，他都發展他的才能有如一個創作的和思維式的思想家，但一旦當他踏到政治論點的時候，他就改變了他的方法：……他深深認識了那偉大的原則，那立法的目的不在是否合乎真理，而必須在乎它能否適合當時情勢。」

後面的幾句話，如果拿來移贈給那些在兩年前堅持要通過出版法修正案的立委諸公，大概是可以令他們有些感想的。那時候，海內外一片反對之聲，而立委諸公則聽若無聞，堅持要秘密審議，堅持要通過。在我看來，這些可敬的議員先生們，似乎都不太懂得政治，更不要說政治上的權術之運用。

如有人目此為狂言，我就姑且承認這是狂言吧！當然，我們很難說寫這部「英國文化史」的巴克爾也是狂言，因此，再引述一段他描寫柏克的話，并不算浪費篇幅。巴克爾說：

「無疑地，在他（指柏克）以前，我們也有其他的政治家否認普遍原理在政治學中的效用，但是他們的反對是基於由愚昧而發生的樂觀的猜度，而且他們反對一切未曾深研的理論，而柏克之反對那些理論，却是因為明瞭他們。最顯得他有能力之一點就是：他無論情況引誘到他去依靠自己的概念，可是他總拒絕這種引誘。雖然他富於各種的政治知識，他總憑着事件的進行來組成他的意見，他認識政治的目的不在保存特殊的法典，不在宣傳特殊的主義，而在於大多數人們的快樂。」

這幾句話，對於一切從事政治的人來說，是應該作為座右銘的。

立法，不論其有何天大的理由，如果在當時的情勢下為各方所反對的話，此種法律的製訂或修正，是不必也不該太過於「依靠自己的概念」的。

望海樓隨筆

大陸文壇萬花筒

就當中共在大陸大鬥巴人的同時，人道主義却大為流行，更難得的是倡言人道主義的作者，都是共產黨員，而且也多是新進作家，都是在共產黨新社會中成長的，現在居然和共產主義對立起來，中共焉得不驚，對於始作俑者的巴人，自然更不肯放過了。

人道與畜生道

——岳騫——

整個大陸有多少作家、學者在提倡人道主義，無法全部知道，但每一個角落裏都有，任何一個刊物上都能遇見。就以上海而論，最近舉行的中國作家協會上海分會會員大會時，曾經鬥爭了蔣孔陽，錢谷融，任鈞等。據大會上所宣佈的罪狀是「極個別的人的修正主義觀點。他們貶低社會主義文學的成就，認為社會主義文學沒有創造出典型人物形象，並且也不可能創造出典型形象；他們反對文學為無產階級政治服務，強調美必須要超現實，超階級，超政治，如果具有實用作用，為革命需要服務，就談不到美；他們大肆宣揚資產階級人道主義，抹煞無產階級人道主義和資產階級人道主義的根本區別，要求社會主義文學表現資產階級的人道主義思想；……」

這一段話若剔掉共產黨的「切口」，可以看出他們要求的文學作品應該是真的形象，美的描述，善的人生。根據這個觀點加以發揮，可以變成一篇文化界很有力的反共宣言，自然擊中了共黨的要害，所以中共最近出動一級爪牙，來清算「人道主義」。

中共文化部副部長錢俊瑞（此君是中共目前高級文化幹部中，唯一可與「文化總管」周揚「拘手瓜」的人物，以後有機會再談）在替列寧作九十歲冥壽時，寫了一篇「堅持文學的黨性原則，徹底批判現代修正主義」一文，其中提到「人道主義」，錢俊瑞先把人道主義痛罵一頓，然後自問自答的答：「你們難道全面地反對人道主義？不！我們反對的只是資產階級的偽善的人道主義。」為什麼反對「人道主義」。據錢俊瑞說，因為人道主義越發展，「社會主義和共產主義事業便越遭受嚴重損害。」這到是實話，因為共產主義就是要把全世界的人都引進畜生道去，但是人道主義光輝一日不滅，畜生道的人們終究必有升天的日子。

釋耒集

謀身與謀國

曲齋

繆組堂雜志載：「趙子固、向伯升，太原人，攜家南渡，各有中原田契兩箱，其初日望恢復，思契復業，至今七十餘年，竟成無用。」昔者齊師伐魯，孔子曰：「夫魯，墳墓所在，父母之國也，國其危如此，二三子何爲而莫出也。」祖宗廬墓田園之所在，雖聖爲孔子，猶不能恝然置之，則趙子固、向伯升，懸懸於田契兩箱，日望復業，固人情之常，而終至於七十年之久，竟成無用，則惟之過乎？讀廿二史劄記，論宋南渡後，亦未嘗無可乘之機，其一在金廢劉豫，以地予宋，而兀朮又與兵來取之時，宋則劉錡有順昌之捷，韓世忠圍淮陽有泗口鎮，潭城，千秋湖之捷，岳飛有郾城之捷，潁昌之捷，已進軍至朱仙鎮，且日直搗黃龍，百通坊，劉家灣，韓家城之捷，使乘此勢，策勵諸將進兵，河以北雖不可知，而陝西河南地，未必不可得，乃當時君相，方急於求成，[illegible]班師，遂成畫淮之局，此一失也。其一在金主亮瓜洲被弑之後，軍潰而歸，中原鼎沸，南有魏勝，北有耿京，當籌之叛亂，金世宗雖賢，登極未久，國勢易搖。宋則孝宗爲君，張浚爲相，皆銳意恢復者，使有韓、岳諸人，以訓練之兵，討離携之衆，自當大有克捷，而諸宿將已無在者，僅一劉錡，老病，吳璘，又病，所恃李顯忠、邵宏淵輩，望輕才薄，纔得靈壁、虹縣，宿州輒大潰，於是三軍暮氣不振，所京都不可復，此又一失也。考乾道六年，曾以范成大使金，求議還歷代帝皇陵寢所在地予宋，而卒無結果，是孝宗固未嘗忘懷祖宗墳墓也，然機會之來，稍縱即逝，人生壽非金石，則南宋之所以終不能恢復者也，范國後，感慨至深，曾撰爲擅響錄一書，陸游讀之，感其事作詩曰：「公卿有黨排宗澤，帷幄無人用岳飛，遺老不應知此恨，亦逢漢節解沾衣。」近時閱報，知最高行政院所擬閣員名字，均屬在大陸時即已熟知之人物，夫劉錡、吳璘，未必非英雄，而及其老，病非死，即勢不免於暮氣不振，宗澤，岳飛，淪泗沾衣，其亦繼望於光復而已。因憶陸游追感往事，亦有詩曰：「諸公可嘆善謀身，誤國當時豈一秦，不望夷吾出江左，新亭對泣亦無人。」善於謀身者，往往疏於謀國，而謀身之不暇，則勢必致於對泣無人乎？

詞林雜憶之二

休問，石投東海幾時迴

丁雨

我國文人，自屈原而降，以懷才不遇，天降百凶，終致自沉者，代不乏人，就民國而論，其于詞學界，卓然有所樹立，足以表見當世，並啓迪後昆者，卽前有王國維，後有喬大壯，尤以喬氏之投沉，非激于家國大變，而有近于小人之煩擾，此則吾人所深致其痛惜與太息之情者也。

關于喬氏之死因，說者莫衷一致。然就余（卽筆者）所知，則有關中央大學某方面人事措置之乖方，殆爲其一因。蓋自抗日勝利還都翌年，中大內部以派系傾軋之故，致于某方面人事發生頗大之更動，喬氏對此卽會深致其憤慨與不滿，遂且拂袖而去，改就台灣大學教職，雖以系方之再三挽留不顧也。系方爲此，曾改聘平日頗爲喬氏所推許之某氏繼其職，以安諸生反側。但台省氣候炎熱，于身體素爲羸弱之喬氏，頗不適宜。且以酒、茶欠佳，尤使其不能久居。故當翌年春末，彼卽返上海。但此時喬氏以既離台大教職，未便續支該校薪水，致經濟不無拮据。旋且以某氏來見，言下透出欲其勿再返中大任教之意，于喬氏平日之爲人，至不了解，且有類乎妄測，益增喬氏憤激，而不久，喬氏卽以自沉蘇州河聞矣。

然余于此猶有說者，當喬氏未離台灣時，曾函致中大某生，中附定風波詞一首，其末句有云：「休問，石投東海幾時迴」。是則其抱投東海必死之決心，固由來頗久，此觀于余上文所云亦約畧可予推知，而非始于自台北返後也。傷心人別有懷抱，其有激于中大人事之變遷，蓋僅其近因與導火綫耳。聞喬氏自沉時，曾致函其家屬，並附以詩句云：「此地此時成絕命，瀟瀟暮雨在蘇州。」意戾而辭潛，詞人薄命，千古如斯，尤當爲天下斯文，同聲一哭。

詩詞漫談：詩讖

長安居

詩語成讖，古已有之，昔人每從詩中判斷人家的吉凶禍福，亦多能言中，此中玄妙之處，誠不可思議者。

「老學庵筆記」載：「李後主落花詩云：鶯狂應有限，蝶已無多。未幾亡國。宋子京亦有落花詩云：香隨蜂蜜盡，紅入燕泥乾。亦不久下世。詩讖蓋有之矣。」

五代時，吳人范攄之子，七歲能詩，嘗作詩云：「掃葉隨風便，澆花趁日陰。」他的朋友看到這句，說道：「這孩子他日必成名。」待讀到他的夏日詩：「雲生不雨，病葉落非秋。」不禁皺眉道：「可惜了，可惜了！有這樣好的詩才，就怕他不能長壽。」果然，三年之後，這孩子就去世了。詩讖倒也。

「詩話總龜」載：「何昌齡宰盧陵郡，郡有術將擇克儉，能媚州牧，昌齡以兄事之，嘗遊其池館，昌齡貽之詩云：『經旬因雨不重來，門有蛛絲上壁苔。再向白蓮亭上望，不知草木爲誰開？』未幾，克儉因事蹈死刑，其家破焉，識者以爲其詩之讖也。」關於詩讖之事，古書上載的很多。要加以圓滿解釋，殊不容易。如果要勉強的去分析，只能說是詩爲心聲，我們從詩句窺見作者內心的思潮起伏，再從此種心理狀態，去推測其未來。不幸而言中，則認爲是詩讖；若果不中呢，不中總是好事，當然沒有誰筆之於書了。因此，在一切詩話中所看到的詩讖，都是屬於已經應驗過的，正如同醫生治愈病人的紀錄，星相家爲人卜休咎的紀錄一樣。

然而，也有不可思議之事，爲筆者所親見。說起來，那是民國三十七年的事了。筆者寄居南京，一日，接喬大壯先生來函，（喬先生，四川華陽人，名詞人，曾任中央大學詞學教授。卅六年去台，任台大教席，筆者肄業中大時，喬授獎成詞。）中附近作「定風波」詞，末句云：「休問，石投東海幾時迴？」余友李敦勤君見之，拍案叫好，許爲佳句，但我獨戚然，一種莫明其妙的思潮，掠過我的腦海。李君見余不樂，忙問道：「怎麼啦，你認爲大壯師這首詞作得不好嗎？」（李君亦爲喬師大壯之弟子）我苦笑一聲道：「詞倒是作得很好的，只是末句有問題。你想一想，休問，石投東海幾時迴，這樣的句子，是不是隱示着大壯師會有投水自盡的可能呢？」李君不以爲然，還笑我空扭心事，我當時亦不便多說，只是在心中總有一種不安之感。詎知不到半年，而大壯師竟以在蘇州投水自盡聞。

消息傳來，我們都不大相信，可是，三天之後，終於證實了。誰也不知道他是什麼時候來到蘇州的，事後調查，纔知道他是特地從台灣跑到蘇州來投水。來到蘇州之後，寫了一封很長的信，由郵寄發他的兒女，還寫了一首絕命詩，中有「此地此時成絕命，瀟瀟暮雨在蘇州」之句，就在此信寄出去的當天晚上，此一代詞人就投水自盡。

大壯師以詞鳴於時，重潛氣內轉，工力直逼美成白石。（本刊同文丁雨先生在上期詞林雜憶之一中已說得很多，這裏不多分析了。）平日頗贊賞王國維之論詞，不料王國維先生以投水逝世，而喬師竟又步其後塵。六十之年，道德文章蓋一世，居然要投河自盡，這究竟是甚麼原因呢？是不是痛感身世飄零，國事蜩螗，而生厭世之念呢？

「休問，石投東海幾時迴？」幾時迴竟成爲永不再回來了！所謂「詩讖」也者，難道眞有這回事嗎？是的，一個人，詩識當眞是有的。對未來的安排有了一種什麼動機的時候，有意無意之間，他也會在詩詞裏面流露出來的。我們從這些流露出來的詩句，多少可以看得出作者的心機。在古代帝王時代中，有一些詩人詞人，以一詩一詞而賈禍，或老實說，除了那些有意羅織，而意圖陷害的不說而外，其他也是相差不會太遠的啊！

海嘯慶談會

桂軍與共諜關係（下）

諸葛文侯

對日抗戰結束後，白氏在中樞要職，劉仲容依然是白氏唯一的親信幹部，劉平日在白公館出進，自由穿關入室，如須休息，且可以假寐於白氏的臥榻上，關係之密切，有如此者。民國卅七八年之交，徐蚌會戰時，我軍在皖境的一切行動（這時安徽省隸屬華中軍政長官統轄），共黨皆事前即已洞悉其詳，如黃維、邱淸泉兵團之中途覆沒，即其明證。若不是共諜劉維章與劉仲容從中作梟，何至於此呢？尤其是安徽方面的軍情關係整個戰局的勝敗之數，因爲此時我方的援軍，只龔華中軍政長官所屬各部隊了。嗣後鄂豫各省參議會的反戰通電，白崇禧對中樞陳述「三不可戰」的密電，乃至於華中軍政長官公署在武漢截留中央由四川運來的軍械米糧等事，我認爲都是劉仲容從中煽動而然的。共諜唯恐天下不亂，而李白等人只想利用時機以攫取政權，相信自己必不致爲共黨所擊敗。白氏明知劉仲容是共黨份子，但予智自雄，以爲憑着自己的聲望才幹與實力，卽共產黨人亦會佩服崇拜，不敢隨便搗亂的。這就是白崇禧一敗塗地的基因，若說他故意縱容共黨倡亂禍國，却非持平之論，否則他就不會到台灣來了。白氏當年在海南島決定遠離台灣之際，曾對左右說過幾句明心見性的話，他認爲「跟蔣總統相處縱然不得志，那是個人的榮辱問題，跟共黨鬥爭却是一個生死問題了！」

共諜劉斐等平時以高度的隱蔽方法，潛伏桂軍統帥左右，調悉軍政機密情事，再利用李白與中央的政治矛盾對立因素，施展「政治瓦解敵人」的魔術；戰時卽乘機將桂軍一切動靜，隨時隨地密報於共方。職是之故，共諜乃先使敵人陷於政治瓦解而不自覺，最後纔將廿萬桂軍毫不費力的全部解決，做得既乾脆，又徹底，曷勝慨歎！據說毛澤東在北平初見劉斐時說道：「你的功勞最大！」實則劉仲容的勞績亦不在維章之下，假使他不把我們的「小諸葛」白將軍迷惑住，長江以南的戰事，共黨便不致那末容易得手，卽令我軍最後撤至湘粵桂邊境與共軍周旋，至少至少亦決不會發生二十萬能征慣戰的桂軍，竟不戰而全體瓦解中被俘的怪像。昔時劉邦與項羽爭天下，劉謂「吾寧鬥智不鬥力」，今日我國軍人既好玩政治，然又迷信武力，認爲政治只不過是槍桿上的附屬品而已。整個神州陸沉之禍，就是從這一念之差產生出來的，李白固然如此，其他的袞袞諸公又何嘗異乎是呢？吾述至此，眞不勝其「後人無暇自哀，又使後人復哀後人」的隱痛，能不悲哉！

文壇軼話

懷李承晚

道南

韓國已辭職赴美的總統李承晚，他早歲在美攻讀哲學，獲得博士學位，可算是哲學家總統。韓國此次政變，突如其來，令人如墮入五里霧中，莫明究竟，李氏在傷感之餘，亦或許有不得不去美之苦衷。

李氏對於中國文學，夙有偏好，造詣也頗深。當早年逃亡到中國時，曾遊錢塘江，觸景生情，作下七律一首，亦殊可誦。詩曰：

「錢塘景色飽聞名，此日登臨暢客情。古塔西南平野色；瓊樓日夜大江聲。山圍南越千年地；橋出東韓萬里程。獨立斜陽聊極目，征帆落處暮煙生。」

所以當他八旬大壽時，他特別向自由中國的詩人，徵詩爲壽，一時獻詩者頗多，琳琅滿目，美不勝收，謹茲錄女詩人張默君的五言古風一首云：

「大韓一海宇，千禩崇其封，明德聖之徒，忠勇流遺風，倏焉遭倭亂，九世邦國仇，雪恥倡復國，公竟人中龍，儒女奇俠武，甲兵羅錦胸，松筠秉至操，金石堅深衷，哀涕感秦庭，義聲來白宮，得中動天人，殷民三后功，驚霆撫奇變，赤燄摩蒼穹，華韓緊脣齒，砥柱東溟東，兩賢運神樞，抵掌噓長虹，極國斯極節，廓然天下公，雙髻鴨江綠，玉是亶顏紅，仁者壽無疆，萬代昇平隆。」

張默君的善頌善禱，老人當亦顧而樂之，乃不料復國之功未竟，李承晚又以去國聞，事變滄桑，曷勝嘆息！

僑務委員會核發台效新字第三三三號登記證

自由報

中華郵政台字第一二八二號登記為第一類新聞紙類

內政部頒發僑台報字第零壹號內銷證

THE FREE NEWS

版出期六、三期星每刊週半

第三十六期

每份港幣壹毫　台灣零售價新台幣二元

社長：雷嘯岑

督印人：黃行審

社址：香港銅鑼灣高士威道二十號四樓

20 Causeway Rd. 3rd. Fl. HONG KONG

TEL. 771726

電報掛號：7191

承印者：田風印刷廠

地址：香港高士打道221號

台灣分社

台北市西寧南路110號二樓

電話：三〇三四六

台郵撥儲金戶九二五二

為艾森豪總統進一解

——歡迎艾總統訪華——

雷嘯岑

美國總統艾森豪先生今天到達台灣，訪問自由中國的朝野人士，我們謹以海外華僑社會的自由職業者身份，對於盟邦元首此行，表示誠摯的歡迎之忱，也願據述一些感想。

中國自一八四二年經過鴉片戰爭之役，海禁大開以來，百餘年間飽受世界列強的凌轢摧殘，陷於極貧極弱，俯仰由人的生存環境中。唯有美國對我們始終保持着友好的邦交，有時候且為中國問題仗義執言，深抱不平，甚至不惜冒戰爭的危險，拔刀相助，史事昭彰，歷歷可考。中國人認為美國乃是全球之中唯一可親可信、而又緩急可恃的友邦，毫無疑問。可是，到了二次大戰結束後，中美兩國為着中國共產黨團問題，看法不同，主張互異，馴致招來毛共竊據中國大陸的奇禍，兩國的邦交亦因此暗受損傷，遠不如過去的親密和諧了。這責任固然不能完全課之於美國身上，我們自己的人謀不臧，實屬咎無可辭。但美國當局昧於俄式共產主義的本質與作風，誤認中共祗是一個社會改革運動者，以為藉此可使中國政治進步到現代化的民主憲政階段，乃從而鼓勵之，許之不遠，間接打擊我政府的戡亂計劃和行動，卻為無可否認的事實。這次艾森豪總統入主白宮之初，即宣佈解除「台灣中立化」政策，就是美國第七艦隊不復此護中共的安全，美國對自由中國政府的軍經援助亦已逐漸加強；中國人以為美國對華政策與過去截然改觀，將從此以全力支持我們對日抗戰的情形，後先媲美，使我們克奏反共救國之功了。然而歲月蹉跎，局勢演化，艾森豪總統以「中美安全互助協定」限制我們反共救國的軍事行動，又以外交方法勸我們大陸「不以武力反攻」，而所謂「聯合聲明」，「計劃」、「台灣共和國」計劃，不將臨時一喧騰於美國輿論界和一般政治人物之口，且見之於若干官方和民間的文字紀錄，是誠何心，殊難索解。

假使俄酋赫魯曉夫不藉着U—2飛機事件而使巴黎高峯會議臨時夭折的話，我們相信艾森豪先生對中共的姑息妥協「計劃」將予嘗試，或所謂「台灣共和國」，或亦呼之欲出哩！這決非我們神經過敏的逆臆之詞，祗看艾總統在未到赫魯曉夫的無禮侮辱之前，訪問台灣，堅決表示無心情，即可領悟了。俄共集團為實行「世界革命」計劃，而採取大力反美的政策，毫不足奇，英國在二次大戰以前，居於世界盟主地位，俄帝即以盲目反英為外交準則，二次大戰以後，美國已取英國地位而代之，俄帝乃以反美為急務，倚勢至為顯著。美國幻想能與俄共集團「和平共存」，永遠保持着本國的安全繁榮生活，而欲在亞洲方面跟中共妥協，避免衝突，互不侵犯，豈非淺薄幼稚的思想嗎？如果犧牲一些弱小國家民族的生存利益，便可以換取大多數人類的和平康樂幸福，那也就是歷史上無可奈何的事，但證諸歷史上，這類例子並非沒有，征服的人，然為共產主義者所使，一九一八年之交，英法政府遠出兵干涉蘇俄的列寧政權，固然所得而統一全國，如今俄共集團到底的自由世界，與俄共的鬥爭應是政治理想指導，則團結大家，互信才可以精誠致現舊時門，到底不懈，美國反共竟是些甚麼的政治理想，究令人不無惶惑之感，空洞的「民主自由」口號，只是一種模糊的概念而已。共產主義者教人們犧牲本身的安樂生活，為下一代創造幸福，自由世界的領導者若以犧牲弱小國家民族的生存權益，來遷就強大國家一時的利害關係，「唯」之與「阿」，相去幾何？想從自由人類治理，信不能教人弱小嗎？自由的政府，許多國家由獨立而取中立，反共就不是對親共媚美的政策方法，是發生於共產國家，這類的中立國家的統治者，於而然的中立，艾克總統對美國當局，會經大加贊許，美國說來是從中立主義，美國發展起來的號召，自由世界團結反共，強調集體安全之說，共產人類由一意何居乎？人類每一種生存發展的理想，而構成強烈的希望而產生信仰，從因信仰而建立行動的，熱力。目前中國人民的生活最高理想，是反共復國，生存發展，乃唯一的奴役，放棄全國同胞，然美國為大陸，希望而反共，苟安台灣的一軍事行動，行放棄，坐待共產政權擬以「自行崩潰」，為最後台灣共和國之所以安身立命，把中國五億人民所具有的強烈希望予以破滅了！希望既告幻滅，又怎能激發反共鬥爭的熱力呢？我們並非好戰主義者，亦瞭解美國在自由世界各地區所担……

小編天下

△艾森豪訪菲律賓，下機伊始，發表演說，開首便提及「我的舊上司麥克阿瑟將軍」。

△西德總理阿登諾對記者稱：赫魯曉夫破壞高峯會議後，已竊得在亞洲更高之地位，復稱：歐洲人太過注意自己而忽視遠方。

「十二金牌」之厄，其可稍伸矣乎！

此公頭腦清醒，怪不得常被赫魯曉夫醜詆痛罵了。

△西藏炮火連天，無人瞅睬。東京吶喊連天，大國緊張。

此不是東風壓倒西風，而是冷戰壓倒熱戰。

△東京暴動發生血案，艾森豪訪日受阻。

「花徑昔曾緣客掃，蓬門今不為君開」。此一副「嫁女聯」，可持贈日美締交百年紀念。

△日本左派份子擁受俄共及中共唆擺，在東京狂呼反美，中共命令在香港的尾巴報紙，要努力捧場，把「將當年日本侵華暴行從頭細算」，把幾個日本人在東京反美，叫做國人作「反美帝」，本屆得狗血淋頭。

叫日本人反日，兩反相乘，宜乎香港中國人反日，兩反相乘，竟得其所哉！得其所哉！

香港中國人反日，兩反相乘，嫡暫之正。

△由香港部寄大陸的糧食包紛紛被扣回，苦了綠衣使者的腳，大陸饑寒香港風災難民食米五十萬斤，部將「難民的心」，閉着眼睛和掩着良心去做宣傳，不難在使人也閉着眼睛和掩着良心去接受宣傳。

△最近大陸人民最怕三腫：頭腫，肚腫，腳腫。

吃得肥胖胖的毛澤東及其新貴們當然痛管。

政黨的左傾幼稚病似有逐漸蔓延的趨勢……

△香港經質幾品，在星加坡市場打倒大陸中共同樣的製品。

在沒有自由的地方生產的東西，不能適應自由貿易市場的競爭。

△香港近多風雨，「瑪麗」風神似有餘威，談者猶多變色。

「瑪麗」如早來五六年，容納百萬難民的木屋區何堪設想？

仰瞻從龍匿，當思高貴洪。

△由大陸潛逃英之麥哥馬利將軍，已更加成功為一位「怪論專家」。

哥馬利將軍，美有工業家伊頓，英有濠凱撒用與報紙篇幅，莫斯科及北平卻無須付出半文廣告費。

我則寬哉莊也，彼則何幸如之！

方南

自由談

有人說：現階段中華民國國運雖然艱屯，但有「三帝」之力，國際間的集體安危已經形成國際間的集權奴役運動，自由人類反共產極權奴役的美帝之力。其次是俄共集團所指戰，仇視的「美帝」之力。自由人類反共產極權，不為所不分割了。美國以其強大無比的國力，領導自由人類的反共鬥爭，使俄共集團的世界革命陰謀，終不得逞。只要美國不被俄共們征服，自由人類即不會淪於奴役生活中。中華民國既屬自由世界之一員，當然獨立生存的

三帝救國論

馬五先生

首先是咱們老祖宗黃帝之力。他於建構中華民族的國家組織之後，即有倉頡先生創造一套中國文字，奠立了中國文化的強大基礎，歷五千年而不敝，使中華民族永遠屹立着，不為異族所同化而泯沒之。近十年來，毛共要想徹底消滅中華民族的固有文化，嘗試廢棄漢文的方塊字，易以拼音而採用拉丁文字，終於心勞日拙，扞格難行，即其所謂簡體字運動亦行不通，有如蚍蜉撼大樹，枉費氣力而已。這證明中國固有文化的潛力根基深厚，亘萬古而光芒耀，如日月經天，永垂人間。

從中支持應援，絕對能夠復興的。何以言之呢？

生存，進而乘機光復中原，還我河山無疑也。再次就是間接得力於俄帝的意外幫忙。我們試回憶近十年間的往事：當毛共竊據中國大陸，循立為俄帝之初，美國民主黨政府傾力向毛共遞好親近，只要毛共不反美，即願意以四十億美元援助其建設。若不是毛共負義，掀起韓戰，教毛共遠遠於俄帝，而讓中華民國政府在台灣受協姑息思想歸於幻滅，間接對中華民國的生存發展有莫大幫助嗎？「美帝」為其幕下，又承俄帝隨時間接贊助，中華民國前途，永遠是光明的。夫是之謂「三帝救國論」。

生聚教訓，整軍經武，擁有強壯的自衛力量，又為使美國以海空軍東來協防的話，情勢還堪設想嗎？迨史魔暴死以後，俄酋赫魯曉夫倡其「和平共存」論調，美英各國當局欣然附和，且主張邀約毛共先行參加國際裁軍會議。假使赫酋不因U—2飛機事件而大發神經，四國高峯會議舉行如儀，大家真是依照談判方式以解決世界問題時，中華民國便有被犧牲出賣的極大可能性！由於俄帝的胡行妄為，使美英的

負的軍事重戰爭，不一義務，確認美國的政策，顧全了我國政府，無不可以當局深慮，美國從事戰爭，大陸的軍事行動計劃，全然無補於其實，乃是自己的事，以「美國人不願意」為中心，一切作戰行動，乃以「對美國人有利」作為計劃的「美國人」為大目標，小心的「美國人」，他們如果能「反共」，不可以能放棄自由，中國自由，前此而在美國其他地區，也就可以放棄其盟邦「反共」，運動而改變為中立路線，美國假使自由世界的盟國，都採取中立自然地便居於民主政策國家……

於俄共集團所期望的孤立國家，保民主國家，府在不能隨便國際上孤立，依靠美國美國民主國家，亦有高度的自覺而不能不顧國際地位和聲譽，為美國統戰的反共戰爭的時候，我們如果一次大選美國大選，我們似不需要美國人民的投票，絡然裁決，而政府卻也隨之，為大戰，需要美國大戰期間的潛力。二次大戰的時候，美國的先進工業基礎，國家的兵工廠自任，實行參戰，而美國的全面資源為反共力量，就是美國今日當局的主地位，居自由世界的盟國，……

現時，俄共集團所宣傳的反美，勢所必至，接受美國的援助，亦即等於接受美國軍援條約的結果，也就是我們的「軍事基地」，等於美國的美國的附庸，美國人民當局的不滿，應速在人民反美，這也許是甚至與民族主義思想，以反美宣傳，中國人必不服膺「以德報怨」之道，決無所謂反美的意念，而此次艾克訪問，乃國家元首之間的友誼與禮貌，我們很坦白而直率地說，我們所見到的，艾克訪問遠東前夕，發表的文告中，提到此行的目標，乃是「以求諒解」，與「改善國際關係」的用意，不無裨益也。

從印尼國會看印尼政局

本報特稿

周郎

印尼第一屆「制憲國會」成立於一九五六年，任期原爲六年，但蘇嘉諾於一九六〇年初頒佈第三號法令加以解散；並於同年三月卅日會」，公佈其所組成之新國會之全部議員名單，這在印尼政治上是一件大事，影響今後印尼之民主制度及政治動向很大，且讓我們加以詳細的檢討。

六年，印尼第一屆國會是在自由選舉的空氣中，是由全國選民在自由選舉中，選出其所喜愛的政黨，再由各政黨提名選爲國會議員。在選舉的過程中，各政黨曾自由的將其政治主張及號召向人民公開宣示，人民亦自由地投下其神聖的一票，而在普選期間中，全國人民莫不作工停業，踴躍投票，表現了良好的民主風氣；故第一屆制憲國會的產生，可說是印尼政治史上的創舉，西方民主國家亦加以讚揚，認爲是一件難能可貴的工作。在該次選舉前後，政府曾支出三億盾的選舉費用，各政黨所用的競選費用尚不在內，足見印尼官方與人民對該次選舉的重視。

第一屆「制憲國會」擁有席位二百六十席，國民黨佔五十席，馬斯友美黨佔五十席，印尼共產黨佔三十九席，其餘則由其他各小黨分佔之。印尼共產黨是親共的政黨，國民黨雖然有部分黨員親共，但反共的黨員仍佔多數，神學會是純粹回教政黨，本質上是反共的，社會黨也是反共的，其他各小黨如基督教黨，天主教黨等也是反共，至於左傾政黨自然以印尼共產黨爲首，尚有平民黨，國家勞工黨等，但都因所佔席位不多，故在國會中起不了作用，而反共勢力佔絕大多數。

正因爲「制憲國會」中的反共勢力佔優勢，因此，對政府的施政方針，甚至對總統的牽制力量是相當大的，尤其是蘇門答臘北部的叛亂，以及蘇拉威西共同公開反抗政府以後，馬斯友美黨，社會黨以及其他反共政黨，經常以反對黨身分，在國會中批評政府，阻撓政府的政策，因此制憲國會，就成爲政府及蘇嘉諾的眼中釘，根據一九四五年憲法而加以解散了。

至於「通力合作國會」的產生，並非係由人民的公開選舉而是由蘇嘉諾所一手指定的，它的全部議員共有二百六十一名：政黨議員一百三十名，武裝部隊議員三十五名，職業議員九十五名及西伊里安代表一名，所謂政黨議員，是指定政黨中人爲議員，計國民黨四十四名，神學會三十六名，印共三十名，基督教黨六名，天主教黨五名，印尼回教聯盟五名，回教行動黨二名，平民黨一人，印尼黨一人。所謂武裝部隊議員位是由海陸空警及自衛團現任軍人中指定之，計陸軍十五名，空軍七名，海軍七名，警察五名，自衛團一人，共三十五名。所謂職業議員席位是指定下面各階層中人士爲議員，計農民二十五名，勞工二十五名，回教學者十八名，基督教士二名，天主教士二名，青年六名，婦女六名，合作社三名，民族商人二名，五四年革命隊伍代表二人，退伍軍人二人，藝術家二人，新聞記者二人，西伊里安代表一人。

從上面五花八門的「通力合作國會」議員席位的分配看來，我們得到的印像是：（一）反共最力的馬斯友美黨及人才最盛的社會黨竟沒有一人被指定爲議員。（二）反共的黨被指定爲議員的祇有十五人。（三）印尼共產黨議員竟佔三十名。（四）職務派中的議員爲農民、勞工、青年、婦女、合作社等，都是印共黨員的化身。（五）國民黨，神學會黨，平民黨，有許多是印共的同路人。因此，整個國會，已是印共黨的天下了。

如所週知，國會是表達人民心聲的場所，然而，像這樣一個國會，所有國會議員既受一人所指定，又無反對黨的存在，它所代表的自然不是千萬印尼人民的心聲；而是蘇嘉諾一人的意志。在另一方面，由於共產黨及准共產黨的充斥，它所代表的一定不是崇尚自由的印尼全體人民的公意；而是代表着一羣通力合作，一心想赤化印尼的共產黨徒的陰謀。

自從蘇嘉諾公佈了這通力合作國會的議員名單後，印尼有識之士，莫不搖頭歎息，認爲是蘇嘉諾走向獨裁路線，向共產主義一面倒的有力明證，隨着而來的反應是：（一）神學會政黨中讚成與反對的兩派已鬧分裂，反對的以達蘭 Dahlan Maskur 爲首，反對通力合作國會的成立，同時要退出該國會，贊成的以依咸 Idham Chalib 爲首，贊成該國會的成立。這一分裂現像已逐漸擴大。（二）印尼國民黨中亦有此一現像。（三）武裝部隊尤其是陸軍，對共產黨在國會中佔絕大優勢，有着失望而不滿的態度。（四）各地的馬斯友美黨員，以及各黨各派黨員已聯合一致，成立「維護民主委員會」，組織在西爪哇，事實上要求蘇嘉諾收回成命，不要解散「制憲國會」。在本月十三日泗水「維護民主委員會」舉行會議時有百餘名擁護「通力合作國會」的青年衝入會場大打特打，以致「維護民主委員會」人員多人受傷入院，因此「維護民主與擁護兩派已公開衝突了，而這種衝突不過是開始而已！

總之，蘇嘉諾這次解散民選的「制憲國會」及組成受指定的「通力合作國會」，除了必然地要受到人民的反對和憎惡以外，還要受到印共黨的操縱與牽制，這實在是悲劇的，今後印尼的政局更要走向紛亂、貧窮、專制、苦難的深淵了。

台灣民營企業發展的新趨勢（一）

許其京

自由中國今後經濟之發展以發展民營企業爲主。第二期四年經濟建設計劃，將於民國四十九年年底屆滿，現正根據第一、第二兩期四年經濟建設計劃執行成果，及其現實經濟情況，制訂第三期四年經濟建設計劃，其所依據的原則之一，爲：「儘量發展民營企業，公營企業中除電力，肥料，石油與糖以外，其餘停止擴充，並在實際情形許可下，逐步出售民營。」（見三月廿六日聯合報）據聞今日政府，已根據此一原則，爲平衡財政收支，決定採取下列各種措施：①今後不再對公營事業增加資本支出；②對公營事業，貸款緊縮；③若干非必要的公營事業決定開放民營；④政府在民營企業中之官股決定出售。因此，目前中紡、雍興、中本、台北紡織公司──移轉民營，尚有台鋁、水泥等公司官股，亦將相繼出售於民營。

第三期四年經濟建設計劃之建設資金，據經濟部估計：其中需新台幣四百五十億元，工業佔二百億；就工業本身而言，礦業需十六億，製造業需一百廿億，電力約需五十六億。此四百五十億元的建設資金，必須先造成有利的投資環境，以吸收國內外私人資金來台投資。「第三期四年經濟建設計劃」，即將擬妥，其中所感到的最大阻礙，就是資金短細。政府亦應採取各種措施，以便利國內外人士的投資，否則，再好的計劃，沒有錢，亦難實現。」（四月一日聯合報）

發展台灣民營企業，爲今日政府既定的政策，且爲美國所支持，美國安全分署署長郝樂遜氏強調：「美國爲了加速援助自由中國之經濟發展，將給予更多貸款，且以台灣當地的工業發展，爲優先條件。」（四月一日聯合報）現在逐漸付諸實施的『加速發展經濟計劃』是美國經援中國優先努力支持的，這個計劃是供給更多貸款，達到自給自足的目標，不是以年度援助在一固定數目上爲基準的。」「『加速發展經濟計劃』是否能到自給自足的目標，現在尚說不到。但這計劃的主要目標，是首先在參加中國經濟發展的能量。假如一切都照希望出現，則貸款是不成問題的。」「『加速發展經濟計劃』的重點，將放在私人工業上，美國已提供大批資金給中華開發信託公司，儲速貸放工業所需資金。唯一的限制是某些應優先擴充的業務與儘全計劃，應儘先得到援助。中華開發信託公司把所有的資金貸放以後，也有希望得到更多的資金補充。」（四月一日聯合報）

事實上，中華開發信託公司，在美援支持下，今已接受了大量美援資金。該公司資本金，僅有新台幣八千萬元，先行收足者亦不過台幣四千萬元而已。該公司向美援運用委員會貸借「相對基金」達新台幣三億元之多。又向美國開發貸款基金借獲美元貸款一千萬美元之巨。

美援一九六〇年度小型民營工業新台幣貸款，業經商得美國駐華安全分署同意，將由華南、第一及彰化三家商業銀行轉貸。①貸款目的：用以誘導私人資本投資於小型民營工業，使能增加生產，減輕成本，改良品質，增加就業機會及發展國際貿易。②貸款金額：美援相對基金項下撥出新台幣六千六百萬元，平均分貸與華南、第一、彰化等三間商業銀行，另由各該商業銀行參加配合貸款總額之五分之一，三行合計新台幣八千二百五十萬元，兩共新台幣一千六百五十萬元，由三家商業銀行轉貸與台灣小型民營工業。（見六月五日聯合報）

美國援外計劃主持人於四月一日向美國會陳述幾點理由，說明：一九六一年新會計年度的共同安全計劃爲什麼特別着重於對中華民國及南亞經濟發展的援助。國際合作總署署長雷德柏格氏在美衆院外交委員會作證稱：「自由中國政府，已經擬訂一項『加速經濟發展計劃』。此項計劃已經提交美國的代表攷慮。此項計劃中包括中華民國採取許多重要措施在內，例如：賦稅的改革，非通貨膨脹的財政和貨幣政策，比較放寬的外匯管制及公營企業之改爲民營等。」雷氏又稱：「中華民國政府計劃中的許多措施，應能促進私營企業及導致國內投資的增加。現在建議：共同安全計劃，在贍予和貸款的適當配合下，協助台灣以應付此種因投資增加所需要的外滙。這種大部由於民營企業的努力所獲致迅速發展的成就，將對遠東發生重大的影響。」（四月二日聯合報）

工黨的修憲運動

倫敦通訊

蕭審

關心英國政黨政情的人目前在期待着一件大事，它的結果可以決定英國工黨的去向，領導人的去留，和該黨內部的團結問題。

這件事就是工黨全國執行委員會決定是否修改該黨憲章第四條，關於國有化的問題。

何以這樣一件有關原則的問題，會有這樣嚴重的後果呢？它的起因，至少要從去年十月英國大選說起。

去年十月英國大選，工黨以一百席之差，慘遭第三次失敗。十一月，該黨在英中西部海岸遊覽勝地布勒克浦召開大會，檢討失敗的原因，黨魁蓋茨基爾發表了一篇爆炸性的演說。他說，工黨此次失敗，主要是工黨的國有化政策，受到保守黨的利用和歪曲。他們宣佈如果工黨當政，必將一切企業實行國有化，使選民產生一種錯誤和恐懼的心理。事實上國有化雖然是工黨的一項不變政策，但是因爲時代的潮流，社會的變遷，已使工黨不能固守四十年前的教條，應該採取一種國有和私有並存的混合經濟政策，因此該黨四十年前頒佈的憲章，其中主張於生產、分配、交換一切方式都應該公有化的原則，已不切合現實。另一方面，今天有許多重大的問題，如殖民地解放，種族關係，國際裁軍，全部就業，社會平等等，憲章第四條並沒有說明。因此，爲了糾正社會視聽，以免保守黨繼續攻擊，實有修改憲章中的第四條，重新寫入的必要。

蓋茨基爾的議論一出，立刻受到左派黨員的激烈反對。「主義」、「名詞」、「偏差份子」等一片響。蓋茨基爾就像一隻耗子遇到羣貓一樣，如果不是最後貝萬出來圓場，幾乎無地自容。

反對蓋氏的工黨左派人士，多數是以貝萬爲首的貝萬派，他們的意見，綜合起來約有下列數端：（一）工黨立憲四十年來，歷經各次大選，有勝利也有失敗，從不因有第四條而發生影響。此次大選，工黨政綱上特別聲明該黨並沒有進一步國有化的計劃，所以把這次失敗歸咎於第四條是沒有根據的。（二）工黨的目標是社會化，社會化的手段就是公有，二者是不可分的。（三）工黨不實行社會主義的國有化政策，豈不和保守黨一樣，那麼選民又何必麻煩來選工黨呢？（四）目前工黨最要緊的事情很多，修憲並不是一件必要的工作。

以上工黨中左右兩派的意見，可說是各有千秋。蓋茨基爾主張的和代表的，是工黨中一種新的右派意見；和他對立的，是工黨中極端的左派，包括許多重要的工黨幹部。形勢如此，兩派的拉鋸戰自不可避免。這個拉鋸戰自貝萬於十二月廿九日入院割腹部手術後，開始更見尖銳化。

貝萬是工黨影子內閣中負責外交事務的，他和蓋茨基爾一九五六年的結合，是戰後工黨史上一個轉捩點。在黨中他是一個綜合左右兩派意見的最重要人物。自貝萬入院開刀後，病況突然惡化，至一月中旬左右，爲全英注意的中心。

正在西印度羣島和美國一帶渡假的蓋茨基爾，也中途趕返倫敦。正當此時，有一個原任左派週刊「民友」的編輯，工黨議員邁克福特，在電視上發表談話，極力攻擊蓋茨基爾的修憲主張，並傳說蓋茨基爾如達不到修憲的目的，必須自動辭職。就在這時提出工黨最高決策機構全國執行委員會，定於一月廿七日開會討論是否修憲的問題。這特別的新聞，立刻引起了普遍的注意。但是在一月廿七日工黨全國執委會上，蓋氏因貝萬病重，提議暫時停止討論憲章的事，留待三月十六日召開特別會議，專門討論該案，獲得會議通過。

這一關算是過去了，以後的情形怎樣發展，留待下次再報導吧！

香港地

社會小說

四、高的低的

梅太太聽到有人喊她，才歇了話，匆匆的照緊跑去，半晌才回。梅大亮問這是什麼一回事，梅太太說出原由，却是爲了巷裏有一家兩兄弟吵架，鬧得不可開交，閒人一概調解不來，才喊梅太太去做和事老。原來梅太太在這一帶里巷裏面，說話很受人聽納，常被人無端的拉去做魯仲連，因此成爲一個出名的忙人。

梅大亮把那宗吵架的事詢問明白，才知得巷裏有一個姓胡的人家，一共住有母子三人，老母年過六十，人家喊她做胡嬸，大哥名叫胡興，幹的是開鑛生涯，當初爲了想憑開鑛發財，竟把由內地携來的一筆資金，斷送在鑛穴裏面，以後便靠做鑛工來維持生活，經常要跑上鑛山，鑽入地洞，幹那種非常危險而又吃力的工作。他的弟弟胡盛，却是個不成材的傢伙，曾經跟大哥上過鑛山，混了一個短短時期，便染上吸毒吃白麵的惡癖。胡興見不是路，便把他趕出鑛山，讓他戒絕毒癮，寧願由自己多吃一點苦，負責供給他的生活費用。那知胡盛游手好閒，不改惡習，表面是聽從母親和哥哥的話，和白麵絕緣，其實仍然像偷偷吸着吃着，在外面無所不爲，凡是可借的門路都走盡了，可押的東西都押光了，最後便向母親和哥哥身上的東西打主意，偷了一次又一次，事情發覺之後，幾乎把胡興氣得要死。因此，兄弟常常吵鬧。這回也是爲了吸毒和偷東西的事，兄弟兩人鬧得特別兇，才要勞煩梅太太去做調人，把事情平息下去。

關於木屋區裏，有人吸毒和販毒的壞風氣，梅大亮早就聽人說過，却未深深考究它的內幕。這時聽說胡家兄弟有這麼一宗事，便向太太說道：「吸毒有什麼好處？那個姓胡的弟弟也太不成話了。可真難爲了他的哥哥。」

「照這樣說，做哥哥的根本就不要理他，凡是自甘墮落的人，便索性由他墮落下去好了。你做他們的和事老，除了痛罵這個墮落的壞傢伙，還有其他什麼話好說？我真不明白這種自尋死路的人，到底覺得吸毒有什麼難以割捨的滋味。」（卅六）

木客著

人名漫談（下）

汪學文

以「郎」「秀」「阿」命名——在「名」上最慣用之字，有「郎」、「秀」、「阿」等。「郎」與「秀」不僅常被綴于名，稱呼時亦恒用之。王應奎柳南隨筆卷五謂：「江陰湯廷尉公餘日錄云：明初閭里稱呼有二等，一曰秀，一曰郎。秀則故家右族，穎出之人，郎則微裔末流，羣小之輩。稱秀則曰某幾秀，稱郎則曰某幾郎，人自分定，不相逾越」。推郎原爲年少男子之稱，江表傳曰：「策時年少，雖有位號，而士民皆呼爲孫郎」（見三國志吳志孫策傳）；至於「阿」字，其用也既久且廣，據日知錄載：「隸釋漢殺阮碑陰云：其間四十人，皆字其名而繫以阿字，如陳興阿興，潘京阿京之類」，又辭海云：「魏晉以後，其風尤盛，或以繫其名，或以繫其字，或以繫其姓，後變父母，亦繫以阿字；並可爲不定何人之詞，如云阿誰，今俗猶沿用之」。

此外，一般習慣則或法古今完人之名（如則堯、學孔），或取美德善行之旨（如志仁、尚義），以表其願望。

名之命也，有出於己意，有出於父母、或師長，亦有出於他人者。春秋傳云：「天子因生以賜姓」，賜姓實爲姓氏主要起源之一，而後世亦有賜名之事，明太祖出家時得汪劉二姓之助，稱帝後不僅封其家人作官，且曾賜其家人以名，其賜汪文劉英敕云：「今汪姓劉姓者見勸農於鄉里，其人尙未立名，特賜之以名曰文、曰英」（見明太祖文集卷五）。所命之名，無論出之於本人或他人，其取義要皆以善美是尙，然亦有出於惡意，或存心戲弄者，據黃溥閒中今古錄云：「有人告訴朱元璋，張士誠一輩子寵待文人，却上了文人的當，他原名九四，作了王爺後，要起一個官名，有人替他起名士誠。朱元璋說：「好啊，這名字不錯。」那人說：「不然，上大當了。孟子上有：士，誠小人也（按：士者，尹士也，齊人，見公孫丑篇），這句話也可以讀作：士誠，小人也。罵張士誠是小人，給人叫了半輩子小人，到死還不明白，眞是可憐」。類此謔虐之事，或不乏其例。

名之取義廣雜，而名之種類亦繁多，除本名（或稱尊名）外，尙有別名（或稱異名）。本名普通係由二字組成，但亦有一字者，俗稱單名；別名似可不受字數限制。本名通常每人僅有一個，而別名則不然，數目既可多，種類亦因人而異，例如作家有筆名，明星有藝名等是，其較爲常見者有：

字——字者，表其取名之義也。今或亦云號。禮記檀弓云：「幼名，冠字，五十以伯仲，死謚，周道也」。疏曰：「始生三月而加名，故云幼名，年二十有爲人父之道，朋友等類不可復呼其名，故冠而加字」。又據章炳麟國故論衡云：「人生幼而有名，冠而爲之字，名字者，一言之殊號，名不可二，孳乳最多謂之字」。至於以字行者，其字即成爲本名矣。

號——人之別字曰號。周禮春官大祝云：「辨六號」，注曰：「號謂尊其名，更爲美稱焉」，因此書信上多慣稱對方之號。

渾名——又稱混號。陔餘叢考云：「世俗輕薄子，互相品目，輒有混號。呂氏春秋簡選：「夏桀號移大犧」，謂其多力能推牛倒也。此爲混號之始」。又辭海云：「混號有攙合夾雜之義，因其品目，必兼綜事實，雜寓譏嘲，辭義在隱顯之間，而又言簡意賅者，故云混號。混或亦作渾，雜也，又或作諢，諢爲弄言，此亦戲弄之事，故世俗渾諢二字皆習用，渾既同混，諢亦由混遞變者也」。

綽號——渾名含有嘲笑之意者。據北史載：魏古弼頭尖，太武帝常名曰筆頭，時人稱爲筆公。又辭海云：唐時稱李林甫曰李貓。渾名或綽號，雖多係他人背後稱呼時用之，但或因彙綜事實，或因辭義在隱顯之間，無傷大雅，當事人亦間有允許他人戲稱，甚至援受其爲字號者。

關於對人之稱呼，除戲稱渾名、綽號、與夫以官稱（如三閭大夫），以地稱（如韋蘇州）之外，往往有稱名不及姓者，如相如（藺相如）、了翁（宋何時）之類，其甚者每致姓氏轉而不顯，如八大山人（朱閭）是。古代男子大抵單稱名，或聯稱和字，貴族則多冠氏族名。古代女子大抵姓名兼稱，且係姓氏附于名後，如穆姬、武姜、厲嬀、敬姒、辰嬴之類是，其與西人制同，而與今日吾人「姓冠前、名殿後」之制適相反。姓前名後謂之姓名制，反之名前姓後，則似可名之曰「名姓制」，據說我國邊疆同胞中現尙存有此種「名姓制」。

（全文完）

赤壁

漁翁

山川風物

赤壁有三，均屬湖北境，一在黃州，即今之黃岡縣，城西北有「赤鼻磯」，因山石垂下若鼻，色赤紅，故名。蘇東坡兩度泛舟夜遊，作前後赤壁賦以抒懷者，即此地也。一在嘉魚縣東北江濱，據水經注載：「江水右逕赤壁山」，爲當年劉備周瑜大破曹操軍之地點。一在武昌縣東南七十里，名「赤磯」，又稱「赤圻」。後之人讀赤壁賦，認合兵破曹處，即東坡所遊之地，其實乃筆者之誤，非親臨其境者莫辨，以東坡故，「赤鼻磯」已成爲今日之風景勝地矣。

赤壁門坊上，繪有「蘇東坡泛舟夜遊赤壁圖」，入內爲「二賦堂」，刻「前赤壁賦」，與「後赤壁賦」於其中，書法遒勁秀拔，與文章縱橫豪放，並稱爲二美。距「二賦堂」而近，曰「坡仙亭」，內有「化字塔」，據傳爲東坡讀書之所，「赤壁懷古」一首，在此地詠成，爲平生得意之傑作。陳益稷詩云：「黃州淡月照坡仙」，乃指東坡爲一飄飄者。再行數十武，有小亭名「睡仙」，爲東坡休息處，所遺石榻，今尙存。又有「景蘇閣」，因景仰蘇東坡而築也，周圍壁上，嵌東坡墨蹟多種，詩文飄逸不羣，書畫亦別具一格，成爲歷史上永垂不朽之文化古蹟，每爲遊人低徊流連不忍去。

政治家（三）

徐學慧

所謂政治家的權術，並非用在權位的傾軋上，或用於個人利益的維護上，眞正懂得運用權術的人，當一件法案提到議會要求通過而遭受各方面反對的時候，就必得要運用權術了。

當用者不用，不當用者濫用，凡此皆屬於不懂政治。再確切一點說，是不懂民主政治的運動。

在紙上談民主，大概只要三十年教育，可能人人會談。但如果要把實際政治導入民主，最保守的估計，也得要一百五十年；而要想達到運用靈活的境界，則最低限度也要三百年時間。民主政治是一點一滴逐漸建立起來的，躍進式的民主政治並無大用，法國的政治就是一個最好的例子。

法國從一七八九年大革命以後，民主政治的理論在當初五六年間談得震天價響。那些所謂政治家，整天高談理論，而實際上，這些理論全是空談，因爲實際的政治改革完全追不上理論。這一來，法國的政治便像水上浮萍似的，一直到今天，幾乎已有一百八十年光景，法國的憲法重訂了十多次，而法國的政治局面始終無法穩定。中國的政治是否會走上法國的路子，此刻不敢預言，但中國之缺乏政治人才，却也是無可諱言的事實。

從香港足球博彩法案之被否決，再回想到兩年前出版法修正案之被立法院堅持秘密審議通過，使我們對於政治權術之運用，立刻看出了高下呢！

固執於一種概念，而不知道適應情勢，作大學教授可以，從事於政治運動就不免有動輒得咎之弊了。英國的政治家約瑟夫張伯倫說得好，他說：

「生活在過去裏面的是一個食古不化的人，生活在未來裏面的是一個白日見鬼的人，我呢？我却生活在正要來到的五分鐘裏面。」

這句話，是可以作爲一切從事政治生活者之座右銘的。英國政治之所以如此穩定，並非英國人有何妙術；英國政治之特色，乃在每一個當權的政治人物，常能注意而且也能考慮到「即將來到的五分鐘」所可能發生的情勢。

望海樓隨筆

兩不像（上）

——岳騫——

自從中共佔據大陸以來，「文風」確實有了巨大的改變，所謂「黨」培養出來的新進作家，大體都是寫小說不像小說，而是介於小說與報導文學之間的東西，寫詩也不像詩，而是介於民歌與鼓兒詞之間。可是在中共大力鼓勵下，這種作品眞是汗牛充棟，多到不可勝數。詩歌固不必數，也數不清楚，好似天上的星星一樣，就是小說，數字也相當驚人。

不過，這些作家假若本身肯求進步，到了稍微懂得一點什麼是文學的時候，他就會轉變了，陸柱國就是其中的一個。

陸柱國原是一個中學生，一九四八年徐蚌會戰時，被共黨强拉入伍，雖然他的國文程度並不好，但在共軍中也是鳳毛麟角了。共軍政治幹部就鼓勵他寫小說，他一時高興，就以那次戰爭爲背景，寫了一篇中篇小說「決鬥」，寫好之後，中共大加宣傳，譽爲戰士作家，陸國柱從此跌落到作家陷阱裏去，一九五零年他又被調去參加韓國戰爭，他又寫了一篇「風雪東線」，一九五二年又寫了一篇小說「上甘嶺」，最後這篇小說最受中共獎勵，一時成爲暢銷書，陸柱國一時眞是名利雙收，高興萬分。

這三本書出版之後，陸柱國已成了名作家，自然也就引起人們的注意，有人就批評他的作品不像小說，也不像戰鬥文學，而是「兩不像」的東西，不過，陸柱國也不在乎，倚仗着有黨的支持。

到了一九五六年三月，中共召開了一個「全國青年創作者」會議，會上由作家陳涌（此君眞名楊思仲，現已被判爲右派份子）報告，陳涌特別提出上甘嶺爲批判對象，指這種作品「沒有足夠的藝術的具體感性的內容，沒有足夠的能夠强烈吸引讀者的藝術內容。」又指出「在藝術上有着重大的缺憾」。當時陳涌的聲名高過陸柱國，對他的批評，陸柱國自然不能置之不理，這是他的自尊心第一次受到打擊，不過陸柱國還算純潔，他仍然肯虛心接受批評，從此他眞的有了轉變，完全是受了陳涌的影響。

釋耒集

詩與文

曲齋

方苞與申謙居書：「蓋古文之傳，與詩賦異道，魏晉以後，奸僉汚邪之人，而詩賦爲衆所稱者有矣，以彼暱于聲色之中，而曲得其情狀，亦所謂誠而形者也，故言之工而爲流俗所不棄。若古文則本經術，而依于事物之理，非中有所得，不可以爲僞，故自劉歆承父之學，議禮稽經而外，未聞奸僉汚邪之人，而古文爲世所傳述者。」若此之論，或不免爲古文家故爲張大之詞，以自高其聲價，然亦不能否認其確有所根據。惟詩賦之爲人所厭薄，本不始自方苞。唐語林卷二文學之部載：「文宗好五言詩，嘗欲置詩學士七十二員，李珏奏曰：當今起置詩學士，名稍不嘉，況詩人多窮薄之士，昧於職理。今翰林學士皆有文辭，陛下得以覽古今作者，可恰悅其間，有疑顧問學士可也。……臣聞憲宗爲詩，格合前古，當時輕薄之徒，摘章繪句，聱牙崛奇，譏諷時事，爾後鼓扇名聲，謂之元和體，實非聖意好尚如此。今陛下更置詩學士，臣深慮輕薄小人，競爲嘲詠之詞，屬意于雲山草木，亦不謂之開成體乎，玷黯王化，實非小事」。唐以詩賦取士，人所共知，而前世李、杜、元、白、振鑠千古，是誠所謂：動天地，感鬼神者也』，而末流竟至使人厭薄如此。大抵以詩賦之道，在於摘章繪句，點綴花草，爲之者易工而無神于實用也。孔子論詩，蓋其大者，僅曰思無邪，而後人鮮足以語此，至曰：興、觀、羣、怨，其本亦在于無邪，否則均無足觀矣。然自漢初以詩爲六經之一，且置博士，遂有託爲子夏之名而撰詩大序者矣。朱子序詩集傳，又復踵事增華，以爲詩實修身及家，平均天下之道，獨怪夫三百篇後，歷代詩人，魚鱗雜襲，求其足以厚人倫，美風俗者，竟眇不可得，此則承學之士之所以不能無惑者也。考之漢書藝文志詩賦略，班氏叙錄詩賦，特重在「感物造端，才智深美，可與圖事。」諸語，及司馬相如以下，「競爲侈麗閎衍之詞，沒其諷諭之義」，又特著揚子雲自悔之言曰：「詩人之賦麗以則，詞人之賦麗以淫。」而太史公亦云：「文史星曆，主上倡優之。」故漢初詞賦家大抵爲天子之弄臣，後世乃漸降而爲侯門之清客，去經術愈遠，作韻語遂爲門館才人進身之爲牘。尙記兩般秋雨盦隨筆載張某詩一首云：「近日厨中乏短供，兒童啼哭飯籮空，內人低語向兒道，爺有新詩上相公」。則所謂本性情，關教化云者，蓋掃地以盡矣。

詞林雜憶之三

我愛談天妳愛笑

丁雨

曲學之不振也久矣。自遜清中葉以還，皮黃、高梆子、川腔相繼入北京，爲宮中所篤好，尋且合爲京劇，而前此風行明朝及滿初之崑腔，遂漸成廣陵散矣。故道咸以後之詞人，雖特不能譜曲，亦且漸不解製傳奇。逮至清末，有詞曲大師吳梅者出，始復考定舊律，發創新聲，訪吳中老曲師一一而譜正之，于是法曲南音，乃得復稍顯于世，而語其傳人，則首推南京盧冀野氏爲能世其絕業。

盧氏，東南大學畢業生。世家秦淮，所居與歌舫鄰樹相接，吳歈子夜，艷唱西州，固早已耳聞而目習之矣。初猶逐時趨，學爲新體詩，才華飈發，出語驚人，曾數梓集以行世。後乃轉尋曲學，以穎悟非常，濟獲吳氏青睞，因得盡傳其秘，號入室大弟子，蓋吾國製南曲者，自湯若士牡丹亭以降，下逮桃花扇、長生殿諸作，所鑄詞藻，靡不淸新綺麗，哀艷逾恒，而考其所出，則除元劇外，莫不遠祧詞賦，因復兼治駢體，旁及唐詩，于是漸得有江南才子之目。逮吳氏歿，而海內之言曲學者，乃翕然宗之矣。

盧氏承其師傳，每逢與會，輒喜倚聲。猶憶抗日勝利旋都之年，于白下中央大學某次集會中，余曾獲聆其度曲，雖以當時賓朋雜集，跡近應酬，未足盡窺其素蘊，然亦慷慨鬱挫，抗音激越，曲致箭律之妙，益以其人之魁偉豪伉，眞如置身鐵板銅琶，聽關西大漢，唱大江東去也。

予生也晚，且疏于人事，致于盧氏曲學，未能多所親炙，今盧氏逝世已久，神州陸沉，欲求親其遺作，已渺不可得；茲就記憶所及，聊舉其曾膾炙人口之新體詩一篇，由此以推其在曲學方面之成就，或亦所謂由此及彼，因微而知著者歟？

記得當年年紀小，
我愛談天妳愛笑；
有一回並肩兒坐在桃花下，
風在林梢鳥在叫，
我們不知怎的睡着了，
夢裏花兒落多少！

讀書偶得

姚詠萼

「月明星稀，烏鵲南飛，繞樹三匝，無枝可依：……」我的二姊家的書室中，掛着這麼一幅用行書寫的屏條。二姊雖然出嫁了，姊夫的家就住在我家的前進，我仍時常到她家去玩。一天，無意間發現這麼一張字，我站在這張屏條前面，一邊看一邊念，不久就把它念熟而且背熟了。那時候我還是一個十來歲的小姑娘，對於屏條中的意義，僅是一知半解，當然談不到欣賞字體的好壞和出於那個名人手筆這一套了。我現在很奇怪自己，做孩子時候，怎麼會有這些癖好？不論在什麼場合，看見人家壁上掛的對聯、屏條或匾額，總是十分注意，看了又看，默默地把它念熟記住，方才痛快。我的記憶力十分好，小時尤強，詩詞歌賦，讀上兩三次，就會背了。了解不了解，那是另外一回事。年齡稍長，讀了赤壁賦，「月明星……此非曹孟德之詩乎。」才知道當年在二姊家常見的，書室壁上掛着的那幅屏條的意義和出處。後來上國文課時讀歐陽修的秋聲賦，到了「星月皎潔，明河在天」那句，覺得皓月當空怎見星星，心中頗爲不解，忽然想起曹孟德那句「月明星稀，烏鵲南飛」的詩句，隨向當時站在講台上正在講解的老師質疑。

這件事，已隔三十餘年。當時老師說些什麼話，我現在已記不淸楚了，我僅記得是給老師罵了。大概是說我心不在焉，身在教室裏聽課，一心想着『有鴻鵠將至』，不留心聽書本上的講解。課後，好像要受同學們的譏笑，給我編了一個「曹大家」，我還爲此哭了一場。今天無意間又翻到歐陽修作的那篇秋聲賦，見了「星月皎潔，明河在天」那一句，又引起我三十年前的舊事。我凝神思索，想找出這八個字的答案。大家都知道歐陽修不僅文章冠天下，而且他的學問之淵博，亦爲後世所稱道。這樣一個學人，既用上「星月皎潔，明河在天」這八個字，決不會因一時疏忽而致有此錯誤的。但星與月決不能同時皎潔，而且月明之夜，也決不能有明河在天的景象。六七月之間，我們坐在階前乘涼，仰觀星斗，如或銀河斜掛，那個時候，決不可能再看到皎白的明月吧。假如「星月皎潔，明河在天」是對的，則曹孟德的「月明星稀，烏鵲南飛，繞樹三匝，無枝可依」又作何解釋呢？凡是讀過書的人，不會沒有讀過秋聲賦的。秋聲賦不僅文辭美麗，而且意境高遠，令人感慨萬千。尤其讀到「奈何非金石之質，欲與草木而爭榮……」更叫人不寒而慄，深深地感於人世無常，有如朝露之感。這一篇文章是我每次讀的感觸，而獨對於「星月皎潔，明河在天」這八個字，至今不得其解，究係智者千慮必有一失，抑是我的孤陋寡聞呢？

海嘯廔談薈

（誤）（會）

諸葛文侯

政治上每以誤會而滋生不良後果，貽患甚於個人者，所在多有，試舉近代一二故事以證之。

滇省名將葉荃，號香石，賦性褊急，而自視甚高，與唐繼堯同學日本士官學校，回國後受任唐氏麾下的師長職位，驍勇善戰，當其駐防昆明郊區時，唐氏號稱川滇黔聯軍總司令，聲勢煊赫。一日唐擬午睡，切囑閽者勿納訪客，以免煩擾。繼而葉氏來謁唐聯帥，值日副官既不敢違令通報以受譴，又不便將聯帥午睡不見客的話告訴來賓，手持葉氏名片，趨入內院走廊中佇立片刻，出語葉曰：「聯帥說，今天不見客」。葉以唐氏侮慢老友，出爲奇辱，大怒，即馳歸防地率軍進攻昆明。唐聞變驚詫，急派兵應戰，敗之，葉乃解甲遠遁香港。

越年，唐氏被其部屬顧品珍逐出滇省，亦到香港作寓公，一日晤及葉氏，唐謂：「香石，我們是患難之交，前此在昆明，爲甚末事要打我？」葉答道：「你不見我，老子不打你？」唐瞿然告以當時事實，指其誤會，葉亦深悔孟浪，兩人和好如初，然亦不復回滇領軍。此民國九十年間事也。

民國廿五年十二月十二日「西安事變」未發作之前，張學良與楊虎臣對中央勦共政策依違怠慢，不顧奉行的狀況，早爲各方所注視。張學良尤其醉心於毛共所謂「停止內戰，聯合抗日」的宣傳魔術，對其部隊各級官佐，隨時表示不滿蔣委員長採取「攘外必先安內」的策略，主張以非常手段糾正之，然蔣公不以爲意。時有青年黨員鍾君，原在東北軍官訓練機構担任教官職務，調知東北軍密謀異動諸情節，乃據以密報於該黨首領曾琦。是年十一月蔣公適在洛陽歡度五十壽辰，各方代表赴洛陽祝壽者踵相接，曾琦亦藉祝壽爲名，派遣李璜代表青年黨赴洛晉謁蔣公致意，實際是在秘密提供東北軍不穩的情報。

李氏到洛後，於某日午後謁見蔣公時，彼此寒暄一番之後，開始談到東北軍將有異動的重大問題，而蔣公忽然離座立正，態度殊爲嚴肅，李氏覩狀，不覺驚訝，誤以爲主人不樂來賓多談軍國大計，表示不耐，即興辭告別，意頗快快。次日晤及陳布雷，具道前情，且謂此來並非隨俗祝嘏，志在密陳關係國家安危的西安軍事情報，初不料蔣公竟不屑傾聽也。布雷請以晉謁時間，知在下午六時左右，沉吟有頃，乃矍然道：「你誤會了！這是委員長聽到外面降旗的號音，起立致禮，並非送客的表示，他每天在室內外聞及升降國旗的號音時，都是如此的。」李對此解釋，仍然疑信參半，也就不再請見蔣公，悵然回滬，未幾，西安事變即爆發了。

去國辭

道南

已故的中國學人王光祈，他是在民國九年四月，出國赴歐留學，船過香港，見兩岸青山羅列，慨然有去國之思，因賦「去國辭」，充分表現他獨立不倚壯氣如虹的氣概。詞如下：

一、山之崖，海之湄，與我少年中國短別離；短別離，長相憶！發揮科學精神，努力社會事業。惟我少年，乃能奮發。

二、山之崖，海之湄，與我少年中國短別離；短別離，長相憶！不恃過去人物，不用已成勢力！惟我少年，乃能自立。

三、山之崖，海之湄，與我少年中國短別離；短別離，長相憶！只問耕耘如何，不問收穫所得，惟我少年，有此純潔！

四、山之崖，海之湄，與我少年中國短別離；短別離，長相憶！只有滿腔之熱血，欲洗汚濁之乾坤，惟我少年，誓共休戚。

五、山之崖，海之湄，與我少年中國短別離；短別離，長相憶！願我青春之中華，永無老大之一日！惟我少年，努力努力！

雖說是「短別離」，可惜他出國十多年，一直就沒有回過國門，殉學於異域，賫志以歿，這倒是令人感慨欷歔的一回事！

見梅思婦

文壇軼聞

介人

素有「江東獨步」的詩人楊雲史，他之風流文采，曾經傾動一時，民十五曾在江西任贛督陳光遠的記室，因爲不滿意於陳氏的措施，早有辭去之意。瀕行曾留書云：

圻東吳下士，將軍謬采虛聲，致之幕府，時陪閤公之座，遂下陳蕃之榻。顧思竭其愚悃，有裨萬一。得山妻徐書，謂「園梅盛開，君胡不歸」？不禁他鄉之感，復動思婦之懷。淸輝玉臂，未免有情，疏影高窗，亦復可念。淸狂是其素性，故態因之復萌。敢效季鷹煙波之請，乞徇林逋妻子之情，予以休假，遂其山野。庶白雲在山，覲裝相對，此中歲月，亦足爲歡，則將軍之賜也。

原函極爲典麗，已頗有六朝風味，尤以「見梅思婦」，作爲辭職唯一理由，一時傳爲佳話。於此可見當年楊雲史之伉儷多情，極得唱隨之樂。

祇是「好夢由來最易醒」，當吳佩孚作兩湖巡閱使時，楊雲史被聘爲秘書長，吳氏自湘出走時，適這位太太徐霞洛女士竟因病逝岳陽，草草殯殮，第二天他就隨軍北行。因此悼亡詩有云：

一樓船下氣如雲，永訣聲淒不敢聞；戎馬書生眞薄倖，蓋棺明日便從軍。

哀傷之情，溢於言表，誠可慨已。

僑務委員會核發台教新字第三二三號登記證

自由報

中華郵政台字第一二八二號登記為第一類新聞紙類

內政部頒發僑台報字第叁零壹號內銷證

THE FREE NEWS

半週刊每星期三、六出版

第三十七期

每份港幣壹毫
台灣零售價新台幣二元

社長：雷嘯岑
督印人：黃行奮

社址：香港銅鑼灣高士威道二十號四樓
20 Causeway Rd. 3rd. Fl. HONG KONG
TEL. 771726
電報掛號：7191

承印者：田風印刷廠
地址：香港高士打道221號

台灣分社
台北市西寧南路110號二樓
電話：三〇三四六
台郵撥儲金戶九二五二

本報特別啟事

本報自下期起，版面與內容皆有所改進，除第一版之「時事述評」改為「小論天下」，而以精簡扼要的語意，評論時事新聞以外，第二版擬開「編者與讀者」一欄，刊載讀者隨時對本報提供的寶貴意見，並由編者予以解答。又擬增「台北縮寫」一欄，由台北作家執筆。第三版擬增刊政治性的長篇社會小說，名為「儒林九尾龜」，特請名家執筆撰寫之。又闢「青年之聲」一欄，專載海內外青年學生的文藝作品及其生活動態的報道。另在廣告欄的下端，經常刊載香港方面的紗布、銅鐵、糖三種行情。本報各版園地皆絕對公開，外來稿件，一律歡迎，祇是有所選擇而已。統祈讀者垂察為幸。

民主政治的三大觀念（上）

陳健夫

論到現代的政治，我認為有三大新觀念，值得闡明發揮：

第一、藝術觀：現代政治最為顯著的特性是藝術化。政治就是藝術，我們要提出政治就是藝術的新觀念。藝術的精神是自由、活潑、真誠、熱烈，我們可以拿真善美三個字來表示藝術，可見得藝術是高潔神聖的東西，我們在政治上如果能夠相當的發揮這種藝術精神，便可以使政治成為一種高明的藝術，而從事政治的人，也可以由此養成一種藝術的氣氛。

藝術的氣氛，主要的是自由活潑，政治本來是嚴肅認真的事，我們卻不妨養成自由流暢輕鬆活潑的氣氛去做它，對於取予去就之間，不要看得那麼嚴重，要活潑些，淡薄些。有名的拿破崙最初是將政治軍事當作藝術看待的，所以憑了他的天才，南征北伐，可以得心應手，戰無不勝，後來卻因放棄了藝術的觀念與作風，野心、慾望、專制，便隨之應運而生，失敗乃隨之而來。藝術之所以輕鬆活潑，是由於人的沒有患得患失之心，便不爭權奪利；不爭權奪利，才可以將政治的事業做好。一有權利得失之心，便會將一切事情看得太嚴重，而喪失了一種輕鬆活潑天真自然的氣質。

中國的堯舜，是最懂得藝術精神的，到了時候，他很輕鬆的將天下讓予別人，自已了無煩惱；美國的華盛頓，一旦功業完成也就退位，不再當總統，而讓別人去做；土耳其的凱末爾，覺得一個人玩政治，無敵於天下，未免沒有對手，也覺得沒趣，於是親自培養了一個反對黨出來。

漢朝開國的劉邦，也是最懂得拿政治當作藝術的人物。他當與項羽爭天下，曾有多次運用很輕鬆的手法將政治軍事的難題迎刃而解。史記上記載：「項王已定東海來西，與漢俱臨廣武而軍，相守數月。當此時，彭越數反梁地，絕楚糧食，項王患之，為高俎，置太公其上，告漢王曰：今不急下，吾烹太公。漢王曰：吾與項羽俱北面受命懷王，曰約為兄弟，吾翁即若翁，必欲烹而翁，則幸分我一杯羹。項王怒，欲殺之。項伯曰：天下事未可知，且為天下者不顧家，雖殺之無益，祇益禍耳。項王從之。楚漢久相持未決，丁壯苦軍旅，老弱罷轉漕。項王謂漢王曰：天下匈匈數歲者，徒以吾兩人耳，願與漢王挑戰決雌雄，毋徒苦天下之民父子為也。漢王笑謝曰：吾寧鬥智，不能鬥力。……於是項王乃即漢王相與臨廣武間而語，漢王數之，項王怒，欲一戰，漢王不聽。」項羽不懂得政治藝術化的道理，專以三軍之眾，耀武揚威，結果終於敗亡，而歸之於天命，說「天亡我也，非戰之罪也」，無怪太史公評論說：「自矜功伐，奮其私智，而不師古，謂霸王之業，欲以力征經營天下，五年卒亡其國，身死東城，尚不覺寤而不自責，過矣。乃引天亡我，非用兵之罪也，豈不謬哉！」[illegible]也未嘗不是藝術化的作風。今天的美國，[illegible]展開藝術化的作風。可見中外古今的政治人物，都會運用這種政治藝術化的原理去處理許多政治的變故，自然迎刃而解。

現代的民主政治，將運動場上的競賽制度應用上去，使一方與對方作公平的競賽，人人要守規則競賽，凡不會規則的就要取消資格，這是藝術化的政治，像這種藝術化的政治觀念是很有益的。

談到藝術觀，我們不能不想到戲劇。從事政治很像演戲，必須工夫到家，唱做俱佳，才可以叫座；如若工夫還不到家，便可以下台再練工夫；工夫練好了，再上去唱。在台下時要好好練習，一旦上台了，便要大顯身手；如不叫座，不得觀眾歡迎，卻也無妨再下台練習一個時期。政治家與政治家之間，正如戲劇對戲劇，各以藝術競賽，爭取聲譽；如果政治上能夠像演戲這樣做法，你上台我便下台，我上台你就下台，各顧高明，相互學習，誰好誰壞，自有公道。這樣的政治競賽，便無所謂個人之間的恩怨，大家儘可心平氣和的去做事。在台下時好好練工夫，上台時使出全身本領演出好戲，必博得觀眾鼓掌，這樣的政治競賽，便不致傷及個人之間的和氣，也不傷害國家社會的元氣。所以政治如能戲劇化，便是政治的藝術昇華了，這樣的風氣，豈不值得我們提倡嗎？

政治真如藝術。遠諳高明的歌手或演員，他所發出的聲音，表達的情感，可以動人心絃，感人肺腑，使人失魂落魄，為之顛倒，千萬人的心聲隨着他的歌喉或表情而喜悅而悲慟！政治家的造就如到此境界，也一樣可以獲得民眾的愛戴，民眾將不需要他什麼而會掏出腰包買了票進場，爭先恐後的為他投票。民眾的歸服他，譬如「大旱之望雲霓」，歸市者不止，耕者不變」。民眾皆「簞食壺漿，以迎王師」，這就是孟子說的：「樂民之樂者，民亦樂其樂；憂民之憂者，民亦憂其憂。樂以天下，憂以天下。」這也就是現代民主政治的真精神所在。在這種民主政治的制度之下的政治家，正如在舞台之上的歌手或演員一樣；如果他的藝術不夠高明，不能滿足觀眾的要求，或時代已不再適宜於他，他就必須下台去，不論他有多大的權威。如英國的邱吉爾首相便是一例。唯有在這種民主制度之下，政治才可以如同藝術一樣的自由發揮，平等發展。這種情形在專制政治之下便不可能發生，這就是民主政治的可貴處。在專制政治之下，政治家較少有發揮政治藝術的機會，有政治藝術的天才家，便不得不挺而走險，揭竿而起，掀起大革命，將台上表演不佳強據高位的專制君王趕下台去，甚至送上斷頭台，有如英國法國那樣的革命。而在民主政制之下，政治家卻可採取民主合法的常軌登台，大顯身手，一較高低，有高明政治藝術的政治家，便可有充分機會表達他的政治藝術天才。所以在進步的世界，民主政治是一個重要的關口。一個國家社會，乃至世界的和平安定，自由平等，民主政治乃是第一座大門，人們如不通過這第一座大門，任何國家社會得不到長治久安，世界不可能實現和平，達成天下一家。這個道理，在今天已成了大家公認的真理了。

說到政治的藝術觀，很可能有人會想到政治權謀方面去，那就發生偏差了。藝術的表現不完全在技巧，而在高深的品格，學問的修養，這就是誠於中形於外的道理。政治之為藝術亦同此理。政治決非僅一般人所謂「手腕」所能達成的，須有其政治思想及政綱政策以作依據，這便是政治家與政客官僚的分野，人們所稱的什麼「政治手腕」「權謀」等等，並非政治的大經大法，政客可恃此起家，而政治家則不屑為之，偶遇權變，加以運用，也是不勉而中，自自然然的，無所用其陰謀詭詐。這便是我所說的政治藝術觀，應為現代的新觀念。

小論天下

美總統艾森豪訪華抵台。中共向金門放砲彈十六萬多發，是無聊，不如說是無賴。

美國人會問：砲彈每顆值美金幾元？大陸人民要問：砲彈每顆折算白米幾担？

中共大小嘍囉狂喊：艾森豪是「瘟神」。

毛澤東前寫「送瘟神詩」，鬼氣滿紙，今放「送瘟神砲」，狂態畢露。「上帝欲其人滅亡，必先令其人瘋狂」。此當為外強中乾而一時慎興過度者。

莫斯科之拒絕艾森豪之訪，中共對台峽之砲聲，是為「三氣艾森豪」的連場演出。

勉矣艾森豪！休管此去無比任何憂慮回。欲為「和平總統」不成，豈能就此撒手？

△日本七大報聯合聲明反對用暴力破壞議會政治。

東京示威的暴力出自左翼團體。日本各大報紙則一貫同情左傾的宣傳。這回大概是養蛇者也開始怕蛇咬了。暴力可以由破壞議會政治而進而接收國會與政府。同樣，暴力也可以破壞新聞自由而接收整個新聞事業。

△日本工商界有憂美元投資銳減者。

看在金錢份上的憂慮，似比任何憂慮為實。

△美國城市有因東京反美事件而倡抵制日貨之議。香港赤色尼巴報也向中國人宣傳抵制日貨。

這決不是發表「日本白皮書」的時候吧！

日共和中共正在分工合作，要摧毀日本的政治體系和經濟基礎，藉以利便共產黨起來接收。熱心的美國人不要幫他們的忙。

△馬來亞總理拉曼，突然炸出反常論調，主張承認中共。他說話之時剛在倫敦。大概是倫敦霧裏的「姑息主義細菌」容易使人感冒。

△南斯拉夫的狄托和埃及的納薩表示倡導中立國的高峯會議，當非其時。

「充共拒俄」者和「聯俄拒共」者唱雙簧是最好的了，用不着第三個人參加。

方南

喪禮奇聞

馮五先生

中央銀行總裁俞鴻鈞逝世的次日，他的太太以「未亡人俞梁就光」名義，領銜在台北各家報紙上刊登訃聞，說是「顯考鴻鈞府君於六月一日蒙主恩召」云云。「恩召」也罷，「病故」也罷，都屬無關宏旨的詞令，最可驚詫的，乃是那位俞太太忽然變成了死者的兒女，不稱死者為「先夫」，而尊奉為「顯考」了！俞先生在世時已是「位極人臣」的顯赫人物，死後在親屬中亦復超升晉份，可謂奇聞也矣。

另外又有由中樞籌組的「俞鴻鈞先生治喪委員會」，亦在報上登出治喪節目的啟事，教一般親戚朋友不要致送花圈祭幛，改折現金，說是「俾充慈善救濟費用」。像區區這樣資質愚鈍的人，對於所謂「俾充慈善救濟費用」這句話，即不無惶惑之感。因為不知道它所指示的慈善救濟性質，究竟是救濟死者家屬呢？抑是移作社會救濟事業之用？若屬後者，在啟事上即須註明「移充」字樣才行，「移」字是唯一一不可缺少的主詞啊！

古無婦室為丈夫發赴告的喪禮。自民國肇建以來，一切舊有的文物制度，皆在革命運動之下，不問好歹，概予革除淨盡，而又沒有一套新的創制以代之。因此，最近五十年來的中國社會中，關於婚喪禮節這類極其普遍而重要的生活方式，光怪陸離，各行其是。政府儘管經常設置著主管禮俗的行政機構，但無暇計及這種與升官發財不相干的閑事。流弊所及，太太不但可以為丈夫散發訃聞，且不妨尊之為「顯考」，而一般平日修習「禮節為治事之本」的大人先生們，也就不屑為喪葬之類的撈什子問題，多所措意，管它文理通不通，皆無所謂。

按照常理，「未亡人」如果有兒女在，自應由兒女們為「顯考」發喪訃告，而於自己名字上冠以「奉慈命」，即面面週到了。不過這類由中國文化思想產生的禮節，卻非只知道說洋話、鬧洋派的人所能辨識的。「禮失而求諸野」，此所以台北社會上近來大唱其組織在野反對黨的議論也歟？一笑

散佈在國際間的共諜網

·秦泰·

本報特稿

美國務卿赫德六月十三日在參院外委會中報告稱：蘇俄和中共使用國外二十七個間諜組織，僱用特務和情報人員約三十萬名，在世界各地活動；並有自由世界中約四百萬共產黨人幫忙，歷史上沒有一個政府比蘇俄更著重于間諜活動者。

儘管蘇俄總理赫魯曉夫一再否認蘇在海外的間諜問話；但美國駐聯合國代表洛奇前此指出：自史達林逝世以來，被自由世界破獲而判處間諜罪的蘇俄特務人員已有三百六十名以上，都有惡跡昭彰的事實。計在丹麥七名，芬蘭六十五名，法國一名，荷蘭兩名，日本一名，挪威十五名，瑞典十三名，土耳其三名，英國六名，美國十三名，西德二百四十一名。同時在去年一年間，以間諜活動被捕的，也達一萬八千三百名之多。

事實上，共黨在第二次世界大戰後對于間諜網的佈置，的確費了很大的工夫。尤其在韓戰、越戰處于緊要關頭的時候，替共黨工作的間諜網，更取得了共黨頭子們在決策上所必需的重要情報。由于北韓軍潰敗之後，中共便企圖知道美國對中共軍參戰的反應如何？以便決定它們的行止。假如美國空軍有權把華北中共的脆弱供應綫加以切斷，那末它們決不敢作長驅直入的冒險；相反地假如美空軍無權向鴨綠江以外出擊，則中共的「人海戰術」就可成功了。結果共諜網探取美政府的態度，是屬於後者。麥克阿瑟和非列特兩將軍先後在美國會作證時，曾指出能接近英美兩國最高軍事秘密的共諜，把情報供給了共方。

原來走漏這一軍事秘密的是，當時逃入鐵幕的英國外交官麥克里安。因他是英外交部美國科科長，韓戰中兩個主要盟國英美間來往的公文，必須經過他的手。當他和布爾格斯逃走時，美前國務卿艾契遜曾感慨地叫道：「天啊！他們甚麼都知道了！」後來經美國會的調查結果，認為他是一個共方所信任的間諜。

同樣的情形，在越戰中也出現一次。共黨進攻奠邊府所下的賭注，是很危險的。而共黨之所以能在越戰中獲得勝利，却是全靠獲悉了法軍的作戰計劃和美國的意向。由于共方當時曾透過間諜而竊取了法國國防委員會會議中所討論的極機密案件，這個委員會是法國最高的決策機關。它的報告在幾小時或幾天的時間內，便流入了共方手裡。這些報告所包含的各項決定，足使共方在越戰中贏得他們最後的賭注。再從當時巴黎破獲的大間諜案，也證明越戰緊要關頭之際，共諜正在法國軍事機構的心臟部分活動着。這種情形的惡劣，恰像共黨獲得了美國國會安全委員會議事錄一樣。共方知道美國對參加越戰猶預不決，加以英國打擊杜爾斯的聯合行的計劃，及法國無意作強大的努力，來挽救奠邊府的反共部隊等等。

至於蘇俄早期派出的間諜，多半在北歐一帶。擬斯堪的維亞官方報導：他們每破獲一組間諜時，其任務都有另一組接替，這已是證據確鑿的事實。由于間諜案的先後破獲，便發現這廣大間諜組織的工作內幕是：共黨或其同路人，均由蘇俄一蒐手集，從事海外間諜工作；而所有的間諜人員，即使其死黨份子，凡向克里姆林宮供給情報的，一律獲致報酬，而且以現金支付呢。

在挪威、瑞典和荷蘭等地，是由蘇俄大使館或衛星國外交人員所組織或控制的精密間諜，近年來已迭次破獲。一九五五年瑞典安全警察誘捕的十三名間諜，是專門刺探國防與軍械製造秘密的。如瑞典北部的國防海岸線和經英國核准在瑞典製造的噴射機，都被間諜竊取送給蘇俄大使館。同年在挪威破獲的間諜組織共捕十五名間諜人員，其中一個名叫「孫特」的為該組頭目，惡跡昭彰。而他落網的原因是介紹其老友入蘇大使館工作，詎料這位老友却是挪威情報處探員，因此蘇俄間諜便受其監視，特別是對孫特跟踪。在四年之內，他與蘇大舘人員開會達六十次以上都有警探暗地隨着。結果，在一次大集會中即被一網打盡。其中有三名是挪威女性，都已滲透了各重要政府機關裏頭，担任下級工作。

一九五六年在芬蘭破獲的間諜組織，裏面有個得力的間諜名叫「沙勞」，是在芬蘭空軍裏任航空攝影隊隊長的。他有六年工作歷史，曾把空軍的影片及其他軍事情報，經由駐赫爾辛基的共黨間諜組織賣給蘇俄，前後共獲百萬以上的芬蘭馬克。那次一共下獄的便有二十五人，其後在芬蘭北部的納蘭又破獲一組，人數更多，其中一個承認在八年內曾越過邊境二十四次，以情報賣給蘇俄。

在西歐方面破獲的間諜組織，當以德國為最多。曾經震動世界的約翰博士間諜案，在他未投往蘇區之前，據說已把德國和英美的外交與軍事秘密就通知了共方。在整個德國，間諜活動是普通的事情：尤其在柏林更成為一項例行公事。柏林之成為理想間諜中心的理由是：它為東西相望的地區，從一條地下鐵路就可通到鐵幕後報，在柏林所獲得的情報，幾分鐘便可交到東柏林的共黨總部裏去。當女間諜許米特被捕時，她正在赴東[illegible]着新近剛竊得來的情報呢！許米特是一個非常漂亮的黑髮美人，[illegible]黨青年和婦女組織[illegible]一九五三年五月，她被派到柏林美軍佔領區與美國人發生關係，因而不久後便成為西柏林的社交和夜生活躍的一個著名人物。由于她的舉動過于猖獗，她公開表示她[illegible]于存放公文檔案的文件發生興趣，所以，西德警察對她起了疑竇，並加以逮捕了。在審訊時，她居然說出了西德共黨有顛覆西德政府的企圖。

一九五四年十月，義大利也破獲了一個共黨間諜網，並捕獲十個間諜。它們最大的成功，是曾經採得義大利最大的[illegible]空軍基地的秘密。在澳洲破獲的是由蘇駐雪梨大使館三等秘書所指揮的間諜網，它們曾把原子彈和導向飛彈的各項試驗，向俄國報告。而佈置週密的戰時和戰後加拿大間諜網，更取得原子研究和美洲大陸防衞計劃的情報。這個間諜網是第一次由投誠的俄大使館譯電員揭露的。

台北記者責難新聞局

弓治長

台北通訊

在台北採訪新聞的記者們中都有一種感覺，這種感覺由來久矣，只是記者們沒有發作而已！最近，在行政院新聞局一次記者招待會上，各報「要記」紛紛向該局副局長朱新民提出責難，頗使這位主人難堪（民族晚報）！

此次責難的起因，係新聞局對記者採訪國賓新聞時，加以種種不合理的限制，同為採訪新聞的記者，却有中外之分。台北各報記者，在採訪上就沒有外籍記者方便和自由。這也難怪，為了國賓的安全，治安人員不得不苛求「自己人」。美國總統艾森豪於本月十八日來華訪問，所以記者們希望政府給予更多的採訪自由。

艾森豪總統是美國歷史上一位出國訪友邦最多的總統，他歷次訪問友邦時，為了表現出美國真正民主精神，他總是採用最能與當地民衆接近的方式，到處坐敞篷車與民衆揮手招呼，甚至走下車來，與歡迎者握手，民衆也在他的車所過之處，抛擲紙花表示歡迎。可是，這種傳統，在我國是「少見多怪」的，頗使當局左右為難。據說這次為了尊重美方的意見，我外交部與新聞局等有關單位，很少自己拿出主意了，一切多半依美方的辦理。只是治安機關表示若干方面的事情礙難照辦，而台北的外國記者俱樂部主席高艾伯（合衆國際社特派員）曾向有關方面建議，促我注意勿使隨艾克來訪的白宮記者們獲得了安全措施過嚴或採訪便利不夠的印象，如果那樣，將對我在國際間的宣傳非常不利。故有人說，艾森豪來華訪問，首先帶來了自由的空氣與民主的作風。

白宮發言人哈嘉泰，為了確切使隨行記者們可以享受採訪便利以及儘速將新聞、照像、影片、錄音帶等寄發傳播出去，已決定在台北中國之友社加裝二十五部國際電話，六部本地電話外，並準備了二十部打字機及譯員日夜值班。在哈嘉泰的心目中，總統當然第一，新聞記者却是第二。因為他深切知道記者的任務是重大的。

此外，美國大使館希望我政府在安排艾克訪華的日程中，能夠安排一個節目，使艾總統與此間在野人士有相見的機會。據說，政府對此問題，內心極為躊躇，却又不好明白表示，所以沒有拒絕，也未答應。外間盛傳，白宮主人很想與各方面在野人士見面，聽取他們對反共運動的意見。此說確否，目前雖難逆料，但將來總是有事實可以印證的。（台北六月十四日）

台灣民營企業發展的新趨勢（二）

許其京

本報特稿

事實上，台灣省去年工業生產的總淨值，達新台幣一百零七億五千五百萬元，比前年增加十一億六千七百萬元。台省工業生產之發展，去年比卅五年增加九點四倍，比第一期經濟建設計劃實施前的四十一年增加一點一倍，又比前年增加百分之一九點五。（根據：台省府統計）台灣工業發展之速，在亞洲地區，除了日本，要以台灣成績為最好。自從業工人，生產總值及產品種類三者的增加，顯示逐年均有可觀的成績：（一）就從業工人增加來分析：在民國四十三年公營工廠所僱用工人總數計五五、八三一人，民營工廠所僱用的工人總數計四八、四九二人；至民國四十六年時，公營工廠僱用工人數增加至五八、〇六八人，民營工廠增至八二、九〇一人；迄去年（四八年）底，公營工廠工人又增至六〇、六一〇人，民營工廠則增至一三二、〇〇〇人。由上述情形，可知台灣民營工發展之迅速。（二）就生產總值增加來分析：民國四十年各種工業主要產品總值為三、九七〇、九〇三、〇〇〇元，四十七年增至一五、〇〇四、三二五、〇〇〇元，四十八年更增加至一五、三三五、九九八、〇〇〇元，預計本年（四十九年）可超過一六〇億元。（根據：經濟部統計）（三）就產品種類增加來分析：台省工業若干產品已由不足而達到自給自足，例如：紡織品、水泥等工業，目前並在致力新項目的開拓外銷。近年來新增加的產品項目有：人造絲、尼龍纖維、三夾板、PVC及其製品、發動機、抽水機噴霧器、變壓器、電線、電纜、電錶、機器腳踏車、高級玻璃製品及平板玻璃等。（根據：經濟部統計）（四）就民營企業貸款來分析：在民國四十二年十二月底，各金融機構對公營企業貸款為新台幣一四一、四〇〇萬元，民營企業貸款為八三、二〇〇萬元；惟至民國四十六年十二月底，情形反轉，對公營企業貸款為三一二、〇〇〇萬元，民營企業為三三七、四〇〇萬元；四十八年十二月底，公營企業貸款為三九二、六〇〇萬元，民營企業貸款為六三二、〇〇〇萬元；民營企業所得到的貸款，已超過公營企業甚多，（五月二日聯合報）

綜觀上述，可以得到下列幾個重點：（一）自政府經濟計劃論：明年開始的「第三期四年經濟建設計劃」，及今日政府所製訂的「加速發展經濟計劃」，以上二者，皆以發展民營企業為今後經濟政策實施之重點！（二）自發展民營企業資金論：今日中華開發信託公司，在事實上，現已接受大量美援貸款及美國開發基金貸款，今後民營企業發展之「長期的資金」困難問題，（三）自台省民營企業近幾年之發展的史實論，今後民營企業在「自由經濟制度」的「自由企業」原則之下，發揚光大，將有遠大的前途！

總之，民營企業之擴張，與公營企業之收縮，不但為今日自由世界各國之「自由經濟」之新趨勢，亦且為民營企業有其利益，而且公營企業有其弊害，惟今後民營企業之發展，不是有了美援貸款，資金困難問題解決，即能一日千里！在民營企業本身上，今後應如何謀求增進「新的技術」？如何致力「發明」與「創新」？又如何學習「模倣」？更應如何實現「需求增加」與「成本減低」之創新？如何改良品種及增加產量？又如何發揮現代企業之新的精神？更如何注意現代企業之新的管理？皆為今後自由中國民營企業加速發展應循的新途徑！

在今日一國經濟加速發展上，公營企業，不如民營企業為快，確有原因在：公營企業之弱點太多，今舉其比較大者為：（一）公營企業主管及其管理人員，往往企望太奢，成為空中樓閣，不切實際；（二）往往為其自身利益打算，不是過分的緩慢，就是極端的冒險；（三）只求敷衍，不分功過；（四）雜亂無章，漫無條理；（五）大話連篇，虛張聲勢；（六）統計數字，過份高估；（七）虛盈實虧；（八）機構龐大；（九）用人非才；（十）官僚主義化；（十一）繁文縟節；（十二）推諉責任，固執成見；（十三）抱殘守缺，故步自封；（十四）不求企業之「發明」、「模倣」與「創新」的能力增強；（十五）不求新經濟知識、新企業觀念及新企業管理及技術能力促進；（十六）生產轉變不易；（十七）價格穩定不力；（十八）市場調節不足；（十九）生產效率不夠充分；（二十）資經、人力與財力之利用，不夠充份，往往發生浪費等缺點，不無道理。

世界的末日

唐昌晉

今年二月八日出版的一期美國新聞週刊，根據五角大廈情報部門透露出來的消息，說是蘇俄洲際飛彈的彈頭三噸重，約相當於美國洲際飛彈頭重量的四倍；現蘇俄擁有洲際飛彈約十二枚，美國只有三枚，到今年年底，蘇俄洲際飛彈總量將達三十五至六十枚，美國洲際飛彈總量爲十五至二十枚。由此可見：蘇俄洲際飛彈彈頭比美國洲際飛彈彈頭大三倍；蘇俄洲際飛彈最高年產量爲四十八枚，美國爲十七枚。

前一期新聞週刊曾就美國國防力量詳加檢討。據說：美國賴以投擲氫彈的遠程轟炸機，從美國本土及海外基地起飛去轟炸蘇俄，需時八至十小時，在航行途中，勢必被蘇俄地對空的飛彈擊落，所以許多人的結論是，這種轟炸機業已過時。另一位權威人士估計，在三十分鐘內，蘇俄如發射三百枚洲際飛彈，則可將美國全部報復力量摧毀無餘。按照每年生產四十餘枚洲際飛彈來計算，到了一九六六年蘇俄可能擁有三百枚洲際飛彈，美國以最高年產量十七枚計算，屆時至多亦不過一百二十二枚。倘蘇俄先發制人，美國最快要在蘇俄飛彈射擊二十二分鐘以後，才能覺察並發射洲際飛彈以資報復。而美國的報復時間只有一刻鐘，因爲過了這段時間，地面而未發出的報復力量已被蘇俄飛彈摧毀掉了。蘇俄發射飛彈的時間比美國多了一半，蘇俄將所有飛彈全部發出，美國只能將已儲藏的飛彈放射一半，即六十枚。這六十枚飛彈的威力僅相當於十五枚蘇俄製的洲際飛彈。投擲敵人三百枚飛彈而自己只挨到十五枚飛彈，所以到一九六六年可能是蘇俄挑起核子戰爭的一年。目前試驗高彈和平論調，只不過是拖延時間而已。以整個自由世界着想，美國不應該再對蘇俄存什麼幻想了，相反地現在就應該先下手，因爲大戰拚個你死我活。目下美國本頂多只挨到十二枚洲際飛彈的報復，而蘇俄的防空措施，由於轟炸機尚未完全失去效用，將無法避免美國數百顆原子彈及氫彈的轟炸。從通盤打算着，美國還是佔上風。所以我誠懇希望美國當局把握住這較有利的時機！

大甲鎮的黃昏（上）

郭德楷

（一）

來到大甲鎮快三個月了。我愛這鎮子的淳樸、安靜。我愛這鎮子的山和水，雖然爲了工作，我沒有足夠的時間讓我來了解這鎮子，來認識這鎮子；然而，我畢竟有一份偏愛，當整天的工作完了，我總是要踏着黃昏去欣賞那些搖擺的樹，沉默的山和歡唱的溪流。

這是習慣，我散步的路徑常是由鎮子的豐頭走向田野，再從田野走過一段小路到一座山上。我愛這山，因爲在這裏不但可以看見彎彎曲曲的鎮子，還可以看見遠方。我常是坐在一塊大大的石頭上，這石頭對我似乎有幾份戀意。每一次我來到這裏，總是毫不猶豫的在它上面坐下。我會開始哼一些成調的歌，來表達我內心的快樂。

山上有不少的松樹，草也長而青。那些墳墓在草叢裏似乎很安逸，一座座的像些小房屋，我常羨慕那裏面的死者，他們有一個如此美好的歸宿。那裏，那些大的和小的墳墓；那些長的和方的墓碑，我都很熟悉。有一些時候，我一閉眼似乎就看見這些東西，我自己對我這種現象感到可怕，其實我也不知道爲了什麼？除了說來的次數太多，太熟悉外，我說不出什麼來。

這些墳墓裏有一座大的，而且修飾得很壯麗，它給我的影響最深，觀感最奇。因爲這墓和其他的一些墓不同，它是用大理石砌成的，有一丈多長，五六尺高。石碑是用一塊很長的青石做成。墓的前面豎着兩個日本式的石柱，最初我看見這座墓，以爲是日本時代什麼軍官的，但上面却刻着『志賀先生教師之墓』的字樣，在那時我就奇怪，一個教師爲什麼能有這麼好的墓，我對它由好奇而感到興趣。

在鎮上我認識的人太少，加之我又是一個喜愛孤獨的人，雖然山上這墓給我好奇，但我終無法去打聽個仔細，日子久了，我也不把這件事放在心裏，儘管我還是常來這兒。

（二）

大甲鎮的黃昏太美了，月亮已掛在樹梢，我還不準備回去，在山上那塊大石頭上我發呆的坐了快兩個鐘頭。

這是五月天，晚風在山頭拂過，發着一陣陣的呼嘯聲。地上的草在我身邊搖擺着，我不懂它對我說什麼？這些聲音我都像有幾份愛好。

暮色蒼茫，我抬頭看得有點像樣。看這些起伏的墓堆，在對面那座大墓旁忽然出現了一個苗條的身影，這身影很美。這個時候爲什麼還有人在此處呢？還是一位少女。我覺奇怪，有些害怕，然而這影子給我的是那樣具體：白色的衣裳，秀麗的面龐。我相信自己，那是真實的人，不可能是鬼，想到這裏，我故意咳嗽一聲，下意識的壯膽子，另一方面當然要她知道在此地還有一個人。聽到我的聲音，我看見她趕忙的回過頭。

『一個人嗎？』她的聲音顯然帶點恐懼。

『正如同你一樣。』我這樣的回答她。

『難道也是尋找一個失去的夢？』

『不，我是想在這兒發現一些人生的神秘。』

『你對這些都有興趣嗎！』她指着那些墳墓。

『假如說對它有興趣，不如說對它裏面的人有興趣。』

『那你希望知道它裏面的人嗎？』她指着那座大墳墓。

『是的。』

『我想你也許是一位小說家，或者詩人了。』

『你的話有什麼證據？』

『因爲這時候是他們尋找靈感的時候。』

『我只是一個孤獨者打發一個寂寞的黃昏而已。』我不懂她用什麼眼光來看我，知道我是一個愛寫東西的人。

『好吧！不管你是小說家或者詩人或者一個孤獨者，這個故事你要聽嗎？』

『那將是我的榮幸。』

想不到我們的談話是這樣的隨便，心目中彼此的一份驚駭早已消失了，就在這座壯麗的大墳墓旁，我們面對面的坐着，她的敘述開始了。

（三）

這是很久很久的事，那時正是日本剛統治台灣設施殖民地政策的時候，大批的日本人都在日本政府有計劃的安排下紛紛的來到台灣。

有一位二十多歲名叫志賀的青年，他也是那時來的，分派在這鎮上充當一個小學教員；他懷有甚多綺麗的幻想，遠大的抱負，他覺得來到這塊美麗的地方對他是很適宜的，他要在這兒真正的做些有意義，有價值的工作。

他的工作熱忱獲得很多學生的尊敬，很多家長的景仰。

談洪承疇

漁翁

明末貳臣洪承疇，字亨九，閩之晉江人，古稱「南安江」，在南安與安溪交界處，有山若駝背漁翁然，俗名「隱龜山」，山屈不正，溪水亦濁而不清，故諺有之：「隱龜山前出奸臣，隱龜山後出冰仁」，山前即洪之故鄉，山後爲盜寇出沒地，果山水亦足以蔚然成敗！

洪爲萬曆進士，官至薊遼總督，位列大將軍，明廷倚爲北門鎖鑰。後清兵入關，洪率部拒戰於關外松山杏山間，兵敗被俘，明帝以洪必殉國，悼惜之餘，予祭十六壇，足見眷遇之隆。而洪乃依戀祿位，竟變節降清，以大學士經略五省，旋改任輕車都尉，所有清初開國重要法制，皆出洪之一手所定。經建議「漢不納妃，滿不點元」，冀存漢族之體面而自豪，但觀顏事異朝，終爲國人所不齒。屬同谷諷之以詩云：「松山戰骨未全枯，再建功名佩虎符，終是風流容易老，白頭南渡又南都。」

洪降清後，欲板輿迎母，而其母以洪不死節，怒而以杖擊之。胞弟承畯，不滿乃兄之所爲，以嚮築新祠於泉州城，即建唐忠烈祠於其左，塑張巡許遠像於祠內，寓「漢賊不兩立」而辱之。

北伐時，余過泉州，見承畯所建之忠烈祠，尚巍然存在，而承疇之衙，已成邱墟，往事追思，不禁有今昔之感！

望海樓隨筆

政治家（四）

徐學慧

只有傻子纔會不顧慮他人的意見。不幸的是：那些在政治運用方面不考慮他人意見的人，却往往以爲自己是聰明人物。這纔眞正是政治上的悲劇。

我不敢希望每個人都作政治家；但我却特別期望，那些握有製訂法律之權的人物，能夠在政治權術的運用上，有良好的修煉。中國的政治體制，幾乎都是從國外搬過來的，立法院訂定一讀二讀三讀這些程序，老實說，也無非是拖延時間，以便有機會聽聽外間的反應而已。既然從法例送審的時間起，便已決定要通過，那末，要一讀二讀三讀這些程序，豈非多此一舉？

政治上的一切措施，其在社會上所引起的反應，有時候是無法預料的，正如足球員在足球場上所遇到的一樣。足球員在開賽之前，固然都要從他的隊長或教練那裏聽取有關戰略的原則，但也不過是原則而已。死守住原則而不知道臨機應變的足球員，我們不能說他是一個最好的球員，同樣的，永遠只是依靠自己的概念而不知道隨機應變的人，我們亦不能說他是一個好的政治家。一般的政治家們，（其實應該叫政客纔對）特別注重權術；却不知道權術應施於何時，施於何地，施於何人？此則不免是一大悲劇。

將一項措施見諸行動，在行動的過程中，不斷注意各方的反應，而予以改進，或逕予以撤消，，而另候適當之時機再行提出，這纔是最圓滑而又最高明的權術。儒家學說中所謂「天視自我民視，天聽自我民聽」，又何嘗不是一種高明的權術呢！

可惜，若干人對於權術二字不免誤解了。如以二年前修正出版法草案之提出爲例，則正當的權術，應該是由行政院提交立法院，由立法院予以公開辯論，再聽取各階層意見，一讀以後，延期再讀，然後在再讀中一筆勾消，夫如是，則各方面皆大歡喜。乃不此之圖，而僅在運用幕後權術，以如何藉表決上之多數來通過這一法案。像這個樣子的權術，似乎是太笨拙了些吧？

權術不以民意爲依歸，而僅以既定概念爲根據，在現代的民主政治來說，此種權術殊不足取。我們必取要有這一種觀念，那就是法律並不能永存，它可以由於適應某種情勢而提出，當然亦可以由於順應某種情勢而撤消，此乃爲一非常淺顯的道理。

小啓

「香港地」續稿未到，暫停一期。

大陸文壇萬花筒

兩不像（下）

——岳騫——

最使陸柱國感動的，是陳涌這一段話：「在評判一個作品的時候，只去注意這個作品是否有好主題和題材，只去注意這個作品是否表現到重要的問題和新的人物，而不問他的實際成就，而不能注意表現得怎麼樣，他們只注意結果，這些在重大缺憾甚至藝術上低劣的作品便被不適當的作了肯定的評價，而作者也就跟着放鬆了藝術上的努力，並且在讀者中間造成低劣的藝術趣味。」

這段報告給陸柱國的刺激甚大，他開始感到空虛，覺得自己一無所知，所有的榮譽都是政治力量支配的，他從此折節讀書，眞正去讀一讀古人的小說，認識了什麼叫做小說、好的小說能流傳，決不是靠了政治力量的推動，這一段期間，他讀了紅樓夢、水滸、戰爭與和平、安娜、卡列利娜。他的水準確實提高了，在此以前，當一江山淪陷時，他曾參與那次戰役，就以那次戰役作背景寫了一部長篇小說「對蝦島」，剛剛脫稿，他就開始看古人小說，及至看完幾部名著之後，竟然沒有勇氣再出版。可是這部書是組織上指定寫的，不出版又不成，陸柱國只有再寫一部，書中人物還是那些人，內容却完全改變了，書名也改爲「忠貞的心」，改成之後，陸柱國是滿意了，組織上却又表示不滿，提出批評，「忠貞的心」變成了寂寞的心，永沒有和讀者見面的機會了。

「忠貞的心」重要「錯誤」有三點：

第一、「用傷感的情緒和觀點描寫革命戰爭」。當一江山戰鬥時，國軍以寡敵衆，英勇還擊，最後國軍七百二十人雖然全部殉國，但共軍傷亡却數倍於我。作者既然也是共軍，看見袍澤無辜死傷這樣多，自難免流露一些感傷、惋惜的情緒，就犯了上述的罪名，原來共軍被打死了是不准嘆息的，假如大家都感到死的不值，以後誰還去賣命呢？

第二、「庸俗的寫愛情」，書中描寫一個「戰士」和一個女學生結婚，也是錯誤，因爲他們是爲愛情而結婚不是爲「革命」結婚。

第三、「寫英雄人物的各種缺點」，在中共文化幹部看來，「英雄」都是至善至美的神，是沒有缺點的，只能頌揚，不能批判。

根據這三個原則去寫小說，就只有產生兩不像的東西，巴金、矛盾也勢必擱筆了。

釋耒集

文士與經生

史記仲尼弟子列傳云：「子曰：文學子游子夏」。舊注以為，文學云者，文章與學問合言之也。論語公冶長，子貢曰：「夫子之文章，可得而聞也，夫子之言性與天道，不可得而聞也」。從後者言，則性與天道即學問也。後世以文章經術對舉，文辭與經術，遂判然為兩途，經生文人，互相輕詆，且有一為文人，便無足觀之說。抑亦言之過甚之詞也。憶幼時，從塾師受古文，讀辨奸論，云所謂奸人，即王安石，考明允至京師，在仁宗嘉祐初年，其時安石僅為知制誥，遽曰王衍盧杞，合為一人，而斷其必誤天下蒼生，雖後來安石措施，大率類是，終覺其未免言之過早也。今按避暑錄話載：「明允本好言兵，見元昊叛西方，用事久無功，天下事有當改作，乃挾其所著書，嘉祐初來京師，一時推其文章，王荊公為知制誥，方談經術，獨不喜之，屢詆於衆，故明允惡荊公甚于讎仇。會張安道亦為荊公所排，二人素相善，明允作辨姦論一篇，密以獻安道而不以示歐文忠，荊公後微聞之，因不樂子瞻兄弟，兩家之隙，遂不可解。……而富鄭公當國，亦不樂之，故明允久之無成而歸。」及安石當國，東坡、潁濱，屢遭貶竄，東坡則幾于殺身，固非一朝一夕之故矣。又石林詩話：元豐間，蘇子瞻繫大理獄，神宗本無意深罪，時相進呈，忽言蘇軾于陛下有不臣之意，神宗曰：軾何以知之，時相因舉軾詠檜詩：根到九泉無曲處，世間惟有蟄龍知之句，對曰：陛下飛龍在天，軾以為不知己，而求之于地下之蟄龍，非不臣而何？神宗曰：詩人之詞，安可如此論，彼自詠檜，何與朕事？」附苕溪漁隱曰：「東坡在獄，有獄吏問蟄龍有無譏諷，東坡云：王安石詩，天下蒼生待霖雨，不知龍向此中蟠，此龍是也。」則其反噬之語，亦殊可畏，宜足使安石寒心。夫經生文士之相扼，如孫復、石介之于劉筠、楊億；二程之于永叔三蘇，晦翁之于陳龍川、胡邦衡，固不足怪矣，而東坡論文，亦復與介甫立異，其答張文潛書云：「文字之衰，未有如今日者也，其源實出于王氏，王氏之文，未必不善也，而患在于好使人同己，自孔子不能使人同，顏淵之仁，子路之勇，不能以相移，而王氏欲以其學同天下。地之美者，同于生物，不同于所生，惟荒瘠斥鹵之地，彌望皆黃茅白葦，此則王氏之同也。」世言東坡荀卿論，亦實指介甫，豈其然乎？

曲齋

為日本前途憂慮 並晉一言

阿公

一國之大之業，患不在貧，而在民生不勤。患不在弱，而在人心不一。患不在識議多岐，而在擇善不固。患不在遭世多難，而在當局無斷。此中國立國為政之固有精神，而理亂成敗每繫之。日本為接受中國文化最早最深之國家，故以此衡彼，瞻望未來，或亦日本朝野人士所樂聞也。

伊藤博文當政數十年，民生勤矣，人心一變矣，能以形勢屈之陸海兩，崛然而起，戰勝強俄，而日政府當時，知已則力軍備，彈竭無遺，已廢則手家長蛇，獨堪一戰，乃以「不劃地，不賠款」為議和條件，高瞻遠矚，自非舉國之衆所能深切解者，一時日本人民，羣憤起，焚毀政府公廨，炸傷外交大臣，猶有甚於今日學生之反美狂潮。而大隈重信，守之以固，持之以斷，不惜生命，不少猶豫，以盡其職責，且甘受舉國罵名而不予申辯，內心之沉重，當事之艱危，或較今之日政當局為尤難也。蓋以其時共事，因愛國而遷怒政府，其驕而仇視當局，過分壓制，則傷國本。依違順從，則誤國計。此大隈重信所以為難能可貴也。

至於日本之今時今事，——反對日美安全條約，困擾國際外交使臣，與八十年前日人抗議法國政府，相與切腹於法國公使館前者十八人，大異其趣。姿止貶損國格，淆亂是非，為蘇俄中共應聲虫而已。而日本朝野，僅僅以「羞恥」二字斥之，未能正以是非，繩以法紀，此可為之憂慮者一。適天下之共產黨徒，無一不居心也險，行事也曲，謀人也毒，共產國際而外，不復知有祖國民族，正與二十年前之中共相同，涓涓不塞，將成江河，此可為之憂慮者二。今日本執政黨閥於內，在野黨媚於外，政客不少左傾，又與「中共」強半盲從，與中國十餘年前之情勢正同，此可為之憂慮者三。古今事會之來，當斷不斷，反受其亂，且共產國家，不患虛與委蛇，有隙則乘，最忌堅壁清野，無技可施，今日本受毒已深，而猶與之雍容相處，此可為之憂慮者四也。

然亦有與中國絕異者，大戰之際，日本除一二都市遭受摧殘外，餘多保持正常，中國則沿海以及內地各省，一片荒涼，其不同一。相殺之餘，美國大力支援日本工農商業復生，拾餘年間，欣欣向榮，民生樂業，中國都市工商業百不存一，農村十室九空，其不同二。日共今猶手無寸鐵，依草附木，標語口號，虛聲恫嚇，中共則瞬息之間，劫奪東北武器，裝備數十萬衆，其不同三。美日當下之親善相輔，休戚與共，與中國當年所遭遇同盟國家自反國之胡言亂語，親痛仇快，其不同四。

粟海彈心錄

日本當相岸信介，誠能近如批准日美安全條約之鐵肩辣手，力戒備以待美國總統之訪日，（編者按：美國艾森豪總統已取消訪日）遠師大隈重信守之以固，持之以斷，不以危疑輒去就，不以優容誤國計，斯則日本之幸，抑亦反共國家之幸也。

近百年十六家詞序

高山樵

自前清咸豐初年，洪楊太平軍出廣西，越洞庭，佔武漢，沿江東下，勢如破竹，遂陷金陵，為一大奇變；至民國三十八年，共軍由河北，出津浦，佔蚌埠，渡江南犯，勢如破竹，再陷金陵，是又一大奇變也。兩變之間，恰為百年，金陵之陷，為其樞紐，向之所謂佳麗地者，洵不祥之物哉！此一百年慘痛期間，在政局上，固然為一段極混亂時代；然而在詞學上，居然產生二大奇蹟，蔚成昇華時代焉。所謂二大奇蹟者：一為「詞派大合流」，一為「詞體告完備」。

（一）清代詞學之淵源

陳廷焯白雨齋詞話，謂：『詞興於唐，盛於宋，衰於元，亡於明，至清初而復振，嘉道以後而大暢厥旨』。不知清初詞之所以復振者，原為淵源明末二三遺老之啓廸，並非清初詞人有能異軍特起，自開戶牖，掉臂獨行者。清初詞學最盛於江南，江南詞家殆無不淵源於華亭陳大樽（子龍），亦更無能出其右者。其次為湖南，湖南詞家殆無不淵源於衡陽王船山（夫之），又其次為嶺南，嶺南詞家殆無不淵源於番禺屈翁山（大均），翁山明末諸生，遯而為浮屠。船山為舉人，大樽則崇禎進士也。詞果亡於明哉？

（二）清代詞學之流派

江南詞學自陳大樽開之，得陳迦陵（維崧）朱竹垞（彝尊）接踵而起，發展至遠，康雍之間，所謂浙西詞派者，儼然為全國詞壇主流焉。其後張皋文（惠言）周介存（濟）出，倡言比興，另立旗幟，於是所謂常州詞派者，隱然與浙西一派成對立之局；湖南詞學自王船山開之，王青草承之，二公於學別有專詣，作詞特餘事耳。惟其然也，故湖南詞學發展較遲。直至道咸間所謂湘中五子者出，其緒始大。五子者，衡陽王梅坞（萬晟，青草之元孫），魏將侯（棍），武岡鄧彌之（輔綸），鄧保之（繹），湘潭王壬秋（闓運）。相與結蘭陵詞社於衡西萬山叢中之金蘭寺，（船山故宅「觀生居」所在地也）以開揚船山青草之緒餘，於是三湘五嶺七澤九疑之間，詞風丕振，所謂衡陽詞派（一稱蘭陵詞派）者，與浙西常州鼎足而三矣。蓋浙西一派宗南宋，所謂家白石而戶玉田也；常州一派宗北宋，所謂皋文詞選，所以偏重飛卿也；衡湘一派於晚唐五代則欲合溫韋李馮而一之，於兩宋則欲合蘇辛周姜而一之，王梅坞謂『溫飛卿詞「婉約綺麗」，韋端己詞「清新俊逸」，李後主詞「淒咽」怨」，馮正中詞「精美閎深」，是為詞家四宗，所宜並重，不可偏廢也』。蓋船山之學博大精深，不囿於一隅類如此，梅坞因為守船山青草家法者。（未完）

詞林雜憶之四

海嘯慶談薈

馮玉祥治軍的伎倆（上）

諸葛文侯

馮玉祥素有善將兵之名，實則以愚民手段為對付大兵的要訣，不足為訓也。他所招募的士兵，限於直魯豫三省壯丁，且以不識字，亦未曾在公共機關當過備役者為唯一條件，如果頭上倘留着小辮的鄉愚，尤屬求之不得的上選對象。募兵入伍後，教其識字三百個，只要能夠辨認姓名就行了，此外不許閱讀任何文字，軍中一律禁閱報章雜誌。士兵每日從黎明到黃昏，除操練軍事技術之外，或作健身運動如爬山、習拳、踢鐵槓之類，或從事勞役如築屋、修路、挖泥、運磚石等工作，總以整天無片刻閒逸為主。馮氏每於夜間馳入兵營跟士兵們同榻對話，詢問各人的身世，見着傷兵輒流淚慰勉，替他們剪髮或洗身，因此士兵們多感戴之。他常在操場上或會場中，高聲詢問士兵們：「你們吃的是誰人之飯？」必答以「是老百姓的！」再問「你們是誰的兒子？」答曰：「馮玉祥的兒子！」他即領首大喜，若答不中式，便遭責罵。這就是馮氏治兵的典範。

馮氏最無將將之才，所部高級將領如石友三（漢章），韓復榘（向方），劉郁芬（蘭江）等，皆先後背叛，而其激叛的原因，實由於馮氏之不近人情，視部將如奴隸牛馬然，令人切齒傷心，難以忍受。茲略述吾所親見的情形，以概其餘焉。

韓向方原係十六混成旅伙夫出身的，洊任至師旅長後，每逢部隊多衆集合時，馮必教韓氏當衆報告自己在軍中的歷史，從當伙夫說起，敘述一切經過，不得隱諱，如果次因犯某種過錯而被馮打耳光，罰長跪等故事，尤須詳細陳辭，詳述無遺，最後還要感謝總司令（指馮）的恩德，表示自己乃是不成材的混蛋！馮則顧而樂之，洋洋自得，屢次如是，表演不已。民國十六年春，馮軍由陝甘出關，進至山東曹州，馮氏駐宿鄉村民家，晚間命石漢章，韓向方二人輪流在門外站崗，担任衛兵職務，他睡在床上看三國演義，即命石氏或韓氏佇立牀前，持着油燈給他以燈下看書之便，時石韓兩人皆是軍長地位了。石友三的家眷住在天津，自從民十四年冬國民西北軍開始由平津撤退之後，夫妻暌違已歷兩年，石氏領兵北伐到了曹州，[illegible]前來晤面，馮聞之，於全軍說石友三違背紀律，接家眷到軍中，着即罰停一個月。石氏憤憤不平；私謂余曰：「他媽的！李德全（馮氏之妻）亦到曹州來了，他的老婆就可以隨便住在軍中嗎？」民十七年，韓向方兼任河南省主席，跋扈作姿，事聞於馮，斥為「西北軍敗類」，韓憤甚。馮氏由西安赴南京，就中央軍政部長兼行政院副院長，或由京回陝，道經[illegible]夕，即以出發勸共，馮氏已決意作亂，相機叛邪之，逆謀圖覺，韓即率部投誠中央了。

懷汪國垣

丁雨

嘗聞之詞林名宿言，汪國垣辟疆先生所校錄之唐人小說一書，取材精審，疏說詳賅，而又琢詞藻華瞻，有民初以來騈體名家所不及者，屢思欲得一帙以讀之，而未果也。日前，偶從友人書架中見之，急予披閱，果覺所言不爽，快且有同親炙，誠幸事也。

余之幸列汪先生門牆，在民卅二三年間，其時先生適任教重慶中央大學，并兼領中正中學課務，所居在小龍坎一民舍中，與中正中學比鄰，樓宇深廣，花木扶疏，衆鳥啁啾其間，頗饒幽雅之趣。每值課餘之暇，余偕友人往謁時，必蒙延接，相與持清茶一杯，上下古今，詩詞文史，縱談於簡窗棐几之下，意態既瀟且樂。先生碩學精深，每有所問，亦聽者如響。臨辭，則又必以其所主編之中國文學雜誌致贈，並親筆簽署其上，意氣殷勤，獎掖後進，誘導備至，唯恐弗及，殊足感也。

先生雖博物儒者，然初非有志於國學。當其清末就讀京師大學堂時，所習乃為外文，其後以兼任中學國文教席，始治中國文學，家居彭澤，陶令之流風餘韻，猶有存者，故生平尤特致力於詩，所作出入黃山谷與王荊公之間，七古尤能傳譯公神理，與時下所為宋詩之粗僻典僻字者，迥異其趣。其在重慶時所作懷還詩「歸來」，泉勻半甌，鼎臠片嘗，殊未能以其歸趣與造詣之萬一示人也。

僑務委員會核發台教新字第三二三號登記證
中華郵政台字第一二八二號登記為第一類新聞紙類

自由報

內政部頒發僑台報字
第零零叁壹號內銷證
THE FREE NEWS
半週刊每星期三、六出版
第三十八期
每份港幣壹毫
台灣零售價新台幣二元
社長：雷嘯岑
督印人：黃行奮
社址：香港銅鑼灣高士威道二十號四樓
20 Causeway Rd. 3rd. Fl.
HONG KONG
TEL. 771726
電報掛號：7191
承印者：田風印刷廠
地址：香港高士打道221號
台灣分社
台北市西寧南路110號二樓
電話：三〇三四六
台郵撥儲金戶九二五二

長篇社會小說　儒林九尾龜發刊預告

這是一個偉大的時代，這是一個微妙的地區。十年來，有數以千萬計的中國智識分子避亂逃出大陸，棲遲海外；有數以千計的西方人士到華僑社會中觀察聯絡；也有無數的中共特務間諜在海外譸張為幻，作浪興風。這中間，有各種形形色色，可歌可泣的故事，或為我們所目擊，或為我們所耳聞。「儒林九尾龜」就是把這些耳聞目見的故事，綜合貫穿，特請名作家寫成一部長篇的社會小說，不日即在本報連續刊載。小說裏面的人物，可能有你，可能有我，也可能有我們所熟悉的朋友；小說裏面的故事，有汗，有淚，也有血。這裏面所描寫的乃是一個偉大時代中所產生的特殊事象，是小說，也是歷史紀錄。請讀者特別留意。

民主政治的三大觀念（下）

陳健夫

第二、義務觀。我們人類自很早時候起便以政治為權利的事；只有我們中國的大學之道，是以政治為一種神聖崇高的人生義務。大學所講誠意正心，其用意是在使人們如何獻身國家社會，做治國平天下的事業，所以，必先明德，而後才談得上親民，談得上止於至善，一切都是從明德做起，這便是修身。所以說「自天子以至於庶人，一是皆以修身為本。」明德便是修身的根本工夫，明德之道，乃在如何將我貢獻於國家社會，這豈不就是一種義務觀念嗎！倘若親民為一種權利，那還必要如許正夫，做什麼正心誠意修身齊家的工夫了。

如以政治為權利，自必至於爭奪不已，患得患失，所以孔子說：「鄙夫可與事君也與哉！其未得之也，患得之；既得之，患失之；苟患失之，無所不至矣。」所說「事君」即是從政。如以政治為權利，則必爭奪不擇手段，無所不為了。所以儒家主張「達則兼善天下，窮則獨善其身。」又說：「用之則行，舍之則藏。」「有道則見，無道則隱。」[illegible]國家社會服務，[illegible]政治為義務，孔子週遊列國，原是本於義務之說，證其明德親民的義務，並不是為了發揮自己個人的權利觀念。可見得中國儒家學說一貫是以政治為義務的，可惜後世的人完全忽視了這種高明宗旨，往往以政治為權利，乃至爭權奪利，無所不用其極。因此，漸漸的形成了各種各樣的專制極權的政治，以維持一家一族及少數人的權益。數百年來，中國政治的少有進步，即是患了這種病痛。這都是由於錯誤的思想而發生的結果。幾乎不分中外，在歷史上都是如此。西方則自盧梭倡民權學說以後，才將這種觀念改變，建立了今天這樣的民主政治。我們中國自孫中山先生而後，也提倡這種不以政治為權利，而視為義務的學說，他說人生以服務為目的，這便是出發於人類應盡義務的新思想。只是到今天，我們還沒有能夠將歷史上那種爭權奪利的政治風氣改變過來！這是由於我們沒有在學術思想上透澈明白這當中的道理之故。

今天的政治學說，應以政治為做人的一種崇高義務，應本諸中國大學之道，加以進步的發揮闡明，才合乎時代的要求，這種政治的義務觀的義理，希望今後的學者及政治家加以注意，不要再走到相反的方向去——重視權利。現代的公民，每個人有他的公民權，為神聖不可侵犯，從事政治的人，不應爭自已權利，而應盡最大的義務去爭取大眾的公民權，才符合政治的宗旨。古時候的堯舜，近代的孫中山，都是抱了這種義務觀從政的，所以他們不惜以天下讓人，這便是高度的發揮了政治義務觀念。

第三、責任觀。政治既非權利，而為義務，不僅是義務，而且也是責任，是人類當中一種最神聖的責任。政治家為善盡責任，自必賦予權力，權力是一時的工具，而非目的。過去歐治上的暴政專制，以君權神權曲解天命，視權力為政治目的，因此濫用權力，為禍無窮，這是違背儒家聖人之教的。

照儒家學說，政治是一種神聖責任，不可不鄭重。「季康子問政於孔子，孔子對曰：「政者，正也！子帥以正，孰敢不正？」這個「正」，便是主持正道，使一切不正的，扶之使正，這也就是國家社會的正道，政治便是主持這種正道的，這是何等嚴重的責任！而這個「正」又必須從為政者本身「正」起，孔子所說：「其身正，不令而行，其身不正，雖令不從」，便是這個道理。

所以政治家不可以政治為權力，而應視之為責任。孔子嘗說：「事君敬其事而後食」，這「敬其事」，便是盡忠責任的意思。子張問政，孔子就告知他：「居之無倦，行之以忠。」這都是勉人善盡責任的意見。孔子本人即是本此主張從政，當日孔子弟子冉有為季氏家臣，季氏是專權的大官，孔子深不以為然。一日冉有退朝較晚，孔子就問他何故？冉有說有政務料理，孔子就說「恐怕是季氏的私事罷！如果是公事，現在雖不用我，我也曾做過魯國大夫，也應該參與討論啦！論語記着：「冉子退朝，子曰何晏也？對曰：有政。子曰：其事也！如有政，雖不吾與，吾其與聞之。」又有一次，齊國大夫陳恆殺了他的國君簡公，孔子乃齋戒沐浴，鄭重上朝，奏告哀公，說是陳恆弒其君，請出兵討伐。哀公就說：你可告知孟孫叔孫季孫三大夫。孔子退朝後，就說：「因為我站在大夫的崗位，不敢不盡責向政府建議呀！」這是何等的神聖責任！

正因為政治是一種神聖責任，不可為了個人的權力欲望而隨意運用，所以孔子說：「在上位不陵下，在下位不援上，正己而不求於人，則無怨；上不怨天，下不尤人，故君子居易以俟命，小人行險以徼幸」。這就是說：一個人在位，應善盡本崗位的責任，不必恃權去欺侮下面的人，也不必去巴結上面的人去求得權力。如果不知善盡責任，一心在求權力上打算，便必至怨天尤人。終至行險僥倖，無所不為了！所以一個人在政治上做事，如果知道善盡責任，便一定可以做好。反過來說，如不知盡責任，一心在貪圖權力，玩弄權力，便一定要失敗的。所以政治決非權力，而是一種責任。孫中山先生將權能分立，不讓政府有獨斷的權力，便是恐怕當政[illegible]也是現代政治的特色。

[illegible]——藝術觀，義務觀，責任觀。我們如果形成了這種藝術觀，義務觀，責任觀的政治風氣，政治自然走上民主之路。我們今日要形成民主政治，還必須做這些基本工夫，培養這種新觀念，造成一種普遍的新風氣，到那時，我們的民主政治才可以不折不扣的應運而生。今天我們大家還沒有養成這樣的新觀念，新思想，還沒有形成還樣的新風氣，新作法，試問怎會實現良好的民主政治呢？這個倒也不是一般人所說，什麼中外環境的不同之原因，主要的還是由於我們沒有做這種基本工夫，或者做過還不澈底。而做這些工夫，就不全是政治家的事，而是我們學者的責任了。培養這樣的新觀念，新風氣，便是我們學界的責任。

小論天下

△美總統艾森豪返抵夏威夷小憩，一個辯論立即在美國展開。有人說他出國訪問成功，有人卻說他失敗。

他「跌落地抓一把沙」，不「空手而回」已算萬幸。讓他的「個人外交」就此結束吧！主要的問題在乎：美國人對於在長期冷戰當中屢次慘敗所得到的教訓，能否產生真正的覺悟，而且覺悟得夠不夠深。

△自由中國似乎因艾森豪訪台而贏得一時面子上的光彩。

由熱鬧情緒造成的氣氛，對於冷靜的頭腦往往是一種妨害。

△美國的「蘇俄通」肯南近稱：從歷史經驗看來，避免戰爭的機會很微。他指出：以中共為中心的共黨對於核子戰的毀滅性漠不關心。

其實，憑歷史的經驗也可指出：美國在冷戰失敗愈多和愈慘，熱戰便愈來愈近。可惜的是：害怕熱戰的美國人卻一直是冷戰的失敗者。

△日本岸信介政府通過了「日美安全條約」在紙上生効可以預期。但日共仍可[illegible]反美的邪風，將這一紙條約吹向海裏。誰能有把握擊散在日本的「政治颶風中心」？

而最可歎息的卻是東京的反美示威者接受共黨「美元」的「日薪」，狂嫖爛吃，卻不省得這是中共向大陸人民剝削口糧得來的金錢？

△中共在大陸全面舉行「反美宣傳週」。迫令沒有飯吃而只吃「菜糊」的人民忍飢吶喊，勉強裝成「聚蚊成雷」的聲勢。自掀固可哂，殘酷尤可惱！

△阿爾及尼亞臨時政府決定派出代表團赴巴黎，與法國戴高樂政府商談休戰。

戴高樂對於解決阿爾及尼亞問題，所表現的「執着」，和岸信介對於通過日美安全條約所表現的「執着」，都是政治家在冒險的博賽中通過慎思明辨的最佳表現。

△赫魯曉夫在羅馬尼亞的共黨高峯會議中，又高唱共與西方和平共存之論。

有人樂於見到他打中共的嘴巴。有人懷疑他只是假意打中共的嘴巴，實在是向英美的妥協主義者及時地再放出「黨人欲睡」的暖氣。

真的，當東京和北平的反美運動鬧得空前高興的時候，他怎能不為西方妥協主義者留給一條幻想的出路？

方南

自由談

談美式民主生活

馬五先生

美總統艾森豪這次訪問遠東之際，自由中國政府所在地的台灣有三十萬民眾熱烈歡迎，爭以一瞻艾克先生的丰采為快慰，而日本東京卻有三十萬以上的民眾不斷叫囂示威，表示擋駕。同是接受美援，跟美國締結安全互助協定的友邦，然對於艾克先生枉顧的盛意，一迎一拒，適不相侔，可謂奇蹟也矣。

美國人一致認定日本的反美運動是共黨從中教唆支持的，誠然誠然。可是，日本在二次大戰以前，共黨份子絕對不能立足於國內，如野坂參三（又名岡野進），德田球一之流，只能在莫斯科或中共巢穴的延安寨潛伏着，對日本社會不發生作用。戰後日本在美國控制訓育之下，厲行美式民主政治生活，承認共黨為合法政黨，享有自由活動之權利。教猱升木，引狼入室，而首先遭受共黨的意外打擊者，不是別人，正是一向卵育日共生存發展的美國行政元首！種瓜得瓜，種豆得豆，自作自受，於日共何尤乎？

記得一九四四年夏間，美國副總統華萊士到重慶訪問時，曾對我政府當局詰詢道：「你們為甚末這樣害怕共產黨？咱美國也有共產黨，我們就不怕它！」洎後美國務院動輒指摘中國政府不民主，要我們「擴大政府基礎」，亦完全是以容許共黨參政合作為主要的論據。美國政治人物這套以自己的尺度衡量別人的民主思想，雖有中國大陸淪於鐵幕的這項眼前教訓，依然不知省察警覺，又在日本「照辦煮碗」，不惜覆轍重蹈。美式民主政治的本質，似乎就是以讓共黨合法存在、自由活動為唯一條件，其他皆無所謂，不亦怪哉！

咱們東方人基於實際的經驗和瞭解，認為在民主生活方式之下，對任何黨派皆可以合作競賽，平流共進，唯有共產黨卻是一種大痲瘋，絕對沾不得。原因是東方國家的文化基礎、社會結構和產業發展情形，皆與西方國家大異其趣，硬要用揠苗助長的手段，把美式民主生活方式，全盤移植過來，結果只是替共產黨造機會，終至斷送其國家民族的自由生存權益而後已也。

日共的組織活動

泰泰

本報特稿

自從日本首相岸信介去年多前往華府談判和簽訂美日新安全協約以來，日本國內就一直在動亂不安中。

事實上，日本之所以鬧到今天這樣焦頭爛額，雞犬不寧，純粹是共產黨在幕後策動與安排。莫斯科和北平對於日本的計劃是：「（一）促使它中立；（二）再進一步赤化它。誠如此，則美國在遠東的勢力完全崩潰！從一九五三年十一月起，中俄共即慫恿日本左翼文化人發動反美宣傳，當時與勞動總協聲氣相通的左翼社會黨作家大山郁夫，曾發表一篇文章，對日和平揭露新的見解，。極力支持第三勢力即所謂第三勢力，大約跟尼赫魯的「中立主義」相似；惟文內舉出一個日本所獨有的特點，便是日本式的第三勢力，應該沒有武裝的。

如所週知，日本共有四家大報，三家是親美的。但其中最大的一家朝日新聞，立場卻很曖昧。由於日本結束佔領狀態之後，該報成爲左翼勢力的喉舌；且一度曾爲美國原子間諜盧森堡夫婦之死大抱不平。一九五四年美兵開槍誤殺日婦時，雖會一度引起日人的反美潮，而主張驅逐美軍出境的卻以朝日新聞爲最力。一九五二年開始反美的日本電影片，也曾甚囂塵上。最初攝製的一部叫作「原子彈兒女」的，描寫廣島被炸情況，慘不忍覩！一九五三年售票打破紀錄的「百合花之塔」，便是敘述沖繩島一班少女，替日軍效力，後來被美軍大砲數枚轟斃。關於席捲南洋後而被美軍絞死於菲律賓的山下奉文大將，及一九四五年被美機炸沉的日軍最大主力艦「大和號」，也分別攝製影片。日共的陰謀，是在激發日本無知青年學生興風作浪的勇氣，和敵視美國。

雖然，日本共產黨在一九五二年的全國投票中卻一敗塗地，議員榜上找不出一個共黨的名字。但不能以這一點來斷定日共勢力已經消沉，相反地，日共地下組織的活動，一直沒有間斷過。它所煽動的反美心理更日益蔓延，從消極而進乎積極；從文化宣傳而採了表面的行動。

其赤化日本的步驟，可從該黨領袖一九五四年分發各級幹部的信件看出。那信的內容是說明現在的局勢，需要儘量組織防衛中心和澈底調查敵人的實力，還沒有到達工農武裝作革命鬪爭的地步，而是使群衆明瞭有鬪爭的階段。

說也奇怪，一九五〇年日共尚有黨員十萬人，但至一九五二年中，不僅選舉失敗，即黨員數字也減少一倍半，財政機構瀕臨垮台，黨的勢力一落千丈。這到底是什麼原因呢？

由於一九五〇年一月，共黨國際情報局申斥日共缺乏進取性，下令採取積極行動，來配合共產黨在亞洲方面的攻勢。詎料不到幾個月之後，韓國戰爭爆發了。當戰爭發生之初，日共已經在執行國際情報局的命令，麥克阿瑟將軍於聞訊之餘，立即下令嚴密監視日共的活動。於是日共頭目德田球一（已死）、野坂參三便轉入地下工作，合法行動次第減少，而非法行動卻次第增加。黨內成立軍事性或半軍事性的組織，意見歧異的份子則陸續淘汰，產生三個有革命性的組織，然後擬定新的計劃和頒佈新的黨規，進一步證明日共決心不顧國民的唾棄，而準備作革命的鬪爭。全國各地的黨部，編成軍事隊伍，三個或四個人成一小組，三個小組成一大組，三個大組叫做一隊，兩隊或三隊即等於一個軍事單位。日本全國分四十個區，每區有一隊共產黨員負責「防衛」。其武器多數是依照共黨手冊自製的，或由美軍處偷竊的，或是由日本警察崗位搶來的。因此，國人對它們的卑鄙行爲，就漸漸失望了。

現在日共正式黨員雖不多，但傾向於它們的人數很可觀。由於日共每逢採取行動，必須依靠那些血氣方剛的青年伙子們，身無長物的苦力和工人，以及在工業中被驅逐的份子等。所以它們這次能夠號召數以百萬計的學生工人起來反美反政府的示威行動，一面是中俄共的幕後支持，一面也是給它們多年來的坐大所致。如果日本政府和人民再不提高警覺，那末，將可能後悔莫及呢！

編者與讀者

台灣「自由報讀者」惠鑒：來示暨所附山西黨人韓克溫等六人，於民國十二年致閻錫山先生函稿一件均拜悉，至爲感紉。本報悼閻氏一文，僅就其與中華民國相終始的大處落墨，而面臨國運艱屯的今日，各予稱贊，乃屬有眞正下筆起元的用心，而閻氏晚年担任行政院長的一段經過，確屬艱苦異常，難能可貴。我們說他「瑕不掩瑜」，也就是含有褒貶之意。承寄附件，頗有史料價值，留備參考採用可也。敬謝敬謝。

台北陳泰、孟廣培先生：損書敬悉，諸承關切指教，銘感無量。本報完全是民營的文化事業，未接受海內外任何機關團體的物質贊助，言論絕對自由。本報各版園地亦絕對公開，歡迎讀者投稿。只要不違悖中華民國反共抗俄的國策，不否定民主自由生活的思想理論，任何一種作品，都是樂於刊載的。

台北縮寫

丁丁

艾森豪到台灣訪問時，並無人搞反美示威運動，只有幾個所謂知名之士，對他上書訴述本國政治不民主，頗似「攔輿告狀」的樣兒。如此反華而不反美的表現，不悉是否合乎美國朋友素所欣賞的民主生活方式呢？

立法委員以行政院陳兼院長未經總統照例提名徵求他們同意，謂爲「於法無據」。然則立法委員每屆三年任期屆滿後，是否亦須總統照例提請大法官解釋一下，然後繼續供職，才算於法有據呢？

執政黨在海外發行的一張「黨報」，最近爲着台灣舉行「中國小姐」選拔事宜，跟台北一家民營晚報大興筆戰，這是「攘外必先安內」政策的舊調重彈兒，該黨報對於對內鬥爭的精神，殊堪欽佩。

新任司法行政部長鄭彥棻聲稱：整飭司法風紀，實爲當務之急。如此說來，舊任部長豈係尸位素餐之徒了？豈其然乎？

卸任外交部長黃少谷，內定出使西班牙，然明令迄未發表，據說當局又有不教黃氏去國的打算，另有比大使更重要的內部工作需要他担任。此公眞不愧爲自由中國政壇上的「紅倌人」也。

台灣民營企業發展的新趨勢（三）

許其京

本報特稿

加速經濟發展，策重民營企業，在今日，確爲十分重要！而且有其充分的可能性，成爲今日人所共認的自由經濟之自由企業功能之所在！國際復興開發銀行，常有指示，其業務之經營，堅持其貸款主張，並非注重貸款國家之資金缺乏與否的問題，而在研究其貸款計劃有無充分的有效的需要！凡所申請貸款，國際復興開發銀行，莫不以愼重的態度，機械的經濟分析，來考慮其貸款問題。今日羅致專門人才，訓練專門人才，實爲加速經濟發展之首要條件，亦爲力求勵精圖治之當前要務！

加速經濟發展，不論資源，抑或人力財力，今日皆不能「浪費」！

今日如求經濟發展加速，貴在資源開發與利用必須深入，萬不可以閒置乃至浪費！凡一切可以利用之資源，莫不須要儘量利用，進而配合其加速經濟發展之需要！此一經濟原則，在今日我國，極爲實用！「據悉：在政府訂定的加速經濟發展計劃大綱中，有一點特別指明，將就公營事業（包括軍事生產事業）之現有設備，作一詳細檢查，對未充份利用或閒置者，設法予以充份利用，俾已投下資本，得以充份發揮經濟效能！經濟部與國防部會同組織的工業戰備委員會，爲此問題，已於日前連開過二次會議，會中軍方代表同意先撥出兩部新式機器，生產民間需要的產品，其中一部爲壓製電木的機器，係與經濟部合作，共同生產，有關接受委託及產品銷售的業務，全部由經濟部負責，至軍方其他剩餘機器人力如何利用問題，國防部現已特別組織一工作小組，以促其成。軍方接受而未充份利用的機器設備，預料將可逐漸參加民營工業生產行列，發揮經濟效能。」（見五月份聯合報）此一措施，甚爲合理！今日政府爲謀加速經濟發展，可謂不遺餘力！在今日一國之國防經濟體系中，一到戰時，頃刻之間，平時經濟立刻可以轉變爲「戰時經濟」，而平時民營企業的生產能力之增加，亦即國防經濟力量之壯大！

今日我國，如求加速經濟發展，則對於中小型的民營企業之創辦，更應實施「獎勵制度」！零星微小的國民生產，皆爲加速經濟發展之成果！

今日民營企業，能與市場機能，發生互相作用，穩定經濟，成效最大！況且民營企業，莫不致力於「創新刺激」與「資本形成」之促進！民營企業追求「高利潤」之願望，在今日，并非不可能，惟在「資本形成」方面，多作努力！此爲民營企業利益之所在！今日加速發展民營企業，既可以誘導國內游資及海外僑資，踴躍投入國內生產，增加中小型企業之經營；又可以吸引外資來華，大量從事「直接投資」，促進大型企業之發展！而減輕人口壓力，擴大充份就業，增加國民所得，提高生活水準，加强穩定物價，發展國際貿易，平衡國際收支，消滅財政赤字，今日一國經濟繁榮，實繫於民營企業之發展也！（全文完）

印尼排華後的經濟情況

椰加達通訊

肇華

印尼自盲目實施排華政策以後，雖從華僑手中獲得不少資財，但其引起的經濟混亂，印尼政府已自食其果。自印尼「總統第十號條例」宣佈後，鄉村中國商人因不能再從事收購鄉村民間土產的經營，使無數土產停滯、集結，靠採樹膠、咖啡、茶、烟、菜蔬等土產爲業的印尼鄉村農民，已無資金周轉，莫不叫苦連天。而能銷售部份的，價錢亦甚賤，虧蝕甚大。印尼政府特草擬一項「鄉鎮收購土產合作社」條例，以接替原由華商所經營收集土產的商業機構。

蘇島南部朱鹿地區，一向是印尼最大的咖啡市場，因華僑商人撤台後，市況不佳，以致農民對種植咖啡毫無興緻。五月至八月，是咖啡的盛產季節，但現已備受打擊，該地的咖啡枳售價，由每公斤卅盾跌至十盾，亦無人問津，其他農產品情況亦屬相似。印尼政府的「情報部長」已呼籲：此種惡劣情況決不能長久拖延下去，必須從速成立收購的合作社。他說：印尼鄉鎮人民希望他們田園產品能夠很快地賣出去，他們極其需要將銷售農品所得的現款去維持他們的農業和家庭的費用。他又稱：此種印尼鄉村收購合作社的任務，是收購鄉村未來的農產品，還不僅是由政府股份的合作社經營，而且私營方面的合作社也獲得參與經營收集土產的機會，這土產的收集僅限於幾種有出口價值的農產物資，並非所有農產品均應由收購合作社收購。因此，日用農產消費品的收購仍然陷入無可解決的危機中。印尼鄉村的農民，對生產了無興趣，生活困苦，對政府盲目的排華，使他們生活陷於困境，紛驚不滿。

在另一方面，從去年底起，華僑自各地鄉村經營的小商店（郎阿弄），多已被迫停業，但當地合作社的組設，異常緩慢，且經營亦不得法，日常必需品的物資，亦難有供應，以致居民生活不安，印尼政府在迫不得已情況下，於本年初又准部份阿弄（華僑小商店）復業，延期半年結束，此舉甚獲印尼人民歡迎，因爲各地華商多有悠久歷史，平日對於居民賒借，多予便利，不像政府的合作社規條之嚴也。但延期半年的時間又將告滿，政府的合作社辦理仍未有成績，故一般農村居民又面臨日用品供應困難的境況，一般都深望政府能再予華商「阿弄」延期營業。

自從鄉村的華商店舖及收購站停業以後，農村及城市經濟循環即呈現空前的混亂，在農村，農產品過剩，價格大降，而致漸向農村經濟破產的危域邁進，至於日用必需品，則因合作社經營不得其法，供應奇缺。而在城市方面，日用必需品既不充裕，農產品更奇缺，如棉蘭市，居民到國營合作社購糖，竟有排隊數日而仍然空手而回的。又如棉蘭國營公司配售的布疋，不符合印尼人民的理想，許多人民不予購買，棉蘭國營消費合作社的布疋，原定有六十六萬七千餘碼，但只賣去一半。這並非說人民已經足用了，而是那種布質劣而粗，人民不感興趣。至於城市的一般用品，價錢已經日益飛漲，印尼幣的價值逐日降低，形成了經濟上的大混亂。

自從去年八月，印尼政府宣佈五百盾及一千盾鈔票貶值百分之九十，而僅值一成之後，除使當地華僑受致命傷外，對印尼的經濟情況並未起任何有利作用，相反的，因市面鈔票流通減少，商家在貿易付款上殊感不便，而印尼國營機構在收購土產上，亦因鈔票價值降低，缺乏現款而致諸多不便。在物價飛漲中，最大面額的一百盾紙幣亦毫無用處（一百盾僅值叻幣不到五角）。印尼政府無法，乃乞靈於印刷機，宣佈從新發行五百盾及一千盾的大鈔，但一般商家經去年之變後，已成驚弓之鳥，對該等大鈔並不信任，相反地，更因大鈔的發行，引起已趨膨脹的通貨，情況更惡劣，印尼政府可謂弄巧反拙。現在，印尼的經濟情況已趨極端混亂，這都是因爲印尼政府胡亂排斥華僑，推翻了當地經濟定力的結果。

社會小說

香港地

四、高的低的

梅太太又是用頂撞的口吻，向梅大亮回答道：「我怎知道吸毒有什麼好處呢？我又不是吸毒的人，你問我是沒用的。胡家兄弟打架，當然是吸毒的弟弟不好，但你能夠想得到的了。你說得那個做哥哥的難處，却不是好輕鬆呀，凡是自甘墮落的人都由他墮落下去，索性不再理他。你可想不到，他們是『切肉不離皮』的呀！等會兒，我還要到許多人家去發貨收貨，懶得和你再說廢話，你如想多知道一點吸毒的事情，等晚上胡家的哥哥有空，我找他來和你談談吧！」

梅太太說了這番話，果然忙着幹她自己的事，又是匆匆的去了。

她所說的「發貨收貨」，就是代一間手袋廠把原料發放到各個木屋去，待各家用原料織好手袋，然後再收回來，送回工廠領錢。她已成了這一門行業的中間經紀人，照理可以從中賺幾個佣錢，她却一文也不肯收取，只是白替人家忙跑。就是因爲這樣，她的名聲才會在這一帶木屋區裏叫得響亮。

到了晚上，梅太太稍爲空閒了半刻，果然走到胡家去，把胡興請到她的屋裏來，和梅大亮相見。

木屋裏面沒有電燈，大家都是用火水油燈，那本是最容易惹火之物，偏是木屋區裏的人沒法不用它。梅大亮習慣在晚上寫點文章，這晚却打算不寫了，燃起淡淡的燈火，泡好了一壺茶，招待那個好意來探他的賓客。

胡興是一個體格高瘦的人，穿了一身破舊的衣衫，走到梅大亮的文山書屋來，他在那淡黃色的燈火下，他那黃悴的面色越顯得難看。他頭髮蓬亂，似乎很久沒有剪過了，頰傍和頷下有稀稀幾根頗長的鬚，那鬚色也是黑中透黃，可見得連鬚也欠缺營養，所以沒有潤澤之色呢。

梅大亮很同情胡興這種人物，一因知得他是一個很孝心的人，二因知得他能夠用無限的苦心和毅力，對待他那不肖的弟弟。

茶壺奉客，不在話下。胡興也不懂得客氣，燃起了香煙才開始談話。（卅七）

木客著

大甲鎮的黃昏（下）

郭德楷

這位年輕的人很快的被全鎮的人知道的，在這種尊敬景仰下，有一位芳齡十八歲的姑娘偷偷的在愛着這位異國青年。每當學校放學，志賀把學生領到校門口時，這位姑娘常在附近偷看他，她想能夠認識他就好了，然而沒有更好的方法使得她這樣做。

大甲鎮的黃昏不知從若干年起就是不寂寞的，志賀很愛這兒黃昏的景色，常是一個人踏着孤單的步子來到小溪旁，聽溪水的聲音，看夕陽的遠去，這兒和他的故鄉不是有幾分相似嗎？

『志賀先生！你常來這兒散步嗎？』一個黃昏他來溪邊散步的時候，突然聽見一個少女的聲音在呼喚他，他仔細看看，發現說話的是一位在溪邊洗衣服的少女，她那大大的眼睛，圓圓的面形，似乎覺得很熟。他想起了她原就是每天在校門口常碰見的那位少女，此刻這位少女的臉上帶有幾分羞意，也許是她的日本話說得不好而感到害羞起來，也許是爲了旁的。

『是的，小姐你貴姓？』他奇怪爲什麼她知道他的名字。

『我叫方蘭，是方明的姐姐，弟弟放學回來常提起先生，所以我也知道先生的。』

『方明就是你的弟弟嗎？他的功課很好，是一個好學生。』

志賀對方明是很熟的，他在班上算得是個好學生，志賀相當歡喜他的。

『那裏，還是先生教導有方呢？』

『……』

『……』

他們倆個人沉默了一會。

『我們家從這兒一直過去，經過那樹林再轉灣就是。』她指着遠方。『希望先生有空來玩。』

『好的，我一定來府上看看你們。』志賀回答她。

這意外的認識，在方蘭說起來是覺得高興的，在志賀說來何嘗又不是？年輕人的幻夢總是那麼容易產生的，他們各自的內心都覺得平添了一些什麼？

從此，志賀常到方蘭家去玩，她的家人對他很歡喜，他們如同自己人一樣的看待他。日子久了，他和方蘭的感情到達了不平凡的階段。

黃昏是他們幽會的時候，溪邊和山上是他們幽會的處所，這一對年輕人青春的烈火在彼此內心中燃燒着，燃燒着……。

然而幸福是一件留不住的東西，它如同春天一樣的短暫。

志賀和方蘭的事情很快的傳遍了大甲鎮，也很快的傳進了學校的校長耳裏。當時日本人是嚴禁和本省女子結婚的，因爲他們把台灣看成殖民地，把台灣人看成次一等的人，他們的身份是不能與日本人平等的，志賀的這種行爲無疑的是不容於校長了，校長要他離開家，他能夠放棄這個幻夢，然而愛情是偉大的，任何的力量阻擋不了它。不久，悲劇開始了，日本政府的調職令到了學校，要把志賀調回日本去。

這對志賀雖說不上是一個意外，但總可說是一個不幸的。他愛方蘭，方蘭愛他，他們已不可分的。假使他把這消息告訴她的話，他不能想像她的悲傷。他不能告訴她，他也不忍告訴他。

他又不能違抗這命令的，於是他想到了死，用死來反抗它。雖然他知道這種是一個弱者的表現，但是此刻他確實是一個弱者，他除了這一條外什麼都不能做。在一天夜裏，他偷偷的自殺了，自殺在每夜與方蘭幽會的那座山上，他留了一封信給方蘭，要她不要爲他的死而悲傷，希望她能夠把未生產的結晶好好帶大。

志賀的死對方蘭是悲傷的，對她的家人，也是悲傷的。他們把他葬在自殺的山上，化了不少的錢做成了現在這座墳墓。（四）

敘述到最後時，她的聲音顯得很微弱，

。『到現在她快五十歲了吧！女兒想必也很大了，她們都在這鎮上嗎？』故事雖然完了，我仍想知道一些東西。

『是的，她的女兒已經長大成人，但是她自己却出家了！』

『那麼——』

『好吧！我應該回去了，』對一個陌生的人我已經說得太多了。』不等我說完，她轉身就走。

當她離去的時候，我依稀聽到輕微的嘆息聲，頃刻間一些問題湧上了我的心頭：

『她爲什麼一個人在這墓旁徘徊？』

『她爲什麼那樣的憂鬱？』於是我意識到這位少女的身世，我想上前去找她回來，但我却又沒有這份勇氣。

大甲鎮的夜更濃了，山上一些淒涼的蟲聲在響着，像悲傷着一個少女的遭遇：……

青年之聲徵稿

本版特闢「青年之聲」一欄，專載海內外青年學生的文藝作品及其生活動態的報導。歡迎各校同學來稿（勿超過五百字），一經刊載，略致薄酬。如需退稿，請附郵票。

文壇軼話

瞿秋白之戀

介人

這一次中共召開的「教育和文化、衛生、體育、新聞先進工作者代表大會」，因爲名字太冗長，簡稱爲「羣英會」，與會代表六千多人，眞是聞所未聞。這一次發言的有楊之華，她是瞿秋白的遺孀，久已不聞其動靜，看了這一段新聞，使我們迴憶起瞿秋白之戀。

民國二十三年，瞿秋白在汀州監獄中時，已自知其已往所爲法無可恕！臨死之前所寫的「多餘的話」末段，猶殷殷以之華爲念，原文云：「我留念甚麼？我最愛的人，我曾經依傍着她渡過了十年的生命，是的，我不能沒有依傍。……我一直是依傍着我的親人，我唯一的親人，我如何不留戀？我只覺得十分難受，因爲我有許多對不起我這親人，尤其是我的精神上的懦怯，使她也終究沒有徹底的坦白，但願她從此厭惡我忘記我，使我心安吧。」

還有，「憶內」七絕一首，詩云：「夜思千重戀舊遊，他生未卜此生休；行人莫問當年事，海燕飛時獨倚樓。」

遺言及詩，多屬沉哀幽怨，蕩氣迴腸，人之將死，其言也哀，而對於之華之眷戀，尤至死不忘。據說，瞿之與之華有關，因爲其時楊在上海，瞿時被中共中央遣入江西共區工作，企圖冒險化裝逃回上海，終遭國軍捕獲，明正典刑。

政治家（五）

徐學慧

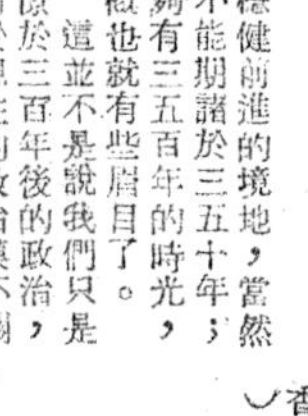

望海樓隨筆

一八四六年，英國政府撤消了穀物法，是由於人民多年反對的結果；一八三二、一八四四、一八六七、一八八四、一九一八、一九二八這幾個年頭，迭次改善選舉法，也是由於人民多年的要求；一七九八年由庇特所創的所得稅之徵收，在當時原是爲了在拿破崙戰爭中國庫應急而設，殆戰爭結束，全國各鄉鎮公民，紛紛上書國會，請求廢止徵收，英國政府鑒於羣情憤激，不得不於一八一六年加以廢止。儘管在今天來看，所得稅之徵收，是一項錯誤的行爲；但在當時，這一法案既爲全國人民所反對，所以執政者亦不能不遷就民意。我舉出這些事例，亦是想要提醒中國的政治家們，任何法律之制訂，只能作是解決某一問題之試驗。政府就是寒暑表，外間的空氣之或高或低，隨時都可以影響到寒暑計之高低；却千萬不可膠柱鼓瑟，致顯得各方面都不能適應。

當然，我亦不願苛責中國自帝王制度下解放至今不過四十九年，民主政治正在萌芽，有政治修養的人才並不太多。英國的民主政治，已七百五十年，法國亦已一百八十年，四十九這個歲目似乎是太少了。十年樹木，百年樹人，連一百年還不到一半，而需要普遍地產生人才，自是奢望。

燕子築巢，是一點一滴這麼積累起來的；高樓大廈，亦始於一磚一石；一個國家的政治，要想達到穩健前進的境地，當然也不能期諸於三五十年；能夠有三五百年的時光，大概也就有些眉目了。

這並不是說我們只是憧憬於三百年後的政治，而對於現在的政治漠不關心。相反的，我們必須要普遍地留心政治，逐漸提高每一個人民的政治意識，否則，且莫說三百年，就是三千年也沒有用。

近五十年中，戰禍連綿，人民流離轉徙，所謂教育普及之說，已成空談。教育不普及，政治人才將無從產生，處今日世界而不能有政治人才，國之爲國，亦可知矣。

使才而可求，吾將焚香膜拜以求之！（本文完）

大陸文壇萬花筒

鬼話中的實話

岳霽

最近兩年來，共區盛行寫回憶錄，只要是老幹部，阿貓阿狗都可寫一篇，自己不識字，自有人代勞，不過其中有兩個原則，以人爲主的回憶錄，要攀附當時正副的大頭目，如「跟隨毛主席長征」、「和毛主席在一起的時候」、「朱總司令在閩西」」。絕沒有人寫和李立三在一起的時候，也沒有人寫跟陳紹禹長征。至於以事爲主的回憶錄，必須要寫大事，要誇張紅軍的英勇氣壯山河，「大渡河畔英雄多」、「會師陝北」，沒有人寫「新四軍在皖南全軍覆沒」，也沒有人把「通過雲貴區時，周恩來行了三跪九叩首大禮，送上槍械彈藥，買路」這段情形寫篇回憶錄。

共黨大小頭目，這兩年來所寫的回憶錄，大家說來騙人聽聞，一千種左右，其中百分之九十都是鬼話連篇，其中有些鬼話不必等待我們考證，過了幾天共黨自己就否認了，例如有一個小頭目寫了一篇「和主席在一個小組」，自稱是毛澤東的伙伴，在延安時，他和毛澤東及毛的警衛員合編一個黨小組，大家推他當小組長，每次開小組會時，毛澤東還要向他「滙報」。這種寫法本是上乘的拍馬術，那知撞了板，隔些日毛澤東居然要左右出名證明沒有這回事，這樣一個很有「價值」的回憶錄就變了荒謬的故事。

不過，若是用心去找，回憶錄中有時還可以找出一點眞實的故事來。例如最近出版的「紅色的安源」。這是一個短篇回憶錄集，共收了九十五個短篇，全書共有八百頁，也算是一部大著了。主要內容是宣揚劉少奇推動安源礦場的工運，主持礦區俱樂部，鼓動工人罷工的事。不過也提到毛澤東去安源活動情形。書中有幾段到很眞實，例如說安源礦工被共黨驅去井崗山當兵的有五千多人，大概沒有誇張，因爲毛澤東在「井崗山的鬥爭」報告裏，就說到「湖南省委答應送安源工人來此，亟盼實行。」工人竟被共黨送去當兵，與豬仔何異。還有毛澤東「教導工人喊口號不要喊共產黨萬歲，要喊共產主義萬歲，喊打倒資本家時，應分清楚「民族資產階級」和「買辦資產階級」，「喊早了，有人害怕，不敢靠攏我們，要等到有了槍，有了軍隊，就可以大叫了。」這一段話眞把毛澤東的形象劃出來了，相信是不會假的。

釋耒集

論人民性

上世聖賢言人性者蓋始于孔子性相近習相遠之說，其後孟子主性善，荀子主性惡，循是更有謂性可善可惡，或性無善無惡者。下逮宋儒，乃謂性有義理之性及氣質之性之別，縱極工眇，終無以逾越孔子所言之範圍，而異說滋多，反以迷失其本，近世西方心理學傳入中土，論性之書，益以叢雜，性之一詞，其爲人襲用亦愈濫。涉於國家者，有所謂國民性，敘說民族者，有所謂民族性，國人自訟其慾怠惰，不適于競爭生存之時代，則自承爲劣根性，及其發憤圖强，思所以鼓蕩風潮，又强調所謂革命性，斥其不受鼓動者爲奴隸性。大陸赤化以還，余竄內地殘存文人述作，論學論文，又出現所謂人民性之新說。考人民一詞，以余所知，似先見于論語子路使子羔爲費宰一章，曰：「有人民焉，有社稷焉，何必讀書，然後爲學」。是人民一詞之意義，實相當于蒼生、黎元、百姓之類，及秦統一，乃立一新名曰黔首，其名雖異，而其爲兩手兩足之動物，固自若也。自若，則所謂性者，自亦不能以其名異而有所不同。董仲舒曰：「孔子曰：天地之性人爲貴，明于天性，知自貴于物，知自貴于物，然後知仁義，知仁義然後重禮節，重禮節，然後安處善，安處善，然後樂循理，樂循理，然後謂之君子。」李習之曰：「受一氣而成其形，一爲物而一爲人，得之甚難也，生乎世，又非深長之年也，以非深長之年，行甚難得之身，而不專專于大道，肆其心之所爲，則其自異於禽獸蟲魚者，亡幾矣。」人莫不欲爲君子，而恥其淪于禽獸蟲魚，今舉漢末之黃巾，唐末之黃巢，宋末之方臘，明末之李自成，張獻忠，舉之曰有人民性，反其道以行者，則斥之曰奴隸性，爲封建統治階級之鷹犬，然則所謂人民性者，特殺人放火，犯上作亂之行爲耳。以商君、韓非、桑弘羊、李卓吾、洪仁玕，均具有人民性，則人民性亦僅違道趨利，殘民厚主之邪說耳。大陸殘存文人，若朱謙之、傅庚生等，大抵不寫作，則無以維其生計，設欲本其良心，有所著述，則不免危及其生存，故遂掊摭鄙閒，以求有合于共產政權之意向，其情固甚可憐，而其勢實至爲危殆。昔王莽篡漢，託爲符命之說，而劉歆、甄豐實預其謀，及即位之後，欲絕其源，以神前事，而豐子尋，歆子棻後獻之，遂觸莽之忌，莽於是誅豐父子，而投棻于四裔，今頌闖獻以取悅紅朝者，又安見其不爲劉歆、甄豐之續邪？

曲齋

粟海彈心錄

開話翢雞（上）

阿公

讀六月十一十二日台灣中央日報副刊「蕉陰雜話」，杜貞翁所撰「翢雞院」上下二篇。內云「余既長，留心考祭，方知翢雞院者，實爲反清復明之所。翢，喚雞聲也，雄雞一聲天下白，寓復明之意甚深。……某年，鄭學川過院，乃以爲宏揚佛教之處，陰布反清種子，清廷偵知，目爲教匪……學川以敏捷得脫，餘遭極刑」。於學川反清事迹及其所遭遇者，言之甚詳。

余因有感於「翢雞」二字，不盡如字曲所釋，——喚雞聲也，從叩，諸州聲，亦讀如祝。余師楊先生謂爲鳥名，南人呼爲鷓雞，江人呼爲麥雞，楊雄則謂竹鷓是也。雖於鷓之爲鷓不盡合，深信余師必有所本，獨惜囿文聞，未之請益，且其中另有一段師生因緣，而翢雞竟爲預知興亡之鳥。

楊先生名宏發，浙江人，清賜同進士，學問淵博，供職內廷久，後以重聽，湖北按察使司邵章，監督湖北法政學堂時，（邵亦浙江人）聘主講人倫道德與大清會典兩課。某次月考，余文中用有「萬物該兼」四字，該誤書賬，先生屬管課官某，傳語召見，詢以萬物一語，出自何書？當舉楊子以對，又謂該作何解，答以古訓具備。先生頷首者再，謂予固知汝之筆誤也，宜慎之。由是列在門牆，許爲高足，受益良多。

楊先生其時年逾七十，每搖鈴下課，先生猶講授不輟，故甲班同學呼爲洋葫糊，乙班同學呼爲炭圓老闆，（本校左近有宏發炭圓舖，取其同名也）。

近百年十六家詞序

高山樵

嶺南詞學自屈翁山開之，至嘉道間程春海陳蘭甫繼起始大其緒。迨洪楊變作，嶺海騷然，詞風亦少衰矣。此外有納蘭成德者，滿洲人，大學士明珠之子。奇才秀發，號爲清詞冠冕，而其平居相與切磋觀摩者，悉爲江南詞人，故納蘭亦不能脫離江南詞派以外也。所謂同治中興以前，清詞流派大畧如此。

（三）近百年三南詞派大合流

洪楊事變結束以後，詞壇宿將凋落亦畧盡矣。魯殿靈光，在江南則有蔣鹿潭（春霖），在湖南則有王梅墕王壬秋，在嶺南則有陳蘭甫，但壬秋晚年專力於詩，蘭甫亦不專以詞名，只有梅墕鹿潭振餘緒於絕續之交，作詞壇宗匠焉。故論近百年詞必自二公始，亦猶論清詞必遡源於陳大樽王船山屈翁山三家也。梅墕湘人，早歲官江西吉安府學教授，中年又以知府候補於江西有年，及門弟子殆遍湘贛二省，武陵陳伯弢（銳），萍鄉文道希（廷式），晚出最知名。梅墕有弟曰萬昂亦頗能詞，同治初官廣西，知臨桂縣事，縣諸生王幼霞（鵬運）從之習爲詞，桂人以詞名者自幼霞始，則梅墕再傳弟子矣。其後幼霞道希伯弢並官京師（北平），更與朱古微鄭叔問許鶴巢袁爽秋沈子培等結堅社於宣武門外以倡導詞學，相唱和無虛日，古微子培爽秋均江南名宿，而古微繼又督學嶺表，嶺南後勁多出其門，因之江南嶺南詞人聞風景從，蔚趨於此一詞學中心，無復有另立旗幟相號召者矣。於是三南詞派滙爲一流，前此所謂地域派系門戶之陋習不復存於人心，故堅社實爲清詞一大結穴。而蘭陵詞社又近百年詞流之先河也。是爲近代詞壇一大奇蹟。此一奇蹟，固然半唐老人倡導之力爲多，而古微先生號召之影響最大也。

（四）近百年詞體臻完備

至於詞之體制，自南宋黃叔暘輯「草堂詩餘」，別詞爲令詞，中調，慢詞三類，於是詞體鼎足之局，遂以確立。然而自晚唐以迄清末，千餘年間，詞家以令詞慢詞名者，不可勝數也。惟中調一體寂焉無聞，雖以詞聖之周美成，此體不過十數首，並無膾炙可誦之篇，其他更無論矣。萬紅友詞律收六百六十調，此體所佔不及十一，其不振也，由來已久矣。曩者先師吳霜崖先生嘗爲余言：『今古詞家傳之百世不可磨滅者，得十二人焉。李太白爲令詞之祖，李後主爲令詞之帝，溫飛卿，韋端己，馮正中各立一大宗焉，後之爲令詞者不能出此五家範圍矣；柳耆卿爲慢詞之祖，蘇子瞻周美成各立一大宗焉，姜白石辛幼安又各一宗焉，後之爲慢詞者，亦不能出此五家範圍矣；首創中調者，本爲韋端己，但未能自成體制，至蜀人薛澄州昭蘊創嵌韻之法，始畧具中調楷模，友人衡陽王綠野（寧庚，梅墕曾孫）推澄州爲中調之祖，可謂特具卓識。又觥乎澄州僅作「離別難」一調，不足資倡導，不如柳耆卿慢詞十九調爲能風動一時也，乃作「詞體辯證」一文以闡明中調體制與作法，並新創十有八調，每調自綴數闋成中調自度曲一卷，示後學以矩範，致力之勤與柳耆卿慢詞十九調者，後先媲美，於是中調所以別於令詞慢詞者，始爲詞家所共曉。上根千載之墜緒，下開百世之宗風，世以王中調稱之，余以爲既有後主令詞之帝，亦可以有綠野中調之王也。然而能於中調自立一宗者，竟尚無其人焉，循綠野已闢之途徑，發揚而光大之，正此後詞家所應有事也。』足見三種詞體雖定於宋人，但千餘年來，鼎折一足，今幸得綠野翁起而振之，不可不謂爲近代詞壇又一奇蹟也。此一奇蹟，固然綠野翁倡導之力居多，而先師霜崖先生鼓吹之影響亦大也。（未完）

海嘯樓談薈

馮玉祥治軍的伎倆（下）

諸葛文侯

劉郁芬受過軍事敎育，並非純粹的老粗；在馮軍中步步遞升，民國十四年已蒞任至師長兼總指揮，與張之江、鹿鍾麟等相頡頏。是年秋初，奉命代理甘肅省軍務督辦（原係馮玉祥兼任），他出發赴甘肅省就職之日，馮氏適巡按綏遠，駐節平地泉火車站專車上，而民黨要人李烈鈞，張繼，孫科，李石曾，徐謙等亦與馮氏偕行。是日劉督辦至專車上面謁馮請示一切，馮略與數語，忽厲聲呵之曰：「跪下！」劉俯首屈膝，長跪無言。車中衆賓睹狀，大爲驚詫，少頃，公推李烈鈞向馮乞情轉圜，乃命劉氏起去。旋李說馮：「劉江已貴爲國家封圻大吏，並非大兵可比，縱有過失，似不必當着賓客面前，予以難堪，今日之事，所爲何來呢？」馮笑謂：「沒有甚末，只試試看我這套方法還靈不靈而已。」這是要測驗劉郁芬躍居高位後，是否仍如往日之絕對服從，雖受奇辱亦不敢反抗。這樣的將將之術，即一般擅作威福的軍閥亦所不取的。十七年夏間，劉鬱江已卸去甘肅督辦職務，領兵駐屯豫魯邊境，曾以赴滬治療牙疾爲名，道經金陵小住，即向中樞暗示輸誠之意，迨十九年中原大戰爆發前，劉乃脫離馮軍，入南京受任爲國民革命軍總司令部總參議了。

此外，馮氏部將梁冠英於民十七年領兵駐防海州後，亦對馮貌合神離，唯國府之命是從，馮迭次檄調梁部歸還建制，皆不奉命，馮雖以中央陸軍署長的權力撝制之，梁亦置若罔聞，且與馮避不見面。馮至南京，適遇梁氏之駐京辦事處主任鄂人曾某，即多方揶揄以洩憤，一日，曾某衣長袍晉謁馮氏，時余亦在座，馮岸然指着曾某，獰笑謂余曰：「你瞧他像不像個候補道的樣兒呢？」曾亦怒目相向，暗中慫恿梁氏勿再作馮的奴隸，梁終於叛離馮氏了。宋哲元爲人頗忠厚，然對馮氏亦陰懷反側意念。抗日戰爭初期，宋部戍守保定一帶禦敵，中樞以馮氏係宋之舊主，任他爲第一戰區司令長官，駐節保定，直接指揮宋部（即第廿九軍）。詎宋極害怕再作馮之奴隸，拒受節度，馮羞憤之餘，曾舉手鎗自戕，爲左右所救免，中樞洞悉其隱，急令馮解除司令長官之職，以免貽誤大局。又譬如李鳴鐘，位至師長兼綏遠都統時，因其所部某團長在張家口公幹之際，清晨不勝大雪冱寒，偶爾飲酒增加體溫，被馮發覺，即電召李來張垣西北邊防督辦署，在院中罰跪數小時，俾衆觀覽，此民國十四年冬臘間事，余所親見者。是年張之江以總指揮地位，率軍在直隸（今河北省）楊村一帶與奉軍李景林作戰，隨時用長途電話向馮報告戰況，一語不合，亦予張以嚴厲處分，張氏惶遽遵命跪地，必待馮再來電話赦免，方敢起立，蓋左右有馮氏所派特務人員潛在着，如違令，禍且不測也。民十六年馮氏部將門致中任寧夏省主席時，某夕宴客曾打麻將作樂，次日即接馮由陝西來電嚴厲申斥，可見其特務工作之嚴密。

馮之治軍伎倆如此，宜其衆叛親離，一蹶即永不再起也。

懷汪國垣

·丁雨·

先生既終年萃力于詩，且以詩名海內，故其課諸生也，亦首必以詩。以爲詩者，先民之精言，文人之極詣，上之足以鼓舞羣倫，風起百世，益教化而正人心，下之則足以陶冶性情，潛移氣質，葆眞元而鳴天籟，此孔子興觀羣怨之旨，未可如拘曲之士，執一偏而抹全體，揚厲杜而抑淵王也。至其取徑，則首在宋詩，間亦旁採崑體，此觀其所著光宣詩壇點將錄及李義山錦瑟詩箋補等可知，後者蓋取其沉博奧麗，所以藥前者之生糙枯瘠也。

舍詩學外，先生于唐人說部，頗亦有所篤好，其旨趣可于所撰「唐人小說題辭」見之：……風會既開，作者彌衆，才傑之士，各拾所聞，蒐奇則極于山經十洲；話佾則逸於齊諧列異。于是消蘇三清之境，佛氏輪迴之思，負才則放于豔情，摧彊則酣謳于俠義；固不經緯文心，奔赴靈囿，繁文綺合，縟旨星稠；亦極稗海之偉觀，遒齊梁而軼兩京者歟！雖末流所屆，稍嬖詆諆，而振聯朵辭，終歸明密。宋則劉貢父嘗言：小說至唐，鳥花猿子，紛紛蕩漾；洪景盧亦言：唐人小說，小小情事，悽惋欲絕；洵有神遇而不自知者。兩公博洽儒宗，立言不苟，辨微知味，獨具會心；要非秉正衞道者，所能夢見。……

舍詩文本一道，由此益可窺見其于宋詩中，舍江西而取坡谷之微意矣。（中）

詞林雜憶之五

THE FREE NEWS
第三十九期
每份港幣壹角
社長：雷嘯岑
督印人：黃行實
20, CAUSEWAY RD 3RD FL HONG KONG
TEL. 771726　本報掛號：7191
承印者：田風印刷廠
地址：香港灣仔高士打道二二一號
台灣分社
台北市西寧南路壹壹壹號二樓
電話：三〇三四六
台郵掛號館金戶九二五二

長篇社會小說　儒林九尾龜下期發刊預告

這是一個偉大的時代，這是一個微妙的地區。十年來，有數以萬計的中國智識分子避亂逃出大陸，棲遲海外，有數以千計的西方人士到華南社會中觀察瞭解；也有無數的中共特務在海外譸張爲幻，作浪興風。這中間，有各種形形色色，可歌可泣的故事，或爲我們所目擊，或爲我們所耳聞。「儒林九尾龜」就是把這耳聞目見的故事，綜合貫穿，特請名作家寫成一部長篇的社會小說，下期即在本報連續刊載。小說裏面的人物，可能有你，可能有我，也可能有我們所熟悉的朋友；小說裏面的故事，有汗，有淚，也有血。這裏面所描寫的乃是一個偉大時代中所產生的特殊事象，是小說，也是歷史紀錄。請讀者特別留意。

怎樣改進低能的行政效率？

雷嘯岑

我敢肯定說句不合時宜的老實話：現時中華民國政府各機關在台灣的行政效率，其腐化低能現象，縱然不是絕後，也可算是空前了！

構成這種現象的原因，一般人皆歸咎於公務人員的待遇太菲薄，大家精神苦悶，心猿不寧，引不起興趣。這是不切實際的皮相觀察之談，最重大的毛病乃在彼不在此也。由令之道，不變令之法，我認爲公務人員的待遇越優厚，而行政效率的腐化程度將更深沉，且可能趨於惡化。這說法似乎駭人聽聞，但事實所在，不宜長此諱疾忌醫，自我陶醉，以致病入膏肓，到頭來無可救藥。試就管見所及，捷述其病理病態的概要，以明吾說。

法令滋彰

自從大陸淪陷，中央政府遷移台灣以後，空間，時間和政事，皆已發生了很多的變化，但原有那樣龐大的政府機構，依然宛在，舊時的一切法令，連同二十多年前軍事委員會在剿匪區域內所頒訂的特殊法規，固然一體沿襲，無所去取，而政府移到台灣來的十年期間，又不知頒訂了若干種新法令，這些多如牛毛的新舊法規，洋洋大觀，其中不管有些喪失時效也罷，矛盾抵觸也罷，政府既未明令廢止，則任何行政機關遇事皆可以援用，名正言順，誰也不能說他不對。據余友姚味辛先生嘗：他的兒子出國求學，依法向行政機關辦手續，從區公所辦到國防部，要經過大小十六個道文武衙門，擬簽格式，遞呈文，眞是胼手胝足，案牘盈尺，而閱時半年以上，還是沒有結果，最後他祇好請託一位政府顯要人物幫忙進行疏通，才算是辦通了。姚先生過去本是政府上的顯要人物，跟現時當道的袞袞諸公多有所謂「人事關係」，爲着辦理兒子出國求學的手續問題，尚且如此艱難困苦，假如是中擱的普通老百姓，那還得了嗎？即此一端，可見法令滋彰的弊害爲何如者！按照法治國家的軌範，凡屬對於人民權利義務有所限制或約束的法規，都應該經過立法程序的。政府各級行政機關所謂「單行法規」，甚至於可以濫行訂定，各級政府的「行政法規」，這成甚末法治呢？

法令滋彰的結果，行政效率必然腐化低落，決無例外。逢稍感煩劇的事，就藉法令來拖延積壓；遇着要負點責任的問題，更可藉法令作盾牌，予以推諉拒卻。說來冠冕堂皇，振振有詞，行政機關的官僚化生活，就是這樣培育起來的。回憶民國十六年國府奠都南京後，一直到對日抗戰前夕，一般黨政機關處理任何一樁公務，歷時最多亦沒有超過十天的，中央黨部且規定不許超過七天，以今視昔，恍若隔世了！那時候的法令規章，不像現在這樣繁瑣，而軍事委員會對勦匪區域頒行的法規，在匪區以外，即不適用，因此之故，腐化的官僚主義便不容易滋長潛藏。目前若干舊法令，事實上很少沿用了，但政府亦未曾加以整理，明令廢除，官僚份子便可資爲因循敷衍的口實。平日大家在嘴上高談革命的理論，天花亂墜，實際服務精神，却比卅年前國民革命的對象——北洋官僚政治本質，殆有過之無不及也。老子說：「法令滋彰，盜賊多有」，這「賊」不一定是只在民間產生，官府亦到處潛在着，試翻閱莊子「胠篋」篇的義理，即可得到明確的印證。

人事凍結

政府遷移台灣後，不知憑何理由，有何需要，對各級行政機關竟實施所謂「人事凍結」制度，實在令人莫名其妙。若說這是爲要獎勵一般投奔台灣最早的公務人員忠貞精神，那這無異於關門主義，我們又何必號召大陸上以及海外華僑社會的反共人士來歸呢？即經常強調宣傳的團結運動，也就大可不必了。政治上如果沒有新陳代謝和能力競賽的作用，便如一池死水，微波不興，混濁日甚，而蚊蚋孑孓滋生於其間，終致妨害衛生。政府採取「人事凍結」制度，助長疾疫的後果，使一般公務人員視其職位爲鐵飯碗，有所恃而無恐，日常工作不求有功，但期無過，除非生命死亡，即不會有被淘汰之虞，所謂考績，乃變成了虛應故事的玩藝，決不發生鼓勵激勸的效能。據一位部長階級的朋友告訴我，他發覺所屬職員有瀆職情事，要想調動該員的工作，亦不可能，免職更不必談了。行政機關的主管長官，對屬員既無賞功罰過的權能，而又要他做出成績來，豈不是難題嗎？這是由於「人事凍結」所作祟，如是乎鐵飯碗觀念，所謂「少做少錯，不做不錯」主義，便成爲公務人員的服務守則，隨時隨事，皆運用手段，相習成風，刁難肆無忌憚，十足地做到了「笑罵由人笑罵，好官自我爲之」的厚黑程度，反正是奄有終身職的地位，應辦不辦，雖直屬長官亦奈何他不得，遭殃的只是老百姓。民主國家的政府原是爲人民而存在的，現時我們的人民却是爲政府而存在的，那些享有「人事凍結」制度專利權的官員們，執着法令規章，對於人民請求處理的事項，愛理不理，「你怕官，都只怕管」，「不怕官，只怕管」，不通過主管機關，休想辦成一椿事，這般主管官員們，個個有「人事凍結」制度作爲護身符，作威作福，機關都變成了官僚化，機關處理公務的中心人物是科員，武職機關的中心人物是參謀，在行政上的實際權力，比部長還要大，院部長只是畫諾而已。

不特此也，行政人員又利用法令上所謂「有關機關」的鎖法，藉爲推諉卸責的法寶，一件事無論大小，是皆以開會，會而再開一個會，一個會議一個議，經常召開不歇，而預會的單位，又個個都擁有否決權。在這種情形之下，即令是芝麻綠豆般的問題，亦決不可能得到「迅速」、「簡便」的處理，所謂「分層負責」之說，更係徒託空言，並無絲毫的價值。如再三開會之後，還是沒法解決問題，然後到了非解決不可的時候，才就使出最後的一種絕手鐧——向最高當局請示。因此，請示爲官之本，便形成行政機關的普遍作風，究其根源，皆以「人事凍結」制度爲厲之階，還能說是待遇的菲薄嗎？假使待遇提高了，一般公務人員有鐵飯碗權利的待遇提高，他們的服務精神若不由腐化而流於惡化，那才怪呢！

整理一切新舊法規，解除「人事凍結」制度，是改進行政效率的不二法門，此外任何興革之議之談，都是些無關宏旨的官言廢話，於事無濟的。

小論天下

△韓戰十週年紀念，中共乘機在「反美宣傳週」再喊一次「紙老虎」。麥帥寂寞，李承晚淒涼。南韓「自動」解除了揮軍北進的呼聲。在韓戰反過來的一萬四千位士亦未含有時予以連一部極具宣傳意義的電影片亦遲遲未能拍成。

紙老虎確已盡了最大的努力，把自己弄成紙老虎了。

△赫魯曉夫喊「和平共存」論，中共唱「不免一戰」論，似乎分在莫斯科和北平唱對台戲。這回倒是英國外相勞合說得聰明：「西方對北平和莫斯科之間的衝突或設想中的磨擦，均不應予以重視」。冷靜地看下去吧！三週前還有「專家」斷定米高揚已在蘇俄失勢。這幾天米高揚卻在捷克大罵「美帝」。彭真曾經被他們看作是蘇俄派在北平監視毛澤東的幕後第一等頭目，而這時在羅馬尼亞高聲呼喊的正是彭真。

△日本左翼分子再接再厲，東京大阪續有示威動亂。毛澤東特別大力對日共打氣，絕叫「日本人民找到全民鬥爭的道路」。美國民主黨在參議院的副領袖曼斯菲爾却建議承認外蒙政權，努力與中共交換記者，及削減美總統關於協防台灣外島所獲國會授與的權力。說是急驚風遇着慢郎中，倒不如說：一個放恣的不休，一個啞聲兒嘶扯。

△美國參議院國家安全委員會接獲情報：中共滲透古巴，拉攏南美華僑。

記着赫魯曉夫最近說的一句話：他要使西方國家像在鍋上被煎的魚，滾跳不休。他在說明優略不只有技術，還更有藝術，並且得意地闡揚這種藝術的趣味性。

劉大國若烹小鮮，又如庖丁解牛之目無全牛。中共只是奉令到古巴去做煽風點火的工作吧了！

△岸信介已成爲「代罪之羊」而「功成身退」。日本自由民主黨爭做首相的巨頭們正在擾攘不休。

勇於爲國犧牲乎？勇於求自我表現乎？勇於權力慾望而鬥爭乎？「政治舞台」對於「伶人」的吸引，其力量之奇妙如此！

△中共揚言十年內，拿下台灣。

前年「即行登陸金門」的豪氣的宣傳哪裏去了？

自由中國開出的支票時間越短越好，我們要說：三年或五年內光復大陸。

方南

自由談

政治反攻的一端

據說：最近英國哪位好談政治的蒙哥馬利將軍到北平訪問之際，周恩來設宴款待他，曾將溥儀，杜聿明這兩個何在管制中的俘虜人物，臨時召來敬陪末座，教他們跟蒙哥馬利聊聊天，好像很自由自在的模樣。如是乎，蒙氏乃被矇騙得團團轉，認爲在毛共區域的中國人，並非過着牛馬一般的痛苦生活，因而他回到英國即大發謬論，爲共作倀。至於中國大陸上五億人民呻吟顛領於暴政之下的實際情況，他根本沒法看見，當然莫名其妙，祇好捕風捉影，隨話三千了。

歐美人士對中國情形素來不求甚解，完全是以商業觀點來看政治問題，而藉口一些表面事象作其現實主義的解嘲論據。共黨即利用洋人們這種弱點，投其所好，隨時玩弄一點魔術，讓他們拼命發抒其僞君子眞小人的妥協姑息思想和言行，如蒙哥馬利之流，便是此中佼佼者！

職是之故，我乃想到這次美總統到台灣訪問時，政府當局在招待「國賓」的正式宴會中，何妨教孫立人，張學良亦出席參加呢？孫氏是西點軍校出身的，與艾克系有先後同學之誼，張氏素爲中外注目的神秘人物，常常引起輿論上的揣測批評。若教他們在國宴場合中跟艾森豪先生周旋一下，消息立即傳遍中外，成爲各地報紙上的花邊新聞，許多無謂的謠諑亦就可以澄清了。這對於國家前途以及政府信譽，祇有極好的影響，毫無流弊可言，何以計不出此，余滋惑焉。

搞政治等於變戲法，優劣成敗皆繫於技術的高下，會玩的，因時因地因人而制宜，假戲亦能夠博得觀衆的眞情讚許，名利雙收；不會玩的，手法笨拙，自己費盡了氣力，縱然做的是眞戲，亦將吃力不討好，終必引起觀衆們一片喝倒彩之聲。所以，政治生活確屬具有高度的藝術性，不是隨便好玩兒的。我們現在既然強調「政治反攻」之說，苦不具備藝術化的作風，而我們自是，掉以輕心，即使在冷戰宣傳作用上，亦決無制勝敵人之可能，且有招致相反結果的危險，反攻云乎哉！

共黨的政治行爲是玩魔術，我們若運用藝術化的政治攻勢，即可擊中要害，教它無所施其技，就看我們的智慧如何？

馬五先生

台北通訊

立法院威風凜凜

健生

我國國會——立法院和監察院及國民大會——之間不和睦，凡是關心政治行情的人，都會知道的。中央民意機構之間的矛盾對立，導源於四十二年間，因為國際國會聯合會邀請立法院參加，國大代表與監委自然也不甘落後，於是形成國會之爭的僵局。後來，經由司法院大法官會議解釋國大與立監院共同相當於英美民主國家的國會。可是，大法官的解釋，不但沒有解決紛爭，反而使這項爭論更趨尖銳化，立委且遷怒於大法官，要打破大法官終身職的明文規定，最近還有立委唐某散發傳單，醜詆大法官哩！所以國會之間明爭暗鬥的高潮迭起，愈演愈烈，互不相下。今春國大三次會議集會時，國大代表砲口朝着立法院猛轟；那時候，立委們却充耳不聞，容忍下去了。最近，立法院開始反擊，藉着立法大權在握而以怨報怨，形式上是立法院杯葛國民大會，骨子裏却是立法院向執政當局示威，這時監察院也搖旗吶喊，朝着同一目標「進軍」了。故此間有心人咸不禁搖頭嘆息，認為這種無謂的意氣之爭，何日纔得停止呢？

六月三日，立法院舉行第九次秘密會議，上午通過立委陳洪等八十八人和徐源泉等五十三人的臨時動議各一案，這兩件臨時動議案，主張中央級民意代表及特任級公務員待遇暫緩調整，以全部調整軍公教人員待遇的經費二億八千萬元，充作改善中下級軍公教人員的待遇，該臨時動議案，經立法院秘密會中決定併入中央總預算案，交付預算等委員會審查。

同日下午，立法委員徐源泉、成舍我、薩孟武、張金鑑、夏濤聲、陸京士、王世憲、胡秋原、劉湘女、錢納水等一百六十二人，提出一項書面質詢，質詢行政院改組，陳揆未經總統提名，未經立法院同意，任命程序顯與憲法第五十五條規定有違，憲法賦予總統及立法院之職權，俱遭剝奪。於是徐源泉委員等認為在新院長資格未經依法取得立法院同意，何能重新組閣？陳院長再度組閣而忽視憲法之規定，其何以維護憲法之尊嚴，其何以正國內外之視聽？這一質詢，無異否定行政院的合法地位。

當此項質詢經民營報刊發表後，此間一向平靜的政界，突然進入緊張的局面。接着，立委林競忠等與魏惜言等，又分別提出臨時動議，主張國賓至立法院講演及歡迎國賓，立法院不與其他機關聯合舉辦，而獨自為之云云。立法院連續使用立法權與質詢權，對行政院發威逞狠，且發生於艾克訪華前夕，及地方人士醞釀組織反對黨之際，頗使執政當局感到意外。

在展開這幕政治劇的幕後活動，緊張熱烈。雙方曾使用最佳的政治藝術。立法院方面採取聲東擊西的閃電戰術，使對方防不勝防，措手不及，執政黨方面仍舊使用老法子，進行圍堵與疏解，說服等項策略，企圖個別擊破，但終於失敗了。

立法院三個預算小組，在第一小組審查預算的時候，民社黨籍的立法委員，首先發難，主張刪除民社黨反共抗俄宣傳費，青年黨以半路上殺出個「程咬金」的姿態出場，反對編列青年黨的宣傳費，以資聲援民社黨的行動，而國民黨籍少數立委，也主張刪除國民黨的宣傳費，因此。這個問題爭執和辯論的時間最多。

六月十四日，立法院再度舉行秘密會議，完成預算施行條例暨總預算案的立法程序。是日上午，首先將關於調整待遇的「折衷案」予以否決，下午進行調整待遇案的二讀會，會中有主張仍照行政院提請審議的二億八千多萬元原案通過，但多數委員主張維持全院委員會聯席會議的決議：調整軍公教人員待遇經費，以四億六千元為基數，而行政院原列國大代表調整待遇的一千零八十萬元刪除，至於民社黨與青年黨的反共抗俄宣傳費一百九十二萬，亦一併剔除之。經委員熱烈討論後，即進行表決，當時在院委員二九四人，以二一三票多數通過，晚上繼續開會，完成立法程序。

在通過總預算案暨調整軍公教人員待遇案的前一天，陳院長曾列席立法院全院委員會聯席會議中，作懇切的補充說明，並希望立法院照行政院修正案通過。同時，中央黨部指派張道藩、胡健中等多人，向立委進行疏通，希望遵照黨的決策處理。然立委們在權衡輕重利害之下，終未接納陳院長的主張，因而台北路透社馬上傳出行政院長即將辭職的消息。據說，調整待遇案當局不擬提請覆議。不過，依照預算法第三十五條的規定，中央預算案，須經總統在法定期間——六月十五日正式公佈。可是，十六日的報上並無此項消息。其次是同月十六日的行政院院會，對調整待遇案未作任何決定。同日，立法院內政法制委員會，在討論行政院送審國大研究機構組織草案時，立委認為沒有審議的必要，因為國大研究憲法上的創制複決兩權，係屬於學術性的團體，所以主張不審議該草案。

至此！立法院採取「當仁不讓」的態度，更趨明朗，而關閉了妥協之門。現在，政府當局對此頗感棘手，如何實現國民大會會期間的諾言呢？而王雲五副院長曾以實[?]人的立場，做了一次政治信用擔保，且看他們怎樣兌現能！（六月十六日於台北）

選拔中國小姐的餘波

劍聲

台北通訊

由台北大華晚報主辦的中國小姐選拔，業已告一段落，當選「中姐」的林靜宜小姐，目前正在接受各種訓練，是否在長堤競爭中，再度脫穎而出，雖係未知數，但林靜宜榮膺首選後，曾引起社會輿論的不滿，及此間報界的猛力抨擊，則係事實。

第一屆中國小姐選拔工作，六月五日晚上在許多觀衆的噓聲抗議中順利結束，這是中國小姐選拔工作唯一不愉快的事件，觀衆的噓聲容或滲夾着感情的成份，但不能否認觀衆們的反應是客觀而公正的。奪得中國小姐第一名寶座的林靜宜小姐，在後台（國際學舍）聽到觀衆們不停的噓聲而哭泣了，担任司儀的丁秉燧先生把這一消息報告給觀衆以後，觀衆不滿的情緒並未因此稍減，且有人問為什麼林小姐要哭呢？當評判委員宣佈結果以後，場內噓聲四起，司儀丁秉燧控制不了會場秩序，抬出紫薇小姐唱歌助興。紫薇小姐在噓聲中唱完一曲流行歌曲，她的歌聲被噓聲所掩蓋，不知究竟唱些什麼？（新生報）不幸的是凡事百密一疏，主辦單位（大華晚報）在聘請評選委員之時，雖曾週密設想，所聘委員皆在社會上，觀點上有傑出見解的知名人士，但却忽略了他（她）們本身事業關係所牽涉的人情，甚至可說心胸的窄隘等因素，以致造成了瀕臨結束的不歡場面。

在台北區初選結束之後，坊間就有傳言，謂評選委員因某種關係而對某幾個學校（實踐家政學校）的學生和某一籍貫（台灣省）的候選人，特加青睞，造成一份不太令人滿意的初選合格人員名單。……唯一遺憾的是主辦當局辦理此一選拔的良好成績和苦心，隨着這一場不幸的騷亂[?]傷害而頓告消失了。

我們絕對不會懷疑評判員有甚末偏袒，但從當時場面的情形來看，着實使人懷疑此一選拔的公正性。（公論報）因為觀衆們在事先都有了自己的腹案名單，但從各方所聽到的，與評判委員們所宣佈的，竟沒有一個是相同的，有人說，這就是評判委員的所以成為評判委員，假使誰都猜想得到，評判委員豈非太不稀奇了！（徵信新聞）台北的日報多有些微言，而自立晚報和民族晚報亦大肆抨擊，因此，大華晚報在其他報紙上的讀者，看到此類新聞後，乃紛紛要求退報，以拒絕訂閱來向該報抗議。

民族晚報刊登中國小姐複選落選人張輞璞監護人張明德一封致中國小姐選拔會的公開信，信中提出五點意見，敬質中國小姐選拔會負責人。這五點意見是，公佈複選中姐候選人的各項評分，以及指出中姐當選人的「缺點」，和日式的家庭。而自立晚報更以專欄報導歷屆「世姐」「國姐」的生活，及以後遭遇的情形，藉以影射這次中姐當選人，其手法又高人一等。

中國小姐在選拔之初，主辦單位確曾費周章，初則為報名者不踴躍，而發動各方面予以協助，甚至派出記者分別「拉伕」與「勸駕」，又等到報名之後，在某些中姐候選人之下，事先安排加以特殊訓練，還有不少的中國小姐候選人家長，在未選擇之前，就進行地下活動，有誰當選中姐的傳說，這種傳說一度遍傳每個角落裏，而主辦當局對某些候選人的特別青睞，又與傳說相符，所以無法令人不得不懷疑選拔會的公平性了。假使選拔中姐工作是公正的話，中姐當選人是不可能受到如此無情打擊的，而一向為同業所贊譽的大華晚報，也不致於被同業譏得啞口無言，而不還手。平心而論，大華晚報是無辜的，它是在替別人受過，內心的苦衷，怎樣能夠告訴人家呢？所以，只好「啞子吃黃蓮，有苦說不出」了。

台北剪影

·丁丁·

立法院審議政府預算案的時候，民社黨和青年黨籍的立委，主張刪除其中所列該兩黨的宣傳費項目，雖不無「覺今是而昨非」之嫌，倒也「嘸啥」。執政黨的立委亦有人「見賢思齊」，主張執政黨經費不應列支公帑。此黨員發糞之說也，善哉善哉！不過，貴為立委的黨員們，先得考慮到一大問題，即自己按月究竟能夠繳納多少黨費以養黨？

近來組織「反對黨」的聲浪，充溢着台北市廳，茶樓酒館之中，亦常常聽到這類話題。提倡此說者，且要求現在議會中佔有議席的在野黨——即反對黨——一律解散，合組所謂反對黨，走出議會外面來反對，大有為反對而反對之勢。此說毀黨造黨之說，不通不通，因為大家先把「反對黨」的觀念弄歪曲了！

共匪胡亂轟射了一天半，我軍終予以自衛性的輕微還擊，就是打毀了敵方的砲位八處，油庫四座。幹嗎不乘機大舉反攻，衝向前去，而祇是「坐以待斃」，永遠挨打呢？

南韓的「看守政府」，最近把舊有出版法修正了，旨在給予人民更多的言論自由。我國雖有其表，尚未援用過的現行出版法，似乎不妨重新斟酌一下吧！

歡迎「國賓」憶語

健生

美國總統艾森豪來華作為期二十四時又二十三分鐘的訪問，這是政府遷台以來，繼韓國總統李承晚、伊朗國王巴勒維、約旦國王胡笙、越南總統吳廷琰、菲律賓總統賈西亞之後，第六位來到中華民國訪問的外國元首。艾克訪華，對於中美兩國關係的前途是具有深遠及多重意義的，因為時間的短促，所以忙得我政府人仰馬翻，尤其負責安全的治安機關，更是費盡氣力，大呼吃弗消哩！

艾森豪總統來華訪問，是他就任白宮主人以來，首次和蔣總統會晤，他這次訪問中華民國帶給我國人的珍貴禮物，是那平民化的作風和真誠的友情，以及打破傳統觀念——新聞記者的採訪車，在國賓禮車之前，攝取歷史性的鏡頭。艾森豪總統留給中華民國人民的是：自由的氣氛，民主的風範。這種以身教作「示範」性的風格，深深印在中國人的腦海中。

艾森豪總統的獨子約翰·艾森豪和他的太太貝蒂拉，也是新聞記者筆下的新聞人物，約翰的西裝並不出色，質料是凡立丁的鐵灰色，在右邊口袋下還有兩三塊油漬了，黑色皮鞋擦得相當亮，但表面已隱約可以看到縐紋，一望而知這雙鞋子已經穿了很久。所以，從外面上看去，這位中校軍官，誰也不知道他就是白宮主人的愛子。但是，他的儀表，和應付新聞記者的修養及詞令，證明他是個有顯赫身世和受過良好教育的美國青年。至於艾克的兒媳婦貝蒂拉，她以「臨時白宮主婦」的身份，代替她的婆婆照料艾克，她來到台北之後，在十八日下午，曾作私人活動，參觀了孔廟，遊過龍山寺，如同平民一樣，沒有「臨時白宮主婦」的氣派與貴婦人的作風，給予人們的印象至深且鉅。

「艾克之聲」的哈格泰總部，設在中國之友社，為來自世界各地的新聞同業服務。所有工作人員，不分晝夜地工作，他們的宗旨是「服務第一，記者至上」。本月十八日，哈格泰舉行兩次記者簡報，中國國防部發言人柳鶴圖，外交部發言人沈劍虹，都參加了這個簡報，中外記者窮追問題，打破沙鍋問到底，非問到山窮水盡決不休，非答復得圓滿決不停，絕對沒有「無可奉告」，或者以有關「機密」而拒絕答復的。從這些地方來看看人家，想想自己，眞有無限的感慨！

白宮安全官，禮貌很週到，他們在勸阻記者不要向前包圍艾森豪總統時，總是先說一聲：「非常抱歉」，然後再講和的驅逐一番。一位記者擠在艾克身旁，連拍三張照片，於是安全官先搖手為禮，然後說：「您已經夠了！先生。」白宮記者對於白宮新聞總部都感到非常的滿意，但對於中國的白宮禮車由機場赴台北行館，在沿途答謝中國民衆歡呼時，本來白宮記者的三部座車，是緊隨在禮車之左右，以便瞭解現況，結果，被一部我國警衛車從中隔離，使白宮記者視線中斷，而未能追隨艾克左右，所以極表不滿。如果將前者與後者對照一下，這是多麼的諷刺呀！

六月十九日

讀者·作者·編者

「一青年讀者」先生：惠書謹悉，本報各欄均歡迎投稿，「青年之聲」包括青年文藝及青年生活動態報道。文藝作品請勿超過五百字，並註明學校、年級及眞實姓名，發表時筆名聽便。

社會小說

香港地

四、高的低的

木客著

梅大亮要從胡興口裏知道的，主要是關乎他弟弟吸毒的實情。胡興吸了兩口煙，才把手上的香煙舉起來，搖頭歎道：「梅先生！多謝你們夫婦的好意，關懷到我家不肖的弟弟。究竟他為什麼要吸毒呢？吸毒有什麼好處呢？這說來話長。比方要問我們為什麼要吸烟，要認眞解答起來也是困難的。不過，他如果不是跟我到鑛場去開鑛，他就不會被人誘入這條頹落的途徑去。這倒是實話。」

梅大亮不明瞭開鑛和吸毒有什麼關係，當然要提出疑問。胡興的解釋是：香港有的鑛場是，馬鞍山那方面有的是鐵鑛，其他在針山一帶有的是鎢鑛，他容的是採鎢的工作，經常要鑽入深深的地洞去，整天給濕淋淋的不見天日的危險穴道裏面，鑿石擔泥沙。這都不是普通體力可以支持得來的。就在這樣的工作環境中，吸毒的引誘便容易發生力量了。他說話很有條理，先把鑛工的苦處說了一個大概，才在結尾時來一個苦笑，說道：「梅先生有所不知，從前上鴉片癮的，多是有錢的人，要舒舒服服的臥在床上面來吃，現在吃白麵的卻不同了。做工的人為了要耐勞耐苦，或者是夜裏不眠，才會誤信人言，把白麵看作是提神醒腦的靈丹呢。這東西初吃似乎有點好處，但是不吃呢，吃便很快上癮。我們做鑛工的固然容易誤信它的功力，有些在紗廠要日夜開班的工人，也是一樣容易上當，眞的是不苦不吃，越吃越苦，而且吃得匆匆忙忙，並不舒服。」

胡興是不經意地說出一篇道理，已是梅大亮所未聞的了。他習慣把吸白麵和吸鴉片相提並論，卻不知道眞裏面竟有相反之處，便不禁愕了一愕，等胡興把話說完，才再問道：「照你說，不是做鑛工的都非吸毒不可呢？而且是什麼人把毒物賣給他們吃？」

胡興笑了一笑，又是搖頭道：「這當然不是。什麼時候什麼地方都有不良的誘惑，不見得人人都被誘的。這叫做『同枱食飯，各自修行』，所以我還得怪自己的弟弟不肖。說到販毒賣毒的人，可還不是那些吃黑飯的壞蛋。」（卌八）

命題之難（上）

——評「中國語文月刊」的「簡答」

金溟若

寫成了一篇文章，臨到必須加上一個題目時，往往令人困惑，迷惘，有時得想上大半天或則好幾天，塗改多次仍不滿意的。古代文人常用「畫龍點睛」以喻自己的警句。文藝創作的命題，要切合主題而不將就題材，寥寥幾個字足以左右整篇文字的情緒，何嘗不是「畫龍點睛」呢？

每一個文藝作者，大抵是受過命題的困擾的。

替自己的文章命題難，為別人出題又何嘗容易；出作文題在教國文的老師看來，也是夠傷腦筋的事。而學校的有作文課，目的在於磨鍊學生的寫作技巧，訓練他們的構思方法，培養他們的寫作興趣，助長他們的思索能力。要顧到這許多條件，為學生出一個作文題目，認眞地說，並沒有比替自己的文章命題容易，決不是器識之無的人，憑一時高興便得以任意妄為的。

前年，中壢一個省立中學的校長，於該校作文競賽時，以初中學生為對象，出了一個「怎樣爭取第二回合的勝利」的作文題。就字面看，似乎說得通，但作為一個作文題目而語無主詞，意義就不完備，不曉得他要學生寫的，究竟是「什麼事情」的第二回合的勝利了。那時剛在金馬砲戰勝利之後，在出題的人也許自以為是指的金馬之戰的第二回合，而學生做的，固然也多半以金馬之戰為題材，表面上似乎錯不了。這在出題的人，只憑着直覺；寫文章的人，也一樣的憑着直覺，兩者之間思想相同，倖能說是巧合，偶同。就學術的立場言，這個題目當然是不通的。做一個國文教員，對這一個不通的命題，就應該保持自己的立場，拒絕為之選文。否則便是褻瀆了自己，而且對不住學生。然而，更妙的還不止此呢！請看「中國語文月刊」第四卷第五期的記載。

1.「……上學期學校裏出了一個作文競試的題目，叫『怎樣爭取第二回合的勝利』。但是國文老師說這個題目不通，不替我們改作文，所以我們這一班沒有得到競試的名次。究竟這個題目通不通？……請你們給我解答一下吧！」

這是一封向「中國語文月刊」請教的函件，據說是那位出題的校長用學生名義寫過去的。

2.「中國語文月刊」編者的簡答如下：

「這個題目，我們仔細研究過，看不出有什麼不通的地方。因為『第二回合的勝利』是根據『第一回合的勝利』來的。『第一回合的勝利』的意思很明白，就是在和敵人第一次交手時打了勝仗。但這個勝仗雖然打贏了，仍然不夠，還要加緊努力，想辦法在和敵人第二次交手時再打一個更大的勝仗，這就是『如何爭取第二回合的勝利』了。」

我看到這則「來函備答」（中國語文第四卷第五期第八頁），為之大喫一驚。「中國語文」的編者「仔細」研究的結果，竟會看不出這個作文題目不通的地方，也搞不清楚所謂「第二回合」到底是指「什麼事」，只是反復解說「第二回合」乃由「第一回合」而來。而所謂第一次交手所打的勝仗，到底是怎麼一回事呢？球賽乎？沙蟹乎？對簿公庭乎？情場奪*乎？始終還是一個謎。如是這般，虧得編者不厭其煩地羅列了一百餘字，卻等於沒有寫一個字，沒有指出「第一回合」從何而來，亦即沒有點清最重要的一點。

中學校長出個這樣不通的題目，已是一奇。而「中國語文月刊」則以領導全省語文教學自居，人們亦以此期許之者，今竟於「仔細研究」的結果，僅給中壢中學的學生這樣一個不着肉的回答，憑空糟塌筆墨紙張，那就不可饒恕的了。

青年之聲徵稿

本版特闢「青年之聲」一欄，專載海內外青年學生的文藝作品及其生活動態的報導。歡迎各校同學來稿（勿超過五百字），一經刊載，略致薄酬。如需退稿，請附郵票。

近百年十六家詞序（續完）

高山樵

按霜崖師與綠野翁同於民初參加南社，當時有兩少年之稱，不相下也，霜崖師於詞初亦不欲為前人令詞慢詞所囿，思有以衝破藩籬別開生面者，蓋亦有志於發揚中調，及見綠野翁已先致力及此，乃舍去而專究曲學焉，但其所以鼓勵綠野翁完成此一志業者，亦備至也。卒之一成曲學泰斗，一稱中調之王，並為近代文藝界放一異彩，而垂不朽之盛業，南社得此後果，亦盛事也。

詞學自清初復興以來，論詞法至常州一派而益精密，論規模至蘭陵一派而益博大，論詞派至堅社而大合流，論詞體至綠野翁十八中調而告完備。凡此數端，皆所以蔚成近代詞學昇華景象之因素也。然而大不幸事接踵而至，赤焰張天，紅流遍地，故有文物，近年以來，被共匪摧毀亦殆盡矣，余深懼于明末遺老遺著散落，不獲盡傳，致後起者或不知淵源所自，竟有詞亡於明之謬說流傳焉。後之視今，亦猶今之視昔也，然則近代名作又烏可任其散失而不預為作保留計耶？因就近百年間之代表作家有關於詞學源流盛衰者，輯為此編，名曰：『近百年十六家詞』。庶幾後之有志於詞學者，有所考覽焉云耳。

中國文化（一）

徐學慧

傳統的中國文化，與共產黨是有如水火不相容的。對于一個了解中國文化，而又明瞭共產主義內幕的人，這樣的問題，幾乎已不須再予解釋。可是，了解中國文化精義的人並不太多，完全明瞭共產主義內幕的人亦嫌過少，在這樣的情形之下，闡釋中國文化之精義，就顯得必要了。

一個最大的問題，乃是很少有人注意到這種情形，而不能在這一方面，對國際宣傳上多所努力。

兩年前，蔣廷黻博士在華盛頓馬利蘭大學與紐約華美協進社聯合主辦的中國文化關係圓桌會議上發表演說，題為「共產主義與中國的文化傳統」，蔣氏對於目前美國某些「自由主義」人士所稱「中國的傳統文化是和共產主義相合」的理論加以駁斥。蔣氏指出：在像中國那樣悠久的文化裏，顯然會有它的某一些特點會被共黨抓住，以證明共和共產主義相合。例如基督教的若干特點，可以被共黨利用，而稱之為和馬克思主義一致的一樣。蔣氏復稱：但是那些相信這種宣傳的「自由主義」人士，顯然忽略了一個事實，就是傳統的中國文化——主要是儒家學說，在政治教育及家庭制度等方面所持的觀念，是和共產主義完全不同的。

我之所以不憚繁複引述蔣博士的演詞者，只是要指出：一個有關於中國文化的新的危機已經呈現在我們面前了。共產黨的宣傳家很巧妙地在國外尤其是美國方面，把共產主義搖身一變變成了是中國的傳統文化，這一着，顯然是很潑辣的。在一九四五年以前，中共向美國的自由主義人士宣傳他們只是農業改革運動者，不是共產黨，如今，把大陸囊括在手，卻又改口說中國的傳統文化符合共產主義。這一來，在那些並不瞭解中國文化內容的西方人士眼中，就不免產生一種非常錯誤而又是非常危險的觀念，那就是凡擁護中國文化者可能都是贊同共產黨主義，同時，所謂共產主義不適合於中國國情之說，亦很可能由於共產黨這一謬誤宣傳，而使得西方人士覺得不可輕信了，這是多麼危險的一種理論啊！

共產黨徒乃是最善於把握現階段的情況，而加以巧妙的宣傳者。十六七年前的「農業改革運動」，與共這幾年的「中國傳統文化與共產主義相合」，其作用相同，而其迷辭的對象亦如出一轍。（未完）

大陸文壇萬花筒

一本罕見的「奇書」

岳騫

最近中共為了慶祝「六一」兒童節，趕着出了許多兒童讀物，其中有一部長篇小說「我們在地下作戰」，要算是一部荒謬透頂的「奇書」，即使在共區，此類怪事見的也不多。

這部小說內容是描寫從抗戰到整個大陸陷落這一段期間中共黨員在華北的活動情形，兒童節的讀物專門教孩子怎樣去作特務，相信今日的蘇聯，戰前的日本尚無此種「進步」教育，此一奇也。

既然是兒童讀物，最大原則應該是簡單明瞭，篇幅總不能太長，這一點凡是辦過兒童讀物的人都懂得，可是這部巨著竟然有七十萬字，這樣大的一部書，即使內容寫的孫猴子取經，孩子們也未必看得完，何況內容又都是一些經常見的標語口號，典型的情節，甚至還有同托派鬥爭的故事，孩子們會懂得托派，能讀完這部大書？此二奇也。

書中男主角周小寶是一個十來歲的孩子，正在小學讀書，被中共地下黨負責人物中了，吸收為黨員。以這樣一個小孩子，未進學校，竟然在「黨的教育」下，懂得如何和周圍的敵人鬥爭，而且敵人還都是大人，又都是職業的特務人員，竟然鬥不過這個小孩子，此三奇也。

周小寶後來終於被日本人關進日本人的監獄，受到審問，拷打，他所表現的自然是「堅貞不屈」，在被審問時的從容鎮靜，侃侃而談，相信大人也不能懂得這樣多，不料竟出之於十來歲小孩子之口，此四奇也。

這本書出版之後（目前是出了上冊），中共竟然在北平舉行一個讀者座談會，邀請小讀者出席討論，其中有「第二實驗小學」五年級學生何理，「復外大街小學」六年級學生與世經在座談會上發言，對這部書提意見，除去大量恭維之外，還指出書中對於托派份子的描寫不夠明確，其閱讀之細，海外專門寫書評的作者也自愧不如，何大陸神童之多，此五奇也。

此外，書中還有許多不合情理的奇事，亙古未有的奇人，可謂舉不勝舉，使人懷疑是這部奇書，奇則奇矣，是否收到宣傳效果，有沒有眞的「周小寶」，恐怕去問本書的作者，他也會搖頭的。

釋耒集

學生運動

呫嗶叢談載：「太學生言事，始於漢季，東漢及唐，偶亦有之，至宋蔡京當國，太學生陳朝老等，上書乞予罷斥，陳東等亦於危亡之際，請誅蔡京而用李綱，南渡以後，此風尤熾，如張觀等七十二人，請斬湯思退，用陳康伯。楊弘中等六人，請竄李沐，用趙汝愚。黃愷伯等百四十八人，論史嵩之罪。蔡潤紹等百七十三人，訟劉漢弼之冤。陳宜中等六人，攻丁大全之罪。而臨安府學學生葉李等八人，亦力攻賈似道，」並謂此即子產不毀鄉校之意，而黃梨洲先生之所謂：「三代遺風，惟此尚為相近者也。」近讀田汝成西湖遊覽志餘，卷二十二委巷叢談載：「臨安三學之橫，盛于景定淳祐之間，凡其所欲出者，雖宰相亦直攻之，必使去。其權乃與人主抗衡，或少見施行，則必借秦為喻，動以坑儒惡聲加之，君相略不敢過而問焉。其所以招權納賄，豪奪庇奸，動搖國法，作為無名之謗，扣閽上書，經台投卷，人畏之如虎狼，市井商賈，無不被害而無所赴愬，雖京尹不敢過問。」凡此紀載，如屬可信，則末流之弊，實不啻為流氓地痞所組合之反對黨，其兇焰之可畏，有類于今日阿飛之集團。猶憶抗戰勝利未久，首屆國大召開之前，共產黨之武裝叛亂，一時議起，華北各大學學生乃首先發動「反內戰」，「反三征」，「反飢餓」等運動，與共產黨之軍事進攻遙為呼應。而當時之政府，自教育部以下，以至華北各大學之校長、教授，大抵均不乏「五四」運動之元老份子，始則諱疾忌醫，終乃養癰貽患，而學生諸君，遂不免為亡家失國之禍首，低徊前事，固未有不為此而痛心疾首者也。近自南韓政變以後，日本學生，又借拒絕艾森豪之訪問，而大肆暴動，揚言流血進攻，而縱火焚燬國會，以為恫嚇，而艾森豪竟以是取消訪日之舉，日本政府當局亦自無如之何，然則日本國運前途之隱憂，從此方興未艾，可斷言也。考之前史，對付此種事變，權奸賈似道之術，史稱：「似道作相，度其不可以力勝，遂以術籠絡，重其恩數，豐其餽給，增撥膳田，種種加厚，於是諸生啖其利而畏其威，雖目擊似道之罪，而噤不敢發一語，及似道要君去國，則上書贊美，極意挽留，今日曰師相，明日曰元老，今日曰周公，明日曰魏公，無一人敢少提其非者。」惟正本清源之法，則莫如明太祖「立臥碑於學宮，不許諸生上書言事，」其風遂熄。然此等辦法，往往未能為今日侈言民主之當局所接受。而學生運動，遂長此成為一切顛覆活動之前驅，滋可痛矣！

曲齋

閒話䳇雞（下）

粟海彈心錄

辛亥八月十四日午后，余正收拾講義赴堂受課時，有巡警四人巡捕一人，突至余室，問誰為某某者，誰為所有者，（同房尚有朱同學海濤）乃一一舉以告之，檢查至皮闇中，有新民叢報、民報、雲南報數冊，卷而懷之，指余與朱同學同赴武昌府，言下聲色俱厲。余時加入共進會約半年，（孫武主之）轉遞重要消息一二處外，則無任務，且從無片紙隻字，朱同學同房者不久，亦從無一言及之，故辭氣態度，寧靜如常，然清督瑞徵狼戾，株連者衆，且慮涉及朱同學，則又為之擔憂也。故為整理衣冠，思索此事，非楊老師莫有能脫此厄者，然苦無法通消息，出門時，同班同學周西屏自外來，（西屏沔陽人，文彩甚都）余急則智生，乃告以此番難免囑留數日，而手邊無錢，煩為轉致宏發炭圃老闆，急送數來，西屏似已會得此意。至武昌府，門衛置余等於承啟吏房中，約莫炊時，見有四人大轎至，（楊公出入多乘大轎）不待通名，逕赴後廳，余知其必為楊老師矣。太守陳樹屏亦三甲進士，與師交最深，急時陳首府傳余至花廳，望之藹然仁者，速余坐，隨謂「曾讀孝經沒有」，答以幼時讀完九經，（孝經列在九經，亦即以此動之也）生豈不知守身保身為大者乎。顧命左右「某生書籍發還，與朱生一同回寓，好好唸書」。此一場驚險鏡頭，得如此輕輕過去，亦云幸矣。

[illegible]至三佛閣（武昌街名）師寓致謝悃，是日師容沈戚，慨然曰，三百年清室亡矣。生鄂南人，知有所謂䳇雞否，乃緩緩告以是鳥羣聚，爪趾未能枝棲，渾然未能遠舉，久旱鳴則雨，久雨鳴則晴，體小而聲大，鳴時輒數十聲，聲近「天古怪」，鄉人呼為古怪鳥。師曰：此鳥啄息深山，不止知陰晴，且預知興亡，邇來撫院叢林中，早晚此鳥鳴於其間，與生所云同，不意都市竟有此物，其為清室不祥之徵也明矣。時疑師假物以為教，未敢深究，至今引為恨事，而清室亦竟亡於八月十九。（撫院，學堂前址）

楊先生傳樸學著，每為余言，宗漢學者，只合多讀書，不可輕事著作，否則有益於人不一二，有損於己則八九，知言也，迨今思之，懷感交併。由是類以鄭學川之以䳇雞名院，或當別有取義，與其會心深處，特舉此以為負翁雞談之助云。

阿公

自題趣話

筱臣

詩人之自傳，最以率真無飾而為世人所傳頌者，當推陶淵明之「五柳先生傳」，此為大家所熟知的一篇好文章。因此，歷代的自傳文章，也就逐漸的遺留下來。

近代的易順鼎，字實甫，號哭庵，詩才綺絕，早已有聲於時，其所作「哭庵傳」云云：

「哭庵者不知何許人也，其家世姓名人人知之，故不述。綜其生平，初為神童，為才子，繼為酒人，為游俠少年，為名士，為經生，為學人，為貴官，為隱士。忽東忽西，忽出忽處，其師與友謂之為神龍！其操行亡定，若儒若墨，若夷若惠，莫能以一節稱之！為文章亦然。或古或今，或樸或華，莫能以一端繩之！哭庵平時謂天下無不可哭，然而未嘗哭，雖其妻與子死不哭。及母歿而不得與殉，則以為天下皆無可哭，而獨其母為可哭，於是無一日不哭，誓以哭終其身，死而後已，自號曰哭庵。」這一篇自傳，表面上雖屬嘻笑怒罵，而近乎狂猖，實際上為了紀念母親，才命名「哭庵」，至性流露，孝思不匱，自不能視為遊戲文章。

福建詩人陳衍，著「元詩紀事」，「石遺室詩話」，亦頗有聲於時。其妻蕭道安，亦能詩文，夫婦合撰命名說一文曰：「君名衍，喜談天，似鄒衍。好飲酒，似公孫衍。無宦情，憎銅臭，似王衍。對揖人，弄稚子，似馮衍。懇款似蕭衍。無姿聧，似崔衍。喜漢書，似杜衍。能作俚詞，似王衍，喜篆刻，似吾邱衍。喜通鑑，似嚴衍。喜今古文尚書，[illegible]子，似孫星衍。特未知其與元祐黨人碑中之宦者陳衍何所似耳，請摹其字以為名，則何如？」此文於自傳文學中別創一格，對於從古以來以衍命名的，亦幾乎搜羅備至，極其考證之能事，文尤風趣。乃不能久而竟道安卒。陳氏復題其後曰：

「中年喪偶，終不復娶，又絕似孫星衍，而非先室人之所及知也！」

另外還有一位學人林紓，字琴南，福建，號畏廬，與鄭孝胥，鄭文衍同榜齊名。中國的翻譯外國小說，可說自林氏始，前後不下數百種之多，他曾託友人在江西九江代他畫了一幅瓷像，自題，亦很有趣：

「紓，汝少任氣，人目為狂，且迂；敢放胆而著書，汝何物而儒；名為知止，而好名之心湊如足，而治藝之心湊如。為已歟？為子孫歟？吾勸汝將徐徐而習其有餘，飽汝食，寧德如畜，豈無江與湖，汝居，養心如魚，樹，寧為馬與驢，子孫有觿，寧汝須紓。」

林生平喜任俠，常急人之難，這種曠達襟期，如見其人，身外之物，固不足以縈懷，此亦可以風末世而勵薄俗。

除了自傳之外，還有自題聯語，雖寥寥十數字以至數十字，亦可以道盡生平，自我陶醉，也可說麗於自傳的麟爪。猶憶抗戰時期，享譽成渝一帶的「姑姑筵」主人黃敬臨，為人宦遊成都，流寓終生，其自製聯，頗多幽默可誦，茲錄其一云：

「桌子未改良，椅子未改良，房子亦未改良，作幾樣白燉紅燒，都還講究；政界不要我，軍界不要我，[illegible]要我，買兩隻[illegible]大鍋，討點生機。」

他本是讀書人，弄到要作廚子，自難免牢騷滿腹了。

海嘯廔談薈

馮玉祥的思想言行（一）

愚既略述馮玉祥治軍的伎倆，茲再就其平日立身行己與待人接物的思想言行，舉例縷敘一二，以彰此一代梟雄之真面目焉。

馮氏的支配慾極其強烈，決不願意屈居人下，即使居於一人之下，萬人之上的地位，他還是鬱鬱不樂，就是他素所信奉的上帝，有時候亦要反叛。這並非笑話，有事實可資印證的。他早年藉耶穌教徒起家發迹，而以「基督將軍」著稱於世，迨民國十五年八月末，他由莫斯科回到外蒙古的庫倫時，我與民黨前輩李烈鈞、張秋白先生等亦由張家口到了庫倫，馮託李張二人勸我跟他回甘肅去幫忙，我藉口沒有宗教信仰心，不適宜於西北軍的生活環境，婉辭遜謝，他答道：「我這次回來是要從事革命，宗教信仰已無必要，三民主義才是咱們的聖經哩！」我依然卻之。後來馮氏對於三民主義亦未曾真正信奉過，他的兵力所到之處，只是偽廹人民實行。假使他不喪生於黑海的俄國船上，投奔國內毛共政權之下，結果一定跟高崗的命運相同，毫無疑問。

馮氏一生的言行，專好矯揉造作，而又不近人情，總以為天下人盡是些優瓜蠢材，可以隨便欺騙的，這就是失敗的根源。他的日常生活表面上極其儉約刻苦，實際決不可靠。

馮玉祥式的生活習慣，甚至建國大綱以及國家的政令法規，都不值得一顧，完全是唯我獨尊的軍閥作風而已。職是之故，他一貫守總是表演倒戈叛上的行動，天性使然，殊不足怪，他只能役人，而不屑役於人，在他的觀念中，沒有「上司」二字的印象存在着，只有他自己才是人類的唯一主宰者。

民十四年冬，我于役張家口馮氏的「西北邊防督辦公署」時，馮每與督署全體職員一同進餐，菜餚採分食制，每人有蘿蔔一碟，豆芽或豆付湯一碗。某次我與馮氏同席，他連說「這蘿蔔真好吃」，表示津津有味，在座諸人皆默然無語，我還時少不更事，且露出不同意的冷笑態度，馮乃舉箸夾取旁人的定量分配的蘿蔔一片食之，詫然道：「怎末味兒不對啊！」即召伙伕來詰詢其所以然，對曰：「督辦那碗菜是用雞湯做的」。馮大窘，痛斥伙伕胡鬧不置。因此，外間紛傳馮的私生活二元化，在外面淡薄食飲水，回到家裏再吃魚肉，喝雞湯。究竟真象如何，誰也沒見過他的家庭生活狀況，但便武斷肯定，然以馮氏詐偽成性，却不能無疑也。督辦公署採集體辦公制，文武職員蝟集一大廳內，依次排列座位，馮亦與衆人併列治事。辦公時職員出入的步履必須輕微無響聲，尤禁咳嗽吐痰，有犯之者，馮即問：「你有病嗎？快找大夫治療罷！」如是乎，職員每於大小便離座行動之際，傴僂彳亍，而以腳尖着地，喉癢欲咳者，急以手巾掩其口鼻勉強遏制咳聲，以致涕泗橫流，眞苛政也。

諸葛文侯

懷汪國垣

·丁雨·

先生平日雖不為經史考據文字，然頗喜校勘版本之學，其所輯錄之唐人小說，即取材太平廣記，據文苑英華、太平御覽、資治通鑑考異、太平寰宇記、[illegible]本、說郛、顧氏文房小說、全唐文、及近日涵芬樓影印「舊本唐人專集小說校補者，並於每篇後疏陳」作者略歷及本文來源，而考定之，其用力之勤，概可想見。猶憶抗日勝利復員之初，先生返居白下成賢街舊業時，課徒之餘，春秋多暇，輒校補水經注以為名山不世之業，並不時開遊書肆，搜購古今善本書籍，益以抗日前舊藏，庋存之富，乃為中大各教授冠。余每往晉謁，常蒙展示新購各書，並引示顧廊閣舊所羅列者，為之辨明紙版，鑒別印識；孰為紹興本，孰為至正本，孰為嘉靖本，剖析詳盡，娓娓不倦。惜余于此道外行，未能引起甚大興趣，亦未請益其詳。後聞胡適之先生在美亦正治此書，竟與先生所致力之水經注之內容方法，將二人所取途徑及將來可能結果，作一客觀之比較，殊可惜也。（聞之友人云：先生于抗日前即曾著有校勘學專冊，內容遠出流俗甚，惜余貧陋，未獲睹閱。）

余資性魯鈍，且向學不力，于先生之學，自慚未能窺其萬一，但先生不以孺子為不可教，猶時予假借。憶民卅六年夏，先生受聘為國立同濟大學文學院院長，欲余隨行，俾為該校助教，後先生以事不果往，而余從此，余乃與學術絕緣矣。世變滄桑，人事倥傯，忽忽乃十四載，自顧馬齒徒增，業無寸進，每念先生期許眷顧之殷，為之顏汗無已。（下）

詞林雜憶之六

僑務委員會核發台教新字第三一二三號登記證

自由報

THE FREE NEWS

半週刊每星期三、六出版

第三十一期

每份港幣壹毫

社長：雷嘯岑

督印人：黃行審

社址：香港銅鑼灣高士威道二十號四樓

20 Causeway Rd. 3rd. Fl. HONG KONG

TEL. 771726

電報掛號：7191

承印者：田風印刷廠

地址：香港高士打道221號

悼閻錫山先生

雷嘯岑

前任行政院長閻錫山先生，於五月廿三日在台灣逝世了！閻氏是參預辛亥革命之役的中華民國開國元勳之一，亦是中華民國國難艱屯，中樞政府播遷西南以至台灣時期的行政院長。他真是跟中華民國相依為命，無間安危的愛國志士；在現代政治人物中尋不出第二個。當此風雨晦冥，中原河山尚待光復之際，遽爾長眠不起，一般社會人士固然同聲悼歎，不無老成凋謝之感，閻氏在九泉之下，亦抱有「但悲不見九州同」的遺恨吧！

閻氏自民國肇建以來，直到大陸淪陷，四十年間，始終在中國政壇上活躍着。譽之者說他有為有守，以身許國，不愧為國民革命的一員健將；毀之者指他依違時勢，戀棧怙權，無異於隨俗浮沉的官僚政客。人生在世，有如戲台上的演員，一般觀衆的褒貶毀譽，都是基於一時的主觀見識，作片面的批判，難免以偏概全或見小失大的毛病，必須蓋棺然後可以論定的。如今閻氏去矣，人間一切的恩怨好惡之見，皆已化為雲烟，歸於幻滅了。我們憑着他四十年來留下若干有關國計民生的事迹，提要鈎元，試作客觀的價值判斷，藉以表示對於一個開國元勳的認識，似屬義所應爾，不落恆蹊。

閻先生主持山西的軍民兩政，垂三十又七年，中經民國十九年一度下野赴大連小住而外，曾未離開過晉省。他在內戰連綿不斷的長期動亂之中，肆應撐持，使山西人民免於水火刀兵的災難，而又不喪其志節，這就是難能可貴的績業，迥非當代任何一個方面大員所能望其項背的。即以張作霖在東北力征經營十餘年，形同化外的軍閥割據基礎，結果亦有部將郭松齡倒戈之變，又有其子張學良與楊宇霆同室相戕的慘劇發生。閻氏治晉數十年，不特政通人和，四境乂安，且於共匪圍攻太原市，守軍力盡援絕，省垣陷落之際，閻氏所屬的文武將吏五百人，全體赴難殉國，既沒有所謂「陣前起義」的叛將，也沒有臨難降賊的貳臣。這種震爍千秋，可歌可泣的義烈行為，雖說是五百壯士忠愛國家民族的天性有然，視死如歸，然閻氏平日立身行己及其領導方法，若不是對大衆具有深刻的感召潛力，曷克臻此！否則廣袤的大陸變色時，何以未聞有同樣的情形出現，而只見若干經常對人以「不成功，即成仁」之信條相標榜炫耀的武官文員之流，臨難苟免，降者，叛者，逃生者，自首者，所在多有，恬不知羞呢？即此一端，足以證明閻氏治晉卅年，也允稱毋負於桑梓，對得起國家了！

迨南京撤守，中央政府播遷羊城，保有西南半壁河山的危急存亡之秋，閻氏毅然出任行政院長兼國防部長，臨危受命，遺大投艱，而以「戰鬥內閣」自矢。這時候，不特戎馬倉皇，鋒烟遍地，飛芻輓粟與調兵應變之不遑，而且外有美國「白皮書」之精神打擊，內有層出不已的政潮干擾，政府又時而留粵，時而移川，局勢之惡劣，人心之渙散，士氣之低落，適構成土崩瓦解的狀態。閻氏鎮靜苦撐，不稍氣餒，誓言政府遷到西康，亦要戰鬥到底。我們回憶國軍在川陝境內與共匪決戰不利，政府決計遷到台灣的那段往事，代總統李宗仁棄職遠颺，蔣總統尚未復視事，只剩下閻氏一人，統攝國家元首與三軍主帥的職責，身處大局逆轉，風聲鶴唳的艱危局面中，光是收拾殘局，籌劃退路，而其任務之繁劇，頭緒之紛亂，如非飽經憂患，識力堅定的人，未有不焦頭爛額，智窮力竭，弄成束手無策，一籌莫展的下場者。然閻氏頗有莊子所謂「大旱流金石而不熱，巨浸稽天而不溺」的勇氣和魄力，使政府各部門人員暨所屬軍隊，以及可能搬移的公有物資器材等，分別集中到台灣，為國家保存不少的力量。憑着他在這種非常而又萬分艱危局面的應變事實來觀察，我們認定閻氏是自有行政院以來，成績最優異突出的一位院長，亦非阿好過譽之詞啊！

閻氏還有一種普通軍人所不及的地方，就是他平日好學深思，對於政治問題和社會問題，都能夠縱深探究其本源，解析其義理，皆從實事求是的觀點出發，而予以折衷的論斷。如卅年前他所倡導的「村治」政策，廿年前所鼓吹的「兵農合一」說，十年前主張的「勞資互利」論，晚年所著述的「世界大同」方案等等，都有他的獨特見解，不膚淺，不庸俗，也非拾人牙慧之談，一是皆以國父孫先生的三民主義思想體系為圭臬，擷其精華，附以新知，發揚光大，煞費苦心。像他這樣紆青紬紫，封圻專閫數十年，經常浸潤於養尊處優之生活環境中的舊式軍人，尚能好學不倦，以期跟着時代前進的求知精神，環顧並世儕輩，有誰堪與比倫呢？

綜觀閻氏一生的事蹟，對國家，對人民，都可謂功多於過，瑕不掩瑜，而其維護中華民國的奮鬥意志，到老尤為篤實，臨危更彰義勇，貞下起元，永垂模範，所謂摩頂放踵以利天下者，非耶？詎料天不憖遺，竟以微恙而溘然逝世了！在閻氏個人，行年將近八十，事業諸多不朽，生寄死歸，固無所謂。但值茲國難深沉，大陸淪於賊寇，同胞尚待解救的今日，老成謀國如閻氏者，實在死非其時，亦非其地。人之云亡，邦國殄瘁，這就是我們對於閻先生捐館而不勝其悼痛之情的良知所在，我們平日跟閻先生素少往還，並無私誼之可言，只為天下蒼生痛失斯人耳。

時事述評

亞州的政治風暴

盧家雪

土耳其的孟達斯政府在一夜之間失勢，發動政變的是土耳其的陸軍。

這是繼南韓李承晚退位以後第二件大事。而這些大事都發生在亞州。

軍人干涉政治，不論其所持之理由為何，畢竟是非常危險的事，但願土耳其的新政府能夠謹慎從事，不致為了政治上的變化，而影響到國家的力量。

這幾個月來，一連串的政治風暴，在亞州發生。今天的亞州局勢，比較過去任何一個時期，都要更為動盪不安。原因何在，是值得深長思之的。

李承晚飛檀香山

李承晚昨已偕其夫人飛往檀香山。據公開宣佈的理由：是檀香山韓僑協會會長邀請其前往作一短暫時期的休息。

這當然是沒有理由的理由。一個韓僑協會的會長，能夠有此力量邀請一個下野的政治人物出國休養嗎？

看來，此中最大關鍵，還是在美國政府的態度。

艾森豪前已公開表示，如得新政府同意，他將在訪韓之日，訪問李承晚。這句話，對於李承晚的安全，具有莫大重要性。

鑒於南韓陸軍有異動迹象，美駐韓大使麥格魯特將軍經已於上週連續兩次警告稱：陸軍高級官員可能繼上月間對李承晚政府之民衆暴動之後，進一步發生不穩情勢。

外電報道，美韓雙方，對此事深表憂慮。

在這種情勢之下，李承晚突然出國，可以說是美韓當局煞費苦心安排下來的結果。

蛛絲馬跡，正顯示出南韓內部尚潛在着嚴重的危機。

日本局勢的演變

在南韓的對面，日本的危機却可能演變到要影響太平洋甚或世界的局勢。

在美國總統即將前往訪問之前夕，日本國內發生一連串的嚴重的反政府示威運動，社會黨淺沼稻次郎且以一政黨領袖之尊，至於請求艾克取消訪日，誠屬一大怪事。

反對日美安全新約者，為左翼分子所發起，演變到今天，若干非左翼分子亦被其煽動。如果要繼續下去，難保不發生嚴重的流血事件，而這正是日本的左翼分子與站在一旁鼓勵策劃的中共所求之不得的。

本欄于三月九日出版的第七期中，曾經說到岸信介的兩面手法。文末說到：「與虎謀皮者，必自食其果，岸信介此種騎牆政策，正把日本推向更大的苦難中。」到今天，岸信介真正是自食其果了。

日本政府對共黨的騎牆政策，種下了今日的禍根。假定在幾年前，岸信介政府能夠斷然禁止日本的共黨活動，何至有今日之尷尬？

使左翼勢力而在日本得勢，使日美安全新約而終予擱置，則其影響固不僅限於日本，而將及於全世界。

據來自日本之人士稱：日本當局對此種局勢，自信有把握控制，因日本之國情與南韓不同。

此說如經細究，亦不無道理。

且看岸信介如何應付此一風暴？

自由談

「相聲」之詞

馮王先生

對日抗戰時期，曾在重慶的娛樂場所聽過「相聲先生」所說的一段故事，內容是這樣的：

有個在美國讀書七年，獲得了博士學位的中國留洋學生，回國來共赴國難。據稱他在美國發明了一種現代科學化的器具，奇妙精微，效用甚宏，羅斯福總統要他貢獻給美國政府，他不肯，一定要報効於祖國。親友聞之大喜，即敦他一面設廠製造，一面具呈政府，請求准予專利權若干年，並集資為他作設廠之用。呈文首先送到行政院，再由政院按照法令規章，分別交給各有關部會審核簽復意見，如此公文旅行了一年，各有關單位的復文終告齊備，然後又由主管機關召集大家會議，共同決定答復原申請人曰：「查兩洋飯桶，核與國計民生無關，所請專利，應毋庸議！」親友們曾醵資贊助洋博士設廠的，而今向政府呈請專利權，公文手續就辦了一年，結果只是「應毋庸議」一句官腔，不免失望而憤慨，乃請洋博士姑且製造一二具，試行銷售於市，以觀成效。迨將洋博士製成的「兩洋飯桶」樣品詳細檢查，只是一個四方型的木盒子，中隔一塊鐵皮，一邊可裝稀粥，一邊可裝乾飯，如是而已。親友們這才恍然大悟，原來這位留美博士就是「洋飯桶」啊！

這段故事形容政府機關的腐敗官僚作風，鞭辟入裏，淋漓盡緻；又對那些祗會說說洋話，穿穿洋服，跳跳洋舞的留洋博士，碩士之類的先生們，挖苦透頂，教人啼笑皆非，真是絕妙好詞，得未曾有。

我復述這故事的用意，是在提醒現時自由中國政府各部門的公務人員，你們對於一種普通的例行公事，是否基於「有關機關」的理由，左推右拖，東牽西扯，從事公文旅行一年半載亦毫不稀奇，了無愧怍呢？如果跟上述故事的情形那差不離，則所謂「政治反攻」之說，不啻自我諷刺，而大家經常掛在嘴唇邊的「反共救國」口號，也就大可不必瞎喊了罷！

高峯會議破裂的剖視

新兵

旨在緩和國際緊張局勢的四大國首腦會議，在巴黎開會的頭一天即宣告破裂，而表示美蘇關係好轉的邀請艾克訪蘇請柬，亦被赫魯曉夫取消，這兩事來得如此突然，使舉世為之震驚，許多人担心大局會迅速惡化，他們的目光緊緊地注視着蘇聯領袖在返國途中訪問東德之舉。因為赫魯曉夫近幾個月來曾一再揚言，如在首腦會議中不獲協議，蘇聯將與東德簽訂單獨和約。但他到了東柏林之後，態度轉趨和緩。他說，六個月至八個月之內，不會與東德簽訂和約，亦不擬變更西柏林的狀況。人們聽了他這番話，似乎又鬆了一口氣，赫魯曉夫既然不在對德和約問題上進一步惡化國際氣氛，為什麼早幾天又要破壞高峯會議呢？這個問題使許多人感到迷惑，連艾克從巴黎回國以後，也對人說這是一個謎。然則這問題真的不可解嗎？不會的。如果細心觀察，任何事情的發生都有其綫索可尋。在我申述對此問題的見解之前，我想先指目前出現的一些幼稚的、可笑的論調。

幼稚的、可笑的說法有兩種，第一種認為赫魯曉夫破壞高峯會議是因為受到國內斯太林主義份子和軍人的壓力。其實，談這種話的人對蘇聯的情況全不了解。在蘇聯境內，斯太林份子經過赫魯曉夫上台以後的幾次大整肅，已經完全失勢，馬林科夫、莫洛托夫和卡岡諾維奇等人是斯大林份子的主要領袖，馬，莫諸人的處境現在怎會如此？至最近蘇聯內部人事的變動，更不足說明此事，因為新任要職的人沒有一人是斯大林份子的，談到軍人的壓力，說者沒有大概注意到近年蘇聯黨軍之間的關係：朱可夫是因為不願紅軍受黨之強力控制而被免職的，而馬林諾夫斯基是因為擁護黨對紅軍的絕對領導而上台的。

第二種同樣幼稚、可笑的說法是認為赫魯曉夫破壞高層會議是因受到中共的壓力。他們說，中共不高興一個沒有它參加的大國會議，而中共希望主宰世界事務，這當無問題。但如果認為中共因不能參加高層會議，便壓迫赫魯曉夫加以破壞，那是天真得太可憐了！西方人士每每把共產國家之間的關係，看作自由世界國家之間的關係。這樣難免不大錯而特錯。其實，蘇聯與中共的關係是主奴關係，中共怎能壓迫赫魯曉夫改變主張而對它屈從？如果說中共不願沒有它參加的世界性會議舉行是老克破壞會議的原因，那麼，上次在日內瓦舉行的高層會議為什麼又能如期進行？

最平實的看法，高層會議的破裂是赫魯曉夫自己製造的，他這樣做法包含着三惡毒的意圖：

（一）離間盟國的關係

赫魯曉夫明知在首腦會議上討論裁軍，德國和柏林等問題難有結果，與其在會議後就那些問題與西方三國互相指責，不如藉着美機偵察事件把高層會議破裂責任推在美國一國身上，如此較易爭取世人的同情，也會引起盟國間對會議破裂責任的爭論。

另外，赫魯曉夫知道英國十分害怕會議破裂，如果他就諜機事件向美國提出強硬的要求，艾克雖不會接受，但英國為了害怕會議破裂，很可能對美國施以壓力，這樣可以造成英美之間的齟齬。但這個陰謀竟然失敗，使他掩不住內心的失望，以致在巴黎會議破裂以後，赫魯曉夫在一個記者招待會中，坦率地對美國表示遺憾。

（二）影响美國的大選

赫魯曉夫聲言把高層會議推遲六個月八個月舉行，分明是針對美國大選而發的。六個月以後，即今年十一月，是美國大選的日子，由于美國憲法的限制，艾克在今年的選舉中已無當選連任的可能，老克把會議推遲到美國大選之後，意思就是不要艾克做對手。許多人都看到這一點，但問題並不止這一點。

赫魯曉夫不要艾克為談判對手一事，無異向美國人民宣佈他們希望談判，希望和平，就不要再選艾克之類的人做總統。老克深知美國人的弱點，他最近曾說：「我到過美國，在那裏會見過各階層美國人民，我深深相信，各階層美國人民都不願意戰爭。」他企圖利用美國人民怕戰的弱點，誘使美國人民在今年大選中，選出一個較為軟弱的總統來。

（三）製造緊張的氣氛

共產主義者以統治世界為目標。為了達到這個目標，武力是一項極其重要的東西，故蘇聯自建國以來，對於擴充軍備的活動，就一直未曾停止過。但是，最近這種備戰活動在國內受到很大的阻力。

赫魯曉夫是以清算斯大林起家的。他既清算斯大林，他的做作自不能與斯大林同出一轍，于是他對人民的管制稍為放鬆一點了。人民說話機會多一些之後，就把積壓在內心多時的改善生活的要求如暴風雨般洩發出來，在人民的巨大壓力下，赫魯曉夫不得不在本月初舉行的蘇聯最高蘇維埃會議上，宣佈要縮短工人工作時間和降低物價，但這些措施與蘇聯的擴軍備戰政策是有牴觸的，要使擴軍能繼續進行，老赫便用此計惡化國際氣氛，以為繼續要人民勒緊褲帶的藉口。

一方面要惡化國際氣氛，一方面現在大戰又沒有把握，這就是赫魯曉夫既破壞高峯會議，而又不在對德和約問題上攤牌的原因。

台灣物價波動情形

台北通訊

健生

邇來此間物價上漲的幅度，為七年以來所罕見。其上漲的原因雖多，但問題的重點，是現在強調自由經濟，過去則重於管制，兩者都失之矯枉過正而流於偏，加之浪費和消費，勢所難免，而主管機關亦未盡到調劑或管理之責，有關措施，諸多不合實際。

台灣省物價，自四十三年以來，其一般指數雖有漲有跌，然其幅度尚不甚大。如四十四年上漲百分之十四，四十五年之漲勢減為百分之十二點七，四十六年復減為百分之六點五，四十七年更減為百分之二點一，但四十八年則上漲百分之十點八。今年三月份的物價指數，與去年三月份相比較，則其漲率竟達百分之二十一點六，為民國四十二年以來所沒有。

如米價上漲百分之三十，這是糧食局領導的結果。自從「八．七」水災發生後，糧食局配給的戶口米價為一台斤二元一角，而今春則上漲至一台斤二元五角五分，自本年四月四日起調整為二元七角，此為官價，然而黑市價格，則為一台斤三元五角，幾乎為百分之七十。物資局配給的美援黃豆，上漲百分之四十。自四十六年六月至四十九年一月，其牌價為每公斤六元六角。但自今年二月起由配售制改為標售，并將底價提高為七元五角，而市價暗盤交易，猛漲至十元一公斤。黃豆油漲百分之三十三，花生油漲百分之四十五，物資局供應市場之花生油及黃豆油的牌價殊少變動，市價亦賴以穩定。但自本年一月份起，物資局突經呈准台灣省政府將配售改為標售，將花生油底價自十四元四角提高至十六元五角，將黃豆油底價自十三元五角提高至十六元五角，因為投標者互相競爭，出價恒在底價之上，故消費者負担自更沉重。白糖漲百分之六十六，台糖公司掌握大量食糖，但只管外銷，而將供應國內市場需要的責任，完全諉諸蔗農。本年蔗農手中僅有食糖九萬五千噸，以之供應全省，平均每人所得九公斤左右，自屬求過於供，於是蔗農及糖商正好奇貨可居，昂價而估，故其漲價頗烈。水泥漲價百分之四十四，水泥原非政府掌握的物資，主管機關最近且曾開放進口兩萬噸，以供急需，然因遲遲不作決定，以致市價日漲。

正在物價猛漲之際，菸酒公賣局在三月二十九日突然宣佈漲價，漲率達百分之二十八強，這是「八．七」水災後的第二次漲價，政府以增加公教人員待遇為理由，籌措財源，但自七月份增加待遇辦法，迄今猶未定案，却先行增加公教人員的負担了。公賣消費品，公營物資或公有勞務之上漲，不獨被指為政府領導漲價，而其管理民間物資之法律的及道德的地位，自亦隨之削弱。

物價上漲，立法院的質詢，監察院的糾正案，均指責政府未善盡其職責，但經濟部長認為少數物資之一時的價格變動，不必嚴格去管它，因其對國民經濟及人民生活，並無重大的影響，而漲價總比發鈔好。故政府本此理論主張，採取放任態度。

物價治本之道，重在節約，杜絕浪費。據行政院主計處及美國安全分署的統計：政府的消費，民國四十七年為八十二億元，較四十一年的二十六億元，增加百分之二百零八強；在同一時期，國民所得（生產毛額）；四十七年為四百四十億元，較四十一年的一百五十億元僅增百分之一百六十四點五。這顯示着政府在浪費人力財力之處，仍所在多有，如果不杜絕浪費，不能樽節消費，政府與民間將無餘力以投資於生產事業，則發展生產將受影響，而欲穩定物價，更戛戛乎其難哉！

監察院認為以加價作為籌款方法，藉以解決財政問題，無異飲鴆止渴；綜觀八七水災後，政府增闢財源之方法，在原則上似準備以物價為犧牲，則一般物價安得不飛躍上漲？故政府今後如不能在賦稅政策方面為大力之改革，并徹底整頓稅收，杜絕中飽及逃漏，則物價將永無平抑之望。

中共農業困難重重

言之

中共自從在「人代會」由李富春及譚震林發表今年經濟計劃，是「以重工業為主導，農業為基礎，優先發展重工業，並迅速發展農業，」「重工業支援農業」的方針後，大陸共報即一再強調農業的重要性。農業生產不敷消費，一向就是中共所無法解決的問題，自「人代會」中共頭目喊出「以農業為基礎」後，一般嘍囉便以為大陸的經濟危機已經解決，近來共報不斷為文章大吹大擂，但都脫不了「人代會」共酋說的老套，即：一、全力發展農業，協調工農業關係，「以農業為基礎，按優先發展重工業和迅速發展農業互相結合的原則，更好地處理農業，輕工業，重工業部門之間的關係。」二、「以糧為綱」，發展「多種經營」，「把糧食增產帶在首位，以糧食帶動全面，在以糧食為綱的前提下，農林、牧畜、漁，各業同時並舉，糧食作物和工業原料作物同時並舉」。三、以養豬為中心，全面發展畜牧業，「全民養豬」，「以豬養田」，「以田養豬」，圍繞着養豬，全面發展養牛養羊養鷄養鴨等等副業。四、加速農業技術改造，大搞農田基本建設，「實現農業機械化」，「技術革新」、「技術革命」。五、繼續整頓「人民公社」，改進經營管理措施，領導幹部搞試驗田，拆毀自已家中的小灶，（按：據中共理論刊物「紅旗」稱：領導幹部過去向不入共食，且有不入公社的，由是食堂官僚作風使農民大起反感），並由貧農掌握食堂，以圖提高「公社」農民幹勁，此即「結合社會主義教育工作」，進一步整頓「公社」。

共報把上列各項叫得震天價響，以為一下子就把過去的危機全部翻過來了，但就現目客觀情勢分析，中共該等政策仍有甚多困難。首先，中共在發展農業方面必先有大量肥料，中共的化學肥料根本尚不能保證經濟作物的最低限度需要，因而在糧食生產方面歷年都仰給於自然肥料。但自然肥料因肥源缺乏，去年十月以後，中共雖然動員百分之四十的農村勞動力發起「積肥運動」，但進展甚為遲緩，各地所積肥料僅得一千七百多億担，不但數量不足中共目標一半，肥料質量亦大成問題。今年一月後，中共掀起「全民養豬」運動，又企圖增產糞肥，提高肥效，但養豬所需的飼料，猪種，猪舍及養豬人手等，較之應付肥料問題還要大感棘手，最近廣東「南方日報」即已招認養豬運動不止無大成績，且已一敗塗地，可見肥料問題已到化學肥不敷使用，猪肥亦用無可用。

其次，中共多年來曾大事修水利，但大多草率從事，未能發揮灌溉效能，去年又逢特大天然災害，水災地區，水利工程十九毀於洪水，旱災地區，則普遍乾涸，水利工程又形同虛設。去年十月以後，中共的「修水利」運動，每日投入勞力七千四百萬人，號稱進行施工的工程達一百五十多萬處，但工程粗劣，新修灌面積未見增加。今年春間大陸旱災，受旱面積達五億畝，佔大陸可耕地十二億畝五分二以上，去月廿四日「人民日報」社論供認去年所修水利工程根本無濟於事，又供認機械灌溉的機器陳舊破爛不堪使用。因此該報社論大呼要保證農業生產不受旱災影响，可見因水利問題無法解決，今年大陸農業勢將減產。

最後，中共因農業生產遲滯，限制輕工業發展，直接影响輸出，貨財，財政收入資金積累及農民生產情緒等，早為中共供認不諱的事實。尤其在農村方面，物資的缺乏，農民的消極抵抗，更使快速發展農業的可能性大為削弱，加以中共「優先發展重工業」備戰的原則又不放棄，軍火工業的進展仍將抵銷農業發展速度，「迅速發展農業」為不可能的事。

綜上觀之，雖然共報口沫橫飛，描出一幅美景，但空言無補於事，中共要農業發展，並非短期內可成的。

社會小說

香港地

四、高的低的

這位賈大夫，姓賈名叫大任，原在軍隊裏面當醫官，來了香港之後，也是住在木屋區內，過着很刻苦的生活。因他懂得醫術，區內難民遇着有疾病時，多就近請他診療。他權且當了黑市醫生，收取極廉宜的藥費，經常替人開方打針，也着實做了不少好事，人們便喊他做賈大夫，他的名聲因此開揚起來，生活門路也藉此打開了。

梅大亮和賈大夫原屬鄰居，從前曾靠他做醫藥顧問，常有來往，因他在發財以後，立即遷居，在熱鬧的市場裏開了一個診療所，才斷了聯絡，這時見他在一家新開的商店門前露面，說話全是生意人的口吻，不覺愕了一愕，猜不出這是什甚一回事。

賈大夫不由分說，一把拉住梅大亮，一直拉入店裏坐下，才對他說道：「這是我新開的店子，你好意思不賞臉光顧一下嗎？」

梅大亮看這店子，賣的是餃子、包子、鍋貼之類，店門前還寫有幾個大字「衛生豆漿，全日供應」，顯見這是專門消售廉價飲品和食品的平民食堂。店裏陳設很簡單，生意似乎不錯，門前熱騰騰的冒起烟氣和香氣，那是由一個大鐵鍋發出來的，那裏正煎着好幾十個鍋貼，招引了不少兒童在看熱鬧。

梅大亮覺得這生意經還算不錯，虧賈大夫想得出這門生活，便向他問道：「賈大夫，恭喜你做老板啦！你那間診療所怎樣了？」

賈大夫先獻上一碗豆漿，再來了滿滿的一碟鍋貼，才笑着答道：「診療所還照舊開着，這是和朋友合夥開的小店子，今天上午才弄好門面，下午便開張做生意。看我們的東西還算不錯吧！」

梅大亮見得賈大夫眞有辦法，便向他恭維幾句，賈大夫卻是笑道：「這有什麼值得恭維？我起初做了霸王地主，後來又做了黑市醫生，一步又一步的走下去，無非因應環境的需要吧了！在我們木屋區裏居住的人，不是很需要這樣的一個食堂嗎？大家既然有這需要，我們為什麼沒有人動腦筋去供應呢？梅老兄，你說這話對不對？」

賈大夫提到「需要」這兩個字，像電火一般閃入梅大亮的腦子裏去。（卅一）

木客著

學店剪綵記

蘇　堤

正人中學正在粉飾門面，「東主」施大昆先生忙上忙下，忙裏忙外，忙得個「不亦樂乎」，却是紅光滿面，笑容可掬，看來，這間學校是有些前途的了。

在粉飾門面期間，全校停課，教職員學生皆大歡喜，施大昆東主拿着他那支生花妙筆，在一張大紅紙上，寫了幾個大字：「裝修內部，暫停營業」，這張紅紙貼在校門口當眼處，着實吸引了不少人的注意。

學校門口張貼這種佈告，可稱大膽作風。但施大昆東主滿不在乎，就在這張佈告貼出後的第八天，正人學校舉行了一個盛大的剪綵典禮。

這一天，應邀觀禮的來賓很多，施大昆先生又是忙上忙下，忙裏忙外，忙得個「不亦樂乎」。大家以為剪綵的名流，不是教育司，也是個太平紳士，再不然，也是個民選議員，可是，掌聲起處，四個打扮得妖冶的小姐魚貫登台，中間有兩個還是甄選過世界小姐而被錄取在九十九名以外的。許多來賓就不免竊竊私議了。

大家認為這是學校，不是舞場，「剪綵」本來就是多此一舉。剪綵而用「世姐」，尤屬荒天下之大唐；但施大昆先生是個有錢的人，在這個都市裏，有錢人做的事，十有九是不會錯的，因此，到那裏去的，因此私議也僅私議而已，誰也不敢形諸辭色哩？

且說剪綵過後，跟着就是「鷄尾酒會」和演說。施大昆先生起立致詞，首先感謝嘉賓的惠迎的盛意，然後一轉轉入正題，他說：「敝店下年度的營業方針……」

話沒說完，全場鬨笑，只見有位朋友在他耳邊私語了幾句，這纔聽到施先生繼續說道：「敝店乃敝校之誤，請諸位原諒。」

又是一陣大笑，施大昆先生將兩手一揚，接着說道：「敝校校舍寬敞，空氣新鮮，這是諸位來賓有目共見的。其實，這種外表的美，並不能代表一家學校的精神，最主要的問題，乃在人事是否配合得宜，收費是否過高，設備是否完善。」

全場鴉雀無聲，這以後便是畫龍點睛的句法了。他說：「第一點，從下一年度起，本校採隨到隨考制。本校長一向認為教育天下英才，乃世間一樂，因此，對以往那種有學生而不能進學校的現象，深感痛心。現在，我們就是針對這一點，來一個澈底的解決。」

「第二點，本校職員，全部女性。此等女性，均出身高貴，和易近人，絕無傲慢顧客之弊。」說到此地，剛才說話那位朋友又在他旁邊耳語了幾句，只見他連忙更正地道：「顧客二字為學生之誤，請諸位原諒。」

又是一個見諒，這一回，全堂鼓掌了。在鼓掌聲中，施先生很得意地說道：「第三點，各生往返學校，咸感交通不便，本校特備校車接送，每位照「的士」起碼價目收費，所費不多，而對各位學生之安全，固極具保障也。」

「第四點，文具紙張書籍均由本校統銷，統購，茶水亦由學校供給，每人每日僅收茶水費三毛，絕無茶樓中浄飲雙計之弊，足見本校長無時無刻不以減輕學生負擔為原則也。」

施大昆先生僅僅說了四點，繼即作了結論說：「諸位，學校與社會是應該打成一片的。本校長竭誠歡迎各界人士的善意建議，尤望在諸位來賓的幫助下，使本校得以欣欣向榮。」

鷄尾酒會算是功德圓滿了。當那些紳士們魚貫而出時，有一位名流不禁衝口說道：「這那裏是一間學校？」

不是學校又是甚麼呢？許多人都有這個疑問。當大家帶着一片疑惑的眼光去到學校門口時，施大昆東主帶着笑容和每一位賓客握手道：「請介紹，請指教，敝校是正正式式在工商署登記過的呀！」

天哪：這原來是一間學店！

生活漫談

吹牛之術

陳永昌

凡將事實誇張虛報其大叫吹牛，吹牛名詞之來源是起於澳門，相傳葡人初到澳門，只要求當地人士給與一牛之地，以便買賣交易，豈知他們竟能把牛吹大了，佔地越佔越多，牛吹得太大，終於爆了肚皮，於是把牛皮牛毛牛骨牛肉，實行拖得盡量遠，今之澳門，葡人靠吹牛吹回來的。

生存在這個多姿多采的現代社會，眞個要懂得吹牛之術，否則「執輸行頭，慘過敗家」。中學畢業，胡混地入了警界，作二級幫辦，被派在督轅府作守衛，竟對人自驕是總督副官，其實總督未與其交談過一句，更無緣與其作密切之關係，不論學識地位天資，皆屬車載斗量之徒，只是荷槍守夜，何來「副官」之名？要如是，督轅府內全是副官，連在那裏澆花的園丁也是副官了，在那裏戍守的英籍將官也只是稱守長，粗獷之夫竟自稱「副官」，何吹牛之有？「副官」之名相當了得，局外人不陶醉者幾希，怪不得容易招得那些「飢不擇食」的女性，誠恐失却副官太太的「榮銜」。

在公司裏當一個職員，竟對人說是什麼買辦，全公司的買賣貨物全經他手，儼然成為公司得力的支柱。每月收入二三百元，出外交際，氣度昂然，畢挺西服，雪茄士的，皮鞋擦得如面鏡子，場面之講究，態度之濶綽，連總經理也大嘆不及呢？拆穿西洋鏡，原來晚晚蹲在「為食街」的大牌檔喫兩毫錢的「冷佬粉」以充飢呢！

望海樓隨筆

端陽（中）

徐學慧

龍船上的鼓聲既如此重要，因此，年輕人皆不敢充任鼓手。為的是稍有差池，則划船手無從聽命，划槳的時間必不會一致，乃必然要影響到船行的速度，這麼一來，就無法與他人競爭了。

不會有過賽龍舟經驗的讀者們，很可能會要懷疑，我在上文所說的「稍有差池」四字，是不是有點過甚其詞呢？筆者年輕時在鄉間曾經抓過龍船，此種經驗我是有的，十幾隻龍船同時在一條小河上，鑼鼓聲此起彼落，交相入耳，鼓手若是只要稍有差池，則本船之鑼聲乃合着另一船之鼓聲，那就天下大亂了。

基於這一原因，龍船上的鑼鼓手，似乎是不成文地要由年長而有經驗者充任的。鼓手坐船之正中，擊鼓的極用繩緊在手上，以防脫手。（在龍船比賽進行中，那是萬萬不能脫手的。）

何時擊鼓應快，何時應轉慢，由鼓手斟酌當時情形自定。划槳手一到了龍船上，即早已被告誡着唯鑼聲是聽，不能有半點自主，因此，鼓聲緊則鑼聲急，鑼鼓急則划槳者乃拼命而前，水花濺起往往高丈餘，划槳者全在水花中，有趣極了。

十四個划槳手，前六名又必以年紀較大而特別壯健者充任，這一點，有賽船經驗者自知其中道理。香港環海，海水無所謂上下流，但亦有順流逆流，那是由於暗潮的關係。在清水河裏，上下流極分明，龍船如逆水而上，划槳雖較易用力，而船不易前進；至於順流而下，船之前進雖較易，但划槳者須用大力，乃能使槳深入水內，而後推進之力始夠。前六名水手必須用全力開水路，後面之水手乃有水路可循，槳入水愈深則力愈大，龍船乃愈快。因此，每一隻龍船上，坐前三個艙位上的划槳手，乃必為精壯無疑。

賽一次龍船，那些划槳者的手，食指與大姆指的中間，是很有可能皮破血流的。不過，這并不要緊，亦無人加以介懷，今天皮破了，明天下午龍船鼓響，又躍躍欲試矣。

在鄉間，端陽這一個節令，可以說，是瘋魔了每一個人的。抓龍船這一個習俗，究竟流傳了多久，那是考據家的事。無論如何，這一饒有意義的民間習俗是值得提倡，而且應該加以發揚光大的。

西方人有划船比賽，與我國的端陽競渡，其用意全同，但講到規模之大，普及性之廣，則西方的所謂划船比賽，簡直難以望其項背呢！

大陸文壇萬花筒

文藝創作的新方向

岳　騫

最近一年來，共區文藝創作方面又有了一個新的態度。在過去，「文藝必須服從政治」，文藝寫作一定要配合政策，為了宣傳土改，丁玲寫了一本「太陽照在桑乾河上」（現已成為禁書），為了宣傳土改必須殺人，周立波寫了一本「暴風驟雨」，為了「抗美援朝」，楊朔寫了一本「三千里江山」，為了推行合作化，周立波又寫了一本「山鄉巨變」。諸如此類，舉不勝舉，不過其中有一點要特別指出的，那時文藝雖然必須服從政治，但是，文藝本身還是文藝，只是寫作時要以政治為背景，如若撇開政治意味來看，換句話說，假若讀者不是中國人，未曾受過「土改」、「合作化」、「抗美援朝」幾次運動之害，仍然以為這些作品還是小說，等於我們今天讀到托爾斯泰的「戰爭與和平」，羅曼羅蘭的「約翰克里斯朵夫」、密契爾的「飄」、雷馬克的「西線無戰事」與近作「春閨夢裏人」，又何嘗沒有政治成份在內，當然這種比法有點擬於不倫，不過，就事論事，實在如此。

可是，最近一年來，共區「文風」又變了。過去是用文藝宣傳政治，現在則是用政治指導文藝，作品的題材不能隨便訂，必須要拿新社會的新人新事為背景，過去的文藝作品故事那一套，故事的結構，佈局，人物的個性，遭際，都用不着，只把眞人眞事寫下來就成了。

不但小說如此，話劇，電影也是一樣，最近一部影片「為了六十一個階級弟兄」，就是山西省平陸縣六十一個民工因為喫野生植物中毒的故事，經「中國青年報」記者加以報導，報導內容不提民工中毒原因，只說中共派飛機運藥品的德政。這個故事純到極點，也是大陸六億民衆一般生活情況，可是中共竟出動全國力量去宣傳，由報紙上的消息編成話劇，再進一步又編成電影。由這件事情開了端，中共又把一些「英雄故事」都搬上舞台或銀幕，如廣州燒死女工向秀麗（中共宣傳是為了救廠而燒死）的事，編成歌劇。廣東馬口礦場燒死民兵的「英勇」故事，也編成話劇。

這些東西，中共「文藝報」鼓勵作家以後要專門寫，因為這種故事具有共產主義的思想和風格。最能配合「黨」的政策，至於是否受到觀衆的歡迎，「文藝報」就不計及了。

釋耒集

物價

史記平準書曰：「漢興接秦之弊，丈夫從軍旅，老弱轉糧饟，作業劇而財匱，自天子不能具鈞駟，而將相或乘牛車，……而不軌逐利之民，蓄積餘業以稽市物，物踊騰糶，米至錢萬石。」此言物價之升，實出於奸商乘時操縱，故高祖初年，即下令賈人不得衣絲乘車，重租稅以困辱之。然此舉亦殊無效，至孝景時，鼂錯上書論貴粟，猶曰：「商賈大者，積貯倍息，小者坐列販賣，操其奇贏，日遊都市，乘上之急，所賣必倍，故其男不耕耘，女不蠶織，衣必文采，食必粱肉，……因其富厚，交通王侯，力過吏勢。」平準書又曰：「自孝文更造四銖錢，至是歲四十餘年，自建元以來，用少，縣官往往即多銅山而鑄錢，民亦間盜鑄錢，不可勝數，錢益多而輕，物益少而貴。」大抵生產匱乏，由於軍旅徭役之繁促，物價騰踊，由於奸商囤民之操縱，而其間又有官僚資本，附益其勢，故至武帝時，卜式即言曰：「縣官當食租衣稅而已，今弘羊令吏坐市列肆，販物求利。」考漢興自高祖改鑄秦錢，至武帝行五銖錢，復皮幣，漢之幣制，固已屢更矣，其目的，均在於平抑物價，而率無大效，則商賈之足以蠹國病民，其由來遠矣。趙翼廿二史箚記，述唐代前後米價貴賤云：「貞觀時斗米三錢，玄宗東封泰山之歲，東郡斗米十錢，自安史之亂，兵役不息，田土荒蕪，兼有攤戶之弊，……十家之內，五家逃亡，即令未逃之五家，均攤其稅，是以逃戶愈多，耕種愈少，代宗永泰元年，斗米一千四百，較貞觀開元時，幾至數十百倍。」依此以言，則物價之不易平抑，又不獨前漢為然也。近讀宋人軼事，節引春渚紀聞曰：「宗汝霖（澤）尹開封，物價騰貴，至有十倍於前者，公呼作坊餅師至訊之曰：自我為舉子來京師，今三十年矣，籠餅每七錢而今二十何也？餅師曰：自都城經亂以來，米麥起落，初無定價，因襲至此，某不能違衆獨減使賤也。公因出兵廚所作餅示之。且曰：此餅會計麵工之費，枚止六錢，若市八錢則有二錢之息，今將出令止作八錢，敢增價者斬，今借汝頭以行吾令也，即斬以徇，明日餅價如舊。」余等生於清末民初之際，四十年以還，政府幣制亦屢更矣，抗戰勝利，發金圓券，不及兩月，即成廢紙，舉漢、唐、宋三代所見之事實，固莫弱親見之矣，政府不乏桑弘羊，楊國忠之倫，惜獨無卜式與宗汝霖耳。

曲齋

粟海彈心錄

土地問題（中）

中國社會組識，經濟組織，交相建立於家庭農業，故家庭爲社會中心，農業爲經濟中心，極與美國之家庭農場相似，惟所佔幅面，相差甚遠，機械耕芸，人畜耕芸之不同，至若土地私有，家庭組織，並無二致。而中國農村互助之善良風俗，恐爲西方國家所未有者，春耕秋穫，人畜發生故障，而隣里人力畜力相助，疾病相維，大多出於自然。故能以微弱之農業經濟，周旋於工業經濟侵略剝削者百年，喘息於對外對內戰爭之間者數十年，設使西方任何進步農業工業國家當之，未必猶能維持支撐於不墜，此豈私有制之不善，而衰落至此，是亦有故。

八十年前，中國國民經濟動向，微論工商仕宦，幾無不由都市而流入鄉村，農業資本，甚少流入都市，因此農村經濟，隨時隨地，得到圓融調濟，水利牲畜，肥料種子，不患短闕廢弛，且清室祖訓，「寧可亡國，不可加賦，」故遜清二百六十餘年，未嘗直接誅求農民，「田家作苦，歲時伏臘，烹羊炰羔，斗酒自勞」安居樂業，亦足自慰。自是而後，海禁大開，都市繁榮，士夫官宦，工商餘資，不復轉向農村，而農村資金，反多移徙都市，幸地方安堵，秩序井然，農村猶得依賴自力，以事爭札。乃民國以後，負担加重，生產遞減，農民呻吟於不肖官吏軍警，土匪劣紳之下，不得旰夕少休者數十年，因此堰塘溝洫淤塞，肥料畜力缺乏，米麥棉花進口，逐年滑加，是豈土地私有不善之所致歟？八年艱苦抗戰，向以土地爲對象之正稅苛雜，征實之外，征借、征購、積穀、省級公糧、縣級公糧、保甲穀、教育穀，共計八種，以農民爲對象之役政，兵役、夫役、義務役、臨時役、國民兵役、及組訓軍訓，共計七種。加以軍公糧之集中通案，主管從未考慮民力艱苦，稍存愛惜，近者十里二十里，遠者數十里百里，男女老幼，肩挑背負，喘息咨嗟，猶有守候終日而不得交割者，凡此種種，老百姓安得不仰天太息，此共產黨所以崛強而起也，又豈土地私有不善之所致歟。

阿公

蔡元培與北大

道南

黨國元勛，儒林宗師，現代中國新學術新文化的保姆——蔡元培先生，係於民國二十九年三月五日在香港逝世，卜葬於香港墳場，今年恰好是他的逝世二十週年紀念。

獨憶當他逝世以後，國民政府褒揚云：

「國民政府委員蔡元培，道德文章，夙負時望，早歲志存匡復，遠歷重瀛，研貫中西學術，回國後，銳意以作育人才，促進民治爲己任。先後任教育總長，北京大學校長，及大學院院長，啓導新規，士氣昌明，萬流景仰。近長中央研究院，提倡文化事業，績效彌彰。方期輔翼中樞，栽成後進，高年碩學，永爲邦國儀型；乃以舊疾未痊，滯居嶺表，遽聞溘逝，震悼良深。着給治喪費五千元，並派許崇智前往致祭，生平事蹟，存備宣付史館，用示崇重勳耆之至意。此令！」

道是蔡先生的殊榮，關於他一生事功勳業，從這一道令文中可以略知梗概。關於他之嘉言懿行，各方的評述很多，不擬重贅。惟筆者所感到的，蔡先生的偉大成就，首要的由於「兼收並蓄」。他常常主張：「無論何種學派，苟其言之成理，持之有故，尚不達自然淘汰之命運者，雖彼此相反，而悉聽其自由發展。」

所以他延攬教授，總是多采多姿的。講舊文學的有「桐城派」「文選派」，如黃季剛、陳介石、陳漢章等，講新文學的，如陳獨秀、胡適之、魯迅、沈尹默、錢玄同、李守常等，同一門學問，有幾個人講授，彼此主張不必相同而可以相反，儘管錢玄同在一個教室主張用羅馬字拼音代替漢字，黃季剛卻在另一個教室大罵「錢玄同野狐禪，辱沒太炎門風」，一面陳獨秀、胡適之辦「新青年」攻擊孔子，攻擊舊禮教，另一面有些教授就在教室裏搖頭歎息道：「楊朱爲我，是無父也，墨子兼愛，是無君也，無父無君，是禽獸也。」甚至如遺老辜鴻銘，紅纓垂辮出入校舍，籌安罪人劉申叔病體龐嬴，指揮講壇，都是取重他們的學問，因材器使，量才禮聘，故能兼收並蓄，發揚光大。北大人才，盛極一時，而近代新文化新思潮，在他寬宏的器局，遠大的識見主持之下，便能發榮滋長，推演成一股大潮流了。

至於他待人接物，極其和藹，那一副慈祥愷惻的神氣，凡是與他接觸的人，莫不感到如坐春風，和氣迎人。他儘管醉心於法國革命時代所標榜的「自由」「平等」「博愛」的口號，但他別有見解，總是從克己方面做出發點。他說：「用中國古義證明：『自由者，富貴不能淫，貧賤不能移，威武不能屈』是也；古者蓋謂之義。平等者，『己所不欲，勿施於人』是也；古者蓋謂之恕。博愛者，『己欲立而立人，已欲達而達人』是也；古者蓋謂之仁。」他就以仁、義、恕做日常處世接物的道德範疇。

同時，他主張「躬自厚而薄責於人」，因爲人我固然應當平等，但是有主觀、客觀之分。一個的行爲，常常含着許多的原因，例如遺傳呀，感情呀，……支配着行爲的這些勢力都有，在我，做了一件事，其一切原因都可以反省而得，因之遷善改過，都可以努力而成。而在他人呢，其所有成因，旁人至不明瞭，所以他備有過不會確當的說法：乃「責已重而責人輕」，乃不失平等之實意，否則尤若平等而轉爲不平之跡矣。」是眞自律至理名言，也就是生活的圭臬。總之，嘉言懿行，他之均足爲後進之楷模，受到國人褒揚，與夫一代學人之崇敬，洵不愧居實至名歸。先生謝世，倏逾廿年，際茲先生逝世二十週年之候，哲人遺風未遠，言念高山仰止，又安能不寄以仰止之思！

談左宗棠

漁翁

左字季高，湖南湘陰人，道光時，由邑庠而舉於鄉，咸豐初，洪楊軍起，以四品京堂統軍，轉戰於浙江福建間，旋平陝甘，定天山，累官總督，拜東閣大學士，封恪靖侯，論功不在曾文正公下。

當左駐防西北時，寓兵於農，弛民以教，平靜時，說禮樂而敦詩書，有事之秋，執干戈以衛社稷。對於植樹，尤感興趣，軍行之處，即舉行植樹運動，在陝西省內六七百里地方，種樹達三十萬株，在甘肅涇川至玉門關一帶，綿亙數千里，所植更不可以統計，後人稱之曰「左公柳」。光緒初，楊昌濬西行入見夾道楊柳，綠如帷幔，覩景生情，即成一絕云：「大將籌邊尚未還，湖湘子弟滿天山，新栽楊柳三千里，引得春風度玉關。」

唐詩人王之渙詠涼州詞，有曰：「羌笛何須怨楊柳，春風不度玉門關。」以楊柳須春風之吹而生，奈春風不過玉門關，則關外何有楊柳之可怨？今楊以左氏遍植楊柳於關內外而有此作，可見王之涼州詞，不能成爲定論。後之人慕左氏之功德，做召伯甘棠去後思而頌之曰：「崑崙之墟，積雪皚皚，杯酒陽關，馬嘶人泣，誰引春風，千里一碧，勿剪勿伐，左侯所植。」是則左氏之遺愛，印入之深有如此者。

三十年前，余西北行，據當地居民言：此樹爲湖南左文襄公所植，雖半爲世人所盜伐，而「左公柳」之石碑尚存，余湘人，見之亦與有榮焉。

海嘯廢談薈

軍閥悲歡離合記（二）

未幾，駐紮山海關內至灤州一帶的奉軍大將郭松齡；忽然起兵反叛張作霖，事前曾與馮玉祥秘密協商過，馮氏採取中立態度，暗中監視着直隸督軍李景林，不使他妨害郭軍的行動，事成許他改任熱河都統，李亦欣然同意。詎料郭氏倒戈之舉，轉瞬即歸失敗，而馮郭同謀的內幕亦爲張作霖所洞悉了。如是，作霖一面敷衍玉祥，急切整飭內部，又脅持段執政將直魯兩省區任由奉軍駐防，尤注意於京漢、津浦兩路的交通據點，另增派奉軍進駐北京市郊。對於李景林亦視同叛徒，不復予以支持，旋由段執政任命馮系的國民第三軍軍長孫岳爲直督。同時作霖由張宗昌游說拉攏，願與吳佩孚從事妥協，主張聯合對付馮氏，題目是「討赤」。馮氏深感自身已處於孤危的環境中，再三向作霖疏解，請其勿信外人挑撥離間，合作到底，作霖要馮氏先發表一篇「反赤化」聲贊成吳張對國事意見的宣言，然後再談其他問題，否則各行其是，不相爲謀，從此愛莫能助了。詞氣咄咄逼人。吳佩孚此時亦想利用奉軍力量，先將最痛恨的敵人馮氏打倒再說，對於作霖修睦的要求，表示首肯，因此，作霖即不屑再與馮氏論金蘭之交，成爲凶終隙末了。馮知張吳聯合以圖已於勢難以抵抗，乃親筆撰寫長函致作霖大發牢騷，指摘張氏種種過失，實爲一紙絕交書，此十四年十一月間事也。其詞曰：

「雨帥大哥：共患難以來，本期爲國共死，不期吾兄迷信權利，被人所誤。逐孝伯（按係王承斌）於直隸，同志寒心，驅鄭棻（按係鄭士琦）於山東，軍人解體；指顧常早定而得皖省（按係指奉軍將領姜登選新任皖督），任嘉帥（盧永祥）速去而刼江蘇（按係指楊宇霆督蘇）。對同志如彼，而對共患難者如此。多年舊友，以軍長節制軍長（按不知其所指者究係何人），至今不得微權，豈非過河拆橋？新進少年能花言巧語，見敵即跑，不加之罪而仍握大權（按係指張學良），我兄仍如是之顛倒也。芝老（段祺瑞）之對傳良佐，雖棄湖南而逃，仍一加以將軍頭銜，賞罰有失，敗幾乎不起，我兄豈非親見之乎？茲聞來電，逼弟宣言，弟在去年和平救國之役，我兄知弟有無宣言，我兄思之未也？弟與吳（佩孚）有不併立之事，我兄思之未也？宣言眞正有效與否，我兄思之未也？顚倒至於此極，誠非弟之所料及。今也京畿增兵數萬，是迫弟宣言，逼弟宣言，弟已決定無論如何不受逼迫而宣言。所謂與兄合作到底者，非爲強搶，非爲排除異己，非爲兄新厭舊，非爲花天酒地，縱己之慾，乃爲犧牲性命以爲國家爲人民也。如我兄認弟有合作之必要，有幫忙之必要，弟即來合作，幫忙，否則唯有靜待繳械而已。唯盼兄平心靜氣，思之又思，尤盼爲現在之人民一思，京城爲首都外交所繫，尤盼念及。弟祥十一月十四日（未完）

諸葛文侯

自由報
僑務委員會核發台教新字第三二三號登記證
THE FREE NEWS
半週刊每星期三、六出版
第三十二期
每份港幣壹毫
社長：雷嘯岑
督印人：黃行睿
社址：香港銅鑼灣高士威道二十號四樓
20 Causeway Rd. 3rd. Fl. HONG KONG
TEL. 771726
電報掛號：7191
承印者：田風印刷廠
地址：香港高士打道21號

心理作戰的一課

奚蒙

近來美國輿論注意研究的問題，例如U2機的偵察飛行應否負有破壞高峯會議的責任，赫魯曉夫是否受軍人控制或被中共施以壓力，中共是否打算向東南亞展開新行動等等，再不然，便是討論艾森豪總統承認U2機的間諜行爲是否合理之類，議論紛紛，相當熱鬧，但對於目前眞正可憂可慮的事體，他們並未認眞加以注意。美國在過去半年來所犯的嚴重錯誤，此時應該從頭檢討，但他們卻把對象弄錯了，輕重倒置，本末不分，殊屬可慨。

我們可以指出：今天美國是失敗在沒有心理作戰的正確指導。今天情況緊急的戰場是在南韓和日本，而不在其他。美國人如果指責艾森豪，只應指責他對敵情判斷的愚昧，其他都是多餘的。

美國不知己亦不知彼

試想想，艾森豪在幾個月前預定訪問的國家，是蘇俄日本和韓國，而自由中國及菲律賓不與焉。現在是蘇俄拒絕他的訪問，撤回邀請，日本政府要戰戰兢兢去作接待的準備，幾百萬日本左翼份子正在動員起來，想再給他以一次重大汚辱。韓國的局面更可傷心。他將對着一羣傷心流淚或焦躁憤激的人，說不定兵變會湊巧在那個時候發生。他無可奈何地，這時只有宣佈訪問中菲，不再拒絕這方面輿論的邀請了。前之所未赴，今之所被拒，於是前之所拒，又變成今之所赴了。這不是顯得太可笑嗎？幾個月間的變化是如此重大而迷離，在歷來美國總統出國訪問的紀錄上有過同樣的一頁嗎？

對個人的嘲笑並無用處，必要找出「何以致此」的基本原因。一個公正的評判是：艾森豪並未了解敵情。他既不知己，亦未知彼。

日本是一個大戰場

此時注視亞洲的危機，應該放眼在北面。日本已成爲一個大戰場。日共已能動員幾百萬左翼份子參加戰鬥，這難道還並不是一場沒有炮火聲光的大戰嗎？莫斯科正在盡力開闢許多個不容美國使用原子彈的戰場，日本是其一，南韓是其二。近來美國輿論似乎忽視了南韓政治危機所能導致的大變，其實那方面的情形是最嚴重的。

駐美國的外交使節曾經高興地看到李承晚被轟下台，現在才逐漸顧慮到他們本身也會變成李承晚。

正視南韓的危機

我們如能正視南韓的危機，便應該看到下列各點：

一、李承晚起先是被推倒，繼而被汚辱，青年人消失了一個信仰中心，再看不到誰値得信仰，只能亂怨亂罵以求發洩苦悶情緒。目前的情形是：警察挨罵，議員挨罵，校長挨罵，高級的軍官挨罵。而紛亂的學生也常互相打架。最不好是李承晚也出國去了，許政的看守政府恐亦不穩，軍隊的中級軍官用口頭向上級放炮，振振有詞地說：他們也是選舉舞弊案中的罪犯，因爲他們曾發佈過破壞公平選舉的命令。這樣的人心，這樣的秩序，靠誰去從頭收拾？美國人出面去收拾嗎？不能，如再出面干預，火頭就會直接燒向美國人身上。潛伏的共黨份子如在適當的時機喊出幾個漂亮的口號，煩亂的人心便會似着迷中魘一般受到指導，什麼樣的事情都可幹得出來了。

二、駐在韓境的美軍只是「客軍」，六十萬的南韓大軍才是決定韓國命運的主力。如果南韓大軍發生兵變，美軍不能一動。誰也不能想出權宜收拾的好辦法。由此導成的悲劇不堪設想的。

檢討的一個大錯必須認真

試想想，韓國如此，日本如彼，假如美國在韓國的一條防線垮下去，日本左翼的聲勢怎不更加熾盛？美國在太平洋的防綫怎能維持？本來東北亞的防衛綫是堅強的，雖則日本態度稍嫌搖擺，但有一條穩定的韓國防綫擺在那裏，總可放心，現在是情形不變，東北亞的可變尤甚於東南亞了。這是一場心理作戰的大仗，各方面心理上的連鎖反應，是萬二分微妙複雜的，共產黨在日本是明幹，在南韓是暗幹，蘇俄和中共的呼喝叫囂都含有指導作用，不明眞相的日本人和韓國人墜入彀中，如飲狂藥，固是可惜，奇在不久以前美國還有意助成南韓的「民主改革」，完全沒考慮到會發生一串又一串的變動的可能性。試問，這是不是美國輿論應該認眞檢討的一個大問題？但直至目前，美國輿論在這方面的感覺仍屬如此遲鈍，反而着力討論一些不相干的事，這距離「知己知彼，百戰百勝」的標準太遠了，焦頭爛額是應該的。

時事述評

你死我活的矛盾

盧家雪

西藏西南班禪駐地附近，又爆發了一次激烈的反共新鬭爭。據電訊報導，過去三週內，西藏游擊隊曾與中共軍在西藏西南部激戰。在東歐，波蘭方面也發生了流血大暴動。五千示威羣衆，縱火焚燬兩架警車，乃至公共建築物，亦遭受石塊之襲擊。鐵幕內所燃燒起來的憤怒火花，往往是給予自由世界內那些放言高論的政客們以一莫大諷刺。美國的退休元帥蒙哥馬利，週前自北平訪問歸來，即曾大放厥詞，大捧中共。

中共的露骨表示

但不到一個星期，共產黨卻公開表示，共產集團與自由世界「決沒有也決不會有什麼我活你也活的積極共處的友好合作的關係。」

請看這一公開表示的原文。「我們的經驗，告訴全國人民，告訴全國文化工作者，也告訴全世界一切被壓迫民族及其知識分子：被壓迫民族同帝國主義間的矛盾，是你死我活的矛盾。在被壓迫民族與帝國主義者之間，決沒有也決不會有什麼『我活你也活』的『積極共處』的『友好合作』的關係。」（這一段話是僞國務院副總理陸定一於六月一日在其所謂「全國教育和文化、衛生、體育、新聞方面社會主義建設先進單位和先進工作者大會」中致詞的一部分。）

共產黨慣常把自己及其同路人稱爲「被壓迫民族」，而把西方國家稱爲「帝國主義」，因此，這一段話的正確說法就是「共產集團與西方國家的矛盾，是你死我活的矛盾。」

這一露骨的表示，對於西方國家的某些政客，正是一劑清涼散。一切幻想與中共打交道的人們，實在也應該醒醒了。

麥美倫悟道

英首相麥美倫於本月二日在倫敦一保守黨女黨員大會上發表演說稱：「東西之間的外貌與意趣之差異，太過深長了。如要解決，殊非輕易。」這倒是悟道之言。

在共產黨經已公開表示不是你死就是我活的情形下，能解決些什麼呢？在根本上無法解決的情況下，其結果乃必然訴之於戰爭。

滑稽的是：「戰爭」這個名詞，也已被共產黨靈活運用了。

今天的情形是：自由世界從不敢談戰爭。上自總統下至庶人，都是這樣。而中共俄共之間，則動輒以戰爭爲威脅。

畏首畏尾身其餘幾

美國對于金門馬祖之不敢公開保衛，唯一的理由就是怕引起戰爭。

當年韓戰不敢讓聯軍飛機越鴨綠江，唯一的理由就是怕引起戰爭。

畏首畏尾，身其餘幾？

這簡直是一個時代的滑稽劇？

艾森豪就快要來了，當他蒞臨台北與馬尼剌之際，回想到在高峰會議開幕以前那種拒不訪中菲的情景，是不是也有些感想呢？

自由談

當伊嘸介事

馬五先生

因爲赫魯歇夫聲明撤消他邀請美總統艾森豪訪俄之約，近來中美兩國的輿論界，紛紛推測艾森豪下月訪問日本以後，或許要順便到台灣一行了。別人作此觀察與期望，那只是一種「新聞眼」而已，無關宏旨的。自由中國的朝野人士，最好是默不作聲，當伊嘸介事。

華府白宮的發言人，再三奉命聲稱「總統先生唔得閒」，說是即令在台北和馬尼剌兩地各停留一小時，亦將就誤白宮許多急待處理的要公哪！我們既已自討沒趣，被人「剃眼眉」，那又何必恬不知羞地硬要「托大腳」，强人以所難呢？「朋友數，斯疏矣」，個人的交際周旋之道有然，國際間的外交行亦然。我們應該保持一點自尊心，不要爲着無足輕重的面子問題，而使國與人格掃地以盡才是。

今日流行着的「訪問外交」，始作俑者是英國首相麥美倫，他在口頭上說是爲要促進世界和平，叩訪莫斯科，實際卻是爲着爭取國內的選舉利益──藉和平口號以騙取選民的同情擁護。所以，他當時從莫斯科訪問回來，即大倡「高峯會議」之說，且表示美國如不同意，則英國不惜單獨從事。艾森豪瞧着麥美倫果然因此獲得了大選的甜頭，如是乎見獵心馳，亦想利用「訪問外交」來延續共和黨的政權，要在今年的大選中擊敗民主黨。俄酋赫魯歇夫看透了西方政治人物這類半吊子的心情，暗中竊笑，玩弄魔術，他基於「反美至上」的策略，在緊要關頭，乃給艾森豪一支悶棍，拒絕艾氏的「親善訪問」，且使高峯會議臨盆夭折，間接教麥美倫亦難以爲情呢！

台灣與馬尼剌對於美國的大選問題，沒有甚末可以利用的價値，艾森豪當然無暇訪問，道理至爲淺明。「訪問外交」根本就是徇私詐騙行爲，我們還要盼望艾森豪紆尊過訪，眞所謂其愚不可及也！

編者按：此文於五月二十九日收到，其時老艾尚未宣佈過訪自由中國，現在，老艾又說要過來了，總算是「認眞界面」。可惜，這一「界面」是在赫魯曉夫的太不界面之後，就不免太那個了。馬五先生所說的「當伊嘸介事」，是値得我們深切反省的。

騙嚇拆的連環作用

我們認爲：赫魯曉夫把艾森豪引誘到高峯會議上面去挨罵受辱，是「騙」的第一部曲。借痛罵艾森豪的場面去顯示蘇俄的威風，使美國在東方的盟邦看看他的顏色，是「嚇」的第二部曲。再在日本鼓動空前猛烈的反美風潮，是「拆」的第三部曲。這「騙、嚇、拆」三者的連環作用，主要仍在拆散美國在國外各處的基地。由騙到嚇都屬於心理作戰的範疇，拆才是主要目的。由赫魯曉夫說過的話再由馬倫斯基以軍人身份再說一次，而且故意加強語氣去說，這無非增重「嚇」的力量而已。這原是很顯淺的道理，只有鑽入牛角尖而想入非非的西方論客，才會替赫魯曉夫的命運耽憂，說他已受軍人力量所控制，原諒他不得已而痛罵艾森豪的「苦衷」！

艾森豪的「苦旅行」

從另一個角度看，艾森豪訪問自由中國原是一件大事，如果他能在這一次「苦旅行」中得到大覺大悟，借此機會來透澈認識中國反共人士的深思與遠慮，以後還好好地利用他個人當前的影響力量，爲扭轉局勢而共同努力，那才不枉此行。假如不然，這也不過是循行故事，實假面子，則此行的意義也就有限得很，不必重視了。這絕對不是「徒尚虛文」的時候，艾森豪先生只要回思這一次「苦旅行」的由來，便該明白我們這些「逆耳之言」，也只對事而非對人，希望他珍惜教訓，善用餘時，抬起下頷，化恥爲勇，吧了！

從智利空前浩劫談到
世界各地大地震

泰泰

素有世界長國之稱的智利，從五月廿一日開始，會先後發生強烈的地震，海嘯以及火山爆發等等，遭受到空前的浩劫。據外電報導：在短短的十天中，智利的噩耗頻傳，因上述災禍交相沓至，目前將近百萬人無家可歸；而且其中死亡的數字約達六千人以上，該國南部約有四萬方哩地方已經沉沒，由芝蘭起迄至無人荒島而冰雪滿佈的大島半島，地形已完全改觀；估計損失的財物將逾兩億美元！

雖然，智利的上述災禍尚未完全停止，地震專家及地理學家仍提出嚴重的警告，可能再有強烈的地震發生。由于智利的地形南北延長如帶，爲世界最狹長的國家。位于南美洲西岸，面積七十四萬二千方公里，海岸線最長，西南全部沿着太平洋與大西洋之交；加以地當安達斯山脈之西斜面，傾斜激急，山脈間火山甚多，尤以阿空加爪山爲最著。特別是南部沿海山脈，陷沒劃發而成無數島嶼，顯然智利所處的地區，原是在地殼比較脆弱的地帶，因此，智利的地震極多，並且不自今日始，遠在一八二二年十一月十九日，由智利沿太平洋海岸也會發生一次爲時二十天的強烈地震，南北延長達一千二百哩，爲當時世界歷史上地震受震幅度最廣的一次。更令人奇怪的是那次智利沿海岸升高了一五尺以上，原在海底的貝殼也露出水面；同時自那次地震以後，幾乎每日或隔日便要發生一次輕微地震，一直到次年的九月秋才停止呢。

但是，如與智利這次地震相比較，其強烈的程度，卻是小巫見大巫。即以地震受震幅度來說，那次只有一千二百哩，而此次卻有四百萬方哩地區均已沉沒。是故，地震學家與地理學家都很担憂智利將是否像一八二二年一樣地延續下去，頗爲疑慮。由于智利的地殼的脆弱既如上述，而從紀錄上研究，地震的分佈地區是有一定的規律性，主要的分佈地帶有三個地帶：一爲地中海、阿爾卑斯山、高加索、喜馬拉雅山地帶；一爲太平洋西岸的山脈島嶼地帶——即指智利等地——以及另一爲太平洋東岸如日本等地。

正因爲這樣，由智利的地震而引起狂大海嘯，會襲擊日本東海岸，造成了巨大的凶災。來自東京消息：據警方調查，在這次的凶災中，先後傷亡的數字近千人，無家可歸的最低限度在十五至廿萬人，民衆財產損失估計約一百萬英磅，相信全國農業及漁業損失估計超過四百五十萬英磅，養珠業的損失超過二百五十萬英磅，合計在七百萬英磅以上。

不過，日本向有地震王國之稱，根據統計，該國每年平均計有大小地震一千四百四十七次之多，即每日平均地震四次；而最著名的地震爲一九二三年九月一日的東京大地震

千，橫濱也罹浩劫，死傷四萬一百人，毀屋共五十萬座。另一次面積最廣的地震，是發生于一八九一年十月廿八日，其發源地在濃尾，受震面積約佔日本全國面積的五分之三！

[illegible]據史地學家的分析，在歷史上最大的一次地震，算是一七五五年十一月一日發生于葡萄牙里斯本，[illegible]

地震，一七八三年二月五日，在兩分鐘內便把卡拉布里亞半島的城鎮[illegible]

[illegible]更達八萬三千人。[illegible]

[illegible]……發生于[illegible]數達三萬三千。[illegible]震可說不少，其後[illegible]受震範圍[illegible]相距[illegible]平方[illegible]南部[illegible]建築物受損不少，傷亡人數頗爲可觀。[illegible]地震死亡五十萬人，[illegible]面積約二百萬平方[illegible]死亡九萬[illegible]震而造成最大的地震[illegible]。調查結果，死亡[illegible]一九三五年[illegible]十二月[illegible]死亡三百五十二人。

[illegible]一九五三年[illegible]死亡。同年三月十八日，土耳其西北部地震，死亡一千二百〇二人。一九五六年六月十日，阿富汗北部地震，死亡二千〇四人。同年十一月[illegible]伊朗[illegible]地震，[illegible]人。[illegible]連續發生兩次猛烈地震；[illegible]的屍首二千五百[illegible]具，[illegible]無家可歸的達九萬二千人。據當時伊朗王妹薩斯公主廣播稱：災區超過十四萬平方公里，由伊京德黑蘭西北部亞塞爾拜然中部的米安尼起，至德黑蘭的瓦拉明，東北部蘇俄邊境的哥根，以及沿裏海南岸的各城市與鄉村邊境。甚至于一分鐘，地震便撼了[illegible]街頭，與田野間，[illegible]人數，亦達一千〇六十二人，[illegible]的西部約四千人。

至于今年三月初，非洲摩洛哥亞迦迪爾港發生一連串的猛烈地震後，死亡人數竟達一萬二千，超過了該城全區人口總數的四分之一，而該城四分之三的區域却淪爲廢墟。使這個曾經盛極一時，豪華熱鬧的遊覽名城，而剎那間竟成爲臭味瀰漫的荒涼。留下的祇是一些挖掘人員和一具一具的殘缺屍首而已！

台灣的艷聞韻事

野鶴

台北通訊

近來台北社會人士最關心的新鮮事情，除卻行政院改組的官吏升沉消息以外，就是幾項有關風化問題的花邊新聞了。

首先值得報導的，即爲不久以前，向台北地方法院控告「徵信新聞」誹謗名譽的那位話劇演員張茜茜，最近她的丈夫藍天虹因爲鬧出三角戀愛的桃色事件，家庭間大起風波，又成爲最突出的新聞人物了。她跟徵信新聞的「風流債」官司，剛由在台北作客的香港自由報社長雷嘯岑，協同川省宿將楊森從中調解，其條件是先由徵信新聞刊載消息，聲明過去張茜茜女士致函高雄高等分院推事高嵩索取代銷戲票款一事，標題與內容不符——標題有「風流債」字樣——表示更正之意，然後由張女士向法院撤回「自訴狀」。當雷楊二氏邀同雙方當事人見面和談時，張女士的丈夫藍天虹亦在場，楊將軍曾對衆人特別介紹藍氏，說他乃是川省軍人，且任楊氏所領部隊師長之藍文彬的侄兒，擅長電影話劇導演工作，希望新聞界多予指導提携。他們夫婦願意接受和解的原因，也就是不欲與新聞界人士結怨成隙，適可而止。詎料相隔旬日，藍天虹即與台籍電影明星洪麗明演出「風流劇」，一面在家裏跟張茜茜從事冷熱戰，釀成婚變現象，難以收拾。一面又要在醫院內侍候洪麗明坐蓐生子，恪盡生父的責任，義不容辭，情形相當狼狽。日來據報紙紀錄藍天虹的風流艷事頗多，而且都是電影戲劇界人物。當年他跟張茜茜相識時，已與「農教影片公司」——即現在的「中央電影製片廠」之前身——女演員周向明熱愛着，終被張氏搶奪過來，正式結爲夫婦，而周氏即從此一蹶不振了。據張茜茜聲稱：只要藍天虹不再跟洪麗明糾纏，洪氏所產的小孩，她願意領回家撫養。然洪麗明却要藍氏離異，位正妻宮，否則訴諸法庭，亦所弗惜。張氏已育有一男一女，與藍同爲川省籍，洪氏係台灣省彰化縣人，現在亦已產下一子，這場「爭座位」的糾紛，尚在僵持狀態中，究竟如何解決，殊不可知。但藍天虹，張茜茜，洪麗明的名字，近來經常出現於報紙上，張氏且發表許多談話，若就戲劇演員的生意經設想，他們三個人皆已頗有所獲，很可能繼續表演下去，以觀後效，反正戲劇界中人對於男女間的桃色行爲，那是滿不在乎的，越是鬧得有聲有色，震動遐邇，越就「噱頭」十足，得其所哉，祇不過社會風俗遭些殃而已。

台北市正鬧着上述三角戀愛醜劇之際，台東的仁愛路國民學校亦發生古今罕見的韻事。緣該鎮有廿餘名新張艷幟，開始營業的妓女，曾於上月（五月）十八日假「仁愛國民學校」，大擺筵席廿餘桌，集體宴請當地各界人士，報告她們從事賣笑生活，希望幫忙照顧的情由，該校教員侯先杜且爲她們担任招待來賓的職務，而當地鎮長亦在酒席筵前發表演說，替妓女們說項捧場，這不是古今奇聞嗎？

這項消息很快地就傳播於台北新聞界，爲之大書特書，台省教育廳長劉眞聞之大爲驚詫，下令該縣府教育科查究。縣府不敢不奉命，乃先將該校校長蘇振福，教務主任侯杜源嚴加申斥，次對那位替娼妓招待來賓的教員記大過一次，但教育廳在輿論指摘之下，未便就此了結，尚須作進一步的處置。至於當地鎮長原是民選的，娼妓亦係民衆一份子，他應邀赴宴，且爲選民的職業表示鼓勵之意，在道理上似無不合，即在法律上亦不犯罪，政府既然允許娼妓營業謀生，鎮長爲之捧場，原屬應有之義。因此，省府民政廳對於這樁新奇的事，迄今尚未表示態度，不知如何是好？據新聞記者到台東實地採訪所得，當日筵宴大張時，二十幾個艷裝濃抹的「老舉」，袒胸露臂，周旋於衆賓客之間，風光旖旎，笑謔喧騰，而其地點又爲時聞絃歌之聲的黌舍，眞是中外稀有的創舉，如果將當時情況攝入鏡頭，製成影片，必能轟動全球，賣座不衰哩！記得國府奠都南京後，南京城內夫子廟一帶，盡係娼寮所在，孔廟適築於秦淮河邊，有人集句替夫子廟譔一聯曰：「王孫自可留，駐馬銜杯，無情最是台城柳；夫子何爲者，傷麟怨道，隔江猶唱後庭花」。現在台東鎮國民學校，乃直接供作鶯鶯亂飛，高唱後庭花曲的宴樂場所，並不隔江，殆視南京的夫子廟杏壇，更爲香艷生色，猗歟盛哉，嘆觀止矣！

內蒙牧民反對公社

筱臣

內蒙古大部份位於蒙古高原，拔海約一千公尺，賀蘭山與興安嶺的高峯逾一千五百公尺。氣候是大陸性，冬季冷而長，平均溫度爲攝氏零下十度，夏季短，溫和多雨，無霜期一百一十至一百六十日。除興安嶺與東南部大塊農業地區外，平均內蒙全年降水量不到十英吋。

據北平「地理知識」月刊載，內蒙自治區一四〇萬平方公里是草原，牧業人口佔全區人口十分之五，但牧業收入高，佔農牧業總產值的百分之三十五，佔工農業總產值百分之十八點八。這八十多萬平方公里草原中，有一部份是沙漠。

牧畜以綿羊、山羊、黃牛爲最多（合計佔牲畜總數的百分之五十七點八），猪、馬、騾、駱駝較少。羊能適應乾燥的氣候環境，牧區人的衣、食、住都取自羊身。黃牛與馬要求水草多，飼養較難，猪只分佈於農業區。

內蒙古農區、半農、半牧區的牲畜總數，估總頭數的百分之五十七點八，牧區佔百分之四十二點二。

各種牲畜頭數，羊佔牲畜總頭數的百分之十五點四三，猪佔百分之六點七，馬佔百分之三點四二，騾佔百分之三點一六，駱駝佔百分之零點八六。

在一九五七年度（牧業年度）內蒙牲畜總頭數爲二千二百三十九萬頭，一九五八年爲二千五百萬頭左右，一九五九年度爲二千八百萬頭。

一九五六年，內蒙供應外省與輸出國外的牲畜一百多萬頭，肉類七百三十多萬斤，皮張二百七十多萬張，毛絨八千七百多噸。中共獲利甚豐，因而對游牧區有了興趣。

中共在內蒙推行「合作社」，把自由的蒙族游牧民納入組織，以便易於控制，這個規定，直爲游牧民所反對。直到一九五六年底止，只建立五百個合作社，入社牧民只有百分之二十三的戶數。據內蒙中共「黨委」第一「書記」烏蘭夫說：到一九五八年強制進行「人民公社」以後，百分之九十的牧民，才不得不加入公社。

這一變化，非常勉強。但牧民的生活資料全被控制，無從反抗。到一九五八年九月初，內蒙設立了五十多個公社，一九五九年一月，公社已遍及內蒙。一九五九年六月底，牧區公社已經有了一百五十三個。

這一來，牧民失去了一切獨立性。而且，定居時亦有各種困難，定居點的選擇極關重要，中共對此從沒有妥善辦法。因此，據中共出版的雜誌報導，「一部份人對牧區的改造，建設事業懷有不滿情緒，個別有人破壞行爲，特別是一些反革命份子和破壞份子還乘機進行造謠破壞。」中共再要嚴重打擊他們，在極端的威脅之下，據中共的報導：「百分之五十的游牧民族已經定居，百分之二十五已經半定居，其餘仍在游牧。」

共產黨的教育是政治的工具，自一九五八年「政治掛帥」後，牧業合作社（公社的前身）辦起了學校，學校也辦起了牧場。冬天有短短的寒假，學生集中在學校裏作工，夏天有三個月暑假，學生回家去參加游牧。

中共透過牧民子弟來推動牧民定居化。牧區中肄業期改爲七年，教學水準甚低，課程內容完全是宣傳馬克思主義，列甯思想，毛澤東思想，體力勞動是必作的，還要受軍事訓練。學校用蒙文，但漢文功課逐漸加多。

社會小說

香港地

四、高的低的

梅大亮曾經和譚福祿談過「需要」這個問題，心裏猶有餘慨，這時聽到賈大夫又提及這兩個字，不免引起回憶。可是賈大夫並未知道他的心事，仍然口若懸河的說下去道：「梅老兄，你看看呀，那是賣牛肉的，那是賣豬肉的，那是賣菜的。這裏有人開雜貨店，那裏有人開藥材店。你看，連賣電手筒和墨水筆的店子也有了。這裏如沒有人需要這些東西，誰去開這各色各樣的店子？有了這需要，就會有人想到怎樣去供應，誰供應得最先和最好，誰就發財。梅老兄，你說是不是？我是希望發財才開這家衛生食堂的啊！你問我有什麼把握，我只能答覆你一句話，這是有人需要它呀！」

賈大夫指東劃西的，向這條長街上的對戶鄰居亂指一頓，使梅大亮看得目不暇給，果然發覺這裏的店子也有多種不同的性質，竟是複雜得很。

梅大亮聽着看着，心裡在想道：「原來如此，這條街道是我走熟了的，平時看這些店子都似雲烟撩眼，不覺有什麼值得注意，如今給賈大夫一提，才發覺這裏面也有一些該受注意的道理。」

他想了一會，吃過豆漿和鍋貼，便向賈大夫道謝，覺得這些東西倒合受用，遠勝過丁乾常吃那些咖啡冰淇淋。

離開賈大夫這家平民衛生食堂，梅大亮沿着這條窄長街道走去，一路留心看兩傍大大小小的商店，替他們點算和分類，不消片刻，算來竟有二三十種之多，便又邊走邊想道：「賈大夫說得不錯啊！這條街道可比一個城市，什麼都隨着人們的需要而建立起來的。人們需要飲酒，就有賣酒店，人們需要發洩性的苦悶，就有賣淫的娼妓。人們有了太多的罪惡和苦惱，需要懺悔，就有了教人知道怎樣去懺悔的人，於是就有了教堂。」

他越走得遠，想的也越遠，忽然看到前面人聲猶如鼎沸，看熱鬧的人塞斷了半條街，走上前看看，才知道這是黑社會的惡漢和一個賣菜的小販吵架，雙方打將起來，弄得不可開交。（卅一）

木客著

纏足

寒江雪

我們這層樓上的住客中，張師奶要算是打扮入時的了。且不要說她出水芙蓉般的髮式，蛇蝎一般的身材，就憑那雙四寸高的高踭鞋，也就大大的值得恭維一番了。

憑良心說，張師奶這個人並不太壞，可惜的是她愛高談濶論，以致使許多的同樓住客，都不敢在下午七八點鐘的時間，到我們的公共客廳裏去聽「麗的呼聲」，因爲那一段時間，照例是張師奶發表意見的時間呀！

單純是發表一下意見，倒還不算甚麼，妙就妙在張師奶還愛徵求人家的意見。而每一次當別人有反對意見提出來，張師奶又照例要口沫橫飛一番的。

提反對意見提得最多的，就要算是尾房那個年輕小伙子小陳。

少年人最不肯讓人，這一點張師奶也不是不清楚。有時候，遇到小陳絕對不肯讓步，張師奶照例是「你這小孩子懂得什麼」，就這麼一句，戛然而止，拂衣而起。根據張師奶的看法，勝利的是屬於他自己；但根據小陳的看法，張師奶不過是精神上的勝利，而他則是實際上的勝利。

現在，爲了纏足的問題，他們又發生「戰爭」了。

這次爭端的起源，是由於張師奶在報上看到了一條消息，大意是說有一位德籍博士在這裏演講「中國舊時之纏足風俗」。張師奶認爲這是一件大事，必得在公共客廳裏提出討論的。

她指出纏足惡習，在過去，不知束縛了多少女人，爲什麼到現在還要提起過去這些侮辱女性的事來作話題。當張師奶「演說」完畢，照例逐一詢問我們的意見時，我沒有開腔，老丁只是微微一笑，老王雖然也說了幾句，但都是附和的，他說：「女人纏足，我是反對最力的，不過如今卻又看到：……」

王先生還沒說完，張師奶立即插口問道：「你又看到了些什麼呢？」

王先生的眼睛正盯在張師奶那雙四寸高的高踭鞋上面，見她這麼一問，也不便再說了。張師奶見王先生不再開腔，也不徵求小陳的意見，便宣告纏足問題，勝利閉幕。

就在這時，小陳插嘴道：「爲什麼不徵求我的意見就宣告勝利呢？」

有小陳開腔，這場高論就有了波浪了。

只見張師奶冷笑一聲道：「這個問題，寒先生金先生和王先生他們都沒有意見，就沒有輪到你說話的份兒。」

「笑話。」小陳漲紅着頸子道：「你以爲纏足問題就已成過去了嗎？」

「那當然啦！那些不合時代的習慣，侮辱了女性幾千年，難道還不該讓它過去嗎？」

「別說廢話。我問妳：纏足的害處究竟在那裏？」

「這還不清楚嗎？束縛天足，行動不便，這已經夠害人的了。」

「這個我完全同意。可是，」小陳邊說邊指着張師奶那雙四寸高的高踭鞋道：「像師奶妳這雙皮鞋，是不是也算得是類似纏足呢？」

張師奶的臉微微一紅，說道：「這個是合時代啦！」

小陳笑了，他笑得很得意。只見他手舞足蹈了一番，然後說道：「這個就叫做洋式的纏足。請問洋式纏足和舊式纏足，除了形式不同而外，其後果又有什麼分別呢？所以說，妳要批評舊式纏足，就得先不要洋式纏足，妳總有說話的份兒呀！」

話猶未完，張師奶驀地倒到了地上。

幸而沒有受傷。據張師奶說，是高踭鞋的踭鬆了，重心未穩，所以有此意外。但張師奶仍然堅決否認，這不是洋式纏足。

暮遠樓詩二首

伍叔儻

閒雲

角者爲牛鬣者馬。倏然而有忽然無。閒雲不下廉纖雨。伴月橫天作畫圖。

馬料水書所見

水落沙平初不知。晚來潮滿欲無涯。門前一件尋常事，恰似麻姑三見時。

達賴情歌

介人

西藏達賴六世倉洋嘉錯，是一個天賦浪漫不羈的人，少年英俊，文章瀟洒，雖然尊處「僧王」地位，但活潑天眞，掩不住他的風情奔逸，所以後宮秘苑時有幽歡，深研佛學之外，對於兒女私情，未嘗忘懷；最稱美艷的事，莫過於他迷戀着一個多情女郎，大有如曼殊和尙所謂：「華嚴瀑布高千尺，不及卿卿愛我情」的情況，以致藏民非議，而教職亦因以見削。

他創作了不少的情歌，輕鬆婁麗，纏綿悱惻，遣詞造意，獨具一格，流傳民間之後，至爲青年男女所歡迎，且每用作交際舞曲，茲選錄數首，藉以見其風韻。

（一）郎心姚，姐露貝齒微微笑，正在誘郎郎心跳，妳是眞個有情意，發個誓兒使郎曉。

（二）着了魔，自從愛上美嬌娥，夜裏相思睡不着，爲了日裏難到手，精神恍惚着了魔。

（三）噴噴香，路上相逼多情郎，小姑全身噴噴香；猶如拾得白松石，却又隨手拋路旁。

（四）苦相戀，自從與姐苦相戀，夢裡時共姐相見；爲了愛情早遂心，佛法難移我意志。

（五）柳鳥戀，柳樹愛上小小鳥，小鳥也愛柳絲條；相親相愛勿分離，不怕老鷹來耴巧。

大陸文壇萬花筒

圍剿李何林

——岳騫——

本年第一期文藝報上發表了李何林的「十年來文學理論與批評上的一個小問題」，此文同時又經一月八日河北日報發表，按照文藝報出版時間來算，河北日報發表還早了三天，究竟是李何林一稿兩投，還是兩間報刊有意的安排，目前尙未判明。

關於這篇文字內容，筆者在本欄曾作介紹，不過，最近根據各方面資料看起來，對這篇文字有點懷疑，何以在中共如此嚴密控制下，李何林這篇反對毛澤東思想的文字，竟然能在中共文藝方面領導刊物「文藝報」上發表，假若沒有人授意，文藝報編輯敢挑起這個扭子嗎？假若有人授意，則授意的人目的何在，是爲了反毛澤東的文藝政策嗎？似乎又不像，因爲大陸正在鬧得天翻地覆學習毛澤東的著作時，未必有人敢在「文藝報」上反毛，因此推斷只有一個可能，就是毛澤東又擺下陽謀，利用李何林作個釣餌，引誘老虎落陷阱。

不過，經過那次鳴放之後，大陸的讀書人都學聰明了，無論你共產黨出什麼花頭，我只是跟在後面捧，決不說一句逆耳之言。所以李何林文章已發表了四個多月，沒有發現一篇共鳴文字。其他一些唱反調的人，如巴人，于黑丁，方紀等都還能找到幾個擁護的人，只有這一次例外，也許大家都感到事情嚴重，共他的人即使被指爲「修正主義」「右派份子」，罪名也都是反對馬列主義，馬克思，列寧固然不能反對，可是冒犯一點也不要緊，因爲遠方的神仙不靈，只有「毛澤東思想」千萬反對不得，任何人「褻瀆」了它，眞是現世現報，比雷公雷母還來得快，大概由於這一點，所以李何林的見解變成曲高和寡了。

既然沒有人捧，就不能不加以鬥爭，否則豈不是承認李何林說的對了。最近大陸報刊上鬥爭李何林的文字，發表的實在不少，河北日報一月十一日，一月十四日，二月四日，文藝報二、三、四、五各期，蜜蜂第三期，人民文學第三期都出現了反駁文字，中共文藝界的重要打手張光軍，李希凡，康濯都出馬了，看情形還眞要有點麻煩哩！

釋耒集

人君之度

蘇子瞻爲范增論，述項羽於鴻門之會，不殺沛公，以爲猶有人君之度，千餘持論，有縱橫家習氣，謂爲借說影射，皆無不可之能，實則鴻門之會，謂戰方酣，彼此爭天下，千載一時之機，稍縱即逝，羽不欲爭天下則已，否則必殺沛公，若曰羽不欲乘人之危，不欲以衆暴寡，特縱沛公，使決雌雄于疆場之上，然此特英雄本色耳，未足以言人君之度也。至于孟子所稱，「行一不義，殺一不辜，以有天下，不爲也。」此則以人君擬之於上古聖賢中之聖王，所謂有大德者必受命，共事定昧，不足資爲論據，余平居無事，偶或究心前史，泛觀帝王世紀，其開創奠鼎之君，屈指可數，繼此以往，所謂一國之政，操之於權臣者有之，決之於母后者有之，甚或爲宦寺閹豎所包圍者亦有之，稱之爲君者，特是旒纊，循例受朝而已，等而下之，則暴戾恣睢，殘民以逞，終至身死國滅，爲天下笑。而眞能繼體守文，上不愧於祖宗之創業，下無負黎民之喁望者，以余觀之，二千年來，特一漢文帝庶幾可以當之。小戴禮記曰：「樂只君子，民之父母，民之所好好之，民之所惡惡之。」論者每稱，漢承暴亂之後，民所好者爲休養生息，而文帝獨能順民所願，爲政務在簡儉，不問其爲堯舜之民，抑桀紂之民，其所好者，固莫不爲休養生息而止，漢書匈奴傳云：「……匈奴日以驕，歲入邊殺略人民甚衆，漢甚患之。」而文帝乃使遣匈奴單于書曰：「漢與匈奴，鄰敵之國，……今天下大安，萬民熙熙，獨朕與單于爲之父母，朕追念前事，薄物細故，謀臣計失，皆不足以離兄弟之歡。……朕與單于，皆捐細故，俱蹈大道，墮壞前惡，以圖長久，使兩國之民若一家子，……莫不就安利，避危殆。」又史記南越尉佗傳，載文帝與南粵王趙佗書曰：「前日聞王發兵於邊，爲寇災不止，當其時，長沙苦之，南郡尤甚，雖王之國，庸獨利乎？必多殺士卒，傷良將吏，寡人之妻，孤人之子，獨人父母，得一亡十，朕不忍爲也。」考漢初至文帝之世，國力富實，遠非匈奴、南粵可比，文帝以強藩入承大統，方富於春秋，使竭中國之力，未嘗不可以一戰而勝也，其所以不此之圖，不過爲使民就安利，避危殆，不欲爲得一亡十之舉耳，民之當國者，固未有以武力而忍爲虛聲恫喝者矣，使稍讀前史，則若此之徒，均妄人耳。

曲齋

粟海彈心錄

土地問題（下）

孫公領導國民革命，手訂耕者有其田之土地制度，誠得後人不加曲解，循序漸進，自是由農業經濟進至工業經濟過程中之至當原則，悠悠數十年，竟未一加措意，遂致今日之面目全非。爲今之計，又當以適應環境，順從人心，迅速處理，爲第一要著，而徐圖改善。舉凡一條件之方案學說，與夫幻想之外來支援，皆當束之高閣，而爲如下之主張。尤當授權地方政府，斟酌損益。

一、田賦確定省縣所有，縣級佔百分之八十，土地問題，省縣督導，縣級實施。

二、原有自耕農，佃農，所佔土地復原。未加入「公社」之現耕農民仍舊。

三、原有地主，具有人力資力，申請反還土地者，當按其人力資力，反其土地，或調撥他處土地。

四、獎勵勞資合作，建立私有農場。

五、宗族共有之祖宗墓田祭田，私家所有之社學田，概予發還。

六、國民政府所屬官兵，以及中共官兵，之歸農者。地方政府，一依上項原則，妥爲辦理。

七、除上項外，凡從事農業生產者，鄉政府得便宜行之。

大亂之後，但患有田無人耕種，不患有人無田耕種，但患有人有田無資本經營，不患有人有資本而無田經營，竊願政府當局，緊記此言。

後周平兩淮，南唐獻江北地，生民流離，世宗思有以安集其民，問司牧，能得畜力幾何，牧監告以未穿鼻者六萬餘頭，世宗嗟咨不已。竊以唐宋五代之初，牧監猶常得八十萬頭，補民間畜耕不足者，[illegible]總計之，約四十餘億。由是知農村復業之未可輕言，即一耒一耜，民間亦不易得，故曰稼穡艱難。若與書生謀之，鮮有不誤盡天下蒼生。今後之局，更難措手，附彈及此，以告來者。

阿公

略論摹擬

嚴平

文藝貴在創造。這是因爲文藝作品乃是作者個人基於長期的醞釀或瞬間的感覺，憑其妙筆所寫下來的個人性靈思想與夫人類生命躍動的篇章。德國尼采曾說：「我祇愛讀那些用血寫出來的作品」，因爲祇有「用血寫出來的作品」才是經歷了超越前人或同輩的經驗，獲得了深邃的體會，并體味了新穎的意義之後的一種具有特殊精神面目的記錄，所以能使讀者受到感動，發生共鳴。美國的文藝論評權威巴比特教授（I. Babbitt）說：「近代藝術的最大野心，正如文藝復興時代晚期的某些藝術，就是追求新穎，……」[illegible]百夫之子，不同父母，殊類而生，不必於似，各以所稟，自爲佳好，……文必有與合，[illegible]是則五帝不異事，三王不殊業也。」[illegible]是獨創，既不拾前人牙慧，也不落同輩窠臼，否則該一作品就僅能稱爲情緒的複製，內容或形式的摹擬，這都是文藝工作者所深惡痛絕的大忌，而無足一顧的了。

我們的前賢對於文學上的摹擬，也多加以筆伐。王充說：「飾貌以強類者失形，調辭以務似者失情。」[illegible]韓愈說：「惟古於詞必己出，降而不能乃剽竊。」胡仔在漁隱叢話中說得更明白：「宋子京筆記曰：文章必自名一家，然後可以傳不朽。若體規畫圓，準方作矩，終爲人之臣僕，[illegible]習陳言，規摹舊作，不能變化，自出新意，亦何以名家？魯直詩云：隨人作計終後人；又云：文章最忌隨人後；誠至論也。」袁中郎也說：「若祇同尋常人一般知見，一般度日，衆人所趨者，我亦趨之，如蠅之逐羶，即此便是小人行徑。」顧亭林則云：「近代文章之病，全在摹仿，即使逼肖古人，已非極詣，況遺其神理而得其皮毛者乎？……效楚辭者必不如楚辭，效七發者必不如七發，蓋其意中先有一人在前，既恐失之，而其筆力復不能自隨；而此壽陵餘子學步邯鄲之說也。」

可是反顧台灣文壇，若干作家卻專事摹擬，這是叫人洩氣不已的。首先揭發此一「行徑」的是中國婦女週刊的一篇社論，目標是鍾鼎編導的「歸來」，因爲「歸來」一片所根據的藍本原是香港地某作家所著的長篇小說「代價」，鍾某僅畧加更動，而即據爲己有，繼之是徵信新聞的副刊「人間」上方以直君以「綁作與摹擬之間」爲題，揭發了張漱菡所作的「心魔」，乃是法國莫泊桑「兩兄弟」的中國版。其實，台灣文壇上豈僅祇有這兩種「作品」是摹擬的？請讀者讀一讀陳紀瀅的「荻村傳」，牠是不是魯迅「阿Q正傳」的改頭換面之作？彭歌的「殘缺的愛」，是不是從法國的「田園交響樂」一書蛻變而來？師範的「未走完的路」，是不是因襲了法國·羅曼羅蘭的「約翰·克利斯朵夫」？其他類似事實，恕不枚舉！

在這個大時代裏，大好題材，眞可以說得上一句「俯拾皆是」，祇要作者能本其智慧，愼予選擇，細加體會，發掘該一題材的特殊意義，然後利用新穎的形式，就不難創造出動人嶄新的作品來，何必囿于前人或同輩的範疇，劃地爲牢，作繭自縛呢？文藝的讀者和批評家原是非常苛刻的。杜甫在「寄高適岑參三十韻」裏曾說：「更得清新否？遙知對屬忙。」在「長吟」裏又說：「賦詩新句穩，不覺自長吟。」去除模擬而事創造，正是杜甫成功的清新地方，也是世界上所有大作家成功的地方，有幸台灣若干作家，三復杜氏之言！（寄自台中）

海嘯廔談薈

軍閥悲歡離合記（三）

馮氏這封信是他自己秘密寫成，由他的左右親信幹部[illegible]知道。他寫好之後，交給他的高等客卿李烈鈞先生審閱，李極力勸他留中，我當時隨李先生在北平記室，目擊其情。莫被出，曾將原信[illegible]。越兩日，馮來索取原件，謂彼已決定辭職出國，此函非發不可。李謂[illegible]應妥爲斟酌，以示莊重，[illegible]之勞，因而原件乃庋藏李先生處，今猶存在也。張作霖閱及此函，當然生氣，更與吳佩孚積極勾結，而馮乃於十五年一月一日通電辭去本兼各職——他以西北邊防督辦兼任甘肅督軍——前往莫斯科以避張吳之鋒，冀圖保存實力。馮出國後，即由原任北京衛戍總司令的馮軍大將鹿鍾麟把曹錕從延慶樓釋放出來，一面對曹道歉賠不是，另又電請吳佩孚入京主持軍閥大計，誓言擁戴服從，佩孚知其詐僞，惡其反覆，復電敎西北軍解除武裝，鹿等憤懣之餘，私念與段祺瑞素有深怨積恨，段在北京執政，吳必不願入京與段周旋，爲表示擁吳誠意起見，急不暇擇，竟派兵包圍執政府，收繳衞隊槍械，段在私邸得訊，潛走東交民巷避難，旋通電去職，北洋軍閥政府從此崩潰了。段執政既走，而「吳大帥」仍不來，「張大帥」亦攻訐馮軍以倒戈謀叛爲常業，大倡「討逆」之說，與「吳大帥」的「討賊」之聲相應成趣。吳氏心目中的「賊」與「逆」，原係以張作霖爲首，而馮玉祥次之，如今張氏要「討馮逆」，北京附郭又爲奉軍所盤據，故亦樂得順風轉舵，以毒攻毒，乃通電贊成張說，主張合力[illegible]，鹿鍾麟等枉作小人，無可奈何，祇好率部退出京畿，回到居庸關外，保守張家口老巢，以待時變。馮軍撤退後，張、吳即聯袂入京，策劃「討逆」的軍事行動，從是年五月開始進攻南口，到八月中旬，馮軍以內部意見不一致，奉玉祥電令棄守張家口，全軍集結綏遠轉赴甘肅，戰爭方告結束。南口形勢奇險，易守難攻，當時吳、張聯軍雖有少數飛機，但所用炸彈重量不過二十磅，我隨馮軍退出北京時，曾在西直門外火車站月台上，親受吳、張聯軍的飛機轟炸追襲，其威力殊不足畏也。戰端既啓，鹿鍾麟以「東路總司令」坐鎭南口，指揮作戰，防綫始終未被吳、張聯軍攻破。唯西路——亦即大後方的大同鎭方面，山西閻錫山增兵警戒，隨時可以截斷張家口與綏遠間的鐵路交通，陷馮軍於「腰斬」狀態中，當時代理西北軍統帥張之江，嚴令旅長韓復榘由綏遠境迅速進擊大同而佔領之，然韓平日與鹿鍾麟極不相能，不肯賣力作戰，僅進至距大同不遠的「孤山」地區，按兵不前，讓晉軍在大同不時出擊，擾害西北軍交通運輸，以致由外蒙運來供應馮軍的械彈與醫藥品等，皆無法及時接濟，張之江無可如何，會於夜間在總部跪地向上帝告哀，而南口與張垣乃於十五年八月十二日祇好放棄了。迨民國廿八年對日抗戰之際，韓復榘以抗命通敵罪被拿問，政府遂頒「戰時軍律」，依馮玉祥議，派鹿鍾麟爲訊究韓氏的審判長，我在重慶聞訊，即告朋友曰：韓向方死定了！

馮玉祥與吳佩孚由直系軍閥袍澤，反目成仇；張作霖與吳佩孚由生死冤家，化敵爲友。悲歡離合，譎張爲幻，而其內幕情節，皆爲着個人爭權奪利，沒有絲毫爲國爲民的意念可言。尤其是馮玉祥，捉曹放曹，擁段倒段，極盡反覆之能事，馮致張作霖書，滿紙「國家」「人民」，侈言「爲國共死」，實則他的私慾視吳張尤有甚焉。蘇老泉有言：「世之不近人情者，鮮不爲大奸慝」，信不虛也。（完）

諸葛文侯

文壇軼話

老尚風流

道南

今年五月廿六日爲黨國元勛李石曾的八旬壽辰，他既不做壽，亦不避壽，任其自然。當時于右老送一壽聯云：

是革命老兵，亦文化鬥士；

喜故人上壽，有仙侶同心。

此聯的頌揚，極爲得體，且極親切，末句尤具風韻。這是說他前年才與田寶田女士締結良緣，而田女士才貌雙全，正當盛年，魚水和諧，白髮紅顏，一時傳爲佳話。其時賈景德即撰有嵌字聯爲賀；妙文妙人，不可不錄。聯爲：

「李」下早成蹊，老尙多情呼「寶」「寶」；

「石」人亦刮目，「曾」無一葉不「田」「田」。

嵌字之妙，極其自然，頗具匠心。賈景德亦賦性風流，頻傳有議婚之說，當不禁爲之羨然！

猶憶民國三十五年，李石曾一度曾與林素珊女博士結婚，其時李已六十八，而林猶盛年，當時張一樂先生曾賀以詩云：

春風先日到公家，連理枝頭嫩欲芽。白首元勛新伴侶，紅顏博士老才華。堪誇倒蔗甘難及，即此寒梅韻亦佳。更喜歲星臨曼倩，奎光長照眷如花。

因爲林李結婚，係請吳稚暉先生爲證婚人，故末句及之。

自由報
THE FREE NEWS
僑務委員會核發台教新字第三二三號登記證
內政部頒發僑台報字第零叁壹號內銷證
半週刊每星期三、六出版
第三十三期
每份港幣壹毫
台灣售價台幣二元
社長：雷嘯岑
督印人：黃行審
社址：香港銅鑼灣高士威道二十號四樓
20 Causeway Rd. 3rd. Fl.
HONG KONG
TEL. 771726
電報掛號：7191
承印者：田風印刷廠
地址：香港高士打道221號
台灣總經銷處
台北市西寧南路110號二樓
電話：三〇三四六
郵撥儲金戶九二五二

對於土耳其政變的觀感

雷嘯岑

土耳其繼南韓之後，亦發生了不流血的政變，舊政府整個垮台，一般高據要津的顯赫人物，皆在縲絏之中，束身待罪。激起政變的原因亦與南韓相同——為的是選舉不公允，而其內幕情形更如出一轍，後先媲美，眞教世人嘆觀止矣！

土耳其的兩黨政治——民主黨與共和黨交互執政——始由該國開國元勳凱末爾總統熱心培育扶持起來，繼續前任總統，現為在野黨領袖伊諾努竭力贊襄，使其發揚光大，蔚成現代民主憲政的之規模。詎料由於政治權力中毒的結果，致令「本是同根生」的兩黨領導人士，竟成仇敵，急切相煎，因而逼出軍人實行「苦迭打」的反民主憲政舉動，可說是莫大的悲劇，而民主黨的內閣總理孟德斯實不能辭其咎。南韓的李承晚總統被迫去職，向有一個國會議長兼新選任的副總統李起鵬全家自殺殉身，替李承晚分謗受過，表示一些政治節操。土耳其的孟德斯總統，卻黯然隨着本黨領袖拜耳（現任總統）暨國會議長郭瑞且等人，被流竄於黑海與愛琴海之間的一個孤島上。就這點情形來說，韓國的民族性及其政治風格，殆視土耳其更值得贊許哩！

人類的先天性質都具有強烈的支配慾，貪戀政治權力，乃是人之常情，為着攫奪政權，不惜採取一切不可告人的卑劣殘忍手段，而美其名曰為國為民，古今來人們由於政治權力中毒而演出的悲劇和滑稽劇，形形色色，不勝縷述，禍國殃民的現象所在多有。迨民主憲政之說興，政黨政治制度確立，政權的取得，一是皆以人民選舉為本，這原是極其明智而合理的辦法，可以消弭人間若干不必要的災害。然而，權力中毒甚深的政治人物，即悍然以非法選舉的手段，强姦民意，打擊政敵，任何駭人聽聞的醜惡行為都做得出來。如南韓的執政黨每屆選舉之前，必修改憲法一次，甚致逮捕反對修憲的議員，利用軍警力量以鉗制在野黨的選舉活動，在最近的大選運動中，民主黨領袖張勉要想租得一個競選演說的場所亦不可得，人民投票時，且由警察公然在旁監視着。土耳其的執政黨亦復「見賢思齊」，頒佈所謂「游覽法」，禁止政敵們競選旅行，共和黨領袖伊諾努前往一個省城作競選演說之際，竟被軍警鉗制他的行動自由；又在國會內設置所謂「非法活動調查委員會」，藉以干涉一般異己者的競選言行。似此倒行逆施，不顧廉恥是非的搞法，那有不激起社會大衆憤憤不平的心情呢？等到民衆的反抗力一致爆發時，雖有軍警亦變成强弩之末，無所施其技了。這時候，權力中毒者所恃以維護政權，取得選舉勝利的一切法令與實力，皆屬心勞日拙，無所用之，而本身適成為「國人皆曰可殺」的衆矢之的，只有一條失敗之路請君入甕。李承晚之悽然下野去國，孟德斯之俯首流竄於荒島，實為政治權力中毒的應有結果，這與抽鴉片烟，吞海洛英，癮大而毒深的情形一樣，到頭來除了傾家蕩產，貽害自己和子孫之外，別無生路可尋，早知今日，何必當初呢！

南韓政變以後，暫由無黨派人士統攝中央政務，而由國會議員修訂憲法，然後實行選舉，重新組織正式政府，同時分別撤懲一般過去從事非法選舉的文武大吏。這些措施仍不失為民主憲政的常軌，無可非議，且在政變過程中，南韓的軍隊始終未捲入漩渦，保持不以武力為政爭工具的優良制度，尤為難能可貴。搞民主政治如果利用武力，根本就與民主生活背道而馳，縱不出現軍人獨裁的反民主政權，亦將產生暴民專政的惡果，二者都是民主生活的大敵。因此，我們對於土耳其今後的政治前途，殊不敢容予樂觀。在陸軍首領古塞爾控制之下的「全國團結委員會」，把議會解散，並逮捕執政黨的全部議員，封閉民主黨總部，禁止其活動，即共和黨領袖伊諾努亦曾被幽囚於軍中。另由軍方遴派一些號稱為法學專家的人，起草新憲法，作為辦理選舉，組織政府的圭臬。那些奉命制憲的「法學專家」，在軍人頤指氣使的環境中，他們自不可能憑着良知良能替國家草擬大經大法，而不得不仰體軍方的意旨以從事。將來根據新憲法實行選舉時，政黨的活動既受到限制，不用說，極大多數的當選者，必係軍方所贊許支持的人士，而未來的總統，即非古塞爾將軍莫屬了。綜觀這些作法及其意義，都與民主憲政的常軌格格不相入，古塞爾便是藉武力奪取政權的始作俑者，結果還不是以暴易暴嗎？儘管古塞爾將軍現在信誓旦旦地向人民發出諾言，保證法律之前，人人平等，要維護人民應有的自由人權，毋許侵奪。這些話很動聽，可是，目前除了拜爾，孟德斯，郭瑞且這幾個政治罪人以外，許多議員和民主黨全體黨員的基本人權，即被軍方剝奪殆盡了，這又如何解釋呢？古塞爾所發出的諾言，或許是出於誠意的由衷之談，因為此時他尚未沾染權力中毒的毛病，理智勝過私慾，愛國心很濃郁，他的政治思想與言論的價值標準頗高貴，動機亦很純良。一旦浸潤於政治權力的毒素中，日積月累，若說他能夠出汙泥而不染，避免中毒的危險，誰其信之？所以，我們預測土耳其政局的未來趨勢，如其古塞爾將軍當選為行政元首的話——事實一定如此——土國的政治狀況，或將步武印尼蘇卡諾所標榜的「指導的民主」形式，亦非意外的事。好在土耳其沒有共產黨滲透活動，而美國與土耳其的關係亦甚密切，諒不致釀成如印尼那種動亂不安的局面。但是，軍人利用時機與武力以奪取政權的惡例既開，從大處遠處設想，土耳其的民主建國精神，業已變質，加之以統治階級容易權力中毒的普遍流行病，誰也不敢保證土耳其的民主生活一定是向上發展，而沒有類似孟德斯一流人再度出現吧？

民主憲政的精髓就是選舉制度，運用選舉的唯一原則，即為實行政黨政治，沒有反對黨存在，便無民主生活之可言。所以，凡是嚮往民主生活的國家，無論在朝在野的政治人物，必須有尊崇法制，容忍異己的習慣與修養，否則所謂民主云云，只是騙人的咒語而已。至於選舉這回事，原不見得就是完全能夠表現眞正民意的方式，但在世界上尚未創發更好的民主生活方法以前，全民投票選擇管理衆人之事的代表，比較是合理的。在文化落後，產業不發達的國家，選舉制度更不容易毫無遺憾地發揮其功能，貴乎一般熱心政治活動的知識份子，能把國家人民的利益，置於個人利益之上，而其癮結即在執政者權力中毒的深淺程度如何？選舉方式以外的政變玩藝，不問是何性質，皆足以斷喪民主憲政的生命，不足為訓也。

時事述評

西藏的抗暴運動

盧家雪

西藏游擊隊的武裝抗暴，這幾天又有更進一步的消息。

據新德里「政治家日報」報道稱：「西藏游擊隊在最近數月內，與中共佔領部隊所發生之激戰中，曾遭受「巨大」之死傷」。」該消息又稱：「單獨於本年三月在拉薩東部之一次戰役中，會遭受「巨大」之死傷。」該消息又稱：「單獨於本年三月在拉薩東部之一次戰役中，約死亡游擊隊二千四百人。」該報又謂該等游擊隊，於去月（五月）曾破壞中共四架轟炸機。

在西藏高原上所發生的事情，自由世界的人幾乎從不予以注意。為自由與生存所作的犧牲，委實是具有深長意義的。

奇怪的是，自由世界的目光，僅只是注意到那些表面的變化。赫魯曉夫的一喜一怒，西方的政治家簡直要把它當心理分析來研究，而對於鐵幕內或者鐵幕邊緣的巨大變化，即令加以注意，亦從不敢以行動表示，這眞是絕大的矛盾。

今日世界，受赤禍之最烈者莫過東方，而東方則又以中國為最烈。

西藏抗暴，不自今日始。七八年來，不時有消息傳出，而以達賴出奔達到高峯。

自由世界，對於西藏的抗暴運動，究竟有些什麼援助呢？

據新德里「星期日報」稱：「中共經在西藏展開新的恐佈行動。」

又據泛亞社加爾各答五日的電訊報導：班禪喇嘛已遭共軍監視。

班禪之遭監視，是必然的結果。倘況發展到今天，班禪實際上已無可予利用之處。何況班禪亦為一僧人，他的地位建築在藏人皆為僧侶，而現在，中共的恐怖行動，乃在滅盡藏人，是不管澈底消滅班禪的徒衆。在這樣的情況之下，只要班禪稍有智慧，他是不會再被中共利用的。

大吉嶺方面傳來的消息，報導班禪之左右人物曾舉行秘密會議多次，而且曾秘密進行反共工作。這就是最好的證明。

達賴經已出亡，中共是不容許班禪再逃出西藏高原的。

在這一神秘的高原上，西藏人正在為了維護他們的傳統，進行着激烈的抗共鬥爭。

自由世界的人們，對于他們能有些什麼幫助呢？

共產頭目一喜一怒，是用不着他費心機去研究的，因為這僅只是技術之運用，而本質則永不變更。我們所要研究的，是怎樣以有效的實際行動，來支援一切受苦難的人民。

自由談

可哂的人道主義

馮三先生

美國法院判處了一個姦殺案罪犯蔡斯曼的死刑，英美社會人士羣聲起哄，在蔡斯曼未行刑之前，紛紛提出減刑的要求，既處決以後，譁然為之抱不平，深表痛惜。當然，這些人都是基於人道主義的立場，而發此大慈大悲的讜論，善哉善哉！

不過，中國大陸上最近十年來，被共產暴虐政權非刑慘殺的人民，為數至少亦在兩千萬名以上——毛匪澤東也公開承認殺了八十萬人！卻未聞英美人士有如對蔡斯曼被判處死刑的這種反對抗議之聲，相反地，還對中共暴政隨時表示稱贊敬畏之言，許多高級知識份子如學者教授之流，且要求本國政府與中共親善合作，說是不能不承認現實。共黨最厲害的現實行為，就是殺人劫財，既可以承認中共殺人如麻的殘暴政策，為甚末又要反對美國判處一個姦殺罪犯死刑的現實法令呢？明察秋毫而不見輿薪，何其陋也！

即此可知英美一般人士心目中的人道主義，乃是有人種與地域差別的。膚色有別的亞非人類，千千萬萬被暴虐政權慘殺了，亦毫無所謂，漠然毋動於衷，最後還要跟殺人魔王攀交情，結友誼。西方人士的宗教思想，未必就是這樣的本質？果若是，自難怪毛共對於西方的傳教士，一律加以「帝國主義間諜」的罪名，隨便拘捕入獄了。

歐美大國間的一些名流、學者、議員、及其所謂「問題專家」們，對於亞非地區的事情，隨時「牙擦擦」，表示其領導自由世界的優越感，却遇事以犧牲別人，成全自己為唯一原則。如是乎，欺善怕惡，偽仁偽義的嘴臉，充分流露於世人之前，恬不知羞，令人齒冷。從大處深處推究其根源，不能不說資本帝國主義的文化思想為厲之階，此俄共集團魔力之所以日見猖獗也歟？

動盪不安的土耳其

秦泰

在這一個月以來，土耳其一直在動盪中。軍人居塞爾登台，前總理曼達斯已爲階下囚，被放逐在一個孤島上，未來演變如何，正爲全世界所注意。

歷盡滄桑的古國

土耳其是一個歷盡滄桑的古國，當羅馬帝國強盛時代，擁有歐洲的大部分和北非西亞的一部，土耳其的一部分土地也在其中。到三九五年羅馬帝國分爲東西，現在土耳其的伊斯丹布爾，便成爲當時東羅馬的京城——君士坦丁堡。直至十二世紀初葉，蒙古軍西征時，土耳其斯坦地方的突厥族被迫西遷，阿斯曼建立帝國，這就是土耳其的開始。一四〇二年蒙古軍帖木兒大破土耳其，迨察合台汗國衰微，土耳其轉盛；一四五三年滅掉東羅馬，建都君士坦丁堡，並改稱現名（伊斯丹布爾）。其版圖橫跨歐亞非三洲，爲土耳其最強盛時代。

但至十八世紀以後，土耳其積弱，土地日削，外患日亟，到一九〇九年發生革命，改行立憲，不久又引起了巴爾幹戰爭，土耳其敗北；接着第一次世界大戰爆發，土耳其不幸忝列戰敗國，任人宰割，成爲東亞病夫。于是凱末爾崛起，組織國民黨，收羅士卒，于一九二〇年另在安哥拉成立政府，首先擊敗希臘，光復小亞細亞；一九二三年參加洛桑會議，恢復了國際地位；同年土耳其皇室退位，改爲民主共和國，公推凱末爾爲土國首任總統。而雄才大畧的凱末爾，得秉國政之後，加緊力圖改革，奮發自強，十年生聚，把土耳其煥然一新，成爲遠東的第一強國而滌除了東亞病夫之恥。他的豐功偉績，使土耳其人都尊他爲國父而不名。這次示威遊行的學生，且曾企圖衝入他的墓前，作哭泣的憑弔呢。

一件誤會的事情

土耳其現在的人口約有一千八百萬，原是突厥民族，跟我國新疆的回族出于同源，風俗語言和文字都相差不多，所以對于前往土國的新疆同胞非常的客氣，他們認爲是一家人。同時土耳其的家族情形，也像中國一樣沿用父系制度，父親爲一家之主，但一夫可以多妻，直至第二次大戰後，始由法律明文規定，爲一夫一妻制，男女實行平等，于是離婚事件就漸漸地多起來了。土耳其人的服裝也從舊時的回教服裝改穿西裝，並且廢止了從前所戴的紅帽子。當廢止紅帽子以後不久，曾經發生過一件誤會的事情：據說在一個正式的大宴會上，却有一個人仍然戴着一頂紅帽子，土耳其總統看見了覺得這人眞是膽大妄爲，非但違反了政府命令，而且竟敢在本大總統面前大模大樣地戴着紅帽子，實在氣不過，就親自跑到那傢伙面前不問青紅皂白，伸手就把那頂紅帽子抓過來往地下一丟，弄得那人莫名其妙！想不到這人是埃及派駐土耳其的公使，弄得場面非常的尷尬。

由于土耳其是純粹的回教國家，回教徒是忌食豬肉的，所以在土耳其很難買到豬肉，不是熟門熟路的人休要問津。而當地的肉食則以牛羊肉爲主，食油大都用羊油。因此初到那裏的人覺得很不慣常，好在當地水菓豐富，葡萄酒也頗著名，正是羊羔美酒，的確別具風味。

研究中國的文化

土耳其的教育步進得很快，從前文盲特多，並且男女的知識程度也相差很大。自從實行改革以後，國民教育確已普遍化了。不要說小學生不必化錢讀書，就是中學大學也多是免費的。祇要學生能夠攻得上，就不管貧富都有享受高等教育的機會。當年凱末爾還收認了不少乾女兒，給她們受高等教育，作爲男女平等的示範。除學校教育以外，無綫電教育也在推進中，使一般不能升學的青年，得有工作進修的機會，還有一個大改革，便是廢止了阿拉伯文而改用英文字母照土耳其語拼音。凱末爾秉政時代，在國立大學裏開設了一個中國學院，研究中國文藝、史地和中土兩國歷代的交往。惟其學生不多，原來的一位教授對于中國古文尚有研究；近來又有一位女教授，據說她曾經在北平留過學呢。

提起凱末爾總統收認乾女兒的問題，說來非常有趣。由于土耳其人原是遊牧民族，性格強悍豪爽，凱末爾出身軍旅，自然是一個典型的人物。他在軍政上的努力，博得了民衆的擁戴和全世界的稱頌；但偉人不拘小節，和生活方面素喜醇酒與美人。可是他卻有與民同樂的氣概，凡是有功於國的文武官員，他都可以把乾女兒賠送，表示酬勞，屬下也引以爲榮。

饒勇善戰的勁旅

正因爲土耳其人的性格強悍，所以他們的軍隊最是驃勇善戰。第二次大戰後，土國實行採取征兵制，全國有常備兵五十萬，後備軍也有五十萬，而且其中可以實地作戰的成份極高。分編成三個軍團：一個駐東面的俄土邊界；一個駐于土耳其和保加利亞邊界；另一個則留在後方隨時接應。其他還有幾個獨立軍團，守護南部。總共起來，土國有實力充足的陸軍三十五個師，比大西洋任何一個締約國的實力都有過無不及！此外並隨時可以征召受過訓的壯丁約二百五十萬人。

土耳其軍隊還有一個優點，就是恰好配合西方國家的通盤戰畧。西方國家在東方所缺乏的陸上實力，恰是土耳其的長處；土耳其缺乏海空的進攻力量，也恰是西方國家的長處。西方國家的海軍又可以保衞海上的供應綫，源源不斷地接濟土耳其陸軍的需要。美國爲着補救土國上述的兩個缺點，故最近極力改善。在此國際風雲激盪的今天，土耳其的內部問題，是不可忽視的。

中共利用公社備戰

一得

爲了全面備戰，中共在大陸全面推行「人民公社」，先用暴力在廣大農村中推行，獲得經驗與基礎後 現以全力加速在城市推行。中共企圖於這制度成功後，澈底地鞏固其對大陸人民的控制，掌握全人力，亦掌握所有物力，成爲一切集體化戰鬥化的組織。而這種組織對中共唯一的好處，就是在一刻之間能全面動員，受俄共命令對外侵略。在現階段中，中共一方面正在緊張地整頓農村公社，加強對農村公社的控制力，健全農村公社的組織；另一方面，則全力推行城市公社，務期於最短期內，達到全面公社化的目的，將力量提供俄共作征服世界之用。最近，中共更召開了兩次變相的軍事動員會議，其一爲「全國民兵代表大會」，另一爲「解放軍積極工作者代表大會」，這兩項會議中共軍頭子們一再叫囂鼓吹戰爭，要人民完成作戰準備，更要求共軍幹部加強政治學習，提高士氣，準備隨時作戰。近來大陸中共掀起的反美狂潮中，共酋們毫無避諱的高呼戰爭即將到臨，都是中共要完成備戰的一個顯示。

其實，中共的建立「人民公社」，根本就並非爲了其所宣傳的「改造」社會面貌，「創造社會主義的國家」，而實際上就是爲了便於以全力作戰。中共如完成了城市公社的組織後，所有大陸人民使全部納入嚴密的組織中了，工作、生活、行動、思想，都要受這組織的控制，絕無個人自由，中共的勢力，直接伸引到基層去，而樹立強有力的基礎。中共的宣傳機構一再說人民參加公社是出於自願的，而且生活資料也歸個人所有，這全是與中共組織公社體系相反的騙人之語。既爲了要控制每一個人，則所有人民必須加入，一點自由都沒有，如不加入，後果就是衣、食、住、行都被斷絕，成爲無可生存的人，至於一切生產工具，都沒收歸國家所有，如此一來，中共要人民作甚麼，人民就要作甚麼，一點反抗不得，這樣的組織體系，最宜於作戰。

在另一方面，如要作戰，必須充實生產，然後有作戰的實力。生產則脫不了勞動力，中共的公社，是要集中全大陸所有的勞動力爲戰爭而工作。中共自己也不諱言設立城市人民公社是「解放婦女的勞動力」，所有街道工業成立後，出品產值都有增高，至城市公社建立，在高度的壓搾下，自然替中共生產更多財富。至現在，大陸的重工業和機械工業，絕大部份都在全力爲戰爭物質而生產，不能担負民用生產，民用生產任務，必須另由公社工業、街道工業負担，中共把戰略物資與民用物資範圍劃分後，對其高速度備戰的提早完成當有極大幫助，這也是中共要加速完成全面公社化的目的。

再者，中共組成公社的目的，據招認是實現「全民皆兵」，把人民公社作成一個戰鬥體，在公社中，把政治，經濟、軍事都合成一體。中共強迫公社所有自四十五歲以下的青年受民兵訓練，在每一公社中都組設有民兵師，中共的目的，是把這種民兵訓練成變相的野戰部隊，當戰爭掀起時，立刻有數目龐大的軍隊以供調用。在北平召開的「民兵工作會議」，與共軍參謀總長羅瑞卿五月十五日在「紅旗」半月刊上所發表的文章，均不諱言此點。中共的如意算盤是：戰時這大量民兵作爲不斷的炮灰來源，而在平時，這些民兵又是生產奴役的主要對像。

從以上各點看來，中共之全力推行公社，主要作用乃在於加速備戰，企圖當戰事發生時，每一公社都成爲一個獨立作戰的單位。因此，中共對公社化是事在必行的，無論大陸人民如何反對，國際間如何指摘，它必然窮黷暴力以促其成。當此國際共黨陣營聲勢尚在囂張，中共暴力尚未崩潰之際，在一定的時間範圍內，中共的公社制是可以使暴力施行的。但這違反人性尊嚴的制度，始終在人民心中埋下炸藥，中共以公社爲備戰手段，但當其掀起戰爭時，人民心中的炸藥將會爆發，一發不可收拾，所以另一方面，中共不啻是在自掘墳墓。

中共加緊勞役婦女

筱臣

中共推行人民公社的目的固然是多方面的，但通過農村人民公社或城市人民公社來勞役大陸婦女，却是其目的之一。所以，自從中共在農村推行人民公社後，由於農民的家庭被拆散，鄉村家庭的炊具被銷毀，夫妻兒女離散。於是，大陸所有農村婦女，便在「解放婦女」的口號下，被編入集體勞役的人羣。

在城市方面，據本年三月五日「人民日報」報導，大陸上的女職工，已由一九五七年的三百萬人增加到一九五八年的八百多萬人。她們一部份是担任大企業的手工業操作，部份是參加城市街道工業，據北平、天津、瀋陽、濟南等四十三個大中城市一九五九年底統計，已成立了四萬四千多個街道工業單位，有一百四十萬勞動者，其中絕大多數是婦女。

在農村方面，婦女被迫從事生產勞動的人爲數更多。據本年二日「人民日報」報導：去年大陸農村婦女出動人數，經常達到婦女勞動總數百分之九十以上，不少地區更達到百分之九十五。

據說這些參加生產勞動的婦女，不僅是担任輔助性的勞動，有些更任關鍵性的勞動成爲農業生產中的「全把式」。寧夏的婦女普通參加耕地，湖北有一百四十萬人成爲犂田、整地和深耕的「能手」。浙江有一百五十六萬婦女，福建有五十萬婦女成爲農業生產的「全把式」。過去揚場，趕大車等一向是男性幹的活，現在也由婦女担任。黑龍江拜泉社公社婦女，一九五七年只能做三十二種簡單農活，一九五八年就担任七十八種農活，到一九五九年又增加到八十二種農活。

據同一消息：目前大陸在麥田和棉田管理，積肥收割等方面，都以婦女爲「主力軍」。婦女參加積肥人數，一般都達到女勞力百分之九十以上，作男女積肥勞力百分之四十五以上。山西婦女到本年二月止，已經積肥二十億零九千多萬担，送肥二億四千五百多萬担。

在興修水利方面，多數婦女亦被迫參加。據河北，山東，山西，甘肅，北平等十四個省市的統計，去年參加水利建設勞動的婦女有二千一百多萬人。山西湯由水利工地上的三千多名婦女，每人每日挖土達三立方公尺。河南許昌專區的長葛、堰城等六十五縣，將二萬婦女組織四千六百個「花木蘭抗旱突擊隊」，要她們在三天內担水澆地五十多萬畝。

此外，中共要各地婦女耕種「豐產試驗田」。據湖北，河北，山東，福建，遼寧六個省統計，由婦女耕種的試驗田達二千八百多萬畝，參加的婦女達一千萬人。湖南隆回縣每一婦女担任耕種一畝「高額豐產田」。

即在同時，中共女中央委員蔡暢（李富春的老婆），則更發表了一篇以「循着列寧所指引的婦女澈底解放的道路前進」的文章，號召大陸上所有婦女，一齊離開家庭，一齊都去從事社會勞動。據蔡暢說：「正如列寧所指出的，婦女在法律上的平等還不是實際生活的平等。」

於是，蔡暢根據列寧的這種錯誤荒謬說法，又進一步說：「集體生活總比個體生活優越得多」，「孩子的照顧將成爲公衆的事情」，同時，蔡暢又指斥「老婆做的飯才香。」這實質上是資產階段思想和舊社會遺留下來的習慣勢力在作怪。蔡暢現在是根據中共意旨，主要在拆散家庭，奴役所有在大陸的婦女。

社會小說

香港地

四、高的低的

打架的事情本來沒甚好看，只因這個黑社會的惡漢，名叫牛犀利，和梅大亮同里居住，也是慣常見面的人，所以，梅大亮也得停步一看，擠在人叢裏看熱鬧。

牛犀利據說是姓牛，自認有一對很犀利的拳頭，故此叫做牛犀利。另有一個綽號是「大有希望」。這個綽號的起源，是因他愛好賭錢，但逢賭必輸，每拿到牌張在手上時，照例說一句「大有希望」，臨末是十九變成無望，人們見他這種口頭習慣十分可笑，便喊他做「大有希望」。這個名號倒也別緻，傳到梅大亮耳裏，不禁被吸引住，便存心要結識他，看他生成什麼樣相，臨了，識得他的廬山眞面時，又不禁笑將起來，料不到這樣一個粗魯無文的人，卻會在口頭上掛上這樣一句文縐縐的話，並且成了綽號。

這時，梅大亮看牛犀利揪住了那個擺檔小販，拳打腳踢，口裏「媽媽聲」的呼喝不停，罵那小販不識相和不懂得規矩，敢向太歲頭上動土，一派是恃強凌弱的話，那小販也忒可憐，吃了拳腳不打緊，連靠來做吃飯本錢的籮子担子也給搗毀了，只落得個欲哭無淚，嘶啞求饒，「大佬」長「大佬」短的哀呼不迭。

梅大亮看不過眼，但也知得在這個地頭裏，像牛犀利這種「爛仔頭」是不好惹的。便只好搖頭歎了兩口氣，仍自走路回家，低頭默想。

他這時是這樣想道：「這裏本來不需要像牛犀利這樣的人，爲什麼竟會出了一批批的，成爲一種特殊職業份子，靠欺負別人來賺飯吃呢？」

想了一會，他才恍然悟道：「這又有什麼不可解呢？原始的部落都需要自衛，而在進行自衛的戰爭時，自然而然的需要強力的指導。這些指導者後來便成爲皇帝。歷來皇帝大都是殘暴的，爲了反抗殘暴的皇權便需要革命，也需要行俠仗義的人。那些行俠仗義的人後來又走了樣，便成爲牛犀利那樣的傢伙了。」

梅大亮像追求一個算術題目的解答一般，到了求得正確答案時，便不禁呸的一聲，唾了一嘴口水，哂道：「好一個牛犀利，沒出息的傢伙！」（卅三）

木客著

世界小姐

春枝

「世界小姐」，又開始選舉了。上叨天地造化的宏恩，我居然接到了一張聘書，榮任世界小姐香港區預選會評判員，說起來，眞是聖恩浩蕩，上次的香車美人選舉，鄙人亦忝屬評判之一，誰說福無雙至呢？

聘書送到以後，賀客盈門，居然有許多打扮得古靈精怪的女士們，登門求教，備極慇懃。鄙人不是傻瓜，當然知道他們的來意，無非是事先拉拉關係，以便本人屆時執行評判大權時，或能先入爲主，無意有意的給她們以較高的分數。對於這一點，鄙人本來在行，一個個應付她們，應付得她們笑臉迎人，皺紋畢露。有一位太太更是露骨地表示，假如她此次競選成功，願將淺水灣別墅一座相贈，同時負担環遊世界旅費。

我現在簡直已是廁身名流了。

最初我是想瞞着太太的，但一看到聘書送來的第一天，就有這麼多的賓客盈門，覺得瞞着她也非善策，便爽性把世界小姐選舉章程全部給太太過目。

太太先是歡喜，繼而緊張，漸次是似若沮喪，到最後竟是默不出聲，頭往後仰，終於暈過去了。想不到自己成了名流，而太太還沒來得及作名流夫人的心理準備，這就無怪她會暈倒。經過一番急救，太太悠然醒轉，謝天謝地，總算她還有福氣。我一面將她扶住，一面笑着說道：「這回總算我們是出頭了。」

「出頭？你這老不死的，誰希罕你出這種風頭？」

這句話太出意料，我連忙糾正道：「太太，當世界小姐評判的人，都是名流呀！」

「名流，誰希罕什麼名流？」太太的表情很嚴肅，似乎又不像說笑，這簡直是一種很嚴重的變態心理。當即說道：「話不是這麼說的，九流三教中，以名流爲第一，正如同日本圍棋界的幾段幾段一樣。妳得知道，社會地位一到了名流，就如同日本的圍棋界封了九段。親愛的，我們眞是幾生修到啊！」

話沒說完，太太驀地推開我的手，悻然站起，一手叉腰，一手指着我的鼻尖說道：「少說廢話，這一次我不許你担任評判。」

這就奇了，太太居然不希望丈夫作名流。我連忙懇求道：「好太太，機會難逢。這次機會一過去，我的名流地位又不知到什麼時候才得升上了。」

太太沒有回答，她行近穿衣鏡前，對鏡凝視，左右顧盼，半晌，才回轉身來說道：「打令，你不能作名流，我作了名女人，夫以妻貴，還不是一樣嗎？」

「哦，妳的意思是……」

太太轉怒爲笑說道：「假如說我能在預選中獲選的話。」

「什麼，妳要競選世界小姐？」我幾乎懷疑到我的聽覺有問題了。

「是的，我早就希望爲這麼一個機會，親愛的，你不是時常說我是世界上最美麗的人嗎？不過，剛才你給我看的選美章程上面，說明選美會評判員的家屬不得參加競選，所以……」

太太笑了，從她的笑容裏，我分不出是甜是苦。三十六條的魚尾紋在眼角作扇形顯露，分明已是美人遲暮之年。我只有婉言相勸道：「你已經四十有三了，年齡方面怕有問題，因爲賽會規定是十八歲到二十八歲啊！」

「死鬼，你懂個什麼？我把游泳衣着上，怕不要年輕二十歲。而且，我……」

我的天！四十三歲的女人，二十八寸的肥腰，還希望着件游泳衣去競選世界小姐，叫我怎能不暈過去呢？

喜晤中龍書此奉贈

石壘

亡命暫經南海端，故交重晤雜驚歡。
訪名深喜詩詞健，遯世終悲天地寬。
塊肉饜餘生亦偶，韻文切後憶猶難。
升沉忽及十年事，持飯轉當夢裏餐。

附註：余于人生雜誌及星島日報海天一角欄，覩中龍兄詩詞，始獲通函晤見，故詩中云云。

嵌名趣聯

道南

上月報載前新疆主席盛世才因誣陷國大代表，而引起了若干的糾紛，蟄伏已久的盛世才，久不聞其動靜，爲了人與人之間的恩怨，使他頓成爲新聞人物。

文壇軼話

猶憶第二屆國民代表大會在台北集會時，國代大會五百多件提案中，指名要求清算誤國舊賬的共有二件，其中有一件所攻擊的對象就是盛世才，他也是出席的國大代表，雖然屬於舊賬，但是提案的代表都強調這是爲着「整嚴紀綱，明辨是非，並無私人恩怨。」

這次某國大代表之受到誣陷，是否與前此提案有關，不敢懸擬，總之他與國大代表之間的私人恩怨，是有着歷史淵源的。

只是使筆者聯帶想到在抗戰時期，重慶曾盛傳一副炙膾人口的嵌名趣聯，其中末句會涉及盛世才，聯的全文如下：

南京重慶成都新中國；
介石居正應欽盛世才。

上聯是地名，下聯是人名，全係名詞，但其中名詞有的作動詞用，其意義又不同了。這一聯的主題，完全係頌揚蔣總統的盛世英才，領導抗戰，光復南京，於盛世才亦無褒貶。迄今讀來，此聯還是有新的意義。

端陽（下）

徐學慧

中國的民間習俗，大都是以時令來配合運動的。從這些地方來看中國古代的政治家，我們眞不能不佩服他們的智慧。瑞陽賽龍船，重陽登高，八月十五賞月，三月踏青，元月舞獅，七月祭鬼，這些節令，是饒有意義的，而且，也是大規模的。它不僅令人從這些節令所附帶的運動中，獲得了身體上的鍛鍊，同時，更可以乘機灌輸一些有關的歷史智識。

屈大夫沉於湖南的汨羅江，他的歷史，幾乎每一年到端午節來臨的時候，必定要在人們口中提到。賽龍船在筆者的故鄉湖南人眼中，那是一年中幾件大事之一，其風靡人的程度，大概只有元月舞獅可以比擬。當我們還是小孩子的時候，我們就會從鄉塾貼在楹柱上的對聯向年老的人發問，從那些問答之中，我們知道了這一位忠臣的史跡，同時也知道爲何要作粽子的原因。

相傳屈大夫投江以後，後人爲紀念忠魂，多有至汨羅江畔祭奠，而傾酒漿麥飯於江以弔之者，一日，忽有人夢屈大夫告曰：所傾麥飯盡爲魚蝦所搶食，可以粽葉裹飯而以五色繩繫之，於五月五日午時投江，則魚蝦不得爭食矣。這當然是神話，但這樣的神話流傳了許多年代，我們並不把它當作神話看待，反而覺得這樣的傳說極具人情味，如同七月七日九月九日的那些傳說一樣，我們不覺其怪，而只覺其美，這就是中國的民間節令，爲何被普遍地歡迎的緣故。

自中共盤踞大陸，這些饒有意義的民間節令，也就遭遇到厄運了。前年春天，共產黨已經要人民「打破常規度春節」，所謂打破常規者，即是不放假，不慶祝，仍然要開工。過年爲中國人民最熱烈慶祝的節令，尚且如此，則對於端陽競渡的紀念，也就不問可知了。

中國文化，乃由於這些極具意義的民間節令，始能形成其光輝燦爛，如今，中共正要消滅中國文化，乃自然要運用政治力量使這些民間節令的紀念冲淡而至於消滅。

除去了中國的民間傳說，神話、寓言，以及流傳了數千年的民間節令，則中國文化將不會有這樣多采多姿，那也是任何人都可以想象得到的事。此文見報之日，讀者諸君之中，想亦有去大埔看過「番鬼佬」扒龍船者，於此亦足以證明，中國民間節令的影響力之大。

我常常這麼想，只要中國人民仍然熱愛端陽，熱愛七夕與中秋，熱愛元宵與清明，則中國文化將不會淪亡。

望海樓隨筆

大陸文壇萬花筒

上海「作協」的會員大會

——岳騫

最近上海解放日報及文藝報先後報導了「中國作家協會上海分會」會員大會的簡單經過。

這個會議是經過二月二十五日開始的，到四月十三日才閉幕，整整開了四十九天，試想一個作家會議，居然會開四十九天，那裏會有這麼多的事要商討，可能就是一個變相的思想改造會議，其次這個會議開會期間，對外是絕對秘密，不用說局外人不曉得，就連文藝報也不知道，直到大會閉幕，經「解放日報」報導之後，文藝報第八期才擇要轉載，文藝報雖然不是「作協」的機關報，但是關係卻十分密切，作協上海分會召開大會，居然文藝報都不知道，其中必有奧妙。

作協上海分會主席是巴金，開幕時巴金也在大會上致開幕詞，當然是些無關緊要的廢話。不過巴金到了今天還能站穩這個位子已經不易，一九五八年他的作品曾被一些「讀者」連續攻擊幾個月，攻擊的文字都是登在文藝報及其他刊物上，結果竟未打倒巴金，也算是萬幸。

巴金致詞之後，就由中共上海市委宣傳部副部長徐平羽作了「關於當前政治形勢」的報告。接着就是作協上海分會書記處書記任乾作了「兩年來協會工作和今後任務」的報告，葉以羣和孔羅蓀分別就「當前文藝理論工作和文藝思想中所存在的問題」，作了專題發言。其次作家在會上發言的還有魏金枝，郭紹虞，翻譯家草嬰，夢海，青年作家胡萬春，唐克新，徐錦珊，李寶根，胡寶華，還有文藝理論家徐俊西，陳冀德，戴厚英等。

由會議經過看來，今天在上海的作家，還事還能出頭講幾句話的，除去擁有主席名義的巴金之外，也只得魏金枝和郭紹虞二人，而魏金枝本是老共產黨員，郭紹虞又是一個歷史學家，舊日成名的作者，沒有一個人還能站住腳，除去少數人去了北平，絕大部份都倒下去了，十年來大陸上未出現過一篇眞正像樣的文藝，老作家如茅盾，巴金，張天翼，謝冰心等人都未寫過一篇眞正的作品。這就是中共自稱的「新社會」踏蹋了多少有用的人才。

釋耒集

軍事政變

史家譏前漢立國時，為軍吏之治，蓋以宰相，御史大夫，京兆尹等官，如蕭何、曹參、周勃、陳平、張蒼、趙廣漢、張敞之倫非出身卒伍，以軍功起家，則出身獄吏，以刀筆擢政也。太抵天下未大定，非武人不足倚為心膂，用以誅鋤叛逆，其次則危民易與為非，必待之以嚴刑，以戢其狡焉思啓之志，則獄吏尚矣。雖非盛德，聰明特達如開國之君，未嘗不知，蓋勢實如此，即今舜禹為之，亦無可如何者也。數月以還，自南韓政變，李起鵬自殺，李承晚出亡後，繼之以土耳其之不流血革命，由陸軍將領，起而推翻政府，今李承晚雖去國，而南韓陸軍，又傳有不穩之說。錫嘗論之：以武人主國政，或武人出而左右大局，攘奪政權，僅形式不同而已，其揆一也，國家之重軍人，蓋因大亂之後，烽火間作，則倚之以求安，將亂之際，亂未遽至，則倚之以備戰，既倚之，則不得不崇其官階，厚其祿養，張其權力，而弛其制馭，於是驕兵悍將，由此而出矣。考諸國史，唐末藩鎮之禍，即循此而來，所謂魏博牙兵者，尤為跋扈，按魏博六州，號天雄軍，自田承嗣盜據後，召募牙兵，皆豐給厚賜，年代既久，父子相䦢，姻黨膠固，變易主帥如兒戲，自田氏後一百五十年，主帥廢置，均出其手。然此不過變易主帥耳，所謂禍難，猶在其一軍之中也，徇至五代，則軍隊往往擁立禍偏天下矣。考五代諸帝中，首為後唐明宗李嗣源，其次為廢帝璐王從珂，再其次則為後周太祖郭威，最後始為宋太祖趙匡胤，史載嗣源事云：「趙在禮為軍士皇甫暉等所逼，據鄴城叛，莊宗遣嗣源討之，方下令攻城，軍士張破敗忽縱火噪呼，嗣源叱之，對曰：城中之人何罪？但思歸不得耳。今宜與城中合勢，請天子帝河南，令公帝河北，嗣源涕泣諭之，亂兵呼曰，令公不欲，則他人有之，我輩狼虎，豈識尊卑，……許之，乃擁嗣源入城，與在禮合，率兵而南，遂得為帝。」至於軍隊之利於為此，不過欲得重賞，恣劫掠而已。然當軍士思變時，主將雖涕泣以諭，亦無如之何？則其平日之驕橫，可以想見矣，而趙匡胤之黃袍加身，亦如出一轍，正不足為怪，今土耳其事，大體已定，南韓則正當危疑之頃，其事或不必與國史相吻合，要之兵凶戰危，又出之以威劫，終不免為僭亂之舉，可斷言也。

曲齋

詞林雜憶之一

少年往往江南醉

丁雨

近代詞人之作，自以彊村所為最為富麗精緻，此因其步武夢窗、清眞，得其潛氣內轉之功并刻意講求字面，四聲格律之故；王國維人間詞話所謂學人之詞者是也。民國以來，沿其波者，頗不乏人，以余所見，要以喬大莊氏為能承其遺緒。

喬氏四川華陽人，早歲習外文，於法語造詣頗深，故得歷任國府外部、教部高職。其後改習中國文學，文摹魏晉，詩踵晚唐，均能及其藩籬，而以所為慢詞，尤能傳夢窗神髓，雖有時未免近乎支離晦塞，然要其潛氣所注，驅遣飛卿玉谿於模山範水、柳昏花暝間，合夢窗、碧山而一之，自是一時作手。余尤喜其所為小詞一闋，以為淸雋婉麗，饒有魏晉人深致，今惜已未能全部省憶，聊節錄之，以當嗜者一臠：

少年往往江南醉，商略歌聲和酒意，鏡中不信去來潮，樓下君看深淺水……

余又嘗獲讀其贈別暮遠樓主詩，中有句云：「此去門前即長路，由來天際誤輕陰。」均淸新俊逸可喜，所得轉在夢窗之上，殆所謂無意求工而自工者歟！

喬氏貌中人，蓄長黑髯，體頗羸弱，然酷嗜杯中物，余猶憶其任教重慶中央大學時，每值被酒登堂，則辭采俊發，平居則強舌似不能辭者，故諸生雖常致憂其病酒，然亦未嘗不幸其被酒也。

喬氏生丁世步艱難，家國多故之秋，故其平生於蘊有苦澀意味之「潮」字，似別有會心。前所舉詞勿論矣，當抗日勝利，復員之際，余居白下時，曾獲喬氏贈書中堂一幀，喬氏固以雕刻名家者，其欵識中有取姜白石詞句「算潮水知人最苦」一章，陽文篆刻，最為古樸渾成，余雖於此道外行，然亦每對之翫賞不忍釋，孰知其竟成為彼日後自沉蘇州河之讖耶！

詩詞漫談

名士袁子才（上）

長安居

清代詩人，其名聲之著者當推袁枚。這位先生的隨園詩話，雖然不怎麼精鑿，但他那一片名士風流的態度，倒也是別饒風味的。

枚字子才，號簡齋，錢塘人，乾隆四年進士，先後作過溧水，江寧，江浦等縣縣令，四十歲即告老歸田，闢一園於江寧城西，名為隨園，又以隨園自號。嘉慶二年卒，年八十一。

袁子才的詩文甚富，交遊亦廣，同時雖有趙甌北（翼）蔣心餘（士銓）二人與袁並稱為「三大家」，但趙蔣的聲名不及隨園遠甚；隨園好收女弟子，可能也是他之所以著名的一個因素吧？

袁曾因事至杭州，寓西湖孫某的「寶石山莊」，有女弟子徐裕馨張秉彝等十三人以詩受業，大會於湖畔，袁即席畫隨園雅集圖以留紀念，并題詩云：「紅妝也愛魯靈光，問字爭來寶石莊。壓倒十三株李樹，星娥月姊在門牆」。其風流倜儻有如此者。

在江寧城西的隨園，四面並無牆壁遮攔，每逢春秋佳日，遊人絡繹不絕。中有所謂「倉山雲舍」，「蔚藍天」等廿四景，均有題詠。門前懸一聯，集唐人句：「放鶴去尋三島客，任人來看四時花。」客廳中懸有其自撰聯云：「不做公卿，非無福命都緣嬾，難成仙佛，既愛詩書又愛花。」

從四十歲致仕隱居以後，一直到八十一歲，他那後半生的生活，倒眞是過得相當快意的。他主張詩尚性靈，頗為時論所尚，因此其所為詩亦復淺近易讀，嘗有詩云：「但肯尋詩便有詩，靈犀一點是吾師；夕陽芳草尋常物，解用都為絕妙詞。」此處靈犀一點，出自晚唐李義山之「身無綵鳳雙飛翼，心有靈犀一點通。」意思是說作詩要全憑性靈，不可有半點勉強，立論本來不錯，惜末流所趨，多是浮華空泛，終乃至詩道大乖。

他與蔣心餘趙甌北同列為三大家，他們之間的私交也很好。子才好詩而不喜曲，心餘則不僅好詩而又歡喜度曲，因此，在他們之中，也發生了一個饒有趣味的笑話。一日，心餘以其所撰曲本前來，子才一見，問是何物，心餘明知道他是不喜歡曲的，便道：「就算先生小病一場吧！拙撰曲詞，寵賜披覽。」子才聽他這麼說，不得已只好接過曲本。

小啟

粟海譚心錄續稿未到，暫停。

編者

海嘯廔談薈

桂軍與共諜關係（上）

十年前，大陸淪陷之際，國軍各部多有臨難叛變情形發生，然不若白崇禧所率桂軍廿萬人，並未經過激烈戰鬥而全軍覆沒，片甲無存之失敗慘狀也。推究根源，即係共諜份子在桂軍中的潛伏滲透最久，作用最大，因果相應，理有固然。如劉斐，李任仁，劉仲容，韓練城之流，皆為桂系軍政界的重要幹部，關係極深，最後為害亦甚烈，人謀不臧，自貽伊戚，於共黨何責焉。

劉斐號維章，湖南醴陵人，乃父擅岐黃術，頗著聲譽於鄉邮。民五西南護國軍討袁之役，廣西陸榮廷部將譚浩明，曾率軍攻入湖南，佔領長沙，綜持湘省軍民兩政，權力等於都督。維時李宗仁，白崇禧任桂軍營長職務，入湘境駐防醴陵縣（與長沙接壤），常請劉父醫治所部官兵疾病，極有效驗，且不受酬，李白頗為銘感，漸締深交，劉父語李白：有子名斐，年少略具聰穎氣質，他日願兩公推愛提攜，不勝企幸。李白慨然應諾，相期毋忘。既而譚浩明率部離湘，陸榮廷勢力逐漸膨脹，控制兩粵，軍隊日益擴張，李白的地位亦隨之上昇了。劉父常與李白通音問，重申前約，李白欣然邀其子劉斐赴桂省，初在軍中從事文書工作，以其資質慧敏，認係可造之材，遣其投入軍事訓練機構，學習軍旅之事；繼命其擔任軍中低級職務，成績殊不惡，迭予拔擢，位列軍官；旋即資送其赴日本士官學校留學，歸國後服務桂軍有年，遂成高級幹部，深為李白所倚畀。這就是劉維章與桂軍的歷史關係，他是李白一手培植起來的「世家子」，宜其信任甚專，言聽計從也。

劉維章與李任仁和另一廣西人楊必聲之加入共黨，係由曉轄共幹朱蘊一介紹的，間有說是民國十九年，亦有說是民國廿三年者。蓋自民十五年北伐以來，桂軍長期馳驟於中原各省區，劉李于役軍中，因而受共黨煽誘入彀，固不稀奇，他們都是桂軍的高級幹部，共黨交給他們的使命自然重大，他們的隱徽方法亦就極其巧妙，使李白無從發覺。如老共冀朝鼎當年潛伏中央銀行甚久，曾經我政府特務機構檢證舉發其為共諜，而孔祥熙竟肯願以生命財產担保冀某決不是共黨份子。李白對於劉維章的信任庇護心情，視孔氏之左袒冀朝鼎為尤甚，殆屬意料中事。

對日抗戰軍興，李白表示全力擁護中央，桂軍率先出境北上作戰，劉維章亦以李白推轂，官拜中樞最高統帥部的參謀次長，職掌作戰計劃，參預密勿，他的共諜任務，從此乃得到儘量發揮的大好機會了。他到中央服務以後，直至大陸淪陷為止，即未曾回到李白左右効勞過，為的就是要發揮共諜的最大作用——由「點」擴張到「面」，而另以同志滲透桂軍，接替他的舊有使命。他對桂軍最著的共諜殊勳，即為援引共黨份子甘肅人韓練城擔任軍職，積資升至四十六軍軍長，民國三十六年韓率部在徐州一帶勦匪，全軍被敵人解決，獨韓氏隻身生還，時論譁然，以有劉維章在中樞從中掩護解說，韓氏不特不受處分，而白崇禧當時且大罵徐州行營主任薛岳指揮失當，冤枉犧牲了桂軍的實力。後來共黨佔領甘肅省時，韓練城赫然榮任該省「軍管會」副主任，白氏方悟過去自貽伊戚之非，然已噬臍莫及了。這不能不說是劉維章的共諜傑作之一吧！最可怪的乃是白氏素有「小諸葛」之綽號，既已經過韓練城這種慘痛的教訓，他對劉維章還是深信如故，三十八年春劉以我政府和談代表，北上投歸秧歌王朝後，奉命南來進行策反工作，蟄居香港，是年秋間，李白在廣州籌維保衛大西南的軍事計劃時，白氏猶秘密邀約劉維章負夜潛至廣州，參預軍事機密，這豈非令人不可思議的今之諸葛亮作風嗎？（未完）

諸葛文侯

自由報
僑務委員會核發台教新字第三二三號登記證
內政部頒發僑台報字第零叁壹號內銷證
THE FREE NEWS
半週刊每星期三、六出版
第三十四期
每份港幣壹毫
台灣每份售價台幣二元
社長：雷嘯岑
督印人：黃行奮
社址：香港銅鑼灣高士威道二十號四樓
20 Causeway Rd. 3rd. Fl.
HONG KONG
TEL. 771726
電報掛號：7191
承印者：田風印刷廠
地址：香港高士打道221號
台灣總經銷處
台北市西寧南路10號二樓
電話：三○三六二
台郵撥儲金戶九二五二

分裂與團結之戰

嚴鉞

一個隱形的戰鬥正在激烈地進行，無聲的炮火雖不比有聲的那樣驚心動魄，但戰鬥的意義和性質同樣不容輕視。

中共頭目這幾天透露了口風，使我們更加透徹地認識：共黨目前用全力推進中的冷戰行動，其主要目的爲「孤立美國」。周恩來會說：美國現正「空前孤立」。劉寧一說：「我們要站在世界人民反對帝國主義及其走狗的鬥爭的戰線上，從這個戰線出發來推動鬥爭，發展國際統一戰線，團結一切可以團結的力量，最大限度地孤立帝國主義，特別是美帝國主義」。

我們必須認識：自由世界如未支離破碎地分裂，美國便不會孤立。中共頭目從那裏看到美國是在「孤立」呢？據周恩來說，他是看到南韓，土耳其，和日本的紊亂情況而提高了信心，認爲美國決不是不可以被擊敗的。

美國「空前孤立」？

讓我們看看美國是否眞的「空前孤立」，和看美國當局最近忙的是什麼。

如說美國在西方已被孤立，那是完全荒謬的。艾森豪雖在高峯會議吃了赫魯曉夫一記悶棍，但在美國內部以至整個西方陣營內，他的地位未受削弱。

在莫斯科和北平軸心的計算裏，如要有效地孤立美國，必先打擊艾森豪及其可能的繼承者尼克遜。赫魯曉夫當先向高峯會議出馬，向艾森豪展開非常毒辣的打擊。他在個人的表演上似乎是成功了，但我們可以指出：

一、美國內部，由民主黨過氣人物史蒂文生發起的「清算艾森豪」運動，已在黨內觸了礁，被前任總統杜魯門等一干人壓制下去。

二、最可注意的還是英國的動態。英國朝野的言論最近表現得很沉着，大部份沉聲不響，執政黨當局似在埋頭準備的狀態中，不再對姑息主義作迷戀式的宣揚。

三、西德朝野的意志和態度如前堅定，法國亦然。

艾森豪在西方站得很穩，爲了針對共黨要「孤立美國」的惡毒運動，便要傾注全力在東方和共黨搏鬥，而以訪問日韓中菲爲特別賣力的工作中心。

艾森豪努力團結

很顯然的，艾森豪訪問中非的眞正用意，已不是尋常的禮貌表示，而是認眞向積極反共的國家打氣。他對南韓的一切措施都顯得非常小心。他在着意給李承晚以穩妥的安排，然後從一盤亂絲似的南韓政局中，運用許政爲串絲的針孔。無聲的幕後安排如能繼續奏功，他有希望把亞洲反共前線這個重大缺口彌縫得來。對日本，他的訪問必須透過最嚴密的考慮，起初他還有點猶豫，但終於決心在那裏打一場心理上的大仗。日本是他此行的一個主戰場，他如獲得成功，勢將給與共黨的「孤立美國」運動以極大諷刺。

努力團結，避免分裂，使美國仍能屹立而不孤，這是艾森豪最近作戰的目標。我們應該期望艾森豪成功，但也必須在這一次波瀾壯闊的險惡戰鬥中，來一次自我檢討。

反共國家的內部問題

先說李承晚，他聽到周恩來利用南韓政變做話柄的狂謬宣傳，該怎樣痛心疾首？其他要對南韓這次政變負責的人，如把周恩來談話的內容加以細密分析，又該怎樣惶悚不安？

反共者對內任何偏激的行動，都含有招致分裂以至潰亂的危險，這分裂和潰亂正是敵人所期求的。分裂後的彌縫比之分裂前的調和，難易相去，如天與壤，至於由分裂而造成潰亂，那更不消說了。「爲親者痛，仇者快」的事情，在整個自由世界反共國家的內部來說，近來是不是表現得太多了？爲仇者所快還不打緊，使之「見獵心喜」，饞涎欲滴，因而提起了他們本已萎弱下去的侵略勇氣和信心，敢於發出新的瘋狂行動，那便會導成無可補救的大害了。姑息主義者對外的軟弱當然給敵人以誘惑，反共者對內的死硬傾軋所產生的禍患，也一樣給敵人以誘惑。那同樣是要不得的。

時事述評

從西藏到日本

盧家雪

西藏人民英勇抗共的消息不斷傳來。自由世界的政治家們對此視若無睹。

外電盛傳，班禪喇嘛經已自西藏逃抵新德里。而此間左派報紙則又登載中共通訊社發佈的消息，報導班禪在前幾天還接見了幾個爬山隊的隊員。

消息很混亂，有如達賴出走的前夕。班禪是不是能夠像達賴一樣地離開西藏呢？

開駐西藏的中共部隊，比較達賴出走時經已增加，這是事實。中共監視班禪自然要比過去監視達賴更爲嚴密，這也是可以想象得到的事實。在這樣的情形之下，班禪要想逃出西藏，當然比達賴更難了。

不論班禪之是否能夠逃出，有一點是可以斷定的，那就是中共在西藏的統治政策之失敗。

同時，也可以推測到：更嚴厲的恐怖的統治，即將在西藏實施。

自由世界對於這一方面的情勢，難道眞正是視若無睹嗎？

尼赫魯的象牙之塔，刻已直接感受到來自喜馬拉雅山方面的威脅了。

達賴尙在印度作客人，班禪又有出走之說，幻想與中共「和平共存」的尼赫魯，怕也該清醒了些吧？

屬於英國的保守黨右翼份子的「每日快報」，於本月七日社論中評論謂倘若班禪逃出，則印度會遭遇危機。

其實，印度之危機，早已注定在尼赫魯之容共親共，與班禪之能否逃出並沒有多大關係呢！

自由世界如不能改變其反共政策，則遭遇危機者豈僅印度而已。

日本現在不是已經面臨着一個大的風暴嗎？

岸信介已聲言，將以有力行動，對付激烈學生。

艾森豪亦聲言，訪日計劃，並無改變。

日本的左派學生聲言，必要時不惜以暴力對付艾克。

而擁有七百萬會員之日本國際青年協會，則向美駐日大使表示：決誠意歡迎艾克訪日。

距艾克訪日之期不到十天了。根據各方面的情況來分析，艾克之訪日，大概不會再有多大變化。

本欄早在六月一日即已說過：「據來自日本之人士稱，日本當局對此種局勢，自信有把握控制，因日本之國情與南韓不同。」

十天來的演變，證明此一人士之觀察確有獨到之處。只要看岸信介之一步緊似一步，就可以知道，日本當局對於局勢之控制，確是有相當把握的。

然而，僅只是控制此種局勢，使艾森豪能夠順利訪日，並不能據此以謂日本國內的局勢已趨安定。對於共產黨及其被利用的爪牙，如果沒有明確的對策，則日本的未來演變如何，殊難斷言。

日本的安危，關係于亞洲者至深且鉅，願執政者好自爲之。

日本的例子

在日本，由共黨以及左翼份子所鼓動的反對日美安全條約，和反對岸信介政府的一切行動，都顯得如火如荼，有聲有色，岸信介曾說這是「少數的有聲之聲」，日本還有多數的「無聲之聲」，那才是眞正的民意。他說得對，但爲什麼「無聲之聲」會在一時表面上看似被「有聲之聲」所壓倒呢？自由的維護者在一個民主國家裏面所表現的力量爲什麼如此薄弱？「以無組織對有組織」的弊害不是太顯明了嗎？日本的自由力量爲什麼要讓左傾勢力首先佔取了宣傳優勢，才發覺事情不妙呢？日本最大的幾家報紙，爲什麼經常會把反共消息予以壓置或削弱，反之，卻給共黨的宣傳以有利的幫忙呢？

看日本目前的榜樣，我們應該看到很重要的一點：一個正常的民主國家，如讓共黨發展其組織的力量，直接或間接達到了能夠控制輿論神經中樞的地步，很爲意地利用其所享有的自由來謀殺自由，那就必然造成民主的嚴重危機，讓少數邪惡份子有辦法造成刧持多數的惡劣形勢。

共黨不是沒有弱點

盱衡全局，共黨這次「孤立美國」運動，雖不會有重大成功，但也不會完全失敗。他們在任何一個地方，有一點很小的收穫，也會認爲值得欣幸的。因爲所有這些戰場都開闢，在自由世界的裏面去，他們只患無所得，決不患有所失。而這就值得美國人用心從頭檢討一番了。看另一方面的事實，共黨對外要孤立美國，對內卻高喊團結。它這「團結」的口號喊給內部受壓迫的人民聽，當然是沒有用處的，對外卻是爲了進行「統戰」。在鐵幕後面，眞正的孤立者卻是共黨本身。共黨和人民之間沒有團結可說，只有壓迫與反壓迫的對立鬥爭。這種形勢一向未被美國切實把握運用，反而讓共黨從容地向自由世界內面製造分裂，狂喊「孤立美國」，而美國所能做的，也只是苦彌縫內部，但求團結得一時便暫安一時，彌縫得一處便暫時放心一處。這豈不是太吃力而且太笨拙嗎？

在分裂與團結之戰裏，自由世界的領導者要有更高的智慧和更大的勇氣才成。

自由談

談政客與政治家

馮子先生

日本首相岸信介原係一個策士式的人物，平素在政治上擅長縱橫捭闔的政客作風，似不足語於政治家之列。

可是，最近爲着批准日美安全條約這回事，他却表現了一些政治家的氣魄。始也不惜運用警察力量，以制止社會黨在議會裏無理搗亂的非法行爲；繼而無視日共及其同路人所策動的反美示威運動，聲言美總統艾森豪來東京訪問時，保證其絕對安全，不用顧慮；又聲明他決無辭職的意念，給那些藉口反對日美安全條約而要求他辭職的人，當頭一棒，毫不客氣。這表示岸信介對於關係國家安危存亡的重大問題，頗有摩頂放踵以利天下的魄力和勇氣，可謂難得。

日本社會上，目前流行着一種左傾幼稚病，而以文教界人士感染這種毛病最厲害。他們祭起「中立主義」的旗幟，拾取國際共產集團的宣傳詞令，盲目地從事反美運動，而置國家民族利益於度外。假使執政者對於國事沒有眞知灼見，擇善固執的智能，而以媚世悅俗爲主，必然誤盡天下蒼生，自己亦弄成身敗名裂而後已。像日本前任首相鳩山一郎之流，便是典型的政客官僚人物，可小知而不可以大受也。

五十年前的日俄戰爭之役，日本以戰勝國而接受「不割地，不賠款」的議和條件，且要派代表到戰敗國的樸斯茅斯地方去談判。當時日本人民羣起抗議暴動，焚燬政府的公廨，更用炸彈炸去了外交大臣大限重信的一條腿，然大限決不改變初衷，照樣進行和談。原因是日軍不能再戰，而俄方尙有餘力作困獸之鬥，但又不能對民衆洩漏此中的隱情，只讓天皇洞悉其秘奧，主管當局卽甘受「賣國」的罵名，爲國家利益而忍辱含詬，不憚以身殉國。所謂政治家，應該具備着這種才智與魄力纔行。現在的日美安全條約，關係日本生存前途甚爲深鉅，岸信介能夠效法先賢，堅持其原有主張，而不被虛憍幼稚的民氣所脅制嗎？這就是政治家與政客的分別所在，跂予望之。

軒然大波的「匪諜」案

健生

台北通訊

最近立法院司法委員會，連續質詢國防部及警備部，於本年三月三十日至四月三日，分別逮捕國大代表林伯雅，王崇熙，及國民黨中央黨部第四組總幹事宋念慈，與台北工專教授王立士等多人一案，社會人士頗為震驚。本案原檢舉人為前新疆省督辦兼主席盛世才，被檢舉人的罪名為「潛台匪諜」，證據是三十三年盛任主席時的舊檔案。立委們激昂質詢的消息，被台北各報跑「要聞」的記者獲悉後，於五月二十三日的晚報與翌日的日報，乃分別刊載出來。某民營日報復於二十五，二十六日，以「專欄」的地位，發表此一消息的來龍去脈。在輿論的指摘下，警備總部不能緘默了，由該部發言人王超凡中將公開說明本案的經過。不料，警備總部發言人的聲明，卻引起另一當事人宋念慈的不滿，宋念慈於三十日分函各報，指說警備總部有關方面之消息，「內容殊嫌簡略，易滋誤會」，并將經過事實，合盤托出，以正視聽。

盛世才為什麼忽然檢舉林伯雅等係「潛台匪諜」呢？這其間別有原因，即私人挾嫌誣陷之所為也。因為盛世才於數月前，正在進行領取出國護照時，事機不密，為西北旅台人士及過去曾遭其荼害者所悉，即紛紛向政府當局提出警告性的建議，反對盛世才出國，以免成為「吳國楨第二」。反對盛出國者，包括西北的國大代表與立監委員，致盛世才出國的計劃成為泡影，因而增加了更深的政治恩怨。盛在走投無路之下，乃於去年九月間，將其在新疆省主席任內，偵辦所謂「陰謀暴動」人犯宋念慈等親筆自白書，向警備總部檢舉。據該部發言人說：警備總部在受理本案，係基於職責所在，且經過半年的調查工夫。本年三月間，該部乘林伯雅來台之際，為了迅速澄清本案，乃密傳宋念慈詢問，根據宋的供述，核與盛世才所提供資料相符，該部認為「確有重大嫌疑」，即於四月二日傳訊林伯雅，四月三日傳訊王崇熙與王立士。分別偵訊的結果，始發現宋等前在新疆及到警備總部後之供述，內多不實。「除宋念慈確係『中共』與『聯共』黨員，及王立士過去曾參加共匪外圍組織外，（國大代表）林伯雅，王崇熙二人，並未發現具體的涉嫌事實」。警備總部乃於當（四月三日）日下午將林伯雅等「遣回」厲所了。對於盛世才這種公報私仇的行為，各方而皆不以為然，而受害人之一的宋念慈，尤為憤憤不平，據他向報界訴述：他於民國十四年因參加留日學生討張排日團，在天津被人引誘參加中共，為跨黨份子，其後與中共關係時斷時續，九一八事變後，轉入聯共，在偽滿機關內蒐集日軍情報。二十四年春，鑒於蘇俄出賣中東路，且進而承認偽滿組織，並無真正援助東方弱小民族及援華之誠意，且深感此項為人作嫁之工作，對國家之抗日大計，無貢獻，乃毅然脫離匪黨組織關係，逃離東北，二十四年六月到達新疆，當時新疆省督辦盛世才，正由俄帝支持，乃誣指宋氏為帝國主義走狗。二十年十月，盛世才奉俄共命令，以「反蘇」罪名，將宋氏逮捕下獄五年，迭由俄共暨中共匪徒審訊『叛黨』『反蘇』經過。二十七年，盛世才赴莫斯科朝拜史達林，勾引八路共匪全面入新參政。迨三十一年盛世才歸誠中央，恢復中國國民黨組織，宋氏獲釋後，即正式宣誓加入中國國民黨，且經盛世才派為新疆日報社社長並簽保為省黨部委員。三十二年奉命赴重慶中訓團受訓。詎三十四年四月，盛世才又以莫須有罪名，製造大規模冤獄，指宋氏為陰謀暴動首領。三十五年蒙軍委會軍法總監部新疆積案清理審判團調查清楚，純係誣枉，宣判無罪開釋在案。旋經陳立夫先生簽准入中央黨部宣傳部（今第四組）工作迄今。因此，盛世才是否有故意誣陷他人為「匪諜」的嫌疑，唯有採取法律途徑以求解決了。

至於立法委員為什麼會羣起仗義執言，代抱不平呢？這是因為盛世才在檢舉書中，曾牽涉幾位立法委員，所以，立法院在開秘密會議審查國防預算時，即有人提出來質詢的。立法院認為警備總部在逮捕嫌疑人犯之前，沒有盡到調查本案的責任，事實尚未弄清楚就抓人，殊非尊重人權之道，尤其像盛世才的身世及其為人，盡人皆知，治安當局不重視本案的「背景」及人權，難辭操切行事之咎。

盛世才在新疆的孳孳惡行，見諸於官文書者，有外交部編印的「蘇聯對於新疆之經濟侵略」白皮書。該書記載盛世才在輸誠中央後，第一次上書蔣委員長時，曾坦白承認他「對馬克思主義夙具信仰」。所以他在「主持新疆省政府伊始，即樹立反帝親蘇兩大政策。」他在「一九四二年（三十一年）曾建議蘇聯政府，在新疆成立蘇維埃政權」。他出賣國家領土而說是「藉以測探蘇聯政府對新疆是否有領土野心，和是否真正執行馬克思主義」。但事實上，盛世才早就在（兩年前）一九四零年十一月二十六日，與蘇俄簽訂「盛蘇五百萬金盧布貸款合同」了。

又據中國邊政協會出版的「盛世才怎樣統治新疆」一書中，記載盛世才在新疆推行六大政策：「反帝」、「親蘇」、「民平」、「清廉」、「和平」、「建設」等，所謂「反帝政策，是反中央的政策」。於是，盛世才在三十二年八月十一日深夜，將現任國大代表林伯雅、林繼庸，與立委張志智，監委曹啟文等予以逮捕。同年四月間，將宋念慈等逮捕，罪名是「陰謀暴動」與「推翻政府」，在刑求之下逼供，這些供詞雖經軍委會軍法總監何成濬（國大代表在台）與王德溥（前內政部長）等分別依法審判，並宣佈無罪在案（軍委會審判團，法新審字第五二二號判決書）。豈知盛世才在十五年後的今天，為報私怨，竟將此項屈打成招的「自白書」案卷，向治安機關檢舉，其動機惡劣極了。說到盛世才的「清廉政策」如何？據前新疆省社會處長顧耕野，在「我心目中的盛世才」一書中說：盛世才殺死新疆省財政廳長陳德立之後，即奪取其財產，計鑽石九百粒，鑽石背心（羅馬諾夫傳家之寶）一件，及其他羚羊角、美鈔、英鎊等百餘件。由此可見盛世才的「清廉」行為了。至於他之所謂「建設政策」，顧氏書中指出：「以我中央政府為假想敵，哈密，猩猩峽的設防，接近內地各邊卡的嚴密封鎖」與「統制全疆人民生活必須品」而成立「土產公司」，置在「迪化市……就有公開大監獄八個之多」。這些都是盛世才在新疆省的傑作。據聞盛世才去美的目的，是作寓公，因為他的子女均在國外。目前，各方面對治安機關如何查究他的誣告罪，極為重視，盛世才修怨不遂，反而自貽伊戚，這是應有的報應啊！

（五月三十一日午夜）

馬戲團驚擾市議會

弓治長

台北通訊

台北市議會第四屆第九次臨時會議，於五月二十八日舉行。議員們為了日本矢野馬戲團租用新公園為演出場地的問題，而掀起軒然大波。全體議員對於議長張祥傳違反議會決議擅自同意該團在新公園演出，及市政府濫用「府峯」名義，一致提出指責。議員黃奇正更是「一鳴驚人」，他指責張祥傳議長曾接受「紅包」十五萬元，因而轟動全市，與輿論紛紛的指責，所以張祥傳不得不發表書面聲明，冀能澄清他本人曾「私下接受馬戲團方面經理人二十五萬元新台幣，而出賣議會」的外界種種傳說，意在表明心跡，替自己洗刷一番。張議長的聲明，沒有澄清民間的謠傳，反而使議會同仁更為「光火」，而有能免議長張祥傳之倡議。這是台北市近日最熱門的新聞。

日本矢野馬戲團，去年秋間，即曾申請來台獻技，當時有關方面以「八七」水災之後，實行節約為詞，致未批准。乃為時未越一年，該團全部人馬竟於近期抵達台北，團員們並分別拜會各行政機關及報界，但究竟從何而來台北，外間幾乎是事前一無所聞，其保密功夫，誠令人驚嘆不已，緣台北市議會在該團來台之後，議決不許借用新公園場地演出，並將議決案於五月十四日送市政府執行。然而市政府却以「係奉府峯核准」為理由，必須應允租用新公園為演出場地，同時，以「下不為例」為保證。這種無視市議會決議案的非法作風，已屬十分可「議」。而議長張祥傳居然不待五月二十八日之議會臨時會的討論，運用議長權力，逕行決定，欣然同意，並函復市府查照。張議長迫不及待的做法，不能令人無疑。於是「查無實據」的紅包之說，却「事出有因」了。

張祥傳近年來時運頗不順利，去年秋間，他與友人投資某報，意欲解決宣傳問題，結果弄得面紅耳赤，不歡而又無法立刻可以散夥。今春其女張彩鳳參加本屆省議員競選，化了錢沒有當選事小，反而選訟纏身。張祥傳自己因負責本屆台北選務，又被省議員落選人控告他違法選舉。近為馬戲團的場地風波，被報界轟得焦頭爛額，議會同仁更不諒解，且進行簽署罷免他的運動。這真是所謂「禍不單行，福無雙至」了。

如果張氏處理不慎的話，很可能導致一場極不利己的糾紛，將自己的前途毀於旦夕之間。

馬共活躍泰馬邊區

宇立

曼谷通訊

馬來亞聯合邦的剿共工作已告一段落，該聯合邦政府元首，曾宣稱全聯邦的「緊急狀態」，於七月卅一日結束，但實際上馬共並未全部肅清，其頭目陳平已率領殘部移駐馬來亞與泰國邊區，該等殘部據官方宣稱為數約七百人，但實際上可能不止此數。

據悉：陳平率殘部移駐泰馬邊區後，其策略即已改變，由武裝的游擊戰改為滲透顛覆活動，經常發出訓令，指示外間的共黨份子活動。在陳平主持下的馬共集團，其情報組織極為嚴密，故移駐泰馬邊區後並未為人所發覺。泰方獲悉陳平已抵達泰馬邊區，是由於馬共越過泰方生事而起的。當時，一名泰國的華裔膠商陳維琳（泰名乃咸臘），在一件洽購膠園的公事上，經過邊區，在泰國接近馬來邊境上的勿洞縣郊外，被四十名武裝馬共所架走，同時被擄的，尚有陳維琳的一位朋友，汽車司機與兩名持械護衛的泰國警察。馬共強迫陳維琳，簽下合約，允諾分三期十月清，付贖款十萬銖（泰幣）後，即將他釋放，但隨行警察槍械，則被繳除。臨行前馬共並威嚇他們說，不許報案，否則將嚴厲報復，並要泰警當局轉報邊防警察總部，今後不得干涉馬共的活動。真是荒謬已極。

陳維琳回家後本不擬報案，但以警察失槍，事實上非向當局報告不可，警方據報後，深為震動。乃沙立元帥並以兼警察總監的身份，派遣邊防警察副總指揮乃蒼少將，前往宋卡府實地調查。因此，乃激怒了陳平率領下的馬共，首將陳維琳膠園中的主要工頭一網擄去，後更假借膠工代表名義，向陳維琳提出通諜，要求將膠園全部收入一半撥交「工人」所有，但陳維琳沒有如限答覆，馬共即威脅其三千名工人不得開工，否則格殺勿論，生產乃陷停頓。

因此，陳維琳上書國務院長乃沙立元帥，要求徹底剿泰南邊區地帶的馬共，此即引起泰國朝野的重視，要求檢討泰馬雙方多年「合作」的進剿方法。泰官方乃於四月廿七至廿九日，在曼谷召開加強剿共會議，由現任內政部常務次長鑾察警上將為主席，並邀請馬來亞聯合邦派代表團參加，馬來亞即派陸軍參謀長（作戰署主任）摩爾中將率領代表團參加，經兩日會議，並無若何具體結果，聯合公報只稱：所有討論事項已全部獲達協議。並謂該項會議並將在本年底再在吉隆坡召開。

但據泰國內政部次長鑾察警上將事後接見記者，就泰馬兩國代表舉行征剿邊境馬共會議問題發表談話稱：馬來亞代表向會議提出保證，馬來亞政府決於本年七月卅一日午夜十二時起，宣佈解除全國戒嚴令，但將在泰馬邊區，另頒佈一份特別法令，俾進行征剿邊境上的馬共。鑾察上將除表示兩國同意征剿馬共的武裝部隊得自由越過對方之境內進行征剿馬共外（按此項辦法已施行數年），並未透露兩國對消滅活躍於邊區的馬共有何具體的計劃。自該項會議召開後至最近，時間已近一月，但泰馬兩國政府，對於該等馬共的清剿迄未獲得如何成效，馬共份子依然四出活動，其出動人數自三數十至百餘不等。事實上，因清剿工作亦有其相當困難之處，泰馬邊區大部份為闃無人跡的森林地帶，馬共份子又並無一定的基址，行蹤飄忽，其出現地點，常為無軍，警或軍警人數甚少地區，及至大批軍警得訊趕至，則馬共份子又不知去向。因此，乃使兩國負責清剿者大感頭痛。至五月底止，泰馬兩國清剿部隊，與馬共迄未獲正面接觸，但馬共越過泰境搗亂的小事件却不斷發生。泰馬清剿當局在無辦法之餘，乃以飛機空投四萬份傳單在「攻勢地區」內，呼籲彼等早日出來投誠，但根本無效，邊境居民甚為不滿。

社會小說

香港地

四、高的低的

木客著

這樣整整忙了一天，梅大亮回到他所住的木屋裏，才得到眞正的休息，回想一天所見所聞，不免有許多感慨。

他這間木屋有丈來闊，長約三丈多，築在一個小山坡上，一邊靠着山壁，兩面臨空，只有一面可以通行。在那兩面臨空的隙地上面，他圍好了籬笆，築有雞舍和豬舍，租給鄰戶來養豬。在豬舍和他的住屋之間，有一條頗闊的通道，每在太陽下山之後，他慣在那裏放一張帆布床，當風小睡，倒也寫意。此外，他還在籬笆傍邊牽藤種瓜，添了一些綠色點綴，頗有幾分雅致。雖則這裏經常也有風火之驚，但總因所佔地形較好，一向有驚無險，所以他簡直把這間木屋看做香港少有的安樂窩，曾經有人出到三千元高價向他收買，他也不答應出賣。

這間木屋也有一個好聽的名號，叫做「文山書屋」，因這個小山有幾條屈曲的里巷，統叫文明里，分爲甲乙丙丁四個區域來安設住戶門牌。他的住屋被排在文明里甲第一號，儼有高佔鰲頭之勢，這使他靈機一觸便喊這小山做文山，而且起了「文山書屋」這個名稱，有時對外面陌生的人提及，人家還以爲他眞的是山居逸士，過的是無限風雅的生活呢。

梅大亮靠賣文爲活，太太懂得幹織手襪的工作，兩口子不用納租，都有固定收入，每月除了衣食的開銷，有餘便貯蓄下來，間中滙寄一些款子回大陸去，救濟在家鄉裏挨餓的親友，算得是「行有餘力，則以助人」。照梅大亮的意思，保留門前那間豬舍，別租給別人養豬，改作別用，便不必常要接觸到一般臭穢之氣，適合衞生之道，也可保持鼻官嗅覺的清淨，犯不着爲了區區租金的收益，把這一片隙地弄得污髒不堪，妨碍他每天在門前小睡時的舒適享受。無奈他的太太堅要多收一點租金，不肯將就，因此屢次發生了口角衝突。他這一天回到家裏時，特別覺得疲倦，照例把帆布床張在門前，躺在上面休息一番，一面接受涼風，一面吸受那股腥臭的豬矢味。（卅四）

合照

梁尚燕

晚上十點鐘，張御風到我這裏來了。這個人是無事不登三寶殿，他一來，不是求錢，便是求事，絕沒有好說的。

一陣寒喧之後，只見他還是天南地北的，卻不提到錢字，這就有點奇怪了。人家既不提到錢字，我自然更不好說，賓主之間，各懷鬼胎，直敷衍了近半個鐘頭。

終於，我只好委婉地問道：「近來的情況還過得去嗎？」

「還好，還好。」張御風滿不在乎地回答。

只要他不借錢，我就輕鬆得多了。我正待恭維他幾句，卻見他又接着說道：「梁兄，你知道我近來又有了一件新的嗜好嗎？」

張御風的嗜好，如賽馬，賭錢，飲酒，幾乎無一不精，再多幾樣嗜好，大概也不離嫖賭飲吹，我微微一笑，沒有答覆。

「說來好笑，我以前歡喜集郵，現在又喜歡搜集名人照片呢！」

「搜集名人照片，倒是有趣。但不知你搜集的是世界的名人，還是中國的名人呢？」

「哦，都不是，我搜集的是香港的名人。」

「香港有什麼名人呀？」我問。

「香港怎能沒有名人？」張御風神秘地一笑，「譬如說，太平紳士，爵紳，大銀行的董事長，同鄉會的會長。儘管他們離開香港就不名，但在香港，他們畢竟是名人呀！」

我沒有說話，我知道，如果再說下去，十一點鐘的「蔴雀」之約，簡直無法赴會。於是我也燃起一支香煙，默默地不發一聲，我想他一定得走了。想不到，他突然又要求我幫忙。這傢伙，要我幫忙就是要錢，要錢何不早說？經我反問之後，纔知道不是要錢，他只是要我將張爵紳和我的照片送一張給他。

這種小事，自然無所謂幫忙，不過，張爵紳是很少和人家合照的。上次和我在光大銀行天台的合照，據許多朋友說，這簡直是破天荒的事。他們說，拿到了和爵紳的一張合照，就等於是在滙豐銀行開了一個戶口。這我怎麼能送給他呢？

但到底經不起他的請求，我應允借給他複印一張。

總算把這個客人送走了！

大約一個禮拜光景，張御風來了。這一回，他是西裝畢挺，容光煥發，他把爵紳的照片送還給我，還特別道謝一番，然後天南地北的閒談一會，這纔告辭而去。

就在當天下午，有名銀行的董事長朱不如來了電話。

他在電話中問，我認不認識張御風先生。

「啊，我認識的。」

「認識的就沒有事了。」對方只這麼說了一句，立刻收線。這簡直令人非常納悶，莫不是張御風出了什麼事。

第二天上午，我到有名銀行去看朱不如。他一見面就說道：「昨天御風兄到這兒來過的。」

「是張御風嗎？」

「是的。他昨天來到這裏，說是和幾個朋友合股作了點出口生意。缺少十萬元資金週轉，想要我暫時調動一下。你想，我和他只見過幾次，交情並不太深，而且，十萬元也不是個小數目。他見我畧感猶豫，隨即叫我打個電話給你，同時將你和張爵紳以及御風兄三個人在大光銀行天台的合照放在這裏，你想，大家都是面子上人，還要意思不借嗎？」

朱不如邊說邊把那張合照拿給我看。天哪！他竟然把自己複印在張爵紳的旁邊，這一來，就變成三人合照了。

謝冰瑩在星洲

介人

最近在某刊讀到易君左先生所寫的「星馬行踪」，有一段的小標題爲「謝冰瑩女士別來無恙」，是知謝冰瑩仍陪同她的丈夫賈伊箴在星洲。

說起謝冰瑩，使我們想起了「五四」新文化運動，那一個高潮激盪的時候，使得新文學的文壇上，產生了幾位熠熠發光的巨星，在這些巨星中夠得上稱一流女作家，恐怕祇有謝冰心、蘇雪林和她了。

丁玲固然也可以稱得上是一個女作家，然而文學造詣和個人操守方面，卻遠不及她們三人。有人說：在寫作和生活體驗方面，謝冰瑩和丁玲是大同小異的，只是謝大姐沒有丁玲那麼多的風流韻史。兩個人的生活觀點不同，成就也有了高下。歷史是無情的，丁玲在幾度婚變之後，如今在政治方面，又受到慘酷的清算，丁玲自己也曾說過這樣的話：「我自己毀滅了我的前途」。

至於冰心女士，自從投共後，寫了不少的「言不由衷」的文章，讀了令人作嘔，當然難以引起人們的共鳴，她過去的光輝也爲之褪色了。

謝大姐所寫的「女兵自傳」，我想讀過她這本書的人，必然會一致推崇，這是一本文筆流暢，有奔放的熱情，有動人的情節，有豐富的生活的一本好讀物，沒有見過她的人，一定以爲她是一個雌赳赳，氣昂昂的女子，有巾幗氣概的女兵。然而實際上，她卻生得纖弱瘦小，面孔黃黃的活像一個林黛玉般的典型人物。

政治家（一）

徐學慧

政治家並非盡人皆能，必須有風度，有魄力，有智慧，能創造時勢，亦能順應潮流。

說政治家不需要權謀術數，那是騙人的話。問題卻在這種權謀術數的使用，是否能合乎天時地利人和，這中間就是一門大學問了。

商鞅徙木立信，令乃大行，這就是政治家的權謀術數。關於這些問題，中國的法家闡述得最清楚；其實，不僅是法家如此，儒家又何獨不然。「民可使由之，不可使知之」，此爲儒家的權謀術數，對不對且不必管它，我只是想藉此說明，幹政治是需要有權術的。

近百年來，中國的政治家太少，這是事實。談中國文化，我們可以誇於世人，但談到政治上的權術之運用，我必須要說一句，中國人是遠不及英國人的。我之所以特別舉出英國人，而不說美國人法國人或西班牙人者，第一，出於我居住在英國的殖民地香港已逾十年，殖民地的政治雖不能說是英國政治的全盤面目，但最低限度，我們是可以從其施政方面瞭解一部分的。第二，英國政治一向安定，從一二一五年的大憲章之頒佈，至今已七百五十年，磨練，激盪，使得英國政治光輝燦爛，莫能當焉。

中國從帝制下解放迄今，不過四十九年，四十九年較之七百五十年，實在相差太遠。中國人民，從智識分子到村夫愚婦，如僅就政治上的修養，不，我應該說是，如僅就政治觀念來說，全部是一張白紙，換句話說，那眞是什麼都不懂的。

在法律的製訂或廢棄方面，英國人運用的手法，實在比我們高明。

就拿這一次的足球博彩法案之被否決案來說吧！

足球博彩之醞釀爲時已久，目前在香港立法局會議席上，輔政司經已將此次博彩法案提出一讀。一讀之後，羣情反對，報章輿論，多予抨擊，若干社團機構，且爲文上呈，表示反對之意。至上週立法局會議上，首席非官守議員，放棄投票，繼而另外七名非官守議員也相繼反對，十一名官守議員也跟着放棄投票。擾攘多時的足球博彩法案就是這樣被否決了。

報載某博彩公司的負責籌備人於事後對記者稱：港政府已於年前暗示必予通過，此次竟遭否決，殊出意料。其實，在懂得英國人的政治運用者看來，足球博彩之遭否決，是一點也不出乎意料的。（未完）

大陸文壇萬花筒

漫天烽火鬥巴人

岳騫

自從本年第一期「文藝報」中共宣傳部秘書長林默涵發表「更高地舉起毛澤東文藝思想的旗幟」一文中，抨擊到巴人（王任叔）之後，這位中共前駐印尼大使，現任人民文學出版社社長的老作家，算是交了霉運，到現在爲止，五個月來在海外能看到的抨擊他的文字，約有二十多篇，若是加上不能出口的雜誌（可以見到目錄），大約共達一百篇以上。

林默涵那篇文章，只是輕輕一筆帶到王任叔的頭上，所攻擊之點也只限於他的「競異求同」論，指責王任叔認爲社會主義思想和無產階級思想可以和平共存，是犯了大的錯誤。此外並未給王任叔加什麼帽子，那知後來越鬥越兇，範圍也隨之擴大，現在鬥爭的重心在巴人寫的一篇「論人情」，提倡「人道主義」，被共產黨認爲是大逆不道的事，目前已經封巴人爲修正主義者，再升一級就是右派份子了，最後是不是升到帝國主義特務，還不知道，但是僅僅右派份子頭銜也是夠資格去北大荒「愉快地墾荒」去了。

怎樣「論人情」呢？巴人說：「人情是人和人之間共同相通的東西，飲食男女，這是人所共同要求的，花香，鳥語，這是人所共同喜愛的。一要生存、二要溫飽、三要發展，這是普通人的共同希望。」

巴人以爲「人情也就是人道主義」，所以他又說：「我們當前文藝作品缺乏人情味，那就是說，缺乏人人所能共同感應的東西，即缺乏人類本性的人道主義。」

巴人爲什麼忽然提倡人道主義呢？這裏頭有個原因，據巴人說他曾經接觸過一些青年朋友，都是幹部，有的是青年團員，有的是共黨員，但是都是地主或資產階級家庭出身。在土改及三反五反時期，他們的家庭來信訴苦，他們是一概不理，到了現在，鬥爭已經鬥過了，父兄都窮得沒有飯吃，他們也不肯寄一個錢回去，表面上是站穩了立場，但是想起父兄對他們的愛撫，夜間只有一個人在偷偷哭泣。王任叔因爲接觸到許多青年人都這樣告訴他，所以他才發憤寫了一篇「論人情」，不知那篇文字發表後，要動搖百分之八十共黨黨員的「黨性」，抽掉了中共統治者盤據的金字塔基層的石頭，中共爲何會放過他。

釋未集

論語

鶴林玉露：「少陵詩：小兒學問止論語。蓋以論語為兒童之書也，趙普再相，人皆言普山東人，所讀者只此論語，蓋亦少陵之說，太宗嘗以問普，普曰：臣生平所知，誠不出此。昔以其半，輔太祖定天下，今欲以其半，輔陛下致太平」。宋史趙普傳亦云：「家人見其斷國大事，閉戶觀書，取決方策，他日竊視之，乃魯論也」。始普教村童於山中，身本卑微，人或以此陋之，然考之本傳，則太祖隨周世宗親征淮南之役，大為南唐皇甫暉所敗，因訪得普，用其策，循清流關背後小徑，潛師浮西澗，徑至城下，斬關而入，竟以擒暉，盡收淮南地，李璟於是割地稱臣，則其智畧有足多者，又太祖即位後，「一日大宴，雨驟至，上已不悅，雨又不止，左右皆恐，普因奏言：外間百姓正望雨，時雨難得，可令樂官就雨中奏樂。上大悅，乃終宴焉。」而太祖奪節鎮之權，收其精兵，制其錢穀，亦一一出自普所獻議，則普之不同于世俗陋儒，又可知矣。近閱蒙齋筆談，有云：「韓魏公每為人言，自少至老，終始所踐履，惟在一部論語，未嘗須臾敢離，公晚鎮北門，已六十餘矣，韓玉汝為都轉運使，每問候，至則直抵臥內，几案間不見他物，惟一唾盂與論語，乃信傳者不謬。」魏公一代名臣，威德加于夷狄，在館職時，凡所與游，皆一時英俊，而石曼卿意氣豪邁，恆戲侮同舍，獨不敢稍侵韓公。歐陽修文章冠天下，亦以政事自負，獨曰累百歐陽修，何足以望韓公？而韓公自云，但曰終始踐履者，亦惟一部論語，則論語一書之體大思精，所謂仲尼之業，已試之效者，豈虛言哉。去年秋季開學，余受聘為某學院諸生授論語，自余始讀論語，迄今已三十餘年，因其為少年時所習，強半猶能記誦，自覺孔子于論語中所恆言者，獨仁與禮最為兢兢，孟子曰：「國君好仁，天下無敵」。此趙普之所謂以其半為太祖定天下者也，禮經曰：「安上治民，莫善于禮」。坊民正俗，非禮無以立事，故孟子曰：「經正則庶民興」。此又趙普之所謂：今欲以其半為陛下致太平者也。總孔子言仁諸說，則仁者，人類本性之自然流露也，人能不悖其本性，則近于仁矣，禮則依乎人情，隨時而適，根于仁心，不悖于禮，則所謂道也，孔子曰：「誰能出不由戶，何莫由斯道也。」夫古之天下，亦今之天下也，然則定天下，致太平之方，寧有異乎？

曲齋

談睡

漁翁

睡者，倦而閉目也，為人生起居休息惟一部門，在每晝夜二十四小時內，至少有三分之一的時間，寄於睡眠中，如果睡不以時，卜晝卜夜，或以夜作晝，必召致眼迷神昏，食不甘味，影響身體上的健康，至深且鉅！

午睡，亦為養精提神之方，在每日清早起牀工作，到正午十二時，不免有所疲倦，乘午餐後休息時間，爭以半小時或四十分的小睡，那麼，精神由疲倦而興奮，使午後工作，很愉快的繼續下去。

如患失眠症者，今則服安眠藥少許，可使之睡，但古時也有妙方，據述異記載：「桂林有睡草，見之則令人睡。」又南越筆記載：「朵睡菜根為蘘菹，食之使人好睡。」按睡菜一名瞑菜，葉類茨菰，根如藕，產熱帶地方。可是安眠之法，服藥不如養性，清心節欲，力除不必要之思慮。大學上所謂定而後能靜，靜而後能安，安而後能慮，慮而後能得，凡有所得，必須從「定」字上着眼。

古人領略睡的滋味，委實不少；陸放翁詩云：「相對蒲團睡味長，主人與客兩相忘，須臾客去主人覺，一半西窗無夕陽。」又呂榮陽句云：「老讀文章與易闌，須知養病不如閒，竹床瓦枕虛堂上，臥着江南雨後山。」直已把睡的逸趣，流露於字裏行間。

談到獨睡，尤為益壽延年的妙丹。宋朝包宏齋，舉進士後，歷宦州縣，年八十八，猶為樞密院陪祀官，精神健旺如少年。賈似道見而羨之，垂問攝生之道，包曰：「我有祖傳的丸子藥，」賈請授秘方，包笑道：「五十年來，因服獨睡丸，才有如此的健康」。又彭祖八百壽，而致壽之方，據云：「服藥百劑，不如獨臥」。顧況云：「服藥不如獨自眠，從她別嫁一少年。」此言老年人，不應娶少婦。陸放翁亦云：「九十老翁緣底健，一生強半是單棲。」不近女色，或減少性慾，足以益壽延年，乃是鐵一般的經驗。

詩詞漫談

名士袁子才（下）

長安居

大約讀了一半光景，蔣心餘問道：「也還有可取之處嗎？」子才也毫不客氣的回答道：「只有兩句」。「有兩句也好，你且說是那兩句？」子才答道：「任你忒聰明，猜不出天情性。」蔣心餘聽了不禁大笑道：「先生畢竟是詩人，不是曲客。」子才愕然，心餘續道：「你知道我這十一字的藍本嗎？」子才想了一會，搖搖頭，蔣心餘道：「你不是有兩句詩嗎？造物豈憑翻覆手，窺天難用揣摩心。這就是我這十一字的藍本呀！」袁子才一陣大笑。

（蔣心餘，名士銓，一字苕生，江西大，善度曲，著有香祖樓，空谷香，冬青樹，臨川夢，雪中人，四絃秋，一片石，第二碑等九種曲本。）

袁子才的詩，究竟是怎樣的呢？空說無憑，且先錄幾首舊詩。

「華表凌霄落照遷，一期孤憤萬人知。梨花寒食燒香女，纖手都來折桂枝。」

「江山也要偉人扶，神化丹青即畫圖。賴有岳于兩少保，人間方覺重西湖。」（謁岳王廟）

寫到這裏，我倒又想起一個故事來了。

民國卅八年春，筆者寓居西湖。一日，與錢公來先生泛舟湖中，（錢先生，東北遼寧人，工詩，現任總統府資政，應已七十餘矣。）舟過蘇堤六橋，錢先生笑謂不可無詩，乃請先吟，詩為七言絕句，第一句為圖字韻，第二句湖字，第四句押蘇字。猶憶第二句為「人間畢竟重西湖」。余曰：「先生為此詩時，胸中得無有袁子才謁岳王墓之句乎？」錢先生大奇之，曰：「你年事尚輕，居然記得起袁子才的詩句，你一定歡喜讀隨園詩了！」余應之曰：「小時候最喜歡讀他的詩，但現在卻覺得不過如此，都是以前讀過有些印象的。」錢先生原韻奉和，詩曰：「柳眼花鬢展翠圖，比來遊屐遍西湖。年年詩酒知何處，千載長堤尚姓蘇。」錢先生看完，讚賞道：「這首詩勝過隨園多矣。」余曰：「要說勝過隨園，不過是錢先生的過譽，不過，隨園的詩也還是跳不過晚唐人的圈子，且不要說盛唐了。」

經過十年來的磨練，我對隨園詩的觀感，仍然是沒有改變的。

大抵清初詩人，多學唐代，道咸而後，乃稍力摹擬宋詩。然而，都跳不過唐宋人的圈子，這倒是時代使然，屬於無可奈何的。

袁子才提出以性靈為詩，在原則上並不錯，可是，他之所以提倡性靈，原是怕以空泛的假性靈之說，來掩飾他的天才之不工。不然，「江山也要偉人扶」，何至今日也不能傳，也不偉人了吧！但這個人畢竟是聰明的，他為了要樹立在當時的地位，便將其前的大詩人王漁洋攻擊得體無完膚，他論詩絕句有云：「望溪文集阮亭詩，一代正宗才力薄。」（阮亭為王漁洋的別號）言外之意，似乎只有他的詩纔配稱為一代正宗，也未免大誇大了。

且莫說王漁洋足以與袁子才抗衡，就算是同時代的趙甌北與蔣心餘的詩，較之袁子才，也是不遑多讓的。

蔣心餘的「金陵雜詠」有云：

「豈有君臣說中興，滿城花月唱春燈。風流略似清談後，秋草茫茫十一陵。」

趙甌北的「楊妃」一詩云：

「鼙鼓漁陽為翠娥，美人若在肯休戈。馬嵬一死追兵緩，妾為君王拒賊多。」

像這樣的詩，應該也是可圈可點的了，可是，八百年前，五代的花蕊夫人不是已經有了類似此種風格的詩麼？

照我個人的看法，袁子才他們這些性靈派的詩人，最多是像呂東萊的博議一般，故意賣弄些小聰明，作作翻案文章，以圖炫世惑俗而已。怪不得洪北江批評袁子才是「通天神狐，醉後露尾」呢？

海嘯慶談會

桂軍與共諜關係（中）

李任仁是廣西人，清末畢業於廣西「優級師範」後，任廣西省立第三中學校長，初無藉藉名，但思想左傾。民十六年春間，國府大舉清黨時，李氏被指目為共黨同路人，畏罪流亡外，投奔白崇禧幕中，時白氏任國民革命軍總司令部參謀長兼東路軍前敵總指揮，駐防淞滬，制裁共黨甚力，然對李任仁卻信任之。迨是李藉白氏庇蔭，仍回桂省活動，一度且由李白推轂，榮任廣西省教育廳長，他對李白的政治影響力，從此逐漸增強，成為「桂系」的中堅份子了。對日抗戰軍興之前，上述介紹劉維章，李任仁等加入共黨的皖籍老共朱篤一，曾到桂林活動，經人發覺，密報於李白，白氏初頗震怒，詰責李任仁不應結納共黨人物，旋亦漠然置之。蓋此時廣西正在高唱「三自政策」，四方懷有反動異圖的文人政客，皆向廣西滲透，李白亦藉此自重自豪，冀張聲勢，而劉維章、李任仁的共諜工作，即竟有因利乘便的效用了。當年被李白處決的桂省建設廳長黃公度——著名托派份子——他遭殺身之禍的最大原因，一為與桂軍將領鬧意見（白崇禧的親信幹部）極不相能，一則李任仁從中竭力搆陷——凡屬第三國際派的共黨份子，皆視托派為不共戴天的死敵也。李任仁憑[illegible]淪陷前夕，他已貴為廣西省參議會議長了。李宗仁代理總統職務之初，首先以議會名義，通電各方，要求擁戴李德公「早正大位」的，就是李任仁。此舉在表面上好像是他對「李德公」的忠貞行為，實則利用我政府的內在矛盾而擴大之，奉行共黨所謂「政治瓦解敵人」的策略，乃共諜策反的高度技術，惜乎此中得失利害，非李白當時所能瞭解，即到今天，也未必真正領悟吧？據聞白崇禧於卅八年冬間，統率桂軍回到桂省時，曾責備李任仁的反中央政府言行過甚，貽害大局，任仁反唇相稽道：「你們若對中央忠誠不貳，縱有十個百個李任仁，亦沒有貽害大局的能力。」其然，豈其然乎？

劉仲容也是湖南人，他於民國十九年奉閻錫山之命，代表閻氏赴桂省游說李白，共同反抗中央，因此甚受白崇禧賞識，挽其在桂省工作，成為白氏的核心幹部，替白氏掌理機要文電，參預軍政機密，言無不從，計無不採。對日抗戰中期，他與黃啟漢隨從白氏在重慶擔任秘書職務，常常到美國大使館跟謝偉志，范德宣幾個親共的美國人士周旋，甚為密切。劉仲容是共諜，黃啟漢卻非共黨份子，他祇是藉侈言民主以乞取外援而企圖干祿倖進的熱中之徒而已。當時白崇禧在政府頗不得意，劉黃即以「打通美國路綫」為理由，在美國人面前，為白氏鳴不平。久之消息外露，一日最高統帥面詢白氏：「聽說有劉某黃某是你的秘書，他們常在美國大使館走動，不知所為何事？」白氏聞之惶遽，即斥責教劉、黃二人出國游歷，以避嫌疑。

諸葛文侯

南海絕筆

文壇軼話

道南

來自最近中央社的消息，遜清光緒年間「戊戌政變」的主角康有為，他的夫人康梁隨覺女士，現在尚在人間，不過這八十二高齡的老太太，晚年境況不佳，貧病潦倒，患了子宮癌，躺在台北鐵路醫院裏，昔日的榮華富貴，如今已是過眼煙雲了。

讀了這一段消息，使吾人回憶及康南海先生：他生於戊午（一八五八），卒於丁卯（一九二八），享年七十歲，丁卯年二月初五日是他的七十生日，二月廿八日就是他的死期，上距做壽僅二十八天，正是攬揆稱觴之後，即是蓋棺論定之時。

當他七十做壽時，廢帝溥儀方逃居天津張家花園，賜以玉如意及題「嶽峙淵渟」匾額為壽。他在青島以平日罕為之駢體筆法寫謝恩摺，歷敘平生悲痛沉鬱。寫完，投筆曰：「吾一生心事已了。」旋以腦充血在福山路寄廬別墅逝去。因此人們稱這本謝摺是他的絕筆。謝摺中有：「宜使祝宗以祈死」，和「付子孫傳後世，永戴高天厚地之恩，以心肝奉至尊，願效薤露輕塵之報」等句，使人讀起來好似遺囑一般，也有人認為語讖，他果然一瞑而不返了。

無可否認，四十歲以前的康有為，他之思想行動是前進的，倘如他所寫謝摺中所云：「若非衣帶之密詔促行，飛艫之兵艦牒絕，則久已上巴黎斷頭之台，灑東市朝衣之血，今卅載，墓木拱矣。」這時他恰是四十歲，當和譚嗣同成為肝膽兩崑崙了，那還有晚年開倒車玩復辟的把戲呢？

僑務委員會核發台教新字第三二三號登記證

自由報

中華郵政登記台字第一二八二號

內政部頒發僑台報字第零叁壹號內銷證
THE FREE NEWS
半週刊每星期三、六出版
第三十五期
每份港幣壹毫
台灣零售價新台幣二元
社長：雷嘯岑
督印人：黃行審
社址：香港銅鑼灣高士威道二十號四樓
20 Causeway Rd. 3rd. Fl. HONG KONG
TEL. 771726
電報掛號：7191
承印者：田風印刷廠
地址：香港高士打道221號
台灣分社
台北市西寧南路110號二樓
電話：三〇三四六
台郵撥儲金戶九二五二

透視日本的反美騷動

雷嘯岑

近來日本社會黨藉口反對「日美安全互助條約」，初則使用非法搗亂的手段，在衆議院演出軟禁議長，妨害公務，跟警察激烈搏鬥的醜劇；繼則策動東京一帶的左傾工人暨青年學生，不斷地示威游行，圍攻議會及首相官邸，且在飛機場困辱來東京公幹的美國總統府新聞秘書哈格第，而以阻止艾森豪總統訪問日本之行爲職志。這是戰後日本政治上最大的一場動亂，也是日本在美國長期督導培育之下，推行民主政治生活的一種反動現象，流弊所及，很可能導致日本陷於死亡的命運中，可嘆亦復可哂。

綜觀社會黨反對日美安全互助條約的一切言行，無一不是複誦俄共集團的反美論調而模仿其暴亂作風。中俄共基於它們實行世界革命計劃的利害關係，要使日本脫離自由世界的集體防衛組織，由中立而孤立，任其鯨食宰割，當然視日美聯防條約爲生死關鍵所在，千方百計地必須予以破壞。岸信介政府既已毅然決然在國會通過了日美安全互助條約，又邀請美總統前來訪問，艾森豪訪日以後，不特互助條約雙方立即付諸實施，俄帝鯨食日本的希望歸於幻滅，而反共最堅決的岸信介政府權，亦將持續於不墜。在東方盲目反日的南韓李承晚政府已告解體，倡導很久的中、日、韓軍事聯防體系，勢必應運產生，藉以塡塞整個自由世界在遠東方面的一大漏洞，這是俄帝慄慄危懼的事情，非傾全力以從事鬥爭不可的。所以，這次日本的動亂，實質上是美俄勢力在東亞角逐爭雄，誰能佔取優勢，誰就對亞洲奄有盟主的地位，成爲最後勝利者。艾森豪總統不因日本社會黨導演反美的惡作劇，而變更其預定的訪日計劃，可謂明智的決策。艾氏如果像美國參議院外委會主席富爾布萊德之流的庸俗見解，害怕到東京受侮辱而裹足不前，美國在遠東乃至全亞洲的聲望自將掃地以盡，而日本亦就從此完蛋了！至於日本首相岸信介決不接受社會黨及本黨──自民黨──政客河野一郎，石橋湛山等人的辭職要求，也不失其爲政治家的風度。

事實上，艾森豪到達東京時，除却有些被收買的無聊分子，遠遠地揮舞一下反美旗幟叫幾句口號以外，必不致受到其他的侮辱，何以見得呢？日本天皇裕仁一定親臨飛機場迎接「國賓」，日本人對於天皇的偶象崇拜觀念，普遍潛存着，他們當着天皇的面前，自然而然地不會作出暴亂的行爲，此其一。前幾天在飛機場圍困哈格第和美大使麥克阿瑟第二的無聊分子們，會再三聲明他們並非「反美」，意思是表明他們的動亂作用，對內重於對外，此其二。日本民族性的特質，褊狹而現實，怕強而欺弱，面對着強大的美軍實力，目擊着優裕的美援和美元，對於世界盟主的美國總統，他們決不敢隨便侮慢的，此其三。有此三項因素，加以日本政府當局責無旁貸的保安措施，我認爲艾克到達東京郊外羽田機場後，大可以跟日皇同車併駕，進入市內，不宜改坐直昇飛機，悄然走到美使館，致失身份和體面。

有種種事實證明社會黨這次是受着俄共集團的金錢誘惑驅使，利用外交問題以達奪取政權的目的，期一般參加示威暴動的無聊份子，爲的是每次能領得三百至一千日元的津貼款項（一位日本工商界代表在美國如是云云），而日本的「學聯」與「勞工總會」則藉此獲致俄共集團的大量經費接濟，若說他們眞是爲着思想鬥爭，即社會黨魁淺沼稻次郎亦不足以語此，其他更無論矣。在此奪政權的這一目的上，自民黨的政客官僚們，與社會黨却是一致的，如河野一郎之流，居然以第三者姿態出來調停社會黨與本黨對「日美安全互助條約」之事，而以岸首相辭職爲「政治休戰」的先決條件，說是大家可以好好地歡迎艾森豪總統訪問日本，這是甚末政黨政治的軌則呢？祇有是共產黨人不折不扣的反美思想，他們志在破壞日美邦交，阻止日美聯防條約之實現，爲目的不擇手段，無所不爲，留日華僑聯合會指出當日在東京示威暴動的八萬人中，即有三百多個中共份子混雜於其間，這跟毛共過去在中國大陸上策動青年學生對政府示威暴動，派遣共幹僞裝學生羣衆合夥叫囂的技倆，如出一轍。日共自知不爲社會人士所齒，祇能暗中作祟，避不露面，而以社會黨爲傀首，這個掮着社會主義招牌，企圖僞藉國際共黨助力以滿足政治慾望的左翼社會黨，其本質和行爲，亦跟中國舊有的「民主同盟」相伯仲。

日美安全互助條約是一項立國的大政，是是非非應該以超黨派的立場來衡量，尤其不宜將美國總統應邀訪問這回事，與安全互助條約混爲一談。日本人如果眞的要反美，就不應該接受美國的軍經援助，像目前社會黨這種搞法，徒然暴露日本人的醜態，雖怪那素來表現左傾思想的「東京朝日新聞」，也說是「國家之恥」呢？日本人中年以上的，內心深處或多或少的潛存着反美意識，爲的是日本曾被美國戰敗得極慘，不能忘懷，然不便形之於實際環境。今天的日本青年，外受戰後經濟破產的了。社會解體，道德淪喪，的痛苦生活，受着國際共黨所謂「和平共存」的宣傳麻醉，一知半解而嚮往於非戰主義，因而對日美安全互助條約認爲是導向戰爭的玩藝，相率盲從共黨及其同路人叫囂突示，表示反對。此外則爲一般官僚政客藉題興風作浪，希望混水摸魚，取政治權位，日共與國際共黨就利用這些情形來從事顛亂，這次日本大騷動的內容，如是而已。

歡迎美總統艾克先生

但衡今

美總統艾克先生，此次遠道訪問遠東，爲美國歷屆總統之創舉，凡我同盟反共國家，朝野上下，莫不歡欣鼓舞，預候嘉賓。至若自由民主之中國，尤屬億萬一心，至誠相與。艾克先生，自可於中國軍警禮貌警衛之外，無庸加以戒備，俾沿途農村市井，男女老幼，俱得一瞻來賓丰彩爲幸，得其一二。

但中國內地羣衆，與夫此間之擁容道左者，不論耳聞目見，印其內心之沈重，實難免於悲從中來，破涕爲笑，而有不能自已者在也。

中國大陸人民，淪於共匪之瘋狂虐凶殘之下，十年於茲，展轉呻吟，求生不得，求死不能，今已十年一日，雖屬自遺伊戚，而友邦「兩個中國」之外交政策，事前事後，竟構成如此重大之災害，實亦不能辭其咎。台灣遍處匪幫，呼號之聲相聞，休戚之情相關，凡有血氣，孰能漠然恝然，不亟思有以振救之。無如友邦決策，只許單作聯盟前綫防禦，不容分存自我任何企圖。

自金馬坐待匪砲攻擊以來，我陸海空軍將士，靡不椎胸泣血，對內且須强爲笑語，對外未能少形辭色，此中艱苦，亦爲友邦人士，身歷其境者，乃能得其彷彿。益以匪區一隅之衆，養兵數十萬，我政府殫於上，國人重負於下，長夜漫漫，又豈人情所能忍受，事理所能永恒者也。雖然，和平二字，固未可厚非，設若治絲益紛，當斷不斷，古今之以此養癰遺患，痛痛益深，甚至亡國破家者，曾屢見不一見。在此未可多聲議論，而省自我陳述之匪是。猶記一九五九年二月六日，美國晨星報社論，立論雖專爲西藏反共而發，其目光實已貫注到全局，玆摘錄於下：

「西藏的反共民衆，今天不但爲他們作戰，也是替我們作戰，援助他們，也許可以替我們省下許多生命的損失」，這是晨星報站在美國利益立場上，違想一九四九年放棄援華政策，而有韓國戰場死傷十多萬青年，所得的結論。

其次「協助西藏是辦得到的，也是應該做的，長距離的飛機，可以到達這個孤立的地區，空投軍火與給養，就等於說這個世界，今天只是進行強權之爭，而不是進行一種維護自由與民族自決的戰爭」。這是晨星報從自由世界責任來立論，以一個僻遠的西藏反共行動，應值得重視，乃從而論及「中立金馬」與韓國「限度戰爭」之非計。

其次，「坐在後面鼓掌稱贊別人英勇是不夠的，一若我們對匈牙利事件之所爲，別人的勇氣是有了，可是我們卻胆小到不敢給予支持，膽小到恐怕敵人不高興我們」。這是晨星報從美國猶疑政策，而自行走到屈服強權的邊緣。益陷世界於水深火熱之中，與自身徘徊瞻顧而莫衷一是。從而論及：「中共公社制度，已把中國人的忍耐心忍耐到最後的程度，祇要再有一點刺擊，他們決將起而推翻共黨，不願再在共黨統治之下，過著獸類的生活」。正說明了中國大陸千眞萬確的事實，與羣衆百分之百的心理，及中共統治搖搖欲墜的現象，與美國現行外交政策足以遺害於將來。本報僅節錄晨星報論據於右，提供艾克先生訪問中國旅途參攷，與未來外交之決策。反共同盟幸甚，自由民主幸甚。

在此猶有未能已於一言者，東西民族立國爲政，自各有其固有文化、歷史、國情，未可舍己從人，亦未可强人從己。己所不欲，勿施於人，在東方爲忠恕之道，在西方爲利害之辨，人與人、國與國間，亦必忠恕乃能相處，乃能久要，邇來韓國事件，土耳其事件，新聞傳聞，美國俱牽涉其間，悠悠之口，不必盡信，而蛛絲馬迹，自難免於瓜田李下之嫌。學生軍人，雖未可謂爲絕非民意，然亦不可謂爲盡屬民意，事勢演變推移，可能因此形成多黨政治，軍人干政，更可能與共匪同盟以乘隙蹈瑕之機，有一於此，皆非反共同盟之福。要知自由民主國家，政治需要安定，需要協調。設或有力者以一時之愛憎爲是非，「東食西宿，朝三暮四」。江南之橘，雖保不逾淮爲枳，縱能傾國庫軍備以資人，人將惟利是視，而害不盡同。一旦利鬆交疏，事到臨頭，反眼若不相識，落井而又下石者亦有之。自今以往，竊願美國朝野人士，自處處人，有以善處之也。

自由談

僞君子

馮玉先生

報載：閻錫山先生在台北逝世後，許許多多的政界人士，分別馳赴殯儀館悼唁，安葬之日，到場祭奠執紼者尤衆，猗歟盛哉！

閻氏交卸行政院以來，卜居台北郊區逾十載，據說平日很少見有紓青紱紫的政治人物枉顧叩訪，眞是冠蓋滿京華，斯人獨顦顇，似乎誰也不認爲他是個值得欽崇的人，而由衷地對他表示一點敬意，樂與親近。他一旦去世了，無論知與不知，識與不識的政治人物，一致悼念不遑，關懷備至，眞情乎？假意乎？吾不得而知之也。

禮者，宜也。人與人相處，禮節在所不免，但須恰如其份，方見誠意，過份就是虛僞的動作了。世界上虛僞言行最多的，殆莫過於吃政治飯的人，自古有然，於今爲烈，一副趨炎附勢的現實相，一派矯揉造作的僞慈悲，令人瞧着作嘔，聞之肉麻。像閻錫山這類開國元勳，大家如果認定他對國家確有功績可取，或者覺得他個人立身行己方面，亦有值得敬佩的地方，當他生存着的時候，亦不妨稍加存問，以示不忘，否則各幹各的活路，生固無足道，死亦不相干。這才是去僞存誠的眞性情，運用於政治上，即有悃愊無華，實事求是的績效可覩。只看近世一般政治人物對生人勾心鬥角，六親不認，對死人故作親熱，一往情深的詐僞行爲，即知治亂興亡之道，由來者漸，決非偶然。

古時對於一個去世的人，非至親好友不報喪，不執紼，不臨哭，表示着人與人之間的眞摯情誼，也就是禮之所宜，不踰份際。現代人對於婚喪禮儀，任意胡來，莫名其妙，適以彰其虛憍詐僞的心情，去禮遠矣。見微知著，即小喻大，今世政治生活之卑污苟賤情形，愈演愈烈，馴致釀成神州陸沉的奇禍，推究其根源，我認爲一般人汩沒了眞性情，相率作僞，恬不爲怪，實係最主要的因素。所以，一目了然的眞小人並不可怕，可怕的乃是蒙着各樣假面具的僞君子也。

台灣忙着歡迎「國賓」事宜

台·北·通·訊

·野　鶴·

美國總統艾森豪訪華行期在即，自由中國政府當局為着歡迎接待這位特級「國賓」的籌備事宜，近旬日來，各個有關單位忙得不亦樂乎。自從白宮新聞秘書哈格第到台灣接洽安排之後，一切節目已告決定了。

艾總統預定在菲律賓訪問一天，休息半天，於本月十六日乘坐軍艦前來台灣，在強大的海空軍警戒護衛之下，徜徉乎太平洋上卅四小時，通過中共猖獗的海岸邊緣，於十八日直達台省基隆港，這不管是對共匪所謂「侵略領空領海」的一〇五次警告，給以一大諷刺，教它吹鬚瞪眼，哭笑不得。艾氏在基隆港口接受當地民衆的迎接儀式，然後乘坐直升飛機到達台北松山機場，再接受自由中國官方與民間自蔣總統以次卅萬人的盛大歡迎，即赴台北市外「圓山飯店」駐節休憩數小時，再赴美國駐華大使館與各個外交官員暨派駐台灣協防的美海空軍將領，以及軍事顧問團高級幹部們見面，聽取他們的業務報告，隨即前往總統府晤蔣總統，完成「國賓」的訪問禮節。晚間蔣總統設國宴招待，由我國各文武官員作陪，由我表示歡迎之意，宴畢，兩國元首單獨懇談一次，十九日是星期日，艾克無論在甚末地方，這天早晨一定是到教堂做禮拜的，預計是日清晨蔣總統先陪着艾氏赴教堂做禮拜，然後回到士林官邸作第二次的談話，艾氏的訪華節目，乃告完畢，下午就要啟節前往南韓。我國中樞各個民意機關會邀請艾總統蒞臨講演，恪於時間關係，恐怕來不及了。

我政府當局關於這次歡迎接待特級「國賓」的準備工作，有幾點相當費力操心的事：一是艾總統到達基隆和台北時的民衆歡迎場面，人山人海，接踵摩肩，而艾氏又喜歡向民衆露面講話的，治安人員應如何恪盡職責，以維護「國賓」行動的自由與安全，實在不是一樁輕鬆的事兒，預計這天在基隆市歡迎的民衆不下十萬人，在台北市歡迎的當在二十萬人以上，要維持這種特別熱烈偉大之羣衆行列的秩序，談何容易呢！這次隨着艾總統來台的美國新聞記者有六十五位，此外還有歐洲和東南亞各國的記者羣，綜計有一二百人之多，在「國賓」留台期間，不能發生一點紛亂的現象，以免貽譏全球，有玷國格。所以，我方治安人員所負責任忒大，他們這次的緊張辛苦情形，乃是生平未曾體驗過的。二是艾總統到達台灣之際的坐車問題。按照艾氏出國訪問的慣例，都是使用他自己事前運來的一輛敞車，車上有四個座位——正面兩個，倒座兩個——正面兩個座位是艾氏和代表當地政府出迎的元首併坐着，倒座則為隨侍艾氏的保安人員，艾氏在這敞車上跟當地的歡迎羣衆揮手為禮，表示親切之意，必要時，他就站立車中對羣衆作簡短的演說。這次艾氏訪華，由於我政府聲明不必煩勞友邦遠道運送車輛前來，他那種特製的敞車，祇好不隨帶來台，任由我方替他準備了。可是，我方僅有蔣總統使用的一輛閱兵敞車，而車上座位只能容納兩人，殊不合適，據說美國駐台軍事顧問團某將軍有一輛敞車可坐四個人，願意借給我們使用，但我方既已拒却白宮運車來台於前，若又借用美方的車輛，似乎有所不便，怎末辦呢？祇好臨時將蔣總統那輛敞車鳩工改造，加大車身，使其能夠容納四五個人，好在台北的輕工業器材和技工都齊備，改造一輛敞車尚不難，然政府當局亦煞費苦心了。三是我方對於艾總統訪問期間，應該跟他談些甚末問題，這也是極費斟酌的事，經過再三研討的結果，我方決定不提出任何新的要求，除表示精誠團結，一致為反抗共產極權侵略運動而努力奮鬥之外，一任「國賓」自動提示意見，他愛談論甚末問題，我們就跟他談甚末問題，不作其他的表示。因為艾克在未被俄酋赫魯曉夫「潮眼眉」之前，他再三聲明無暇來華訪問，如今他改變初衷，惠然肯來，我們如果對他提出某種要求，未免太不自尊自愛了。萬一他表示一種敷衍應酬的詞色，豈非多此一舉嗎？四為我方民衆赴基隆碼頭和松山機場歡迎「國賓」時，事前應否有所策劃限制？一般民衆以看熱鬧的心情，必然不約而同的大家出動觀看美國總統的丰采，要限制亦就很難，若聽其自然，又恐怕秩序欠佳，大煞風景，欲期兩全，殊非易易，唯有責成治安人員臨機處置，妥為指導督促而已。在艾克訪華期間，我國政府例應派遣一位侍衛長隨侍他，這項人選以蔣緯國少將最適宜。他是蔣總統的兒子，且在美國參謀學校讀過書，而去歲伊朗王來華訪問時，亦是派他担任侍衛長的榮譽職務，適材適事，駕輕就熟，再沒有比他更適當的人了。此外還有一種不能不顧慮到的可能發生之事，即大陸上的毛共，或許沿襲它們過去對杜勒斯到台灣訪問時的故技，於艾總統到達台北之日，向金馬發動一次騷擾性的軍事攻擊行為。如果眞有此事，我軍決計予以猛烈的反擊，且不限於自衛手段，將乘機進攻廈門、福州，給毛共以重大打擊。日來美方軍事人員亦迭次發表聲明，說是毛共若有軍事進犯行動，即將猛烈報復，以示懲戒。毛共如非忽然發狂，自尋死路，決不敢輕舉妄動的，即令它只是對金馬一帶從事砲轟，我軍亦就會大舉反擊，不復容忍了。不過，共黨常有瘋狂性的行為，難保它不孟浪闖禍，上帝要消滅一個人的生命，即先教他發狂，我政府對於這項可能發生的意外事變，必須有切實的準備與決策，換言之，到了這種階段，我方的軍事行動，即大可不受中美安全互助協定的約束，自由採取應有的措施了。

艾森豪總統訪問遠東各國的消息正式發佈後，日本的共黨及其同路人鬧得最兇，不斷地發生反美示威運動，菲律賓亦有人表示對美國不禮貌的論調，近日冲繩島也有反美的消息傳出了。南韓雖然沒有類似的動態，但國內的政局正在動盪之中，使艾克訪韓之行，感覺美中不足，唯有自由中國的情形是安定的。這表示中華民國不愧為遠東的安定力量，關係東亞的安危前途，希望朝野人士務須珍惜這點固有的潛能，為整個國家民族設想，不要自暴自棄為上，例如立監委員和國大代表們，紛紛要約艾總統個別到會講演，這便是不識大體的表現。艾氏只在台灣停止廿四小時，他那有許多空閒時間向三處的民意機構周旋？三個民意機構幹嗎不能聯合起來，作一次集體的邀請，使「國賓」便於應付呢？你們平日對內互相齮齕爭雄，原屬無關宏旨的，對着「國賓」亦表演各行其是的阿Q精神，何苦妄自菲薄乃爾哉！

（六月十日於台北）

自由中國的政治動態

李　明

本報特訊

這次行政院局部改組之後，立法院有一百六十多名立委，由徐源泉領頭，提出動議，說第三任總統就職後，未將行政院長提名送交立法院徵求同意，是藐視立法院的職權，還背了憲法，其勢洶洶，似有掀起政潮的模樣。但總統府的看法却不承認這是有違憲的意味，何以故呢？提名行政院長的總統還是原有的人，被提名的行政院長亦是舊任人物，行使同意權的立法委員依然「猶吾大夫崔子」，三方面皆無變動，而舊任行政院長在第三任總統就職前，雖曾提出總辭職呈文，但經慰留了，即不發生閣揆的人選問題，自不須再有提名徵求同意的官樣文章。美總統艾森豪第二次當選就職後，并未將國務長官杜爾斯提請參議院同意，即系最好的例證。如果立法院認為舊有行政院長不稱職，儘可依然照憲法規定行事，也不必，亦不應該藉同意權的口實來倒閣，因為憲法對於行政院長的任期并無規定也。蔣總統對這問題祇好當伊嘸介事，若要理會，即無異自己承認「違憲」了！他只是在紀念週上勸告大家不要鬧意氣，爭權利，政府的機構雖然個別設置；利害是共同一致，情誼是彼此一家，沒有甚末分別的。行政院長陳誠，更不便表示意見，一聽總統處理。看情勢，這項政潮將如一個水泡，很快就要消散。至於一部份立委提出這項異議的動機，亦是藉題發揮的成份居多，原因是陳院長最近在立法院會中，答復某委員的質詢時，詞色很不客氣，引起了一部分立委們的反感。

行政院這次局部改組，在一般人士的觀感中，并沒有特別的刺激，不過是一種官海升沉常態而已。交通部長新換沈怡，似乎殊出意外。沈氏在曼谷担任國際防洪局長的職責多年了，月薪在美金千元以上，何以棄却那種職責單純，待遇優厚的國際差事，而願意回國來自尋煩惱呢？實在沈氏到明年就要依法——聯合國的法規——退休了，但身體尚強健，樂得以其餘年為祖國服務，交通事業亦是他的本行，因而欣然受命，至於待遇問題，也不在乎，并不介意，縱使到台灣來貼錢作官，也不在乎，他自信是貼得起的。次為外交部長黃少谷與西班牙大使沈昌煥對調，亦非局外人的始料所及。黃氏求去心切，原係盡人皆知之事，但以他那種謹慎和諧的處世接物風度，過事的縝密思考頭腦，穩健悃愊的言行，在自由中國現時的政治人物中，實為數一數二的傑出人才，教他出使異域，在黃氏個人固然得其所哉，對中央政府却是一大損失。從前譚組安先生在中樞政治上素具「甘草」的雅諡，人們皆漠然不以為意，迨他去世後，連那極端自負的胡漢民先生亦深慨「太傅冲和未可師」，思念不已了。這次黃氏之去國，實非其時。僑務委員長陳清文對僑務本是外行，他以建設部門的專家，一旦担負着繽紛雜遝的僑務委員長職責，用非所學，公私交困，實在強其所難，另易新人，原屬必要。可是，繼之者乃為打破傳統習慣——辦僑務必須要閩籍人士——的湖北人周書楷，而且是個在任的職業外交官，這眞是北平話所謂「玄事兒」，據說，周氏聽到調任的消息後，向外交部同仁報告時，為之放聲大哭，好像是出喬木而入幽谷的落寞境遇，又如教他離席衽而趨水火的悲慘命運，十分沮喪。旋有人勸他，說他由簡任官（外交次長）擢升為特任官，亦大佳事，將來由僑務委員長調任外交部長，那就容易了。周氏的愁懷，聞此說纔稍為開展些。教育部長梅貽琦本來極力求去，但以他的聲望與學識，久為世人所稱道，要想找到一位份量相稱的繼任人，殊感困難，經陳院長懇切挽留，再請「我的朋友胡適之」從旁敦勸，他祇好勉為其難，但教部政務次長浦薛鳳將予更換。內政部長連震東由台灣省民政廳長一躍而登上特任官之位，可謂異數，他如果不是台省籍，決沒有這種意想不到的幸運吧！？司法行政部長鄭彥棻，是留學法國習法科的，但他回國十餘年間，一直是幹着黨政工作，從未涉足司法界，這次忽然由管理僑務的中央黨部第三組主任調長司法行政部，有人說是中樞決計要整飭改進僑務的先聲，確否尚待事實證明。

至於各個舊任「長」字號的袞袞諸公，除黃少谷氏內定為西班牙大使外，內政部長田炯錦回到蒙藏委員長的老位置，無所得失；交通部長袁守謙新任「革命實踐研究院」主任，地位并未降低；只有陳清文尚無新職發表，大概不會投閒置散的。像這樣的人事安排，我們看不出有「開拓新局面」的氣象和趨勢。自由中國的人才不是沒有，眞正的人才却非招之即來，揮之即去的，求才是一回事，用才又是一回事，不能恢宏氣宇，運用「使天下英雄入彀中」的智慧，但知所識窮乏者得我，或者基於一時的現實關係以為用人的標準，人才却不容易羅致。普通的宦海升沉，對反共復國的非常之役，引不起社會人士的興趣，沒有甚末作用可言。

基隆政壇的遞嬗

忍公

這次台灣第四屆縣市長選舉，國民黨提名李國俊為基隆市長候選人，與民社黨所提候選人林番王對壘，於四月廿四日舉行全市投票，李國俊竟以七千餘票之差，慘敗於林番王之手，這個突如其來的大轉變，對國民黨基隆市黨部及若干人士來說，無異是青天霹靂的大感驚異。

現在矗立在基隆港海邊的市府四層大廈，到六月二日即將另易新主，未來四年的歲月，素以雨港聞名的基隆市，勢必在政治上增加它的風和雨。

一、李國俊在基隆領導黨務七年而竟慘敗於林番王之手，其人之愚昧無能，自可想見，今後國民黨，必會提高警覺，團結黨員，加強領導，以圖再振，現在基隆市議會共計廿席，國民黨佔十七席，本年底第四屆議會改選，勢必又是民社黨和國民黨最激烈的一次爭奪戰，國民黨既退出市府不得不加強市議會的據點，以謀控制，未來的議會，如民社黨不能獲得過半數的議席，則前任市長謝貫一一向所倡導的人和政策及強調「一府會一家」將成過去，各方反對派勢將紛紛崛起，林番王縱有民社黨撐腰，要想施展他的抱負，當很吃力。

二、謝貫一具有政治手腕，不失為老謀深算的政客，主政基隆十一年建設地方很不錯，一切都能平靜渡過，林番王以商從政，這次選民丟了李國俊而投林番王的票，並不關於政權的交替，而是希望林番王在今後改革政治風氣方面能有所作為，但政府自遷台後，即實行人事凍結，公務員職位均有保障，對於政治風氣的改革，恐仍將一如往昔，林番王大概也無法作大刀濶斧的革新。

社會小說　香港地

四、高的低的

常語有道：「如入芝蘭之室，久而不聞其香，如入鮑魚之肆，久而不聞其臭，」梅大亮對這種豬矢味感受慣了，便不覺得怎樣難受，只是這一天太湊巧，他剛剛正覺得十分疲倦，需要一頓舒適痛快的享受時，那個養豬人卻要清潔豬舍的糞穢，弄得他很不愉快，免不了說幾句埋怨的話。不料，這卻惹起了他的太太反唇相稽。

梅太太原是一個在鄉間長大的女人，嫁給梅大亮好幾年之後，才到城市居住，一直保持那一股鄉下婆的氣息。她識字不多，和梅大亮的知識程度相差頗遠，所以處理事情的方式各有不同，梅大亮每每為了遷就她的意見，感到苦惱。可是這回逃難到香港來，梅大亮卻靠了她的艱苦支持，耐勞吃苦，才有辦法在這個木屋區裏住得下去，而且生穩了根，立定了業。

梅太太這時拿着豬做話題，對梅大亮發氣道：「你總怪我將這地方租給人家養豬，難道這不該用來養豬，該用來種花不成？你也不問問你自己，小時候在鄉下是怎樣過活的呢？你也和我一樣，是在豬矢味裏熏大了的。難道你敢說不是？這裏人人都要吃豬肉，誰去養豬？豬就是在這種地方養的。你想想，這地方不租給劉大嬸養豬，這兩年劉大嬸怎能按給兒子一筆本錢，好去別的地方借地開耕，養活了一家幾口？難道我為了幾個租錢才叫你受豬矢氣味？」

鄉下人說鄉下話，梅太太這一頓翻駁，登時堵住梅大亮的口，連半句自辯的話也說不出。梅太太氣魄很好，不說則已，一說便是長長的一篇教訓。她當下歇了一歇，又接住說下去道：「誰不想在酒樓上面吃香噴噴的菜？你到街市買菜去吧！拿肉的、挽菜的，擠在你的前前後後，地是濕滑的，味是腥臭的，滿眼都是血淋淋的，滿耳都是嘈嘈吵吵的，你們這種斯文人每每就是這樣，只想坐在廳子裏吃又香又好看的菜，天生你們命裏是要享福的呀！怕受豬矢味卻要吃豬肉，怕到街市買菜卻要吃好菜式。哼！……」

她正說得起勁，巷子的下邊卻有人高聲喊梅太太。（三十五）

木客著

人名漫談（上）

汪學文

人各有姓，亦各有名。其姓既已述過（參見本報五至八期「姓有多少」「千家姓考」及「三字姓源流」諸文），似應再一談其名。物之名始於黃帝，禮記祭法云：「黃帝正名百物」，疏曰：「上古雖有事物而未有名，黃帝為物作名」；而人名之始，其時當較物為早。人名各有其義，而命名之取義雖參互不一，然多有規律可循：

聯名制——所謂聯名制乃親名之間有連鎖關係的命名制度，其由來已久，後曾演變為「以父祖之名或字為氏」制及固定姓氏制，其種類計有「父子聯名」（如春秋越先世「無餘」與「餘善」是）、「母子聯名」（春秋楚先世有「連母名」之制），以及「祖孫聯名」（如春秋宋公子蕩之孫名蕩意諸，蔡公子朝之孫名朝吳等均是，並見春秋世族譜）之分，而其方式則有「親名前聯型」（見前例）與「親名後聯型」（台灣阿美族有此型）之別。聯名制迄今似仍行之未衰，且以「後聯型」為多，蓋今日父母為子女命名時，每愛借用己名一字，稱之為小某、幼某，此一方式，另具「下一代」之意，較古制已有進步。

同名制——同名制常與聯名制並存於同一族屬社會，例如春秋鄭國系譜中即有同名者，但限於叔伯父與姪、叔伯祖父與姪孫之間，而父子及祖孫卻無同名之現象。近代則有若干氏族，父子之名在習慣上不僅不使其同字，且不使其同音同韻，此適與同名或聯名之制相左。

排名制——排名之方式頗多，主要者為倫序制，俗稱行輩制。以輩言，即將成語或詩句列次，每代取其一字作命名之用；以行言，即按「出生別」命名。宋洪邁夷堅志所載宋時雜事，有「南城田夫周三，臨川人董小七，徽州婺源民張四」等，這些人即係以排行為名。俗語有所謂「張三李四」者，朱子語錄云：「易惟說這個道理如此，何曾有張三李四」，但語中人雖不可考，其所以用張李之姓與三四之名，卻並非無因，「張」「李」二姓或係由「張王李趙」而來，「張王李趙」乃「黃帝賜姓也」（見風俗通），其族均繁，又據通俗編稱謂章云：「張王李趙語，係依梁書張甲，王乙、李丙、趙丁之次，非但俗所偶然杜撰」，而「三」「四」二名似即由排行而來也。除行輩制以外，類乎春秋楚鬻熊之後，世稱熊氏之制，亦有視之為「世代排名制」者，此說似欠妥，因為由楚鬻熊而熊麗、熊狂、熊繹……，顯然係由聯名制或「子孫以父祖名字為氏」制演化為固定姓氏制。

聯姓制——古代婦女除乳名外，其本名大都是在姓下加「某氏」字，稱為「某氏」，已出嫁者則再冠以夫姓，稱為「某某氏」。這種「姓名」之變化，其關鍵不在「名」而在「姓」。

以數字命名——以數目字命名，除排行外，另有以父母年齡合算者。據清俞樾春在堂隨筆卷五謂：「徐誠庵見德清蔡氏家譜有前輩書小字一行云：元制庶人無職者不許取名，而以行第及父母年齡合計為名，此于元史無徵，然證以高皇帝（明太祖）所稱其兄之名，正是如此，其為元時令甲無疑矣。現在紹興鄉間頗有以數目為名者，如夫年二十四，婦年二十二，合為四十六，生子即名四六。夫年二十三，婦年二十二，合為四十五，生子或為五九，五九四十五也」。又據錄云：明太祖之父叫五四，名世珍，二兄重六，名興盛，三兄重七，名興祖，而明太祖本人叫重八，名興宗。由此可見明太祖一家原均以數字命名，至於世珍、興宗這一類學名官名性質之名字，或係明太祖後來所追立者。

詼諧文人

漁翁

古之最詼諧者，首推漢朝東方朔，字曼倩，武帝時，為金馬門侍中，以諷諫得名，長於文辭，作「答客難」一篇，娓娓動人，揚雄班固以下多仿之。

有清一代，崇尚文學，而其博學強識，首推南袁北紀，南袁名枚，字子才，以風流稱，北紀名昀，字曉嵐，以詼諧聞，紀河間人，生而穎異，弱冠入詞林，為清高宗——乾隆帝所厚愛，乾隆遊江南，命紀隨行，一日，在某寺前見江中有小漁舟，乾隆囑紀賦詩一首，以漁舟為題，限尤韻，並嵌十個「一」字於內，紀即口占前兩句云：「一邱一水一漁舟，一個漁人一個鈎，」吟罷稍延片刻，乾隆笑拍其肩而催成下句，紀接着云：「一拍一催還一笑，一人獨霸一江洲」，尤以最後一句，饒有雅緻。

紀在翰苑，為最出色人物，擢升卿貳，入清帝之「值南書房」，時值炎夏，紀體肥畏熱，嘗赤身露體，忽聞帝至，着衣不及，遂倉皇避入床下，乾隆就坐觀書，不發一言，紀以帝離去，不覺失聲曰：「老頭子走未？」乾隆怒，命出而斥之曰：「爾何以稱朕為老頭子？」紀不即不離奏曰：「老者，皇帝萬歲，頭者，居萬人之上；子者，乃天子也。」帝笑而赦之。

紀總纂「四庫全書」，為一代碩學鴻儒，心靈手敏，開口成章，尤其性好詼諧，時人目為東方朔第二，其遺聞軼事，至今猶傳為佳話。

望海樓隨筆　政治家（二）

徐學慧

任何一條法律，均不能垂之千秋萬世，把它當作是解決某一項問題的試驗，那正是英國人製訂法律的方法。唯其如此，所以他們在製訂法律之初，乃特別着意於當時的輿論反應。

巴克爾（H. T. Buckle）在其所著「英國文化史」一書中，描述喬治三世時代的一位政治人物柏克的特色，有一段說得好極了。他說：

「在他（指柏克）一生最得意的時期中，他的政治原理並非空想的而是實際的。論點，實在可以奇怪，因為各種關係都可以引誘他採用相反的途徑。他所有的資料之豐富，可以使他較當時任何政治家易於作綜合的結論。常常，可以說凡有機會，他都發展他的才能有如一個創作的和思維式的思想家，但一旦當他踏到政治論點的時候，他就改變了他的方法：……他深深認識了那偉大的原則，那立法的目的不在是否合乎真理，而必須在乎它能否適合當時情勢。」

後面的幾句話，如果拿來移贈給那些在兩年前堅持要通過出版法修正案的立委諸公，大概是可以令他們有些感想的。那時候，海內外一片反對之聲，而立委諸公則聽若無聞，堅持要秘密審議，堅持要通過。在我看來，這些可敬的議員先生們，似乎都不太懂得政治，更不要說政治上的權術之運用。

如有人目此為狂言，我就且承認這是狂言吧！當然，我們很難說寫這部「英國文化史」的巴克爾也是狂言，因此再引述一段他描寫柏克的話并不算浪費篇幅。巴克爾說：

「無疑地，在他（指柏克）以前，我們也有其他的政治家否認普通原理在政治學中的效用，但是他們的反對是基於愚昧而發生的樂觀的猜度，而且他們反對一切未會深研的理論，而柏克之反對那些理論卻是因為明瞭他們。最顯得他有能力之一點就是：他無論情況引誘到他去依靠自已的概念，可是他總拒絕這種引誘。雖然他富於各種的政治知識，他總憑着事件的進行來組成他的意見，他認識政治的目的不在保存特殊的法典，不在宣傳特殊的主義，而在於大多數人們的快樂。」

這幾句話，對於一切從事政治的人來說，是應該作為座右銘的。立法，不論其有何天大的理由，如果在當時的情勢下為各方所反對的話，此種法律的製訂或修正，是不必也不該太過於「依靠自已的觀念」的。

大陸文壇萬花筒

人道與畜生道

——岳騫——

就當中共在大陸大門巴人的同時，人道主義卻大為流行，更難得的是倡言人道主義的作者，都是共產黨員，而且也多是新進作家，都是在共產黨新社會中成長的，現在居然和共產主義對立起來，中共焉得不驚，對於始作俑者的巴人，自然更不肯放過了。

整個大陸有多少作家、學者在提倡人道主義，無法全部知道，但每一個角落裏都有，任何一個刊物上都能遇見。就以上海而論，最近舉行的中國作家協會上海分會會員大會時，會經鬥爭了蔣孔陽，錢谷融，任鈞等。據大會上所宣佈的罪狀是「極個別的人的修正主義觀點。他們貶低社會主義文學的成就，認為社會主義文學沒有創造出典型人物形象，並且也不可能創造出典型形象；他們反對文學為無產階級政治服務，強調美必須要超現實，超階級，超政治，如果具有實用作用，為革命需要服務，就談不到美；他們大肆宣揚資產階級人道主義，抹煞無產階級人道主義和資產階級人道主義的根本區別，要求社會主義文學表現資產階級的人道主義思想；……」

這一段話若剔掉共產黨的「切口」，可以看出他們要求的文學作品應該是真的形象，美的描述，善的人生。根據這個觀點加以發揮，可以變成一篇文化界很有力的反共宣言，自然擊中了共黨的要害，所以中共最近出動一級爪牙，來清算「人道主義」。

中共文化部副部長錢俊瑞（此君是中共目前高級文化幹部中，唯一可與「文化總管」周揚「拘手瓜」的人物，以後有機會再談）在替列寧作九十歲冥壽時，寫了一篇「堅持文學的黨性原則，徹底批判現代修正主義」一文，其中提到「人道主義」，錢俊瑞先把人道主義痛罵一頓，然後自問自答的答：「你們難道全面地反對人道主義？不！我們反對的只是資產階級的偽善的人道主義。」為什麼反對「人道主義」。據錢俊瑞說，因為人道主義越發展，「社會主義和共產主義事業便越遭受嚴重損害。」這到是實話，因為共產主義就是要把全世界的人都引進畜生道去，但是人道主義光輝一日不滅，畜生道的人們終究必有升天的日子。

釋耒集

經組堂雜志載：「趙子固、向伯升，太原人。携家南渡，各有中原田契兩籍，其初日望恢復，憑契復業，至今七十餘年，竟成無用。」昔者齊師伐魯，孔子曰：「夫魯，墳墓所在，父母之國也，其危如此，二三子何爲而莫出也。」祖宗廬墓田園之所在，雖聖爲孔子，猶不能恝然置之，則趙子固、向伯升，繼繼於田契兩籍，日望復業，固人情之常，而終至於七十年之久，竟成無用，則惟之過乎？讀舊廿二史箚記，論宋南渡後，亦未嘗無可乘之機，其一在金廢劉豫，以地予宋，而兀朮又興兵來取之時，宋則劉錡有順昌之捷，韓世忠圍淮陽有泇口鎮，潭城，千秋湖之捷，岳飛有郾城之捷，潁昌之捷，已進軍至朱仙鎮，且曰直搗黃龍，與諸君痛飲耳，吳璘在蜀，亦有石壁砦，百通坊，剡家灣，臘家城之捷，使乘此勢，策勵諸將進兵，河以北雖不可知，而陝西河南地，未必不可得，乃當時君相，方急於求成，遽令班師，遂成畫淮之局。此一失也。其一在金主亮，瓜洲被弒之後，軍潰而歸，中原鼎沸，南有魏勝，李寶之起義，北有移刺窩斡之叛亂，金世宗雖賢，登極未久，國勢易搖。宋則孝宗爲君，張浚爲相，皆銳意恢復者，使有韓、岳諸人，以訓練之兵，討離攜之衆，自當大有克捷，而諸宿將已無在者，僅一劉錡，老病垂死，吳璘亦暮氣不捷，所恃李顯忠、邵宏淵輩，望輕才薄，纔得靈虹，至宿州輒大潰，於是三京終不可復，此又一失也。考諸國史，孝宗乾道六年，曾以范成大使金，求讓還歷代帝皇陵寢所在地予宋，而卒無結果，是孝宗固未嘗忘懷祖宗墳墓也，然機會之來，稍縱即逝，人生壽非金石，則南宋之所以終不能恢復者也。范回國後，感慨至深，曾撰爲攬轡錄一書，陸游讀之，感其事作詩曰：「公卿有黨排宗澤，帷幄無人用岳飛，遺老不應知此恨，亦逢漢節解沾衣。」近時閱報，聞見報導行政院所擬閣員名字，均屬在大陸時即已熟知之人物，夫劉錡、吳璘，未必非英雄，而及其老病垂死，即勢不免於暮氣不振，宗澤、岳飛，淹忽遂爲陳跡，淪陷區遺老，對宋使而涕泗沾衣，其亦絕望於光復而已。因憶陸游追感往事，亦有詩曰：「諸公可嘆善謀身，誤國當時豈一秦，不望夷吾出江左，新亭對泣亦無人。」善於謀身者，往往疏於謀國，而謀身之不暇，則勢遂致於對泣無人乎？

謀身與謀國

曲齋

詞林雜憶之二

休問，石投東海幾時迴

丁雨

我國文人，自屈原而降，以懷才不遇，天降百凶，終致自沉者，代不乏人，就民國而論，其于詞學界，卓然有所樹立，足以表見當世並啓迪後昆者，即前有王國維，後有喬大壯，尤以喬氏之喪，非激于家國大變，而有近于小人之媒孽，此則吾尤所深致其痛惜與太息之情者也。

關于喬氏之死因，說者莫衷一致。然就余所知，則有關中央大學某方面人事措置之乖方，殆爲其一因。蓋自抗日勝利還都翌年，中大內部以派系傾軋之故，致于某方面人事發生頗大之更動。喬氏對此即會深致其憤慨與不滿，尋且拂袖而去，改就台灣大學教職，雖以系方之再三挽留不顧也。系方爲此，曾改聘平日頗爲喬氏所推許之某氏繼其職，以安諸生反側。但台省氣候炎熱，于身體素爲羸弱之喬氏，頗不適宜，且以酒、茶欠佳，尤使其不能久居。故當翌年春末，彼即曾函致京中友好，言及于此，意欲北歸。旋即揣返上海。但此時喬氏以旣離台大教職，未便續支該校薪水，致經濟不無拮据。旋且以某氏來見，言下透出欲其勿再返中大任教之意，于喬氏平日之爲人，全不了解，且有類乎妄測，益增喬氏憤激，而不久，喬氏即以自沉蘇州河聞矣。

然余于此猶有說者，當喬氏未離台灣時，曾函致中大某生，中附定風波詞一首，其末句有云：「休問，石投東海幾時迴」。是則其抱懷沙必死之決心，固由來頗久，此觀于余上文所云亦約略可予推知，而非始于自台北返後也。傷心人別有懷抱，其有激于中大人事之變遷，蓋僅其近因與導火綫耳。

聞喬氏自沉時，曾致函其家屬，並附以詩句云：「此地此時成絕命，瀟瀟暮雨在蘇州。」意戾而辭清，詞人薄命，千古如斯，尤當爲天下斯文，同聲一哭。

詩詞漫談：詩讖

長安居

詩語成讖，古已有之，昔人每從詩中判斷人家的吉凶禍福，亦多能言中，此中玄妙之處，誠不可思議者。

「老學庵筆記」載：「李後主落花詩云：鶯狂應有限，蝶舞已無多。未幾亡國。宋子京亦有落花詩云：香隨蜂蜜盡，紅入燕眠乾。亦不久下世。詩讖蓋有之矣。」

五代時，吳人范據之子，七歲能詩，贈隱者云：「掃葉隨風便，澆花趁日陰。」他的朋友看到這句詩說道：「這孩子他年必定成名。」待讀到他的夏日詩：「閒雲生不雨，病葉落非秋，」不禁皺眉道：「可惜了，可惜了，有這樣好的詩才，就怕他不能長壽。」果然，三年之後，這孩子就去世了。詩讖倒眞是有的。

「詩話總龜」載：「何昌齡宰廬陵郡，郡有衙將揚克儉，能媚州牧。昌齡以兄事之，嘗遊其池館，貽之詩云：「經旬因雨不重來，門有蛛絲徑有苔。再向白蓮亭上望，不知草木爲誰開？」未幾，克儉因事蹈死刑，其家破焉，識者以爲其詩之讖也。」

關於詩讖之事，古書上載的很多。要加以圓滿解釋，殊不容易。如果要勉強的去分析，只能說是詩爲心聲，我們從詩句窺見作者內心的思潮起伏，再從此種心理狀態，去推測其未來。不幸而言中，則認爲這是詩讖；若果不中呢，不中總是好事，當然沒有誰筆之於書的。因此，在一切詩話中所看到的詩讖，都是屬於已經應驗過的，正如同醫生治愈病人的紀錄，星相家爲人卜休咎的紀錄一樣。

然而，也有不可思議之事，爲筆者所親見。說起來，那是民國三十七年的事了。筆者客居南京，一日，接喬大壯先生來函，（喬先生，四川華陽人，名詞人，會任中央大學詞學教授。卅六年去台，任台大教席，筆者肄業中大時，喬授美成詞。）中附近作「定風波」詞，末句云：「休問，石投東海幾時迴？」余友李敦勤君見之，拍案叫好，許爲佳句，但我獨戚然，一種莫明其妙的思潮，掠過我的腦海。李君見余不樂，忙問道：「怎麼啦，你認爲大壯師這首詞作得不好嗎？」（李君亦爲喬師大壯之弟子）我苦笑一聲道：「詞倒是作得很好的，只是末句有問題。你想一想，休問，石投東海幾時迴，這樣的句子，是不是隱示着大壯師會有投水自盡的可能呢？」李君不以爲然，還笑我空担心事，我當時亦不便多說，只是在心中總有一種不安之感。詎知不到半年，而大壯師竟以在蘇州投水自盡聞。

消息傳來，我們都不大相信，可是，三天之後，終於證實了。誰也不知道他是什麼時候來到蘇州的，事後調查，纔知道他是特地從台灣跑到蘇州來投水。來到蘇州之後，寫了一封很長的信，由郵寄發他的兒女，還寫了一首絕命詩，中有「此地此時成絕命，蕭蕭暮雨在蘇州」之句，就在此信寄出去的當天晚上，此一代詞人就投水自盡。

大壯師以詞聞於時，重濳氣內轉，工力直逼美成白石。（本刊同文丁雨先生在上期詞林雜憶之一中已說得很多，這裏不多分析。）平日頗贊賞王國維之論詞，不料王國維先生以投水逝世，而喬師竟又步其後塵。六十之年，道德文章蓋一世，居然要投河自盡，這究竟是甚麼原因呢？是不是痛感身世飄零，國事蜩螗，而生厭世之念呢？

「休問，石投東海幾時迴？」幾時迴竟成爲永不再回來了！所謂「詩讖」也者，難道眞有這回事嗎？

是的，詩讖眞是有的。一個人，當他對未來的安排有了一種什麼動機的時候，他也會有意無意之間，在詩詞裏面流露出來的。我們從這些流露出來的詩句，多少可以看得出作者的心機。在古代帝王時代中，有一些詩人詞人，或以一詩一詞而賈禍，老實說，除了那些有意羅織而，意圖陷害的不說而外，其他也是相差不會太遠的啊！

海嘯廔談薈

桂軍與共諜關係（下）

對日抗戰結束後，白氏在中樞既歷要職，劉仲容依然是白氏唯一的親信幹部，劉平日在白公館出進，不特可以自由穿闥入室，如須休息，且可以假寐於白氏的臥榻上，關係之密切，有如此者。民國卅七八年之交，徐蚌會戰時，我軍在皖境的一切行動（這時安徽省隸屬華中軍政長官統轄），如共黨皆事前即已洞悉其詳，黃維、邱清泉兵團之半途覆沒，即其明證。若不是共諜劉維章與劉仲容從中作祟，何至於此呢？尤其是安徽方面的軍情，關係整個戰局的勝敗之數，因爲此時我方的援軍，只有華中軍政長官所屬各部隊了。嗣後鄂豫各省參議會的反戰通電白崇禧對中樞陳述「三不可戰」的密電，乃至於華中軍政長官公署在武漢截留中央由四川運來的軍械米糧等事，我認爲都是劉仲容慫恿煽動而然的。共諜唯恐天下不亂，而李白等人只想利用時機以攫取政權，相信自己必不致爲共黨所擊敗。白氏明知劉仲容是共黨份子，但予智自雄，以爲憑着自己的聲望才幹與實力，即共產黨人亦會佩服崇拜，不敢隨便搗亂的。這就是白崇禧一敗塗地的基因，若說他故意縱容共黨倡亂禍國，却非持平之論，否則他就不會到台灣來了。白氏當年在海南島決定違難台灣之際，曾對左右說過幾句明心見性的話，他認爲「跟蔣總統相處縱然不得志，那是個人的榮辱問題，跟共黨鬥爭却是一個生死問題了！」

共諜劉斐等平時以高度的隱蔽方法，潛伏桂軍統帥左右，調悉軍政機密情事，再利用李白與中央的政治矛盾對立因素，施展「政治瓦解敵人」的魔術；戰時即乘機將桂軍一切動靜，隨時隨地密報於共方。職是之故，共諜乃先使敵人陷於政治瓦解而不自覺，最後纔將廿萬桂軍毫不費力的全部解決，做得既乾脆，又徹底，曷勝慨歎！據說毛澤東在北平初見劉斐時說道：「你的功勞最大！」實則劉仲容的勞績亦不在維章之下，假使他不把我們的「小諸葛」白將軍迷惑住，長江以南的戰事，共黨便不致那末容易得手，即令我軍最後撤至湘粵桂邊境與共軍周旋，至少至少亦決不會發生二十萬能征慣戰的桂軍，竟不戰而全體解甲被俘的怪像。昔時劉邦與項羽爭天下，劉謂「吾寧鬥智不鬥力」，今日我國軍人既好玩政治，然又迷信武力，認爲政治只不過是槍桿上的附屬品而已。整個神州陸沉之禍，就是從這一念之差產生出來的，李白固然如此，其他的袞袞諸公又何嘗異乎是呢？吾述至此，眞不勝其「後人無暇自哀，又使後人復哀後人」的隱痛，能不悲哉！

諸葛文侯

文壇軼話

懷李承晚

道南

韓國已辭職赴美的總統李承晚，他早歲在美攻讀哲學，獲得博士學位，可算是哲學家總統。韓國此次政變，突如其來，令人如墮入五里霧中，莫明究竟，李氏在傷感之餘，亦或許有不得不去美之苦衷。

李氏對於中國文學，夙有偏好，造詣也頗深。當早年逃亡到中國時，曾遊錢塘江，觸景生情，作下七律一首，亦殊可誦。詩曰：

「錢塘景色飽聞名，此日登臨暢客情。古塔西南平野色；瓊樓日夜大江聲。山圍南越千年地；橋出東韓萬里程。獨立斜陽聊極目，征帆落處暮煙生。」

所以當他八旬大壽時，他特別向自由中國的詩人，徵詩爲壽，一時獻詩者頗多，琳琅滿目，美不勝收，謹茲錄女詩人張默君的五言古風一首云：

「大韓一海宇，千禩崇其封，明德聖之徒，忠勇流遺風。倏焉遭倭亂，九世邦國仇，雪恥倡復國，公竟人中龍。儒女奇俠武，甲兵羅錦胸。松筠秉至操，金石堅深衷。哀涕感秦庭，義聲來白宮，得中動天人，殷民三后功。驚霆撫奇變，赤馘摩蒼穹。華韓緊唇齒，砥柱東溟東。兩賢運神樞，抵掌噓長虹。極國斯極節，廓然天下公。變鬢鴨江綠，玉是童顏紅。仁者壽無疆，萬代昇平隆。」

張默君的善頌善禱，老人當亦顧而樂之，乃不料復國之功未竟，李承晚又以去國聞，事變滄桑，曷勝嘆息！

僑務委員會核發台教新字第三二三號登記證

自由報

中華郵政台字第一二八二號登記為第一類新聞紙類

內政部頒發僑台報字第零叁壹號內銷證

THE FREE NEWS

半週刊每星期三、六出版

第三十六期

每份港幣壹毫
台灣零售價新台幣二元

社　長：雷嘯岑
督印人：黃行奮

社址：香港銅鑼灣高士威道二十號四樓
20 Causeway Rd. 3rd. Fl.
HONG KONG
TEL. 771726
電報掛號：7191

承印者：田風印刷廠
地址：香港高士打道221號

台灣分社
台北市西寧南路110號二樓
電話：三〇三四六
台郵撥儲金戶九二五二

為艾森豪總統進一解
——歡迎艾總統訪華——

雷嘯岑

美國總統艾森豪先生今天到達台灣，訪問自由中國的朝野人士，我們謹以海外華僑社會的自由職業者身份，對於盟邦元首此行，表示誠摯的歡迎之忱，也願據述一些感想。

中國自一八四二年經過鴉片戰爭之役，海禁大開以來，百餘年間飽受世界列强的淩轢擾害，陷於極貧極弱，俯仰由人的生存環境中。唯有美國對我們始終保持着友好的邦交，有時候且為中國問題仗義執言，深抱不平，甚至不惜冒戰爭的危險，拔刀相助，史事昭彰，歷歷可考。中國人認為美國乃是全球之中唯一可親可信、而又緩急可恃的友邦，毫無疑問。可是，到了二次大戰結束後，中美兩國為着中國共產黨釀亂問題，看法不同，主張互異，馴致招來毛共竊據中國大陸的奇禍，兩國的交誼亦因此暗受損傷，還不如過去的親密和諧程度了。這責任固然不能完全諉之於美國身上，我們自己的人謀不臧，實屬咎無可辭。但美國當局昧於俄式共產主義的本質與作風，狃於西方一般民主政治的生活習慣，誤認中共祇是一個社會改革運動者，以為藉此可使中國政治進步到現代化的民主憲政階段，乃從而鼓勵、讚許之，不遑間接打擊我政府的戡亂計劃和行動，却為無可否認的事實。迨艾森豪總統入主白宮之初，即宣佈解除「台灣中立化」政策，說是美國第七艦隊不復庇護中共的安全，美國對自由中國政府的軍經援助亦已逐漸加強，中國人以為美國對華政策從此翻然改觀，將與過去以全力支持我們對日抗戰的情形，後先媲美，使我們克奏反共救國之功了。然而，歲月蹉跎，局勢演化，艾森豪總統既以「中美安全互助協定」限制我們反共救國的軍事行動，又以外交方法勸我們同意「不以武力反攻大陸」的聯合聲明，而所謂「台灣共和國」計劃，不特隨時喧騰於美國輿論界和一般政治人物之口，且見之於若干官方和民間的文字紀錄，是誠何心，殊難索解。

假使俄酋赫魯曉夫不藉着U—2飛機事件而使巴黎高峯會議臨盆夭折的話，我們相信艾森豪先生對中共的姑息妥協計劃將予嘗試，所謂「台灣共和國」或亦呼之欲出哩！這決非我們神經過敏的逆臆之詞，祇看艾總統在未受到赫魯曉夫的無禮侮辱之前，堅決表示無暇到台灣訪問的避嫌心情，即可領悟了。俄共集團為實行「世界革命」計劃，而採取大力反美的攻堅策略，固係應有之義，毫不足奇，在二次大戰以前，英國居於世界盟主地位，俄帝即以反英為外交準則，盲目反英，二次大戰以後，美國已取英國地位而代之，俄帝乃以反美為急務，情迹至為顯著。美國幻想能與俄共集團「和平共存」永遠保持着本國的安全繁榮生活，而欲在亞洲方面跟中共妥協聯歡，互不侵犯，避免戰爭，寧非淺薄幼稚的思想嗎？如果犧牲一些弱小國家民族的生存利益，眞可以換取大多數人類的和平康樂幸福，那也就是無可奈何的事，歷史上這類例證幷不是沒有的，然非所語於以征服全人類為使命的共產主義者。一九一七——一八年之交，英法政府出賣俄國反共的「遠東共和國」，讓列寧政權趨於鞏固，進而統一全國，如今所得到的報應是怎樣的呢？自由世界與俄共集團的鬥爭，原是一場思想戰，應以政治理想為指導原則，大家才可以精誠團結，互信互諒地一致奮鬥，到底不懈。美國現時領導自由世界反共運動的政治理想，究竟是些甚末內容，令人不無慎惑之感，空洞的「民主自由」口號，只是一種模糊的概念而已。共產主義者教人們犧牲本身的安樂生活，為下一代創造幸福，自由世界的領導者若以犧牲弱小國家民族的生存權益，來還就強大國家一時的利害關係，「唯之與阿，相去幾何」，這樣的政治理想，能教自由人類信從不貳嗎？許多弱小國家由獨立反共非共而改取中立親共媚共政策，就是對於美國的領導方法發生疑懼而然的。艾克總統對於這類中立國家的政府當局，曾經大加贊許，說美國亦是從中立主義發展起來的，然則美國平日號召自由世界團結反共，強調集體安全之說，其意何居乎？人類每由一種生存發展的理想而構成強烈的希望，因希望而建立信仰，從信仰而產生行動的熱力。目前中國人民生存發展的最高理想，是反共產奴役生活，而以光復大陸、解放全國同胞為唯一的希望，然美國乃教我們放棄反共復國的軍事行動，苟安台灣一隅，坐待共產暴政之自行崩潰，且擬以「台灣共和國」為最後安身立命之所。這是把中國五億人民所具有的強烈希望予以破滅了！希望既告幻滅，又怎能激發反共鬥爭的熱力呢？

我們並非好戰主義者，亦瞭解美國在自由世界各地區所担負的軍事義務確屬沉重，牽一發而動全局，戰爭不是隨便可以從事的，因而決不希望美國專為我們的反攻復國運動，挺身參戰，舍已從人。可是，對於我政府討共戡亂的軍事行動，美國充其量聲明不介入也就夠了，根本限制束縛着我們自己對內討伐叛逆的軍事動作，謂為避免引起世界大戰，毋乃太過於恇怯小心吧？美國對華實施軍經援助的最大目的，如果祇在保持台灣這塊軍事基地，那就是專為友邦的片面利益打算，跟中國人的志願相鑿枘，中國人感覺自身沒有前途，也就可以放棄反共運動而改趨中立路綫。假使全世界的自由國家皆採取中立政策，美國很自然地便陷於俄共集團所期望的孤立境遇了。誠然，美國係民主國家，政府不能隨便違背民意，而在國際間採取重大的行動。但美國總統亦有領導輿論和創進國家最高地位和榮譽的權力，如第一次大戰時，民主黨總統候選人威爾遜以不參戰為競選的政見，人民翕然擁護，迨他獲選總統後，即藉口德國無限制的潛艇戰爭衛為，實行參戰了。二次大戰時，羅斯福總統先行創立反納粹主義的「防疫」理論，竭力鼓吹，作為參戰的基本論據，引起民意景從，而美國不但實行參戰，且以民主國家的兵工廠自任。美國今日富強甲於全球，躍居自由世界盟主地位，就是憑這兩次參戰結果而來的。

現時俄共集團的反美宣傳，勢所必至，理有固然，但若干接受美援，締結安全互助條約的自由地區，亦遍聞「反美」之聲，甚至美軍佔領着的軍事據點如冲繩島人民，也有反美表示，這是甚末原故，實在是値得美國當局愼思明辨，加以反省的事。我們中國人素來服膺儒學「以德報怨」的忠恕之道，決無反美的意念，艾克先生此番訪問遠東各國時，必可體驗到我們的說法並非虛僑。所以，我們很坦白而直率的披瀝所見，聊貢諍言，作為歡迎之詞，或許與艾總統出發訪問遠東前夕發表的文告中，說此行最高目標，「乃為改善國際關係，取得諒解」的用意不無裨益也。

顧而之他！

小鍋天下

△艾森豪訪非律賓，下機伊始，發表演說，開首便提及「我的舊上司」麥克阿瑟將軍。「十二金牌」之屈，其可稍伸矣乎？

△西藏炮火連天，無人瞅睬。東京叫喊連天，大國愁覷。

此不是東風壓倒西風，而是冷戰壓倒熱戰。

△東京暴動發生血案，艾森豪訪日受阻。「花徑昔曾緣客掃，蓬門今不為君開」。此一齣「嫁女聯」，可持贈日美締交百年紀念。

△西德總理阿登諾對記者稱：赫魯曉夫破壞高峯會議後，已贏得在亞洲更高之地位；復稱：歐洲人太過注意自己而忽視他方。

此公頭腦獨醒，怪不得常被赫魯曉夫醜詆痛罵了。

△日本左派份子聽受俄共及中共唆擺，在東京狂呼反美，中共命令在香港的尾巴報紙發動反日宣傳，却將當年日本侵華暴行從頭細算，把整個日本罵得狗血淋頭。

叫日本人在東京反美，叫香港中國人反日，兩反相乘，辯證之正。得其所哉！

△星加坡建國一週年，執政黨的左傾幼稚病似有逐漸痊愈之望。共產黨吃了一次無聲的敗仗。

△香港鋁質製品，在星加坡市場打倒大陸中共同樣的製品。

在沒有自由的地方生產的東西，不能適應自由貿易市場的競爭。

△由香港郵寄大陸的糧食包紛被打回，苦了綠衣使者的脚。大陸撥賑香港風災難民食米五十萬斤，苦了難民的心。

閉着眼睛和掩着良心去做宣傳不難，難在使人也閉着眼睛和掩着良心去接受宣傳。

△最近大陸人民最怕三腫——頭腫，肚腫，脚腫。

吃得肥肥胖胖的毛澤東及其新貴們當然懶管。

「共幹合肥天下腫」，肥與腫決不難分。

△香港近多風雨，「瑪麗」風姨似有餘威，談者猶多變色。

「瑪麗」如早來五六年，容納百萬難民的木屋區何堪設想？

仰瞻徙置廈，當思葛量洪。

△由大陸罷遊返英之蒙哥馬利將軍，已更加成功為一位「怪論專家」。

美有工業家伊頓，英有蒙哥馬利將軍，經常糟蹋新聞電訊費用與報紙篇幅，莫斯科及北平卻無須付出半文廣告費。

我則寃哉枉也，彼則何幸如之！

方南

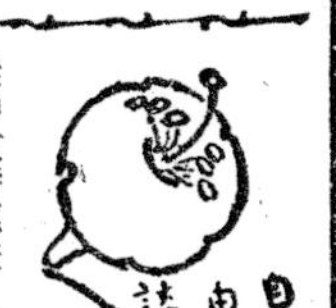

自由談

三帝救國論

馬五先生

有人說：現階段中華民國國運雖然艱屯，但有「三帝」之力從中支持照援，絕對能夠復興的。何以言之呢？

首先是咱們老祖宗黃帝之力。他於建構中華民族的國家組織之後，即有倉頡先生創造一套中國文字，奠立了中國文化的強大基礎，歷五千年而不敝，使中華民族永遠屹立着，不為異族所同化而泯沒之。近十年來，毛共要想徹底消滅中華民族的固有文化，嘗試廢棄漢文的方塊字，易以拼音而橫行的拉丁文字，終於心勞日拙，扞格難行，即其所謂簡體字運動亦行不通，有如蚍蜉之撼大樹，枉費氣力而已。這證明中國固有文化的潛力，根基深厚，亘萬古而光芒照耀，如日月經天，永垂人間。

其次是俄共集團所指戟仇視的「美帝」之力。自由人類反共產極權奴役運動，已經形成國際間的集體安危關係，無可分割了。美國以其強大無比的國力，領導自由人類的反共鬥爭，使俄共集團的世界革命陰謀，終不得逞。只要美國不被俄共們征服，自由人類即不會淪於奴役生活中。中華民國既屬自由世界之一員，當然獨立生存，進而乘機光復中原，還我河山無疑也。

再次就是間接得力於俄帝的意外幫忙。我們試回憶近十年間的往事：當毛共竊據中國大陸，僭立偽政權之初，美國民主黨政府極力向毛共邀好親近，只要毛共不反美，即願意以四十億美元援助其建設。若不是史達林掀起韓戰，教毛共負弩前驅，而讓中華民國政府在台灣生聚教訓，整軍經武，擁有強壯的自衛力量，又激使美國以海空軍東來協防的話，情勢還堪設想嗎？迨史魔暴死以後，俄酋赫魯曉夫倡其「和平共存」論調，美英各國當局欣然附和，且主張邀約毛共先行參加國際裁軍會議。假使赫酋不因U—2飛機事件而大發神經，四國高峯會議舉行如儀，大家眞是依照談判方式以期解決世界問題時，中華民國便有被犧牲出賣的極大可能性！由於俄帝的胡行妄為，使美英的妥協姑息思想歸於幻滅，間接對中華民國的生存發展，能說不是幫忙很大嗎？

有黃帝為主力，「美帝」為友軍，又承俄帝隨時間接贊助，中華民國前途，永遠是光明的。夫是之謂「三帝救國論」。

從印尼國會看印尼政局

周郎

本報特稿

印尼第一屆「制憲國會」成立於一九五六年，任期原為六年，但蘇嘉諾於一九六〇年初頒佈第三號法令加以解散；並於同年三月卅日公佈其所組成之新國會即「通力合作」國會之全部議員名單，這在印尼政治上是一件大事，影響今後印尼之民主制度及政治動向很大，且讓我們加以詳細的檢討。

印尼第一屆「制憲國會」產生於一九五六年，是由全國選民在自由選舉的空氣中，選出其所喜愛的政黨，再由各政黨員競選為國會議員。在選舉的過程中，各政黨曾各自將其政治主張及對人民的諾言，在普選期中，向全國人民宣示，作公開的競選，人民眞不停工停業，踴躍投票，表現了良好的民主風氣，故第一屆制憲國會的產生，可以說是印尼民主精神良好的表現，也是印尼政治史上的創舉，西方民主國家亦加以讚美，認為是一件難能可貴的工作。在該次選舉前後，政府曾支出三億盾的選舉費用，各政黨間的競選費用尚不在內，足見印尼官方與人民對該次選舉的重視。

第一屆「制憲國會」擁有席位二百六十席，國民黨佔五十席，馬斯友美黨佔五十席，神學會三十席，印尼共產黨佔三十四席，其他席位歸各小黨，馬斯友美黨是印尼最反共的政黨，國民黨雖然有部分黨員親共，但反共的黨員仍佔多數，神學會是純回教政黨，本質上是反共的，其他各小黨如基督教黨，天主教黨，社會黨等也是反共的，至於左翼政黨自然以印尼共產黨為首，尚有平民黨，農民黨，國家勞工黨等，但都因所佔席位不多，在國會中起不了作用，而反共勢力佔絕大多數。

正因為「制憲國會」中的反共勢力佔優勢，因此，對政府的施政方針，甚至對總統的牽制力量是相當大的。尤其是當蘇門答臘北部革命政府，以及蘇拉威西共同誓約政府公開反抗政府以後，馬斯友美黨，社會黨以及其他反共政黨，經常以反對黨身分，在國會中批評政府，阻撓政府的政策，因此制憲國會，就成為政府及蘇嘉諾的眼中釘，根據一九四五年憲法而加以解散了。

至於「通力合作國會」的產生，並非係由人民的公開選舉而是由蘇嘉諾所一手指定的。它的全部議員共有二百六十一名：政黨議員一百三十名，武裝部隊議員三十五名，職務派議員九十五名及西伊里安代表一名，所謂政黨議員席位是指定政黨中人為議員，計國民黨四十四名，神學會三十六名，印共黨三十名，基督教黨六名，天主教黨五名，印尼回教黨五人，回教行動黨二人，平民黨一人，印尼黨一人，所謂武裝部隊議員席位是由海陸空警及自衛團現任軍人中指定之，計陸軍十五名，空軍七名，海軍七名，警察五人，鄉自衛團一人，共三十五名。所謂職務派議員席位是指定下面各階層中人士為議員。計農民二十五名，勞工二十五名，回教士十八名，基督教士三名，天主教士二名，峇厘印度教士二名，青年六名，婦女六名，專家五名，合作社三名，民族商二人四名，五年獨立革命隊伍代表二人，退伍軍人二人，藝術家二人，新聞記者二人，西伊里安代表一人。

從上面五花八門的「通力合作國會」議員席位的分配看來，我們得到的印像是：（一）反共最力的馬斯友美黨及人才最盛的社會黨，竟沒有一人被指定為議員。（二）反共的陸軍被指定為議員的祇有十五人。（三）印尼共產黨議員竟佔三十名。（四）職務派中的議員為農民、勞工、青年、婦女、合作社等，都是印共黨員的化身。（五）國民黨，神學會黨，平民黨，鄉自衛團中的議員有許多是印共的同路人。因此，整個國會，已是印共黨的天下了。

如所週知，國會是表達人民心聲的場所。然而，像這麼一個國會，所有會議員既受一人所指定，又無反對黨的存在，它所代表的自然不是千萬印尼人民的心聲；而是蘇嘉諾一人的意志。在另一方面，由於共產黨及准共產黨的充斥，它所代表的不是崇尚自由的印尼全體人民的公意；而是代表着一羣通力合作，一心想赤化印尼的共產黨徒的陰謀。

自從蘇嘉諾公佈了這通力合作國會的議員名單後，印尼有識之士，莫不搖頭歎息，認為是蘇嘉諾走向獨裁路線，向共產主義一面倒的有力明證，隨着而來的反應是：（一）神學會政黨中讚成與反對的兩派已開分裂，反對的以達蘭 Dahlan Masjkur 為首，反對通力合作國會的成立，同時要退出該國會，贊成的以依威 Idham Chalik 為首贊成該國會的成立。這一分裂現像已逐漸擴大。（二）印尼國民黨中亦有此一現像。（三）武裝部隊，尤其是陸軍，對共產黨在國會中佔絕大優勢，有着失望而不滿的態度。（四）散佈各地的馬斯友美黨黨員，以及各黨各派黨員，聯合一致，成立「維護民主委員會」的，在西爪哇理事會一次會議中已決議要求蘇嘉諾收回成命，不要解散「制憲國會」。在本月十三日泗水「維護民主委員會」分行會議時有百餘名擁護「通力合作國會」的青年衝入會場大打特打，以致「維護民主委員會」人員多人受傷入院，因此，贊成擁護兩派已公開衝突了，而這種衝突不過是開始而已！

總之，蘇嘉諾這次解散民選的「制憲國會」及組成受指定的「通力合作國會」，除了受到人民的反對和憎惡以外；還必然地要受到印共黨的操縱與牽制，這實在是愚蠢的，今後印尼的政局更要走向紛亂、貧窮、專制、苦難的深淵了。

台灣民營企業發展的新趨勢（一）

許其京

自由中國今後經濟之發展，將以發展民營企業為主，第二期四年經濟建設計劃，將於民國四十九年年底屆滿，現正根據第一、第二兩期四年經濟建設計劃執行成果，及其現實經濟情況，制訂第三期四年經濟建設計劃，其所依據的原則之一，為：「盡量發展民營企業，公營企業中除電力、肥料、石油與糖以外，其餘停止擴充，並在實際情形許可下，逐步出售民營。」（見三月廿六日聯合報）據聞今日政府，已根據此一原則，為平衡財政收支，決定採取下列各種措施：①今後不再對公營事業增加資本支出；②對公營事業，貸款盡量減少；③若干非必要的公營事業決定開放民營；④政府在民營企業中之官股決定出售。因之，政府決定先將四大紡織公司——中紡、雍興、中本、台北紡織公司——移轉民營，尚有台鋁、水泥等公司官股，亦將相繼出售於民營。

第三期四年經濟建設計劃之建設資金，據經濟部估計：「共需新台幣四百五十億元，其中農業佔八十五億，工業佔二百億；就工業本身而言，礦業需十六億，製造業需一百廿億，電力約需五十六億。此四百五十億元的建設資金，必須先造成有利的投資環境，以吸收國內外私人資金來台投資。」「第三期四年經濟建設計劃，即將擬妥，其中所感到的最大阻礙，就是資金短絀。政府亦應採取各種措施，以便利國內外人士的投資，否則，再好的計劃，沒有錢，亦難實現。」（四月一日聯合報）

發展台灣民營企業，為今日政府既定的政策，且為美國所支持，美國安全分署署長郝樂遜氏強調：「美國為了加速援助自由中國之經濟發展，將給予更多貸款，且以台灣當地的工業發展，為優先條件。」（四月一日聯合報）現在逐漸付諸實施的『加速發展經濟計劃』是美國經援中國優先努力支持的，這個計劃是供給更多貸款，達到自給自足的目標，不是以年度援助在一固定數目上為基準的。」「『加速發展經濟計劃』是否能到自給自足的目標，現在尚說不到。但這計劃的主要目標，是首先在參加中國經濟發展的能量。假如一切都照希望出現，則貸款是不成問題的。」「『加速發展經濟計劃』的重點，將放在私人工業上，美國已提供大批資金給中華開發信託公司，儲運貸放工業所需資金。唯一的限制是某些應優先擴充的業務與健全計劃，應儘先得到援助。中華開發信託公司把所有的資金貸放以後，也有希望得到更多的資金補充。」（四月一日聯合報）

事實上，中華開發信託公司，在美援支持下，今已接受了大量美援資金。該公司資本金，僅有新台幣八千萬元，先行收足者亦不過台幣四千萬元而已。該公司向美援運用委員會貸借「相對基金」達新台幣三億元之多。又向美國開發貸款基金借獲美元貸款一千萬美元之巨。

美援一九六〇年度小型民營工業新台幣貸款，業經商得美國駐華安全分署同意，將由華南、第一及彰化三家商業銀行轉貸。①貸款目的：用以誘導私人資本投資於小型民營工業，使能增加生產，減輕成本，改良品質，增加就業機會，故發展國際貿易。②貸款金額：美援相對基金項下撥出新台幣六千六百萬元，平均分貸與華南、第一、彰化等三間商業銀行，另由各該商業銀行參加配貸貸款總額之五分之一，三行合計新台幣八千二百五十萬元，由三家商業銀行轉貸與台灣小型民營工業。（見六月五日聯合報）

美國援外計劃主持人於四月一日向美國會院述辯說理由，說明：一九六一年新會計年度的共同安全計劃為什麼特別着重於對中華民國及南亞經濟發展的援助。國際合作總署署長雷德柏格氏在美衆院外交委員會作證稱：「自由中國政府，已經擬訂一項『加速經濟發展計劃』。此項計劃已經提交美國的代表攷慮。此項計劃中包括中華民國採取許多重要措施在內，例如：賦稅的改革，非通貨膨脹的財政和貨幣政策，比較放寬的外匯管制及公營企業之改為民營等。」雷氏又稱：「中華民國政府計劃中的許多措施，應能促進私營企業及導致國內投資的增加。現在建議：共同安全計劃，在贈予和貸款的適當配合下，協助台灣以應付此種因投資增加所需要的外匯。這種大部由於民營企業的努力所獲致迅速發展的成就，將對遠東發生重大的影響。」（四月二日聯合報）

倫敦通訊

工黨的修憲運動

蕭謇

關心英國政黨政情的人目前在期待着一件大事，它的結果可以決定英國工黨的去向，領導人的去留，和該黨內部的團結問題。

這件事就是工黨全國執行委員會決定是否修改該黨黨章第四條，關於國有化的問題。

何以這樣一件有關原則的問題，會有這樣嚴重的後果呢，它的起因，至少要從去年十月英國大選工黨的慘敗談起。

去年十月英國大選，工黨以一百席之差，慘遭第三次失敗。十一月，該黨在英中西部海岸遊覽勝地布勒克蒲召開大會，檢討失敗的原因，黨魁蓋茨基爾發表了一篇爆炸性的演說。他說，工黨此次失敗，主要是工黨的國有化政策，受到保守黨的利用和誣衊。他們宣佈如果工黨當政，必將一切企業實行國有化，因之使選民產生一種錯誤和恐懼的心理。事實上，國有化雖然是工黨的一項不變政策，但是因為時代的潮流，社會的變遷，已使工黨不能固守四十年前的教條，應該採取一種國有和私有並存的合成經濟政策，因此該黨四十年前頒佈的憲章，其中第四條關於生產、分配、兌換一切方式都應該公有化的原則，已不切合現實。另一方面，今天有許多重大的問題，如殖民解放，種族關係，國際裁軍，全部就業，社會平等等，憲章第四條都沒有說明。因此，為了工黨的前途，為了糾正社會視聽，以免保守黨繼續攻訐起見，憲章中狹義的第四條，實有重新改寫的必要。

蓋茨基爾的議論一出，立刻受到左派黨員的激烈反對，「修正主義」、「偏差份子」、「放風箏」等名詞一片響。蓋茨基爾就像一隻耗子遇到羣貓一樣，如果不是最後貝萬出來圓場，幾乎無地自容。

反對蓋氏的工黨左派人士，多數是以前的貝萬派，他們的意見，綜合起來約有下列數端：（一）工黨立憲四十年來，歷經各次大選，有勝利也有失敗，從不因有第四條而發生影響。此次大選，工黨政綱上特別聲明該黨並沒有進一步國有化的計劃，所以把這次失敗歸咎於第四條是沒有根據的。（二）工黨的目標是社會化，社會化的手段就是公有，二者是不可分的。（三）工黨不實行社會主義的國有化政策，豈不和保守黨一樣，那麼選民又何必麻煩來選工黨呢。（四）目前工黨要解決的問題繁多，修憲並不是一件必要的工作。

以上工黨中左右兩派的意見，可說各有千秋。蓋茨基爾的主張和代表的，是一種革新的右派意見，受到工黨中有遠見之士的贊同。和他對立的，是工黨中極端的左派，包括許多重要的工黨幹部。形勢如此，兩派的拉鋸戰自不可避免。這個拉鋸戰自貝萬於十二月廿九日入院動腹部手術後，開始呈現尖銳化。

貝萬是工黨影子內閣中負責外交事務的，他和蓋茨基爾一九五六年的結合，是戰後工黨史上一個轉捩點。在黨中他是一個綜合左右兩派意見的最重要人物。

自貝萬入院開刀後，至一月中旬左右，病況突然惡化，成為全英注意的中心。

正在西印度羣島和美國一帶渡假的蓋茨基爾，也中途趕返倫敦，正當此時，有一個原任左派週刊「民友」的編輯，工黨黨員適克•傅特，在電視上發表談話，除極力攻擊蓋茨基爾的修憲主張外，并驟言蓋氏如達不到修憲的目的，必須自動辭職。傅特在這時提出這種建議是有原因的，因為工黨最高決策機構全國執行委員會，定於一月廿七日開會，討論是否修憲的問題。傅特的談話，立刻引起了普遍的注意。但是在一月廿七日工黨的全國執委會上，蓋氏因貝萬病重，提議暫時停止討論憲章的事，留待三月十六日召開特別會議，專門討論該案，獲得會議通過。

這一關算是過去了，以後的情形怎樣發展，留待下次再報導吧！

社會小說
香港地

四、高的低的

梅太太聽到有人喊她，才歇了話，匆匆的應聲跑去，半晌才回。梅大亮問這是什麼一回事，梅太太說出原由，却是爲了巷裏有一家兩兄弟吵架，鬧得不可開交，隣人一概調解不來，才喊梅太太去做和事老。原來梅太太在這一帶里巷裏面，說話很受人聽納，常被人無端的拉去做魯仲連，因此成爲一個出名的忙人。

梅大亮把那宗吵架的事詢問明白，才知得巷裏有一個姓胡的人家，一共住有母子三人，老母年過六十，人家喊她做胡媽，大哥名叫胡興，幹的是開鑛生涯，當初爲了想憑開鑛發財，竟把由內地携來的一筆資金，斷送在鑛穴裏面，以後便靠做鑛工來維持生活，經常要跑上鑛山，鑽入地洞，幹那種非常危險而又吃力的工作。他的弟弟胡盛，却是個不成材的傢伙，曾經跟大哥上過鑛山，混了一個短短時期，便染上吸毒吃白麵的惡癖。胡興見不是路，便把他趕出鑛山，廹他戒絕毒癮，寧願由自己多吃一點苦，負責供給他的生活費用。那知胡盛游手好閒，不改惡習，表面是聽從母親和哥哥的話，和白麵絕緣，其實仍然偷偷吸着吃着，在外面無所不爲，凡是可借的門路都走盡了，可押的東西都押光了，最後便向母親和哥哥身上的東西打主意，偷了一次又一次，事情發覺之後，幾乎把胡興氣得要死。因此，兄弟常常吵鬧。這回也是爲了吸毒和偷東西的事，兄弟兩人鬧得特別兇，才要勞煩梅太太去做調人，把事情平息下去。

關於木屋區裏，有人吸毒和販毒的壞風氣，梅大亮早就聽人說過，却未深深考究它的內幕。這時聽說胡家兄弟有這麼一宗事，便向太太說道：「吸毒有什麼好處？那個姓胡的弟弟也太不成話了。可眞難爲了他的哥哥。照這樣說，做哥哥的根本就不要理他，凡是自甘墮落的人，便索性由他墮落下去好了。你做他們的和事老，除了痛罵這個墮落的壞傢伙，還有其他什麼話好說？我眞不明白這種自尋死路的人，到底覺得吸毒有什麼難以割捨的滋味。」（卅六）

木客著

人名漫談（下）

汪學文

以「郎」「秀」「阿」命名——在「名」上最慣用之字，有「郎」、「秀」、「阿」等。「郎」與「秀」不僅常被絜于名，稱呼時亦恒用之。王應奎柳南隨筆卷五謂：「江陰湯廷尉公餘日錄云：明初閭里稱呼有二等，一曰秀，一曰郎。秀則故家右族，穎出之人，郎則微裔末流，羣小之謂。稱秀則曰某幾秀，稱郎則曰某幾郎，人自分定，不相逾越」。惟郎原爲年少男子之稱，江表傳曰：「策時年少，雖有位號，而士民皆呼爲孫郎」（見三國志吳志孫策傳）；至於「阿」字，其用也既久且廣，據日知錄載：「隸釋漢殺阬碑陰云：其間四十人，皆字其名而繫以阿字，如、陳興阿興，潘京阿京之類」，又辭海云：「魏晉以後，其風尤盛，或以絜其名，或以絜其字，或以絜其姓，後雖父母，亦絜以阿字；並可爲不定何人之詞，如云阿誰，今俗猶沿用之」。

此外，一般習慣則或法古今完人之名（如則堯、學孔），或取美德善行之旨（如志仁、尚義），以表其顧望。

名之命也，有出於己意，有出於父母或師長，亦有出於他人者。春秋傳云：「天子因生以賜姓」，賜姓實爲姓氏主要起源之一，而後世亦有賜名之事，明太祖出家時得汪劉二姓之助，稱帝後不僅封其家人作官，且曾賜其家人以名，其賜汪文劉英敕云：「今汪姓劉姓者見勤農於鄉里，其人尚未立名，特賜之以名曰文、曰英」（見明太祖文集卷五）。所命之名，無論出之於本人或他人，其取義要皆以善美是尚，然亦有出於惡意，或存心戲弄者，據黃溥閒中今古錄云：『有人告訴朱元璋，張士誠一輩子寵待文人，却上了文人的當，他原名九四，作了王爺後，要起一個官名，有人替他起名士誠。朱元璋說：「好啊，這名字不錯。」那人說：「不然，上大當了。孟子上有：士，誠小人也（按：士者，尹士也，齊人，見公孫丑篇），這句話也可以讀作：士誠，小人也。罵張士誠是小人，給人叫了半輩子小人，到死還不明白，眞是可憐」』。類此謔虐之事，或不乏其例。

名之取義龐雜，而名之種類亦繁多，除本名（或稱專名）外，尚有別名（或稱異名）。本名普通係由二字組成，但亦有一字者，俗稱單名；別名似可不受字數限制。本名通常爲人僅有一個，而別名則不然，數目既可多，種類亦因人而異，例如作家有筆名，明星有藝名等是，其較爲常見者有：

字——字者，表其取名之義也。今或亦云號。禮記檀弓云：「幼名，冠字，五十以伯仲，死謚，周道也」。疏曰：「始生三月而加名，故云幼名，年二十有爲人父之道，朋友等類不可復呼其名，故冠而加字」。又據章炳麟國故論衡云：「人生幼而有名，冠而爲之字，名字者，一言之殊號，名不可二，擧乳最多謂之字」。至於以字行者，其字即成爲本名矣。

號——人之別字曰號。周禮春官大祝云：「辨六號」，注曰：「號謂尊其名，更爲美稱焉」，因此書信上多慣稱對方之號。

渾名——又稱混名。陔餘叢考云：『世俗輕薄子，互相品目，輒有混號。呂氏春秋簡選：「夏桀號移大犧」，謂其多力能推牛倒也。此爲混號之始』。又辭海云：「混號有撮合夾雜之義，因其品目，必兼綜事實，雜寓譏嘲，辭義在隱顯之間，故云混號。混或亦作渾，雜也，又或作諢，諢爲弄言，此亦戲弄之事，故世俗渾諢二字皆習用，渾既同混，諢亦由混遞變者也」。

綽號——渾名含有嘲笑之意者。據北史載：魏古弼頭尖，太武帝常名曰筆頭，時人稱爲筆公。又辭海云：唐時稱李林甫曰李貓。渾名或綽號，雖多係他人背後稱呼時用之，但或因兼綜事實，或因辭義在隱顯之間，無傷大雅，當事人亦間有允許他人戲稱，甚至接受其爲字號者。

關於對人之稱呼，除戲稱渾名、綽號、與夫以官稱（如三閭大夫），以地稱（如韋蘇州）之外，往往有稱名不及姓者，如相如（藺相如）、了翁（宋何時）之類，其甚者每致姓氏轉而不顯，如八大山人（朱耷）是。古代男子大抵單稱名，或聯稱和字，貴族則多冠氏族名。古代女子大抵姓名兼稱，且係姓氏附于名後，如穆姬、武姜、厲嬀、敬姒、辰嬴之類是，其與西人制同，而與今日吾人「姓冠前、名殿後」之制適相反。姓前名後謂之姓名制，反之名前姓後，則似可名之曰「名姓制」，據說我國邊疆同胞中現仍存有此種「名姓制」。

（全文完）

赤壁

漁翁

赤壁有三，均屬湖北境，一在黃州，即今之黃岡縣，城西北有「赤鼻磯」，因山石垂下若鼻，色赤紅，故名。蘇東坡兩度泛舟夜遊，作前後赤壁賦以抒懷者，即此地也。一在嘉魚縣東北江濱，據水經注載：「江水右逕赤壁山」，爲當年劉備周瑜大破曹操軍之地點。一在武昌縣東南七十里，名「赤磯」，又稱「赤圻」。後之人讀赤壁賦，認合兵破曹處，即東坡所遊之地，其實乃筆者之誤，非親臨其境者莫辨，以東坡故，「赤鼻磯」已成爲今日之風景勝地矣。

赤壁門坊上，繪有「蘇東坡泛舟夜遊赤壁圖」，入內爲「二賦堂」，刻「前赤壁賦」，與「後赤壁賦」於其中，書法遒勁秀拔，與文章縱橫豪放，並稱爲二美。距「二賦堂」而近，曰「坡仙亭」，內有「化字塔」，據傳爲東坡讀書之所，「赤壁懷古」一首，在此地詠成，爲平生得意之傑作。陳維稷詩云：「黃州淡月照坡仙」，乃指東坡爲一飄飄者。再行數十武，有小亭名「睡仙」，爲東坡休息處，所遺石榻，今尚存。又有「景蘇閣」，因景仰蘇東坡而築也，閣牆上，嵌東坡墨蹟多起，詩文飄逸不羣，書體亦別具一格，成爲歷史上永垂不朽之文化古蹟，每爲遊人低徊流連不忍去。

山川風物

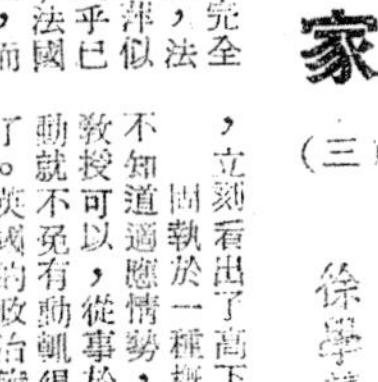

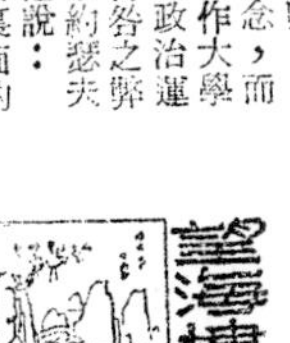

望海樓隨筆

政治家（三）

徐學慧

所謂政治家的權術，並非用在權位的傾軋上，或用於個人利益的維護上，眞正懂得運用權術的人，當一件法案提到議會要求通過而遭受各方面反對的時候，就必得要運用權術了。

當用者不用，不當用者濫用，凡此皆屬於不懂政治。再確切一點說，是不懂民主政治的運動。

在紙上談民主，大概只要三十年教育，可能人人會談。但如果要把實際政治導入民主，最保守的估計，也得要一百五十年；而要想達到運用靈活的境界，則最低限度也要三百年時間。民主政治是一點一滴逐漸建立起來的，躍進式的民主政治並無大用，法國的政治就是一個最好的例子。

法國從一七八九年大革命以後，民主政治的理論在當初五六年間談得震天價響。那些所謂政治家，整天高談理論，而實際上，這些理論全是空談，因爲實際的政治改革完全追不上理論。這一來，法國的政治便像水上浮萍似的，一直到今天，幾乎已有一百八十年光景，法國的憲法重訂了十多次，而法國的政治局面始終無法穩定。中國的政治是否會走上法國的路子，此刻不敢預言，但中國之缺乏政治人才，却也是無可諱言的事實。

從香港星球博彩法案之被否決，再向想到兩年前出版法修正案之被立法院堅持秘密審議通過，使我們對於政治權術之運用，立刻看出了高下呢！

固執於一種概念，而不知道適應情勢，作大學教授可以，從事於政治運動就不免有動輒得咎之弊了。英國的政治家約瑟夫張伯倫說得好，他說：「生活在過去裏面的是一個食古不化的人，生活在未來裏面的是一個白日見鬼的人，我呢？我却生活在正要來到的五分鐘裏面。」

這句話，是可以作爲一切從事政治生活者之座右銘的。英國政治之所以如此穩定，並非英國人有何妙術；英國政治之特色，乃在於一個當權的政治人物，常能注意而且也能考慮到「即將來到的五分鐘」所可能發生的情勢。

大陸文壇萬花筒

兩不像（上）

——岳騫

自從中共佔據大陸以來，「文風」確實有了巨大的改變，所謂「黨」培養出來的新進作家，大體都是寫小說不像小說，而是介於小說與報導文學之間的東西，寫詩也不像詩，而是介於民歌與數兒詞之間。可是在中共大力鼓勵下，這種作品眞是汗牛充棟，多到不可勝數。詩歌固不必數，也數不淸楚，好似天上的星星一樣，就是小說，數字也相當驚人。

不過，這些作家假若本身肯求進步，到了稍微懂得一點什麼是文學的時候，他就會轉變了，陸柱國就是其中的一個。

陸柱國原是一個中學生，一九四八年徐蚌會戰時，被共黨強拉入伍，雖然他的國文程度並不好，但在共軍中也是鳳毛麟角了。共軍政治幹部就鼓勵他寫小說，他一時高興，就以那次戰爭爲背景，寫了一篇中篇小說「決門」，寫好之後，中共大加宣傳，譽爲戰士作家，陸柱國從此跌落到作家陷阱裏去，一九五零年他又被調去參加韓國戰爭，他又寫了一篇「風雪東綫」，一九五二年又寫了一篇小說「上甘嶺」，最後這篇小說最受中共獎勵，一時成爲暢銷書，陸柱國一時眞是名利雙收，高興萬分。

這三本書出版之後，陸柱國已成了名作家，自然也就引起人們的注意，有人就批評他的作品不像小說，也不像戰鬥文學，而是「兩不像」的東西，不過，陸柱國也不在乎，倚仗着有黨的支持。

到了一九五六年三月，中共召開了一個「全國青年創作者」會議，會上由作家陳涌（此君眞名楊思仲，現已被判爲右派份子）報告，陳涌特別提出上甘嶺爲批判對象，指這種作品「沒有足夠的藝術的具體感性的內容，沒有足夠的能夠強烈吸引讀者的藝術內容。」又指出「在藝術上有着重大的缺憾」。當時陳涌的聲名高過陸柱國，對他的批評陸柱國自然不能置之不理，這是他的自尊心第一次受到打擊，不過陸柱國還算純潔，他仍然肯虛心接受批評，從此他眞的有了轉變，完全是受了陳涌的影響。

詩與文

釋耒集

方苞與申謙居書：「蓋古文之傳，與詩賦異道，魏晉以後，奸僉污邪之人，而詩賦爲衆所稱者有矣，以彼瞑瞶于聲色之中，而曲得其情狀，亦所謂誠而形者也，故言之工而爲流俗所不棄。若古文則本經術，而依于事物之理，非中有所得，不可以爲僞，故自劉歆承父之學，議禮稽經而外，未聞奸僉污邪之人，而古文爲世所傳述者。」若此之論，或不免爲古文家故爲張大之詞，以自高其聲價，然亦不能否認其確有所根據。惟詩賦之爲人所賤薄，本不始自方苞。唐語林卷二文學之部載：「文宗好五言詩，嘗欲置詩學士七十二員，李珏奏曰：當今起置詩學士，名稍不嘉，況詩人多窮薄之士，昧於職理。今翰林學士皆有文辭，陛下得以覽古今作者，可怡悅其間，有疑顧問學士可也。……臣聞憲宗爲詩，格合前古，當時輕薄之徒，摛章繪句，聱牙崛奇，譏諷時事，爾後鼓扇名聲，謂之元和體，實非聖意好尚如此。今陛下更置詩學士，臣深慮輕薄小人，競爲嘲詠之詞，屬意于雲山草木，亦不謂之開成體乎，實玷黯王化，實非小事」。唐以詩賦取士，人所共知，而前世李、杜，元、白，振爍千古，是誠所謂：動天地，感鬼神者也，而末流竟至使人賤薄如此。大抵以詩賦之道，在於摛章繪句，點綴花草，爲之者易工而無裨于實用也。孔子論詩，舉其大者，僅曰思無邪，而後人實鮮足以語此，至曰：興、觀、羣、怨，其本亦在于無邪，否則均無足觀矣。然自漢初以詩爲六經之一，且置博士，遂有託爲子夏之名而撰詩大序者矣。朱子序詩集傳，又復踵事增華，以爲詩實修身及家，平均天下之道，獨怪夫三百篇後，歷代詩人，魚鱗雜襲，求其足以厚人倫，美風俗者，竟眇不可得，此則承學之士之所以不能無惑者也。考之漢書藝文志詩賦畧，班氏敘錄詩賦，特重在「感物造端，才智深美，可與圖事。」諸語，及司馬相如以下，「競爲侈麗閎衍之詞，沒其諷諭之義」。又特著揚子雲自悔之言曰：「詩人之賦麗以則，詞人之賦麗以淫。」而太史公亦云：「文史星曆，主上倡優之。」故漢初詞賦家大抵爲天子之弄臣，後世乃漸降而爲侯門之清客，去經術愈遠，作韻語遂爲門館才人進身之禽犢。尙記兩般秋雨盦隨筆載張某詩一首云：「近日厨中乏短供，兒童啼哭飯羅空，內人低語向兒道，爺有新詩上相公」。則所謂本性情，關教化云者，蓋掃地以盡矣。

曲齋

詞林雜憶之三

丁雨

曲學之不振也久矣。自遜清中葉以還，皮簧、高梆子、川腔相繼入北京，爲宮中所篤好，尋且合爲京劇，而前此風行明朝及清初之崑腔，遂漸成廣陵散矣。故道咸以後之詞人，麗特不能譜南曲，亦且漸不解製傳奇。逮至清末，有詞曲大師吳梅者出，始復考定舊律，釐創新聲，訪吳中老曲師一一而譜正之，于是法曲南音，乃得復稍顯于世，而語其傳人，則首推南京盧冀野氏爲能世其絕業。

盧氏，東南大學畢業生。世家秦淮，所居與歌舫鄰，樹梢接，吳歈子夜，艷唱西州，固早已耳聞而目習之矣。初猶逐時趨，學爲新體詩，才華飈發，出語驚人，曾數梓集以行世。後乃轉事曲學，以穎悟非常，漸獲吳氏青睞，因得盡傳其秘，號入室大弟子，蓋吾國製南曲者，自湯若士牡丹亭以降，下逮桃花扇、長生殿諸作，所鑄詞藻，靡不清新絲麗，哀艷逾恒，而考其所出，則除元劇外，莫不遠祧詞賦，因復兼治駢體，旁及唐詩，于是漸得有江南才子之目。逮吳氏沒，而海內之言詞曲學者，乃翕然宗之矣。

盧氏承其師傳，每逢興會，輒喜倚聲。猶憶抗日勝利旋都之年，于白下中央大學某次集會中，余曾獲聆其度曲，雖以當時賓朋雜集，跡近應酬，未足盡窺其素蘊，然亦慷慨鏗鏘，抗音激越，曲致笛律之妙，益以其人之魁偉豪伉，眞如置身鐵板銅琶，聽關西大漢，唱大江東去也。

予生也晚，且奔于人事，致于盧氏曲學，未能多所親炙，今盧氏逝世已久，神州陸沉，欲求覩其遺作，已渺不可得；茲就記憶所及，聊舉其會膾炙人口之新體詩一篇，由此以推其在曲製方面之成就，或亦所謂由此及彼，因微而知著者歟？

我愛談天妳愛笑

記得當年年紀小，
我愛談天妳愛笑；
有一回並肩兒坐在桃花下，
風在林梢鳥在叫，
我們不知怎的睡着了，
夢裏花兒落多少！

讀書偶得

姚詠萼

「月明星稀，烏鵲南飛，繞樹三匝，無枝可依：……」我的二姊家的書室中，掛着這麼一幅用行書寫的屏條。二姊雖然出嫁了，姊夫的家就住在我家的前進，我仍時常到她家去玩。一天，無意間發現這麼一張字，我站在這張屏條前面，一邊看一邊念，不久就把它念熟而且背熟了。那時候我還是一個十來歲的小姑娘，對於屏條中的意義，僅是一知半解，當然談不到欣賞字體的好壞和出於那個名人手筆這一套了。我現在很奇怪自己，做孩子時候，怎麼會有這些癖好？不論在什麼場合，看見人家壁上掛的對聯、屏條或匾額，總是十分注意，看了又看，默默地把它念熟記住，方才痛快。我的記憶力十分好，小時尤強，詩詞歌賦，讀上兩三次，就會背了。了解不了解，那是另外一回事。年齡稍長，讀了赤壁賦，「月明星……」此非曹孟德之詩乎。」才知童年在二姊家常見的，書室壁上掛着的那幅屏條的意義和出處。後來上國文課時讀歐陽修的秋聲賦，到了「星月皎潔，明河在天」那句，覺得皓月當空怎見星星，心中頗爲不解，忽然想起曹孟德那句「月明星稀，烏鵲南飛」的詩句，隨向當時站在講台上正在講解的老師質疑。

這件事，已隔三十餘年。當時老師說些什麼話，我現在已記不清楚了，我僅記得是給老師罵了。大概是說我心不在焉，坐在教室裏聽課，一心想着『有鴻鵠將至』，不留心聽書本的講解。課後，好像要受同學們的譏笑，給我編了一個「曹大家」，我還爲此哭了一場。今天無意間又讀到歐陽修作的那篇秋聲賦，見「星月皎潔，明河在天」那一句，又引起我三十年前的舊事。我凝神思索，想找出這八個字的答案。大家都知道歐陽修不僅文章冠天下，而且他的學問之淵博，亦爲後世所稱道。這樣一個學人，既用上「星月皎潔，明河在天」這八個字，決不會因一時疏忽而致有此錯誤的。但星與月決不能同時皎潔，而且月明之夜，也決不能有明河在天的景象。六七月之間，我們坐在增前乘涼，仰觀星斗，如或銀河斜掛，那個時候，決不可能再看到皎白的明月吧。假如「星月皎潔」是對的，則「明河在天」又作何解釋呢？凡是讀過書的人，不會沒有讀過歐陽修的秋聲賦，不僅文辭美麗，而且意境高遠，令人感歎萬千。尤其讀到「奈何非金石之質，欲與草木而爭榮」，深深地感到人世無常有如朝露之感。這是我每次讀了這篇文章的感觸。而獨對於「星月皎潔，明河在天」這八個字至今不得其解，究係智者千慮必有一失，抑是我的孤陋寡聞呢？

海嘯慶談薈

誤會

政治上每以誤會而滋生不良後果，貽患社會國家或個人者，所在多有，試舉近代一二故事以證之。

滇省名將葉荃，號香石，賦性褊急，而自視甚高，與唐繼堯同學日本士官學校，回國後受任唐氏麾下的師長職位，驍勇善戰，當其駐防昆明郊區時，唐氏號稱川滇黔聯軍總司令，聲勢煊赫。一日唐擬午睡，切囑閽者勿納訪客，以免煩擾。繼而葉氏來謁唐聯帥，值日副官既不敢違令通報以受譴，又不便將聯帥午睡不見客的話告訴來賓，手持葉氏名片，趨入內院走廊中佇立片刻，出語葉曰：「聯帥說，今天不見客」。葉以唐氏侮慢老友，引爲奇辱，大怒，即馳歸防地率軍進攻昆明。唐聞變驚詫，急派兵應戰，敗之，葉乃解甲遠遯香港。

越年，唐氏被其部屬顧品珍逐出滇省，亦到香港作寓公，一日晤及葉氏，唐謂：「香石，我們是患難之交，前此在昆明，爲甚末事要打我？」殊難索解」。葉答道：「你不見我，老子不打你？」唐啞然告以當時事實，指其誤會，葉亦深悔孟浪，兩人和好如初，然亦不復回滇領軍。此民國九十年間事也。

民國廿五年十二月十二日「西安事變」未發作之前，張學良與楊虎臣對中央勦共政策依違怠慢，不願奉行的狀況，早爲各方所注視。張學良尤其醉心於毛共所謂「停止內戰，聯合抗日」的宣傳魔術，對其部隊各級官佐，隨時表示不滿蔣委員長採取「攘外必先安內」的策畧，主張以非常手段糾正之，然蔣公不以爲意。時有青年黨員鈕君，原在東北軍軍官訓練機構担任教官職務，調知東北軍密謀異動諸情節，乃據以密報於該黨首領曾琦。是年十一月蔣公適在洛陽歡度五十壽辰，各方代表赴洛陽祝壽者踵相接，曾琦亦藉祝壽爲名，派遣李璜代表青年黨赴洛晉謁蔣公致意，實際是在秘密提供東北軍不穩的情報。

李氏到洛後，於某日午後謁見蔣公時，彼此寒暄一番之後，開始談到東北軍將有異動的重大問題，而蔣公忽然離座立正，態度殊爲嚴肅，李氏覩狀，不覺驚訝，誤以爲主人不樂來賓多談軍國大計，表示不耐，即興辭告別，意頗怏怏。次日晤及陳布雷，具道前情，且謂此來並非隨俗祝嘏，志在密陳關係國家安危的西安軍事情報，初不料蔣公竟不屑傾聽也。布雷詰以晉謁時間，知在下午六時左右，沉吟有頃，乃瞿然道：「你誤會了！這是委員長聽到外面降旗的號音，起立敬禮，並非送客的表示，他每天在室內外聞及升降國旗的號音時，都是如此的。」李對此解釋，仍然疑信參半，也就不再請見蔣公，悄然回渝，未幾，西安事變即爆發了。

諸葛文侯

去國辭

道南

已故的中國學人王光祈，他是在民國九年四月，出國赴歐留學，船過香港，見兩岸青山羅列，慨然有去國之思，因賦「去國辭」，充分表現他獨立不倚壯氣如虹的氣概。詞如下：

一、山之崖，海之湄，與我少年中國短別離；短別離，長相憶！發揮科學精神，努力社會事業。惟我少年，乃能奮發。

二、山之崖，海之湄，與我少年中國短別離；短別離，長相憶！不恃過去人物，不用已成勢力！惟我少年，乃能自立。

三、山之崖，海之湄，與我少年中國短別離；短別離，長相憶！只問耕耘如何，不問收穫所得，惟我少年，有此純潔！

四、山之崖，海之湄，與我少年中國短別離；短別離，長相憶！欲洗汚濁之乾坤，只有滿腔之熱血。惟我少年，奮共休戚。

五、山之崖，海之湄，與我少年中國短別離；短別離，長相憶！願我青春之中華，永無老大之一日！惟我少年，努力努力！

雖說是「短別離」，可惜他出國十多年，一直就沒有回過國門，終於賚志以歿，殉學異域，這倒眞是令人感慨欷歔的一回事！

文壇軼聞

見梅思婦

介人

素有「江東獨步」的詩人楊雲史，他之風流文采，曾經傾動一時，民十五曾在江西任贛督陳光遠的記室，因爲不滿意於陳氏的措施，早有辭去之意。瀕行曾留書云：「僕東吳下士，將軍謬采虛聲，致之幕府，時陪閣公之座，遂下陳蕃之榻。顧思雖甚愚惘，有裨萬一。得山妻徐書，謂「圃梅盛開，君胡不歸」？清輝玉臂，未免有情，疏影高窗，亦復可念。清狂是其素性，故態因之復萌。敢效季鷹煙波之請，乞衍林逋妻子之情，予以休假，遂其山野。庶白雲在山，親裝相對，此中歲月，亦足爲歡，則將軍之賜也。」原函極爲典麗，已頗有六朝風味，尤以「見梅思婦」，作爲辭職唯一理由，一時傳爲佳話。於此可見當年楊雲史之伉儷多情，極得唱隨之樂。

祗是「好夢由來最易醒」，當吳佩孚作兩湖巡閱使時，楊雲史被聘爲秘書長，吳自湘出走時，適値位太太徐霞客女士竟爾病逝岳陽，草草殯殮，第二天他就隨軍北行。因此悼亡詩有云：「一棺船下氣如雲，永訣聲哀不敢聞；疋馬書生眞薄倖，靈棺明日從軍。」哀傷之情，溢於言表，誠可慨已。

僑務委員會核發台救新字第三二三號登記證

自由報

中華郵政台字第一二八二號登記爲第一類新聞紙類

內政部頒發僑報台字第零叁壹號內銷證

THE FREE NEWS

半週刊每星期三、六出版

第三十七期

每份港幣壹毫　台灣零售價新台幣二元

社長：雷嘯岑

督印人：黃行奮

社址：香港銅鑼灣高士威道二十號四樓

20 Causeway Rd. 3rd. Fl. HONG KONG

TEL. 771726

電報掛號：7191

承印者：田風印刷廠

地址：香港高士打道221號

台灣分社

台北市西寧南路110號二樓

電話：三〇三四六

台郵撥儲金戶九二五二

本報特別啓事

本報自下期起，版面與內容皆有所改進，除第一版之「時事述評」改爲「小論天下」，而以精簡峭拔的語意，評論時事新聞以外，第二版擬闢「編者與讀者」一欄，刊載讀者隨時對本報提供的寶貴意見，並由編者予以解答。又擬增「台北緒寫」一欄，由台北作家執筆。第三版擬刊政治性的長篇社會小說，名爲「儒林九尾龜」，特請名家撰寫之。又闢「青年之聲」一欄，專載海內外青年學生的文藝作品及其生活動態的報道。另由廣告欄的下端，經常刊載香港方面的紗布、鋼鐵、糖三種行情。本報各版園地皆絕對公開，外來稿件，一律歡迎，祗是有所選擇而已。統祈讀者垂察爲幸。

民主政治的三大觀念（上）

陳健夫

論到現代的政治，我認爲有三大新觀念，值得闡明發揮：

第一、藝術觀：現代政治最爲顯著的特性是藝術觀。政治就是藝術，我們要提出政治就是藝術的新觀念。藝術的精神是自由、活潑、眞誠、熱烈，我們可以拿眞善美三個字來表示藝術，可見得藝術是高潔神聖的東西，我們在政治上如果能夠相當的發揮這種藝術精神，便可以使政治成爲一種高明的藝術，而從事政治的人，也可以由此養成一種藝術的氣氛。

藝術的氣氛，主要的是自由活潑，政治本來是嚴肅認眞的事，我們却不妨養成自由流暢輕鬆活潑的氣氛去做它，對於取予去就之間，不要看得那麼嚴重，要活潑些，淡薄些。有名的拿破崙最初是將政治軍事當作藝術看待的，所以憑了他的天才，南征北伐，可以得心應手，戰無不勝，後來却因放棄了藝術的觀念與作風，野心、慾望、專制，便隨之應運而生，失敗乃隨之而來。藝術之所以輕鬆活潑，是由於人的沒有患得患失之心，便不爭權奪利；不爭權奪利，才可以將政治的事業做好。一有權利得失之心，便會將一切事情看得太嚴重，而喪失了一種輕鬆活潑天眞自然的氣質。

中國的堯舜，是最懂得藝術精神的，到了時候，他很輕鬆的將天下讓予別人，自已了無煩惱；美國的華盛頓，一旦功業完成也就退位，不再當總統，而讓別人去做；土耳其的凱末爾覺得一個人玩政治，無敵於天下，未免沒有對手，也覺得沒趣，於是親自培養了一個反對黨出來。

漢朝開國的劉邦，也是最懂得拿政治當作藝術的人物。他當與項羽爭天下，曾有多次運用很輕鬆的手法將政治軍事的難題逢刃而解。史記上記載着：「項王已定東海來，西與漢俱臨廣武而軍，相守數月，當此時，彭越數反梁地，絕楚糧食，項王患之，爲高俎，置太公其上，告漢王曰：今不急下，吾烹太公。漢王曰：吾與項羽俱北面受命懷王，曰約爲兄弟，吾翁即若翁，必欲烹而翁，則幸分我一杯羹。項王怒，欲殺之，項伯曰：天下事未可知，且爲天下者不顧家，雖殺之無益，只益禍耳。項王從之，楚漢久相持未決，丁壯苦軍旅，老弱罷轉漕，項王謂漢王曰：天下匈匈數歲者，徒以吾兩人耳，願與漢王挑戰決雌雄，毋徒苦天下之民父子爲也。漢王笑謝曰：吾寧鬥智，不能鬥力。……於是項王乃即漢王相與臨廣武間而語，漢王數之，項王怒，欲一戰，漢王不聽。」

項羽不懂得政治藝術化的道理，再三再四的窮兵黷武，耀武揚威，結果終有垓下之敗，而將責任歸之天命說「天亡我也」，無怪太史公評論說：「自矜功伐，奮其私智，而不師古，謂霸王之業，欲以力征經營天下，五年，卒亡其國，身死東城，尚不覺寤，而不自責，過矣。乃引天亡我，非用兵之罪也，豈不謬哉！」宋太祖趙匡胤杯酒釋兵權，防患於未然，也未嘗不是藝術化的作風。今天的美國，要在俄國開許多展覽會，也正是一種藝術化的作風哩！可見中外古今的政治人物，都會運用這種政治藝術化的原理去處理許多嚴重的變故，自然迎刃而解。

現代的民主政治，將運動場上的競賽制度應用上去，使一方與對方作公平的競賽，人人要守規則競賽，凡不會規則的就要取消資格，這是藝術化的政治，像這種藝術化的政治觀念是很有益的。

談到藝術觀，我們不能不想到戲劇。從事政治很像演戲，必須工夫到家，唱做俱佳，才可以叫座；如若工夫還不到家，便可以下台再練工夫；工夫練好了，再上去唱。在台下時要好好練習，一旦上台了，便要大顯身手；如不叫座，不得觀衆歡迎，却也無妨再下台練習一個時期。政治家與政治家之間，正如戲團對戲團，各以藝術競賽，爭取聲譽；如果政治上能夠像演戲這樣做法，你上台我便下台，我上台你就下台，各顯高明，相互學習，誰好誰壞，自有公道。這樣的政治競賽，便無所謂個人之間的恩怨，大家儘可心平氣和的去做事。在台下時好好練工夫，上台時使出全身本領演出好戲，必博得觀衆鼓掌，這樣的政治競賽，便不致傷及個人之間的和氣，也不傷害國家社會的元氣。所以政治如能戲劇化，便是政治的藝術昇華了，這樣的風氣，豈不値得我們提倡麼？

政治眞如藝術。造詣高明的歌手或演員，他所發出的聲音，表達的情感，可以動人心絃，感人肺腑，使人失魂落魄，爲之顚倒，千萬人的心聲隨着他的歌喉或表情而喜悅而悲慟！政治家的造就如到此境界，也一樣可以獲得民衆的愛戴，民衆將不需要他什麼而會掏出腰包買了票進場，爭先恐後的爲他投票。民衆的歸服他，眞如「大旱之望雲霓，歸市者不止，耕者不變」。民衆皆「簞食壺漿，以迎王師」，這就是孟子說的：「樂民之樂者，民亦樂其樂！憂民之憂者，民亦憂其憂。樂以天下，憂以天下。」這也就是現代民主政治的眞精神所在。在這種民主政治的制度之下的政治家，正如在舞台之上的歌手或演員一樣；如果他的藝術不夠高明，不能滿足觀衆的要求，或時代已不再適宜於他，他就必須下台去，不論他有多大的權威。如英國的邱吉爾首相便是一例。唯有在這種民主制度之下，政治才可以如同藝術一樣的自由發揮，平等發展。這種情形，在專制政治之下便不可能發生，這就是民主政治的可貴處。在專制政體之下，政治家較少有發揮政治藝術的機會，有政治藝術的天才家，便不得不挺而走險，揭竿而起，掀起大革命，將台上表演不佳強據高位的專制君王趕下台去，甚至送上斷頭台，有如英國法國那樣的革命。而在民主政制之下，政治家却可採取民主合法的常軌登台，大顯身手，一較高低，有高明政治藝術的政治家，便可有充分機會表達他的政治藝術天才。所以在進步的世界，民主政治是一個重要的關口。一個國家社會，乃至世界的和平安定，自由平等，民主政治乃是第一座大門，人們如不通過這第一座大門，任何國家社會得不到長治久安，世界不可能實現和平，達成天下一家。這個道理，在今天已成了大家公認的眞理了。

說到政治的藝術觀，很可能有人會想到政治權謀方面去，那就發生偏差了。藝術的表現不完全在技巧，而在高深的品格，學問的修養，這就是誠於中形於外的道理。政治之爲藝術亦同此理。政治決非憑技巧，一般人所謂「手腕」所能達成的，須有其政治思想及政綱政策以作依據，這便是政治家與政客官僚的分野，人們所稱的什麼「政治手腕」「權謀」等等，幷非政治的大經大法，而政客可恃此起家，而政治家則不屑爲之，偶涵權變，加以運用，也是不勉而中，自自然然的，無所用其陰謀詭詐。

這便是我所說的政治藝術觀，應爲現代的新觀念。

小論天下

美總統艾森豪訪華抵台。中共向金門放砲彈十六萬多發。說是無聊，不如說是無賴。

美國人會問：砲彈每顆值美金幾元？大陸人民要問：砲彈每顆折算白米幾担？

中共大小嘍囉齊喊：艾森豪是「瘟神」。

毛澤東前寫「送瘟神詩」，鬼氣滿紙，今放「送瘟神砲」，狂態畢露。「上帝欲其人毀滅，必先令其人瘋狂」。此當語於外強中乾而一時憤與過度者。

莫斯科之拒艾聲，東京之示威聲，中共對台峽之砲聲，是爲「三氣艾森豪」的連場演出。

勉矣艾森豪！休言此去無顏面，砲火聲中洗禮回。欲爲「和平總統」不成，豈能免此搔辱。

△日本七大報聯合聲明反對用暴力破壞議會政治。

東京示威的暴力出自左翼團體。日本各大報紙則一貫同情左傾的宣傳。這回大概是養蛇者也開始怕蛇咬了。暴力可以由破壞議會政治進而接收議會與政府。同樣，暴力也可以破壞新聞自由而接收整個新聞事業。

△日本工商界有憂美元投資銳減者。

看在金錢份上的憂慮，似比任何憂慮爲現實。

△美國城市有因東京反美事件而倡抵制日貨之議。香港赤色尾巴報也向中國人宣傳抵制日貨。

這決不是發表「日本白皮書」的時候吧！

日共和中共正在分工合作，要摧毀日本的政治體系和經濟基礎，藉以利便共產黨起來

熱心的美國人不要幫他們的忙。

△馬來亞總理拉曼，突然炸出反常論調，主張承認中共之時剛在倫敦。大概是倫敦霧裏的「姑息主義細菌」，容易使人感冒。

△南斯拉夫的狄托和埃及的納薩表示倡導中立國的高峯會議，尙非其時。

「亢共拒俄」者和「聯俄拒共」者唱雙簧是最好的了，用不着第三個人參加。

方南

自由談

喪禮奇聞

馬五先生

中央銀行總裁兪鴻鈞逝世的次日，他的太太以「未亡人兪梁就光」名義，領銜在台北各家報紙上刊登訃聞，說是「顯考鴻鈞府君於六月一日蒙主恩召」云云。「恩召」也罷，「病故」也罷，都屬無關宏旨的詞令，最可驚詫的，乃是那位兪太太忽然變成了死者的兒女，不稱死者爲「先夫」，而尊奉爲「顯考」了！兪先生在世時已是「位極人臣」的顯赫人物，死後在親屬中亦復超升輩份，可謂奇聞也矣。

另外又有由中樞黨政要人們組織的「兪鴻鈞先生治喪委員會」，亦在報上登出治喪節目的啓事，敎一般親戚朋友不要致送花圈祭幛，改折現金，說是「俾充慈善救濟費用」。像區區這樣資質愚鈍的人，對於所謂「俾充慈善救濟費用」這句話，即不無惶惑之感。因爲不知道它所指示的慈善救濟性質，究竟是救濟死者家屬呢？抑是移作社會救濟事業之用？若屬後者，在啓事上即須註明「移充」字樣才行，「移」字是唯一一不可缺少的主詞啊！

古無妻室爲丈夫發赴告的喪禮。自民國肇建以來，一切舊有的文物制度，皆在革命運動之下，不問好歹，概予革除淨盡，而又沒有一套新的創制以代之。因此，最近五十年來的中國社會中，關於婚喪禮節這類極其普遍而重要的生活方式，光怪陸離，各行其是。政府儘管經常設置着主管禮俗的行政機構，但無暇計及這種與升官發財不相干的閒事。流弊所及，太太不但可以爲丈夫散發訃聞，且不妨尊之爲「顯考」，而一般平日侈言「禮節爲治事之本」的大人先生，也就不屑爲喪葬之類的撈什子問題，多所措意，管它文理通不通，皆無所謂。

按照常理，「未亡人」如果有兒女在，自應由兒女們爲「顯考」發喪訃告，而於自已名字上冠以「奉慈命」，即面面週到了。不過，這類由中國文化思想產生的禮節，却非只知道說洋話，鬧洋派的人所能辨識的。「禮失而求諸野」，此所以台北社會上近來大唱其組織在野反對黨的議論也歟？一笑！

散佈在國際間的共課網

·秦奉·

本報特稿

美國務卿赫德六月十三日在參院外委會中報告稱：蘇俄和中共使用國外二十七個間諜組織，僱用特務和情報人員約三十萬名，在世界各地活動；並有自由世界中約四百萬共產黨人幫忙，歷史上沒有一個政府比蘇俄更着重于間諜活動者。

儘管蘇俄總理赫魯曉夫一再否認蘇在海外的間諜問話；但美國駐聯合國代表洛奇前此指出；自史達林逝世以來，被自由世界破獲而判處間諜罪的蘇俄特務人員已有三百六十名以上，都有惡跡昭彰的事實。計在丹麥七名，芬蘭六十五名，法國一名，荷蘭兩名，日本一名，挪威十五名，瑞典十三名，土耳其三名，英國六名，美國十三名，西德二百四十一名。同時在去年一年間，以間諜活動被捕的，也達一萬八千三百名之多。

事實上，共黨在第二次世界大戰後對于間諜網的佈置，的確費了很大的工夫。尤其在韓戰、越戰處于緊要關頭的時候，替共黨工作的間諜網，更取得了共黨頭子們在決策上所必需的重要情報。由于北韓軍潰敗之後，中共便企圖知道美國對中共軍參戰的反應如何？以便決定它們的行止。假如美國空軍有權把華北中共的脆弱供應綫加以切斷，那末它們決不敢作長驅直入的冒險；相反地假如美空軍無權向鴨綠江以外出擊，則中共的「人海戰術」就可成功了。結果共諜網探取美政府的態度，是屬於後者。麥克阿瑟和菲列特兩將軍先後在美國會作證時，曾指出能接近英美兩國最高軍事秘密的共諜，把情報供給了共方。

原來走漏這一軍事秘密的是，當時逃入鐵幕的英國外交官麥克里支。因他是英外交部美國科科長，韓戰中兩個主要盟國英美間來往的公文，必須經過他的手。當他和布爾格斯逃走時，美前國務卿艾契遜會感慨地叫道：「天啊！他們甚麼都知道了！」後來經美國會的調查結果，認爲他是一個共方所信任的間諜。

同樣的情形，在越戰中也出現一次。共黨進攻奠邊府所下的賭注，是很危險的。而共黨之所以能在越戰中獲得勝利，却是全靠獲悉了法軍的作戰計劃和美國的意向。由于共方當時曾透過間諜而窃取了法國國防委員會會議中所討論的極機密案件，這個委員會是法國最高的決策機關。它的報告在幾小時或幾天的時間內，便流入了共方手裡。這些報告所包含的各項決定，足使共方在越戰中贏得他們最後的賭注。再從當時巴黎破獲的大間諜案，也證明越戰緊要關頭之際，共諜正在法國軍事機構的心臟部分活動着。這種情形的惡劣，恰像共黨獲得了美國國會安全委員會議事錄一樣。共方知道美國對參加越戰猶預不決，加以英國打擊杜爾斯的聯合行的計劃，及法國無意作強大的努力，來挽救奠邊府的反共部隊等等。

至於蘇俄早期派出的間諜，多半在北歐一帶。擬斯堪的維亞官方報導：他們每破獲一組間諜時，其任務都有另一組接替，這已是證據確鑿的事實。由于間諜案的先後破獲，便發現這廣大間諜組織的工作內幕是：共黨或其同路人，均由蘇俄一募手集，從事海外間諜工作；而所有的間諜人員，即使其死黨份子，凡向克里姆林宮供給情報的，一律獲致報酬，而且以現金支付呢。

在挪威、瑞典和荷蘭等地，是由蘇俄大使館或衛星國外交人員所組織或控制的精密間諜，近年來已迭次破獲。一九五五年瑞典安全警察誘捕的十三名間諜，是專門刺探國防與軍械製造秘密的。如瑞典北部的國防海岸線和經英國核准在瑞典製造的噴射機，都被間諜窃取送給蘇俄大使館。同年在挪威破獲的間諜組織共捕十五名間諜人員，其中一個名叫「孫特」的爲該組頭目，惡跡昭彰。而他落網的原因是介紹其老友入蘇大使館工作，詎料這位老友却是挪威情報處探員，因此蘇俄間諜便受其監視，特別是對孫特跟踪。在四年之內，他與蘇大館人員開會達六十次以上都有警探暗地隨着。結果，在一次大集會中即被一網打盡。其中有三名是挪威女性，都已滲透了各重要政府機關裏頭，担任下級工作。

一九五六年在芬蘭破獲的間諜組織，裏面有個得力的間諜名叫「沙勞」，是在芬蘭空軍裏任航空攝影隊隊長的。他有六年工作歷史，曾把空軍的影片及其他軍事情報，經由駐赫爾辛基的共黨間諜組織賣給蘇俄，前後共獲百萬以上的芬蘭馬克。那次一共下獄的便有二十五人，其後在芬蘭北部的納蘭又破獲一組，人數更多，其中一個承認在八年內曾越過邊境二十四次，以情報賣給蘇俄。

在西歐方面破獲的間諜組織，當以德國爲最多。曾經震動世界的約翰博士間諜案，在他未投往蘇區之前，據說已把德國和英美的外交與軍事秘密就通知了共方。在整個德國，間諜活動是普通的事情：尤其在柏林更成爲一項例行公事。柏林之成爲理想間諜中心的理由是：它爲東西相望的地區，從一條地下鐵路就可通到鐵幕後，在柏林所獲得的情報，幾分鐘便可交到東柏林的共黨總部裏去。當女間諜許米特被捕時，她正在赴東柏林途中，身上還帶着新近刺探得來的情報呢！許米特是一個非常漂亮的黑髮美人，她曾加入各種的共黨青年和婦女組織。一九五三年五月，她被派到柏林美軍佔領區與美國人發生關係，因而不久便成爲西柏林的社交和夜生活裏的一個著名人物。由于她的舉動過于猖獗，她公開表示她對于存放公文檔案的橱櫃，保險庫和秘密文件發生興趣，所以，西德警察對他起了疑竇，並加以逮捕了。在審訊時，她居然說出了西德共黨有顛覆西德政府的企圖！

一九五四年十一月，義大利也破獲了一個共黨間諜網，並捕獲十個間諜。它們最大的成功，是曾經探得義大利最大的福查空軍基地的秘密。在澳洲破獲的是由蘇駐雪梨大使館三等秘書所揭露的間諜網，它們曾把原子彈和導向飛彈的各項試驗，向俄國報告。而佈置週密的戰時和戰後的加拿大間諜網，更取得原子研究和美洲大陸防衛計劃的情報，這個間諜網是第一次由投誠的俄大使館譯電員揭露的。

台灣民營企業發展的新趨勢（二）

許其京

本報特稿

事實上，台灣省去年工業生產的總產值，達新台幣一百零七億五千五百萬元，比前年增加十一億六千七百萬元。台省工業生產之發展，去年比卅五年增加九點四倍，比第一期經濟建設計劃實施前的四十一年增加一點一倍，又比前年增加百分之一九點五。（根據：台省府統計）台灣工業發展之速，在亞洲地區，除了日本，要以台灣成績爲最好。自從業工人，生產總值及產品種類三者的增加，顯示逐年均有可觀的成績：（一）就從業工人增加來分析：在民國四十三年公營工廠所僱用的工人總數計五五、四八三人，民營工廠僱用的工人總數計四八、四四八人；至民國四十六年時，公營工廠僱用工人數增加至五八、〇六八人，民營工廠增至八二、九〇一人；迄去年（四八年）底，公營工廠工人又增至六〇、六一〇人，民營工廠則增至一二二、〇〇〇人。由上述情形，可知台灣民營工業發展之迅速。（二）就生產總值增加來分析：民國四十年各種工業主要產品總值爲三、九七〇、九〇三、〇〇〇元，四十七年增至一五、一〇一、三二五、〇〇〇元，四十八年更增加至一五、三二五、三二五、〇〇〇元，預計本年（四十九年）可超過一六〇億元。（根據：經濟部統計）（三）就產品種類增加來分析：台省工業若干產品已由不足而達到自給自足，例如：紡織品，水泥等工業，目前並在致力新項目的開拓外銷。近年來新增加的產品項目有：人造絲，尼龍纖維、三夾板，PVC及其製品，發動機、抽水機噴霧器，變壓器，電線，電纜、電錶、機器腳踏車，高級玻璃製品及平板玻璃等。（根據：經濟部統計）（四）就民營企業貸款來分析：自民國四十二年十二月底，各金融機構對公營企業貸款爲新台幣一四一、四〇〇萬元，民營企業貸款爲八三、二〇〇萬元；惟至民國四十六年十二月底，情形反轉，對公營企業貸款爲三一二、〇〇〇萬元，民營企業爲三三七、四〇〇萬元；四十八年十二月底，公營企業貸款爲三九二、六〇〇萬元，民營企業貸款爲六三二、〇〇〇萬元；民營企業所得到的貸款，已超過公營企業甚多。（五月二日聯合報）

綜觀上述，可以得到下列幾個重點：（一）自政府經濟計劃論：明年開始的「第三期四年經濟建設計劃」，及今日政府所製訂的「加速發展經濟計劃」，以上二者，皆以發展民營企業爲今後經濟政策實施之重點！（二）自發展民營企業資金論：今日中華開發信託公司，在事實上，現已接受大量美援貸款及美國開發基金貸款，今後民營企業發展之「長期的資金」困難問題，（三）自台省民營企業近幾年之發展的史實論，今後民營企業在「自由經濟制度」的「自由企業」原則之下，發揚光大，將有遠大的前途！

總之，民營企業之擴張，與公營企業之收縮，不但爲今日自由世界各國之「自由經濟」之新趨勢，亦且爲民營企業有其利益，而且公營企業有其弊害，惟今後民營企業之發展，不是有了美援貸款，資金困難問題解決，即能一日千里！在民營企業本身上，今後應如何謀求增進「新的技術」？如何致力「發明」與「創新」？又如何學習「模倣」？更應如何實現「需求增加」與「成本減低」之創新？如何改良品種及增加產量？又如何發揮現代企業之新的精神？更如何注意現代企業之新的管理？皆爲今後自由中國民營企業加速發展應循的新途徑！

在今日一國經濟加速發展上，公營企業，不如民營企業爲快，確有原因在蓋公營企業之弱點太多，今舉其比較大者爲：（一）公營企業主管及其管理人員，往往企望太奢，成爲空中樓閣，不切實際；（二）往往爲其自身利益打算，不是過分的緩慢，就是極端的冒險；（三）只求敷衍，不分功過；（四）雜亂無章，漫無條理；（五）大話連篇，虛張聲勢；（六）統計數字，過份高估；（七）虛盈實虧；（八）機構龐大；（九）用人非才；（十）官僚主義化；（十一）繁文縟節；（十二）推諉責任，固執成見；（十三）抱殘守缺，故步自封；（十四）不求企業之「發明」、「模倣」與「創新」的能力增強；（十五）不求新經濟知識、新企業觀念及新企業管理及技術能力促進；（十六）生產轉變不靈；（十七）價格穩定不力；（十八）市場調節不足；（十九）生產效率不高；（二十）資經、人力與財力之利用，不夠充份，往往發生浪費等等缺點，不無遺憾！

台北記者責難新聞局

弓治長

台北通訊

在台北採訪新聞的記者羣，都有一種感覺，這種感覺由來久矣，只是記者們沒有發作而已！最近，在行政院新聞局一次記者招待會上，各報「要記」紛紛向該局副局長朱新民提出責難，頗使這位主人難堪（民族晚報）！

此次責難的起因，係新聞局對記者採訪國際新聞時，加以種種不合理的限制，同爲採訪新聞的記者，却有中外之分。台北各報記者，在採訪上就沒有外籍記者方便和自由。這也難怪，爲了國家的安全，治安人員不得不苛求「自己人」。美國總統艾森豪於本月十八日來華訪問，所以記者們希望政府給予更多的採訪自由。

艾森豪總統是美國歷史上一位出國訪問的友邦最多的總統，他歷次訪問友邦時，爲了表現出美國眞正民主精神，他總是採用最能與當地民衆接近的方式，到處坐敞篷車與民衆揮手招呼，甚至走下車來，與歡迎者握手，民衆也在他的幃車所過之處，拋擲紙花表示歡迎。可是，這種傳統，在我國是「少見多怪」的，頗使當局左右爲難。聽說這次爲了尊重美方的意見，我外交部與新聞局等有關單位，很少自己拿出主意了，一切多半依美方建議的辦理。只是治安機關表示若干方面的事情礙難照辦，而台北的外國記者俱樂部主席高艾伯（合衆國際社特派員）會向有關方面建議，促我注意勿使隨艾克來訪的白宮記者們，獲得了安全措施過嚴或採訪便利不夠的印象，如果那樣，將對我在國際間的宣傳非常不利。故有人說，艾森豪來華訪問，首先帶來了自由的空氣與民主的作風。

白宮發言人哈嘉泰，爲了確切使隨行記者們可以享受採訪便利以及儘速將新聞、照像、影片、錄音帶等發傳播出去，已決定在台北中國之友社加裝二十五部國際電話，六部本地電話外，並準備了二十部打字機及譯員日夜值班。在哈嘉泰的心目中，總統當然第一，新聞記者却是第二。因爲他深切知道記者的任務是重大的。

此外，美國大使館希望我政府在安排艾克訪華的日程中，能夠安排一個節目，使艾總統與此間在野人士有相見的機會。據說，，政府對此問題，內心極爲躊躇，却又不好明白表示，所以沒有拒絕，也未答應。外間盛傳，白宮主人很想與各方面在野人士見見面，聽取他們對反共運動的意見。此說確否，目前頗難逆料，但將來總是有事實可以印證的。（台北六月十四日）

世界的末日

唐昌晋

今年二月八日出版的一期美國新聞週刊，根據五角大廈情報部門透露出來的消息，說是蘇俄洲際飛彈的彈頭三噸重，約相當於美國洲際飛彈頭重量的四倍；現蘇俄擁有洲際飛彈約十二枚。美國只有三枚，到今年年底，蘇俄洲際飛彈總量將達三十五至六十枚，美國洲際飛彈總量爲十五至二十枚。由此可見：蘇俄洲際飛彈彈頭比美國洲際飛彈彈頭大三倍；蘇俄洲際飛彈最高年產量爲四十八枚，美國爲十七枚。

前一期新聞週刊會就美國國防力量詳加檢討。據說：美國賴以投擲氫彈的遠程轟炸機，從美國本土及海外基地起飛去轟炸蘇俄，需時八至十小時，在航行途中，勢必被蘇俄地對空的飛彈擊落，所以許多人的結論是，遠程轟炸機業已過時。另一位權威人士估計，在三十分鐘內，蘇俄如發射三百枚洲際飛彈，則可將美國全部報復力量摧毀無餘。按照每年生產四十餘枚洲際飛彈來計算，到了一九六六年蘇俄可能擁有洲際飛彈三百枚，美國以最高年產量十七枚計算，屆時至多亦不過一百二十二枚。倘蘇俄先發制人，美國最快要在蘇俄發射洲際飛彈一刻鐘以後，才能發覺並發射洲際飛彈以資報復，而且美國的報復時間只有一刻鐘，因爲過了這段時間，地面未發出的報復力量已被蘇俄飛彈摧毀掉了。這樣一來，蘇俄發射飛彈的時間比美國多了一半，蘇俄將所有飛彈全部發出，美國只能將已儲藏的飛彈放射一半，即六十枚。這六十枚飛彈的威力僅相當於十五枚蘇俄製的洲際飛彈。投擲敵人三百枚飛彈而自己只挨到十五枚飛彈的報復，蘇俄何樂而不爲？所以一九六六年可能是蘇俄挑起核子戰爭的一年。目前赫魔高彈和平濫調，只不過是拖延時間而已。

爲了美國以及整個自由世界着想，美國不應該再對蘇俄存什麼幻想了。相反地，現在就應該先下手，和蘇俄拚個你死我活。因爲大戰在目下爆發，美國本土頂多只挨到十二枚洲際飛彈的報復，而蘇俄方面呢，由於尚沒有萬全的防空措施，遠程轟炸機尚未完全失去效用，勢將無法避免美國數百顆原子彈及氫彈的轟炸。從通盤打算着，美國還是佔上風。所以我很誠懇地希望美國當局把握住這較有利的時機！

大甲鎮的黃昏（上）

郭德楷

（一）

來到大甲鎮快三個月了。我愛這鎮子的淳樸、安靜。我愛這鎮子的山和水，雖然爲了工作，我沒有足夠的時間讓我來了解這鎮子，來認識這鎮子；然而，我畢竟有一份偏愛，當一天的工作完了，我總是要踏着黃昏去欣賞那些搖擺的樹，沉默的山和歌唱的溪流。

這是習慣，我散步的路徑常是由鎮子的盡頭走向田野，再從田野走過一段小路到一座山上。我愛這山，因爲在這裏不但可以看見彎彎曲曲的鎮子，還可以看見遠方一條銀白的小溪。我來到這山上常是坐在一塊大大的石頭上的，這石頭對我似乎有幾份戀意。每一次我來到這兒總是毫不猶豫的在它上面坐下。我會開始哼一些不成調的歌，來表達我內心的快樂。

山上有不少的松樹，草也長而青。那些墳墓在草叢裏似乎很安逸，一座座的像些小房屋，我常羨慕裏面的死者，他們有一個如此美好的歸宿。那裏，那些大的和小的墳墓；那些長的和方的墓碑，我都很熟悉。有一些時候，我一閉眼似乎就看見這些東西，我自己對我這種現象感到可怕，其實我也不知道爲了什麼？除了說來的次數太多，太熟悉外，我說不出什麼來。

這些墳墓裏有一座大的，而且修飾得壯麗的，它給我的影響最深，觀感最奇。因爲這墓和其他的一些墓不同，它是用大理石砌成的，有一丈多長，五六尺高。石碑是用一塊很長的青石做成。墓的前面豎着兩個日本式的石柱。最初我看見這座墓，以爲是日本時代什麼軍官的，但上面卻刻着『志賀先生教師之墓』的字樣，在那時我就奇怪，一個做教師的墓爲什麼能有這麼好，我對它由好奇而感到興趣。

在鎮上我認識的人太少，加之我又是一個喜愛孤獨的人，雖然山上這墓給我好奇，但我終無法去打聽個仔細，日子久了，我也不把這件事放在心裏，儘管我還是常來這兒。

（二）

大甲鎮的黃昏太美了，月亮已掛在樹梢，我還不準備回去，在山上那塊大石頭上我發呆的坐了快兩個鐘頭。

這是五月天，晚風在山頭拂過，發着一陣陣的呼嘯聲。地上的草在我身邊搖擺着，我不懂它對我說什麼？這些聲音我都像有幾份愛好。

暮色蒼茫，蒼茫得有點像霧。抬頭看看這些起伏的墓堆，在對面那座大墓旁忽然出現了一個苗條的身影；這身影很美。這個時候爲什麼還有人在此處呢？還是一位少女。我覺得奇怪，隨着這感覺我內心有些害怕，然而這影子給我的是那樣具體：白色的衣裳，秀麗的面蛋。我相信自己，那是眞實的人，不可能是鬼，想到這裏，我故意咳嗽一聲，下意識的壯壯膽子，另一方面當然要她知道在此地還有一個人，聽到我的聲音，我看見她趕忙的回過頭。

『一個人嗎？』她的聲音顯然帶點恐懼。

『正如同你一樣。』我這樣的回答。

『難道也是尋找一個失去的夢？』

『不，我是想在這兒發現一些人生的神秘。』

『你對這些都有興趣嗎！』她指着那些墳墓。

『假如說對它有興趣，不如說對它裏面的人有興趣。』

『那你希望知道它裏面的人嗎？』她指着那座大墳墓。

『是的。』

『我想你也許是一位小說家，或者詩人了。』

『你的話有什麼證據？』

『因爲這時候是他們尋找靈感的時候。』

『我只是一個孤獨者打發一個寂寞的黃昏而已。』我不懂她用什麼眼光來看我，知道我是一個常爲東西的人。

『好吧！不管你是小說家或者詩人或者一個孤獨者，一個故事你愛聽嗎？』

『那將是我的榮幸。』

想不到我們的談話是這樣的隨便，心目中彼此的一份驚駭早已消失了，就在這座壯麗的大墳墓旁，我們面對面的坐着。她的敘述開始了。

（三）

這是很久很久的事，那時正是日本剛統治台灣設施殖民地政策的時候，大批的日本人都在日本政府有計劃的安排下紛紛的來到台灣。

有一位二十多歲名叫志賀的青年，他也是那時來的，分派在這鎮上充當一個小學教員；他懷有甚多綺麗的幻想，遠大的抱負，他覺得來到這塊美麗的地方對他是很適宜的，他要在這兒眞正的做些有意義，有價值的工作。

他的工作熱忱獲得很多學生的尊敬，很多家長的景仰。

談洪承疇

漁翁

明末貳臣洪承疇，字亨九，閩之晉江人，古稱「南安江」，在南安與安溪交界處，有山若駝背漁翁然，俗名「隱龜山」，山即不正，溪水亦濁而不清，故諺有之：「隱龜山前出奸臣，隱龜山後出不仁」，山前即洪之故鄉，山後爲盜寇出沒地，果山水亦足以蔚奸盜歟！

洪爲萬歷進士，官至薊遼總督，位列大將軍，明廷倚爲北門鎖鑰。後清兵入關，洪率部拒戰於關外松山杏山間，兵敗被俘，明帝以洪必殉國，悼惜之餘，予祭十六壇，足見望眷之隆。而洪乃依戀祿位，竟變節降清，以大學士經畧五省，旋敘功晉一等輕車都尉，所有清初開國重要法制，皆出洪之一手，經議譏「漢不納妃，滿不點元」，冀存漢族之體面而自豪，然靦顏事異朝，終爲國人所不齒。周容譏之以詩云：「松山戰骨未全枯，再建功名佩虎符，終是風沙容易老，白頭南渡又南都。」

洪降清後，欲板輿迎母，而其母以洪不死節，怒而以杖擊之。胞弟承畯，不滿乃兄之所爲，以疇築術於泉州城，即建唐忠烈祠於其左，塑張巡許遠像於祠內，寓「漢賊不兩立」而辱之。

北伐時，余過泉州，見承畯所建之忠烈祠，尚巍然存在，而承疇之術，已成邱墟，往事追思，不禁有今昔之感！

政治家（四）

徐學慧

只有傻子纔會不顧慮他人的意見。不幸的是：那些在政治運用方面不考慮他人意見的人，卻往往以爲自己是聰明人物。這纔眞正是政治上的悲劇。

我不期望每個人都作政治家；但我卻特別期望，那些握有製訂法律之權的人物，能夠在政治權術的運用上，有良好的修煉。中國的政治體制，幾乎都是從國外搬過來的，立法院訂定一讀二讀三讀這些程序，老實說，也無非是拖延時間，以便有機會聽聽外間的反應而已。既然從法例送審的時間起，便已決定要通過，那末，要一讀二讀三讀這些程序，豈非多此一舉？

政治上的一切措施，其在社會上所引起的反應，有時候是無法預料的，正如足球員在足球場上所遇到的一樣。足球員在開賽之前，固然都要從他的隊長或教練那裏聽取有關戰略的原則，但也不過是原則而已。死守住原則而不知道臨機應變的足球員，我們不能說他是一個最好的球員，同樣的，永遠只是依靠自己的概念而不知道隨機應變的人，我們亦不能說他是一個好的政治家。

一般的政治家們，（其實應該叫政客纔對）特別注重權術；卻不知道權術應施於何時，施於何地，施於何人？此則不免是一大悲劇。

將一項措施見諸行動，在行動的過程中，不斷注意各方的反應，而予以改進，或遲予以撤消，而另候適當之時機再行提出，這纔是最圓滑而又最高明的權術。儒家學說中所謂「天視自我民視，天聽自我民聽」，又何嘗不是一種高明的權術呢！

可惜，若干人對於權術二字不免誤解了。如以二年前修正出版法草案之提出爲例，則正當的權術，應該是由行政院提交立法院，由立法院予以公開辯論，再聽取各階層意見，然後在一讀以後，延期再讀，然後在再讀中一筆勾消，夫如是，則各方面皆大歡喜。乃不此之圖，而偏在運用幕後操縱之手法，何藉表決上之多數來通過一個法案。像這個樣子的權術，似乎是太笨拙了些吧？

權術不以民意爲依歸，而僅以既定概念爲根據，在現代的民主政治來說，此種權術殊不足取。我們必取要有這一種觀念，那就是法律不能永存，它可以由於適應某種情勢而提出，當然亦可以由於順應某種情勢而撤消，此乃爲一非常淺顯的道理。

小啓

「香港地」續稿未到，暫停一期。

大陸文壇萬花筒

兩不像（下）

岳審

最使陸柱國感動的，是陳涌這一段話：「在評判一個作品的時候，只去注意這個作品是否有好主題和題材，只去注意這個作品是否表現到重要的問題和新的人物，而不問他實際表現得怎樣，他們只注意表現什麼，這就使一些在重大缺憾甚至藝術上低劣的作品便被不適當的作了肯定的評價，而作者也就跟着放鬆了藝術上的努力，並且在讀者中間造成低劣的藝術趣味。」

這些批評給陸柱國的刺激甚大，他開始感到空虛，覺得自己一無所知，所有的榮譽，眞都是靠政治力量支配的，他從此折節讀書，認識了什麼叫做小說，好的小說能流傳，決不是靠了政治力量的推動，這一段期間，他讀了紅樓夢、水滸、戰爭與和平、安娜．卡列尼娜。他的水準確實提高了，在此以前，當一江山戰役時，他曾參與那次戰役，就以那次戰役作背景寫了一部長篇小說「對蝦島」，剛剛脫稿，他就開始看古人小說，及至看完幾部名著之後，竟然沒有勇氣再出版「對蝦島」，可是這部書是組織上指定寫的，不出版又不成，陸柱國只有寫一部，書中人物還是那些人，內容卻完全改變了，書名也改爲「忠貞的心」，改成之後，陸柱國是滿意了，組織上卻又表示不滿，提出批評，「忠貞的心」變成了寂寞的心，永沒有和讀者見面的機會了。

「忠貞的心」重要「錯誤」有三點：

第一、「用傷感的情緒和觀點描寫革命戰爭」。當一江山戰鬥時，國軍以寡敵衆，英勇還擊，最後國軍七百二十人雖然全部殉國，但共軍傷亡卻數倍於我。作者既然也是共軍，看見袍澤無辜死傷這樣多，自難免流露一些感傷、悽惜的情緒，這就犯了上述的罪名。原來共軍被打死了是不准嘆息的，假若大家都感到可怕，那誰還去賣命呢？

第二、「庸俗的寫愛情」，書中描寫一個「戰士」和一個女學生結婚，也是錯誤，因爲他們是爲愛情而結婚，不是爲「革命」結婚。

第三、「寫英雄人物的各種缺點」，因爲中共文化幹部看來，「英雄」必須至善至美的神，是沒有缺點的，只能頌揚，不能批判。

根據這三個原則去寫小說，就只有產生兩不像的東西，巴金、矛盾也勢必擱筆了。

釋耒集

文士與經生

史記仲尼弟子列傳云：「子曰：文學子游子夏」舊注以爲，文學云者，文章與學問合言之也。論語公冶長，子貢曰：「夫子之文章，可得而聞也，夫子之言性與天道，不可得而聞也」。從後者言，則性與天道即學問也。後世以文章經術對舉，文辭與經術，遂判然爲兩途，經生文人，互相輕詆，且有一爲文人，便無足觀之說。抑亦言之過甚之詞也。憶幼時，從塾師受古文，讀辨奸論，云所謂奸人，卽王安石，考明允至京師，在仁宗嘉祐初年，其時安石僅爲知制誥，遽曰王衍盧杞，合爲一人，而斷其必誤天下蒼生，雖後來安石措施，大率類是，終覺其未免言之過早也。今按避暑錄話載：「明允本好言兵，見元昊叛西方，用事久無功，天下事有當改作，乃挾其所著書，嘉祐初來京師，一時推其文章，王荊公爲知制誥，方談經術，獨不喜之，屢詆於衆，故明允惡荊公甚于讎仇。會張安道亦爲荊公所排，二人素相善，明允作辨奸論一篇，密以獻安道而不以示歐文忠，荊公後微聞之，因不樂子瞻兄弟，兩家之隙，遂不可解。……而富鄭公當國，亦不樂之，故明允久之無成而歸。」及安石當國，東坡、潁濱，屢遭貶竄，東坡則幾于殺身，固非一朝一夕之故矣。又石林詩話：「元豐間，蘇子瞻繫大理獄，神宗本無意深罪，時相進呈，忽言蘇軾于陛下有不臣之意，神宗曰，卿何以知之，時相因舉軾詠檜詩：根到九泉無曲處，世間惟有蟄龍知之句，對曰：陛下飛龍在天，軾以爲不知己，而求之于地下之蟄龍，非不臣而何，神宗曰：詩人之詞，安可如此論，彼自詠檜，何與朕事？」附苕溪漁隱曰：「東坡在獄，有獄吏問蟄龍有無譏諷，東坡云：王安石詩，天下蒼生待霖雨，不知龍向此中蟠，此龍是也。」則其反噬之語，亦殊可畏，宜足使安石寒心。夫經生文士之相扼，如孫復、石介之于劉敞、楊億；二程之于永叔三蘇，晦翁之于陳龍川、胡邦衡，固不足怪矣，而東坡論文，亦復與介甫立異，其答張文潛書云：「文字之衰，未有如今日者也，其源實出于王氏，王氏之文，未必不善也，而患在于好使人同已，自孔子不能使人同，顏淵之仁，子路之勇，不能以相移，而王氏欲以其學同天下。地之美者，同于生物，不同于所生，惟荒瘠斥鹵之地，彌望皆黃芽白葦，此則王氏之同也。」世言東坡荀卿論，亦實指介甫，豈其然乎？

曲齋

粟海彈心錄

爲日本前途憂慮、並晉一言

阿公

一國之大之衆，患不在貧，而在民生不動；患不在弱，而在人心不一；患不在橫議多歧，而在擇善不固；患不在世多難，而在當局寡斷。此中國立國爲政之固有精神，而日本爲接受中國文化最早最深之國家，以此衡彼，瞻望未來，或亦日本朝野人士所樂聞也。

伊藤博文當政，數十年民生勃矣，人心一矣。故能以形弱勢居之島國，崛然而起，戰勝強俄，而日本政府當時，民力軍備，彈竭無遺，度敵則丰家長蛇，猶堪一戰，乃以「不割地，不賠款」爲議和條件，滿朝遠隔，自非邦國之象所能深切了解者，一時日本人民，羣情憤起，焚燬政府公廨，炸傷外交大臣，猶有甚於今日學生之反美狂潮，而大隈重信，守之以固，持之以斷，不惜生命，不甘受賣國罵名，以盡其職責，且不予申辯，內心之沉重，當事之艱危，或較今日政府當局爲尤難也。蓋以其時其事，因愛國而率怒政府，仇視當局，過分壓制，則誤傷國本也；依違順從，則誤國。能可貴也。

至於日本之今時今事，一反對日美安全條約，八十年前日人抗議法國政府，相與切腹於法國公使館府者十八人，大異其趣，奚止貶損國家，爲蘇俄中共應聲蟲而已。而日本朝野，僅以「羞恥」二字斥之，僅未能正以是非，綱以法紀，此可爲之憂慮者一。通天下之共產黨徒，無一不居心也險，行事也曲，謀人也知，復知有祖國民族，而外共則十年前之中共相同，涓涓不塞，將成江河，此可爲之憂慮者二。在野黨之開於內，日本執政政客不少左傾，又與「學聯」強迫言從，又與中國十餘年前之情勢正同，此可爲之憂慮者三。古今受共之禍，憂當前不斷，亂，且共產國家，不患遠與委蛇，有隙則乘，不最忌日本受毒已深，堅壁淸野，已不拔可施，而猶與之雍容相處，此可爲之憂慮者四也。

然亦有與中國絕異者：大戰之際，日本除一二都市遭受摧殘外，餘多保持正常，中國則沿海諸省，內地各省，一片荒涼，其不同一。相殺之餘，美國大力支援日本工農商業復生，民生，拾餘年間，欣欣向榮，中國都市工商業，百不存一，農村十室九空，其不同二。日共今日手無寸鐵，依草附木，虛聲恫嚇，中共則瞬息之間，裝備數十萬衆，刧奪東北，其不同三。美日當下之親善，休戚與共，而中國遭遇同盟國及兩個白皮書之嘖嘖逼人，讕言閬語，親痛仇快，其不同四。日本首相岸信介，誠能近如批准日美安全條約，辣手，日美竭力戒備，以嘉賓之屍止，（編者按：美總統艾森豪經已取消訪日）遠師大隈重信，守之以固，持之以斷，不以優容以危疑輕去就，斯則日本之幸，抑亦反共國家之幸也。

近百年十六家詞序

高山樵

自前清咸豐初年，洪楊太平軍出廣西，越洞庭，佔武漢，沿江東下，勢如破竹，遂陷金陵；至民國三十八年，共軍由河北，出津浦，佔徐蚌，渡江南犯，勢如破竹，再陷金陵；是又一大奇變也。此兩變之間，恰爲百年，金陵之陷，爲其樞紐，向之所謂佳麗地者，洵不祥之物哉！此一百年慘痛期間，在政局上，固然爲一段極混亂時代；然而在詞學上，居然產生二大奇蹟，蔚成昇華時代焉。所謂二大奇蹟者：一爲「詞派大合流」，一爲「詞體告完備」。

（一）清代詞學之淵源

陳廷焯白雨齋詞話，謂：「詞興於唐，盛於宋，衰於元，亡於明，至清初而復振，嘉道以後……」不知清初詞學之所以復振者，原爲淵源明末二三遺老之啓廸，並非清初詞人有能異軍特起，自開戶牖，掉臂獨行者。清初詞學最盛於江南，江南詞家殆無不淵源於華亭陳大樽（子龍），亦更無能出其右者。其次爲湖南，湖南詞家殆無不淵源於衡陽王船山（夫之），又其次爲嶺南，嶺南詞家殆無不淵源於番禺屈翁山（大均），翁山明末諸生，遯而爲浮屠。船山爲崇禎舉人，大樽則崇禎進士也。詞果亡於明哉？

（二）清代詞學之流派

江南詞學自陳大樽開之，得陳迦陵（維崧）朱竹垞（彝尊）接踵而起，發展至速，康雍之間，所謂浙西詞派者，儼然爲全國詞壇主流焉。其後張皋文（惠言）周介存（濟）出，倡言比興，另立旗幟，於是所謂常州詞派者，隱然與浙西一派成對立之局；湖南詞學自王船山開之，王青草承之，二公於學別有專詣，作詞特餘事耳。惟其然也，故湖南詞學發展較遲。直至道咸間所謂湘中五子出，其緒始大。五子者，衡陽王梅塢（萬晃，青草之元孫），魏將侯（梘），武岡鄧彌之（輔綸），鄧保之（繹），湘潭王壬秋（闓運）。相與結蘭陵詞社於衡西萬山叢中之金蘭寺，（船山故宅「觀生居」所在地也）以闡揚船山青草之緒餘，於是三湘五嶺七澤九嶷之間，詞風丕振，所謂衡陽詞派（一稱蘭陵詞派）者，與浙西常州鼎足而三矣。蓋浙西一派專宗南宋，所謂家白石而戶玉田也；常州一派專祖晚唐，皋文詞選所以偏重飛卿也；衡湘一派於晚唐五代則欲合溫韋李馮而一之，於兩宗則欲合蘇秦周辛而一之，王梅塢謂『溫飛卿詞「婉約綺麗」，韋端己詞「淸新俊逸」，李後主詞「雄奇幽怨」，馮正中詞「精美閎深」，是爲詞家四宗，所宜並重，不可偏廢也』。蓋船山之學博大精深，不囿於一隅類如此，梅塢固篤守船山青草家法者。（未完）

海嘯廢談薈

馮玉祥治軍的伎倆（上）

馮玉祥素有善將兵之名，實則以愚民手段爲對付大兵的要訣，不足爲訓也。他所招募的士兵，限於直魯豫三省壯丁，且以不識字，亦未曾在公共機關當過備役者爲唯一條件，如果頭上有留下小辮的痕跡，尤屬求之不得的上選對象。募兵入伍後，教其識字三百個，只要能閱讀任何文字，軍中一律禁睹報章雜誌。士兵每日從黎明到黃昏，除操練軍事技術之外，或作健身運動如爬山、習拳、鐵槓之類，或從事勞役如築屋、修路、挖泥、運磚石等工作，總以整天無片刻閒逸爲主。

馮玉祥每於夜間馳入兵營跟士兵們同榻對話，詢問各人的身世，見着傷兵輒流淚慰勉，替他們剪髮或洗身，因此士兵們都感激之。他常在操場上或會場中，高聲詰詢士兵們：「你們吃的是誰人之飯？」必答以「是老百姓的！」再問「你們是誰的兒子？」答曰：「馮玉祥的兒子！」他即頷首大喜，若答不中式，便遭責罵。這就是馮氏治兵的典範令。

馮氏最無將將之才，所部高級將領如石友三（漢章），韓復榘（向方），劉郁芬（蘭江）等，皆先後背叛，而其激叛的原因，實由於馮氏之不近人情，視部將如奴隸牛馬然，令人切齒傷心，難以忍受。茲畧述吾所親見的情形，以概其餘焉。

韓向方原係十六混成旅伙夫出身的，洊任至師旅長後，每逢部隊多衆集合時，馮必教韓氏當衆報告自己在軍中的歷史，從當伙夫說起，敍述一切經過，不得隱諱，如某次因犯某種過錯而被馮打耳光，罰長跪等故事，尤須繪影繪聲，詳述無遺，最後還要感謝總司令（指馮）的恩德，表示自己乃是不成材的混蛋！馮則顧而樂之，洋洋自得，屢次如是，表演不已。民國十六年春，馮軍由陝甘出關，進至山東曹州，馮氏駐宿鄉村民家，晚間命石漢章，韓向方二人輪流在門外站崗，担任衛兵職務，他睡在床上看三國演義，即命石氏或韓氏佇立牀前，持着油燈給他以燈下看書之便，時石韓兩人皆是軍長地位了。石友三的家眷住在天津，自從民十四年冬臘西北軍開始由平津退赴張家口之後，夫妻暌違已歷兩年，石氏領兵北伐到了曹州，電囑夫人前來晤面，馮聞之震怒，通令全軍說石友三違背紀律，戰時接家眷到軍中，着記大過一次，罰俸一個月。石氏殊憤懣不平；私謂余曰：「他媽的，那李德全（馮氏之妻）早就到曹州來了，他的老婆就可以隨便住在軍中嗎？」民十七年韓向方兼任河南省主席，曾納一花鼓姬作妾，事聞於馮，斥爲西北軍敗類，韓懼甚，嗣是每聞馮氏由西安赴南京（時馮任中央陸軍署長兼行政院副院長），或由京回陝，道經開封的前夕，即以出發勦共爲詞，電呈馮氏，作尹邢之避面。此時韓已決意相機叛馮，然馮猶懵然罔覺，迨十九年中原大戰發作，韓即率部投誠中央了。

諸葛文侯

詞林雜憶之四

懷汪國垣

·丁雨·

嘗聞之詞林名宿言，汪國垣辟疆先生所校錄之唐人小說一書，取材精審，疏說詳賅，而又琢詞整鍊華贍，有民初以來駢體名家所不及者，屢思欲得一帙以讀之，而未果也。日前，偶從友人書架中見之，急予披讀，果覺所言不爽，快且有同親炙，誠幸事也。

余之獲列汪先生門牆，在民卅二三年間，其時先生適任教重慶中央大學，并兼領中正中學課務，所居則在小龍坎一民舍中，與中正中學比鄰，樓宇深廣，花木扶疏，衆鳥啁啾其間，頗饒幽雅之趣。每值課餘之暇，余偕友人往謁時，必蒙溫顏相接，相與持淸茶一杯，上下古今，詩詞文史，縱談於葡萄架下，意態旣溫且樂。先生學殖精深，每有所叩，靡不尋源溯流，應答如響。臨辭，則又必以其所主編之中國文學雜誌致贈，並親筆簽署其上，意氣勤勤懇懇，獎掖後進，誘導儆生，唯恐弗及，殊足感也。

先生雖恂恂儒者，然初非有志於國學。當其淸末就讀京師大學堂時，所習乃爲外文，其後以屢任中學國文教席，始漸改治中國文學，益以世代贛人，家居彭澤，陶令之流風餘韻，猶有存者，故生平尤特致力於詩，所作出入大蘇與玉谿生之間，七古尤能傳髯公神理，風標淸遠，意致疏朗，與時下所爲宋詩之粗拙生硬，好掉書袋，使僻典僻字者，蓋迥異其趣。惜余今已僅能記憶其在重慶時所作懷遠詩之末句，「故鄉雖勝不歸來」，泉勻半甌，鼎陳片臠，殊憾未能以其歸趨與造詣之萬一示人也。

僑務委員會核發台教新字第三二三號登記證
中華郵政台字第一二八二號登記為第一類新聞紙類

自由報

內政部頒發僑台報字第零叁壹號內銷證
THE FREE NEWS
半週刊每星期三、六出版
第三十八期
每份港幣壹毫
台灣零售價新台幣二元
社長：雷嘯岑
督印人：黃行齋
社址：香港銅鑼灣高士威道二十號四樓
20 Causeway Rd. 3rd. Fl.
HONG KONG
TEL. 771726
電報掛號：7191
承印者：田風印刷廠
地址：香港高士打道221號
台灣分社
台北市西寧南路110號二樓
電話：三〇三四六
台郵撥儲金戶九二五二

民主政治的三大觀念（下）

陳健夫

第二、義務觀。我們人類自很早時候起便以政治為權利的事；只有我們中國的大學之道，是以政治為一種神聖崇高的人生義務。大學所講誠意正心，其用意是在使人們如何獻身國家社會，做治國平天下的事業，所以，必先明明德，而後才談得上親民，談得上止於至善，一切都是從明德做起，這便是修身。所以說「自天子以至於庶人，一是皆以修身為本。」明德便是修身的根本工夫，明德之道，乃在如何將我貢獻於國家社會，這豈不就是一種義務觀念麼！倘若親民為一種權利，自不必費如許工夫，做什麼正心誠意修身齊家的工夫了。

如以政治為權利，自必至於爭奪不已，患得患失，所以孔子說：「鄙夫可與事君也與哉！其未得之也，患得之；既得之，患失之；苟患失之，無所不至矣。」所說「事君」即是從政。如以政治為權利，自必爭奪不擇手段，無所不為了。所以儒家主張「達則兼善天下，窮則獨善其身。」又說：「用之則行，舍之則藏。」「有道則見，無道則隱。」原皆以政治為義務，個人為國家社會服務。孔子週遊列國，原是本於義務之說，盡其明德親民的義務，並不是為了發揮自己個人的權利觀念。可見得中國儒家學說一貫是以政治為義務的事。可惜後世的人完全忽視了這種高明宗旨，往往以政治為權利，乃至爭權奪利，無所不用其極。因此，漸漸的形成了各種各類的專制極權的政治，以維持一家一族及少數人的權益。數百年來，中國政治的少有進步，即是患了這種病痛。這都是由於錯誤的思想而發生的結果。幾乎不分中外，在歷史上都是如此。西方則自盧梭倡民權學說以後，才將這種觀念改變，建立了今天這樣的民主政治。我們中國自孫中山先生而後，也提倡這種不以政治為權利，而視為義務的學說，他說人生以服務為目的，這便是出發於人類應盡義務的新思想。只是到今天，我們還沒有能夠將歷史上那種爭權奪利的政治風氣改變過來！這是由於我們沒有在學術思想上透澈明白這當中的道理之故。

今天的政治學說，應以政治為做人的一種崇高義務，應本諸中國大學之道，加以進步的發揮闡明，才合乎時代的要求，這種政治的義務觀的義理，希望今後的學者及政治家加以注意，不要再走到相反的方向去——重視權利。現代的公民，每個人有他的公民權，為神聖不可侵犯，從事政治的人，不應爭自己權利，而應盡最大的義務去爭取大眾的公民權，才符合政治的宗旨。古時候的堯舜，近代的孫中山，都是抱了這種義務觀從政的，所以他們不惜以天下讓人，這便是高度的發揮了政治義務觀念。

第三、責任觀。政治既非權利，而為義務，不僅是義務，而且也是責任，是人類當中一種最神聖的責任。政治家為善盡責任，自必賦予權力，權力是一時的工具，而非目的。過去政治上的暴政專制，以君權神權曲解天命，視權力為政治目的，因此濫用權力，為禍無窮，這是違背儒家聖人之教的。

照儒家學說，政治是一種神聖責任，不可不鄭重。「季康子問政於孔子，孔子對曰：「政者，正也！子帥以正，孰敢不正？」這個「正」，便是主持正道，使一切不正的，扶之使正，這也就是國家社會的正道，政治便是主持這種正道的，這是何等嚴重的責任！而這個「正」又必須從為政者本身「正」起，孔子所說：「其身正，不令而行，其身不正，雖令不從」，便是這個道理。

所以政治家不可以政治為權力，而應視之為責任。孔子嘗說：「事君敬其事而後食」，這「敬其事」，便是盡忠責任的意思。子張問政，孔子就告知他：「居之無倦，行之以忠。」這都是勉人善盡責任的意見。孔子本人即是本此主張從政，當日孔子弟子冉有為季氏家臣，季氏是專權的大官，孔子深不以為然。一日冉有退朝較晚，孔子就問他何故？冉有說有政務料理，孔子就說「恐怕是季氏的私事罷！如果是公事，現在雖不用我，我也曾做過魯國大夫，也應該參與討論啦！論語記載：「冉子退朝，子曰：何晏也？對曰：有政。子曰：其事也！如有政，雖不吾以，吾其與聞之。」又有一次，齊國大夫陳恒殺了他的國君簡公，孔子乃齋戒沐浴，鄭重上朝，奏告哀公，說是陳恆弒其君，請出兵討伐。哀公就說：你可告知孟孫叔孫季孫三大夫。孔子退朝後，就說：「因為我站在大夫的崗位，不敢不盡責向政府建議呀！」這是何等的神聖責任！

正因為政治是一種神聖責任，不可為了個人的權力欲望而隨意運用，所以孔子說：「在上位不陵下，在下位不援上，正己而不求於人，則無怨；上不怨天，下不尤人；故君子居易以俟命，小人行險以徼幸」。這就是說：一個人在位，應善盡本崗位的責任，不必恃權去欺侮下面的人，也不必去巴結上面的人去求得權力。如果不知善盡責任，一心在求權力上打算，便必至怨天尤人。終至行險僥倖，無所不為了！所以一個人在政治上做事，如果知道善盡責任，便一定可以做好。反過來說，如不知盡責任，一心在貪圖權力，玩弄權力，便一定要失敗的。所以政治決非權力，而是一種責任，孫中山先生將權能分立，不讓政府有獨斷的權力，便是恐怕當政的人不會善盡責任，而濫用權力，忘其所以。因此主張由人民行使四權——選舉、罷免、創制、複決來約束政治上的權力，這當中也是有這種重視責任的意思在內。

這種責任的政治說，也是現代政治的特色。

論到現代的政治，總而言之，叫做民主。民主政治的基本觀念，仔細體認，不外上面的三種觀念——藝術觀，義務觀，責任觀。我們如果形[illegible]的民主政治呢？這個倒也不是一般人所說，什麼中外環境的不同之原因，主要的還是由於我們沒有做過這種基本工夫，或者做過還不澈底。而做這些工夫，就不至是政治家的事，而是我們學者的責任了。培養這樣的新觀念，新風氣，便是我們學界的責任。

小鍋天下

△美總統艾森豪返抵夏威夷小憩，一個辯論立即在美國展開。有人說他出國訪問很成功，有人批評他失敗。他「跌落地抓一把沙」，不「空手而回」已算萬幸。讓他的「個人外交」就此結束吧！主要的問題在乎：美國人對於在長期冷戰當中屢次慘敗所得到的教訓，能否產生真正的覺悟，而且覺悟得夠不夠深。

△自由中國似乎因艾森豪訪台而贏得一時面子上的光彩。由於熱鬧情緒造成的氣氛，對於冷靜的頭腦往往是一種妨害。

△美國的「蘇俄通」肯南近稱：從歷史經驗看來，避免戰爭的機會很微。他指出：以中共為中心的共黨對於核子戰的毀滅性漠不關心。

其實，憑歷史的經驗也可指出：美國在冷戰失敗愈多和愈慘，熱戰便愈來愈近。可惜的是：害怕熱戰的美國人卻一直是冷戰的失敗者。

△日本岸信介政府通過了最嚴重的一關，「日美安全條約」在紙上生效可以預期。但日共仍可隨時捲起反美的邪風，將這一紙條約吹向海裏。誰能有把握擊散在日本的「政治颱風中心」？

而最可歎息的卻是東京的反美示威者接受共黨「美元」的「日薪」，狂嫖爛吃，卻不省得這是中共向大陸人民剝削口糧得來的金錢？

中共在大陸全面舉行「反美宣傳週」。

迫令沒有飯吃而只吃「菜糊」的人民忍飢吶喊，勉強裝成「聚蚊成雷」的聲勢。自欺固可哂，殘酷尤可憎！

△阿爾及尼亞臨時政府決定派出代表團赴巴黎，與法國戴高樂政府商談休戰。

戴高樂對於解決阿爾及尼亞問題，所表現的「執着」，和岸信介對於通過日美安全條約所表現的「執着」，都是政治家在冒險的博賽中通過慎思與明辨的最佳表現。

△赫魯曉夫在羅馬尼亞的共黨高峯會議中，又高唱其與西方和平共存之論。

有人樂於見到他打中共的嘴巴。有人懷疑他只是假意打中共的嘴巴，實在是向英美的妥協主義者及時地施放出「黨人欲睡」的暖氣。

真的，當東京和北平的反美運動鬧得空前高興的時候，他怎能不為西方妥協主義者留給一條幻想的出路？

方南

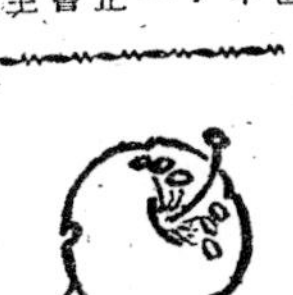

談美式民主生活

美總統艾森豪這次訪問遠東之際，自由中國政府所在地的台灣有三十萬民衆熱烈歡迎，爭以一瞻艾克先生的丰采為快慰，而日本東京却有三十萬以上的民衆不斷叫囂示威，表示擋駕。同是接受美援，跟美國締結安全互助協定的友邦，然對於艾克先生枉顧的盛意，一迎一拒，迥不相侔，可謂奇蹟也矣。

美國人一致認定日本的反美運動是共黨從中教唆支持的，誠然誠然。可是，日本在二次大戰以前，共黨份子絕對不能立足於國內，如野坂參三（又名岡野進），德田球一之流，只能在莫斯科或中共巢穴的延安鑿潛伏着，對日本社會不發生作用。戰後日本在美國控制訓育之下，厲行美式民主政治生活，承認共黨為合法政黨，享有自由活動之權利。教猱升木，引狼入室，而首先遭受共黨的意外打擊者，不是別人，正是一向卵育日共生存發展的美國行政元首！種瓜得瓜，種豆得豆，自作自受，於日共何尤乎？

記得一九四四年夏間，美國副總統華萊士到重慶訪問時，曾對我政府當局詰詢道：「你們為甚末這樣害怕共產黨？咱美國也有共產黨，我們就不怕它！」洎後美國務院動則指摘中國政府不民主，要我們「擴大政府基礎」，亦完全是以容許共黨參政合作為主要的論據。美國政治人物這套以自己的尺度衡量別人的民主思想，雖有中國大陸淪於鐵幕的這項眼前教訓，依然不知省察警覺，又在日本「照辦煮碗」，不惜覆轍重尋。美式民主政治的本質，似乎就是以讓共黨合法存在、自由活動為唯一條件，其他皆無所謂，不亦怪哉！

咱們東方人基於實際的經驗和瞭解，認為在民主生活方式之下，對任何黨派皆可以合作競賽，平流共進，唯有共產黨卻是一種大瘋癲，絕對沾不得。原因是東方國家的文化基礎、社會結構和產業發展情形，皆與西方國家大異其趣，硬要用揠苗助長的手段，把美式民主生活方式，全盤移植過來，結果只是替共產黨造機會，終至斷送其國家民族的自由生存權益而後已也。

馮五先生

日共的組織活動

泰泰

××××本報特稿××××

自從日本首相岸信介去年冬前往華府談判和簽訂美日新安全協約以來，日本國內就一直在動亂不安中。

事實上，日本之所以鬧到今天這樣焦頭爛額，雞犬不寧，純粹是共產黨在幕後策動與安排。莫斯科和北平對於日本的計劃是：「（一）促使它中立；（二）再進一步赤化它。」誠如此，則美國在遠東的勢力完全崩潰！從一九五三年十一月起，中俄共即慫恿日本左翼文化人發動反美宣傳，當時與勞動總協聲氣相通的左翼社會黨作家大山郁夫，曾發表一篇文章，對日和平揭露新的見解，極力支持第三勢力即所謂第三勢力，大約跟尼赫魯的「中立主義」相似；惟文內舉出一個日本所獨有的特點，便是日本式的第三勢力，應該沒有武裝的。

如所週知，日本共有四家大報，三家是親美的。但其中最大的一家朝日新聞，立場却很曖昧。由於日本結束佔領狀態之後，該報成爲左翼勢力的喉舌；且一度曾爲美國原子間諜盧森堡夫婦之死大抱不平。一九五四年美兵開槍誤殺日婦時，雖會一度引起日人的反美潮，而主張驅逐美軍出境的却以朝日新聞爲最力。一九五二年開始反美的日本電影片，也曾甚囂塵上。最初攝製的一部叫作「原子彈兒女」的，描寫廣島被炸情況，慘不忍覩！一九五三年售票打破紀錄的「百合花之塔」，便是敍述沖繩島一班少女，替日軍效力，後來被美軍大砲轟斃。關於席捲南洋後而被美軍絞死於菲律賓的山下奉文大將，及一九四五年被美機炸沉的日軍最大主力艦「大和號」，也分別攝製影片。日共的陰謀，是在激發日本無知青年學生與風作浪的勇氣，和敵視美國。

雖然，日本共產黨在一九五二年全國投票中却一敗塗地，議員榜上找不出一個共黨的名字。但不能以這一點來斷定日共勢力已經消沉，相反地，日共地下組織的活動，一直沒有間斷過。它所煽動的反美心理更日益蔓延，從消極而進乎積極；從文化宣傳而採了表面的行動。

其赤化日本的步驟，可從該黨領袖一九五四年分發各級幹部的信件看出。那信的內容是說明現在的局勢，需要儘量組織防衛中心和澈底調查敵人的實力，還沒有到達工農武裝作革命鬥爭的地步，而是使群衆明瞭有關鬥爭的階段。

說也奇怪，一九五〇年日共尚有黨員十萬人，但至一九五二年中，不僅選舉失敗，即黨員數字也減少一倍半，財政機構瀕臨垮台，黨的勢力一落千丈。這到底是什麼原因呢？

由於一九五〇年一月，共黨國際情報局申斥日共缺乏進取性，今後須採取積極行動，來配合共產黨在亞洲方面的攻勢。詎料不到幾個月之後，韓國戰爭爆發了。當戰爭發生之初，日共已經在執行國際情報局的命令，麥克阿瑟將軍於聞訊之餘，立即下令嚴密監視日共的活動。於是日共頭目德田球一（已死）、野坂參三便轉入地下工作，合法行動次第減少，而非法行動却次第增加。黨內成立軍事性或半軍事性的組織，意見歧異的份子則陸續淘汰，產生三個有革命性的組織，然後擬定新的計劃和頒佈新的黨規，進一步證明日共決心不顧國民的唾棄，而準備作革命的鬥爭。全國各地的黨部，編成軍事隊伍，三個或四個人成一小組，三個小組成一大組，三個大組叫做一隊，兩隊或三隊即等於一個軍事單位。日本全國分四十個區，每區有一隊共產黨黨員負責「防衛」。其武器多數是依照共黨黨員手冊自製的，或由美軍處偷竊，或是由日本警察崗位搶來的。因此，國人對它們的卑鄙行爲，就漸漸失望了。

現在日共正式黨員雖不多，但傾向於它們的人數很可觀。由於日共每逢採取行動，必須依靠那些血氣方剛的青年伙子們，身無長物的苦力和工人，以及在工業中被驅逐的份子等。所以它們這次能夠號召數以百萬計的學生工人起來反美反政府的示威行動，一面是中俄共的幕後支持，一面也是給它們多年來的坐大所致。如果日本政府和人民再不提高警覺，那末，將可能後悔莫及呢！

台北縮寫

丁丁

艾森豪到台灣訪問時，並無人搞反美示威運動，只有幾個所謂知名之士，對他上書訴述本國政治不民主，頗似「攔輿告狀」的樣兒。如此反華而不反美的表現，不悉是否合乎美國朋友素所欣賞的民主生活方式呢？

立法委員以行政院陳兼院長未經總統照例提名徵求他們同意，謂爲「於法無據」。然則立法委員每屆三年任期屆滿後，是否亦須總統照例提請大法官解釋一下，然後繼續供職，才算於法有據呢？

執政黨在海外發行的一張「黨報」，最近爲着台灣舉行「中國小姐」選拔事宜，跟台北一家民營晚報大興筆戰，這是「攘外必先安內」政策的舊調調兒，該黨報勇於對內鬥爭的精神，殊堪欽佩！

新任司法行政部長鄭彥棻聲稱：整飭司法風紀，實爲當務之急。如此說來，舊任部長殆係尸位素餐之徒了。豈其然乎？

卸任外交部長黃少谷，內定出使西班牙，然明令迄未發表，據說當局又有不教黃氏去國的打算，另有比大使更重要的內部工作需要他担任。此公眞不愧爲自由中國政壇上的「紅倌人」也。

編者與讀者

台灣「自由報讀者」惠鑒：來示暨所附山西黨人韓克溫等六人，於四十二年致閻錫山先生函稿一件均拜悉，至爲感紉。本報悼閻氏一文，僅就其與中華民國相終始的大處落墨，面臨着國運艱屯的今日，略予稱贊，乃寓有貞下起元的用心，而閻氏晚年担任行政院院長的一段經過，確屬艱苦異常，難能可貴。我們說他「瑕不掩瑜」，也就是含有褒貶之意。承寄附件，頗有史料價值，留備參考採用可也。敬謝敬謝。

台北陳泰，孟廣培先生：損書敬悉，諸承關切指教，銘感無量。本報完全是民營的文化事業，未接受海內外任何機關團體的物質贊助，言論絕對自由，了無罣礙，各版園地亦絕對公開，歡迎讀者投稿。只要不違悖中華民國反共抗俄的國策，不否定民主自由生活的思想理論，任何一種作品，都是樂於刊載的。

台灣民營企業發展的新趨勢（三）

許其京

本報特稿

加速經濟發展，策重民營企業，在今日，確爲十分重要！而且有其充分的可能性，成爲今日人所共認的自由經濟之自由企業功能之所在！國際復興開發銀行，常有指示，其業務之經營，堅持其貸款主張，並非注重貸款國家之資金缺乏與否的問題，而在研究其貸款計劃有無充分的有效的需要！凡所申請貸款，國際復興開發銀行，莫不以愼重的態度，機械的經濟分析，來考慮其貸款問題。今日羅致專門人才，訓練專門人才，實爲加速經濟發展之首要條件，亦爲力求勵精圖治之當前要務！

加速經濟發展，不論資源，抑或人力財力，今日皆不能「浪費」！

今日如求經濟發展加速，貴在資源開發與利用必須深入，萬不可以閒置乃至浪費！凡一切可以利用之資源，莫不須要儘量利用，進而配合其加速經濟發展之需要！此一經濟原則，在今日我國，極爲實用！「據悉：在政府訂定的加速經濟發展計劃大綱中，有一點特別指明，將就公營事業（包括軍事生產事業）之現有設備，作一詳細檢查，對未充份利用或閒置者，設法予以充份利用，俾已投下資本，得以充份發揮經濟效能！經濟部與國防部會同組織的工業戰備委員會，爲此問題，已於日前連開過二次會議，會中軍方代表同意先撥出兩部新式機器，生產民間需要的產品，其中一部爲壓製電木的機器，係與經濟部合作，共同生產，有關接受委託及產品銷售的業務，全部由經濟部負責，至軍方其他剩餘機器人力如何利用問題，國防部現已特別組織一工作小組，以促其成。軍方接受而未充份利用的機器設備，預料將逐漸參加民營工業生產行列，發揮經濟效能。」（見五月份聯合報）此一措施，甚爲合理！今日政府爲謀加速經濟發展，可謂不遺餘力！在今日一國之國防經濟體系中，一到戰時，頃刻之間，平時經濟立刻可以轉變爲「戰時經濟」，而平時民營企業的生產能力之增加，亦即國防經濟力量之壯大！

今日我國，如求加速經濟發展，則對於中小型的民營企業之創辦，更應實施「獎勵制度」！零星微小的國民生產，皆爲加速經濟發展之成果！

今日民營企業，能與市場機能，發生互相作用，穩定經濟，成效最大！況且民營企業，莫不致力於「創新刺激」與「資本形成」之促進！民營企業追求「高利潤」之願望，在今日，并非不可能，惟在「資本形成」方面，多作努力！此爲民營企業利益之所在！今日加速發展民營企業，既可以誘導國內游資及海外僑資，踴躍投入國內生產，增加中小型企業之經營；又可以吸引外資來華，大量從事「直接投資」，促進大型企業之發展！而減輕人口壓力，擴大充份就業，增加國民所得，提高生活水準，加强穩定物價，發展國際貿易，平衡國際收支，消滅財政赤字，今日一國經濟繁榮，實繫於民營企業之發展也！（全文完）

印尼排華後的經濟情況

×××××椰加達通訊×××××

××××××華　肇××××××

印尼自盲目實施排華政策以後，雖從華僑手中獲得不少資財，但其引起的經濟混亂，印尼政府已自食其果。自印尼「總統第十號條例」宣佈後，鄉村中國商人因不能再從事收購，鄉村民間土產的經營，使無數土產停滯集結，靠採樹膠、咖啡、茶、烟、菜蔬等土產爲業的印尼鄉村農民，已無資金周轉，莫不叫苦連天。而能銷售部份的，價錢亦甚賤，虧蝕甚大。印尼政府特草擬一項「鄉鎮收購土產合作社」條例，以接替原由華商所經營收集土產的商業機構。

蘇島南部朱庇地區，一向是印尼最大的咖啡市場，因華僑商人垮台後，市況不佳，以致農民對種植咖啡毫無興緻。五月至八月，是咖啡的盛產季節，但現已備受打擊，該地的咖啡积售價，由每公斤卅盾跌至十盾，亦無人問津，其他農產品情況亦屬相似。印尼政府的「情報部長」已呼籲：此種惡劣情況決不能長久拖延下去，必須從速成立收購的合作社。他說：印尼鄉鎮人民希望他們出國產品能夠很快地賣出去，他們極其需要將銷售農品所得的現款去維持他們的農業和家庭的費用。他又稱：此種印尼鄉村收購合作社的任務，是收購鄉村未來的農產品，這不僅是由政府股份的合作社經營，而且私營方面的合作社也獲得參與經營收集土產的機會，這土產的收集僅限於幾種有出口價值的農產物資，並非所有農產品均應由收購合作社收購。因此，日用農產消費品的收購仍然陷入無可解決的危機中。印尼鄉村的農民，對生產了無興趣，生活困苦，對政府盲目的排華，使他們生活陷於困境，紛露不滿。

在另一方面，從去年底起，華僑自各地鄉村經營的小商店（即阿弄），多已被廹停業，但當地合作社的組設，異常緩慢，且經營亦不得法，日常必需品的物資，亦難有供應，以致居民生活不安，印尼政府在廹不得已情況下，於本年初又准部份阿弄（華僑小商店）復業，延期半年結束，因爲各地華商多有悠久歷史，平日對於居民賒借，多予便利，不像政府的合作社規條之嚴也。但延期半年的時間又將告滿，政府的合作社辦理仍未有成績，故一般農村居民又面臨日用品供應困難的境況，一般都深望政府能再予華商「阿弄」延期營業。

自從鄉村的華商店舖及收購站停業以後，農村及城市經濟循環即呈現空前的混亂，在農村，農產品過剩，價格大降，而致漸向農村經濟破產的危域邁進，至於日用必需品，則因合作社經營不得其法，供應奇缺。而在城市方面，日用必需品既不充裕，農產品更奇缺，如棉蘭市，居民到國營合作社購糖，竟有排隊數日而仍然空手而回的。又如棉蘭國營公司配售的布疋，不符合印尼人民的理想，許多人民不予購買，棉蘭國營消費合作社的布疋銷售，原定有六十六萬七千餘碼，但只賣去一半。這並非說人民已經足用了，可不用買，而是那種布質劣而粗，人民不感興趣。至於城市的一般用品，價錢日益飛漲，印尼幣的價值逐日降低，形成了經濟上的大混亂。

自從去年八月，印尼政府宣佈五百盾及一千盾鈔票貶值百分之九十，而僅值一成之後，除使當地華僑受致命傷外，對印尼的經濟情況並未起任何有利作用，相反的，因市面鈔票流通減少，商家在資易付款上殊感不便，而印尼國營機構在收購土產上，亦因鈔票價值降低，缺乏現款而致諸多不便。在物價飛漲中，最大面額的一百盾紙幣亦毫無用處（一百盾僅值叻幣不到五角）。印尼政府無法，乃乞靈於印刷機，宣佈從新發行五百盾及一千盾的大鈔，但一般商家經去年之變後，已成驚弓之鳥，對該等大鈔並不信任，相反地，更因大鈔的發行，引起已趨膨脹的通貨，情況更惡劣，印尼政府可謂弄巧反拙。現在，印尼的經濟情況已趨極端混亂，這都是因爲印尼政府胡亂排斥華僑，推翻了當地經濟定力的結果。

社會小說　香港地

四、高的低的

梅太太又是用頂撞的口吻，向梅大亮回答道：「我怎知道吸毒有什麼好處呢？我又不是吸毒的人，你問我是沒用的。胡家兄弟打架，當然是吸毒的弟弟不好，但那個做哥哥的難處，却不是你能夠想得到的了。你說得好輕鬆呀，凡是自甘墮落的人都由他墮落下去，索性不再理他。你可想不到，他們是『切肉不離皮』的呀！等會兒，我還要到許多人家去發貨收貨，懶得和你再說廢話，你如想多知道一點吸毒的事情，等晚上胡家的哥哥有空，我找他來和你談談吧！」

梅太太說了這番話，果然忙着幹她自己的事，又是匆匆的去了。

她所說的「發貨收貨」，就是代一間手襪廠把原料發放到各個木屋去，待各家用原料織好了手襪，然後再收回來，送回工廠領錢。她已成了這一門行業的中間經紀人，照理可以從中賺幾個佣錢，她却一文也不肯沾取，只是白替人家忙跑。就是因爲這樣，她的名聲才會在這一帶木屋區裏叫得響亮。

到了晚上，梅太太稍爲空閒了半刻，果然走到胡家去，把胡興請到她的屋裏來，和梅大亮相見。

木屋裏面沒有電燈，大家都是用火水油燈，那本是容易惹火之物，偏是木屋區裏的人沒法不用它。梅大亮習慣在晚上寫點文章，這晚却打算不寫了，燃起淡淡的燈火，泡好了一壺茶，招待那個好意來探他的賓客。

胡興是一個體格高瘦的人，穿了一身破舊的衣衫，走到梅大亮的文山書屋來，在那淡黃色的燈火下，他那黃悴的面色越顯得難看。他頭髮蓬亂，似乎很久沒有修剪過了，頰傍和頷下有稀稀幾根頗長的鬚，那鬚色也是黑中透黃，可見得連鬚也欠缺營養，所以沒有潤澤之色呢。

梅大亮很同情胡興這種人物，一因知得他能吃苦奮鬥，二因知得他是一個很有孝心的人，能夠用無限的苦心和毅力，對待他那不肖的弟弟。

茶煙奉客，不在話下。胡興也不懂得客氣，燃起了香煙，才開始談話。（卅七）

木客著

大甲鎮的黃昏（下）

郭德楷

這位年輕的人很快的被全鎮的人知道了，在這種尊敬景仰下，有一位芳齡十八歲的姑娘偷偷的在愛着這位異國青年。每當學校放學，志賀把學生領到校門口時，這位姑娘常在附近偷看他，她想能夠認識他就好了，然而沒有更好的的方法使得她這樣做。

大甲鎮的黃昏不知從若干年起就是美麗的，志賀很愛這兒黃昏的景色，常是一個人踏着孤單的步子來到小溪旁，聽溪水的聲音，看夕陽的遠去，這兒和他的故鄉不是有幾分相似嗎？

『志賀先生！你常來這兒散步嗎？』一個黃昏他來溪邊散步的時候，突然聽見一個少女的聲音在呼喚他，他仔細看看，發現說話的是一位在溪邊洗衣服的少女，她那大大的眼睛，圓圓的面形，似乎覺得很熟。他想起了她原就是每天在校門口常碰見的那位少女，此刻這位少女的臉上帶有幾分羞意，也許是她的日本話說得不好而感到害羞起來，也許是爲了旁的。

『是的，小姐你貴姓？』他奇怪爲什麼她知道他的名字。

『我叫方蘭，是方明的姐姐，弟弟放學回來常提起先生，所以我也知道先生的。』

『方明就是你的弟弟嗎？他的功課很好，是一個好學生。』

志賀對方明是很熟的，他在班上算得是個好學生，志賀相當歡喜他的。

『那裏，還是先生教導有方呢？』

『……』

『……』

他們倆個人沉默了一會。

『我們家從這兒一直過去，經過那樹林再轉灣就是。』她指着遠方。

『希望先生有空來玩。』

『好的，我一定來府上看看你們。』志賀回答她。

這意外的認識，在方蘭說起來是覺得高興的，在志賀說來何嘗又不是？年輕人的幻夢總是那麼容易產生的，他們各自的內心都覺得平添了一些什麼？

從此，志賀常到方蘭家去玩，她的家人對他很歡喜，他們如同自己人一樣的看待他。日子久了，他和方蘭的感情到達了不平凡的階段。

黃昏是他們幽會的時候，溪邊和山上是他們幽會的處所，這一對年輕人青春的烈火在彼此內心中燃燒着，燃燒着……

然而幸福是一件留不住的東西，它如同春天一樣的短暫。

志賀和方蘭的事情很快的傳遍了大甲鎮，也很快的傳進了學校的校長耳裏。當時日本人是嚴禁和本省女子結婚的，因爲他們把台灣看成殖民地，把台灣人看成次一等的人，他們的身份是不能與日本人平等的，志賀的這種行爲無疑的是不容於校長了，校長愛他，希望他能夠放棄這個夢幻，然而愛情是偉大的，任何的力量阻礙不了它。不久，悲劇開始了，日本政府的調職令到了學校，要把志賀調回日本去。

這對志賀雖說不上是一個意外，但總可說是一個不幸的。他愛方蘭，方蘭愛他，他們是不可分的。假使他把這消息告訴她的話，他不能想像她的悲傷。他不能告訴她，他也不忍告訴她。

他又不能違抗這命令的，於是他想到死，用死來反抗它，雖然他知道這種是一個弱者的表現，但是此刻他確實是一個弱者，他除了這樣外什麼都不能做。在一天夜裏，他偷偷的自殺了；自殺在每夜與方蘭幽會的那座山上，他留了一封信給方蘭，要她不要爲他的死而悲傷，希望她能夠把未生產的結晶好好帶大。

志賀的死對方蘭是悲傷的，對她的家人，也是悲傷的。他們把他葬在自殺的山上，化了不少的錢做成了現在這座墳墓。

（四）

叙述到最後時，她的聲音顯得很微弱，

『到現在她快五十歲了吧！女兒想必也很大了，她們都在這鎮上嗎？』故事雖然完了，我仍想知道一些東西。

『是的，她的女兒已經長大成人，但是她自己却出家了！』

『那麼——』

『好吧！我應該回去了，對一個陌生的人我已經說得太多。』不等我說完，她轉身就走。

當她離去的時候，我依稀聽到輕微的嘆息聲，頃刻間一些問題湧上了我的心頭：

『她爲什麼一個人在這墓旁徘徊？』

『她爲什麼那樣的憂鬱？』

於是我意識到這位少女的身世，我想上前去找她回來，但我却又沒有這份勇氣。

大甲鎮的夜更濃了，山上一些淒涼的蟲聲在響着，像悲傷着一個少女的遭遇：……

青年之聲徵稿

本版特闢「青年之聲」一欄，專載海內外青年學生的文藝作品及其生活動態的報道。歡迎各校同學來稿（勿超過五百字），一經刊載，略致薄酬。如需退稿，請附郵票。

瞿秋白之戀

文壇軼話

介人

這一次中共召開的「教育和文化、衛生、體育、新聞先進工作者代表大會」，因爲名字太冗長，簡稱爲「羣英會」，與會代表六千多人，眞是聞所未聞。這一次發言的有楊之華，她是瞿秋白的遺孀，久已不聞其動靜，看了這一段新聞，使我們回憶起瞿秋白之戀。

民國二十三年，瞿秋白在汀州監獄中時，已自知其已往所爲法無可恕，臨死之前所寫的「多餘的話」末段，猶殷殷以之華爲念，原文云：

「我留念甚麼？我最愛的人，我曾經依傍她渡過了十年的生命，是的，我不能沒有依傍……我一直是依傍着我的親人，我唯一的親人，我如何不留戀？我只覺得十分難受，因爲我有許多對不起這親人，尤其是我的精神上的懦怯，使我對於她也終究沒有徹底的坦白，但願她從此厭惡我忘記我，使我心安吧。」

還有，「憶內」七絕一首。詩云：

夜思千重戀舊遊，他生未卜此生休；行人莫問當年事，海燕飛時獨倚樓。

遺言及詩，多屬沉哀幽怨，盪氣迴腸，人之將死，其言也哀，而對於之華之眷戀，尤至死不忘。據說，瞿之死，實與之華有關，因爲其時楊在上海，瞿時被中共中央遣入江西共區工作，企圖冒險化裝逃回上海，終遭國軍捕獲，明正典刑。

政治家（五）

徐學慧

一八四六年，英國政府撤消了穀物法，是由於人民多年反對的結果；一八三二、一八六七、一八八四、一九一八、一九二八這幾個年頭，迭次改善選舉法，也是出於人民多年的要求；一七九八年所徵收的所得稅，在當時原是爲了在拿破崙戰爭中因國庫窘急而設，殆戰爭結束，全國各鄉鎭公民，紛紛上書國會，請求廢止徵收，英國政府不得不於一八一六年加以廢止。儘管在今天來看，所得稅之廢止徵收，是一項錯誤的行爲；但在當時，這一法案却爲全國人民所反對，所以執政者亦不能不遷就民意。我舉出這些事例，亦是想要提醒中國的政治家們，任何法律之製訂，只能作是解決某一問題之試驗。政府就是寒暑表，外界的空氣之或高或低，隨時都可以影響到氣溫計之高低；却千萬不可膠柱鼓瑟，致顯得各方面都不能適應。

當然，我亦不願苛責中國自帝王制度下解放至今不過四十九年，民主政治正在萌芽，有政治修養的人才並不太多。英國的民主政治，已百五十年，法國亦已一百八十年，四十九這個數目似乎是太少了。十年樹木，百年樹人，連一百年還不到一半，而需要普遍地產生人才，自是奢望。

燕子築巢，是一點一滴這麼積累起來的；高樓大廈，亦始於一磚一石；一個國家的政治，要想達到穩健前進的境地，當然也不能期諸於三五十年；能夠有三五百年的時光，大概也就有些眉目了。

這並不是說我們只是憧憬於三百年後的政治，而對於現在的政治漠不關心。相反的，我們必須要普遍地留心政治，逐漸提高每一個人民的政治意識，否則，且莫說三百年，就是三千年也沒有用。

近五十年中，戰禍連綿，人民流離轉徙，所謂教育普及之說，已成空談。教育不普及，政治人才將無從產生，處今日世界而不能有政治人才，國之爲國，亦可知矣。

使才而可求，吾將焚香膜拜以求之！（本文完）

望海樓隨筆

大陸文壇萬花筒

鬼話中的實話

一岳

最近兩年來，共區盛行寫回憶錄，只要是老幹部，阿貓阿狗都可寫一篇，自己不識字，自有人代勞。不過其中有兩個原則，以人爲主的回憶錄，要攀附當時得令的大頭目，如「跟隨毛主席長征」，「朱總司令和周副主席在一起的時候」。絕沒有人寫和李立三在一起的，沒有人寫跟隨陳紹禹長征。至於以事爲主的回憶錄，必須要記大事，要誇張紅軍的英勇，如「大渡河畔英雄多」「會師陝北」，氣壯山河，沒有人把新四軍在皖南全軍覆沒的事情寫一篇回憶錄，也沒有人把通過夷區時，周恩來第一次辦理外交，送上槍械彈藥，買路，向夷區女王，行了三跪九叩首大禮，通過的情形寫篇回憶錄。

這兩年來共黨大小頭目所寫的回憶錄，說來駭人聽聞，我估計應有一千種左右，其中百分之九十都是鬼話連篇，其中有些鬼話不必等待我們考證，過了幾天共黨自己就否認了，例如有一個小頭目寫了一篇「和主席在一個小組」，自稱是毛澤東的伙伴，在延安時，他和毛澤東及毛的警衛員合編一個黨小組，大家推他當小組長，每次開小組會時，毛澤東還要向他「匯報」。這種寫法本是上乘的拍馬術，那知撞了板，隔些日毛澤東居然要左右出名證明沒有這回事，這種「很有一價值」的回憶錄就變了荒謬的故事。

不過，若是用心去找，回憶錄中有時還可以找出一點眞實的故事來。例如[illegible]的「紅色的安源」。這是一個短篇回憶錄集，共收了九十五個短篇，全書共有八百頁，也算是一部大書了。主要內容是宣揚劉少奇推動安源礦場的工運，主持礦區俱樂部，鼓動工人罷工的事。書中有幾段到很眞實，[illegible]活動情形。不過也提到毛澤東在安源礦工被共黨騙去井崗山當兵的有五千多人，大概沒有誇張，因爲毛澤東在「井崗山的鬥爭」報告裏，就說到「湖南省委答應送安源工人來此，亟盼實行。」工人竟被共黨送去當兵，與豬仔何異。還有毛澤東教工人喊口號不要喊共產黨萬歲，要喊共產主義萬歲，喊打倒資本家時，應分清楚「民族資產階級」和「買辦資產階級」，喊早了，有人害怕，不敢靠攏我們，要等到有了槍，有了軍隊，就可以大叫了。」這一段話眞把毛澤東的形象刻出來了，相信是不會假的。

釋耒集

論人民性

上世聚賢言人性者，蓋始于孔子性相近習相遠之說，其後孟子主性善，荀子主性惡，循是更有謂性可善可惡，或性無善無惡者。下逮宋儒，乃謂性有義理之性及氣質之性之別，縱極工眇，終無以逾越孔子所言之範圍，而異說滋多，反以迷失其本，近世西方心理學傳入中土，論性之書，益以叢雜，性之一詞，其爲人襲用亦愈濫。涉於國家者，有所謂國民性，敍說民族者，有所謂民族性，國人自訟其悠忽惰，不適于競爭生存之時代，則自承爲劣根性，及其發奮圖強，思所以鼓盪風潮，又強調所謂革命性，斥其不受鼓動者爲奴隸性。大陸赤化以還，余讀內地殘存文人述作，論學論文，又出現所謂人民性之新說。考人民一詞，以余所知，似先見于論語子路使子羔爲費宰一章，曰：「有人民焉，有社稷焉，何必讀書，然後爲學」。是人民一詞之意義，實相當于蒼生、黎元、百性之類，及秦統一，乃立一新名曰黔首，其名雖異，而其爲兩手兩足之動物，固自若也。自若，則所謂性者，自亦不能以其名異而有所不同。董仲舒曰：「孔子曰：天地之性人爲貴，明于天性，知自貴于物，知自貴于物，然後知仁義，知仁義，然後重禮節，重禮節，然後安處善，安處善，然後樂循理，樂循理，然後謂之君子。」李習之曰：「受一氣而成其形，一爲物而一爲人，得之甚難也，生乎世，又非深長之年也，以非深長之年，行甚難得之身，而不專專于大道，肆其心之所爲，則其自異於禽獸蟲魚者，亡幾矣。」人莫不欲爲君子，而恥其淪于禽獸蟲魚，今舉漢末之黃巾，唐末之黃巢，宋末之方臘，明末之李自成，張獻忠，譽之曰有人民性，反其道以行者，則斥之曰奴隸性，爲封建統治階級之幫凶，然則所謂人民性者，特殺人放火，犯上作亂之行爲耳。以商君、韓非、桑弘羊、李卓吾、洪仁玕，均具有人民性，則人民性亦僅違道趨利，殘民厚主之邪說耳。大陸殘存文人，若朱謙之、傅庚生等，大抵不寫作，則無以維其生計，設欲本其良心，有所著述，則不免危及其生存，故遂摺撫舊聞，以求有合于共產政權之意向，其情固甚可憐，而其勢實至爲危殆。昔王莽篡漢，託爲符命之說，而劉歆、甄豐實預其謀，及即位之後，欲絕其源以神前事，而豐子尋，歆子棻後獻之，遂觸莽之忌，莽於是誅豐父子，而投棻于四裔，今頌闕獻以取悅紅朝者，又安見其不爲劉歆、甄豐之續邪？

曲齋

聚海彈心錄

閒話朔雞（上）

阿公

讀六月十一、十二日台灣中央日報副刊「蕉陰雜話」，杜負翁所撰「朔雞院」上下二篇。內云「余既長，留心考察，方知朔雞院者，實爲反清復明之所。朔，喚雞聲也，雄雞一聲天下白，寓復明之意甚深，……某年，鄭學川過院，乃以爲宏揚佛教之處，陰布反清種子，清廷偵知，目爲教匪……學川以矯捷得脫，餘遭極刑」。於學川反清事迹及其所遭遇者，言之甚詳。

余因有感於「朔雞」二字，不盡如字由所釋，——喚雞聲也，從吅，諧州聲，亦讀如祝。余師楊先生謂爲鳥名，南人呼爲鶺雞，江人呼爲麥雞，揚雄則謂竹鶺是也。雞於鶺之爲鶺不甚合，深信余師必有所本，獨惜函丈間，未之請益，且其中另有一段師生因緣，而朔雞竟爲預知興亡之鳥。

楊先生名宏發，浙江人，清賜同進士，學問淵博，供職內廷久，後以重聽，湖北按察使司邵章，監督湖北法政學堂時，（邵亦浙江人）聘主講人倫道德與大清會典兩課。某次月考，余文中用有「萬物該兼」四字，該誤爲賅，先生屬管課官某，傳語召見，詢以萬物一語，出自何書，當舉楊子以對，又謂該作何解，答以古訓具備。先生頷首者再，謂予固知汝之筆誤也，宜愼之。由是列在門牆，許爲高足，受益良多。

楊先生其時年逾七十，每搖鈴下課，先生猶講授不輟，故中班同學呼爲洋麪糊，乙班同學呼爲炭圓老闆，（本校左近有宏發炭圓舖，取其同名也）。

詞林雜憶之五

近百年十六家詞序

高山樵

嶺南詞學自屈翁山開之，至嘉道間程春海陳蘭甫繼起始大其緒。迨洪楊變作，嶺海騷然，詞風亦少衰矣。此外有納蘭成德者，滿洲人，大學士明珠之子。奇才秀發，號爲清詞冠冕，而其生平居相與切磋觀摩者，悉爲江南詞人，故納蘭亦不能脫離江南詞派以外也。所以清初中興以前，清詞流派大畧如此。

（三）近百年三南詞派大合流

洪楊事變結束以後，詞壇宿將凋落殆盡。魯殿靈光，在江南則有蔣鹿潭（春霖），在湖南則有王梅鴉（壬秋），在嶺南則有陳蘭甫，但壬秋晚年專力於詩，蘭甫亦不專以詞名家，有梅鴉鹿潭振餘緒於絕續之交，作詞壇宗匠焉。故論近百年詞必自二公始，亦猶論清詞必遡源於陳大樽王船山屈翁山三家也。梅鴉湘人，早歲官江西吉安府學教授，中年又以知府候補於江西有年，及門弟子殆遍湘贛二省，武陵陳伯弢（銳），萍鄉文道希（廷式），晚出最知名。梅鴉有弟曰萬昂，亦頗能詞，同治[illegible]王幼霞（鵬運）從之習爲詞，桂人以詞名者自幼霞始，則梅鴉再傳弟子矣。其後幼霞道希伯弢並官京師（北平），更與朱古微鄭叔問許鶴巢袁爽秋沈子培等結堅社於宣武門外以倡導詞學，相唱和無虛日，古微子培爽秋均江南名宿，而古微繼又督學嶺表，嶺南後勁多出其門，因之江南嶺南詞人閩風景從，羣趨於此一詞學中心，無復有另立旗幟相號召者矣。於是三南詞派滙爲一流，前此所謂地域派系門戶之陋習不復存於人心，故堅社實爲清詞一大結穴。而彊邨詞社又近百年詞流之先河也。是爲近代一大奇蹟。此一奇蹟，固然半唐老人倡導之力爲多，而古微先生號召之影響最大也。

（四）近百年詞體臻完備

至於詞之體制，自南宋黃叔暘輯「草堂詩餘」別詞爲令詞，中調，慢詞三類，於是詞體鼎足之局，遂以確立。然而自晚唐以迄清末，千餘年間，詞家以令詞慢詞名者，不可勝數也。惟中調一體寂焉無聞，雖以詞聖之周美成，此體不過十數首，並無膾赫可誦之篇，其他更無論矣。萬紅友詞律收六百六十調，此體所佔不及十一，其不振也，由來已久矣。曩者先師吳霜厓先生嘗爲余言：「今古詞家，傳之百世不可磨滅者，得十二人焉。李太白爲令詞之祖，李後主爲令詞之帝，溫飛卿，韋端己，馮正中各立一大宗焉，後之爲令詞者不能出此五家範圍矣；柳耆卿爲慢詞之祖，蘇子瞻周美成各立一大宗焉，姜白石辛幼安又各一宗焉，後之爲慢詞者，亦不能出此五家範圍矣；首創中調者，本爲韋端己，但未能自成體制，至蜀人薛澄州昭蘊，創嵌韻之法，始畧具中調楷模，友人衡陽王綠野（寧度，梅鴉曾孫）推澄州爲中調之祖，可謂特具卓識。又慨乎澄州僅作「離別難」一調，不足資倡導，不如柳耆卿慢詞十九調爲能風動一時也，乃作「詞體辯證」一文以闡明中調體制與作法，並新創十有八調，每調自綴數詞成中調自度曲一卷，示後學以矩範，致力之勤與柳耆卿慢詞十九調者，後先媲美，於是中調者，別於令詞慢詞者，始爲詞家所共曉。上根千載之墜緒，下開百世之宗風，世以王中調稱之，余以爲旣有後主令詞之帝，亦可以有綠野中調之王也。然而能於中調自立一宗者，竟尙無其人焉，循綠野已闢之途徑，發揚而光大之，正此後詞家所應有事也。」足見三種詞體雖定於宋人，但千餘年來，鼎折一足，今幸得綠野翁起而振之，不可不謂爲近代詞壇又一奇蹟也。此一奇蹟，固然綠野翁倡導之力居多，而先師霜崖先生鼓吹之影響亦大也。（未完）

海嘯慶談薈

馮玉祥治軍的伎倆（下）

劉郁芬受過軍事教育，並非純粹的老粗，在馮軍從下級官按步遞升，[illegible]十四年已洊任至師長兼總指揮，與張之江，鹿鍾麟等相繼頡頏。是年秋初，奉命代理甘肅省軍務督辦，（原係馮玉祥兼任），他出發赴甘肅省就職之日，馮氏適巡視綏遠，駐節平地泉火車站專車上，而民黨要人李烈鈞，張繼，孫科，李石曾，徐謙等亦與馮氏偕行。[illegible]到專車上晉謁，請示一切，馮略與數語，忽厲聲呵之曰：「跪下！」劉俯首屈膝，長跪無言。[illegible]少頃，公推李烈鈞向馮乞情轉圜，乃命劉氏起去。旋李說馮：「蘭江已貴爲國家封圻大吏，並非大兵可比，縱有過失，似不必當着賓客面前，予以難堪，今日之事，所爲何來呢？」馮笑謂：「沒有甚末，只試試看我這套方法還靈不靈而已。」用意是要測驗劉郁芬躍居高位後，是否仍如往日之絕對服從，雖受奇辱亦不敢反抗。這樣的將將之術，即一般擅作威福的軍閥亦所不取的。十七年夏間，劉蘭江已卸去甘肅督辦職務，領兵駐屯豫魯邊境，曾以赴滬治療牙疾爲名，道經金陵小住，即向中樞暗示輸誠之意，迨十九年中原大戰爆發前，劉乃脫離馮軍，入南京受任爲國民革命軍總司令部總參議了。

此外，馮氏部將梁冠英於民十七年領兵駐防海州後，亦對馮貌合神離，唯國府之命是從，馮迭次檄調梁部歸還建制，皆不奉命，馮雖以中央陸軍署長的權力懾制之，梁亦置若罔聞，且與馮避不見面。馮至南京，每逼梁氏之駐京辦事處主任鄂人曾某，即多方揶揄以洩憤，一日，曾某衣長袍晉謁馮氏，時余亦在座，馮岸然指着曾某，獰笑謂余曰：「你瞧他像不像個候補道的樣兒呢？」曾亦怒目相向，暗中慫恿梁氏勿再作馮的奴隸，梁終於叛離馮氏了。宋哲元爲人頗忠厚，然對馮氏亦陰懷反側意念。抗日戰爭初期，宋部戍守保定一帶禦敵，中樞以馮氏係宋之舊主，任他爲第一戰區司令長官，駐節保定，直接指揮宋部（即第廿九軍）。詎宋極害怕再作馮之奴隸，拒受節度，馮羞憤之餘，曾舉手鎗自戕，爲左右所救免，中樞洞悉其隱，急令馮解除司令長官之職，以免貽誤大局。又譬如李鳴鐘，位至師長兼綏遠都統時，因其所部某團長在張家口公幹之際，清晨不勝大雪沍寒，偶爾飲酒增加體溫，被馮發覺，即電召李來張垣西北邊防督辦署，在院中罰跪數小時，俾衆觀覽，此民國十四年冬臘間事，余所親見者。是年張之江以總指揮地位，率軍在直隸（今河北省）楊村一帶與奉軍李景林作戰，隨時用長途電話向馮報告戰況，一語不合，亦予張以罰跪處分，張氏惶遽遵命跪地，必待馮再來電話赦免，方敢起立，蓋左右有馮氏所派特務人員潛在着，如違令，禍且不測也。民十六年馮氏部將門致中任寧夏省主席時，某夕宴客會打麻將作樂，次日即接馮由陝西來電嚴厲申斥，可見其特務工作之嚴密。

馮之治軍伎倆如此，宜其衆叛親離，一蹶即永不再起也。

諸葛文侯

懷汪國垣

·丁雨·

先生既終年萃力于詩，且以詩名海內，故其課諸生也，亦首必以詩。以爲詩者，先民之精言，文人之極詣，上之足以鼓舞彝倫，風起百世，益教化而正人心，下之則足以陶冶性情，潛移氣質，葆眞元而鳴天籟，此孔子與觀羣怨之旨，未可如拘曲之士，執一偏而抹全體，揚屈杜而抑陶王也。至其取徑，則首在宋詩，間亦旁採選體，此觀其所著光宜詩壇點將錄及李義山錦瑟詩箋補等可知，後者蓋取其沉博與麗，所以藥前者之生澀枯瘠也。

舍詩學外，先生于唐人說部，頗亦有所嗜好，其旨趣可于所撰「唐人小說題辭」見之：

……風會既開，作者彌衆，才傑之士，各拾所聞，蒐奇則極于山經十洲；諧怪則逸於齊諧列異。于是遊談三清之境，佛氏輪迴之思，負才則放于麗情，擢刺則寓于俠義；罔不經緯文心，奔赴靈囿，繁文綺合，縟旨星稠；亦極稗海之偉觀，邁齊梁而軼兩京者歟！雖末流所屆，猥肆詆諆，而振聯乘辭，終歸明密。宋則劉貢父嘗言：小說至唐，鳥花猿子，紛紛蕩漾；洪景盧亦言：唐人小說，小小情事，悽惋欲絕；洵有神遇而不自知者。而公博洽儒宗，立言不苟，辨微知味，獨具會心；要非秉正衞道者，所能夢見。……

詩文本一道，由此益可窺見其于宋詩中，舍江西而取坡谷之微意矣。（中）

自由報
THE FREE NEWS
第三十九期
中華民國僑務委員會頒發
台報新字第三二三號登記證
中華郵政台字第一二八二號執照
登記爲第一類新聞紙類
（本週刊每星期三、六出版）
每份港幣壹角
台灣零售價新台幣弍元
社　長：雷嘯岑
督印人：黃行靈
社址：香港銅鑼灣高士威道二十號四樓
20. CAUSEWAY RD 3RD FL
HONG KONG
TEL. 771726　電報掛號：7191
承印者：田風印刷廠
地址：香港灣仔高士打道二二一號
台灣分社
台北市西寧南路壹壹零號二樓
電話：三〇三四六
台郵撥儲金戶九二五二

長篇社會小說　儒林九尾龜下期發刊預告

這是一個偉大的時代，這是一個微妙的地區。十年來，有數以萬計的中國智識分子避亂逃出大陸，棲遲海外，有數以千計的西方人士到華僑社會中觀察聯絡；也有無數的中共特務間諜在海外譸張爲幻，作浪興風。這中間，有各種形形色色、可歌可泣的故事，或爲我們所目擊，或爲我們所耳聞。「儒林九尾龜」就是把這些耳聞目見的故事，綜合貫穿，特請名作家寫成一部長篇的社會小說，下期即在本報連續刊載。小說裏面的人物，可能有你，可能有我，也可能有我們所熟悉的朋友；小說裏面的故事，有汗，有淚，也有血。這裏面所描寫的乃是一個偉大時代中所產生的特殊事象，是小說，也是歷史紀錄。請讀者特別留意。

怎樣改進低能的行政效率？

雷嘯岑

我敢肯定說句不合時宜的老實話：現時中華民國政府各機關在台灣的行政效率，其腐化低能現象，縱然不是絕後，也可算是空前了！

構成這種現象的原因，一般人皆歸咎於公務人員的待遇太菲薄，大家精神苦悶，心緒不寧，引不起興趣。這是不切實際的皮相觀察之談，最重大的毛病乃在彼不在此也。由今之道，不變今之法，我認爲公務人員的待遇越優厚，而行政效率的腐化程度將更深沉，且可能趨於惡化。這說法似乎駭人聽聞，但事實所在，不宜長此諱疾忌醫，自我陶醉，以致病入膏肓，無可救藥。試就管見所及，縷述其病理病態的概要，以明吾說。

法令滋彰

自從大陸淪陷，中央政府遷移台灣以後，空間、時間和政事，皆已發生了很多的變化，但原有那套龐大的政府機構，依然宛在，舊時的一切法令，連同二十多年前軍事委員會在勦匪區域內所頒訂的特殊法規，固然一體沿襲，無所去取，而政府移到台灣來的十年期間，又不知頒訂了若干種新法令。這些多如牛毛的新舊法規，洋洋大觀，其中不管有些喪失時效也罷，疊牀架屋，前後矛盾牴觸也罷，政府既未明令廢止，則任何行政機關遇事皆可以援用，名正言順，誰也不能說他不對。據余友姚味辛先生言：他的兒子出國求學，依法向行政機關辦手續，從區公所辦到國防部，要經過大小十六道文武衙門，塡表格，遞呈文，眞是胼手胝足，案牘盈尺，而閱時半年以上，還是沒有結果，最後他祇好請託一位政府顯要人物幫忙進行兩個月，才算是辦通了。姚先生過去亦是政治上的顯要人物，跟現時當道的袞袞諸公多有所謂「人事關係」，爲着辦理兒子出國求學的手續問題，尚且如此艱難困苦，假如是個普通老百姓，那還得了嗎？即此一端，可見法令滋彰的弊害爲何如者！按照法治國家的軌範，凡屬對於人民權利義務有所限制或約束的法令，都應該經過立法程序，政府不好隨便頒訂的。可是，我國各級行政機關卻相率自由濫訂所謂「單行法規」，甚至於省級政府的單行法規可以跟中樞的法令背道而馳，積非勝是，恬不爲怪，這成甚末法治呢？

法令滋彰的結果，行政效率必然的腐化低落，決無例外。每逢稍感煩劇的事，就藉着法令來拖延積壓，遇要負點責任的問題，更可藉法令作盾牌，予以推諉拒卻。說來冠冕堂皇，振振有詞，行政機關的官僚化生活，就是這樣培育起來的。回憶民國十六年國府奠都南京後，一直到對日抗戰前夕，一般黨政機關據理任何一椿公務，歷時最多亦沒有超過十天的，中央黨部且規定不許超過七天，以今視昔，恍若隔世了！那時候的法令規章，不像現在這樣繁頤，而軍事委員會對勦匪區域頒行的法規，在勦匪區以外即不適用，因此之故，腐化的官僚主義便不容易潛滋暗長。目前有若干舊法令，事實上亦很少沿用了，但政府未曾加以整理改革，明令廢除，官僚份子便可資爲因循敷衍，曠棄職責的口實。平日大家在嘴上高談革命實踐的理論，天花亂墜，實際服務精神，卻比卅年前國民革命對象——北洋官僚政治本質，殆有過之無不及也。老子說：「法令滋彰，盜賊多有」，這「賊」不一定是只在民間產生，官府亦到處潛在着，試閱莊子「胠篋」篇的義理，即可得到明確的印證。

人事凍結

政府遷移台灣後，不知憑何理由，有何需要，對各級行政機關竟實施所謂「人事凍結」制度，實在令人莫名其妙。若說這是爲要獎勵一般投奔台灣最早的公務人員忠貞精神，那無異於關門主義，我們又何必號召大陸上以及海外華僑社會的反共人士來歸呢？經常強調宣傳的團結運動，也就大可不必了。政治上如果沒有新陳代謝和能力競賽的作用，便如一池死水，微波不興，混濁日甚，而蚊蚋孳生於其間，終致妨害衞生，助長疾疫。政府採取「人事凍結」制度的後果，使一般公務人員視其職位爲鐵飯碗，有所恃而無恐，日常工作不求有功，但期無過，除非生命死亡，即不會有被淘汰之虞，所謂考績，乃變成了應故事的玩藝，決不能發生鼓勵激勸的效能。據一位部長階級的朋友告訴我說，他發覺所屬職員有瀆職情事，要想調動該員的工作位置亦不可能，免職更不必談了。對行政機關的主管長官，既無賞功罰過的進退黜陟權能，而又要他做出成績來，這是政理所許的事兒嗎？由於「人事凍結」的鐵飯碗觀念作祟，如是乎，所謂「少做少錯，不做不錯」主義，便成爲公務人員的服務守則，隨時隨事皆運用敷衍手段，相習成風，肆無忌憚，十足地做到了「笑罵由他笑罵，好官我自爲之」的厚黑程度，反正是有恃無恐，身居不職的地位，不辦事，運不運的，雖直屬長官亦奈何他不得，遭殃的只是老百姓。民主國家的政府，原是爲人民而存在的，現時我們的人民卻是爲政府而存在的，那些享有「人事凍結」制度專利權的官員們，執着琳瑯滿目的法令規章，對於人民請求處理的事項，愛怎樣留難你，折磨你，都無所謂，「不怕官，只怕管」，你不通過主管機關，即休想辦成一樁事，而這般主管官員們，個個有「人事凍結」制作爲護身符，儘管擅作威福，溺職怠工，都沒關係。何況文職機關處理公務的中心人物是科員，武職機關的中心人物是參謀，這些人員在行政上的實際權威，比部長還要大，院長、部長只是畫諾而已。

不特此也，行政人員又利用法令上所謂「有關機關」的辦法，藉事無法辦通，卸責除，是以開會爲本，左一個會議，右一個會議，經常召開不歇，而會議的單位，又個個都有否決權，在這種情形之下，即令是芝蔴綠豆般的問題，亦決不可能得到「迅速處理」，所謂「分層負責」之說，更係徒託空言，並無絲毫的票面價值。如其再三開會之後，還是沒法解決問題，然後又到了非解決不可的時候，就使出最後的一種法寶——呈請最高當局手諭請示。因此，開會爲服務之本，請示爲負責之本，便形成了行政機關的普遍作風，究其根源，以「人事凍結」制度爲厲之階，這能說是待遇過薄的關係嗎？假使待遇高了，一般公務人員享有鐵飯碗權利的，他們的服務精神，若不由腐化而流於惡化，那才怪呢！

整理一切新舊法規，廢除「人事凍結」制度，總是改進行政效率的不二法門，此外任何議論之談，都是些無關宏旨的官言廢話，於事無濟的。

小鋪天下

△韓戰十週年紀念，中共乘機在「反美宣傳」上再喊一次「紙老虎」，麥帥寂寞，李承晚凄凉。南韓「自動」解除了掃軍北進的呼聲。我們卻連在韓戰反過來的一萬四千位義士亦未合予以理睬！——連一部極具宣傳意義的電影片亦遲遲未能拍成。

△眞老虎確已盡了最大的努力，把自己弄成紙老虎了。

△赫魯曉夫唱「和平共存」論，中共唱「不免一戰」論，似乎分在莫斯科和北平唱對台戲。

這回倒是英國外相勞合說得聰明：「西方對北平和莫斯科之間的眞正或設想中的磨擦，均不應份重視」。

冷靜地看下去吧！三週前，曾經有些「專家」斷定米高揚已在蘇俄失勢。這幾天米高揚卻在挪威大罵「美帝」。彭眞曾經被他們看作是蘇俄派在北平監視毛澤東的幕後第一等頭目，而這時在羅馬尼亞高聲呼戰的正是彭眞。

△日本左翼分子再接再厲，東京大阪續有示威動亂。毛澤東特別大力對日共打氣，絕叫「日本人民找到全民鬥爭的道路」。美國民主黨在參議院的副領袖曼斯菲爾卻建議承認外蒙政權，努力與中共交換記者，及削減美總統關於協防台灣外島所獲國會授與的權力。

說是急驚風遇着慢郎中，倒不如說：一個放恣的不休，一個啞聾兒厮扭。

△美國參議院國家安全委員會接獲情報：中共滲透古巴，拉攏南美華僑。

記着赫魯曉夫最近說的一句話：他要使西方國家像在鍋上被煎的魚，滾跳不休。他在說明侵略不只有技術，還更有藝術，並且得意地闡揚這種藝術的趣味性。

劊大國若烹小鮮，又如庖丁解牛之目無全牛。中共只是奉令到古巴去做埋鍋添火的工作吧了！

△岸信介已成爲「代罪之羊」而「功成身退」。日本自由民主黨爭做首相的巨頭們正在擾攘不休。

勇於爲國犧牲乎？勇於求自我表現乎？勇於權力慾望而鬥爭乎？「政治舞台」對於「伶人」的吸引，其力量之奇妙如此！

△中共揚言十年內，拿下台灣。

前年「即行登陸金門」的豪氣的宣傳那裏去了？

自由中國開出的支票時間越短越好，我們要說：三年或五年內光復大陸。

方南

自由談

政治反攻的一端

據說：最近英國那位好談政治的蒙哥馬利將軍到北平訪問之際，周酋恩來設宴款待他，會將溥儀、杜聿明這兩個尚在管制中的俘虜人物，臨時召來敬陪末座，教他們跟蒙哥馬利應酬攀談，好像很自由自在的模樣。如是乎，蒙氏乃被矇騙得團團轉，認爲在毛共區域的中國人，並非過着牛馬一般的痛苦生活，因而他回到英國即大發謬論，爲共作倀。至於中國大陸上五億人民呻吟顚頷於暴政之下的實際情況，他根本沒法看見，當然莫名其妙，祇好捕風捉影，瞎話三千了。

歐美人士對中國情形素來不求甚解，完全是以商業觀點來看政治問題，而藉口一些表面事象作其現實主義的解嘲論據。共黨即利用洋人們這種弱點，投其所好，隨時玩弄一點魔術，讓他們拚命發抒其僞君子眞小人的妥協姑息思想和言行，如蒙哥馬利之流，便是此中佼佼者！

職是之故，我乃想到這次美總統到台灣訪問時，政府當局在招待「國賓」的正式宴會中，何妨教孫立人、張學良亦出席參加呢？孫氏是西點軍校出身的，與艾克忝有先後同學之誼，張氏素爲中外注目的神秘人物，常常引起輿論上的揣測批評。若教他們在國宴場合中跟艾森豪先生周旋一下，消息立即傳遍中外，成爲各地報紙上的花邊新聞，許多無謂的謠諑亦就可以澄清了。這對於國家前途以及政府信譽，祇有極好的影響，毫無流弊可言，何以計不出此，余滋惑焉。

搞政治等於變戲法，優劣成敗皆繫於技術的高下，會玩的，因時因地因人而制宜，假戲亦能夠博得觀衆的眞情贊許，名利雙收；不會玩的，手法笨拙，自己費盡了氣力，縱然做的是眞戲，亦將吃力不討好，終必引起觀衆們一片喝倒彩之聲。所以，政治生活確屬具有高度的藝術性，不是隨便好玩兒的。我們現在既然強調「政治反攻」之說，若不具備藝術化的作風，而我慢自是，掉以輕心，即使在冷戰宣傳作用上，亦決無制勝敵人之可能，且有招致相反結果的危險，反攻云乎哉！

共黨的政治行爲是玩魔術，我們若運用藝術化的政治攻勢，即可擊中要害，教它無所施其技，就看我們的智慧如何了？

馬五先生

台北通訊

立法院威風凜凜

健生

我國國會──立法院和監察院及國民大會──之間不和睦，凡是關心政治行情的人，都會知道的。中央民意機構之間的矛盾對立，導源於四十二年間，因爲國際國會聯合會邀請立法院參加，國大代表與監委自然也不甘落後，於是形成國會之爭的僵局。後來，經由司法院大法官會議解釋國大與立監院共同相當於英美民主國家的國會。可是，大法官的解釋，不但沒有解決紛爭，反而使這項爭論更趨尖銳化，立委且遷怒於大法官，要打破大法官終身職的明文規定，最近還有立委唐某散發傳單，醜詆大法官哩！所以國會之間明爭暗鬥的高潮迭起，愈演愈烈，互不相下。今春國大三次會議集會時，國大代表砲口朝着立法院猛轟，那時候，立委們却充耳不聞，容忍下去了。最近，立法院開始反擊，藉着立法大權在握而以怨報怨，形式上是立法院杯葛國民大會，骨子裏却是立法院向黨政當局示威，這時監察院也搖旗吶喊，朝着同一目標「進軍」了。故此間有心人咸不禁搖頭嘆息，認爲這種無謂的意氣之爭，何┗纔得停止呢？

六月三日，立法院舉行第九次秘密會議，上午通過立委陳洪等八十八人和徐源泉等五十三人的臨時動議各一案，這兩件臨時動議案，主張中央級民意代表及特任級公務員待遇暫緩調整，以全部調整軍公教人員待遇的經費二億八千萬元，充作改善中下級軍公教人員的待遇，該臨時動議案，經立法院秘密會中決定併入中央總預算案，交付預算等委員會審查。

同日下午，立法委員徐源泉、成舍我、薩孟武、張金鑑、夏濤聲、陸京士、王世憲、胡秋原、劉湘女、錢納水等一百六十二人，提出一項書面質詢，質詢行政院改組，陳揆未經總統提名，未經立法院同意，任命程序顯與憲法第五十五條規定有違，憲法賦予總統及立法院之職權，俱遭剝奪。於是徐源泉委員等認爲在新院長資格未經依法取得立法院同意，何能重新組閣？陳院長再度組閣，而忽視憲法之規定，其何以維護憲法之尊嚴，其何以正國內外之視聽？這一質詢，無異否定行政院的合法地位。

當此項質詢經民營報刊發表後，此間一向平靜的政界，突然進入緊張的局面。接着，立委林競忠等與魏惜言等，又分別提出臨時動議，主張國賓至立法院講演及歡迎國賓，立法院不與其他機關聯合舉辦，而獨自爲之云云。立法院連續使用立法權與質詢權，對行政院發威逞狠，且發生於艾克訪華前夕，及地方人士醞釀組織反對黨之際，頗使執政當局感到意外。

在展開這幕政治劇的幕後活動，緊張熱烈。雙方會使用最佳的政治藝術。立法院方面採取聲東擊西的閃電戰術，使對方防不勝防，措手不及，執政黨方面仍舊使用老法子，進行圍堵與疏解，說服等項策略，企圖個別擊破，但終於失敗了。

立法院三個預算小組，在第一小組審查預算的時候，民社黨籍的立法委員，首先發難，主張刪除民社黨反共抗俄宣傳費，青年黨以半路上殺出個「程咬金」的姿態出場，反對編列青年黨的宣傳費，以資聲援民社黨的行動，而國民黨籍少數立委，也主張刪除國民黨的宣傳費，因此。這個問題爭執和辯論的時間最多。

六月十四日，立法院再度舉行秘密會議，完成預算施行條例暨總預算案的立法程序。是日上午，首先將關於調整待遇的「折衷案」予以否決，下午進行調整待遇案的二讀會，會中有主張仍照行政院提請審議的二億八千多萬元原案通過，但多數委員主張維持全院委員會聯席會議的決議：調整軍公教人員待遇經費，以四億六千元爲基數，而行政院原列國大代表調整待遇的一千零八十萬元刪除，至於民社黨與青年黨的反共抗俄宣傳費一百九十二萬，亦一併剔除之。經委員熱烈討論後，即進行表決，當時在院委員二九四人，以二一三票多數通過，晚上繼續開會，完成立法程序。

在通過總預算案暨調整軍公教人員待遇案的前一天，陳院長會列席立法院全院委員會聯席會議中，作懇切的補充說明，並希望立法院照行政院修正案通過。同時，中央黨部指派張道藩、胡健中等多人，向立委進行疏通，希冀遵照黨的決策處理。然立委們在權衡輕重利害之下，終未接納陳院長的主張，因而台北路透社馬上傳出行政院長即將辭職的消息。據說，調整待遇案當局不擬提請覆議。不過，依照預算法第三十五條的規定，中央預算案，須經總統在法定期間──六月十五日正式公佈。可是，十六日的報上並無此項消息。其次是同月十六日的行政院院會，對調整待遇案未作任何決定。同日，立法院內政法制委員會，在討論行政院送審國大研究機構組織草案時，立委認爲沒有審議的必要，因爲國大研究憲法上的創制複決兩權，係屬於學術性的團體，所以主張不審議該草案。

至此！立法院採取「當仁不讓」的態度，更趨明朗，而關閉了妥協之門。現在，政府當局對此頗感棘手，如何實現國民大會開會期間的諾言呢？而王雲五副院長曾以寶貴人的立場，做了一次政治信用担保，且看他們怎樣兌現罷！（六月十六日於台北）

選拔中國小姐的餘波

劍聲

台北通訊

由台北大華晚報主辦的中國小姐選拔，業已告一段落，當選「中姐」的林靜宜小姐，目前正在接受各種訓練，是否在長堤競爭中，再度脫穎而出，雖係未知數，但林靜宜榮膺首選後，會引起社會輿論的不滿，及此間報界的猛力抨擊，則係事實。

第一屆中國小姐選拔工作，六月五日晚上在許多觀衆的噓聲抗議中順利結束，這是中國小姐選拔工作唯一不愉快的事件，觀衆的噓聲容或滲夾着感情的成份，但不能否認觀衆們的反應是客觀而公正的。奪得中國小姐第一名寶座的林靜宜小姐，在後台（國際學舍）聽到觀衆們不停的噓聲而哭泣了，担任司儀的丁秉燧先生把這一消息報告給觀衆以後，觀衆不滿的情緒並未因此稍減，且有人問爲什麼林小姐要哭呢？當評判委員宣佈結果以後，場內噓聲四起，司儀丁秉燧控制不了會場秩序，擡出紫薇小姐唱歌助興。紫薇小姐在噓聲中唱完一曲流行歌曲，她的歌聲被噓聲所掩蓋，不歐一紫薇了，以當什麼（新生報）不幸的是凡事百密一疏，主辦單位（大華晚報）在聘請評選委員之時，雖會週密設想，所聘委員皆在社會上有美學觀點上有傑出見解的知名人士，但却忽略了他（她）們本身事業關係所牽涉的人情，甚至可說心胸的窄隘等因素，以致造成了瀕臨結束的不歡場面。

在台北區初選結束之後，坊間就有傳言，謂評選委員因某種關係而對某幾個學校（實踐家政學校）的學生和某一籍貫（台灣省）的候選人，特加青睞，造成一份不太令人滿意的初選合格人員名單。……：唯一遺憾的是主辦當局辦理此一選拔的良好成績和苦心，隨着這一場不幸的騷亂場面而頓告消失了。我們絕對不會懷疑評判員當時有甚末偏袒，但從當時場面的情形來看，着實使人懷疑此一選拔的公正性。（公論報）因爲觀衆們在事先都有了自己的腹案名單，但從各方所聽到的，與評判委員們所宣佈的，竟沒有一個是相同的，有人說，這就是評判委員的所以成爲評判委員，假使誰都猜想得到，評判委員豈非太不稀奇了！（徵信新聞）台北的日報多有些微言，而自立晚報和民族晚報亦大肆抨擊，因此，大華晚報的讀者，在其他報紙上看到此類新聞後，乃紛紛要求退報，以拒絕訂閱來向該報抗議。

民族晚報刊登中國小姐複選落選人張幗璞監護人張明德致中姐選拔會的一封「公開信」，信中提出五點意見，散質中姐選拔會負責人。這五點意見，公佈複選中姐候選人的各項評分，以及指出中姐當選人的「缺點」，和日式的家庭。而自立晚報更以專欄報導歷屆「世姐」「國姐」的生活，及以後遭遇的情形，藉以影射這次中姐當選人，其手法又高人一等。

中國小姐在選拔之初，主辦單位確曾頗費周章，初則爲報名者不踴躍，而發動各方面予以協助，甚至派出記者，分別「拉伕」與「勸駕」，等到報名之後，又在事先安排之下，對某些中姐候選人加以特殊訓練，還有不少的中國小姐候選人的家長，進行地下活動，在未選舉之前，就有誰當選中姐的傳說，這種傳說一度遍傳每個角落裏，而主辦當局對某些候選人的特別青睞，又與傳說相符，所以無法令人不得不懷疑選拔會的公平性了。假使選拔工作是公正的話，中姐當選人是不可能受到如此無情打擊的，而一向爲同業所贊譽的大華晚報，也不致於被同業譏得啞口無言，而不還手。平心而論，大華晚報是無辜的，它是在替別人受過，內心的苦衷，怎樣能夠告訴人家呢？所以，只好「啞子吃黃連，有苦說不出」了。

台北剪影

·丁丁·

立法院審議政府預算案的時候，民社黨和青年黨籍的立委，主張刪除其中所列該兩黨的宣傳費項目，雖不無「覺今是而昨非」之嫌，倒也「嘸啥」。執政黨的立委亦有人「見賢思齊」，主張本黨經費不應列支公帑。此黨員養黨之說也，善哉善哉！不過，貴爲立委的黨員們，先得考慮到一大問題，即自已按月究竟能夠繳納多少黨費以養黨？

近來組織「反對黨」的聲浪，充溢着台北市廛，茶樓酒館之中，亦常常聽到這類話題。提倡此說者，且要求現在議會中佔有議席的在野黨──即反對黨──一律解散，合組所謂反對黨，走出議會外面來反對，大有爲反對而反對之勢。此毀黨造黨之說也，不通不通，因爲大家先把「反對黨」的觀念就弄模糊乃至於歪曲了！

共匪的砲彈對着金門胡亂轟射了一天半，我軍纔予以自衛性的輕微還擊，說是擊毀了敵方的炮位八處，油庫四座。幹嗎不乘機大舉反攻，衞向前去，而祗是「坐以待彈」，永遠挨打呢？

南韓的「看守政府」，最近把舊有出版法修正了，旨在給予人民更多的言論自由。我國虛有其表，尙未援用過的現行出版法，似乎不妨重新斟酌一下吧！

讀者．作者．編者

「青年讀者」先生：惠書誦悉，本報各欄均歡迎投稿，「青年之聲」包括青年文藝及青年生活動態報道。文藝作品請勿超過五百字，並註明學校、年級及眞實姓名，發表時筆名聽便。

歡迎「國賓」憶語

×××××健　生×××××

美國總統艾森豪來華作爲期二十四時又二十三分鐘的訪問，這是政府遷台以來，繼韓國總統李承晚、伊朗國王巴勒維、約旦國王胡笙、越南總統吳廷琰、非律賓總統賈西亞之後，第六位來到中華民國訪問的外國元首。艾克訪華，對於中美兩國關係的前途是具有深遠及多重意義的，因爲時間的短促，所以忙得我政府人仰馬翻，尤其負責安全的治安機關，更是費盡氣力，大呼吃弗消哩！

艾森豪總統來華訪問，是他就任白宮主人以來，首次和蔣總統會晤，他這次訪問中華民國帶給我國人的珍貴禮物，是那平民化的作風和眞誠的友情，以及打破傳統觀念──新聞記者的採訪車，在國賓禮車之前，攝取歷史性的鏡頭。艾森豪總統留給中華民國人民的是：自由的氣氛，民主的風範。這種以身教作「示範」性的風格，深深印在中國人的腦海中。

艾森豪總統的獨子約翰．艾森豪和他的太太貝蓓拉，也是新聞記者筆下的新聞人物，約翰的西裝並不出色，質料是凡立丁的鐵灰色，在右邊口袋下還有兩三塊油漬了。黑色皮鞋擦得相當亮，但表面已隱約可以看到皺紋，一望而知那雙鞋子已經穿了很久。所以，從外面上看去，這位中校軍官，誰也不知道他就是白宮主人的愛子。但是，他的儀表，和應付新聞記者的修養及詞令，證明他是個有顯赫身世和受過良好教育的美國青年。至於艾克的兒媳婦貝蓓拉，她以「臨時白宮主婦」的身份，代替她的婆婆照料艾克，她來到台北之後，在十八日下午，會作私人活動，參觀了孔廟，遊過龍山寺，如同平民一樣，沒有「臨時白宮主婦」的氣派與貴婦人的作風，給予人們的印象至深且鉅。

「艾克之聲」的哈格泰總部，設在中國之友社，爲來自世界各地的新聞同業服務。所有工作人員，不分晝夜地工作，他們的宗旨是「服務第一，記者至上」。本月十八日，哈格泰舉行兩次記者簡報，中國國防部發言人柳鶴圖，外交部發言人沈劍虹，都參加了這個簡報，中外記者窮追問題，打破沙鍋問到底，非問到山窮水盡決不休，非答復得圓滿決不停，絕對沒有「無可奉告」，或者以有關「機密」而拒絕答復的。從這些地方來看看人家，想想自已，眞有無限的感慨！

白宮安全官，禮貌很週到，他們在勸阻記者不要向前包圍艾森豪總統時，總是先說一聲：非常的抱歉；然後再謙和的鞠躬一番。一位記者擠在艾克身旁，連拍三張照片，於是安全官先舉手爲禮，然後說：「您已經夠了！先生。」白宮記者對於白宮新聞總部都感到非常的滿意，但對於十八日艾克禮車自機場赴台北行館，在沿途答謝中國民衆歡呼時，本來白宮記者的三部座車，尾隨在禮車之左右，以便瞭解現況，結果，被一部我國警衛車從中隔離，使白宮記者視線中斷，因而未能追隨艾克左右，所以極表不滿。如果將前者與後者對照一下，這是多麼的諷刺呀！

六月十九日

社會小說

香港地

四、高的低的

梅大亮要從胡興口裏知道的，主要是關乎他弟弟吸毒的實情。胡興吸了兩口煙，才把手上的香煙舉起來，搖頭歎道：「梅先生！多謝你們夫婦的好意，關懷到我家不肖的弟弟。究竟他為什麼要吸毒呢？吸毒有什麼好處呢？這說來話長。比方要問我們為什麼要吸烟，要認真解答起來也是困難的。不過，他如果不是為了跟我到礦場去開礦，他就不會被人誘入這條墮落的途徑去。這倒是實話。」

梅大亮不明瞭開礦和吸毒有什麼關係，當然要提出疑問。胡興的解釋是：香港的礦場不多，馬鞍山那方面有的是鐵礦，其他在針山一帶有的是鎢礦。他幹的是採鎢的工作，經常要鑽入深深的地洞去，在濕淋淋的不見天日的危險穴道裏面，鑿石燒砲，和挑運泥沙。這都不是普通體力可以支持得來的。就在這樣的工作環境中，吸毒的引誘便容易發生力量了。他說話慢吞吞的，很有條理，先把礦工的苦處說了一個大概，才在結尾時來一個苦笑，說道：「梅先生有所不知，從前上鴉片癮的，多是有錢的人，要舒舒服服的臥在床上面來吃，現在吃白麵的卻不同了。做工的人為了要耐勞捱苦，或者是夜裏不眠，才會誤信人言，把白麵看作是提神醒腦的靈丹呢。這東西初吃似乎有點好處，但是不吃則已，一吃便很快上癮。我們做礦工的固然容易誤信它的功力：有些在紗廠要日夜開班的工人，也是一樣容易上當，真的是不苦不吃，越吃越苦，而且吃得匆匆忙忙，並不舒服。」

胡興不經意地說出一篇道理，已是梅大亮聞所未聞的了。他習慣把吸白麵和吸鴉片相提並論，卻不知道這裏面竟有相反之處，便不禁愕了一愕，等胡興把話說完，才再問道：「照你說，是不是做礦工的都非吸毒不可呢？而且是什麼人把毒物賣給他們吃？」

胡興笑了一笑，又是搖頭道：「這當然不是。什麼時候什麼地方都有不良的誘惑，不見得人人都被誘倒，各自修行』，所以我還得怪自己的弟弟不肖。說到販毒賣毒的人，可還不是那些吃黑飯的壞蛋。」（卅八）

木客著

命題之難（上）

——評「中國語文月刊」的「簡答」——

金溟若

寫成了一篇文章，臨到必須給加上一個題目時，往往令人困惑、迷惘，有時得想上大半天或則好幾天，塗改多次仍不滿意的。古代文人常用「畫龍點睛」以喻自己的警句。文藝創作的命題，要切合主題而不將就題材，寥寥幾個字足以左右整篇文字的情緒，何嘗不是「畫龍點睛」呢？

每一個文藝作者，大抵是受過命題的困擾的。替自己的文章命題難，為別人出題又何嘗容易；出作文題在教國文的老師看來，也是夠傷腦筋的事。而學校的有作文課，目的在於磨鍊學生的寫作技巧，訓練他們的構思方法，培養他們的寫作興趣，助長他們的思索能力。要顧到這許多條件，為學生出一個作文題目，認真地說，並沒有比替自己的文章命題容易，決不是畧識之無的人，憑一時高興便得以任意妄為的。

前年，中壢一個省立中學的校長，於該校作文競賽時，以初中學生為對象，出了一個「怎樣爭取第二回合的勝利」的作文題。就字面看，似乎說得通，但作為一個作文題目而語無主詞，意義就不完備，不曉得他要學生寫的，究竟是「什麼事情」的第二回合的勝利了。那時剛在金馬砲戰勝利之後，在出題的人也許自以為是指的金馬之戰的第二回合，而學生做的，固然也多半以金馬之戰為題材，表面上似乎錯不了。這在出題的人，只憑着直覺；寫文章的人，也一樣的憑藉直覺，兩者之間的意思相同，倘能說是巧合，偶同。就學術的立場言，這個題目當然是不通的。做一個國文教員，對這樣一個不通的命題，就應該保持自己的立場，拒絕為之選文。否則便是褻瀆了自己，而且對不住學生。

然而，更妙的還不止此呢！請看「中國語文月刊」第四卷第五期的記載。

1.「……上學期學校裏出了一個作文競試的題目，叫『怎樣爭取第二回合的勝利』。但是國文老師說這個題目不通，不替我們改作文，所以我們這一班沒有得到競試的名次。究竟這個題目通不通？……請你們給我解答一下吧！」

這是一封向「中國語文月刊」請教的函件，據說是那位出題的校長用學生名義寫過去的。

2.「中國語文月刊」編者的簡答如下：

「這個題目，我們仔細研究過，看不出有什麼不通的地方。因為『第二回合的勝利』是根據『第一回合的勝利』而來的。『第一回合的勝利』的意思很明白，就是在和敵人第一次交手時打了勝仗。但這個勝仗雖然打贏了，仍然不夠，還要加緊努力，想辦法在和敵人第二次交手時再打一個更大的勝仗，這就是『如何爭取第二回合的勝利』了。」

我看到這則「來函簡答」（中國語文第四卷第五期第八頁），為之大喫一驚。「中國語文」的編者「仔細」研究的結果，竟會看不出這個作文題目不通的地方，也攪不清楚所謂「第二回合」到底是指「什麼事」，只是反復解說「第二回合」乃由「第一回合」而來。而所謂第一次交手所打的勝仗，到底是怎麼一回事呢？球賽乎？沙蟹乎？對簿公庭乎？情場爭奪乎？始終還是一個謎。如是這般，斷得編者不厭其煩地羅列了一百餘字，卻等於沒有寫一個字，沒有指出「第一回合」從何而來的，亦即沒有點清最重要的一點。

中學校長出個這樣不通的題目，而「中國語文月刊」則以領導全省語文教學自居，人們亦以此期許之者，今竟於「仔細研究」的結果，僅給中壢中學的學生這樣一個不着肉的回答，憑空糟塌筆墨紙張，那就不可饒恕的了。

青年之聲徵稿

本版特闢「青年之聲」一欄，專載海內外青年學生的文藝作品及其生活動態的報導。歡迎各校同學來稿（勿超過五百字），一經刊載，略致薄酬。如需退稿，請附郵票。

近百年十六家詞序（續完）

高山樵

按霜崖師與綠野翁同於民初參加南社，當時有兩少年之稱，不相下也，霜崖師於詞初亦不欲為前人令詞慢詞所囿，思有以衝破藩籬別開生面者，蓋亦有志於發揚中調，及見綠野翁已先致力及此，乃舍去而專究曲學焉，但其所以鼓厲綠野翁完成此一志業者，亦備至也。卒之一成曲學泰斗，一稱中調之王，並為近代文藝界放一異彩，而垂不朽之盛業，南社得此後果，亦盛事也。

詞學自清初復興以來，論詞法至常州一派而益精密，論規模至蘭陵一派而益博大，論詞派至堅社而大合流，論詞體至綠野翁十八中調而告完備。凡此數端，皆所以蔚成近代詞學昇華景象之因素也。然而大不幸事接踵而至，赤焰張天，紅流遍地，故有文物，近年以來，被共匪摧毀亦殆盡矣，余深慨于明末遺老遺著散落，不獲盡傳，致後起者或不知淵源所自，竟有詞亡於明之謬說流傳焉。後之視今，亦猶今之視昔也，然則近代名作又烏可任其散失而不預為作保留計耶？因就近百年十六代表作家有關於詞學源流盛衰者，輯為此編，名曰：『近百年十六家詞』。庶幾後之有志於詞學者，有所考覽焉云耳。

中國文化（一）

徐學慧

傳統的中國文化，與共產黨是有如水火不相容的。對于一個了解中國文化，而又明瞭共產主義內幕的人，這樣的問題，幾乎已不須再予解釋。可是，了解中國文化精義的人並不太多，完全明瞭共產主義內幕的人亦嫌過少，在這樣的情形之下，闡釋中國文化之精義，就顯得必要了。

一個最大的問題，乃是很少有人注意到這種情形，而不能在這一方面，對國際宣傳上多所努力。

兩年前，蔣廷黻博士在華盛頓馬利蘭大學與紐約華美協進社聯合主辦的中國文化關係圓桌會議上發表演說，題為「共產主義與中國的文化傳統」，蔣氏對於目前美國某些「自由主義」人士所稱「中國的傳統文化是和共產主義相合」的理論加以駁斥。蔣氏指出：在像中國那樣悠久的文化裏，顯然會有它的某一些特點會被共黨抓住，以證明其和共產主義相合。例如基督教的若干特點，可以被共黨利用，而稱之為和馬克思主義一致的一樣。蔣氏復稱：但是那些相信這種宣傳的「自由主義」人士，顯然忽畧了一個事實，就是傳統的中國文化——主要是儒家學說，在政治教育及家庭制度等方面所持的觀念，是和共產主義完全不同的。

我之所以不憚繁複引述蔣博士的演詞者，只是要指出：一個有關於中國文化的新的危機已經呈現在我們面前了。共產黨的宣傳家很巧妙地在國外尤其是美國方面，把共產主義搖身一變變成了是中國的傳統文化，這一着，顯然是很毒辣的。在一九四五年以前，中共向美國的自由主義人士宣傳他們只是農業改革運動者，不是共產黨，如今，把大陸囊括在手，卻又改口說中國的傳統文化符合共產主義。這一來，在那些並不瞭解中國文化內容的西方人士眼中，就不免產生一種非常錯誤而又是非常危險的觀念，那就是凡擁護中國文化者可能都是贊同共產黨主義，同時，所謂共產主義不適合於中國國情之說，亦很可能由於共產黨的這一謬誤宣傳，而使得西方人士覺得不可輕信了。這是多麼危險的一種理論啊！共產黨徒乃是最善於把握現階段的情況，而加以巧妙的宣傳者。十六七年前的「農業改革運動者」與夫這幾年的「中國傳統文化與共產主義相合」，其作用相同，而其迷醉的對象亦如出一轍。（未完）

望海樓隨筆

一本罕見的「奇書」

岳騫

最近中共為了慶祝「六一」兒童節，趕着出了許多兒童讀物，其中有一部長篇小說，叫「我們在地下作戰」，要算是一部荒謬透頂的「奇書」，即使在共區，此類怪事見的也不多。

這部小說內容是描寫從抗戰到整個大陸陷落這一段期間中共黨員在華北的活動情形，兒童節的讀物專門教孩子怎樣去作特務，相信今日的蘇聯，戰前的日本尚無此種「進步」教育，此一奇也。

既然是兒童讀物，最大原則應該是簡單明瞭，篇幅尤不能太長，這一點凡是辦過兒童讀物的人都曉得，可是這部巨著竟有七十萬字，這樣大的一部書，即使內容寫的孫猴子取經，孩子們也未必看得完，何況內容又都是一些經常見的標語口號，典型的情節，甚至還有同托派鬥爭的故事，孩子們會懂得托派，能讀完這部大書？此二奇也。

書中男主角周小真是一個十來歲的孩子，正在小學讀書，被中共地下黨負責人看中了，吸收為黨員，以這樣一個乳毛未退的小孩子，竟然在「黨的教育」下懂得如何和周圍的敵人鬥爭，而且敵人還都是大人，又都是職業的特務人員，竟然鬥不過這個小孩子，此三奇也。

周小真後來終於被捕了，關進日本人的監獄，受到審問，拷打，他所表現的自然是「堅貞不屈」，在被審問時的從容鎮靜，侃侃而談，相信大人也不能懂得這樣多，不料竟出之於十來歲小孩子之口，此四奇也。

這本書出版之後（目前是出了上冊），中共竟然在此年舉行一個讀者座談會，邀請小讀者出席討論，其中有「復外大街小學」六年級五年級學生在座談會上發言，對這部書提出意見，除去大量恭維之外，還指出書中對於托派份子描寫得不夠明確，其閱讀水準，海外專門寫書評的作者也自愧不如，何大陸神童之多，此五奇也。

此外書中還有許多不合情理的奇事，曠古未有的奇人，可說舉不勝舉，使人懷疑的是這部奇書，奇則奇矣，是否收到宣傳效果，有沒有真的「周小真」去上當，相信去問本書的作者，他也會搖頭的。

釋耒集

學生運動

呫嗶叢談載：「太學生言事，始於漢末，東漢及唐，偶亦有之，至宋蔡京當國，太學生陳朝老等，上書乞罷斥，陳東等亦於危亡之際，請誅蔡京而用李綱，南渡以後，此風尤熾，如張觀等七十二人，請斬湯思退，用陳康伯。楊弘中等六人，請竄李沐，用趙汝愚。黃愷伯等百四十人，論史嵩之罪。蔡潤德等百七十三人，訟劉漢弼之冤。陳宜中等六人，攻丁大全之罪。而臨安府學學生葉李等，亦力攻賈似道，」並謂此即子產不毀鄉校之意，而黃梨洲先生之所謂：「三代遺風，惟此尚為相近者也。」近讀田汝成西湖遊覽志餘，卷二十二委巷叢談載：「臨安三學之橫，盛于景定淳祐之間，凡其所欲出者，雖宰相臺諫，亦直攻之，必使去。其權乃與人主抗衡，或少見施行，則必借秦為喻，動以坑儒惡聲加之，君相略不敢過而問焉。其所以招權納賄，豪奪庇奸，動搖國法，作為無名之謗，扣閽上書，經臺投卷，人畏之如虎狼，市井商賈，無不被害而無所赴愬，雖京尹不敢過問。」凡此紀載，如屬可信，則末流之弊，實不啻為流氓地痞所組合之反對黨，其兇焰之可畏，有類于今日阿飛之集團。猶憶抗戰勝利未久，首屆國大召開之前，共產黨之武裝叛亂，一時繼起，華北各大學學生，乃首先發動「反內戰」，「反三征」，「反飢餓」等運動，與共產黨之軍事進攻遙為呼應。而當時之政府，自教育部以下，以至華北各大學之校長、教授，大抵均不乏「五四」運動之元老份子，始則諱疾忌醫，終乃養癰貽患，而學生諸君，遂不免為亡家失國之禍首，低徊前事，固未有不為此而痛心疾首者也。近自南韓政變以後，日本學生，又借拒絕艾森豪之訪問，而大肆暴動，揚言流血進攻，縱火焚燬國會，以為恫嚇，而艾森豪竟以是而取消訪日之舉，日本政府當局亦自無如之何，然則日本國運前途之隱憂，從此方興未艾，可斷言也。考之前史，對付此種事變，權奸賈似道優為之，史稱：「似道作相，度其不可以力勝，遂以術籠絡，重其恩數，豐其饋給，增撥膳田，種種加厚，於是諸生啖其利而畏其威，雖目擊似道之罪，而噤不敢發一語，及似道要君去國，則上書贊美，極意挽留，今日曰師相，明日曰元老，今日曰周公，明日曰魏公，無一人敢少提其非者。」惟正本清源之法，則莫如明太祖「立臥碑於學宮，不許諸生上書言事，」其風遂熄。然此等辦法，往往未能為今日侈言民主之當局所接受。而學生運動，遂長此成為一切顛覆活動之前驅，滋可痛矣！

曲齋

爽海彈心錄

閒話粥雞（下）

辛亥八月十四日午后，余正收拾講義赴堂受課時，有巡警四人巡捕一人，突至余室，問誰為某某者，誰為所有者，（同房尚有朱同學海清）乃一一舉以告之，檢查至床閣中，有新民叢報、民報、雲南報數冊，卷而懷之，拉余與朱同學同赴武昌府，言下聲色俱厲。余時加入共進會約半年，（孫武主持）轉達重要消息一二處，別無任務，且從無片紙隻字，朱同學同房者不久，亦從無一言及之，故辭氣態度，寧靜如常，然滿督瑞徵狼戾，株連者眾，且慮涉及朱同學，則又為之憤憤也。故為整理衣冠，思索此事，非楊老師莫有能脫此厄者，然苦無法通消息，出門時，同班同學周西屏自外來，（西屏沔陽人，文彩甚都）余急則智生，乃告以此番難免羈留數日，而手邊無錢，煩為轉致宏發炭團老闆，急送款來，西屏似已會得此意。至武昌府，門衛置余等於承啟間壁空房中，約莫炊時，見有四人大轎至（楊公出入多乘大轎），不待通名，逕趨後廳，余知其必為楊老師矣。太守陳樹屏亦三甲進士，聞與師交最深，愈時陳首府傳余至花廳，望之藹然仁者，延余坐，隨謂「曾讀孝經沒有」，答以幼時讀完九經，（孝經列在九經之內，亦即以此動之也）生豈不知守身保身為大者乎。顧命左右「某生書籍發還」，與朱生一同回寓，好好唸書」。此一場驚險鏡頭，得如此輕易過去，亦云幸矣。

翌早至三佛閣（武昌街名）師寓致謝悃，是日師容沈戚，慨然嘆曰，三百年清室亡矣。生鄂南人，知有所謂粥雞否，乃緩緩告以是鳥群聚，瓜瓞未能枝棲，倏然未能遠舉，久旱鳴則雨，久雨鳴則晴，體小而聲大，鳴時輒數十聲，聲近「天古怪」，鄉人呼為古怪鳥。師曰：此鳥啄息深山，不止知陰晴，且預知興亡，邇來撫院叢林中，早晚此鳥鳴於其間，與生所云同，不意都市竟有此物，其為清室不祥之徵也明矣。時疑師假物以為教，未敢深究，而清室亦竟亡於八月十九。（撫院學堂前址）楊先生博極羣書，每為余言，宗漢學者，只合多讀書，不可輕事著作，否則有益於人不一二，有損於己則八九，知言也，追今思之，輒感交併。

由是頗以鄭學川之以粥雞名院，或當別有取義，與其會心深處，特舉此以為負翁雞談之助云。

阿公

自題趣話

筱臣

詩人之自傳，最以率真無飾而為世人所傳頌者，當推陶淵明之「五柳先生傳」，此為大家所熟知的一篇好文章。因此，歷代的自傳文章，也就逐漸的遺留下來。

近代的易順鼎，字實甫，號哭庵，詩才綺絕，早已有聲於時，其所作「哭庵傳」云：

「哭庵者不知何許人也，其家世姓名人人知之，故不述。綜其生平，初為神童，為才子，繼為酒人，為游俠少年，為名士，為經生，為學人，為貴官，為隱士。忽東忽西，忽出忽處，其師與友譏之稱為神龍！其操行亡定，若儒若墨，若夷若惠，莫能以一節稱之！為文章亦然。或古或今，或樸或華，莫能以一詣繩之！哭庵平時謂天下無不可哭，而未嘗哭，雖其妻與子死不哭。及母歿而父在不得與殉，則以為天下皆無可哭，而獨不見其母為可哭，於是無一日不哭，誓以哭終其身，死而後已，自號曰哭庵。」

這一篇自傳，表面上雖屬嘻笑怒罵，近乎狂狷，實際上為了紀念母親，才命名「哭庵」，至性流露，孝思不匱，自不能視為遊戲文章。

福建詩人陳衍，著「元詩紀事」，「石遺室詩話」，亦頗有聲於時。其妻蕭道安，亦能詩文，夫婦合撰命名說一文曰：「君名衍，喜談天，似鄒衍。好飲酒，似公孫衍。無官情題銅臭，似王衍。對儒人，弄稚子，似馮衍。驅殺似蕭衍。無姜滕，似崔衍。喜漢書，似杜衍。能作俚詞，似王衍，喜篆刻，似吾邱衍。喜通鑑，似嚴衍。喜今古文尚書，似孫星衍。特未知其與元祐黨人碑中之宦者陳衍何所似耳，請慕其字以為名，則何如？」

此一文，於自傳文學中別創一格，對於從古以來以衍命名的，亦幾乎搜羅備至，其考證之能事，文尤極風趣。乃不久而蕭道安卒。陳氏復題其後曰：「中年喪偶，終不復娶，又絕似孫星衍，而非先宦人之所及知也！」

另外還有一位建學人林紓，字琴南，又號畏廬，與鄭孝胥，鄭衍同榜齊名。中國的翻譯外國小說，可說自林氏始，前後不下數百種之多。他曾託友人在江西九江代他畫了一幅瓷像，自題一很有趣的像贊：「紓，汝何物而敢放胆而著書，汝少任氣，人目為狂；且老見耋，人謬託於迂；儒；名為知止，而好名之心躍如；名為知足，而治藝之心湊如。為已歟？為子孫歟？吾勸汝將徐徐而留其有餘，飽汝食，寧德如畲，豈無江與湖，汝居，養心如魚，樹，寧為馬與驢，子孫有福，寧汝須紓。」林生平喜任俠，常急人之難，遺穗襟期，如見其人，為外之物，固不足以累懷，此亦可以風末世而勵薄俗。

除了自傳之外，還有自題聯語，雖寥寥十數字以至數十字，亦可以道出平生，自我陶醉，可說屬於自傳的讚語。猶憶抗戰時期，成渝一帶的「姑姑筵」，主人黃敬臨，為蜀人，宦遊成都，流寓終生，其自題聯，頗多幽默可誦，茲錄其一云：子未改良，桌子改良，椅子未改良，凳子亦未改良，作樣白燉紅燒，都還講究；學界不要我，政界不要我，軍界不要我，買兩隻大鍋，討點生機；他本是讀書[illegible]，[illegible]作司子，自難免牢騷滿腹了。

海嘯慶談薈

馮玉祥的思想言行（一）

愚既略述馮玉祥治軍的伎倆，茲再就其平日立身行己與待人接物的思想言行，舉例縷敘一二，以彰此一代梟雄之真面目焉。

馮氏的支配慾極其強烈，決不願意屈居人下，即使居於一人之下，萬人之上的地位，他還是鬱鬱不樂，就是他素所信奉的上帝，有時候亦要反叛。這並非笑話，有事實可資印證的。他早年藉耶穌教徒起家發跡，而以「基督將軍」著稱於世，迨民國十五年八月末，他由莫斯科回到外蒙古的庫倫時，我與民黨前輩李烈鈞、張秋白先生等亦由張家口到了庫倫，馮託李張二人勸我跟他回甘肅去幫忙，我藉口沒有宗教信仰心，不適宜於西北軍的生活環境，婉辭遜謝，他答道：「我這次回來是要從事革命，宗教信仰已無必要，三民主義才是咱們的聖經哩！」我依然卻之。後來馮氏對於三民主義亦未曾真正信奉過，他的兵力所到之處，只是備迫人民實行。假使他不喪生於黑海的俄國船上，投奔國內毛共政權之下，結果一定跟高崗的命運相同，毫無疑問。

馮氏一生的言行，專好矯揉造作，而又不近人情，總以為天下人盡是些傻瓜蠢材，可以隨便欺騙的，這就是失敗的根源。他的日常生活表面上極其儉約刻苦，實際決不可靠。

馮玉祥式的生活習慣，甚末建國大綱以及國家的政令法規，都不值得一顧，完全是唯我獨尊的軍閥作風而已。職是之故，他一輩子總是表演倒戈叛上的行動，天性使然，殊不足怪，他只能役人，而不屑役於人，在他的觀念中，沒有「上司」二字的印象存在着，只有他自己才是全人類的唯一主宰者。

民十四年冬，我于役張家口馮氏的「西北邊防督辦公署」時，馮每與督署全體職員一同進餐，菜餚採分食制，每人有蘿蔔一碟，豆芽或豆付湯一碗。某次我與馮氏同席，他連說「這蘿蔔真好吃」，表示津津有味，在座諸人皆默然無語，我這時少不更事，且露出不同意的冷笑態度，馮乃舉箸夾取旁人定量分配的蘿蔔一片食之，訝然道：「怎末味兒不對啊！」對即召伙伕來詰詢其所以然，伙伕曰：「督辦那碗菜是用雞湯做的」。馮大窘，痛斥伙伕胡鬧不置。因此，外間紛傳馮的私生活二元化，在外面淡蔬食飲水，回到家裏再吃魚肉，喝雞湯。究竟真象如何，誰也沒瞧見過他的家庭生活狀況，似未便武斷肯定，然以馮氏詐偽成性，却不能無疑也。督辦公署採集體辦公制，文武職員蝟集一大廳內，依次排列座位，馮亦與衆人併列治事。辦公時職員出入的步履必須輕微無響聲，尤禁咳嗽吐痰，有犯之者，馮即問：「你有病嗎？快找大夫治療罷！」如是乎，職員每於大小便離座行動之際，傴僂彳亍，而以脚尖着地，喉癢欲咳者，急以手巾掩其口鼻勉強遏制咳聲，以致涕泗橫流，真苛政也。

諸葛文侯

懷汪國垣

·丁雨·

先生平日雖不為經史考據文字，然頗喜校勘版本之學，其所輯錄之唐人小說，即取材太平廣記，據文苑英華、太平御覽、資治通鑑考異、太平寰宇記、明鈔原本說郛、顧氏文房小說、全唐文、及近日涵芬樓影印之舊本唐人專集小說校補者，並於每篇後疏陳作者略歷及本文來源，而考定之，其用力之勤，概可想見。猶憶抗日勝利復員之初，先生返居白下成賢街舊業時，課徒之餘，春秋多暇，輒校補水經注以為名山不世之業，並不時閒遊書肆，搜購古今善本書籍，余以抗日前舊藏，後存之富，乃為中大各教授冠。余每往晉謁，常蒙展示新舊購各書，並引示廳廊間所羅列者，為之辨析詳盡，孰為紹興本，孰為至正本，孰為嘉靖本，剖明紙版，鑒別印識，娓娓不倦。惜余于此道外行，且當時對之無甚大興趣，亦未多所留意。後聞胡適之先生在美亦正治此書，竟無方法，致未請益其詳。甚至對其所致力之水經注之內容與法，將來可能結果，作一客觀之比較，殊為可惜也。（聞之友人云：先生于抗日前，即曾著有校勘學專書二冊，內容遠出流俗遠甚，惜余孤陋，未獲購閱）

余資性魯鈍，且向學不力，于先生之學，自慚未能窺其萬一，但先生不以孺子為不可教，猶時予假借。憶民卅六年夏，先生受聘為國立同濟大學文學院院長，欲余隨行，俾為該校助教，後先生以事不果往，而從此，余乃與學術絕緣矣。世變滄桑，人事倥傯，忽忽乃十四載，自顧馬齒徒增，業無寸進，每念先生期許眷顧之殷，為之顏汗無已。（下）

詞林雜憶之六

自由報

THE FREE NEWS

第四十期

中華民國郵政登記認爲第一類新聞紙類

每份港幣壹角　台灣零售價新台幣貳元

社長：雷嘯岑

督印人：黃行實

社址：香港銅鑼灣高士威道十二號三樓 20 CAUSEWAY RD 3RD FL HONG KONG

TEL. 771726　電報掛號：7191

承印者：田風印刷廠

地址：香港灣仔高士打道二二一號

台灣分社

台北市西寧南路壹壹叁號二樓

電話：三〇三四六

台郵劃撥儲金戶九二五二

長篇社會小說　儒林九尾龜今日發刊

這是一個偉大的時代，這是一個微妙的地區。十年來，有數以萬計的中國智識分子避亂逃出大陸，棲遲海外；有數以千計的西方人士到華僑社會中觀察聯絡；也有無數的中共特務間諜在海外譸張爲幻，作浪興風。這中間，有各種形形色色、可歌可泣的故事，或爲我們所目擊，或爲我們所耳聞。「儒林九尾龜」就是把這些耳聞目見的故事，綜合貫穿，特請名作家寫成一部長篇的社會小說，自本期起，在本報第三版連續刊載。小說裏面的人物，可能有你，可能有我，也可能有我們所熟悉的朋友；小說裏面的故事，有汗，有淚，也有血。這裏面所描寫的乃是一個偉大時代中所產生的特殊事象，是小說，也是歷史紀錄。請讀者特別留意。

從參政員到監察委員

敬悼梁上棟先生逝世三週年

陶百川

我認識梁次老上棟先生，是在民國二十七年，那時國民參政會在漢口成立，我們二人都是第一屆的參政員。後來參政會三度改組，我們二人都蟬聯下去，七年之中常有把晤的機會，直到抗戰勝利，他去北方，我回上海，我們方才分手。我在上海被選爲上海市臨時參議會的參議員，我就留在上海爲桑梓服務，沒有再回參政會去參加最後一次的大會。不意行憲監察院在南京成立，我們二人都當選爲監察委員，不久又相聚一堂。直到他逝世時止，我們連續共事達十五年之久。

國民參政會的任務，是團結、民主和抗戰。團結是由政府邀請各黨各派的領袖和社會賢達，聚集在國民政府所在地共謀國是，而他們也都應邀赴會，共紓國難。這是參政會最大的任務，收獲了很大的效果。參政會又是我國從黨治過渡到民治的橋樑，對於民主風氣的開展和民主楷模的樹立，他發揮了空前偉大的作用。有着朝野上下在自由民主氣氛中團結一致的規模，於是人民對政府加強了向心力，友邦對我國產生了希望而予以助力，敵人因爲我方出於意料之外的堅强而束手無策，終致一敗塗地。對於參政會這個偉大任務的達成，次老和我都貢獻了相當的力量，而次老在爲參政會失去了右臂的時候，幾乎以身殉職，他的貢獻和犧牲當然更大於我，也大於其他任何參政員。

雖然如此，我對次老眞正的認識，却在行憲監察院時代。我們做了幾年監察委員以後，發覺監察委員遠比參政員難做，而我們二人在艱苦奮鬥中的相需相助，加深了我對他的了解。原來監察委員是所謂「風霜之任」，他們的任務是糾彈違法失職的官吏，移送主管機關予以懲戒，是稽察和審核財政收支，剔除不當的用途，檢舉不忠不法的行爲，是批評時政和糾正政府的行政措施。凡此都是招怨惹怪的工作，常會得罪於巨室。不比做參政員，他們都有糾彈權和審計權，不會得罪人，而且那時對於時政的批評自有各黨各派的參政員在做，用不到我們國民黨人去幫腔。但我因爲偶然也發表一點批評，曾被有些同志笑罵是「社會賢達」，可是我那時的政治處境却遠好於今天。今昔相比，我自信不是我做人做事的根本觀念有了什麼改變，那完全是因爲做了監察委員就不能不得罪人。這也是「職業中毒」，有時竟「明知故犯」，而實在是「無可奈何」。梁次老在參政員時代，比我老成練達，所以人緣很好，但做了監察委員以後，却因進言或提案也常招怨惹怪，假使再活下去，難免也成爲怨府。可是求仁得仁，次老却毫不怨尤，直道而行，至死方休。

韓愈在「爭臣論」中說：「自古聖人賢士，皆非有求於聞用也，閔其時之不平，人之不乂，得其道，不敢獨善其身，而必以兼濟天下也，孜孜矻矻，死而後已。故禹過家門不入，孔席不暇暖，而墨突不得黔。彼二聖一賢者，豈不知自安佚之爲樂哉！誠畏天命而悲人窮也。夫天授人以賢聖才能，豈使自有餘而已，誠欲以補其不足者也。耳目之於身也，耳司聞而目司見，聽其是非，視其險易，然後身得安焉。聖賢者，時人之耳目也；時人者，聖賢之身也。……惡得以自暇逸乎哉！」韓愈說這些是在批評諫議大夫陽城過於獨善其身，要他善盡時人耳目的職責。至於現在的監察委員，則不獨是國民的耳目，而且是國民的喉舌，所以監察委員有調查權和審核權，以求多所聞見，「聽其是非，視其險易」，然後加以糾正或彈劾，以期整肅官常，修明政治，以加強國內外對政府的向心力。梁次老在監察委員任內，素以院事爲己任，克盡監察的職責，而在當選副院長之後，更對我們多所鼓勵，並爲我們辯白掩護，使我們能夠少獲罪戾，尤使我感念不已。

從古代的諫議大夫到現在的監察委員，他們的職責是必須盡言極諫，可是「好盡言以招人過，國武子之所以見殺於齊也」。於是有人替陽子辯護：「夫陽子惡訕上者，惡爲人臣招其君之過而以爲名者，故雖諫且議，使人不得而知焉。書曰：『爾有嘉謨嘉猷，則入告爾后于內，爾乃順之於外，曰：斯謨斯猷，惟我后之德』，夫陽子之用心亦若此者」。這些話似乎也還中肯，但是韓愈却不以爲然，他在「爭臣論」中反駁着說：「君子居其位，則思死其官」。又說：「若陽子之用心如此，滋所謂惑者矣！入則諫其君，出不使人知者，大臣宰相之事，非陽子之所宜行也。夫陽子本以布衣隱於蓬蒿之下，主上嘉其行誼，擢在此位，官以諫爲名，誠宜有以奉其職，使四方後代知朝廷有直言骨鯁之臣，天子有不僭賞從諫如流之美，庶巖穴之士，聞而慕之，束帶結髮，願進於闕下而伸其辭說，致吾君於堯舜，熙鴻號於無窮也。若書所謂，則大臣宰相之事，非陽子之所宜行也。且陽子之心，將使君人者惡聞其過乎？是啓之也！」在這一場辯論中，梁次老和我都贊成韓愈的看法。在有一次談到某案要不要公[illegible]

察委員的責任！

小論天下

△西藏反共戰鬥擴大。中共給尼泊爾的照會已予證實。

作爲「受解放的奴役者」，西藏應該是第一個目標。自由世界却一直如此吝嗇，連幾架強力的電訊機和幾個通訊人員也沒有投到西藏去。

讓裏面通通空氣，讓外面通通消息。那不是起碼的要求嗎？

小且吝嗇，何況其大？嗚呼！

△十二個共產「國家」發出「羅京會議」宣言。

這似乎可以演出兩個「六國大封相」。

宣言縱有千萬句說話，最重要的只有一句：繼續奉行赫魯曉夫的「煎魚路線」。

正在被苦煎着的「魚」要當心，尤其是美國。

△中共也簽字在「十二國宣言」裏面。有人說：中共果然向蘇俄低頭了。

蘇俄正好向自由世界的妥協主義者說：「你們看！它（中共）多麼兇呀！我費了九牛二虎之力才把它暫時勸下來，你們還不打算給它一點點甜頭嗎？」

△扼殺「裁軍會議」，宣佈定期向中太平洋放射飛彈，同時散播共產集團的「和平宣言」。

這就是赫魯曉夫手中玩出的「兩面斧」。

△有「星洲高崗」之稱的王永元正在向執政黨示威，鬧得很兇。

誰是「星洲的毛澤東」？

△一向號稱非洲寶庫的比屬剛果宣告獨立。目前是：一個政治眞空時期。

可以料想得到：共產黨的眼睛閃着金光。提防又是那麼一回事：白的退出，紅的進來！

△自由中國將有一個強大的在野黨。努力組織黨的雷震先生說：一個強勁有力反對黨，將可於九月底組成。

恭喜恭喜！希望只反對其所當反對，而不是百分之百的爲反對而反對。

△傳菲律濱已同意採取主動，發起亞洲自由國家的高峯會議。

有人看這是東北亞聯盟的先聲。

看看南韓現在的局面，看看日本現在的局面。誰知道明天有資格參加會議的是誰？

△細讀艾森豪爲他的「旅行外交」對美國人所作的演講，我們應該看出：他仍是把台灣看作台灣而已。

有人說，他的一貫作風是：雷聲大，雨點小。其實，連「解放奴役」的旱雷亦已久無音響了！

方南

自由談

官僚一定誤國

日本首相岸信介宣佈辭職後，自民黨內部各個派系的首腦人物，爲着爭奪首相繼承者的權位，互相排擠傾軋，搶攘不已，對於黨內元老吉田茂的調解意見，亦拒絕考慮，說是不願擁戴官僚份子（指池田勇人）上台云云。自民黨原係舊官僚政客的大集團，而幾個熱中政治權位的官僚巨頭，如河野一郎，松村謙三，大野伴睦之流，居然指摘其同志爲官僚份子，這等於倚門賣笑的私娼譏刺高張豔幟的公娼爲蕩婦，好不笑煞人也麼哥！

日共及其同路人對於美日安全互助條約的破壞運動，依然再接再厲，猛烈進行。按照常理設想，凡是有志於首相職位的人，應該度德量力，先問問自己是否具有消弭這場動亂的才智和方法，克奏安定大局之功呢？然自民黨的官僚政客們，對此事却漠不關心，而以爭權奪利爲急務，難道他們不瞭解日共及其同路人的穢亂行爲，是受着國際共黨的教唆支持，對日本前途隱患無窮這種趨勢嗎？非也！

這般官僚政客並非愚騃之徒，他們心裏很明白，既已有了美日安全互助條約這張護符，美國必不讓日本淪於共黨之手，即令亂事擴大，發生意外的後果，反正有山姆叔叔這塊「泰山石敢當」的盾牌，天塌下來先有長人頂住，日本原係矮人國，滿不在乎的。所以，他們不妨故裝痴聾，拼命地從事於對內鬥爭，以滿足個人的權利慾，至於國家事，管它娘呢!?日前日本駐外使節舉行會議，認爲本國政府應將這次反美騷動的內在實情，向友邦解說清楚，以免毀損信譽，妨礙邦交。這是明情理的事兒，但日本的官僚政客們，決不肯，也不好意思將自己這項不可告人的隱衷向外洩露，而日本的騷動局面必然延續下去，永無了時，終致釀成如第一次大戰後的德國狀況，逼出一個希特勒政權來，把日本的國運導入危亡境地而後已。

官僚政客誤國殃民的行爲，到處皆然，決非日本特有的產物。思之思之，吾爲此懼！

馮玉先生

同舟共濟

•尹震•

中華路平地起風波

劍聲

台北週訊

自從政府宣佈整飭台北市中華路違章建築後，因為市警察局長潘敦義處理未盡合宜，因而發生許多無謂的糾紛。這些糾紛的起因，係整建會擬拆除違章建築物修建為中華商場，而其分配辦法有欠公允，所以現住人乃向立監兩院及省議會，暨各級政府請願，並委託律師富伯平、梁肅戎、李公權等為法律顧問，在台北各日晚報刊載啟事，訴述其中情節，乃引起社會輿論界的重視。

台北中華路違建房屋，係三十八年大陸來台義胞臨時搭蓋之攤棚，藉以營販為生，由台北市警民協會管理，各攤棚向該會訂立租約承租，每間保證金新台幣三十二元五角，租金每月十元至二十元不等，依照規定，租約有效期間為一年，且不得分租或轉租，否則，警民協會得終止租約，而承租的人將受到二十倍以下之違約金的處罰。政府允許義胞在公地建攤棚，旨在維持難胞生活及防止中間剝削之不良後果。惟主辦單位的警民協會，並未依租約及省令切實執行，同時也未將政府命令及租約予以公佈，致若干承租人將租得之攤棚，以高價出租轉租，從中取利。租金高者竟達萬元，尚須六七萬元的押租金。現住人不知上情，向二房東——承租人所付鉅額租金押金，期獲微利而維生計。迨此次政府實施整建，現住人始明內情。不料，整建會在處理攤棚分配政策上，不以現住人的生計為前提，卻以承租人（與警民協會有租約者）為分配未來中華商場攤位的對象，以致釀成重大的社會問題。

中華商場整建會此種措施，殊與民生主義的國策，相背馳。為什麼會抹煞事實而使負擔政府各種稅捐及分攤警民協會興建警員宿舍捐款，以及八七水災捐款的現住人，不能分配攤位呢？該會甚至連監察委員張建中、王樹霖挨戶調查的意見，亦漠視不顧，報界的善意建議與批評，更置若罔聞。

根據整建會於六月十日下午三時，在台北中山堂第一會議室舉行會議，出席者全部為出租人——二房東。里長李辯生指出中華路違建轉租現住人，有三種原因：一、承租人做生意失敗後，就轉租他人。二、欠人家錢無法償還，因而押租。三、因客觀環境遷居他處而出租，以收租金為目的。

台北市警察局長潘敦義，在會議中曾經說過：「這件事在公的方面，在法律上，現住人可能勝利了，當然勝利，你們（承租人）一定吃虧，所以祗有承租人努力趕快組織起來，同樣請律師登報，招待記者或訴訟，贊成者舉手。」局長「同情承租人」，而將現住人之公文請願書，以及各機關轉來或交辦者，一律壓着未辦，假使要辦，承租人一定吃虧」云云（自立晚報）。承租人在潘局長鼓勵與慫恿之下，於是請律師在報端刊登啟事了（六月二十日中央日報）。因此，本來沒有多大糾紛的中華路違建處理問題，乃形成一項錯綜複雜的社會問題與一千人的生計問題了。

據監委張建中等於六月十四、十五兩日，親至中華路現住戶（與警民協會無租約者）挨家調查的統計，門牌二六二九號，戶數二六二戶，合計人口八百零八人，其中經營商業者一百二十戶，住家者一百七十六戶。這二百九十六戶現住人，皆因省令及契約的規定：「承租人不得轉讓或出租」，致造成這些現住人與警民協會沒有契約而住居其間，但與警民協會有租約者反而不住居其間的畸形現象。

但治安機關卻否認監委張建中調查的正確性，認為「其中有十二戶確與訂約人稍有糾紛」。故有人說：整建中華路違建，係行政問題，而非軍事問題，何以需要軍事機關與治安機關插足其間？是不是尚有不可告人之隱情呢？如果有關當局再坐視不問，則後果是頗難逆料的。

（六月二十三日）

大陸文壇萬花筒

陳伯吹與兒童文學

岳騫

陳伯吹這個名字，我不曉得海外讀者知不知道，但在大陸來說，二十多年前，他就是一位知名的兒童文學家，今天四十歲左右的人，在兒童時代都讀過他的作品，直到現在，他仍然致力兒童文學，像這樣以畢生精力貢獻於兒童文學的人，在中國尚找不出兩位，只此一點，也值得人們尊敬了。大陸淪陷以後，伯吹先生仍作他的老本行，共產黨並未找他的麻煩，我們十分欽佩此老處亂世有道，那知最近傳來消息，也出了問題，已被共幹提出來，情形再發展下去，很可能變成修正主義者。

事情起因是在陳伯吹先生出了一本「兒童文學簡論」的小冊子，共收了幾年來作品二十三篇，一九五九年由長江文藝出版社出版。

在這本書裏，伯吹先生提出一個寫兒童文學作品的原則，必須以兒童為主，不要把兒童書也混在政治一起。不要「把兒童生活中的小故事提高到原則性的高度，而強調着『社會主義』……」

這樣說法卻犯了共黨大忌，因為共黨一貫宣傳都是把兒童當作工具，在過去的兒童文學作品上，常有七歲大的孩子站崗放哨，五歲大的孩子活捉國特等一類千奇百怪的神話，在農村他們真的利用小孩子去站崗，放哨，組織聽風隊，聞香隊，刺探自己父母的秘密，向共黨報告。到了現在又改良了，所有兒童文學作品，都是鼓勵小孩子去煉鋼，揀野生植物，「學習」替共黨賣命而死的向秀麗，劉文學等人。現在伯吹先生勸他們不要把兒童拉進政治圈內，讓孩子們保持一份純潔的心靈。正與共黨的意見衝突，所以變成了鬥爭的對象。

第十期「文藝報」一篇文字，指伯吹先生所宣揚的「兒童本位論」，實際上就是美國名教育家杜威的「兒童中心論」翻版，中共於一九五五年曾在大陸清算過杜威，當時因為杜威是胡適之的老師，要「挖掉反動的根源」，現在把這頂帽子扣在伯吹先生頭上，他的麻煩就不能避免了，短期內也將不可能再寫兒童文學作品了。

台北剪影

·丁丁·

近來在台北甚囂塵上的反對黨運動，據說已進入實行組織的階段，但不知其名稱叫作甚末黨？有人說，他們是以「地方選舉改進座談會」的名義開始發動組黨工作的，顧名思義，似可叫作「地方自治改進黨」。姑存一說，以觀究竟云爾。

立法院把政府預算中所列調整國大代表待遇的支出項目拒不討論，而將同一科目所列的收入欵項，全部作為一般公務人員加新的開支，表面上似係給「國大代」諸公過不去，實際卻是替行政當局製造麻煩，有如算命先生拿錯了運神。所以，國大代表們默不作聲，說是「山人自有道理」！

前任交通部長袁守謙奉命主持「革命實踐研究院」的訓育事宜，他欣然就職，認為這是流年上的鴻運高照，今後可以免嘔官場中的若干冤枉氣了，何幸如之！

陳揆函復立委徐源泉等，說他是奉總統慰留續任曾經立法院同意過的行政院長職位，並不發生憲法上的疑難問題。詞意溫婉而有諷味，不愧宰輔吐屬也。

讀者論壇

談「以軍為家」

愚公

日前報載基隆市長謝貫一在職十一年，市議會因他交卸後沒屋住，特成立一條議案，准他離任後，仍可住原配給的房屋，不料新任接事前夕，要他搬家，弄得彼此均很尷尬，這使人想起韓愈送楊少尹序：「中世士大夫以官為家，罷則無所歸」的那句話，今天在台灣的公務員，無論免職或退休，要求如楊巨源之榮歸故里，「戒鄉人以不去其鄉為法」，至少在目前祇能托諸夢想了。

現時台灣應屆退休的公務員，多希望留住原配給房屋而致斷斷爭論不休，這問題在上年立法院通過修正退休法時，考試院起草條文時原已提及，後被行政院審查淺擱了，本來公務員坐了一輩子硬板櫈，為國家絞盡了心血，年邁休致，家既難歸，所領退休金又有限，有了住即沒得吃，退休後如沒有一間屋住，這問題確嚴重。無怪乎應屆退休者，倘在徘徊觀望，如不獲解決，則自請退休者，勢皆趑趄莫前，則人事上的新陳代謝，亦就徒託空言。

最近一位讀者刁兎戈在「自由中國」雜誌上投書，說近日掀起一次「以軍為家」運動，有異議者，均被政工人員說服宣誓簽字了，有堅求退伍者，即被編入「頑劣隊」，這位讀者並很憤激的說，這異乎古時的「充軍」，永遠不得脫離伍籍，其實他是錯了，現時的公務員雖有房屋食米配給，（臨時和額外者無房屋食米亦祇發代金），而衣着全由自理，軍人則衣食住行，全由國家扛負，我有幾位在軍的同鄉，硬吵着要退伍下來，養雞鷄瘟了，作攤販本蝕光了，那種急急皇皇，走頭無路之形狀，見之可憫，因其在軍過久，完全昧於當前社會情勢，不知道老鴉到處一般黑，尤其在台灣這個人稠地密的小島上，一旦脫離崗位，想謀一席之地，談何容易，故同鄉中以退伍事來問者，我總以「軍中雖苦，且住為佳」八字應之。

為宋念慈被控事　盛世才來函申述

編者按：本報第三十四期的台北通信，曾經報導國民黨中央黨部第四組總幹事宋念慈，國大代表林伯雅等，以「匪諜」嫌疑被治安機關傳訊，以及立法院對此案提出質詢各情由，其中涉及前新疆督辦盛世才氏的關係很大，並且有人說這樁舊案就是盛世才重提的。茲據盛氏來函申述宋念慈在台北各報發表談話所指事實，多與當年的經過情形不符。本報為使讀者辨認本案的是非曲直起見，亦將盛氏來函列出，藉資參證。不過，本報前此通信中所列舉的受害人不只是宋念慈，還有林伯雅，王崇熙，與台灣工專教授王立士等當年在新疆同遭拘囚，這次在台北又以同樣罪嫌被傳訊，他們究竟是否「匪諜」？卻未據盛氏一語道及，這是令人迷惘而難以索解的。

盛世才來函

茲就宋念慈投函各報，說明過去在新疆坐獄及此次被控各情，特根據事實，逐項加以分晰如左：

（一）宋念慈函稱：「廿四年春……對國家抗日大計毫無貢獻，乃毅然脫離匪黨組織，逃離東北。」此段並非事實。查根據宋念慈過去於三十三年自稱：「在新疆的同鄉裏，大多數都是信仰馬列主義的中共黨徒，何耿光、程東白、崔國政、王延齡、康明遠等，曾於廿三年在迪化組織馬列主義行動委員會，這是中共的一個變相組織，自然大家也都是受中共指派而來新疆的。我脫離中共是在民國十八年，廿一年加入聯共，廿三年加入聯共托派，廿四年春受加倫將軍的指派到新疆活動。當時我因為環境關係，只從衆說自己也是中共，參加他們的組織」。（加倫即是當時蘇聯駐赤塔遠東紅軍總司令布留赫爾）根據何耿光過去於卅三年自稱：「廿四年底我被派塔城工作，此組織（馬列主義行動委員會）改由宋念慈負責領導。宋念慈被派烏蘇工作，此組織遂由王壽成負責領導，廿六年由王壽成領導參加是年之陰謀暴動。

（二）宋念慈函稱：「廿六年十月盛世才奉俄帝命令，以反蘇罪名將本人逮捕下獄五年，由俄人與共匪審訊叛黨及反蘇經過」。此段前半並非事實。查宋念慈係因參加廿六年托派陰謀暴動案被捕，原判處死刑，由本人批回改判十年徒刑。宋稱下獄五年，係因本人過去與宋念慈友好關係，在刑期過半乃開釋他們，請他們回家。至被俄人審訊事，係因當時蘇聯亦發生托派案件，派員到迪化調查阿總領事，及新疆托派暴動案與蘇聯托派活動的關係，得新疆允許，乃就便詢問過宋念慈等。至共匪並無詢問宋念慈之事。

（三）宋念慈函稱：「卅三年四月盛世才復以莫須有罪名，製造大規模冤獄，誣本人為陰謀首領」。此段並非事實。查宋念慈、何耿光、程東白等因受蘇聯駐迪化總領事普式根，及中共駐新代表周恩來指使組織陰謀暴動，企圖赤化新疆而被捕。在審判程序上，開始由新疆審判委員會及本人親審宋念慈時，而宋念慈曾坦白承認受蘇領和周恩來指使組織陰謀暴動，謀殺軍事當局，赤化新疆，並寫有四萬字親筆供。復經中央派徐局長恩曾會同朱長官紹良及本人復審宋念慈等，在復審時而宋念慈仍誠懇承認犯罪事實。在新疆審委會及本人親審，並朱長官徐局長復審宋念慈的過程中，從未用過刑。此案新疆與中央均有案可查。（對宋念慈等的審判程序雖已完竣，只因本人奉命倉猝飛渝就農林部長職，致未能宣判結案）。

（四）宋念慈函稱：「卅五年春蒙軍委會軍法執行總監部，新疆積案清理審判團調查清楚，純係誣枉宜判無罪，開釋在案。」此段所謂宜判無罪並非事實。

（未完待續）

社會小說　香港地

四、高的低的

提到「吃黑飯的壞蛋」，梅大亮馬上想起牛犀利那一類的傢伙，便哼了一聲，正想說些什麼，胡興已續說下去道：「這裏吸毒的人也有不少呢。那個講新聞的阿陳，你也認識的。他的頭腦很靈，口才比什麼人都更好，却因吸毒太久，連講新聞也講不下去，前天倒在路上死了，那副骨瘦如柴的可憐相，敎誰看了也得驚心呢。」

胡興把話扯到那個講新聞的阿陳，頓使梅大亮心裏一懍。原來「講新聞」這種職業，也有人在木屋區裏靠來糊口的。阿陳從前幹過新聞記者這一行，在廣州新聞界混過飯吃，算得是採訪社會新聞的一把好手。臨到共黨到了廣州時，他還留戀家園，不肯離去。不久，看到七位新聞同業給共黨一串的拿去殺了，他才倉忙逃走，隻身到了香港。他憑着平時講故事的口才，想出了一個好法子，每晚在木屋區的廣場上，擺開檔口，招引聽衆，照例把他在報紙上看到的新聞，用一種有趣的口吻講將出來，裏面有分析，有批評，有罵也有笑。因他常識豐富，說話生動，惹得聽衆無不叫好，認爲這比較聽故事更加有意義，樂得給他一點酬報。他見每天收入不少，索性倚此爲生，懶得再謀別業。這樣，大家便喊他做講新聞的人，提起了他，無人不識。

梅大亮曾經特別賞識阿陳的才幹和勇氣，覺得他成功爲一個街頭的新聞分析專家，倘得這種方式來發洩他對共黨的憎恨，確實值得同情和欽佩。如今聽說他竟然不幸死了，而且是因吸毒而死，死得那麼墮落和可憐，便不禁驚問道：「你說阿陳前天死了？那是眞的嗎？許久我沒見他的面了。他怎會走上吸毒那條死路去？」

胡興非常沉痛和憤慨地答道：「那還會有假的嗎？我看見他倒在路傍的屍體，曾經吃了一驚，接着是靈機一觸，立即把我的不肖弟拉到現場，拿他的屍體做現成榜樣，大大的敎訓一番，希望借死人來警醒生人，總會有些點效果，那知到了今天，這不肖傢伙又把家裏的東西偷去賣掉，爲的無非是吸毒。梅先生，你說，我該不該打他痛快一頓？」（卅九）

木客著

命題之難（下）

——評「中國語文月刊」的「簡答」——

金溟若

再則，即使這個題目加上「金馬之戰」四字以點清眉目而使之文意完備，作爲初中的作文題還是不通的。如何贏得台灣海峽第二回合的勝利，不要說初中學生沒有辦法寫好，即使是軍事學校的教官，倘不是研究戰略的，怕也無法下筆。要十幾歲的小孩子寫這樣文章，只要稍有點頭腦的人，誰都會知其不可的。現在「中國語文」的編者先生，竟會懵懂無知地，還說是「仔細研究過，看不出有什麼不通的地方。」我眞懷疑「中國語文」的各位先生，是怎樣在領導全省的國文教學的？要是眞的「仔細研究過而看不出有不通的地方」，那纔是天大的笑話了。要不然便是「中國語文」的編者與中壢那個省立中學的校長私交甚篤，乃不惜背離可憐的青年去替他遮羞了。這二者必佔其一。但無論「私而忘公」或「懵懂無知」，在領導全省國文教學自居的「中國語文」月刊，都要不得。「中國語文」的讀者網廣布於全省各中等學校，影響的力量當然很大，教育當局與從事國文教學的人，對它的期望也很大，深望諸位先生今後凡有立論，切祈「仔細研究」，務求正確；尤其對於青年們的質詢。

凡題目、題辭之類，要因人、因時、因地、因事而各得其所，庶幾無誤。這個場合適切的，未必同時可用之於另一場合，不必等着連字面或字義都不通，如「除夕之夜」才算不通。例如那位中壢省中的「別字校長」另一「傑作」，爲畢業女生題紀念冊用了「舉案齊眉」四字。字面上沒有錯，用之於結婚喜幛雖嫌時代錯誤還是勉強可通，但題在女學生的畢業紀念冊上，就不覺令人啼笑皆非了。出題目必須認清對象，更是主要條件之一。聽說有人公開反對中學的作文題用「我的家庭」、「我的故鄉」、「學校生活」一類命題，指爲是「陳腔濫調」。但要曉得教書與爲學不是標奇立異，更非好高騖遠之事。依今日中等學校學生的國文程度，尤其是初中的學生，只有選擇他們身邊的事物爲作文題，才能使學生得心應手，才能達到磨鍊寫作技巧，訓練構思方法，培養寫作興趣，乃至加強思索能力的目的。我以爲「我的家庭」或「我的學校」一類題目，一點不陳舊，是永遠新鮮的。家庭的觀念隨着時代蛻變，一切活動也隨着時代嬗遞，天地間的事物何嘗陳舊，除非是你這個人陳了，舊了，把觀念老凍結在一點上。且文章乃隨作者的年齡與才智而高下不一，在同一題目之下，其優劣深淺便無法估計了。即以「我的學校」一題爲例，小學生會做，中學生能做，大學生也未始不可以做，只是隨作者年齡而取材不同，依作者實際而意境各異罷了。怎能因其常見，便輕輕地冠以「陳腐」兩字而一筆抹煞呢！要知道，地無分西東，時無論古今，人類藉以表達思想，溝通情意的言語與文字，在空間與時間上，只有發音及符號的標誌不同，至於語句的搭配和文氣韻律的運轉，是有着一定軌道的。吾人執筆爲文，不能離開人的生活，換句話說，一切文章的主題與題材，都無法跳出「人」的生活圈子。推而言之，文章的命題由主題與題材而來，亦即隨人類生活的方向而前進。在文藝作者言，越與日常生活貼近的題材越難寫得好，但在初學作文者則反爾，越是貼近身邊的事物越易於落筆。或以爲這是國文教學者，尤其是自居領導國文教學的先生們所不可不注意的事。偶慨命題之難，不禁爲之唏噓者也。

儒林九尾龜

吳敬鋅

第一回：萬里雲羅一雁飛

中華民國三十九年的夏天，正是整個神州大陸被赤色火焰吞沒之日，千千萬萬不願在新漢奸政權下苟活的人們，爲了求得生存自由，開拓復國的機運，紛紛逃向海外，深圳與羅湖之間的那座大橋便成了天堂與地獄的分界。

一天，當廣深綫列車開進深圳不久，照例又擁出一批難民，奔向羅湖大橋，其中有一個青年衣衫不整，形容憔悴，拿着一個小包袱，過了橋東張西望，似向人叢中尋找熟人，又向前走了幾步，果然有人在喊：「李鴻飛，我在這裏。」

李鴻飛抬頭一看，喊他的原來是老同學黃安民。安民匆忙跑過來，接去他手中包袱，埋怨道：「你怎麼到今天才來到，把我們急死了。」

李鴻飛嘆口氣：「能逃出來已算命大，自己怎能預定什麼時間，你以爲這是旅行嗎？」

黃安民嘆息道：「我們這批同學，你大概是最後逃出的一個了。」

李鴻飛問道：「你口口聲聲說我們這批人，到底你和那些人在一起，我只知道除你之外，還有一個在校時，我們通常喊作小石的石海晏，此外還有誰呢？」

黃安民笑道：「此外還有三個，就是鄭仲明，林逢時，還有一位是比我們高三級的老學長，叫做烏應桂，不曉得你還記不記得？」

談到烏應桂，李鴻飛忽然想起在校時烏應桂經常穿一件長衫，走路邁着方步，一派斯文形象，同學們當面尊稱爲「聖人」，背後就喊「烏蠅龜」。想到這裏不由得笑起來，這是半年來第一次開了笑口。

黃安民問道：「鴻飛你笑什麼？」

李鴻飛笑道：「我想起烏應桂這位老同學在校情形，以及他的諢號，不由得笑起來。」

黃安民笑道：「你還是這樣刻薄，怎麼共產黨也未改造好你？」

李鴻飛搖搖頭：「人如何能改造，這只是共產黨自己騙自己的玩意。現在言歸正傳，我倒要問你了，你們在此作什麼事？」

黃安民笑道：「你平常自詡神機妙算，試猜一猜？」

李鴻飛哼了一聲：「還用費事猜，你們五個人除去小石個子太小，烏蠅龜假斯文沒有力氣，你們三個身體強大正是作苦力的材料，還不是去敲石子？」

黃安民連搖搖頭：「非也，非也，你這次猜錯，我們作的是無本生意，比敲石子要好得多了。」（一）

朱東潤的文學批評

丁雨

我國先哲之爲文學批評之言者，以尙書虞舜「詩言志，歌永言，聲依永，律和聲，」數語爲之濫觴，孔子論詩三百之思無邪及其可以興觀羣怨者次之。自曹丕典論論文出，始有此一方面之專文，摯虞文章流別志論出，始有此一方面之專集，而文心雕龍與詩品二書遂集其大成，由詩文蛻作之附庸，蔚爲專門學術之大國矣。自此而後，詩話、詞話、評註選本之作，紛見迭出，讀者欲於今日，綜覽歷代詩文得失沿變之大概，每有如巨海泛舟，無從得其涯岸之苦，此文學批評史之作所以刻不容緩，而郭紹虞、朱東潤諸先生篳路籃縷之功爲不可沒也。

朱東潤先生所著中國文學批評史大綱，據其自序，完稿於一九三二年夏，幾經修改波折，始於一九四三年春成書面世。其時先生適任教重慶中央大學柏溪分校，余亦幸得時親函丈，然未之知也。逮民卅六年秋，余始獲讀之於金陵，而先生適已於是時轉教無錫國專，討論無從，讀之殊草草。今雖獲重讀之於海隅，而先生則早陷身大陸，彌令人增無從請益之憾矣。

竊嘗論之，先生所作，雖其取材之丰富，詮釋之詳盡，視郭書微有不逮，然就其衡量古今，評判得失，運西方文藝批評原理，於我國文事之審斷中以觀，實常能驪領探珠，而有較新之發現，如其指陳詩品宗旨所在，爲「特重高華」，「貴尙淵雅」，言遷固論屈原離騷旨趣之各異，爲由於時代思想之變遷，均爲郭書所未及，則信乎其名世之作也。（上）

詞林雜憶之七

望海樓隨筆

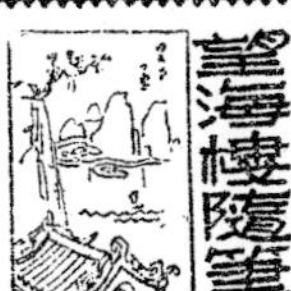

十六七年前，中共對西方尤其是美國的「自由主義者」不斷地宣傳，他們只是農業改革運動者，他們與莫斯科毫無牽連。結果如何呢？結果是大家都知道的，今日世界追隨莫斯科最力的就是當年自稱與莫斯科全無關係的人；而在當時，這種論調，的確騙過了許多美國人呢！

中國文化（二）

徐學慧

杜魯門政府時代，馬歇爾將軍作爲特使到中國來，要求國共和談，要求組織聯合政府，他們的對華政策之大前提，老實說，也不過是受了共產黨在國外尤其是美國的影響而已。現在，中共已竊據了大陸，他們却深深地感到中國的傳統文化對於赤化中國有莫大的阻礙；他們也深深地瞭解到：海外的華僑對於中國傳統文化具有牢不可破的信心；他們更確切地認定：保衞中國傳統文化這一響亮的口號，如果被廣泛地深入地運用，則對於中共政權在大陸上的存在，將產生無可估計的影響。於是乎他們乃不能不採取一種更有力的宣傳方式，來從事這一場生死存亡的心理戰。

誰都知道，今日中國大陸人民所以如此堅決地反對共產主義，乃是由於中國人民有一先天性的防共武器，此即爲傳統的中國文化。因此，如果要想在心理上瓦解中國人民的反共思想，其最有效的方法乃莫過於消滅中國文化。

當然，要想徹底消滅並不可能，而且事實上也無此必要。只要能在中國古代的人與事中，抓住某些特點，而曲解其與共產主義相合也就行了。今日中國大陸上，已有「古籍整理出版委員會」之設立，那就是作肢解中國文化之用的。

共產黨的策略，凡對於不利於己的人與事，能消滅者則消滅之，若不能消滅，則必想盡方法，強姦其人其事，使之變爲己有，最低限也得成爲同路人。魯迅是反共的，但由於魯迅在中國文壇之地位，共產黨人乃不能不在魯迅死後狂捧；齊白石是反共的，但以齊白石在詞林藝壇之地位，共產黨人乃不能不在白石老人死後捧之爲「人民藝術家」。這也不過是隨便舉兩個例而已。宣傳中國傳統文化與共產主義是相合的這種理論，也不過是他們的一貫作風，倒也沒有什麼奇怪的。

釋未禁

武俠小說

曲齋

日前嘯岸先生自台返港，告余以本刊同人以能列武俠小說之故，謂台灣讀者，極不滿意本刊亦竟同於流俗，撰爲崆峒、崑崙、山怪、野道、練氣鑄劍之說，以誑愚衆，余但唯唯，因念古者游俠之士，實原於狂狷，若朱家、郭解，狂者也；季次、原憲，狷者也，而太史公則稱之曰俠，孔子曰：「不得中行而與之，必也狂狷乎，狂者進取，狷者有所不爲也。」循此以言，則孔子固未嘗不有取于游俠。然儒墨皆排擯不載，俠者乃不得次于九流之列；及漢代棨，天下大定，武帝用公孫弘議，族誅郭解，而游俠遂成絕響。東漢之世，狂狷遂一變而爲氣節，若推財讓爵，爲朋友報仇，隨舉主遠謫，種種高節異行，如李充、劉矩、崔瑗、郭亮、公孫瓚之倫，其跡雖異，其實皆俠也。魏晉以降，世道衰亂，人心愈狹窄，狂狷之士，或晦其跡于淸談而佯狂玩世，或寄其身于寺院而寂滅避世，至唐，文人學士，乃託夢想于虬髯客，紅綫，以至崑崙奴，押衙之屬，游俠列傳，乃一變而爲武俠小說，太史公所云「雖時扞當世之文網，然其私義廉潔退讓，有足稱者」，遂不可復見，及水滸傳出，又由武俠變而爲豪暴，七俠五義出，復由豪暴變而爲豪門達官之鷹犬，其人物愈猥瑣，其行事愈不經，聊齋志異及儒林外史，已先後非笑之矣，然以其爲流俗之所喜，今之報紙副刊，遂爭以之號召讀者，而從專寫作者，乃益以譏濫。除此以外，又有所謂西方式之武俠電影，大抵以荒漠之區爲背景，而串插以暴徒及蕩女之情史，其間男主角，見男人則開槍，遇女人則抱吻，香港一般作者，大都淪肌浹髓，又不止耳熟能詳矣，故一般作品，大率集中西之大成，使西方式之牛仔、阿飛；與中國式之義和拳思想相結合，於是種種奇俠，層見迭出，然限于作者之知識與經驗，造作抄襲之跡，未能遮掩，固不足與水滸、西遊、或兒女英雄傳比長絜大，而去所謂游俠之義愈遠，亦不知太史公所以傳游俠之故，其所以必名之曰武俠者，則僅在取悅于流俗而已。而余則窃怪乎游俠之人，旣已絕跡于天地之間，而冒爲傳寫游俠之稗官小說，乃日益流衍而無窮，此蓋人類社會之不平，終古未泯，煩冤鬱勃之氣未申，又不敢公然爲私劍之門以取實禍，故不免幻想飛劍斬仇人之頭於千里之外，以爲引滿浮白之資，則又深可憫笑者也。

寰海環心錄

藝術與人生（上）

阿公

美國總統艾克先生，訪問自由中國，左右扈從之盛，戒備之嚴，中國朝野接待之殷，部署之周，賓主之間，歡然熙熙，肅肅雝雝。禮儀三百，威儀三千矣。益以中外記者，紀事詳明，攝影精美。使僻處山林之林人，髣髴側身其間，親歷其境，不禁逐一反復閱讀，而爲之讚歎不能已者，則又別有會心。

艾克先生習油畫，蔣夫人嫻水彩畫，十九日賓主於禮拜堂禮拜之餘，相與討論繪事技巧，「艾克先生希望知道蔣夫人那種纖柔不韌的紙上著筆的畫法，是否很困難，這種畫法，如有一筆錯誤，就必須重新畫過」，蔣夫人說，這種畫法的確難，「下筆之後，就好像是婚姻，……你就許下了終身。」艾克先生聽了哈哈大笑。」

賓主問答之間，蔣夫人輕描淡寫，實能發揮，充分表現中國藝術應用到人生，人生應用到藝術的化境。蓋中國畫中有詩，而詩中有人生道德倫理，與東西藝術文化異點之故。因此西方畫可以部分修改，中國畫不容一筆變更，猶之「你就許下了終身」。將藝術滙歸倫理，倫理透過藝術。「終身」二字，「石破天驚」，忠孝仁愛，信義情感，含蘊無遺，且出諸夫人之口，倍覺親切。深願無量數閨秀們，不可輕輕讀過。

慾望

陳永昌

每個人都有私慾，不論是好是壞，總該有個慾望，沒有慾望的人簡直是懦夫，因爲懦夫是不事長進，沒有求達到一種慾望的野心，這種人對社會沒有大貢獻，也沒有大禍害。

慾望有多種，有些人患上領袖慾，一切的一切，都要認第一，別人都在他之下，從軍要作司令，從政要作總統，從學要作甚麼「家」，從工要作廠長，從商要作大商賈，從農要作大地主，總之，他們絕不甘於當兵丁、科員、小教師、工人、商店職員、或小農夫。固然，這些想法是無可厚非的，「大丈夫當如是也！」漢劉邦就有作王的慾望，而終歸如願以償。可是，歷史上失敗的例子也不少呀！

求知慾是學者們應具有的，沒有求知慾，知識見地便大爲有限量地圍了，博學多才之士都是有熾熱的求知慾的，凡事窮根問底，甚麼好書都讀，很喜歡與人談論切磋，這樣日積月累的求知，大器之能成，自不在話下。繁華都會的香港，擺出各式各樣的新奇玩意，人們爲了一看究竟，也樂意破費，很多娛樂皆故弄玄虛，人們爲了好奇，爲了求知，事後才大呼上當。

某些人是患上佔有慾的毛病的，甚麼東西都要佔爲己有。小孩子的佔有慾特強，甚麼玩具圖書都要父母買，買了後却又不大利用，且更不肯隨便讓別的小孩玩。記得有一個故事，一隻狗霸佔牛房，牛回來了，要吃草，狗雖然不吃草的，不許牛吃。時下很多青年男女的戀愛，全部是狗霸牛房的心理在作祟，眞正相愛的畢竟是少數。青年男女需要伴侶，看見他人出雙入對，自己也要佔一個異性，其實她對他沒有絲毫感情的。

我們每天都吃飯，使我們去吃，大部份因爲我們餓了，見了東西就想吃，這個美味擺在眼前，雖說食東西，也得肚子，追過去吃，津津有味的吃才對，勉強的吃一些乃是因爲食慾不好了。食慾好的人該是一種福氣，幾許家擁萬金的老爺，食慾不振，天天靠打針吃維他命丸去維持生命，該是多麼沒意義啊！

談雜誌封面

郁佛

目前台灣的雜誌雖然多得驚人，但風格高尙的刊物，却有如鳳毛麟角。一個雜誌，首先和讀者打個「照面」的，便是第一頁的封面，因此，封面在雜誌的地位，相當於「代表」了。

據我所知，雜誌封面雅素者屈指可數，如「暢流」，「人間世」，「筆滙」，「創世紀」，「文星」，「藍星詩頁」等，朗，當然，筆者孤陋寡聞，沒有提及的「遺珠」，在所難免；不過，本文的目的，只是隨便談談封面的設計在雜誌上的重要，希望編輯先生們多予注意，所以，只得抱歉的說聲：「有偏了！」

「暢流」、「文星」、「人間世」，似乎都是十六開大小，「暢流」的封面，大多是國畫攝影製版，封面的顏色十分調和，有濃厚的東方藝術氣氛。「人間世」是每一期淳民先生的墨筆漫畫及題句；綫條生動，用字雋永。「文星」的新聞人物攝影，處理得當，非一般刊物所能及，封面顏色更蘊有淳烈的藝術氣氛。

「筆匯」和「創世紀」是主張現代化的刊物。前者用素描等。至於後者，封面每期都有格式新穎，封面的代表作品，是一幅名畫家的介紹，從野獸派開始，逐步介紹。

「藍星詩頁」嚴格的說，不算是一般雜誌，人們心目中之所謂只有封面，因爲它攤開來只有一張，但封面的那是楊英風先生十分可喜的版畫，是以材料特殊俱是木板，所有着均效果；滿天星斗，隱約在空中閃耀。

由這些雜誌的封面，我們不難發現一個事實，那就是：封面貴在能夠不俗，須用一種有藝術趣味的手法來處理，而不是令人反感的庸俗。

海嘯慶談薈

馮玉祥的思想言行（二）

民國十六年暮春，蔣總司令初次與馮氏約晤於徐州，馮從鄭州乘車到站時，蔣總司令偕同若干黨國要人如李烈鈞，吳稚暉等，齊向頭等車廂迎候馮總司令，遍尋不獲。旋聞載運牲畜的敞車旁有人高呼：「馮總司令在這兒！」即見馮施施從敞車下來，身穿破敝的藍布軍服，腰間繫一長形小袋，內裝竹筷一雙，洋鐵碗一隻，小刀一把，恍似乞丐之流亞，教人瞧着啼笑皆非。是年秋間，他初次到南京，孔祥熙約集中樞文武大員數十人，假國民政府大禮堂設宴歡迎，孔氏代表致詞，盛稱馮總司令對革命的功勳如何偉大，恭維備至。馮答詞却痛詆主人不應該以山珍海味款待他，指爲腐化浪費的官僚生活。

當時在座的數十位大員旣窘且怒，然又不便跟他爭辯，祗好面面相覷，匆匆終席而散，但馮氏從此乃不理於名公巨卿之口，間接影響其事業前途，至爲深鉅。民十七年馮以行政院副院長兼中央陸軍署長地位，仍沿襲當年在徐州初見蔣總司令時的那副裝束，偕同數名大兵，坐着一輛運貨的大卡車，淸晨赴立法院訪胡漢民先生，又不給名片，只說「我姓馮」，閽者誤以爲散兵游勇來向胡院長有所需索，拒不通報，馮即入坐胡院長會客廳門前的石階上，迨胡送客出來瞥見之，急謂「煥章兄幾時惠臨此間的，傳達室怎末不來報告呢？」再三表示道歉，而馮則冷嘲熱諷，說是「我在這兒呼吸革命的新鮮空氣呀！」繼而胡氏詢明詳情，乃深惡馮之不近人情，終身不屑跟他接近了。

馮駐南京期間，以民十七年爲較久，南京市長劉紀文開始修闢馬路，雖拆去若干民房，市府亦曾予以補償的。馮氏却甚不謂然，曾於劉市長住宅旁建構茅棚一座，教一窮民入住，故意予劉氏以難堪，劉與許淑貞女士結婚之日，馮送白水一罎作賀禮，其矯情玩世若是，而不顧念自己原係黨國家宰輔人物，其行爲不宜如斯之無聊賴也。是時馮卜居南京鼓樓附近，他忽然心血來潮，每天要赴南京金陵大學作旁聽生，專聽理化課程，實則他並無數理常識，不啻盲人看電影，聾子聽音樂，滑稽之至，用意不外乎沽名釣譽罷了。一日他坐着汽車由金大聽講回途中，忽有人向他車上放鎗一響，這才使他不敢再到金大去做莫名其妙的旁聽生了。

馮氏晚年曾刊行一本「馮玉祥將軍傳」，是請李烈鈞先生寫的封面，內容敘述他一生獻身革命的各種績業，從辛亥年的所謂「灤州起義」（這時他不過是北洋新軍第二十鎮的一名排長而已）說起，諸如在四川反袁——實際是反對段祺瑞，擁護馮國璋——在北京囚曹錕，逐溥儀等事，皆說是自己爲國爲民的革命功勳，然爽考證據，十九皆是爲着私人利害關係，此中經過詳情，固非短言可盡，試舉一例以反證馮氏的革命精神爲何如者？民十四年冬，奉軍大將郭松齡反張作霖之役敗績後，有郭軍魏益三旅駐防山海關內，煢煢無所歸依，乃請馮氏收編，時民黨要人李烈鈞，方聲濤皆在馮氏幕中，即秘密獻計於馮，請他派方聲濤前往榆關收編魏旅，帶來北京駐防，然後由李烈鈞出面指揮發難，推倒段祺瑞政府，歡迎廣州的國民政府北上主持國事，實行首都革命。事變之初，西北軍暫守中立，若失敗，由李方二人獨司其咎，以免使馮爲難；彼等不復留住張家口，若成功，則歸美於馮氏一人。但馮拒絕此議，這是千眞萬確的事實，馮之革命思想與目的，即此可見一斑了。（未完）

諸葛文侯

文壇軼話

王國維的童年

・介人・

詞人王國維，本報曾有論列，知道他的人很多。他生於淸光緒三年（一八七七）十月廿九日，浙江海寧人。山川靈氣所鍾，所以，他乃以詞名於世。

他的家世都是從河南開封過去的，因爲北宋時，他的先祖王珪，王光祖，王稟，三世皆死國難。到了宋室南渡以後，稟的兒子王荀，王羲二人，都隨從高宗南下，於是王氏一族，便長久居在海寧了，他的高曾祖及祖父，都是淸朝的國學生，父親乃譽是會畫的，能仿錢叔美的作品。後値洪楊之亂，乃從事商業了。四歲時，母親即死，靠祖姑母范氏撫育。以他的讀書環境看來，實不能算怎樣好，他的所有成就，完全是靠自己努力的，兒時便好學，據三十歲自序裏說：

「家有書六篋，除十三經注疏，爲兒時所不喜外，其餘之書，晚自塾歸，每泛覽焉。」

這時他僅有十一歲，讀書的廣博，眞令我們驚異了，自序又說：

「十六歲時，見友人讀漢書而悅之，乃以幼時所儲蓄之錢，購前史於杭州，是爲生平讀書之始。時方治舉子業，又以其間學駢文散文。」

這時，他已考取了秀才，很熱心科名，對於讀書，仍然可以說是盲目的。

自由報

THE FREE NEWS

第四十一期

社長：雷嘯岑

督印人：黃行實

每份港幣壹角

社址：香港銅鑼灣高士威道二十號四樓

20 CAUSEWAY RD. 3RD FL. HONG KONG

TEL. 771726　電報掛號：7191

承印者：田風印刷廠

地址：香港灣仔高士打道二一二號

台灣分社

電話：三〇三四六

台郵撥儲金戶九二五二

論組織反對黨問題

雷嘯岑

七年以前，我曾在「自由人」斗週刊上，寫過組織反對黨的論文，認爲政黨以政綱政策互相監督競賽，聽憑民衆的自由意志，用選舉方式取得議會的多數議席，交互執政，原是民主憲政生活的常軌，在現階段的我國，實施政黨政治，尤有必要。並以土耳其開國元勳凱末爾當年發起同志同僚——副總統伊諾努，現在的人民共和黨領袖——另組反對黨爲例證，希望政府當局見賢思齊，對於民間組織反對黨的運動，亦能提携獎進，聿觀厥成。我這種思想和主張，迄今並無改變，最近聽說台灣方面一般有志之士正在進行反對黨的籌組工作，不禁欣然色喜，表示共鳴。人之恒情，對於跟自己所抱願望相符合的事，總是期待它圓滿成功，了無遺憾。望之既甚切，責之亦彌嚴，本文就是基於這項心情而寫作的。

政黨的性能

凡是組織一個政黨，應以代表廣泛的民利益爲職志。我不承認政黨必須具有嚴格的階級性之說，世界上標榜階級性的政治團體，殆莫過於共產黨了。他們號稱爲代表工人無產階級利益，究其實際情況，何嘗眞有這回事呢？我國毛共集團那般居於領導地位的羣衆們，十九都是些中產階級智識份子，地主、軍閥、官僚、土豪、劣紳出身的人物，而其黨員大多數亦非勞工階級，這是我們大家所瞭解的。至於歐美各國的政黨，更不能說是具有嚴格的階級性，例如英國的工黨也並非名副其實的完全是代表勞工利益，其他可以概見。尤其是我國的社會結構，階級的分野並不明晰，更無從正確地辨別全民的階級從屬性。一個政黨的活動，如其不以全民大多數人的利益爲指標，而斤斤於某一階級或某一地區的利害問題，它的政綱政策就不容易獲得社會上廣大羣衆的贊許支持，實可斷言。衷考目前在台灣發動組織反對黨的經過情形及其策進計劃，開宗明義就是以「地方選舉改進座談會」爲號召，利用地方色彩作基礎，張着民主旗幟爲前導，而高歌新黨進行曲。這是區域性的政治集團，與「台灣地方自治研究會」的本質殊無二致，只是換上一個政黨的名稱而已。將來這政黨的名稱無論如何冠冕堂皇，政綱政策寫得怎樣完美，實質上跟一般的政黨適然有別——即是地方主義加上少數別省人士的政治技術，而以一隅之地的利益爲活動對象。創立政黨的基本條件如此，先天上殆已缺乏妥當性，將來恐怕很難獲致預期的成果吧！組織政黨乃是百年大計，只要宗旨純正，理想崇高，而其主張又能適應全國大多數人民的要求，開始縱然人少勢孤，未來的發展亦必見蓬勃，孫中山先生創立同盟會的史事，便是一面很好的鏡子。

政黨的構成份子，應該是以志同道合的個人爲主體，憑着共同的政治理想，精誠團結，一致奮鬥，造次必於是，顛沛必於是。至於既成的政黨人員，如果同是在野，只能當作友軍，聲應氣求，必要時可以聯合作戰，却不宜引爲本黨在政治戰鬥序列中的列兵，否則終有分道揚鑣之日，因爲每個政黨皆有其歷史背景和政治主張，不會完全相同的，暫時爲着某種共通的利益而合作，固無不可，要想永久共患難，享安樂，絕無此事，試看對日抗戰時期「民主政團同盟」的下場，即恍然大悟了。目前進行中的反對黨計劃，要求青年黨和民社黨的幹部人員都來參加，並且希望這兩黨根本解散，合組强大的反對黨，這就違背了組織政黨的原理原則，也非事實所許可，無異重尋「民主政團同盟」的覆轍。其始也簡，將畢也鉅，我很擔心這樣的一種政黨，即使組織成功，將來政府一旦光復大陸之後，它的基礎是否會陷於孱弱虛脫的景象，而需要壓根兒重新建構才行呢？理論與事實總是有距離的，專就事實設想，令人不能不抱此杞憂也。

政黨政治的方式

發揮政黨政治效用的主要方式，就是代議制，政黨憑藉着在議會中佔有的議席，直接過問有關國計民生的實際問題，那怕是少數的在野黨，也可以對執政黨發生監督鞭策的制衡作用，政府對於少數黨的意見，不能漠視或抹煞而一意孤行的，現在的青年黨和民社黨在議會中皆擁有若干議席，也就是名實相副的反對黨。新建立的政黨在議會裏既沒有議席，那就只能以寡婦守節的情操，暫時放棄奪取政權的企圖，藉輿論力量來爭取民衆同情，展佈在野黨的權能，而與議會中的少數友黨裏應外合，才是正當的作法。可是，新黨的創立者乃迫不及待，聲言組黨的急務是要及早打倒執政的國民黨，（發起人郭國基之言），且要求青民兩黨捨己從人，自動解散，以參加新的反對黨，說是他們兩黨的力量太薄弱，這在邏輯上是講不通的（除非採取集體的暴力政策），在議會中亦不能新增一點實力，徒然表現着創立新黨的動機是憤世嫉俗，而利用反對黨作爲洩憤報怨的武器，純係基於爲反對而反對的仇恨心理。這樣的反對黨出現後，勢必視執政黨的所作所爲，有百非而無一是，遇事敵對鬥爭，勢不兩立，而其言行即難免不逸出民主憲政的常軌，放野火，造糾紛，不擇手段以困擾執政黨，然在目前的局勢之下，由於各種無法克服的困難，又不能遵循選舉方式來和平轉移政權，相激相盪，最後很可能走入革命的道路上去。革命原不是甚末了不得的事，但自由中國現時所處的環境是安定第一，內部的革命運動固然不許可，即偶發的騷亂事件，如南韓的，土耳其最近的情形，亦非所宜，這完全是超越黨派利益，而爲國家現實利害着想的客觀之見。因此，我盼望新黨能夠誕生，同時亦希望新黨能以政黨政治的合理方式，切實發揮反對黨的效用，總結一句話：不是爲反對而反對！

政府當局應有的對策

人民有言論，出版，結社，集會之自由，這是憲法上明文規定的基本人權，不能隨便剝奪的。在民主憲政生活之下，組織政黨原係平常的事兒，毫不稀奇，組黨的最高目的是在取得政權，亦爲從事政治活動者應有的抱負，無所用其歧視猜忌的。在朝執政者只要自已有爲有守，公誠謀國，一切政治行爲皆以使民利民爲主，自然博得社會各界民衆的愛戴支持，決不怕政敵來取而代之，有如體魄強健之人，雖受風霜侵襲，亦不致感染疾病的。因此，政府對於民間的政黨組織，即宜聽其自由進行，且不妨予以鼓勵贊助，以期蔚成憲政之治。「止謗莫如自修」，個人如此，政府亦然。政府要想消弭政治上的反對力量，唯一有效方法，就是運用治水的工夫，以疏導宣洩爲原則，吾國先民對於治理四川都江堰水利工程所訂定的十六字訣，如「深淘灘，淺築堰：……」云云，實與政理相通，大可作爲執政人物的座右銘啊！

所謂「反對黨」[illegible]

天下小調

△尼泊爾抗議中共武裝侵境捕人，周恩來先說要調查，隨後表示歉意。

周恩來這一手，是把責任向「地方當局」一推，輕輕地來一次口頭道歉。假如再有此事，便不妨一拖二賴，索性賴坏。他已向當年日本學了乖，把尼泊爾和印度看作「九一八」以後的華北。

△古巴接收境內英美石油廠財產設備，卡斯特羅反美愈烈，美國正在對他施行經濟制裁。

你越要制裁它，它越要反抗你。古巴的經濟前途當然悲慘，共產國際却要喝彩。除了古巴人民起來把親共政權推翻，任何外國制裁都只有替共產黨造機會。

看吧！中共開始吶喊，力指美國對古巴用武，大概要準備派出「人民志願軍」到美國後門開火了。今天南美的古巴，會不會變成昔日西歐的西班牙？

△為防台灣的美軍司令史慕德中將，不滿意行消極的維持一條防線，徒然「坐視共黨由小口蠶食進而爲鯨吞」。

共黨蠶食有兩種方式：對尼泊爾只是就近蠶蠶的囓蝕，對古巴便成了「越洲的飛躍」，快要「飛擒大咬」了。

西方國家有兩種弊病：慷他人之慨，非麻木即無情；平時未能察隱患於無形，臨變則張皇作枝節之應付。

△日本駐亞洲各國使節開會議，有一個結論是：繼續對中共採取「觀望」政策。

他們認為：日本和中共「遲早」要有「正常」的外交關係。

這當然和自由中國「遲早」要光復大陸的基本信念相反。

只有我們不可太「遲」，他們才不會太「早」。

△日本「朝日新聞」批評自民黨三巨頭內爭的醜態，說是「三隻兀鷹自己爭啄着一塊爛臭肉。」

兀鷹不爭吃爛臭肉才是怪事啊！

方南

自由談

慚愧！

馮五先生

美總統艾森豪於六月十九日離開台北後，在一星期之內，我政府當局及民間曾對艾氏訪華表示過歡迎禮節的機構或個人，皆陸續接到了艾克申謝的函電，內容仔細周到，情詞懇切非常。爲因之感焉。

艾氏不但是一位大國的元首，而且是自由世界的領導人，地位之崇高，事務之繁劇，在全世界的政治人物中，尋不出第二個了。然而，他處理事務的行政效率，却做到了「迅速實簡」的程度，令人讚佩不置。這證明美國行政機構的組織合理化，科學化，官僚作風沒法存在，而民主精神即自然充沛活躍，經常表現着良好的工作習慣，唯恐有忝厥職，於心不安。因爲民主國家的執政者，最怕引起民衆的指摘怨望，所以，美國總統對於來自民間的私人函件，也不敢漠然置之，一定要予以答復。

假使咱們的行政元首處於艾總統的地位，還着我國傳統官僚作風的公務人員爲輔弼，漫說對於民間私人來函照例應不理，甚至指爲越級言事，予以查究，即對於訪問台灣時受到各界人士的優禮歡迎情事，亦認爲堂堂的大國元首，應可受之無愧，不必多所客氣，而急於專函道謝，以免有損尊嚴，喪失威信哪！

[illegible]

中共侵藏前後因果

本報特稿

徐聞

從去年三月到今年六月，不過遷一年零三個月。西藏反共革命，醞釀進行。革命聲勢壯大，侵入西藏共軍，南侵野心仍在，行動已受牽制，後藏重鎮日喀則已受威脅，前藏拉薩外圍持續激戰。尼泊爾消息傳來，中共企圖自薩迦、薩嘎兩地進窺尼國；現薩迦宗已爲反共軍摩佔，薩迦爲藏尼（泊爾）間要衝，薩嘎爲藏印大道重鎮。這兩大據點，都是後藏共軍重兵扼守要津，就戰略形勢看來，後藏共軍處境已感極度不安；前藏澤當、鄂噶、厘普穆達一綫亦呈不穩。

這是近日發生的突出事件，基本原因，不只傳說班禪逃亡被殺，顯示反共游擊部隊，已自零星散股，而聚而成一支強大隊伍，對拉薩、日喀則現已形成弧形包圍態勢。此種嚴重後果，不明前因，很難得結論。往事紛紜，擇要錄後。

西藏反共革命，根據去年「人民文學」六月號紀載，證明是共產黨逼成的，它說三月十日那天，中共已將拉薩各個行政單位佔據；達賴喇嘛駐錫的羅布林卡，也完成了必要作戰準備。雙方槍尖都指着對方，曾經在北平受過特殊訓練的阿旺格桑，率領一支藏奸組成的武裝馬隊，用一梭子衝鋒槍彈，在八角街射殺了一批保衛達賴士兵後，衝突遂起。達賴的衛兵並不示弱，協助僧侶們殺了藏奸帕巴拉堪穹，割下首級在馬脖子上，屍體橫在路旁示衆，懲儆藏奸。拉薩市區氣氛緊張，達賴明知這是一個重要關頭，如果不理危險，遲去中共西藏軍區領略「文娛」，不啻羊落虎口。在共黨策動下，藏奸四出劫掠，大昭寺對面的尼庵首遭浩劫，達賴卒於三月十六日，在他的衛士們簇擁着，於密集砲火中逃出了羅布林卡。十七早晨，共軍還以爲達賴與寺院共亡；拉薩市民偷偷拭鼻涕，抹眼淚，以爲達賴死了。」（去年七月號）指出，西藏的巨變，四月初才告一段落，一批批汚濁骯髒平民，在藏奸們指揮下，奔向各個寬廣林卡。這些寺院向來被他們看做聖潔，不敢侵擾的地方，共產黨對他們說：「現在是屬於人民所有了。」他們覺得奇怪：那些喇嘛呢？有人這麼問，聽到的回答：「還不是把他們送去軍區了！」共黨早在每一個林卡布置好會場，預備一張名單，那些衣衫破爛，左顧右盼者，帶着驚懼心情步入從沒有見過的會場，出現在眼前事物，當作夢幻，從沒有聽到過的「居民委員」名銜，加到他們頭上，以爲從此由地獄升天，有了一個「官職」。事態發展，並不簡單，一經宣佈散會，仍舊回到汚濁帳篷裏面，是「做官」？是夢幻？分明是現實。第二天就有人來叫去，命令他們負起調査登記居民任務。不過，他們從此不再吃糟粑，有免費大鍋米飯享受。當這一批人任務完成之後，第二椿任務又加上他們肩膀。那是「軍管會」一紙命令，責成他們把遊民組成生產隊，分配到原屬於西藏地方政府，貴族地主們的土地上去耕種。六月間，被拘禁於「軍管會」的喇嘛，給拖到各個「居民委會」去「公審」，不由分說，全在他們居持的林卡前殺了，暴屍三天，居民含淚繞道而過，聖潔的土地上到處充滿了血腥。

北平「民族出版社」印發的許多小冊子中，每一本都是對中共血洗西藏，作了具體有力辯護。把一切罪惡歸咎於噶丹的活佛赤江‧洛桑益西，哲蚌寺的鐵棒喇嘛多傑排達。參加「衛教軍」僧侶，自五月到十二月間，未及逃出魔掌的，無不慘遭殺絕，領頭向喇嘛貴族鬥爭殺戮的，是中央班登和江巴曲宗兩人，蒼姑寺的尼姑也受共幹利用，甘作虎倀助勢。今年一月十九日，北平宣布：「拉薩市人民政府正式成立。」「軍管會」副主任張頓珠才仁任僞市長，張振生、王沛生任僞副市長，原先那一批「功臣」，以爲「從此由地獄升天」，如夢幻滅，不被「清算」掉，即遭編入生產隊墾荒耕地去了。除了哲蚌、噶丹、大昭寺、小昭寺、蒼姑寺，澤當的安覺寺，江孜白居寺之外，其餘大廟小寺盡被拆毀。這一舉措，共黨原則以消滅藏人傳統思想，卻由此招致相反後果，先是二月間一次反奴役的農民反共行動；繼三月間一批人被徙置不知下落後；四月中旬一支由藏奸武裝的部隊倒戈；接着是大批共軍紛紛運抵拉薩；藏奸恐懼與平民忿怒的壯大了反共游擊軍的聲勢，正向前後藏合圍。綜觀前因後果，值得注意的：反共義民如無後援，顯難長期支持游擊戰鬥。

台北剪影

丁丁

正在緊鑼密鼓進行中的反對黨，據說決定命名爲「中國民主黨」。這是對日抗戰末期，章士釗在重慶從事組黨時曾經擬用過的漂亮名稱，當時因爲新黨的領導人問題沒法解決——杜月笙與章氏互相遜讓——終於臨盆夭折了。這次「中國民主黨」又在第二胎孕育之中，希望不致於難產才好！

執政黨很誠意的希望青年黨參加政府，共理國事，但青年黨在台北却有兩個中央黨部，對立着，各行其是，不相爲謀，終於愛莫能助了。

國大代表會議決定設置的「憲法討論會」已於七月一日自動成立，而政府當局卻要請立法院復議此案。堂堂國大代表組織的團體，竟一定非經過立法程序不可，殊難索解。唯一理由就因爲正副總統是該會的主任委員，不能不特別表示民主法治精神而已。

讀者論壇

哀哉，黌門喋血

含格

在人口原僅五百萬的寶島上，經過「十年生聚」，而激增逾一千餘萬的反共復國基地台灣，儘管每天可以在報端看到太保決鬥，飛車奪美，謀財害命，流氓勒索，強姦誘騙的新聞，但黌舍之內演出教師喋血的案件，着實令人聞之咋舌。

台灣省立南投中學校園內，於本月（六月）廿四日凌晨發生教師兇殺案。被害人丁鏡湖，五十一歲，江蘇籍，任高三丙班導師。兇犯俞期傑，三十六歲，浙江籍，理化教員。兩人均係單身，同住高中部單人宿舍。由於彼此同事，平常言語無忌，當時丁鏡湖外出回來，見俞期傑坐在宿舍前校園內，乃以調笑的口吻說：「狗屎的，還沒睡？」俞聽了當即一拳揮去，丁也不甘示弱，於是大打出手，繼而俞以三角銼向丁遍身亂刺，直至將丁活活刺死爲止。一場黌舍喋血就此收場。

據說這場血戰的遠因是俞期傑係代用教員，他常懷疑他之遲遲未被任用爲正式教員，是丁鏡湖從中搗鬼；另一傳聞，俞期傑頗具小聰明，在丁鏡湖所教的畢業班高三丙班的女生內，有同學常去俞的宿舍請教問題，丁鏡湖除嚴戒女生前往外，也曾不友善地關照過俞期傑，要他重視師表尊嚴，因此積恨心頭，久萌殺機。筆者在此無意追論其根源，就報載丁鏡湖係歷年來的優良教師，並獲教育部與教育廳頒獎來看，以優良教師之尊出言「狗屎的」，優良教師的吐屬如此，如非優良教師該當如何？顯然「狗屎的」是怨仇積怨的導火線。至於俞期傑終動刀的暴動，本屬原始社會的野蠻暴行，出自販夫走卒之手尚可，而出自黌門師表之手，實不能不令人深表震驚。

教育爲百年樹人的根基；教師爲青年學子的表率。什麼樣的師表，將教育出什麼樣的學生；什麼樣子的學子，將形成什麼樣子的社會。所以未來社會的是否安定，有賴今日教育出的青年的優劣決定。如此口出穢語，揮拳動刀的師表，使我們無理由指責太保決鬥，與社會風氣的極端敗壞，更無法期望未來社會的遠景；反應爲未來社會的風氣而担憂，爲時下的教育而惋惜。

無可諱言地，今日在台灣的社會是個畸形的社會，是許多錯綜複雜的因素匯積而成。然而，崇高如學府者，總該保留一些乾淨土地；尊貴如師表者，也該潔身自愛罷。

若說不中聽的話，南投中學的凶殺案已不是首次，前次情殺事件中使愛管閒事者遭「同歸於盡」之殃。月前台東某國校曾有「師婊聯歡」的鬧劇，致使社會輿論譁然。此次「黌門喋血」再度在南投中學重演，實令人痛心與歎，哀哉！師表！

大陸文壇萬花筒

關於「取經」

岳騫

中共統治大陸十年來，不知道造出多少稀奇古怪的名詞，新鮮透頂的玩意，「取經」可算是最有代表性的一件。

「取經」這個名詞發明在「大躍進」時期。因爲毛澤東一聲命令要工農業大躍進，大家就爭先恐後的竄前躍，躍出來許多亘古未有的奇蹟，例如一畝地可產小麥六萬斤，番薯三十萬斤，一棵白菜可長二百四十斤重，一粒葡萄可重十三兩半，一百斤小麥能磨九十九斤十二兩麵粉。

出現這種奇蹟的地方，都算是先進，其他地方要向先進「學習」，派人到豐產地方去學習他們的經驗竅門，這種玩意就叫做「取經」。

取經第一次寫成小說的要算「天門取經記」，是一部長篇小說，以後取經成爲經常活動，以取經爲背景的作品也日漸增多。其實中共本身對於「取經」也不感興趣，因爲過去所有的生產，增收，到地方一看，都是扯謊，去取經的人也只有空手而還，結果不但費時，而且要多花冤枉錢，光是交通費也成爲一筆負担，有些甚至坐飛機去「取經」，其浪費可知。

最近半年來，中共對於遠道取經大概是有令禁止——像過去上海人去貴州取經的事，近來是沒有了，但是短途取經依然盛行。

本年上海出版的文藝刊物「萌芽」第七期，有人寫了一篇短篇小說「取經」，敍述兩個翻砂廠工人到另一間翻砂廠去「取經」的故事。所以要「取經」的原因，是爲原來一間翻砂廠，搞技術革新的結果，把熔爐的產量提高了八倍，可是運鐵水的產量却未能提高，仍靠人力搬運，把負責扛鐵水的小孩，整個膀都壓腫了，他們沒辦法就到一間先進的永和翻砂廠去取經，結果看到了運鐵水的自動車，想把這部經取回去，可是小車並沒有圖樣，最後他們再三向永和廠的楊廠長懇求，楊廠長竟然把小車輪子卸下來讓他們抱回來了。

這篇小說本身並沒有絲毫價值，但是它却透露了「新社會」中的兩項事實，第一、工人半身都被鐵水壓腫了，還要繼續工作，如若取不到經，工人豈不壓死了。第二、巴士司閘員也不准拿笨重東西（如兩個小車輪）的乘客上車，這和「舊社會」的司閘，倒沒有什麼分別。

為宋念慈被控事
盛世才來函申述

（續上期）查新疆檔案清理審判團對黃如今、周明等多人雖宣判無罪，但對宋念慈、何耿光、程東白等多人並未宣判無罪，乃是另案辦理（新疆與中央均有案可查）。所謂另案辦理，是案情尚未結束，仍待審理。

（五）宋念慈函稱：「去年九月被盛世才再度被據舊檔，誣控本人爲潛台匪諜」。此段所稱爲「潛台匪諜」並非事實。查本人前因由於某些原因，於四十八年八月廿九日曾向有關機關密報：「宋念慈、程東白等過去有廿五年至卅年的共產黨齡，請調查他們加入本黨後是否坦白自清，並注意他們的言行」。並未說過宋念慈是潛台匪諜。至有關機關根據過去新疆陰謀暴動案及宋犯何耿光親筆供，程東白二人部分親筆供資料等，涉於五月廿八日[illegible]，既然無人說過宋念慈是「潛台匪諜」，就是宋念慈自己把「匪諜」的帽子戴在自己頭上。

（六）宋念慈函稱：「經過廿七年盛世才赴莫斯科朝拜史魔，勾引八路共匪全面入新參政」，此段之後段全係謊言，查本人雖會見斯太林，但並無勾引共匪入新全面參政之事，因聯中共雙方對新疆問題的矛盾，斯魔始終不贊成共匪向新疆滲透，過去廿三年當中共命何耿光、程東白等多人滲透新疆時，而聯共緊跟着即密派王壽成、萬獻廷等八人入新工作，以抵制中共。同時聯共與中共及托派入新疆都是自行滲透，並不是由新疆勾引進去的。查新疆自宣佈親蘇政策後，第一批中共滲透新疆的就是何耿光、程東白、宋念慈（聯共托派披中共外衣）等二十餘人。第二批聯共半公開滲透新疆的有王壽成等八人。第三批中共滲透新疆的有杜重遠等七人。第四批中共半公開滲透新疆的有周彬（毛澤民）等九人，在馬仲英失敗後滲透新疆的托派有張雅韶、蔡雪村等五人，以上滲透各批共黨多半是參加過一次顛覆工作，獨第一批宋念慈等二十餘人，是前後參加過兩次顛覆工作。以上一、三兩批入新者，都係以與本人有同鄉同學和友誼關係，表面是以給朋友同學同鄉幫忙而入新，實際是隱瞞共黨身份等於秘密滲透，爲共黨利益而工作，第二、四兩批入新者係因政治關係，由斯魔毛匪介紹以半公開姿態（僅本人知道他們是共黨）滲透爲共黨利益而工作。

社會小說　香港地

四、高的低的

胡興說得沉痛極了！引得梅大亮同聲一歎，慨道：「對！你打得對。他既然決心走上死路去，休再管他便是。你並不需要有這樣一個弟弟！」

胡興把吸未完的烟頭用力一擲，握着拳頭歎道：「是啊！但我媽媽也說得有理。他不怪我打他罵他，却說我不管他。他常常哭着對我說：『誰叫你是他的哥哥，誰叫他是你的弟弟，你不管他，還靠誰管他？你不能把他趕了出門便算了事啊！』梅先生，媽媽的話我怎能不聽？他好歹也是我的弟弟啊！有一次，我狠着要把他永遠趕走，大大的傷了媽媽的心，後來沒奈何，便只好在氣極時罵罵打打，鬧得鄰里都沒得安寧，眞是愧慚！」說罷垂頭噓氣，竟似要哭將起來。

梅大亮忙把他擲在屋角的一截烟頭拾起，弄熄了火，立即把另一根香烟送到胡興手上，無限感慨地勸慰道：「胡兄，你倒是善體親心，值得佩服。剛才倒是我說錯了。希望明天有機會認識你的弟弟，我也得幫你勸他幾句。」

胡興見梅大亮如此熱心，只是道謝，以後，也不願再談他弟弟的事了，便談他在鑛場裏面工作的艱苦情形。梅大亮希望能夠親自到鑛場走一趟，實地看看，談得甚是投契，直至梅太太從外面走進屋裏，擾亂了他們的話題，他們才結束敘會。

梅大亮待胡興告別去了，才對太太誇讚他一番，說道人確實不錯，該說是這條文明里裏面的孝子。

梅太太却道：「胡興為人雖好，只因發財心急，開鑛發不了財，反而破了家，累得他媽媽陪他吃苦，他弟弟也常常反唇相譏，說他把家財花光，也有不是之處。若說眞的是一名好孝子，只有劉大嬸的兒子阿盤才是。」

劉大嬸就是向梅大亮租地養猪的婦人，阿盤是她的大兒子，當初家裏沒飯吃，每天走上馬鞍山頂挖取野生的茅根，拿到荃灣市上去賣，藉此養活了自己和母弟，後來那裏的茅根都挖光了，沒得再挖，便在那裏種茅為屋，開闢荒地，起先種些雜糧，後來也種菜，居然被他立穩了基礎。（四十）

木客著

論儒家思想之復興

顧翊羣

吾國現代學人顧翊羣先生，近十年來，僑居美國，潛心學問之道，勤於著述，而以闡揚東方文化思想為職志，所譏「李香吾隱評論」早已刊行，學術界人士多讚賞之。他過去常在香港「自由人」半週刊上發表學術性的文字，深受讀者歡迎。本報創刊後，顧先生曾來信鼓勵有加，最近我請他仍為本報撰文，他回信欣然允諾，且擬述其對東西文化的見解，認為要以中國儒學補救西方現代文化的缺陷。這是研究現代文化發展前途的主要課題，值得公開討論的，特將顧先生原函披露於左，藉供讀者們參考，希望大家對這問題各抒所見，縱深辯答，亦文壇盛事也。——雷嘯岑附識——

嘯岑先生道鑒：

奉六月十一日大示，敬悉一一。近數日迭奉航寄貴刊數期，琳瑯滿目，美不勝收，尤以曲霽、高山樵、丁雨諸先生文，深獲鄙心。承囑為貴刊撰文，自當遵命。第近月在「人生雜誌」所披露各文，多似枯燥無味。緣弟近年瀏覽哲學宗教書多種，深感西方文化之需要改造，東方思想應重新抬頭。但弟與台港諸學者略有不同之處，即係取西方現代學者批評西方文化之著述，介紹於我國讀者，此即「以子之矛，攻子之盾」之意，未審有當於尊見否？

弟非反對科學者，但認科學只能見到「在」（reality）之一部分，且不能解決人生問題，後者有賴於宗教、哲學以及藝術音樂暨文學等之了解與修養。自現代科學發明以來，智識份子與普通大衆，不注重其對眞理之貢獻，而注重其實效之結果，十八九世紀思想遂對宗教日益疏遠，而懷疑主義，無神主義，唯物主義、倫理相對主義等，逐漸抬頭矣。實則自牛頓以迄今日，所有科學上之發明，尚不能從理論方面，否定宗教所依賴之三大支柱，此即（一）宇宙有眞宰；（二）宇宙亦有万象和目的；（三）世界為一種「道德秩序」（Moral Order）。然此三者只存在於有信仰者心中，而無法求取實證。吾人所可知者，即準諸歷史，凡不根據此等信仰之社會，其秩序必紊亂，而人類互相屠殺矣。美國人文學者果佛氏謂現代人之主要特徵為「殺父者」（Parricide），即毀棄傳統之意；而即拍拉圖書中之青年攸謂弗羅（Euthyphro）於雅典末年控告其父殺人，經蘇格拉底反復詢問後，彼始認錯而放棄其企圖以為例證。此即孟子所說「其父攘羊，其子證之」之意。我國「五四」運動（吾儕均係參加者）的原意未可厚非，然自孔家店打倒後，思想與信仰俱空，結果大陸遂淪於共黨之手。日本與古巴，現亦循吾國覆轍而一步一趨，日本青年現正反對長輩，並要打倒傳統（可參看最近的「生活雜志」中，洛克斐勒四世論日本青年騷動示威之文），但其主因除共黨煽動外，美國於佔領期間，將其教育「進步化」（如改寫過去歷史等），以及將美國生活方式（如跳搖擺舞等），大批介紹於日本青年，影響實大。鄙意中國儒家思想之復興，實為救世之圖也。弟顧翊羣拜啓，六月廿七日

青年之聲　哀乞丐

艾雷

人生，這就是所謂人生。

他很孤單，孤單……他沒有夢，也沒有幻想，終生伴着一個破碗，一根竹杖，還有那襤褸的枯弱身影。

街頭巷尾，這是他生活的中點。在那裏他痴望着來來去去衣裝華貴的士女們，他的眼如乞憐的狗，不停的向主人擺尾，為博得一點施捨。

他伸出瘦黃生瘡的手，很久，往往是握滿了一把空虛與失望。

沒有淚，是的，流淚的日子，該是在許久許久以前了，他失神的眼，木然地望着，他的心沒有淒涼，因為情感早已麻木。他只記得，記得——等待。

當銅幣和手中的碗撞響的頃刻，他有一瞬的笑，屬於苦澀的，但也只是一瞬。

無論晴雨，他總是蹲在那裏，默默地凝望……他的手中伸着，伸着……直到命運之神施捨給他一張通往生命終站的定期車票……。

沒有人會想起他，也不會有人去懷念他，他的存在如夢，他的消逝亦如夢。

啊！人生！這難道就是人生？

「高參」像贊

中央政府直屬的軍事機關如國防部等，皆設置「高級參謀」若干人，職位相當崇高，多半都是一般資歷較深的將官階級人物充任之。按照法定的體制，高參地位超乎司長處長以上，他們執行職務時，直接受部次長指揮，但實際上卻是閒散的客卿，很少參預密勿，過問軍國大計，每月坐領乾薪之外，另由公家各派勤務兵一名，專替高參服役。因此，有人以「高級參謀」四字嵌作聯語一則，描畫入微，詞意絕妙，可作這類官員們的像贊，永留佳話也。聯云：

有級豈高乎，一人之上，二人之下；

無謀何參也，小事不問，大事不聞。

儒林九尾龜

吳敬鋅

第一回：萬里雲羅一雁飛

李鴻飛吃了一驚，連忙低聲問道：「你們作的什麼無本生意，難道去打劫不成？」

黃安民不由得笑起來說道：「你怎麼晚出來幾個月，被共產黨折磨傻了。如何會想到打劫上去，只有傻子才會去打劫，又危險，又沒有把握，我們這樁買賣，在家安然靜坐，自有人把錢送上門來，豈不比打劫好得多？」

李鴻飛搖搖頭：「你的話我還是不能相信，香港既然有這樣的無本生意作，應該沒有窮人了，怎麼剛才還有人向我乞錢。」

黃安民笑道：「你越來越胡塗了，這種生意並不是人人可作的，第一、要有機會能接通國際路線，第二要有能力去開展工作，兩個條件都具備，才能成功一個事業，你以為人人都能作，豈不成了笑話，美國只有一個總統啊！」

李鴻飛縐着眉頭：「你說到現在，我越想越胡塗，你們到底作的什麼生意？」

黃安民笑道：「你急什麼？我總要告訴你的。」說到這裏向左右張望一下，低聲說道：「我們是作的政治買賣。」

李鴻飛嚇了一跳，問道：「怎麼？政治也能當買賣作？」

黃安民點點頭：「這有什麼稀奇，政治本身就是生意，中外古今，都是一樣，有什麼值得大驚小怪。」

李鴻飛笑道：「話是不錯，但是你們幾個人，有什麼資格搞政治，而且搞政治也要本錢啊！怎麼會變成無本生意。」

黃安民點點頭：「你的聰明恢復了，這幾句話問得不錯，我們五個人都不是這個料，可是有一個偉大的人物在領導我們，就是我們在校時的政治學教授盧孟德先生。」

提起盧孟德教授，李鴻飛倒是相當熟悉，當他們在大學讀到三年級時，盧教授剛從英國回來，因為他是黨方保送去英國留學，所以回來就派到他們這間學校教書，不過，在那時同學對他並無好感，他講話時一口沉濁的河南口音，不易聽得淸楚，他所留給李鴻飛最深印象，就是每次紀念週時讀總理遺囑的聲音特別大，尤其是當校長親自主持紀念週時，他總是站在第一排，那時就謠傳他要回本省任教育廳長，後來因為時局變化，終於未能實現。

李鴻飛印象中的盧教授不過如此，現在黃安民竟然尊之為偉大人物。可眞把他弄胡塗了。想到這裏，不禁笑道：「盧教授是教政治的，搞政治自然是個內行，不過，要說怎樣偉大，我看也未必。」

黃安民一聽這句話，臉上登時嚇得變色，恰好這時火車來到，兩人不顧得爭辯，買票先上了車。」（二）

望海樓隨筆

中國文化（三）

徐學慧

把一切經典上的言論，歪曲地解釋為適合於馬列主義觀點，這便是今日大陸所竭力推行的工作。面對着這種毀棄中國歷史文化的暴行，我們這些在海外的智識份子，應該有些什麼表示呢？

我必須很沉痛地說一句：臺灣及港澳各地的智識份子，在發揚與闡釋中國傳統文化的這一工作，是作得不夠的。居住在台灣以及港澳各地的中國人，對於在目前美國若干自由主義人士中所逐漸滋長着一種非常危險的觀念——中國傳統文化與共產主義相合——簡直是全無所知，這也就足以證明自由中國在國外的文化宣傳，作得非常不夠。美國為不承認中共的國家，中共的一切宣傳品不能像自由中國那樣順利地進入美國，如何會讓此種危險觀念長於美國人士心中，那是自由中國的有關當局不能辭其咎的。

當然，對於這樣一個重大問題，如果要向那些以作官為務的政客們來指責，也許並不公平。儒家學說的精神究竟在那裏，中國傳統文化為何如此重要，在某些袞袞諸公的心目中，可能感覺到很糊模。我不敢說自由中國政壇中全無人才，但如要希望能夠有條有理的闡釋儒家學說者倒也並不太多。既然連儒家學說都不懂，也就自然沒法希望他們能在這一方面多所闡揚。充其量，只是知道空喊幾句口號，說是要保衛中國傳統文化罷了。不錯，保衛中國傳統文化，誠然是對付共產主義的最佳武器；但我們不能以空喊口號為滿足，我們必須更進一步將傳統文化的內容加以發揚。可惜。談到這一點，我們的工作實在作得太不夠。

中共在此種文化宣傳的空隙中，着重宣傳到中國傳統文化與共產主義相合，而使得美國若干「自由主義」人士相信這種理論，這一着，顯然是在宣傳上佔了上風。如果我們不能及時針對這種情形而加以對策，則今後凡談及保衛中國文化的文字，共產黨人乃都可以歪曲地解釋為即是保衛共產主義，那才是啼笑皆非之事啦！

今天的國際外交，不論是自由世界或共產集團，其對象乃均為美國，此則為毫無疑義的事。十七八年前，中共在延安那一段時期，用「農業改革運動」的假面具迷醉了美國人，因而導致後來的「聯合政府」之要求，進而令中國大陸赤化。今天中共又使出了「中國傳統文化即共產主義」的口號，是不是有可能導致美國的承認中共呢？細想下去，倒眞是非常危險的。（未完）

釋耒集

土崩與瓦解

「土崩與瓦解」一語，始見於漢書徐樂傳。樂生於孝武之世，與主父偃、嚴安、俱上書言世務，武帝召見時與謂曰：「公安在，何相見之晚也」。蓋樂所言切直，深有見於興廢之理，此其所以見賞於人主也。樂之言曰：「臣聞天下之患，在於土崩，不在於瓦解，古今一也」。因論陳涉以匹夫亡暴秦，此土崩之勢也，而其故在於：「民困而主不恤，下怨而上不知，俗已亂而政不修。此三者，陳涉之所以爲資也，是之謂土崩。」又以孝景時，吳楚七國倡亂，謀爲大逆，帶甲數十萬，不能西攘尺寸之土，而身爲禽於中原，其故則在於：「先帝德澤未衰，而安土樂俗之民衆，故諸侯無境外之助，此之謂瓦解。以後世之事驗之，則後漢宦官擅權，黨錮禍起，瓦解之勢耳；必黃巾倡亂，而土崩之運始臨。西晉因永嘉之難，五胡入據華北，瓦解土崩，接踵而至，然猶偏安建業，與強胡抗衡，此夷夏之防，人心未死，故傾而未至於危。隋文統一，傳世三十六年，煬帝措施，驕盈過於始皇，特亡秦之續耳，不足深論。唐自玄宗時，託任非人，以致逆胡亂常，藩鎭跋扈，其禍亦止於瓦解，必黃巢朱溫並起，土崩之勢始成。宋室南渡，則東晉之故轍也，而高宗且絕意北歸，遂使中興無望，及孝宗即位，雖志存恢復，而直臣宿將已爲秦檜誅鋤略盡，繼此以往，史彌遠、韓侂胄、賈似道，相繼秉政，佞倖盤遊，國事日以糜爛，蒙古人乘之，遂致顚覆。元人非我族類，既得中國，任意肆其威虐，未及百年，終亦亡國，而江左、川、湘起事之雄，若徐壽輝、陳友諒、張士誠等類皆市井細民，即明太祖，亦皇覺寺中一和尚耳，而竟能逐蒙古天驕於沙漠以北者，則暴政之下，瓦解之跡未彰，土崩之勢已至也，明末耗中州之力，以抗東胡，乃卒因流寇蠭起以亡其國，滿州人假漢奸之助，遂垂手而有天下矣。辛亥革命，民國肇興，始則困於軍閥之割據，繼苦於共黨之負隅，及日本侵華，共黨又得藉之以坐大，更益之以蘇聯爲境外之助，共諜爲閫內之奸，日敵既摧，民困未復，其勢實近於：「下怨而上不知，俗已亂而政不修」。回思徒手共軍，驅至副武裝之國軍如驅犬羊之往事，則雖不謂之曰土崩，不可得也。然推數循理以觀，則共黨今日之政權，斷難可大可久，我果能以今日倖存之實力，以待敵人之土崩，則光復之業，猶大有可爲也，寧謂台灣全島，不如區區一陳涉耶？

曲齋

栗海彈心錄

藝術與人生（下）

引而申之，言語文字詩詞歌曲工藝，藝術也。人我之諸言，國際之條約，亦藝術也。故藝術應建立在人生上面。人生應著重在道德上面。庶不負此藝術，負此人生。

　乃至「冷戰熱戰」，猶藝術也。毛匪蠢材，假使十八日臨晨，止發射二十一砲，十九日同樣談射二十一砲，較之「十七萬」發，豈不藝術得多。要知中共瘋狂行動，實無異直接向艾森豪總統攻擊，間接向華盛頓攻擊。未知美國朝野人士，感想如何？

　艾克先生此次一再鄭重提示中美友誼，當永恒不諭。與蔣夫人藝術言外之意正同。在此引述中國一段外交史實，以明中國立國之信守諾言，雖百年猶一日也。周代、齊魯兩國，兄弟之邦。其後魯國災饉荐至，齊孝公侵魯北鄙，魯使展喜犒師，逆於境上，「齊侯曰：魯人恐乎？對曰：小人恐矣。君子則否。齊侯曰：室如懸磬，野無青草，何恃而不恐？對曰：恃先生之命。昔周公太公，股肱周室，夾輔成王，而賜之盟曰，世世子孫，無相害也，載在盟府，（猶之今日盟約，藏諸盟府）……桓公以是糾合諸侯，而謀其不協，彌縫其闕，而匡救其災。（盟國如有災害，起而支援，履行盟約的意義）……豈其嗣世九年，而棄命廢職，（命者盟約，職是責任）……君必不然。齊侯乃還」。（還而遵守盟約也）。

　今中國內地，災害頻矣，不可終日。台灣褊小，闕漏頗多，未審艾森豪總統先生，又將何以匡救其災。彌縫其闕。至於棄命廢職。君必不然。

阿公

窮忙

姚詠莘

小時看見大人們與親友隔了一個時期沒有見面或來往，一旦偶然碰到，彼此道安問好之餘，還得說些客氣話，說自己窮忙得很，一直沒有時間拜訪。站在旁邊的我們小孩，聽了「窮忙」二字，心裏總覺得好笑，認爲這是大人們的口頭禪，只是禮貌上應該要這樣說的。後來自己年齡漸長，相近於大人的邊緣，也就學着說什麼「窮忙」「窮忙」了。在我，有一個時期，確是這樣。明知道這是違心之言，可是還是常常用着它；因爲說了這句話之後，可以把與親朋所以不見面的理由一概推卸得一干二淨。把它當作是應付朋友的「遁辭」、「窮辭」，是非常恰當的。因此「窮忙」「窮忙」常掛在人們的嘴上了。其實窮忙滋味是怎樣的，是什麼味，不用說沒有體驗過，連這兩個字的意義，也很模糊。

　自從大陸失陷，舉家逃到台灣，已經十年了。這十年中，我才對「窮忙」兩字的意義，不惟身受而且神會。我夫婦帶着六個小孩脫逃鐵幕。十餘年後的今日，六個小孩子已由小學而中學，大孩子且已大學畢業入伍受訓，只剩下最小的一個，也快走出國校了。時間之速驚人，古人常用「彈指之頃」來形容它，現在才知道「彈指」兩字並不爲過甚。我的丈夫是所謂公教人員，我見他晨昏不輟，孜孜不息，大風暴雨，生病坎坷，沒有停止過他的工作。我看不過眼，有次調侃他說：「在大陸的時候，何若是這樣巴巴結結，我們的房子怕不翻轉來積銀子了。」他仰着脖子說：「你呢？你看你自已又怎麼樣，與從前有沒有兩樣？」我聽了他的話，不覺會心一笑。想想自己：下女，賢妻，良母，一身兼三職，忙得喘不過氣來。親戚友好，甚至鄰居，雖然沒有斷絕聯絡，但如非爲了特別事故，是決難登上三寶殿的。從前與親友相見說聲「窮忙」，現在倒眞的應驗了。

　台灣公教人員，每月單靠一處薪水，要想仰事俯蓄，大概有類天方夜譚」，除非像高推事那麼大胆作風，否則，唯一生機就只有求之於兼職兼差一途。要不然讓太太掛上董事長或總經理的招牌，做些生意。最可憐的，是學堂老師，或許有人不相信，有好多教書的先生，一個人兼上三五個學校的課，把功課表排得密密麻麻地，忙得甚至沒有坐公車的時間，自己預備一部機器腳踏車，僕僕於京華道上的，頗不乏之人。人到底是血肉做的，不像機器堅固持久，於是只得藉維他命ABCD及荷爾蒙等的補針，預支人生有限的精力。而能兼課來過比較優厚的生活的，聽說都是教「熱門」的數理、英語的教師，教文史的可難了。雖也有些人爬方格子，代各報章雜誌寫點什麼，但也談何容易，除非你鑽入某一個圈子，即使文章一不忍卒睹」，也不怕沒園地，否則縱使字字璣珠，也是枉然的。要不然，不管黃的灰的，一切爲了稿費，什麼都寫；聽說這類文章，銷路却好。家庭主婦，從廚房跑上辦公廳或學校，可是仍舊拋不了廚房。昔日希特勒要婦女回到廚房裏去，台灣婦女被迫踏上職業之路，又被迫着不能與廚房絕緣，其忙可想而知了。

　回頭再看看家中的孩子們，年齡越小越忙。小學到了五年級，老師便把一班中劃分爲升學和不升學的。不升學的只要把功課應付過去，還好，即可了事。苦只苦那些升學的，早晨七時前要到達學校，中午帶便當，晚上非過七時不能回家。匆匆忙忙喫飯洗澡，沒有一刻休息，就得寫，寫，寫，寫那些永遠寫不盡的鉛印的升學答案，非到十一時，不能停筆。讀中學的，臨了考試，開夜車，睡魔侵擾，實在挺不下去了，起來把頭向冷水裏一浸，再埋頭燈下，嚇跑睡魔。眞傷我們心。身爲父母的，看了教我們有沒有看見報上的補藥廣告：內服注射，包你能考上學校的？就是這麼一回事。早晚上下班的時間，擠出擠進公車的門一拉開了，是黃臟的制服的學生與黃臟的面孔，與那些似乎年長的，有氣無力而面有菜色的公教人員。看了叫人心暗。最近教育視察團團長由日本歸來，有這樣的話：「日本學生體健的身體，比我們台灣的學生壯，體格好得多了。」這例是夠我們深思猛省的。

四十九年六月·台北

海嘯廔談薈

馮玉祥的思想言行（三）

民國廿五年「西安事變」未發作以前，中央爲團結內部，準備抵禦外患，派員從山東的泰山迎接馮氏入都，畀以軍委會副委員長職位，他亦自慚形穢，但負虛名，並不過問軍委會的事。迨蔣委員長在西安被叛將劫持的消息傳出後，馮忽在寓所掛起「軍委會副委員長辦公處」的招牌，儼然有介事的正式執行職務了。他私忖蔣委員長既被叛軍扣留，前途凶多吉少，此係自己再起當權的大好機會，不可放過。殊不知縱使蔣委員長不能回京，而馮氏亦決無綜持中樞軍政事宜之可能，這是常識所能瞭解的現實情況，然馮一心爲鴻鵠將至，妄冀非份，同時他又秘密派遣郭春濤作代表，持其親筆函，潛赴四川聯絡劉湘，洽商今後對國事如何合作處理的計劃，寧非莫大的幼稚病嗎？

　馮氏賦性詭譎貪婪，由於稚魯無文，故其才不足以濟之。他幼年失學，及壯發憤自修求知，到晚年居然能提筆謅寫書札以及白話詩歌，可謂難得也矣。平生酷嗜閱讀舊說部三國演義，經常隨身攜帶着，誦記得滾瓜爛熟，民十七年秋間，他曾用演義中孔明罵王朗的語句──「蒼髯老賊，皓首匹夫」──通電醜詆吳稚暉先生，時人皆疑係出自馮之秘書長黃少谷氏手筆，實係馮氏親自擬稿拍發的。他平日對人接物亦以表演爲能事，當着稠人廣衆之前，說哭就哭，說笑就笑，譬如對着士兵們談到西北軍生活困苦情形，他可以用勁自摑其頰，至於紅腫，一面還狠狠自責，說是「我馮玉祥這小子混蛋！」他罰令幹部下跪時，自己亦常常照樣跪地，說是「上帝有馮某這種領導無方的信徒，也應該罰跪呀！」

　馮氏對國家民族的愛護情操，卻是無可懷疑的，他跟外國人──尤其是日本人接觸周旋時，即令是談閒話，亦決不肯喪失自尊心，常常告誡僚屬道：「外國人當着咱們面前摔破一只小盃，我就扎爛一隻大碗給他瞧瞧，才算夠種哪！」所以，西北軍在對日抗戰之役中，作戰最力，犧牲亦甚大，如師長佟麟閣，張致忠之壯烈殉國，即其明證。而首先在蘆溝橋跟日軍戰鬥的吉星文部隊，亦係馮氏訓練出來的。後來馮在四川各地游說人民爲抗日而輸財救國，憑其愛國思想與激越心情，附以能言善辯的詞令，成績殊不惡。自流井有一富甲一縣的鹽商王德三者，平生對公益事業不肯拔一毛以相贊助，深居簡出，絕不與官場中人見面。馮氏到達自流井時，每夕用廣播器在王德三住宅旁向民衆講演抗日救國的義理，經過兩次後，王竟自動捐出一筆鉅款給政府，這不能不說是馮氏愛國精神的感召也。

　綜觀馮氏一生事業無成的原因，慾望大過才智，迷信武力，譎而不正，又不甘屈居人下，且輕視知識份子，認爲槍桿萬能，其他皆無所謂，一言以蔽之曰：不學無術。終致身敗名裂，爲天下笑，惜哉！

（全文完）

諸葛文侯

朱東潤的文學批評

·丁雨·

先生江蘇泰興人，早歲肄業南洋公學，以官費留英，於彼邦傳記文學，深有會心。以爲我國史著，自史漢以降，雖亦不闕此體，然所紀多簡略，不能如西製之描繪入微，備載當時風尚及個人思想行事，俾後之讀者得聞風興起，並據爲知人論世之資，因於抗日後期廣採舊聞，排比前史，著爲張居正大傳，爲之倡率，此實爲我國文學史上傳記文學之發端，其有功我國歷史教育及文學，不在所著中國文學批評史之下。

　先生初任教國立武漢大學，抗日戰起，隨校西遷，歷經險阻，因以途中見聞，蒐采摛藻，著爲後西征賦萬餘言，爲蓉遠樓主所激賞，因被延聘爲中央大學教授。平時誨生雖文言語體不拘，然自屬文，則多採語體，以爲時代嬗變，風會所趨，不可逆也。所爲散文，蕭散簡鍊，波瀾迭興，自居葉紹鈞之亞，交亦稱莫逆。平居不甚事詩詞，嘗從容語余，值此科學昌明，人類思想生活日趨理智化邏輯化之今日，迷狂荒幻之想像已無從產生，詩之時代當已成過去，而進入散文小說之時代，由此亦可窺見其所受現代西洋文藝思潮之影響及其在文學批評上所持之觀點。

　抗日勝利後，先生隨校旋京，寓居文昌橋教授宿舍，始得與家人團聚，蓋闊別已近九載。翌年秋，系方改組，先生爲小人所媒孽，解聘他任，當時曾撰寫有聯語喻余：「六年霜露巴山道，八月風濤白下城。」其憤激不平之情，蓋可見矣。（下）

詞林雜憶之八

自由報
THE FREE NEWS
第四十二期
中華民國僑務委員會頒發
台教新字第三二三號登記證
中華郵政台字第一二八二號執照
登記為第一類新聞紙類
(半週刊每星期三、六出版)
每份港幣壹角
台灣零售價新台幣弍元
社長：雷嘯岑
督印人：黃行靈
社址：香港銅鑼灣高士威道二十號四樓
20. CAUSEWAY RD 3RD FL HONG KONG
TEL. 771726　電報掛號：7191
承印者：四風印刷廠
地址：香港灣仔高士打道二二一號
台灣分社
台北市西寧南路壹壹零號二樓
電話：三〇三四六
台郵撥儲金戶九二五二

民主運動與反共救國

孟廣樸

凡屬憎惡共產極權奴役生活的中國人，無論對於現實的國計民生問題是何觀感，作何主張，但有兩點基本原則必須信守不渝，即「反共應該知共，愛國纔能救國」。不瞭解共黨的鬥爭策略而從事反共，不特事倍功半，並且後患堪虞；不以國家利益為前提而侈言救國，結果必然誤己誤國，一無是處。前者可以印度尼赫魯之流的中立政策為例證，後者的最好註釋，即莫過於對日抗戰時期汪精衛的和平運動了。

毛共經常絕叫着「一定要解放台灣」的口號，其用心並不在乎佔領台灣這塊土地，而是要消滅中華民國政府的存在，使海內外的中國人民，失去爭取自由生存的司令塔，此為常識所能理解的事情。毛共既不能以武力攻取台灣，它就大力使用「政治瓦解」魔術，千方百計地在國際間製造謠言，挑撥中美感情，說美國要把台灣變為殖民地，又對台灣和海外華僑社會的人心，實施分化、統戰工作，而將一切講求民主自由生活的人與事，皆指為是受着「美帝」的教唆支持。美國一般淺見的政治人物，對共黨的鬥爭策略不求甚解，只是基於避免原子大戰的惰性觀念，而有所謂「兩個中國」以及「台灣共和國」這類莫名其妙的擬議之詞，甚囂塵上，企圖與毛共和平共存，又限制我政府對大陸自由採取軍事反攻行動。這不啻是供給毛共以挑撥分化的大好口實，愚魯幼稚極了。美國人專為本身的利害設想，他們要這末做，究竟是禍是福，只好讓將來的事實作證，我們用不着多所責難。可是，每一個為着自己乃至於後代子孫自由生存，而以反共救國為職志的中國人，即應該明辨是非得失，自求多福，不僅唾棄「兩個中國」之說，更不能視台灣為安身立命之所，稽稽然隨着別人所奏出的俚曲，攘臂起舞，而對於中華民國的生存發展前途，有意無意地加以阻碍或損傷。

民主運動與反共救國運動是相因相成的，民主政治需要有反對黨存在，亦係應有之義，不成問題。只看爭取民主生活的動機是否基於國家至上的愛國情操？而其活動方式又是否有如德國諺語所謂「連嬰兒和浴湯一起倒出去」的毛病，間接危害本國政府的生存發展？我們儘可以不滿意本國的政治制度，然祖國不能不愛護，儘可以不贊成執政當局的措施，甚至於反對執政的人物，卻不能不要政府。我看最近在台灣倡導反對黨的民主人士中，有一二中堅份子的言論思想，就違悖了上述的原則。例如楊金虎先生今春在刊物上發表文章，指摘內地各省區的國民代表已喪失資格，說是他們沒有土地與人民的關係了，只有台灣籍的代表纔夠資格說話。(原文可以覆按)。他又於蔣總統招宴年長的國大代表席上，發言攻擊地方選舉舞弊，聲稱「台灣人認為日治時代的自由，比現在還多些！」(這是許多人在場聽到的，一點也不假。)前一說可與廖文毅的「台灣共和國」思想沆瀣一氣，後一說可為日本浪人清水董三之流指稱台灣人懷念日本統治，日本對台灣「具有潛在主權」的謬論作有力的印證。又如高玉樹先生於年前從美國遊歷歸來發表談話，說美國人問他既不是國民黨員，何以又能當選台北市長呢？他答以「我因為不是國民黨，纔能夠當選的」(大意如此，詳見當時的報紙記錄)。果若是，這正表現着台北市民享有的民主自由權力，比較美英各國更為優越。然高先生又於上月美總統艾森豪到台灣訪問之際糾合同道六七人，上書艾總統詆評本國政府極不民主。出主入奴，是丹非素，這從那裏說起呢？中國人固然要求民主生活，卻不宜以媚外手段來爭取它，如國人更希望自由生活，卻反對具有「叛國」意識之自由。咱們今天所需要的反對黨，是如李萬居先生所說的那種情形，即強有力的反對黨并非為反對而反對，是是非非，完全以法治和理性為依歸。假使我國從事民主運動的人，大家的言論思想都像楊、高兩先生那一套，我敢斷言其結果將不會比過去汪精衛的和平運動更有效用。

人亦有言：現在的反共抗俄運動，是整個自由人類反極權奴役的集體安危問題，自由世界每個國家的內政措施，彼此皆有影響。因此，領導自由世界反共的大國如美國等，既對自由國家給以軍經援助，也就可以干涉受援國的內政事宜，以期增進反共抗俄的力量。我雖然不敢說這是「漢奸」理論，但至少亦認為是一種自暴自棄，因人成事的半吊子思想。邦交親密的自由國家，再莫過於英美兩國了，英國戰後完全倚靠美國的「馬歇爾計劃」，纔把疲癃殘缺的經濟生活，逐漸改進復興，英國的軍事防務，亦由美國代為負担大部分的責任，但未聞美國干預過英國的內政，相反的，美國存儲在英國境內的原子彈與越洲飛彈，非得英國政府同意，即不能隨便使用。這表示一個獨立國家的主權，必須互相尊重，不好亂來，而一個民族的自尊心，更應該培育護持，決不可流於墮落之象，否則這一民族便已面臨沒落階段，因為它的文化精神崩潰了。古代西方羅馬帝國之被野蠻民族日耳曼人所摧毀，中國南宋、南明王朝之被蒙古與滿洲兩個落後民族所取代，都是文化精神崩潰的結果。民主生活是要憑着自己力量一點一滴地爭取獲得，才是確實的成果，可以長久享受，假藉外力來搞民主運動，不管採用甚末方式，也不問它的內容如何，總是一種渴飲盜泉水，熱息惡木陰的墮落行為，所得必不償失。何況毛共隨時詆譭我們搞民主運動的人士，都是「美帝」從中指使的，若我們竟有贊成讓美國干涉內政的言論，這不是替毛共的宣傳攻勢幫忙，自毀國格，而陷友邦於不義嗎？

我懇切希望自由中國能夠產生強有力的反對黨，卻不希望有「反動派」出現。反對黨與反動派的界說甚分明，作用亦迥然有別，但須貧立正確的思想體系，無相混淆，行動上纔不致於毫無所據。回憶對日抗戰結束之初，輿論界曾發出「要變，不要亂」的呼聲，由於政府當局忽視了現實的危機，如昔人所說「民困而主不恤，下怨而上不知，俗已亂而政不修」，共黨乘機擴大反動勢力，乃釀成神州陸沉之禍。今天的政治情形，還是需要變，可千萬亂不得，因為我們現在只有台灣這片乾淨土，再一亂，大家真是死無葬身之地了！毛共昕夕期待着「和平解放台灣」的奇蹟，就是我們內部發生動亂。在安定中求團結，這才是中華民國復興的有效途徑。實行「變而不亂」的政治建設，執政黨與在野黨都不能辭其責，而政府當局的責任尤其重大，譬如政治民主化這項無可懷疑的時代要求，執政者如不能站在時代前面，洞燭機先，予以適應，結果就很可能激起社會上由反對而逐漸演化為反動的變亂趨勢，這是應該警覺的。

——完

自由世界暈眩了！

——嚴以敬作

小論天下

△美國一家大學的研究機構報告：核子戰只可能在偶然誤會中發生。但最大的危險在乎：中共十年後能自製氫彈。

真正最大的危險在乎：自由世界在十年內仍未能剷除中共這條禍根。

為什麼沒有人想到：只有盡速消滅中共，才可解除永遠危險。

△意大利共黨暴動，羅馬街頭發生混戰。

暴動成了傳染病。這是「共黨細菌」作祟。

△海外華人最近有三大新聞。

美國華裔參議員鄺友良為移民法案仗義發言，力爭有利於華人入境的較多名額。

越南吳廷琰政府解散華僑各大社團，並接收其產業。

印尼軍警槍殺華僑婦女，芝馬墟華僑千人帶孝示威。

「華僑之聲」是什麼？這裏有一句話：不怕流汗，只怕流淚與流血。

△香港赤報厚顏為「七七紀念」作特大宣傳。

在金門被中共開砲打死的抗日英雄吉星文將軍魂兮有知，只合仰天長笑。

△黃河流域有「特大旱災」。水有「特大洪峯」，旱有「特大旱災」，天災竟與人禍同時「大躍進」，苦矣大陸同胞！

△日本社會黨對共黨漸有戒心。

日本政客只能看到共黨在最近政潮中所起的領導作用，並未看到共黨藉此次政潮破壞日本青年人的信仰中心，目的在乎造成根本上更大和更深遠的混亂。

△赫魯曉夫旅遊奧國，大放厥詞，完全顯露其企圖干涉美國大選的野心。

這與由俄境內放射到太平洋的飛彈，同樣具有「越洲」破壞的威力。

△英國工黨副領袖貝萬病逝。如此雄才，終其生未為世用。他個人之不幸，世界之大幸。

△中共要和尼泊爾扯到「邊界問題」去。先之以武力示威，繼之以開闢「會議戰場」。周恩來演的是老戲。

方南

自由談

重振文化精神

馬五先生

一個民族的文化精神如果由衰退而陷入了墮落的境界，人們的思想言行即常常趨於下流，遇事不識大體，罔知自愛，私慾梟張，廉恥蕩然，無所謂國民道德與政治節操，終致形成文化精神總崩潰的現象，而國危矣！

這情形，歷史上數見不鮮，羅馬帝國之被野蠻民族日耳曼人所摧毀，中國宋明兩王朝之亡於蒙古與滿清這兩個落後民族，都是最好的印證。就文化觀點而言，現時為害人類最烈的共產主義，原是野蠻落伍的東西，所以它的發展規律並非如馬克斯所說的，先在資本主義最發達的工業國家實現共產政權，卻在若干產業貧乏落後的農業國家很容易侵襲成功。像俄羅斯和中國這兩大民族之淪於共產主義者的魔掌中，若說不是由於文化精神總崩潰的結果使然，那就是沒法解釋的歷史之謎了。

因此，反對共產主義的基本力量，即為文化精神，而振興、發揚文化精神的責任，知識份子實在義不容辭，非一肩承當不可。知識份子要想完成這項艱鉅的時代使命，首先就得抱定「君子惡居下流」的人生觀，而以「世人皆醉我獨醒」的氣魄，使思想言行向上發展。尤其是從事於政治生活的士大夫，責任特別重大，萬不可重蹈宋末與明末那般亡國大夫的覆轍，而使後人復哀後人啊！

振興文化精神的要着，就是培育國民道德與政治節操，求其在我，實踐躬行。西方「文藝復興」(Renaissance)運動的口號是「我之自覺」，致每一個人皆能警覺自己的人格尊嚴，有所不為。目前我們必須重振的，亦就是這種精神，否則隨時侈言反共救國，適所以自我諷刺而已。

台北通訊

滿城風雨的中華路違章建築案

監委將提案糾彈

徐聞

中華路違章建築，是台北市市容的蠹扰，政府爲配合觀光事業，美化市容，將該路違建毁改建爲中華商場，使原住戶仍獲安居，並得繼續經營商業，足見政府爲人民謀福祉的苦心。但台北市爲都市計劃地區，中華路一帶的違章建築，依照規定，是要折除的，不得改建，因此，周主席在台北舉行一次座談會，並指示有關單位。據說，中華路違建改建爲中華商場，是最高當局的意思。

警備總部與台北市政府，秉承周主席的指示，共同會銜向行政院呈請「特准」，改建中華路違建爲中華商場，並由警備總部保安處，台北市政府，台北市警察局，台北市警民協會等單位，組成一個「中華違章建築整建委員會」，由市長黃啓瑞担任主任。此外，又有一個整建指導會報，召集人爲警總副司令李立柏。指導會報是決定整建會一切有關問題的決策機構，而整建會爲執行「決策」的單位，該整建會下設有總務、行政、工務、監察等四組，各組的負責人皆非市政府的官員，係由警總與警局分別担任。就現行行政組織而言，警總爲決策機構，似乎缺乏法律根據。整建指導會報可以決定由市政府主持的整建會的一切政策，這不是等於：警備總部是台北市政府的上級機關嗎？而中華路違建並非關係治安或軍事問題，警備總部這個機構，在行政院組織法內亦是沒有的，由它來決定「居民應享之權利」——對於地方之公用設備有使用之權利」的事項，難怪立法委員張九如等對此不但指爲違憲，且認爲「荒謬」非法，也。

再說政府對處理違章建築的問題，亦非沒有明文規定。行政院於四十六年十一月十一日曾經核定「違章建築處理辦法」並經內政部於同年十二月七日公佈實施。該辦法對「舊有違章建築處理」設有專章。該辦法第二十七條：「院轄市暨縣市政府，對於舊有違章建築，應依左列原則處理，訂定分期分區處理計劃，提經違章建築處理小組審查公佈。……第三款：分期折遷舊有違章建築，得按現住人職業暨其家庭經濟情況，以左列原則處理之。甲、與現住人以優先登記承購，或承租平民住宅，或攤販市場之權利。乙、指撥公地，劃分軍眷區、平民區、工人區、漁民區及其他區別、限期遷移。丙、介紹銀行低利貸放遷建費。」中華路整建指導會報與整建委員會，在處理中華路違建的糾紛，[illegible]

[illegible] 背公務人員服務法了。[illegible] 提案「糾彈」，可能造成政潮，希望中央政府致函周主席，立即處理，否則採取行動了。（六月二十九日）

台北剪影

·丁丁·

最近有位洋記者訪問某一個組反對黨最努力起勁的民主人士，叩以新黨的政綱政策是何內容？答曰「中間偏左」。又問新黨的羣衆以那類人物爲基礎？答曰「台省人士佔三分二」。所謂反對黨的本質與形像，可以想見了。

「我的朋友」胡適之帶領人馬出國參加國際間的學術會議，有人說他的目的是在避免台北政治壓蠱的煩擾，頗似美國前任國務卿艾契遜對中國問題採取「靜觀」政策的作風，其然，豈其然乎？

新任駐西班牙大使黃少谷去國在即，衆家同行，他希望先在西班牙住過三數年之後，再到南美做幾年外交使節，即請求「退役」致仕，而以養老生活自娛。設計固甚妙，只怕這如意算盤未必打得通啊！

本報特稿

歐洲各國中央觀光機關簡介

劉友松

一國的觀光事業，原以各個觀光地區爲基礎，綜合各種與觀光有關的事業所成，故在運營方面，殊有建立一種組織的必要；尤其是所謂國際觀光事業也者，先行建立一個對一向任其自然發展，予以監督指導的最高觀光行政管理機關，實爲一刻不容緩的問題。美國商務部委託華盛頓捷基公司，所舉辦的太平洋地區觀光資源調查團，曾于本年三月十二日來台，考察一週，提出六項建議中之第一項，即爲建議我政府成立中央觀光管理機關的問題，茲爲提供各方參考計，試就歐洲各國的中央觀光機關，作一簡單的介紹如下。

按照觀光事業——尤其是國際觀光事業的性質，非由國家予以強力的指導與推動，勢難望其迅速振興。西歐各國觀光事業之所以能有今日之成就者，賴其政府予以特別保護與協助者甚大。各國振興觀光事業的基本前提，首爲觀光行政管理機關的加強與擴充，在國家大力指導之下，朝野採取一致的行動，方可收獲豐碩的成果。

然則中央觀光機關的成立，究以交由政府那一部門管理爲宜？以政府的機關爲中心，抑以官民合辦的機構爲中心，此則須視各國的國情，沿革，與其重點何在，不必盡同的。

既到歐洲各國觀光事業的主管部門，由於觀光事業與交通有較密切的關係，以負責運輸交通管理的部門，爲觀光事業主管者佔最多數。例如英國、奧地利交由貿易經濟關係部門，葡萄牙、西班牙爲情報文化關係部門，希臘、義大利，則以在內閣或總理府所設立的機關，爲觀光事業的主管；但在法、比、盧森堡、德國、瑞士、挪威等國，則以運輸交通部門，爲觀光事業的主管機關。

中央觀光機關的形態，可以分爲三類。例如：法、比、盧森堡、葡萄牙、西班牙、希臘等南歐諸國，均於政府之內，設有強力的觀光機關，從事觀光事業之保護、協助、指導、監督之外，並自行辦理海外各地的觀光宣傳。英、德、奧地利、荷蘭、丹麥、瑞典、挪威、瑞士、芬蘭等中、北歐各國政府，雖亦致力於觀光事業的保護與協助；但以在行政監督方面者較少，故未於政府各部門建立觀光局的組織，而由半官半民的機構，從事觀光事業的指導振興，並由政府撥給津貼，從事海外各地的觀光宣傳活動。屬於第三類型者，是爲義大利，係一離開各部會，在內閣之中設立強而有力的觀光局，來肩負觀光事業指導監督工作之外，另設半官半民的觀光協會（ENIT），接受政府委託，辦理觀光宣傳工作。再如希臘，乃採取稍爲奇特的組織形態，即以三名（其一爲觀光局長）委員所組織的觀光委員會，爲最高管理機關，由其所附屬的觀光局，辦理全部觀光行政事宜。

以上所述的中央觀光管理機關，雖在同屬政府機關的情形下，其所經管的業務亦有若干不同處；但一般職掌所謂的觀光事業活動的推動與指導，觀光設施的整備，接待的改良，旅行障礙的鏟除，對外觀光宣傳之實施等，所謂觀光事業的推進之點，各國均屬相同。（上）

大陸文壇萬花筒

柳亞子悔上賊船

岳騫

最近人民文學出版社出版了一本柳亞子詩詞選，其中透露出來一段柳亞子與毛澤東之間的恩怨，要算是一些附共人員的典型遭遇，可悲者固不止柳亞子一人也。

柳亞子和毛澤東最初認識是民國十四年在廣州時，那時毛澤東主持農民運動講習所，柳亞子在廣州閒住，兩人有許多相同之處，都愛吃、愛玩、愛吹牛，又愛作幾句歪詩。在地位上來說，柳亞子雖然賦閒，但本身是革命元勛——南社社長，當時已名滿天下，毛澤東雖然受汪精衛特達之知，一度代理中宣部長，以後主持農民運動講習所，但在全國來說，毛澤東仍是一個無名小卒。所以就當時兩人交朋友來說，毛澤東是仰攀，柳亞子還算俯就。一度交遊頗密，兩個人經常去茶樓嘆其一盅兩件。

以後中國國民黨大舉清黨，毛澤東逃往井崗山落草，柳亞子到南京仍任中央委員，兩人這時交往也就斷絕了。到了民國三十年，中共已經坐大，柳亞子困處九龍，貧病交廹，中共在港人員曾予接濟，柳亞子感激之餘，寫了一首詩「寄毛主席延安，兼東林伯渠、吳玉章、徐特立、董必武、張曙時諸公」七律：「弓劍橋陵寂不譁，萬年枝上挺奇花。雲天倘許同憂國，粵海難忘共品茶。杜斷房謀勞午夜，江毫邱錦各名家，商山諸老欣能健，頭白相期奠夏華」。

這首詩剛作好不過十天，日寇突襲香港，大家倉皇四散，可能並未寄出。柳亞子到了重慶後，和中共人員往還更密，民國三十三年五月十三日是柳亞子壽辰，當時董必武正在重慶任參政員，曾賦詩相賀，柳亞子和了一首，仍分寄毛（澤東），林（伯渠），吳（玉章）徐（特之），張（曙時）諸酋，另外又添上周恩來、鄧穎超一對寶貨。詩如下：「整頓乾坤入酒觴，新詩壽我劍花芒，朝無虛聽言終贊，民有偕亡日曷喪。習以心肝酬黨國，豈貪姓字上旂常，平生管樂心期在，倘過桓昭試一匡。」

這首詩本身就語無倫次，如「習以心肝酬黨國」的黨，究竟是國民黨還是共產黨，如指國民黨，柳亞子未必有勇氣寫在此處，指共產黨又何干柳亞子的事，更可笑的在最後的兩句，柳亞子竟然自比管仲、樂毅，而以毛澤東爲齊桓公、燕昭王，這就荒天下之大唐了。（上）

編者·作者·讀者

台北鄧麗先生，鄭雯女士：你們先後來函皆已收到，內容大致相同，所述某一公營機構之高級人員與某家庭等情節，詭異離奇，至堪駭駭。然事關私人名譽，未便率爾刊佈，如能提供確切證據，本報爲維護社會善良風化計，或可考慮也。

香港陳偉君先生：兩示皆誦悉。我每日上午十時後常在銅鑼灣高士威道二十號四樓本報社，暇希惠臨一談。——嘯岑

世界最吃香的語文

·旭軍譯·

現在世界最吃香的語文，就是英語英文。下面是倫敦『每日電訊報』刊登的一篇由記者約翰阿德烈的觀察報導。

先說日本。英語和英國文字的學習，當然不是新的事實。但在過去的十五年，學習英語英文的風氣甚熾烈。主要原因當然是由於美國之佔領日本。[illegible]至在街上攔着英美人士來請益。

在自由世界這一方面的人，甚至在鐵幕後的人，也會教英文。俄人在東南亞教英文也教得很好。

在過去的十五年，這個『英語王國』在東南亞和遠東迅速的擴張。現今仍然繼續擴張下去。[illegible]

[illegible]

自由報

社會小說　香港地

四、高的低的

阿盤這樣創業的經過，似乎難以使人相信，但他的確倚靠在山野挖茅根來度過最困難的時期，然後由他母親劉大嬸租地養猪，積聚了一點小錢，再把買猪的錢給他運用，在馬鞍山頂闢地建屋，以後一家的衣食和職業便由此解決，而且跟他到山頂去開荒的人越來越多，居然也有十多二十戶人家，儼然成為一個小村落。像這樣的事，由梅太太口裏詳述出來，大大的誇獎阿盤是一個標準的孝子，也不由梅大亮不表示贊同呢。

據梅太太說，像阿盤這樣辛苦開荒的人，有些也是在九龍仔住過一個時期的，後來到了海上一個從來沒人居住的小島去，同樣創出一個局面來，大家有了屋還有田，都可自食其力。看這些人的榜樣，端的是「天生天養」，也可說「天無絕人之路」。這教梅大亮更加要表示欽佩贊美。

這一天，由早到夜，梅大亮忙於活動，會過不少新朋舊友，也聽過不少從來未曾聞及的事。當他在睡牀上獲得充份休息的時候，想起譚福祿，那個靠一把長鬍子吃解簽飯的人，想起張白麗，那個倔強可愛的女孩子，想起丁乾，那個寫偵探小說的爬格子英雄，和那個寫新詩的摩登才子白花；想起賈大夫，那個有很好生意眼的黑市醫生，想起牛犀利，那個不成器的黑社會無賴漢；想起胡興和由他口中提及因吸毒而死去的亞陳，以及劉大嬸的兒子阿盤，一時覺得他們都是很突出的人物，謀生方法，各有不同，如非湊巧在這一天分別和他們碰頭，留心聽他們說話，就不會有這種「突出」的感覺。

因此，梅大亮便有了這樣的一個感想：一個人太過耽於靜居，和朋友隔絕，少和外面接觸，也不是一件好事。他開始認識香港社會眞是一個萬花筒，裏面有各門各類的職業，各式各樣的人，各姿各態的活動，如肯留心觀察研究，定可觀悟出許多道理。最後，他又想到那「需要的定律」的微妙處。（四一）

木客著

排名

汶津

當了將近二十年的學生，對「排名」的重要性始終不甚了解。當然，如果並非可望而不可即的話，能考個前三名也是夠愜意的。除此而外，排名居先並無可羨之處。學生本來是一種好爭的動物，君不憶韓復榘先生之名言乎：「爭個什麼勁！每人給買一隻球不就得了？」然而球場上的英雄很可能是課堂上的懦夫。排名在前的學生，往往為怕被指名回答問題而坐不安席，因為教授們多半短視，找名字也不容易找到那些壓軸的。又有些教授喜歡點名，有些學生則頗有非遲到數分鐘不夠身份的氣概，然則「首當其衝」的仁兄們，遇到朝夕與點名冊為伍的教授上課時，就難免滿肚委屈了。而排名在後的幸運兒，則不妨姍姍來遲，如能及時趕到，在窗口喚一聲「有」，更顯得與衆不同。可是若遇到一位有倒吃甘蔗之癖的先生，也只好隨時提高警覺了。總而言之，學校裏的排名是沒有什麼文章可作的，學生們也樂得漂漂亮亮的來個「君子無所爭」。

但也有例外的「君子」。問何以故？曰：必也出風頭乎！近日有一樁不大不小的新聞，某報曾冠以「王引不收乾女兒」的大標頭。原來是某紅星與老牌演員王引爭排名，並宣稱：王引曾讓女兒排名在前，如何這番倒不讓我一讓？焉知人多半是吃軟不吃硬的，何況對手是一位銀壇「硬」漢？那位紅星也不知是多長了幾斤肉還是怎的，這件事竟然弄得個淒淒楚楚的下場。實在值得同情。

不過這些爭端還不妨以演戲視之，不值得大驚小怪。我倒是奇怪：為什麼結婚啟事上的排名沒聽說過有人爭論呢？其實這倒是極有商榷價值的。根據男女平等的原則，（虔信夫唱婦隨說的自然不在話下）兩個名字應該絕對平等，等量齊觀。因此我建議男女姓名的次第應以姓氏筆劃為序。（發明此條例者必是先知先覺），或者借重「男左女右」的「傳統」亦無不可。否則將來子女之間難保不會引起「爸媽孰重」的疑團。

有些書的扉頁上寫着大大的「獻給××」（按：××多半是一個比該書內容更為動人的名字），要想找作者的大名反而十分困難，這倒眞有些君子國國民的風度。只怕那位「××」還不甚受用，那，豈不是煞像堯讓許由的故事了？

其實爭排名即使勝利，也不無「後顧」之憂。萬一長着一雙雪亮眼睛的旁觀者竟反其道而行，也像某些教授一樣，顛倒鴛鴦譜，而把高高在上的芳名置諸腦後；這時再回想當年曾爭得香汗直流，豈不冤哉枉也！

青年之聲徵稿

本版特闢「青年之聲」一欄，專載海內外青年學生的文藝作品及其生活動態的報導。歡迎各校同學來稿（勿超過五百字），一經刊載，略致薄酬。如需退稿，請附郵票。

趙家莊與盲翁

道南

最近謠傳章士釗到了香港，是否確有此事，姑且不說。且說他前年曾送了一首詩與陳寅恪教授。詩為：

嶺南非復趙家莊，却有盲翁解作場。百國寶書供拾掇；一腔心事付荒唐。閒同仕女量身世；懶與時賢論短長。獨是故人來問訊，兒時肮髒未能忘。

這首詩大有問題，却暗中把大陸一般學人的悲哀，盡量地予以宣洩出來了。由於章詩所引用的，是屬於陸放翁之詩。陸之詩為：

斜陽古柳趙家莊，負鼓盲翁正作場；身後是非誰管得，滿村爭唱蔡中郎！

陸詩的重心在最後兩句，當時陸放翁所聽到盲翁的鼓詞裏面，對於蔡中郎的敘述，定有一些不實不盡之處，而對於蔡中郎的毀譽，自然是不可靠了。因而放翁乃有如此慨嘆。

因為陳寅恪曾寫了一部「再生緣」，主要為韜光養晦，雖明知為極荒唐之事，但為了本身的安全，也只有「一腔心事付荒唐」，和「閒同仕女量身世」了。

章士釗很巧妙地利用這一點，暗地的同情陳寅恪的處境，而反映出大陸學者潛在的悲哀。所以有人認為章之贈陳寅恪的詩，是十分切當的，可是反過來說，對於章自己呢？

文壇軼聞

儒林九尾龜

吳敬鋅

第一回：萬里雲羅一雁飛

上了車之後，黃安民鄭重向李鴻飛說道：「我們現在就去驚濤社，見了盧先生千萬可不要失禮，否則我們全體同學都就待不起。」

李鴻飛更加不明白，問道：「驚濤社是作什麼的？」

黃安民低聲說道：「驚濤社是盧教授組織的政黨名稱，我們都是驚濤社的社員，你將來也要加入的，我們的社員遍天下，大陸，台灣，美國和歐洲都有分部，一旦大局再變，將來收拾中國局面的，就是我們驚濤社了。」

說着火車到站，兩人換乘汽車直開到一座洋樓停住。上得樓來，黃安民一按門鈴，裏面有人從小洞裏張望一下，然後開門。進了門，幾位老同學都在，大家非常高興，團團圍住，問長問短，小石更是喜得直跳。

就在這時，門鈴突然連響三下，辦公室內綠燈一亮，頓時鴉雀無聲，大家悚然站起，黃安民低聲說，「先生來了，趕快起來。」

李鴻飛不知怎麼回事，也只好隨着站起來，工人拉開門，只見盧孟德教授昂着頭走進來。李鴻飛與盧教授一別兩年，覺得他蒼老了許多，當時趕過去鞠個躬，恭恭敬敬喊聲「老師」。依照過去的經驗，李鴻飛以為盧教授一定會含笑同他握手，殷勤加以慰問。那知道盧教授根本未正眼看他，只冷冷問了一句：「幾時到的？」

未等李鴻飛回答，盧教授回頭問道：「你們把此地規矩告訴他沒有？」

大家都不敢回答，烏蠅龜臉都黃了，比較起來，還是黃安民大膽，勉強答道：「鴻飛剛進門，還未來得及詳談。」

盧教授「哦」了一聲；走到裏面小房間去，大家才敢坐下。

李鴻飛蹩了一肚子氣，看見大家同學那一副可憐相，不便發作。

停了不到半個鐘頭，突然電話鈴響，盧教授抓起電話筒，剛說一聲：「那位」，突然滿臉堆歡，笑着說道：「噢！原來是洪先生，幾時到的，好的，我來看你，不敢當！不敢當！」盧教授一連說了五個「不敢當」，每說一句，腰就彎下去一些，到了最後一句，已經彎成九十度了。

盧教授放下電話筒，收起笑容，向大家說道：「剛才台灣來了一位朋友，約我吃飯，今天也許不回來了。關於李鴻飛的事，你們同他仔細談談，如若他肯加入驚濤社，就要他填表好了。」

盧教授說過話，頭也不點就走了。

盧教授走過，室內又熱鬧起來，未等大家開口，李鴻飛問道：「你們知不知道那裏有敲石子的？」（三）

豐子愷近況

××××××

最近來自大陸的消息，中國有名的漫畫家豐子愷，新近担任了上海「中國國畫學院」的院長，還有副院長三人，另外集中了國畫家數十人，也同樣致力於反美宣傳，畫出了反美的圖畫。

讀了這段消息以後，陷在大陸的豐子愷，正如籠中的鳥，他無法自由，不能不聽從中共的擺佈，這是可以想像得出的了。猶憶他曾經畫過一幅有名的漫畫，題名「解放」。

「一隻貓兒，打開籠子，把老鼠放了出來。」

老鼠的結局，自然是受盡玩弄後，被貓兒吃掉完事——這正象徵着今天大陸上人士的命運！

豐是一個人道主義者，同時又是很有理性的人。由於他的觀察深刻，感情豐富，難免不由藝術家的坦白筆調下，洩露出來，所以才能畫出像「解放」這幅感觸最深而最誠摯的名畫，用來諷刺現實。（介人）

望海樓隨筆

中國文化（四）

徐學慧

美國的「自由主義」人士，對於美國的對外政策，具有不可思議的影響力，那是任何一個瞭解美國國情的人，所必需承認的一項事實。讓自由主義者的心靈中，滋長着「中國傳統文化即共產主義」的觀念，即令在目前不會導致美國政府承認中共，但我們卻不能不顧慮到：對未來將會產生什麼影響？

共產黨在西方尤其是在美國所從事的宣傳，是巧妙地把中國的傳統文化與他們的馬列主義混為一談的。此種宣傳，勢必引起西方「自由主義」者的莫大迷惘。而此種迷惘，在共產黨看來，顯然是成功的第一步。

中共一方面在國外宣傳「傳統中國文化合乎共產主義」，另一方面卻在國內大事修改中國的古代經典，抓住古代經典中的一鱗一爪，歪曲地解釋為合乎共產主義，這種雙管齊下的手法，是值得注意的。當中國大陸上的古籍整理到完全合乎「馬列主義」的觀點時，則其對於國外的宣傳，也就更為有力了。

這幾年來，中共於對美國的手法，是多方面的。一方面在日內瓦維持那夜長夢多的所謂大使級談判，另一方面在美國本土卻不斷地利用各種可能的方式來宣傳中國傳統文化與共產主義之關係，藉以使得美國的自由主義者對於傳統中國文化與共產主義不相容的這種觀念產生懷疑。此種宣傳的方式及其着重點，可以說是一石二鳥的手法，而且，也是絕頂聰明的一着。如果共產黨僅只是向國外宣傳中國人民如何願意接受馬列主義，那也就未免太笨拙了。現在，把中國傳統文化與馬列主義混為一談，那也不管是使得西方人對於中國傳統文化的面目更加懷疑，同時，更足以令到那些強調中國傳統文化可以戰勝共產主義的論調，產生動搖。這一着，如果拿適當的術語來說，直是射人先射馬之着。只要我們能留意共產黨的一貫作風，則此種宣傳，亦自為其慣技。共產黨人最擅於滲透，將傳統中國文化與共產主義相混，也不過是滲透功夫而已。然而，此種滲透，如果我們不善於應付，其影響所及，是非常巨大的。

自由中國當局必須以更大的注意力來從事於這一場宣傳戰。

當然，關於這樣的宣傳，不僅是在台灣負；即令我們這些身居海外的智識份子，也得起這個責任。（未完）

釋耒集

反對黨

反對黨一語，出自西方式之議會政治，自慚愚陋，不知西文原字所蘊涵之意義何如。若以中國語文解之，則所謂反對云者，義近於讎仇，既爲仇，則不能不爭奪，故國史紀錄，但有黨爭，或曰黨錮。故入者主之，出者奴之，入者附之，出者汚之，鮮有不爭者。孔子聖人，實諱言黨，曾曰：「君子矜而不爭，羣而不黨。」依此以言，則凡有黨，必不免於爭，亦勢之自然而然者也。後漢書左雄傳論云：「孝桓之世，碩德惟與，陳蕃、楊秉，號稱民宰，其餘宏行遠智，高心潔行，激揚風流者，不可勝數，而斯道莫振，文武陵墮，在朝者以正義嬰戮，謝事者以黨錮致災。」而王船山讀通鑑論則曰：「諸君子者，齊與奸人爭廢興，而非與社稷爭存亡，一鼓之氣易衰，攀奸之力本弱，不敵兇慾，而身與之俱斃，此無他，舍本逐末，其細殆已甚也。」與奸人爭廢興，私也；與社稷爭存亡，公也。公私之辨，論定於君子小人之分，而歐陽修朋黨論固嘗言之矣。然熙寧用事者未必皆小人，而元祐執政者，未必盡君子，以千百年後猶且不能論定其是非，此黨爭之所以未有已時者也。考之近世，首倡反對黨之論者，當推宋教仁先生，而滬寧車站，血跡猶新，此所謂「在朝者以正義嬰僇」之顯例也。嗣黎元洪，以民國元勳，組自由黨，章太炎先生即以隸其黨籍而爲袁氏所幽禁，則「謝事者以黨錮致災」，雖在號稱民主之世代，固亦不免矣。抗戰以還，青年、民社兩黨，浮沉政海，若有若無，論其反，或庶幾近是，而實不足以作對也。求其彷彿如美之民主黨，英之工黨之勢均力敵者，無有也。若共黨，則田氏篡齊，附庸蔚爲大國，其所取之方式爲顚覆活動，與政黨政治殊科。傷嘗疑之，西方式之議會政治，果可以移植於東方而無病乎？十餘年間印尼僅一蘇加諾，南韓僅一李承晚，南越僅一吳廷琰；今李承晚之去職，亦與杜魯門之謝事者有別；然則印尼，南韓，南越，舍此三人外，竟無一人足以爲國家元首者乎？有之，何以不能以民主方式，一如麥美蘭之代艾登，艾森豪之代杜魯門，揖讓而升，從容而去耶？獨憶辛亥革命告成之日，國人即曰：「革命功成，革命黨消。」及北伐之役，黨軍抵達北平，北方民衆，亦相與爲言曰：「黨軍可愛，黨人可殺。」黨人果可爲耶，不可爲耶？熱心於反對黨者，將與奸人爭廢興乎？抑將與社稷爭存亡乎？

曲齋

栗海彈心錄

以周易占中國文化（上）

阿公

中國文化，胎原於宇宙自然，「萬物該兼」，不假造作。一畫開天，故伏羲以卦象設教，而始於一。一者誠一不二，不二者性，自一以下皆情也。故自二至三，三生萬物而極於九，此老氏至精之論。自八而至於六十四，自六而至於三百八十四。（參閱周易卦圖即知）衍之則爲四千九十六，二萬四千五百七十六。其窮變通化，幾不可測，而約之以一。故曰、「不遠復」「復其見天地之心乎」。斯義淵博，非敢語所能盡也，故略。

文王說象於彖，周公設象於爻，彖多而誠少，爻少而誠多。孔子從而斷之以義理。內聖外王之學，於是乎備。

禹嘗「九疇」本於河圖洛書。（參閱河洛圖）仲父「尊賢尚功」，本於「大畜」與「損」「益」。管子「四維」，本於「四德」，——「體仁足以長人，嘉會足以合禮，利物足以和義，貞固足以幹事」。老氏本於「用六永貞」。（坤卦）墨子本於「交相愛也」（家人）孫子本於師卦九二。荀子之學，本於「噬嗑而亨」。學庸一書，本於「自昭明德」（晉卦）自是而後，百家爭鳴，歷世君相，或得其一二，或得其二三，亦足濟世安民，富國強兵，臻於小康。

商政尚剛，「聖賢之君六七作」。然政剛則多革，「君子豹變，小人革面」是也。當革之初，「信」與「當」否（見革卦）間亦取辦於卦象，而藉於蓍龜。且商俗尚鬼，與今之習宗教而尚禮拜祈禱者正同，後世視爲卜筮之書，微見其一端耳，而不知「易道周普」，包羅萬象者也。

牧豬奴史話

筱臣

今年是大陸上的養豬年，也可說是豬的「大躍進」之年，自從新正以來，中共報紙不斷的宣傳鼓吹，而且把豬譽之爲「黑財神」，出之以歌詠。同時提出了今年要「以豬爲綱，六畜興旺」的口號，並強調要大陸各公社辦好兩百萬個養豬場。

在如此大力推薦之下，於是各地繼續不斷湧現了養豬「掛帥」的英雄，女的則榮獲了「養豬金花」；更有七十六歲的「養豬郎」，這是來自西康省的「西昌羣衆報」所發表的一個養豬郎的談話，他名叫胡元強。他說「我從喂豬起，便早起晚睡，耐心地……我喂豬的辦法是：（一）冷天關地圈墊乾草，熱天開高圈，圈內天天刮，一天洗三次槽，經常撲滅蚊蠅。（三）使豬吃得冷熱均勻，天冷了，就喂熱食，熱天喂溫熱食。豬食千萬不能過熱過冷，太熱了，豬吃不長肉，太冷了，豬吃了又會生病。（三）分別情況配搭飼料，公豬多喂胡豆糠，豌豆蘿蔔和各種青綠飼料，加喂多喂各種豆子，蘿蔔，紅苕，南瓜等。總之，要使公、母豬不能過肥或過瘦，以防配種困難，影響繁殖。」

以上老人的談話，姑勿論是否出於自願，但高齡的老人卜晝卜夜，也就夠辛苦了。只是「養豬郎」這一個新名詞，又是中共新近創造的術語。中國古代文學史上只有牧豬奴，這裏且約畧談談牧豬奴的史話。

古時的豬羣是和牛羊一樣，都可以在野外放養的。所以有「牧豬奴」之稱。前漢衛青出身於牧豬奴，而後漢梁鴻更是一位有名的牧豬奴。據梁鴻的本傳稱：牧豕於上林苑中，嘗誤遺火，延及他舍，鴻乃尋被燒者，問所損失，悉以豕償之。其主猶以爲少，鴻曰「無他財，願以身居作」。主人許之。耆老見鴻非恆人，乃共責讓主人，而稱鴻長者。於是悉還其豕，鴻不受而去。從這段故事看來，梁鴻雖是卑賤的牧豬奴，但他的嘉言懿行，卻表現出義俠厚道的本色。因之，這些耆老，也受到了他的感動呢。

漢代的公孫宏，少時家貧，也曾牧豬海上。後漢的吳祐，年二十喪父，常牧豬於長垣，澤中行吟經書。又有一位承宮，年八歲，爲人牧豬，鄉里徐子盛，以春秋授徒，承宮過其門，請留爲諸生拾薪，執苦役數年，勤學不倦，卒成大器。這幾位可說都出身於牧豬奴，後來成爲有學問有名望的人物。

「列仙傳」載漢朝的商丘子胥，他吹竽而牧豬，到了七十歲，還沒有討老婆，也看不他出現「老相」。他餓了只吃葛蒲根，渴了只飲水而已。他牧的豬也沒有把牠出賣來換取飲食。一般的貴戚知道了，也去挖葛蒲來吃，然而當不了飯，吃幾天就不行了。孫綽便讚美他說：

「商邱卓犖，執策吹竽，渴飲寒泉，飢食葛蒲。所牧何物，殆非眞豬。若遇風雲，爲我龍虜。」

像他這樣的牧豬奴，應該稱爲高士罷。最富奇趣的因牧豬而竟與豬發生徃的關係，且致鉅富，還應該是聞所未聞。

「負暄雜錄」記一「南鄉永興，本牧豬奴，後得藏鏹而富，但建業而不事成家。因永興年十五，爲人牧豬於廢墟中，四週結籬，茅舍如斗，子夜常與女豬私，廿餘年中無一倖免。越兩年，竟舉一雌，聲言夜拾，實得五十金，合其私蓄，乃承頂自營。自此，諸牲竟成戀姬，且且伐之，翌年又舉一雄，寄鄉鄉婦，而梓豬因難產被刑陰死，擬爲之埋於其芳舍近旁，開坑時，竟掘得三大缸藏鏹，遂購該墟廢地，築一別業，鄰婦爲之作伐者屢，均被拒，依舊畜豬作樂以終其身，其癖殊奇！」

這一故事，實在是古怪離奇，得未曾有，應該屬於怪人怪事。私家筆錄，是否有此眞實故事，殊未敢必，只不過姑妄言之姑聽之而已。乃不料幾百年後，在中共統治下的大陸，竟有七十六歲的養豬郎，晝夜辛勞，從事於養豬服役，也應該屬於養豬的怪事罷！用並錄之以供參閱。

海嘯廬談薈

林長民避債喪生

閩人林長民（宗孟）是現代中國政治舞台上比較具有學識，幹的角色。他畢業於日本早稻田大學法律科，歸國後，投身政治界，而以國會議員起家，與梁啟超的「研究系」最接近，在北洋政府時代，頗露頭角，成爲風雲人物。他能寫一手極工整有致的蠅頭小楷字，自負當世罕有其匹，人亦以此許之。民國十四年歲暮，林氏隨奉軍叛將郭松齡出關，在戎馬倉皇之中，被流彈擊斃於新民屯附近的騾車下，冤哉枉也！

當時林氏與曾任黎元洪秘書長之鄂人饒漢祥，同在郭松齡軍中。但郭氏祇對饒漢祥特別尊重，優禮有加，事前曾以卑詞厚幣敦聘之。林氏却係臨時經人推薦於郭者，郭僅聞其名，與林素無往還，知其爲日本留學生，在政壇上頗著聲譽，且與日方軍政界人士多熟識，乃想利用他到瀋陽後，負責主持對日外交事宜。林氏原係段祺瑞執政府之「憲法起草委員會」委員長，地位崇高，然不爲段所重視，抑鬱寡歡，而以陰曆年關在即，負債急待清償。他逆料郭氏非常之舉必然成功，亦樂得隨軍出關，分沾定策之功，作爲他日的政治資本。

詎郭氏有勇無謀，事變之前，竟對日本方面毫無聯繫，日本關東軍乃暗中支持張作霖，於郭軍進至新民屯附近之際，即藉口維護「南滿鐵道」的權益，阻止郭軍利用鐵路綫攻擊前進，使張作霖得有時間檄調黑龍江、吉林之吳俊陞等部隊來援，吳以大隊騎兵星夜馳至迎戰，郭軍不能勝，所部將領中，復有與張學良暗通款曲，表示動搖者，郭見大勢已去，事不可爲，決計化裝潛離軍中他往，臨走的前兩小時，始秘密通知饒漢祥，林長民，齊世英等少數人。林氏雖係留日學生出身，却不知道新民屯市內設有日本領事館，可以暫時託庇的。他與饒漢祥雇乘騾車乙輛，於雪地中馳向榆關方面轉進，途中被吳俊陞的騎兵瞥見，知係郭軍所屬人員，發槍射擊，車中人急降落地下，俯伏車旁以避之。大概林氏惶遽間下車未及伏地，而其位置又特別暴露，登時飲彈喪命，然饒氏却無恙而生還了。

是役也，饒漢祥雖然飽受虛驚，但亦大獲實惠，他替郭松齡撰寫了一篇駢四儷六、酸味十足的倒張（作霖）擁張（學良）通電，郭氏曾餽以萬金作潤筆之資。齊世英是郭氏極親信的同謀者，郭出走之夕，他因爲寄宿在新民屯市內友人家，不及隨行，臨離託庇於新民屯的日本領事館，潛伏匝月之後，化裝逃回關內，倖免於難。唯有林長民爲着避債關係而置身於軍閥蝸爭蠻觸的事變中，把生命輕作毫無代價的犧牲品，家人聞訊不敢哭，旁觀痛息斯人殞，殆所謂死有輕於鴻毛者，可悲也夫！

諸葛文侯

半生事業鞭的黃炳鑫（上）

·丁雨·

詞林雜憶之九

「烽火滿大地，亂生無已時。獨無興亡責，老死在潛離？老母持袂哭，寡妻臨道離？報國所慷慨，別意良歔欷。」

「從軍近廿載，足跡遍四師，窮荒冀寄高，豁瞭五箭（？）低……」

「颶風發大海，舟人多苦思。中流有砥柱，願言得所依……」

「半生事囊鞭，新霜見鬢絲，來始謂我稗，今復謂我衰；兵器異今昔，謂識不如時。我省當努力，事可皆而知……。」

「軍與有因蔵……如何不崇靡，翻乃窮奢侈。軍昨奉恩諭，錫錢各有差……」

右爲余表兄黃炳鑫從軍詩十首之節憶，原作於民卅五年，刊國軍第十五師所出版雜誌。炳鑫爲余大堂舅父清茂才如恂公長子，家世書香，幼承庭訓，讀書穎悟過常兒。長就讀縣立中學，才華俊發，每屬文，宿儒輒爲之斂手，因爭以「保南色」呼之。「保南」者，炳鑫別號，「色」則吾鄉土語，所謂出類拔萃者也。旣而，以父歿家貧，舍學之廣州，入黃埔軍校第八期習炮科，於民十八年卒業南京，旋奉派入國軍供職，秉性古直，不善效時下競競者之所爲，致浮沉軍中十餘載，職猶不過營長。抗日勝利時，復落部隊長職，入國軍第十五師爲中校附員，職屬閒曹，益牢落不得志。

徵稿小啟

學批、雜文、掌故、文稿，生活隨筆等，均所歡迎。請勿逾一千六百字，用稿紙繕寫清楚。凡用信紙或白紙來寫者，恕不登載。來稿除附有書寫回信地址姓名之信封並貼足郵票外，例不發還。——編者

自由報
THE FREE NEWS
第四十三期
中華民國僑務委員會頒發台僑新字第三二三號登記證
中華郵政台字第一二八二號執照登記爲第一類新聞紙類
（半週刊每星期三、六出版）
每份港幣壹角
台灣零售價新台幣弍元
社　長：雷嘯岑
督印人：黃行齋
社址：香港銅鑼灣高士威道二十號四樓
20 CAUSEWAY RD 3RD FL HONG KONG
TEL. 771726，電報掛號：7191
承印者：田風印刷廠
地址：香港灣仔高士打道二二一號
台灣分社
台北市西寧南路金全本號二樓
電話：三〇三四六
台郵撥儲金戶九二五二

論改革台灣地方選舉事宜

雷嘯岑

選舉制度原是推行民主政治的主要方式，也是創進憲政生活的一大潛力。政治上既然實施選舉制，那末，「天下爲公」，「選賢與能」這兩大原則就必須切實遵循着，否則何必多此一舉呢？

可是選舉這樁事很不容易做到公正廉明，弊絕風清的理想境界，貴在隨時改進，擇善而從，大家抱着「雖不能至，心嚮往之」的崇高志願，共赴一的，庶幾乎可望獲致利多害少的成果。這其間，在朝執政者所負的責任尤其重大，因爲辦理選舉是由行政人員綜持一切的，如果政府當局對於選政不能秉公處理，那就只有一團糟，倒不如不彈此調的好。台灣省的地方自治實行已有七八年了，中央政府傾全力從事於地方建設，要使台灣成爲模範省，辦好選舉自然是當務之急的事件。近來甚囂塵上的反對黨運動，即係以改進地方選舉爲號召的，我們也認爲台灣地方選舉確有檢討改革之必要，願以超黨派的理性與法治觀念，略述所見，藉供參考。

實行嚴正的監察

選舉是否一定就能夠達成「選賢與能」的要求？這原是很難說的事兒，因爲一般選民對於候選人的價值判斷常常是基於感情作用與直覺觀察而裁定的，如果聽憑選民的[illegible]，[illegible]行事，即令選非其賢，大家亦祇好自作自受，無所怨尤，否則是是非非的問題叢生，糾紛迭起，徒然構成「選災」，貽患社會國家而已。所以嚴正的監察制度，實爲推行選政的起碼條件，不可或缺，而職司監察的人員，亦應羅致各界代表人物承其乏，在野的政黨更須參預其事。非如此即不足以表示天下爲公的精神，而主持選務的行政當局，勢必成爲衆矢之的，招謗致疑，百口莫辯，這是從好的方面設想之談。假使辦理選政者竟有徇私舞弊的行爲，那就是非更多，將使選舉的信用掃地以盡，且可能產生意外的惡果，而無可補救也。選舉中的弊端本來在所難免，眞是防不勝防，但有了嚴正的監察，即可以去其太甚，縱有小疵，亦不足以掩其大醇了。所以最近台灣辦理省議員和縣市長選舉時，政府不致在野黨派人士參加監察工作，殊屬失策不智，這不但是缺乏政治藝術，即論技術亦未免太笨拙，自難怪別人振振有詞，指說政府存心操縱，包辦選舉。

然事實上却操縱不了，包辦不成，何苦乃爾呢！

不特此也，就政府的立場說，既讓台省人民實行地方自治了，關於選舉事宜，祇好責成他們必須選賢與能，不許違法舞弊，實事求是，樹之楷模，以期達到建設台灣爲模範省的目的是矣。至於選民們對於候選人的選擇，反正其中十九都是些本省人士，不管誰勝誰負，皆係中華民國的人民一份子，祇要不是叛國犯罪之徒，政府即一視同仁，無所軒輊。這如同家長對子弟然，全是自己的骨肉，無所謂親疏厚薄之分的。設若今天支持台省的候選人某甲，以對抗同省的某乙；明天又支持某乙以反對某丙，即喪失了政府「汎愛衆而親仁」的崇高威信，有忝「民胞物與」的風度，結果是得不償失，無謂之至。因此之故，對選舉事宜實行嚴正的監察，僅就政府本身的利害設想，也是必要的。

提名制度的商榷

凡是實施政黨政治的國家，政黨在選舉時遴選本黨同志出面競選，而以全黨的力量支持他，這是常事。不過，這方法必須在幾個勢均力敵的政黨競爭之下，纔有意義，而且還要具備着幾個條件：一要在黨內通過民主方式，取得大多數黨員的同意，使大家心悅誠服地樂意於支持那提名的候選人，自有事半功倍之效用。二要切實衡量具有提名資格的候選人，在他所屬選舉區域內的聲望和信用如何？是否對選民具有號召力？就是不經過提名而自由參加競選的本黨同志，這項條件也絕對是必要的。歐美政黨對於黨員參加競選，事前要他繳納保證金，將來若得不到某種程度的選票，保證金即予沒收充公，便是這種用意。

回顧台省地方選舉的現實情況，在野黨與執政黨的競選力量相當懸殊，並未構成抗衡競賽之勢，有些地方且表現執政黨提名人唱獨腳戲的場面。今後政黨提名制度縱不取消，而決定提名人選的全權，似不妨付予各個地方黨部之爲佳，祇要他們不違背民主方式就行。像現時執政黨每逢選舉之際，黨員們爲着爭取提名，從縣黨部活動到省黨部，再由省黨部活動到中央，張皇幽渺，耗費人力財力，不知多少。吾國人的傳統習慣——也可說是美德——凡是稍有才學，講究品格的讀書人，總不屑於爲着自己的名利問題，奔走夤緣，蠅營狗苟，所謂「行己有恥」的人生觀，普遍流行着。因此，政黨提名競選這回事，每容易發生賢者見遺，劣者入轂的結果，而使當地選民感覺失望，然黨部既已了提名，勢必以全力支持他當選，這又給選民以惡劣印象。如是乎，各種選舉糾紛，自然到處發生，無可避免了。

提名競選的作用，等於戰爭之際的登壇拜將，人才第一，聲望至上。如果隨便提名，濫竽充數，競選失敗還是小事，整個政黨的生存發展前途，因而大受損害，這才危險呢！

結語

台省地方選舉的經過情形，是否有如社會上所傳說的——尤其是一般民主運動者所指出的那些弊端，我們固不敢逆臆肯定。但他們言之鑿鑿有據，如數家珍，似非嚮壁虛構之詞，而過去歷次辦理選舉時，皆未實行嚴正的監察方法，亦係無可否認的事實。一個政黨無論在朝在野，總希望在選舉中爭取優勢的勝利結果，並不足怪，競選時使用各種戰術以期立於不敗之地，亦無所謂。談到選舉的毛病，即在號稱先進民主憲政國家的英美各國，若從廣義的舞弊觀點而言，亦未見得就做到了一清二白的地步。例如美國紐約州長洛克斐勒曾經聲明要競選總統，等到他親赴各州作過一次競選旅行歸來，又聲明放棄競選計劃，爲的就是花錢太多。又如美國民主黨元老杜魯門指摘該黨少數負責人，把持操縱總統候選人提名工作，而聲言要拒絕參加黨代表大會。用金錢競選，由少數人把持選務，也就說得上是一種舞弊了。不過同是舞弊的行爲，亦有「高能」與「低能」之分，舞得高明的，人們並不覺得是在作弊。唯有低能的人，纔公然非法作僞，如南韓前任內政部長崔仁圭所說的，兩百萬張總統副總統的選舉票，在選民未投票以前，即已填寫妥當，準備到時候塞進票櫃中去。此外還有利用軍警力量以脅持選民自由意志的。似此極度低能的舞弊方法，實屬可恥，我們至少亦希望這類醜劇不要在自由中國出現纔！

小論天下

△古巴反美愈烈，赫魯曉夫對美發出恫嚇：如敢對古巴動武，蘇聯火箭射向美國。

這不只是向古巴打氣，而是料定美國除動武以外，對古巴任何性質的制裁都不生實效。赫魯曉夫是要逼美國在不敢及不能動武的情況下，勉強使用無效的方法，耗費有用的時間，坐視古巴墮入赤色的魔掌。

△義大利一連串的動亂與流血，起因於義共接受赫魯曉夫在奧國演說的鼓勵。這該與日共接受赫魯曉夫辱罵艾森豪的鼓勵而發起反美運動，看作同一系列的事件。

另方面要注意：義大利新法西斯最近顯現的力量，可能帶給日本極右翼分子以有力的鼓勵。

共黨在冷戰中連續的勝利，對這種力量的刺激是不容漠視的。它將會產生新的動亂。

△艾森豪對於赫魯曉夫口頭放出的飛彈恫嚇，反駁得非常迅速而有力。

他應該認識到：俄共正在傾力拆毀美國所立的基地，同時在美國後門建立蘇俄的基地。「連消帶打」，來勢很兇。可惜的是：他雖有招架之功，但無還攻之力。

△非洲的剛果剛告獨立，立即鬧出兵變與分裂。

這證明了一點：建立新的秩序不比破壞舊的秩序爲容易。

△「中美學術合作會議」已於美國西雅圖開會。雙方學人濟濟，蔚成大事。

算一算許多年來中國留美學生的數字，中國人應有「受惠已多，慚無寸報」之感。但從另一方面想，以中國大陸幾千萬人的血肉，造成美國人對赤禍的「緩慢的覺醒」，算不算是酬報？

胡適博士近著歷代裁軍會議考證的鴻文，該是今日世界最有實用的考古文章之一，值得向美國學人多多推荐。

△美國民主黨提出競選政綱，保證將使美國在冷戰中獲勝。

阿彌陀佛，不要把「妥協主義」列爲「和平競爭」中不可稍渝的鐵則。

方南

自由談

作何感想？

這次日本人掀一場反對美日安全互助條約的大騷動，歷時將近一個月，參加騷動的全國群衆不下二三百萬人，可謂壯觀也矣。

那些從事動亂的人兒，祇是絕叫反對美日新約，並非根本不贊成跟美國簽訂安全互助條約。可是，誰也不去研究新舊條約的內容是怎末回事？祇是盲目地起鬨胡鬧，鬧到美總統艾森豪取消訪問日本之行而後已。如是乎，日共及其同路人大喜過望，認爲名利雙收了！

舊有的美日安全條約，日本乃是居於被佔領的戰敗國地位，不特對于軍事行動毫無自主之權，一切唯對方的命令是從，且須負担駐防日本境內的美軍軍費。新約却不然，日本在有獨立平等的權力，即美國如要調動駐在日境的美軍赴別處作戰，亦須取得日政府的同意才行。可見新約對日本完全有益無損，不啻是把日本的奴役身份擲放爲分庭抗禮的主人資格了。然日人却叫囂隳突，拚命反對，這不是給自己過不去的自瀆行爲嗎？

可怪的是日本政府當局竟不將新舊約的利害得失，向社會公開說明，而東京的七大報紙對於此問題亦不作詳細的報導批判，坐視一般盲從的羣衆，爲着每次出動可以領取美金一二元津貼的關係，越軌騷動，暴戾恣睢。最後鬧得太不成話了，東京七大報紙才發表一篇「維護議會政治」的聯合宣言，但國家所受損害已經難以估計咧！

我認爲這決非日共及其同路人有甚末煽動、麻醉羣衆的特殊魔術，而是日本人的文化精神到了總崩潰的邊緣，這才使朝野上下人士，表現着麻木不仁的怪象，而共黨的「羣衆路綫」即得其所哉。不知咱們中華民國的智識分子對此作何感想？

馬五先生

小啟

本報五月份稿費單業已寄出，請各文友每週星期一至星期五下午三時——六時到本社經理部洽領。

糧荒夾貪污，食堂先瓦解

中共城市公社台癱結

徐聞

北平宣佈全面推行城市「人民公社」，現在才兩個多月。

七月二日北平廣播：爲徹底肅清幹部間存在的資產階級思想，甘居中游思想和官僚主義作風，必須重行整頓「公社」，以加强領導。根據過去經驗，除非「公社」瓦解，共黨絕不輕言整頓；在中共宣佈推行城市「公社」當時，農村「公社」整頓尙未完成，迄今爲止，城市「公社」也未普遍建立，癥結所在，糧荒、貪污、食堂辦不好，已成爲中共推行「公社」的死結。

城市「人民公社」，在宣佈推行之前，遠在一九五八年以來，中共已經爲城市「公社」鋪路。因爲，那時農村「公社」未獲人民支持，共黨恐懼全面「公社」制一經宣佈，倘遇全民反對，僞政權勢將同告崩潰，於是，在一九五八年九月一日策動「總路線學習」、「生產大躍進」、「建立人民公社」這三項運動之時，於重慶、西安、瀋陽、哈爾濱，逐漸向雲、貴、武漢、濟南、北平、天津、上海等二十二個大中城市，以「大辦街道工業」口號，作爲推行城市「公社」鋪路工作。從形式上看，稱做「街道工業」的，實在不合邏輯，根據本年「紅旗」第一期披露，那些「街道工業」，實（有形式無原料）的「街道工廠」，其餘如：理髮洗澡、室內清潔、安裝水電、縫紉補鞋、代售報刊、代辦儲蓄、代銷商品等等，不能稱做工業，看護病人和托兒所，尤不能稱做工業。然而，名稱是名稱，業務是業務，名不符實，在大陸上本來並不出奇，一經弄到人民頭上，問題即刻就多。那是共黨在「大辦街道工業」期間，城市中居民幾乎誰都覺得不習慣，如所周知：現時大陸各地城市中只有婦女和老人，共黨把他們的家庭拆開，老人送入「敬老院」，兒童送進「托兒所」，老婦料理各家清潔，端茶送水，中年婦人祗其生產技能，投入生產單位，在形式上，已給劃成一個城市「公社」具體輪廓。可是，婦女兒童與老人習慣於傳統家庭，一旦離散，精神分裂，不管在任何一個單位，都未必能夠安心工作，生產不能依照預定計劃完成，別人爲自己料理家務，總覺不妥貼，這一批數逾百萬婦女，雖不敢有任何怨言，各地兒童卻一個個變壞了。於是，以李富春之妻蔡暢爲首的婦女，包括了北平所有高級共幹妻子，幾乎一致地口誅筆伐，在「中國婦女」半月刊上，對「人民公社」側面攻擊，她們紛紛提出責問：孩子們爲什麼變壞？爲什麼不讓接受家庭教育？差不多每一期總能提出幾個鮮明例子：不滿十歲的孩子，竟學會了偷盜拐騙，自私偏激。

共幹們的家屬反對，普通人民心理，可想而知，但無法推翻共黨奴役人民政策。毛澤東於今年五月「人代會」上，正式宣佈了建設城市「人民公社」，各地已普遍「大辦街道工業」，城市「公社」水到渠成；他當然沒有理解：食堂辦不好，幹部又貪污，竟成爲「公社」死結。剛出版的「紅旗」（第十二期）指出：「近來在一些幹部當中，開始滋長着一種自滿情緒，認爲食堂已經整頓得差不多了，不願意聽說食堂還存在什麼問題，安於現狀，不積極地想辦法把食堂辦好。」爲什麼會有這樣情況？根據辦食堂的主管人物反映意見，他們幷沒有放棄任何一個可能辦好一件事的機會，問題是去年旱澇與蟲害，災患相乘，歉逾二千萬公頃土地失收，再加「公社」制後農民怠耕、怠收，原非缺糧地區，也是嚴重糧荒，調運困難，今年華北苦旱，中共廣播稱抽水機生產率已比去年提高兩倍，仍感供不應求。糧荒既呈嚴重；貪污又復盛行，根據「人民日報」消息，湖南、安徽、江西各省食堂，均已陷於瓦解，「人民公社」普遍癱瘓，自六月中旬起，省級和縣級共黨高級領導幹部，均已紛紛「下放」農村，主持食堂重建工作。顯示城市「公社」曇花一現，農村「公社」仍未重建。根據「中國婦女」報導，一九五八年一陣狂飆似刮起的「人民公社」，經過一九五九年災害和右傾機會主義的打擊，均呈全面性崩潰。

台北剪影

·丁丁·

掌管海外僑務的國民黨中央黨部第三組主任鄭彥棻調任司法行政部長後，繼任人選紛傳不一，據說以高信的可能性最大。

行政院決定將各級學校的軍訓事宜，今後改由教育部負責管理。此乃統一教育行政的進步措施，但不知是否名副其實，表裏如一呢？

以反對地方選舉不公爲號召的反對黨運動，最近具體化之後，執政黨主持海外黨務的人，會向地方人士表示，今後對於選舉事宜必將切實改善云。如果沒有反對黨運動，是否亦有切實改善之必要？這是社會大衆所想瞭解答的問題。

國大代表會議的「憲政討論會」已經成立，而原有的光復大陸設計研究委員會仍然存在。體制堆疊，職位繁多，難怪外國人說我們政府要養活兩百萬來自大陸的人，不免表示驚異了。

本報特稿

世界石油產煉之趨勢

據本年初國際勞工局石油委員會發表的資料，世界原油年產總量已由一九五四年杪之六八六百萬噸，增至一九五九年杪之九七七百萬噸了。

最高的增加率乃在非洲，計一九五九年的增加率百分之一一七。非洲近數年來大油井陸續發現，探採進行迅速。雖則現時總產量尙不大，去年僅達三百零五萬噸，但非洲不久即將成爲世界主要油產區之一。

世界年產原油量之增加是不規律的，最大的增加在一九五四年，增加量達八千四百萬噸，前一年超過了百分之十二。這增加率特別顯著，因爲過去三十年中，平均每年增產率爲百分之五點五，過去十年中，平均每年增產率爲百分之七點五。所以致此之原因是蘇彝士運河之危機和各地經濟上需要之變動。

以蘇彝士運河事件爲例，伊拉克會因通往地中海的油管被截斷，而產油大減。另一方面，美國和委內瑞拉的油產大增，爲的是供應那受困的西歐所需的石油。

一九五七年及一九五八年初經濟活動之遲滯，如美國和加拿大所經歷的，一九五八年初歐洲亦經歷過，僅程度稍輕，又一九五七——一九五八年的冬季頗溫和，乃使加拿大，美國，和委內瑞拉的油產減少。以委內瑞拉的情況論，美國限制委國輸美的油量亦爲委國減少油產之原因。

一九五九間，經濟向榮，各大產油國，除秘魯，庫威特Kuwait卡達Qatar，和奧地利，一致增產。秘魯等國的減產數量亦微。

美國一九五九年的油產量爲三四六，五〇〇，〇〇〇噸，佔世界總產量三分之一以上。其他兩大生產者爲委內瑞拉，計一四七，〇〇〇，〇〇〇噸，蘇俄一二三，〇〇〇，〇〇〇噸。又中東各地的一九五九年總產量爲二三一，〇〇〇，〇〇〇噸，超過前年百分之七點五。

歐洲（除蘇俄外）各國總產量爲二六，七〇〇，〇〇〇噸，較一九五八年超過百分之五。除奧地利外，各產油國均有進展。

在遠東，一九五九年總產量爲二千八百萬噸有奇，較前年超過百分之十。

據國際勞工局的報告，原油精煉能力，已由一九五五年每日的一七，一八六，〇〇〇桶，增至一九五九年每日的二二，九三九，〇〇〇桶；計精煉能力增加了百分之三十四了。戰後煉油趨勢係設煉油廠于接近用油的中心或用油的國家。至西歐新增的煉油廠，則有擇定廠址于內陸，而不設于深水海港之趨勢。

淦克超

編者·作者·讀者

楊志强先生：閣下寄交本報轉徐學慧、顧翊羣二先生的信件和書籍，均已收到，並經轉致。顧先生的遺件在美國，書籍鄉寄，或需時日，特此奉告，請釋慮。

台北張健先生：大作甚佳，經已於本版四十二期第三版刊出。幽默諷刺之隨筆散文，本報至感需要，嗣後仍希源源惠稿，以一千六百字爲宜。

香港大學陳永昌先生：尊稿已陸續刊完，請續惠稿。

曲齋、丁雨、木客、岳霖諸先生：本報排印時間，畧有更動，請諸位先生惠予合作，將尊稿早日擲下，以利編排，無任感荷。

——編者——

大陸文壇萬花筒

柳亞子悔上賊船（中）

——岳騫——

民國三十四年日寇投降後，毛澤東受蔣主席電召赴渝，八月三十日在重慶曾家岩和柳亞子見面，柳亞子當時寫了一首七律，據當時共黨宣傳品所載，題目是「渝州喜晤毛潤之老友」，原文是：「闊別羊城十九秋，重逢握手喜渝州。彌天大勇誠能格，遍地勞民亂未休，霖雨蒼生新建國，雲雷青史舊同舟。中山遺志今應合，一笑崑崙頂上頭。」

這首詩現在刊出來，竟把題目改爲「七律：贈毛主席」，並就當時情形而論，柳亞子和毛澤東攀交情，稱老友是可能的，竟而自卑到用呈，呼毛澤東爲「毛主席」是決無可能的事。其實就算毛澤東貴爲天子，天子微時也有故人，袁世凱尙且留了嵩山四友，毛澤東卻一定要全國人俯首稱臣，足見其淺薄無聊。

至於詩句中，如三四句改爲「彌天大勇誠能格，遍地勞民戰尙休」；末二句改爲「中山卡爾雙源合，一笑崑崙頂上頭」，均與原意不合，尤其中山之下硬加卡爾馬克思，未免厚誣賢哲，相信柳亞子活着時候能看到，也會反對的。

就在這時，毛澤東填了一首沁園春咏雪詞，其中絕大部份是柳亞子潤色，詞發表之後，受到各方面攻擊，指毛澤東有帝王思想，逼得郭沫若出頭代爲解釋，後來大家知道這首詞是柳亞子代筆，又找到他的頭上，毛澤東當時雖然受到攻擊，却還洋洋自得，但是看到有人指出是柳亞子代筆，却不能緘默，連忙加註解，說這首詞是在延安作的，間接就否定了柳亞子代筆之說。

那知柳亞子也以替毛澤東代筆爲榮，他見到毛澤東否認，他反而承認起來，同時又發表了一首和毛詞，以顯示機杼一家，全文是：「廿載重逢，一闋新詞，意共雲飄，歎青梅酒滯，余懷惘惘，黃河流濁，舉世滔滔，隣笛山陽，伯仁由我，拔劍難平塊壘高。傷心甚，哭無雙國士，絕代妖嬈。才華信美多嬌，看千古詞人共折腰，算黃州太守，猶輸氣概，稼軒居士，只解牢騷。更笑胡兒，納蘭容若，艷想濃情着意雕，君與我，要上天下地，把握今朝。」

這首詞發表之後，兩人交情發生了波折。毛澤東在重慶期間，和柳亞子在一起談文時間就少了。

歐洲各國中央觀光機關簡介（下）

爲求觀光事業有更大的收穫起見，諸如公路的整修，風景保存，公共衛生，公共道德，以及文化資產的保存等等，自非基於發展觀光事業的見地，詳作一番考察不可；然而西歐各國關於此等行政，尙未見有由觀光行政管理機關，自行擔負其責任者，仍由各該主管部門，自行辦理。中央觀光機關對上述各點，固甚關心；但基於發展觀光事業的見地，可從事必要的建議，同時更可參加各種委員會、協議會，從事觀光行政與其他行政事項的調整。又以均已瞭解觀光事業，對於國家的重要性，站在發展觀光事業的立場，對各項行政加以週密考慮的結果，尙未見有關機關間，因其一己之偏見，有何阻礙觀光事業發展的事實。

但人皆知，歐洲各國在發展國際觀光事業之餘，尤致力大衆旅行（Social Tourism）事業的推展，上述中央觀光機關，在這一方面，更肩負着重要的任務；但就此等機關的業務內容，與其活動情形觀察，却無一不以國際觀光事業爲中心。此蓋以重點置諸國際觀光事業上，較國內觀光事業有很多非由國家予以協助，或加以限制不可之處所致。

歐洲各國中央觀光機關，展開有力活動的同時，地方觀光機關，爲了繁榮地方的經濟起見，亦與之相呼應的在觀光宣傳，接待的改善，情報的提供等方面，展開行動，其例證亦甚多。英、法、瑞士等國，即以地方觀光協會爲中心，義、德等國，則於縣市州政府內各設觀光機關，向遊客提供各種與觀光有關的服務。此等地方觀光機關，更互相結成全國性的觀光聯盟，謀相互協調聯繫之餘，促進觀光事業的興隆發展。再地方觀光機關，爲前述中央觀光機關之一分子，多以若干捐款協助其活動。

劉友松

社會小說

香港地

四、高的低的

木客著

「需要的定律」曾經是一個爭論的題目，梅大亮和譚福祿爲它而熱辯一番。梅大亮在那回辯論之後，有了這樣的一個感想：「共產黨的最大壞處，在乎把人看作機器，但在我們目前這個社會裏，似乎什麼都講究「市道」，人與人的相與大都着眼在一時現實的利益。誰在職業的競逐上不幸而落伍或沉淪，便會被看成一個沒用的人。凡是擠在各個職業圈子裏面，或升或沉，被擠得喘不過氣的人，事實也常會覺得本身不是人而是機器。工商業競爭得愈劇烈，人們就業的變化愈加快速，也就愈使大多數人加速其「機器化」的進程。這無須驚愕或駭歎，因爲「需要的定律」在支配着這個社會。

不過，梅大亮仍認爲這個社會仍比較共產社會爲好。他看得很清楚，共產社會是由共產黨假用人民總體名義的需要，毀滅每一個體本身自然的需要，任何人的血肉和靈性都在共黨指定的需要下，變成死硬的可用或可廢的機器，而在我們這個社會裏，個人還可在各個職業圈子的空隙裏「走私」，各自碰碰運氣，偷取選擇上的自由。有些仍可以做到「人到無求品自高」，不論「需要的定律」有時殘酷到怎樣可怕，「市道」怎樣可憎，人們還能在哭中有笑，冷中有暖。

梅大亮這樣的一種感想，會給胡興所說的一句話激起更大的變化。胡興本該把那個吸毒的不肖弟趕出家門去的，但他的母親卻對他說：「誰叫你是他的哥哥？……你不愛他，還靠誰管他？」這句話使他勇於忍受諸種痛苦，怎也得設法把這不肖弟從絕望的深淵中挽救回來。這在梅大亮眼裏看，正是超越「需要的定律」的一個例子。在幾十年前的舊社會裏，他慣聽到大家說出這樣的話：「誰叫你是他的老友？」「誰叫你是他的親戚？」那時他總因慣聽了而忽略它的涵義，這回偶然聽到這些久違了的口頭禪，竟不自覺感動得幾乎要流淚。他尋思了許久，卒之把這激動的原因找出來了。（四二）

肥與瘦

羅山

「你是一個胖子！」鄰居的小孩眞眞，對「瘦」和「胖」還沒有攪清楚，時常對我這瘦如「排骨」的人，卻把稱作胖子，這往往會使人啼笑皆非的，而我對他這種錯誤，卻始終未予解釋改正，這絕非是居心不良，把幼稚天眞的童心淪入是非不辨的誤解中，實在是他這個相反的稱謂，對一個久受「瘦」的折磨和一直因「瘦」被歧視而苦惱的人，有一份過多的喜悅和寬慰，縱使自己沒有眞的名符其實的發福了，但至少像眞眞那麼不足三歲的小孩子，總會不至於有些微諷刺的惡意，所以當眞眞願意這樣來稱謂時，我不想拒絕他。

本來「瘦」和「胖」只是人身的輪廓和形式，並不能去度量內心和品行，只要沒有病，瘦的人也可能有一天會胖起來，而胖的人在某種環境中也會瘦下去的，更正有許多人「求胖乏術」或「想瘦不能」。但是胖的人在社會上還是比瘦的人吃得開，隱約存着一種自發的或被動的「優越感」。

「啊！你這樣孱瘦，怕不是有什麼隱病了？」這種人還是有爲你担憂的憐憫心情，雖然他那樣危言聳聽似乎是多餘的，但其用心，究竟無可厚非。

「看他的瘦得像山猴子般地，臉上沒四兩肉的人，能成什麼大事？？」這類人就罵得刻毒了，瘦的人就好像一文不值。

或許造物者早爲人間歸下許多難以否定的事實，給他們作藉口；有錢的富翁紳士，大都是胖個子，銀行公司經理，大商賈，更是大腹便便地；就是名廚大師傅，肉舖掌刀的，亦均是氣色紅潤，脂肪厚厚的，留給命相之流添一句好話：「福人天相」！而相反的，在電影及戲劇上，決不會用一個大胖子去飾演一乞丐或窮人的角色，……這種既成的而非絕對的觀念，是足夠給瘦子們困惑了。

我有一個朋友，今年只是三十出頭，可是已提早胖了起來，在表面上，這是一種畸形的發展，但這位仁兄對於提早發福，卻甚感得意。只要提起胖，他就會很熟稔的摸摸肚皮，隨即說那句重複過千百次的口頭語：「這是遺傳的，家父的肚皮連小轎車也擠不進去！」這是說明「胖」的福，亦應是祖傳，外人不可分享，同時還表示出自己是屬於小轎車階級。

不過，胖亦有胖的苦惱，因爲屈服在炎陽淫威下而不能動彈的，大都是胖子；而克享遐齡的人，卻往往是瘦瘦的。所以肥胖者縱使不能把自己減輕幾磅，但總希望不要再臃腫起來。正似瘦人不希望自己再瘦下去一樣的道理。至於一般女性，爲了纖條美以及二十二三吋的蜂腰，更是沒有人再願意「環肥」了。所以我那位胖朋友，除時常注意報章上那些甲狀腺荷爾蒙製劑丸的廣告外，往往在不自覺中，當衆做個「金雞獨立」的姿態，或搥搥胸彎彎腰，好像晨昏的柔軟體操進行得很努力，他一定很害怕（雖然表面上不是如此）自己再胖開來，結果像他「家父」一樣擠不進車門。

前些日子，我去應試一個公司的職員，口試是一個胖先生主持，「秋老虎」的確累人，他的桌上左面是冰凍汽水，右邊是電扇，但仍汗流如雨，氣喘如牛。向我問過一些例行的話後，他竟仔細地看了我一下說：「你們瘦的人可眞幸福，體態輕盈，耐勞耐熱，確是前世修來的福！」我聽到胖子在羨慕歌頌瘦子哩！我私自慶幸這一次被看中，定能錄取了，因爲考試的科目，僅只是口試一項呀！

揭曉的那天，佈告處地狹人擠，遠遠眺望榜單上那兩個正取人的名字，筆劃是那麼繁多，我知道自己已是失望了，正想回身走路，突然被一片「恭喜！恭喜！」之聲吸引住，立見人叢中擁出兩個人來，都似懷胎十月將臨盆的孕婦，據說，他們兩人就是「幸運兒」。

我怏怏地回家，一進門，眞眞劈頭又是一句：「你這個胖子……」

「放屁！」我眞想這麼罵他，並結實地給他一頓教訓，但是孩子是無辜的，我畢竟還是忍下去了。

張大千浪遊

介人

張大千先生則現仍在南美，今春他的畫重在藝術之都的巴黎展出，又贏得國際的無上令譽，法國國家電視公司亦派人攝取特別鏡頭，以供演出。此番展覽，對東西文化促進與交流，當有其決定性的成就。

今年大千先生已經是六十一歲了，猶憶去年他六十初度，「自題畫像」有詩云：

「如烟如霧去堂堂，彈指流光六十霜。扶恙每憐少婦艷，鬻書人笑老夫狂。五洲行遍猶尋勝，萬里投荒豈戀鄉？珍重餘生能有幾，且揩病眼看滄桑。」

他因爲患目疾，故有且揩病眼之句，他鄉作客，萬里浪遊，臨老投荒，自然也不免有飄流之感。猶憶已故江都才子方地山曾賜給他的嵌字聯云：「世界山河兩『大』；平原道路幾『千』？」此聯雖屬方地山的自負不凡，但下聯的「平原道路幾千」，則不啻爲今天的張大千寫照。撫今追昔，張氏當亦不勝其感慨萬千。

除此聯外，方地山還贈送了張氏一首詩。詩云：

「八大山人能哭笑，二三知己如摩沙。胸中奇氣難抒寫，便作清流又奈何！」

畫人的遭遇，大率大同小異，故國之思，張氏又何能自已。然而張氏已經是不朽的了。

儒林九尾龜

吳敬鋅

第一回：萬里雲羅一雁飛

小石笑道：「敲石子的地方，多得很，我們這馬路盡頭，就有一處，你問那幹什麼？」

李鴻飛道：「麻煩那位同學把我送去，我寧願敲石子，也不能住在這裏。」

大家聽了都爲之愕然，小石也不笑了，問道：「你這是同誰賭氣，我們日夜盼望你來，爲什麼來到又鬧起蹩扭？」

李鴻飛擺擺手：「各位老同學千萬不要誤會，我決不是同任何人賭氣，不過，我覺得政治這個東西，實在太骯髒，沒有敲石子來得清白。」

烏應桂笑道：「你還是在學校那種牛脾氣，到社會上就不成了。現在我們平心靜氣來談談，你說敲石子比搞政治清白，一點不錯，但是你敲石子只能獨善其身，搞政治成功了可以兼善天下。而且政治這個東西，從來就是不乾淨的，中外古今都是一樣。就拿咱們中國的至聖先師孔老夫子來說吧！他任魯國司寇時，魯國的政治情形可能比現在還糟，假若他也恐怕惹了骯髒，不肯去作，魯國安能出現一個小康局面，連強鄰齊國都饋送女樂，以連絡邦交，孔子眞替千古的讀書人揚眉吐氣。這也就是後人尊孔子爲聖之時者也的理由。」

李鴻飛笑道：「老烏，拌書袋我自然不是你的對手，不過對於事理我也許看的比較清楚，搞政治這樣的搞法是不會成功的。」

黃安民勸道：「鴻飛，不要把事情看得太認眞了，只要能達到我們救國救民的初衷，自已受點委屈又算什麼？」

李鴻飛笑道：「我留在這裏，最後恐怕會壞你們的事。」

小石說道：「那怕什麼？到時候大家一道去敲石子就是了。」

李鴻飛無可奈何，只好勉強住下來，吃過飯，黃安民拿出驚濤社入社申請書要他填。李鴻飛接過一看，申請書樣式很特別，除去一個表格之外，附文第一條是：本人宣誓永遠服從盧先生領導，接受任何艱難任務，赴湯蹈火，在所不辭。第二條：本人倘在其他方面取得報酬，須捐獻百分之五十爲驚濤社經費。再望下看還有好多條，其中最有趣的一條是：本人心裏尊敬盧先生，當面背後均不得誹謗，遇有他人誹謗盧先生，必須與之辯論，直至對方屈服爲止。

李鴻飛看到此處，不禁笑道：「你們見過賣豬仔的文書沒有，我想規定也許還沒有如此詳細，盧老師是研究政治、法律的，一定是從豬仔法上抄過來的。」（四）

中國文化（五）

徐學慧

香港的反共報紙不爲不多，在這許多報紙上寫文章的人亦不算少，可是，却很少有人能夠在筆下經常地闡釋中國文化的問題。大多數作家，如果不是談漠不相關的風花雪月，就是抓住共產黨的一鱗半爪，而加以嬉笑怒駡。我不敢說這種功夫殊非必要，但無論如何，今天談反共，必得有一套根本的思想與理論，而這一套思想理論，以中國傳統文化作骨幹，大概是不會有人反對的吧？既然如此，爲什麼我們不談根本，却只是尋枝摘葉呢？

我們談枝葉，乃就給對方抓住了根本。中共對美國的「自由主義」者宣傳「中國傳統文化合於共產思想」，不僅是採取了主動，抑且使得那些本來就不懂共產主義與中國文化的西方人，更加深其迷惘呢！

只要他們的心目中，經已有了「中國傳統文化與共產主義相合」的先入觀念，則此後要將此一觀念加以改變，就得化上更大的氣力了。一定要共產黨吹起魔笛，而後自由世界的人士纔跟着跳舞，也未免太笑話吧！

行文至此，適中央社電訊到來，急引一段，以爲印證。

「旅美學者程其保今日（七日）在立法院教育委員會歡迎他的茶會中說：……國際宣傳工作必須加強，他說：美國雖然已有三十幾個專門研究中國的機構，同時各大學也增設了三十多個研究中國語文的講座，但是美國人對中國人的了解，並不深刻。他指出：中國的宣傳品中；只在介紹台灣的進步，而沒有把整個的中華民國都加以介紹，這是宣傳工作上的一個缺點，需要改進。他說：外國人看到台灣這兩個字，就只知道台灣，忘記了中國大陸，也是中華民國，他認爲要改進這種宣傳技術，應該把整個中華民國的歷史文化加以介紹。……」

這一段話，足以令我們明瞭當前所應該致力的是什麼，所急待改進的又是什麼。程其保博士的談話，發表於七月七日，而本文之作，始於上月，足見人同此心，而我們所觀察到的又是不謀而合。

我個人一向認爲，在反共的大業上，傳統的中國文化，乃是對付共產主義的唯一良藥。在這生死存亡的關頭，我們如果讓共產黨把「傳統的中國文化」與「共產主義思想」混爲一談，則中華民族將行路于萬劫不復之地。但願每一個人都能明瞭這一危險，更顯有言責的文人學士，能夠多談談發揚中國文化的問題。（本文完）

釋耒集

毛澤東之痛苦

共產黨得志後，章士釗以民國舊人，為紅朝新貴，猶得掉臂侯門，彈冠自慰，且曾一再遠涉江湖，來港為毛氏作說客，報章記錄，悉多懸揣之詞，而我輩小民，困於衣食，亦不暇深詳其行止，而其對當前大局，固亦未能發生何種作用，可以斷言。日者于沙田郊外，訪友人李先生於村居，閒談所及，云士釗來港，曾于李生故人之間，示意謂大陸當權人物中，以毛澤東心情最為痛苦，究其何以如此，則曰：「既于馬上得天下，又須于馬上治天下，雖明知其必敗，而又無術以更張之也」。嗟乎，大事既明，如喪考妣，毛氏亦中國人，且曾讀中國書，宜不能無此感覺，既有此感覺，則自不免於痛苦矣。故共產黨員，僅喪心病狂，或麻木不仁之人始可為之耳，而其必毀棄傳統文化，以至于不惜以嚴刑統制思想，則不過欲以免除若毛澤東式之痛苦耳。溯上世史實，湯、武以後，凡有天下者，均皆於馬上得之，然逆取順守，未嘗于馬上治之也。既得之，患失之，亦屬人之恒情，今明知其必失，而無法以保其不失，此又痛苦之尤為難堪者也。考中共之所以得志，仗詐力者十之九，然併兼者尚詐力，安定者貴順權，此粗淺之義理，凡讀書人咸知之，毛澤東則知之當尤為真切；但成功之後，乃知中國革命，不過世界革命之一環，因其為一環，則所謂人民共和國云者，不過工人祖國之附庸而已。宗主國之權力一日未陵夷，則朝覲聘問之禮一日不可廢，天王之號令旨意，不容不鞠躬盡瘁以完成之，漫漫長夜，始終如在噩夢之中，故嚴刑峻罰不可廢，數百萬大軍不能裁，鑛產、餈糧不得不供養，便於宗主國之鐵路不得不興築，於是竭官僚地主之貨賄，耗工農兄弟之血汗，十年以還，人民生活，絲毫無法改善，若此而不痛苦，寧得謂之曰人乎？禮經曰：「張而不弛，文武弗能也，弛而不張，文武弗如也，一張一弛，文武之道也。」南巢之放，牧野之師，張也；放牛歸馬，垂衣裳而治之，弛也。民久勞而不息，則其力憊，久休息而不勞，則其志逸，國皆勞民，久而不弛，雖文武不能為治，故曰「馬上得天下，不能馬上治之」。「賈生曰：奸偽並起，而上下相遁，蒙罪者衆，刑戮相望於道，而天下苦之，自君卿以下，至于衆庶，人懷自危之心，親處窮困之實，咸不安其位，故易動也。是以陳涉不用湯武之賢，公侯之尊，奮臂于大澤，而天下響應者，其民危也。」然則毛澤東固嚮之熟矣。

曲齋

栗海彈心錄

以周易占中國文化（下）

周文演易，六十四卦中，言筮者二——蒙卦「初筮告」，比卦「原筮元永貞」。言「史筮」者一——「巽卦九二」。皆取誠信為義，非言占卜也。言龜者三——「觀卦初九」，象其咽息不食，——「損卦六五」益卦六二」。一言不損或益之德，一言虛中受人之善，何嘗涉及卜筮之事哉。生物之不齊，天地不能無遺憾，人事之不一，堯舜其猶病諸，故周易一經，旨在復性以存成，盡情而得中，反是則人我之相食相賊以起，而世無寧日，可慨也夫。

人類情趣，古與今同，嘻嘻者樂從，嗃嗃者多諂，辭淺者聲趣，曲高者和寡，奚止下里巴人，商羽流徵而已。故自紅樓水滸一經提倡風行以來，而諸經諸子，與夫古今有益身心世道之書，靡不視為毒素，棄如敝屣，時之司教從政者，又多附會而益之，倡之者由是以博高官，食厚祿，享大名，而風靡一時矣。漫漫長夜，卒使無數青年男女，陷身黑暗途中，自賊賊人，自盜盜人，自殺殺人，而迷不知反，置家庭社會國家民族之責任為不足顧惜，逾禮法而觸禁網，背骨肉而輕生死，是豈青年男女之過也哉。故曰「履霜堅冰至」，又曰：「操術不可以不善」。蓋自古破家亡國之道，皆非一朝一夕之故，此孔子所以責少正卯。（誅，責也，姑從古訓）

雖然，物不極則不反，攘攘數十年，如水益深，如火益熱，「傷於外者，必反于家，」（見序卦）自是中國文化來復之機，竊願負責孔孟學會人士，不在徒事空言，而在躬行踐履，與時之司邦教者加省焉。

阿公

烏龍先生傳

陳永昌

烏龍先生姓烏名龍，是烏龍國烏龍省烏龍縣烏龍村的人，後來不知怎的，烏烏龍龍的出到烏龍城，就住下了。

烏龍先生父母無可考，為的他是烏烏龍龍出世的，烏烏龍龍在孤兒院長大，後來進了一所鄉立烏龍小學，烏烏龍龍學了些之乎者也及ABC，後來烏龍先生聽說烏龍城很繁華而且有很多美麗的烏龍小姐，他於是孭了包袱，烏烏龍龍地乘了火車，到烏龍城謀生去了。

最初，他是做清道伕的，烏烏龍龍掃到一包數目可觀的銀紙，因為拾遺不報而被控入獄。烏龍地在獄中過了一個月，出獄後烏烏龍龍地做起生意來，後來更且烏龍地發了大達。

烏龍先生搖身一變，竟然成為社會聞人，婦孺皆知。他為人烏烏龍龍，不知自己在做甚麼，做事從不經意，烏龍百出，因此烏龍先生上受過很多當及受過不少玩弄，可是他卻烏龍得完全不知，若無其事。

烏龍先生年紀大了，要結婚成家了，在一個烏龍的機會裏認識了一位烏龍小姐，她是信教的，烏龍先生也烏龍地信起教來，她喜歡吃臭豆腐，他也烏龍地覺得臭豆腐好吃，她喜歡光頭的男人，叫烏龍先生剃光頭，他首先不甚願意，其後她說十個光頭九個富，烏龍先生覺得有道理，便烏烏龍龍地變成牛山濯濯的光頭了。

烏龍先生結了婚，生了三子三女，子女們均有乃父之風。大子名烏一，烏龍地念了三年大學，得了個烏龍銜頭後，在報章雜誌，寫起了烏龍文章，文名漸噪，居然作了一本烏龍小說，故事內容烏龍百出，令人捧腹不已。次子名烏二，烏龍地念師範，做起名符其實的烏龍先生，指鹿為馬，誤魯為魚，因此教出很多烏龍學生，誤人子弟。小子名烏三，在一間烏龍洋行當打字員，常常把「打」作烏龍，銀碼常錯了，因此烏龍洋行常常虧本，後來發覺是烏三的錯，便給炒了魷魚，後來竟做起「帶街」來，烏龍地帶水兵遊烏龍城的風景和買烏龍城的東西。

烏龍先生的三個女兒，最大的烏龍地嫁給了一個高等流氓。次女烏龍地嫁給一個烏龍先生在獄時所認識的獄吏，在獄時烏龍先生對獄吏說過，假如天地給他多一點餸菜，將來有女會嫁給他的，雖然十五年來，獄吏已經行將變了，還只是守約，硬要烏龍先生把女嫁給他。三女看破紅塵，入了尼姑庵，專心事奉天主，烏龍先生與太太也不反對，因為他是烏龍教徒。

烏龍先生在社會上，雖然有了名望與地位，烏龍事蹟依然層出不窮。最大的烏龍事莫如有一次，他誤把女傭作太太，成了好事後，給女傭勒索了一筆，不然，僥倖沒給太太知道，烏龍先生的耳朵不知要變成怎麼樣了！

烏龍先生有財有勢，少不免有時也作威作福，於是人們稱他為烏龍王，這名字遠近馳名，人人皆知烏龍王好不威風，以為我烏龍王富貴榮華，捨其人誰？

文字獄

凡以文字賈禍者，謂之「文字獄」。如秦始皇以是古非今，乃坑殺諸生四百六十餘人。漢楊惲以報孫會宗書腰斬，明高啟以上梁文亦腰斬之。尤以清聖祖世宗高宗三朝，箝制言論，束縛士林之慘痛史實，二百年下，聞之猶不寒而慄！

康熙時，莊廷鑨之獄，以其所編「明史」中有忌諱語，被刑者七十餘人。戴名世之獄，因「南山集」中用明永曆年號，被株連者亦委實不少。雍正時，查嗣庭試題：「維民所止」，因被認為「維止」係去雍正之首，而被刑。謝濟世註大學，毀謗程朱，而以治罪。乾隆時，胡中藻有「堅磨生詩鈔」，內有「一把心腸論濁清」之句，被指為加「濁」字於國號之上，而以不忠治罪。徐述夔有詠正德杯詩云：「大明天子重相見，且把壺兒抛半邊」，又「清風不識字，何必亂翻書」之句，謂為侮辱滿人，時徐已故，並戮其屍，誅二子。

上述不過舉其犖犖大者，歷代極權者對文人之言論出版控制鎮壓，是可謂怪事與？

海嘯樓談薈

憶巴蜀軍人范紹增

范紹增原係川東渠縣綠林中人，川諺所謂「棒老二」是也。本名「海廷」，受撫於劉湘後，改名「紹增」，歷任軍職，對日抗戰時期，洊任至軍長。其為人也，頗有朱家，郭解之流風餘韻，不學而有術，平生對人接物之道，多有可稱者。然對共黨乃懵然莫識，自以為亦係無產階級出身，或可倖免清算奴役之慘禍，靦顏甘作降虜，生死兩難。最近被流竄在河南境內從事勞動改造，窮困之餘，曾致函海外知友，託向其同鄉舊交劉航琛乞錢救濟，可憐可哂。茲述其過去行誼數端，以誌惦念云爾。

范氏所領軍隊諸下級官佐與士兵，多係舊時綠林伴侶，紀律鬆敗，不受軍法部勒，然又不能一味放任，乃挽請一不尚溫情而好殺人之朋友羅君彤作副手，羅常援軍律嚴懲犯罪官兵，受懲者輒以舊誼乞范氏從中緩頰，范則故作同情驚詫詞色，代為不平，但謂「羅某素性嚴酷，我若向他講情，他就要殺我，「咱恪」辦呢？」軍中紀律即藉此稍獲整飭之效。

民國十三四年間，劉文輝與劉湘為爭奪四川王位而火併大戰，此時范氏担任劉湘麾下第四師師長職務。文輝密以現金廿萬元餽贈范，另附以加官晉爵之令狀，勸其倒戈譁變。范據實報告劉湘，湘嘉其忠藎，命范照收錢金，携赴上海遊樂。范至滬，寓杜月笙宅，昕夕出入歡樂場中，揮金如土，道旁乞丐為范氏一啟車門，即以十金相賞，豪客之聲譽遍傳春申江上，諸凡十里洋場之交際花，女校書，跳舞名媛等，皆以接近「范師長」為得意，獨有名女人黃伯英拒受范師長眷愛，范殊遺憾難忘。迨回川之日，特向杜月笙傾吐此項心事，杜囑范暫歸，將有以慰其願望焉。范回重慶一週後，黃伯英突乘飛機馳至渝，謂特來尋范師長一親謦欬云。

范常以招募士兵方法，廣置姬妾，嫿姸不拘，多多益善，而隨時編遣，無所繫戀。姬妾入門後，皆延師課讀，或習漢文，或學英文，藉示時髦風雅。曾有一妾與其英文教師某私通，范調悉其情，泰然自若也。一日，范以盛饌招宴某教師，命某妾作陪，談笑甚歡，席終時，范正色語二人曰：「我知道你二人互相愛好，君子成人之美，從今天起，你們就出去正式同居可也」。隨以二百金贈教師，謂係賀禮，但諄囑教師曰：「你既然愛她，就要愛到底，如其始亂終棄，「格老子」的手槍是不認識那個舅子的！」說罷，從腰中掏出手槍向茶几上一擲，某教師震慄答以「是是」，即攜同某姬人去矣。

范氏置一大廈於重慶上清寺，佔地甚廣袤。對日抗戰時期，行政院長兼財政部長孔祥熙賃作居家辦公之地，范無異議，亦不收租金。朋儕謂范何必「充殼子」（川語假裝闊佬之意），房屋給孔財神佔用，何不收取一筆租金？范笑謂：「你們懂得「啥子」？我既不取租金，遇到沒錢用的時候，就請孔部長核許我向國家銀行借貸一下，為數何止千百倍於房租呢？」

范素有「哈兒」——即傻子——的諢名，實則頗工心計，固不傻也。

諸葛文侯

半生事雜的黃炳鑫（下）

·丁雨·

是時，大戰初弭，滿目瘡痍，而朝野上下，泄沓成風，酣嬉之習，軍中亦不能免，炳鑫英雄失路，目擊心傷，因一發之于詩，成從軍五言古詩十首，前舉五首其節錄也。全詩沉鬱蒼涼，以樸厚古朴之筆，寫磊落抑塞之思，如秋笳之聲，效老驥之伏櫪，發唱難抑，托辭激怨，胎息古詩十九首，鮑照行路難，介於工部新樂府之間，雖未能擺脫其蹊徑，而氣象壯麗特大，其視時下之專務琢字雕句，以堆砌使事為工者，猶蟲吟草間耳。求之詞林，已不可多得，矧戴武弁服二尺半，日出入于槍林彈雨間者耶？

民卅六年夏，國軍十五師既改組，炳鑫隨其主管來京，改任陸軍經理學校秘書，承余辭命，與余始覿面而成賢街鄉人家，蓋自通訊神交以還，已數越寒暑矣。炳鑫既與余有中表之誼，且于詩文雅有同好，因朝夕過從，相得甚歡。每當酒酣耳熱，豪情激盪之餘，輒相與展示詩文，評騭當否，余既讀其詩而悲之，特為五律一首奉贈，求以稍解其意。茲錄于下：

黃子千城健，清醒無獨遺。風塵藏薄宦，神鬼鑄新詞。酒湧湖海氣，德輝金石姿。匡時待明略，胡嘆鬢生絲？

共軍南渡，余與炳鑫先後返鄉灌園。其後余南奔，以匪氛殊惡，未敢與約偕逝。忽忽又十載矣。「死別已吞聲，生別長惻惻」，每由表兄離家契闊，以追念慈母，「誰言寸草心，報得三春暉」，誠不禁其涕下之如縻也。

詞林雜憶之十

自由報
THE FREE NEWS
第四十四期
中華民國僑務委員會登記證僑報字第二三三號
台灣省政府新聞處登記證[illegible]
中華郵政[illegible]第一類新聞紙類
(每星期六出版)
每份港幣壹角
台灣零售價新台幣壹元
社長：雷嘯岑
督印人：黃行豐
社址：香港銅鑼灣高士威道二十號四樓
20 CAUSEWAY RD 3RD FL HONG KONG
TEL. 771726 電報掛號：7191
承印者：田風印刷廠
地址：香港灣仔高士打道一二二號
台灣分社
台北市西寧南路[illegible]
電話：[illegible]

以聯邦觀念代替聯盟觀念

宋文明

(一)

現今世界各國，除了亞非地區二十多個國家外，其他國家不是與西方大國同盟，便是與共黨大國同盟。這種同盟不論是採取多邊同盟的形式，或雙邊同盟的形式，都旨在使其他國家與東西兩大集團的強國緊密結合在一起。從西方集團說，這種同盟主要的有：北大西洋公約，中部公約，東南亞公約，里約熱內盧公約，及西歐七國防衞公約，美澳公約，美非公約等。從共黨集團說，這種同盟主要有華沙公約，及蘇俄與中共同盟條約等。由於這些同盟的存在，使自由與共產兩個世界之間遂深溝高壘，嚴陣以待，形成了一種牽一髮而動全局的態勢。這種情形一面增加了國際局勢的緊張，一面也緩和了戰爭危機的嚴重性，使任何一方不敢輕意觸發戰端。

(二)

在世界歷史上，國與國間任何同盟關係的產生，都是為了應付公開和潛在的敵國的威脅。二次大戰後這些同盟的次第出現，其背景也是如此。如一九四三年蘇俄與捷克的同盟條約，一九四五年蘇俄與南斯拉夫及波蘭的同盟條約，一九四六年西歐五國的布魯塞爾公約，在名義上雖都是為了防止納粹德國的復活，而實際各懷鬼胎，其眞正目標並非在於德國而在其他。及至一九四七、四八兩年由於芬蘭大罷工，捷克政變及柏林封鎖一連串事件使歐洲情勢惡化以後，蘇俄與羅馬尼亞、匈牙利及保加利亞所分別簽訂的同盟條約，美加兩國與西歐國家所簽訂的北大西洋公約，都已經公然揭開了它們同盟條約的眞正目標。所以今日東西兩大集團中出現的這種種問題，完全是由於戰後共黨與西方兩者關係不斷惡化的結果。假若戰後雙方能維持過去「德黑蘭宣言」所揭櫫的那種合作精神，東歐和遠東的情勢能趨於穩定，各強國間對德國問題的解決能及早獲致協議，西歐情勢的演變不致使西方對共黨的擴張懷有過份恐懼，則今日這種壁壘分明的集團同盟關係便不可能存在。

由於這些同盟產生的背景如此，所以這些同盟成立後的首要目標，及各參與國對這種同盟的迫切要求，便是加强和聯繫各國的軍力，充實共同防務，以準備抵禦來自對方的可能的突然攻擊。一九五零年韓戰的爆發，使這種危機更形顯著。嗣後數年，整個自由世界便在所謂「年度危機」中一直惴惴不安。美國艾森豪政府上台後雖放棄了這種「年度危機」的說法，可是根本危機依然如故。一九五五——五六兩年，對共黨關係剛要開始改善，卻又發生了蘇彝士運河事件與匈牙利事件，使局勢一度再行緊張。接着，由於蘇俄洲際轟炸機，人造衛星與洲際飛彈的接連出現，使西方及美國的國防安全感覺也相對減低。事後證明美國U—2機對俄境的高空偵察，也正是在這個時候才開始的。這種情勢迫使西方及美國不但繼續加強北大西洋公約，而且也更進一步建立東南亞公約、中部公約及其他數項新的公約組織。在我們眼見的將來，這種公約組織祗會更加趨於堅強。絕不會趨於衰落。

(三)

可是在人類歷史上，沒有一種同盟組織能夠無限期的維持久遠。今國際間所有這些同盟組織，雖說不能與過去歷史前例完全相提併論，但除非這些同盟組織的本身能在歷史進程中逐漸變質，這些同盟亦終有自行毀滅的一天。這些同盟的所以終將走上非變質即消滅的道路，是由於兩個基本原因。其中一個原因，是由於條約本身的期限規定。如最重要的北大西洋公約，其有效時間為二十年，最近引起重大爭論的美日安全條約，其有效期為十年，若期限屆滿而未協議延長，則這一聯盟即自動失效；若要尋取延長，那末，當時情形能否使這一聯盟的形式及精神完全維持不變，亦是一大疑問。其他各種主要公約雖未規定明顯期限，但退約手續亦極簡單，任何一會員國祗要先一年提出退出通知，屆時便立告生效。此種情形比之北大公約及美日條約規定還要脆弱。

其次，這些同盟的成立，自始至今，其主要目的完全在於軍事方面。可是經過多年國際關係的變化，自由與共產兩種勢力最後訴諸於戰爭手段的可能性，不是隨着時間愈來愈大，而是愈來愈小。假若這一情勢繼續演變下去，終有一天將使兩大集團間的戰爭危機完全消失，使各國海外基地喪失作用，連帶也使這一以軍事為主體的同盟逐漸失去意義。屆時縱使大國仍願繼續維持繼續維持這種同盟，而各小國可能已不感興趣了。由於以上這兩種原因，所以現時這些同盟條約的存在，只是一種暫時現象。除非它逐漸變質以適應新環境，否則它即會逐漸式微。

為了這種理由，近年以來，不論北大公約，中部公約，或東南亞公約，都很注意這些公約的軍事以外的機能。諸凡加強政治經濟合作，促進文化教育聯繫各方面，均已獲有長足進展。這種作法，一面在從政治經濟及文化各種角度，加强這些公約防衞實力，一面亦希望經由這些努力，擴大這些公約的視界，把它逐漸引導上新的領域。就加強這些公約的防衞實力來說，若能從政治經濟及文化各方面同時積極努力，所發生效果當然更大；可是就使這些公約逐漸變質，擴大它的領域來說，除非具有基本條件，否則單是依靠政治經濟及文化這些方面的努力，仍然無法達到預期的目的。北大公約各國具有許多相同因素，為一完整的自然結合，若照現時各種作法不斷發展下去，最後便很有可能出現一個共同的政治組合。可是其他中部公約和東南亞公約，現均無這種優良條件。美國對於中部公約，至今仍居於一種贊助地位，代表西方參加這一公約者只有英國，而英國在中東仍未完全脫離殖民主義的面貌。東南亞公約組成份子雖較中部公約廣泛，但屬於本區的國家，只有菲、泰、巴三國，在全體會員國中顯居於少數。這種情形證明：不論這些公約現時如何着重軍事以外的其他機能，但在現有的這種形式下，這些公約將永遠無法過渡到更高級的政治結合。

(四)

要使這些公約不以它本身的時效限制及國際環境的變遷而在時間的推移中逐漸趨於消失，唯一的辦法便是，使這種公約組織為一種新的聯邦組織所代替。這些公約組織現時所達成的結合，在嚴格的意義上，只是一種有限度的軍事同盟。可是要造成一種聯邦組織，其意義不僅要有統一的軍事，而且亦須有統一的外交，統一的政治經濟措施。祗要這種大一統的局面一旦出現，這些地區自然就會形成一種強大的軍事力量，以及支持這種軍事力量的政治經濟力量。屆時即無外來的大國與這一新興聯邦建立同盟，它本身的力量亦足以抵禦來自任何方面的壓力，而不虞有滲透與顛覆的危險。所以，用聯邦組織來代替聯盟組織，以現時各公約地區的各國自行結合，以代替外來的保護，是解決世界各地安全而又補救現時公約缺陷的最妥善辦法。在這種安排下，北大西洋公約在其期限屆滿以後，進而成為一種廣泛的北大西洋聯邦，固為順理成章之事，即其他中部公約與東南亞公約，亦可利用現時各種途徑，逐漸向一種統一的社會發展，最後實現共同聯邦。祗有如此，這些國家的長期安全才會獲得保障，也祗有如此，才能填補大國勢力從這些地區撤退後所留下的眞空。否則，當大國勢力最後不得不從這些地區撤退時，這些國家的獨立存在便會立時發生問題。[illegible]就是從近代社會的經濟觀點看，許多小國個別獨立的存在，也是一種絕大的浪費。因近代世界不論國土大小，均難免與其他國家發生外交貿易及文化往還各種關係，為了促進這種關係，又須向世界各地派出各種代表，以進行聯繫。假若這些小國能共同合組聯邦，則這種代表人數將大為減少，其費用自然也就節省下來。

(五)

所以今天這個世界不論從安全觀點及其他觀點來看，共同組織聯邦以代替小國林立的局面，是一種歷史演進的必然趨向。為了要接替現時各種公約組織所不能完成的目標，就須要組織聯邦；為了要促進各小國共同的福利，亦須要組織聯邦。這種聯邦組織出現愈早，對世界和平及各地區安全亦愈將有利。

小論天下

△美國民主黨競選總統的熱門人物肯尼第說：美國支持自由中國堅守金馬是一個「危險的錯誤」，遂他主張進行談判，逐漸撤離這兩個島嶼。眞正「危險的錯誤」在乎：美國有權便把盟友的東西割送給敵人。

△美國民主黨競選政綱，着重在加強資源的「動員」以對抗共黨。

其實，自由世界並不患在資源及工業能力的貧乏和落後，患在義勇精神萎靡不振，被共黨破功利主義者過於重視現實的弱點，一貫施行壓倒的攻擊。

△蘇俄在公海上空擊落美機，再對美國還威，反誣美機侵入國境，美國提出強力抗議，叫它注意嚴重後果。

△艾森豪反對派遣美軍進入動亂中的剛果。

近來美國管的事情實在太多了，這樣以不管為好。留心看最近時局的人大概會感覺得到：「美國之音」太弱，「英國之音」太寂寞了。

△英國保守黨政府一直沉默了一個時期，老練的英國政治家自然懂得：在美國大選期中要小心說話，態度越靜悄越好。

△本月十四日是「世界末日」的預言世界必有末日，等如人必要死，寄在預言者怎會選中了本月十四日來嚇人。

△大陸來的消息：廣東大多數人不只餓得走路不快，幾乎坐也坐不穩。中共不只使人民沒有反抗的武力，更要使人民沒有反對的氣力。

△駐南韓的美軍增強兵力三千，據說與最近地方政變無關。美國在南韓不能解決的難題是：如何使民心士氣回復到可以深切信賴的程度。

方南

自由談

低能的反共策略

馮子先生

俄共頭子赫魯曉夫聲言要以飛彈支持古巴政府的反美運動，美國朝野上下人士，一致表示抗議，指摘俄共破壞了「門羅主義」，說是決不容許共產主義侵襲西半球，大有不惜一戰之勢，壯勇極矣！

最可笑是一些平日隨時發表親共媚共言論的美國政客，如倡言美國不妨承認中共政權的史蒂文生，如主張艾森豪總統為着U—2飛機事件應向赫魯曉夫道歉的肯納第，如抨擊白宮對華政策太不實際的韓富利等人，亦突然改變其「前進」面目，竭力贊成艾森豪的堅決反共聲明了。這證明美國政治人物的反共思想，是有區域性的——只要共黨的魔掌不伸入到西半球來，美國即無所謂。西半球以外的地區如果被共黨控制了，美國基於避免引起原子戰爭的重大理由，儘可跟共黨和平共存，從事談判，哪怕談上十年二十年，亦不在乎。

然則美國幹嗎又每年要耗費幾十億元的援外款項，贊助西半球以外的各個友邦呢？這問題很容易解釋：一是教這些國家有點自衞力量，跟共黨糾纏，拖住俄帝的魔掌，旅進旅退，使它無暇問鼎於西半球；二是藉着援外關係與作用，構成不戰不和、兩大集團對立冷戰的世界僵局，讓美國的過剩生產品饑有出路，不致發生由萎縮而窒息的經濟恐慌。所以，凡是接受美援而又直接感受共禍威脅的國家，美國都跟他簽訂安全互助條約，而其要點就在規定受援國非取得美國同意，即不許自由採取軍事反共行動。冷戰對於美國實係有益無損的玩藝，時間越長越好，何樂不為呢？

明乎此，我們瞧着古巴的卡斯特洛引導俄帝勢力進入西半球這回事，即深深地感覺：美國已故總統羅斯福在二次大戰前夕發表的「防疫」演說，其識見之卓越，固非低能的後輩所可幾及，此俄帝之所以敢於隨意侮蔑美國也。噫！

台北通訊

公論報多災多難

劍聲

最近，此間新聞界發生一件轟動一時的新聞，致朝野人士極為重視。

民營的公論報，眞是多難多災。自從去年十月間復刊後，相安無事只有九個月，週前傳出改組的消息，由台北市議會議長張祥傳担任社長，陳棋耀任駐社常務董事，原來該報發行人則專任董事長，這則消息顯示該報改組似乎已成定局，但是其內部的實際情形和傳出來的消息卻大有出入，而且其中糾紛的錯綜複雜，亦非局外人所能想像的。

這份民營報紙，一直是在風雨飄搖中，過去常常遭受外來的打擊，只是驚而無險，這次的糾紛如不能和解，就可能公堂相見了。

該報至去年九月，因拖欠員工薪津再度停刊達一月之久，當時該報主持人李萬居接受員工的建議，經友人陳棋耀邀約蔡水勝任總經理，對業務加以澈底整頓，並由蔡水勝邀約有志於文化事業者投資合作，組織「公論報股份有限公司」，並積極展開籌備工作，新公司投資二百萬元，分為二萬股，每股一百元，其中李萬居認股五十萬元，並承諾代付郭雨新新股欵十萬元。至於公論報原有財產，按照規定，必須折舊估價，作為轉投資於新公司。自去年十月一日起，新增資金及一切業務開支列為新賬，由公司負責。十月以前的賬目，劃為舊賬，組織資產小組進行估價清理。人事方面，推由李萬居、張祥傳、陳棋耀、蔡水勝為常務董事，李萬居為董事長，並兼任發行人和社長，蔡水勝為總經理。上述協議達成後，遂即依據這項協議訂定公司章程，並呈准經濟部備案，新任總經理亦於去年十月一日到職。

新公司成立後，該報宣告復刊，篇幅由一大張增為一張半，版面煥然一新，內容也較前充實，新舊股東本為好友，故初期相處尚稱融洽，但這種好景不長，即逐漸發生了裂痕。首先是總經理蔡水勝更動經理部的主要人員，及改組各地分支機構的負責人，卻被李萬居拒絕，理由是報紙復刊未久，須先求人事上的安定，然後再求業務上的推展。然而蔡總經理的看法，恰恰相反。因而雙方在僵持的情形下，蔡即透過董事會，聘請了一批新人，這批新人又多係公論報解聘的老人——搗亂者，於是，公論報經理部出現了兩個會計室出納課。這是公論報股份有限公司成立後第一個變包案。

新公司的這些措施，引起李萬居的嚴重反感，嗣後幾次董事會議，李萬居均拒絕出席，並且明白告訴董事會，對於新公司的收支，一概不予承認，當初認股欵額亦拒絕繳納。雖然經過多次商談折衝，李氏不但不接受，且越談越遠了。之後，對董事會指為非法組織，事情越鬧越糟。到了今年端午節前夕，蔡總經理突然向李萬居社長請病假四天，蔡於節前請假，等於向李萬居示威，因為端午節，在我國為三大節日之一，各機關都是提前發薪，如果公論報在節前不發薪，又可能發生「怠工」風潮。同時，公論報所需要的紙張，也用完了，而那天又是週末，蔡某認為李萬居是沒有辦法可以籌劃到一筆十多萬元現欵的，但是，李萬居在半小時內，立即借到二十萬元，得以渡過這一關。

新股東經過這次考驗，沒有難到李萬居，於是展開宣傳攻勢，透過董事會發表「敬告本報同仁書」，及改聘張祥傳為社長，並發佈新聞，而新任社長張祥傳於七月四日率領四個彪形大漢到公論報張貼到職公告，是日下午派蔡朝根至工場接受，於是，新舊股東間糾紛更趨惡化而公開了。至此，公論報與「公論報股份有限公司」間，益呈劍拔弩張的緊張局面，李萬居在公論報刊登重要啓事，說明事情的經過，及解聘蔡水勝等職務，而「公論報股份有限公司」却在新生報與聯合報刊登啓事。此外，公論報股份有限公司社長張祥傳的醜聞，天天在公論報上可以看到。

社會謠傳，公論報與「公論報股份有限公司」間的糾紛，不僅是純粹的內部人事與財務問題，且摻雜着政治性的問題，因為李萬居正在積極推展反對黨組織工作，乃引起外界人士的懷疑了。不管此種傳說確否，但該報這場的糾紛已成難解難分的嚴重態勢，卻係事實，可說是新聞界的一大不幸事件也。（七月十日於台北）

·香港耳語·

廖文毅到港何為

躲在日本東京一座危樓上，自稱「台灣共和國大統領」的廖文毅，最近潛行到了香港，據說擬作一個月的勾留。他此行目的何在，固然秘不可知。但他通過西方某種洋人的介紹，曾與香港某種中國人所組織的文化機構中人，秘密接觸頻繁，同時，日本駐香港領事館的人物，亦跟他往來甚勤云。

有人在香港的華僑社會中拉攏衆，而以台灣、福建兩省人為對象。據說，這是替台灣方面正在籌備組織中的反對黨奠立羣衆基礎，確否待考。

費明儀去美獻藝

日前由香港赴美國的女高音歌唱家費明儀女士，她是中國電影界名導演費穆的女兒。費穆過去在國民政府治下有「左傾」之名，現時在毛共政權下却變成了極右傾份子。她這次前往美國獻藝，並無特殊的政治意義，亦與她那位靠攏毛共政權的叔叔不相干。

新書評介

評程天放著「美國論」（上）

美國是當前世界上最富强的國家。過去有好多學者對於該國在人類歷史上的貢獻，與其本身應行改進之點，曾撰著甚多書籍。然就大體而論，其本國人所寫的書籍與論文，除若干績學之士以外，多不免流於過份的樂觀與誇大。這是因為該國地大物博，得天獨厚，加以從世界各地移來有宗教信仰以及民主傳統的人民，將新大陸開發建設，而得有偉大之成就。該國人民之坦白樂觀與待人誠懇，已經成為習慣，因之其作品亦不免流露過分的樂觀之態度。

自從一八三二年法國學者託克非勒訪問美國，寫了「民主在美國」一書之後，外國學者關於美國之著作甚多，內中尤以英人勃萊士之「美國民主政治」，與勃羅根之「美國民族性」，以及法人西格弗利特之「美國的成年」，與「在廿世紀中葉之美國」數書最為膾炙人口，議論允當。我國學者如梁任公先生等關於新大陸雖亦曾有論著，然而有系統的，包含各方面的，關於美國之專書，則以程天放先生之新著「美國論」為第一本傑作。此書與託氏、勃氏、西氏等著述相比，了無遜色，而與許多美國人對本題之作品相衡量，則較為客觀與持平。作者於讀完程先生大著之餘，亟願向我國各方讀者推薦此本好書。

程先生歷任大學教授，校長，大使與部長等職，現任考試院副院長。程氏受過中國儒家教育，又曾留美多年，其後復担任我國外交代表，并出席國際文教機關會議，以及參加道德重整大會等等，對於東西文化，均有深刻的研究，故此書的議論自然中肯。

綜計程氏此書有十八章，五百十餘頁，對美國之歷史，政治、經濟、社會、教育、外交政策，種族問題等等方面，有詳盡的討論。就中尤以第四第五兩章討論「反共和反戰」，第十一章討論勞工，第十二章討論教育，第十五章討論嚴重的罪浪第十六章討論種族問題等等，特別具有權威性，不僅我國讀者應詳細閱讀，即美國通曉中文的學者，讀後當亦為之首肯。此書文字流暢，深入淺出，既敍述各種歷史事實與有啓發性的故事，亦載有最近統計之資料，故能把握讀者之興趣使其不忍釋手。總之，在今日美國動向關係人類前途之關頭，程氏此書可增進吾人對美國之了解，間接亦促進吾人對美國之友誼。

程氏在本書序言中末段有云：「世界上有些人認為美國是人間的天堂，一切均善，一切均美，……另外有些人——主要的是共產黨徒和同路人——則認為美國是資本主義吃人的地獄……非打倒不可。我在這本書裏所描寫的美國，則既不是天堂，更不是地獄，而是一個地大物博，加上人民的努力，所造成的一個富裕强盛的國家。它有許多優點，值得別的國家效法，可是它也有不少缺點，需要改進。我對於美國的優點，充分的介紹給中國人，自信沒有溢美，對於它的缺點，也毫不掩飾的敍述，以保存這本書的客觀性。至於知我罪我，那就聽憑讀者和美國朋友了。」

顧翊羣

責任誰屬

——尹震——

歐洲各國中央觀光機關一覽表

·劉友松·

國別	觀光機關名稱	海外宣傳機構名稱	海外辦事處
比利時	交通部觀光局	同上	15個國家
埃及	教育部觀光監督局	同上	5個國家
法蘭西	土木運輸觀光部觀光局	同上	19個國家
希臘	內閣觀光局	同上	3個國家
義大利	內閣觀光委員會	觀光協會（ENIT）	12個國家
奧地利	奧地利觀光協會	同上	12個國家
丹麥	丹麥觀光協會	同上	9個國家
西德	德意志中央觀光協會	同上	13個國家
瑞士	瑞士中央觀光協會	同上	17個國家
英國	英國旅行休假協會	同上	8個國家
瑞典	瑞典觀光協會	同上	

大陸文壇萬花筒

柳亞子悔上賊船（三）

岳騫

以後中共文藝幹部，為了替「毛主席」爭回這首詞，又找人填了一首沁園春，說是毛澤東少年時代作的。這首詞到比咏雪詞高明，一定出之名手，「毛澤東詩詞十九種」已經列入，此地不再贅述。

民國三十八年二月，北平已經淪陷，中共就電召一些附共份子去北平，第一流的如李濟琛、章伯鈞、郭沫若是從香港坐船去海參威，經東北進關。第二流的如柳亞子等則是坐船去烟台，沿膠濟路經濟南赴平，當時京滬均未失守，沿海島嶼仍在國軍手中，這條路程當然有點危險。不過柳亞子並不計較，一心以為有鴻鵠將至，臨行時作一詩，其中有「六十三齡萬里程，前途眞喜向光明」之句。

柳亞子於民國三十八年三月十八日到北平，毛澤東三月二十五日也由石家莊趕到，柳亞子同其他人員趕到機場去迎接，當晚毛澤東在頤和園召宴，柳亞子興奮過度，又寫了三首詩，其中有「中國於今有列史，萬家歡忭我吟詩，華拿陳迹休儀念，希墨元凶要蕩夷……」這詩中所謂列寧，史是史大林，華是華盛頓，拿是拿破崙，希是希特勒，墨是墨索里尼。這種樣子的詩比打油還不如，不過和毛澤東比起來還高一着。

五月一日午間，柳亞子正在睡覺，忽然毛澤東挽着藍蘋及藍蘋生的女兒一道來訪，柳亞子更是受寵若驚，又作一首詩，中有「南陽臣敢勞三顧，此地猶堪賦百章」，竟然比成三顧茅廬，可見柳亞子當時還以毛澤東是齊桓公燕昭王，容他一匡哩！

柳亞子的黃粱夢未作很久就醒了，他感到潤之老友不是漢光武，也不是昭烈帝，就用人一點來說，也許較白衣秀士王倫還差一手。於是又作詩了，這首詩是發牢騷的。詩題是「感事呈毛主席一首」，詩云：「開天闢地君眞健，說項依劉我大難，奪席談經非五鹿，無車彈鋏怨馮驩，頭顱早悔平生賊，肝胆寧忘一寸丹，安得南征馳捷報，分湖便是子陵灘。」他這時已不想效管仲、樂毅、諸葛武侯了，只想毛澤東能讓他自由離開北平，回到故鄉吳江去作一個嚴子陵，就於願足矣。

社會小說

香港地

四、高的低的

梅大亮自己知道：本身的性情實在有了不小改變，因為在幾年流亡生活中受過很多冷酷的磨折，原日濃厚的溫情變得似乎消滅了，其實這是逐漸退縮到心的深處去，一層又一層的被掩閉着，那只是隱蔽而不是消滅。

這一晚，胡興所說的幾句話是一種啓發，剛好把那隱蔽的溫情從新引導出來，使他從「需要的定律」以外選擇另一角度來看人與人間的關係。他因此了解到胡興的話會使他幾乎流淚的理由。

一夜無話，到了別天早上，起牀之後，梅大亮吃過油條白粥，寫了千多字，剛想歇筆休息，便見梅太太由市場回來，帶了一封信給他，說道：「這信是剛在天生堂拿回來的，看看是誰給你的信？」

天生堂是這裏市場一家藥材店，梅大亮便了為利朋友通訊，常托他代收郵件，梅太太每天早晚兩次出市場，照例到它那裏坐坐，事實很少收到外面的書信，這天却是例外。

梅大亮拿來拆開一看，見裏面有一封信，還有一個很精緻的請柬，在看了幾看之後，不禁喃喃自語道：「奇了，羅新開要請酒不奇，為什麼要擺酒在太平山頂，弄出那麼多的麻煩？」

羅新開是一個頗為活躍的流亡份子，初來時，手頭頗有幾個錢，在交際場上賣弄手段，和好些大亨來往很密，做過好幾門生意，更和三教九流多有認識，特別喜歡做小東道，和一些拿筆桿為生的文士應酬，有時客客氣氣，有時慷慷慨慨，有時為人倒也有趣。梅大亮就是為了賣文的關係，才和他認識的。曾經有一個大亨要出版一本書，請人代筆，羅新開輾轉把這條財路介紹給梅大亮，找他做捉刀人，他由此和羅新開成為朋友。

梅大亮實在猜不透羅新開是屬於什麼樣性質的人物，但不能不羨慕他那種多方活動的本領。有一次，羅新開酒酣耳熱，在他面前說了一大頓憂國傷時的話，慷慨激昂，十分動聽，使他幾乎要改容相敬，認為難得具有這樣心腸的人，真的能夠關懷國事。（四三）

木客著

失業

沙飛

老白的朋友介紹我到一家公營公司裏去做事，從昨晚我知道這個消息的時候起，就一直興奮着，幾乎興奮得整夜都睡不着；失業了半年多的我，受盡了生活的熬煎，對於一份差事，顯得特別熱烈而親切。

大清早起，老白就操着他那沙啞的嗓子，以長者愛護子弟的口吻向我說：「阿沙，今天把鬍子刮一刮，顏面修一修，別叫人家看出寒傖。」他說着做出一個苦澀的笑。

現在老白正彎着身子在翻弄他那壓到已久的破衣箱，半天才從裏面抽出一件業已褪了色的舊西裝，「來，阿沙！穿上它！」他命令似的向我說：「你不要輕視服裝對於一個人的作用，它不獨能裝飾體面，而且還能抬高一個人的地位和聲望——怎麼？不信嗎？」

「去見總經理的時候，」他又打開了話匣子，「態度要和藹，禮貌要恭敬，千萬別發你的牛脾氣，青年人——」

「我知道，我統統知道。」我截斷他的話。

「知道就好。」

我一面聽着老白的吩咐，一面穿好了衣服，又理一理我蓬亂的頭髮，帶着老白朋友的名片，走了出去。

從我寄居老白的宿舍到公司裏去，需要走一段很長的路，我一面走着，一面默默地想着，猛一抬頭，已經到了公司的門前，我整一整衣服，羞澀地走了進去，把名片交給門房，說明了我的來意。門房輕蔑地向我瞟一眼，揮一揮手，意思叫我跟着他。

走進了經理室，他把名片交給一個熊臉鼠目的尖腦袋，又說了幾句甚麼話，然後回過來把我帶到屋角的一張沙發前，要我坐在那裏等一下。

我坐下來，開始感到躕躇與不安，心又卜卜地跳起來。

經理室裏人很多，看樣子都像是衣貌堂堂的紳士，他們在熱烈地談着話，唾沫星子雲霧似地噴着，笑聲時時淹沒了他們的話語。

一個鐘頭過去了，他們的話仍未終止；又經過很久很久的時，總經理才像是忽然想起似的，拿起桌上的名片，瞟了一眼，然後回過他的尖腦袋來：

「你就叫沙××嗎？」他眨動着那對老鼠眼，又裝腔作勢地咳嗽幾下。

「是，是，」我立刻站起來，囁嚅地答着，交搓着我的兩手。

「從前做過甚麼事？」他帶着法官審問犯人的口吻。

「我做過——」我像背書似的把從前做過的事，一一說出來；但我總覺得說出的話，不像往常說得那樣的清楚而流利。

「買買！」他大聲地喊着。立刻有個工友走進來。

「去！把他帶到文書股，告訴孫股長，暫時試用三天。」

「是。」工友深深地一鞠躬；我也跟着深深一鞠躬；但是總經理却昂着他的狗頭，連頭都不點一點。

到了文書室，股長指定我坐在一張桌子上，但並未叫我做甚麼事，也未吩咐我甚麼話，又低頭讀他的報紙。我一直坐了幾小時，沒有一點事做，開始感到沉悶與無聊，我抬頭看看同事們，也都是空閒着，他們有的在讀小說，有的在下象棋，甚至還有人在低聲地哼着流行歌曲。

第二天，一切如昨，下午無聊，我又落入沉思裏，不知是由於緊張後的鬆弛，還是昨晚未曾睡好，不曉得甚麼時候我竟伏在桌上打起瞌睡來。當我醒過來的時候，看見總經理站在辦公室裏，正在指手劃腳地向股長訓話，手指頭幾乎點在股長的額頭上，同事們也都一反常態，有的裝模作樣地翻弄着公文，有的抄寫着甚麼，一切顯得緊張而忙亂。當總經理走出去的時候，我看見股長向我們冷冷地掃了一眼。「糟了！」我在心裏叫起來，立刻有一個不祥的預感佔據了我的腦子。

第三天的早上，我正準備換衣服去上班的時候，突然房門開了，探進一個頭來：

「信，」他說。

我接過來一看，是老白的朋友轉來的。連忙拆開來，裏面是張公司的公用箋，上面寫着：「查該員精神萎靡，不堪勝任工作，際此克難期間，本公司職員，均應一以當十……自即日起，停止試用。此致沙××」

我丟掉信箋，頹然地倒在牀上，頭腦開始搖幌、脹大，眼前出現了無數的金花，飢餓、窮困、鄙視、唾罵的種種現象，又一幕一幕的在我腦子裏展開來……。

歌的寄語

艾雷

沒有歌，生命便失去光彩。

夏蟬的低吟，春鳥的競鳴，溪水潺潺的細訴，以及風善感的聲息，……多麼能令人陶醉忘我的天籟呵！

面對鬱鬱的遠山，面對悠悠地白雲深處，流浪的伙伴們！你不覺得心弦禁不住也要彈奏一曲麼？

我知道，大多的人心中總是深埋着歡樂；作客他鄉，每每抬望明月，雖可耐得往愁思的啃蝕!?聆聽林裏的杜鵑啼叫，「歸不得也——」「歸不得也——」，怎不令人淚潸神傷？……

可是朋友！人生的真諦是什麼？「決不冀求嘆息。」是的，冀求嘆息只會促使感情花朵的凋零，遺失了感情，更使人生的羅盤，永遠指向灰暗的一面。

朋友！縱使你有訴不盡的哀愁，或有訴不竭的悲涼，就讓那痛苦淚流吧！但可別忘了你底意志，沒有意志，將必沒有歌。

而沒有歌，生命便失去光彩。

青年之聲

儒林九尾龜

吳敬鋅

第一回：萬里雲羅一雁飛

黃安民說道：「不必門口了，你趕快填好，等一時先生回來還要問的。」

烏應桂接着說道：你不必顧慮太多，填表是一回事，實際情形又是一回事，先生對人確實很好，將來你就會知道的。

李鴻飛只是搖頭，小石跳起來嚷道：「你怎麼儘是這樣裝腔作勢，就算是被人賣了猪仔吧！你也可以陪陪我們啊！」

李鴻飛看看大家面色，都有些不愉快。當時無可奈何說道：「表我現在就填，但是在行動上我還要保留自由，一旦感到有不妥時，我要先行撤退。」

李鴻飛剛填好表，突然門鈴一連三響，室內綠燈又亮，大家都趕快站起來，烏應桂自言自語道：「怎麼現在回來了。」

門一開開，盧教授大踏步走進來，雖然頭依舊昂得很高，可是臉上却掩不住笑容。進來之後，就擺手叫工人阿蓉：「弄點東西我吃，餓壞了。」

小石笑着問道：「先生剛才不是講有人請吃飯嗎？」

盧教授搖搖頭：「只是喝茶，他是忙人，那有時間吃飯，別人想同他喝茶也沒有空呢？」

烏應桂笑道：「這位先生是個什麼樣的人，何以會忙到如此情形。」

盧教授笑道：「提起此人，來頭可是大了，在政治圈子上打轉的人，沒有人不知道他。他姓洪，名叫政之，以前在重慶開政治協商會議時，他担任秘書長，各黨各派對他都很好，有許多問題別人無法解決，他一到就迎刃而解，所以大家替他起個諢號叫「政治紅娘」，又因為他姓洪，因此也就簡稱為「紅娘」了。」

烏應桂接着道：「洪先生這次到香港來作什麼呢？」

「他這一次來的任務可是重要極了。」盧教授說了這句話，抬頭看見李鴻飛也在聽，當時指着李鴻飛問道：「他填了表沒有。」

黃安民連聲說：「填好了，我手裏拿的就是。」

盧教授點點頭，接着說道：「這次來港是奉了最高當局之命，團結海外民主人士，共同反共，他特別注意的是我們驚濤社，所以剛剛下飛機就打電話找我。」

林逢時插嘴說道：「早知道洪先生會來，我們本期驚濤月刊上，先生寫的那些文章就不該這樣攻擊政府，這一來連退步也沒有了。」

「你知道什麼？」盧教授十分得意的笑道：「政治就是這麼回事，我若不攻擊得這樣兇，他們不會買我的賬，更不會下飛機就來找我。」（五）

雲彩

要欣賞美麗的雲彩，莫過於夏日的黃昏。夏日黃昏的雲，變幻莫測，有時直可以隨想象而變化，如人物飛禽走獸，隨意而生，靜靜地去領悟，實在有無限情趣。

不過，夕陽雖好，已近黃昏，由絢爛而歸於平淡，很有點像中年人的情懷，那種感覺，是淡淡的，朦朧的，淡而至於無有，朦朧而至於不可分。在暮色蒼茫中，那些變幻不定的雲彩，縱然儘情地渲染它的美麗，但終究是一剎那的，過了這一剎那，接着來的是漫漫長夜，是了無邊際的黑暗。在漫漫長夜裏，那黃昏時候的美麗景象，慢慢地淡了，這時候，你的心靈深處，也許會湧上一片閒愁，要排遣都無法排遣。

中年人是不大適宜於欣賞夏日黃昏時候的雲彩的。就拿秋雲來說吧！秋天裏多半是藍天，藍天飄着幾片白雲，其景象之美，實難以言語形容。可是，在中年人的眼光中，秋天裏的白雲，却不是美，而是愁。

我們不是常常看到「白雲故鄉」的字眼嗎？由白雲湧起了故鄉，由懷鄉引起了閒愁，於是乎在他的心目中，便只覺得片片的雲，都化作了陣陣懷鄉的思潮。這種感覺，在中年人的心理變化上，是一點也不奇怪的。

王摩詰的「行到水窮處，坐看雲起時」，雖只寥寥十字，却道盡了中年以上的人對於雲彩的感覺。行到水窮處，已充分地表現他的心靈上的寂寞，更何況又加着「坐看雲起時」，我們該可以體驗到他的心境了吧？那心境，絕不是快樂與歡欣，而是無窮無盡的人生血淚凝鍊出來的境界，那境界是寧靜的，甚至是說不出的空虛，寫不出的惆悵。

詩人詞人的筆下，對於秋雲雖有許多讚美之詞，但那種讚美也只是限於字面而已，骨子裏卻仍然是交織着一段抑制不住的情緒的。

「遠上寒山石徑斜，白雲深處有人家。停車愛看楓林晚，霜葉紅於二月花。」這也算得是一首描寫秋雲的詩，從其表面來看，這首詩的描述非常美，可是，他在「霜葉紅於二月花」一句中，卻又若隱若現地流露出他的黯淡的心境呢！

這就是中年人的情懷！

徐學慧

釋耒集

沈存中夢溪筆談卷二十二謬誤部載：「包孝肅尹京，號爲明察，有編民犯法當杖脊，吏受賄，與之約曰：今見尹，必付我責狀，汝第呼號自辯，我與汝分此罪，汝決杖，我亦決杖。既而包引問畢，果付吏責狀，囚如吏言，分辯不已，吏大聲訶之曰：但受脊杖出去，何用多言，包謂其市權，捽吏於庭，杖之七十，特寬囚罪，以抑吏勢，不知乃爲所賣，卒如素約，小人爲奸，固難防也。」包拯斷事，號爲神明，猶有此失，且竟爲其屬下所賣，則當時吏胥舞弊之猖獗可知，然因欲得賄，雖受杖，亦不辭，則吏之處境，亦殊可憐，考其所以出此下策之故，則勢非如此不足以生活也。同書卷十二官政部載：「天下吏無常祿，唯以受賕爲主，往往致富。熙寧三年，始制天下吏祿，而設重法以絕請託之弊，是歲，京師諸司歲支吏祿錢三千八百三十四貫二百五十四，歲歲增廣，至熙寧八年，歲支三十七萬一千五百三十三貫，一百七十八。……」依此以言。則夫宋吏祿之前，此支出之數，乃由胥吏於百姓身上需索之，則百姓爲胥吏魚肉，及其追呼鞭朴之情形，可以想見矣。古者官與吏殊科，吏之出身，悉皆皁隸選徒之倫，爲士大夫所不齒。其爲官者，出身自科第，年資磨勘，可望升遷，守規定之祿，已不失宮室妻妾之奉，聲色犬馬之娛，而贓汚狼藉之貪官，史不絕書，則吏以無祿而受賄爲生，亦不足深責矣。一九五零年，大局瓦解，美國發表對華白皮書，責我政府貪汚無能，使我國上下蒙羞，然以近事證之，則今流亡海外之同胞，不必勞身焦思，以治生計，仍得居洲墅，擁美妾，畜洋犬，資遣兒女赴英美留學，優遊卒歲者，無一非民國之貴官也。謂此等人居官而不貪，有是理乎？官且如此，吏倘可問乎？然則白皮書之來，固自有以召之之故矣。夫魏風伐檀，碩鼠之篇，詩人爲之太息，甫刑頌于周室，法律爲之靡敝，冉求爲季氏聚斂，孔子斥之，孟子見梁惠王，先止其言利，見於詩書經傳者已如此，則厲民以自養之政治，由來非一日矣。故韓非曰：「行貨賂而襲當途者則求得，求得則私安，私安則利之所在，安得勿就？是以公民少而私人衆矣。」安與得，人情之所欲也，官吏仗其私權，伺小民之求安，小民求一己之苟安，利官吏之求得，故雖設重法以絕請託之敝，而關節暗通，苞苴夜至，二千年來，未嘗或絕，則政府日日言消滅貪汚，亦良有以也。

貪汚

曲齋

粟海彈心錄

以周易占世界吉凶（上）

易分象數義理，由來尚矣，象數之說，京房而後，多避而不言，今雖無此禁網，而象者像也。象緣於意，默識於心，無所取證，故亦有驗有不驗，「不可爲典要」。然天人一體，息息相通，天心人心，人定天定，亦非偶然。往者象祝於天，則修德以禳之，修德云者，勉竭人事之謂也。適來黃梅時節，風雨陰晴，變化不可測，適有所偏，姑爲言之，以資勸勉，警世變，而覺讖者。今世今時，美蘇對立，各以軍備相競，日新月異，無有窮極，美國備諸倉庫而示以勿用，蘇俄備猶未足而待機以起。其智不可及，其愚亦不可及，孰智孰愚，非本文應有事。惟蹴之相殺於數年數百千里外，與相殺於數年數月者，今止尋尺俄頃間事，故世界之或吉或凶，繫於美蘇之勝敗也明矣，茲就占象所及，以明數之定乎天，與理之盡於人者於左。

美國占象爲巽——☴☴

「巽者順也」，順乎人心也，「重巽，重巽以申命也」。與美國自由民主政制和平外交占象近。「九二，巽在牀下，用史巫紛若，吉无咎」。牀下，言其巽之過當也，與美國退讓外交占象近。紛若衆也，史巫用以通誠信，苟能誠信孚於衆，庶幾可以无咎而吉，與美國之應重視與國占象近。「九五，无初有終，先庚三日，後庚三日，吉」庚者更也，變更也，巽則无初，庚則有終，三日事前事後也，其象占至明顯，九五元首位，或者尚有待於他日改選乎。「上九，巽在牀下，喪其資斧，貞凶」。上九，事之終，牀下，巽之極，資斧，該國計民生言，貞固也，固守不變，斷言其凶。數理俱合。

巽卦☴☴。綜則爲「兌」☱☱。兌說也，「剛中而柔外，說以利貞，是以順乎天而應乎人」。其象與美國之以國庫軍援同盟占象近。誠能柔外剛中，而又利之以正，則與國之衆，可以大爲於天下，「民亡其勞，民亡其死」。理象尤明顯。

阿公

漫談題壁詩

筱臣

往昔驛亭蕭寺中，題壁詩詞，其中每多佳句，大抵旁人草草，浪跡天涯之客，滿懷抑鬱淒楚之思，發之爲詩，類皆性摯情眞之作，與吟風弄月唱珠和玉者自又不同。當然，由於附庸風雅，其中粗劣不堪入目之打油詩，當亦不少，正所謂「不是詩人長安二，爲何放屁在高牆」。茲謹擇其可誦者摘錄一二，以實本篇。

滿季拳匪亂後，禮闈暫就河南，以爲中州之故。有某先生赴試，過郭店驛，見壁間有女子題詩七律兩首並序云：

「妾維揚貧家女也，幼侍李姬香夫人，伴讀，今春夫人隨宦九江，遣妾歸里，詎奈雙親受誑媒妁，遽以千金鬻妾於大腹賈，良人齒將周甲，目少一丁，朝夕相看，默無一語，嗚呼！此身已汚，夫復何言，不知前世何愆，受此無窮罪孽，肝腸寸斷，血淚併流，聊賦俚詞，用舒鬱結，良人在側，尚瞪目問是作何生活云。」

其一

輕謫塵寰暗自憐，
誤人幻夢小遊仙。
如弓明月初三夜；
似箭春風十七年。
屋縱黃金傷不偶；
玉非白璧恨難捐。
無端竟屬沙吒利，
並少韓郎若個邊。

其二

怕泛鄱陽浪裏船，
雖知從此隔秦川。
心驚路遠三千里；
命薄身隨一萬錢。
恨不疏狂同白骸；
悔曾閨閣理丹鉛。
被他花蕊夫人笑，
旅壁權充十樣箋。

字跡娟秀，惜爲煙塵燻汚，幾不可辨，詩意沉痛，令人有紅顏薄命之感。只是在今天海隅，若干知識婦女，爲了拜金主義，下嫁目不識丁的金山伯者，亦大有其人，讀了以上兩首詩後，不知又當作何感想！

抗戰前，有某君遊南京後湖，見湖神廟壁間題有署名「瑣天」者，和許芥公一律，蘊藉低徊，似爲憔悴京華，孤懷不遇者所作。詩云：

落盡櫻桃燕子來，
水亭掃淨戰時埃。
風雲西北爭王氣；
賓主東南逐上才。
湖柳湖烟非弱水；
山花山鳥傍强台。
未隨許椽朝金闕，
先迎征蓬賦七哀。

黃季剛先生時在中大任教，曾稱道其詩，謂將依韻以和，後來是否實現，固未可知，但此詩一經品題，便已不同凡響。

福州西禪寺，曾住一丐，居恆乞僧積香之餘，以圖一飽，僧固不吝予之，丐亦樂於接受，期年無間。後主僧掛錫他去，繼其衣鉢的後僧，頗不相容，甚或加以惡聲。丐不堪奚落，乃憤然棄食嗟來，悻然離去，不知所往。離市之夕，以粉石題二絕句於殿壁。

其一

聆下昔貽淮市笑，
蹴爾今受寺人欺；
男兒欲洗心頭恨，
惜取青雲未遇時。

其二

倉皇一鉢出荒祠，
拾石還題殿上詩；
待許碧紗籠佛壁，
豈忘今日候鐘時。

後爲好事者所見，竟出資飭工爲龕護之，並誌跋其後，許之爲有志。

抗戰期間，大江南北義士，紛紛向四川貴州避難，一時滇緬道上，冠蓋往還，絡繹不絕。在村野小棧中的壁上，即曾發現過如下的一首詩：

淒涼歲月淒涼人，
昔日繁華比夢痕！
幸還留得青山在，
一場春雨綠成蔭。

這一位題壁詩人的處境，既正和今天我們流亡在海外的遭遇相同。此詩雖非代表大陸人的心情，但對于一個旅人的心情，則甚爲畢肖，如見其人。今天我們幸而留得青山在，苟活人間，然而倘一念及春風風人，春雨雨人，又安得有廣廈千萬間，盡庇流亡的寒士呢？

海嶠雲談

談馬寅初

行年已屆七十九歲的馬寅初，近年來在大陸上被共黨凌辱虐待到了極點。始而下放他到浙江的家鄉去勞動改造，繼又流竄他北走長春，南走海南島，予以多方的折磨，要他改變思想，成爲機器人。但他依然倔强如故，說是「要堅持眞理，甚至於對自己寶貴的生命有所不利，亦應担當一切後果」（見大陸上的共報紀載）。我與馬氏曾在南京中央大學共過事，知道他的個性確有一股先天稟賦的牛勁，遇事不肯盲從附和。他在對日抗戰時期，從重慶大學被遞解到貴州息烽縣去陪伴張學良讀書，也就是由於他那種不爲權威所脅制的牛勁性情所使然啊！

馬氏生長浙江嵊縣，這縣裏的人，賦性都很倔强驃悍，過去在上海灘上幹綁票生活的椎埋之徒，十九皆係馬氏的小同鄉。民國十九年春間，我與馬氏同由南京赴浙江典試縣長考試，路過上海時，下榻「一品香旅社」，賬房不知馬氏爲何許人，瞧着他在旅客登記簿上塡的嵊縣籍，懷疑是綁票人物，立刻請他「搬場」，他大怒，經我對賬房說明馬氏的身份後，纔告無事。他啞然道：「從今以後，我只好說是紹與人了」。這年我在中大的「法學季刊」上發表了一篇「多元的主權說」的文章，馬氏一見面就說：「你的論點很對，政府當局樣樣都要管，便是極權思想作祟，實在要不得！」這證明馬氏今天對共黨的極權奴役生活不肯屈服，乃是他一貫的思想體系，始終不渝，值得欣佩。

毛共政權僭立後，起初對馬氏另眼看待，優禮有加，先後封他以「華東行政委員會副主席」，「中央財經委員會副主任」，「政協代表」，「人代會代表」，以及浙江大學和北京大學校長等顯赫職位，企圖利用他的剩餘價值，替秧歌王朝作「民主」花瓶。他也欣然相安。他在七十歲那一年，還立志學習俄文，每天早晚由一個少艾的女共幹教導他，很勤奮地學習了兩年，自謂能夠讀俄文經典著作了。

他後來忽然遭受共黨歧視虐待的表面原因，是由於他所謂著的「新人口論」，共黨認爲「立場是資產階級的立場，方法是形而上學的方法」，對他的思想理論加以猛烈圍剿。實際却是因爲他在担任北大校長時，反對「黨委治校」這回事。他曾經再三要求辭職，且謂：「有些黨員同志說，黨不領導一切，就不成爲黨委。這個說法我不敢苟同。中華人民共和國有那一條法律規定一切都由黨委領導？中央領導同志時常說過學校中的工作一切都由黨委領導嗎？」這在共黨看來，當然是大逆不道的反動思想，假如不是馬氏而是別個黨棍人士，早就要以反革命論罪，縱不明正典刑，亦非宣告「失蹤」不可了。共黨現在對他使用精神與肉體的雙料虐待方法，還是希望他能作最後的屈服，然而，我相信馬氏準備着老命以堅持眞理的話，是明心見性之言，決不會變節的。前年章士釗在香港跟朋友談到人口問題，亦就是「馬爾薩斯的論調，是不能反對的，共黨硬要反對它，何苦來哉！」以仕當時的章氏尚且有此見解，一生研究應用經濟學有成就的馬寅初，豈肯隨便犧牲眞理？遙念斯人，心乎愛矣！（完）

諸葛文侯

詩林雜憶

錯把梅花當婦看

丁雨

余姻戚之能詩者，前舉黃炳鑫外，尚有陳辛規丈。陳丈爲余姊丈叔父，而又余妻之伯也，排第三，出身北平朝陽法學院，歷任湘省稅職。余讀陳丈詩，始民廿三年秋，其時輟學家居，常至姊氏家居停，陳丈亦適於是時賦閒，時以詩示余姊丈，因得窃讀之。雖當時余年尚幼，於詩文了無識力，然中心所好，獨在其詠九一八時事詩五律一首，口誦心惟，不覺成憶。其後，余年事日長，讀陳丈詩亦日多，抗日勝利後，余自陪都返里省親，復得讀其所著全部詩稿，然所好仍在前詩，豈「中心藏之，何日忘之，」於詩文亦有所謂一見傾心，永矢弗諼者耶？茲錄於后：

宋室下和詔，幽燕終不還。將軍休出塞，胡馬正塡關。烟漫連天黑，風吞大漢寒。朔東三萬里，無復漢儀官。

全詩純乎唐音，氣象高華，聲響鏗鏘，可爲高、岑、工部邊塞詩之續，至運用典實，切時入妙，猶其餘事。

陳丈另有詠梅七絕一首，亦載詩稿中，當爲其子侄輩所稱道，然余觀其詩，尖新儇薄，殆學袁隨園性靈詩而誤入魔道者，殊不足取。茲並錄於后：

孤山處士太嬌憨，錯把梅花當婦看，若使當年眞嫁汝，至今嫠婦遍江南。

共軍南下後，陳丈先余離鄉，遠適金陵，依其二子，其所爲詩稿，諒已成廣陵散矣。爲之一嘆。

自由報

THE FREE NEWS

第四十五期

中華民國僑務委員會發給登記證
台數新字第三二三號
中華郵政台字第一二八二號執照登記爲第一類新聞紙類
（每逢星期三、六出版）
每份港幣壹角
台灣本社代售價台幣一元
社長：雷嘯岑
督印人：黃行宮
社址：香港銅鑼灣高士威道二十號四樓
20 CAUSEWAY RD 3RD FL HONG KONG
TEL. 771726　電報掛號：7191
承印者：□鳳印刷廠
地址：香港灣仔高士打道一二一號
台灣分社
台北市南京東路一段二號二樓
電話：三○三四六
台郵政劃撥第二九二號

論池田登台與日本政局

甘家馨

曹操煮酒論英雄，目空一切，其實一個大權在握的人，亂點鴛鴦譜，有何難處；却是要對一個還在活着的人，嚴正地給以確實的估價，則任何人亦無把握；除非那些是「事後有先見之明者」！

日本老作家阿部眞之助氏，爲日本當代評論人物的最高權威；在七八年前，曾評論池田勇人不是第一流政治家，並判斷他要走下坡路；其時池田已是日本戰後風雲人物之一。然池田現在居然登上首相寶座，不是一流政治家也有一流政治家的地位，正走上坡路；由此可見評論活人，談何容易。這個道理亦很簡單，那就是人事變遷，因素複雜，很少可以供人預測推斷的規律；尤以政治場合更有許多不可思議的因素存在。

池田這次起來，我以爲得中共的幫忙是很大的。

當美日安全條約簽訂期近，日共和社會黨發動「人海戰術」，實行全面反美，剛在巴黎受俄帝侮辱的美國總統，被邀訪日，走到大門前竟不得其門而入，不打不成朋友的戰後美日友誼關係，橫受無情的打擊，可謂破壞不堪了。然日本多數人民，尤其是工商業者資本家，深知日本的生存，全靠美國的援助，長此搞下去，日本前途是不得了的；於是紛起大聲疾呼恢復國際信任，其實這就是指不能再得罪美國。池田在今日保守黨中，是美國的一個最忠實朋友，是與美國保持最密切關係的吉田的親信繼承人；環顧當前自由民主黨中的經濟專家，最能担當恢復美日關係之任者，莫此君若；他之所以能由資本家控制的各政治派系最後妥協捧上台，我以爲這是最大的因素。

池田旣然是日本「人海戰術」反美鬥爭打出來的，而指揮日共和社會黨演出這一幕惡作劇的是中共，所以我說池田上台，中共是幫了大忙的。

戰前的池田，是日本財政部的一個稅務官，戰後纔做到國稅局長；當時他滿腦裝的只是稅收數字，不知政治爲何物。然在國稅局長任內，他一度以「外資金庫案」會被整肅，頗受挫折；乃禍兮福所倚，他受此刺激後，從事政治活動的念頭，竟勃然而生，此後遂不再代替於稅務界老圈子，而決心投身逐馳於茫茫政海中，想追踪高橋是淸（戰前迭任藏相，後任政友會總裁，首相，「二二六」事變與齋藤實同時被殺），來做一個出身財政界的大政治家。精誠所至，金石爲開，池田憑着一股雄心，奮鬥十年，如今果然成爲高橋以後第一位出自財政界的保守黨黨魁和日本首相了。

岸信介是工商部科班出身，後來做到自由民主黨黨魁，有稱爲異數者。然岸氏在戰前已是部長階級，中間經個相當辛苦的過程，纔有後來的成就。池田不過是戰後派中的陡漲起來的人物，且數年來一帆風順，平步青雲，以彼例此，後者比前者更是吉星高照，官運亨通。

科班出身的人，最後做到黨魁，或許有人說這是日本大政治家人才不夠的表現。然從另一方面說，一個文官制度健全、民主制度有效的國家，這是常軌，試看英國的首相，部長，那有不是從科班出來的呢？日本這個國家，養成人材究竟有軌道；凡是公務員，都有憑資歷，功績，才能，取得大權高位的機會，比諸貪緣倖進，私相授受；或一個公務員背時則頭白老死，走運則腐化墮落的情形，迥然有別。我們對岸和池田的由科員進位首相的故事，應於此中得其三昧了。

科班出身而不是黨培養出來的人，是否不足爲第一流政治家，此難一概而論。試看科員出身的岸信介，這幾年來肆應繁劇，週旋內外，不是傑作迭出，博得掌聲四起嗎？我以爲岸氏比當年戰勝伊藤博文力爭英日同盟，後來果然打倒俄國的桂太郎，並無遜色；亦可媲美戰後的吉田茂，使日共與社會黨眞是碰見不可屈服的大對頭，亞洲政治舞台上很少此種人。再看搞到鬍鬚雪白如鳩山一郎之流，一旦當政，却做出許多不可告人糊塗透頂的事情，最後還想跟俄共妥協携手。所謂第一流的黨政治家，究有什麼價值可言呢！現在對池田有一種懷疑其政治才幹的論調，我以爲言之尙早。況且這位「勇人」，在日本以粗線條見稱，日本社會黨那些不是幼稚便是老朽的領導人物，未必能夠勝過這位保守黨的新領袖吧！

池田登台後，急待處理的問題不少，他將面臨考驗；預想在最近數月中，他的生活定是相當緊張的。

池田現在所面臨的最重大問題，就是應付社會黨及一部分輿論所要求的從速選舉，改組國會，穩定政局。這問題就自由民主黨的立場說，並不是嚴重的事；因爲社會黨無論怎樣尖聲怪叫起鬨，事實上，國會席次亦不能增加，自無推倒自民黨政權取而代之的希望。其所以高呼選舉者，無非挺而走險，漫天打卦，以爲最近亂鬧一場的下台之計而已。但就自由民主黨內部各派系言，重新選舉却是勢力消長演化的大事，因爲池田的政治地位，即繫於選舉結果啊！

日本若要鞏固政黨政治的基礎，尤其自民黨若要穩定政權，必先內部團結統一，纔有力量對外，因此，池田必須努力調整自民黨內各派系之關係，實現舉黨一致，此爲其當前的根本課題。池田在自民黨內最大的敵手是石橋湛山。他們的對壘，是由於財經政策不同；早幾年前，石橋任財政大臣，反對通貨膨脹，限制發行額，池田任工商大臣，主張不惜一切，大刀闊斧發展工商業，兩人形成尖銳的對立，各有理由，各不相下。但是石橋的勢力，現在已無重大的分量，而佐藤榮作和池田原先本有結盟的關係，同隸屬於吉田門下，現在其兄岸氏又傾向池田，故佐藤此次雖然競選總裁失敗，將不致跟池田分道揚鑣，且他日池田下台，他很有水到渠成，繼承其位的可能，今日正不必與池田爲敵也。石井光次郎是一有風度的人，必知顧全大體，相忍爲國的。由此觀之，關於自民黨內部團結的展望，似不必悲觀。

池田當選後，美國務院表示欣慰，由此可以預測其對美國外交環境，是會順利圓滑的。然就日本國內形勢言，日共和社會黨，對於有關美日關係的一切外交行動，勢必不擇手段，加以破壞，尤以反對美國在日本的軍事基地運動，最爲可慮。關於此點，池田似乎胸有成竹，智珠在握，他最近說是要恢復國家信譽，不要再被人愚弄，就是針對那些被愚弄的社會黨和一般天眞幼稚的民族主義者而發的。不過池田若想貫徹這個政策，必先修改警察法，加強維持社會秩序的步驟，日本人民都習慣守法，自民黨倘若充分運用法律力量，維護法律尊嚴，即可消滅那些暴徒的囂張，更切實的辦法是宣佈共產黨爲非法政黨，視日共爲日本的國賊。今日絕大多數的日本人民，都知道這種是非得失之道，共黨無法煽惑的。

池田登台，岸氏下台，同是日本民主政治的進步，可以令人欣羨的。岸氏一向被人譏爲官僚；然他臨難不苟，功成身退，把關於國家重大利益的事情，處理告一段落後，毅然掛冠而去，似此進退光明磊落的風度，在官僚積習甚久的日本社會中，將永垂一個良好的榜樣。池田當選以前，自民黨各派競爭劇烈，相持匝月，大有分裂之勢；然結果，互與協商私相授受的習慣被打破了，黨魁決於全黨大會的民主投票，這是合符現代政黨政治的常道，充分發揚着民主政治的進步氣象，實爲日本的幸事。

小鋼天下

△共黨向剛果變亂事件公然插手。赫魯曉夫悍然宣佈：考慮使用「嚴重措施」，對付參與「侵略」剛果的任何國家。美國不敢介入，它却大喊「我來」。這剛好證明：「唯恐天下不亂者」原以造亂爲天職。

△由於蘇俄對古巴與剛果明顯地煽亂，西方觀察家認爲：它的外交政策已有新的轉變。地理因素已不在它考慮之內。另方面，觀察家也認爲：美國已明顯地用最強硬的態度對付蘇俄。兩種觀察都對：主攻的蘇已加強，主守的怎能再退？

△中共大軍在西藏補給困難，印度不願以糧滋敵，共軍甚至要吃老鼠充飢。說是泥足深陷，不如說是害着「頭風」病。頭在西藏高原，腳在福建海邊，原患臃腫，添上頭痛。

△美國民主黨宣佈的政綱，及其當選爲總統候選人肯尼第的演詞，頗有「以天下爲已任」的意味。美國只是被迫「以天下爲已任」而已，妙在更因古巴事件而貼出「門羅主義」的古老靈符。

△肯尼第在其「面對前線」的競選宣言中，說出兩句妙語：美國人如欲「與共產制度之呆頭呆腦的前進」競賽，就必須像新墾荒者似的團結起來，控制這條前線。他要記住：共產制度是由一種具有木頭腦而配上狼心虎口與鷹爪的人永不知止地向前推進的。你說和它競賽，它要對你鬥爭。

△日本首揆更換池田勇人出代岸信介，臨末的那一場插曲是：一個極右份子向岸信介大腿上插了七刀，動機是恨他引起共黨發起的大規模變動。岸信介到底免不了因共黨而流一次血。

△美國主催的泛美會議開幕，與會各國代表大多數譴責古巴投靠蘇俄的不是。古巴以「一任傍人說短長」的態度，對付「門羅主義」的譴責，美國將如之何？

△盛傳中共中央秘密在上海集會，以挽救萎縮的農業生產爲主要議題。

直到現在，蘇俄農業生產失敗的痼疾仍然困惱着赫魯曉夫。共產制度與農業萎縮結有不解之緣。蘇俄糧食困難的紓解，完全倚靠十年來對中國大陸的搾取。中共只有「受搾」而決無「可取」，註定是「苦命」，也註定失敗。

方南

自由談

以古驗今

史載漢武帝時，徐樂上書言政事，謂「天下之大患，在於土崩，不在於瓦解」，他解釋「土崩」的原因是：「民困而主不恤，下怨而上不知，俗已亂而政不修」，結果天下大亂，人心瓦解，陳涉，吳廣以匹夫之資，即把暴秦的統治推翻了。徐樂的言論甚直切而無所顧忌，然素性好大喜功，擅專威福的武帝劉徹，却歎然答道：「公安在，何相見之晚也！」像這樣君臣們於和諧親切的氣氛中，暢談庶政得失的風度，求之於兩千年後，號稱實行民主憲政的我國統治人物，亦復不可多得吧？

徐樂指述的土崩情形，古今一揆，毫無二致，我們回憶十年前大陸淪陷時的一切事象，不是一模一樣的嗎？十年後的政府文武百官，十九都是猶吾大夫崔子，其觀念，其作風，究竟改變了多少？如徐樂所說的土崩因素，舊的是否殘存着，新的是否滋生中呢？

董仲舒說：「善言古者，必有驗於今」。今日要想解除民困，消弭民怨，防制俗亂，必須以改革經常與民衆有切身利害關係的政事爲首務，例如警政，司法，地方自治等是也。假使警政貪殘，司法黑暗胡搞，選舉舞弊不公，一般老百姓的日常生活，即隨時在[illegible]困鬱結憤懣的狀態中，政府縱然傾全力於經濟建設，發展生產，亦祗是替那些貪贓貪污，殘民營私的大小吏員造機會。這就是公營或國營的生產事業越多，而民衆對政府的離心力越增進的癥結所在，可惜高高在上的大人先生們見不及此，莫名其妙也。

今日的民間輿論界人士，個個具有徐樂那種憂國憂民的心情，亦個個願意作徐樂，却不容易聽到「公安在，何相見之晚也」這類求治心切，能受盡言的回響；說不定還有招致「投諸濁流」的災難及身呢！好諛而惡直，報喜不報憂，這兩種風氣是相因相成，互爲表裏的。大家如果不知大澈大悟，痛改前非，則所謂「政治反攻」的廢話，我看還是少說爲上罷！

馬五先生

有錢判生，無錢判死

光怪陸離的司法界

台北通訊　劍聲

司法界最近連續有三、五案件，等於不打自招，承認司法審判是：有錢判生，無錢判死。司法的尊嚴，在國人面前，已經掃地了。

台南地檢處檢察官孟劍平，因追求柯月娥，而濫用職權，被控瀆職罪與重婚罪，七月五日被嘉義地方法院刑庭判處有期徒刑五年，褫奪公權五年。孟之姘婦柯月娥判處有期徒刑二年，並科罰銀元二千元。孟劍平被控瀆職罪的事實有五件，這五件就是：一、四十六年間柯月娥與[illegible]案為公賣局查獲，案由孟劍平偵查，柯月娥竟以「不正當東西」行賄，致該案被處分不起訴。二、新營商人林奉山欠柯丁一部份貨款，原是債務糾紛的民事案件，柯丁告由孟劍平偵辦，孟用其職權脅迫林奉山限期還款。三、另一商人沈岱山開出一萬餘元一張支票由蘇登獻背書，因沈破產無法兌現，柯丁父女竟告蘇登獻詐欺，也由孟劍平審辦，因蘇登獻不肯認罪，孟便把蘇登獻羈押。四、四十七年間柯丁向台南宏利火柴廠訂購火柴十簍，由聯運公司運交其子柯有諒簽收，但柯丁否認貨已收到，控告聯運公司新營負責人陳闊詐欺，孟劍平亦予偵查起訴，但審判時陳闊則被判無罪。五、柯家親戚侯再添因想在新營市場租個攤販位，先與優先租用人沈再振造成糾紛，繼由孟劍平出面在新營私自傳訊鎮公所市場主辦人蕭清華，因蕭不認為侯再添有權承租，孟竟將蕭扣押，復由鎮長求保釋放。孟劍平檢察官為一個女人，視法令如兒戲，任意為所欲為，而造成五件冤獄。

其次是轟動社會一時的台南高分院推事高蔭受賄四十五萬元瀆職案，七月七日，台南地院業已宣判：高蔭公務員對於違背職務之行為，收受賄賂，處有期徒刑八年，併科罰金四千元，褫奪公權陸年，賄款新台幣四十五萬元，對高蔭沒收之，如全部或一部不能沒收時，追繳其價款。

上述兩案均由法院正式宣判徒刑，其犯罪事實，均已載諸司法機關的公文書，

由此可見，司法官的操守：並非如官方自我宣傳的那麼清高。

就在這兩案宣判的時候，又發生一件司法機關不信任推事辦案件為公平的鬧劇。這件案子發生在花蓮地方法院，因為該院受理花蓮縣卸任縣長胡子萍涉嫌砍伐風倒木案，當事人胡子萍請求移轉管轄法院審判，台灣高院准如所請，並向花蓮地院調查，據花蓮地院七月一日呈文高院，承認承辦胡案的推事鄭小隱，有難期公平之情形，於是，高院乃據此而裁定胡案，移轉宜蘭地方法院審判。不料，花蓮地院於七月三日接到高院裁定書後，而於五日將胡案宣判。但主審推事鄭小隱却因不服高院裁定，乃將砍伐風倒木案五位被告判刑。至於胡子萍，既不移轉管轄，也未審判，要尊最高法院裁定。於是高院只好向報界發表聲明，指摘花蓮地院承辦推事，在審理胡案時是不公平的。這是司法界一件不平當的新聞，無異自已打自已的嘴吧！

七月八日的台北民聲報紙上，又出現了一則新聞，這則新聞揭發了兩個司法人員的非法貪污。據報界說：台北地院稅務執行處執達員胡屍成等貪污一萬八千元，司法當局曾下令不得洩漏消息，結果被跑司法的記者發覺而終於見報了。本來司法大厦記者一向都是合作的，但這次却不合作了，因為司法大厦的司法首長，對官報記者莫不「言聽計從」，對民營報的記者總是愛理不理的，許[illegible]

張學良再起有期

早已由新竹縣移住台北陽明山上的張學良，本月上旬在寓所過生日，若干政治要人皆到張寓祝嘏，頗形熱鬧。這表示韜光養晦廿年以上的張氏，快要恢復自由生活了。據說，他將卜居於台北市內新建築的私宅中，且可能擔任政府的某項公職云。

台北剪影

丁丁

駐越南大使袁子健這次回國述職，為着越南政府清理華僑會館財產問題，大受各方責難，尤其是某某立法委員對他攻擊更兇，說我國對越南的外交事務，皆集中在雷震遠神父的「太平洋學會」了。這些話殊屬費解，亦未聞外交當局有所說明，怪事也。

公論報糾紛未了

公論報的內部糾紛未了，外間謠傳該報這場「內鬨」另有政治因素摻雜着，殊不容易平息下去。一般新聞界人士希望這消息不確，否則太可慨歎了。

南韓新任命的駐華大使白善燁，過去曾肄業我國中央軍校，對中國情形很熟悉，今後的中韓邦交，將更趨親密無疑，台北各方面人士聞訊皆表示欣慰。

新書評介

評程天放著「美國論」（下）

筆者對此書前十七章的議論，大體上都頗能贊同。然書中第八十頁第九十九頁與第一百頁關於馬歇爾將軍在珍珠港事件發生時，以及其使華調解國共爭執的經過，程先生因站在美國友人與中國政府官員立場，所敘述的不免含蓄，但凡讀過美國國會關於此兩事件之各種詳盡報告，以及無數公正學者如巴恩斯、張[illegible]林，弗林等人的著述者，均知馬歇爾氏在前一事件發生時有難言之隱，而在後一事件過程中，懷有成見，與遭受共黨欺騙，以致中國大陸淪陷，使共產勢力加強。美國的共黨同路人學者每隔數年必寫一書為馬氏辯護，但馬氏晚歲拒絕寫回憶錄與自傳，其至死良心不安之心理，是人人皆知，並寄予以深切的同情的。我個人認為百年後的史家，將中日美英各檔公私史料詳細研究後，會得認馬氏對美國與人類之貢獻是功不掩過的。

作者對程著之第十八章「美國文明之評價」一章，認為有可以商榷之處。程先生在本章最後一段，對美國人誠懇忠告：「盼望美國人要提高警覺，不要因厭惡戰爭，而疏忽了國防，不要為愛好和平而願付任何代價，不但在軍事經濟方面要保持強大的力量，不但在科學工業方面要保持領先的地位，並且在倫理、道德、學術、思想、意識形態各方面，也要加強努力，保持活力和朝氣，不腐化，不墮落，然後才能在這個空前的鬥爭中贏得勝利。」這是任何中國讀者對美國具有友誼者所衷心贊同的。但是今天美國與自由世界所遭遇的敵人，是國際共產主義，而後者是西方科學技術文明本身的產物，是三百餘年來經驗主義自然主義實驗主義功利主義倫理相對主義所倡導的世界觀人生觀的結果。一百餘年前，託克非勒氏便對美國民主之將來抱有杞憂。近數十年來，歐洲學者如奧太格、儒伯克、海約克、馬理唐、許華州、伏格林等等，以及美國學者如白璧德、克理區、索羅金、粵佛、冠克等等，均對西方文明的缺點，二十世紀的危機，有極深刻的分析與說明。（可參看人生雜誌二二六期克勒區氏論文與二三三期論儒伯克氏思想之論文。）當前人類的問題，不是「進步的人生觀」（即科學的人生觀），或生活程度之不斷提高，或全世界普遍裁兵所能解決。今天人類（包括自由世界與共產國家在內）的危機，是三百餘年來西方的重物輕人，重利輕義，重物質不重精神的主流思想所引導而來，目前局面，正在加速度的惡化，我們只要看一看程先生大著脫稿以後，六個月來世界上發生的種種事件，便可明瞭。因之，我對於有了物質文明的國家必須同時有精神文明的說法，不敢苟同，希望將來有機會撰文申說。最後，我願引用儒伯克氏新著「人道的經濟」書中一段警語大意，作為本文之結束：「共產主義毒性之來源，由於整個西方社會的危機，後者現已傳染於世界其他各地區各人類。此種社會的精神的與道德的基礎之解體，使此種人（特別是知識分子）自其家庭，傳統，與宗教分離，而為無根之飄萍。最初在中國大陸，現在則波及回教世界，與印度暨日本，此為共產勢力加強之主因。」

四十九年七月美國國慶日完稿

顧翊羣

大陸文壇萬花筒

柳亞子悔上賊船（四）

岳騫

毛澤東看了這首詩，大不開心，不過他當時正作着秦皇、漢武的迷夢，對柳亞子究竟不好太認真，況且毛澤東自己喜歡謅幾句歪詩，也正需要柳亞子這樣一個弄臣。所以當時毛澤東自己就寫作了一首詩去勸柳亞子，不要離開北平。

毛詩原文是：「飲茶粵海未能忘，索句渝州葉正黃。三十一年還舊國，落花時節讀華章。牢騷太盛防腸斷，風物長宜放眼量。莫道昆明池水淺，觀魚勝過富春江。」

這首詩大概是毛澤東自己作的，說它是律詩，其中「三十一年」如何能對「落花時節」；說它是古詩，[illegible]

柳亞子接到這首詩之後，馬上統戰部派人來「說服」他，柳亞子不一定怕毛澤東，但是却不能不怕統戰部，因為死生大權都掌握在他們手裡，就在這時又發生了一件張西曼死亡事件，更把柳亞子嚇死了。

原來張西曼是俄國留學生，回國後在幾間大學教書，言論（並非思想）左傾，[illegible]

短短兩個月的時間，張西曼的幻想破滅了，他看到中共統戰部在北平城內推行政令，完全和他想像的不同，[illegible]

創制權和複決權（上）

淦克超譯

[illegible]

社會小說

香港地

四、高的低的

可是，後來翟新開對梅大亮說的一番話，卻使梅大亮大大不明所以。

他把梅大亮悄悄的牽到一個角落去，很鄭重的問道：「梅兄，你是一個很熱心的人，素來激烈反共。大概你也贊成集合一班志同道合之士，做些救國救同胞的工作吧！我很希望你能做一個實幹苦幹的領導份子。如果你肯答應，我决定幫你的忙，誓爲後盾。」

梅大亮聽得愕然，尤其是對於「誓爲後盾」這一句話，覺得甚爲刺耳，便表示不敢有這種抱負，並且向他反問：爲什麼他自己不肯出面領導，只要誓爲後盾。

翟新開歎了一口氣才道：「你有所不知，幹這種事，沒有一班屠狗弟兄是不成的。我是有洋房汽車的人，表面過的是很寫意的生活。做領導的人和弟兄們生活狀況不同，一邊高一邊低，不只在道理上說不通，也會招來很多埋怨與麻煩。我不比你一向住在木屋區裏面，本身吃得苦，也和窮人們合得來，只要你肯領導，自然有人信服，我只在幕後做個實際的支持者，不必身到台前去亮相，那便可兩全其美，達到招兵買馬的目的了。」

梅大亮一聽，恍然也是悚然，心裏便想道：「這莫非是叫我去號召一些有熱血的窮人準備賣力和賣命，他卻去住他的洋房，坐他的汽車，只拿『誓爲後盾』這一句話來示他的義氣？這事眞非小心應付不可。怕的是知人知面不知心，他的底子確實值得留意，今後也該摸清楚了，才好和他認眞做朋友。」

梅大亮總算婉言推卻了翟新開的請求，事後便一直不見他來作酒肉之約，只偶然在路上碰碰頭，嘻嘻哈哈的說些寒暄的話，如今忽蒙他折柬相邀，並且假座山頂一家富人住宅來請酒，自不免要作一番猜測了。

這時梅大亮正在存心要多多向外面活動，對於翟新開這番邀約，當然沒有拒絕之理。他很快就作了一個决定，自語道：「好，我一向住在最低的木屋區，有機會走到最高的山頂豪華住宅看看，也是一宗好事。」（四四）

木客著

論政爭

陳健夫

人生在世，不能無爭，雖聖人亦不能免，爭眞理，爭是非，皆是爭，固不限於爭權利。

爭大略可分爲三等，第一等是道爭，如爭眞理，爭道統是爲道爭，各以學術思想道德人格相爭，這便是聖人之爭；第二等是義爭，如爭是非，爭正義，必須心懷磊落，手段光明，這也是現代的競爭，這便是君子之爭；第三等是鬭爭，如爭權利，爭利害，爲達目的，可以不擇手段，這便是小人之爭。世上的人，任何人不能免於爭，自聖人以至常人，莫不有爭。

政治是一種爭的事情，乃是無可避免的，我們不必諱言「政爭」這兩個字，政治上的爭，也可分爲三等：第一等是屬於道爭，是不爭之爭，如孔子的：「爲政以德，譬如北辰，而衆星拱之」，如堯舜之讓位，華盛頓的開國。這就是說有德行的政治家，是無法與之相爭的，他不必與人相爭，自必「衆星拱之」，這就是儒家傳統的禮治、德治。第二等是屬於義爭，也可以說就是今天盛行的競爭，也就是今天的民主政治，民主政治便是一種有規範的競爭。民主政治是獎勵這樣的政爭的。第三等便是鬥爭，如小人的爭權奪利，搞小組織，小派系，壟斷獨裁，這便是不擇手段的鬭爭。不配稱爲政爭。

今天我們討論到政治風氣，雖不能取法乎上，學習聖人那種道爭，至少我們也得提倡君子之爭——義爭，競爭，而對於下等的鬭爭，便要深惡痛絕，加以排斥。

論到政治的競爭，正如孔子說的「揖讓而升，下而揖，君子之爭也」，這種風度，便是現代的民主競賽精神，可惜，我們有這樣好的學理，卻沒有去發揚。

論到這種民主制度之下的競爭風氣，那是值得倡導培養的，大家在軌道之上從事競爭，乃是正當的，無可非議的，眞理愈辯愈明，政治愈爭愈進步，論到政事，首先必須有兩個以上的競爭對手，因爲一個人上台，沒有對手，是無法競爭的，所以現代民政治制度之下至少也應有兩個大的政黨對立，才可以相生相尅，相對平衡，發生進步的運動，如果不具備這個基本要素，究竟誰同誰相爭呢？那便是一人上台，天下無敵了，原不是天下眞正無人才，乃是因爲人才沒有制度保障他走上舞台去參加競爭，他卽有本領，也無從表現，這樣的政治便只有一方面的表演，而沒有多方面的競爭了。凡是沒有競爭比賽的政治，究不能算現代的眞正民主政治，這個道理，我想是不可能將它否定的，試問一個君子上台，怎樣相爭呢？自必須有兩個以上的君子，才談得到「揖讓而升，下而揖」，成其爲君子之爭。一個君子獨佔舞台，不讓別的君子上台和他作對手，這便有失君子之風，而且也算不得君子了。這現象乃爲現代民主制度所不承認的，其實孫中山先生便是第一個倡導民主政治的先知先覺，當時的康梁之徒，都主張君主立憲，而中山先生卻堅持要民主共和，中山先生在世之日，對這種民主競賽的制度及風氣，是深爲嚮往與嘉許的，還可見於他在民國初年的許多次講演，可惜我們奉行他的遺教，至今還不能實行他的政治理想，實在是可惜，可惜！

到了今天，我們倡導這種民主競賽的制度與風氣，雖然已嫌遲些，但畢竟還不太晚。只要大家正心、誠意、光明磊落的從事民主政治公平合法競賽，國家必定進步，必定富强康樂，社會風氣也自然不變，不至於走上專制時代那樣揭竿而起，造反造亂的境地，也不至於造成像共黨制度之下那樣鬭爭殘殺的可怕風氣。人與人心中的積壓日久的不平之氣，也可以循合法的民主制度來發洩表達出來，不致積怨在心，形成一股怨氣戾氣，動搖社會的根本，這便是今天我們社會化戾氣爲祥和的契機。

「一千八百担」作者吳組緗

丁雨

詞林雜憶

近日偶閱吳組緗氏小說散文集，覺其所著之「一千八百擔」速寫，描繪抗日前農村人物風貌，特爲傳神阿堵，入骨三分，誠名世不刊之作。覩書思人，因畧述其家世及造詣於次。

吳氏安徽全椒人，爲儒林外史作者吳敬梓族人後輩，早年肄讀清華大學中文系，喜治小說，在校時卽已嶄然露頭角，曾梓有專集行世。畢業後輾轉服務於文化、教育界，曾任中央、清華二大學及四川社教學院講師及教授。創作小說，特以謹嚴著稱，故生平作品甚少，僅結集短篇小說二部，長篇一部。其因可於所選小說散文集前記中窺見之：

……更重要的是我寫得少，現實向前推進了，我的筆沒有跟上去。這原都爲生活所限制，爲認識所限制。當初我毫無自覺，還認定「寫我比較熟悉的」，「寫不出不勉强寫」。現在才算看得清楚些，就不能那麼心安理得了。

此處所云「現實向前推進了」，「爲認識所限制」，「現在才算看得淸楚些」，均爲迎合大陸匪共現政權之托辭。實則吳氏平日爲人極爲平和穩健，對當前政治從不表現過激態度，故不遭從政者所忌。相傳當抗戰中期，吳氏任教中大新文學課程之前，校方曾有意聘請郭匪沫若任教，後以郭氏過度左傾，恐在學生間釀成不良後果，致作罷論，因而改聘吳氏。由此可知，其創作量之少，實以「爲生活所限制」，「寫不出不勉强寫」，爲其根本因素。而其曲意迎合中共，則出於環境之逼廹，非其本性然也。

儒林九尾龜

吳敬鋅

第一回：萬里雲羅一雁飛

談到這裏，小石急了，問道：「洪先生同先生在一起飲茶，談些什麼呢？」

盧教授擺擺手：「你不用急，我現在找你們開會，就是討論這個問題。據洪先生告訴我，只要我肯去台灣，可以給我一個部長，除去財政、外交、國防三部之外，由我挑揀，不過我還在同他討價。」

聽了盧教授的話，六個人的表情各有不同，有的興奮，有的失望，李鴻飛嘴角含着冷笑。

好在盧教授倒不注意這些，又繼續說道：「我當時提出條件要內政部，還要兼行政院副院長，老洪表示有些爲難，要寫信回去請示一下，再答覆我。」

鄭仲明突然插嘴問道：「先生是法學名家，又是辦教育出身，爲什麼不幹本行教育部或司法行政部呢？」

盧教授笑道：「你聰明是相當聰明，可是只知其一，不知其二，這裏面另有一個原因，內政部在行政院名次是排在第一的，所以副院長由內政部長兼任的次數最多，其次才能臨到外交，財政，國防各部部長，至於教育司法行政兩部的部長，從來也沒有兼任副院長的機會。」

小石說道：「先生爲什麼一定要兼任副院長呢？」

盧教授笑道：「那好處可多了，當院長缺席時，可以代理院長主持院會，假若內閣改組，又是最有希望的候補院長，所以這個階層非經過不可的。」

李鴻飛忍不住了，插嘴問道：「我們在學校時，老師不是常常教訓我們要立志作大事，不要作大官嗎？」

盧教授眼一瞪：「這是驚濤社，不是學校，你怎麼還是喊我老師。」

盧教授一發脾氣，李鴻飛眞莫明其妙了，當時恐怕吵起來累了黃安民，只好忍下口氣，不再開口。

這時飯已弄好，盧教授匆忙喫了飯，就回去了。

盧教授走後，李鴻飛搶先問道：「各位學長，我實在不明白，我剛才稱呼一句老師，怎麼會犯了忌諱。」

烏應桂笑道：「這件事只怪安民事先未告訴你，你加入驚濤社之後，和盧先生之間就不是師生關係，而是黨魁與黨員的關係，黨員稱黨魁一定要稱先生，過去胡漢民、汪精衞對中山先生也是如此。」

李鴻飛歎了一口氣：「安民，你把那張表退給我，還是讓我敲石子去吧！」

黃安民笑道：「你忍耐一下吧！眞到了住不下去時，走的也不是你一個。你現在肯陪我們，將來我們自然會陪你的。」（六）

門羅主義

徐學慧

一百三十七年前的時間與空間，無論如何，是不同于現在了。一百三十七年之前，沒有飛機，沒有火箭，沒有人造衛星，在那時，一道太平洋，一道大西洋，可以把美洲孤立于大洋之外，因此，當日美洲的政治家，乃可以高唱我固吾圉的政策，照天然的地理環境，阻擋了外來的侵畧。這就是有名的「門羅主義」。自門羅主義宣佈迄今已一百三十七年，其間的人事變化是如此巨大，由于交通工具之發達，太平洋與大西洋也不算什麼阻隔了；越洲火箭僅需十幾分鐘就可以橫渡大洋；在這樣的情形之下，地球上的人類，已經無法孤立，固已不待詳言。同樣的道理，門羅主義是不能適用于今日了。

由于赤色勢力之侵入古巴，美國那位不良於行的國務卿赫德先生，在無可奈何之餘，居然又只好乞靈於過時的門羅主義，警告蘇俄不得染指西半球。其實，赫德的警告，儘可能出之以其他方式，大可不必把門羅主義搬出來的。

今天這個時代，已不是我固吾圉的時代。作爲一個自由世界的領導國家的國務卿，如果僅只是以重申門羅主義，來作爲對付共產勢力之侵入西半球，那就不免要令人懷疑到：美國眞正是沒有人才。

美國沒有人才，如果是在一百三十七年前，還不要緊。可是，在這個時代，美國無人，那就不免是一大悲劇。

最近一年來，美國在世界各地所遭遇到的問題，益令我們加深了美國無人的感覺。巴黎的高峯會議之停開，旣令艾克鎩羽而歸；日本的暴動，復令艾克過門而不敢入；凡此種種，皆屬美國的外交政策之失敗。古巴之有今日，又何嘗不是美國的外交政策使然。杜爾斯如尙在，大概不致于要乞靈于門羅主義吧！門羅主義的本質，類于自衞，是消極的，而非積極的，在一百三十七年前，這種主義可能適用于美洲，但今天，空間與時間都有了變化呀！

對共產集團的政策，必須積極的採取主動，萬不宜消極地自固吾圉。美國務院的聲明，謂一百三十七年前的門羅主義至今仍然活着；旣然活着，則何以古巴會突然赤化？

我們樂于看到美國用任何方式警告蘇俄，卻不願見其用狹隘的而且經已過時的門羅主義。

釋耒集

資格

我國博士之名，遠自戰國已有之，劉向說苑尊賢篇云：「博士淳于髡」。史記循吏傳亦云：「公儀休，魯博士，以高第為魯相」。二者均戰國時齊魯之人，而齊又有稷下先生，大抵亦博士之類，然其時流品蕪雜，占夢卜筮者均得為之。及漢帝，用董仲舒議，抑黜百家，獨五經得置博士。嗣是博士一名，始為儒生所獨擅，而其地望亦漸以尊顯。但亦僅兩漢為然耳，漢以後，凡立博士諸經多不傳，士亦不以專經為其志業，而經學中衰。唐宋兩代，國家取士，專尚文詞，因又有翰林之名目，然書、畫、醫、卜雜流，仍濫厠其間，聲問清華，足為世人企羨者，獨翰林學士耳。降及明代，始專以翰林院處文學之士，凡殿試入選一甲者，例得入翰林院。二、三甲為庶吉士，仍得循資銓注。此輩青年高級知識份子，週旋禁近，又身無一定職務，但內閣學士，必由翰林院出身，而翰林院遂不啻為人才淵藪，學術集團，宜乎一代文人，韞出于此矣。而考諸明史，則殊不然，即如號稱四大家之李夢陽、何景明、王世貞、李攀龍，均非翰林出身。次一等者，如柯維騏、唐順之、田汝成、袁中道、袁宏道、歸有光，亦非翰林，惟均進士出身而已。若祝允明、唐伯虎、譚元春、艾南英，實僅為舉人。然各以詩文著作，至今傳誦不衰，以視廁身詞館之翰林學士，實遠過之也。夫經師資格，莫高于博士，文人資格，莫榮于翰林，而博士之經失傳，館閣之文味沒，則資格亦未見全可靠矣。近閱本港各報，得見大專學院徵求教師之啟事。所列資格，首重學位，其次為著作，再其次為經歷，應徵者得按其所具備之條件，申請為副講師，講師，或高級講師。所謂著作云者，詩、文、史、傳，例不得充數，故必作為學院式之學術論文，嚴格言之，則古章句傳疏之學耳。頗與經生隨類比次之述作同科，依此以言，則仲尼刪舊史為春秋，不足為著作，而論語出門人所記，等同語錄。孟軻、荀卿之書，亦散文而已，其不得充數可知。等而下之，韓昌黎之碑誌贈序，柳柳州之山水遊記，則更無論矣。是則仲尼、孟軻、荀卿復生，亦僅能濫其教學經驗，受僱為副講師；昌黎、柳州，出身進士，叙資宜可較高，然亦不得為高級講師也。東方生曰：「方今天下之大，士民之衆，竭精馳說，並進輻湊者，不可勝數，悉力慕義，困于衣食，或失門戶，使張儀、蘇秦，與僕並生于今之世，曾不能得掌故，安敢望常侍侍郎乎？」然則仲尼之不得為高級講師者，亦勿怪矣！

曲齋

粟海彈心錄

以周易占世界吉凶（下）

巽卦☴☴中爻為「暌」——☲☱。暌者，「君子以同而異，其志不同行」，其象與中美志行相左占象近。「上九、豕負污塗、載鬼一車」，其象與今之日本學生示威，韓國政變切合。占象至此，為之噫然，旨哉易乎，大哉易乎。

巽卦☴☴。變則為「震」——☳☳。「震、震來虩……震驚百里」。其占象與今之原子彈近。「上九，震不于其躬，於其鄰」。或者與國先受其震，美國起而應之，與今之美國外交決策占象近，然則所謂數也歟。

蘇俄占象大過☱☴。大過者，剛過也，有其德，則大過於人，無其德，則太過於理，故剛過則折。「棟橈，本末弱也」。棟、梁上屋脊之木。橈，曲也，棟橈則屋敗，「不可以有輔也」。本末弱，上失其道，下失其民也。其占象與蘇俄之國內實際情況同。「上六，過涉滅頂，凶」。上六，事之終極，前以象顯，後以理明，故斷言其滅頂之凶也。

大過☱☴錯「頤」——☶☳。頤，養也，自養養人也。其象與共帮之內頤以結黨徒，外頤以事間諜同。「虎視眈眈，其欲逐逐」。占象與共帮之必欲吞併世界，殺盡異己者又同。

大過☱☴。綜仍為大過。頤☶☳。仍為頤。（綜即顛倒）占象與蘇俄之列魔，史魔，馬魔，赫魔等，如同一魔同。英美人士，冀其有所改變者，自誤誤人耳。

大過中爻☰☰四陽。頤中爻☷☷四陰。故無互體。互者，相互為用。其占象蘇俄中共不能與民主國家及其他非共產國家，相處相容同。

大過☱☴大象為「坎」——☵。坎者，險也，曲也，陷也。（見說卦）其象與共帮之居心其行也曲，與其自陷人也毒同。

象之為象，在人默而識之，比而求之，會而通之。則象變乃能得其盡其用。本無實法，立一切法耳。

阿公

閒話放屁

筱臣

最近讀了本報第四版曲齋先生所寫的「毛澤東的痛苦」，內中述及章士釗曾對人說談陸當權人物中，以毛澤東心情最痛苦，究其何以如此，則曰：「既於馬上得天下，又須於馬上治天下，雖明知其敗，而又無術以更張之也。」這種鞭辟入裏，自非內幕中人無法道出。祇是一般嘍囉們，又何嘗知道毛內心的苦痛呢？

這一般無識之徒，祇知道天天歌誦毛澤東，學習毛澤東，最近看到有一本「毛澤東詞選」。一律是宋體字，印刷裝訂，均極其精美，古香古色，在厚今薄古的極權政制之下，說起來真有點未免太滑稽了。

因此，有人懷疑到，這一些認慣了簡體字的共幹和學生們，看了這部毛澤東詞選，亦將瞠目不知所云罷。

筆者的聯想，倒不在此，只是偶憶起「笑林廣記」中有如下的一段記載：

「先生最愛放屁，將椅子挖一竅窿，為放屁出氣之所。東家見而問之，先生因述其所以然。東家曰：『放屁只管放屁，何必刻板？』」

這個笑話的着眼點不在乎放屁要將椅子挖一竅窿，而在乎放屁只管放屁，何必刻版的「刻版」。關於毛澤東所作的詞，內容的誇妄，修詞的不通，海外文壇評斥頗多，尤以本報「大陸文壇」作者岳騫先生在祖國週刊及其他報刊，迭有嚴正的批判，如果這種作品出版，眞是災梨禍棗，令人為之憤嘆。毛之詞不僅是刻版，而且還是宋版呢！

只是話又說回來，這次替毛澤東印詞選的動機，無非是共黨一些嘍囉們，拍拍馬屁無聊之舉而已。

因又憶及「笑對」上載有一士死見冥王，王忽撒一屁，士即拱揖而進詞曰：

「伏維大王高聳尊臀，洪宣寶屁；依稀絲竹之音，彷彿麝蘭之氣。」

王大喜，命牛頭卒引去別殿，賜以御宴，至中途，士顧牛頭卒謂曰：

「看你兩角彎彎，似為天邊之月；雙目烱烱，渾如海外之星。」

卒大喜甚，扯士人衣曰：「大王御宴尚早，先生家下喫個酒頭了去。」這位做「屁」的文章秀才，可說善於拍其馬屁了。某些尾巴報紙，亦將毛詞製版刊出，其工於拍馬，毋乃類是。

在廣東某縣，有林觀過其人，向有神童之目。七歲能詩，有人在市上以賣詩自炫。有人戲令其詠「放屁」，林觀過吟曰：「視之不見名曰夷，聽之不聞名曰希；不啻若自其口出，人皆掩鼻而過之。」

這種形容放屁的形態，總算是維妙維肖，而且有典有則，不能不說是妙詩而富有奇趣。

另有一則轎夫的故事，也涉及放屁的趣聞。據說從前汽車沒有輸入中國，大員出入，均是乘四人大轎，此類轎夫，肩負任務不同，進止步驟亦異。好事者常就四人姿度，各為四字語，以資取笑。如謂轎前第一人為「揚眉吐氣」，因其職在引導，可以昂首呼叱領導前進。第二人為「不敢放屁」，因其背向主人，倘一放屁，必然受到斥責。轎後第一人則為「昏天黑地」，因其俯首隨行，昏昏然不知所適。殿後一人，則為「毫無主意」，因其一步一趨均屬莫能自主。

清季曾有人以此比喻四種京官，謂轎夫前一人如軍機大臣，聲威赫赫，好不威風，大有「揚眉吐氣」之勢。第二人為御史，噤若寒蟬，有似乎「不敢放屁」。轎後第一人為翰林，渾渾噩噩，有似「昏天黑地」。殿後一人為部曹，俯仰承旨，大有似「毫無主意」之概。以上的比喻，可說是各如其份，刻劃入微，恰當無比。

祇是今天的中共官場現形記，又何嘗不是如此，自從大鳴大放以後，若干人士遭受到整肅後，又有誰何敢隨便「放屁」呢！

海嘯樓談薈

秕政中的趣事

今春三月，我在台北作客，一日晤及警備總司令黃達雲（杰）將軍，閒話軍警稽查民間生活動態問題，他說：「我担任現職後，即禁制憲兵警察隨便到旅館檢查旅客，或進入私人宅第干涉民間的家庭娛樂如打麻將等事」。我對曰：「此德政也，應予大書特書，永垂良謨焉」。

夷考都市軍警藉口治安關係，每於深夜馳赴旅館盤查旅客之所為，原係北洋軍閥政府的一項秕政，始作俑者為袁世凱。他於民國二年敉平革命運動之後，乃在首都設立「軍政執法處」，專司查緝革命黨人活動而予以究處的暴虐非法職務。戾氣所鍾，全國各大小軍閥尤而效之，馴致普通旅客亦受其擾害了。民十五年國民革命成功後，舊有北洋軍閥政府一切擾民虐民的秕政苛政，皆在革除之列，唯獨軍警檢查旅館住客這項蹂躪人權的罪惡制度，依然沿襲如故，實為革命之羞。中央政府遷到台灣以來，人民出入境皆有嚴密的管制，憲警檢查旅館，屬毫無意義的行為，若謂旅客狎娼，有傷風化，不可不禁，這亦與治安機關的職責風馬牛不相及，吹縐一池春水，干卿底事？

黃將軍的決策，可謂明智也矣。

軍警隨便檢查旅館與民家，弊害孔多，趣聞亦不少，姑就記憶所及，試述一二，以資茶餘酒後之談助。民國十六年國府在南京成立之初，浙江雷儆寰（震）氏——即「自由中國」雜誌主編人，適自日本留學歸來，前往金陵觀光，下榻旅館中，夕間軍警來檢查旅客，盤問他的身世職業，他將自己名片一張交出，因其中刻有「日本帝國大學畢業」字樣，可以表明身份也。軍警審視有頃，言道：「噢！你是個帝國主義者，到這兒來幹嗎的？」詞色殊為緊張嚴肅，令人啼笑皆非，嗣經雷氏詳細說明，方告無事。湘人魯若衡（蕩平）於民國廿一年客游武漢時，在旅館中遇軍警檢查，詰詢其身份職業甚詳，魯氏此時係國民黨中央候補監察委員，頗憎軍警之嘮叨不已，昂然語之曰：「我是中委」。軍警亦甚其態度傲慢，有一丘八哥厲聲答道：「你是『中尉』？就是上校我也不怕你啊！」

余友闞君住家台北市內，某夕在友人家作麻將娛樂，忽據主人雇工報告，謂有警察破扉潛入院中，恐係前來捉賭者，衆皆錯愕，即熄燈停手，以觀動靜。詎良久未見警察入室，殊以為異，然亦不敢繼續工作，闞君自告奮勇，說是「讓我出去瞧瞧」。他走到院中舉目張望之際，乃有身着警察制服的青年人，拔足向門外狂奔，闞君亦疾趨門前大聲說道：「不要走，咱們談談！」那人竟掉頭不顧而去。闞與衆友殊感詫異，不知該警士用意何在，即將牌局解散，以防萬一。越兩日，闞君偶遇其老友馬呈祥將軍，馬氏笑謂：「前天晚上你把我的兒子嚇壞了！」原來那夜潛入民家捉賭的警士，係馬將軍之子，剛畢業於中央警官學校，派他到台北市警察局實習，是夕出勤時，聞得民家打麻將之聲，遂於戶外，即逕去稽查有無參聚賭情事，不料恰恰遇着素所熟識之老世伯闞君亦係局中人，祇好迴身逃走，免被識破，難以為情也。（完）

諸葛文侯

謝扶雅近詩（於紐澤西寓）

懷均默台北

書聯遺我驪歌催，甲午春遊記赴台。江月不隨流水去，菊花猶伴戰塵開。（原聯語）畫堂陳對懷良友，香海追陪慕遠才。萬里重洋無翅翼，亂鴉啼斷夢魂回。

顧子季高贈近著李商隱評論依均默題賦原韻寄酬（時眼科刀圭後臥牀家中）

有情人恰過無情，拚把無題了一生。望帝春心傷杜宇，悼亡隱曲謝啼鶯。闡幽發寂千年下，妙品奇文隻眼橫。枯坐凝神念華府，古今同好作衡評。

生日口占

六九又逢變六六，（余生壬辰天貺節，是年有閏六月，今庚子亦然。）年華逝水不勝情。革命成功前渡海瀛，（清末留日）埋骨太平洋異域，（自分終老異域）歸魂大禹穴之陰。（余籍會稽）解甲劫數運無術，羈懸慘修負此生。

眼施刀圭後恢復五十年前少時視力喜占一絕

巧奪天工自古稱，日新月異益精研。此時可待成追憶，（義山句）雲眼滄桑五十年。

自由報
THE FREE NEWS
第四十六期
中華民國僑務委員會頒發
台救新字第三二三號登記證
中華郵政台字第一二八二號執照
登記爲第一類新聞紙類
（半週刊每星期三、六出版）
每份港幣壹角
台灣零售價新台幣弍元
社長：雷嘯岑
督印人：黃行奮
社址：香港銅鑼灣高士威道二十號四樓
20. CAUSEWAY RD. 3RD. FL.
HONG KONG
TEL. 771726 電報掛號：7191
承印者：田風印刷廠
地址：香港灣仔高士打道二二一號
台灣分社
台北市西寧南路壹壹柒號二樓
電話：三〇三四六
台郵撥儲金户九二五二

門羅主義能對抗共產主義嗎

雷嘯岑

俄酋赫魯歇夫聲稱要以飛彈支持古巴政府的反美運動，這原是一種童話性質的宣傳詞令，不值一哂的。可是，美國當局却沉不住氣，既有艾森豪總統的嚴詞反駁，又繼之以國務院的「強硬聲明」，教俄帝不要過問西半球的事情，這還罷了。最可怪的就是一再利用「門羅主義」（Monroe Doctrine）作盾牌，振振有詞地指摘俄帝干涉美洲事項爲殊屬非是。這眞有如我國孟子所謂「製梃以撻堅甲利兵」的幼稚行爲，像這樣的冷戰策畧，焉有不敗之理呢？若使杜爾斯先生健在，我相信他決不會彈出這類過了時代的舊調來的，「人之云亡，邦國殄瘁」，信有徵矣。

不能自圓其說

一百三十七年前的美國，正在篳路襤褸的建國階段中，而西半球以外的世界局勢，却是強權主義盛行，幾個大國操縱、支配着一般弱小國家的生存命運，爲所欲爲。這時候美國基於其獨立自由的立國精神，固然憎惡國際上那種強凌弱，衆暴寡的情形，却沒有能力予以遏制，而且害怕那些強權國家要來干預新大陸的事，乃宣佈實行鎖國政策的門羅主義，也就是「人不犯我，我不犯人」的孤立思想。由於當時西方列強拼命向東方廣袤無垠的亞洲地區擴奪殖民地，開拓新市場，使新興的資本主義儘有發展廻旋之餘地，歷時一百年尚消化未了，這纔讓美國獲得埋頭建設，自固吾圉的大好機會，而所謂門羅主義在美國人的心目中，乃被認爲具有意想不到的效力——實際是時代的進化律有以致之，與門羅主義不相干。否則二十世紀三十年代日本人所標榜的「大東亞共榮圈」和「亞洲新秩序」云云，何以又不能實現呢？

所謂門羅主義的本質，只是一種政策，說不上「主義」的。政策的運用必須以時間和空間的關係爲依歸，絕對沒有「行之百年而不敝」的政策。美國的門羅主義自從第一次世界大戰時期，威爾遜總統以「海上自由」的理由實行參戰以來，即已失去了時效；迨二次大戰發生，美國以「民主國家的兵工廠」自任，乃變成了歷史名詞。現在美國居於自由世界的盟主地位，領導全球自由人類，跟共產極權侵畧主義門爭，再要談門羅主義，不特否定了自己的立場，抹煞了對世界人類所担當的歷史任務，即論宣傳戰亦是一種強弩之末，不足以穿縞素，而在思想上更表現着「鴨屎臭」的氣味哩！俄帝現在反駁美國「有意使門羅主義復活，而企圖自稱有權干預拉丁美洲國家的內政，在這些國家中爲所欲爲」（見十六日莫斯科塔斯社聲明）。這已是夠受的了。假如它再詰問一聲：「美國既不許別國過問西半球的事，說是門羅主義的規約，那末美國現在過問西半球以外的各國事情，亦就是違背了門羅主義的規約」，試問美國何以自解呢？共產極權主義者并不否認他們是以征服全世界爲最後目的，要把所有的資本主義國家都會摧毀掉。美國國務院乃指摘俄酋赫魯歇夫「企圖以共產主義代替具有一百卅七年歷史的門羅主義」，可謂一大笑話！赫酋早就說是要「埋葬資本主義」，這種具有三百年歷史的社會制度，而代之以共產主義，區區門羅主義，何足道哉？他聽到這類指摘之詞，祇有匿笑不已，不會引起半點慚怍心情的。

別有優越武器

事實上，美國對付俄帝乘機在自己後門放野火的搗亂行爲，本有一種比門羅主義更優越的武器，那就是「泛美安全公約」。美洲二十幾個國家都是泛美公約的簽字國，彼此負有安全互助的義務，而以美國爲領導盟主。俄共頭子妄事干預美國與古巴之間的爭端，顯然觸犯了泛美安全公約的規定，美國即有權協同各簽字國採取應有的對策，予俄帝以反擊。就是在宣傳攻勢中，若利用泛美公約這項武器，亦復理直氣壯，無隙可乘。任何一個簽字國在未宣告退出以前，仍有履行公約義務的責任，即不愁古巴或墨西哥發表異議，自外生成。白宮當局捨此不圖，而藉門羅主義作擋箭牌，這能夠間執俄帝之口嗎？門羅主義祗是美國的一家言，其他的美洲國家并無擁護這種宣言的義務，更沒有非遵照美國意志行事不可的道德責任，假如古巴的卡斯特洛聲明他不受門羅主義的約束，俄帝不須再說甚末，而美國在宣傳上亦就站不住腳了！

門羅主義就是孤立主義的代名詞，美國人的孤立思想即所謂「西半球堡壘」之說，固然深中於人心，至今不絕如縷。可是，面臨着越洲飛彈之出現，稍有常識者，亦知道此路不通了。在二次大戰以前，羅斯福總統曾經不斷地指出孤立主義不合時宜，美國一定要走國際主義的路線，詎料時至今日，美總統和國務長官，竟搬出門羅主義來作抵擋共產主義的甲冑，這與拿着弓箭以對抗飛機大砲的情形並無二致，結果如何，不問可知。上月美政府當局對於U—2飛機事件發生後之張皇失措，前言不符後語的應付方法，已使俄帝趾高氣揚，不可一世，因而它對古巴與美國間的爭端，乃敢於橫加干涉，肆無忌憚。如今美國的對策又是這末一套，取短棄長，授人以柄，瞻念自由世界前途，能不令人盪氣迴腸，慄慄危懼嗎？

反共的基本力量

自由世界與共產集團的門爭，實係一場激烈的文化思想戰，非以政治理想爲主要武器不可，這是常識。然今日領導自由世界跟俄共集團作殊死戰的美國，除了標榜着民主自由這類空洞口號之外，却看不出有甚末明朗堅定的政治理想和外交政策。既倡導反共運動，又憧憬於俄共集團所宣傳的「和平共存」生活；既強調集體安全關係，又贊許中立主義之發展；既相信共產主義者是要實行世界革命計劃，必至控制全球人類而後已，又企圖利用門羅主義以保全美洲一隅的安全。美國的文化思想體系究竟是何內容，世人實在莫測高深，無從理解。

艾森豪總統於六年前創立「原子僵局」之說以來，即認爲武力是不道德的玩藝，痛恨戰爭行爲，悲憫爲懷，未可厚非。但要想創進人類永久的和平生活，更需有優越的文化思想以指導政治行爲纔行。美國朝野人士無論政治家也罷，名流學者也罷，只是經常衆口一詞地認定貧窮爲滋育共產主義的溫床，而以提高人民生活水準爲防制共產思想的抗毒素。這種完全着眼於物質生活的說法，乃係純商業性的政治觀點，談不到健全的文化思想，更不必說「優越」二字。因此之故，俄帝以火箭飛彈爲基準的侵畧行爲越是猖獗，美國的應付方法就越表現着捉襟見肘，不知如何是好的慌亂之象，甚至急不暇擇乞靈於老古董的門羅主義了！

放棄商業性的政治觀點，發揚健全的文化精神，從而揭櫫明朗妥當的政治理想，號召於世，鍥而不舍，這才是反抗共產主義的基本力量。美國再不注意及此，必貽他日無窮之憂，可懼孰甚哉！

小編天下

△艾森豪爲了應付蘇俄對美國的冷戰攻勢，召集「謀士」開會，商量應付策略。他如不是平時懶得聽謀士的話，便是這些謀士根本無謀。

△英國首相麥美倫，不再沉默，致函赫魯曉夫，指他連續向業已惡化的國際局面放火，會有引起核子戰的危險。如用戲台伶人道白的口吻，這等於說：「你欺人太甚，却爲何來？」他本來應該再說：「難道怕你不成？」但他把這句話說得「紳士」一點。

△美國人爲大選而忙，赫魯曉夫爲「把戰爭帶至邊緣」而忙。觀察家認爲：中共當在美國進行大選期間，進攻台灣海峽。

顯然，赫魯曉夫在進行長期的「神經戰」。他不擇手段以求「打擊美國的聲望」而以「孤立美國」爲目的。至於中共，與其猜它將進攻台灣海峽，不如猜它將有事於寮國與南越。

中共正在發動對南越方面的叫囂。這是一個値得注意的訊號。

△最近美國情報專家的看法：患有誇大妄想狂的毛澤東，可能是一個在精神錯亂中引起世界大戰的刀斧手。

記得美國十年前的「專家」說過毛澤東是一個「溫和的土地改革者。」

△日本新任首相池田勇人就職，宣稱決不承認中共，將與自由國家加緊合作。

他如有勇知方，應可毋忝厥職！

△自由中國副總統陳誠訪問金門前線，一位記者在通訊裏面說：他們接觸的軍民，都天眞無邪，坦白率直。這是一個富有正氣，人性的天地，和後方的爭權奪利，邪惡紛爭的社會比較，不啻天壤之別。前方流的是血，後方應該流的是汗——懶汗。

△聯合國安理會議決：古巴和美國的糾紛，交付美洲國家組織處理。

這正是：「清官難審家庭事」。

△剛果內閣決定要求蘇俄出兵，此赫魯曉夫之所以高喊「我來」也！

△尼赫魯在閣哈狄城招集國大黨人員訓話，罵這些黨員爲「黨棍」，彼此不歡而散。

假使有人罵他爲「中立棍」，將如何？

方南

自由談

牌經與政理

馮五先生

孔子曰：「不有博奕者乎，爲之猶賢乎爾」，可見聖人亦不反對賭博性的娛樂玩藝。我認爲政治行爲的義理，跟賭經是相通的，試以吾國人普遍流行的麻將牌經爲例證而申說之。

．麻將牌最注重組織，無論是一副甚末牌——除非做十三么——必須個別組合成一系列，再配以一對「將」，纔能夠和出贏錢。這與政治生活一定要組織政府機構，而且需要一個領袖的情理，不是相同嗎？玩麻將的人，個個希望和大牌，有機會就拼命地做，決不放過，以期獨佔上風，壓倒局中人，這又與政治人物好專權逞威的行爲毫無二致。

普通玩麻將牌的方法，都喜歡做清一色，而其要訣即爲組織有方，同樣的張子決不隨便棄去。所以，清一色的牌只要手風順，和出並不十分困難。最難而又最容易失敗的，就是做十三么，這種牌既沒有組合的性能與作用，除却一對「將」以外，每一張都是散兵式個別活動，不相聯繫，而以「非我種類，鋤而去之」的作風，把一切不屬於么張的，或者多餘的張子棄置掉，只要一對「將」就行了。這與一般獨裁政治的情形，在本質和行爲上完全吻合。

等情據此，清一色可說是政黨政治，而十三么則爲高度的法西斯主義，好搞清一色的人，十次玩牌總有幾次獲勝的可能性，只有好玩十三么的，結果却非傾家蕩產，一敗塗地不可。你說對不對？

緬甸實施對外「貿易緬化」

文宇

仰光通訊

緬甸總理宇努重行執政後，第一項傑作便是歧視外商，即於本年六月一日開始管制進口。質言之，所有外國輸緬的貨物，必須由緬甸民族商代理經銷；至於原有的外國商家，僅能繼續為廠商駐緬代表，而不能經營代銷業務。其次為外商與民族商所聯合經營的公司或商業機構，也不准其經營入口業務，只有純粹由緬人經營的商業機構，才有資格登記為進出口商。

這種對外「貿易緬化」政策，已於六月一日開始施行。據緬政府公佈規定自六月一日起須由緬民族商代理進出口的貨物共有三十二種，其名稱如次：（一）紙張；（二）電器；（三）自行車；（四）紡織品；（五）罐頭食品；（六）食品；（七）自來水筆；（八）電影與攝影器材；（九）體育與運動用品；（十）家庭用品；（十一）鐘錶以及零件；（十二）汽車零件；（十三）廁所用品；（十四）肥皂；（十五）無綫電器材與電冰箱；（十六）洋酒；（十七）錫箔；（十八）中國生藥材；（十九）樂器；（廿）潤滑油；（廿一）成藥；（廿二）汽車與自行車零件；（廿三）書籍刊物；（廿四）皮革；（廿五）軍火彈藥；（廿六）紗綫；（廿七）緬甸生藥材；（廿八）新聞紙張；（廿九）文具；（卅）車胎類；（卅一）魚乾蝦乾；（卅二）化學品。

此外另有七類物品，則規定今年年底以前仍可由外商經營出入口，計為：（一）一般五金與建築材料；（二）機器；（三）煤焦油染料；（四）機器零件；（五）醫療手術用具及光學器具；（六）一般工業工具；（七）其他。

緬甸這種對外貿易緬化政策，顯然與菲律賓實施的「菲化案」相彷彿。而此種政策實施後，首當其衝的自然是華僑。因為旅緬華僑估計約在三十五萬至四十萬人之間，單是緬京仰光一地便有八萬五千人，約佔全市總人口百分之十。仰光商業中心地的廣東大街、海濱街，差不多全為華僑商店。其經營的行業計有一百餘種，大小商店和工廠計有三千多間。至於日常用品、食物、點心的華僑商店和零售攤商，幾遍佈全市每一角落，成為緬甸人民日常生活不可缺少的供應。華僑對仰光的繁榮，實有不可磨滅的功績。

早年旅緬華僑，以經營米業、木材業和釀酒業為最多；礦業和典當業也很發達。但就規模和資本言，當以米業居首位。戰前全緬的華僑米廠，規模宏大的已有三十二家；大米廠多數集中於仰光對岸的「開方道」。日人侵緬時，華僑大受摧殘，勝利後又逐漸復業。惟其規模卻遠遜戰前，且社會不安，常有攔途搶米情事發生，經營頗不容易。

木材業較米業次之，因柚木為緬甸特產之一，戰前全緬華僑的木廠共有八十七家。單是仰光的紅毛廠，每月可出九十噸以上。其餘各廠自數噸至數十噸不等。而其經營硬木各廠則多設在內地，以瓦城、彬文那兩地為最多。日軍侵緬時，將所存木料搶劫一空，更復入山砍伐，致使華僑木廠資本損失十之七八。戰後又以治安關係，運輸艱難，所以不易恢復舊觀。

緬甸的酒業經營者，幾乎全為華僑，其中以廣東梅縣人佔大多數。但他們設廠釀造，必須向政府納稅，且其稅額每年由政府公開投票，由出額最高的承稅，始准其在該處設廠釀造。其次有購入洋酒和土酒加入一種顏色的，改裝出售；此種色酒要向政府繳納一定稅款，戰時影響不大，惟戰後以投稅過高，利潤大減。全緬大小酒廠約五百家，依此為活的不下五千人；而政府每年的酒稅收入約達一千萬盾以上。

至於華僑的典當業，戰時曾遭洗劫和摧毀；戰後又因治安影響不易經營，故此業最為衰落。戰前華僑從事礦業的亦不少，在土瓦、丹老、庇古、毛淡棉等地經營鎢、錫等業的約有二三百家。此外如百貨業，在戰事剛結束時，物資缺乏，其有存貨者均獲厚利。然而好景不常，由於政府統制進口，進貨不易，業務則一落千丈。一九四七年底；緬甸政府宣佈獨立後，即實施國有政策，已把上述各種大企業陸續收回國營，及對外僑的不動產轉移的限制等，這對外僑在緬的資產和商業，蒙受了鉅大的損失。

正因為這樣，多數華僑便開始從事工業的投資，近十年來在直線上升中。現正在擴展至紡織、橡膠、塑膠、釀造、皮革、化粧品、化學品以及其他輕工業。可是一波未平，一波又起；緬甸政府於本年六月一日開始實施的對外貿易緬化政策，其管制的三十二種進出口物品中，華僑經營的起碼佔三分之二以上。這一來，使他們一生胼手胝足，慘淡經營積下的血汗，已被緬甸政府一再地剝削，甚至摧殘殆盡。但這不僅對於調劑廣大社會金融，經濟，力量普及而深入整個緬甸的華僑商業，蒙受着空前的打擊；就是對於緬甸的繁榮，將亦未嘗沒有嚴重的影響。

香港耳語

携女偕行，神通廣大

曾任國民政府航空署長暨行憲立法委員的葛敬恩，最近從大陸來到海隅，同行者有他的女兒。據說，他特來醫療眼病，但毛共對於投奔的舊社會高級智識份子，很不容易放其離開大陸的。葛氏居然能夠携同女兒潛行來港，恐怕不專是為醫病吧？

聞有十年來僑居海隅，從未到過台灣的八位現任立法委員，前兩月忽然接得通知，請他們赴台歸隊，且有周某已經帶頭出發，正式向立法院報到了。但第二批願意應召入台的，却得不到入境證，亦不知道是何原故，有如丈二和尚摸不着頭腦，可謂怪事年年有，今年特別多！

化名作怪，面面俱圓

某國大代表於今年二月間化名簽署所謂「七十三烈士」的護憲宣言，同時又赴台北出席國大會議，選舉蔣總統連任；五月間，他在香港與其餘的國大代表五人，發起慶祝蔣總統就職的聚餐會，通函旅港同仁參加，同時又對外聲言是別人假冒他的大名，本人並不知情。這就是現代中國知識份子搞民主運動的典型作風，殊堪讚歎也！

本報特稿

創制權和複決權（中）

淦克超譯

澳大利亞——澳大利亞聯邦憲法並未規定創制權或選擇性的複決權，但國會所提的修憲案則必須提交複決。

實際上澳大利亞的選民雅不願見憲法上常有變更。在上半個世紀的聯邦生活中，僅有十二個修憲案提交人民複決，就中僅四案獲得通過。經通過的第一案係一九零六年通過改變參議選舉日期，第二案係一九一〇年授權聯邦代負各州的公債義務，第三案係一九二七年設立一個公債委員會，第四案係一九四六年授權聯邦制訂若干關於社會服務的法律。經否決的法案包括一九一六及一九一七年徵兵派赴海外案，一九四八年的聯邦地租及價格管制案，和一九五一年的反共法案。

複決權亦曾經各州政府使用。

紐西蘭——複決權亦實施於紐西蘭，為企圖通過禁酒法案曾屢作複決之努力——但未有成功。一九四九年之修正牌照法之提案亦被否決，但破例的鼓勵征兵及實施征兵兩案均經複決通過。

加拿大——加拿大不採行像澳大利亞所行的強制的複決權，而實際上在兩次事例中實施全國性的複決，一次是一八九八年的禁酒問題，另一次是一九四二年政府要解除不征兵赴國外之保證。在省級及市縣級，複決權多次使用於禁酒問題。又地方政府亦使用複決方式，將法規提交選民複決。在紐芬蘭，投票人曾於一九四八年票決有關憲法問題——究竟紐芬蘭應繼續受英國的高級專員統治，或恢復自治領地位，或與加拿大組成聯邦。他們採行了最後一途。

愛爾蘭——一九二二年愛爾蘭自由邦憲法規定關於修憲案必須提交複決，而在若干種情況下非修憲法案亦得提交複決。另規定選擇性的創制權。一九二八年間，憲法複決權曾停止實施，選擇性的複決權及創制權則被廢除。但一九三七年的憲法（本身亦經人民票決）恢復了一九二二年形式的複決權（却未恢復創制權）。

德國，法國，意大利——第一次世界大戰後，歐陸諸國的新憲法頗有增列創制權和複決權之趨勢。一九一九年的德國韋瑪憲法即規定在某幾種情勢下，得行使複決權，雖則事實上甚少使用。奧地利情形亦同。第二次世界大戰後，制憲者對於直接民主較欠熱烈，但仍不乏規定創制權的。在戰後法國，最初的憲法草案曾於一九四六年被否決，第二次的憲草於五個月後纔經批准。這憲法，即第四共和憲法，規定任何修憲案，除非經下院三分之二之大多數，或兩院五分之三大多數之通過，則必須提經人民複決。在意大利，二次大戰後的憲法規定：五萬選舉人即可向立法機構提出法案；又若因五十萬選民或五個省議會之請求，對於廢除某宗法律問題，則必須提交複決。還有規定複決權為實施修憲程序之一部的。但此類規定在一千九百五十幾年間的法國和意大利，迄未嘗見之於實際的測驗。

大陸文壇萬花筒

可憐的謝冰心

岳騫

留在大陸的女作家，境況最慘的第一個當然是丁玲，目前尚在勞動改造。第二個恐怕就算是謝冰心了。

丁玲受罪還算比較自然（不是應分），因為她是共產黨員，抗戰開始就跑去延安，二十年來她雖然為共產黨坐過牢，究竟也沾過共產黨的光，目前受到共黨迫害，也還有其自然的因果，至於冰心就冤枉了。

首先，冰心與其她女作家如馮沅君，陳衡哲，趙清閣等人不同，這些人都是大陸易手時來不及逃出以至陷身虎口，冰心却是自動回去的，當時她的先生吳文藻在東京擔任我駐日代表團第四組組長，不知何以受到中共蠱惑，棄職逃去大陸，這本來是一件法律道義上均不許可的事，假若冰心為人稍微強悍一些，也許可以攔阻一下，無如冰心雖然接受過西方教育，思想上却是極端守舊的人，仍然奉行夫唱婦隨的道理，當吳文藻決定私逃回大陸時，冰心毫無異議地跟他一道回去了。中國俗語說妻賢夫禍少，用到他們夫婦身上正好相反，他們倒實在是妻賢夫禍多了。

冰心回到大陸之後，最初雖然未受到共黨尊重，不過初期也並未找他們麻煩。直到大鳴大放以後，吳文藻成了一級右派份子，「自動」到「社會主義學院」去學習，同班同學有羅隆基、費孝通、吳景超、錢偉長等人，都是在鳴放時犯下最重錯誤的。學習並沒有一定期限，思想改造好了，馬上就可以出去，否則只有老死其中了。這批人中間，似乎羅隆基思想改造得快，目前已經「畢業」，其餘諸人都沒有消息。吳文藻就學之後，家庭責任就落在冰心一人身上，加上她的兒女都是「紅領巾」，天天在家裏向她說教，不由得冰心不前進了。

她最近曾經到各地視察過，在兩家雜誌上寫過頌揚文字，最近更看到她發表一篇大罵美國電影的文字，到真真是悍婦聲口，一副潑婦罵街口吻，那似冰心的為人。冰心真是如此潑辣，今天何至於受罪，大概是為了救孩子，營救丈夫，不得不隨俗浮沉，其遇可憫，其情更可哀。我們只有祝福她能達到目的，共產黨能早一天讓吳文藻博士畢業罷。

最遙遠的通訊

旭軍

本年三月，美國放射的小型『行星』先鋒五號，不久將和地球人類失去聯絡，不知所終了。自從放射以來，它經常給地球上科學家追蹤。但現在已模糊。在本週可能完全消逝。

英國佐德里『無線電望遠鏡』，是最後唯一能接收該『行星』拍來的電報。每天接三次，但不久即失去聯絡。

『先鋒五號現距離地球總超過一千八百萬哩。正以每小時一萬七千哩前進。在未發射先鋒五號之前，追蹤放射太空的距離，不到五十萬哩。此次追蹤成功卓著處，在用較小的發電報機，一個電力僅有五瓦特，另一個電力一百五十瓦特。

這個化學電池供給電力，予此等發電報機，雖然太陽電池不斷的供給電力。現在電力大為衰退。僅能供給哪個需電力較少的發報機。

佐德里的巨大探聽耳，能聽取如此遙遠的聲音，從一個電力僅有五瓦特的發報機傳來的。由此推論，假如用較大的發報機，和較強的電池，則「先鋒五號」到一億哩距離時，我們還可以追蹤的。因為這『行星』距離我們是這樣的遙遠，它的發報機需要兩分餘鐘之時間，才可以傳達消息到地球。但由地球發出推動力，去換啟電報機，又需時二分餘，所以我們需要五分鐘的時間，才獲得此「行星」的答覆。

社會小說

香港地

五、有錢佬

霍新開這次招宴一班文士，設席在山頂一家豪華住宅，也費了不少張羅的工夫。因爲這所住宅建築在山頂一條很冷靜的路子。它的名稱很難記，對一般人是生疏得很。霍新開雖在請柬上面寫得清清楚楚，也怕大家沒法按址找尋。況且，他所請的一班文士裏面，能夠躋身到「有車階級」之列的，也不過一兩個，大多數是「安步當車」的窮士，要他們特別破費坐「的士」到山頂，在他心裏也認爲十分不合。因此，他便在請柬上面寫明：派有專人在統一碼頭招待，並有專車多輛輪流迎送，只要按時到達統一碼頭，便不愁沒有登山的交通工具。這正是霍新開設想週到之處。他如不是一個聰明人，決不能有這種鋪排和部署。而梅大亮所以覺得奇怪，也正在這等地方。他實在不明白霍新開爲什麼這樣不怕麻煩，擺出這種場面來請客。

到了那天，梅大亮早就把請柬上面所寫的設宴地點和時間，仔細看了幾遍，然後和老妻商量，應該穿着什麼衣服赴宴才好。梅太太卻覺這是無聊的詢問，率直地回答道：「你這人好沒志氣，難道有錢佬請吃飯，便該特別打扮不成？前天張家請你吃喜酒，你只是隨便穿衣着褲，大搖大擺地前去，不曾見你和我商量過的，爲什麼今天偏要這般隆重？難道那裏山頂比我們這裏山頂冷得多，你非加衣保重身體不成？」

梅太太從來最恨那些生成一副「白鴿眼」的人，以及那些愛巴結有錢佬的卑躬屈節者，平時最合得來的鄰里中人，絕大多數是吃得窮苦的硬骨頭。所以，她今天很不高興梅大亮參加這個在山頂舉行的豪華宴會。她把太平山的山頂，和這裏木屋區裏面的山頂相提並論，罵得似有理也似無理，眞教梅大亮有點吃不消，哭不得也笑不得。

梅大亮挨了老妻一頓狠罵，沒奈何，也就如常穿了短打衣衫，準時趕到統一碼頭去。（四五）

木客著

偏見

汶津

在成長的過程中，發現自己正爲偏見所圍繞，是一件有趣的事，也是非常有價值的。人們往往對他人的偏見特別敏感，猶如對自己的長處特別重視一樣。其實，在對他人的偏見表示反感的時候，很可能便孕育了你自己的另一個偏見。

人類自有文化以來，便有偏見。同時在各種偏見的逐步修正中，文化才有進步。但一偏見之破除，往往會導致另一偏見的產生。所謂「矯枉過正」是在所難免的。不僅常人如此，一些大思想家也難以免俗。偏見之來，最主要的原因是眼光不夠開濶。荀子說：「公生明，偏生闇」；「凡人之患，偏傷之也。」一隻眼雖勝于兩眼全盲，可是總不如雙眼視覺都正常的人。如果我們能有「易地而處」的習慣，時常從不同的角度來反省，不專用一隻「左」眼或一隻「右」眼，就不會有所偏「傾」了。說起來像是很迂：破除偏見之道，首在讀書，而且要得其讀書之方法。看一個女孩子，也許側面的弧線很美，如果正視她的臉，可能會發現一些不雅的疤痕或斑點，看一件事也是如此。「公說公有理，婆說婆有理」並不足爲怪，可怪的是有些人只願聽公的，不願聽婆的。如果把雙方的意見放在平足的地位，重新衡量一下，也許就會在不知不覺中脫離了所謂「權威」的影響了。有人讀萬卷書，適足以造就他冬烘的臭味；有人涉獵若干卷帙，卽能明察秋毫。對於偏見來說，後者才是可畏的勁敵。

美人華萊士說：「成見是不依眞理判斷的傾向。」殊不知有些人根本沒有自省之明，他仍把自己的偏見奉爲眞理哩。事實上，「先入之見」如果尚不足以使人全盲，至少也使人變成了色盲。據說在熱戀時期的青年，滿目所見異性皆其意中人也。所以唯物論者所見的人，也只是由血肉構成的機械。說起來也讓人類愧赧，當今之世，眞正沒有偏見的，恐怕竟要數那些冷酷無情的氫彈呢！但氫彈也是有國籍的，有國籍卽無法超然。假設美、蘇兩國的氫彈來一次比賽（卽使是「友誼賽」）難保不會也出一位「愛國裁判」呢！更可慮的是氫彈不是「歸主」的，那麼其後果就不堪設想了。

心理學上談到口吃、心躁等毛病，認爲多半是幼年時代受了不良的刺激而養成的習慣。在人的觀念方面更容易受「第一印象」的左右。許多有才份的人就是因爲衝不破偏見（由社會、家族等環境薰陶成的）的霧氛，而終生埋沒了自己的潛力。讀西洋文學史，可以發現一個奇怪的現象：出身較好的文學家們，多半被家庭指使學法律，結果由於自己的省悟和堅強的意志而改行，卒有所成，而世界上卻並不因而缺少了好律師。可是反過來想：對於一個叛逆性不夠的人，豈不終生不免爲太太的丈夫、兒子的爸爸而已？是的，上一代的偏見總是牽絆着下一代！

「自我遷就」也是人類的蠱病。代表們得一點外快，眞理就不謀而合了。甲作家捧了乙作家，他的文章在乙作家的嗅覺中也變成芬香的了。表面看來，這自然是「古德」，其實嘛，吃奶的時候，最好不要否認別人是我的娘。老先生們不會寫白話文，自然要說新文學該死；「文藝青年」們沒有國學根底，自然要派四庫全書是老古董。由此更足見「有教無我」之可貴了。

形勢派的心理學者有一句發人深省的話：「教育之目的在於擴充人之興趣，使其心理區域擴大。」所謂心理區域的擴大，卽以「移動」的方式跨越區域與區域之間的「疆界」其最終目標當爲包容整個宇宙。想起許多可有可無的筆戰，便會覺得這時代的戶限實在太多了。

我們深信：人類偏見日少一日，則大同世界也必益加接近。於此不妨說：「人類的禍亂泰半起於偏見！」而且，「野火燒不盡，春風吹又生」，斬草除根，確須大智大勇的先知先覺者出而導之！

壽聯

道南

從台北傳來的消息，張學良經已獲釋，而且在上月歡度其六十壽辰，還有若干得到特許的嘉賓如莫德惠張治中等前往賀壽。因此，使筆者連想到當他三十歲壽辰時，江東獨步的才子楊雲史曾送給了他一副對聯。聯云：「從來名士多好色，自古英雄不讀書。」

這一副聯，實在是諷刺備至，道盡了他的生平，旣好色而又不讀書，眞是一位十足的紈袴子弟。這一聯當與「九一八」馬君武諷刺張學良之詩，同爲人所樂誦。馬之詩重錄於下：

「趙四風流朱五狂，翩翩蝴蝶最當行。溫柔鄉是英雄塚，那管倭師入瀋陽。」

「夜半軍書告急來，開場絃管正相催。瀋陽已陷休回顧，再抱佳人舞一回。」

馬君武之詩，世人知之者特多，惟楊雲史之聯，似乎早已被人遺忘了。

往事如煙，一切有如幻夢，那位陪伴着幽禁二十多年的風流趙四，據去年的消息，亦已香消玉殞。「自古美人如名將，不許人間見白頭」，未知當年少帥，對此有何感想？

文壇軼話

儒林九尾龜

吳敬鋅

第二回：好夢由來最易醒

這幾天，盧教授相當忙，在鷺鷥社的時間都很少，時刻去陪着洪先生，有時回到社裏來，也和大家談談活動情形，據他自己說，洪先生的日程都是他代爲安排，會見什麼人，拜會什麼人都由他決定，洪先生有了空還要到舞場去玩玩。

小石奇怪道：「洪先生怎麼去跳舞。」

盧教授眼一瞪：「洪先生爲什麼不能跳舞。」

小石囁嚅道：「我以爲政治家都是十分端正的人。」

盧教授笑道：「你知道什麼？日本政治家談問題都是在藝妓館裏，日本維新後最能幹的首相伊藤博文說『醉枕美人膝，醒握天下權』，政治家大概都是如此的。」

盧教授說到此處，大家都不好揷嘴。停了兩分鐘他自己笑着說道：「其實老洪也眞夠風流了，他的三個太太我都見過。」

「三個太太」？李鴻飛吃了一驚，問道：「怎麼會有三個太太？」

盧教授笑道：「習慣上娶兩個太太的比較普通，第一個是父母作主，第二個是自己作主，這本來是公道的。老洪討了三個，多了就不免招物議了。」

烏應桂道：「此公也算多情種了，第三個女人怎麼娶的，先生想必知道。」

盧教授大笑道：「我何止知道，我還是參與過調處工作哩！原來老洪的三太太同二太太是同學，當時雲英未嫁，經常到老洪府上來探望老同學，被老洪看在眼裏，兩人眉來眼去，都有幾分意思，就是瞞着二太太一人。」

「也是天緣巧合，日本飛機轟炸重慶，把三太太的宿舍炸壞了，他一時找不到房子住，就來找老同學商量，二太太爲人相當慷慨，那時老洪家中房子又多，就騰出一間安置她，那知道這一來不是「引狼入室」，變成「引鳳登台」了。

大家都笑起來，烏應桂問道：「故事到此結束了吧！」

盧教授搖搖頭：「還有哩！在當時情形下，本來也還不至出問題，偏巧二太太病了，進醫院住了半月，及至她病癒出院，到家一看才知道臥榻之傍已被他人酣睡了。」

小石笑道：「二太太只有承認旣成事實了。」

盧教授搖搖頭：「事情不會如此簡單，女人的器量本來狹，何況這又是關係本身福利的事，當時和老洪鬧得天翻地覆，要公開登報，又要請律師告狀，最後不知誰給他出的主意，要到最高當局處去告狀，假若那樣一來，老洪就完了。這時老洪無計可施，找我想辦法，結果費了好大力氣，才算調處好，大家春色平分，各不相犯，也就算了。」

盧教授還想向下說，這時電話鈴又響了。（七）

香港這地方

徐學慧

要想在香港的報章雜誌上，欣賞到一兩篇好的散文，頗不容易。

這個城市，似乎是不適宜於散文之存在的。第一，沒有寫散文的人。第二、卽令寫得好，恐怕也沒有人看。第三、卽令有人肯寫，亦未必寫得好。

香港這個社會，是以中文高中畢業與英文書院第二班的程度作基礎的。此種程度，不宜於看散文，老實說，也看不懂。好的散文，是需要細細地咀嚼的。香港人卻剛好缺乏這一方面的修養。

這裏的讀者，還停留在讀武俠小說的時代。這個時代，較之中國過去內地的南京上海，最低限度，要落後四十年。到香港人厭惡武俠小說的時候，散文大概也就可以抬頭；但那起碼也是三五十年以後的事了。

衡量一個地方的文化水準，最可靠的是：看那個地方的報紙上有些什麼文章？

香港的報章文字，在目前這一階段，是以武俠小說爲主流，再加上色情小說推波助瀾。因此，色情打鬥之事，乃無日無之，風紀之敗壞，幾至難以言語形容。

報紙爲爭取讀者，競以武俠與色情相號召，而讀者則因報紙之提倡武俠與色情，遂致深中其毒而不自知，這種惡性循環，究竟要到什麼時候才能停止呢？

沒有人能夠回答這個問題，而這也不是可以回答的。

近十年來，香港有這麼多的專上學校之興起，實在是一種好現象。把一個中學畢業的學生，再送到大專學校去深造四五年，雖不能保證其終必有何成就，但無論如何，大學畢業的學生，至少是不會成爲武俠小說迷的。

百多年來的香港，如僅以其表面來衡量，當不能否認其進步。惟獨報章文學的重心，則數十年如一日，這就足以證明這個社會的文化並沒有多大進步。

只要香港停滯在武俠小說時代，我們就無法期望香港能有多大發展的。偌大一個都市，沒有一間像樣的圖書館，沒有一間像樣的書店，如此而欲期望其能產生人才，那也就不免是奢望了。

總有一天，香港人會欣賞散文而不歡喜武俠小說的。但最保守的估計，也得再過三十年。

釋耒集

傳統文化

近於報端，得悉胡適之先生，在美國西雅圖中美學術合作會議，演講有關中國傳統文化問題，本刊撰稿人阿公先生，及徐學慧先生，亦不約而同，著論談中國文化。具見此一問題，已爲國人所重視，因不揣荒陋，欲有所言。考文化一語，源出易傳：「觀乎人文，以化成天下」。舊注以人文爲詩書禮樂，然則所謂文化云者，本詩書禮樂之教，以之化民成俗之謂也。至於傳統，不過謂歷世相承，維持愛護，使其不陷于失墜而已。然詩書禮樂之教，經緯萬端，要而言之，實不外夷夏之防，與名教之防而已，舍此以言傳統文化，均將一無是處也。蓋一傳統之中國人，自有其中國式之氣象、面目、志節、與抱負；凡此等類，胥由其深受傳統文化之薰陶教養而得，故平居無事，則敬天法祖，爲安份之國民，改朝易代，在官，則殺身成仁以殉職；在野，則埋名隱姓爲遺民。夫妻貧賤相守，則藜藿自甘，朋友急難相扶，雖生死不變。不必矜奇，行之若素，則所謂文化之潛力也。頗怪近人談傳統文化，但侈言其如何博厚高明，如何思精體大，不知詩書禮樂，爲治之工具而已，若不能使其見諸于日常舉行事之中，則詩書禮樂，特告朔之籀羊，已殘之芻狗而已。或曰：「五帝不同禮，三王各異教，民俗殊務，所適之時異也。」此儒生鏟文之謗詞，不過襲韓非「不期修古，不法常可」之異說耳。孔子作春秋，變古則義之。而爲治則主因革損益之論，蓋典章經制可以損益，忠孝節義不能有損益也。春秋大旨在正名立本，實孔子維護傳統文化偉大之業績，太史公曰：「爲人君父而不通于春秋之義者，必蒙首惡之名，爲人臣子而不通于春秋之義者，必陷篡弑之誅，死罪之名。其實皆以爲善，爲之不知其義，被之空言而不敢辭。」太史公所謂春秋之義，即所謂夷夏之防，與名教之防，以今流行語言之，即民族立場與社會倫理是也。亦即傳統文化之精粹，故忠臣、孝子、義夫、節婦，實爲此傳統文化之結晶。昔陳同甫上孝宗皇帝書曰：「今世之仁士，自謂得誠意正心之學者，風痺不知痛癢之人也，舉一世安于君父之大仇，而方且揚眉拱手以談性命，不知何者謂之性命乎？」離事以言理，孔子所不取，故曰：「託之空言，不如見之行事之深切著明也。」」胡先生當世學者，領導文化運動數十年，重視傳統文化之論，發于業經失墜之後，且但對美國人言之，不旣晚乎？

曲齋

粟海彊心錄

以周易占自由中國之復興

阿公

台灣占象爲地水比——䷇。「比，吉也，比，輔也」。相比親切，無如地之與水。台灣地在水中央，其占象同一。五爻一陽居君位，而衆陰從之。五爲君位，亦即元首之位）其占象與蔣公三屆連任，內外一心同二。比，內外相比，上下相比也。「建萬國，親諸侯」。我比于人也。「不寧方來」，人比于我也。其占象與台灣之內外情勢同三。「九五，顯比。王用三驅，失前禽」。九五比卦主爻，「顯比」，象其反共旗幟鮮明，始終不二。「三驅」，象其久也。「失前禽」，象其已往放棄大陸，失我羣衆也。（象者意也，讀者切勿誤會），其占象同四。歷歷不爽也。

比卦䷇綜師——䷆。「師，貞，丈人吉……剛中而應，行險而順，以此毒天下，而民從之」。象其反共必勝。（毒亦訓治訓役，勿作毒害解）「上六，大君有命，開國承家」。上六事之終，象其建國必成。

比卦䷇錯大有——䷍。「大有，元亨」。「上九，自天佑之，吉无不利。大有上吉，自天佑也」。其象爲反攻之後，生民樂業，國家永寧。大有䷍綜同人——䷌。「同人，于野。利涉大川。利君子貞」。「野」有曠義，遠義，外義。「于野」，象其無私也，無私則公，可以涉大川之險。「大川」，其象爲台灣海峽，險雖在前，可以涉矣。「利貞」誡辭，戒其同于私也。

比卦䷇。中爻爲剝——䷖，「剝」，剝落也。「剝牀已膚」，其象爲三十八年蔣公由六五退爲上九，而大陸之軍府盡亡，剝之象也。「上九，碩果不食，君子得輿——民所載也」。其象爲三十九年復職，復之象也。但復于台灣，未復于首都，故其象爲「比」。十餘年間，事極錯綜變化，而占象歷歷，曲盡其理，是豈吾人意度臆說所能道其一二哉。謂非數可乎。占象誠如此，竊願世之名子，修省以盡人事，則「天視自我民視，天聽自我民聽」。無或爽焉者也，

至此客有問於予者，中共占象如何，吾人反攻，究在何時，予乃告以反攻必成，共匪必亡，象之與數，事之與理，二而一者也，得其一則知其二矣。必欲究其應於何時，按之歲運，當在壬寅，可取吳、越、秦、燕紀事讀之，然天意幽遠，盡其在我，它可置而不論。

天足史話

介人

中國婦女纏足的歷史，至多不會超過五百年，在古時，中國婦女是不纏足的。這裏，且舉一實例，說明宋代以前沒有纏足之事。唐代的女人多數着屐——即今日本女人所穿的那樣，足趾分開的，如果是小腳，不可能把大腳趾和其餘四趾分開套在屐套上。李白詠越女詩：「屐上足如霜，不着鴉頭襪。」鴉頭襪即大趾與其他四趾分開的襪子。這足以說明女人是天足。

李太白對於女人的足，似乎有着偏好，在他的詩集中還有：「東湯素足女，全稽素舸郎，相看月未墮，白地斷肝腸。」又如「一雙金屐齒，兩足白如霜。」以及「越女濯素足，行人解金裝」等，皆是描寫女人的素腳，所謂「素腳」，自然是赤裸裸的天足。

此外，唐代的舞枝，也都是天足，如「凌波舞」是赤足跳的。「芳草玉梯」也是赤足跳的；又從南詔傳入的「柘枝舞」，則是着錦靴跳的，靴後直到足踝，並繫小金鈴於靴上。張祜詩：「紫羅衫宛蹴身舞，紅錦靴柔踏節時。」又有：「畫鼓人間招節拍，錦靴空想挫腰肢。」這都是詠「柘枝舞」的，看這些詩句，柘枝舞伎自非小足可知。

此外，白居易詩有「小頭鞋履窄衣裳」，有人也誤會是小腳，那是不盡然的，白詩明明說鞋子是小頭，那只是說明當行女子時行一種尖頭的鞋子和束腰而已。柘枝舞在北宋仍盛行，寇準還特別喜歡，由此可見北宋時並未注重女子纏足。

於是有考據家說：「婦女纏足，起於陳後主」。這是「墨莊漫錄」所曾說過的，陳後主享國時間並不長，他偶然興至而提倡的纏小足，其後似未有廣泛的影響，北宋時代，未聞有婦女纏足之事。

大抵纏足之風盛行於明代，永樂以後，詩文中記小足漸顯著地多了出來，筆記與小說，有盛譽小足之美者，最著名的當推「金瓶梅」一書，女人的腳以小爲美，也是那時開始；到了滿人入關之後，滿人不纏足，而提倡漢族女子纏足，於是就成了普及全國的風俗了。

但是知書識禮的女子，頗有許多是反對纏足的。據「隨園詩話」載：清代杭州趙鈞台至蘇州買妾，媒婆代他物色一個天姿國色非常漂亮而且還能詠詩作賦的一個才女，只因爲是天足，趙鈞台雖然喜歡，卻嫌她的腳太大，遺憾地說：

「似此風姿，可惜土重！」

媒婆知道「土重」是杭州人指腳大之意，生怕這筆交易做不成，爲博趙某歡心，於是鄭重介紹李女士是一位才女，不是低三下四的女人。趙也很幽默，想觸觸大腳才女的霉頭，即以「弓鞋」命題，要李女士做一首詩，李女略加思索，揮筆立就。詩云：

「三寸弓鞋自古無，觀音大士亦雙趺；不知裹足緣何起，起自人間賤丈夫。」

趙鈞台知道這位女人是不好惹的，也就不敢娶了。可惜這位才女身世一無所知。但她在那時人人欣賞小腳時代的社會裏，非獨不隨波逐流，反而厭惡小腳，罵盡人間賤丈夫，眞是一個了不起的女人！

海嶠舊談薈

陳銘樞的政治隱疾

陳銘樞在現代的粵籍軍人中，是個才識極平庸，而又利慾薰心，不甘寂寞的熱中之徒。他與薛岳，張發奎等，都是舊粵軍第一師長鄧鏗（仲元）培植出來的幹部，迨民國十五年國民革命軍越嶺嶠大舉北伐時，諸人皆已躋列將官地位，薛、張卓著戰功，陳氏雖碌碌無所表現，但很有幸運，民十六年春亦游升爲國民革命軍第十一軍軍長了。這時他領軍駐武昌，兼任武漢衞戍司令之職，因共黨梟張，頗受脅迫，洎聞革命軍佔領上海南京消息，竟黃夜棄軍潛逃東下，其低能無用如此！

陳氏到金陵，國軍最高統帥並未究問其溺職毀師的罪行，又畀以革命軍總政治部副主任職位，正主任與稚暉先生僅負空名，一切皆由陳氏綜持其事，信賴甚專。嗣北伐成功，全國統一，而內戰復起，陳氏因緣時會，奉命入粵策動軍事，統率新組的十九路軍，繼拜受廣東省政府主席的封圻之任，視其他的粵籍將領爲革命迭建汗馬功勞者，尤稱顯達。就常理言，陳氏實係受今總統蔣先生知遇最深的親信人物，於公於私，都不應該發生攜貳情事的。可是，他自從卸去粵省主席職務以後，即抑鬱寡歡，時有立異的行動，汪精衞於民國廿年被邀到南京担任行政院長之際，會藉口個人安全的理由，要求撥調十九路軍駐防京滬一帶，而任命陳氏爲京滬警備總司令兼行政院副院長暨交通部長諸要職，煊赫一時，他儼然與蔣先生分道揚鑣了。這其間，實有一段隱情，爲世人所不悉，也可說是陳氏自作孽，不可逭也。

原任黃埔軍校教育長鄧演達，於民國十六年國共分裂後，即從事反中央運動，倡立第三黨，而以分化國軍中的黃埔系軍人爲首務，暗中活動甚力。蔣先生頗器重鄧氏的才幹，不忍與之絕，常派人勸鄧重歸中樞，爲國宣勞，鄧堅拒不從。陳銘樞在粵省主席任內時，會秘密致書潛居上海之鄧氏，說以入虎穴取虎子之義，囑其接受蔣先生的邀約，置身黨政高位後，再從內部進行革命與動，比較專在外面唱反調，實有事半功倍的效力云。這原是私人極機密的信札，鄧氏決不會洩漏的。越年，鄧在上海被警備司令楊虎捕送南京，並將其寓中所藏秘密文件逐一檢查，凡屬關係重要者，一律轉呈中樞，而陳函亦在其內。鄧繫獄中仍不屈，終於伏法了。蔣先生對陳氏致鄧密函事，雖認然置之，但陳內心上時懷惴慄，唯恐東窗事發，無以自解。

明乎此，則陳銘樞過去何以要組「社會民主黨」，又搞「福建人民政府」，宣言脫離國民黨，最後竟投靠毛共之所以然，即不難洞見其癥結了。（完）

諸葛文侯

「一千八百担」作者吳組緗

雨丁

吳氏作品之少，固由生活限制，然其才華短絀，殆亦爲一因。即就其小說散文集而論，據其自述：

遺裏收集的十八篇東西，大半選自原先兩個短篇集，其中四篇，這次才搜集起來的。

其平生短篇創作之精粹，顯已均集於此。然觀其內容，除「一千八百担」屬嚴肅之現實主義作品，在藝術上有超特之成就外，餘均爲自然主義、傳奇、或二者之雜製品，如：「梔子花」、「卐字金銀花」、「金小姐與雪姑娘」、天下太平」、「樊家舖」、「菉且」等均皆是。以數十年之創作，而所成就者竟如是，則不得不謂囿於生活面之不廣，蓋可斷言。

嘗聞之，吳氏肄業清華時，萬家寶（即曹禺，二十年前在國內極有名。）亦適在該校外文系就讀，且均有聲價譽間，而其後成就，則相去懸遠。論者除歸因於二人天才之不侔外，復有推原其新文學修養深淺之不同者，其故或亦可爲我國今日主持文學教育者深長思之也。

吳氏文字素養甚佳，所爲語體文簡潔遒鍊，遠邁流輩。以與馮玉祥同屬皖籍，曾先後爲馮氏私人中文秘書。相傳抗日戰時馮氏在重慶所出版之自傳「我的生活」，即出吳氏手筆，亦文壇軼事也。（下）

徵稿小啟

有內容有意義之隨筆、散文、掌故、小說、雜感、詩歌等類文字，本刊均所歡迎。請用有格稿紙繕寫，如需退還，請附信封及郵票。

自由報
THE FREE NEWS
第七十四期
（每逢星期三、六出版）
每份港幣壹角
社長：雷嘯岑
社址：香港銅鑼灣高士威道二十號三樓
20 CAUSEWAY RD 3RD FL. HONG KONG
TEL. 771726　電報掛號：7191
台灣分社

我之政黨運動觀

陳健夫

一、時代的道路

上月間讀到陳誠院長有關中國宜有反對黨的談話，說明了在朝執政者對民主政治的潮流已有正確的認識，他們寄望中國今日應有合乎理想的現代政黨，這可說是當政者第一次公開表白他們歡迎反對黨的誕生，政府當局這種勇敢的站出來接受反對黨的挑戰，至少表現了一種光明磊落的民主競賽精神，確係難能可貴的事。日前又讀到自由報雷嘯岑先生「論組織反對黨問題」的宏論，可說言出肺腑，議論公正，他說：「組織政黨乃是百年大計，只要宗旨純正，理想崇高，而其主張又能適應全國大多數人民的要求，即使開始縱然人少勢孤，未來的發展必見蓬勃。」雷先生這席話，不失爲理想崇高的空谷足音。他同時鼓勵政府應該及時採取開明立場，允許民間的政黨自由活動，他說：「在民主憲政生活之下，組織政黨原係平常之事，這不稀奇，組黨的最高目的是在取得政權，亦爲從事政治活動者應有的抱負，無所用其鼓覦猜忌的。……政府對於民間的政黨組織，即宜聽其自由進行，且不妨予以鼓勵贊助，以期蔚成憲政之治。」這些話眞是把握了今天的中國知識份子的思路，代表了許多人的心聲，希望當政者接納此項寶貴見意，而列入政策，藉以促進憲政生活。我是一個獻身中國政黨運動將近廿年的知識份子，中國今日仍未有合乎理想的在野黨，我亦感到痛惜。因此，經過了審愼的思考後，鄭重的陳述我對反對黨之所見，同時，亦願意繼續努力從事此種正大光明的政黨運動，以響應當政者明智的號召，且與民間賢達相期共勉之。

二、理想中的政黨及人物

談到民主政治，不能離開政黨制度，沒有健全的政黨制度（兩個以上的政黨競賽制度）不能算是眞正的民主政治。

政黨運動是現代政治中最重要的神聖事業，從事此一運動，應有其理想，從事此一運動的人物，也必有其應該具備的條件。政黨運動的用意，大而言之是一種救世的行爲，一切以利他利羣爲出發點，不是爲要滿足個人的權利慾望，更不能作爲個人憤世嫉俗的發洩工具。

現代的政黨，應該是一種爲多數人追求幸福的生活方式和大衆幸福的集團，政黨之必須爭取政權，只是作爲手段以實現其政治理想，却不是目的。政黨並不一定非執政不可，在野居於反對黨的地位，一樣有他的貢獻，有他的影響。

現代政黨，就其義理的深度而言，僅有政治理想和抱負，還是不夠的，更須具有宗教的救世精神，如佛祖的慈悲，耶穌的博愛，而輔以我國儒家所提倡的忠恕之道，推己及人，有教無類。當其開展運動時又要有百折不撓、堅強奮鬪的信心與勇敢。

像這樣願力恢宏，普濟衆生的政黨運動，實在不是等閑之事，凡是動機不純，意念不潔的人，最好不要隨便嘗試。抱着英雄主義，妄自尊大的人，如果搞政黨活動，必至誤己誤人，貽患社會。現代政黨，與其視之爲政治團體，不如視之爲宗教團體；與其視之爲宗教團體，更不如視之爲教育團體；政黨運動可說是澈頭澈尾的新教育運動，如何教育自己，如何教育羣衆，無一處不是教育，沒有良好教育爲基礎的政黨，很可能演成暴民集團或官僚集團。吾國今日正是多難之秋，政黨運動決不是爭權運動，而是救亡運動，亦是一種救世運動，此一概念是大家應該愼思明辨的。在此概念之下獻身政黨運動的人，應有宗教家的出世精神，不重名利，不計生死，不問成敗，而以教育家的方法，運用一切和平方式說服羣衆，啓發世人。一個政治家的成功，不是靠了他的權力，而是憑着深謀遠慮的智慧與一股令人鼓舞信從的道德力量。這種境界，非有高度的修養工夫是無法達到的。

三、政黨運動的法則

以上所述，實係今日嚮往政黨政治生活者的基本守則，至於政綱政策，尚在其次，無論是在朝在野，皆應以此爲出發點，方可成爲救國救世的十字軍。政黨之間只有政策是非之爭，而無感情好惡之見，即沒有專以反對爲能事的反對黨。

所謂政黨運動，實際也不過是人才運動而已，得人者昌，失人者亡，誰有人才，誰就配領導國家，執掌政權。政黨固不以在朝執政爲榮，在野反對爲辱，世間萬事如過眼雲煙。在衆人前面逞強的不算好漢，如何戰勝貪嗔私念，愛人如己，愛國如家，方是眞豪傑，實在不必像荒山的餓虎一樣，將政權看得那麼嚴重，要將政治活動藝術化，大家輕鬆些，恬淡些，諸葛武侯所說「澹泊以明志，寧靜以致遠」的人生觀，正是從事政黨運動的人，應該有此襟懷。

我們希望，不論在朝在野的政黨，彼此基於國家和人民的當前需要，憑藉政見，和平競賽，一是皆以民衆的好惡爲依歸，而不乞援於外來力量，企圖提高自己的身價，我們應以本國文化的一貫精神，開誠心，循公道，異中求同，同中容異，表現君子之爭的風度。

有人說，搞政黨只要有一、二十個可以共患難生死的同道之士，一致努力，別人就不敢輕視了。我認爲組織政黨並不是編組敢死隊，每個黨員都是同志，皆有其獨立的人格，大家爲着一種政治理想而合作，政黨的眞正力量是政綱政策，光是人多，亦係無用之長物。在民主憲政的社會，決不容許採取暴力行動，以求博得別人的重視，因爲利用暴力來爭奪政權，乃是革命行爲，講憲政就不能談革命，講革命即不能容忍有反對黨存在，自無所謂法治觀念了。目前我們政府對於共匪亦只是「戡亂」「討伐內亂犯」而非以下犯上的革命運動。因此，我們今日組織反對黨，必須唾棄暴力主義，而以和平競賽爲生存發展的法則，這就是我對政黨運動的信念。

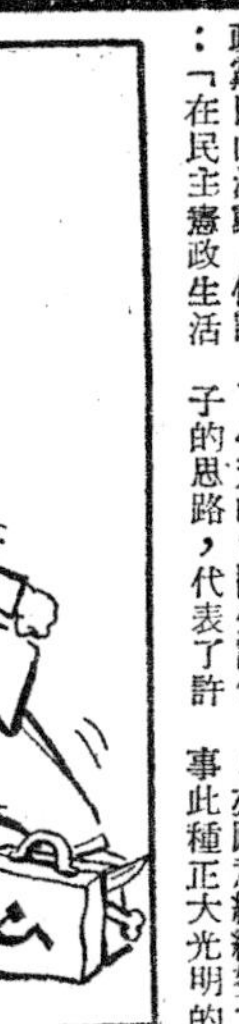

赫魯曉夫：「你這是什麼門？」

小論天下

△西藏傳出消息：中共在一個集中營內，餓斃一千名喇嘛，激動三千名囚徒暴動逃走。

其實，中共的一貫政策而論，餓死人不是新聞，不餓死人才是新聞。

△據傳蘇俄在今後三十天內，採取新的強烈行動對付西方。柏林可能有事。

豈眞「師行在即」，可西可東」？實是不外「多方以擾，亟肄以疲」！

△美國政要在夏宇白宮開秘密會議，應付國際新危機。法國總統戴高樂也希望來一次西方三巨頭會議，討論當前局勢。

在這個時間，最怕是三個和尚沒水吃」。

△「美國對蘇俄，正如畫一個圈繞着一隻青蛙，叫它不要跳出來。只要青蛙不跳，這種辦法是行的」——這是美聯社電訊對「圍堵政策」的絕妙形容。

青蛙不跳，畫圈的人笑。青蛙跳，畫圈的人叫。弊在從來沒有不跳的活蛙。

△紐約美國人報刊出市民羅素夫投信，內文說：「我想，我們應該選一位華裔做總統。美國的華裔之中，很少或者根本沒有犯罪及少年犯罪的情形。他們的基本爲人處事法則，將能產生一個好政府。」

想到被指爲「貪污而又無能」的國內官吏，感慨萬千！

△剛果總理耍了一回戲法，由邀請蘇俄出兵變爲拒絕蘇俄出兵，並且和美國資本家拉上交情。

這一回，美國總算在剛果打贏了一場無形的仗。它自己不答允出兵在先，嚴重聲明不坐視蘇俄出兵在後。赫魯曉夫口頭空炮放得太多，不免有此一失。

△中共軍事專家到達古巴，展開活動。

對剛果只是虛嚇，對古巴却是實幹。蘇俄有它的眞實打算。

錫蘭新任總理西麗瑪・班達奈拉克夫人是一位十足虔誠的佛教徒，身兼國防部長及外交部長。

唯佛國有此佳音，惜普天下未能同慶。

△聯合國近來頗不寂寞。西方國家長期「投資」在這個龐大的機構，到這時才被證明不是「百無一用」——剛果危機被暫時轉變得緩和下去了。

△「赫魯曉夫之辟」在國際叫得怪響亮，「毛澤東之辟」「不知到那裏去。

這不是日月出而爝火無光，只是主人的口，大過奴才的口。

△美國下屆總統競選，已判明由尼克遜對肯尼第做對手。

這是青年人對青年人的公平角賽。英國「經濟學人報」說得對：別替青年人担憂，未來時代將由他們挑起重担。

不管這兩人誰能當選，赫魯曉夫比他們都要顯得蒼老了。誰個青年人將由俄共高層圈子裏的殘酷鬥爭鑽出頭來？

方南

自由談

可哂的民主鬥士

本報最近刊載了兩篇關於討論反對黨的文章，完全是基於超黨派的客觀立場，作嚴肅而公正的批判，其中偶有涉及某一個人的政治思想和言行之處，亦出以含蓄的語意，遵循理性軌範，並不摻雜私人感情作用。自信這是崇尚民主自由生活的知識分子應有的態度，毫無愧怍。

詎料台灣方面有一位跟我們素昧生平的所謂民主人士也者，因爲本報的文章裏面描述他的政治言行有些矛盾，大爲光火，馬上拒閱本報（本是訂閱戶），甚恨成仇。我們忝負輿論職責，凡是在良心上認爲應該說的話，無論是對在朝或在野的人，必披瀝所見，直言無隱，以求其心之所安，任何拂逆之來，皆視爲理有固然，即使危難及身，亦復甘之如飴。某民主人士憎惡本報，我們決無絲毫不愉快的心理存焉。老實說，本報如果爲着主持正義公道，而遭到關門停刊的厄運，我們亦將引爲殊榮呢！

我們感覺可哂而又可怕者，乃吾國現代一般好談民主自由生活的士大夫，在思想與言行上，多見其爲只知有己，不知有人，政治權位有了我一份，便係民主，否則不分清紅皂白，指爲專制獨裁，申申而詈。平日祭起民主旗號，招搖過市，自命爲蓋世無雙的民主英雄，隨時指摘別人如何違悖民主，怎樣摧殘自由，却不許別人對他的言行稍有異議，充分表現着「你是民，我是主」的驕橫嘴臉。像這類的「民主鬥士」，萬一教他眞是執掌了政權，他若不變成希特勒的小嘍囉，亦必然是個汪精衛的忠實信徒無疑也。吒！

馬五先生

撲朔迷離的新聞紙登記禁令

台北通訊

本月十七日,此間英文中國郵報,從國民黨方面及政府方面高級人士獲悉,政府當局將於本年度雙十節後,邀請海內外所有反共政黨領袖,舉行救國會議,共同擬訂一項光復大陸的新計劃。這則消息:台北各報競相轉載,而轟動社會。

但是,這則政治新聞,在二十四小時後,却被接近官方的英文中國日報「更正」了。據該報消息說:政府權威人士十八日斷然否認最近有關政府當局,正積極計劃在今秋召開救國會議的新聞報導。這兩則完全相反的消息,使此間人士頗爲迷惑。因爲英文中國郵報的消息,一向都很「權威」,過去,駐台外國記者與通訊社都曾轉發過,所以「信譽卓著」。但是,剛出報的英文中國日報的,況且該報又是屬於半官方性的,致讀者不得不相信。

兩家英文報紙,國內人都知道,它們之間是「面和心不和」的,因爲同行是冤家。自從英文中國日報由通訊稿而正式出報以來,外間就有幾種不同的傳說。有人說,英文中國日報能夠出版日報,係國民黨第四組「開一句」,而非內政部正式的許可。但又有人認爲該報的登記證早已領到了,因爲時機未成熟,所以沒有立刻出版。也有人指出,政府對新聞紙登記禁令,即將解除了。這些傳說確否是另一回事,但因英文中國日報的出版,卻已引起一場新的政治暴風,這是事實。

首先發難的是監察院。監委陶百川在本月十二日的院會中,提案請求行政院查覆最近英文中國日報的出版,是否即係主管機關對於新聞紙登記禁令之解除。這個提案反覆說明政府依總動員法而杜絕新聞紙的登記,使人誤以妨害新聞自由、出版自由的口實。而主管機關以行政命令根本堵塞新聞紙登記一路,似與憲法及出版法保障新聞自由出版自由之規定不合。該提案旋經監察院會通過後,即函請行政院查覆。

接着,立法委員成舍我、程滄波等二十三人,以政府是否因英文中國日報之獲得登記證,而全面開放報禁爲題,提出書面質詢。質詢中說:「人民有言論、著作及出版自由,爲憲法所保障。而發行新聞紙,實爲人民行使此種權利之最主要工具。但政府禁止人民出版新報,非政治性、不批評政府之新的黃色雜誌,則仍約繼續出刊,此種扼殺人民言論著作及出版自由之非法措施,久爲中外輿論所抨擊,國際新聞學會因此視我國爲無新聞自由之國家,拒我參加,親痛仇快,影響我國國際聲譽至爲重大。內政部禁辦新報,藉口節約用紙,事實上台灣造紙工業,數年來日增,國內無法銷納,如不打開國外市場,紙廠且有相繼倒閉之虞。」

質詢中又說:本年七月一日英文中國日報由通訊社改爲日報,內政部已頒發新聞紙登記證,依此推斷,是政府已放棄過去藉口節約紙張而禁辦新報之措施。若政府能如此勇於爲善,勵行民主憲政,尊重人民權利,其爲賢明進步,自將獲得國內外應有之推崇。但這[illegible]言,仍有謂政府迄未變其禁辦新報之措施者,中國日報之獲得登記證,乃例外之特許。成委員等主張,凡是大陸來台的忠貞報人,所主持的報刊,在政府未能全部開放新報以前,最低限度,應與英文中國日報予以同樣待遇。

此一質詢見報後,報界又傳出「世界日報」與「益世報」即將在台復刊的消息。而成舍我創刊的世界日報,立即向台北市政府申請在台復刊。這些消息,予英文中國日報的影響固深,而政府在立監兩院夾攻之下,亦頗左右爲難。於是,外界又傳,這是英文中國郵報的「傑作」。從種種事跡顯示,英文中國郵報召開救國會議的消息,可能因一時不慎而受愚弄。不過,這幕「政治劇」,精彩的還在後頭呢!我們將拭目以待其演變。(劍聲,七月十九日)

大陸潛望鏡

△廣州市公社食堂向社員集中米票,收取現金,替他們配米造飯,每斤米折算「雙蒸飯」三斤,按月結算吃飯總量,抵扣配米,有餘米的,發回現金,餘米歸社,因此民間沒有一粒存糧。

照廣州市民的造飯經驗,米一斤可造「雙蒸飯」四斤,公社的「幹部同志」就中飽一斤,日積月累,爲數頗有可觀。這就是今天大陸人民水深火熱的另一現象。

△向以魚米之鄉著稱的廣東中山、順德等縣份,人民過着長期的飢餓生活,普遍發生黃腫病症,醫生們對於這些病人,無藥可配,祇吩咐病人,如有港澳親友,可叫他們寄些花生米、眉豆、冰糖等來吃,說這是「唯一的特效藥」。當你看到本港報章登載「祖國藥品」大量傾銷的廣告時,作何感想?

「雙槍王八妹」與邵氏影片公司的糾葛

由於日本新東寶影片公司攝製了一部以中國海岸爲背景,敘述一個女海盜和日本軍人合作故事的影片,香港邵氏影片公司在香港代理發行上映時,竟換上了一個「雙槍王八妹」的譯名,並在報紙上用了一些「眞人眞事」的字眼作爲宣傳,影射了抗日戰爭時期綽號叫做「雙槍王八妹」的黃百器女士,首先引起了香港輿論界的指責,接着台灣的報界也繼起筆伐,於是,使得這位曾在台灣從事義胞婦女工業的黃女士,憤慨異常,連續招待記者,發表談話,並且延聘了曾任內政部長的王德溥律師,準備向東寶及邵氏公司進行法律上的交涉。

然而,從黃百器女士的累次招待記者,發表談話,向有關機關陳情,呼籲國人拒看邵氏公司影片,要求邵氏公司拍一部有關她一生的傳記片,乃至傳要邵氏公司以金錢來賠償名譽損失,這一連串的行動,都是針對邵氏公司而發,却未聞對拍攝該片的日本新東寶公司採取任何行動。迄至週前此間某晚報刊載黃氏有要求邵氏公司付出金錢賠償名譽之新聞後,繼之又有王德溥律師刊登啓事,否認該項新聞報導爲止,似乎明白地表示出該一糾葛仍陷于膠着狀態中,雙方並無解決問題的跡象。

當此事件發生之初,黃氏曾一再提出該日片不獨有辱其個人,抑且有辱國家之處,並就此點向有關機關爭取支援,期能激起廣大之同情,惜此一舉並未能得到預期之效果,因之乃使此一事件陷於僵局中。分析其中原因,實有如下各點:一、該片僅在港上映,並非在台灣上映,欲利用台灣之政治力量,根本無法達及香港,係私人主張法律,恐亦力有不逮。二、該片內容姑不論其歪曲如何,然可預測其並非寫黃氏之傳記片,而僅是爲着片名問題,但與「綽號」雷同,是否能有「註冊商標」的效力,可據以作法律上之論證,不無可疑之處。三、若論及日片辱華問題,則此間進口之日片,曾經政府核准上映者,內容亦頗多可議之處,過去政府對此似未有所干涉,殊不便爲在香港上映之日片而提出問題。

因爲政府方面的反應若是,故使此一事件之交涉,前途趨於黯淡。黃氏目標不指向日本新東寶公司,而專向邵氏影片公司其原因在此。而邵氏公司方面,也看準了這一點,一面對黃氏所提種種要求儘量予以拖延,一面則承認其對發行該片譯名之誤會予以道歉,至如何道歉方式則迄未達成協議。

此間一般有識之士的意見,認爲邵氏公司此一錯誤行爲,有損國人信譽,咎無可辭,亟應自作反省,速謀補救之方,以謝國人。對黃氏的遭遇,固一致深表同情,就亦希望在不太爲至甚的情況下,尋一公平合理的解決。至於呼籲國人拒看邵氏影片一節,一般人亦頗有疵議,僉認政府有關機關實應記取此次教訓,對所有進口的日本影片,予以嚴格審核,凡一切含有不正確意義的日片,均應禁止進口,而不應貽國人「非不能也,是不爲也」的譏評。(七月十七日於台北)

寒士

大陸文壇萬花筒

丁玲近況

岳騫

最近有個跡象可以看出,丁玲可能勞改期滿,將可以公開露面了。

丁玲被整肅的眞正原因,是由於中共內部的派系鬥爭,大概在中共的文藝幹部中,顯明的有「赤區幹部」與「白區幹部」之分,前者以周揚爲首,何其芳、劉白羽、邵荃麟等人附之。「白區幹部」都是過去在政府區作地下工作的人,其中尙難指出何人是領袖,這批人中除去已被鬬倒的丁玲、馮雪峯之外,現在仍然踞高位的有夏衍(沈端先)、錢俊瑞、林默涵等人。

大陸陷共之後,周揚炙手可熱,成爲中共派在文化界的禁卒頭子,所有文人不論黨與非黨,一律順我者生,逆我者死,許多人都因爲拂了逆鱗而遭橫禍,胡風就是一個顯著例子。

丁玲當然也不服周揚,因爲論到成就她比周揚大,論到名聲她比周揚高,她的「太陽照在桑乾河上」,曾得過史大林文藝獎金二等獎,直到今天中共人員獲得此種「榮譽」的仍然只有她一人。周揚當然也許看準了這一點,所以就當赫魯曉夫貶抑史大林時,對丁玲下了毒手。

丁玲被肅整之後,據說被派到「作協」辦公廳去掃地抹枱,這樣處罰當然還是優待,至於馮雪峯,與吳祖光等人已被派去北大荒「愉快地勞動」(借用中共文特曹某語)去了。

丁玲當時究竟被判勞動改造幾年,未見宣佈,但是最近可能服役期滿,雖不能恢復原來地位,大概可以恢復一個作家身份了(仍要受管制)。所以「太陽照在桑乾河上」當初整肅後被列爲禁書的,現在開禁了,本港共黨書店均有出售,另外又出版了一本「丁玲短篇小說集」,可見丁玲確實翻身了。

另一方面看,周揚最近很沉默,何其芳更被關得喘不過氣來,有關文藝政策的報告均由錢俊瑞、林默涵出馬,錢俊瑞已有取代周揚之勢,這種形勢當然對丁玲是有利的。假若丁玲復出只是一個訊號,也許大陸文藝界又有一次整風運動,這次倒霉的要臨到周揚一派了。

編者·作者·讀者

一凡先生:「失業」作者羅沙先生現居台北,羅沙只是一個筆名。您要找的朋友羅沙是河北人,而且失去聯絡已十年,恐怕不是這個吧!不過,我們仍然願意替您寫信過去詢問的。

張文先生:大作一萬五千字,過長,本刊篇幅不多,礙難刊載這樣長的大文章,請原諒。

澳門占師道先生:本刊甚少登載詩稿,這是事實,今後亦不擬多予採用。我們總感覺到,現代人作的詩作得好的不太多,而新詩又占篇幅過多,因此,我們就寧缺勿濫了。

楊志强先生:您寄給曲齋先生的信,經已代轉。

台北李秀蘭小姐:「青年之聲」欄的文字,以五百字左右爲最適宜。過長恐難刊載也。

創制權和複決權(下)

·淦克超譯·

美國——各州議會所提出的修改州憲案必須提交複決,此制首經康涅狄克特州於一八一八年採行。在若干州內,公債發行問題必須提交複決,又地方政府對于公債發行,税捐問題及類似性的問題,亦盛行相似的法規。因州憲的規定甚詳,和必須時常修改,許多不引起投票人的興趣的問題仍交投票人複決。

在美國的習慣用法,創制及複決,或直接立法,不是指滿強制性的複決立法,而是指辦選擇性的立法,和由投票人來創制法律或提修憲案(假定以後會有一次人民複決的)。美國之所以採行此等辦法,是由于那些團能爲產的人們敵視那機構統治,不相信立法機構,却對民主有深厚的信仰。這種信仰就是——祇要給予人們以推翻立法行動之手段,而創制人民票決的立法,當時各州議會的流弊就可以預防。帶保守性的諸團體則反對直接立法制。採行直接立法的以西部諸州爲主,還沒有滿足主張者的希望,亦沒有減少反對者的恐懼。實際上,運用複決權的就是那些慣恨立法機構的團體,想喚起大多數的選民,以制止那法律之實施。趨向于運用創制權的諸團體,乃是那些無法使立法機構制定其所要求的法律的。藉創制權,他們就可以由選民從事直接行動了。創制權和複決權比起須將議案提交投票人之强制複決還欠重要些。還有一層,大部分的運用事例乃在加州和阿勒岡州。在整個的立法程序中,就影響于法案數量言,創制和複決是比較不重要的。以威爾遜總統的話來說,這些辦法可被看做「門後的鎗砲」,使用于立法機構濫用職權的時機的。(完)

社會小說

香港地

五、有錢佬

過海到了統一碼頭，梅大亮果然見碼頭前面有幾個人担任招待，這些人當中有兩個是他認識的。大概可說得是霍新開手下的「馬仔」，開常替他担任筆墨抄寫和奔走雜務的工作，爲人都屬於雜差活潑的一派。梅大亮才正躊躇，那個叫做馬永言的青年人便跑前揚手道：「梅公，你也來了。請到這裏來。」

馬永言拿得起筆桿，也有做跑腿的本領，梅大亮曾經看過他們寫的文章，認爲這個青年人資質不錯，從前和他頗談得來；這時便上前和他握手，笑道：「什麼梅公？別把我喊得太古老了。這回我是大鄉里出城，要到山頂去看看人家奢遮的排場，你却把我喊成老古董。」

馬永言見他短裝打扮，情知他話裏的意思是什麼，便笑道：「你老別說笑話了。大家都知道你一貫是名士派頭，與別不同。管他什麼奢遮排場，我們不妨今天玩個痛快。來來！這輛車子還差一個貴客才滿額，你來得正好！」

梅大亮還未答話，便被馬永言拉到一輛簇新的車子傍邊，車裏立即有人喊道：「梅先生，這裏有個位置等你！」

說話的人，正是馬永言慣常搭擋的好朋友姓姚名永嘉，邊說邊打開車門，向梅大亮招手。

梅大亮進入車子裏面，見這是很輝煌的一輛新車，車裏除了姚永嘉一個，大都是陌生的臉孔，只和他並肩坐着的一位老先生，較爲面善，但他却記不起此人姓甚名誰。

姚永嘉坐在前面司機的傍邊，打着手勢，似乎是指揮者的身份，對前面兩輛車子發出命令，喊道：「我們這一隊人馬，馬上開動好了！」他說話的口吻竟帶一點「捞家」氣味，把這羣人看作是「一隊人馬」，惹得大家哄然一笑。

三輛汽車在一陣笑聲中開動，魚貫而前。梅大亮因爲坐在最後的一輛車子裏，看得十分清楚，這一行車子都是全新的白牌私家汽車，好不威風！他心裏不禁訝詫地暗忖道：「難道霍新開中了頭彩馬票？他怎搞來這麼多靚車子來接客？」（四六）

木客著

蘇俄與中共的論戰（一）

唐昌晉

一年來蘇俄與中共在理論上的紛歧，除人民公社暴政曾遭到赫魯雪夫批評外，主要集中在兩個問題上：即無產階級國內革命的手段問題，與共產集團同自由世界間的和戰問題二者。

就前一個問題來說，赫魯雪夫上台之初，鑒於英國工黨及法義兩國共黨在議會之逐漸得勢，因而一九五七年十一月在莫斯科召開的社會主義國家共產黨和工人黨代表會議宣言裏明白主張透過議會政治，以達到無產階級專政目的。原文是這樣的：

「在目前條件下，在一些資本主義國家裏，以自己的先進部隊爲首的工人階級，有可能在工人陣綫和人民陣綫的基礎上，在不同的黨派和社會團體達成各種可能形式的協議和建立各種可能形式的政治合作的基礎上，把大多數的人民團結起來，不經過內戰而取得國家政權，從而保證使基本生產資料轉入人民手中。工人階級依靠人民的大多數，並且堅決打擊那些對於資本家和地主不肯放棄反人民政策的機會主義份子，就有可能擊敗反動的反人民的（凡是反共的，中共都給戴上這樣的頭銜）勢力，取得議會中的穩定的多數，使議會從爲資產階級服務的工具變成爲勞動人民服務的工具，同時開展議會外的廣泛的羣衆鬥爭，摧毀反動勢力的反抗，爲和平實現社會主義革命準備必要的條件。……」

要是不能「通過和平的方式實現社會主義革命」，就必須考慮另外一種可能，即非和平地過渡到社會主義。但這點只輕描淡寫一下就過去了（民國四十六年十一月廿二日人民日報第二版）。

今年四月廿二日，許邦儀以「學習列寧」爲題，在人民日報發表了一篇文章，藉指責修正主義與機會主義來指責這種和平實現社會主義的想法是不切實際的，他說：

「考茨基的『無產階級專政』是什麼貨色呢？那就是不要暴力奪取政權，而只要在資產階級『民主制度』下，『和平地』獲得大多數，即是資本主義和平長入社會主義的思想。他爲了出售他的貨色，還引證與曲解馬克思的意思。……列寧針對考茨基的論點指出：『借口馬克思在七十年代曾經認爲英國與美國可能和平過渡到社會主義，這是詭辯，通俗一點說，這是用引證來騙人。第一，就在當時馬克思也認爲這種可能是一個例外；第二，當時還沒有壟斷資本主義即帝國主義；第三，英國和美國當時沒有（現在有了）軍閥制度——資產階級國家機器的主要機構』。」

陸定一在列寧九十誕辰紀念大會上也引列寧的話說：「資產階級國家由無產階級國家（無產階級專政）代替是不能經過『自行消亡』來實現的，根據一般規律，只能靠暴力革命來實現。……這正是馬克思和恩格斯全部學說的基礎。」（四十九年六月廿三日人民日報載陸定一「在列寧的革命旗幟下團結起來。」）

紅旗雜誌編輯部爲紀念列寧九十冥壽而寫的「列寧主義萬歲」一文引述列寧另一段話說：「歷史上從來沒有過一次不經過國內戰爭的大革命，並且也沒有一個眞正的馬克思主義者會認爲，不經過國內戰爭就能從資本主義過渡到社會主義（四十九年四月廿日人民日報）。」

談熊希齡

漁翁

滿清入關，開科取士，以章句學，束縛一般智識份子之心思才力與氣質，使其脊脊於虛榮方面，而得從容以臥治之。俗云：「秀才造反，三年不成。」凡入於庠，舉於鄉，會進士，點翰林者，認爲光宗耀祖而自足，如福建之鄭孝胥，湖南之葉德輝輩，因受極權教育之影響，始終以擁護清廷爲職志，而出身翰苑之熊希齡則不然，與留學之士談新政，倡新學，良有足多者。

熊字秉三，湖南鳳凰人，由童試而鄉試，而會試，而入翰林，一帆風順，而思想前進，以清末政治腐敗，外侮頻乘，認爲操觚染翰，不足以圖自強。適陳寶箴開濟湘垣，推行新政，以梁啓超主辦時務學堂，開全國新學之先聲，熊與皮鹿門等講學其間，皮上課時，熊爲之搖鈴，有譏之以聯云：「鹿皮講學，熊掌搖鈴」。時風氣未開，咸不滿陳熊之所爲，有好事者，又輟聯以諷之曰：「四足不停，到底有何能幹？（指熊）一耳偏聽，曉得什麼東西。」（指陳）

民國成立，熊以進步黨而被選爲財政總長，旋繼段祺瑞而爲國務總理，主張裁兵減政，與民休息，而爲陸軍總長段祺瑞所不同意，熊以計劃不成，乃憤而辭職，辭文中有曰：「心力竭盡，雖賈平勃之歡，去就忠貞，有負唐虞之德」，卸內閣後，書生不離本行，仍致力於教育事業，不再捲入政治漩渦，故不爲人所忌嫉，田園種菜，以樂餘年，爲清末民初不可多得之人物也。

儒林九尾龜

吳敬鋅

第二回：好夢由來最易醒

盧教授聽了電話，情緒上顯爲緊張，連說幾聲：「好的，好的，我就來。」放下電話筒，一句話未講就走了。

李鴻飛長長吁一口氣：「這是作什麼呢？」

烏應桂笑道：「這就是政治。」

鄭仲明嘆口氣說道：「我近來也感到迷惑，政治究竟是作何解釋，假若盧先生現在作法就叫做政治，我覺得這兩個字，實在要不得了。」

說到此處，大家沉默了。

黃安民打個手勢，要大家[illegible]手，十分嚴肅的說道：「談到這個問題，我想我們討論一下，在目前情況下我們應採取什麼態度。」

烏應桂笑道：「還討論什麼？先生當了部長，我們六人兩個次長，四個司長，還不是內定的。」

黃安民搖手：「不要開玩笑，我的看法是這樣，先生現在熱中作官，還談不上政治，更不必談作什麼運動了，我們隨着他去混，有沒有前途不說，實在沒有意義，所以我現在從今天起，我們不必再理閑事，大家埋頭讀書，研究問題，尤其是中共問題，將來必成爲熱門學問，我們應該向這方面多下點工夫，好在此地書報又多，讀書到是一個難得的機會。」

大家聽了黃安民的話，十分動容，就是倚老賣老的烏應桂，素愛開玩笑的小石，也一齊點頭。從這天起，他們六人果然專心致力去讀書看報，不再過問盧教授的事。

他們雖然不理會盧教授，但是盧教授有事要他們作，他們也無法推辭。

就當盧教授接同他們談過洪先生風流事蹟的第三天，突然一早來了電話，要黃安民、李鴻飛、鄭仲明及小石四個人趕去盧公館。大家接到電話，頗爲詫異。黃安民說道：「什麼事這樣緊張，是不是先生病了。」

小石搖搖頭：「不會的，先生在電話中聲音和平時一樣，絕不是有病，可能是師母要生孩子了。」

黃安民一瞪眼：「胡說，沒見她肚皮大，怎麼會生孩子。」

小石笑道：「那也不一定，她的個子大，有了孩子也看不出來。」

李鴻飛擺擺手：「別胡扯了，走吧！到那裏自然知道是怎麼回事。」

四個轉彎抹角跑了幾條馬路，到了盧公館一按門鈴，女工開了門，他們走進客廳不禁嚇了一跳，原來地下擺滿了各式各種紙盒，仔細看看都是尼龍絲袜，口紅，衣料，及其他化裝品。小石「咦」了一聲，問道：「這是怎麼回事？」

孔子的國籍

徐學慧

孔老夫子的國籍，經過二千五百年的考驗，還有人說他不是中國人，而又出於中國人之口，這眞是趣聞。

據外電報道，台北一宴會上，某警察局長與一華人傳教士爲孔子的國籍問題發生了爭執。據稱：該傳教士在宴會上乘機傳道，那位警察局長就對他說：孔子是我國的聖人，何以不信本國的聖人，而要相信外國的？傳教士答道：孔子也是外國人，又據說，他們兩人爲此爭執正烈，那個作東道主的正在調解，務令其不致公堂相見。

這消息倒很別緻。

看來，對簿公堂是不會了。但這位傳教士的議論，却是值得提出來研究研究呢？

一個傳教士，能夠參加有警察局長在場的宴會，大概不致于神經錯亂吧！既非神經錯亂，却居然發出類似神經錯亂者的論調，簡直可以說是一宗怪事。

可是，要說是怪事，那就不免替這位可憐的傳教士曲意掩飾了。實際上，這並非怪事，而是一件相當可憐的事呢！

中國之有孔子，在那些傳教士看來，委實是一個難解的結。西方人所崇拜的爲聖經，聖經中的經義，在我們中國的五經四書裏面全部包涵，這就使得任何一個傳教士在中國，衝不破孔老夫子這一關；而這一關不衝破，則任何教都沒法在中國生根。要想和任何一個傳教士維持朋友關係，最好是不要在他傳教的時候，提到孔子。

一提到孔子，這場面就很尷尬了。應付尷尬場面，是需要有一分機智的。這位傳教士拿「孔子是外國人」來應付那位局長先生的問話，雖嫌過分，畢竟亦不失爲機智。

這樣的問題，除了根本否定孔子是中國人而外，倒也很難措辭。爲傳教而否定孔子是中國人，其語雖無稽，其情實可憫。

這位傳教士，是應該獲得憐憫的。

令人遺憾的是：外電並未報道，孔夫子究竟是屬于那一國的？其實，天下事本來也沒有什麼嚴格的是非；假定把時間移到二千五百年前，在台北的宴會上，說孔夫子是外國人，不就甚麼事都沒有了嗎？

不過，這也只是假設而已。二千五百年前，耶穌還沒降生呢！阿們！

繹未集

白華

白華一詞，係此間左派報刊，加於因受中共廹害，流寓本港難民之惡名，其用意則仿自蘇聯之於白俄羅斯，亡國賤俘，呼馬呼牛，已不暇計較，且亦非口舌間可以解決之是非，故多年以來，似尚無人有所抗議，甘心緘口，但有悲憤而已。按俄國革命迄今已四十餘年，白俄足跡，遍五大洲，世人大抵稱之曰政治難民，大陸未失陷前，上海一地，即不啻爲此輩之樂園，其中有經營餐館者，有開設舞場者，有爲彈琴跳舞之教師者，年青女性，亦有爲變相之娼妓者，其生活情況，與清室遜位後之旗人，大率相似，因其本身原爲貴族，遠祖以來，即享有特殊之權利，王孫末路，板蕩悽涼，世人對之，但有感慨而絕少同情。猶憶少年就讀廣州之日，不時見髭鬚滿面，衣履不整之洋人，手持駱駝毛氈，向人求售，其面目之表情，大部沉默而憂鬱，叩其身世，則均白俄也。帝俄時代，大抵均將軍伯爵之類，時移勢易，遂淪憔悴如此，以人情論之，誠足哀傷，然反觀我輩，共黨未來之日，身爲齊民，祖遺薄產，未嘗足供溫飽，較之白俄及旗人之席豐履厚有不可同年而語者，而亦逼害竄逐，挫辱饑餓，至於無以爲生，則中共待同胞之殘忍，較俄共爲尤甚，可概見矣。友人某君蹴一窟於九龍，鄰室爲一老白俄，居港已三十年，以教授鋼琴及作曲爲生，年齡已過七十，妻子分居後流寓法國，每月由此老人付贍養費，老人在港，無父子兄弟之親，亦無山水朋友之樂，平生作曲，縱有鍾儀之琴，莊舄之吟，亦自無人能解之，幢幢以來，幢幢以往，視息於天地之間，實類夢幻泡影，故今日之世，爲亡國之遺民，即有顧亭林、王船山之志業，亦徒然耳。猶憶明亡時，一士大夫矢志不事僞朝，「決心遊方外以避時」，以華相流衲木拂之名，撰甲行日注一種，自云：「受國家恩當死，讀聖賢書又當死，雖然，死亦難言，姑從其易者。」全書情調悲涼，有令人不忍卒讀者。如云：「二十七日丙午，雨，曉起，理裝，家人環至庵中拜別，余曰：此行也，若中興有期，則歸來相見，亦有日，不然從此永訣矣。……三孫不及見其長大，幸爲我善視之，」踞湖山先塋松楸，幸念之毋忘，不腆數畝，與環堵之室，不暇計矣。」其曰中興有期，萬一之望耳，猶未遽至於絕也。而儕輩中從容告別家人，在我輩視之，已成曠典，亦羞勝於白俄，然則我輩果甘心爲白華，無復作中興之想乎？

曲齋

粟海彈心錄

反對黨

阿公

客有以某某等知名之士組織反對黨見告，並質其可否有。予不禁爲之撫掌啞然久之，此誠空谷之足音，士各有志，所見不必盡同，則亦無可無不可。

香港工商日報七月五日報道「胡適於赴美前，表示其支持在台灣組織反對黨之事，……不管給現在組織中之反對黨注射一次催生針。」胡博士素以無黨派標榜於世，今既作此主張，我倒希望某博士個強而起，脫穎而出，試試好身手看看，如此大熱天氣，若止從旁吆喝，而自身反去樹下納涼，惟恐天下不亂，似非好漢子。

我則以爲是，於可不可間，當事者盡剖析之忠告，備選擇。

萬物有生於無，新陳代謝，物之常，亦理之常也。況民主政治之與政黨，政黨之與民主政治，因緣互生，相得益彰，治權政權，各有常徑，治權在民，民權在選舉，政權交替在政黨，取得政權在國會。現行憲法既無限制組黨之明文規定，有志者自可起而爲之，誰曰不然，此予所謂無不可也。

維茲事體大，言易行難，凡屬政黨組織，必有首腦，有幹部，有黨從，有羣衆，發揚其政治主張，以號召天下，而從事選舉，事到臨頭，旣費數百千萬，一擲而盡，尚屬細故，有無若干企業以爲後盾，則捉襟見肘，欲罷不能，此無可者一。

台灣褊小，任何階層，皆不足以爲背景，若以代表地方性而出之，自難免於取瑟而歌，否則其目的又安在，公忠謀國者，當不若是。此無可者二。

羣龍無首，一國三公，東西湊合，勢形必然，政由大夫，此「三桓」所以式微。往事歷歷，敗不旋踵，此無可者三。「上」

閒話厠所

筱臣

中共近來的宣傳，眞是五花八門，無奇不有，爲了要宣傳今天所倡導的衞生運動，於是對於修建厠所的報導，也不惜巨大篇幅，加以描述。其實，修建厠所，還實在微末得無以勿加的細事，談不上道也是「大躍進」的建設，何況今天中共要人民積肥，「不論男女老幼，每天都要交出糞尿若干」，所有厠所早已擇取得一乾二淨，厠所的潔淨，無形中較之昔時要好些了。

祇是看了中共的報導以後，使筆者聯想到歷來有若干有關厠所的趣話。厠字的來源甚古，如左傳：「公如厠」；北宋齊宣帝亦有如厠之記載。晉書劉寔傳：「寔位通顯，儉素不尚華麗，嘗詣石崇家如厠，見有絳紗帳，茵褥甚麗，兩婢持香囊，寔便退，笑謂崇曰：誤入卿內。崇曰：是厠耳。寔曰：貧士未嘗得此，乃更如他厠。」儘管中共宣傳修建厠所如何美好，恐較之石崇厠所的華麗，其間還不是可以道里計嗎。

又有關於厠所之聯語，兩般秋雨盦隨筆，載有蔣愛伯徵士上題范觀公中丞厠上聯云：

文成自古稱三上；

作賦而今道十年。

所謂三上，因爲大文豪歐陽修自言：生平所作文章，乃馬上，枕上，厠上。這一聯實在典雅貼切之至。還有厠所集句聯，已不知爲何人所作，聯云：

必有事焉，然後敢入；

其爲氣也，惟恐有聞。

這一聯集來，眞是天衣無縫，而且詞味無窮，對於厠所的描述，雖說算是獨到了。

在上海民初的時候，爲了要整理厠所，倡清潔衞生，經費實無從籌措，於是對於坑廁的也要抽稅，美其名曰「衞生捐」，當時好事者爲之撰一聯云：

自古未聞屎有稅；

如今只恨地無皮。

在今天中共的苛政，橫征暴斂，巧取豪奪之下，尤其是今年的夏收，派了若干民兵共幹，大批的下鄉搶割，割了馬上就運走，害得人民挨餓。這一副對聯，用來移贈中共的當道，應該是極其適合。至於類似這種命意製聯，較爲積極的。則有：

到此方無中飽患；

誰人不爲急公來。

此聯用意極佳，而且含蓄有致較之上聯，似乎又高明多了。走筆至此，使筆者又想起陳蹟之先生的紀記，他的長安走筆生花錄之一，有一段曾經談到：

「有一位教授說：中國的機關要能夠做到取締中飽，消滅歸公的話，則一切的問題，均不成其爲問題。」

「另一位教授站起來笑道：我要到消滅歸公，絕無中飽的現象的地方去一躺。」

「我問他到那裏，他沒有回答我，我看着他到厠所裏去了。」

這一段談話實在極爲幽默，令人讀了以後，啼笑皆非。我想大家都能做到洗手奉公，第一持之以恆，第二持公廉潔，消滅歸公，那麼，這一個國家的貪污問題，也就輕鬆多了。

最後還要補述的就是有關帝王宮廷如厠的故事。「光宣遺事」一書曾載：「清宮中后妃大小便，稱之爲大小官方，大官方拉屎，小官方撒尿，宮內所稱茅淨，慈禧爲皇太后後，大小官方皆在寢殿間行之。」「光宣遺事」又記西太后茅淨坑上蟄整塊黃玉，豈慈禧屁股不怕涼澈？又記其所用手紙皆軟緞、軟緞不吸水，試問愛潔成癖的太后其何以堪？

又那拉氏茅淨坑，手執持爲樟木所製，手紙爲既軟且滑之蓉花紙，淨畢洗手爲玉盆。太后入淨時，神帶由宮女代繫，用紙時亦自動手，此爲北平王太監所談。

總之，極權政制的宮廷的荒唐，毎多類是，不足爲怪，今天中共政權的荒唐，亦只是五十步與百步之間而已。走筆至此，余欲無言。

海嘯樓談薈

棋癖趣聞

諸葛文侯

棋爲雅藝，屬於善良嗜好之列，樂此不疲者，類多智識界中人，似應表現君子之爭的風度，勝負無所容於心，而其癖好亦祇沉湎於摳賭與女色的程度，迥然有別也。可是，事實上乃大謬不然，許多嗜棋成癖的士大夫，乃至於鐘鳴鼎食的政壇人物，每在棋盤中忘乎其形，言行超越理性範圍以外而不自覺，可哂已極。古人的這類軼事且不談，試述幾個現代「棋士」的奇趣軼說。

段祺瑞一生嗜好圍棋，雖在軍營倥偬或政務叢脞時，亦非尋求對手鏖戰一番不可。日本人故意逆迎他，稱許他的棋術已進入三段境域，他亦自負並非虛譽。實則他的技藝殊平常，但一般友儕與僚屬們每與段對奕，輒以遜讓爲懼，使其終獲勝利，段更認爲自己的本領確是高强了。他的兒子段宏業亦精於此道，技術高過乃父，老段有時候缺乏對手，即與兒子較量，而小段則當仁不讓，常令乃父敗北，老段必憤然作色，推盤擲棋而斥之曰：「你這小子就是會下棋而已！」妒忌之情，溢於言表，不亦怪哉！

投降毛共的邵力子，酷嗜象棋。他在對日抗戰之前，貴爲國民黨中宣部長時，常在黨部與其主任秘書某對奕，兩人互不相下，每因一著棋發生爭執，即彼此拌嘴，口出惡言，爭論不已，「混蛋」，「豈有此理」之聲不絕，猶若仇敵，邵嘗爲誓，決不再與對方下棋了。但過兩天棋癮發作時，他又笑嘻嘻地向某秘書說道：「來，我們下盤棋消消遣罷！」等到棋局將決勝負之際，兩人依然爭論，仍吵得如故。中宣部職員莫不啞笑腹非，指爲無聊失態，然邵氏不顧也。

已故台灣大學校長傅斯年，雅好圍棋，每日非此不樂。一天，寂寞而沒有對手，詢知自己的汽車司機略通此道，乃在車房內跟司機酣戰。旋學校有事須請示校長處理，遍尋傅氏不獲，校中工友來詢司機以校長安在？纔見傅氏正與司機聚精會神地對奕着，即請他到辦公室去。傅疾言厲色語之曰：「你回去告訴他們，說校長找不到就得了，有事明天再講，不要嚕囌，快滾！」終不願停止棋局，趕辦公事，其癖好之深，可謂罕見也矣。

諸葛子曰：上述諸人這股棋癖的幹勁兒，即係人類精研學識與創造事業的個性發展之潛力所在。共產黨必須泯滅人類個性，宜其文化保陋，而形成野蠻落伍之社會生活也。（完）

現代詩宗

伍俶

××××丁雨××××

近代倡爲魏晉五言者，王闓運始[illegible]

[illegible]浙江溫州[illegible]劉申叔[illegible]北京大學[illegible]

詞林雜俎

悲永隔：[illegible]

[illegible]

細雨遙山樹，不過[illegible]滄海無冬春，[illegible]

暖燈船影之新趣，點綴新帆輕去。獨愛[illegible]潮上浪，散[illegible]圓紋跳，[illegible]

魚水居，點[illegible]安處，[illegible]

見，鷺鴛海邊晚，倉皇向歸路。

紅菊又如折，後，心目，[illegible]餘香[illegible]夜深寒[illegible]深，

[illegible]幽獨。

除夕（七）

徵稿小啟

有內容有意義之隨筆、散文、掌故、小說、雜感、詩歌等類文字，本刊均所歡迎。請用有格稿紙繕寫，如需退還，請附信封及郵票。

自由報

THE FREE NEWS

第四十八期

中華民國僑務委員會頒發
台僑新字第三二三號登記證
中華郵政台字第一二八二號執照
登記為第一類新聞紙類
（半週刊每星期三、六出版）

每份港幣壹角
台灣零售價新台幣弍元

社長：雷嘯岑
督印人：黃行藿

社址：香港銅鑼灣高士威道二十號四樓
20. CAUSEWAY RD 3RD FL
HONG KONG
TEL. 771726　電報掛號：7191
承印者：四風印刷廠
地址：香港灣仔高士打道二二一號

台灣分社
台北市西寧南路二十六號二樓
電話：三〇三四六
台郵撥儲金戶九二五二

觀測美國大選前途

——兼論世界局勢——

雷嘯岑

美國民主黨與共和黨的本屆總統候選人已經推定了。從現在到十一月下旬的三個多月期間，兩黨皆忙於競選工作，其他一切事項，無論是內政或外交方面的，一概將視為次要問題，但求維持現狀足矣——除非再有「珍珠港事變」發生，然這是很少可能性的事。因此，我們對於美國大選前途，亦自然而然的特別關懷，以其影響未來的世界局勢，至為深鉅也。

蘇俄的援助

兩個少壯的競選人

民主黨與共和黨所標榜的競選政綱，都是些大同小異的官樣文章，在國際間固然產生不了新作用，即對於國內的選民，也沒有多大的號召力量。肯納第和尼克遜這兩位初生之犢的競選人，將來勝負誰屬，關鍵只在他們個人對選民的吸引力如何，黨部的助選潛能，可說是微末不足道。英美人民的自由意志，誠如洛克，霍布斯一流人所批判的情形，在投票的剎那間，是能夠自由發揮的。然一般選民對於候選人的價值判斷，十九都是憑着直覺的觀感而然，深切的理智因素並不大。十二年前，共和黨推出的總統候選人杜威，社會人士一致認為他穩操勝利之券，不成問題，結果却失敗了。考其失敗原因，就是由於婦女們瞧着杜威那副英俊瀟颯的相貌，年富力強，害怕他一旦執政之後，難免有激起國際戰爭之虞，將要徵調她們的丈夫或兒子去從軍。反觀民主黨候選人杜魯門的姿態，婆婆媽媽式的溫和持重，她們乃基於單純直覺的反戰情緒，把選票投給杜魯門了。所以，杜威於七年前訪問台灣後，順道來香港游覽時，旅港美國僑民集會歡迎他，會有婦女問杜威是否再有競選總統的意念？杜氏笑答道：「你們都不投我的票嘛！」

這次肯納第和尼克遜都是少壯人物，跟上述杜威競選時的情形不相同了，但在陶醉於安全繁榮生活的美國選民心目中，觀感依然有別。肯納第接受提名為總統候選人的首次演說，聲言要求美國人民必須以犧牲精神來創進和平安全的自由幸福，大家要站在「新的前綫上」。這些論調原是極其理智之談，不愧為一個政治家的吐屬，尤以美國今日所處的自由世界盟主地位，應該有此兼善天下的獅子吼聲，藉以一新世人的觀聽。可是，這對國內一般選民所抱有的獨善其身的願望，殊不相侔，此其一。肯納第過去僅在二次大戰時担任過魚雷艇指揮官，從未涉足於政海中，他被選為參議員的時間亦不久，在議會裏更不像韓福利，富爾布萊德之嶄露頭角，沒有政治聲譽之可言，大多數選民對他是陌生的，再聽着他那套「新前綫」「犧牲精神」的言論，是否將遭受如杜威當年競選的意外損傷，頗成疑問，此其二。肯納第的年齡比尼克遜更輕，他的氣魄和才幹，或許並不亞於尼氏，但這種向前衝的球賽領隊作風，在目前的美國大選場合，未必相宜。他又是個天主教徒，跟美國政治上的傳統習慣亦相違背，此其三。談到肯納第在國際間的聲望，可說是等於零，那素來對於美國大選間接具有影響力的英國人士，對肯氏亦將採取純粹的旁觀態度，祗就肯氏的言論丰采及其作風看來，即與英國人的紳士派大異其趣也，此其四。

尼克遜的年齡既較肯納第大五歲（現年四十七歲），其氣度亦表現着穩重多了。他在八年期間的副總統任內，由於艾森豪之格外提拔，讓他在國際和國內的政治舞台上，得有顯示身手的機會，而尼氏亦有他的一套本領，處事小心翼翼地不辱使命，肆應得宜，譬如日前到南美訪問時對於當地民衆不友好的行動，表現着不亢不卑的態度，恰到好處；在莫斯科的美國展覽會中，他跟俄共頭子赫魯曉夫舌戰不屈，適如分際；最近在國內調處鋼鐵業大罷工事件，亦告圓滿成功。這些都是尼克遜很大的政治資本，對於競選的關係甚鉅，決非肯納第所可同日而語的。他在芝加哥的黨代表大會中發表政見演說，循着本黨擬定的政綱原則，雖亦主張美國不惜任何犧牲以保存自由制度，遵守對盟國的條約義務，為全人類取得公正的和平，但他更強調「美國的安全利益」。這就是迎合國內選民願望的宣傳詞令，技巧上遠勝於肯納第。加以艾森豪在共和黨代表大會講演，暢述美國國防實力在六年前有如真空狀態，現時的海空軍實力已趨於強大地步，原核子武器的發展突飛猛進等實在情況，給人民增加安全感，間接對尼克遜的競選功大有裨益。這次民主黨推舉少壯的肯納第作總統候選人，用意原是為要對抗年青的政敵尼克遜，事實上，却對尼氏發生幫忙作用。選着這兩位少壯人物讓選民自由抉擇，無論從任何方面設想，尼克遜皆佔着極大的有利因素。至於俄共赫魯曉夫逐次發表仇恨美國共和黨政府的宣傳攻擊，更對尼克遜的競選前途有利無害，徒然[illegible]已。民主黨的政客如韓富利等，一到莫斯科訪問歸來，總是表示我俄帝以自重的調色，而尼克遜在莫斯科却跟赫魯曉夫辯論自由與奴役的真理。這在今日在海外反共言潮的美國人民心情上，刺激不淺，敵國之仇，本國之寶也。此種直覺的觀感，美國人普遍具有，尼氏只要不作露骨而含有火藥氣味的競選言論，肯納第便要棋輸一著哪！

大選與世界局勢

在美國的大選結果尚未揭曉以前，世人預料俄帝對東西自由地區將有驚人的舉動發生，這當然不是完全無理由的說法。但俄帝必不敢掀起大戰，惹禍上身，它充其量只是困擾性的搗亂行動而已。如果赫酋稍有智慧，且又害怕共和黨繼續執政的話，他就不應該在此時妄作干擾美國大選的蠢事，以免促成相反的後果。情理很簡明，國際局勢越趨緊張，美國選民對政府當局想換換口味的心思就越淡薄，當年羅斯福總統破例三次競選連任，即係國際緊張局勢促其實現的。

大選之後，不管是誰個當選為白宮主人，除非俄帝居心燃起戰火，美國現行的外交政策和軍事計劃，將不會有甚末改變的。五角大廈高級大員懷特將軍最近說過：美國的軍事優勢在一二年以內是無疑地估有着，兩年以後便難說了。俄帝如不是估計錯誤，目前即不敢挑起全面熱戰，殆可斷言。談到中國問題，縱使尼克遜進入白宮執政，美國對華政策亦沒有突變之可能。一是美國政治人物的苟安姑息思想普遍存在着，只要共黨的大焰不燒到自己身上來，他們即不會毅然警醒；二是兩黨政策照樣保存不廢，共和黨如其繼續執政，民主黨就一定控制國會，反之亦然。我們若不能自力更生，有所作為，而認為美國任何一個當選總統就對中國問題是有益或有害，都是不切實際的見解，結果必然歸到幻滅的悲哀！

小論天

艾森豪在出席美國共和黨大會時演說，建議在聯合國贊助下自由投票，考驗世人喜愛自由抑或共產。

說說也好！總算是口頭上有力的反擊。「夕陽無限好，只是近黃昏」，艾森豪[illegible]如此而已。

△關於美國RB四七式偵察機被擊落事件，蘇俄在聯合[illegible]會使用否決權，打消了[illegible]所提組織一個調查委員會[illegible]議。

赫魯曉夫手風不順，但決不會因此而臉紅。

△中共對日本再賣笑臉。劉寧一出馬赴日，向工人做宣傳。日本當局警告他不要搗「統戰」。

共產黨的笑臉不比「後母的笑臉」為好看。日本的警告也好比：叫貓見了魚不要偷吃。

△非洲國家又有新的血案，羅德西亞鬧出一次嚴重騷亂。黑色的非洲遍佈了仇恨的種子，苦熱的人特別容易燒起怒火。善於「製造仇恨」的共黨如能大量滲入，當同火上澆油，那還得了？

提防黑色的非洲變成紅色！

△在古巴，開了一個叫做「美洲青年大會」的鬧會。古巴已被確立為赤化美洲的基點，共黨的工作中心是：在那裏吸引更多的具有狂熱的青年人。

△觀察家屢次提到：柏林和台灣海峽將有危機。這也不妨說是：共黨飛車躍馬是一種姿態，真正作用在乎加工培養兩隻過河卒子——在非洲和南美新建的橋頭堡。「卒子過河作車使」，但必須在卒子得到掩護而深入敵陣之後。赫魯曉夫不會在這時候自自教卒子送命。

△美國共和黨競選的政綱也發表了，比較民主黨的競選政綱似乎氣魄稍遜，缺少一種清新的氣息。

任何政黨在開出支票時都是豪爽的，兌現却是另外一回事。值得注意的倒是：這回美國兩黨露出了頭角的新人，都比較能夠放開眼睛看世界，和在思想上顯得有活力。

有思想才有希望。美國的希望在乎那些有清新思想的領導者。

方南

自由談

冷眼看鬧劇

馮三先生

聯合國安理會為了美國一架軍用飛機被俄帝擊落問題，前幾天，大開其辯論會議。美代表洛奇拿出雷達地圖作證，指說美機是在距離俄境一百八十哩的公海上被擊落的。俄代表庫茲湼佐夫否認之，說美方所提證據乃是假的。雙方辯論舌戰，極為熱烈，[illegible]湖南話所謂「扯卵談」，無聊已極。

[illegible]帝以「[illegible]」，這就並非出於誤會，而是有意挑釁，俄帝如不道歉，並且賠償損失，[illegible]應該實行自己大言炎炎的「猛烈報復」政策，才是保持大國威信的正當措施。討不出此，乃跟海盜國家爭是非曲直，還有如一個斯文[illegible]徒被流氓欺侮之後，不向[illegible]，却去吃講茶，評道理，除卻自討沒趣以外，會有甚末結果嗎？美代表洛奇主張提交海牙國際法庭裁判，這更是笑話一大堆。國際法庭過去受理英國控訴伊朗政府強迫沒收英國石油公司產業的判決，且無法執行，何況涉及國際大盜俄帝的違法案件？[illegible]上帝降靈，制裁罪魁，說來還漂亮些，反正是表現阿Q精神，何妨姑妄談之呢！

聯合國自成立迄今，從未能解決大國間的任何一項爭端，這也難怪。聯合國根本就是幾個大國利用為私作鬥爭的演講台，而[illegible]小國淪為聽講者，每年舉行大會之際，只要談到幾個大國有利害關係的問題，總是醜態百出，令人不忍寓目。再將「國聯」[illegible]因為英法二大主要會員國的[illegible]動鬧劇，[illegible]歷史事實終可能重現，如今美俄這兩個聯合國的主要成員亦重演鬧劇，我們對於世界前途的吉凶禍福，也就大可以未卜先知了！

古巴的華僑社會

古巴通訊

查禮

自古巴卡斯特羅政府傾向共產集團之後，散居海外的華僑尤其是自由中國的人們，對古巴僑胞是十分關懷的。因此，記者特把古巴華僑社會的情形，概畧報導如下：

古巴全國面積只有四萬四千二百方公里，人口共計五百八十萬。但華僑人數佔十分之五點五；同時這裏的華僑也跟其他各地的華僑社會差不多。雖然他們是自由地散居各地，卻有一個集中的區域，夏灣拿的「省下」，便是華僑的薈萃地方。由於華僑的祖國習染太深，所以無論到任何地方，都拋不開那古老的習俗。一向在華僑社會裏面，混得爛熟的人固不待言，即是那些經常與洋鬼子交往甚至與當地女人結了婚的僑胞，亦不例外。

正因為這樣，在古巴華僑社會裏，往往「以訛傳訛」，只要發生一件很平常的事，或是說了一句不相干的話，很快地就會流行起來，遍傳整個社會了。比如一個華僑女子，不論她是來自那裏，跟一個不是親屬的男人逛了一次街，或同去看了一場電影，在有華僑的地方走過，這些極平常的事情，經過一般好事者流的加枝添葉之後，便立刻成為很流行的風流佳話，而且膾炙人口的。假如一個人跟另一個人，或者是一個團體跟另一個團體對一件事情的見解，和處理的觀點不同，那麼，它的影響就更不可收拾了。

夏灣拿的華僑社會範圍雖小，而流言至多，令你無法相信，比方：誰愛跳舞？誰喜歡與女人交遊？誰高興做火雞（華僑隱語之一，指呆頭呆腦，任人宰割的意思）？誰最孤寒？誰最蹺蹊？誰最多嘴？誰的「鬼婆」最會製，或散得最多的新帽子？這些你不樂意聽的，但它隨時隨地都敲你的耳鼓呢。

原來古巴女人過多，據非正式的統計，一個古巴男人要配七個女人才可以平均分配。但古巴的憲法和社會習慣卻十分尊重女權，不容許多妻制度的存在，更沒有所謂「平妻」和「妾侍」的名詞。因此，多餘的女人便會流於衝動，桃色事件到處皆是，且多為女方採取主動。凡是受了騙而難於找對象的女人，往往為生活而充當娼妓，也並不是一件不體面的事。由於人們的眼光笑貧不笑娼，所以幹這一行的人數難以統計。那些半公開半秘密的妓寨，多半在繁盛地區。有眷的住宅可以跟娼妓同住一層樓內，並睜眼看着她們在窗簾下向街外招攬生意，比鄰而居的，亦視若無覩。華僑去光顧，也一樣受到歡迎。在街上看到有稱心滿意的小姐，也可不經介紹而跑向她的面前，禮貌地向她打個招呼，並能說：「小姐，你太美麗，我很仰慕！」一類的話。如果她有意跟你做朋友，很快地會談到愛情上去的。否則，她聽到你說恭維的話，也會很愉快地給你一個媚笑，並說：「謝謝你的好意！」華僑的同樣舉動，也會得到同樣效果的。

古巴的男女戀愛，是由雙方有意之後，男的於每天黃昏到女家門前，邀女的會面，以門階為界，一內一外，抵掌談心，到緊張的時候，則擁抱接吻；但女的決不走出門檻，為的是她的母親或其他親屬一定是背她而坐，充任臨時「看守」。這種情形，隨時隨地可見，雨天也不例外。即使大雨淋頭，女的不會得到家人的同意，也不能恭請男的內坐。這種忍耐和犧牲的精神，是古巴男女間特有的風趣。可是華僑卻佔了便宜，大概是華僑不懂他們的規矩，或是華僑的忠誠純樸，很容易贏得女子及其父母的歡心。假如男女雙方有意，而她的父母又對於中國人的印象好，立刻就可以升堂入室。這是古巴的風俗，習慣，也是夏灣拿的神秘，所以在這兒的單身華僑並不覺得孤單。

然而，古巴華僑的謀生法，都是胼手胝足，以自己的勞力所換來的血汗之資。尤其華僑社會裏的文化工作者，則日夜所得也比不上一個普通工人。一個報館編輯的收入，不但比不上一個廚師；且不如一個排字工人呢。假使要專靠賣文吃飯，那準會餓死！據記者所知，這裏的報館，在開支上從未列有所謂「稿費」這一項目的；而且一家報館的組織，也簡單得令人不敢置信。大多數是編輯即是校對，校對也就是編輯。其他更可想而知了。

此外，在古巴能夠容納較多吃「斯文飯」的人，是各社團中的秘書、書記，當然是負責文牘工作的。但是實則這些工作根本就少得可憐，所以必須兼任各社團內的打掃清潔、遞送函件，調茶奉烟，替人跑腿的差事。無怪這裏的華僑叫他們為「社團幫閒」的。

大陸潛望鏡

△在「生產大躍進」，「技術改革」的口號下，大陸的生產原料普遍地「代用」化。烟捲改用了木糠、蓮葉乾，混合若干香料而成，徒具香烟的形式，吸來一陣霉烟。這種「香烟」，還要經過「烟民登記」，取得配給證才能買到。近來出品奇缺，已登記的烟民，憑證輪配，有時也輪睇不到，連一陣風都無法過癮了。這些丟人的出品，怪不得在香港的「國貨公司」裏也沒有出售呢。

△港澳僑胞返大陸「觀光」的真實目的有二：一是把糧食帶去接濟親人；二是利用僑胞優待的身份，帶親人上茶樓飯店吃喝。他們由早上七時帶領親友往茶樓輪座，吃一人一件的早點，十一時收早市，結賬後坐回原位，候喫午飯，下午五時收市結賬，再坐候七時吃晚飯，九時離去，完成「帶吃」任務。為了療飢，市民願意花去整天的時間，枯坐飯店，恭候輪象徵性的飽點飯麪，這是今天大陸「反浪費」運動的一大諷刺。

「大躍進」蓮葉變香煙

「反浪費」整天坐飯店

美國的織造業

明華

去冬及今春的半年來，由美國向香港訂製的織造品，其中有一部份打回頭的原因是，一方面由于香港的織造商對質料、工作、時間上沒有完全履行訂單上的約束；另一方面由于美國人的購買力較衰弱，所以，造成了退貨的現象。

根據「國家雜誌」報導：美國織造業最繁盛的黃金時代，是在一九五〇年至一九五三年之間。由于朝鮮戰爭爆發之後，消費者大事實行搶購，從白糖到被單，無不一掃而空。政府更復火上加油，宣佈囤積羊毛計劃，商人也爭先訂貨。衣服材料價格，扶搖直上。但到一九五二年復活節開始，美政府忽然宣佈停止收購，因而布價逐漸回跌，比上升的更快更陡。到一九五三年九月，織造品便落到比朝鮮戰爭發生前更低的水準。

當織造業於軍民爭先購囤的時候，生產曾達到巔峯。據聯邦準備金局調查結果，織造及服裝工業，一九五〇年工人數目平均達二百六九萬人，工作時間每星期平均四十八小時以上；全國需要布料的生產率是每年一千二百四十億碼，商人利市十倍。一九五一年春季，增至一千四百六十億碼，工廠連夜開工。但至一九五三年，忽然間國防部減少訂貨，一般人民畏懼大戰爆發的心理，也逐漸消失。一方面看到商店的存貨充斥，覺得無需搶購；布業由一九五三年春季起，開始有存貨滯銷情形。製造家在情勢轉變之下，又不肯減價以招徠，反而縮少生產。

第一批受殃的是織造工人，一九五三年二月到九月，被解僱的達十八萬人。雖然，生意仍無起色，最後貨價不得不實行降低。一九五四年四月七日「華爾街日報」刊載紐約棉織品價格，低于物價穩定局的百分之十五到三十五。男裝衣服在一九五二年每低七十五元的，一九五四年則降到六十元左右。織造業雖仍繼續開工的，卻又縮短了工作的時間，因此工人入息大受影響。工作時間平均每星期祇有三十八小時，較前縮短兩至三小時。以地理言，全國織造業就業人數平均減少百分之十一；每週工作時間減少百分之十三有奇。尤其東北部新英倫情況更慘，就業人數減百分之十四點一；南部僅減百分之六點五。當時美國全國的失業人數，共達一百八十萬零四千餘人，等于全國工人總數百分之二點九。曾經有人憂慮此種不景氣狀態，便是美國經濟逐漸衰退的跡象。

在全部織造業普遍倒霉之下，南北資本家發生了爭執。北方的資本家羨慕南方氣候較好，而且工資又較廉。美利堅羊毛公司總理懷特在當時發表的演說中，曾指出南方布料，售價可能每碼比新英倫布料低三毛至五毛。事實上，國防部的合同，跟南方締訂的確是較多，因此有人建議准許北方分潤。氣得國會裏的南方議員大叫起來，聲言不准為拯救某一地點垂斃的工業而欺負南方。

織造業之不景氣，不獨美國為然；即英國、日本、印度也莫不叫苦連天。由於處處發生訂貨缺乏，銷路遲滯和工人失業的現象。有些國家為了節制通貨膨脹起見，實行增稅和提高利率。然而，這些措施適足以減少需求，對織造業的生產毫無補益。

再談到美國布料銷路的遲滯問題，絕不是因為人民一般的窮困，而是因為大家相當富裕。第二次大戰結束的時候，人民爭先購貨，現在卻發現生產核子武器而不生產牛油，便不像以前那樣忙于囤積物品了。商店貨物堆積的時候，也正是銀行裏存款數目增加的時候。美國人民儘能夠延緩購買布料而不至于號寒，也不至于被人認為衣衫襤褸。但其他國家布料銷路遲滯的原因，却是由于人民缺乏購買力。亞洲和非洲人民所能夠用于衣服的開支實在不多，如果亞洲的生產力和生活水準，能夠提高百分之十，世界上便沒有一副塞而不用的紡織機了。

大陸文壇萬花筒

文藝代表升沉錄

岳騫

最近中共在北平召開「文學藝術工作者第三次代表大會」，毛酋特從滬杭趕回北平，「接見全部代表」。可見中共眼中對這次會議寄予很大期望。

這次大會入選主席團的共計一百八十二人，其中有幾個人的升沉頗值得注意。以前曾被明令整肅的如丁玲，馮雪峰之流不必說了，就從今年來說，有幾個應該入選的人不見了名字，他們是否有資格出席這次會議，頗值得懷疑。

第一個要說到王任叔（巴人），此君在中共文藝界地位不低，由駐「印尼大使」卸任後，內調為「人民文學出版社」社長，本年因為提倡人道主義，受到清算，可能已被判勞改，未出席這次會議，自在意中。

第二個是于黑丁，此君是作家協會武漢分會主席，因為提倡文藝作品要敢于揭露黑暗，不要儘是閉着眼說瞎話，也被清算。

第三個是郭小川，此君是作協秘書長，本是中共一手捧起的黨員詩人。去年中共建國十周年時，寫了一篇「望星空」惹禍，目前情況不明。

以上三人本欄均有報導，三人中郭小川也許仍在北平，可能出席這次會議，只是座位由前排搬去後排而已。王任叔同于黑丁就不太妙了。

除去以上三人，還有四個人未入選主席團也值得注意：

第一個是鄧拓，此君是人民日報總編輯，在中共新聞界地位雖然趕不上胡喬木、范長江，但十年來確較胡范等出風頭，每次去蘇聯及東歐共黨國家開會，有關新聞界的會議，領隊的一定是鄧拓。最近一年來未見過他的消息，不知道是去蘇聯受訓，還是出了問題。

第二個是嚴文井，此君是作協書記處書記，近來很活躍，常代表作協書記處到各省開會，這次竟也落選了。

第三個是臧克家，此君是詩刊編輯，也是作協書記，其行為之卑劣，較郭沫若尤甚，近一年來日漸消沉，此次主席團上無名，恐非佳兆。

第四個是陳白塵，也是作協書記，不過最近三年來都未見過他的名字，恐怕也完了。

讀者投書

議員們的職責

李善良

編輯先生：

台北區某省議員以最多票當選，但為維護選舉的公正，大打其「選舉官司」，一下子把台北市選務人員四千多名都告在內，案經敗訴後，本可就此告一段落，然某議員心猶未甘，再提刑事告訴。

某議員敢作敢為，自標榜「大砲」，但有些事切莫像共匪六一七向我軍金門前綫作無聊盲目爛轟，雖然是日砲聲如爆竹連串，但終毫無損我前綫防務，估計消耗了約美金數百萬元砲彈費，結果反讓我前綫軍士拾起廢彈殼售與省內鐵工廠，得款移作福利金。台北某手飾行因此也曾做進一筆生意。

我不懂那些專屬於議員職責，但總之有關人民的利益，或社會的秩序總應該提請政府注意或改進的，或不要做的事太多了，正做的，今日人民要求政府所賴議員先生們多多費心，希望議員先生們不要浪費自己也就是人民付托的太多寶貴時光。

譬如說，僧尼醜聞與演不盡的養女悲劇，這一類的社會問題，好像沒有關心過。人權自由與善良風俗，難道不該議員先生研究嗎？未成年人為僧為尼為人收養，是否當其成年時應給予自由意志，繼續為僧為尼或為人收養？然則養女悲劇與僧尼醜聞可免發生。議員先生們對這一類的事沒有興趣嗎？

（寄自台北）

社會小說

香港地

五、有錢佬

梅大亮正在這樣想着，和他並肩坐着那位老先生便已開口問道：「這是不是翟老開新買的車子？」

這位老先生大概是翟新開的熟朋友，所以會喊出「翟老開」這個稱號。姚永嘉在前面聽到，立即回答道：「不是，翟老開有的只是一架小車子，今天借了五架大車來輪廻接客，有兩架最新最好的都由董校長那裏借來，這是其中之一，是董校長買來自用的新車。」

姚永嘉答覆得很坦白，那老先生却聽得「哦」了一聲，急問道：你說那個董校長，是不是那個董二釐？」

姚永嘉聽了，竟然笑將起來應道：「是的，你是敎書先生，當然知得董二釐是什麼樣的人。」

那個汽車司機和姚永嘉平排坐着，把姚永嘉的話聽在耳裏，也笑着插口道：「你們也懂得我們的校長喊做董二釐嗎？」

照理，借車同時借來司機，乃是常事。看情形，那位司機必定是董校長原來僱用的，但聽他的語氣，似要給他的僱主以幽默辛辣的諷刺。這可使梅大亮覺得不解。

梅大亮便向貼坐着那位老先生低聲問道：「請問老兄，董二釐究竟是誰？這名號忒是奇怪！」

那位老先生也低聲回答，附耳說道：「董二釐便是董天理，他開學校最懂得打算盤，給敎師的待遇最低，扭計也最精，有些敎師受到最可恥的待遇，便替他起個外號爲二釐，是說他錙銖必較，少到二釐之數也不肯放過的意思。釐是理的諧音，二字是將天字剝去了中間的人字變成的。你想想，他眼中沒有了人，只有數字，那還有什麼人心與天理呢？這個外號雖是起得刻薄，但也怪有意思，聽到的人無不拍案叫絕，因此便風行了一時，凡是和他相識的人都在私下裏這樣喊他，連他自己也知道了。」（四七）

木客著

蘇俄與中共的論戰（二）

唐昌晉

三

爭辯最激烈的還是在共產集團和自由世界之間的和戰問題上。

俄共二十次代表大會決議：「兩種制度（指共產主義政經制度與自由主義政經制度言，以下同。）和平共處的列寧主義原則，是社會主義國家對外政策的不可動搖的基礎（四十六年十一月廿二日人民日報第二版）。」

在俄共二十次代表大會之後，接着召開的各社會主義國家共產黨和工人黨代表會議另發佈一項和平宣言，强調「戰爭不是不可避免的，戰爭是可以防止的，和平是可以保衛住和鞏固起來的（四十六年十一月廿三日人民日報第一版。）」

今年四月廿二日俄共中央書記處書記庫西寧在列寧九十壽辰紀念會上所作長篇報告指出：目前西方有些政論家認爲列寧似乎是反對兩個制度和平共存的。爲支持這一看法，他們只是片面的，斷章取義的，從蘇俄革命初期，尤其是國際武裝干涉時期列寧的言論中去尋求論據；而把新經濟政策時期，列寧所提與資本主義各國進行安排事務性合作之政策路線，故意略而不論。在此時期列寧發揮了他的兩個制度和經濟競賽的思想。（赫魯曉在美會坦率而狂妄地說：他要透過經濟競賽來埋葬美國的資本家！）

接着庫西寧說：彼時，以及目前和平共存的原則，是蘇聯對外政策的基礎。在我們這時代，戰爭之宿命論的不可避免性已不存在，防止戰爭大有可能。當然，侵略主義關聯着帝國主義的本性，但是不允許敎條主義者只是盯着事情的一方面，他們還得注意到，由於殖民地的瓦解，帝國主義已失去對全世界的統治的這一事實。加之「強大的」社會主義世界體系的存在，廣大的和平地帶之出現，以及各帝國主義國家由和平與民主力量之形成有組織的團結，這難道不足以促進和平的實現嗎？……蘇聯政府爲和平與和平共存所作之積極的鬥爭，已使世界政治中尖銳問題公然攤開。只要原則不變，準備走上理智的妥協之途。

他又進一步說：正統的馬克思主義者從未否定新武器之出現不僅能改變軍事，亦復能影響政治，恩格斯在皮杜林論一書中對此曾有所論述。格魯普斯卡雅（列寧之妻）說是列寧會經說過：「將來有一天，當戰爭毀滅性大到某種程度時，它將使戰爭成爲不可能。」末尾庫西寧鄭重提出，當前主要任務是促成裁軍，此一任務列爲世界政治的中心點。他說：「談到和平，敵人確實不算少啊（四十九年四月廿三日蘇聯消息報）！」這當然影射着中共。

中共的論據，如見於人民日報編輯部集體寫作的「沿着偉大列寧的道路前進」一文中的，如見於紅旗雜誌編輯部集體寫作的「列寧主義萬歲」一文中的，如見於胡錫奎「列寧關于和平與戰爭的理論」一文中的，以及彭眞在羅馬尼亞的演講，與庫西寧及赫魯曉的論點，剛好針鋒相對。現在只將其有代表性的胡文中的重點，與彭眞演講中的要點，提出來說說。

胡引列寧的話來表達共匪的立場說：戰爭是隨着生產資料私有制的出現和社會劃分爲對抗的階級而產生的。不消滅資本主義私有制，就不能結束戰爭，取得眞正的和平。（國際綏靖主義者該有所警惕了）因此必須把爭取和平的鬥爭與無產階級革命鬥爭聯繫起來。幻想和平而不鼓吹革命行動，那就是懼怕戰爭，與社會主義毫無共同之處。馬克思主義者反對非正義的戰爭，支持正義的戰爭（此處正義的定義有問題）。當面對武裝到牙齒的階級敵人而提出廢除武裝的口號（指裁軍會議），是要使自已進行一種赤手空拳的完全新式的革命。只有在我們徹底戰勝並推翻了全世界的而不只是一國的資產階級之後，（民主國家聽了寒不寒心?!）戰爭才不可能發生。只要存在着資本主義和社會主義，它們就不能和平共處，最後不是這個勝利就是那個勝利。……

胡又說，鐵托說原子戰爭有毀滅人類，使世界變成廢墟的危險，（和平宣言也這樣講過。）是在爲美「帝國主義」的原子戰爭恐嚇政策幫腔。（未完）

鄭燮逸話

……漁翁……

唐玄宗時，鄭虔爲博士，工書畫，嘗自寫其詩並畫以獻，帝署其尾曰鄭虔三絕。入清有鄭燮者，號板橋，興化人，乾隆時，舉進士，工畫蘭竹，書法以隸楷行三體相參，古秀獨絕，詩近香山放翁，時人以其家風紹述，而亦以三絕稱之。

鄭生平恃才傲物，獨立特行，不與世俗浮沉。曾一度出宰山東范縣，范邑某寺，有僧尼私通，地方人以其有傷風化，即搏之入官署，請求懲處，鄭以僧爲曠夫，尼乃怨女，空即色，色即空，既不願甘棄紅塵，不如任其還俗，使有情人成爲眷屬，乃賦詩以代判云：「一半葫蘆一半瓢，合來一處好成挑，從今入定風波寂，此後敲門月影遙，鳥性悅時空即色，蓮花落處靜偏嬌，是誰勾却風流案，記取當年鄭板橋。」語出詼諧，咸以狂士目之。

鄭不善應酬，故以縣令終身，爲官十年，僅七品耳，罷官時，有「三絕詩書畫，一官歸去來」句，仍不失書生之本色。晚年以鬻書畫爲生活，賦詩云：「畫竹多於買竹錢，紙高六尺價三千，任渠話舊論交結，只當秋風過耳邊。」尤以所用印章，有「十年縣令」，「七品官耳」，足見其風趣之一斑。

僑協九尾龜

吳敬鋅

第二回：好夢由來最易醒

這時盧教授已走進來，正聽到小石這句話，搖搖頭說道：「這都是老洪給我的麻煩。」

鄭仲明問道：「先生，這些盒子怎麼整理。」

盧教授說道：「你們把它細細好，每一種收在一起，整理好了貼上標籤，標明件數，每樣抄三份，一份貼在盒子外面，一份留在盒裏，一份另給老洪寄去。然後把這些盒子送到船上，交給老洪帶去台灣。」

小石問道：「先生說到現在我還是不明白，這些東西帶到台灣去作什麼？」

盧教授瞟了他一眼，未予理會。

李鴻飛正容問道：「先生，這件事不怪小石要問，我們也覺得奇怪，先生可不可以把情形告訴我們，因爲這也是政治方式一種。」

盧教授笑道：「其實說來十分簡單，老洪這一次謀了這樣一個好差使，自然能利用的地方都不肯放過，好在帶來的旅費多，回去可以任意報銷，剩下來的錢就買些日用品帶回去，到台灣一脫手就賺幾倍，這不但是無本生利，而且又是一本萬利，從這裏可以看出老洪的手段高强，搞政治就是這樣搞的，假若有多大本錢再作多大生意，那就變成一個笨蛋了。」

盧教授說過，大家不好再插口，只好按照他的吩咐去整理貨品，到了十點多鐘才算細好，開了清單，茶也未喝一口，盧教授就催着快走，下了樓，叫了一部貨車，由佐敦道碼頭直接過海，一直開到另一個碼頭，李鴻飛看見停了一隻客輪，船傍漆了「盛京」兩個大字。盧教授自己先上船去找人，停一時出來一個矮小的人，穿一身新西服，和盧教授並肩站在船舷上，馬上盧教授又匆忙下來，到了岸上掏出兩張紙遞給黃安民說道：「這是兩張送客證，憑證可以上船，你同李鴻飛兩人一道上來好了，小石和鄭仲明在岸上看行李。」

說過，三人就開始運東西上船，海關檢查很嚴，好在盧教授能說一口標準英語，也方便很多，到了船上，盧教授一介紹那個矮子，原來是李先生。李先生大模大樣的坐在那裏，指揮他們放東西，盧先生却親自下手，累得滿頭大汗，一連跑了幾趟，才算把東西運完，這時汽笛已經響了，三人上岸時李先生到送出來，向盧教授握手致謝，連說：「盧先生，這次許多事眞虧你，我回去一定詳細告訴家姐。」

盧教授笑道：「閣下回去請轉告令姐，洪公這次在港停了這麼久，一點毛病沒有出，也虧我老盧監視得緊。」說過兩人都笑了。（九）

望海樓隨筆

論傳統文化

·兼就正于曲齋先生·

本刊同文曲齋先生於四十六期發表「傳統文化」一文，至佩高論。復再於文中提及不佞之名，尤深感激。惟亦有不能已於言者，謹就管見，以與曲齋先生商榷。

曲齋先生文中，提及離事以言理，孔子所不取。又謂「不知詩書禮樂，爲治之工具而已，若不能使其見諸於日常行事之中，則詩書禮樂，則告朔之餼羊，已殘之芻狗而已。」對於這些話，我想是沒有人可以反駁的，問題却在，今天這個時代，連詩書禮樂都被改造了呢！

所謂傳統文化，無非也是由詩書禮樂中來。可是，在今天，中國的古代經典，正遭遇到被共產黨肢解的命運。此種情勢，正嚴重地威脅到中國的傳統文化，如果我們不能夠爲維護傳統文化而努力，則恐若干年後，古代經典行將全部成爲赤色書籍。這情勢是太可怕了。

• 兩年前，馬來亞星加坡等地，經已禁止來自大陸及香港五十家赤色書店所出版的書籍運入星馬，理由是，中共把孔夫子戴上紅帽子。這是值得我們深思的。

今日共黨對於將古代經典之改頭換面工作，不僅有其極大的興趣，而且傾全力從事。對於這一情勢，如果我們視若無睹，那就未免太短視了。

曲齋先生所謂「離事以言理」，則我必須要說，我們所診的還是事而非理。反而曲齋先生在「傳統文化」一文所表示的，却更爲與「離事而言理」相近呢！

曲齋先生之意，以爲將詩書禮樂之理，見於日常行事之中，即是實踐而非空談。不錯，這一點也不錯。可是，詩書禮樂之理何自來呢？

我相信曲齋先生會說：「這還用說，詩書禮樂之理，從詩書禮樂中來。」問題就在這裏了。詩書禮樂那些經典，又何自來呢？

沒有詩經，如何實踐詩經中的義理？沒有論語，如何實踐論語中的義理？

今天的情勢是，古代的詩書禮樂那些經典，無人肯注意印行推廣，而要研究中國的古典文學，反而必須乞靈於赤色書店，不幸的那些書籍又已是滲雜了毒素的。我們直可以說，今日香港，除了極少數的圖書館而外，殊難買到一部好的詩經、書經、莊子、荀子等或其他的古典文學。

在這樣的情形之下，我們能要求那些看不到詩、書、禮、樂的人實踐些什麼呢？

徐學慧

釋耒集

答顧翊群先生

近接本報社長賜書，轉送顧季高（翊羣）先生自北美來書，盛稱僕所爲釋耒集文字，自審固陋，至深慚惶，而先達感慨之情，頗足使僕聞一言以自壯，亦非先生所云謙虛者，則又足音，不覺欣然而喜矣。回思民國四十七年歲之際，前自由人編者陳克文先生，囑爲寫一專欄，每期以一千字爲限，僕實自念，生平學文無師承，又涉世淺，談文既病其膚淺，論政又自知爲外行，而重違長者之意，故遂作爲如此之文，篇首一文，即自題曰「僞體」，深自貶抑，以明其不欲與守家法，重師承者爭正統，樹夫釋耒，堪畔聞詠，其無當于大雅不待言。且此等文字，青年人不能讀，中年無意于文學者，不願讀，稍通文者讀之未必喜，猶幸其僅爲薄物小篇，不致于影射著作，使稿僞碩□，祇其無狀，故仍得獨往獨來，窃據此一角天地，聊以自慰，噫乎，由來盛世，不廢危言，知我罪我，不遑深論矣。承詢英國漢學家霍夫（HOUGH），認爲中庸一書，出於東漢明帝、章帝時代儒生所作之說，僕不適考據，不宜有所論列，然狂瞽之言，資爲話柄可耳。按史記孔子世家：「孔子生鯉，字伯魚，先孔子死，伯魚生伋，字子思，年六十二，嘗困于宋，子思作中庸。」中庸一書由子思作，原可不爭。其書入于小戴記，至宋代諸儒，始特爲表彰之，而班固藝文志，著禮經數篇，本于劉氏七畧，七畧既亡，遂無由覆按，即無論臆說出自何人之手，均乏充足之資料可供論列，故朱子爲中庸章句，逐據史記所述，定中庸爲子思作，朱子雖不以考據名，而此等處實極矜慎，蓋徒爲口舌之爭，無裨于學術也。至于國人疑此者，以僕所知，則有南宋之王柏，所著古中庸跋有曰：「中庸者，子思子所著之書……愚滯之見，常覺其文勢時有斷續，語脈時有交互，一日偶見西漢藝文志有曰，中庸說二篇，惕然有感，然後知班固時尙見其初爲二也，合而觀之，有出于小戴氏之手乎」。又曰：「次章與首章全不相屬，恐子思之文章，決不如是之無原也。」清人葉書山，亦云中庸非孔門書，以爲孔孟山東人，漢都長安，于華指爲近也，又以中庸有「今天下車同軌，書同文，行同倫」之語，有爲秦漢統一以後人所撰。（見兩般秋雨盦隨筆）所論不爲無識，而終爲一枝一節之見，考據前代經籍，至清人實已充類至盡，學者似已不必再耗心力于此，不審先生以爲然否？海外得揮汗書此，並欲與顧先生一證心益也，倘不以其狂愚而辱教之，又幸甚矣。

曲　齋

粟海彈心錄

反對黨（二）

阿　公

飛龍在天，誠非易事，其品德才識故不論，且必世會因緣，天假其便，故歷史每數百年不一見。降以晚近各政黨之來龍去脈，除孫先生創同盟會而外，幾無有能繼其后者，非謂無其才其德之人，有其才德而時不我與，雖聖人亦未可如何。若夫「攘攘熙熙，熙熙攘攘」，又當爲志士仁人所不願爲。此無可者四。

政府與黨，黨與政府，各守分際，相處尙易。至若黨與黨間，則一如姊妹花然，其德同，其性不異。然及其笄也，各適其適。由是雨露之厚薄，歲寒之溫暖，即以君子居之，難免無動於中，而紛爭擾攘以起，稗稊所在，水火不相容。故周易序卦爲「火澤睽」。（離爲中女，兌爲少女，中少二字，莫作等閒看）證以過去法國之多黨政治，與當前日本之多黨政治，無裨於己而有損於國者，亦已多矣。至於「歸妹以娣」，終嫌多事，且爲現代潮流與古英雄豪傑所不屑焉。此無可者五也。

清末康有爲與六君子，組保皇黨，與孫先生背道而馳，曇花一見，身敗而名裂。民初由五黨歸合成立共和黨，研究系代（學術爲其主幹）與國民黨相角於議壇之間，幾相伯仲。其後政學系聯絡民黨本部，而以代表國會相號召。（非國會議員不在當時研究系列）當時研究系如湯化龍，梁啟超，林長民等。政學系如李根源，楊永泰，及在台立法院之文老，設計會之鍾老等。其氣魄皆足以呼風雲，其才智皆足以移黑白，其學術皆足以究天人。曾幾何時，倘不免「日暮東風怨啼鳥。落花猶似墜樓人」。

選美史話

介　人

自由中國巳於上月舉行了選美，有關選美的餘波，曾誌本報。香港的選美大會係在美麗華酒店舉行決賽。參加決賽的小姐共有十一位，榮膺「香港小姐」榮銜的美人，將代表香港前往美國長堤市參加八月二日舉行的「世界美人」競選大會。選美之事，在近世紀極爲流行，而實際是古已有之的，不過沒有今天這麼風行就是了。據說近人士的考證說：「齊人饋女樂，孔子去之」，是中國選美的起源，其實是不好當作選美的。又有人說越王把西施鄭旦送給吳王夫差，是范蠡求西施於苧羅村中，只是求而不是選美，這又不儘然。

眞正的選美，恐怕是起源於秦漢之際，秦始皇統一天下，蓋阿房宮，選各國的美女入宮居住，這是大規模選美的開始。漢朝因之，以後每逢新帝即位，便選國內的美女入宮，或爲宮娥，或爲妃嬪，更在選拔皇后。因之，選美在中國，不特是古已有之，而且是風氣很盛的了。

現代的選美，對於女人身體高度，胸腰，臀的尺度，都定有標準，而在中國古代的選美，是沒有這種標準的。「雜事秘辛」裏面所提及的選美，只說身體自頂至踵的高度而已。

大抵中國以前的選美，所注重的地方是髮，膚和面貌，髮要長而黑，面貌要姸麗，膚色要晶瑩潔白。「雜事秘辛」對於這些部份都有詳細的紀述。並且還說到身上有沒有「痣子」的問題，痣子就是痣，有痣在身上便算是瑕疵了。「雜事秘辛」又提到「私處墳處，貢嚴健守禮之處子也」。可見那時選美是連性器官也在審查之列的，比現在舉行的選美，確嚴格得多了。

「雜事秘辛」這本書記的是漢朝選取梁后及冊立的事，凡三卷，大抵是明朝人所作，記明朝某后被選時的故事，因爲寫得艷，故託爲漢人的著作，清人以爲這本書在艷，不屑加以考據。這本書，並不見得有「淫」的暗示，所記的只是選后的標準和冊立的制度，其中有些地方或不免鋪張，但決不是猥褻穢的。大抵以「私處墳起」這一句話，便被認爲「淫」，以後便沒有人去研究這書所記是那一朝的事了。

選美之風一直延到清朝，清朝所選的叫「秀女」，每三年選閱八旗籍的女子，年十四而幽嫺貞靜的，入後宮備妃嬪之選，或備近支宗室。選秀女的時間一到，全國各地分別舉行，由府及府而省而中央，凡是滿籍都在被選之列，如果有女不報，因色天姿的話，不獨其「一朝選在君王側」，其至而躋位居母儀天下的寶座，慈禧太后，就是從秀女中挑選出來，掌握了我國政權四十餘年，其煊赫有甚於唐周時代的武曌。

選閱辦法，也分爲初選與複選，初選評判員，由欽派指定，大選的稱爲「記名」。凡記名秀女，得參加複選，複選評判則由皇帝親自担任，如初選無記名秀女，及複選不記名秀女，自然是落選，落選者即由父母爲之擇配了。

秀女競選之日，佳麗如雲，自然不在話下，秀女出場，一個個的乘着特備的車輛，儼若今天的香車美人。初選之際，由本旗領排齊京，按照秀女原定籍排次序，將車中秀女推領至神武門外之東稱欄下車，然後交由引挑太監引閱評閱。

此時欽派評判的王公貝勒，燕瘦環肥，各投其好的分別記名，小姐初選的辦法，宣告終結。然後仍按原排次序由宮門送出京，是時戶部及本旗章京，公同監視在前道上之西上車，送歸寓次。選舉之日，宮廷警衛尤更森嚴，除與選之秀車，得以驅入神武門外，餘皆下馬大交通，由大公以下陸經原官員，須改道由東華門，西華門行走，是爲清制選美大略。但是，一般旗籍女子，爲了「一入侯門深似海」，深恐入宮，往往願先和人訂婚，逃避選後，到後來此制度幾等於具文了。

海嶠舊談薈

談「校場口事件」

民國三十四年冬，對日抗戰剛告勝利結束，國民政府與中共及其他在野黨派人士，正在重慶舉行所謂「政治協商會議」，謀求和平建國之策，而美國特使馬歇爾亦於是時來到重慶，主張國府擴大基礎，容納各黨派參預政權。如是，一般不甘寂寞的民主人士大爲興奮，沈鈞儒，黃炎培，章伯鈞，章乃器等，乃發起召開慶祝政治協商會議成功的民衆大會，訂期在重慶市內校場口廣場上召集，臨時搭台講演，擬請孫科，邵力子，張治中等人到會演說，以張聲勢。事前且在各報發佈消息，熱烈而忙碌。可是，執政黨認這種民衆大會殊不必要，而沈鈞儒等如此熱心籌劃，難免別有作用，可能藉民衆大會滋生事端，故意給政府製造麻煩，曾囑當地黨部密切注意。黨部即準備策動群衆，屆時赴會場搗亂，使其集會不成。愚友陳訪先——現任監察委員——廉得其情，愁然引以爲憂，就商於愚，他認爲與其鬥力，何如鬥智之爲愈？請以鬥智方法，彼謂：「市黨部不妨亦發起召開同樣的民衆大會，會場亦擇定校場口，且按照各黨派所定開會日期，提前兩天舉行，也請孫科等出席講演，弄成雙包案。民衆對於同一性質的大會，參加過一次以後，大家自然減少興趣，沈鈞儒等再想利用群衆作怪，就不容易了。」愚甚贊其計策高明，發願他向中樞建議——因爲他是執政黨的中委，他亦欣然樂爲曲突徙薪的工作，即向有關方面披瀝所見，然不受重視，未加採納也。

未幾，各黨派主催的「慶祝政協成功大會」如期舉行了，屆時乃有多衆手持紅色油印的傳單式宣言，闖進會場一陣喧嚷，大演其全武行，致令會議無法進行，一哄而散。共黨以及各在野黨派人士厲聲譁咋的「校場口非法事件」，就是這樣來的。當時他們猛烈攻訐執政黨與政府甚烈，且藉此作爲向馬歇爾告洋狀，指摘國民黨反對政治民主化的有力證據，共黨更乘機大肆宣傳，共酋周恩來且以演戲的伎倆，對馬歇爾涕沸而道，說是國民黨當着美國特使剛到中國調處政爭之際，竟悍然危害人民集會自由的基本人權，其他殆可想見了。既而馬歇爾在重慶的國府大禮堂簽署政協決議文件時，即公然發出痛罵「反動份子」的詞句，後來他在調解國共爭端的階段中，始終懷着成見，偏袒共黨，這所謂「校場口事件」，確有影響，因爲這是他到中國來親身目擊的事，憑着美國人的政治觀念，當然認爲不民主了。

政治行爲必須以藝術化爲上乘，最少亦得講求技術，纔可望獲致預期的效果。如其馬上得天下，依然馬上治之，魯莽滅裂，一切講打講殺，焦頭爛額者便是忠貞功臣，而視曲突徙薪者爲缺乏鬥爭精神的不革命份子，結局即沒有不失敗者，可不鑒戒乎？

諸葛文侯

詞林雜俎

現代詩宗伍俶

丁　雨

觀，先生固自大謝入手者，然就前期三詩以觀，除第一首工整厚重與謝詩相類外，第二首即已華其意，而不襲其詞，故語如紅葉之照水，綠藤之網鞋，清秀而不板滯。第三首則遠脫故常，神明變化於胸中，羅容、白傅、蘇辭之間，得神而遺貌，因之瑩澈比珠，潤澤類玉，精美絕倫，盆乎其不可尙已。

劉舍論之，近代詩人之學古者，蓋仿自江淹，而以王闓運所論爲最精，所作亦庶幾近之，其言學古文之法有曰：

文不取裁於古則無法，文而畢肖乎古則亡意，然欲取裁於古，當先漸漬乎古。先作論事理短篇，務使成章，取古人之作，處處臨摹，如仿書然，一字一句，必求其似；如此者，家信帳記，皆可摹古。然後稍記事，必先取今事與古事類者，比而作之；再取今事與古事違者，比而附之；終取今事爲古所無者，改而文之。如是者非十餘年不成也；人病欲速。

詩文法本相通，由此亦可窺知王氏爲詩之終不能離乎古，而與先生之始合終離，卓然有以自立者異也。先生嘗語余，歷來善學謝者，莫若東坡，蓋師其意而不師其詞，不效王維儲光羲等之顯求形似，故能百慮翻新，蕭遺故步，其門下山谷補之后山輩，亦莫不皆然。今余觀先生詩，寔闊新奕，遣詞命字亦迥不與古人侔，而構句則初不違乎古，此其所以能戛戛獨造，一新古人面目，較湘綺之徒爲貌與者更進一境也。（中）

自由報

THE FREE NEWS

第九十四期

每份港幣壹角

社長：雷嘯岑

督印人：黃行富

社址：香港銅鑼灣高士威道二十號三樓

20 CAUSEWAY RD 3RD FL. HONG KONG

TEL. 771726

台灣分社

泛論民族運動

——從南非的民族運動說起——

唐昌晉

百餘年來，我們因深受帝國主義者壓迫剝削之苦，所以對於別的民族自求解放的民族運動，總是寄以無限的同情，然而也有不值得同情的，南非聯邦班杜族的民族運動就是一個例子，至低限度我個人的看法如此。

談到班杜族的民族運動，即不能不明瞭南非聯邦的歷史背景。遠在一六二〇年，英國曾一度據有開普頓（Capetown），旋即撤去。其後一位荷蘭軍官名雷比克（Jan Van Riebeek）者，在此爲荷屬東印度公司船舶設置補給站，於是荷蘭前來移民者日衆。一六八五年又來了二百名法國新教徒，因彼等不堪本國天主教壓迫之故。英國在對拿破侖作戰期間，爲了維護海上交通安全，乃於一八一四年正式宣佈好望角爲其殖民地。一八三六年一萬二千名荷法混合種，因與英人言語宗教不同，相處太不融洽了，乃將用具裝上牛車（great trek），趕着牲口，扶老携幼，向內陸人煙稀少的地區進發，另闢新居。沿途常遭到獅子及土人的傷害。

這些荷法混合種，自稱爲非洲人（Afrikaners）或波爾人（Boers），後者即農民之謂。文化程度很低，僅能操簡陋的荷語，即所謂kitchen Dutch 是也。

一八五〇年代波爾人分別建立奧良吉自由邦（the Orange Free State）與南非共和國（the South African Republic，又稱 Transvaal）。

一八六七年橘河發現鑽石礦，外面的人因而大批湧入。一八七七年英國併吞南非共和國。一八八六年英國鑽石商哈利遜（George Harrison）發現約翰尼斯堡（Johannesburg）境內的衛瓦茲斯蘭特山（Witwatersrand）是一座金山（現產金量佔全世界黃金總產量百分之六十以上），於是，英人羅德斯（Cecil Rhodes）以武力作後盾，憑藉已組織的鑽石公司（De beers Consolidated Mines Ltd.）從事開採黃金。（羅德斯死後黃金鑽石礦均落於英人歐本海默父子手中。）一八九九年英國復使用武力將奧良吉自由邦與南非共和國合併成爲南非聯邦——此即西洋史上所謂波爾戰爭。

一九一〇年英人因懾於波爾人侯中將軍（Barry Hertzog）所領導的民族運動，聲勢浩大，不得已，乃允許南非聯邦自治，並承認荷語具有與英語同等的地位。

英人爲種植茶及甘蔗，曾輸入很多印度勞工，現印人在頭斑（Durban）地區佔有三分之一的土地，其經濟勢力之雄厚驚人，可想而知。波爾人極厭惡印度人，一八九七年即已通過法案限制印人入境。

波爾人有一個秘密組織，叫做兄弟會（Broederbond），暗中操縱着南非的政治命脈，現任總督獎武德（Verwoerd）與前任總督史粹敦（Strijdom），皆其領袖。

從南非歷史發展過程看，如果波爾人起來反抗英國人，說英國人是「帝國主義者」，是「海盜」，這雖也沒有理由反駁。但是，今日與白人（連波爾人在內）爲敵的，是後來從非洲中部遷徙過來的班杜族（Bantu），他們的民族運動是合乎正義的嗎？這簡直是喧賓奪主！要是硬說非洲是黑人的非洲，那自然又當別論。現黑人佔南非聯邦人口中的絕大多數，獎武德惟恐佔少數的白人會被壓倒，乃採行隔離政策，這是一種民族自衛措施，黑人又有什麼理由反對呢？我不同情班杜族黑人的民族運動，其故在此。

現在非洲的民族運動，正鬧得如火如荼，總以爲帝國主義者該殺，總以爲一旦獲得了獨立就可以過好日子，事實上恐怕並不如此簡單。

資本帝國主義者雖有許多該殺的罪惡，但也有若干可取之處。要是沒有資本帝國主義者向外發展，爭取市場與原料的話，這些地區的人民，至今一定還是過着原始的生活。以比屬剛果爲例吧，比利時曾建築長達九萬哩的道路深入叢林，同時建築很多城市和工廠，開採多種的礦藏如銅鈾鉛等，興辦中小學教育黑人子弟，最重要的是平定各族之間的內戰，使人民能過着安居樂業的生活（詳見今年七月四日『美國新聞周刊』的專題論文）。這一切究竟是資本帝國主義者的功，還是過呢？中國是文明古國，十九世紀以來所處的地位是次殖民地位，所以我們只受到帝國主義者的害，沒有受到帝國主義者的益，我們儘可以咒罵帝國主義者，別的民族在咒罵帝國主義者之先，還得問問良心。

獨立不一定就等於過好日子。獨立要具有一定的文化條件和經濟條件。所謂一定的文化條件，就是看：一般國民的教育程度是否夠水準？政府機關各部門的行政管理人材是否夠用？以剛果來說，沒有一個醫生，沒有一個工程師，沒有一個建築師，全國受過大學教育的知識分子亦不過廿一名，這樣的獨立國家怎麼能夠站得穩呢？二次大戰後，許多新興的國家，大多陷於半無政府的混亂狀態，印尼就是最顯著的例子，人民那裏會有好日子過呢？再就經濟條件來講，由於天然資源被剝削殆盡，支離破碎，或由於技術人材的缺乏，原有的經濟事業無形停頓，以致許多新獨立的民族國家，簡直難以生存。剛果總理魯蒙巴目前在美國緊急呼籲美、加二國給予經濟與扶術援助，否則該國的政府馬上就會崩潰了！一面反抗比利時的資本帝國主義，不共戴天，同時又乞援於美、加的資本帝國主義者，這從那兒說起呢？

爲這些落後地區的民族着想，他們最要緊的一着，是促進帝國主義與殖民地間經濟合作，而以漸進方式改革其政治生活；同時爭取落後民族與落後民族間的團結合作，同心戮力以改善當地人民生活水準，這才是自求多福的正當途徑。要求民族獨立平等固係天經地義的事，但須具備着應有的條件，光是憑着一股對帝國主義的仇恨心情，而不顧一切地倡言獨立，終致無以善其後，乃不惜前門拒虎，後門進狼，既與舊有的資本帝國主義者絕緣，又向其他國家人士籲求助，甚至幻想那以征服全世界人類爲目的的共產帝國主義者結交親善，視魔鬼爲天使，其愚殊不可及，其害難以估計。共產帝國主義者在思想上否定民族主義之存在，但利用民族運動作爲有力的工具，藉以困擾、打擊、搗亂自由世界，事實俱在，不容諱飾。因此，我們希望從事於民族運動者，要謹防扒手，不受共黨的煽惑利用。同時亦警告擁有殖民地的資本主義國家，要認清時代進化律，將有那套專事剝削、壓迫弱小民族的帝國主義政策趕快放棄，改取扶助合作方針，不復增加民族間的仇恨因素，庶幾於己於人，皆有裨益，而俄帝利用民族運動以危害自由世界的陰謀詭計，也就無所施其技了。

小論天下

△美國共和黨提出尼克遜及洛奇兩氏競選下屆正副總統。共產集團聞訊吃驚。

這兩個都是能言善辯之士，曾經舌戰折服過共產黨的雄辯者。假如他們幸而當選，真的只望贏得「比較」。那才糟糕！

△英國保守黨政府局部改組成功，仍加強與美國合作，協力壓制俄共最近對各方面的攻勢。

對艾森豪而言，麥美倫到底還算是一個朋友。

△馬來亞剿共十二年成功，宣告結束緊急法令。政府發表白皮書，指出蘇俄對馬來陰謀的失敗。

一面宣佈剿共成功，一面揚言考慮承認中共。這是不是有意打開方便之門，迎合共黨轉向地下顛覆的新路線？

△英國貸給星加坡六百萬磅，發展五年經濟計劃。

這與馬來亞宣佈剿共勝利湊合起來看英國似乎要使用它自信爲有效的一套辦法，給正在急於「南進」的共黨以一次辛辣的諷刺。

△西德總理阿登諾赴巴黎與法總統戴高樂會談，據說與促成西歐第三勢力有關。英首相麥美倫正準備訪問西德。

一個真正有肩膀的第三勢力在西歐興起，能夠以自己的鐵肩負担一方的防務，讓美國騰得出一條鐵臂，放手對準敵人的弱點進攻。那何嘗不是一宗好事？

△南韓大選又鬧出騷動。合法的競選者受到有組織的暴民施行威脅，毆打及搗亂。在選舉中得勝的民主黨又鬧分裂。呼聲最高的「未來總理」張勉遭遇阻力。

是誰在幕後組織暴民和操縱暴民？無可懷疑：「這裏面有鬼。」

張勉業已被迫呼籲使用警察對付暴民。他可真要當心！

△古巴迅速赤化的危險程度，據說連卡斯特羅自己也要吃驚。美國觀察家說：看不出古巴人民的反抗力量有起來的跡象。

美國只能「等」古巴人民「自動」的爆發一次匈牙利式事變。要不然，便只能希望卡斯特羅變成埃及的納薩。

沒有嚴密組織的民衆力量要成功地起來推翻一個剛正得勢的共產獨裁政權，談何容易？

對於前者，美國可能再等十年。後者如成事實，美國已爲叨天之福了。「古巴的納薩」起來！幫幫美國的忙！

△東德農產失收與糧食缺乏的消息，和柏林臨新危機的消息同時傳播。

西柏林經常不是準備應付共產黨來搶，便是準備收容更多的逃來的饑民。

△剛果騷亂與分裂的剛果，經濟危機極端嚴重。

這可憐的新生的嬰兒啊！它現在需要的是奶。

方南

自由談

民主美談

報載：英女王偕同愛丁堡親王微服赴民間劇場看戲，因爲座位號數有錯誤，別人未認出她是當今的國王，教她兩夫婦讓開，她竟然不以爲忤，按照規矩行事，一時傳爲美談。

這種平民化的行爲，在崇尚民主法治生活的英國人看來，並不感覺驚訝的。倘若此事發生在咱們這「中華官國」的公共場所中，那還得了嗎？有眼不識泰山，公然侮蔑國家元首，罪該萬死，憲兵、警察、特務人員等，登時紛紛出動，捉拿大不敬的罪犯，不在話下。然而，英女王却不以爲意，自儕於平民之列。她這樣的作風，不特無損於國王的高貴身份，更博得一般人民的尊敬愛戴，永留佳話，矜式後人，這正是真正的民主精神。

中國智識份子大喊民主口號已經幾十年了。大家當衆演說，或提筆寫文章時，鼓吹民主生活極其熱烈認真，說來天花亂墜，維妙維肖。一旦貴緣得路，或要在政治界佔有一官半職，那怕地位不過是芝麻綠豆般那末大，而其滿身的官僚習氣，即令人望之肉麻，聞之作嘔了。這情形，十個人之中，就有八九個是如此這般，毫無例外。不信，你且想想眼前很熟悉的若干政治人物，他在貧賤時期是否搞民主運動最勇猛，而隨時譏諷官僚主義？等到自己登爲官以後，一股是官僚的氣味又是那十足地道呢？這類人士且多半都是曾在英美留過學的，英美社會那套民主生活習慣，一點也未學習到，然關於本國舊有這套擺作威福的官僚派頭，却是與生俱來，雖不學亦自通了，怪哉怪哉！

因此，我們對於鼓吹民主法治生活最起勁的朋友們，總是採取保留態度，要看看他置身於政治舞台後的言行是否一致，再作最後判斷，以免受其欺騙。中國民主政治之所以不能發展，官僚智識份子確屬首無可辭，唯一原因就在大家以從政爲解決生活的不二法門。這項觀念如不打破，高談民主主義便是自我諷刺，結果只有招出一個字的評判：偽！

馮五先生

同行是冤家，此話眞不假

賄買試題新聞報導與公論報

一向不重視社會新聞而特別注意政府及議會政治新聞的公論報，在七月二十四日發表了一則獨家社會新聞，使其餘六家大報與三家晚報為之狼狽錯愕，相顧失色，因而轟動一時了。這則新聞說，在本年度大專聯考前夕，台北市立女子中學童軍體育教員張聰明，與任在台中的一位自由中國癌症專家陳天機，涉嫌以十萬元鉅金向台大秘書程維賢賄買大專聯考試題，這則新聞不但震驚社會教育界人士，即新聞同業亦表示驚訝，紛紛向公論報編、採兩部探詢新聞來源，因為這樣重要的社會新聞，是各報必須爭取的。像這樣的情形，在新聞界尚屬首次創作，可以說明一個獨立性的報紙記者的獨特風格。

鉅金賄買考試題目的經過是這樣的：台大教務處秘書程維賢和他的太太郎淑亭（在教育部工作），於七月三日下午六時下班回家（住台北市青田街十二巷十一號）時，下女就告訴他們說，有一位二十多歲不知姓名的台籍女孩子，送來一包禮物，以及一封署名「李佐華」女人寫的信，信上說明，希望陳太太以女人的立場，同情她，她有子女投考大專，能夠將試題供給一部份云云。這封信，未註明地址。陳氏夫婦接到此信後，立即將信和一包東西，一齊向台大校長錢思亮報告，錢校長當即通知警七分局戴良川分局長，戴氏獲悉後，馬上帶同刑警，驅車到台大校長室。他們拆開包袱一看，原來是港條九塊，黃金九港兩。警方當即成立專案小組，展開偵查工作。就在警方「踏破鐵鞋無覓處」之際，七月十七日，陳維賢又接到一封寥寥數語的信，信中告訴他的通訊地址是台北市私立女子中學，所不同的是寄信人署名為「李裕華」。警方在「全不費工夫」之下，獲此重要線索，乃將重大嫌疑犯張聰明逮捕，但主犯仍未抓到，所以警方極為機密，而不使新聞記者知道。

儘管警方與台大當局守口如瓶，此一轟動社會的新聞，終於被公論報記者在無意中發現，這已經是七月二十三日晚上了。該報記者亦緘默不言，卻連夜追蹤採訪關係人，即程維賢也沒有被逃過，被窮詰之下而隱隱約約的透露出來，等到新聞見報後，國內外莫不驚奇，而警方再也不能保密，不得不向報界透露其中情況，即台大當局也無法不發表聲明，將經過明及立場說明。同行是冤家，此話真不假。各報失此新聞而痛恨公論報「社記」不夠交情，但又不便公開明說，只好指摘警七分局隨便洩露，甚至使用壓力，不許供給公論報記者太多的資料，以便挽回面子。

近年來，此間同業喜歡「統一新聞」，在此一原則下，使神聖的「新聞記」還受社會各界人士見鬼神而遠之的看待，這是得不償失的。（健）

七月二十六日

大陸潛望鏡

△根據本港工商業管理處本年七月十六日公佈，中共今年一至五月份，除經港轉口輸出的不計外，僅運來香港的土特產總值四億七千二百三十四萬元，與去年同期比較，增加一億一千六百九十五萬元。

這是中共「生產大躍進」的優良成績，所可注意的，那些輸出的土特產中，百份之七十以上是大陸人民最感缺乏的主要必需生活資料。把這些事實告知大陸的人民，將是一個現成而最好的反共宣傳材料。

△廣東西江的農戶，每戶每月只能配得火油一兩，所以入夜家家漆黑一片，假如屋裏有病人，死了也沒法知道。「公社」的規例：只要有真的人死了，才肯多配一些火水。

△接近澳門的中山縣境居民，近來每月失踪不下數百，盛傳各鄉居民將被勒令集體遷移，因此逃亡愈急。逃不到澳門而被抓回的，每天在海上都有發現。

倫敦通訊

非洲學生透露蘇俄內幕

蕭謇

每年有許多華僑子弟到大陸去求學，也有許多人失望而出，從他們親身的敘述中，我們對中共方面欺騙華僑青年，毒化他們的情形，早已非常熟悉。同樣地，蘇俄政府每年免費招收大批各國學生到俄國去念書，但是在莫斯科求學的外國學生的真正遭遇如何呢？恐怕東方的讀者很少知道吧？

一星期前，一架英國歐洲航空公司的倫敦莫斯科直達班機，載來了一個非洲黑人青年。他是兩年前到莫斯科去學醫的，最近被學校當局開除，因為他在政治上不合作，不願做共產黨的傀儡。這位青年名叫奧古羅，廿七歲，是非洲北烏干達人，這次他能回倫敦來，真是費了九牛二虎之力。起初俄國人無論如何不讓他乘坐莫斯科至倫敦的班機，他們害怕他向英國報紙透露外國學生在莫斯科的情形。他們為他安排各種其他的飛機座位。最後他無法可想，祇有利用賄賂手段，送了替他安排機位的人二百卌盧布（約合一百卌元港幣），才訂到一個座位。

奧古羅對記者敘述非洲學生在蘇俄所受不平的待遇說：有一個非洲索馬利亞學生，因為和一個俄國女學生跳了一次舞，就被打得不省人事。有的非洲學生常常受到侮辱和毆打。有的人受到惡意的作弄，有的則受到傷人的咒罵。

奧古羅說：他們在學校時組織了一個非洲學聯會，目的純粹在於文化的交流，後來另一個完全受克里姆林宮操縱的，所謂「亞非委員會」，發現他們不願做共黨的宣傳工具後，就企圖停止他們的活動。雙方的關係一直緊張，直到他被開除學籍。

他被開除後，學校當局曾設法拉他回去，並派「學特」向他說項，均經他拒絕。

他說，俄國人會對未往蘇俄去以前的學生特別優待，如食宿免費，儀器圖書免費。可是，甫抵莫斯科，他就開始付「免費」的食宿的錢。儀器費是絕對沒有的。

這一方面的失望，比起他在俄文班上所見到的，又是小巫見大巫。他到莫斯科後最初的六個月，差不多都在該班上課。

他說：這班課中，有許多共黨青年團學生加入，他們利用上課的機會，來察看各個外國學生的政治反應，都向上面報告。他們的目的不是利用外國學生，就是離間他們。

據奧古羅估計，約有六百名非洲學生在莫斯科念書。他們這一整學生因為組織了非洲學聯會，遭到共黨青年團員的不滿，被視為是西方的間諜。奧古羅說：祇有完全接受共黨教條的學生，才受到培植，以待未來送返非洲去工作。像他們那些為求學而念書的學生，是莫斯科認為非政治上所需要的。

奧古羅被開除後，立刻寫了一封措詞強硬的信，寄給紐約聯合國秘書長，抗議蘇俄當局對待非洲留學生，尤其是非洲學生，奧古羅說，他對蘇俄第一套東西感到十分失望，許多非洲學生已經先他失望而出，他們大部份回返非洲本國去了。他說他覺得有責任揭發蘇俄內部這種情形，以供前往蘇俄留學的學生參考。

蘇俄對外一向標榜反殖民，反對不平等待遇，可是事實上不然，蘇俄不但有以馬列為中心的階級觀念，而且俄國人也歧視有色人種。（七月六日）

陳副總統視察金門經過

劍聲

（台北通訊）本月八日，日理萬機的副總統兼行政院院長陳誠，考試院副院長程天放，前任外長現任駐西班牙大使黃少谷，留美學人程其保，副參謀總長馬紀壯，行政院編譯室汪主任等，前往金門前線視察。一住便是十一天，直到十八日才離開金門，轉往馬祖前線，陳副總統則一直深入到大小金門以及大膽島的每一個角落，與戰士及民衆廣泛親切的接觸交談。

陳副總統前往金門，事前極為保密，新聞界無一人知道。但首先報導這次新聞的是台北的聯合報，報導是七月十八日。報導中說陳副總統於觀察前線後，已於十六日返回台北，但事實上，副總統直到十八日才離開金門，並未返台，卻轉往另一島嶼馬祖去了。既然事前保密，為什麼會被記者知道呢？這是因為非律賓軍事新聞團來台後，於七月十四日飛往金門訪問前線，有一批記者也隨行採訪，他們竟出乎意外在前線遇到了陳副總統。當時，陳副總統曾求當天下午返台的記者們不要發表他在前線的新聞，最好等他回台後再報導。但是由於最後的一批隨行人員於十六日返台，而於翌日被記者看到，以為陳副總統亦於十六日回來了，所以聯合報即在十八日搶先發表這則新聞。但因陳副總統實際上到十八日才離金門，所以行政院新聞局祇好發表官式的「影子」新聞，說陳副總統已於十八日離金轉往他處去了。到了十九日，其他報紙也紛紛發表新聞與新聞照片了。

在新聞照片中所顯示的，是陳副總統在前線又從新披上了四星上將的草綠色軍便服。所以敏感的人士，便回憶到十年前的事了，那是三十九年春，蔣總統復行視事後，即提名陳氏為行政院長，首次組成陳內閣。最初，陳揆在列席立法院作施政報告或答覆質詢時，都是穿着一星上將戎裝，那時候，曾有立法委員提出質詢，認為依照憲法第一四①條規定：「現役軍人不得兼任文官」，而行政院是文官，則現役軍人不得兼任，於是，陳揆祇好辦理軍職停役手續，脫下戎衣，改穿中山裝；到他當選副總統後，乃換穿西裝。因此，又有些人在談論陳副總統的金門行，而討論他突然換四星上將軍服的問題了。據消息靈通的報刊說，陳副總統最近曾向總統表示倦勤之意，對於行政院長兼職，希望辭去，以免今後繼續傷腦筋。陳副總統辭去兼行政院長的起因，係基於立法院與行政院之間不愉快的事件。蔣總統並未接受他的辭呈，但批准他可以暫時休息一些日子，所以陳副總統決定趁此難得的假期，馳往金馬前線，欣賞一次簡單的軍中生活。

七月二十六日

大陸文壇萬花筒

一本不尋常的書

—岳　騫—

最近中國青年出版社出版了一本長詩「紅雲崖」。可以說是一本「二難並」的東西。近年來大陸文壇只有兩種文體流行，一是小說式的回憶錄，一是鼓兒詞式的民歌（也叫做詩），這本「紅雲崖」既是回憶錄，也是長詩，所以算是二難並了。

「紅雲崖」的故事，是寫紅四方面軍「長征」時經過大巴山，山上有一個懸崖，紅四方面軍司令員徐向前看見這個懸崖可刻標語，就找着一個老石匠羅老松，要他在上面刻上「赤化全川」。這個老石匠當然是積極份子，一口就答應了。於是老石匠就用了一個月的時間，不分白天黑夜，烈日風雨，爬到上面去刻，終於刻成了。可是「紅軍」因為急於長征，不敢多停留，字還未刻好，「紅軍」就走了。紅軍走後地方政府回來居然沒人管，仍然由老石匠自己刻竣工。這已經離譜了。可是離譜的事還在後面哩！

「紅軍」剛剛長征過去，國軍就趕到了，一看懸崖上有這幾個大字，馬上又找到羅老松，要他鏟掉。羅老松當時答應了。他的媳婦比他還要前進，暗地裏還在反對，可是羅老松「胸有成竹」，到了上邊不但未磨，竟把川字改成國字，變成了「赤化全國」，刻好之後，羅老松就躍下自殺了。

故事的梗概大體如此，這本長詩的作者本來是當回憶錄寫的，但是實在沒有這回事，就算是小說吧！佈局結構也荒謬萬分，不說別的，赤化全川四個字刻了一個月，還是不分黑夜白天，烈日風雨。那末要把川字改成國字，僅僅其中一個或字，要不要到十天，可是老石匠好似一舉手就刻成了，這只能算是神話，連小說的資格都說不上，更不必說回憶錄了。

可是，我們若從另外觀點來看，這篇神話的藝術價值固然沒有，但在政治上卻十分值得注意，因為這是以紅四方面軍為背景的詩，其中居然明白指出司令員徐向前，卻是前所未有的事，二十年來中共的各種記載，很少提到紅四方面軍，尤其徐向前更是毛澤東的眼中釘，想盡方法來打擊他，現在居然有人以紅四方面軍為背景寫出一本長詩，意義自不尋常，究竟是中共文網漸開，還是徐向前要翻身了，不久或可知道。

編者·作者·讀者

台南艾雷先生：（一）青年之聲欄的文字，如不超過六百字，則刊出的機會較多。（二）青年習作的舊詩詞暫不擬刊登。

劉澤民先生：純粹是抒情的散文，本刊暫不需要。言之有物的雜文，在千五百字左右者，最受歡迎。

李李先生：尊稿不擬刊登。以未附退稿信封及郵票，依照本刊徵稿條例，恕不退還。

蘇俄與中共的論戰（三）

唐昌晉

今年六月廿二日彭眞也在羅馬尼亞工人黨代表大會上講：「帝國主義的侵略和掠奪的本性決不會改變。……只要帝國主義還存在，就有發生侵略戰爭的土壤，美國侵略集團是『世界反動勢力的中心』和『人民羣衆最凶惡的敵人』，世界各國人民對於帝國主義所造成的戰爭危險必須保持最大的警惕。……以鐵托集團爲代表的現代修正主義者，正是適應帝國主義的需要，……特別是爲美帝國主義效勞。……我們必須把對修正主義的鬥爭進行到底。……」赫魘演講在先，彭的話顯然是頂赫魘的。繼彭演講之後，第二天北平廣播電台又在叫囂戰爭。

由上所述，足見赫魘領導的政治路線，與所謂修正主義者及機會主義者的政治路線並無區別，所以罵後者也就是罵前者。然而話得說回來，蘇俄與中共最終的目的總是一致的，即赤化整個世界。要是西方還有人再相信什麼和平共存這一類的濫調，那就是太愚昧了！

三

現在要問：爲什麼赫魘要高唱和平而中共偏言戰爭呢？

若干西方人士認爲，赫魘之要求和平，旨在緩和軍備競賽，藉圖發展民生工業，以謀人民生活的改善。紐約時報記者哈立遜．薩利斯勃律自蘇俄訪問回去後撰文報導說：蘇俄人民盼望過好日子，有自備汽車，有較佳的公寓，將來總有一天能過着美國人那樣的生活，。一個蘇聯空軍軍官在莫斯克瓦河水上飯店中對這位記者說：「莫斯科越來越像紐約了，不是嗎？我知道百老滙的電燈更要多，可是高爾基街有些景物像紐約，你說對不對？」俄國人的服裝也漸漸講求華麗了，米高揚曾得意洋洋說：「特別在夏天，從衣着看來，往往無從分辨他們是美國人，抑是俄國人」。當年不加熨挺，狀如布袋的長褲已無人再穿了。巴黎的時裝，甚至尙未攜到莫斯科展出前，即已被俄京女郎紛紛仿製，致數百名女裁縫一時忙不過來（四十八年九月八日至十五日紐約時報）。爲要使得人民的擁戴，赫魘不得不渴望裁軍，希望從節餘的軍費給人民一點甜頭。

赫魘需求和平的另一理由，可能與克里姆林宮權力的爭奪戰有關。赫魘在史達林的部屬中，地位並不算高，爲要取得史達林生前享有的地位與威望，不得不反史達林之道而行之，藉將當年參與史達林決策機構的高級幹部一概打倒。史達林認東西雙方間的戰爭是不可避免的，所以赫魘對西方總是高彈和平濫調。要是他這和平濫調無法再彈下去的話，那末蘇士洛夫（Suslov），史達林主義死硬派中的碩果僅存者，將躋上克里姆林宮獨裁者寶座。美國U－2飛機事件過後，赫魘很快就把憤怒壓抑下去，其主要原因或許在此。

赫魘需求和平的第三個原因，可能是眞正的原因，在於蘇俄突襲美國的實力尙不夠，故藉和談來拖延時間。據美戰略空軍司令鮑威爾估計，蘇俄只要用三百枚洲際飛彈，就可將美國海內外的所謂報復力量毀無餘。同時據美國五角大廈透露出來的消息推測，蘇俄飛彈的年產量約四十餘枚，到今年年底將擁有六十枚洲際飛彈，到一九六六年將滿足三百枚之數。同時蘇俄對美恐怕要先下手爲強！事實上，在U2飛機事件發生以前十二個月內，蘇俄境內增建飛彈發射場所六十一處，多是見其暗中進行擴充實力，其和平濫調是否可信也就可想而知！

社會小說

香港地

五、有錢佬

梅大亮聽了那位老先生所說董二蠶的故事，也忍不住笑了起來，但不免懷疑的是：這位董二蠶校長既是一個錙銖必較的人，怎會買得這樣價值巨萬的私家新車，用來代步呢？而且據說他擁有的車子不只一架，又是什麼道理？

他把這點疑問向那老先生提出，立見他微笑答道：

「你問的也是。教師們受的是最可恥的待遇，那位董二蠶校長坐的是最漂亮的汽車，那沒有什麼不對的地方。你知道嗎？董二蠶口頭常掛着中國文化那幾個字；常說今天在香港有許多難民是『君子固窮』的好榜樣，這些人不會單純爲着金錢去從事教育工作。因此，你說什麼『最可恥的待遇』那類的話，在他聽來，倒是可笑得很。教師過的是中國文化表現得最透澈的『君子生活』，他享受的却是西方物質文明表現得高的『紳士生活』，那豈不是並行而不悖的嗎？這就是中西交流的好事呀！」

梅大亮聽得悚然，急切間却想不出他所說有什麼不對之處。這時坐在前面的姚永嘉和鄭司機兩個，都笑將起來，嘻哈之聲，此發彼應。

在這車子裏的後排座位，梅大亮和那老先生坐在右邊，另外有兩位客人坐在左邊，那却是一對青年男女，女的居中，男的靠外，情形似乎相當親密。這對青年男女間中咬耳說兩句話，發着輕笑，不大理會其他的人，這時也不禁嘻嘻的笑了兩下，似乎很欣賞那老先生所說的一番話。女的還開口插上一句話道：「褟先生，你也是君子呀！你們的校長是不是紳士？」

那位老先生原來是姓褟的，梅大亮一聽，才省記起他曾經是一間商會的秘書，某次在霍新明邀集的狗肉宴會裏面見過面，怪不得老是覺得有些面善了。聽現在大家的口氣，可斷定他已經改行，幹的也是教書生涯，這又無怪他把董二蠶的故事說得那麼有聲有色了。

褟先生聽那女的問得俏皮，也就藏發幽默地回答道：「我不想做君子，只想做聖人！」（四八）

木客著

儒林九尾龜

吳敬鉎

第二回：好夢由來最易醒

上了岸，李鴻飛問道：「先生，這人是不是洪先生。」

盧教授搖搖了頭：「老洪的身子兒有他一個半長，這個人姓李，是老洪二太太的胞弟，多年來就跟着老洪作事，這次是隨老洪到香港來的。」

小石憤然道：「看他的情形到不是來辦公，只是來辦私的，否則現任公務員何以專門作生意。」

盧教授冷笑一聲：「你的年騷發錯了，他到香港來完全是辦私，與公家無干，他來港有兩大任務，第一是協助老洪作生意，第二是代他姐姐監視老洪不得走私。」

黃安民笑道：「洪先生這次來港，始終未到鷺濤社來過，我總以爲這次簽船應該可以看到了，那知道又撲個空。」

盧教授苦笑道：「他本來到是打算來我們社裏停上半天，和你們見見面，不料突然接到台灣電報，要他馬上回去，所以他昨天中午就坐飛機走了。不過，你們追隨我，以後和他見面的機會總有的是。」

五八一邊說着就到了渡海碼頭，剛上船，突然聽到背後有人喊孟德兒，大家回頭一看，只見後排坐了一個人，約莫五十歲年紀，面色烏青，兩頰內陷，一張長面足有一尺多長，說話時勉強擠出一絲笑容，因爲面太長的關係，只是下巴一笑，上邊不笑。這麼一個總算醜得出奇，可是旁邊却坐着一個二十多歲的少婦，風華絕代，也在向盧教授點頭。

盧教授慌忙站起來喊了一句「作人兄」，只見那人擺擺手，盧教授趕快過去坐在一起，交頭接耳，談得十分親密。

一時船靠了岸，那一對男女自坐的士走了，盧教授同他們一起回到鷺濤社，廳裏已經擺好了飯，吃飯時，小石問道：「先生，在輪渡上同你講話的是作什麼的，旁邊那位小姐是不是他的女兒。」

盧教授聽到小石這樣一問，一口飯登時笑噴出來。大家都怔了，不知道這句話有什麼可笑處。停了一時，盧教授起身漱了口，重新坐下吃飯，用膳子點着小石說道：「小石你眞是天眞未鑿，很淺顯的事情在你眼裏看來都與衆不同，剛才那位就是夏作人夫婦，你怎會看成父女。」

一說夏作人，大家都想起來，他們學校遷到南京後，他們還未畢業，夏作人那時是學校的秘書，後來在北京辦事處長，就在這時期鬧出了一個桃色案子，轟動全國，各地報紙都有登載，現在想不到在這裏遇到他。

鄭仲明搖搖頭：「眞是聞名不如見面，夏作人當年是有名的風流小生，怎麼老到這個樣子。」

盧教授剛想開口，突然電話鈴又響起來。（十）

台北文壇閒話

畸形現象

劉杰

眞正純文藝刊物，不算怎麼多，多的只是政治性刊物。政治性刊物銷路廣大一點。搞文藝的朋友，也沒像轉到政治性刊物上了。政治性刊物也偶有文藝作品，篇幅少得很可憐。文藝性質只是趣味性的。所以武俠與色情小說很吃得開。中央日報也連載武俠小說，晚報連載的也特別普遍。

武俠小說建立廣大讀者，書店裡，租書攤上大都是武俠小說。武俠小說在文學上有沒有地位？有沒有價值？實在說，武俠小說稱不上形而上的文學作品，給讀者不是感受，而是官能上的刺激。

這不是文壇上正常現象，而是畸形現象。有些作家走的文藝路線很正確，看武俠小說的路子寬，眞正的藝術生命，良心丟在一邊，文藝也就抬不起頭來。讀者所需要的是如此，作家就跟着應付讀者。風氣這一壞下去，文藝重整也整不起來。文藝是培養讀者的欣賞能力，不是應付讀者。一個眞正「藝術良心」作家，是爲作品打算，不是爲「應付讀者」打算。

至於中共之侈言戰爭，理由很顯明，即（一）怕蘇俄妥協成功後，蘇俄會將它拋在一邊。中共沒有蘇俄的扶持是不行的。（二）藉以轉移大陸反共志士視線；（三）加深對大國同胞的壓搾；（四）對外界表示能和蘇俄分庭抗禮，以掩飾其傀儡身份；（五）中共相信中國地大人衆，在未來核子戰爭中，別的國家可以毀滅，中國不會毀滅；（六）與克里姆林宮中殘餘的史達林派相呼應，好將赫魘擠垮。

可是中共是很現實的，他們知道對主子過份的執拗是不利的，所以最後只好低頭屈服，無條件的接受一九五七年十一月在莫斯科通過的兩個宣言的各個觀點。（本文完）

英國人的修養

徐學慧

英國人的政治修養，並世各國，罕有其匹。從一二一五年英國大憲章以來，近八百年的錘鍊，使得英國人在政治的理論與實際的配合上面，簡直已到了左右逢源得心應手的地步。這個國家之能屹立於世界，平安地渡過如許多的驚濤駭浪，並不是偶然的。

我們常常嚮往於中國的春秋戰國時代，那個時代的政治，由於諸子百家的鼓吹，委實是洋洋大觀。古代中國人物的修養與氣量，似乎比現代的中國人還要更爲開明與現代化。而且，古代中國人在政治上的措施，也還較之現代出色。因此，談到春秋戰國時代，或者談到英國的政治，倒是覺得免不了有點懷古之幽情的。

也正因爲是這樣，英國人在政治上所表現的才華，也就不免令我常常想到春秋時代。拿何謨被麥美倫任爲外相，確實引起了一點小小的風波。不僅工黨的議員反對，即保守黨中亦有議員懷疑何謨其人是否宜於出任外相。但麥美倫極力主張，結果何謨的任命當然是被上下二院通過了。

何謨爲英國張伯倫時代的秘書，曾偕張伯倫出席一九三八年的慕尼黑協定。此次被任命，英國朝野有不少的非議，如果單純是這一個理由，也還沒有什麼可說。可是，我倒想藉此機會介紹一篇精彩絕倫的質詢詞，給我們的讀者欣賞欣賞吧。

「法新社倫敦廿八日電：英反對黨領袖蓋茨克爾斥責何謨伯爵被任爲外相事，本日在下院中展開激烈抨擊。他說：『就才能而論，我不想指摘何謨伯爵，他的彬彬有禮，忠於工作，我不置疑。但我們眞正所關心的是：何謨伯爵的經驗不及內閣大臣和特勤，何以被任命爲外相？新聞說聯邦事務部大臣（或印度大臣）不可能做外相，但他是個有才幹的人，是個眞正的外交部長嗎？麥克里（殖民部大臣）也有這個才能的人，是應把他放在值任這要職的何謨伯爵之下嗎？』」

對於這樣一篇精采談話，我不想再說任何的評論，我總覺得：這一段質詢，值得我們國人參考一段作比較。英國人的政治修養，必須令現代中國人感到慚愧。

繹未集

書生之見

封建時代，一國之內除貴族階級外，餘者均爲齊民，及春秋戰國之際，士之階級始逐漸形成，然其時之所謂士，非君主之資師，即諸侯之心脊，大則托孤寄命，小亦治賦作宰，與後世僅足爲弄臣或狎客之書生不同，故所謂書生大抵爲西漢以後之產物。後漢書馬援傳：「會與人共行，見一書生，黃巾被褻，無鞍騎馬，下而叩頭。」書生一詞，實首見於此。又三國志陸遜傳，「遜與關羽書曰：『僕書生疏遲，忝所不堪。』」自謙稱書生，可知自始即非美名。而世俗所謂書生，又多指不通世務之讀書人而言。故黃景仁有「百無一用」之譏。後漢書班超傳：「超悉會其吏士三十六人，與其飲酒酣，因激怒之曰：卿曹與我俱在西域，今虜使到纔數日而王廣禮敬即廢，如令鄯善收吾屬送匈奴，骸骨長爲豺狼食矣。爲之奈何？官屬皆曰：今在危亡之地，死生從司馬，超曰：不入虎穴，不得虎子，當今之計，獨有因夜以火攻虜使，彼不知我多少，必大震怖，可殄盡也，滅此虜，則鄯善破膽，功成事立矣。衆曰，當與從事議之，超怒曰：吉凶決于今日，從事文俗吏，聞此必恐而謀泄，死無所名，非壯士也。」入虎穴取虎子，乃書生所絕不敢爲者，因其曾讀書故也。而「必恐而謀泄」，寧「死無所名」，則由於其不通世務，夫人之讀書，本欲以通世務，而書生乃反以讀書而不通世務，可知通世務者，不必皆讀書，讀書愈多，抑有讀書愈甚者，不通世務愈甚者矣。非書足以使人不通，乃莊生之所謂「曲士不可以語于道者，束於教也。」雖然，書生若自分其不通，苟且窃微祿以自娛，則弄月吟風，未始不足以爲承平之點綴，而自來書生偏自負曾讀書，又昧于自身之不足以經世，正坐其遂不免盛容服以飾辨說，仰首申眉，論天下大事，以稷契自許，務與時議相背馳，往往朝廷主郡縣，書生則主封建；朝廷主選舉，書生則主考試，朝廷倡理財，書生則詆爲苛斂；朝廷欲改革，書生則譏曰變古，終至朝廷主和，書生主戰，朝廷主守，書生主攻，必令蠢議紛呶，無法措手，糜爛不可收拾，而後止。宋史高瓊傳有云：「上在澶淵南城，瓊請幸河北，曰陛下不過河，百姓如喪考妣，馮拯呵之曰：高瓊何得無禮？瓊曰：君以文章爲大臣，今虜騎充斥，無禮如此，君何不賦一詩詠退虜騎邪，上乃幸河北……命進輦，瓊執御轡曰，此處好喚寇相吟兩首詩也。」班超高瓊，間世豪傑，又處急遽危疑之際，幸得自決，以成功名，否則爲文俗吏制其肘者，幾希矣。

曲齋

粟海彈心錄

反對黨（三）

阿公

等而下之，如「魚行老闆」之安福系。（其人抗戰結束，八十之年，猶服上刑，故隱其名），與含有濃厚地方色彩之北洋系，皖系，直系，奉系等，無不各擁強兵數十萬，有人民焉，有社稷焉。宜若可爲，而我寡彼衆，魑有寧止，國計民生，戕賊殆盡，此亦事有必至理有固然者也。而以代表地方性之危險爲最大，故其害國也尤烈。

然則如上袞袞諸公之雄才大略，何以究無一成，豈真「天之曆數在爾躬」。正予所謂必也時會因緣，天假其便，立德立功立言，三者闕一不可，而以立功爲最要。今之民青民社，謀士衆多，類難締造者數十年，苟非抗戰事起，各黨聯合作戰，界以立功之機，則民青民社之爲民青民社，又慨可知矣。凡事如是，無有窮極，或者反攻之後，機局一新，斯其時矣。苟以當前之局，知幾之士，當必審世度勢而出之，則國與民交受其賜焉。

近年執政黨之未能盡如人意，豈如所期，且適得其反者。組織居一二，用人則八九，尤以縣市基層爲尤甚。挾黨自恣，無孔不入，於事於人，自難免於是者非之，非者是之，以張其權力而快其私意；對於黨內同志，平時則頤指氣使，有事又諉張爲幻，幸致輿情黨紀，一無所恃而諉於貞咎。予常謂基層黨務人選，必須具有高度品德，模範原有同人。高度智慧，調協行政主管。尤須温良恭儉，接受新進黨員。如此庶無負於執政黨。且寄予厚望焉。

在此須得說明一句，本人數十年之黨籍，入台之後，自行解除，退處無黨派之列，繼思無黨無派，亦一黨派也。由是凡有表格須填黨派者，只注「國民」二字。今所云云，無異白頭宮女，談說開元。願讀者作如是觀，或不無小補云。（本章完）

暑氣與呵欠

謝康

氣候影響人生，特別在嚴寒酷暑的季節，更容易感覺得到。「赤日背欲裂，白汗灑濛如雨」，「七月六日苦炎蒸，對食暫餐還不能，」「永日不可暮，炎熱毒我腸，」「何由一洗濯，執熱互相望，」這些唐人的詩句，告訴我們大熱天如何難受。可是在「冷氣開放」的今日，有錢人儘可享受現代文明的恩惠。只要你有一兩塊洋錢，也可以到電影院，冰廳或其他有冷氣的地方，享受一兩個鐘頭的空氣調節，可暫時解除溽暑的威脅。有些人覺得「夏日炎炎正好眠，」大道其東床之腹，也未嘗不是一個辦法。據說香港有些人坐在浴缸的冷水中看書，我未免有點那個。因爲既然住在海濱，對着大暑天氣「屈膝」工作，而不能在窗臨天下大海水的碧波浮沉，自求解放。豈不是草芽人，大煞風景!?

孟德斯鳩在「法意」一書中，用氣候的因素來解釋國家民族的興亡，文明的進步或衰退，乃至禁酒，多妻，婚姻的遲早，政府的形式和修道院制度等，他以爲都和氣候有關。其後亨丁頓（Huntington）氏繼續研究氣候與文明的種種關係，以爲它可影響健康、工作及文明的分佈。並且肯定說：氣候最適宜之地，文化程度必高。」氣候既能影響整個國家民族，那麼，一個人自不能不受它底影響，熱帶的人爲什麼懶惰？寒帶的人爲什麼勤勞？歐美人的暑假爲什麼很長？寒假爲什麼很短？熱帶地區爲什麼找不着文明最進步的強國？南美國家爲什麼不如北美？這不都是氣候的關係佔了其中一個重要的原因嗎？「駿馬秋風冀北，杏花春雨江南」，[illegible]形成一剛一柔的民性風俗。「暖風吹得遊人醉，直把杭州作汴州」。氣候的溫暖和炎熱，使逃難的人們[illegible]也許可以拿氣候的因素來解釋吧。[illegible]「南風之薰兮，可以解吾民之慍」，[illegible]颶風能使大樹連根拔起，[illegible]三國演義[illegible]借東風，[illegible]杜牧之以爲二喬不鎖入銅雀台，乃因爲東風助了周郎一臂之力。杜少陵茅屋爲秋風所破，於是發出廣廈萬間的宏願。漢高祖做了皇帝，居然高唱大風之歌。[illegible]給予人生社會以深切的影響。

天氣使人感覺疲倦，[illegible]打呵欠是疲倦的象徵，[illegible]「我醉欲眠君且去」，「長安市上酒家眠」，[illegible]李白疲倦和睡眠的[illegible]很可能正在「夏日炎炎」的時候。李白這個人據說是「浪漫派」，生活相當[illegible]「天子呼來不上船，自稱臣是酒中仙」，已足見其人的懶散和隨便了。（上）

海嘯廬談薈

愚忠與僞忠

諸葛文侯

幢幢然往來於仕途中的人物，依其固有品格之不同，對於居上位者所表示的忠誠行爲，有眞、僞、愚三種差別。眞正的忠貞之士，吾無間言，請談談愚忠與僞忠的現代故事罷。

川人康兆民（澤），黃埔軍校出身，民國廿四年秋，奉命率其所部國軍別動隊入川助勦共匪，總隊部設重慶浮圖關上，兵力分戍巴蜀各重要州邑，康本人常駐成都，頗爲地方當道所尊重。維時中央軍事委員長蔣公在峨嵋山集訓川軍各部軍官，威聲極其崇隆。某日午後，川省公路局長魏子鈇——係劉湘同學，曾任師長——偕三數友好，遨遊於成都「少城公園」中之叢林旁，緩步閒話，魏氏朗聲告諸同遊友人曰：「聽說老蔣明天要下山回成都來了。」言殊平常，並無惡意，且係背後私人閒談，雖微有失敬之處，似不足怪。詎當時適爲在公園內游憩的康氏所聞及，指斥魏氏侮辱領袖，大不敬，即令就地罰跪示衆，以昭烱戒，游人佇足而觀，魏氏不敢有所抗辯，赧顏受辱片刻，抱頭鼠竄以去。廿五年春，曾任川軍高級軍官之余安民（已被中共殺害），受劉湘任命爲四川第四區行政督察專員，兼保安司令，出發赴任之前，曾在成都著名的「榮樂園」酒館，設宴款待軍政界若干友好，愚與康氏皆在座。賓主讌談之間，有人偶爾提及地方士紳問題，指川省各縣的「團總」尤爲擅作威福，魚肉民衆的不法之徒，希望余氏注意。余應聲道：「這般團總老爺出門時，前呼後擁，侍從甚衆，比蔣委員長出巡的威風還要大些！」話猶未了，康氏遽以箸擊桌，向余安民大吼一聲曰：「別要胡說八道！」表情嚴肅而帶怒容，余氏錯愕不知所對，衆客初亦莫測其斥責主人的用意安在，繼而恍悟他是甚惡余氏不應將「團總」與蔣委員長相提併論，認爲有損領袖尊嚴也。夫是之謂「愚忠」。

從民國廿二年起，迄抗戰末期止，全國各文武大小機關人員，於會議場中每聞有說及「委員長」這一名詞之際，大家即聳然起身作立正狀，履聲起，類似瘋狂，藉以表示對領袖的敬意。這項非常禮節，乃是前任國府治下之武漢警備司令，後任汪記偽政權之湖北省主席葉蓬發明的。二十一年夏間，蔣委員長蒞止漢口，設置「豫鄂皖三省剿匪總部」綜持軍務，曾指摘地方軍政當局之無能。時葉蓬方在武漢警備司令任內，他爲要表示特別忠貞，邀寵固位起見，乃首先創行這項大禮，他在起身立正時，皮鞋後跟的響聲格外清亮而有節奏，眞是訓練有素，足資楷模。夫是之謂「僞忠」。

愚忠者往易滋生幫倒忙的副作用，然貽患究竟不大。僞忠者鮮有不是大奸慝的，爲害乃不可限量。古人謂「知人則哲」，信有眞理存焉，不可不察也。

伍俶先生來函

「××先生惠鑒：頃讀貴報丁雨先生一文，標題詩宗伍俶，已悚不敢當，中涉本師黃先生數語，尤俶所不忍聞。請勿續發，以彰俶之不肖，至感。此頌著安　伍俶頓首（七月廿八日）」

編者按：丁雨先生所爲「現代詩宗伍俶」一文，本期已全部刊完。伍俶教授來函收到時，中篇業經發稿，致未及將此函列出。丁雨先生文中對章太炎黃季剛二先生的詩的評語，在我們看來，還是屬於學術上的研究。我們不知道丁雨先生是否知道黃季剛先生爲伍俶教授之本師，但即令明知而作此語，亦尤足以顯示此文之公允。伍俶教授函中所稱，自是基於黃先生與伍教授的師弟之情，至請勿續發，則以丁雨先生之文乃學術上的評論，代表他個人的觀點，似乎沒有停止續刊的理由。因此，我們只有一面續刊，一面將伍教授的來函公佈，以昭公允。順此向伍教授致謝其關懷本刊之意。

現代詩宗伍俶

××××　丁雨　××××

除五古外，先生近年亦偶書爲七絕。茲就報刊所載轉錄二首如下：

定有東風拂柳條，黃鸝欲起若搖搖；牧童仰首雙丫角，不肯騎牛過野橋。——題畫

角者爲牛鬣者馬，倏然而有忽然無，閒雲不下無纖雨，伴月橫天作畫圖。——閒雲

其所得蓋在義山，東坡，陸游之間，而變化以明人小詩者，因得於明媚中饒風骨，[illegible]中見詭秀，非時下之專爲宋詩者所能望其項背也。

先生詩雖已卓然名家，然初不以此自滿，嘗爲余言：自此上溯，東坡詩境爲大家，非與下啓百代。故先生邇年讀西方文學作品甚夥，誠以東坡天份既高，而所讀書則多已爲今人所不及見，自非[illegible]，不足以語於上契古人，[illegible]無以適越之也。先生平日爲人汪涵幽默，不尚富貴名利，視之蔑如也。望之如瀟灑脫塵，不以俗務介意，當魏晉六朝人，所爲文亦復近之。古人論爲學，當先爲人，以爲「詩文與行己非有二事」（方東樹昭昧詹言）故能人如其文，文如其人，吾今於先生見之。（下）

詞林雜燴

徵稿小啟

有內容有意義之隨筆、散文、掌故、小說、雜感、詩歌等類文字，本刊均所歡迎。請用有格稿紙繕寫，如需退還，請附信封及郵票。

自由報
THE FREE NEWS
第十五期
[illegible]
每份港幣壹角
社長：雷嘯岑
督印人：黃行[illegible]
社址：香港[illegible]高士威道二十號三樓
20 CAUSEWAY RD 3RD FL HONG KONG
TEL. 771726　電報掛號：7191
承印者：田園印刷廠
台灣分社
[illegible]

現代知識份子之自覺

雷嘯岑

「政治是管理眾人之事」，我們如果認定中山先生這句詮釋政治意義的話是對的，那末，無論在朝在野的人士，對於政治活動，即應該以「眾人之事」為目標，必須去私，去蔽，去惑。眾人之事不是隨便可以處理得恰當有效的，必須講究藝術化，至少亦得注意技術問題。尤其是在民主憲政生活之中，搞政治而蔑視常軌，忽略技術，結果必然利少害多，終致誤盡天下蒼生，貽患無窮也。

蔽與惑的基因

現代我國的知識份子，既好搞政治，而大家習焉不察的蔽與惑的大毛病，這就是本能地憎惡共產黨那套邪說與作風，然自己在政治上的言行，又皆着染共產黨的毒素，而不自覺。對人決不信任，講控制，尚鬥爭；對事為目的不擇手段，無所不為；侈言天下為公，人生以服務為目的、助人為快樂之本等類美好至義理，實際抑徇私擅權，專己排他，一切只知有我，不知有人。這些都是共產黨之所以為共產黨的本質，而大家竟不知不覺的向它學習看齊，以自民國十六年清共反共迄今，我們在政治上的作風，乃至於意識形態，大家靜言思之，客觀參察，試問有甚末不同之處嗎？共產主義與一般極權主義乃係一物之兩面，最容易迎合人類的私慾，所以，人類文明儘管向前發展，人權觀念儘管日益普遍，但政治上的極權主義卻到處流行，越是文化落後，產業貧乏的國家，極權主義就越見其得勢。這就是政治思想上的蔽或惑，而知識份子的責任特別重大。世人推究我國政治人物這種極權中毒的根源，皆歸讜於卅年前中山先生的容共政策，這決非正確的見解，也是極不公道的批判。當年列寧的作風，跟他逝世以後的史太林迴不相侔，他以無條件援助弱小民族號召於世，且對中國首先聲明放棄舊有帝俄時代所攫得的一切特權，又保證不將共產制度強行於中國，同時，中共的力量亦微末不足道。中山先生為着完成國民革命運動，採取容共政策，庸何傷乎？中山先生在生之日，他的政治思想與言行，何嘗沾染有共產黨的毒汁呢？今日我們朝野人士，在政治上隨時表現着「共形共狀」的情況，乃是中山先生去世後，漸積而來的權力中毒結果，責任在我們後死者不成材，不爭氣，與容共政策不相干。由於現代知識份子在政治上這種蔽與惑的病態心理關係，且不特貽患於現在，且將流毒於未來，試看目前一般青年人從事政治活動的一切方式，無論是對人對事，幾乎完全襲取共黨那一套，躬行實踐的程度，比較中年和老年人澈底多了！從反共的文化精神設想，這真是現代知識份子的一大悲哀，也是反共復國前途的一大危機。如果說，這一代人的思想言行，對於下一代具有培育示範的作用，那末，今日一般青年人之沾染共黨作風，我們這些中年以上的知識份子，即應深切懺悔，引咎自責，而必須痛改前非，速自振拔，使下一代的人不復誤入歧途，而能勝任建國的職責，才是應有之義。因此，我們要唾棄所謂「以毒攻毒」之說，及早去蔽去惑，遵循民主憲政常軌，運用妥當的政治技術，以期獲致全國反共力量真正精誠團結之成果。否則空喊反共口號，那是毫無用處的。

試舉一例

最近自由中國在野人士組織新黨之說甚囂塵上，這原是憲政國家極平常的事，用不着大驚小怪的。假使新黨運動得不到社會大眾的同情，它自然會歸於淘汰，我們大可不必為之擔憂。民國初年張亢虎就倡組「社會黨」，政府並沒有制止他，也未表示不予承認，但社會黨運動搞了若干年間，還是徒託空談而已。廿年前，陳銘樞在上海倡組「民主社會黨」，聲勢頗張，但結果一無所有。此外如對日抗戰結束後各種新黨運動，一時恍似雨後春筍，當時政府泰然置之，然其成就亦微末不足道也。再看孫中山先生所創立的同盟會與國民黨，從滿清王朝到袁世凱政府，不特不予承認，且謚為「亂黨」而多方查禁摧殘之，然國民黨因為得到了全國人民的同情支持，終於達成國民革命的歷史任務，執掌政權已歷三十年。這說明一個政黨的產生及其發展，必須適應時勢與客觀的需要，或成或敗，皆有其客觀環境與主觀條件相互配合的必然性，不是一時的好惡之見所能左右的。在民主憲政國家，人民有結社集會之自由權利，我們現在是過的憲政生活，當然不必反對民間的政黨運動，祗要不越出法治軌範，加以鼓勵。對於新黨的組織方法與其政綱政策，見仁見智，固不相同，自不妨各抒所見，切實批評，但談不到承認與否的問題，對政黨行使承認不承認的權力者，只有選民而已。組織政黨是憲法上付與人民的特權，即係法律的產物，政黨的活動才是政治性的行為，基於政治觀點以否定政黨之依法存在，邏輯上絕對講不通的。我們對於新黨運動即使認為不合時宜，也只能根據理性，針對事實以立言，而不宜隨便扯到共匪問題上去，最近臺北泛亞社傳出消息，說當地報紙有人著論指新黨運動是被共匪利用為「進行內部顛覆活動」，是要「在政治上造成臺灣內部混亂，以內外夾攻的方式，實現顛覆政府的陰謀」。這種想當然的武斷之詞，我們是不敢贊同的。從事新黨運動的人，如其眞有共匪利用為內部顛覆活動的證據，那就是現行的內亂罪犯，應該立刻查拿懲處，豈能僅予指摘批評而了事嗎？沒有證據而作此駭人聽聞的說法，這又是上述「蔽與惑」的毛病作怪，曷勝浩歎！更可哂的，還有海外的官報指新黨運動者有「地主階層」人物在內，說這類人是怨恨台省土地改革的，即對政府具有「潛在的不滿情緒」，因而認定新黨之成立，必與政府不利。這成甚末話？曾是地主階層的人物，就沒有參預政治活動的基本人權，此在民主憲政社會中，可謂奇談，然在共產社會卻係天經地義的事，這叫作「漢人學得胡人語，爭上城頭罵漢人」，充分地證明着現代知識份子對於共黨那套政治鬥爭的伎倆，中毒至深，着迷至甚，信手拈來，運用自如，這不是時代悲劇是甚末？

歐洲古代「文藝復興」的口號為「我之自覺」，現代中國知識界亦應該來一次文藝復興式的自覺運動，先把三十年來大家無形之中，在文化精神上沾染的共黨毒素，予以清除淨盡，然後可望發出自由文化思想的光芒，而使反動墮落的共產主義化為煙霧。有志之士，曷興乎來！

古巴的「巨人」

小調天下

△中共由周恩來向美國開口，說要訂立互不侵犯條約，設立亞洲核子禁區。前者狂發雷霆，其意在「辱」，今又「和風細雨」一番，其意在「弄」。受「弄」的美國人該作何想？

△古巴國防部長揚言以火箭對付美國。蘇俄再為剛果事件發出恐嚇。東德表示對西柏林狀況難再容忍。這是考驗美國是否「神經衰弱」的一個嚴重時期。

△一九六〇年的貨幣年鑑說：去年流入中共區的外國黃金，值美金一億七千多萬美元，比前年多了兩千多萬美元。榨盡幾億人民的血汗作最廉價的輸出，換回黃澄澄的金子飽共官的私囊。血是紅的，金是黃的，眼睛與心子都是黑的。

△中共派劉寧一到日本搞「統戰」，剛抵步便申請延期居留。日本當局懷疑他要逗留的理由。他到日本如不認眞搞它一番，才是「豈有此理！」

△剛果閙分裂的一個主要省份，宣佈拒絕聯合國軍開入，實行總動員，準備開火。「小家庭」的糾紛也不容易清理，聯合國這位奶娘着實難做。

△雲南中共軍隊一部叛變，逃向緬甸邊境。民變要與兵變揭合，大陸反共革命運動才有成熟的希望。「大風之來，起於蘋末」，我們不要看輕這種斷斷續續的零星消息，只要這是眞消息。

△西德國會副議長再撰文呼籲，期望西德與自由中國發生外交關係。自由德國與自由中國到今天還是神合貌離，算得是今天這個世界不可解的疑謎之一。難道這裏面還有應該保存的猜疑或「客氣」？

△美國共和黨下屆總統競選人尼克遜說：肯尼第已在民主黨發佈的競選政綱上面付出了太高的代價。他自己決不肯作這樣高貴的付出。他是不是說：肯尼第不該開出了數字太大的期票？他好像以曾經作過「半個當家人」的資格來說話。顯出了「少年老成」的氣派。尼克遜將來會不會成為一個好總統呢？很難說。美國今天需要一個「有為的總統」，不徒是「好總統。」

方南

自由談

期期以為不可！

馮五先生

報載：執政黨決議今後對於台省地方選舉，允許黨員自由競選，但舊有的提名候選制度，依然維持云。此訊如不虛，無異自造紛擾，後果將有不堪設想者！

十餘年前，在大陸上舉行的國大代表與立監委員選舉，執政黨就是一面提名，一面讓黨員自由競選的。結果內鬨大作，信譽掃地，終致黨戰之下，為着選舉之爭，竟鬧出抬棺遊行，絕食尋死，投水威脅等等醜劇來，貽笑中外，不忍寓目。當時表演這類醜劇的，盡是些執政黨黨員，其他各黨派各階層人士，或旁觀太息，或拊掌稱快，眞是黨政史上的一大汚點。懲前毖後，今日豈可重蹈覆轍乎？

提名候選與自由競選這兩種矛盾方式，千萬使不得。若就自前台灣地方選舉的現實情況設想，似以停止提名，一律自由競選的辦法，比較妥當。沒有勢均力敵的反對黨存在，提名的作用就極其微薄，徒然引起本黨內部之不滿與不平，構成離心離德，敗壞紀綱的不良現象而已。

如果一定要維持提名制度，那就應該通過黨內的民主方式，先讓各縣市的黨員們共同推出候選人，然後由黨部核定施行。這樣纔可以用紀律來約束大衆，而自由競選即無必要了。既允許黨員自由競選，又由黨部另外指定候選人，號召同志們一致擁護，這不是徒亂人意，自造爭端嗎？

凡事總應該從大處著眼，採取與現實相適合的明確策略，庶幾可望獲得預期的成果。光是頭痛醫頭，腳痛醫腳，枝枝節節而為之，甚至於醫藥亂投，掉以輕心，即未有不僨事的。我回憶過去在大陸上的選舉災害，對於執政黨提名候選與自由競選方式併行的決策，竊期期以為不可！這對政黨的利害得失關係，尚屬次要問題，無形之中，使國民道德趨於墮落境界，卻是值得嚴重考慮的大問題啊！

國際飯店賣稀飯，妓女要求去坐牢

上海來人談上海

本報特稿

大雄

以前，我看到某些報紙稱中共爲共匪，在心裏總覺得未免過火；但現在我已被事實說服了，的確是匪，百分之百的匪。

什麼事實呢，兩位屈蛇抵港未滿三天的上海青年朋友，就是活事實。一位是同學張君，一位是同學的女友溫小姐，他們申請出境之難，比鳴放時期何止十倍，申請了一年又十一個多月。他劈頭一句：「現在完全露出眞面目了，迫害得太露骨，太大膽了」，我雖然相信，但還是要問：「有什麼事實嗎？」

「事實嗎！說它三天三夜也說不完，我的出境申請便是事實。」

眞的，我也很想知道他們傳奇式的出境經過，雖然知個大略，溫小姐是復旦新聞系畢業，名工程師溫××之後，張是同濟大學專攻數學的，的確都是不易出國的份子。

把身體弄殘廢

溫望着張說：「他爲了出國，把身體也弄殘廢了！」張瘦得像個道友。我還以爲是單純餓成的，原來並不這樣簡單。

「我起初是裝病，後來險險給發覺，終於……終於硬起心腸，自造眞病了」。

「他在下放鍊鋼時故意割破左掌這裏什麼大陵穴的動脈」說着，拿他的手給我看。「他家傳的針灸學使他有勇氣這樣做，會令人肌黃肉蝕，眼陷骨露，但精神很旺，却無大碍。」

「這樣敎我臥病了整整一年多。」張說。

「也偷看了一年多合心意的書。」溫補充着。

「我想我如健康的話，無論如何它們是不會放我的，這樣使它覺得白養個廢人便有希望放棄了。」

「那麼妳沒裝病怎樣能出來呢？」我回過頭來向溫發問。

「嘿！你還來故意問我！」溫指着我，然後繼續說：「起初你替我寫來的信，派出所都不相信，派出所的榮同志還聲言我『這種假信已不知看過多少，你以爲國家保衞人員是可以欺騙嗎？每封信，黨都會派香港的地下人員調查，那裏也是我們的世界——你們搞什麼鬼，更休想瞞過黨的眼睛』意思就是說我同香港來往的信都給他們查閱過。那時我眞是慌做一團，夜裏同母親研究到天亮，決定改變方針，單是請你借工廠的聘請是行不通了，何況我又是新聞界。（畢業後鍊鋼），共黨決不輕易放過我的，不如由母親積極寫信給在美國的爸爸，說服他回國，他是科學家，並要他帶美金回來，上級一定歡迎，但母親還不明白我的意思，極力反對這樣做，後來我在她耳邊說了，她却頻頻點頭，眼淚也奪出來了，終於我們便想出了這個辦法，特別是說要帶美金回國，更動了共黨的心」。她母親確是寫了數信給她父親，寄來給我轉。只隔了個多月，他父親一天中發了兩封電報，說已到香港，因病進了法國醫院，共黨終於財迷心竅，放她女兒來接帶美金的父親。

「派出所還吩咐我，父親的病稍好即刻起程，或者只要抬得動，進了深圳，國家派人迎接，變程只限你一個月來回」溫頓一頓又說：「他們還嚴格要求我們，只許說祖國好的方面，而不好的無論如何不要說給香港人聽，這是立場的嚴重考驗，否則對你極不利！」

「這不像綁匪的口氣麼？」我說。

「我們要把它的壞處說給人們聽。」

「有沒有好的方面呢」我故意挑問。

「好的方面」兩人齊聲說，又略一思索。張搶先說：「那便是敎我雖然死九次也要反對它！」停一停，嘖嘖指着，「敎懂了我們知道共產黨是個什麼東西」。

排隊半天 買菜斤半

「好的還有，就是處處都是排隊的好秩序！」溫說：「我曾經一早去徐家滙菜市排隊買菜，青菜都是爛了的，買了半斤綠豆芽，却規定要加買半斤發壞的，不買爛的，好的也不給買。扔掉也要像着沒人的時候扔，午後母親又去排隊，也是排了一個下午——我投機點只排兩個多小時，有時吃下去的食物還支持不了排隊的消耗呢！」

「除了排隊便是開會。」張說。

「你睡在牀上也要開會麼？」

「當然，除了不省人事，里弄街道的每個會，我差不多全堅持扶病參加。雖然個人的事我都不敢過問了，兩年來我朋友也不理一次。連信都避免寫，不如此，恐怕倚骨頭也不放我出來的」。

談到其他方面，更是使人咬牙，從他們的口裏，知道紅朝人心盡失，老百姓經不起餓倒的特別「考驗」，因共陰毒奸險已越來越趕不上當要，不得不「躍進」爲狰獰凶暴了。「以前還是假面具，現在連假面具也不要啦。橫豎民衆已恨之入骨，簡直嚴厲到不能再嚴厲了。」張說。

「反胡風時我到工廠當實習記者，那時有工人貼反共標語，但一發動羣衆「反革命」份子就檢舉出來了。現在是怎樣發動也檢舉不出。」

「工人常被無端端扣上「反革命」罪名，連他自己也不知爲什麼，只要從前當過保甲長或有絲微與「剝削階級」往來的老賬，但不補入監，却在原職管制」「也一視同仁，遭遇往往還要糟，不少「勞模」也反黨了」。

一天不到二兩米

「農村更慘，湧入城市的農民捉回去又逃進來，證實一天還不到二兩米，煮一餐稀飯還嫌少。」

「江北的謠言最多。」

「幹部也希望變天，只是大家都學乖，心照不宣，餓一天，望一天。」

「上海的飯店大半歇業，南京路的新雅、大三元、燕南等大館子都只賣一餐便關門，康樂早已搬去撫順落戶。只有國際飯店和錦江，却只單賣稀飯，而且只有一批進去有賣，第二批便對不起了。」

「去年上海特別熱，冬天又冷到駭人，凍死，餓死，天天有聞，最多是南市和曹家渡了。報上却從不登！」

「由於人民經不起飢寒交迫，所以妓女很多，但旅館沒人敢去，故晚上或陰天，三輪車的生意特別旺，但有的三輪車夫太積極，常常成對載上公安局去，眞是啼笑皆非。共黨奈何不了她們，她們主動要求捉她們去坐牢」。

捕人技術大躍進

「躍進——那是留給有思想的青年的，現在捕人的技術又進步了，用不着半夜三更去逮捕，只要命居民委員送來小紙條，『某同志，派出所約你現在去談話，並帶鋪蓋同去』。那麼你就當天失踪了。」

晚上同去吃飯，我因聽了難過得飯都無味，但張溫兩位出奇的像餓鬼。

香港耳語

海隅「中國銀行」主持人鄭某，最近因爲步行失足，跌倒地下，曾在醫院昏迷了幾天，幸告甦復，但據醫生說，即令痊癒，亦已成爲廢人，不能再事勞役了。鄭係前中國銀行總裁張公權的幹部，投共後，常在海隅分行工作，經此一蹶，今生休矣！

據確實消息所傳，海隅的中國青年黨人士，對於應否參加台灣方面共黨醞釀上的「新黨」一事，大多數皆主張採取愼重態度，尤其否定自行解散之說。這是該黨立法委員陳某，近在海隅探詢各同志意見後得到的結論云。

毛共近來派遣高級共幹潛至海隅活動，據說，其任務仍在利用時機，對華僑社會施展統戰工作，但很少人願意受騙入「彀」的。毛共又在九龍邊境之深圳地帶，興建蓄水池，預計一年完成，聲明無條件供給九龍居民的食水，皆在收買人心，內部「頤指」作用。但港政府洞燭其隱，表示必要時須支付代價若干，方可接受，且願意供應鋼管等建築材料，而共方婉拒後者，仍不外運用冷戰魔術也。

台北通訊

貪污案層出不窮

張健生

最近一旬以來，此間連續不斷地發生公務員貪污舞弊案，因而成爲各報社會版重大的新聞。這些舞弊案，暴露政府公營事業機關的低能和顢頇及腐化，少數不肖者的所作所爲，是足以影響到政府的信譽的。

台灣銀行公庫部兩位先後任襄理毛承樟、蔡孝敏、共同作弊，侵佔國幣三十二萬餘元。毛承樟自三十六年起，任該銀行公庫部襄理，至四十六年六月間，改由蔡孝敏接任，該員等竟意圖不法，竟然在民國三十八年發行愛國公債業務時，侵吞愛國公債票款，公債票，及剪銷過期息票，計毛承樟經受民航公司購買公債款五萬餘元，並侵佔三十九度被剪銷之過期公債息二萬五千多元。蔡孝敏接管三十九年度剩餘公債票，因毛承樟漏列庫存二十一萬三千多元，故未移交，即趁機將該款吞沒，並竄作假賬，侵佔四十年與四十一年剪銷之過期息票二萬三千餘元，而各界捐獻之愛國公債五千餘元，亦沒入私囊。到十年後的現在，始被發覺而移送台北地檢處偵查，而被唐錦霙檢察官提起公訴。

•中央信託局信託處營業科副主任高新民涉嫌「監守自盜」而侵佔該局員工優利存款達四十多萬元。高在自白書中表示，承認不諱。至於高新民如何「監守自盜」？其侵佔款項作何用呢？他是中信局會計，又是出納，因爲獲得主管的信任與器重，所以中信局自四十六年起，以迄於今，從未查過賬目，於是他大膽地將這筆錢經營股票生意及經營地下錢莊，殊料股票生意虧本，而高利貸又因「黑吃黑」倒賬，弄到本利全沒，以致虧累頗鉅。爲此，他曾向外間借了十萬多元，來維持信用，由於利息及倒賬的積壓，他於四十六年開始，即利用職務上的便利，盜用公款。這件案子且涉及該局高級人員，現正在台北地檢處熊家會檢察官偵辦中。

就在這個時候，又有一件驚人的貪污案發生而轟動報界及社會。台北紡織公司業務主任李公恪，盜用公司公款四百二十多萬元，他於七月十一日自已向台北地方法院投案自首，據李公恪供稱；他在四十三年間，想賺點錢貼補收入之不足，乃與友人莊某合資做生意，電影生意賠了數十萬元，這筆款子是公司的公款，這個小錯變成今天的大錯，他想撈回這筆鉅款，於是繼續挪用更多的公款，經營股票與輪胎生意，但又虧本了，這一下便難以收拾了。

接着，正在開會的台灣省議會，亦傳大雪山林業公司官商勾結舞弊情事，省議員郭雨新，林清景等提出質詢，要求政府澈查。省議員黃占岸在質詢時，痛責林務局職員濫用職權，玩弄法令，僞造文書，欺詐農民。

貪風之熾因素固多，但主因不外兩點，一是入不敷出，一是道德敗壞。若是再不作救之道，則世道人心將不可收拾，故有識愛國之士，咸認爲社會問題，已影響到國計民生的問題了。（七月二十九日）

大陸文壇萬花筒

葉恭綽侯河之淸

——岳騫——

最近中共召開第三次「文聯」全代會，推出一百八十二名主席團，其中有一人頗出意外；就是葉譽虎（恭綽）先生。

譽虎先生投共後，最初還算優待，因爲他年紀太老了，可免也就免了，經常就是和林伯渠，章行嚴，符定一，謝覺哉，在北平近郊遊山玩水，作作詩，塡塡詞，有時毛澤東高興，也和他們在一起談談，謅幾首歪詩，要這些老先生予以捧場。

這樣生活本來過得相安無事，不料到了一九五七年毛澤東突然搞出一個大鳴大放的玩意，在全國展開了一個廣泛的運動，有良心的知識份子，都對共黨的邪惡統治，提出抨擊，就當運動進行最熱烈時，譽虎先生也加入戰團，向共黨攻擊，這件事足以看出此老還有正義感，因爲和他在一起的一批老人，都深諳明哲保身之道，一齊噤若寒蟬，只有他作了諤諤一士。

大鳴大放之後，共黨變臉改爲「大整」，凡是鳴放期間對共黨露出一絲不滿的，都被指爲右派份子，譽老也名列其中，成爲「右派份子」中年齡最老的一位。

中共對於右派份子的處置，並未判罪，只是作精神上的折磨，凡是被判爲右派份子的人，無論至親好友，甚至夫妻子女，都禁止來往，就是毛澤東說的「讓他們落在時代列車後面偷偷哭泣。」這個罪當然不好受，一批人受不了折磨，只好向共黨低頭認罪，到了去年中共又玩新花樣，宣佈摘掉一批右派份子的帽子，其中就有譽老。一年來譽老已可公開活動，本港共報的副刊，經常發現譽老題字，在兩年前當然不可能。不過，經過這一次打擊，譽老也學乖了，絕不敢再捋虎鬚，只是作一些頌揚文字，以求多福。最近看到此老塡了一首八聲甘州的詞，標題是治水頌，其中極盡恭維之能事，有句云：「喜河淸可俟，早澇兩無憂。」又云：「方信道，禹謨堪補，端賴人謀。」這種詞毛澤東當然看到舒服，這次文聯大會居然選他出任主席團，足見譽虎先生畢竟還有一手，毛澤東也被他對付好了。

社會小說

香港地

五、有錢佬

大家聽得有些莫名其妙，問他爲什麼說想做聖人而不想做君子？

楊先生笑道：「我想向孔夫子看齊。孔夫子說過：『以吾從大夫之後，不可以徒行』。正好說明了聖人沒有『私家車』是不成的。我也想有一架私家車，學學董二聾的派頭，這不是想做聖人是什麼？我不想做在陋巷的短命顏回呀！顏子大概是因營養太過不良而短命死掉的。雖是亞聖，我却不想學他。」

這番話又在車子裏引起一陣哄然大笑，那位司機雖不完全懂得他話裏的意思，却也邊笑邊說道：「各位先生眞有好文才，可別引我笑得手軟了，輾死人是要賠錢的呀！」

梅大亮這才知道楊先生外貌雖是老成，說話實在俏皮，被他逗起談經說古的興趣，不禁揷口道：「孔夫子要搞政治，才不能沒有私家車，你們說的董二聾，怎能說是『以吾從大夫之後』呢？他居然買有這麼漂亮的私家車來代步，眞不平凡！」

這似乎是針對楊先生所引述的一句話而發，楊先生也就笑道：「你不知，我也不懂。董二聾是很懂得做生意的人呀！他有許多生意，辦學校只是他手底許多業務中的一種。此時此地的『大夫』，並不是孔子那個時代的大夫呀！他身兼多職，社會知名，所結交的都是有錢佬。你知道嗎？有錢佬也是一級一級的，猶如孔子時代的國君，有百乘千乘萬乘之別，他們的家財由幾十萬至幾百萬幾千萬的都有，董二聾要緊跟在高他一級的有錢佬後面走，又怎可以沒有私家車？難道叫他徒行嗎？」

楊先生頗有辯才，一番話說得梅大亮服服貼貼，不再表示異議。只是，他口中「有錢佬長，有錢佬短」的聲調，打在梅大亮耳鼓上，却使他覺得很不舒服似的。他自已知道，這是他本身心理上一種痼習，歷來聽人提到有錢佬三個字，便似被什麼東西刺了一下腦袋。爲什麼會有這樣感覺呢？大概是因讀書讀腐了腦子的原故吧！他這時明知老毛病在發作，便極力自慰道：「你別這樣傻！這時正在要赴有錢佬的約會去，怎可以讓老毛病再在腦子裏作祟？」（四九）

木客著

從投稿談起

汶津

有一次，一位素來「吹」而不作的朋友忽然跟我提起投稿。我笑笑，胸有成竹地說：「投稿之道無他，皮厚而已矣！」他愕然。我急忙添上一隻蛇足：「這可不是信口雌黃！」他笑笑，也胸有成竹地說「早知道你們這些文人靠不住。」說來寃枉：講天地良心的老實話反而贏得這麼一個評語。不過聊可告慰的是：那位仁兄終於以一張明信片默認了我的定理。回頭想想，我又何嘗作假：台灣寶島本來就產紙，最近又有多種商標的國產墨水出籠，寫文章簡直就跟「無本生意」差不了多少。即使那位秦始皇先生再世，恐怕也寧可再造一堵長城而不敢一試焚書坑儒的勾當的。我眞担心：「一爲文人，便無足觀。」這話也許有一天會改成「一無足觀，便爲文人。」原子時代的悲哀，孰甚於此？學文的沒有出路，甚至不受教育當局重視，都已不在話下了。

我說「學文的」，多少還帶幾分自豪，至少我們是有心學之，收穫如何，大可不問，而且「不成功則成仁」也是不妨引用一下的。可畏的是某些仕女們天賦奇才（或「天生麗質」），來一個不學而能，把許多半生不熟的字眼排起隊來，佈成四方陣，然後運輸到印刷廠裏，出廠的時候，書背後赫然幾個大大字「第×版」（按×字多半大於三）。定價之高，印刷之精，不在話下；廣告之大，宣傳之烈，更無足怪。不久之後，奇蹟發生了：中華民國又多添了幾位「名作家」！

一般說來，小兒之能有多彩多姿的幻想，大半是由於他們乳臭未乾，「德薄能鮮」。其實不會走路而妄想揷翼而飛的，不僅是領不到身份證的未來主人翁如此。許多投稿的朋友，不幸無術翼幸印刷廠，但其大作的字裡行間，却隱隱以大作家自居。據說某些編輯常收到一些抗議的信——天才遭人冷落，焉能假惺惺的說句「君子不慍」就了帳了？如果我是收信人，一定不致放過面前的傑作：該抗議書理應以最大號的鉛字排出；將來說不定還有人誇獎我這編者呢？二十世紀的陳琳，非此子而誰知！只愁如今醫學過份發達，卽使有位也患頭風的曹操第×，恐怕早去俯就博士的特效藥了。這也不妨列爲科學文明的一大流弊。

還有些文章似乎是一種小型的回憶錄，也可能使人不敬地聯想到江郎才盡。「第一次的投稿」，「我與投稿」（或表示謙虛；區區不敢爲天下先也——「投稿與我」）……舉不勝舉。這種文字很使小學生頭痛：究竟把它們歸類爲抒情文好呢，還是乾脆以應用文視之？考其內容：有的是才子佳人式的——一見傾心，一舉成功；有的則有悲劇的傾向，文末必大聲疾呼：「革命尙未成功，同志仍須努力。」但不知怎的，看這類嘔心之作時，呵欠往往蜂擁而至，難怪有人寧可沉浸於武俠小說的「說時遲，那時快」的公式裏，也不敢一嘗這種空心湯團呢。

然而風涼話對於熱中的朋友根本不發生作用，有人整日在稿紙與郵票漿糊間奮不顧身的「耕耘」，妙的是絕對沒有學過農藝學！到了該收成的季節，上帝該怎麼安慰他呢？

有時候我想幾十年後的文學史家一定會累壞了，披沙瀝金實在不是一件好差事。遠的不說，就揀些近的說吧！副刊編輯每天看一疊一疊的稿紙（注意：並不一定是看「稿子」）就夠辛苦了。本來嘛，這可不是一個清閒的世界。甚至讀者們都有些「災難」要受。記得馬克吐溫說過：「暈船的災難之外，最大的災難就是聽重複的故事了。」想想看：在大風大浪的時代裏，還要天天拜讀些大同小異的文章，到底是何滋味！

必須聲明的是：我說「皮厚」，與「文人無行」無涉，一句小學公民課本上的成語，叫做「有志竟成」。有些朋友一篇退稿，即用盡平生之力把厚厚的稿子一扯，一番心血頓時葬身於字紙簍中。這種人相信編者過於相信自已的靈感，可說是屬於忘我型的。但若知有些編者是只看「名」稿的，無名英雄們就得三思而行了。

寂寞

艾雷

有人說：「寂寞是一種痛苦，一種病症」。因此大部份的人們都喜愛有光有色的生活，都在惦念嘩嘩場合的歡笑，很少有人會想在寂寞中尋求領悟。

可是，朋友！寂寞是一種享受，也屬於一種哩！杜工部云：「此身飲罷無歸處，獨立蒼茫自詠詩」，假若有人會獨立於蒼茫，感觸萬端，而其本身必會深深的體味到：寂寞是什麼？更有人認爲寂寞是天涯游子，浪客悲人的影子。但，有誰沒有嘗試到寂寞呢？當你自熱烈的場合歸來，當你在碼頭張望着你的親朋，汽笛聲響中，漸漸的離去時，朋友！你不覺得有寂寞的[illegible]嗎？

甘于寂寞不是一件壞事，反之它能培育磨練出許多傑出的人材和高雅的性格。這怎麼說呢？因爲寂寞時不但會帶來冷靜而且使人獲得清醒。在這時你將能領悟到人生的眞諦，生命的意義，以及什麼是永恆？什麼是空幻？

朋友！如果你對那百尺危樓，粉香酒氣，繁鬧的地方已感煩厭，或是對愛，憎，衝突，矛盾，爭權奪利，……等等的情感已生畏懼時，到這裏來吧，獨自安靜一下，誰都可以接近寂寞的。寂寞會帶給你無窮智慧與安靜的情緒。

儒林九尾龜

吳敬鋅

第二回：好夢由來最易醒

盧教授接過電話說道：「作人兄，歡迎，歡迎，請過來談談，沒有關係。」

過了半個鐘頭，門鈴一響，盧教授趕快搶着出去開門，只見那個夏作人神氣活現的進來了。

盧教授迎接着握手之後，又給大家介紹說：「這位是夏作人博士，是當代有名的政治家。」

夏作人連連擺手，笑着說道：「得了，孟德兄，你別挖苦了，我只是一個跑龍套的，一輩子又不能掌大旗，你是學者，黨魁，馬上入閣拜相了。像我這樣的人，給你提鞋也不配！」

盧教授笑道：「作人兄：你未免謙虛得太過份了。將來得公或者劍公當了總統，行政院長一席你應該不作第二人想了。」

夏作人聽到這裏，登時眉開眼笑，說道：「不過那還是要等到將來啊！在目前我就不及你有辦法了。」

盧教授說道：「世間事那是有一定的，有時煮熟的鴨子都會飛，譬如民國三十六年你已經發表了安徽省政府秘書長，已經中政會通過，尙且變了卦。」

夏作人搖搖頭：「這兩件事不能相比，你知道我那一次爲什麼出了問題。」

盧教授笑笑未開口。

夏作人接着說道：「你恐怕也認爲我是因爲搞女人搞出的問題，其實還是窩裏反的。」

盧教授奇道：「怎麼窩裏反，我一點也不知道。」

夏作人呷了一口茶說道：

「你知道我們那位貴同鄉賀公，一口氣當了九年的安徽主席，時間正在戰時，安徽又懸於敵後，他就是個皇帝，想怎麼刮，就怎麼刮，他刮的地皮之多，不但在安徽史無前例，就是在整個中國也考第一，什麼西北王，雲南王，新疆王以及專賣鴉片烟的西康王，實力都較他差的遠。據安徽人替他估計，當時用最大票面的鈔票從安徽合肥舖五丈寬的馬路一直舖到梧州賀公公館門首，也用不了他全部家當的十分之一。」

盧教授笑道：「那有這麼多？」

夏作人冷笑一聲：「也不會太少，安徽人是一筆一筆算出來的。不過，賀公雖然刮，還能保持大將風度，就拿寶猷一件事來說吧！一次過淸，絕不找第二回麻煩。可是他那位民政廳長也是我們貴同鄉黃鎭奐，格就低的多了，經他放出去的縣長，發表時固然按照定價，分文不讓。可是每到一年還要再徵一次，你說格調是不是太低？」

盧教授問道：「怎麼徵收法，就說地皮捐嗎？」（十一）

望海樓隨筆

強權主義

徐學慧

今日世界的亂源，來自兩種人。一種是新殖民地主義——以蘇俄爲首的共產集團。另一種是老的殖民地主義，或者可以說是西方帝國主義。

除了少數的強國而外，大多數地區的人民是處在兩面作戰的尷尬情況中。說起來簡直是個笑話，但却又不是笑話。我的意思是說，反共戰爭如果是在目前這種情況之下，大概再反一百年一千年也沒有用。

所謂目前這種情況是什麼情況呢？一言以蔽之，西方國家仍然沒有擺脫強權主義的傳統思想。而事實上，強權主義與共產主義，只是在五十步與百步之間，倒也很難分別高下的。

共產主義迷信武力，強權主義也迷信武力。

共產主義不談公理，強權主義也不談公理。

共產主義以國家資本來吃掉人民資本，強權主義亦以其雄厚的經濟力量來控制弱小國家的經濟。

所不同的是：強權國家對於本國人民給予自由，而共產國家則沒有這麼一點而已。

西方國家如果不能放棄強權主義的思想，大概是很難有效地反共的。

這些年來，反共的文章我們看得太多，那些所謂專家們的反共理論，我們也實在聽得不少。可是，從不曾有任何一個專家說到基本的態度問題，如果還不是一個笑話，就是一個悲劇了。

那些專家們，自以爲瞭解全盤事實；而小民們也由於對「專家」這個頭銜產生敬仰，再由敬仰而畏懼，又由畏懼而迷惘，自然不顧也不敢對專家擬定的計劃或發表的言論加以任何批判了。

剛果總理魯穆巴正在聯合國要求聯合國軍開入那獨樹一幟的喀坦加省。在我們看來，這個要求似乎相當正確。可是，那位超過三百磅的大胖子秘書長哈馬紹先生立刻以專家的姿態在利奧波德維爾發表談話，他說：「剛果方面任何錯誤的行動，將使剛果陷入新的騷動之中。」這意思就是說，只有聯合國的一切是正確的。難怪剛果總統加沙伏布先生忙不迭的回答道：「我們相信聯合國是正義的。」

究竟聯合國是不是完全有正義呢？恐怕這位剛果總統也不大同意吧！

釋耒集

文人能事

古來論文之作，陸機、劉勰以下，指不勝屈，而其着眼點，均不免偏於言道，言義理；而略於言文，言方法。所謂就文論文，實始於劉大櫆。故古文地位之尊，亦應自劉大櫆始，論文偶記有云：「故義理書卷經濟者，行文之實，若行文自另是一事，譬如大匠操斤，無土木材料，縱有成風盡堊手段，何處施設；然有土木材料，而不善設施者甚多，終不可爲大匠。故文人者，大匠也。神氣音節者，匠人之能事也。義理書卷經濟者，匠人之材料也。」又曰：「當日唐虞紀載，必待史臣；孔門賢傑甚衆，而文學獨稱子游、子夏，可見自古文字相傳，另有箇能事在」。曾國藩本此，遂析文人爲兩類，一類曰許（愼）鄭（玄）杜（佑）馬（端臨）；以爲許鄭致先王制作之原，杜馬辨因革之要，皆有功於文獻；一類爲韓（愈）柳（宗元）歐（修）曾（鞏），謂其取揚（雄）馬（相如）之雄奇萬變，納於遊物小篇之中，極文人之能事，足以垂諸文而爲後世法。兩者並尊之。依事實而論，爲許鄭之學，窺見門徑方法，爲之不倦，則中人之資可以有成；韓柳之文，雖方法具在，言之者又甚多，術非其才，則終身不能下筆作一語。故方苞氏有言曰：「藝術莫難於古文，自周以來，各自名家者，僅十數人，則其艱可知矣。」然其論方法則曰：「若夫左史以來相承之義法，各出之途徑，則期月之間，可講而明也。」是其法甚簡，而成之反至不易，則才不才之辨也。隨園論作詩，專主天分，曰：「鐵可以成針，磚不可以成針，」亦此意也。故有終身由之，而不見其道者矣。比年以來，余嘗執教於專上學院之中國文學系，年畢業諸生，經常以「如何作文」相質難，夫青年就學，至於大學畢業，所習又爲中國文學，其爲文人不待言，而終不知何以作文，吾恐大學中之文學講座，仍不免偏於言道，言義理，而略於言文，言方法也。歸年暑假，余又嘗批閱中文中學會考，及大專學院入學試，文學院畢業試試卷，其間對學術源流，思想派別，以至文章之發展、流變，莫不窮源竟委，博辨詳明，及其執筆爲文，則往往體目無從下手。誠如劉大櫆之所言：「有土木材料，而不善設施者甚多」也。自白話文興，教者學者，始則驚其新異，終乃樹從粗陋，今則白話文亦徒成濫調，且尤不切於實用。夫作文之能事不講，乃往往修言著述，以自附於許鄭者，亦今日青年之通病矣。欲文之不敝，其可得乎？曲齋

粟海彈心錄

聊天（上）

阿公

某書有如下一首詩「做天莫作四月天，蠶要溫和麥要寒，種菜哥兒要下雨，採桑娘子要晴天」。援諸蠶暖多病，麥暖多蟲。幾件事湊在一起，天公又豈能盡如人意，推之國家政事，似亦如是，世論作者頗得詩人忠厚之旨。然蠶暖麥寒，菜濕桑乾，實皆可以人力克服。故人間世事，不可寄託於天，尤不可委諸多故。

一日某校教師章君來寓，以其同鄉晚輩故，留其晚餐，章君固健談，頗以能教國文自矜許，述及近年學生極以翻查字典生字，與陳語參考書爲苦，荒廢時間，無法塡補，而敎師則以啓發敎育，推委責任，從未措意，形成各級國文水準脫節狀態。予爲之噓然而笑曰，此正蠶要溫和麥要寒耳。繼謂左近發生刼財強姦案，凶嫌至今未獲，鄉人憤憤。獲亦未必置諸重典，此類案件所以迭生不窮也。予乃告以爲政之道，寬柔不必盡是，剛猛未必盡非。商之政尙剛。周之政尙柔。子產治鄭以猛，「爲政一年，與人誦曰，取我衣冠而褚之，取我田疇而伍之，孰殺子產，吾其與之。及三年，又誦之曰，我有子弟，子產敎之，我有田疇，子產殖之，子產而死，誰其嗣之。」故輿情一時之是非，未可據爲治世之從違。

鼠年話鼠

介人

今年是庚子年，依我國古老傳說的說法，子肖鼠，所以今年又叫做鼠年，因此凡是今年出生的小同胞，都將肖鼠了。

祇是鼠，人們似乎對於牠特別討厭，因爲牠爲害人類，平時鼠竊，破壞什物；其最厲害的，則爲鼠疫，過去江西福建邊區地方，爲了鬧鼠疫，不知冤枉死了多少人，正是「老鼠過街，人人喊打」，無人不深惡而痛絕之，總期予以澈底清滅。

時逢鼠年，感慨百端，因之使著者連想到今天大陸中共的暴戾，爲害人類，大有似過去的鼠疫流行，鼠色蔓延，極廣，令人談鼠色變，因不僅是鼠竊狗偸，城狐社鼠而已。國際愛好和平人士，亦未嘗不知道中國今天的鼠患，已經影響到世界和平，然而姑息主義者的作祟與夫中立者流，多少不免有點「投鼠忌器」，致令日益猖獗，鼠輩得以橫行無忌了。

詩召南行露：「誰謂鼠無牙，何以穿我墉。」史記叔孫通傳：「四方輻輳，安敢有反者，此特羣盜鼠竊狗盜耳。」鼠穿牖僅是小患，倘易於防閑，鼠竊國，這就釀成了大患，星星之火，可以燎原，故愼於小患，方絕大患，已成大患，這就不易予以撲滅了。莊子大宗師：「偉哉造化：……以汝爲鼠肝乎？」李白詩：「權歸臣兮鼠變虎」。共奸不造化中之鼠肝，微賊不足道，卻因疏於防範，一誤再誤，政令墜鼠竊國；猶變爲虎，而且今天的苛政之猛於虎，爲害尤屬無窮。

莊子天道：「鼠壤有餘蔬」，今天大陸鼠輩，由鄉村人民公社，進而城市公社，拚命將民間財物，搜刮殆盡，再加以水旱虫災，一再減少人民食糧，人民已經到了食野菜嚼草根的饑餓線上，百姓不足，君孰與足，事實上「鼠壤已無餘蔬」，大陸上的鼠輩又怎能自活？

魏書汝陰王天賜傳：「言同百舌，膽若鼫鼠。」漢書蒯通傳：「常山王奉頭鼠竄，以歸漢王。」荀子勸學篇註：「梧鼠能飛不能上屋，能緣不能窮木，能游不能渡谷，能穴不能掩身，能走不能先人。」中共鼠輩的宣傳技倆，雖然鼓其簧舌，可以蠱惑人於一時，但其外強中乾，膽若鼫鼠，一旦原形畢露，當各方大事圍剿，聲罪致討的時候，它必然是「梧鼠五技而窮」和「奉頭鼠竄以歸漢王」的了。

自昔養鼠爲患的，代有其人，只不過於今爲烈。據柳宗元所記，永州有一位仁兄，因他是子年出生，自以爲子肖鼠，便奉鼠如神，要家人與鼠共存共榮，弄得鼠輩橫行，衣服食物，全被牠們弄壞。也許後來這位仁兄吃不消了，只好選地爲良，避之則吉。

新來的住客當然不是鼠年生的，因是一朝天子一朝臣，他本來對老鼠已十分憎惡，而這批老鼠却不知斂跡，依然猖獗如故，於是新主人下令鎖戶，人貓齊出，窮追猛打，殺鼠如丘，一場鼠患，才告平息。

這一個故事，正好像過去有若干民主人士，自以爲生肖屬鼠，與中共有聯繫，存在着若干的幻想，竟不惜爲共張目，奔走叫囂，以爲可以與中共共存共榮。迨後來發覺鼠輩的狡猾，禍及其身，危害國家民族，但是已追悔莫及；幸運的則遠走高飛，遷地爲良，其未能逃出魔掌的，則一任鼠輩的控制與宰割，爲鼠類作應聲虫，啾啾然聚訟不息。最近文藝界的知名人士，如謝冰心，豐子愷之流，竟亦大寫其捧中共的文章，奉毛澤東爲聖明，但他們的內心又何嘗不是悲痛欲絕呢？自然，新的主人翁，必然要拿出滅鼠的勇氣與辦法來，以期撲滅鼠患，際茲光明在望，旭日高升，看你鼠竊狗盜之輩，又能橫行到幾時呢？

海嘯雲談會

談特務工作

諸葛文侯

所謂特務工作，古今萬國皆一例講究，絕不稀奇，更無所用其詛咒。不過特工的職責，應以偵查搜集涉及內亂外患，與夫貪污罪行的情報爲主，此外非所宜問，且須列舉佐證，言之有物，既不可捕風捉影，信口雌黃，也不能感情用事，挾嫌報怨。所以，凡屬特務工作的人，如果沒有一些道德修養，流弊即防不勝防，爲害尤不堪設想。卅年來，我曾經見到幾個政治人物因私生活而枉遭不白之冤的事情，都是根據特工情報製作的。

一九三三年（民國廿二年）李濟琛、陳銘樞等據福建叛亂，設立「人民政府」之際，余友鄂人王某奉派在本省從事特務工作，某次他赴鄂東重鎭的黃岡縣出差，縣長某原係老友，歡待殷勤，王爲節省旅費計，要求下榻縣府內，但縣長基於道義之交的心情，坦然語王曰：「我歡迎你駐在縣府內，可是將來你對上面打報告時，如果說我好，別人一定指摘你是受了我的招待，阿其所好，不足爲信；若說我壞，人情上似乎有些過不去，似乎住在外面爲安」。王氏對於老友這番懇摯的說法，不能不贊同，但出差旅費特因此大受損失，心裏頗不愉快，認爲該縣長不夠交情。王在黃岡滯留了兩月，由於私生活放蕩不羈之故，旅費虧累不少，更怨對該縣長訑訑拒人，故鳴清高而不爲朋友幫忙，實在難以諒恕。

他回到武漢後，即揑寫工作報告特交密，內中指述黃岡縣長某暗通福建人民政府的種種迹象，如與福龍彬、劉叔年一般人通消息，又秘密替十九路軍徵送壯丁潛往閩省等項，言之鑿鑿，維妙維肖，情報機關認爲非從嚴查究不可，即排情報呈省府切實辦理。繼時鄂省主席夏斗寅，民政廳長宋濂水，接報知該縣長決無此等行爲，負責保證所得情報不確，請予免議。但王某一不做，二不休，又繼續指詰該縣長確有暗通「人民政府」的事實，主管機關亦照樣轉知省府，如此往返辯難爭持，情形甚僵，省府當局明知這其間必有私人恩怨關係作祟，然事關叛國問題，非同小可，爲息事寧人，避免無謂的煩惱起見，乃將該縣長暫行調省另候任用，而王某報怨的目的終於達到了。

民國廿四年我在巴蜀行役，這時王某亦供職中央派遣入川勦匪的「參謀團」，故人重逢，暢話別後，他首先告訴我已經辭去特工職務了。我笑謂：「你憑良心說，在幹特工期間，也有悉心生理，我諒過好人否？」他以憮恨的表情，即對我敍述上面這段故事，說是除此以外，則無懈恕，可以對天地質鬼神，最後他慨然道：「老兄，特工眞不是人幹的！」我答曰：「你的良心血性並未泯滅，我倒希望你再回到特工崗位上去呢！」（一）

滕王閣

漁翁

滕王閣在江西新建縣西章江門上，西臨大江，因唐高祖李淵封其第五子滕王元嬰，出爲洪州（今江西南昌縣）刺史時所建而得名。其後閻伯嶼爲州牧，莅而新之，以九日宴僚屬於閣上，王勃省父過此，與宴作序。明時頹廢，景泰中重建，額爲「西江第一樓」，成化間，復曰「滕王閣」。

龍門人王勃，字子安，隋王通之諸孫，唐初四傑之一，[illegible]閻公[illegible]「落霞與孤鶩齊飛，秋水共長天一色」[illegible]

暑氣與呵欠

・謝康・

有人說李白的詩是隨手寫來的，或隨口吟出來的，所以「斗酒詩百篇」，也不覺得怎樣費力。至於杜甫的詩，筆力沉厚，「老去漸於詩律細」，豪勁；「語不驚人死不休」的精神，畢生精力完全放在作詩上面，切切實實地去做，絕不馬虎隨便，可說是注意力十分充沛的表徵。從心理學看來：「注意」正是精神集中的一種現象，和「我倦欲眠君且去」時頻頻打呵欠，伸懶腰的情形，剛剛相反。一個人當注意時，精神興奮，一種若追逐物的朝氣，無懈可擊，所謂「獅子搏兔，也用全力」，有時因此而暫停呼吸，古語云「屏氣似不息者」，就是這種搯準目標的神氣（學射擊或參加會考的學生大概都有這種經驗）。等到他精神疲倦而撐懶腰，打呵欠，同類似深呼吸的姿勢時，這人已停止工作或息想活動，準備享受睡鄉中的人生滋味了。所以注意力使人緊張，勞苦，用思想，是認眞工作所必需；而打呵欠，入睡鄉，使人神經鬆弛安靜休息，無思無慮，其樂陶陶，那是人生的一種享受。（中）

消暑錄

自由報
THE FREE NEWS
第五十一期
中華民國僑務委員會頒發台僑新字第三二三號登記證
中華郵政台字第一二八二號執照登記爲第一類新聞紙類
（半週刊每星期三、六出版）
每份港幣壹角
台灣零售價新台幣貳元
社長：雷嘯岑
督印人：黃行靈
社址：香港銅鑼灣高士威道二十號四樓
20 CAUSEWAY RD. 3RD FL.
HONG KONG
TEL. 771726　電報掛號：7191
承印者：四風印刷廠
地址：香港灣仔高士打道一二二號
台灣分社
台北市西寧南路壹叁柒號二樓
電話：三〇三四六
台郵撥儲金戶九二五二

權力政治與理性政治
——對當前幾個政治問題的看法——

雷嘯岑

政治行爲必然離不了權力作用。善於運用權力者，基本觀念上認定政府是爲人民而存在的，因而在行使治權時，懷悟着有權不可使盡的道理，使人們並不感覺政治權力乃是一種不能忍受的壓迫威脅，願意予以諒解。這叫作政治的藝術，也就是理性政治，一定能夠獲致「政通人和」的績效，而脗合現代民主政治的發展規律。唯有權力中毒的政治人物，觀念上卽如老子所說，「聖人不仁，以百姓爲芻狗」，認定人民是爲政府而存在的，政府的一切措施，人民只許盲目服從，不許表示異議，否則便是對政府不忠誠，對國家不愛護，便要利用政治權力來干涉追究。這種權力政治思想，自然而然地就要構成極權主義，縱使得逞於一時，結果亦終歸失敗，古今來這類例證不遑枚舉，我們祇看最近南韓李承晚先生的下場，卽思過半矣。時代進化到今日，人類的智慧可以戡天縮地了，民主憲政已成爲無可懷疑的生活方式，而一般政治人物如其尚昧於時代進化律，墨守陳舊觀念，迷信權力政治，冥行暗索，罔知省悟，這就太可悲歎了！

近來自由中國政府面臨着幾個爲世人所注視的政治問題，尚待解決。這些問題，原來很平常，極容易處理的，但由於當局者過去人謀不臧，旣缺乏自信心，又未能運用理性的方法以從事，相激相盪，乃釀成目前的爭持狀態，應付頓感棘手了。實則政府當局祗要改變舊觀念，採取新作風，不特問題迎刃而解，毫無困難，卽對於國家前途，亦不致產生甚末不利的後果，何以言之呢？

報紙解禁問題

人民有言論出版之自由，憲法上明文規定着，政府當局亦口口聲聲說是實行憲政之治。可是，對於人民在台灣創辦報紙，却以「節省紙張」這種不成其爲理由的說法，實行禁制，這已經是不成話了。但自己的禁令又不嚴格貫徹，因人執法，大開後門，而允許一家英文通訊社改出中國日報。這樣一來，其他的民間報紙要在台灣刊行，卽沒有理由再行禁止了。我不了解政府禁止新報紙在台灣創刊的用意何在？若謂旨在防制新報紙對政府有不利的言論，則止謗莫如自修，一切政治措施皆從好的方面着手，爲人民大衆謀福利，爲國家民族求發展，問心無愧，何恤乎人言？問心如有愧，那又何怪乎人言呢！作爲一個執政者，即令問心無愧，也應該具有接受批評的雅量，所謂任勞任怨的義理，是要拳拳服膺的。害怕別人批評，就是表示自己沒有信心，不許別人說二話，就是政治權力中毒，都不配談民主憲政生活。

因此，我希望政府乾脆把舊有那種不合理性的禁令撤消，讓民間報紙自由出版，而依法監督指導，一是皆以法治爲本。倘有所謂「共匪思想走私」，以及「爲匪張目」，「被共匪利用爲進行內部顚覆陰謀」等類情形，則事實俱在，儘可按律懲處，如此，政府旣表現廣開言路的善政，又不致因爲言論出版之自由而妨害國策，詎不懿歟？不特此也，現行的圖書刊物檢覈制度，除了共黨的書報以外，更應該一律停止，不可去名而存實。檢覈圖書刊物的目的，不外是要淨化文化思想，防制共產邪說之流行。但台灣方面對於自然科學的書籍如數理化學等類著作，凡屬在大陸上印行的，卽使是十餘年前的出版物，亦一律禁止進口，誠不知所爲何來？又如海外的華文反共報章雜誌，申請內銷固然千難萬難，幸而獲准，又隨時予以扣押或根本停止發行，甚至於毫無理由的濫用權力，不顧法理事實，任意胡搞。例如我過去在海外的政府官報上每天譔寫筆記一段，歷時甚久，這報紙每天運銷台灣，政府從未有所指摘，等到我將它一字不移的印成專集，却被禁止進口了。再談到台灣出版的刊物，以政府對於「自由中國」雜誌的檢覈史事爲例證，更令人不勝惶惑。這本刊物現在被視爲專對政府唱反調的刊物了，誰爲爲之，孰令致之，我認爲政府當局應該切實反省一下。「自由中國」雜誌在台北創刊的最初幾年間，其言論思想何曾有絲毫激越之處？後來它那篇「政府不可誘民入罪」的檢討金融政策的社論，理由正當，言之有物，亦純係善意的諍言。然當局者竟濫用權力，對其主編人施以無理的脅迫凌轢，令人難堪；繼又藉口該雜誌的「祝壽專號」中，刊有研討慈禧太后專政行爲的文字，認爲是影射現時的行政元首，不惜大張撻伐，實行輿論「圍剿」。經此兩次檢覈究處的結果，乃使該雜誌名聲大振，銷路激增，漸積而逼成它今日這種以「反對派」自任的立場，虎兕出於柙，圭玉毀於櫝中，是誰之過歟？世人每說是要想暗害某人，最好教他去開辦報館。我敢引申其義而立一說曰：政府若要幫助某一刊物發展，最好就是濫用權力，對那刊物實施無情的打擊。檢覈圖書刊物的利益並未見到，但其弊害之大，却已有目共覩，現行政策之必須改變，還有甚末疑義呢？

地方選舉問題

台省的地方選舉，原則上本是沒有問題的，但最近有人藉口，地方選舉不公正，而倡組反對黨，要在明年一月間台省各縣市議員改選時，從事競選活動，政府當局不免感到詫異，而不得不籌維應付之策，這就成爲問題了。

就政府的立場說，要使地方選舉減少糾紛——最好是不發生糾紛，唯一方法卽爲切實改革過去曾經體驗到的各種弊竇，督飭各地方辦理選舉事務的行政人員，必公必信，毋怠毋忽，而輔以嚴正的監察制度。就執政黨的立場說，當然希望本黨黨員在選舉中佔取優勢，控制着縣市議會的權力。要想達到預期的目的，祗有乞靈於人才主義，徵辟在社會上卓著聲譽，物望所歸的黨員，出來競選，而其先決條件，卽須內部泯除派系之見的小圈子主義，通過民主方式，取得多數黨員的誠心贊同，此外別無妥當有效的辦法。這些都是政府和執政黨本身應該注意的事，與別人無關。爲着對付反對黨參加競選，一決雌雄起見，尤其需要健全本身的陣營，方可望立於不敗之地，否則恰是給反對黨以乘機崛起的風雲際會，必將無以自拔。

所以，政府對於新黨運動，大可聽其自然，無所用其猜忌，更不發生承認與否的問題。假使新黨在一般人民心目中印象不佳，在社會上卽沒有號召力，你承認它爲合法政黨，也是枉然；否則你認爲它是仇敵，它亦依然可以存在，除非假藉政治權力，不許它活動，然這在民主憲政國家是行不通的。說到新黨的成員，如果眞有共匪分子潛踪於其間，那就是內亂犯，政府自可依法查究，除此之外，那怕是地痞流氓也罷，官僚政客也罷，土豪劣紳也罷，我們只能批判他的政治言行，却不能禁止他作政治活動，因爲政治活動並不犯法啊！至於新黨如果組織成立後，參加未來的地方選舉，而獲得勝利的話，固然對政府不利，但這是證明它在社會上有號召力，同時亦反映着執政黨的競選人才不如它，行有不慊於心，則反求諸己可也。美國國會兩院，八年來都由在野的反對黨控制着，但艾森豪政府照樣地行使職權。區區一省的地方議會，卽或反對黨佔得優勢，亦不足憂懼，難道他們就會造反不成？何況這種假設的情勢，實現的可能性甚微，若因此而採取壓抑禁制的對策，未免太不智了。

上述兩項政治問題，看似錯綜複雜，不易肆應，政府若運用理性主義以求解答，我覺得平淡無奇，並不麻煩，癥結就在當局者能否改變舊觀念而已。

小論天下

△赫魯曉夫提出「新高峯會議」的建議。見了自然怕黑，西方首腦不會太過「健忘」。赫魯曉夫是看中了西方一部份人對於和平共存的看法，故意在美國大選期中向他們提出「預防」。

△英首相麥美倫接到赫魯曉夫一封很長的覆函，據說內容無禮到令人難以接受。麥美倫已不再是遠東時期的紅娘了。當當且可辱，紅娘怎不該罵？

△剛果政府挾聯合國以威脅宣佈獨立的省份，同時挾蘇俄以威脅聯合國。蘇俄在傍大聲呼喝得像煞有介事。

你要解鈴，他要繫鈴。誰有妙手可解連環？

△共產國際兵團的「種子兵」業已到了古巴，有來自二十八個國家的八十三個學生乘飛機抵步。「西班牙第二」的暗影開始浮動。

要使業已狂熱的古巴變得更狂，蘇俄正在挑選全世界共黨中最狂熱的青年，投入古巴，添火加油。

△美國民主黨總統競選人肯尼第說：不該認爲東歐目前狀態永久存在，但不主張鼓勵共黨國家內部武裝革命。

他似乎是在他所稱的「新戰線」上說神話。他要站在一條變相的馬奇諾殘舊防線上面，看敵人在防線之前自動崩潰。

△中共「統戰說客」劉寧一在日本東京煽起反美宣傳，說「他居留日本的日期如果縮短的，卽意味日本內閣壽命的縮短」。日方官員認爲此人可惡已達極點。

他明明擺出「惡客」的姿態而來，你也明明知當他是一個「惡客」來欵待，難道「開門揖盜」還會有什麼好處？

△國際法學家委員會公佈一項長達十五萬字的報告書，指證中共已犯了滅絕宗教及摧殘人權的罪行。

「博士賣驢」的文章當然不是寫給驢子讀的，也不是寫給買客讀的。但總之，這是有人要欣賞的文章。

△南韓民主黨分裂之勢已成，張勉與尹普善相持不下。誰都代表人民，誰都爭要作主。

方南

自由談

中華郵政頌

中華民國政府在台灣有一項舉世無匹的良好政事，大家習焉不察，未予注意，那就是郵政工作特別完善迅確，眞正做到了爲人民服務的績效。

台灣的中華郵政局除了替人民遞送普通信件包裹，而時間絕對迅確以外，還可以寄送鮮花棉被等類物品。今春我遊覽台省橫斷公路時，曾親眼看見一位郵差揹着一牀棉被，送往荒僻山區的民家去。試問全世界各國——連英美在內——那一國的郵政有這樣給人民如許便利的情事呢？又如本報創刊後，向台灣的中樞有關機構申請登記內銷，通過許多的人事關係，辦了四個月才告完成。但到郵局辦理新聞紙類登記，照樣亦要填表，要經由主管人員審核，又沒有請託要人從中關說，可是，只耗費三小時的工夫，就辦妥了！假使郵政局的職員要打官腔，玩弄官樣文章，故意拖延一二個月，我們就只有忍氣吞聲，無可如何啊！

郵政局亦係政府的行政機構，工作人員盡是些中國人，他們的行政效率，何以竟與一般的衙門懸殊若是其甚也？有人說，這由於郵政事業過去經過了外國人的維持創進，基礎甚好，而郵務人員的待遇亦比一般公務員優裕所致。我不承認這種說法具有充足的理由。今日政府各級行政機關的首長和中級幹部，十九都是留學外國多年，受過外國人的長期教育，在國內又多數經過了若干種類的特殊訓練的，滿嘴革命理論，渾身革命氣派，而其待遇也與郵政人員相差不甚遠，大家並且隨時強調「精神勝過物質」之說，何致如此自甘腐敗墮落呢？這其間最大的原因，我認爲是制度問題。郵政局旣有實事求是綜核名實的功過賞罰，又無派系鬥爭和人事傾結的歪風邪氣，人人安心工作，大家發揮能力以競賽，行政效率自然高了。

郵政效能確爲我國值得驕傲的事情，應該加以讚揚的。其他政府機構如有見賢思齊的意念，唯一要著，就是建立良好的行政制度，嚴格執行。由今之道，不變今之法，那就是無藥可醫的痼疾了！

馬五先生

轟動一時，萬人矚目

選舉訴訟案判決經過

劍聲

台北通訊

台灣省第二屆省議員暨第四屆縣市長，於四月二十四日由選民投票選舉產生後，在五月十日未提起選舉訴訟之前，社會輿論咸認爲本屆選舉，已較前進步，故有「差強人意」之批評。但到了五月十三日，台灣高等法院和台南高分院一共受理選舉訴訟案十七件，及五月十八日，參加本屆省議員暨縣市長公職候選人，與青年、民社兩黨暨無黨派的在野人士，舉行「改進選舉座談會」，檢討選舉得失並發表聲明後，各方面的觀感，可謂見仁見智，各有千秋。總之，大家都希望下屆選舉，不要再有這些風風雨雨就好了。

自從選舉訴訟發生後，其中部份有由原控訴人撤回的，理由是爲了團結地方。其餘的大部份選訟案，均經高案法院民庭審結確定原告之訴駁回。駁回的理由，認爲選舉雖有弊端，但不足使選舉發生相異之結果。現在尚有兩件選舉訴訟案未結，一是台北縣國民黨籍省議員落選人張彩鳳，控告黨外人士省議員當選人李秋遠的當選無效；一是台南市黨外人士，競選市長落選人葉廷珪，控告國民黨籍市長當選人辛炳文當選無效，及控告台南市選務所非法瀆職。茲就訴訟案判決的經過，分別報導如下。

台北市選舉訴訟案有兩件：一是省議員當選人郭國基與落選人宋霖康等，控訴台北市省議員暨市長選舉事務所（法定代理人張祥傳）選舉無效。當選人控告選舉無效，在台灣省實施地方自治十年來，尚屬首次，所以一度會發生「法理」之爭，而法界人士也表示驚訝！但高院民事第五庭庭長吳樹立在審判過程中，沒有表示意見，而在判決書中：確認「選舉無效之訴，性質上爲『形成之訴』」，被告指爲『確認之訴』，引用民事訴訟法第二四七條之規定，以爲指責，固屬誤會，但必原告（郭國基）於以判決形成法律上之效果，有決律上利益，始得認爲有保護之必要」，郭國基「其所爲訴之聲明，不特無從認其有受判決之法律上利益，若果依原告聲明而爲判決，抑且使原告將因喪失已獲當選省議員之資格，反受不利益之結果。是其訴權存在之要件，顯屬不備……自應將其起訴予以駁回。」（第六頁）至於本案原告宋霖康部份；判決書中說：「原告（宋霖康）等另主張第二零八投票所，有人冒領冒投選票一節，固提出選民未蓋『二四選』之國民身份證十二張，並經陳對（選民）等數人到庭證實，又主張第一二六投票所選民陳坤土夫婦選票亦被冒領冒投，並經陳坤土到庭結證屬實。唯查本屆省議員男子部份當選人所獲得最低票與落選人所獲最高票之差額，爲一六一八票。女子部份獲得最低票與落選人所獲最高票之差額，爲一七六三零票。原告主張上列兩投票所之無效票，爲數有限，不足以使選舉發生相異之結果。故依法即（選舉罷免規程三十一條一項）不得宣告選舉爲無效」。至於「第二〇八及第二八二投票所，廢票及有效票認定不公之事，經核所爭票數亦僅十張左右而已，亦不足致選舉發生相異之結果。」（詳台灣高等法院民事第五庭判決；四十九年度判字第一四五〇號。）

台北市另一件選舉訴訟案是；省議員落選人李連麗卿（女）控告省議員當選人陳重光、郭歧、陳愷、姚冬聲等五人，當選無效。被告等被控「在國民黨包辦選務之下，以非法方法，使選舉發生不正確之結果，依取締辦法第十六條第十四款規定，亦可爲當選無效之原因各節，係屬訴之追加，應另以裁定駁回之，其就取締辦法第十六條第十三款情事，聲明之證人」，「卽無傳訊之必要」，「應依民事訴訟法第七十八條判決如主文」，「原告之訴駁回，訴訟費用由原告負担」。（詳台灣高院民事第三庭判決，四十九年度判字第一五一零號。）

桃園縣選舉訴訟案有兩件；省議員落選人黃玉嬌（女）控告省議員當選人簡欣哲、張富、葉寒青等當選無效，案經高院民庭審結，原告之訴駁回。判決書（四十九年判字第一三七九號）中指出：「一、關於被告簡欣哲部分：……至王林彫謂許掌（被告友人）囑其投顯光票，蕭新安謂聞人言須投顯光票，縱屬實在，亦不能謂爲該被告唆使許掌或他人爲之。且投顯光票，亦非法令所定當選無效之原因。……二，關於被告張富部分；……至於原告又主張該被告曾以台灣第一商業銀行桃園分行，本年四月十八日（或十九日）期票面新台幣一千元之支票一張，交與胡立（被告助選員），由胡親自背書領款後，向選民陳有妹等收購選票一節，固據胡立及陳有妹證明無異。但經查該支票「無經胡立背書領款者，胡立既無背書領款情事，足證該被告並未以千元支票，託爲收購選票，因而胡立之證言，顯不眞實，其所舉被收購選票人陳有妹所爲之證言，亦已無所附麗，不足採取。」「三，關於被告葉寒青部分；原告主張該被告以金錢或實物向選民曹銀星等多人收買選票，雖據提出曹銀星證明書一紙及請傳該曹鉌星爲證，惟經照原告所開地址，票傳結果，並無此人。……因而曹之證明書，形式上是否眞實？實質上是否與事實相符？原告未負舉證之責，自無採證價值。」所以，「本件原告之訴爲無理，應予駁回。」

此外，桃園縣省議員落選人黃玉嬌，王新順、楊石城、許倉富等連名控告桃園縣省議員選舉事務所選舉無效，經高院民庭在判決書（四十九年度判字第一三一四號）中說；「關於管理員將選舉票揩擦，變成無效票一節，據證人翁廷允證稱情形，既經縣長卽被告當時予以糾正，已難謂被告違法」。「邱顯祿一人投十張選票一事，當時卽被管理員查獲阻止，交由桃園縣警察局桃園分局檢同選票九張——其本人之一張，准其投票——一併送由桃園監察小組處理」。「關於其他選舉人因病因事外出，或死亡未往投票，而被管理員（投票所）或他人以指模冒領選票各情，固據證人王永龍，許登祿結稱：謂有其事」。「故卽如原告單列姓名，主張三百三十名被冒領選票者，除二七二名外，不過約五十八名而已」！查該縣省議員選舉當選得票最少者簡欣哲，爲二四八〇二票，落選得票最多者原告黃玉嬌，爲二〇四一四票，相差四三八八票，則此五十八票，亦不能使黃玉嬌當選。復查全部廢票僅三四〇八張，全數計入與黃玉嬌，亦不獲當選，是卽認如原告主張有冒領選票，而產生此五十八票之差異，亦不足以致選舉發生相異之結果」。所以，「原告之訴駁回」。

南投縣選舉訴訟案，一共三件，除撤回告訴兩件外，尚餘一件。本件告訴人爲省議員落選人洪添祿所提出，他控告省議員當選人李烏棕，以金錢實物賄選。但據高院民庭判決書（四十九年判字第一三六五號）指出：「原告訴被告曾偕江廷寮與鹿谷鄉住民廖萬四相約，以一萬元分三次給付，約購選票，並已付三千五百元，及囑江廷寮以每日津貼二十元，香煙二包及午餐五元爲條件，僱用蕭淳暗中助選，并已交付蕭淳二百二十五元一節。關於前者，固據廖萬四到庭結證屬實，並提出交付選民金錢單據一紙以爲證明。關於後者，亦據許清延結證在卷。唯蕭淳經本院合法傳喚，並未出庭作證，且（上情）均爲江廷寮所否認」。所以，證人廖萬四和許清延的證詞，「所證卽難憑信」了。「原告復稱被告曾分三次交付助選員莊其清六千五百元，向集集鎮八張里林尾里等購買選票，及莊其清擬出庭作證前夕，被告曾允給莊其清二萬元，囑其勿予作證之事實。關於購票一節，雖據莊其清及出賣選票之選民蔡振枝、沈茂發、廖文榜加以證實」，但高院判決書又說，「被告雖愚，亦不致如此相約」，而證人的證詞，「顯屬不近情」。「關於被告欲以二萬元給莊其清，請其撤回存證催告函件，及勿出庭作證一節，雖亦經林添貴、張輝煌結證在卷」。但高院認爲「一點意思」不能「與原告及張輝煌（證人）所稱給付兩萬元，相差頗鉅」，故「無憑信爲眞實」，「自不得採爲被告不利之證據」，原告「起訴自應予以駁回」。

本屆選舉，旣非如內政部長連震東所說，對舞弊非法的選舉，認爲無事實根據。選舉訴訟，雖經高院民庭將原告之訴駁回，但判決書中，並非如連部長所謂「無事實根據」，換句話說，選舉違法舞弊的事實，不過沒有如選民所指那樣的嚴重而已！至於司法審判是否獨立而不受干擾？在沒有獲得「證據」之前，以及沒有比經過司法審判更可憑信之前，誰都無法推翻或否定司法審判的眞實性。至於法院駁回原告的控訴，是基於舞弊的選票，並未發生「足以致選舉發生相異之結果」的規定而已。而非原告之訴，所舉事實沒有根據。

在選舉訴訟案接近尾聲之際，台灣省政府在七月二十七日舉行第六四三次委員會議，決議修訂「各縣市公職人員選舉罷免事務所組織規程」暨「各縣市公職人員選舉罷免監察委員會組織規程」，俟有關條文修正後，卽呈報行政院核定，在明年一月的第五屆縣市議員選舉時，付諸實施。修正條文，主要是廢止觀察員設置辦法，各投開票所監察員，不再由監察小組遴選，改由各候選人平均推薦。這倒是一大進步，這進步是選民爭取得來的。（七月二十九日）

台灣的雜誌事業

張希明

台北通訊

台灣一千多萬人口中，在這個小小島上，看來還日日增加中，再過幾年將至飽和點。與此同時并進的是文化事業，也日日增加中。開成舍我的世界日報在申請登記中，益世報也有此趨向，這是自英文中國日報准許發行後的影響力。

雜誌事業在台灣也似雨後春筍般的在不斷地增加中，這不能說是台灣文化在沙漠中行舟，却是在蓬勃成長中。

不過辦雜誌究竟是件難事，我的一位朋友辦專門性理論的綜合性週刊雜誌，其發行量實在可憐得很，每期只發刊六七百份，這是他自己告訴我的，不過眞實數字還得打上一折扣。要是賣上一千份以上實在還要一番努力。

因此之故，一份雜誌能不斷按期出版的已不是一件容易的事了，而其中途退却者也不在少數。其中也有以雜誌或週刊來攬些活動費，或撈一筆印刷費的，也有在社會上混一點「小」名響，好使他日後履歷表上多了兩個頭銜，他可以印上「××雜誌社社長」，「××週刊社記者」，「××雜誌社××特派員」等名堂，是一種混資格無實職的經歷。

怪事之多也不能使人相信，一般青年人，包括知識份子在內，寧願化六十元，一百元買一張馬戲票，坐上一兩小時看人獸表演。或願意買一高出原價的黃牛電影票去看電影，但很少化三兩元去買一份雜誌，或者是書本來欣賞的。很多雜誌爲了迎合讀者的要求，本來是一本文藝性的雜誌，一改爲黃色色情及社會形態之描寫，售價降低一元五角，此種畸形狀態發展，實是文藝的悲哀。他們打着文藝的旗幟，大賣色情文學，漲飽了自己荷包，這不是一個好現象，也不是維持長久的辦法。

眞正一本純文藝性的雜誌，反得不到適當的發展，很多雜誌多半是後天不足而致夭折了，很少是獲得社會上的熱烈支持的。一般青年朋友及文化人士，對文藝刊物的發行，都不予衷心支持，因此購買力逐漸下降，不得不使雜誌社息業了事。

一本文藝雜誌之獲得正常的發展，必須獲得社會各界的青年支持，少看一場電影，卽可買三四本雜誌，或二本文藝書籍來看。何苦去着一場等得要命的電影，驚心動魄的人獸表演呢！

大陸瞭望鏡

△一個支援農業的「全民性」運動，正在大陸各地廣泛展開。在這運動中，中共號召全國工業、交通、財政、金融、貿易、科學、教育、文化藝術、衛生和體育等各行業，積極提供支援農業的物力和人力。它的口號是「八仙過海，各顯神通」。這是全國總煉鋼運動失敗後另一個盲目運動，目的是增加農業生產。由此可知，大陸農業生產嚴重萎縮，使中共感覺非常焦急。農人因痛恨「耕而不有」，所以怠耕，中共要鞭策「外行」的各業人員去「支援」農業，尤爲荒謬。因此，大家都知道，他們並不是「八仙過海」，只是「泥菩薩過江」。

△由香港攜糧食回大陸去救濟親友的人，現在多已學乖，不敢說香港有可以自由買賣的各種食物，只說，這也是很難得來的，要排長龍去買回來。但，這種話只故意說給共幹聽，凡是盼望「香港客」歸來的大陸人家，都懂得這一套。

社會小說　香港地

五、有錢佬

車子業已開到半山，蜿蜒而上，梅亮就在此時驀然悟道：「這裏就是半山區，我已到了有錢佬住的地方了。」

這裏空氣清新，房子少而漂亮，樹木多而齊整，車在窄路上左轉右繞的向上駛，一陣陣涼風吹得人頭腦清爽。梅大亮從車窗裏向外望，只見下面是一級級又高又低的房屋，海上是大大小小的船艇，連九龍那方面的形勢也可看得清楚，心裏便想道：「這地方只合是有車子的人居住。我們的木屋區是連車子也不能到的啊！」

不久，車子停在一座花園式洋房的門前，一羣人先後下車。梅大亮和褟先生都在下車之後，立在門前坡地上，朝着海面眺望。此際剛値黃昏時分，天空金黃燦爛，照耀着百萬人家，觸目都是煙霧紛騰迷漫，舟車紛繁來往之象，一派是活動景色，只這裏卻是一片清靜幽閒氣氛，似乎和下面各種動態絕不相干，這裏便像是俯瞰凡間的仙人洞府，擾擾凡塵，只供欣賞，並不妨礙仙人修心養性的清福。梅大亮正在看得呆了，褟先生已在他旁邊贊歎道：「好，在這裏住眞好，怪不得人們常說：有錢佬最舒服」。

褟先生大概是不假思索，衝口而出，所以說得一唱三歎，令人聽得耳朵舒也覺服得很。

梅大亮聽了，正在扭頭一笑，已聽得霍新開的聲音在說話。

霍新開眞是一個活躍的人，算得是交際長才，兼具手腕與詞令之妙，當晚打得西裝筆挺，唇上新長有兩片薄薄的小髭，神氣十足，好不漂亮！他當下由洋房裏面跑出來，迎接這幾輛車子的嘉客，逢人握手，嘻嘻哈哈的不停說話和笑。當梅大亮扭頭望向他那裏時，他已用半跑步的姿態走過來，老遠便伸手道：「梅公，你也來了！難得難得！有人猜你不會來，我曾和他打賭，決定你必然賞臉！」

這話固然說得有力，由他握手所用的力量來判斷，更覺得他熱情洋溢之至，梅大亮還未來得及答話，他又已和褟先生握上了手，笑道：「你不該來得這麼遲。你是我的死黨呀！」（五〇）

木客著

鬼語（外一章）

汶津

窗外的雨落得有些淒惻，我輾轉不能成眠，終於撩開蚊帳，探着了床邊的木屐。巷口的路燈光薄薄的透進房裡來，點綴着那一片漆黑。才走了兩步，我猛地頓住了。我看到一個影子在微光中晃動。

「鬼？」我直覺地問。

「嗯。」竟有回音。

我躊躇了一下，然後裝得鎮定地：「文明人是不怕鬼的！」

「而我正是文明鬼。」完全是人的聲氣。

「文明鬼？」我驚詫。

「嗯。」

「沒聽說過。」

「不過也犯不着怕我。我可不是那種文明鬼！」

「文明鬼還能有好幾種嘛？」

「正是。你太孤陋寡聞了。我只是一個鴉片鬼。」

「生前吞雲吐霧？」

「自然。」

「不勝驚訝！」

我只好運用外交辭令了。

「不過——你聽着——我最多只是吸自己的血，索自己的生命，對於人類來說，這還算不得是惡鬼。」

我想說些什麼，但卻沉默了。

「不像那些殺人不眨眼的文明鬼，衣冠楚楚的……」

「你不平?!」

「當然，只要有點血性的——」

「鬼也有血性？」

「他」不響了。

我苦苦搜索着對話的字眼。

隔了好久：「做鬼不寂寞嗎？」我常以爲自己是懂得寂寞的。

「不。可能比做人更有意思。只要是堂堂正正的做一個鬼。——不妨告訴你一個秘密，我一開始就摔去了我的烟槍。我的意思是說：一開始做鬼的時候。」

「唔……」

第二天告訴一位朋友。他說：「你又做怪夢了。」他當然笑了；可是，怪得很，就連他的笑也似乎是很嚴肅的。

致蚊子

首先我要鄭重聲明，我絕不是有意的謀殺；我該說我只是「自衛」。——假如你們懂得它的意思的話。

我只是感到腿上難忍的癢，於是我本能的一伸手，向發癢的部位「摸」去。然後在燈光下我看見你們之中的一位，陳屍在我右手的指縫間，濺滿了血——啊，我得說明在先：那是屬於我的血！可是我終究犯了過失的殺蚊罪，我殺了一個小偷，他本來並不應該受那麼重的刑罰的。

說眞的，我和你們無怨無仇。我相信造物者創造我們時是一視同仁的。我只是幸而生爲人類。你們也許基於妒忌或其他理由，卻總是不斷的侵擾我們。不妙的是：我們也不「癌」左頰挨了耳光，再送過右頰去的德行，人類中沒有幾個眞辦得到的。所以，爲你們着想，我勸你們今後還是稍稍識相些的好。——假如你們飢餓難忍，悄悄吮吸一兩口血汁就走罷，別老是貪得無饜，吃得大腹便便了還不捨得離開，那就難怪我們絕情了。

當然說起來我們也夠慚愧的：人類還不是必須殘殺一些生物來養活自己？最多只能以「聞其聲不忍食其肉」一類的話來掩飾我們良心上的愧疚和不安。我不懂造物者爲什麼始終沒有發明一種更合理的安排，以根除萬物之間的爭端？

好，我們握手吧。但最好大家都不要裝作不自私的樣子。

壽聯趣話

道南

最近台灣出版的「蓬萊詩草」，據說這是吳佩孚將軍的一般生前友好，在去年農曆三月八日爲了紀念他的八十晉六忌辰，特別發起搜集他之遺著而印行的。發揚潛德幽光，自屬友生應有的美德。

猶憶他五十壽辰的時候，那時他的事業，正是登峯造極，康有爲曾贈聯云：

「牧野鷹揚，百歲功名纔半紀；洛陽虎視，八方風雨會中州。」

此聯氣勢如虹，普頌普禱，一望而知爲能者手筆。當時吳亦顧盼自雄，不可一世，其五十自壽詩云：

「歐亞風雲千萬變，英雄事業古今同；花開上苑春三月，人在蓬萊第一峯。」

其題洛陽繼光樓亦有聯云：

「得志當爲天下雨；論交須有古人風。」

到了民國十四年，他已經快將失勢，那年他正是五十二歲，自然不免也要循例慶壽一番。有好事者送一聯云：

昔日洛陽，今日岳陽，孚威威不行，帶三百名衞兵，同是囹圄拘法艦；

勝者奉系，敗者直系，秀才才已盡，放四十架煙火，幾疑烽燧遍榆關。

此聯所紀亦屬當日事實，貼切之至。大江東去，古今來眞不知淘盡了多少英雄，不禁爲之一嘆！

儒林九尾龜

吳敬銲

第二回：好夢由來最易醒

夏作人搖搖頭：「當然不會這樣笨，他算定一個縣長到任已有一年，這個縣份的肥瘠，一年能刮多少，他清清楚楚，就派人拿個募捐冊子到地方找縣長捐錢，說是廳長要辦一份報紙，或者說是一間通訊社要縣長捐多少錢，縣長敢不捐嗎？」

盧敎授笑道：「這也就未免太下流了，不過與你後來的工作有什麼關係呢？」

夏作人擺擺手：「別忙，你聽我說啊！他們平常拚命刮地皮，把責任向我們團體上推。他們口頭常說，我不是要刮地皮，實在是爲看整個團體打算，得公將來要競選總統時，非花錢不可，可是我們本省[illegible]，當然沒有這個力量，只[illegible]安徽想辦法了。這些話當然很動聽，所以我們兩個老板都支持他，你知道劍公平時廉潔奉公，一塵不染，所以最恨人貪污，但是對於賀公及黃銅臭也公然袒護，認爲他們刮地皮是爲了團體，任勞任怨，眞有古大臣之風。」

盧敎授聽到此處，不由得哈哈大笑，李鴻飛等也忍不住笑了起來。

夏作人自己到不笑，接着又說道：「一個人說謊都有現形的時候，不久，得公眞的競選總統了。關於競選費的攤派，在北平開了一次會，當場議決賀公一批人負担三分之二，我們本省負担三分之一。」

盧敎授說道：「那也就太不公道了。」

夏作人冷笑一聲，「公道得很，你知道我們本省從來就是一個窮省份，再加九叔又是本地人，兎子不吃窩邊草，他那能刮了多少，眞是找個會計師計下數，恐怕九叔未必趕得上黃銅臭，更不必說賀公了。」

盧敎授點點頭：「後來怎樣呢？」

夏作人說：「這種比例，賀公也同意了，可是到了競選下來，他們的錢竟然沒有九叔多，你說氣不氣死人。」

盧敎授笑道：「你們應該按比例追出來才是。」

夏作人點點頭：「當時確有人這樣主張，不過劍公以爲家醜不可外揚，一旦傳出去豈不變成政治上的大笑話。當時他就向得公建議，最好作釜底抽薪之舉，先把黃銅臭換掉。」

盧敎授十分詫異問道：「賀公不給錢，怎麼要換黃銅臭呢？」

夏作人道：「當時大家追問賀公，爲什麼應攤的錢未補足，賀公說他份內的全付了，所欠的是派在銅臭兄名下的。當然這個責任就落在黃銅臭肩上了。」

盧敎授說道：「我記得當時並未更動黃銅臭。」

夏作人道：「是啊！得公就是這個脾氣，遇事沒有決斷，他覺得這樣作未免太狠，就轉問劍公還有沒有其他辦法？」（十二）

強權政治

徐學慧

強權政治，大概是一個老毛病了，換句文雅一點的話來說：強權政治已是沉痾。

共產主義經已威脅到人類的自由與思想，而強權政治者，仍然迷戀勢力的均衡。由於迷戀勢力均衡的結果，以致有些戰爭，在強權主義者看來，根本不是爲了正義與公道，而只是爲了調整均衡。

如果看透了強權政治者的內心深處，我敢說，我們這些人天天在高呼正義，高呼公理，是確確實實應該有些自卑感的。

看看下面這段話吧！

「決定外交政策的政治家，考慮正義、寬容的價值，只能在有益於權力目標的範圍下進行，不可使它有礙權力目標。正義、公道、寬容，可以作爲攫取權力的藉口託辭，但是實行時若可致弱，便須立刻放棄。攫取權力之目的，不在建立道德公理；道德公理之用途，乃便利權力之攫取。」

如果有任何人以爲這是列寧的話，或者是斯達林的話，甚或是希特勒的話，那就大錯特錯了。

無論如何，讀者們大概不會想到，說這話的竟是二十年前在美國負盛名的所謂地略政治家史班克孟教授。上面所引述的這一段話，見於史班克孟教授所著「世界政治與美國戰略」一書，作爲一個學人，而且是負盛名的學人，居然能說出這樣的話，列寧斯達林或希特勒如尙在人間，大概也得有些慚色吧！

霍布金斯的校長浦門先生曾經稱讚過這本書，他說：「這本書至少須在一百萬個美國家庭中供人閱讀。每一個政府的負責人在以後二十年中，應每年閱讀此書一遍。」

我不知道二十年來美國的政府官員們有沒有每年閱讀一遍。但以史班克孟的盛名，與霍浦金斯校長的推薦，此書之必爲美國人所重視，殆可斷言。

看來，當年的馬歇爾、艾契遜這班政客們，可能都是史班克孟的信徒呢！

史班克孟說：「如欲維持遠東之勢力均衡，美國須對日本（如對英國一般）採取同樣的保護政策。」今天，日本在美國的羽翼之下，果然已經壯大起來了，原來這也是爲勢力均衡。

這麼說來，日本人之敢於拒艾克於門外，而不担心美國會截斷援助，就大大的値得體味了。

釋耒集

治史

曲齋

昔曾國藩治學，有「剛日讀經，柔日讀史」之說，余以爲承平之世，士大夫宜深於讀經而略於治史，衰亂之世，宜深於治史而略於讀經，蓋承平之日，君子不出家而成教於國，讀經所以成教化而美風俗；衰亂之世，救亡圖存，而「撥亂世，反之正，莫近於春秋」，治史所以明利害，決危疑，而繼貞元之運也。宋史張昭傳：「未冠讀九經，處儕輩中，高視闊步，以爲馬鄭不己若也，後遇程生，專於史學，以爲專究經義，不通古今，率多凝滯，煩而寡要，若極談王霸，經緯治亂，非史不可。」又同書楊萬里傳：「金人日偪，疆埸日蹙，未聞防金人者何策，固疆埸者何術，但聞某日修禮文也，某日進書史也，是以鄉飲理軍，以干羽解圍也。」而陸秀夫傳則曰：「秀夫外籌軍旅，內調工役，雖在匆遽流離之中，猶日書大學章句以勸講。」經學無益于救亡圖存，張昭傳已見其大者，而陸秀夫於窮途末路之際，仍日講大學不輟，則正如楊萬里所云：「以干羽解圍」之術也。大抵有宋一代，二程、荊公之學，風靡一世，小程子以溫公作通鑑爲玩物喪志，荊公譏春秋爲斷爛朝報，故敢斷言曰：「祖宗不足法」，程子理學宗師，荊公當朝宰輔，其持論輕視歷史如此，後世史家，乃不免謂南宋以理學亡國，不亦大可哀邪？降及清代，滿人以部族統治中國，對漢人極度防猜，文史之學，容易攖其文網，於是家有智慧，大湊於說經，而乾嘉兩代，承平幾及百年，學者得以從容寢饋，故務爲訓詁博辨之學，功夫雖愈深，而識趣乃日以卑下，及門戶之見既成，則破碎義逃難，以逞其便詞巧說者有之矣。於是史學不振，而經學亦以沉晦，故清之末造，江河日下之勢，終不可挽，亦未始不與學術風氣有關也。考之往古，經史實未嘗分途，史記梁世家褚先生補：「不通經術，不知古今之大體。」漢書翼奉傳：「陳成敗以示賢者，故名曰經」，賢者見經，則知人道之務，詩書易春秋禮樂是也。」以事言謂之史，以道言謂之經，學者不離事以空言道，則經史一道也。故以治史之法治經，亦可以知古今之大體，足以陳成敗以示賢者矣。王世貞有言曰：「天地間無非史而已，……六經史之言理者也，編年、本紀、志、表、書、世家、列傳，史之正文也，……序、記、碑、碣、銘、述，史之變文也，訓、誥、命、冊、詔、令、教、劄、上書、封事、疏、表、啓、牋、彈事、奏記、喻、檄、露布、移駁、尺牘，史之用也，……。」此論比之章學誠，實更爲徹底，亂世經生，每病其迂濶，然則今日若能以治史之眼光經經，則經學江河流而不廢，將於此覘之矣。

粟海彈心錄

聊天（下）

阿公

其後太叔之繼以寬，而鄭國多盜，卒與徒兵以攻萑苻之澤，盡殺之，盜少止。故子產謂水懦弱，民狎而翫之，則多死焉，故寬難。聞諸人言，台灣日據時期，凡民不得食海鮮之紅魚，與自我耕種之蓬來米，仕人無過佐吏，嚴刑峻法，使人無所措其手足。雖喘息不遑，而市井農村，治安良好。今台灣之政，側重教養，順從民意，宜若可以惠此中國，以綏四方，舉國上下，從公守法，而殺盜婬妄，作姦犯科之風日熾。推求其故，情緒雖不盡同，而狎而翫之則一。馬五先生，謂法令滋彰，人事凍結，實有以致之。引申則滋彰之法，其勢不能盡行，而狎翫自退者易。凍結則人事之功罪不分，而令行禁止者難。故古今爲政，未可聲音笑貌，取效一時，忽於事實，而削足適履，牽於環境，而東施效顰。故法院鱗次，而黨靈之飾不立。警政櫛比，而殺盜之風弗戢。稽征有限，而逃稅百萬者累年。人員孔多，而案牘積壓者如山。若謂當國者無濟世之心，治世之才，則又過矣。只緣西風漸靡，事多詭隨，人云亦云者受上賞，特立獨行者遭譴責。加以吳國楨把持省政，包藏禍心，對內對外，極盡獻媚，流毒至今。而積重難反。爲今之計，尊實尙功。令行禁止而外，實恐別無藥醫。故曰藥不瞑眩，厥疾不瘳。司馬遷謂「救火揚沸，非武健嚴酷，烏能勝其任而愉快」。又豈得已哉。

殘疾瑣談

筱臣

每一個人身體的殘缺，有的屬於先天，有的屬於後天，這當然是人生最不幸的遭遇，應該是寄予同情的。祇是古今來好事的文人，對於這一些殘缺不幸者，往往出之以嘲笑調侃，刻劃入微，以博一噱，殊爲缺德。

香艷集有美人詞八闋，中有一首「浪淘沙」詠瞎美人云：

「悄悄又冥冥，似睡偏醒，個人風貌太娉婷。膚雪鬢雲光聚月，惡忍眸星，何必盼清冷。暗已惺惺，那關秋水不晶瑩，多管爲郎非冠玉，未肯垂青。」

除此詞而外，更有李式玉賀聾者新婚，調寄「剔銀燈」，詞云：

「窈窕佳人絕世，奈何面對猶千里。百遍傳情，幾翻招手，惟有垂頭而已。朱顏憔悴，空自鎖遠山眉翠；歡亦不知人喜，怒亦不知人氣。腰卸羅裙，胸開寶袜，何必燭前迴避。個中滋味，那得有定情偷視。」

此闋較瞎美人，更爲風趣，但用字仍欠整潔。另外有調寄「點絳唇」詠啞美人的詞云：

「默默含吁，誰猜個裏相思苦！未能言處，暗地通眉語。玉手輕翻，忍把心情吐，偷耍汝，縱無推拒，半字何曾許？」

此詞未見佳，亦不知出何人手筆。陸放翁詩云：「花如能語還多事，石不能言最可人」，將此以詠啞美人，似乎較爲貼切。又「盡在不言中」，「此時無聲勝有聲」，若以之詠啞美人，亦屬天衣無縫之作。還有詠駝子打油詩云：

「哀哉駝背翁，行步甚龍鍾。遇客先施禮，無人亦打恭。有心尋地孔，何目見蒼穹。仰臥頭難看，俯眠腹又空。蝦身容且縮，龍背聳還豐。雨不沾懷內，臀常晒日中。娶妻須凸肚，擁妾怎偎胸。晝石差堪擬，斷環署可同。小橋堪雅綽，新月肖尊容，赴水如垂釣，懸梁似掛弓。生前偏跼蹐，死去也謙恭。」

此詩於駝子形容盡致，也極其嘲笑之能事。此外則有嘲笑怪鼻的，因爲鼻子貴隆準端正，倘有缺憾，亦屬人生憾事。

昔宋劉貢父因患風疾，致眉脫鼻陷，蘇東坡嘗嘲之曰：「大風起兮眉飛揚，安得壯士兮守鼻樑？」可說極風趣。清末有徐某，因宿娼而吝予夜度資，妓恨之，因將楊梅瘡痂入香料中，令徐嗅之，致毒發而鼻子全塌，人皆呼爲「徐爛鼻」，好事者復贈以打油詩云：

「隆準忽爲爛，緣貪一夕歡；有錢難得捨，割鼻救人看！」

此君之鼻，殆與劉貢父同一難看。最在上海死於政治上的被刺的楊杏佛，鼻最大，胡適之嘗有詩戲之云：

「鼻子人皆有，獨君大得兇。直懸一座塔，倒掛兩烟囪。親嘴全無分，聞香大有功。江南一噴嚏，江北雨濛濛。」

此形容大鼻，可說盡致，詩亦較佳，別有意境，不愧文人吐屬。又有一種稱爲「酒糟鼻」者，亦醜相之一。抗戰時曾任湖北財政廳長之黎少坪，與曹某同舟赴渝，黎見曹患酒糟鼻，因笑謂曹曰：昔人有一詩，今擬以移贈。詩曰：

「非染亦非烘，只因肺火攻，春深玫瑰紫，秋老荔枝紅。彷彿猪肝似，依稀狗腎同。如何將此物，掛在臉當中。」

曹與同行者聞之，皆爲之捧腹大笑。

俗諺云：「牙痛慘過大病」，凡是患過牙痛者，大抵對此語都有同感。清人沈君烈有詠病齒詩云：

「三日對書不能讀，支頤搖首雙閉目。牛口無骨微覺肉；涎垂於面下及腹。老大不好作兒哭；回聲強笑吻角縮。欲談痛喻無其族，略似鈍斧斫濕木。嗟乎，此牙咬菜嗷豆腐，世間錢頗學不熟，貴人名字呼奴僕，得毋以此消齒禍，所以齒中有鬼伏」。

牙痛的苦處差不多盡在其中了。

海嶠舊談

談特務工作

諸葛文侯

民國廿四年冬間，劉湘藉中央力量統一巴蜀，主管川省軍民兩政。贛人王又庸與川籍前任國會議員李爲綸，受當時軍委會秘書長楊永泰氏推轂，分別担任川省府民政、教育廳廳長。王氏私生活素放蕩不羈，李氏卻謹嚴不苟，二人皆被指目爲「政學系」分子，頗遭時忌也。

維時中樞對各省區的民衆組訓事宜，特別重視，川省方面即飭令康澤所率領之別動隊負責進行。康氏派赴各縣從事此項工作的幹部人員，類多新進青年，勇氣十足，看不慣社會上殘存着的那套舊有軍閥官僚習氣，每與地方官吏相齟齬，而劉湘對其文武部屬，遇事多予廻護，致令在各縣于役中的別動隊諸壯士大爲不滿，相激相盪，情感至爲惡劣，他們當着民衆面前，指摘劉湘是「土皇帝」，劉聞之恚忿殊甚。

王又庸諗悉其情，乃向劉主席進言曰：「民衆組訓事宜，依法屬於民政範圍，省府何不直接自行辦理呢？」劉大喜，即囑王廳長擬訂章程，通過省務會議後，報由重慶行營核准備案施行。如是乎，劉主席急電令各州邑守土官吏，尅日將民衆組訓工作接收，聽候省府處理，如有抗不奉命者，即予「軍法從事」！詞意威稜嚴厲，咄咄逼人，原有主持民訓事宜的別動隊人員，只好黯然離開崗位了。

未幾，中樞密令劉湘，謂民政廳長王又庸，教育廳長李爲綸品行不端，應予免職，擬改任羅貢華、蔣志澄承其乏。劉主席深表詫異，復電保證王李兩廳長決無蕩檢踰閑的行爲，詢問證據安在？旋中樞派人持交劉主席一張照片，所攝鏡頭爲王又庸橫陳臥榻之上，吞雲吐霧，李爲綸擁抱一婦女，於室內作猥褻狀，適與上海租界中的旅館情狀相符合，而王又庸平日的生活確有些吊兒郎蕩，劉乃默然無語。但念王廳長對於民訓問題的獻策，忠誠可嘉，不忍使其因此斷送政治生命，要求中樞姑准王廳長於三個月內自動辭職。至於李廳長，只有遵命去職，無可辯解了。

事後，社會人士紛紛研究這樁公案，認爲王李二人的私生活無論怎樣荒唐，亦何致以一省的民政，教育主管長官身份，而公然敢在本地旅館中狎妓吸食鴉片呢？即令果有此事，又豈有使外人當場照相之理？那張照片或許是有人設計製造，作爲情報證據，藉以中傷二氏的，君子可欺以其方，上面的人一時不及仔細思考，信以爲眞，而赫然震怒，非整飭官常不可。這類事情在滿清末葉即發生過，當時袁世凱與岑春煊極不相能，戊戌政變後，袁將康有爲、岑春煊二人照片組合重攝一影，密呈慈禧后，指爲岑氏暗通康黨的確證，而岑氏即從此見惡於慈禧后，永不敍用了。所以，岑氏晚年還要參加反袁運動，非偶然也。（二）

暑氣與呵欠

・謝　康・

五柳先生陶淵明，當夏天吹南風時，在北窗下臥，自謂是羲皇上人，也是人生一樂。然而「憂勞可以興國，逸豫可以亡身」，魏徵的十思疏正是生於憂患而死於安樂的註解。范文正的「先天下之憂而憂，後天下之樂而樂」，却是屈原的「衆人濁而我獨清，衆人醉而我獨醒」底積極方面的意義。但是憂與樂和生與死，是循環起伏的。好像春夏秋冬，新陳代謝一般，有工作必須有休息，刻苦耐勞，茹苦含辛，總有一個限度，詩云：「民亦勞止，汔可小康！」過度的神經緊張，長期的疲勞工作，一如極權政治鐵幕中所爲，卽使是鐵石心腸的「機械人」，恐怕也受不了呢！尤其在大熱天最容易疲勞的時候，一連幾個呵欠昏昏欲睡，而不得休息，可能如同杜甫詩所云：有「炎蒸毒我腸」的危險。

人類，乃至一切生物，都是有惰性的，當人們在圍爐閒話，無所事事時，狗也會在爐邊打呵欠，這個姿態就是告訴它的主人，今天的工作已經完畢，有事明天再做吧。這是何等悠閒而有節度的生活呢！我想，在大暑天工作而心中感到內熱的人，似不妨學習「打呵欠」的藝術。（下）

消暑錄

徵稿小啟

有內容有意義之隨筆、散文、掌故、小說、雜感、詩歌等類文字，本刊均所歡迎。請用有格稿紙繕寫，如需退還，請附信封及郵票。一千五百字之散文隨筆比較容易刊出，過長則以篇幅所限，列出的機會較少。請特別留意爲感。

自由報

THE FREE NEWS

第二十五期

中華民國僑務委員會頒發
台教新字第三二二號登記證
中華郵政台字第一二八二號執照
登記爲第一類新聞紙類
（半週刊每星期三、六出版）
每份港幣壹角
台灣零售價新台幣弍元
社長：雷嘯岑
督印人：黃行審
社址：香港銅鑼灣高士威道二十二號四樓
20 CAUSEWAY RD. 3RD FL. HONG KONG
TEL. 771726　電報掛號：7191
承印者：田風印刷廠
地址：香港灣仔高士打道一二二號
台灣分社
台北市西寧南路壹壹叁號二樓
電話：六四三〇三
台郵撥儲金戶九二五二

歷史與歷史人物

甘家馨

我的書架上最近用墨盒壓着一張單條，那是王孟迪（有蘭）先生前些時寫給我的。這單條上寫着一首七律詩，是抗日後孟老返居牯嶺的舊作，以廬山爲背景；我因愛其詩酷似荆公，字又寫得那末勁秀，絕不似是七十高齡老人的手筆，所以雖然沒有裱好，亦就挂起來觀覽。這首七律詩句和註文云：

路旁怪石猶相見，澗底飛泉依舊鳴，別十五年重返此，桐高添得半園陰；文章無用成新讖，世事多奇上舊吟，肯與林間猿鶴語，北山容許漫移文。（舊作亂後返牯嶺廬廬丙戌）

這張待裱的單條，因爲壓在書架上，電風一吹，飄動不停，特別引人注目，所以凡是來訪的朋友，都不免要問一問，它有時成爲臨時的話題。

前幾天，有一位新自台灣返港的朋友過訪，談了一陣「觀光觀感」之後，亦把話題轉到這張單條，問長問短。我當時說了一段話，大意是：「時至今日，有許多事是無從說起的。講到這位作者，不但是江西的前輩，亦是國家寥若辰星的元老。他是辛亥革命的健將之一；民國元年，南京臨時政府成立，十七省代表在南京選舉孫中山先生爲臨時大總統，他是江西代表之一，並且又是投票人。後來北京國會成立，他是衆議員；袁世凱解散國會後，他回到江西，爲桑梓服務。抗戰時，江西省參議會成立，他是省議員，被選爲副議長——這是他逃到香港來以前的最後頭銜。

王先生是同盟會的最熱心分子之一，與宋教仁最爲接近，平時和朋友談同盟會的事，有許多不是在現有書刊上所能見到的，尤其關於宋教仁的事情，資料更多。他的個性亦屬宋先生一類，磊落剛强，在國會裏反袁很激烈。當時袁世凱討厭四個江西人，呼爲江西四寇，認爲他們是李烈鈞湖口起義的策動者；那四個人是現在台北常發高論的文詔云先生（羣），王輔宜先生（侃），後被袁鎗殺的徐秀鈞，及幽居十年於香港獅子山下的王先生。

像這樣大節不移的一個人，若是處在一個重視歷史的時代，國家總會稍予存問和敬重；但今天又何從說起？聽說台灣早在前幾年便已用莫須有的罪名把他開除黨籍，還說什麼歷史！那個莫須有的罪名，言人人殊；有的說是以他的老弟王平秋（又庸）投共爲罪名，但七十多歲的老兄爲能管得着六十多歲的老弟，況且他那個老弟又是那樣以「霸氣縱橫」自豪之流的人物呢？不過王先生的心情是很淡然的；祇要看看他這幾句詩，就可明白。他說文章無用，不無感慨；但最後說世事多奇已看慣了，可見他的心情是在睥睨萬物之境神游了。」

上面這段話，實際上不祇談過一次，但我談後每不放心，我覺得談歷史應有獨到根據，徒憑口傳，未免有放言高論之誚。我於是對這一小段的史事，發生興趣，乃翻閱幾本書，從事一個小小的考證，希望獲得書上的紀錄，俾以後再談時有個把握。我在第二本書上就得到資料，那就是「中國國民黨史史稿」（鄒魯）上的記載。該書下冊第三編九四五頁載有臨時大總統選舉的一節，不特與王先生有關，且亦爲與各省有關的重要資料。茲抄錄如次：「十月開正式選舉會。奉天代表：吳景濂，直隸代表：谷鍾秀、張銘勳，河南代表：李槃，山東代表：謝鴻燾，山西代表：景耀月、李素、劉懋賞，陝西代表：張蔚森、馬步云，江蘇代表：袁希洛、陳陶怡，安徽代表：許冠堯、王竹懷、趙　斌，江西代表：林子超、趙士北、王有蘭、俞應麓、湯漪，浙江代表：湯爾和、黃羣、陳時夏、陳毅、屈映光，福建代表：潘祖彝，廣東代表：王寵惠、鄧憲甫，廣西代表：馬君武、章勤士，湖南代表：譚人鳳、鄒代藩，湖北代表：居正、馬伯援、王正廷、楊時傑，四川代表：蕭湘、周代本，雲南代表：呂志伊，張一鵬，段宇清。

各有一選舉票，計到會代表十七省，共十七票。以得票滿投票數三分之二者爲當選。總理得十六票，滿三分二以上，當選爲中華民國臨時大總統。各省代表，歡呼萬歲。」

以上代表共四十二人，現在健存者寥寥，我所知道的僅有王有蘭，王正廷，屈映光三先生，他們都在香港；其他須各省的朋友纔會得知，不過相信爲數是極少的。由此看來，我說王孟迪先生爲國家元老，乃「有案可稽」的。

江西代表五人：林子超先生當時在九江海關當書記；他是同盟會的九江負責人；九江當時設有一個「潯陽閱報室」，是同盟會的掩護機關，林先生是閱報室的主辦人之一；還有九江光復之初，九江府的制度，他又被推爲九江知府，因此種種，所以後來出任江西代表。趙士北是廣東人，留美學法律，時在江西省高等學校當教習，參加了同盟會，故亦任代表。俞、湯是後來增加的，他們實際並未參加選舉，俞當時任江西光復軍師長，湯當時風頭甚健，是從北京南下，大約是上面提到的徐秀鈞提出來的。以上五人現所健在者僅王先生一人而已。用歷史眼光來看，在這一段史事中，他是江西的碩果僅存者。

我抄錄了上面一段文章之後，得着一些資料。亦發生一些感想。現在常聽到一句話，曰，保存歷史文化。這是至理名言，是現在能使國人萬衆一心反對共產黨統治的崇高目標，更是中國數千年文化歷史得以延續於今日的國民共同信仰，凡我國人，靡不同心。然談到保持歷史文化的具體方法，最起碼的工作應該是少不了徵集歷史人物和保持歷史資料。歷史上每在一個開明隆盛的時代，對有德有言有功的不朽人物，總多方敬重，以保持其名節與歷史，其例不勝枚舉，清代對彭玉麟爲最著者。至於文明的外國，更是如此。所以它們多有隱然居天下之重的在野元老政治家，國家無事，可爲後代効法，國家有事，他們起而過問軍國大計，昇滿國家。然近數十年來，中國此風大變，輕薄之徒，不明歷史，動輒視前輩爲老朽，政治紛爭，不爲國家珍惜歷史，在不擇手段的場合，雖爲不朽之士，亦多被無情清除，種種劇創的結果，致使國家要重資深人士，日見其少，此非個人之不幸，而實國家之至可哀者也。試看同盟會的歷史，人才之盛，前代無幾，論其年齡，可傳至今日亦極多，然今能數出者幾人，尚健在大節若初，而曾受敬重者又有幾人？易曰，見微知著，觀今對人才之態度，則國運隆污之勢，思過半矣。

至於談到保存歷史資料問題，梁任公言之最爲痛切。他說中國歷史資料本是無盡寶藏，用此資料，可寫出有聲有色的歷史，然因戰爭，政爭，君主時代的箝制和僞造等之結果，許多有價值的歷史資料，橫被毀滅，致國家受到無可補償的損失。這一席話，用之於現代史料，最切合實際。且慢說遠的，祇說這五十年來的史料，就豐富得可觀，然今官方保存者並不多，私人的資料如文集、圖片、傳記等被毀棄消失者殆不可勝數，至於各前輩身歷其事的經過，紀錄出來的史少；由是我國這個重大時代的史料，幸得保存者，竟極爲有限；以致現在講現代史已不能達到理想的境界，許多人和許多事將來則更見湮沒了。我們中國的傳統精神注重「祖德宗功」，現在紀錄祖宗功德的文獻，日在湮沒，這教後一代的人如何去信仰前一代的人呢？一個國家或一個黨的歷史精神，不能好好地保存下來，剩下來的盡是些令人傷感的東西，今後一代的人永遠咒詛前一代，這樣代代相傳，豈不可悲。至於現在有些人在注重眼前工作，固亦重要，但須知歷史是有持續性的，缺漏與突出，都是後代歷史家所要追問的問題，所以保存歷史資料，不能缺少忠實的態度，和注重全局的眼光。

自由談

用人的道理

馮五先生

「內舉不避親，外舉不避仇」，這是我國古先賢哲對於用人行政的垂訓格言。「親」與「仇」在情感上都是主觀的私見，然又無所顧忌地加以任用倚畀，道理上似乎有些矛盾，不足爲訓。可是，這其間具備着一項最高的指導原則，即使矛盾歸於統一，那就是「天下爲公」的政治思想。

執掌政權的人，如果遇事皆以公誠謀國爲主旨，自然就會採取「爲事擇人」的作風，政績至上，人才第一，此外皆不在考慮之列。這樣，即令他任用自己的親戚或仇隙之人，都是基於毋固毋我毋必的觀念，光明磊落，皎然與天下人以共見，而其所信任的「內親」與「外仇」，亦必然有所建樹，憑事實來證明確爲當代的人才。唯「公」可以服人，唯「誠」可以感人，公誠所至，無論親人仇人，均受着這種偉大精神的感召薰陶，沒有不自愛自重，奮勉服務，力圖上進的。政治上所謂派系作用與小圈子主義這些歪風邪氣，即永遠不會滋生，政道人和的績效，可立而待也。

這類用人行政的老生常談，任何一個政治人物皆能知能言，而且說來比任何人皆透闢精警。可惜大家說的是一套，做的另是一套。事實上拚命實行「內舉不避親」的半截古訓，只要是自己的親戚故舊，阿貓阿狗都是些不可多得的人才，出將入相，莫不勝任愉快的。至於「外舉不避仇」，那就有如上海人所說的：「謗阿弗要談」！這般反動份子——！至少也是不忠貞的份子，不把他們投諸濁流，劃除淨盡，就算是「皇恩浩蕩」的德政了，豈可妄加任用乎？如此這般，政治上乃構成一幅「天下爲私」，「破格用己」，「勵精圖亂」，「發憤爲雌」的求治藍圖，而天下爲之大亂矣！

本報作家曲齋先生說：是生當亂世的人，應該多讀史書，明瞭治亂興亡之道，纔可以撥亂反正。這見解很正確。古往今來，治世少而亂世多，最大原因就是一般統治階級忽視歷史教訓，誤己誤人而莫名其妙，可嘆可嘆！

小論天下

△寮國關兵變，首都永珍受叛軍控制，叛軍揚言中立，要推翻親美的政府。

赫魯曉夫射向南美古巴的一箭，麻煩的是美國；射向非洲剛果的一箭，麻煩的是西歐；射向東南亞寮國的一箭，麻煩的是南越和泰國。

這一回是：赫魯曉夫三箭[illegible]。

△美國民主黨參議員史柏訪台表示：民主黨如執政，自削弱中美聯盟。他想減輕有些人對於美國將會出賣自由中國的憂慮。

其實，到了美國也在需要「救亡」的今天，有一句話不妨說：美國人如要出賣美國，乃可出賣中國。

△據說赫魯曉夫願意赴紐約參加聯合國裁軍會議。有人驚訝他的面皮太厚。試以禪語作解：本無面皮，何有厚薄？

△由大吉嶺傳出的消息：中共不久將在西藏北部試驗核子武器，大批蘇俄專家正在該地展開活動。

事實應該這樣說：中共奉命在西藏開闢核子新試驗場快告完成，蘇俄即將舉行試驗。

△英首相麥美倫飛西德訪阿登諾總理密談，主題爲加強歐洲政治經濟的團結。據說阿登諾訂有一個由西歐各國長期發展非洲的計劃。

在非洲剛果燒起來的火，擦亮了西歐的眼睛。

△印度與印尼爲着對付中共，外交關係近來拉得很密。五原則不翼而飛，只剩了兩心相印。

△星加坡前總理林有福演說，指責左翼人民行動黨執政以後，使共黨的地下運動活躍。但也贊揚該黨李光耀最近揭露共黨在星加坡各種陰謀的報導。

共產黨不怕在地面碰壁，只怕在地下觸電。

△古巴天主教的總主教已打破緘默，發表他對局勢動亂的意見，申明反共的主旨。

在中南美，天主教的力量將會是共黨長期發展當中必然碰到的最大阻力。

△美總統艾森豪說，倘古巴成爲蘇俄附庸，美將採取一切行動。古巴總統陶提可斯也說：美如對古巴軍事進攻，古巴將以蘇俄的火箭援助擊敗它。

美國人常說自由中國反攻大陸將會引起大戰。這種「意識」被古巴的反美者抓着來使用得恰好。

方南

上海居民的生活眞象

南郭生

◉×××◉
××本報××
××特訊××
◉×××◉

本報最近列出「上海來人談上海」的消息後，曾有一位在海隅經商的滬籍讀者，特向記者敍述他今春到過上海一次所身經目擊的實際情況，恍如一段傳奇小說，尤堪注意也。

這位讀者在香港經商已歷十載，但家屬仍居上海。今年春初，他陪伴一個歐洲（德國）商人前往上海觀光，考察商業情形，他們下榻於舊時法租界的十三層大廈中——現在名之爲「和平公廳」——這是專作招待外賓暨海外華僑歸國觀光之用的特種旅館，設備完全西化，內容相當華麗，飲食亦跟香港的豪華酒店相彷彿，一切任由客人享受，並不缺乏，而且甚爲自由，他們滿意極了。尤其是那位德國商人，極力讚賞中共的政績，說香港方面所傳大陸人民生活如何困苦的種種故事，都是不可置信的謠言。

「人民幣」全無用處

過了兩天，這位滬籍商人回到自己家裏去看看，即見男婦老幼一個個面黃肌瘦，形消骨立，衣履亦多破敝，大爲詫異。他有位長輩過去原係頗有資財的商家，現在全部產業被「共」光了，但准許他按月向共黨主持的「國營」企業機構領取「定息」（據說只有一年多的定期了）。他聽到家裡人訴說生活極端困苦，經常吃不飽，穿不煖的悲慘情形，便詰以何不花錢購買食物衣著呢？那位長輩即從懷中掏出大疊「人民幣」言道：「喏！我每月可以坐領幾百元的「定息」，若論全家大小的生活費用，並不感拮据。可是，有錢沒地方用，市面上絕對買不到每人定量配給額外的任何一點物資呀！」他很奇怪地答曰：「怎末我們住在『和平公廳』中的飲食，又那樣的豐裕而自由享受呢？」家裏人齊聲說道：「那是專對外賓和歸國華僑作宣傳的處所，一般人民就休想走進去購買一片麵包啦！」如是，全家大小教他以華僑身份，可在「和平公廳」請家屬們吃一頓飯，但不需要他會帳，可由那位長輩當場付欵，反正這筆「定息」所得終歸是要被迫「自動」捐給「人民」的。他回到公廳徵得管理人的同意，如法辦理，屆時全家人都來了，見着那豐盛的西餐，驚喜交集，狼吞虎嚼之後，每人取出一個紙袋，把那些殘餘的麵包，白塔油，菓子醬等，都裝入紙袋裏，視同環寶帶回去，餐費即由那位長輩欣然照付了。

俞振飛懷念美國煙

一天，他在路上遇見了熟朋友名伶俞振飛，班荊道故一番，俞邀他到「崑曲學院」去談談，因爲俞氏是該院院長。他進入院長辦公室，掏出一支美國的「Lucky Strike」牌香煙遞給俞氏，俞以驚奇而又羨慕的神色說道：「哦呀！多年沒有嘗過這種香煙味道了，眞是珍品」。一口氣將牠吸完，連煙蒂亦不忍拋棄。他告訴俞氏：「和平公廳」內可以購買這種香煙，明天一定送幾包來。俞氏連聲道謝，並說：「這種美帝的香煙，市面上絕對買不到，更不能公然吸食的。我是崑曲學院院長，尤其不好給別人知道我吸這種香煙，只能背地裏偷偷地吸一支過過癮，否則便要膺受檢討批評，這不是好玩兒的事啊！」

按月購寄餅干

他離滬回港時，所有身上穿的大衣，毛絨背心，以及箱篋中皮藏着的西裝，襯衫，襪子等等，皆被家屬們剝奪一空，教他回到香港另外買過。時維初春，滬上天氣尚在春寒料峭中，他臨時向那位同行的德國朋友借了一件大衣，作沿途禦寒之用。回至香港後，他惦念家裏人那種饑餓的慘狀，馬上購寄了幾盒餅干到滬上，旋接到回信，說是：「我們的生活很好，飲食無缺，用不着這類零食品，你別要相信反動派的謠言，替我們的生活担憂！」竟將餅干退回來了。他知道這是共幹教家裏人如此表演的騙術，心裏有數，也就不再寄去。過了一個月以後，家裏託人帶來一信，提起前次寄餅干的事，教他用別的名字再寄去，而且可以按月購寄云。

這是紀述上海一般人民生活現狀的一篇徵信錄，絕無絲毫渲染之處。上海與北平兩地，毛共素來是利用爲搖惑外國人士與海外華僑觀聽的唯一裝飾品，一切情形，皆比較其他的地區爲好。然而，上海人民過的生活乃如此，全國同胞的實際生活如何，我們不必去察看，也就了如指掌矣。噫嘻悲夫！

大陸瞭望鏡

△由外地寄入大陸的糧包，中共早已設法限制，處置辦法因地因人而異，有些沒收歸公社，有些退回原寄人。但由外地匯寄回大陸的錢，中共始終是歡迎的。凡匯足「人民幣」一百元的數字，可憑匯票「恩准」買些糧食，這辦法迄未變更。至於一百元以下的小額匯欵，買不買到東西却成問題。

△寄糧包回大陸去的風氣，由香港蔓延到星加坡一帶。據說，由那裏寄出的糧包有較可准予收領的希望。

△現仍生存在大陸的畫家，奉命每天勤忙「生產」，由中共把他們的作品收集做一起，寄到外埠可以消售的地方廉價傾銷。許多老畫家爲到筆枯墨竭，連指頭也顫震了，仍要「生產」不停，爲的是懶寫便連米也沒得配給。

如何償還台銀貸款

台灣銀行有一筆宕帳，在國人看來，港幣五十萬元，不是一個小數目。這筆借欵於貸出之後，至今六年還沒有收回。借欵人係中央電影公司；運用這筆借欵的，不是『中影』，而係李祖永。『中影』主持人遞嬗兩次，李祖永已歸道山，台灣銀行要收回這貸欵，技術上已感發生困難。

這筆欵項並非無條件借出，貸欵人當年將「小丈夫」、「國魂」、「清宮秘史」、「大涼山恩仇記」、「巫山盟」這幾部名片作保證，俟發行收入歸還欠欵；除去「小丈夫」曾經放映，還去部分欠欵，其餘仍在倉庫，還沒有日子公映。任何一部影片擱置不映，并不稀罕。因爲影院編排映期，有時也有困難。但「國魂」等片倒並不是映期困難，而係別有原因。

如所周知：「國魂」是一部描寫文天祥不屈殉國故事，這個戲在十年前香港首映期間，不僅創下票房紀錄，對海外僑胞具有鼓舞作用；去年再版重映，港九連場爆滿。台灣遲遲不予公映，據說是爲了這批演員有等被共黨誘赴大陸。其實，如劉瓊（飾文天祥）顧也魯這些人，久被驅赴淮上「勞改」，迄今久無下落。我以爲他們在永華參加演出的片子，如果推出重映，不特無損，實有利於反共宣傳；「大涼山恩仇記」是一部協調種族片子，其中王元龍的演技，更有使人留下極深印象之處，推翻他的傳統固執偏見，毅然接受中央政府感召等等，都是現代僅見鉅鑄。這些影片推出重映，其重要意義，絕不只對參加演出部分在大陸死難演員，表示追思悼念之情，更足使人認識共黨「統戰」分子，對愛國藝人誘捕廹害的詭謀。當局倘能對此稍加考慮，不只『台銀』欠欵可償，且可慰忠魂於地下。

人們也許並不明白：民國四十三年，李祖永所以狼狽得透過『中影』向『台銀』借欵，是因爲永華片廠給共黨縱火；共黨要火刼永華，拆散永華愛國演員陣綫，也無非企圖毀滅包括上述幾部影片，李祖永火燒不死，未享後福，不表揚他奮鬥經過已無以慰忠藎，爲五十萬港幣而提李祖永三字，識者不能無憾。

修衡

◉×××◉
××讀者××
××投書××
◉×××◉

台北佛教界圍攻胡適

曼濤

編者按：本文爲台北基隆街一讀者寄來，文中所論，雖未必爲吾人所盡同意，但以涉及佛教界的活動，具有新聞性質，特爲發表。

國立中央研究院院長胡適先生，最近率領一批學者出席美國華盛頓大學舉辦的中美學術合作會議，胡適先生在該會議揭幕時發表了一篇有關中國文化問題的演說，題爲：「中國之傳統與將來」，該篇演說經中央日報迻譯後，迅即引起了台北文教界極大的反感，對胡氏演說，咸認爲貧乏荒謬，這其中尤以佛教界反感爲最。因爲胡氏演說中，提到佛教歷史及其教義甚多，以胡氏的眼光看，佛教的歷史，有許多都是虛構的，僞造的；佛教的教義，是自私的，反社會的；因此，引起了佛教界幾乎如同前次對董顯光一樣的同聲反駁。

台北松山佛學研究部，係各界知識分子所組成，其中有立法委員，有國大代表，有大學教授，也有大學研究生；他們便首先響起了反應，特於七月卅一日假臺北善導寺太虛圖書館舉行了一次關胡討論會議，是日被邀參加出席討論者，除該佛學研究部各立委、國大代表外，並有但衡今、鍾伯毅、許君武、徐子明、巴壺天各文士教授等。會中他們共討論了三點：

第一：胡適先生此次雖然改變了以往的態度，對中國傳統文化作了若干的肯定承認其價值，但通觀其全文，仍然是抹視一切，而眞正優良的傳統文化，他並沒有向外介紹出來，相反的將若干非文化的陋習搬了出來，在一個學術會議中獻醜，其用心只是顯示其引發新文化運動的藉口，而毫無誠意的宣揚了傳統文化，且更不足代表中國學者所講的傳統文化，換言之，他仍是反傳統的，歪曲傳統的。

第二：他對佛學不僅未曾了解，且更極盡其歪曲之能事，荒謬地批評教理，惡毒地攻擊佛教。

第三：他將新文化運動以及若干的習俗歸功於某些傳教士，而忘記了鴉片戰爭八國聯軍各種慘痛。而實際上，所謂新文化運動，並非有什麼創新的文化，所謂新，只是某些人士，一時盲目地，推翻了舊的後，使國家成一眞空地帶，於是乎馬克思主義趁虛而入，以致整個大陸沉溺，胡氏在檢討近代接受西方文化的運動期間，竟忽略此一慘痛的教訓，實在是居心洗罪而誇功。

最後，該討論會議結論了幾項步驟，擬將交由中國文化座談會發表宣言，並擬向海內外發表正面的有關中國之傳統與將來之意見。同時呼籲內外文化人士，對中國文化作一深切的檢討和宣揚，以使歐美人士對我國文化有一正確的了解，免受某些虛僞的學者所愚弄欺騙。

編輯室小啓

丹士先生：尊稿收到，下期可刊出。惟以後來稿，務請用有格稿紙繕寫，標點在格子內，即每一個標點算一格。

大陸文壇萬花筒

新出版的反美作品

——岳騫——

艾森豪威爾總統來華訪問，對於中共黨徒的打擊，可能比死了「史爺爺」還要沉重，但是又沒有辦法報復，只好作些無聊行動自我安慰，魯迅當年筆下寫的阿Q，我眞懷疑他是有意諷刺毛澤東的。

最近中共出版機構就在這種阿Q精神支配下，出版了大批反美作品，主要對象是攻擊艾森豪威爾。

這批作品中間有「北京人民藝術劇院」集體創作的「萬砲齊發轟瘟神」；「中國青年藝術劇院」和「中國雜技團」集體創作的四場話劇「美帝的窮途末路」；「北京人民藝術學院」集體創作的五幕七場話劇「怒濤」；「安西」著的評劇「轟瘟神」；「北方崑劇院」改編的崑曲「中山狼」；以上這些東西，雖然劇種不同，但劇情則一，都強調艾森豪威爾去台灣是中共十七萬發砲彈轟走的，言外之意，若非中共砲轟，也許艾森豪威爾終老台灣都不一定。

這些劇本除去「安西」的「轟瘟神」之外，都是集體創作，其中原因一方面固然是中共流行集體創作制，尤其是在學校裏。另一方面，稍微潔身自愛的人也不敢出名作這種高度無恥的事。其中只有一本書例外，就是曲藝集「艾森豪威爾獨白」裏，選了各種小調，有唱詞，快板，相聲等，其中作者有郭沫若，趙樹理和侯寶林。

這三位「作家」，侯寶林是個說相聲的，在過去就馳名平津，現在被中共捧爲「人民藝人」，要他說相聲罵艾森豪威爾，他當然不敢不盡力。趙樹理是中共一手捧起的作家，寫的作品是模仿「觀音老母坐蓮台，一朵紅雲降下來」的，十年來共區作家只有他寫了幾本書小說，內容大率類似，這種人編小調罵艾森豪威爾也不足怪，只有郭沫若究竟也是一個成名人物，何以專幹下流勾當，過去「史大林爺爺」一詩已經噲炙人口，現在可以算是又破了一次無耻的紀錄。

一般來說，大陸固然沒有不說話的自由，但就這一次而論，除去郭沫若實在沒有一個著名作家，可見郭沫若是自動請纓，決非共產黨逼迫。以毛澤東之無聊，加上郭沫若之耻，也算是相得益彰了。

社會小說

香港地

五、有錢佬

霍新開招呼客人的口吻，眞是因人而異，各極其妙，梅大亮正在訝他喊禍先生是「死黨」，他已和那一對青年男女握上了手，先對那男的說道：「小李你眞漂亮，人如其文，文如其人，今天座上最漂亮的客人就是你。」

梅大亮聽得一笑，霍新開又已和那女的握上了手，笑道：「蒙小姐，你怎會和小李湊合得這麼巧，是約定同來的嗎？今天有你這大名鼎鼎的女作家來參加，高興極了。」

那位蒙小姐嫣然一笑，剛說得一句：「我們是在碼頭前面湊做一起，一共是四個人同來的。」霍新開已一連打了幾個哈哈，指着蒙小姐對梅大亮說道：

「你們旣是同車而來，彼此認識嗎？」

梅大亮搖一搖頭，霍新開便帶笑帶諷的說道：「你眞是『執輸』了，做人太老實是不成的，有美同車，也不懂得，自已打招呼，還要麻煩我來介紹，眞是豈有此理！」

這話引得傍邊許多人都笑起來。接着，他便分別介紹，說那位小姐是蒙莎莎，那位男的是李發藻，並且在結尾時說了兩句打趣的話道：「小李是男作家，蒙小姐是女作家，他和她在文壇上是慣常合作的。」

梅大亮見霍新開說得一本正經，但傍邊的人又是一陣哄然大笑，倒覺有些莫名其妙。只見霍新開指揮着姚永嘉，把這一大批新來的客人請進門內，又吩咐那幾輛車子的司機回走，仍到碼頭接客去。梅大亮走在最後，和他並肩而行，這時才聽到他低聲在耳邊笑語道：「他們笑的都不是好人，你最老實。我沒有把話說穿呀！他只是自已心邪！」

梅大亮且不管這些，把蒙莎莎和李發藻這兩個名字唸了又唸，才省起曾經在某些刊物上面見過這兩個名字，也就笑問道：「你請這麼多位有名的作家到這裏來，開這樣盛大的宴會，到底爲的是什麼樣的事情呢？是你自已做東道主人嗎？這所房子的主人是誰？」

霍新開笑而不答，又急步向前跑去，舉手高叫。（五一）

木客著

釣魚記

金恒煒

編者按：這篇文章是台北建國中國初中二年級的一個同學寄來的。寫得不錯，亦頗有意思。初中學生能夠寫得出這樣的文字，委實是難能可貴了。希望這位同學嗣後多多努力，同時，我們也盼望每一個學校的同學都能投稿。只要勉強過得去，我們會盡可能加以採用的。

萬里無雲，微風涼爽的一天星期日，太陽溫煦地曬着，我乘着這大好的假日，與弟弟同到淡水河釣魚。

騎着鐵馬，我們直向目的地駛去。到了淡水河，我們找到一個旣乾淨，又陰涼，安靜無譁的河畔，一起坐了下來。輕輕的撤下了魚線，我便對弟弟說：

「釣魚的秘訣便是『靜如處子，急如脫兎』這八個字」。

過了片刻，我的浮子動了幾動。

「別响！」我對坐在旁邊的弟弟說：「魚來吃餌了。」

我用力將魚竿一抽！原來是一個破鐵桶。

「哈……」弟弟嘲弄我說：「好大的一條魚。」

我瞪了弟弟一眼。心想：「哼，我非釣一條大魚讓你瞧瞧不可。」

我再度垂下釣絲。對岸的釣魚者，正專心一意的注視着水面。

「老金，你也在這裏釣魚，眞巧極了。」一陣熟悉的口音傳入我的耳朶。

「哦，是你，小陳。」我抬頭一看，原來是四眼田鷄——陳同學。

「這裏眞是釣魚的好地方。唔，風景好：上面有大樹，地上有青草……總之一切都好，你的眼光不錯嘛。」小陳將眼鏡往鼻上一架，向四處眺望，並挨在我身旁坐下來。

「眞料想不到，你也來釣魚了。以前，你不是頂討厭釣魚的嗎？」

「是的，以前我討厭釣魚，不過現在我才體會到釣魚的好處。」

我們三人雖說着話，但都聚精會神的看着浮子。

弟弟抽起了釣絲，一條銀白色的小魚在陽光下閃爍着。「呀！魚……哥哥，我釣到了。」弟弟故意在我面前顯本領。

過了沒有多久，小陳也釣到了一條魚，只有我沒有釣到，而我一向對弟弟說自已是釣魚能手，這下子牛皮可能吹破了。想到這裏，心急如焚。

「別着急，要有耐性！」小陳似乎看穿了我的心事，對我說。

「對！要有耐性。」這句話緊扣住了我的心弦。於是我冷靜下來了。

「刷！」我抽起了釣竿，一條大魚上了鉤。

「我的比你大多了，弟弟。」我驕傲的對着弟弟說。

以後我們三人誰也沒有再釣到了。過了一會兒，又繼續的來了許多與我們同目標的陌生人。

太陽西下了，把淡水河映成了粉紅色，我們三人一同取回單車，踏上了歸途。

這次的收穫眞不錯，除了三條魚以外，尙有破桶三個，茶壺一把，還有兩個字——忍耐。（完）

青年之聲

青年之聲徵稿

本版特闢「青年之聲」一欄，專載海內外青年學生的文藝作品及其生活動態的報導。歡迎各校同學來稿（勿超過五百字），一經刊載，略致薄酬。如需退稿，請附郵票。

記王湘綺

……漁翁……

有清一代，能文章而尙風流者，莫如浙江之袁簡齋，湖南之王湘綺，簡齋風雅放蕩，有江南才子之稱，湘名士羅典誚之以聯云：「風流才子，名教罪人」，而湘綺生平之風趣，較簡齋殆尤過之。

王名闓運，湘潭人，生於道光壬辰年秋間日，故字之曰「壬秋」，晚號湘綺老人。性鈍，年未冠，補諸生，咸豐癸未，舉於鄉，督學張金鏞得其卷，驚曰：「此奇才也」。旣入京應禮部試，不售，時肅順柄政，延爲上賓，代草奏章，爲文宗所賞識，問屬稿者誰？肅順對曰：「湖南舉人王闓運」。乃賞貂，衣貂者卽翰林也，因此，名噪一時。

王性好傲世，惟對婦人女子，極盡纏綿之致。少時西安之遊，眷一妓名秋雲，情感彌篤，後再訪，而秋雲已埋玉三年矣，悲泣之下，爲文誌墓以祭，並集唐人詩句成聯而弔之曰：「竟夕起相思，秋草獨尋人去後；他鄉復行役，雲山況是客中過」。嵌「秋雲」二字，尤稱絕妙。

王在湘潭城區，築一別墅，名「湘綺樓」，藏書甚多，時執經問難者，紛至沓來，有縣令余幹藩者，亦科甲出身，慕王名，嘗登樓執弟子禮，時六月六日，爲余令四十生辰，求王一聯，以作紀念，王卽揮筆應之曰：「六月六日四十歲；一琴一鶴百里侯」。其心靈手敏有如此者。

儒林九尾龜

吳敬鋅

第二回：好夢由來最易醒

「劍公說另外辦法就是派作人兄去任秘書長，就近予以監視，他們到底刮了多少先作調查統計，再逼到事擬派就無法抵賴了。」

盧教授嘆道：「這眞是釜底抽薪辦法，此諸葛之所以爲亮也。」

夏作人恨恨說道：「這個消息傳到合肥，賀公還無所謂，黃銅臭慌了，他擔心以後刮了錢不能報賬，就想辦法擋我的駕！」

「擋駕！」盧教授十分驚奇問道：「他有什麼力量能擋了你的駕，難道說得公和劍公約束不了他。」

夏作人搖搖頭：「硬來他當然不敢，於是就出術打擊我，你老兄知道，我就這樣一個下作脾氣，不能見漂亮女人，他算準了這一點，先介紹一批學生給我認識，由這些學生又扯到我現在的太太，這些經過不必說了，當時南京上海的報紙登的十分清楚，於是他又鼓動一些青年和我搗亂，正當我的事情經中政會通過之後，這些青年們鬧起來，在南京貼標語，散傳單，又跑到各機關去請願，這一來中政會雖然通過，行政院卻不敢提出來，怕犯衆怒，就這樣完了，終於換了別人。假若我那次能去了安徽，現在也可仿效賀公，買他幾條馬路，咱們擁民主運動也就不愁沒有經費了。你說黃銅臭誤了多大的事。」

盧教授笑道：「那也不一定，你不見黃銅臭現在比我們還窮，他刮的錢又何嘗中用。」

夏作人聽到此處不由大笑起來，指着盧教授說道：「你這一問問得很有道理，可是，你只見表面，不知內情。黃銅臭之窮，只怪他自己太蠢，他刮了錢拚命帶回家鄉買田，最高明措施也只是在上海買了兩條弄堂，他從未想到把錢運到海外來，結果都貢獻給共產黨了。」

盧教授嘆道：「那眞太可惜了，若是換了我，一定運到香港來，存在滙豐銀行，何等安全。」

夏作人笑道：「黃銅臭現在明白了，有時談起來就恨恨的表示，將來再回到安徽，刮了錢一定來海外置產業，一誤可不能再誤了。」

「還去安徽刮」？盧教授搖搖頭：「好夢只能作一回了，安徽人不會世世代代該受你們刮的。」

夏作人點點頭：「我明白這個道理，賀公也不作此打算了，只有黃銅臭還在作夢呢！」

盧教授轉過話題問道：「作人兄，得公近來有信沒有，是否有什麼打算。」

夏作人扳下腦袋，連說：「該死，該死，我就是來找你談正事的，不料把話題扯遠了。」（十三）

禮俗

—— 徐學慧 ——

安排許多禮俗，而使得任何一個節日的氣氛特別熱鬧，我們中國人最是擅場。元宵舞獅，淸明掃墓，端陽划船，七夕乞巧，中秋賞月，重九登高，新歲拜年，可以說，沒有任何一個節日的節目會是冷場的。

中國南北各地，方言之歧異，幾乎要令人懷疑到如此一個複雜的民族如何會統一。一個外省人初來廣東，亦如一個不識英語的人到了倫敦一樣。言語上的隔閡，幾乎想要藉以建立感情都不大可能，但這對於我們並沒有多大關係，因爲我們雖有千萬種不同的方言，却只有一種流傳了幾千年的風俗，而這種風俗習慣，是不分南北的。

這一點，對於中華民族之統一至關重要。沒有了這些節日中的繁文縟節，中國將如同歐洲一樣，很可能分裂爲許多小的國家。因此，站在民族的立場來說，對於這些流俗已久的風俗習慣，除了不合人道的而外，其他一切無傷大雅的東西，不僅應該予以保留，而且還得加以發揚，纔是正理。

一切民間習俗，都孕育了淳厚的中國文化。此種文化，經歷代聖哲加以培養，然後纔形成我們的日常生活的一部分，那是經歷了多少時間的。

對於一個眞正懷得中國文化的人來說，中國禮俗的繁文縟節，正是中國文化的特異之處，把它沖淡，也即是沖淡了中國文化的光輝；如果竟自一古腦兒把這些繁文縟節全都除去，則中國文化將失去了憑藉，而難以維繫中華民族的向心力亦將隨而消失。

中國的幅員是如此廣大，中國的語言又是如此複雜，可是，一到年初一，來一個「恭喜發財」，則不論其爲山東人、四川人、廣東人、山東人，可全都高興了呢！

此種力量是無形的，但此種無形的力量却勝過任何武力。傳有所謂化民成俗之語，俗也者，卽我們所說的繁文縟節也。一年之中，就只有這些節日，能增添繁複一些，也無傷大雅，何況這些繁文縟節，還有促進團結的功效呢！

中國禮俗中的繁文縟節，如果有一天竟然完全消失了，則中華民族的未來，可能會成爲片片碎。

禮俗問題，由於我們整天沉浸其中，還不覺得有什麼嚴重，但只要想到一點，如果對中國的禮俗不能加以維護，我們還能經得起世界的風雨嗎？那就很難說了。

釋耒集

異才與戾氣

幼年讀三國志通俗演義，作者對曹氏篡漢，後來司馬氏又篡魏，而均假禪讓之名以行，因謂之曰葫蘆依樣，竊以爲世事斷不能如此相似，不過小說家巧爲造作，務使天道好還之說，爲流俗稱快而已。稍長，讀趙甌北廿二史劄記，觀其列舉流賊黃巢、李闖相似之點，則冥冥之中，若自有主宰，務令其適相吻合者焉。按：黃巢初從王仙芝爲盜，芝仙被戮，巢始爲盜魁，李闖亦從高迎祥爲盜，迎祥被擒，闖始爲盜魁，是其出處相似也；黃巢以草寇起事，陷京師，據宮闕，僭號改元，李闖亦草寇起事，陷京師，據宮闕，僭號改元。然均不旋踵即一敗塗地，是其事業亦大體相似也。及巢既敗，奔狼虎谷，爲林言所斬，唐書及通鑑，均無異詞，而小說家則以爲巢實未死，披薙爲僧于嵩洛之間。李闖末日，竄九宮山，爲村民擊死，明史及淸實錄，亦並載之，但論者以爲闖竄九宮山之日，其部兵當數十萬，何致爲村民所殺，故亦有傳其爲僧于武當山者，則其結局亦酷相肖也。此種史實，頗足以使讀史之人，對流賊之必亡，存一共通之觀念，以否定其成功之可能。倘憶一九五零年秋末，共產黨囊括整個中國大陸，家鄉（廣西）淪陷後將及一年，余始棄家出走，此一年之時間內，余曾目擊沒收土地，吞噬工商業資本，及發動抗美援朝等三大運動，人民前則既爲其甘言所惑，今又爲其威力所刦，不得不俯首繫頸，甘爲奴虜，而共產終不免陷于失敗，實亦決于此時。余舊讀王莽傳，知莽得天下之初，天下人實曉然從之，吏民上堂勸進者，達四十八萬七千五百七十二人，而其所以敗，實因收天下民田以爲王田，又禁積五銖錢，令州縣酤酒，賣鹽，諸采取名山大澤衆物者，稅之。此與中共之沒收土地，吞噬工商業資本諸措施，並無不同。而王莽遣人誘迫西羌獻地，置西海郡，以致西羌稱兵叛亂，匈奴繼之，莽乃以檻車囚犯罪男子，赴前綫當兵，鐵索郎當其頸，詣軍前以十萬數，是內則困辱其民，而外復搆怨于匈奴與西羌，尤與中共之抗美援朝，同其愚妄也。雖然，中共諸頭目，方謂天下盡可欺，而肆其兇燄，勢必至于四海沸騰，盜賊蠭起，而仍將迷戀馬列史毛之謬說，一如王莽之銳意稽古，附會六經異義，求其所以爲新王制禮作樂之依據，所謂非愚即誣者，正此類也。黃巢，李自成，固天生一種異才，亦天生一種戾氣，若王莽與毛澤東，就其行事論之，其始，殆均不失爲奸雄，而論其終，必不免于爲天下後世所笑侮，可斷言也。

曲齋

栗海彈心錄

中庸質疑

阿公

讀本報七月三十日，曲齋先生與顧翊羣先生書，論中庸之眞僞，徵引精簡，具見本篇。惟於「淸人葉書山，以爲孔孟山東人，稱山多曰泰山，而中庸引山皆稱華嶽，（淸人袁枚亦有是說）顯爲秦漢以後之人所撰，不爲無識」。或亦曲齋以是而姑存其疑焉。不佞於此，反以中庸之稱引華嶽，其爲子思之作也無疑。周初都鎬京，（今之長安縣屬）東遷洛邑，（今之洛陽縣屬）華嶽介於鎬洛之間，上古山之稱岳者，具有方岳之義，故天下名山大川，諸侯不得與焉，中庸之言「博厚」，實別有深意，與論孟之言泰山迥異。

孔子自衛反魯，「陳恒弑其君，子請討之，」陳恒即田成子，（田陳古音同）當在周敬王時，證之莊周，鬼谷子，亦云田成子「殺齊君十二代而有齊國」。孔子討其始亂，莊周等言其終篡。

子思撰中庸，約在周貞定王、考王之時。其時周室猶爲共主，而齊已非姜氏。子思之稱華嶽，所以「尊周室」，孔子意也。且「博也厚也」，又豈田氏所能當之。

孔子之言泰山，蓋指「季氏旅於泰山」之非禮，非泛言泰山也。（旅古祭名）

孟子之言泰山者二，上孟引「有若曰：……泰山之於丘垤」。下孟「登東山而小魯，登泰山而小天下」，一承上文，自生民以來，未有孔子」。一證「遊於聖人之門者難爲言」，東山魯境內之山，泰山齊魯共有之山，故俱從孔子所居而言之。全書具在，可玩味而得，於齊魯何有，遑論秦漢。是皆考注家不善讀書之過也。

不佞亦不甚信考注，甚於十三經注疏，每當沒字書觀。佛氏有言：「知見立知，即無明本，知見無見，斯即涅槃。」居今立知，已不可得，則吾輩實嫌多事，質之曲齋先生如何。

石榴趣話

介人

現正是盛夏季節，到了中秋，將是食石榴的時候了。石榴的象徵是吉祥，我國成語中就有「榴開百子」之說。因爲石榴裏面子很多，因此又是「多子」的象徵。

「北齊書」魏收傳說：安德王延宗納趙郡李祖收女爲妃，後帝幸李宅宴，而妃母李氏薦二石榴於帝前，問諸人，莫知其意，帝投之，收曰，「石榴房中多子，王新婚，妃母欲子孫衆多。」帝大悅，詔收：「卿還將來。」仍賜收美錦二匹。

可見石榴是一種吉祥花果，除夕除松柏之大者插於瓶中，綴以元寶，古錢，石榴花等，叫做搖錢樹也。貼窗的過年剪紙，也多有剪成石榴模樣，以兆禎祥。

石榴的果實既有如宜男之婦，而石榴花却又像一個絕代佳人，蘇東坡就塡過一首「賀新郎」詞，拿石榴花比之於美人。

據古今詞話載：子瞻守錢塘，有官妓秀蘭黠慧，善於應對。一日，湖中有宴會，羣妓畢集，唯秀蘭不至。督之良久方來，問其故，對以沐浴倦睡，忽聞叩戶甚急，起而問之，乃樂營將催督也。子瞻已恕之。坐中一倅，怒其晚至，詰之不已，時榴花盛開，秀蘭折一枝藉手告倅，倅愈怒。子瞻因作「賀新郎」，令歌以送酒。倅怒頓止。這首詞云：

乳燕飛華屋，悄無人，槐陰轉午，晚涼新浴，手弄生綃白團扇，扇手一時似玉。漸困倚孤眠淸熟。簾外誰來推繡戶，枉敎人，夢斷瑤台曲，又却是風敲竹。石榴半吐紅巾蹙，待浮花浪蕊都盡，伴君幽獨。濃艷一枝細看取，芳心千重似束。又恐被西風驚綠，若待得君來問此，花前對酒不忍觸。共粉淚，兩簌簌。

這是詩人的雅人深致，風流自賞的韻事，石榴花有知，當與官妓秀蘭同感吹噓的恩德。

在明朝的時候，相傳江西的有名詩人解縉見宮人小便，因而想起了石榴，他作了一首打油詩云：

「顧望四無人，素手解羅裾；拼開石榴殼，珍珠出蚌門」。

這種用石榴來象徵女人的性器，寫來極其猥褻，眞是匪夷所思。

又淸季的時候，有大將某，本屬能文之士，只以從軍日久，積功至大將，詩名反爲功名所掩。一日解甲歸來，衆文士歡宴，以石榴爲題，飲酒賦詩，某大將久無以應，衆催至再。乃徐徐吟道：「纍墜纍墜」，衆不以爲異，經再催促，又吟道「纍墜纍死將離支」，及吟到第三四句時：「不是東風吹開口」「怎知纍墜滿腹珠」？衆乃大爲屈服，這才知道他還是屈文服武雅衆啊！

簡張敏和碩士紐約　並序

·邵鏡人·

余與敏和兄別十二年矣，音問久缺。忽由香港某報社轉到來書，獲悉近況，喜可知也。敏和曾任中央政治學校教授，南通學院院長。年四十，赴美就學哥倫比亞大學，獲學位，猶孳孳不息，誠可謂學而不厭者矣，詩以美之。

秦淮昔爲別，月失中宵明。一朝滄海去，相隔萬里程。故人惜盛年，發憤如老泉。經史通大義，西學復鑽研。風骨稜稜厲，舌底吐青蓮。與世何相違，蒼生苦倒懸。親舊半爲鬼，存者亦顚連。走也狂且癡，孤島甘伏雌。饑溺懷伊欲飛愧短翮，寂寞多愁思。饑溺懷伊摯，乘桴笑仲尼。寄言張仲子，毋負平生期。

海嶠舊談薈

談特務工作

諸葛文侯

民國廿八年夏間，軍事委員長蔣公初蒞戰時首都重慶，以當時後方一般文武公務人員私生活太過奢靡腐化，愧對前方將士，必須從嚴整飭，轉移風氣。行政院參事羅君強首當其衝，指他有「携帶不良婦女，出入娛樂場所」的行爲，受到撤職査辦處分，一時紀綱肅然，人人自愛，不敢稍事放蕩。

既而，軍委會重慶行營辦公廳主任盧旭，組長嚴昌武等，忽奉委員長命令，着即囚繫究處，罪名亦係私生活腐敗，各方人士大爲驚駭，而以行營職員尤感意外。蓋盧、嚴二人平日私生活相當謹嚴，即娛樂場所亦絕少涉足於其間，其他不良嗜好更無論矣。事實昭彰，有目共覩，所謂生活腐化之說，適從何來？案發時，行營主任顧墨三氏以事關自己的僚屬犯罪，引嫌迴避，未便過問，旁人更無從詰詢案情的眞象。經過旬日後，軍法處傳出消息，謂盧等曾在私人宅第中聚衆牌賭，有照片爲證。委員長認爲本身的直屬部下，有此違背戰時生活的腐化情形，若不嚴加檠括，將何以樹之風聲，烱戒羣倫呢？如是乎，這椿公案之所由來，行營同寅乃恍然憬悟了。

先是，本年春初，行營總務處科長龐炳訓夫婦所識的一位女朋友，以孑然一身，不便寄寓旅館，請予暫時下榻龐宅，龐氏慨然允諾。然該女友交游甚廣，深宵亦常有訪客叩門，雜遝喧囂，不勝煩擾，經過三數月之後，主人乃以別有親戚來自遠方爲詞，婉請女友搬場，她亦毫無難色就遷居了。嗣後仍隨時跟他們夫婦往來酬酢，頗爲親切。一日，龐炳訓生辰，行營高級幹部同仁，皆集龐家觀嘏，主人隨俗佈置牌局，招待來賓消遣。俄而那位女友亦馳至，手持攝影機，入門即笑謂：「科長過生日都不請我，未免太見外了，幸而我消息靈通，特地趕來恭祝壽誕」。說罷，即拉壽星公照相，然後又對着盧，嚴等人的牌桌，亦攝影一番，說是「機會難得，試試我的技術夠不夠標準？」大家知道她是龐科長夫婦的老朋友，且在龐家寄居過，認爲這無關係，還要求她將照片洗出後，每人贈送一張，以留紀念哩！

詎料她原是個特工人員，心中甚恨龐科長對她下逐客令的舊事，總想乘機加以報復。她攝取牌局照片不久，蔣委員長適到重慶，申儆公務人員生活不嚴肅，她認爲這是報怨的大好機會，乃將照片密呈之，目的是在使龐科長將受懲處，但他素不打牌，並未入局，以致殃及盧、嚴二人，枉受縲紲之災。行營文書組長曹振飛亦雅好玩牌，而嚴昌武却不喜此道，他這天爲慶生而勉强湊興的，曹氏遲來一步，祗站在嚴昌武背後作壁上觀，照片上亦有他觀戰的鏡頭，因係置身局外，得免於難，這眞是幸運。人生富貴窮通，安危禍福，皆可作如是觀也。（完）

男女與好色

·謝康·

據創世記所載：上帝用不同的方式創造男女。所以男女身體和性格上的差異，是相當顯著的。身體差異屬於外形，性格差異屬於精神或心理方面。後者也可說是心靈差異和文化差異的總和。在知識、本能、興趣、裝飾，審美觀念，生活方式各方面總有若干差異之處，但仍然有許多相同的地方。因此也有人說異性之間的差異幅度，還不及同性間自相懸殊的程度。公講公有理，婆講婆有理，對這問題，心理學家似乎還沒取得一致的意見。

但是，我們似乎可以說：男人生來要超過自然所賦與；女人生來却要保存和服從自然的稟賦。男人創造和播種，女人養育和儲藏。對種族方面說：女人是完全的動物。但從精神方面看：男人好像比較成熟一點，他能創造發明許多物質，也能將它們來改良和傳播。

兩性生活，原是要分工合作，以有易無，或以美補不足的。那怕是女性輕視者或男性憎惡者，有時亦不免感覺對異性的需要。佛門中所以有歡喜佛和淫僧，歐洲某些大都市所以有專爲神父們開設的妓院，就是這個道理。王道不外乎人情，「仲春之月，奔者不禁」。貴州苗人，月夜唱歌舞蹈，男女雜遝，自由戀愛。歐洲嘉年華會，化妝會中之裸體跳舞，都是性慾本能的流露。

按照佛洛伊德的說法，人自幼小時就有性慾的傾向，希臘悲劇「奧底帕司錯綜」（Oedipus Complex）就是一個很好的說明。（上）

海隅消暑錄

徵稿小啟

有內容有意義之隨筆、散文、掌故、小說、雜感、詩歌等類文字，本刊均所歡迎。文字請用有格稿紙繕寫，如需退還，請附信封，及郵票。一千五百字之散文，隨筆比較容易刊出，過長則以篇幅所限，刊出的機會較少。請特別留意爲感。

自由報
THE FREE NEWS
第三十五期
中華民國僑務委員會登記證台僑新字第三二三號
中華郵政台字第一二八一號執照登記爲第一類新聞紙類
（每星期三、六出版）（半週刊）
每份港幣壹角
台灣本售價新台幣貳元
社長：雷嘯岑
督印人：黃行奮
社址：香港銅鑼灣高士威道二十號四樓
20 CAUSEWAY RD 3RD FL HONG KONG
TEL. 771726　電報掛號：7191
承印者：四風印刷廠
地址：香港灣仔高士打道二二一號
台灣分社
台北市西寧南路壹叁柒號二樓
電話：三〇三〇六四
台郵掛號金戶九二五二

論美國兩黨的對華政策

王厚生

我們已知美國民主黨對中共的政策是一較軟弱的，假使在今年十一月的總統選舉中，民主黨取得勝利，那末，一或二年以後，美國與中共之間的關係可能開始轉變，趨向接近，和往還，接着，聯合國大會中抗拒中共入會的防綫也將破裂，只要美國政府不堅決反對，其他反對中共入會的國家也無法堅決。國際關係是現實的，看風轉舵，乃司空見慣之事。如果將來還有高峰會議，或裁軍會議，美國的民主黨政府是一定可以考慮中共參加的。民主黨領袖們似會研究一事，即這種政策對東南亞和各國海外華僑將產生何種影響。但是，民主黨最高決策方面的總原則是暫不承認中共，僅增加接觸的機會，以期在幾年之中，分若干個階段，逐步地走上關係的正常化。這個原則的冒險性無疑是很大的，如果這原則，因民主黨得勝而付諸實施，則未等美國和中共政權之間的關係正常化，不但東南亞各國，即南美和非洲各新興獨立國家將紛紛與中共締交。儘管其中有些國家內心並不願意，但大勢如此，也不得不然。世界各地華僑的處境將更困難。中共在世界各國的滲透活動可因使領館之設立而增強。日本的政治形勢將完全改觀。南美、中東和非州將變成毛澤東的賣藥市場。美國所能獲取的唯一好處，是所謂「恢復和中國人民世代相傳的友誼」。

的確，中美兩國人民之間的友誼已有悠久的歷史，但在中共政權的統制之下，要恢復兩國人民之間的友誼是何等困難的事！美國政府和人民要和大陸上的中國人民直接打交道，這是不可能的。如與中共政權打交道，適足激起大陸上億萬民衆仇恨美國的心理，因爲美國「助紂爲虐」，這是一句中國民衆最懷恨的諺語。除此以外，台灣的處境將十分尷尬，換句話說，中華民國和政府的困難將非筆墨所能形容。所以，這幾天消息傳來，政府對於美國民主黨的政策深懷不安情緒。

不管怎樣，美國民主黨訂出那種政策，這是人家的事，我們可以批評那種政策的錯失，卻無法干涉或阻止美國民主黨採取那種政策。倘使將來民主黨勝利了，那一政策如何分階段實施，進度如何，現在都不能預作斷言，但就總的趨勢來看，那種政策對中華民國固然不利，對整個自由世界（包括美國自身）來說，也是害多於利的。當然，這是我個人的一種看法，這看法自亦有一種根據。

我注意到蘇聯的共產制度自史太林死後已呈動搖，且日趨沒落和瓦解。如大家所知，極權制度的憑藉是高壓政策。蘇聯人民在史太林的暴政下輾轉呻吟達數十年，內心仇恨共產制度已達極點，一旦暴君死滅，人民感覺眞正翻身和解放的日子已經來臨，他們用各種方式所表示的願望和要求在無形中滙成一股巨大的力量，迫使史大林的後繼者馬倫柯夫和赫魯曉夫不得不作某種程度的改紘易轍。馬倫柯夫的增加生活消費品的主張，與今日赫魯曉夫的「和平共處」政策，都可以說明共產制度的不得民心，和蘇聯人民的意志力量已告顯露。在巴爾幹，有南斯拉夫的狄托路綫，這路綫也因史大林的死亡而吃香，使「現代修正主義」瀰漫東歐各國，鼓勵人民爭取自由，反對共產政權，最後，釀成波蘭和匈牙利的反革命運動。「現代修正主義」的特徵有以下幾點：否定蘇聯爲共產各國最高領導的地位和權威；承認今日世界的政治、經濟和社會情況已有改變，資本主義制度因此也有改變；強調民族和歷史特性；在社會發展過程中所發生的作用，故各國通往社會主義的道路多所不同；反對「無產階級專政」和權力過份集中；主張結束硬性的（如農業集體化）經濟措施，改採漸進的方式；在知識和文化範圍內，要求將史大林加於思想和言論自由的一切限制全部解除，重返馬克斯主義的「人道主義」等。

蘇共與赫魯曉夫最不滿於蘇聯的領導地位被否定，對於其餘各點，雖不接受，也還可容忍。就最近赫魯曉夫在羅共大會上的演說內容看來，他本人對今日世界的新情況已有相當了解。他訪問美國以後，深獲印象，即說出資本主義倘有其穩定性的話。回國後，撰「生活在和平和友誼中」一書，大書暢銷。我在此間共黨書店中會見莫斯科出版的某期畫報，爲赫魯曉夫在美國各地遊歷的圖片特輯。我於詳細翻閱這本畫報之餘，深感覺到蘇聯要變了。蘇聯人民對美國的觀念要變了。又據法新社莫斯科三日電訊，謂蘇共的地方黨部正在推動全國性的「開導」運動，解釋赫魯曉夫的「和平共存」政策，以及該政策可以防止世界大戰的功能。這是比較新近的發展。

U二課事件和高峯會議的未開而散，定使赫魯曉夫受到蘇共內部的某種壓力，但他始終未倒的主要原因還在蘇聯人民對西方對美國的觀念已經根本改變。蘇聯人民要求和西方世界眞正和平的願望，迫使「史大林份子」不敢重採強硬政策，因此亦支持住了赫魯曉夫的地位。所以，我一直覺得美國艾森豪總統未能訪俄，是自由世界的大失敗。總而言之，就現狀言之，與站在自由世界的反共立場言之，蘇聯的今天是弱的，東歐共產國家是弱的，尤其東德是弱的。這種弱的表現在共產制度的不受人民歡迎，表現在人民對自由世界的憧憬。

假使蘇聯和東歐因以上弱點而有變，那末中國大陸上的現狀也不能不變，所以，我相信對蘇聯下功夫是挖中共政權的老根，而直接在現階段中對中共政權下手，適足替這個爲中國廣大人民所痛恨的賣國政權造機會，造對內加強壓制對外繼續擴張的機會。這就是我所說的美國民主黨對中共的政策可能害多於利的根據。

我這樣說，是否旨在替共和黨的政策辯護？也不盡然。關於共和黨的對華政策，留待後面再說。這裏，先將美國應於何種情況下始與中共打交道一事作一番交待。我以爲美國應於時機成熟時對中國大陸下手。什麼才是成熟的時機？毛澤東完全垮台和修正派繼起得勢，便是成熟的時機了。就共產集團內部的爭執和演變形勢看，上一時機未始沒有成熟的一天。卽使毛澤東垮下去，繼起得勢的修正派還是共產黨，不錯，還是共產黨，但那一轉變足以象徵中國局勢將整個發生變動的開端。我相信，在我們的國家中有着一支較俄國十月革命時期還爲龐大和成熟的智識份子隊伍，[illegible]

[illegible]

策，不再申論了。我只想研究一下共和黨如果獲勝，其對華政策是否有變動的問題。[illegible]

（八月十一日）

小論天下

△寮國兵變情勢複雜微妙，東南亞公約各國舉棋不定。叛軍領袖以焚燒京城作威脅，要脅政府屈從他的「中立寮國」運動。

「焚城」是共產暴徒的氣概，「中立」是和平動聽的名詞。唯其如此，東南亞公約各國才干涉不得。於是美國只有迷惑着急，共黨又來呼喝助威。

△南韓選出尹普善爲總統，宣稱揮軍反攻北韓爲必無可能，諸事均唯美國馬首是瞻。

由李承晚的「待機反攻」說，一變而爲尹普善的「取消反攻」說，確已花費美國人不少氣力了。再下一變是什麼？

△中共說要和美國訂互不侵犯條約，美國不睬。中共大罵「美國好戰」。

中共對美的罵，花式豐富，既以痛罵、臭罵、毒罵爲經，又以侮弄式的罵，與調戲式的罵爲緯，洋洋大觀之至，美國人固然不好消受，中共蓋欲「以罵而得天下」矣！

△西柏林美軍接受講演中的命令，如必須起而作戰，將戰至最後一人。據說，因韓戰時許多士兵不知自由與共產鬥爭之意義，此種講演方式的訓示遂受重視。

最可怕的事實還在乎：自由世界目前還有許多人不知因何而要抗共，其中包括了西方若干「知名之士」。

△美國又誇耀最近在「太空競賽」的四項成就。

共黨最近在自由世界地下顚覆的成就似乎不只四項。「拉上補下」，亦自慰之一道也。

△大陸早造歉收，中共要人民「大戰三月」，喊出「奪取糧食豐收」的口號，動員城市各業人民下鄉支援農業。

說是「奪取」糧食豐收，妙！迫使原非務農的各業人民支援農業，更妙！

毛澤東由「工業大躍進」的最高腔，一直慘跌到「抓農業生產」的最低調，可以休矣！

△被人認作是美國民主黨「影子國務卿」的鮑爾斯前時發表過一篇怪論，主張台灣獨立，最近成爲香港台灣反共報刊的論題。

見怪不怪，像鮑爾斯這樣的美國人是另有頭腦的。他們似是「日日求反共，日日殺反共」，其實：是千方百計要殺「反共」以遷就「非共」。他們永遠以爲太平洋是美國的內湖，看不出共黨「越洲顚覆」的成功。他們在後門業已起火之時，只顧努力向前門折墻，好讓前門的火和後門的火匯成火海。

方南

自由談

文明生活與文化精神

馬五先生

旅美學人顧翊羣先生最近致函區區，談及「文明」的義理與作用，他認爲近代我國人士會有倡言「物質文明」即係精神文明之說者，殊不盡然。十九世紀末期的西方學者亞當斯（Henry Adams）以及廿世紀學者孟佛德（Munford）等，都說是物質文明過度趨向機械化之後，人類本身可能爲其所驅使而轉爲野蠻。觀於近數十年來的歷史，不能不承認人的精神靈性，由於自身的修養關係，遠較物質環境尤爲重要。

我十分同意顧先生這種看法。「文明」與「文化」的界說有別，涵義亦未可同語，基於工業進步及其技術高度發展而產生的物質文明生活，並不見得同時就有其相應發展的優越的文明精神。美國的工業及其技術之發展，獨步當世，財富亦甲於全球，日常生活方式日趨機械化，人力勞動逐漸減少，大家憧憬眷戀於生活水準之提高，強調安全繁榮的享樂主義，文明程度達到了最高峯。可是，談到文化思想方面，很歉然，美國人尙在青春發育時期，絕對不能跟他們那種高度的物質文明相提並論。這也就是美國以領導自由世界的盟主地位，雖有無倒的優勢實力，而終沒有一種明確的政治理想，作爲反抗共產極權侵略主義的指導原則之所以然。因而隨時捉襟見肘，舉棋不定，且幻想與俄共集團眞能「和平共存」，藉以長久維持其機械化的物質文明生活享受。從文明觀點設想，這不能不說是落伍的荒凉榛狉之見吧？忽視精神作用而專唯物質文明是務，基本觀念卽陷入了唯物主義的迷魂陣，無以自拔。俄帝現在的工業技術亦可以製造飛彈火箭，機械化的程度並不弱，但一般人民的生活，卻轉向野蠻奴隸社會境域發展，尤足以證明亞當斯，孟佛德諸學者的見解正確，毫無疑義。世界人類縱不爲共產魔鬼所征服控制，然將來如不乞靈於中國儒學思想的文化精神，永久的和平生活，還是可望而不可即的境域也。

·國際外交盛行相互訪問·

陳副總統今冬出國答訪

×××本報特訊×××

二十世紀中葉的國際局勢，實是外弛內緊，國與國之間交往頻繁，其目的有二：一、在促進彼此友誼，鞏固兩國邦交；二、在爭取與國，謀求獲致共同目標。因此，極權國家的頭目蘇俄的赫魯曉夫，近年來曾到歐美等洲訪問；民主國家的領袖——美國總統艾森豪，亦曾親往各洲訪問，所以有人說：二十世紀的外交，是一種「訪問式的外交」。

各國元首的互訪，既成外交的特色，中國自亦不例外。以近三年而言，前後已有伊朗國王巴達維，約旦國王胡笙，伊拉克王儲阿不都拉，土耳其總理孟德勒斯，越南總統吳廷琰，菲律賓總統賈西亞，美國總統艾森豪等七位貴賓來訪。更早尚有韓國總統李承晚和日本首相吉田茂等先後來訪。渠等訪華，對於鞏固邦交，敦睦邦交，貢獻至大。

當各國貴賓離華時，基於平等互惠的原則，亦曾向我元首提出邀請，深盼蔣總統能移駕答訪。以蔣總統與共黨數十年反共鬥爭經驗，出國答訪，自必能使友邦上下，對我反共反攻前途，以及民主國家對共黨鬥爭，能有所裨益。但蔣總統前曾有「大陸未光復前，不欲離國」的壯言，基於上述事實，以及「來而不往非禮也」的中國古訓和「平等互惠」的國際公法原則，副總統代總統出國答訪，成為「應天順人」之舉動了。

據權威方面消息透露，本年初來訪的亞洲某反共國家的副總統，擬於本年內來訪，但卻遭受國內反對黨派的非議。理由是：該國在百餘年前，雖係中國滿清政府藩屬之一，但現已獨立了。本年初該國總統曾訪華，未幾副總統又奔向訪華之路，中華民國元首不去該國訪問，而該國元首和副元首，在相距不遠的時間內，前後訪華，是為「單方面的」「片面性的」，亦即象徵看「下對上」的「朝貢」意識。不論上述理由是否站得穩立場，但卻促成了陳副總統將於本年十一月間訪問越南。似乎說明了為了「禮貌」，答聘是勢在必行了。

如果陳副總統真將代蔣總統出國答訪，將訪問的國家，可能涉及越南、泰國和菲律賓三國。越南國總統，本年初曾先後來華訪問，而泰國國王亦將於本年來訪。該三國與我邦交至關重要，在反共陣營中，處於唇亡齒寒，休戚相關的境地。尤當亞洲高階層會議鑼鼓齊鳴，呼之欲出的時候，陳副總統的此次出國，可能有助於連繫這三個友邦。訪問的路線，可能先訪越南，再訪泰國，轉而赴菲訪問，然後返國。亦可能先訪越菲兩國，日後再赴泰國訪問。

據消息靈通方面人士分析，陳副總統出國答訪的隨行人員，可能包括左列各階層人員：

甲、原則

（一）人員數量的限制，可作訪問的交通工具，以「中美號」專機為最合適，該機僅能載人員四十人。所以，如果以中美號為訪問的交通工具，則人員可能以四十人為最大容載量。

（二）訪問人員的對等原則：如果來訪的隨行人員中，包括外長、財長，則答訪的隨行人員中，似亦需包外長，財長。

（三）急待洽商事項的負責人員，例如：高階層會議，華僑事務等，如果預定列入洽商項目內，則該事項的負責人員，將隨同出國。

乙、可能包括的人員

（一）政府官員，可能包括外交部長周書楷，行政院新聞局局長沈錡，交通部長沈怡，副總統英文秘書兼譯員陸以正，外交部亞東司長繆培基，總統顧毓瑞，外貿會秘書長李國鼎，主管國際共黨問題研究協調和專案電影照片宣傳的外部情報司官員江某，副總統侍衛官，以及其他政府官員、安全人員。農復會人員。

（三）議會要員：國大秘書長（亞盟理事長）谷正綱，立監兩院外交委員會委員可能有數人隨行。

（四）技術協助計劃專家，如台灣電力公司，民航氣象，及交通方面專家，以及各種紡織等輕工業及農會組訓專家，可能有數人隨行。

（五）新聞記者，可能有十餘人，其中將包括電影攝影師二人及助理一人（中影派）中央社及攝影新聞記者各一人，中廣公司錄音訪問記者一人，中央社及其他日報記者若干人。

以上名單，屆時可能還有更改，但是原則上，必將容納上述四種人員。由於此次陳副總統出國答訪之確定時日未定，因此一切訪問程序尚未正式洽商，據有關方面稱：可能涉及對共黨問題的研究，宣傳協調，以及彼此在外交軍事方面的合作，經濟方面的互助等。

為了國家的命運，以及尊重國際平等互惠的原則，我們希望此次副總統出國答訪順利，成功。

禾明

美總統競選運動的面面觀

華生

紐約通訊

從本月中旬起，美國總統競選活動已進入緊張熱烈階段，共和、民主兩大黨的候選人——尼克遜與肯納第——皆已成立了競選總部，網羅黨內若干知名人物作顧問，組織「影子內閣」，分別主持關於競選計劃的定策、宣傳事宜。

美國兩大政黨為選舉而訂出的政綱政策，在內政方面，一般都是大同小異的，對選民沒有多大的刺激作用；其中只有人種差別待遇這一點——又名人權法案——對選民的觀感頗為重要。但美國多數人民的「人種」成見很深，作為一個總統候選人，對這問題誰也不敢藉為爭取選票的宣傳資料，若主張實行人種差別待遇，未免貽譏於國際間，有忝國格；若說人種必須平等，又將損失國內很多的選票，所以大家只好存而不論，故意裝傻之一法。前次共和黨在芝加哥召開大會時，節目進行中，曾教一位黑人登台報告某項議題，迨該黑人走上講台之際，職司電視廣播工作的「國家廣播公司」人員，竟立即停止工作，以致激起在場的艾森豪總統先生盛怒，大呼「這是我不能容忍的事！」即此一端，可見美國一般人士的人種歧視程度為何如了。

美國歷屆大選之中，兩黨候選人總是以外交政策作競選題材，尤以對華外交為主要的宣傳課題，這次固不例外，但其話題已縮小到美國應否協防金馬這類小事，原因是要迎合民衆的畏戰避戰心理。職是之故，尼克遜與肯納第逐鹿白宮主人座位的勝敗關鍵，既與內政無涉，亦不在外交政策，他們自己本身的關係最為重要。

談到他二人本身的競選能力和條件，世人都認為尼克遜較肯納第佔有優勢，實則肯納第亦有其不可輕視的潛力。肯氏的父親曾任羅斯福總統時代的駐英大使，原係一個暴發戶，他在一九三三年美國政府決定廢除禁酒令之前，消息靈通，詗知當局的秘密決策，急與英國的威士忌酒託辣斯公司訂約承銷，獲利無算，頓成巨富。他立志教育兒子肯納第作總統，要與波士頓的大族豪右如洛奇等爭衡，恍若我國唐代的令狐綯跟山東大族爭衡然。所以肯氏兄弟們平日藉其長袖善舞的財閥資質，對各方面皆表示要好，廣結善緣，此其一。美國社會今日最大的特權階級即為勞工領袖人士，他們有各種不受法律拘束的方法可以操縱選舉，民主黨的議員們受其卵翼者很多，肯納第與這般人深相結納，在勞工羣衆方面的聲勢，優於尼克遜，此其二。肯氏出身哈佛大學，該校為美國左傾思想家的大本營，崇尚「倫理相對主義」，為目的不擇手段，無所謂政治節操。肯氏競選運動的智囊如哈佛大學歷史學者斯賴循格，經濟學者格爾柏萊士等，都是所謂「新政派」，這類人的思想偏頗狷激，在青年羣衆中頗受歡迎，對選舉前途，影響不小，此其三。據「華盛頓郵報」記者指出，尼克遜與肯納第雖然都是「倫理相對主義者」，但尼氏不及肯氏過事不擇手段之甚。肯氏既有雄厚的財力，又有勞工界與左傾智識份子之支持，其實力殊難忽視，此其四。肯氏擁有這四種潛力，競選的資本並不弱於尼克遜，將來誰勝誰敗，此時很難作肯定的判斷。如果蘇俄及其最大爪牙中共，在最近兩三個月內，對美國不改變其激劇的敵視威脅態度，甚且在亞洲方面採取軍事威脅行動，則尼克遜以其從政八年的在職副總統資格和經驗，博得民衆的信賴，必可壓倒肯氏，獲致最後勝利。至於雙方競選的揹檔者，洛奇與詹遜皆有相當力量，而尼克遜尚有艾森豪總統給他助勢，亦比肯納第略勝一籌也。（八月七日於紐約）

×××讀者來論×××

台灣文壇怪象

張希明

台灣文壇上有一個怪現象，這也許在其他地方所沒有的特殊徵候。

前天我自新竹回來，朋友們給我證實了一種流傳了很久的話。朋友告訴我：「台北某報——是民營的——副刊，是一位女士主編，她曾在某地執行過幾天教鞭，她告訴她的全體學生們說，××報的副刊，圈外人休想打進去，除了她的親近的人之外。但她保證她的學生們說，只有他們才是一個不予拒絕的朋友。小說，新詩，散文，不夠水準也可照樣地刊出來。我不提攜妳們（指學生）我提誰？」此話一出，自然得到全班學生的支持與擁護。

近來有一位初出茅蘆的準作家，每週刊出他的小說至少是二篇，簡直成了他的專刊。他非常得意說已踏入文壇之林了。其實某一篇文章還是寫得非常地幼稚，可是有了××人的提攜，不好也好了。

某女士的學生告訴我說，××報的副刊稿實在太多了，這都是人情稿，學生們的稿固然要刊，朋友的稿也要刊。

還有一個怪事，也出在報紙的副刊編輯手裏，這是另一某報的作風，說是某人的大作寄去後，編輯欲對某人的作品要刊出，可使某人的生活費用解決一下，但編輯要百分之三十回扣後，方可刊出，否則就被打入冷宮去，永久也不會爬出來。而作者們為了自己的作品有個出路，另一方面也為了自己的孩子老婆有等錢用，也只得忍痛地答應了。

另一新報紙的副刊主張用初學寫作的作品，表示對某些人一點敬意，其中也有提攜之意存在。但刊出來的文章，有些人看了直搖頭。眞不懂在要些什麼花樣。

大陸文壇萬花筒

奴才臧克家（上）

岳

十年來中共在大陸的統治手段，有一個最顯明之點就是役使人們不要廉恥，尤其是對於讀書人的改造，更以此為首要目標。不過，中共雖然費盡心機，但收效究竟不大，十年來真正能達到此項標準，確實與廉恥絕緣的，據我所知也不過三人，即郭沫若，臧克家及趙樹理是也。郭沫若的事蹟人皆知，趙樹理雖然無恥，但是始終未爬上來，他的事蹟容以後有機會再說，現在只談談臧克家及他的新作「春風集」。

臧克家過去就是一個不著名的新詩人，他的造詣雖然趕不上郭沫若，但他較之趙樹理深不知多少倍。附共後由於吹拍有術，擔任作家協會書記及「詩刊」主編。不要小看了「詩刊」主編，在大陸上的刊物皆是喉舌。因為目前大陸上有兩種刊物由共黨人主編的，即巴金主編的「收穫」雙月刊及臧克家主編的「詩刊」月刊。

臧克家對於共黨的特殊恩典，真是感激涕零，想盡了方法去逢迎。一九五六年十二月他給毛澤東寫封信，抄了八首毛詩，一起寄去，說到毛澤東寫的詩詞，外界流傳甚廣，但輾轉傳鈔，錯誤亦多，可否請「主席」自行訂正發表，以作為學習的範本。臧克家這一手較郭沫若更高明，算是搔正了方位，毛澤東當時大為開心，就傳臧克家去談談，又把舊作十首抄給他，一共十八首詩發表在詩刊上（詩刊本來是不預備發表舊詩的）。臧克家寫了一篇註釋，用諂媚的語調，肉麻程度，任何人讀了都要搖頭太息。

臧克家抓住這個機會，大拍特拍，又寫了一篇「毛主席詩詞十八首講解」，後來由中國青年出版社出版，又添上「毛主席詩詞十九首」，共成為「毛詞蝶戀花」，以後又用木刻出版，雖然直到現在學習毛詩風氣者則是臧克家，這一點也許是毛澤東對他特別欣賞之處。

又一九五七年五月，毛澤東寫了一首蝶戀花，是紀念他那位被何健槍斃的前妻楊開慧的，這首詞一出來，臧克家又搶著解釋，寫了一首「主席新詞蝶戀花」，登在一九五八年一月十日北京日報上，那其中有兩句解釋錯了，大概被郭沫若教訓了一頓，才都看不起奴才，這也合乎物理學上同性相排斥的原理。

編者與作者

台北××先生：[illegible]，不免影響編排工作，此點務請予合作。

社會小說

香港地光

五、有錢佬

木客著

霍新開叫的好像什麼太太，梅大亮還未聽得淸楚，便見他在前面人叢中像游魚般穿走過去，倏忽之間便失了蹤影。看他滿場滴溜，口不停說，腳不停跑，瞻之在前，忽然在後，說話雅俗咸宜，態度莊諧俱備，眞不由梅大亮不暗暗佩服。

一行許多人進入大門以後，循花園裏一條通道進入所洋房一個大廳，再拾級登樓，在樓上才會到主人和他的太太。霍新開業已站在樓上堂皇寬敞的廳裏，準備介紹大家給主人和他的太太認識。他口若懸河，替大家說出姓名和銜頭，竟把所有的客人都說成十分有地位的著作家，藝術家之類，連梅大亮和楊先生也沒有例外。

這位主人的尊容，面貌淸秀，淡淡的黃色夾有幾分青白，年齡大概五十開外，身裁中等，穿的是一領中式長衣，腳伸西褲皮鞋，看來竟不似百萬富翁，太太却是胖得可以，濃裝艷抹，透着珠光寶氣，的是一個有錢婆的模樣。

據霍新開介紹主人給大家認識時，說他倆夫婦是馬行時先生和馬太太，梅大亮和他握手時特別留意看他的神氣，見他臉上雖也泛出一絲笑容，但臉皮仍是繃得緊緊的，足見他平日不苟言笑，常會擺出莊嚴的面孔。尤其是他那一雙炯炯的眼，和那一絲絲勉強裝出的笑容是不相配合的，奇怪是他的手掌竟是那麼柔軟，還勝過他的太太那隻肥滿有肉的掌，令人握來有溫膩之感。

梅大亮和主人握過手，望向那個寬大而華麗的客廳裏，見已來了不少客人，三五爲羣，各成小組，或坐或立，談着笑着，都是他素未謀面的人。他一看廳外有個露台，也擺有椅子桌子，那裏人數較少，可以靜坐，便在步出露台，找個座位，好在那個楊先生也不約而同亦步亦趨，和他都成了露台座上客。他們一坐下來，發覺由這裏望向整個海和九龍半島那方面的風景，比剛纔在門前還勝更多。那楊先生只向遠望了兩眼，便歎道：「好！這地方眞好！」（五二）

生活

陳永昌

一天到晚，奔波勞碌，汗流浹背，營營役役，爲的是甚麼？找生活也。除是非寄蟲生，不然，無論男的女的都要有各自的工作，賺錢來生活。現今「世界難撈」，此時此地，找生活誠不是一件易事，有才幹學識的人，也覺艱苦，缺乏謀生技能的人，更不在話下了。

作家整天搖動筆桿，絞盡腦汁，編輯們又不見諒，橫加剪削心血結晶，長長的稿被減至面目全非，體無完膚，滿以爲這篇「傑作」可賺一二十元了吧，那知經過了編輯的手，去蕪存精，或爲了篇幅的關係，忍痛割短，嘔心的撰稿，只是五六塊錢，靠筆桿找生活的人實在苦，假如編輯「染上「投籃癮」，則更似啞子吃黃蓮，苦上加苦了！

舞女生涯原是淚，除了少數爲了虛榮與享受外，多數舞女都是爲了生活被迫上火山的。她們不獨受「舞女大班」的氣，無理的「火山孝子」之諸般迫逼，更使她們難受。爲了生活，她們也要委曲求存，犧牲色相，犧牲貞操，更犧牲了幸福，爲甚麼？爲生活啊！貞潔的餓死，倒不如淫蕩的求生。沒有地位的她們，在一般人的眼中，是沒有重生的們，永遠忍受着人們的鄙視。生活使她們不能不虛假奸詐，因此更換來了人們的不信任。舞女們的內心痛苦與恐懼，又那有人表同情呢？

寫字樓，終日整理文件，忙個半死，所得的只是二百多塊錢，單身漢還可勉強維持，結了婚怎辦呢？難道眞個餓死老婆瘟臭屋嗎？於是乎便得找額外收入了，正經的便做點小生意，爲了生活，甚麼財源都要鑽的啊！

鄉村人找生活，不外種田織布，簡單樸素。城市人們找生活的方法，眞個是五花八門，數不勝數。有人故意做叫化子，天天追隨衣飾稍爲華麗一點的人，伸手討錢。說也奇怪，據說是有叫化子組織的一個團體，他們編排好一些背着小孩的婦人，及另一些五六歲會走動的孩子，衣服手足等故意塗得骯髒一點，專向正在拍拖的情侶討生活。衣飾光鮮的人恐防他們弄污了自己的衣物，多是給幾毫子遣走他們。情話綿綿之際，有第三者尾隨不捨，吵耳兼礙手礙腳，幾毫錢似乎慳不得，於是乎他們勝利了，聽說還頗收得，這也是生活。

有些流氓地痞及白粉道人等都市人物，居然也有妙想天開，找生活的方式，使人們于討厭中也帶點佩服。他們專在消夜場所，如沙灘郊外，戲院酒樓，夜總會舞廳等附近，看準了有人開車走的時候，趨前把車前玻璃揩兩揩，替人們開車門，指揮怎樣開出，有如交通警察，事畢，人心肉做，相信幾毫錢也不免流到他們的手裏去。少數怕長計，一天或一晚開出十餘廿部汽車，生活當是不惡，相信還有多餘作「追龍」之用的。還有一些廁所裏找生活的人，聽說生活相當不錯。很多公廁門前有擺設紙擋的，「豆零」一張，每日進出的不知多少人，收入甚是可觀。較爲高尙一點的酒樓及夜總會，廁所裏備有熱手巾、梳子、頭臘，甚至鬚刨等供應，撤完尿或拉完屎，大概也得放幾毫錢在碟子上才好意思走出來吧！女廁裏更有化粧台，上有唇糕、髮乳、面霜、指甲油、香水、眉筆等應有盡有，走時放下一元幾角更屬尋常事了！

各人有各人找生活的方法，只要不與法律抵觸，誰都不會干涉你。只因爲生活困難，挺而走險者大不乏人，犧牲很多，但逍遙法外者也不少。幾許大好青年，爲了找生活，走上了死亡罪惡之路，能不令人痛惜。（八月十日於大圍書館）

儒林九尾龜

吳敬鋅

第二回：好夢由來最易醒

盧教授笑道：「什麼正經事，不是去舞廳吧！」

夏作人搖搖頭：「最近可是不敢去舞廳了，上月得公寄來一批文件，其中有整個民主運動計劃以及重要人士名單，連你老兄的名字也在其內，着我送給項公，徵求他的同意，我馬上就送給項公，先打一個電話約好時間，並且在電話上把大略情形也說了。不料行到佐敦道，在巴士上遇到一個熟識舞女，一定拉我去捧場，我算一算與項公約定的時間還早兩個鐘頭，不妨去跳幾個舞，玩一個鐘再去，公誼私交也都顧到了。那知道這間舞廳相當黑，進門把大衣除去，交給管理人員，一口氣跳了一個多鐘頭，忽然想起項公的約會，看看錶只有四十分鐘，不敢再躭擱，恐怕到遲了，項公發脾氣，當即結了賬，穿上大衣，匆忙趕過海，走到項公家裏，項公已坐在客廳等候，時間已過了二十分鐘，我當時心裏有點緊張，就從袋裡掏出文件雙手捧過去，項公戴上眼鏡打開一看，登時變色，大喝一聲：『這就是得公寄來的計劃嗎』；我連聲應是，項公冷笑一聲，抬手擲給我，說道：『你自已看去』！我拾起一看也呆住了，原來是一套春宮連環圖。」夏作人說到此處，整個驚濤社登時笑得馬仰人翻，連平時對着盧教授不敢高聲談話的烏應桂，也眼淚鼻涕都笑出來了。

盧教授笑了一陣，方才說道：「作人兄，你這次恐怕要擔大板了，項公態度最嚴肅，你同他開了這麼大一個玩笑如何了。說起來不是怪你自已，這類玩意何必裝在袋裏。」

夏作人連連搖手，說道：「老兄，你也誤會了，你以爲這套連環圖眞是我的嗎？」

盧教授奇道：「從你袋裏掏出來的，不是你的是誰的呢？」

夏作人嘆了口氣：「眞是我的到好了，就因爲不是我的，所以就無法收拾了。我當時檢起來之後，自已也十分奇怪，何以會把這玩意裝在袋裏，最初還懷疑是我太太有意開玩笑給我裝進來的，那知再低頭一看，眞嚇得魂不附體，原來這件大衣不是我的，在舞廳同別人穿錯了。」

盧教授聽到這裏不再笑了，登時緊張起來，連聲問道：「得公的信呢？」

夏作人苦笑道：「得公的信當然隨着我的大衣丟了。」

盧教授：「唉呀」一聲！問道：「那你同項公怎麼說？」

夏作人說道：「當時項公一伸手，就要得公的信，我只好直說信丟了，項公一言未發，就拿着茶杯向我擲過來。我趕快一縮頭，打中那邊的酸枝椅背上，登時一地都是破碎的玻璃片。」（十四）

談「辮子姑娘」

脩衡

銀壇隨筆

「辮子姑娘」明天起在港九公映。這是電懋公司爲葛蘭改變戲路，適她個性發展的一部新片。誰也知道：葛蘭是今日影壇當紫紅星，能歌善舞。她的歌聲，舞姿，去年曾在美國予人留下極好印象，「辮」片是她返港後拍攝的，這個戲反映了國人傳統的淳樸風尙，對一個鄉村姑娘初進都市態度，作極深刻描寫，但並不是諷刺，而係予現社會加以針砭。

當然，鄉村姑娘拖着長辮進入都市，必然引起兩種不同的觀感，就其本身來說，那種喜悅驚懼神情，隨時隨地流露；人們對她這種土裏土氣型象，不時投予詫愕目光。編劇者在這方面矚目，刻畫得很仔細，汪榴照是自由中國名編劇家，劇情表現了編劇者有足夠生活體驗，他在描繪葛蘭的性格，心理方面，構思很周到，因此，他進一步對一個鄉下姑娘作了一次酷烈鞭笞；另一方面，現社會一般有錢人醜惡嘴臉，也着力地描繪，反映了「辮子姑娘」矛盾心情，和她的危險處境，給畫出善變少女的苦悶心情，使她逐漸步向適應環境途徑，搖身一變而成摩登少女。這個戲是本中華民族傳統道德落筆，寫出了現實人生的橫斷面。葛蘭的藝術不必贅述，雷震的性格也不必多說，李香君有「古典美人」雅號，她這次客串演出，戲雖不多，相當有力；張淸是粵片名小生，將使人刮目相看。這是一個情節離奇曲折的戲，緊張刺激一氣呵成。其他參加演出的演員，尙有諧星劉恩甲，吳家驤以及賀賓合作主演，樸素淸雅，非同流俗。

強者與弱者

— 徐學慧 —

望海樓隨筆

所謂公道、正義、平等這些字眼，往往是弱者向強者乞憐的專有名詞。

俗謂女人是弱者，所以「男女要平等」這個口號，女人唱得最響。

甲乙二人打架，乙輸了，乙就是弱者。此時如有第三者在場，則乙必含淚哭訴，請第三者主持公道。

世界上的強人永遠不講公道，因爲他知道，一談到公道，他就會不能維持其強。世界上的男人從不向女人要平等，那是因爲他知道，一談到平等，他就不能保有男人的特權。（爲競選而高唱男女平權當然是例外）同樣的，世界上的強國，也不講公道和正義。可以說，凡高唱公道與正義者，必不是強國。

有時候，只要一想到我們天天在高呼公道正義，就不禁有點愧赧之情，總覺得有些不大舒服。更爲難過的是，我們現在除了談這些抽象名詞而外，簡直沒有什麼東西可談呢！

上述那個甲乙二人打架的事，乙雖然要求主持公道，畢竟還是向第三者提出。假定當時並沒有第三者，那又怎麼辦呢？

我們天天在高唱維護正義，我不知道這些論調究竟是向誰提出的？帝國主義與共產主義都不談正義，全不談公道，而我們却在紙上亂談，細想起來，簡直是一大怪事。「爲正義而戰」，「爲公道而戰」這些濫調，我們眞是耳熟能詳。但正義與公道究竟在何處呢？比較恰當的說法，應該是「爲強者而戰」。

爲強者戰，則強者爲了自身利害，當然會加以援助。至於說是爲公道與正義而戰，而要希望強者援助，那就眞正是找錯目標了。

強者何嘗要公道與正義呢？至於強者要借公道與正義來作一個動人的藉口，那是強者本身的事，與弱者無關。弱者如欲轉強，似乎首先要放棄公道與正義的口號，因爲那只是些自我解嘲的名詞，並不能令強者有半點感動的。或必曰：弱者如不說公道與正義，又說什麼呢？

如有人作此問，我可以這樣回答：弱者如果不說公道與正義，則弱者自然會要力圖轉弱爲強，我的意思是說，對強者也要強，不能天天說些廢話來麻醉自已的。

釋耒集

論綁票

匪徒結黨據人，使受諸苦毒，以脅迫其家人出金帛救贖，俗曰拉生，又曰綁票，其事固常發生于亂世，而其源蓋甚古。大抵游牧時代，部落與部落之間，即往往而有，余考尚書周書甫刑之篇，本舜典「金作贖刑」之語，主人民犯法，得以金帛贖罪，雖曰出之哀矜惻恒，實則如部落時代野蠻之遺風。秦漢以後，中國入于大一統之局，而塞外諸胡，猶時時伺機入寇，俘虜我青壯丁男及婦女，索取贖金，蒙古、滿洲未入主前，此風尤熾，故嚴格論之，則鐵木眞，奴爾哈赤，原為國際拉生之頭子，其後稱聖稱神，不過史家緣飾之詞耳。以地域言之，山東河北，雖號稱響馬發源之地，然大都以剽劫鏢局銀貨為生涯，刀光劍影中，猶不失草澤英雄本色，而據人勒贖之舉，轉似獨盛于南方之兩廣。清時黃霽青，為廣東潮州太守，以粵俗最壞者為潮州，撰潮州樂府十首，其七曰：「速弔放」，即指擄人勒贖而言，自註云：潮俗不逞之徒，每結黨據人，關禁索賄，甚有凌虐至死者，：：：以人為貨，甚于盜賊，是可惡也。」依此推論，則兩廣之綁票，又以潮為獨盛矣。尚憶民國十年，粵桂構兵，兩省大局陷于無政府狀態者，達四五年之久，地方糜爛，幾于遍地皆匪，而擄人勒贖之風，凌迫至死者，尤不可勝數，當時所謂政府者，其等同虛設不待言，反競以革命相誇詡，及今日之思之，眞兒戲耳。近兩三月間，星洲僑商，多人相繼被匪綁架，均以巨量金錢贖出，亦有因洽商發生齟齬，或綁架時意圖抗拒而被殺者，治安當局于無法破案之餘，對被擄人家屬付出贖金，與匪徒妥協之行為，深表不滿。閒居讀報見此，每使人對星洲政府之是否存在，不無懷疑，至于其能否獨立自治，而不為強鄰第五縱隊所顛覆，尤覺難于樂觀也。如前所述，政府使人民入金帛贖罪，實為野蠻時代之遺風，今此輩不逞之徒，乃公然以威力劫持良民，凌迫困辱，勒索贖金，政治法律之尊嚴，掃地以盡，政府已名存而實亡，謂如此之政府，足以領導其人民，以爭取光榮之自治與獨立，其誰欺，欺天乎？以我所知，南洋諸島之僑民，隸潮籍者十恆六七，豈陰賊險狠之氣，雖遠遷異國，仍未嘗絲毫變滅耶？抑「危民易與為非」？星洲政府當局，猶未盡安定撫綏之能事耶？比年以來，南洋羣島之排華風氣，漸以變本而加厲，夫天地之間，物並育而不相害，今有人悍然不顧任何後果，逼使智能較高之少數外僑，無法以其勞力，求安份之溫飽，是釋圈豹檻虎于深山大澤之中，其不為良民福，可斷言也。

曲齋

粟海彈心錄

論共產黨（上）

阿公

樊生上月遠道來山居，詢其曷為有此閒工夫。乃告我以休假三日之故，幸免缺漏，言下猶似存有餘悸痕。留二日，因與之聊共產黨之所謂共產黨，並不如世下人人之所云。

大都先之以訓練，拔其尤。繼之以組織，牿其行。關於行動份子之要求條件，——沈默，絕對沈默。艱苦，絕對艱苦。機動，絕對機動。而以互相監視總其成。關於潛伏參透份子之要求條件，——對人恭順。自守寡言。於事勤慎。在某種義利情況之下，稠人之中，利不為人先，義不為人後，爭取縱的信任，橫的同情，以為自身保護壁壘。時以冷眼觀察有力者之情趣，以為伸縮擒縱之張本，使人處處陷於迷離，而圖謀發展。凡此皆任何主管，所樂與接近而疏於隄防者。茲舉事以明之。劉斐為章，能以嫌疑之共黨身分，因緣潛伏最高軍事幕府。劉仲容以曾受莫斯科嚴密訓練之共產黨員，（辛亥起義故人劉劭襄之第二子）潛伏南京大悲巷參謀總長官邸數年，必要時，某某且夾帶其出入。此眞「入於左腹」，獲人之心，至於如此。民十七予編有反共須知一書，（取材以三千金購之國際黨員之手，上海工學院教授盛君紹介）已排印二千部，胡展堂先生知之，索閱底稿，再三婉勸暫勿發行，至今猶百索不解。然則胡公左右，亦有潛伏之人在，抑或間有涉及當時汪某之故耶。則不得而知矣。

其時民黨內病左傾，甚於外感。幸賴蔣公一手撐持，不移不撓，然「一人植之，而九人拔之」，卒難澄清。抗戰軍興，潛伏參透，無孔不入，互為因果，致有今日，前事不忘，後事之師也。

僧尼嫁娶

筱臣

僧尼照佛門清規是不准許嫁娶的。在前清時代有些地方，如果有人犯了這種清規，可能要活活燒死。惟廣東僧人有室，似為例外，自古已然，此或風氣使然。事見宋人莊季裕的「雞肋篇」：「廣東風俗，市井坐估，多僧人為之，率皆致富，又例有家室。故其婦女多嫁於僧，欲落髮則行定，既薙度乃成禮。市中亦製僧帽，止一圈而無屋，但欲簪花其上也。嘗至富家嫁女，大會賓客，有一北人在座，久之迎婿始來，喧譟之乃一僧也。客大驚駭，因為詩曰：『行盡人間四百州，只應此地最風流；夜來花燭開新燕，迎得王郎不裹頭。』」又某筆記載：清初順治間，蘇州某大寺寺僧某，債貲既厚，忽動凡心，蓄髮還俗，並請人為之做媒。花燭之夕，其僧居然請其師來主持婚禮，聞者稱異，有文士作詞嘲之云：「和尚討家婆，脫褊衫，着綺羅，彌陀大笑金剛怒，撇了師徒，別了尼姑，繡房穩似禪房臥，喝興波，當前花燭，寧入老葫蘆。」其實，飲食男女，人之大慾存焉，僧人又何能例外。猶憶往昔金陵有一個和尚，曾作打油詩四十首，名其集曰「牛山四十屁」，其中即有句云：「春叫貓兒貓叫春，聽他越叫越精神；老僧亦有貓兒意，不敢人前叫一聲。」這種含蓄不盡的思春之懷，實在是值得令人賦予同情的。至於尼姑還俗嫁人的事，則尤屬屢見不鮮。據說三十多年前，廣州某庵有女尼嫁文士蔡某。按蔡某於當年日軍陷南京後，在寧交遊於顯達漢奸之間，品評書畫古物，賴以自活，尼名月色，聞其人尚健在。某君當時以詩贈尼云：「短髮蓬蓬綠未勻，袈裟脫却着紅裙；如今嫁與蔡郎去，贏得僧敲月下門！」另有人說此詩見前人「駒隙冗記」，某君套之，易張郎為蔡郎。偶閱「版屋紀聞」，述及平和曾清溪宰潮陽，為幼尼撮合事，雖不屬於幼尼本身之主動，但亦有造於怨曠，其事甚趣。曾清溪出身進士，宰潮陽，潮陽多尼庵，晨鐘暮鼓，閉戶清修者，誠不得謂無，而未空色相，效摩登伽藍而參歡喜佛者，亦所在多有。曾惡之，欲責令還俗而難於其道。會有白衣庵女尼蓮因，自南關入市，與一樵子交臂而過，倉卒間，緇衣大袖，罣於樵拄，彼此行色匆匆，不及加意，一聲裂帛，不皓體畢露，蓮因以為奇辱，且以師嚴，歸將無以報命，遂扭擔而訴於官。樵子丘姓，素純謹，而訥於言，被尼撕纏，不得已隨之。曾廉知其情，且以丘誠樸，平日能孝養其母，壯猶未娶，蓮因方在妙年，累事頭上尚無戒疤。乃沉思，笑謂二人曰：「爾等有緣人也！一則身如萍寄，寺非終身之託；一則壯歲猶鰥，中饋豈可令久虛？如能各泯事端，本官當為作主，彼此聯為眷屬，亦屬奇緣巧合，區區一襲袈裟不足置問也。」樵子聞之，連連叩首，而蓮因則紅暈於頰，嬌羞不能作答。曾大聲謂：「爾等不答，是默認也。」即令就公堂成禮，並命各書押，備彩輿鼓吹遣歸。自是潮中尼僧還俗作婦者踵相接，有梗之者，曾必判之，尼庵幾為之空。這一位賢有司總算是善解人意，使得古佛青灯，紅魚青磬之間，不再有懷春之女曠夫之想，其有造於怨曠，應該是功德無量。只是在香港乃至南洋各地，僧人尚一妻多妾，備享齊人之福，前幾年，尚有涉訟公堂之新聞，是又酒肉和尚之流，不足以入於此事之列，姑不置論。

海嶠麈談薈

客嗇的報應

諸葛文侯

對日抗戰時期曾任四川省銀行董事長之郭松年，敭歷川軍王纘緒軍部軍需處長，因而聚斂私財殊不菲。惟賦性慳吝，平好居交游，而從來不肯拔一毛以酬酢賓朋故舊，但對人常作慷慨狀，大言炎炎，輕諾寡信，友輩乃給他恭上一個徽號曰「郭水龍」，水龍者，川諺「油滑」之意也。郭水龍在未榮任省銀行董事長以前，常在成都安居，所交往者多係地方各界人士，人皆知其吝，僅置笑揶揄而已，他亦泰然不以為意，表面且裝成清貧之象。迨民國廿九年因緣時會，貴為官府金融機構首長，移家重慶後，廹於環境關係，不得不與中樞諸鐘鳴鼎食者流相接觸，酒食徵逐，勢所不免。如是，旅居重慶的若干舊時友好，每晤及郭，即譏嘲他只知道拍顯貴人物的馬屁，花天酒地，大破慳囊，而對貧賤之交，鄙吝如故。郭無奈，許下大願，謂將敦請老友們到家裏宴會一次，藉以聯歡敘舊，志在洗滌吝嗇之名，衆曰諾，望毋再託空言為幸。是時，郭水龍攜家卜居渝市郊外化龍橋山上，他擇定一個星期日，折柬邀約舊友廿餘名來山間私宅讌談，但酒席只準備一桌。因為這時候是夏季，日軍飛機晝夜向重慶施行空襲，許多人都疏散在郊區，且有遠居南岸的。他料定被邀約的賓朋們，星期日正好在家休息，必不願為着一頓酒食而出門來冒空襲危險，十之七八將裹足不前。這樣嗣後大家即不能再說郭水龍是猶太人了，設計本極周密。詎衆友均以郭氏居然破財招宴，得未曾有，良機不可失，早已互相約定，到時大家赴宴，一快朵頤焉。是日午後七時起，客人陸續臨門，郭當初表示親切歡迎態度，繼而來賓不斷湧至，郭內心上已感焦灼，迨接待及十七八位賓朋之際，他訝然道：「怎末你們都來了？」額間汗珠涔涔下墜，衆賓客尚以為氣候炎熱所致，卻未料想這是郭水龍別有心事，惶遽不安的表現。郭覩此情況，急遣价馳赴化龍橋大街酒席館，囑其加送酒席一桌，然掌櫃者謂臨時加席來不及，且夜間亦無從購置材料，婉却之。時已午夜九句鐘，諸客譁咋索食，郭氏有苦難言，只說是稍候即開席了。客有飢餓難耐者，即將主人室內庋藏的大堆零食品如餅干、糖菓等（是預作逃避空襲的乾糧），自動取出果腹，一掃而空，郭啼笑皆非。既而他進入臥室，其妻即厲聲責郭不應該擺空城計，只備一桌酒席而請來二十多名客人，以致秩序大亂，郭謂「誰知他們個個都來呢？」夫妻交謫，聲聞於外，衆賓為之大譁，痛斥郭水龍對老朋友開玩笑，豈有此理！郭此時祇好說盡好話，懇求老朋友們原諒，這回將就其餐，他日另行補宴可也。衆賓謂不願再受「水龍」之欺，致郭支付一席酒肴的現金，讓大家持入市內消夜，以示薄懲，郭唯有忍痛照辦。次日，郭水龍這項醜事即傳遍了重慶城，聞者指為吝嗇人的應有的報應，相予稱快不置。（完）

顧翊羣近詩

讀譚組安先生詩集有感用集中靈谷寺看牡丹詩韻簡伯羽兄

一語興邦重若輕，光風霽月解紛爭。
祇今板蕩思安石，曾記艱危問賈生。
銀漢年年多感逝，湘江處處憶郊迎。
小蘇健筆承先志，詞賦傳鈔滿洛城。

男女與好色

·謝康·

好色是男求女的一種現象，「如惡惡臭，如好好色，」王陽明以為是良知良能，知行合一的。詩三百篇，關雎冠首，註釋者以為「樂而不淫，哀而不傷（哀當係「愛」之誤）」得淑女以配君子，實為理想家庭，人倫正道。可是，世間的理想配偶，能有幾人？古來傾國傾城，都為女禍；夫妻反目，怨偶為仇。迷惑女色，慾海沉淪，往往成為悲劇犧牲品；美色的佔有，多數陷入魔道。國破家亡，魔鬼似乎已將他們的快樂和苦痛聯繫在一起。因為，當一個人變成情慾的奴隸時，他由佔有而被佔有，由主動變成被動。好像鴉片煙精一般，只有將老命送掉為止，連後悔也來不及了。

從另一角度看來，歷來以男性本位的立場來談「好色」，往往是單方面的。從前小說家布舍（Paul Bourget）在比較東西兩方婦女地位之後，很感慨地說：「如果東方人將婦女降為從屬地位，那是因為他們用一種激烈的肉感方式來熱愛她們。而在這肉體愛的最深處，往往蘊藏着一種生物性的嫉妒和猜疑，似乎很注重肉感和由於妒忌心所形成的愛情上的專制淫威，容易聯在一起。」金屋藏嬌，銅雀春深鎖二喬，都是這種太監制度，男女有別，不能「混帳」的心理所造成的。但是，單方面愛情或「好色」，眞正由愛情得來的幸福，該是雙方面的。單單知道愛人，究竟不及同時為人所愛的好。不過，最高的愛却應該注重施與而不在乎酬報，須是這樣，然後可以做到純潔和不自私的地步。柏拉圖式的愛之所以卓絕，和這種觀念是多少有關聯的。「施恩慎毋念，受施慎勿忘。」崔瑗的座右銘，在愛情上面也是用得着的吧。（下）

海隅消暑錄

自由報
THE FREE NEWS
第四十五期
每份港幣壹角
社長：雷嘯岑
督印人：黃行寬
社址：香港銅鑼灣高士威道二十號三樓
20 CAUSEWAY RD. 3RD. FL. HONG KONG
TEL: 771726
承印者：四風印刷廠
台灣分社

論世界文化之將來（上）

——從梁啓超新傳記說起——

顧翊羣

梁任公先生爲我國清末民初先知先覺之一人，學識見解既屬上乘，而其文字犀利，感情豐富，議論動人之深，自清初顧亭林黃黎洲以降，罕有其匹。梁氏一生思想與主張數變：初則少年科第自矜博學；繼則對康南海崇拜而認孔子爲古代之革命家，并謂西方科學中國早已有之；甲午戰爭之後則認中國非變法無以圖强，遂創辦强學會時務報等，以喚醒國人爲職志，斯時其主張復由注重文化，轉爲求國家主權之完整，而指摘過去傳統，主效法西方；戊戌變法失敗後，逃亡異國，週歷諸邦，以保皇爲號召，反對革命而標榜漸進，遂與孫中山先生相齟齬；民國成立後，初則鼓吹憲政，繼則反對洪憲與復辟，不惜與康氏割席；迨世界大戰後赴歐考察，乃恍然於西方文明過於偏重物質，無精神靈性之非計，轉而鼓吹中西文化之交流，以啓發後學者爲職志，在科學玄學辯論中遭受胡適之先生等之嚴重批評。梁先生一生「覺今是而昨非」及「從善如流」之精神，與當代學術大師胡適之先生之始終主張科學民主，「擇善固執」，義無反顧之精神，適成對比，在我國學術史上均爲完人。

梁先生著述範圍廣大，包括經史科哲政治經濟宗教文藝各部門，古今作家甚鮮其匹。然其一生之遭際，與思想更變之過程，以及當時中國與世界情形之變化，尚無系統之著作，加以敘述，是以美儒黎梵孫氏（J.R. Levenson）之新著「梁啓超與現代中國心理」一書（Liang Chi-Chao and the Mind of Modern China）不失爲有價值之著作，值得吾人重視。

黎氏過去在哈佛大學研究歷史學，得博士學位，現任加州大學歷史學副敎授。其著作除此書（出版於去歲）外，尚有前年出版之「儒家之中國與其現代運命」一書暨論文若干篇。黎氏通曉漢文，對梁氏全部著作均曾瀏覽，復參考中日英德文中有關梁氏之記載與評論，並向若干中國留美學人請教。其人尚在壯年（生於一九二〇年），假以時期，當不難成爲漢學專家。

按美國自二十年代開始，經勒夫喬（Lovejoy）等人之倡導，思想史（history of ideas）之研究大有進展。對於過去哲學歷史家文學家之一生作品，由多人（或一人）作多方面之分析與綜合的研究，并以之與同時代或異時代暨同國或異國之其他思想家作品相比較，而得到卓越之成果。

黎氏茲書計分引言與三部六章及附錄。在引言中：黎氏討論思想與時代之關係；伊指出一單獨學者在時間過程中之（垂直的）各種思想，與一時代一社會中多數學者之（橫斷的）各種思想，如交义於一點，則此種思想，因對該時代爲有意義，故黎氏茲書不爲梁氏作傳，而以梁氏爲例證於中國近代思想史也。在第一部「思想之演變」中，黎氏分兩章歷述梁先生自墮地後（一八七三年）迄戊戌政變時（一八九八年）之經過。在第二部「勇敢之新世界」（借用小赫胥黎氏語）中，黎氏分二章敘述梁氏逃亡與游歷之生涯，迄辛亥革命民國成立時爲止。就中在第三章述梁氏游美受美朝野歡迎，自羅斯福總統以下，以及與同盟會革命黨人意見之水火。在第四章述梁氏與舊傳統判袂，而著「保教非所以尊孔論」，以及介紹盧梭、孟德斯鳩、康德等人學說等等，有極生動之描寫。第三部「過去之回憶」（借用法人卜魯斯忒氏Proust部書名）則敘述梁先生於一九一二年民國成立後歸國迄一九二九年逝世之經過，就中第五章討論其政治生涯，如討袁與反對復辟等事件；第六章則著力於梁先生在第一次大戰後游歐，所得西方文化沒落之新結論。在此章中黎氏指出梁氏與胡適之先生等以及共產黨人思想之異同，爲本書中最精彩亦最足引起爭論之部分。最後在附錄中黎氏取材於梁先生著作，將漢學中今古文學派之爭，爲簡括之敘述。（按古文諸經爲劉歆僞造之說，業經錢穆先生予以澈底推翻，見錢著「西漢經學今古文平議」）

黎氏此書有若干見解爲筆者所贊成與欣賞，茲畧舉數點如下：（一）伊將張之洞之「中學爲體，西學爲用」之說法，（參看黎氏另一書「儒家之中國與其現代運命」）與梁氏之「西方物質中國精神」之說法分析比較，而謂張氏之目的在說服守舊者如倭仁等人，俾中國得接受西方之科學與工業，梁氏晚歲之目的，則在勸告信從共產之青年，從中國典籍中覓取中國之立國精神。（二）伊謂梁氏因服膺憲政，故至死反對革命；五四運動以前雖極力趨新，然對「新青年」派（陳獨秀李大釗等）對梁氏議論始終不理會，因梁氏認社會主義在中國不適用。（三）伊指出梁氏「歐游心影錄」出版後，梁氏與胡適之先生等有關於人生觀之論戰，而引用胡先生論國人「學與人生觀」文中語，謂胡氏認梁啓超是科學破產說的，並謂梁氏雖否認斯說，但胡先生則堅持梁氏新見解，對科學之在中國，有極大之不良影響。（四）伊又謂五四運動以後之青年，迷於共黨，打倒西方資本主義帝國主義之說，對梁氏胡氏均不佩服，然共黨與梁氏有一相同之處，即雙方均認西方文明爲病態的。

黎氏此書之主要缺點，在其與費正清（J.K. Fairbank）等人相同（參看費氏「美國與中國」書中議論）認中國自西方之科學工業制度傳入以後，舊社會在崩潰過程之中，所有儒家傳統思想遲早將一掃而空，而謂梁氏對舊傳統既批評復留戀，對崩潰中之中國文化認爲較西方物質文明爲優越，事實上乃思想與時代脫節之感情上的留戀，與眞理相去甚遠。

格學問筆者雖甚欽佩梁先生，但對其著述涉獵不多，個人讀黎氏之書後，覺之，對世界文化看法，猶接近梁先生晚年爲對西方。而與黎氏等人不同，梁氏本人文化實費孚深對三百年來之自然主義刻認識，見解承主要懷疑傳統主義，實證與今日義之無學者之批評已等指摘。

你，散手！

小論天下

△蘇俄「專家」一車又一車離去中國大陸。詳細的報導由南斯拉夫的報紙傳出。倫敦的觀察家立即認爲：中共與蘇俄的分裂可能較預期爲早。

可以斷定的倒是：一、這些「專家」必定「滿載而歸」；二、整個大陸一毛一髮的秘密也被刮帶回去。

△寮國內戰將爆發，發動叛變的「中立運動者」，準備與政府軍接戰。據說，西方國家也有人贊成寮國「中立」。

此時該問的是：有沒有「醜陋的美國人」在寮國作過工作？

某種妥協主義者的看法是：「反共」不如「非共」，「非共」何妨「中立」？共產黨的做法是：先叫你由反共到走中立，是一半路，再叫你由中立走到左傾，是一半路。

△剛果總理魯蒙巴再鬧別扭，聯合國秘書長韓馬紹大動肝火，鬧到安理會開緊急會議。

如果沒有赫魯曉夫的叫，怎會有魯蒙巴的跳？聯合國督察在剛果被當作小偷來看待，固然有失體統，但作爲一個「最有修養的警察」，韓馬紹應該知道他所領的一份糧並不好吃。

△美洲各國外長開會議，主題當然是：怎樣把古巴從赤化危機挽回來。

由北大西洋公約組織，到泛美組織，以至東南亞組織，近來一致在忙，忙出些什麼道理來？

△關於古巴卡斯特羅因病死亡的承繼問題，美國輿論在推測着，也有人把古巴局面的平反寄托於卡斯特羅的死亡。

對的，期望那些受討厭的人死去，世界許多地方的動亂都將有「勿藥之喜」了。自由世界「懶惰者」曾經期望史太林死，曾經期望中國大陸「灰塵自清」。現在呢？該是期望卡斯特羅早日「壽終正寢」！

△塞浦路斯獨立，英國在該島的統治宣告結束。

大概可以相信：縱使該島內部充滿不安，英國人有把握判定它不會變似剛果。

△日本外相小坂善太郎所領導的外交政策「會議」，決議第一：日本永不採中立路線，續與美國密切合作。第二項決議拖有一條尾巴：「暫時由人民與中共促進文化及經濟關係。」

這一回，有分教：日本赤色打手更紛紛到大陸「領賞」，中共統戰頭目更頻頻到日本「發薪」。

這叫做「看在美鈔份上的非中立」。

△蘇俄在莫斯科開審被擊落的美機師鮑爾斯，居然有「辯護」律師在庭。

擺明是在「做戲」，難得編導認眞，美國人從這一課學到了什麼？

△北韓金日成增加活動，向南韓招手，高唱南北聯合。

南韓沒有了李承晚，他覺得他自己的聲音比從前響亮得多了。

方南

自由讀

美國的反共策略

過去南韓李承晚總統倡言揮戈討伐韓共，統一全國，盟邦美國當局害怕因此引起世界大戰，被拖下水，捲入漩渦，如是乎，一面敎駐韓境的美軍部嚴密控制着軍用品，如飛機大砲之類，不要隨便供應韓軍，連飛機汽油庫的鎖鑰，亦不讓韓人保管；一面敎南韓政府裁減現有軍隊，以免妨碍「經濟建設」。

現在的南韓新政府當局，爲適應美方上項願望，擬實行裁軍廿萬人，只求具備着能夠維持現狀的自衛實力足矣。但美方又不謂然，認爲這樣將誘發北韓侵畧野心，韓共一旦揮軍南下，南韓即不能抵戰，而美援起而作戰，鳥乎可呢？

世人若說美國這種策畧是矛盾的，那便是天眞得可愛的思想，實則它一點也不矛盾。美國援外計劃的唯一作用，就在構成以美國安全爲主體的外圍防線，而藉軍經援助以嚴密控制住各個受援國家的軍事、政治、經濟等行動——特別是歐洲以外的受援國——不許有絲毫之自由。如此這般，只要美國不贊成戰爭行爲，即局部衝突亦不致發生，而美援所到之處，商業市場隨同擴張，貿易利益自然「袋袋平安」了。萬一俄共集團硬是不願意跟美國「和平共存」，非訴之於戰爭不可，屆時也有接受美援的友邦以哨兵資格攻打頭陣，減少美國士兵的生命犧牲。這就是美國不讓受援友邦如中、韓、越、菲等擁兵太多，亦不能太少之所以然，同時也就是美國隨時向中共獻媚送秋波，希望搞出「兩個中國」的癥結所在。

如果有人認爲美國這種援外政策，乃是完全沒有政治理想的唯我主義，未免有忝世界盟主地位。我就告訴你：政治理想源於文化精神，美國人除了孜孜汲汲於汽車、冰箱、收音機、冷氣機這類物質文明的生活享受外，何嘗有甚末文化的精神作用呢？

更正：上期本欄文字中，有「相應產生的文化精神」及「從文化觀點設想」兩句，「文化」皆被手民誤植爲「文明」，殊與原意不符，應予更正。

馮正先生

政大副教授向監院請願

·唯名與器不可以假人·

本報特稿

政治大學副教授李聲庭，向監察院請願，揭發政治大學校長劉季洪違抗法令，公報私仇，擅自解職停職。他在請願書中說，他是在政府鼓勵留學生返國服務的獎勵辦法下，由行政院輔導留學生回國服務委員會呈請行政院准由教育部分發政大任教，並有教育部通知書在案。詎料本年七月一日突然接獲政大校長通知；內稱該校已不予續聘。

政大校長劉季洪因不滿李教授，在本年一月政校務會議席上發言，揭發政大內幕三點；一、政大學校當局預算列有訓導費四萬元，李教授當請會計主任解釋；訓導是否非錢不可？即使要錢，何以需要四萬元之多？這些錢到底作什麼用途？二、請人事室主任答覆：政大有沒有人被學校聘爲副教授，其後經教育部審查結果，只合乎講師資格？如果有，學校是遵令降級呢？還是抗令照樣以副教授續聘？三、新聘教授副教授的等級拿什麼作標準？爲什麼作職員的也給他以教授或副教授頭銜？是不是拿大學教授作私人人情送？這三個問題，當時由劉季洪校長親自當衆答覆：第一個問題，訓導處因鼓勵學生課外活動，不免要用錢，不過，這些錢並不拿去引誘學生。第二個問題，劉校長承認確有其事，但學校未遵教育部命令降級改聘。第三個問題，劉校長說「以前的事，將來慢慢改善。」李教授對劉校長後兩點的答覆，復又提出具體的事實，加以指責。他說：「有祁述祖者，原爲一初中教員，由政大聘爲中國文學系副教授，其後經教育部審查認爲資歷與學識均不合於副教授，只能充任講師，劉季洪奉部令後，並未遵令降級改聘。此外，有訓導處秘書王先漢，政大校長聘爲副教授；又有其職務爲實驗小學校的祁致賢，政大校長亦給予副教授頭銜。此三人均爲劉季洪在去年八月接任後所聘，這三人不但不能教課，事實上亦沒有教課。職員可以由教授兼，但不能因專任職員而予以教授頭銜。」

政大內幕經報界發表李聲庭請願書後，社會人士對政大校長劉季洪的乖謬舉措，將最高學府的名位，竟私相授受，咸感震驚。而劉校長不但沒有「知過必改」，而且利用職權「公報私仇」，解聘李聲庭教授的職務，如此措施，誠教育界一大不幸。

因此，民營的聯合報與公論報等報刊紛紛以社論抨擊，致引起此間學術、教育、文化界的普遍注意和關切。這一件事發生後，使人聯想到前幾年國立台灣大學對鄒學稼、盛成兩教授的解聘，先後如出一轍。儘管解聘的原因容或各有不同，但卻充分說明今天的國立最高學府，始終存有一般「黨同伐異」之風，隨時以「飯碗」作威脅學人的工具。影響所及，將不知伊于胡底。

李聲庭副教授，畢業西南聯大，民國三十七年赴美留學得有法律碩士學位。旅美八年，已取得永久居民地位。四十五年一月，響應政府呼籲，拋棄原有職業，回國任教於政大迄今，因爲李教授「持論與時流之詞誤取容者迥異」，故不失其爲一「謇謇諤諤的青年學人。」

報載去年十二月間，李聲庭教授在「政經半月刊」先後發表「論生活與教育」及「再論生活與教育」兩文。前一篇文章係應「政大僑生」雜誌而寫，但爲政大訓導處生活管理組扣留，不准刊載，曾引起一場風波。這兩篇文章，對當前的教育方針和作風，痛下針砭，頗多言人所不敢言，自爲當權者所不喜。當時，教育界人士就預感到李氏將不免於「以言賈禍」而有今天的下場。

輿論咸認爲李氏係「不識時務的俊傑」，「事不關己，何必苛求，而且攻訐同事，徒召怨尤」耳。但李教授「決不會因飯碗打破而向權勢低頭的」精神，已獲得國人的敬仰。總而言之，李氏被政大解聘事小，但因此而輾轉誤傳，對今後留學生回國服務影響是很大的。若此風一長，將是教育前途的悲哀！（健生八月十二日）

台北通訊

「報禁」有半開放趨勢 「世界日報」即將出版

「繼英文中國日報改版之後，中文報紙亦將續有創刊。吾人深望反共愛國之獨立報紙如世界日報者，在不久將來，出版問世。」這是中國國民黨中央常務委員，新聞政策主持人陶希聖，八月六日對記者所發表的公開談話。陶氏的談話，通常代表執政黨的決策。因此，這一談話發表後，一般相信在台灣行之八年的報紙登記的禁令，已有半開放的趨勢。所謂「半開放」，是陶氏另一段談話所暗示的。他說：政府對民營報紙「由扶助政策轉向自由競爭，如何始可免於兼併與泛濫的流弊，實爲現階段新聞政策上必須愼重研討，妥爲籌劃的問題。」換言之，要想全面開放「報禁」，還須「愼重」研討。

八月二日晚，陶希聖與國民黨中央第四組主任曹聖芬聯名宴請台北各報負責人，對於開放報禁問題交換意見。席間陶氏表示，對於北平世界日報申請在臺復刊，政府將予以「特准」，但對其他申請的報紙，將不得援例。爲什麼要「特准」世界日報復刊？這是由於執政黨無法批駁該報主持人成舍我先生所持的理由。成氏於八月一日出版的「文星」月刊上發表一文說明世界日報爲什麼要申請在台灣復刊的理由。他強調兩點：第一、十年前中共封閉反共的北平世界日報，成氏曾公開宣言，必定易地辦報，獻身新聞事業，繼續發揮正義，以抵抗暴力，假如，只要有辦報的機會就一定申請。

第二、他今春訪問美國時，美國衆院外交委員會遠東小組召集人對他說，很多人批評台灣是警察國家，沒有新聞自由，只有國民黨能辦報，不許私人辦新報。他爲了用事實來清除這一類的批評，所以要在台灣辦一張「私人」的報。

對於成氏這兩點理由，執政黨確乎無法批駁。何況依照憲法，人民根本具有言論出版的自由？不過，「特准」僅僅是「半開放」，仍不能完全洗刷「沒有新聞自由」的惡名，何況，只要有了一個「特准」，就可能有二個、三個、以至若干個「特准」，在事實上是「禁」不了了。好比由於「特准」英文中國日報出版，世界日報才有理由爭取第二次「特准」，如果世界日報獲准出版，則接踵申請的必然是南京益世報。這是一份宗教報紙，沒有政治色彩，主持人于斌主教，反共的立場堅定，始終擁護中華民國政府，而且多年來替政府在國外從事國民外交工作，功勞很大。政府對於益世報，比世界日報要感到「安全」得多。能夠准許世界日報出版，益世報就更有理由獲得「特准」登記。如果這兩個報都被「特准」出版了，政府還有什麼更充分的理由來否定其他報紙的申請登記呢？

看來，全面開放報禁，也不會爲時太久了，事實上，「報禁」既已關不住了，何不爽爽快快將它開放吧？（魯人，八月七日臺北）

台北點滴

淩人

煞費周章，市政府新設「幕僚長」

喧騰已久，甚至影響辦公的市府人事調動，經過數月來的折衝，總算告一段落，新舊任已於十一日辦妥交接手續。計民政局長張燦堂，教育局長盧啓華，公共關係室主任吳祖熙，其餘調動課長十八位，亦已分別移接竣事，可謂皆大歡喜。至於原任民政局長王飛龍則調任市府秘書主任（新設），原主任秘書侯暢則「升格」爲市府幕僚長，此一連串新安排，煞費周章，惟一般人對市府新設「幕僚長」一名稱，頗爲費解，亦不知其將負何種業務，實開市政府職位之「新猷」，「始作俑者，其無後乎？」

×　×　×

技臻化境，玩弄議長有如「狗熊」

日本矢野馬戲團來台上演之初，即運用其馬戲手法，將我們的「府尊」、議長、市長等，玩得有如戲班中的「狗熊」，任其擺佈，隨心所欲，卒至借得公園場地，演期一延再延。迨至最近內政部令該團演至十九日止不得再在台北市演出後，該戲團竟又利用議員，三輪車、計程車、旅館業工會等，紛向議會、市府請願，乃至台北市兩位區長發動四百名里長聯名要求市長准該團繼續上演，共列舉理由則有「繁榮市區」、「增加稅收」、甚至「反共抗俄」等等；可謂咄咄怪事，想不到一個日本馬戲團竟攪得我們的議會，政府，人民團體等，人仰馬翻，醜態百出，無怪有人謂：矢野馬戲團戲法已臻化境，可算得世界上乘的「馬戲」團，信哉斯言！

學生文藝的歿落

沙漠

在台灣編純文藝刊物已是件夠吃力的事了，而於編印學生文藝的刊物更可說是沒有。這個責任應當由誰來負呢？

我們曾聽過一些文藝作家們感嘆的說，台灣的青年學生大部份不愛好文藝，其實這是錯誤的。很多青年學生狂熱的愛好文藝，可惜的是，文藝界的「領導」階層，忽略他們這一股力量。「領導」階層的作家們，只知道相互標榜，相互吹捧，卻沒有拿出一部份力量來指導青年學生去從事學習寫作。我這樣寫，是有事實根據的。

前年九月，我與幾位友人自不量力的編刊了「學生創作」月刊，這是專發表學生作品的刊物，第一期出刊後，即得到廣大學生羣的歡迎。每天，我們都收到來自台灣各地的學生稿件，他們以精神力量支持這個學生朋友自己的刊物。可是，這份刊物，並沒有引起文藝界「領導」人物的重視，而我們的財力又有限，在辦了不到十期，不得不停刊了。

在我主編「學生創作」這段期間，曾與數位學生朋友們通信，他們一致的渴念是請求指導，對作品的能否發表並不重視。由這一點看來，台灣的學生文藝是不是能掀起高潮的？

在此，我願借「自由報」一角，呼籲台灣文藝的領導人物們，好好重視學生文藝吧！不然，等到「名作家」「老作家」們，一個個凋謝之後，台灣的文藝是會繼起無人的！（八月於台北）

編者·作者·讀者

劉杰先生：前後所寄稿件均拜讀。先生所寫雜文數篇，多指名道姓，且間不免爲某一部分人士吹捧，礙難刊登。至小說二篇，一僅七百字，一則二千六百字，過與不及，亦令編排工作至感困難。俟有機會，當爲採用也。又本刊例不退稿，除非附有書明地址姓名之信封及郵票。以來稿過多，不能不作如此處理，乞諒。

大陸文壇萬花筒

奴才臧克家（下）

——岳騫——

現在言歸正傳，只說他的這一部大作「春風集」，春風集是一部詩集，共收了四十四首短詩，據作者自己說完全是大躍進時代的作品，這些詩就其內容來看，應該叫做「吹拍集」，全部四十多首詩，不是拍就是吹，一篇規規矩矩的作品都沒有，有人說詩是「天籟」，「詩人者不失其赤子之心」，假若根據這個原則去衡量他，這詩倒不是詩，詩人倒眞不是人了。

先舉出幾首「拍」詩，其中最妙的一首，曾經人民日報發表及許多共報轉載過的，題目是「毛主席來到十三陵」，其中有幾句「精采」的如下：

「毛主席來到十三陵，鐵鍬下去大地動，山頭站在高處望，山洪嚇得縮脖頸。」

這詩是修十三陵水庫時，中共那時已經着手挖明陵，最初目標是長陵（永樂帝），結果找不到墓道，轉過來就向定陵（萬曆帝）下手，挖掘時間很長，一直在秘密進行，毛澤東同政治局要員去督工，替挖掘人員打氣，表面上卻說去十三陵水庫參加勞動，果然毛澤東去過不久，定陵就被掘開了，萬曆皇帝是明朝諸帝中最長於聚斂之君，在位又是最久的一位，殉葬東西之多，也爲諸陵之冠，這一來可便宜了毛澤東，臧克家這首詩簡直把毛澤東當成「聖天子百靈相護」了，其實毛澤東鐵鍬一動，山洪不一定縮脖頸，倒是明朝諸帝爲之震慄，下一次不知道又臨到誰翻屍倒骨了。

另一首題目是「領袖和羣衆心連心」，光看題目已經使人作嘔，其中描寫毛澤東坐輪船，有這麼幾句：

「大江上的海員們，還有大江它本身，都慶幸自己，有幸伴送這樣一位客人。」

這幾句大概是從「青山有幸埋忠骨，白鐵無辜鑄佞臣」學來的，毛澤東究竟是有幸，還是不幸，也許不待蓋棺就可以論定了。

至於「吹」的詩，最「精彩」的有這麼幾句：「稻子好似鋼絲床，孩子可以睡床上，一畝要打千萬斤，嚇煞神農驚壞人。」如此吹法而不臉紅，這樣「詩人」恐怕連一點人味也沒有了。

社會小說

香港地

木客著

五、有錢佬

梅大亮聽楊先生連聲叫好，想起他剛才說過「有錢佬最舒服」的一句話，不覺發出會心的微笑，先用眼向附近樓房一望，見大都是一半園林一半房屋，其中一些建有游泳池和網球場。看那游泳池裏綠油油的水，心也覺得涼了，便在暗想道：「有錢與沒有錢的分別，原來如此這般。」

他再望向遠處，依稀認得半島那邊的九龍仔木屋區，便想辨認出那裏才是自己的住處，認了很久，才啞然失笑，自忖道：「自己住的並不是高樓大廈，眼底的木屋只似一排排的魚鱗，要找出那一塊鱗片是自己寄身托足之所，便算窮盡目力也沒法辦得到的啊！」正在自言自語，便聽得楊先生在旁笑道：「海老兄，你在呆想什麼？」

梅大亮驀然一悟，便笑着回答道：「我一向住在最低的地方，這時置身高處，從最高望向最低，想的也不外是古人佳句，這正是瓊樓玉宇，高處不勝寒啊！」

那位楊先生自是能人，和他恰是這次盛會裏面最爲沉寂的客人，而且都是冒牌作家，樂得同在一處，欣賞風景，說些彼此都能會意的話，懶得和其他賓客酬應。這時，楊先生便輕輕打了個哈哈，低聲回答道：「你看這兩位青年作家，他們該說的是『只羨鴛鴦不羨仙』，怎會覺得『瓊樓高處不勝寒』呢？」說時伸手悄悄向露台左的一個角落指去。

梅大亮隨他所指一看，才看到剛才同車那兩位青年男女，正在並肩倚欄，指點着那個游泳池嘻嘻嘖嘖的在細說和低笑。

梅大亮也自看得一笑，不覺問道：「你也認識那兩位作家嗎？」楊先生點點頭，却不說話。

梅大亮忽然覺得自己未免閒得無聊，便又轉口問道：「你知道這裏新開爲什麼要請客呢？這裏的主人究竟是幹什麼事業的呢？」

楊先生又只笑了一笑，半響不答。（五三）

酸

汶津

酸和辣是一個類型——不是正味兒。但辣味嘗來是富有劇烈的刺激性的，酸的滋味却難以形容。

一說起酸，使人很快便聯想到醋。人的直覺中，好像只有醋是酸的，儘管我們也知道化學中的硫酸、鹽酸等，然而究竟沒有人嘗過，其味如何，查無實據。即此一點，醋的身價也足可與柴米油鹽並比而無愧了。

有些人生來頭腦機靈，你若偶然和他談到醋——甚至「醋」的同音字，他就會不加思索的聯想到女人，緊接着滔滔不絕地把肚裏「常備」的那一份資料——那包括東家小姐腰粗，西家小姐腿細，南家太太潑「辣」，北家太太好吃「醋」等等——毫不吝嗇的傾吐出來，直待你在不失禮的限度下伸伸懶腰，表示倦意已多，不敢再叨擾時，他還可能餘興未盡。這關頭你最好提出抗議，說男人何嘗不吃醋——甚至老頭也不例外！除了使他大爲掃興之外，更可自行解圍。

又有人衣冠楚楚，文質彬彬，一副標準的紳士派頭，但除了那些職業拍馬家，却找不到幾個不對他表示「敬畏」的。細考其故，則曰：「酸氣撲人」。這種酸氣，若以科學方法來解析，約可分爲兩類：一爲身體上的，如口酸臭（常年節省牙刷錢者屬之），鼻酸臭等。另一種爲精神上的酸氣（可能是「靈魂之窗」封閉過久，缺乏新鮮空氣之故）。或聞其一言而勝喝陳醋一罈，既不敢洗耳恭聽，更不敢移樽避席。或動作出奇，使人懷疑與馬戲團有爪葛者，只須他一扭身之勞，就讓人眼眶裏一大包莫名的淚水頓時化爲上等醋酸。

談起酸的典故，首推狐狸與葡萄那一則。也曾引起我考古之癖：究竟那葡萄是否眞酸呢？你在回答之前，必須考慮一點：那位狐先生雖沒有摸着葡萄，至少他老人家是親眼看見的，而我輩不幸晚生，却無緣目睹呢。所以我們無權低估狐先生的辨識力。而且，根據生物學，狐狸之性似亦近乎酸（狐肉可能亦酸），這樣一推論，狐與葡，倒是物以類聚呢！伊索先生其知道乎！

還有另一些「酸」也有待事後證明。父母對人誇獎子女，往往頗見技巧，但亦有直腦快口的。馬克・吐溫的慈母即屬此一類型。據說馬克・吐溫幼時生性瘦小羸弱，家裏幾乎就耽心他活不了。可是有一次他吃了不熟的瓜而全身抽筋時，他母親却說：「山美（他的小名）一定會好的，他生來不是這樣送命的。」倘使當時有一位長舌婦在旁，就憑趕不及似的跑開去對人說：「克太太說話眞是酸溜溜的，就憑他個寶貝兒子，哼！」吐溫以後的成就，我們只好告訴那位太太：「您錯了！」到底是知子莫若母呀。

最普通的一種酸：人人都能製造。別人有所得，正是自己心裏久已嚮往的魚或熊掌，此時由心腔到口腔，都充溢着一種液體，有時忍不住了，遂不由自主地噴了一些出來：「要不是……我也……」或者竟說：「有什麼了不起！」這就品類尤下了。不過我仍相信那狐先生說葡萄酸時，必然是一本正經的，或許他確是有點心「酸」。

「心酸」一詞，有心物合一的妙用，因爲口味是屬於物質的，心情又是截然不同的一回事，如今在文字上結了姻親，倒成就了許多技窮的文人，也省得他們用許多次的「非筆墨所能形容了」。然而心酸的性質很易惹起誤會：譬如你在看悲劇時說心酸，就顯見你外行；說心酸最合適的時間，該是在拿悲劇當鬧劇演出的舞台前。我們假裝不知道這是一個可悲的時代，我們宣稱：又一齣空前的喜劇展開了！

這種「酸」，才是最時髦的酸。

儒林九尾龜

吳敬鋅

第二回：好夢由來最易醒

『我連忙勸道：「項公何必發這樣大的脾氣，寫封信要得公再補一份來就是了」。』

盧教授搖搖頭。「事情那會如此簡單，作人兄！你未免把天下事看得太容易了。」

夏作人接着說道：「項公當時一拍桌子，罵道：簡直胡說，這是機密文件，在軍隊裏面就是緊急命令，弄丟了命令你知道是犯什麼罪，應該槍斃的，現在我不能槍斃你，但是你以後不准再到這裏來，趕快滾出去！」——他說到這裏又舉起茶盃，我怕再來第三次，趕快跑出來了。」

盧教授笑道：「本來官場上有端茶送客的習慣，也許項公是行的古禮。」

夏作人擺擺手：「別開玩笑了，你未見到項公當時面色，幸而他手上只有一隻茶盃，若有一根丈八蛇矛恐怕也會兜胸刺我一矛。」

盧教授說道：「你出來之後，也應該到那間舞廳去找一找。』夏作人嘆了口氣：「我何嘗未去，不過我的那件大衣是兩百八十多塊錢港幣買的，穿錯這一件連一半也不值，那位仁兄怎會在等我，舞廳裏面更不負責任，況且他們也不可能認識全部舞客。」

夏作人說到這裏自己又笑道：「世間事，吃虧有時也就是便宜，我回到家中仔細一看，那一套連環圖可是眞好，我對這類東西收藏的就相當多，日本、泰國及本港出品，應有盡有，可是都沒有這一套精緻，可見此君也是我輩中人，惜乎找不到他的地址，不然我到眞願同他做個朋友。」

大家又笑起來，盧教授問道：「作人兄，你剛才說的正經事，就是這件事嗎？」

夏作人連拍幾下頭，說道：「我眞該死，一談到女人，就把話扯遠了。現在回頭說吧！上月得公來封信，預備把海外民主勢力聯合在一起，將來進可以問鼎中原，退也可以三分天下，他預算中的基本力量，就有老兄在內，可惜信來到就被我弄掉了，只好去信請得公再寫一封，往返轉折就要一個多月，第二次信寄到時，老洪已從台灣來到，你們日夜在一起，並且聽說你的部長已經內定了，所以我就不敢再來插科了，現在老洪走了，你的事情究竟如何？我們老朋友你不用瞞我吧！」

盧教授笑道：「你的耳朵眞長，你聽到誰說我的部長已經內定了，是什麼部連我自己都不知道呢！」

夏作人擺擺手：「老兄，你還沒有當官就同老朋友打起官腔來了，常言道：『千里爲官，只爲吃穿。』今天我們搞民主運動還不是爲了作官，只要有官作，還管他那方面。」

（十五）

葛蘭的成就

脩衡

銀壇隨筆

香港國語片影星中，先天條件葛蘭最好，從小就學音樂、舞蹈。那時她家尚在南京。大陸陷共逢難海隅，在德明中學讀書時候，她在課餘仍不忘歌舞，她的家長特別請了一位名師指導。她想到的事情，父母沒有一樣不同意她去做。

因此，葛蘭的脾氣很大，性情也很固執。年紀大上去，家庭對她的行動，不再像過去那樣千依百順。當然，她自己也很明白：對父母不能橫蠻無理。但在從影那年，家庭裏起了風波。她父親覺得一個銀行家的女兒，不該讓她投入影圈，爲了適應她的志趣，該送她去義大利學習音樂。

可是，葛蘭已被影片公司錄取，張老先生（葛蘭姓張）忿然提出三章約法，葛蘭立即許諾。固然，她既不失敗，也不丟臉，終於成功。在過去，葛蘭的戲，大多數都是載歌載舞的。「曼波女郎」，這幾年在東南亞各地出盡風頭，去年在美國和丹娜蕭出現於電視台時，艾森豪全家也成爲她的座上觀衆，她主演「空中小姐」所唱那支「台灣小調」，簡單而具體地介紹出自由祖國復興基地實況，成爲香港和南洋到處風行民歌，使人對祖國嚮往和深受她的歌聲感動。現在上映的辮子姑娘，那種樸實無華型象，天眞嬌憨的態度，在性格刻劃上相當成功。她對現社會提供了虛偽的一面，浮現出這都市中無數噬人的嘴臉，反映出一個鄉下姑娘面前，隨時會受企圖吞噬她的人盤算和包圍，同時也說明這社會也有許多正義感人物，勇於幫助一般孤立無告的無知少女。這個戲是好的！

第三次大戰

——徐學慧

這世界永不會有「和平」，幾千年的歷史，就沒有一天和平過。

共產集團固然沒有資格談和平，西方又何嘗有資格談和平。大家都不要和平，却又高唱和平，此誠爲現世紀一大滑稽劇。

第三次世界大戰，其實早就開始了，不必等到美蘇互擲氫彈，才正名爲第三次世界大戰。

十年前，筆者在香港益世報上寫過一篇文章，題爲「第三次世界大戰的特徵」。文中說到此種特徵，約有下列數點：第一、戰爭的界線將不分明。第二、戰爭的武器將不一定。第三、戰爭的陣營將不明白。第四、永不會宣戰。其時筆者並預測韓越二地遲早必有戰爭。

到今天來看，這些話都應驗了。

放眼看世界局勢，我們實在很難說有那一個國家尚未參加過第三次世界大戰的。

新武器之不斷發明，使得那些軍事學家要不斷地改變傳統的戰術；而由於共產黨那種新的顛覆與滲透戰術之廣泛應用，却從根本上改變了戰爭的性質呢！

我們總不能說美國與蘇俄在日本沒有戰爭吧！可是，美蘇全沒有放過一槍，而日本內部却自己弄得天翻地覆。

我們總不能說美國與蘇俄在剛果沒有戰爭吧！可是，美蘇從不會運過一兵一卒，而剛果內部却弄得劍拔弩張。

我們更不能說美國與蘇俄在古巴沒有戰爭吧！可是，美蘇何嘗出動到火箭呢？

這是一個前所未有的戰術。這一個戰術，剛正困擾了美國的執政者。古巴在美國的臥榻之旁，居然眼看着他投入共黨的卵翼下，而竟然一籌莫展。這不是怪事麼？

艾森豪經已給這種新式戰術，弄得人仰馬翻了。肯尼第這些年輕人，是不是有辦法應付這種戰術呢？看情形，倒也難說。

在強權主義者所使用的戰術中，法比荷諸國是舊式的，美國却是新型的，由於美國不用殖民地政策，而用經濟政策。但強權戰術遇到共產戰術，却又不免相形見絀了。

美國如果要想在此新型戰爭中獲勝，必先確立一個原則，這原則就是：把共產黨當作生死敵人，而本身也得放棄強權思想。

釋耒集

大同

清末戊戌變法前後，康有爲據禮運「大同」之理想，撰作大同書，以發揮其對當時政局所抱負之主張，康氏爲清末今文經學家，深信西漢儒生五德三統之說，一面又震駭西方物質文明之飛速進步，遂以爲由清代上溯至禹湯文武，均爲據亂世，而西方當日之資本主義，亦僅爲升平世，必進而至于公產主義之社會，始得稱之爲太平世（大同）。然欲進入公產主義之大同社會，必先通過西方資本主義之小康社會，故極力主張變革，學習西方。康氏如此解釋三統，牽強附會不待言，故雖有戊戌之新政，而終無補于清室之危亡。今按禮運大同之說，昔人早疑其非孔子之言，故蔡傳引陳氏曰：「禮家謂太上之世貴德，其次務施報往來；故言大道爲公之世，不規規于禮，乃道德之衰，忠信之薄，大約出于老莊之見，非先聖格言也。」考諸禮經原文，論小康一段，首曰今大道既隱，今者對古之稱，可知上文所謂大同之世，實皇古無政府之自然狀態，大率爲韓非所稱：「丈夫不耕，草木之實足食也；婦人不織，禽獸之皮足衣也，不事力而養足，人民少而財有餘，故民不爭，是以厚賞不行，重罰不用，而民自治」。人民不爭，以致于賞罰均無所用，自不失爲最理想之幸福生活，惟此種生活，早已成爲歷史陳迹，斷不能再來，法家于此，實較拘儒見解爲明通。嘗疑史愈發展，則人民愈多而財愈少，生存競爭必愈烈。故公天下必不可能，亦理勢自然之現象，非謂今人之道德水準遠不如古人也。中國共產黨人，因康有爲會有公產即大同之語，故雖明知其爲頑固派之保皇份子，而論述每多恕詞，余按康氏禮運註有云：「天下爲公，選賢與能者，官天下也。夫天下國家者，爲天下國家之人公共同有之器，非一人一家所得私有，當合大衆公選賢能以任其職，不得世傳其子孫兄弟也，此君臣之公理也。」天下國家，一人一姓固不得私有，一階級、一黨團寧獨得而私有之耶？天下國家之大權，操于一階級、一黨團之手，此一階級一黨團以外之國民，勢必不能同意，因而蠭起與之相爭者必無已時，由此暗殺、暴動、政變、……種種原始式之顚覆活動，乃隨之而層出不窮，即求致于小康升平之治，且絕不可能，大同云者，徒欺人之語耳。孔子論禮治，夏殷不足徵，故必取周禮，論爲政，首曰正名，使孔子而得時行道，亦必不取五帝而法三王，孔子未必薄大同，蓋知其不可能也，近世自康有爲，譚嗣同及孫中山先生，均喜言大同，而共產黨人又以爲使人人均變爲無產階級，大同即告實現，則又人類之大不幸也。

曲齋

海隅消暑錄

工作與煩悶（上）

謝康

沒有工作而身體健康的人，常常悶得發慌，當威廉第二於戰敗逃亡荷蘭的時候，每天以做木匠的工作來消磨時光。陶侃作廣州刺史時，早起搬一百塊磚於齋內，晚上又把它們運出齋以外，都是消閒的一種辦法。有些人得閒無事隨街蕩，有些人大搓其「衛生麻將」，有些人玩紙牌十三張；有些人種花養鳥；有些人打獵捕魚或垂釣，有些人愛跑步運動，或打西洋拳擊，或日本柔術和潭腿；縱然辛苦些也在所不惜，其目的總想解除煩悶。因爲有工作做或遊戲使你沒有閒暇來胡思亂想，陷於苦悶無聊，便是解除煩悶的一種方法。也可說是「消遣」。消遣世慮，消磨光陰罷了。在消遣的時候，有時或感覺辛苦，感覺疲勞，甚至稍有痛苦，也往往能夠忍耐，這叫做苦中作樂！

人之常情，願意自由活動而不願意忍受或服從，多少有些惰意而不大願意勞苦，但是，對於自已有興趣或願意做的一種工作，往往覺得是快樂或幸福，古書說：「自求多福」，自作自受，幸福無不是自己求來的。經過艱苦以後所得到的勝利，往往覺得驕傲和喜悅；這是強者意志的表現。攀登喜馬拉雅最高峯而得到成功的人，或探險成名的遠征隊，打破紀錄的選手或飛行家，有新發明，而爲國際所稱讚的科學家，都應該有這種感覺——一種喜悅和幸福的感覺。如果我們承認享現成的福（坐享祖宗的遺產），不如自已贏得來的幸福，更加可樂，可賀；那麼，我們也可以說一切幸福在本質上都有詩的意味，因爲詩的本質，就意味着創造或動作。在歷史上創業之君，比較守成的更受詩人歌頌，頌詩或史詩的對象，多半屬於開國的英雄或元勳，就是這個道理。「天助自助者」這句話的要義，也無非側重人們自已的努力，享祖宗的福，那能比得自已創造的呢？小孩往往不喜歡他們家裏原有的花園，寧願自己拿些沙泥和稻草創造出自己的小花園來。集郵的人，多願意自己收集，不願意收買人家給他成套的郵票，也是同樣的心理。

同性戀

筱臣

近世紀同性戀的故事，在英國極爲盛行，報紙上迭有記載，似乎已經是司空見慣。在我國這種同姓戀的故事，歷來也屢見不鮮，但情趣又似乎不同。例如陳其年就留下了一段佳話。

陽羨陳其年，在如臯的時候，冒巢氏愛其才，延至梅花別墅，有一青年名紫雲，貌絕美，爲陳的書僮，陳愛之逾恆，冒巢氏設一計，令其母假作縛住梅花樹下打之，陳遠遠看見，欲代求情。請冒代往交涉。冒回來假意對他說，因紫雲偷折梅花，其母甚怒，除非陳能作一百首梅花詩，代爲求情，方能予以饒恕，陳於是苦吟了一夜，巢民讀了擊節大笑，才放紫雲回到館中，從此一事，可見陳其年是怎樣的愛紫雲了。

數年後，紫雲結婚，陳其年悃然如有所失，塡寫一闋極爲香艷的詞送給他，調寄「賀新郎」云：

「小酌荼䕷釀，喜今朝，釵光鈿影，燈前滉漾。隔着房櫳喧笑語，報道鵲橋初上，又偷把檀奴相。撲朔雌雄渾不辨，但暗風私取春弓量，送汝去，結鴛帳。六年孤館相依傍，最難忘，紅蕤枕畔，淚花輕颭。了汝一生花燭事，婉轉婦隨夫唱，好力做藁砧模樣。只我羅衾渾似鐵，擁桃笙，難得紗窗亮，休爲我，再惆悵！」

此詞曾傳誦一時，可說是風流盡致了。其實，這種「同性戀」的故事在明末即盛行一時，如明末清初的王紫稼，就是那個時代士大夫追逐的目標，一代詩人吳梅村爲他顛倒極了，特地寫了一首「王郎曲」以寄情。因戀愛顧橫波而降清的龔芝麓曾贈詩云：

「薊苑霜高舞柘枝，當年楊柳尙如絲；酒闌却唱梅村曲，腸斷王郎十五時。」

二老風流，都躍然紙上。從清中葉到清末，此風更甚，徐珂的「清稗類鈔」中也說：

「同光間，京師曲部蓄幼童十餘人：……其眉目美，皮色潔白，則別有術焉。蓋幼童買自他方，而蘇，浙，皖，鄂爲最，擇五官端正，教其學語，學步，學視，晨與淡肉汁盥面，飲以蛋清，夜則敷藥遍體，唯留手足不塗，云洩火毒，三四月後，婉好如處女，回眸一顧，百媚橫生。」

許多在舞台上名噪一時的紅伶，差不多都經過這一段過程的，他們的幼年時代，即被「曲部」中人當做商品一樣儲藏着，蓄養着，加以人工及醫藥上的美容術在不斷的改造下，而其改造的目的，則爲了要他們「婉好如處女」，並且能夠「回眸一笑，百媚橫生」，這不但爲了在表現藝術的追眞上，有此需要，而且化錢的老爺們，也喜歡這個「玩意兒」呢！近人秦瘦鷗的秋海棠小說，就是描寫這些人的生活的。

對這些雛伶們，京師的人們更照例給他們加上一個美麗的封號是「像姑」，這一些像姑，已不僅是應徵侑酒而已，有的還要薦寢而共枕的。因此，在北京城中一向就流行有下面的竹枝詞。燕京雜記京都竹枝詞云：

「徵班老板鬻龍陽，傳粉薰香坐客旁，多少冤家冤到底，爲伊爭得一身瘡！」

都門雜詠云：

「捐班新到快婚遊，小旦連宵鬧不休；博得黃金買歌舞，終歸潛夜渡蘆溝。」

這兩首竹枝詞，充分說明當年北平的「同姓戀」的眞實情況，已經是逐漸演變而趨於下流了。

海嘯舊談錄

談紈袴子弟（一）

諸葛文浣

紈袴子弟多不成器，而以政治上顯貴之家出身者爲尤然。蓋平居席豐履厚，驕縱不學，日唯汲汲於聲色狗馬之樂，父兄溺愛失教，師友無從箴規，蕩檢踰閑，頑劣成性，終至不可救藥。愚所識之江西武寧青年李檳城，殆其最著者。彼爲李協和上將軍之冢子，天資聰穎異常人，自幼喪母，乃父特示憐愛，然以一生從事革命，馳驅戰場，未遑多所管訓，致養成「阿飛」型之不良少年人，直貽父母師友之憂，而其本人亦迄今不知所終，吁可歎也。

民國十八九年間，李將軍家上海，時檳城已冠年，乃道其祖業於老友鄭洪年所主持之暨南大學，懇託鄭氏嚴加教督，不稍寬假。李生平日課業成績殊不下於儕輩，但夜間常溜至上海租界內舞場逸樂達旦，張弼窺雌知其爲名公鉅卿之後，而容貌又英俊美好，談吐亦不俗，爭與周旋纏綿，李生沉湎於其間，竟無虛夕矣。嗣鄭校長洞悉其情，嚴切告誡，特予管束，而李生抗不從命，無已，削其學籍，遣送還家，乃父慚忿之餘，扑作教刑，然劣性已成，不易轉移也。

此時李將軍在滬養晦，抑鬱無聊，每於酒綠燈紅之際，偕民黨老同志前監察院副院長覃振（理鳴），微服赴永安公司之大東旅社夜總會跳舞解悶。一夕，李、覃二人適入座品茗，猶待起舞時，覃舉目舞池中人，竟覺李檳城擁一妹舞興方酣，而彼姝又係常伴李將軍舞蹈者，乃向李密語指點曰：「協和，你瞧那位舞客是誰？」李將見其子，愧憤莫名，迫由終舞散，即呼檳城至前訓斥之，飭速歸去，詎其子答謂：「你跳得，我就跳不得嗎？」覃理鳴聞而怒聲呵責曰：「還不快走！胡說些甚末？」迫是李將軍舐犢之情銳減矣。越民國廿二年，李氏方在寓廬讀書，忽有房產業經紀人前來察看李宅內部構造情形，又丈量宅外花園曠地，詰以奉何人之命而來者？答言此房產主人李檳城擬立約出售，特來實地勘察，以便成交也。李震怒，告以眞姓名，該經紀人抱頭鼠竄而去。從此李將軍對其不肖子乃深惡而痛絕之，在報章刊登啓事，聲明與李檳城斷絕父子關係。時與予役江漢間，閱報殊詫異，即以鄉誼上書李將軍勸慰，請其忍耐，免貽世人以話柄，致累盛德，損令譽。李復書有「中也養不中，才也養不才，余不望享兒孫之福，亦不願受兒孫之害。君意良厚，唯有慚感耳。」等語，足覘其痛心已極，義無返顧之意念，愚讀罷憮然而已。

論共產黨（下）

·阿公·

至於共黨原始理論，除剩餘價值，尙耐人咀嚼而外，餘皆將無作有，驅己歸人。如果吾人讀過墨子，文中子，則唯物史觀，不値分文，研習周易，則唯物辯證，猶是牛溲水。黑格爾止知宇宙間物物有正反合例，而不知物物有正反不合在。更不知相合處，而有相戾在。此意暫且保留，細細思量，當有所悟。是豈細心浮氣如共產黨人，與西方哲學家得其一而失其二者，所能貫徹其終始。

孔子有禮運大同一篇，馬克思與而取之，以成其說。論者謂馬氏尙知惟能推行於產業成熟之國家，而不知馬氏只注意到物的一面，而忽視了非物的一面。如孔子所云，「貨惡棄於地也，不必藏諸己，力惡其不出於身也，不必爲己」。是豈人類無高度教育、智慧、品德，所能臻及。苟高度培養，猶非一代乃至數代所能純化普及。且人類豐衣美食而後，最易墮落，此馬氏之說所以爲胡鬧，而況不如馬氏者乎。此毛酋等所以殺人盈城，殺人盈野也。山居無事，特摘要舉以語樊生，筆之於書，並饗讀者。

壽聯

道南

李瀚章李鴻章之母李太夫人，七十壽辰，時瀚章方撫浙，迎養在署，有人送一長聯爲壽云：

正普天教孝，慶衍宮闈。二聖千齡，二八錫羨，百僚作頌，萬戶稱觴。萃古來異數恩榮，海宇繡衣，惟母算躋無量壽；

爲當代生才，群開河嶽。東平甌越，南靖荊襄，北定燕齊，西綏滇澥。合滿門中興將相，湖山綵服，我公身領大羅仙。

時正慈禧太后四十萬壽，故聯首有普天教孝之句。聯極冠冕瞻華，典麗矞皇，善頌善禱，洋洋大觀，傳誦一時，此聯被爲李鴻章所激賞，後詢知爲楊子恂所代撰，楊子恂爲福建閩縣人，懷才抑塞，不得志於名場，時以道台次江南，適逢其盛，故有斯聯之作。李鴻章既大加激賞後，於是遂大加擢用，而楊子恂亦因此聯得稍舒積困，一展其平生之抱負焉。

粟海彈心錄

徵稿小啟

隨筆、小說、散文、雜感、詩歌、掌故等，有內容有意義之類文字，本刊均所歡迎。寫作請用有格稿紙，如需退還，請附郵票及信封。文稿過長則比較難以刊出，以一千五百字之散文隨筆比較容易刊出，請特別留意。

自由報
THE FREE NEWS
第五十五期
中華民國內政部登記證內警台誌字第三二三號
中華郵政台字第一二二一號執照登記爲第一類新聞紙類
(每星期三、六出版)
每份港幣壹角
台灣每份新台幣壹元
社長:雷嘯岑
督印人:黃行營
社址:香港銅鑼灣高士威道二十號四樓
20 CAUSEWAY RD. 3RD FL. HONG KONG
TEL. 771726 電報掛號:7191
承印者:田風印刷廠
地址:香港灣仔高士打道一二二號
台灣分社
台北市西寧南路
電話:三三〇六

論世界文化之將來(下)

——從梁啓超新傳記說起——

顧翊羣

費正清等思想屬於奧圖(Max Otto)胡克(Hook)等自然主義者之倫理觀(Naturalistic Ethics)認倫理意識可用研究自然科學之結果以規範,其含意爲「倫理相對主義(Ethical Relativism)」與孔子釋迦基督等之「倫理普遍主義」(Ethical Universalism)正相對立。三百年來西方之實驗科學抬頭後,其哲學家霍布斯,休謨等迄現代之羅素以及多數社會科學家,均贊成前者而不贊成後者。伊等謂宗教之假定爲:宇宙有目的,與人世爲一道德秩序,(例如「天生蒸民有物有則」,以及墨子之論「天志」,)但伊等指出自牛頓發現科學定律以後,天志之說業經推翻,道德價值實由人生觀所決定,此名爲「主觀主義」,與宗教謂上天懸神聖的客觀行爲標準以爲人生規範之「客觀主義」不同。然主張倫理普遍主義者,則謂道德標準如由各人主觀決定,則將隨各人之好惡而有不同。故主觀主義必然引致倫理相對主義,後者乃當代危機之誘因。(例如共產黨認凡與共產有利者爲「善」與「是」,對共黨不利者爲「惡」與「非」,而指鹿爲馬指白爲黑。)

西方此種思想之演變經過,可看哲學家司泰斯(Stace)之「宗教與現代心理」及格納特氏之「人的道德本性」,士林派吉爾孫(Gilson)之「上帝與哲學」,及顯因主教(Bishop Sheen)之宗教哲學等書。

招牌不同,手藝一樣

費氏等不願承認當代西方文明之嚴重危機,復謂孔孟思想乃中國過去專制政權之工具,而其對中國歷史上制度與思想之研究分析,用意則在證明中國自「天下」退爲「國家」後,儒家傳統必然的爲西方文明所替代而中絕,此點爲任何中國學者所不能承認。吾人確認人類世界爲一道德秩序,並堅信將來一種現代之新儒學必然崛起,且將與其他各教携手合作,俾人類免於毀滅。茲介紹西方兩大自然科學家對中國文化之議論,以充實吾說:

第一人爲英國人類學家濟斯爵士(Sir Arthur Keith),其人於七十七歲時(一九四二年)開始寫其名著「演化與倫理」(Evolution and Ethics)一書,與其師老赫胥黎之著作同名,(嚴又陵譯後者爲「天演論」)但內容並不相同。此書至濟氏八十一歲時始在美國出版,實爲一成熟之作品,非費氏納氏等之書所能蹐及。濟氏論中國文化承孔子之垂訓,注重和平,同時復不忘武功,對異族侵凌者予以打擊,迨異族志願歸順後,便許其同化,而無種族階級之歧見,實爲古今中外最適於進化之民族。

濟氏謂倫理信條分內外兩面。人類欲生存,必須先親親而後仁民,能仁民方可愛物。有一種宗教之教義對人類一視同仁,愛敵如友,陳義甚高,但濟氏認其與演化程序不符。又有種宗教之教義主張一切衆生皆平等,義理更高,但濟氏謂信奉者將無力抵抗異族之侵凌。孔子之「以直報怨」,非「以德報怨」。濟氏認爲乃民族國家求生存之中道。濟氏引用漢學家齊爾斯(H. A. Giles)之著作,謂中華民族不僅和平仁愛,且亦能報復賞罰,其倫理教條獎善懲惡,故最適宜於生存。濟氏謂爲發展和平生活起見,過去中國將全國分爲無數之自治鄉村,敬老尊賢,怡然相處,每一村成爲一進化單位。在印度則目的雖同,其方法則異。每一鄉村社會爲若干自給自治之團體所謂階級者(castes)所組成,各階級間彼此界限甚嚴,故此種進化單位因不團結而缺乏對外競賽之精神,易爲異族所征服。按印度憲法已將階級制度取消,但事實上因力量迥殊,賤民階級與婆羅門階級並非平等。

濟氏復嚴斥威丁敦(Waddington)博士科學可供應社會以適當倫理體系之說,以後者在劍橋授課,與裘連赫胥黎李約瑟等人意氣相投,此等人均認科學之職務在將全世界演化之性質與過程顯示,凡足使人類走向演化過程者即爲善,凡足使人類演化停滯者即爲惡。近年英國此等科學家甚多走上共黨同路,如赫氏李氏以及霍而旦氏(J. B. S. Haldane)皆其皎皎者。現在中共實行「科學的社會主義」,將吾國鄉村生活破壞,人人變爲無自由之奴隸,並壓制仁愛心而鼓勵仇恨心之發展,在此期間,吾民族將由進化而轉爲停滯,實可證明威氏等主張之不能實現。

第二學者爲達爾文氏之孫查理達爾文爵士,其人爲原子物理學者,並精通演化理論,著有「未來百萬年」一書,出版於一九五三年。伊謂信仰對人類生存有所裨益,而讚揚中國「不孝有三無後爲大」之孝道傳統,(按此並非謂每人必須多生子女,因孔曾孟荀之子嗣並不多,)謂其使優越者必求傳宗接代,將其因子傳諸後代,實較歐洲中古時代優秀者參加教會而持獨身爲佳。伊復謂縱使[illegible]等野合生子,後者亦格於公論而不易出頭。達氏指出羅馬雖與中國同爲野蠻人所攻擊,但羅馬崩潰千年後西方文明方始抬頭,而中國不需一世紀即將蒙古人驅逐,此當緣於中國人尊崇孝道,故其民族歷久而活力仍存。

達氏對人類將來不抱樂觀,謂統一之世界政府縱有可能,然大多時間世界將分裂爲各行省或各種同盟,人類縱得未來技術之助,但利用厚生之結果爲人口暴增,生資源不足,故奴隸制度之恢復亦非不可能。其結論則謂未來世界最佳之情況,亦不過與昔日之中華帝國相彷彿,分後轉合,合後復分,就中或因科學之發達而有黃金時代出現,但爲時並不悠久,與現代樂觀看法適不相同。

以上二學者均爲自然科學家與理性主義者,非虔誠教徒,然對人類前途不樂觀;目永久和平爲空想,亦不承認中國儒家傳統爲文化落伍,西方文明則如雪遇湯,便冰消瓦解。個人以爲吾人今日對西方科學技術應十分重視,但對其如何應用方可於人類有益,則不可不審慎考量。西方今日我執法執過度,已走向非理性之途徑,重物而賤人,重力而不尚德,人人堅持其權利而忘其義務。中國儒家之孝道,恕道,以及爲而不有,安貧樂道之精神,尤爲救時之良藥。

總之,吾國過去之純正儒家莫不深明王霸之分野,義利之不同,不問魏闕江湖,莫不以救世爲職志。中國每次大亂之後,撥亂反正,重建新秩序者,大多確信孔孟之道之學者。西方文明現在正進入於戰國秦漢之交的階段(法人李安柯(de Riencourt)著有「中國之靈魂」一書,中論此點,甚中肯綮,爲我國學者不可不讀之書),而西方權力政治亦已走到日暮途窮之階段。本諸窮則變,變則通之義,吾國應以中國儒家思想救中國,救世界爲當務之急,斯則中國學者應負之責任也。(完)

小論天下

△歐洲方面盛傳:蘇俄所建的火箭基地,有不少是指向中共,視作火箭目標。

看錯了!這實在是蘇俄的「吸血管」指向中共。

△莫斯科判處美間諜機師鮑爾斯以十年有期徒刑。

對鮑爾斯是「輕枷」,對美國是「重罪」。

俄共要使自由世界相信:一、美國確實有罪;二、蘇俄也有法律,並能尊重法律;三、對於被「資本家的政府」脅迫去犯罪的人,共產黨是「寬大」的。

△美國飛機在空中兜獲由衛星彈出的「太空囊」。蘇俄射「太空犬」升空,獲得安全同降。

彼此相抵,各只得一個空。

△中共指美艦「侵入」閩粵兩省「領海」,提出第一一九次警告。

天長地久有時盡,警告綿綿無絕期。其所以「綿綿」者,示「恨」而已。不從「仇恨」去了解共黨,便沒法明瞭共黨各種奇怪的做法和作風。

△寮國有「叛變」與「反叛變」兩派在罵戰,亦有「親法」與「親美」兩派在鬧別扭。

共產黨爲「抵隙尋瑕」的成功而喝大彩,西方國家爲「授人以隙」而露洋相。

△非洲又有一個新國家鬧出亂子,馬里聯邦內部分裂。

非洲似乎更加不適宜於「門羅主義」的推銷,因爲太多的「小門主義者」把「大門主義」也破壞了。

△聯合國軍隊在剛果受困,雖未至於「進退維谷」,亦覺「面上無光」。剛果總理魯蒙巴繼續倚恃蘇俄的「撐腰」,玩着層出不窮的把戲。

聯合國在一個「小地方」上了一次「大課」,想來是有益的。這叫做「三寸之木,可使高於岑樓」,蘇俄能以剛果之小與寡,制聯合國之大與衆,不算僥倖。

△印尼向荷蘭宣佈絕交,中共很高興的向印尼打氣。

這只是共產黨嘴臉「善變」的又一證明。

方南

自由談

「專家」之羞

近十年來,英美的「遠東問題專家」們,對於中共問題創發了三部曲的「權威」觀察論斷:一爲「亞洲狄托主義」,這是英國專家創造出來的,用意是在掩飾其搶先承認毛共政權,企圖嚥取中國大陸上血腥的貿易利益那副醜惡相,聊以解嘲而已。其次是美國專家炒出一種「黃禍論」的陳腐現飯,說俄帝對於中國大陸人口蕃殖的速度怵目驚心,害怕毛共將來要向西伯利亞一帶從事移民,俄帝必不能獨力抗拒,勢將求助於美國,擬聯合美俄的實力以對付毛共。最近美國的「專家雜誌」又刊出了一項驚人的「權威」消息,指證俄帝在哈沙克斯坦所建構的火箭基地,是以中國大陸爲射擊目標的,藉此加强他們對蘇俄技術人員由中國大陸撤退的自我陶醉之宣傳作用,騙騙美國一般不知道中國在那方天的愚夫愚婦,可哂到了極點,可鄙亦到了極點!

我不怪英美那些「遠東問題專家」們爲着自己一廂情願的私慾,而大倡其神話式的理論,人不爲己,天誅地滅。最可惱惡的是他們那種予智自雄,強令別人相信他們胡說八道的話是眞確論斷,等到事實證明其爲不經之談以後,依然怙惡不悛,重施故技,欺天下人以無知。如果英美的專家們坦白陳詞,說西方人士對中國問題只是以貿易利益爲唯一論據,其他皆無所謂,而英美政府亦不要在亞洲地區搞甚末集體聯防的軍事組織,談甚末民主不民主的政治問題,一是皆以做生意賺銀錢爲本,那我們亦就用不着必多所議論指摘的。然他們硬要以先知先覺的領導者自居,閉着眼睛說瞎話,恬不知羞,這就未免太無聊了!

俄共四十年間祇利用從德國俘虜而來的科學技術人員,加以由英美間諜之手盜竊所得的原子情報和圖案,乃構成今日跟英美爭雄的軍事實力。它並不需要英美的軍經和技術援助,也不稀罕西方的大量貿易,即使英美寢饋難安,一心以爲俄帝的飛彈將至,隨時誠惶誠恐,不可終日。現在中國的毛共政權,既有俄帝從中卵翼着,它何必賣英美的帳呢?英美的專家們昕夕祈禱中俄共反目決裂,坐待中共回頭跟西方親善合作,讓西方商人大發其貿易財,這叫作樸素的幼稚病,玷辱了「專家」這種尊貴的名稱,此其所以可哂可鄙也!

馬五先生

放眼看基隆市政

台北通訊　何非

四個月之前，台灣省舉行的第三屆縣市長選舉，基隆市是「選戰」最激烈的一個地區。結果是民社黨的林番王，擊敗了國民黨的李國俊，當時曾為省內各報章雜誌的熱門新聞。那知，從茲而後，基隆市便多事了！

候選人由政黨提名，本來就不是一個健全的制度。正如馬五先生所說：「沒有勢均力敵的反對黨，提名的作用就極其微薄，徒然引起本黨內部之不滿與不平，釀成離心離德，敗壞綱紀的不良現象而已。」（見本刊第五十期「自由談」）本屆基隆市長選舉，正符馬五先生此言做了一個最好的註腳。

就常識判斷，一個政黨提出候選人於選民之前，其所提的，應該是為地方上大多數人所擁戴，而非為大多數人所反感的人物。政黨為其本身的信譽着想，這應該是一個不易的原則。但國民黨此次對基隆市長候選人的提名，却顯然未注意及此，以至票櫃開出，一敗塗地。其中原因，固然很多，但國民黨候選人的不得人望，却是一個先天性的因素。

以絕對優勢當選基隆市長的民社黨候選人林番王，是一個商人出身。直到現在，基隆市民還常常看到：林市長衣冠楚楚，坐在他自己開設的一間照像館內。這在習慣於「官府貴族化」的中國老百姓看來，多少帶點新奇與親切的感覺。

林番王能夠囊括基隆市大多數選民的選票，不但遠非國民黨方始料之所及，就是林氏本身，也不免有意外之感。競選過程中，林氏處於「處處挨打」的劣境之中。甚至曾經有過「林番王向國民黨投降」的傳聞。雖然傳聞並未成為事實，但能夠以絕對優勢取得基隆市長寶座，也是林氏根本想不到的奇蹟。國民黨「痛定思痛」，今後對提名制度，以及競選策略的運用，該切實檢討一番才是。

一個政府領袖，如果他所屬的黨，在議會中佔絕對少數，那麼他處境之難，便可想而知。基隆市長林番王便是如此。基隆市議會中，國民黨籍以外的議員，簡直就不能形成任何力量，當然更談不到起任何作用了。執政的國民黨，在基隆市內突然變成反對黨後，議會和報紙便成為箝制林番王的主要力量。

本來，議會和輿論發生對政府當局的制衡作用，是民主政治之常規。但「制衡」之外，如更加之以感情作用，則成為「制肘」，則何人從政，對市政措施便成為政壇上的劣風了。因之發生了議員質詢市長，[illegible]曠世奇蹟。另一方面，基隆市出版的某報紙，也從旁大敲邊鼓，對林番王「且用而伐之」。林番王以商人從政，[illegible]故記者不敢謂議員諸公以及受某方支持之報紙對林氏之指責「全保」意氣用事，但亦不敢謂「全無」意氣用事之成份在內，議員代表選民謀求福利，與論代表真理主持正義，都是神聖不可侵犯的職責，但如果為了某種原故，而有意或無意地背棄了此種職責，則便不但不再有「神聖性」，而且徒足以造成混亂，阻礙政策之推行，這就真是未見其利先受其害了。所以基隆市民，咸望某些方面摒棄成見，為市政和市民的福利着想，協助林番王，為基隆的建設與發展而努力。今日的台灣，實不容再自樹藩籬，排擠傾軋。敵人隔海窺伺，待機蠢動，我們團結不暇，何忍再自相撻伐，與敵人以可藉之口，可乘之機？望基隆市某些方面的人士共思之！（八月十日於台北）

文化，佛教，與胡適

陳伯莊

頃讀貴報第二版八月十三日「台北佛教界圍攻胡適」一文，有不能不說幾句話之處。

欣賞哲趣，和欣賞烹調一樣，不妨多方；馬來亞的「沙爹」，日本的「鋤燒」，都各有妙處，不一定非成都的「姑筵」不可。唯物論者桑他耶那最能欣賞公教精神，他說，「蓋公教馳思其想像於一個由感通罩着人間世和其究竟未彫之智慧，更為我所思之所存也。」（見拙著卅年存稿中28頁譯桑他耶那所著的支配與權力）我對於禪宗亦然，雖不接受其哲理，却欣賞其哲趣。我主觀地覺得禪經裏「白花乾說，白鶴雙飛，」最足代表禪悅哲趣，正如「數點梅花天地心」最足代表儒家哲趣，「楊柳花移宜土潤，鶴和雞養要籠寬，」最足代表儒道之間的哲趣。

可是，欣賞，信仰，提倡是三件不同的事；雖有其參互錯綜及其將來，但欣賞以[illegible]為主，信仰以情感與理智交融為主，提倡以社會功用為主。

我是廣東人，當然對胡適之做了一番考證，推翻了六祖慧能的傳統地位，覺得十分「有癮」。但我不能因心裏「有癮」便反對適之的翻案。他是以敦煌石室幾個禮經本為他的主要證據的。傳統本六祖地位是否「謊言」，完全要胡氏的歷史考證能否成立。如果只隱着一把無明火，說「他對佛學不僅未會了解，且更極盡其歪曲之能事，荒謬地批評教理，惡毒地攻擊佛教」而不直接針對胡氏的「中華佛教及其將來」加以批評反駁，那祇是惡毒地攻擊胡適而已，祇是有所往而其心而已。

關於原文說到文化的還有兩點，值得提出。（一）「祖反的將若干非文化的陋習搬了出來」，這當然指胡氏說到纏足刑訊之類。須知，在現代人類文化學裏，文化Culture一詞是包括一切——不論精粗美惡——胡氏使用「文化」一詞，祇是照着學術界久已通行的使用而已。（二）「所謂新的文化運動，是非有什麼創新的文化，所謂新，就是某些人士，一時盲目地推翻了舊的後，使國學成為一片真空地帶，於是乎馬克思主義趁虛而入，以致整個大陸沉溺。」數年來，這樣的論調流行極了。歷史上的因果關係有這樣簡單嗎？假如一九一七俄國革命失敗，恐怕一切都不一樣吧。我們應該就新文化運動本身加以批評，不應做「君夫人，陽貨欲」這類截搭題。而且，虛雲，太虛，歐陽竟無與胡適並世而生。胡適談民主與科學之時，這三位佛學大師又各弘其法，胡適何嘗能夠造出真空地帶！

大陸潛望鏡

新兵

「觀音土」排隊搶購

在佛山，觀音土已經成為人民食糧之一。佛山的「公共食堂」每朝供應米糠和觀音土合做的餅子一批，每人限購一個。由于老百姓午晚兩餐都吃不飽，對這種糠泥混成的餅子，仍然排隊搶購。

「雙蒸飯」吃了就餓

在廣州，「公共食堂」一律實行「先進」煮飯法，那就是把米蒸煮兩次，俗稱「雙蒸飯」。「雙蒸飯」米大如豆，滿含水份，吃飽了很快就餓。最近有一位香港同胞回去探望她的親戚，那親戚以前是做牧師的，為人文縐縐，平常每餐只能吃一碗多飯。這次她帶那親戚夫婦到中共為港澳同胞特設的食堂去，完全出乎她意料之外，牧師夫婦以六十餘的高齡，竟然每人都吃了六大碗飯。

如果說城市慘，那農村就更慘！在東莞新塘，許多人在勞動中暈倒斃命。何故？飢餓加上過度的勞動。

在台山，許多身體較弱的人已被餓得骨瘦如柴，兩腳腫脹，不能勞動了，糧食就要減少，糧食減少了，身體就更支持不住，于是餓死人的現象到處出現。

就在這個時候，中共和古巴簽訂了貿易協定，規定以大米等物資來交換古巴的糖。

中共這樣做法，是否慘無人道？是慘無人道。是否毫無人性，是毫無人性。

唯其慘無人道，所以反對「人道主義」；唯其毫無人性，所以反對「人性論」。

這就是中共在這個期間何以清算巴人，何以自今年一月開始，直到最近「中國文學藝術工作者第三次代表大會」的時候，都大叫大嚷要反對「人道主義」和「人性論」的原因。

神的兒女

台北通訊　健生

天主教第三十七屆國際聖體大會，已於七月三十一日在德國的慕尼黑舉行，會期一週。全球各地三百萬反共的天主教教友集中於該地開會，除了宗教作用外，在政治號召上，似亦具有相當重大的意義。

由於此次國際聖體大會的盛況空前，我國天主教友們，早在數月前就開始籌備了，組織了一個代表團前往參加。代表團團員共[illegible]有五十八人是國內的。這五十八人，完全是女性，絕大多數是出自名門閨秀的中學生，其中立法委員和監察委員的女公子，就佔了三十多人，過去曾任部長級特任官的女公子有十數人。

據悉：朝聖團的團員，未必每個中學生都是「神」的「兒女」，但的確是有錢人的兒女。她們取得團員的資格，不是神賜的福，而是錢能通神，她們取得朝聖團團員的資格的代表，是美金一千多元。她們的目的，不是朝聖，也不是從事什麼國民外交，旨在赴美求學。赴美求學不一定是件壞事，但問題的發生：藉參加朝聖在大會完畢後，即留在國外升學，而不必經由留學考試直接赴國外留學，這將使許多參加留學考試未通過的大專畢業生，不能出國深造者的疑慮，甚至更遭受譏評。其次是這批朝聖團團員——中學生，不但直接破壞了政府自訂的留學政策，且間接影響天主教的「神」譽。更使人搖頭歎息者，莫如破壞留學政策者不是別人，而是製訂政策的立法委員及監督政府執行政策的監察委員，暨執行政策的政府官員們。倘極有號召力的天主教任由這批自國出國朝聖的人員，久留異域而不返，甘冒破壞政府政策的大不韙，則四年一度的國際聖體大會，就真成了「慈航普渡衆生」了！（八月九日）

編者·作者·讀者

寒士先生：惠書謹悉，大作當陸續刊出，今後仍希源源惠稿。閣下對本報關懷之至意，不勝感謝。第二版的取材，近期已較偏重建設性的來論，想閣下亦有同感。惟通訊稿全靠外地作家協助，有時來稿雖未如理想，亦不能不酌予刊登。至所云方框文字太多，亦是事實，亦正在注意調整中。編報有如下廚，欲求適合各方口味，當不可能。要在隨時聽取讀者意見，時求改進。承蒙關懷，謹再致感謝之忱。

大陸文壇萬花筒

馮雪峰鹹魚翻生

岳騫

這次中共在北平召開的「全國文學藝術工作者第三次代表大會」已經開幕，選出的全國委員會委員中，有一個人可說是爆了絕大的冷門，這個人就是馮雪峰。

中共高級文化幹部中，馮雪峰要算是較有成就的一位，在左聯時代追隨魯迅左右，和胡風，黃源等人都頗得魯迅的信任，胡風加入共產黨就是他介紹的，魯迅和共產黨發生關係，也是由他拉攏，所以就中共的文化工作而言，馮雪峰也算頗有功勞。可是就在上海時期，他和中共派去指揮左聯的負責人周揚發生衝突，因為魯迅支持他，周揚頗受打擊，大陸淪陷後，周揚已成為中共文化部門最高負責人，就找機會報復當年的一箭之仇。

中共的文藝報本是對文化界的指導刊物，所有同性質的雜誌都唯它馬首是瞻，就如各種地方報紙與人民日報的關係。最初創刊時由丁玲任主編，一九五二年改由馮雪峰担任，到了一九五四年秋天，中共發動清算俞平伯的紅樓夢事件，

學到兩個正在山東大學讀書的找生李希凡，藍翎寫了一篇攻擊俞平伯的文章，交給文藝報發表。

馮雪峰當時雖然在「黨」的壓力下，不能不刊登，但却加了一段按語說：「作者的意見顯然還有不夠周密和不夠全面的地方。」

於是大觸中共當權者之怒，馮雪峰文藝報主編職務就垮了，改調「人民文學出版社」社長。

一九五七年八月間，中共對丁玲，馮雪峰又展開大規模清算，共列了五大罪狀，其中鬥爭得最起勁的是臧克家，和王任叔，臧克家如泣如訴的說馮雪峰迫害他，王任叔則指責馮雪峰專門袒護右派份子，送去勞動改造，王任叔就扶正為人民文學出版社社長。

馮雪峰被判勞改到現在整整三年，大概服刑期滿，被釋放出來，反對他的人又多成為罪犯，所以他得翻身為文聯委員，而指控他最力的王任叔却又成為「修正主義」者，可能也被判勞改，墾荒去了，從馮雪峰與王任叔的換班，可以看出中共對文化人的基本態度是故意製造人與人間的仇恨，永遠不息的在鬥爭。

社會小說　香港地

五、有錢佬

楊先生似乎覺得很難作出一個圓滿的答覆，需要動腦筋去思索才成。梅大亮也覺得不便拿話去打擾你，只好靜靜等候。

楊先生思索了很久，才開口答道：「你要問那位主人幹的是什麼職業，眞的難說得淸。照我所知，他是許多公司的董事和董事長之類，業務的性質十分複雜，如把複雜化簡單，怕只可以說：「他的職業就是玩鈔票的職業。」」

這話倒把梅大亮嚇得微微一跳。他立即想道：「這話當眞嗎？怎有這樣職業？」但往下去一想，他又在心裏暗笑道：「天下那有一種職業是和鈔票沒有關係的呢？且聽他說些什麼吧！」

楊先生續說下去道：「照我剛才所說，當然要加上一番解釋，你才會明白。但，我在作出詳細解釋之前，打算先說說他的人生哲學。」

梅大亮才點一點頭，楊先生已笑將起來，像是喃喃自語道：「不對！人生哲學，」這話說得不對。這不是什麼哲學，只是他個人對於錢的支配一個定律而已。他有一個不變的宗旨：凡是錢流到他的手裏，他必定盡可能使它由一個變成兩個。他有很多的錢，但決不輕於用錢，因他對於用錢有一個很合理的看法。這是：你富動用一百元的時候，應該看這是花去五百元而不是一百元。你要在心裏有這樣的一個算計：這一百元是有利息的，息上加息，今天用的一百元在十五年後必然變成五百元。你既沒有理由預斷自己再沒有十五年的壽命，便有理由把這一百元看作五百元了。他因心裏常有這樣算計，對於用錢的看法也確乎比任何人爲切實。這就註定在他手裏的錢只會增加，不會減少，決可由一個生兩個生四個，一直生生不息了。」

楊先生說得一本正經似的，臉上並沒半點笑容。梅大亮卻覺得他把眼前一位大富翁形容得那般吝嗇可哂，未免近乎刻薄，因此不免在臉上露出一點怪異的神氣，似是欣賞他說笑話的天才，並不信是在說眞話。這也給楊先生看出了。他於是笑了一笑，接着發出一聲輕歎。（五四）

木客著

眞假耶穌

寒士

「耶穌究竟有沒有眞假之分呢？」

每當我經過台北市杭州南路一所教堂前，看到那塊白底黑字的「眞耶穌會」大牌子時，便觸起了我對這一問題的懷疑來。

如從字面上來對「眞耶穌會」的名稱作一番研究的話，可能產生兩種解釋：第一種是「『眞耶穌』會」，可以解釋爲「相信『眞耶穌』的教會」；第二種是「眞『耶穌會』」，可以解釋爲「眞正的『耶穌會』」。

若照第一種的解釋，既然他們是相信「眞耶穌」的教會，那末，必然就有相信「假耶穌」的教會了。照第二種解釋，他們是「眞」的「耶穌會」，那也等於說明了有「假」的「耶穌會」的存在。按照一般邏輯來說：「眞」的反面即是「假」，「假」的正面必是「眞」；有「眞」才有「假」，有「假」必有「眞」；則不論他是『「眞耶穌』會」也罷，「眞『耶穌會』」也罷，反正他們既用「眞」來「標示」，當然認定有相對的「假」的存在，因此，不啻給我們指出了「耶穌」是有「眞」和「假」之分的答案。

由於「眞耶穌會」的名稱，使我聯想起上海的「眞陸稿荐」，「眞老陸稿荐」，以及杭州的「眞張小泉剪刀舖」，「眞正老張小泉剪刀舖」的那些招牌來。他們所以在招牌上加上「眞」、「眞老」、「眞正老」等字樣；無非是藉此作生意上的號召，以騙取顧客心理上的相信。然而，這種自我標榜是「眞」，間接認定別人家是「假冒」的伎倆，究竟能收到若何的效果呢？在起初或者可以矇騙一部份顧客，但是，日子久了，顧客們對這些漸漸加上去的「眞」「眞正」「眞正老」等字眼懷疑了，他們相信眞正初創的第一家絕不會，也無須加上「眞」字，倒是後來的「冒牌」貨，怕顧客不相信，才會在招牌上加上這些字眼，而越是加得多的店家，顯見得越是後來新開設的，這等於揭示「此地無銀三百兩」同樣的可笑，實足以收到相反的效果。

邇來，基督教的佈道工作，競爭激烈，極盡商業化宣傳，買賣式的能事（爲吸收新教友以救濟物品作釣餌），尤以派別林立，相互排斥，迨爲世紀末的作風。然而，我們確信「耶穌」是不會有「眞」和「假」之分別的，也等於眞理絕不會有兩個是同樣的道理。可是，世界上偏有若干人，自作聰明，往往喜歡吹噓自己所相信的是眞的，對的，排斥別人爲假的、錯的，這正是一件可悲的事。

即如這創「眞耶穌會」名稱的始作俑者，亦是上述之流亞，然而，其所收效果，亦正如商人們的適得其反的效果而已。由此可以證明，任何宗教也好，信仰也好，其奉行者的作風、行爲如有錯誤，對其本身的影響是太大了。所幸，其他奉信耶穌的教徒，並沒有爲此而提出抗議，更沒有採用「眞正耶穌會」，或「眞正老耶穌會」的名稱來作競爭，還算保持了一點剩餘的尊嚴，否則，說不定爲了「眞假」耶穌的問題，會鬧出一場宗教官司來，而我們又到何處去找尋一位現代「包拯」來斷這一件怪案呢？阿門！

青年之聲徵稿

本版特闢「青年之聲」一欄，專載海內外青年學生的文藝作品及其生活動態的報導。歡迎各校同學來稿（勿超過五百字），一經刊載，略致薄酬。如需退稿，請附郵票。

儒林九尾龜

吳敬鋅

第二回：好夢由來最易醒

盧教授一見夏作人說得如此懇切，到不好意思再開玩笑了，只好實說事情還未確定，不過老洪是這樣允許的。

夏作人正式說道：「孟德兄，我們總是十分投契的朋友，我也很想同老兄共創一個事業，因此，有些事情我曉得了不能不談，可是說出來你不相信，反而影響了我們的交情，所以我覺得爲難。」

盧教授拍手笑道：「作人兄，你怎麼也學得這樣世故，我們之間無話不談，你無論說什麼？我也不會存有芥蒂，何況你又是一番好意。」

夏作人微笑道：「既然如此，我就照實說了。孟德兄，你這次恐怕上了老洪的當了。」

盧教授登時變色，連聲問：「作人兄你這話有什麼根據。」

夏作人笑道：「說到根據，我當然沒有什麼確憑實據，不過，據由台灣來的同鄉說，老洪這次來港，最高當局只是派他來慰問留在海外的民主人士，大家肯去台灣共赴國難固然深表歡迎，即使留在海外從事反共工作亦一視同仁，希望海內外同心協力，共同光復大陸。可是老洪到了海外卻特別熱心，逢人就勸去台灣歸隊，我知道他在港澳對一般搞政治運動的朋友，廣加聯絡，多結善緣，希望大家都能到台灣參加反共救國工作，用意未嘗不善，可是照現時政府的規模，如何容得了這末多人呢？」

盧教授一面聽，一面在搖頭，十分不安。連忙擺擺手說道：「作人兄，我要插一句咀，世間當經紀的都不是財主，老洪本來是在政治上專門作經紀的。」

夏作人還想向下說，突然門鈴一響，郵差送進來一堆信，黃安民接過來，看見一封台北寄來的信，先交給先生，盧教授接過這封信，手就有點顫抖，勉強打開看了幾行，神色大變，額頭上黃豆大的汗珠向下掉，看完了之後，兩手抱着頭，一言不發。停了半響，長長嘆口氣：「這回眞完了。」

夏作人問道：「是老洪來的信吧！」

盧教授搖搖頭：「是他的親戚來的信，老洪無法寫信給我。」

夏作人冷笑一聲：「他這次開的支票恐怕全是空頭了？」

盧教授凄然說道：「官作不作在其次，我拜託他帶去分送各方友好的一些禮品，全被海關查出充公，幾年血汗都賠進去了，你說寃枉不寃枉！」（十六）

一讀者先生：惠書經由報社轉到，承蒙獎飾，愧不敢當。「儒林九尾龜」中的人物，在我們這個社會裏，當然是有的。可是，這畢竟是小說，請不必太過于窮根問底呢！

銀壇隨筆

丁皓已成熟！

倚衡

電懋基本演員中，丁皓已成一枝奇葩。她的影齡不算太長，成就可不少；過去人們總喜歡稱她做「小丁皓」，今年初，我在朱旭華先生家見到她，那種成熟的少女姿態，覺得不應再說她「小」。問她年紀，說剛巧十八。她的舉動都是戲，看過「母與女」這部得獎片後，肯定了丁皓已不「小」。

她在「母與女」一片，一人身担雙角；將在近期上映的「喜相逢」，也由她主演，担綱兩角，劇情卻完全不同。她在「母與女」片是飾演兩代女性，兩個時代不同角色；「喜」片裏，她卻以同一個時代，地點，兩種不同身分姿態演出。一個是寶花女郎，另一個是腰纏萬貫千金小姐。她能夠在同時間、同場合以不同形態，作風演出，過去除胡蝶主演的「姊妹花」外，史未前見。

從這上面看，丁皓是夠聰明的。說到她的聰明，似乎沒有人會否認，她除了演戲之外，還能看相。在最近兩年間，東京，台北，馬來亞各地，大多數人都知道丁皓會給人看手相。在影圈裏，給她看相的人，包括了好萊塢和日本各演員，除了這些，過去她很「撒野」，那簡直像個「野丫頭」；現在她是「二九佳人」，在「母與女」中，已體驗到戀愛滋味；「喜相逢」裏，她更能體味出愛情偉大。她愛上了雷震，由初戀到熱戀，更接受了「三角戀愛」苦杯，明白愛情不容分割道理。這個奇峯突起的轉變，丁皓將會使人刮目相看。同時說明了電懋在近年間的成就，不祇演員、編導努力，鍾啓文有計劃提高製作水準，並非徒勞無功。

[illegible]海樓隨筆

胡適

徐學慧

把五四運動以後的文化眞空，歸咎於胡適，近幾年來，此論頗爲風行，且有人認此論非常時髦。

這類的翻案文章，有類故唱反調。胡適倘在，而未見有片言隻字以自辯，非不辯也，不屑與辯也。世固有故唱反調以自高者，則上所謂持此論者，庶幾近之。

「馬克思主義之乘虛而入」，（見本報八月十三日第二版台化佛教界圍攻胡適一文）與胡適何關？俄國的十月革命如不成功，則馬克思主義是否能在中國滋長，誠屬未知之數。把這筆賬掛在胡適身上，簡直是怪論了。

十五年前，共產黨在中國尚未得勢，一自中共竊據大陸，我們從不會聽到這種怪論；以後，某種欲藉攻擊胡適以提高身價者之流倡此怪論，淺見者不察，且從而和之，幾令胡適成爲國家罪人。危言聳聽，莫此爲甚。

「實際上，所謂新文化運動，並非有什麼創新的文化。」（同上引）此則已非危言，並非怪論，而是淺薄幼稚得出乎常理之外。

文化永不會有創新的，所謂新文化運動，並不是意味着創造另一種新的文化。一個民族的文化，少則數百年，多則數千年，一脉相承，乃不斷激盪損益，以便於適應時代者。此種文化，何能獨創？

胡適之提倡新文化運動，亦不過是在舊有的基礎上加以改良，使其能適應時代而已。此種改良，在當時亦是一種時會使然，換句話說，胡適只是夠勇氣能開風氣之先。至於馬克思主義之乘虛而入，自有其外在與內在的原因，豈能歸咎於胡適？

論者又謂「所謂新，只是某些人士，一時盲目地推翻了舊的後，使國家成爲一眞空地帶。」（同上引）則我們不竟要問：既然「只是某些人士」，則數量上自然不多，何以竟能「一時盲目」把舊的推翻，而國家遂即陷爲「眞空地帶」？

少數人盲目地推翻了舊的，何以多數人不盲目的不能把舊的扶起，而竟然要令到國家陷入眞空？

[illegible]作翻案文章，必須要能夠自圓其說。假定提出來的論點站不住脚跟，則「關胡」反成爲關已了。怪不得胡適不肯出一言以自辯呢？

（作者識按）本文之作，乃由於本報八月十三日第二版載有「台北佛教界圍攻胡適」一文，其中頗多論點，站脚不住，故爲文以正之。至於有關傳統文化之事，並不在本文討論之列，請讀者切勿誤會。

釋耒集

陳涉與光武

龔定庵有詩云：「河汾房杜有人疑，名位千秋處士卑，一事平生無齮齕，但開風氣不爲師」。梁啓超先生本之，遂有所謂「思想界陳涉」之論，以爲自我倡之，不必自我成之。今按用此語以論康梁，大體近是，蓋才情氣魄，方之而無愧色也，然此亦姑就其成功之一面論之耳。史記陳涉世家云：「陳勝、吳廣乃謀曰：今亡亦死，舉大計亦死，等死，死國可乎？」於是召令徒屬曰：「公等遇雨，皆已失期，失期當斬，藉第令毋斬，而戍死者固十六七，且壯士不死即已，死即舉大名耳，王侯將相寧有種乎？」等死不如死國，此陳涉之才，王侯將相，宜自我得之，此陳涉之氣魄也。及其敗也，則由於誅吳廣，及斬嘗與庸耕之故人，「由是無親陳王者，陳王以朱房爲中正，胡武爲司過，主司羣臣。諸將徇地，至令之不是者，繫而罪之，以苛察爲忠，其所不善者，弗下吏，輒自治之，陳王信用之，諸將以其故不親附，此其所以敗也。」康梁及其徒譚嗣同等，對傳統思想，猶決網羅，頗有摧陷廓清之功，即所謂大體近是者也。今陳涉之時代已過，而漢家祚運，實爲新莽所篡，是今日之局面，但能有思想界之光武，而不宜再有陳涉也。按後漢書世祖皇帝本紀：「……諸將見王尋、王邑兵盛，反馳入昆陽，皆惶怖欲散走，光武曰：今兵穀既少，而外寇強大，併力禦之，或可立功，如欲分散，勢無兩全，且宛城未援，不能相救，昆陽即破，諸部亦滅，今不同心膽，舉功名，反欲守妻子財物邪？」卒大敗莽師于昆陽，計自起事以迄成功，前後不過三年，「初更始議都洛陽，以光武行司隸校尉……光武致僚屬，作文移，從事司察，一如舊章，時三輔吏士東迎更始，見諸將過，皆冠幘而服婦人衣，莫不笑之，及見司隸僚屬，皆歡喜不自禁，老吏或垂涕曰，不圖今日，復見漢官威儀。」陳涉以匹夫首倡，誅滅無道，故以摧陷廓清爲功，光武以宗室中興，光復舊物，使民間故老，得重見漢官威儀。爲陳涉，死生非所計，而目的在舉大名，爲光武，徒死無益于大局，故伯升爲更始所殺，而光武不敢服喪，飲食語笑如平常，以此論之，則爲陳涉易，而爲光武難，然苟無陳涉必死之決心，亦不足以成光武再造之功業，陳涉之所以不得爲光武，量不同耳，今不克爲光武，不過欲守妻子財物而已，欲爲陳涉，且不可得也。史稱陳涉自王後六月，卒爲其御莊賈所殺，六月，一彈指間耳，變滅何其速邪？然其所置王侯將相，覺以亡秦，則陳涉固亦未嘗易爲也。

曲齋

海隅消暑錄

工作與煩悶(下)

謝康

喜歡戰爭的人，一定是「好戰」的人，他們所以喜歡打仗，大概因爲自已覺得這是一種活動，是一種自由，也是驅除煩悶的一種玩意。兒童們時常打架或比武，雖保不是這種心理作祟，而不是在模仿大人的動作。馬援說：「大丈夫當戰死疆場，以馬革裹屍」這種慷慨赴死的精神，和清末民初小學校流行的新戰死歌：「兒今慷慨爲戰士，快活沙場死……」所表示的勇敢精神，大體是一致的。貪生怕死，本屬常情，爲什麼戰士們能視死如歸，臨死不懼呢？他們也許覺得死神降臨爲國殉難是一種光榮；也許覺得死神由於他們的呼喚而來，不獨沒有什麼可怕，而且還感到一種驕傲。這樣說來，戰爭也就有了詩意，成爲可歌可泣的「聖戰」，犧牲一切在所不惜的了。這也就是所謂強者的意志，和征服他人的一種野心。赫魯曉夫常常說要「埋葬」他人，共產集團要征服全世界，也未嘗不是驅除苦悶打破僵局的一種辦法。古人說：「秦人失鹿，天下共逐，」可見好戰之人之多。草莽起英雄，大家逐鹿中原，看是誰家的天下？以槍桿子解決問題，似乎總比用筆桿子寫冷戰文章好一點！最近尼克遜當選共和黨總統候選人發表談話說要在不引起戰爭的範圍內和俄羅斯集團周旋，這種口氣，依然是美國人害怕戰爭的心理。總不及俄國頭目所吶喊的「戰爭快要爆發了」這一類口號來得痛快有力。戰爭的威脅，已帶到美國的門口(古巴)來了，美國人還在保持最高度的忍耐力。看來今後四年，世界冷戰的僵局，很難用熱戰來打開呢。

武裝和平如果繼續下去，自由世界與極權國家天天對罵，將近半數人類生活於飢餓或奴工狀態之下，縱然天天有工作，而不免於恐怖或苦悶，或者因爲強迫的勞働增加，而煩悶也隨着增加，這些日子，眞不知如何挨下去了！

張之洞與陳澧

靜仁

清代同光間有兩個卓異人物，一爲南皮張之洞，一爲番禺陳澧。張爲督撫，爲大學士，數十年負國家重任，功業赫然；陳則生平厭憎俗事，不肯做官，皓首窮經，孳孳不息，所著書一百餘卷，立例謹嚴，非率爾操觚者可比。他們兩人的事業與相處之環境，迥不相同，也始終未嘗晤面，但他們的神交，却值得後人記述而敬慕的。

張字孝達，又號香濤，十六歲即中北闈舉人第一名，參加會試，雖未大魁天下，卻列入一甲第三名的探花。從此官途顯達，勇往邁進，歷任兩廣總督，湖廣總督，兩江總督，倡導「富國強兵」政策，創設書院，學堂，開辦工廠，提倡實業，選派青年出洋留學；這些種種設施，在今日看來是極平凡的，但在當年，決非無遠大眼光和卓越氣魄的人所能想得到做得到的，而且，他每興辦一種事業，總是規模宏大，從不計較花費多寡，所以，當時有「國家敗子」之稱。他的事業，不算完全成功，也無補於清廷的敗亡，然而，他的影響卻是很大，說重些，也許影響到戊戌政變，也許影響到辛亥革命的。

南皮當時並確定一個「中心思想」，也可說是他服務的原則，即「中學爲體，西學爲用。」這兩句話在當日影響也不過大，到今天已成爲歷史上的名詞，可是，我始終欣賞他，儘管有人笑我拜古董，開倒車，但我從未因這種浮言，動搖我的信心。

六十年來，一般人醉心歐美物質文明，崇拜碧眼黃髮番鬼佬，甚至有人主張中國全盤西化，距知西學之優於我者，不過是科學，而科學能控制者，亦不過是空間，時間，質解，以及人類和動植的軀體而已。至於人心之靈，以及人類所構成的國家，社會，各有各的民族特性，決不能以科學的方法來統治，一切的科學發達至於極點，危險也許隨之而生，有朝一日，「中學爲體」，適足以挽救全人類最後浩劫的。

其次，陳之生平，亦值得一敘的。陳字蘭甫，先世江蘇上元縣人。上元在今之南京，原與江寧縣同爲江蘇省治，民國以後，併入江寧。因他的祖父，宦遊廣東，遂爲番禺人。他在東塾地方讀書，世稱東塾先生。東塾之學，淵源於儀徵阮芸臺，阮芸臺總督兩廣時，創設學海堂，東塾從學其間，稱高足弟子。後來，他做學海堂學長，取法崑山顧亭林論學語：『博學於文』，而加之以『行己有恥』。所以，清季嶺南氣節之士，多出其門下。

至於他和南皮一段文字因緣，也很曲折有趣。我的朋友陳韓卿教授，素有歐陽之癖，教學之餘，最喜歡逛古董舖，舊書攤，搜買斷簡殘篇。所以，他的一間讀書室，故籍堆積，幾無容身之地。去年某日，他欣然語我：『我買到陳蘭甫寫贈張之洞的楹聯，好極了！』我馬上去看，果然是難得的墨聯，文云：『萬言筆語關文運，十載神交寄我心』。聯邊故語：『孝尊達兄先生，惠寄楹帖，其語過獎，不敢當，書此奉酬。近年得讀大著「輶軒語」，回憶庚午歲，讀浙閩策問，服膺至今十二年矣。』下欵寫：『已卯十月之望，陳澧，蘭甫，並識。』

以上贈聯是有一段來歷的，南皮仰慕東塾的學行，已非一年，當在北京時，曾仿東坡字體，寫成八言長聯寄贈東塾，聯文是集後漢書成語：『棲遲養老，天下服德，銳精覃思，學者所宗。』上欵寫蘭甫先生雅教』。下欵寫：『後學張之洞。』南皮賦性高傲，向來看不起天下人，而對東塾的推崇，可謂備至。此聯寫得遒健，無一筆鬆懈，邊欵小字，尤爲秀逸。這不僅具有文獻上的價值，也是藝林的佳話。

東塾享年七十三，病歿里邸以後，南皮才奉命總督兩廣，所以，他們從未謀面，所謂神交。——老輩風義之篤厚，誠足以風世矣。

海嘯雲談薈

談紈袴子弟(二)

諸葛文侯

馮玉祥與李協和將軍交誼素厚，是時馮氏隱居魯省泰山，見報載李將軍聲明與其子橫城斷絕關係之啓事，亦深致惦念，馳書李將軍願代爲管教，謂即派人赴滬接嗣君至泰山，擬以軍訓方法代行父職，必不難變換其惡劣性習也。李欣然同意，復函申謝焉。

橫城登泰山後，對馮氏必恭必敬，無有不從命者，馮大喜，覘其天資聰慧，許爲後起之秀，管敎逾年，即斥資遣赴英倫留學，冀其變更環境，力學上進，毋負期望。李大少爺到達英倫，掛名倫敦大學，而卜居華人薈萃之區，日唯游蕩逸樂是務，無意於學業之進修，然英語程度亦因而孟晉，雖老留學生亦有望塵莫及之感。彼經常修書寄馮氏報告求學情況，娓娓動人，馮氏引以爲慰，自信訓育有方，不負故人之託，李將軍聞訊亦頗愉悅，向馮深致感佩之意。

民國廿八年夏間，吾國中央政府以對日抗戰之故，撤至武漢，李大少爺亦自英倫回國，行抵漢皋，即投刺進謁軍事委員會蔣委員長，蔣公知其爲黨國元老之子，立予接見，李大少爺連聲以「老伯」稱呼蔣公，自言特由海外歸赴國難，意態殊煥發，口辯亦捷給，蔣公慰勉有加，詢以在英國所習學科，答言政治經濟，當囑其往晤政治部陳部長辭修，蔣公並以電話通知陳部長，陳晤李大少爺後，任之爲政治部專門委員，特加優遇。既而政治部擬派員至香港印製大量宣傳刊物，知李大少爺精通英語與粵語，又爲留英學生，人選最適宜，即派李攜鉅款到香港辦理。李下榻香港德輔道「告羅士達大酒店」八樓上，分闢三室，各藏倩女一人，驕奢淫逸，揮霍無度，儼然豪富人物，昕夕馳逐於聲色狗馬場中，而置政府使命於度外，未逾半載，床頭金盡矣。政治部既得其情，迭次電令歸國覆命，李詭詞若罔聞，旋中樞播遷至巴蜀，李大少爺更不欲入川，流落香江，煢煢靡騁。

李在港所交游多非安份守己之士，同類有犯刑事案件者，李亦涉嫌，然無佐證，警方乃派人嚴密偵查其行動。某日，一西籍警探潛躡李大少爺不捨，李覺察之，故意趨入一大厦中，拾級登樓，警探亦追隨其後，將及梯口之際，李迴身急持懷中手槍居高臨下，將西探擊斃於樓梯間，仍從容下樓逸去，詎數日，終被捕，置之於理，即以故意殺人罪判處無期徒刑，繫赤柱監獄服勞役。未幾，日軍攻佔香港，獄囚皆乘機逃出，各奔生路，然李大少爺音訊渺茫，迄今生死未明。以其機警慧敏之性，決不致坐失良機，意者越獄後又因他故喪生歟？曷勝歎惜！

諸葛文侯曰：世之紈袴子弟，資質類多不凡，倘失敎，貽害社會亦滋甚。吾聞今日台灣地區之阿飛學生，盡屬當代顯貴後人，此證明今之鐘鳴鼎食者流，齊家無方，宜其治國更無能也。誰謂個人日常私生活與公職無關耶？(完)

讀胡適中美學術會議演辭後

·阿公·

胡適博士演辭，刊於台灣中央日報七月廿一、二、三日。標題——中國之傳統與將來。全文萬數千字，約可分爲1文字與歷史，2佛教與道教，　文化與文藝，4孔子人道主義，理性主義。本人爲愛惜時間計，摘要就正於胡適博士。(以下簡稱胡博士)

一、胡博士於中國歷史演進中，特提出「石雕刻、骨彫刻等高度象形文字，以及祖先崇拜的宗教，……顯然包括大規模以生人爲犧牲的習俗。」中國字創於黃帝時，左史沮誦、右史倉頡，歷夏商至周，而有史籀篆文，秦漢稱大篆，別於李斯之小篆，其沿革似無可置疑者。胡博士既以彫刻等文，爲殷商時代高度進步之文明，則彫刻等文之緣於誦籀者又無疑。今彫刻等文，片斷無系統，而文史紀載詳明，莫如六經，左氏外傳，國語國策，(國策不稱外傳)以及周秦諸子。因此於胡博士所云——「祖先崇拜的宗教，」與「大規模以生人爲犧牲，」二語，未能釋然，此本人所欲就正者如下。

「宗教」二字，在「死經典」如詩書禮樂易春秋，論、孟、學庸、老、莊、墨、荀等載籍中。從無宗教二字連成一語者，有之自胡博士始。(一)

粟海彈心錄

自由報
THE FREE NEWS
第六十五期
(每逢星期三、六出版)
每份港幣壹角
台灣零售價新台幣壹元
社長：雷嘯岑
督印人：黃行實
社址：香港銅鑼灣高士威道二十號四樓
20, CAUSEWAY RD. 3RD FL. HONG KONG
TEL. 771726　電報掛號：7191
承印者：田風印刷廠
地址：香港灣仔高士打道一二二號
台灣分社
台北市西寧南路壹壹零號二樓
電話：三○三四六
台郵撥儲金戶九二五二

「兩個中國」竟在世運會實現

雷嘯岑

最近在台灣刊行的「自由中國」雜志上，載出蔣勻田先生譯述美國人鮑爾斯（Chester Bowles）主張建立所謂「中台國」（Sino-Formosa Nation）的文字後，因爲蔣氏附以「國人應早求諒解，預作心理準備」的譯後語，便有人對於「心理準備」這句話深致不滿，詰責蔣氏說此話的用意安在？似乎認他就是贊成鮑爾斯那種謬論的人，這未免過於逆臆武斷了。所謂「心理準備」的涵義甚爲廣泛，凡贊成、反對、無所可否的意義都包括在內。蔣氏的「譯後感」原文中，曾聲明他對美國人表示自己不能放棄回大陸的念頭，即反證他的心理並不準備接受鮑爾斯所倡「重行考慮中國問題」的意見，至爲顯明。若因他是在野黨的幹部人物，又常常在那批評現實政治措施最激烈的刊物上發表文字，即戴着有色眼鏡來觀察，而斷章取義地予以指摘，這是「言語道斷」之談，此風決不可長。近十年來，海內外反共非共的力量始終不能精誠團結之所以然，這種「言語道斷」的作風，實佔重要因素，大家必須切實反省糾正爲是。

「兩個中國」的潛在觀念

英美政治人物的「兩個中國」觀念，早在潛滋暗長之中，而以美國方面尤爲積極。八九年前，美總統杜魯門與英首相艾德禮一唱一和，大談其「台灣地位尙待國際決定」之說，就是爲要製造「兩個中國」而創出的理論根據，而倡言「冷戰五十年」的美國已故前任國務長官馬歇爾將軍，亦曾經秘密向我國訪美的某要人表示過「兩個中國」的西方腹案，希望我們能夠接受。迨艾森豪執政後，直接派員與毛共談判中國問題，公然聲稱「不需要中華民國政府參加」，主要目的亦是在說服毛共勿使用武力進襲台灣海峽，以期實現「兩個中國」的預謀。至於說是爲要營救被共拘囚的幾個美國僑民和軍伃云云，只是一種煙幕而已。美參眾兩院議員，曾以全體一致的決議，聲明反對毛共政權加入聯合國在案，但美政府於每屆聯大會議時，對於俄共集團提出所謂「中國代表權」問題之際，總是表示「擱置一年再說」的油滑態度，而不依據人民代表的決議，堅決反對，用意仍是期待着毛共接受「兩個中國」的要求，而以允許它加入聯合國爲交換條件。綜觀上述美國一系政治人物所表現那一系列的對華外交言行，即知道所謂「兩個中國」並非鮑爾斯的謬妄思想創立的，從民主黨到共和黨政府當局，處心積慮，由來已久，鮑爾斯不過爲西方人士唱「一切曹社聚衆鬼，張陰謀亡國」的潛在詭計，他最近才寫出一篇自以爲很高明，而實際不知所云的「中台國」建議，公開發表，以與「康隆報告書」互相呼應，希望造成一種輿論的力量，使美國執政者便於進行。這與第二次大戰末期，由拉鐵摩爾爲首，用文字在刊物上鼓吹「中共係社會革命派」、「中共係農村改良主義者」，主張美國必須扶助毛共發展，手法如出一轍。我們在八年前即應該從事「心理準備」，籌維如何應付這種可能出現的國際陰謀，才是自立自救之道。到今天還對「心理準備」這一語意發生驚奇詫異的感想，不亦僞乎？我們當然唾棄「兩個中國」的謬說，但反對亦得有反對的方策，事前若沒有「心理準備」，臨事如非「張皇失措」，事倍功半，便是束手無策，任人擺佈，有一於此，中華民國的前途即將不堪設想！

「兩個中國」的事實考驗

現在羅馬舉行的「國際奧林匹克委員會」，主持其事者是美國人梅耶，該會對於中華民國參加世運會問題，竟以濃厚的政治作用，彰明昭著地採取「兩個中國」的決策：一是規定中國奧林匹克會名稱，今後只能改爲「中華民國奧林匹克會」，不能再用「中國」字樣；理由是台灣的中華民國政府不能代表中國；二是參加羅馬以及未來世運會的中華民國代表隊，將以「台灣」名義預其役。梅耶又聲明：所有參加世運的中華民國運動員，不得在制服上綴以「中國」，而改註「台灣（Taiwan）」二字；所有記分卡片及正式紀錄……隊，亦將中華民國代表隊，列爲來自台灣的代表隊，在揭幕之日的運動員遊行中，中國隊僅在一塊註明彼等係來自台灣的代表隊之標幟後面進行。這是徹頭徹尾，堅定明確的實行「兩個中國」的計畫，比較鮑爾斯的空言宣傳，對我們蔑視侮辱之程度爲何如者！

此事在上屆世運會即已發生了，不知我方主管機關諸色人等，是否有所警覺，而從事過「心理準備」呢？現在世運會基於政治觀點，實施「兩個中國」的魔術，我們不宜告退出，而猶表示嚴正的抗議，以保有「中華民國奧林匹克會」名義爲得計，……

……次參加世運的隊伍，很有獲得某項優異成績紀錄的可能——如籃球及楊傳廣的十項運動——自不妨姑以「中華民國奧林匹克會」名義，照樣參加，失之東隅，亦可收之桑榆。這是阿Q思想，作祟侏儒笨伯之見，未開大道。別人明目張胆的把我們劃分爲台灣的「中華民國」和大陸的「中國」了，我們還能夠厚着臉皮，爲了獲致一點對國家沒有甚末裨益的運動會成績，而使整個民族趨於墮落下賤之境地嗎？何況所謂某項運動的優異成績，並不可靠，如籃球隊，即非別人的敵手呢！或許又有人認爲我們如果宣佈退出，毛共的運動員即將加入，豈不是自己放棄國際活動的機會與權利，而讓毛共獨享中國代表世運會的榮譽嗎？殊不知世運會既已根本否認我們有代表中國的資格，我們即使自我陶醉，結果亦只有弄成鴨屎臭，毫無是處，試看我們的運動員參加開幕典禮時，制服上不標出單位記號，偷偷摸摸地追隨其後的情況，何等失格啊！自侮而後人侮之，我們不從救國救民的復興大業着想，竭盡智能以團結海內外人心與力量，示人以不可輕侮的國力，祇是沾沾於無關宏旨的表面工作，無補大局，枉費心力，虛耗公帑，而其所得者，將不免是一種幻滅的悲哀。

小調天下

△據說：中共軍四個師開回寮國邊境。這是由韓國調回的。美國專欄作家約瑟朗的看法是：因爲南韓業已沒有李承晚，並且聲稱放棄武力統一，中共便可放心調動那裏的軍隊。准此，妥協主義者唯一要努力的事情就是：讓共黨「放心」，把力量自由調動。

△古巴危機仍然可望挽救。這是美國總統艾森豪最近的表示。美洲各國外長正從幕後活動，勸古巴回頭，但卡斯特羅却在同時重申對共黨盟國的友誼。

這該用一句話去說明：做歹不成，做好也不成。

△預算一下蘇俄準備演出的精彩戲目，主要是赫魯曉夫訪問古巴，以及赴紐約出席聯合國大會。他也可能在柏林排出火爆熱鬧的新戲。美國人已看過赫魯曉夫這位「名伶」第一次入境的演出，這回當作何感想？

△美國有些報刊對於中共和蘇俄的分裂越吹越烈，說這已由理論達到行動。看共產帝國如一個爛熟的蘋果跌入我們口裏來，這該是多麼寫意的事啊！

△剛果內部爆火，一個發生暴亂的省份死人數百。說這是「民主幼稚園」，不如說這是「民主阿飛的打鬥場」。

△印度向中共抗議，指它在過去四個月中，對印度領空作了十七次侵犯。看中共對美國「指責侵犯」所提百多次「警告」的紀錄，印度的抗議實在少得可憐。

△美國的情報首長阿倫杜爾斯最近說：共黨將發動政治、經濟、及顛覆的活動與滲透，而非一項熱戰或核子戰。他並指出赫魯曉夫政策的七項基本因素，大都着重在滲透與顛覆。

他說得不錯，美國現行的「圍堵政策」倒被證明是錯了。

△一九四五年波茨坦會議秘密文件近被揭露，那時美國國務院的遠東問題專家溫生特遠已提出警告，指出亞洲將有麻煩。他認爲蘇俄對中國東北所提要求，將會損害中國的主權和政治統一。

十五年後的今天，美國「專家」們有多少更進步了？有多少更糊塗了？

方南

自由談

談大義滅親

高棉王子施漢諾，最近下令逮捕他的妹妹隆安吉沙公主，幷處以三個月的監禁，說她擅開賭場，違法干紀，決不能憑藉着皇族關係而逃避國法的制裁云。吾聞其語，如見其人，施漢諾此舉，是值得讚美而大書特書的。

高棉原是被世人視爲「落後地區」的偏僻小邦，文化淺陋，政治上尙未脫去部落性質的統治方式。皇親國戚諸色人等，利用特殊地位以爲非作歹，老百姓誰也不敢說句二話，堂堂公主要開設一個賭場，尤其不算是甚末奇怪的事。君不見有些文明先進國家的達官貴人們，其親屬或舊假藉父兄或良人的政治權勢，營私作惡，骫亂法紀，而悍然無所顧忌的種種事實乎？高棉王子居然大義滅親，不許自己的妹妹有非法行爲，我不知某些自命先進文明人物，而又縱容妻妾兒女干政走私，任意胡搞的鐘鳴鼎食者流，對此作何感想？

時代進化到了原子世紀，吾國舊有那套禁止婦女過問政治的頑固思想和理論，當然沒有存在價值了。但是，我贊成婦女作總統、院長、部長，或作封疆大吏與外交官，祇要是正名定份的國家公職，婦女們皆可以担任，無問題，却反對有些婦女表面上與政治無緣，暗地裏利用親屬或誼的政治權勢，不特慣作破壞法紀的勾當，而且干涉到用人行政事宜，對其父兄或良人，眞正構成了「累得死」（LADIES）的地位和影響。

因此，我平日對於政界中一般顯貴人物的評價，首先即注意他的妻妾兒女們是否有暗中干政作惡的情形，假如沒有這類毛病，便認定他是個有爲有守的政治家，前途未可限量。這或許不免於偏見之嫌，然而回憶過去在大陸上鼎鼎大名的某「二小姐」所作所爲的各種事象，即證明我這種說法並不是完全是偏見，乃有其事實根據足以印證其妥當性的。所以，高棉王子施漢諾能不枉法徇私，我們應該鼓掌喝采啊！

馮王先生

「兩個中國」亦是過渡性

據深悉美國政情的旅美華人觀感所及，自由中國政府如其終無自立自救的作法，而僅以爲美國必不會放棄台灣這個西太平洋岸的外圍國防據點，藉着第七艦隊協防之力，恬嬉自安，萬一搞出「兩個中國」亦無所謂，那末，將來雖欲求「兩個中國」長期存在，亦必不可能。這種看法是正確的，現時已有若干無可懷疑的事實，作爲此說的有力註解。美國誠然是不讓毛共侵佔台澎地區，但它亦非厚愛中華民國，祇要毛共暗中對美國答應不進攻台灣海峽，美國第一步就可以默許毛共參加聯合國，擬得常任理事國的中國代表席位，先把中華民國構成爲國際奧林匹克會所認定的地位——只是代表台灣一隅。第二步呢？辦法有的是，最明顯的就是鼓勵台灣人要求獨立自治，而請求聯合國托管，花樣孔多，玩來毫不費力。君不見現時留學美國的中國知識青年，即被劃分爲台灣籍與非台灣籍的人爲鴻溝乎？又不見鮑爾斯的「重行考慮中國問題」文章中，竟捏造某「台灣人」的名義，說此人在美國的「外交季刊」發表文字，聲言「沒有台灣的獨立報紙」（這是當面造謠的胡說），「沒有被許可的台灣政黨」，硬要變造或塑造台灣人并非中華民族的面目乎？他如廖文毅在日本東京自封「臺灣共和國總統」，亦是於美[illegible]佔領[illegible]中叨光庇護，[illegible]始搞起來的。美國對中華民國這個盟友，如果稍有變調的心情，上述若干[illegible]的事象，豈有發生之理？[illegible]

監察委員與大法官

宇文華

台北通訊

關於憲法第七十七條所定司法院為國家最高司法機關，掌理民事刑事訴訟之審判案，經監察院於四十二年六月六函請司法院大法官會議解釋以來，直到本年八月十五日司法院舉行的第一五一次大法官會議，經出席大法官十四人的研討後決議，解釋文為：「憲法第七十七條所定司法院為最高司法機關，掌理民事刑事訴訟之審判，係指各級法院之民事，刑事訴訟之審判而言，高等法院以下各級法院及分院，既分掌民事刑事訴訟之審判，自亦應隸屬於司法院。」其解釋理由書為：「憲法第七十七條所定司法院為國家最高司法機關，掌理民事、刑事訴訟之審判，其所謂審判，自係指各級法院民事、刑事訴訟之審判而言，此觀之同法第八十二條所定司法院及各級法院之組織以法律定之，且以之列入司法章中，其斬求司法系統之一貫已可應證，基此理由，則高等法院以下各級法院及分院，自應隸屬於司法院，其有關法令，並應分別予以修正，以期符合憲法第七十七條之本旨」。

上項解釋文，解釋理由書，及不同意見書，於同日下午由司法院以命令公佈。並將解釋文和理由書函復監察院。不同意如此解釋者為大法官王之保，其餘十三人全部同意而以十三票通過。

本案原係監察院委員酆景福等五十一人，在四十二年間以連署的方式而提出，提案說：「查憲法第八十一條所稱之法官，不包含檢察官在內，業經司法院大法官會議解釋在案，是各級法院配置之檢察署或檢察處，不應由司法院管轄，固無疑義，惟查高等法院，地方法院，依法院組織法之規定，均為掌理民刑訴訟之機關，乃現行制度，竟將高等法院及地方法院之民刑訴訟，均併由行政院所屬之司法行政部主管，此項設施，是否與憲法第七十七條『司法院為國家最高司法機關，掌理民事、刑事、行政訴訟之審判及公務員之懲戒』之規定相違背，擬請由本院函司法院解釋見復。」監委酆景福等提案，經監院院會通過後，該院於同年六月六日以（四二）監台秘二字第六五五號函請司法院解釋。四十四年十一月十日，監察院舉行第四零二次會議，金維繫委員等十八人提案，函催司法院早日依法解釋，當經決議通過，監院又以（四四）監台院議字第二二七二號，於同年十一月十五日函催。

監察委員劉永濟等三人，在監察院舉行四百六十二次會議，再度提議函催，故監察院復又以（四五）監台院字六十二號函催。但仍無下文。於是監委在一年一度的檢討會時，均會加以檢討，去年監院檢討會中，就有人主張：在必要時，進行查詢，或提糾彈案，糾彈大法官，或再函請司法院大法官會議，請大法官解釋：大法官對函請解釋案，既未依法解釋，也未見覆不解釋憲法第七十七條的理由，而最後，又由監察院於今年春函催，另一方面以茶會方式邀請司法院院長王寵惠到監察院司法委員會報告及答覆監委的查詢，這是今年四月間的事。這次會議中，監委陶百川，葉時修等的發言有力而中肯，並暗示謝院長，監院可能會採取行動。同時，監察院在行使同意考試委員之權時，雖然「照單全收」，但在審查時，爭辯之聲甚烈，如張默君委員服務精神欠佳，劉象山委員十五歲即畢業於上海大學，（上海大學民國十五年停辦，而劉氏今年則為五十歲）這些醜劇，公諸報端後，是相當的尷尬，故大法官基於此種政治壓力，提前誕生了解釋案。

大法官解釋高等法院以下各級法院及分院之審判，應隸屬於司法院，這是司法制度上的一大改革，使審判系統完整，而又不再為輿論攻擊行政干涉司法獨立。自從民國成立以來，對司法行政部之隸屬問題，見仁見智，即聚論不決。過去，司法行政部兩度隸屬於司法院，民十七年十月和民二十三年十月；兩度隸屬於行政院，民二十一年十二月及三十一年十二月。惟均屬一部之改隸，並未牽動整個司法制度之更張，故尚難顯示其絕對之優劣。然這次卻與過去不同者，乃為審判與檢察兩體系，各自立門戶，相互之間的經費、人事、職權等等，將各自分立。而法院推事成為憲法上的法官，而檢察官則為法院組織上的司法官，待遇和保障，及任用資格均相同，所異者為保障之法，故檢察官心甚不安。而我國原始司法制度，為大陸體系，施行審、檢合一制度，改隸後，審、檢體系各異而對立。

至於高地兩級法院何時隸屬於司法院，根据目前種種跡象顯示，如行政院，司法院及法院組織法均修正完成立法程序。可是這些主要的法律修改，亦須由行政院向立法院提出，因為司法院依照憲法規定，無提案權，所以，需要由行政，司法兩院，舉行代表會商討這些問題。故非短期內即可實現的。

此次大法官會議依法理而解釋憲法，頗獲各界好評，與論亦多贊揚。不過，若能適時改善司法人員的生活，則類似高等案亦將不會發生了。總之，徒法尚不足以治，必須司法官以良知來審判案件。否則不因法院改隸而司法審判獨立，因為行政無法干擾，而政黨仍可指揮黨籍法官？這纔是實際的問題，因此，每個司法人員的良心，實在比什麼都重要。（八月十八日）

國片水準不低

脩衡

近幾年國片商感到劇本荒，並不是壞現象。是提高國片水準不可避免的情況；當國語片的題材，選擇了落伍的神怪荒誕故事時，共產黨的「統戰」報紙說：「還是看看粵語片好得多。」其實，粵語片除了「苦心蓮」外，好片也並不多見。

從「辮子姑娘」賣座情形看，共報指指摘摘說「國片水準低」，自不能一概而論。電懋年來在國粵片領域中的貢獻，有目共見，不能以一般水準較低的國片而相提並論的。「辮」片原定映期一周，影院當局徇觀衆要求續映；「喜相逢」只好押後。

辮片好，賣座盛，使它創下同期「國」片最佳紀錄。觀衆目光正確，不需要我再說。「喜相逢」的大概已經介紹過，這裏且談談「喜」片的意義。這個戲是由丁皓主演；故事刻劃出一個社會兩種不同型態。當然，這個勢利刻薄社會，人們祇看得見光明的一面，中上層人士對小市民的艱苦生活，悲痛遭遇，那是他們從來沒有想像得到過的。從這上面去推敲，這個戲，不只是中上層人士亟欲瞭解，即小市民為了伸冤吐氣，都也想看看對他們的描繪。卻不會知道這部片子開鏡之前，不管是編劇導演以至演員，沒有一個不為了求其眞實，一個個深入社會陰黯的一面。去發掘題材，親身體驗。經過千錘白鍊，卒能完成這一巨獻。上映之後，跟「辮」片一般，不祇並不使人失望，同樣受人歡迎。這些事實，充分說明了國片水準正在逐步提高，這和偶然穿插的神怪荒誕與粗糙製作，豈可同日而話，相提並論呢？

瑞典的生活標準

北歐通訊

許多外國遊客到了瑞典，看見他們的生活水準如此之高，而人人卻顯得緊張嚴肅，有點莫明其妙，的確，瑞典人的生活水準之高，可算得歐洲首屈一指，幾乎可以趕上美國，那麼瑞典人卻為何終日邉邉，顯得十分不安呢？

問題在於瑞典人講究生活，不問物價，但問優劣，一般一家主婦都愛買高貴的東西和衣着，如果壞了，親友們便會嘲笑說：「那是賤貨」。因此你到瑞典人家裏去，無論窗帘傢具，廚房用具，你都會驚奇怎麼家家都過得如此之好，而街上你所看見的人，一個個也都穿得非常高貴。

瑞典人平均收入，每家約有一千三百三十克朗（二六二美金）而這個收入，是不夠開銷的，下面一張家用分配表，代表人物是四口之家，家主是一名技工，一年的收入是一萬五千克朗。有兩口小孩，政府補助九百克朗，共計一五九〇〇克朗。而一年的支出如下：

納稅三千克朗。房租：二間住宅，外加廚房浴室二九〇七克朗。保險及工會會費六百克朗。車費三六三克朗。電、煤氣、電話三六〇克朗。家中什用及衣袜四三八克朗。收音機執照及報紙一四五克朗。醫藥衛生三〇〇克朗。衣着一四〇七克朗。伙食四五六四克朗。渡假三四〇克朗。零用五二八克朗。交際費一二五克朗。儲蓄八五〇克朗。

由上表可見納稅、房租、伙食費三項特別高。可是那房子是新造的公寓，有冰箱，有電爐，有洗衣機，有電爐浴間，住房雖祇兩間，建坪卻有六十一平方公尺。

他們的儲蓄，是為了買汽車，出國旅行，海邊蓋一個小房子或者是買一個汽船。

瑞典人平均每三人中有一人出國旅行。每五人中有一人在海邊造有小屋。又有多少人自備有汽船或帆艇。每家有電話收音機。不久收音機之旁，又將加上一架電視機。

可是瑞典人民家中沒有浴室的，至今還差不多有半數，更有上萬家等候自造的或租住的新房屋。由於大家造房子，以致資金和人力都來不及。

由於生活的高壓，已有若干人得了神經病，許多夫婦離婚，更有許多小孩犯罪，酗酒，不守紀律，更有許多年青人，不安心於工作崗位，常常調換工作。這一切一切，都是社會的隱憂。

瑞典的一位藝術學院院長批評說：「瑞典目前變成了一個美育失調，藝術落後的國家。」顯示瑞典社會過於拜倒物質享受，精神眞空。另一位社會民主黨婦女會的主席說：「雖然我們目前物質享受遠勝先輩，可是既不安定也不舒鬆，我們必需使這個福利國家，變成更有人性和更有人情味才行」。（寄自瑞典）

丹士

台北點滴

權力運用

監察院對此次總統提名考試院正副院長及委員行使同意權一案，御史諸公於十三日會議時，對審查提名人資歷方式問題未獲得一致而延展，原因是多數委員認為行使同意權應慎重從事，主張必要時得通知所提人員到院查詢，討論頗為熱烈。但基於以往監院會因主張政府官員應到監院備質詢之建議，終未獲實現，一時被譏為欲過質詢之癮，但願此番不是舊事變相之重演，而是眞正重視正當權力之運用。惟值得懷疑者，過去監院諸公是否對行使同意權會予以忽視，而獨於此次突表重視，果爾，則不無令人遺憾耳。

法院隸屬

各方目矚，極為重視的法院隸屬問題，有關神聖司法獨立的法治精神，由有關單位提出後，監院亦認是憲法體制問題，乃送請大法官會議解釋。十日大法官舉行例行會議時，又將本案提出審議，但尚無具體結論，實現尚待時日，按法院隸屬問題，憲法明文規定司法院綜理各級法院，則原先將法院由行政院隸轄，即屬錯誤措施，自當即予改正，糾舉之職，亦屬監院份內之事，憲法既有依規，殊無請大法官解釋之必要，即此一行為，亦又構成不合法之舉。至於尚有人認為現行制度具有歷史性，未便輕率解釋，則尤屬荒謬，貽人毫無法律知識之譏！

大陸文壇萬花筒

何香凝老運亨通

——岳騫——

最近中共第三屆文代會已經閉幕，各機構主席已改選完畢，除去「美術協會」之外，全部均由舊主席蟬聯。

美術協會主席原是齊白石，白石翁逝世後，始終未選出繼任人選，對於這個職位，中共確有才難之嘆。因為「美協」自組成後，主席一職即由白石翁担任，但是眞正主持人卻是副主席江豐，江豐當時官職是北平中央美術學院院長，中國美術家協會副主席，美協黨組書記。這樣一個重要幹部，竟然在大鳴大放時反對中共，江豐當時反對是多方面的，他反對學校黨委制度，反對任何一件事都要引證毛澤東的話，因為毛澤東本身就有毛病，最喜歡偏聽偏信。甚至到了後來，他竟然把中央美術學院中的中國革命史課程取消了。這一連串行動使中共恨透了他，等到鳴放之後開始整肅時，江豐首先遭了殃，三年來沒有一點消息，是否尚在人間都很難說。

白石已死江豐貶，美協領導方面出現了眞空，中共實在推不出一個合適的繼任人，所以美協主席一直虛懸下來。

何香凝和美協並無關係，美協五名副主席，二十五名常務理事，六十一名理事都沒有她的名字，可見她根本就不是美協會員，否則不會沒有一個副主席或常務理事的位置。

這次美協改選，第一副主席江豐完了，其餘的人都不足統率羣倫，中共忽然想到何香凝身上，因為她也會畫幾筆，於是就選她當了美協主席。

就在當選美協主席的前一周，何香凝又當選了民革主席，民革主席李濟琛去年十月九日死去，十個月來始終推不出繼任人選，原有的七名副主席，在中共眼裏都是一樣貨色，實在難分甲乙，所以一直未派定由何人繼任，最近大概還是因為廖承志的關係，終於選中了何香凝。看到照片上何香凝那一副龍鍾之態，走動都要人從那邊攙扶，坐在椅子上開會時，還要扶着一根枴杖，不由得使人想起了她領導的「民革」和「美協」，不正是這樣一副形象嗎？

社會小說

香港地

五、有錢佬

這一聲輕歎，是福先生透過相當沉重的感慨發出的。他接着說下去道：「你不要以爲我說的是刻薄話，其實這是其來有自，理由充份得很呢。我如不幹這幾年商會文案，聽到若干奇奇怪怪的事情，怎會知道一些有錢佬是這樣過活，和用什麼樣的態度去處理錢的問題呢？讓我告訴你：這裏的主人眞有他自己的一套理論。他常常對人說：我因爲有了錢，才會受人恭維和巴結，假如我是沒有錢的窮漢，誰還識得我姓馬這個人呢？錢造成了我的地位和名譽，認識我的人都只因爲我是有錢而已。我怎不該把錢看得認眞？錢就是這末一種奇怪的東西，你把它看得認眞，它才會聚到你的手裏，你眞正懂得怎樣用它，它才會又回，並且是呼羣引類而來呢。所以，很多人不懂得我們有錢佬的性格，誤以爲和有錢佬商量關於錢的事情，最容易得到大方的答覆，可不知有錢佬對一個錢的放出也不會太隨便的，等於大律師一封函信都必句斟字酌得比尋常人爲嚴謹。這是習慣使然，並無足怪。有些人問有錢佬借錢，碰了釘子還不知道自己的錯處，倒把有錢佬冤枉地臭罵一場，實是豈有此理。」

梅大亮向來對有錢佬沒甚好感，從未聽過這樣的理論，聽了只覺得新奇。他一直聽到福先生稍稍歇口，才截住問道：「你說的這一番話，眞的是馬行時常常對人提及的麼？你是怎會得知的呢？是不是從新開聽他那麼說，轉說給你知道的？」

福先生點點頭，笑道：「不，不是假話。這就是他的眞心話。他還說：帶兵官只會嫌兵少，不會嫌兵多，所以大家常說『韓信將兵，多多益善』，『有錢佬也是只會嫌錢少，不會嫌錢多的』。大家且看民國以來的軍閥，誰肯自削兵權，自減兵額？文人的榮譽和地位都由文才得來，讀書的文人，什麼人不是博學之士，總嫌腹裏積得書卷太少，這情況和有錢佬看錢的貪婪處，又有什麼分別？」

這番話，可把梅大亮聽得呵呵大笑起來。（五五）

木客著

正名

汶津

有次子路問孔子：「衛君待子而爲政，子將奚先？」問得倒像是蠻誠懇的，可是就算不以小人之心度君子之腹罷，我也不得不懷疑仲由的潛意識，也許他暗自希望先生能重用像他那樣的勇士吧！「必也正名乎！」這回答簡直是晴天大霹靂，使這位升堂弟子有點惱羞成怒了：「有是哉！子之迂也！」雖說子路才小孔子九歲，可是老師是老師，學生是學生，這下連老夫子也認了眞，叱了一聲：「野哉由也！」接下去又滔滔不絕的向他說教一番，弄得子路啞口無言——不管他是口服還是心服。

讀論語這段文章的時候，兩千多年後的不肖子孫也有些神經緊張，而且心裏納悶：這豈不太嚴重了點兒？不過靜心的想想，也就不容你不點頭了。試想：一男一女走在街上，人們不會揣測：究竟是夫妻，是情人，還是兄妹？尤其是當旁觀者對那女的（或男的）有意思的時候。據說有一對戀人之間翻，便是因爲女方的令尊大人在電影院門口陪着千金時顯得太年輕了些個。當時如果那個花花公子能多有一點耐性，只要聽見女的嗲聲嗲氣的叫一聲「爸——爸」，不就一切都解決了？才子小說裏常讀到恩愛的新婚夫婦以兄、妹相稱，這大概也是一種古風，可惜現代化的社會恐怕不太懂得這一套，如果有人竟復起古來，難免會鬧一些笑話呢。

論語裏另外有一段比較枯燥的記載，是說明對國君夫人的幾種稱呼的，這正是禮義之邦的具體表現之一。到了二十世紀，這種正名的功夫不大講究了，不過說「夫人」總顯得文質彬彬些，雖然也有假客氣之嫌；說「太太」就比較通俗化，大衆化；說「妻」自然親熱些；說「太座」就有階級意識了——「我對她是唯命是從的，」這句話盡在不言中。但無論如何，「內人」還是內人，沒有「翻身」的規矩。

不用說，「名」是浮的，繡花枕頭經不起「查根究底」。有些專家，權威（按：近年來繁殖頗速），靠了某種盾牌才不至於像年前來台的那位撒旦博士一樣的出醜。相反的實例卻使人同情：別人聽說你是大學生，略表敬意之後，毫不例外的問（有時聽起來像是問供）：「學什麼？」如果你的答案竟是「國文」，對方必搖頭，表示失望；如果是「考古」之類的，對方皺眉；如果是「政治」，則立即湧起某種表情。因爲，一般的意見是，（套一句新聞用語，）國文系，考古系是活活把年青呆子製成古董或化石的工場，政治系則是政客培養所。面對這種「公論」，即使唇焦舌爛的當衆正名，恐怕也只有失敗的份兒。

有一句俗語，說是「嘴上無毛，做事不牢」，所以自稱「半仙」的江湖朋友們，必先在頷下留一撮白毛，這也是正名的一大捷徑。不過萬一有人跑到半仙攤上大聲吼道：「你這個老妖道！上個月說我家有喜事，這個月就死了娘……」那也就嗚呼哀哉。其實他本沒有騙人，「半仙」的意思是很公道的：一半算得準，一半算不準。這和氣象所預報天氣的準確度是無分軒輊的。可惜去請教的人都沒有好好的顧「名」思義一番，可又怪得誰來？

近代有一大發明，即名片。此一恩物使正名運動獲得順利的推展。平日看來寒酸的人，伸手掏出一張名片居然是頭銜纍纍，眞有點讓人「無所措手足」。碰到狗眼看人低的傢伙，如果揚起一張半眞半假的名片嚇他一嚇也是很過癮的。報紙上常讀到冒充警官的英雄劇，不免使人納罕：既然有此豹子膽，爲什麼不把正名的勾當搞得好一點，不致動輒露出馬腳呢？那樣的話：好戲在後頭了！

另一方式的好戲是從稱呼上揭幕的。由於稱兄道弟是我國一大國粹，年青朋友一有機會總不肯輕易放過。一位才出校門的高材生，竟在致舊日師長的八行書上署了一個「弟」字。想不到這一來引起了一位教授寫「應用文講話」的動機，此舉嘉惠後學不淺，總算他功過相抵。但他自己卻白白失去了一個很可以到手的職位。如果被孔老夫子知道了，大概免不了又得說一次「野哉」了。

儒林九尾龜

吳敬鉾

第三回：柳暗花明又一村

夏作人勸道：「金錢本是身外之物，只要政治上有辦法，還愁沒有錢嗎？」

盧教授憤然說道：「好吧！我們再從頭作起，換一個方向，這次台灣海關居然把我的貨物都敢充公，眞是豈有此理！此仇不報非丈夫，此後定要反對到底，就算給我一個部長，我也不願意幹了。」

夏作人鼓掌大笑，連說：「孟德兄，你剛才說得眞是流露出政治家的氣概，俗語說：『此處不留人，自有留人處。』怕什麼？」

夏作人說過又附在盧教授的耳朵唧唧噥噥講了一陣，盧教授點點頭，兩人就匆匆下樓去了。

等到他們走後，烏應桂嘆口氣，說道：「先生作生意受到損失，貨物被人充了公，可能連帶我們也受損失。」

李鴻飛笑道：「這次的貨物難道也有你的股份？」

烏應桂搖搖頭：「我那裏會有錢入股，我是說先生受了損失，可能又從我身上來開源節流。」

大家一齊在點頭，只有李鴻飛不懂，說道：從我們身上打主意恐怕也很難，老蘇總榨不出油來。」

林逢時嘆口氣：「慢慢你就知道了，這筆數要從我們身上補，過去已經有無數次經驗了，不過這次數目太大，幾時能補足，倒很難預定。」

過了一個鐘頭，盧教授回來了，坐在沙發上喝了一杯茶，只見大家都在看書報，忽然想起一件事，問道：「你們最近看大陸來的報紙，有什麼心得沒有？」

黃安民站起身答道：「多少有點了解，尤其是每人專研究一個問題，當然更易深入。」

盧教授點點頭：「你們明天每人寫一篇研究稿子，我拿到別的雜誌上發表。」

盧教授說過話，放下茶杯走了。大家放下書又討論起來，小石說道：「先生受了這次打擊，可能是轉了性了，對我們也比較關心，大概是感到朋友還是不如學生。」

黃安民皺皺眉頭：「我也莫明其妙，先生眞是作了大轉變，以前我們要寫稿寄投到其他雜誌去，他下令禁止，不准我們替外面雜誌寫一個字。可是，我們要寫點文字登在驚濤月刊上，他又說我們不夠火候，整個一本雜誌是他一個人寫，現在怎麼忽然解禁了。」

小石笑嘻嘻說道：「不問什麼原因，對我們說是有好處，從此以後我寫的東西可以印出來了。」

大家正說得高興，忽然有人按鈴，小石過去拉開門，走進一個六十多歲的魁梧老者。」（十七）

爬山

——台灣師大附中——

貴山

這一座蜿蜒的大山就像漫長的人生道，山裏有無數的寶藏在等待開採、發掘；也有無數的陷阱與深淵，在等待失足的人墮下。

但是你能卻步嗎？不，這是必須經過的一段可怕或許是可喜的旅程，這樣才能到達成功的彼端，摘到成功的果實。

上去吧！於是一羣一羣的人開始爬山了。不多時有人下來了，他們說前面有老虎，毒蛇，但是有的人仍然向上爬，不久在茂林裏，有的人被蛇蠍咬了，倒在路邊停止了前進，爬呀！爬呀！還是有人在爬，有的人終於爬上頂了，但是有人跌下深淵了，有人迷戀路上的美景而誤入歧途了。爬山是困難的，滿途荆棘，遍地毒果，偶一不愼便要鑄成千古恨事，上山的人下山是太簡單了，但要再爬上去可就難了，就像一個墮落了的人似的。

朋友！我們要做一個山的征服者，但卻不要疏忽了山風是凜烈的，他不斷地在打擊着我們，也不要忘記那些毒蛇猛獸正穿了美麗的外衣不停地迷惑我們，使我們不知不覺的走入了陷阱。

青年之聲

專家與怪論

徐學慧

西方之患，不在「專家」太少，而在專家太多。

馬五先生在本報上期以「專家」之需爲題，描繪了一副英美遠東問題專家的醜態，可謂深獲我心。

蘇俄垂鐵幕于前，中共垂鐵幕于後，由于其內部情況之與世隔絕，而這些以爆肚爲能事者，乃得以「專家」之名，大行其道。此亦二十世紀中葉的最大滑稽劇。

西方以科學發達聞于世。科學上需要培養專家，他們乃連帶的想到在政治社會國際方面也得培養一些專家。這一來，專家之多，至于可以車載斗量，而邪說競起，天下大亂矣。

西方的所謂遠東問題專家，在我們這些東方人看來，簡直一文不值。而他們卻每隔一個時期，就得爆出一些「專論」，以期驚世駭俗。

於是乎，俄國的火箭基地把炮口向中國大陸的新聞，從專家們口中爆出來了！

於是乎，毛澤東親自下令調留俄學生回國的新聞，也從專家們口中爆出來了。

專家的怪論愈爆得多，則專家的地位愈不可動搖。其結果是：西方那些大的通訊社，幾乎天天要爆些怪論，來淆亂視聽。

此種作法，如果從深處着想，則亦與共產黨的作風，有異曲同工之處。

共產黨要一切學者專家爲共產政權服務，而西方國家的所謂專家也同樣是爲他們的強權政治服務，二者只是形式不同，實際是無分軒輊的。

這些專家們的爆肚新聞，如果單純以小丑姿態視之，顯然仍是不切實際的。我們必須把這些「專家」們的言論，看作是一種原子時代的「愚民政策」。

此種「愚民政策」，比起秦始皇的政策來，則後者簡直是小巫見大巫了。西方的愚民政策，簡直是欺天下人以無知，彼等藉其通訊網的廣布，不崇朝而把怪論傳遍全世界。看最近一個多星期來，香港報章，幾有十分之八以此種怪論爲大標題，登載于顯著篇幅，即可知其愚民政策已收到了相當效果。

作爲一個東方的報人，實在是有責任要把這種怪論的內幕予以揭穿的。西方人對于共產黨的看法，和我們東方人全不一樣。東方人認定共產黨爲人類的公敵，而西方人却認爲共產黨可以爲敵，亦可以爲友。一句話，這仍然是強權主義的思想在作祟。

釋未集

日本前首相岸信介，於宣佈退職時爲刺客鉏𨪰負傷，新任首相池田勇人，乃不得不僱用職業槍手，爲其保鏢，可知日本社會，暗殺之風，並方興未艾，豈亦有不得已者邪？昔司馬遷爲史記，撰游俠列傳，於俠者但曰：「以功見言信，俠客之義，又曷可少哉。」而刺客列傳，自曹沫至荊軻，畢無微詞，且爲之贊曰：「此其義或成或不成，然其立意較然，不欺其志，名垂後世，豈妄也哉。」太史公書，宏識孤懷，獨絕千古，其所以使懦夫增氣，致後世詆爲謗書者，當在是矣。餘杭章炳麟先生獻身革命，義不帝清室，爐書六有云：「且儒者之義，有過於殺身成仁者乎？儒者之用，有過於除國之大害，扞國之大患者乎？……天下亂也，義士則狙擊人主，其佗藉交報仇，爲國民發憤，有爲鴟梟於百姓者，則利劍刺之，可以得志，當世之平，刺客則可絕乎？文明之國，刑輕而奸諛恆不敝其辜，非手殺人，未有考竟者也……當此時，非刺客而鉏奸不息明矣，」儒者末流，曲學以阿世，未生以害仁，則又刺客之不若矣。余考中山先生領導國民革命，亦謂革命之始爲宣傳，其次爲暗殺，黨人之中，若溫生才、吳樾、徐錫麟等，亦果能存亡死生，爲國民揚眉吐氣，比諸曹沫、專諸、聶政、豫讓之倫，抑又過之矣。嗣是以後，黨人復相繼，爲人暗殺而死，爲其著者如宋教仁、陳英士、朱執信，即新聞記者如黃遠庸，亦爲人跟蹤追至異國，終戕其生，此又元惡滔天，以權力、金錢，收買亡命之徒之所爲，雖同爲殺人，其跡或近於借交報仇，而終與專諸豫讓殊科者，因在位者宜殺人以公法，使死者無所銜恨，不肯殺人以恩怨，使死者私怅無窮也。夫兩軍相對，勇而善戰者，必不以暗箭殺敵人，以自貶其威望，此亦政治道德之一端，然自袁項城以下，諸柄國者，均自犯之，而不以爲諱，對所謂特務工作，才傳誦不衰，而政黨政治之元者，又往往同於一特務頭子，其政治上之成敗，並一切決定於特務工作之成敗。然則池田勇人，必乞靈於職業槍手，苟且保其首領，爲不足怪矣。東晉江左詩人陶元亮，恬淡自適，不慕榮利，區區獨不能忘情於刺客，爲詩詠荊軻云：「君子死知己，提劍出燕京，素驥鳴廣陌，慷慨送我行，雄髮指危冠，猛氣衝長纓……心知去不還，且有後世名，登車何時顧，飛蓋入秦庭，……惜哉劍術疏，奇功遂不成，其人雖已沒，千載留餘情。」持論與太史公，及章先生如出一轍，所謂以弔古之懷，灑傷今之淚，雖號爲隱逸詩人者，亦復不免，是則刺客之行，若不爲豪暴、匡回之所收買，固不失爲儒者之殺身成仁，抑亦一民族人心未盡死之明證也。

暗殺

曲齋

海隅消暑錄

巫術和迷信（一）

謝康

什麼是巫術？這大概是一種迷信，也是宗教起源的一種低級形式。在古代的時候，科學的智識幼稚，後來文化漸進，科學仍未甚發達。在科學所能解釋和支配的領域以外，早已發生以實用爲目的底特殊儀式活動。人類學上統稱它爲巫術。例如符水治病是一種巫術，迷信風水，也是巫術，天旱求雨，又另有一套巫術。因爲生命之無常，疾病的難於預防和治療，航海和戰爭的危險，初民無法控制，因此，一切活動，差不多都有求於巫術，以它爲達到某種目的的工具。它的動作表現，通常是符祝、儀式、舞蹈和一些奇怪的姿態，捕風捉影的動作等等。這些動作，在各地區各民族，可能有多少不同，但其性質是以實用爲目的的特殊儀式，却沒有什麼差別。

宗教的功用，一部份和巫術相同；也是在科學領域以外的，但因它有神學、哲學等理論基礎，給人們以永生的希望和未來的滿足，那是巫術所不能相提並論的，因此，巫術只是未有宗教以前初民的各種具有實用價值的迷信，而宗教的理論價值却遠超過實用價值。又巫術注重現實，而宗教則注重超現實。

按許氏說文巫部：「巫，祝也，女能事無形，以舞降神者也。」書經：「致有恒舞於宮，時謂巫風」辭海巫蠱條：「巫以詛咒之術爲蠱以害人也，……」漢武帝時（公元前第二世紀，）有巫蠱之獄，據說是因爲漢武帝信方士，許多巫覡都聚集到京師來。女巫出入宮中，教後宮人埋木偶以禳除災難。後來武帝生病，有人說是中了蠱毒（客家語叫「放扛頭」），於是命令挖掘宮殿中所埋藏的木偶，這件事牽涉到皇太子身上。於是太子因而自殺。可見巫術在中國歷史上，是曾經鬧得相當厲害的。

閒話七夕

漁翁

今夕何夕？是牛郎織女一年一度相會之日，名爲「七夕」，又曰「乞巧」。據荊楚歲時記：「天河之東有織女，天帝之子也，年年織杼勞役，織成雲錦天衣，天帝憐其獨處，許嫁河西牽牛郎，嫁後，遂廢織紝，天帝怒，責令歸河東，惟每年七月七日夜，渡河一會」。又載：「七夕，婦人結綵縷穿七孔針，陳瓜果於庭中以乞巧，有蟢子網於瓜上，則以爲得。」宋代詩人楊朴詠七夕云：「未會牽牛意若何？須邀織女弄金梭，年年乞與人間巧，不道人間巧幾多？」

七夕乞巧，流傳已非一日，而乞得巧者，以恢復兩京，中興唐室之郭子儀，爲最幸運。傳子儀於七夕，在陝西銀州（今米脂縣），忽見天上雲軿羽葆，緩緩而降，仙樂悠揚，子儀虔爲織女臨凡，趨前禮拜叩問休咎，女微笑曰：「大富貴亦壽考。」其後位列公侯將帥，七子八婿十三孫，壽八十五而終，果如仙女所云。此故事詳「神仙感遇集」。

據吳淑秘閣閒談：「蔡州丁氏，精於女工，每七夕，禱以酒菓，忽見流星墜庭中，明日，於瓜上得金梭一枚，自是巧思益進，」丁氏向織女乞巧，乞得金梭，與郭子儀乞得「大富貴亦壽考」，後先媲美。

東漢記：「竇后少小，頭禿不爲家人所齒，遇七夕，人皆看織女，獨不許后出，乃有神光照室，爲后之瑞。」又雜異書曉：「有女子尚幼，七夕見家人出庭望候天門開，獨在室中不出曰：若合當見者，雖暗室中亦當見之，至深夜，忽見上天開門，雲氣赫奕，因求富，及長嫁而富，家累鉅萬。」俗云：「無心插柳柳成陰，」上二女，不乞而得巧，亦幸運之至也。

風流天子唐明皇與楊貴妃，每於七夕在華清宮，設瓜菓酒饌，向牛郎織女乞巧，並密相誓心，願世世爲夫婦。讀白居易「長恨歌」，末云：「七月七日長生殿，夜半無人私語時。在天願作比翼鳥，在地願爲連理枝，天長地久有時盡，此恨綿綿無絕期。」悱惻纏綿之情，躍然紙上，至今猶傳爲佳話。

七夕既爲牛女相會之佳節，但一居河東，一居河西，茫茫雲漢，何以渡之？據傳由鵲駕橋，鵲爲留鳥，終年居留於大平原地帶，人聞其聲，認爲大喜臨門。靈活可愛，惟秋後頭禿，成爲創造鵲橋之神話。

周處風土記：「織女七夕渡河，使鵲爲橋。」又葛洪西京雜記：「織女渡河，使鵲成橋。故是日人間無鵲，至八日，則頭尾皆禿。」爾雅亦云：「七月七日，鵲無故皆髡，相傳以爲是日河鼓與織女會於漢東，役鵲爲梁以渡，故毛皆脫去。」

據上所云，神鵲架橋似乎實有其事，引起古人吟咏者不少，如李商隱詩：「鸞扇斜分鳳幄開，星橋橫過鵲飛迴。」薛能詩：「不憂雲路塡河遠，爲對天顏送喜忙。」陸游詩：「爲梁星渚自何年，毛羽摧傷不怨天。」女詩人黃淑德詠鵲橋云：「鵲駕成橋事可歌，年年今夕會星娥。」馬嫺卿賦七夕亦云：「靈鵲成橋事有無？人間今夜憶黃姑。」凡此繪形繪影，陳陳相因，印入中國人腦海中，有不可磨滅者。

因爲一年之時間過長，而一夕太短，所以廣東人於七月六日夜過七夕，似乎等不下去而提早一天，即舉行「迎仙」，「拜仙」。詩人黃晦聞一闋有：「粵俗乞巧以六夕」之雅句，足見久別思聚，爲人間應有之天眞。

雖然，牛女過着一極不自由之生活，而一年三百六十五日，而猶有相會之一天，而流落他鄉，有家莫歸者，十年不得一面，且「渭上音書絕」，又莫能探其夫婦間之眞消息。値此佳節，望銀河而憶故鄉，莫不萬感交集！

可是，我中國人最注重者爲「大團圓」，其離也悲，其合也歡，悲歡離合，爲人生必經之途徑，牛女以悲始，而以喜終，吾人今日雖遭不幸，而雙星當空，光明在望，相信共終有花好月圓之一日也。

海嶠塵談薈

我與共幹夏曦（一）

諸葛文侯

已故著名中共幹部人物夏曦，字曼伯，湖南益陽縣人。民國二年春，他與毛澤東，易禮容等投入湖南省立第一師範學校肄業時，我亦係該校新生之一，因得相處月餘，忝爲普通朋友，旋我奉家長命轉學省立高級中學——後改爲第一中學——遂暌隔無往還矣。民十年冬，我自日本東京代表湘籍學生回長沙公幹，曾於省教育會會議席上重遇毛、夏二人，對愚頗示親熱。散會後，他們領我赴所謂「自修大學」參觀，我不知道這原是共黨創設的文化機構，入門詢問校長爲誰？毛、夏笑答曰：「難怪你是受的資本帝國主義教育，乃有此問，校名爲『自修』，尚何需乎校長教員呢？」我也拊掌大笑不置。

既而我以任務完畢，訂期遄返東京，臨行前夕，夏曼伯來言他亦因事赴滬，擬偕同出發，途中庶不致寂寞，我甚表贊許。沿途先乘火車至武漢，繼搭輪船赴上海，夏氏每日跟我談論國事，闡述非實行革命以打倒軍閥官僚政府及帝國主義者不可的種種理由，慨當以慷，熱情沸騰，我亦爲之動容。

到達上海後，夏氏又伴我下榻棋盤街「湘益公」客棧樓上，夜間談心常至深更。一夕，夏告我陳獨秀主持之「共產主義青年團」（簡稱C・Y・）組織，勸我加入，至此方悟其沿途對我特別招呼幫忙之所以然，原來是奉命爭取同志入夥的。我心裏憎惡共產主義，但以夏氏對我意良厚，不便峻拒他的要求，乃問參加C・Y・組織的資格如何？他說：年在廿四歲以下的知識青年，可加入，別無任何限制。我故作詫異失望口吻答道：「眞糟糕，我今年廿五歲了，不合規定！」夏謂相差一歲，毫無關係。我正色莊言曰：「曼伯兄，凡作同志，貴乎眞誠，日後乃能共生死患難，同禍福休戚。我若開始參加組織，即出以隱瞞年齡的作僞心情，此大不可也」。夏氏諒知我的思想頑固守舊，並非前進份子，只好一笑作罷，次日他即搬出「湘益公」客棧，說是要往杭州去者，從此永遠無緣晤友，我亦忘記這個朋友了。

民十六年四月，我由蘇俄歸至武漢，擬回家鄉省親，閱報知夏氏與毛澤東等正在長沙辦理黨務（表面是國民黨省黨部），權勢梟張，炙手可熱，我不敢貿然入湘，曾致函夏氏敘舊情，並說明還里省親的志趣，決不滯留長沙。詎連續投去兩書，皆無回音，我懔然於危邦不入的古訓，即斷絕省親之念，暫時蟄居民黨前輩皖人凌鐵庵先生（現任國大代表，住在台北。）的漢口寓所，頗感前途茫茫，未審時局將如何發展？一日，自外間游玩歸寓，凌大小姐迎門語我：「剛纔有四個穿藍布短裝的人，前來詢問您是否住在我們家裏？」愚聞訊大爲驚駭，因當時共黨到處組織「工人糾察隊」，隊員都是穿的藍布制服，這般人隨便逮捕異己者，沒人敢干涉其暴行的。繼念他們何以得知我的住址，頗疑心是夏曼伯通知武漢共黨，教他們注意我這「反動份子」的行動所致，思之不勝慄慄危懼，當夜即買棹潛往九江，轉赴南昌李協和先生幕中于役了。

讀胡適中美學術會議演辭後

阿公

書云六宗，指祀典言。禮云宗氏，指宗祖言。諸書之所云教，——政教、禮教、文教庠序之教而已。與宗教之宗，渺不相及。曷可強爲牽合。

犧牲。古之祀典三品，牛羊豕也。三品曰大牢，羊豕二牲曰少牢，儀禮記載至詳。自堯舜禹湯文武，列國諸侯，至於秦漢，從無以人爲牛羊豕者。未知胡博士何所據云。若以「河北娶婦」爲左證，此類似小說家言，不可爲典要。戰國策魏一記西門豹爲鄴令，亦未涉及如此滑稽之事。乃胡博士如此張大其詞，——「大規模」，舉以告西方學人，未免淆亂史實。

二、佛教東來，遠在秦始之時，經西漢至魏晉，始爲士大夫所嚮習，北魏時禪宗達摩，面壁九年，六傳至惠能，其教始章。總其上乘教義，大多以出世爲入世，與儒家賢聖之以入世爲出世者，旨意相契。未嘗假借權力，強人信仰。至若靈山會上，教外別傳，與孔子「吾道一以貫之，」曾子曰唯，」亦復相同。未可以浮泛之意識，武斷其是非。佛教中皈依受戒，然指斷臂，屬於個人信仰修持自由，不必強同，亦不必盡非。此宗教之所以爲宗教也。胡博士竟以「征服、欺詐、謊言、虛構」等詞黜斥之。殊失學者雍容可否之度。予可斷言，「未來」世界，不盡屬於佛教徒，亦不屬於胡博士，窮變通化，自有後一代人。（二）

粟海彈心錄

自由報

THE FREE NEWS

第七十五期

中華民國僑務委員會登記證台僑報字第三三三號
中華郵政台字第一二八二號執照登記為第一類新聞紙類
（半周刊每逢星期三、六出版）
每份港幣壹角
台灣售價新台幣伍元
社長：雷嘯岑
督印人：黃行寶
社址：香港灣仔高士打道二十四號四樓
20, CAUSEWAY RD 3RD FL. HONG KONG
TEL. 771726 電報掛號：7191
承印者：田風印刷廠
地址：香港灣仔高士打道一二二號
台灣分社
台北市西寧南路壹壹叁號二樓
電話：三〇三四六
台郵撥儲金帳戶九二五二

論中俄共理論分歧的實際

金達凱

一

關於中共與蘇俄間的齟齬，為近月來國際新聞的熱鬧題目。西方記者和評論家大都以為中俄共將由理論上的分歧，發展到領導權的爭奪，更進而導致彼此關係的破裂，一如南俄分裂事件的重演。

因此，最近自南斯拉夫坦遮茲通訊社駐平記者發出蘇俄專家撤離大陸的報導後，貝爾格來德、倫敦與華盛頓之間，即相繼傳出中俄共的裂痕已告擴大，如說中共留俄學生已逐漸轉學東歐衛星國；中俄共合辦的俄文刊物「友誼」和「中國」月刊已停止發行；中共學者未出席莫斯科的國際遠東學術會議；蘇俄專家未離大陸者，行動已受到限制了；以及俄共中央通告地方黨部，指責中共的好戰思想；同時赫魯曉夫向各衛星國散發「反毛宣言」，籲請國外共黨支持蘇聯的意見等等，表示中俄共的關係似已臨到決裂的前刻。

這些消息，有的則自有其根據，有的則係捕風捉影，或誇大其詞；有的則站在西方立場，以通常國際關係的尺度來作為衡量共產國際關係的標準。例如八月二十二日出版的「新聞週刊」報導說：「赫魯曉夫前在布加列斯共黨集會中曾經質問中共的代表說：「為什麼你們不從印度的領土撤退，同時解決該項邊境問題？」而中共的答覆是：「在你要求我們放棄我們的合法領土前，你為什麼不先行離開匈牙利，羅馬尼亞，波蘭及其他東歐與波羅的海的國家？」這段對話，就常識判斷，如果不是傳聞有誤，就是寫這個報導的記者係以自由世界對東歐衛星國地位的觀感來說明問題的。因此，中俄共齟齬的真相如何，在理論上是否真有重大分歧，彼此的矛盾，是否真到了不可調和的階段？我們需要作一客觀的分析。

二

首先，應當說明的，中共與蘇俄並不是沒有矛盾存在。在一九五三年以前，史太林在世之時，由於他的鐵血政策，與對各附庸國的嚴密控制，以及中共在共產國際的長期撫育下所養成的對史太林的盲目崇拜，所以過去數年，毛澤東對克里姆林的意旨，是無條件奉行的。在理論上更不敢離開史太林的言論範圍，另創花樣。反之，他的幾種著述，無一不是拾史太林的餘唾，如「人民民主專政」，原為史太林「各階層聯盟」的別名。「抗日民族統一戰綫」，亦史太林透過第三國際所推行的「反法西斯統一戰綫」策略的翻版。他如「革命戰爭中的戰略問題」及「論持久戰」，也是以蘇俄的遊擊運動戰思想和史太林的攻擊防禦思想為基礎。甚至所謂「過渡時期總路綫」，優先發展重工業與推行農業集體化等，亦無一不根據史大林路綫而來。中共文胆陳伯達在「論毛澤東思想」一書中，即明白說出毛的思想與史大林的血緣關係的深厚。

但自史太林逝世後，蘇俄對各附庸的部勒比較鬆弛，加以俄統治階層的不斷內爭，馬林可夫至赫魯魯夫均對中共另眼相看，莫斯科出版物捧毛澤東為「馬列主義的偉大理論家」，因而毛澤東得意忘形，一九五六年以來在若干方面並不與赫魯曉夫採取相同的看法與做法，其最主要的表現有左列二項：

其一，在蘇俄反史期間，中共對史大林功罪評價的不同。一九五六年二月俄共舉行二十次大會發動清算史大林時，赫魯曉夫指責史大林生前的錯誤，給蘇聯造成重大的損害。而中共則發表「關於無產階級專政的歷史經驗」一文，對史大林採取肯定的態度，說他在二次大戰的功績，反托洛斯基和季諾維也夫的功績，「不愧為傑出的馬克思列寧主義的戰士」。並且認為對史大林的著作「仍應和過去一樣認眞研究，把它當作一項重要歷史遺產來接受」。這是中共與俄共相異的第一點。

其次，是「人民公社」的問題。蘇俄自十月革命後，經過四十餘年時間，目前還在社會主義階段，並且赫魯曉夫一反史太林在「蘇聯社會主義經濟問題」中所主張的「將集體農莊所有制，提高到全民所有制」的意見，而將蘇俄拖拉機站所擁有的拖拉機全部出售於集體農莊，由集體所有制向私有制後退了一大步。但是中共在推行農業合作化後不到兩年時間，即更進一步成立「人民公社」，將「集體所有制」過渡到「全民所有制」亦即是企圖由社會主義社會進入到共產主義社會。據說會引起赫魯曉夫的不滿，這是中共與俄共不同第二點。

但是這些不同之點，亦沒有影響他們的主奴關係，而中共也終採取妥協的態度。在反史問題方面，中共舉行八全八會時，在大會的發言中已無一人再提及史大林。並且為了附合赫魯曉夫當時所反對的「個人崇拜」，實行「集體領導」，中共八全大會通過的新黨綱，將七全大會在黨綱中規定的「以毛澤東思想作為自己一切工作的指針」等數語刪去。至於「人民公社」問題，一九五八年十二月中共武漢會議時，對公社的性質亦有所改變，指出「宣佈農村人民公社立即實行全民所有制，甚至立即進入共產主義等，是一種輕率的表現，企圖過早地否定按勞分配的原則，企圖在條件不成熟時勉强進入共產主義，無疑是一個不可能成功的空想」。一九五九年廬山會議時，中共又將公社的一級所有制，改為公社，生產隊，生產小隊的三級所有制，將公社的性質退回到農業合作社的階段。這又是中共對蘇俄妥協的表現。

綜上二項來看，過去四年，毛澤東對赫魯曉夫雖沒有像對史大林那樣的馴服順從，但始終接受蘇俄的領導。特別是當蘇俄的處境困難時，中共則站在蘇俄立場，替蘇俄作種種的效力。例如匈牙利事件時，「人民日報」即發表社論表明立場，說他們對西方「絕不抱任何幻想，堅決的站在以蘇聯為首的社會主義陣營方面，同蘇聯的友誼永遠不可動搖」。並在八屆二中全會中，作出「堅決地加强以蘇聯為首的團結」的決議。一九五七年毛澤東出席莫斯科共黨國際會議，更提出「社會主義陣營需要一個頭，這個頭就是蘇聯」的說法。

三

目前中共與蘇俄理論上的分歧點，乃是戰爭能否避免的問題。本年四月，中共在「紀念列寧九十週年」的名義下，連續發表了幾篇鼓吹戰爭的理論性文學，其主要內容，是徵引列寧言論，指證資本主義與共產主義矛盾之不可調和，強調共產主義國家與資本主義國家戰爭之不可避免。依照他們的邏輯：資本主義，產生「帝國主義」，而「帝國主義是戰爭的根源」。因之要消滅戰爭，就要消滅帝國主義，要消滅帝國主義，就要消滅資本主義，要消滅資本主義，首先就要打垮美國。這是中共「戰爭論」的基本論點。而U2機事件發生，可加強中共主戰的理論根據，毛澤東在武漢發表談話說：「這件事再次暴露出美帝國主義在虛偽和平的幌子準備侵略戰爭的眞面目，進一步向全世界證明了這樣的眞理：對帝國主義不應存有不切實際的幻想。曾經有人把艾森豪威爾說成是一個十分愛好和平的人；我希望這些人能夠從這樣事實中覺悟起來」。六月二十五日「人民日報」又發表中共總政治部副主任李志民的一篇更為激烈的主張以戰爭來解決問題的文字，使中共的好戰言論發展到最高潮。但這是以左傾冒險主義的姿態，要求蘇俄從事更大的冒險，與狄托的右傾機會主義之反對蘇俄之領導，其性質純然不同。

在蘇俄方面，則提出反對「戰爭不可避免」的說法。六月中旬赫魯曉夫在羅馬尼亞十二國共黨會議上指出由巴黎高階會議的崩潰所引起的世界緊張局勢，只是暫時的事。他認為世局遲早會變好的，戰爭是可避免的，「只有愚人和瘋子纔會在今天要生新的戰爭」。這也就是國際間所紛傳的中俄共關于和戰問題分歧的焦點。

然就一月來的情形看，中共並沒有堅持他的主張，最後也還是走向妥協。第一，中共簽署了羅京共黨會議的宣言，同申遵奉一九五七年莫斯科共黨國際會議的兩個宣言，為現階段共產集團活動的綱領。同時「人民日報」再度將這兩個宣言刊載，並發表社論表示擁護。第二，自七月以來，中共即逐漸停止鼓吹戰爭的宣傳。第三，七月底至八月初，周恩來兩次表示主張：「亞洲和太平洋地區，包括美國在內，簽訂一個互不侵犯的和平公約，使上述地區成為沒有核子武器的地區」。這些說明中共現又改換一副「和平」的狀態，以與蘇俄的「和平共存」策略相配合。因此，可以說他們的矛盾並不嚴重。

而且，我們應當了解，共黨口中的「和平」與戰爭，並不是絕對對立的兩件東西，而是一物的兩面。過去史大林也曾提出「世界和平」的口號。而赫魯曉夫的「和平共存」，則是在「一切國家都將走向社會主義」這一前提下出發的。所以莫斯科會議宣言和羅京會議宣言都說：「在目前條件下，各國工人階級有可能摧毀反動勢力的反抗，為和平實現社會主義革命準備條件；同時也有可能通過非和平的道路取得社會主義革命的勝利」。其用意是非常明顯的。西方評論家只片面地抓住赫魯曉夫口中的「和平」兩字，而忽視了他的前提；又放過了他的「非和平」的說法。以這樣的脆弱根據，來強調中俄共的理論分歧，是與實際情況有距離的。何況赫魯曉夫也會一再發出戰爭的恐嚇，如聲言用火箭支援古巴等；同時中共也提出過什麼「和平五原則」。由此證明他們對于和戰手段是互為運用，不固執一端，實際上是沒有區別的。因而所謂中俄共即將破裂的說法，殊難令人取信。

小論天下

△日本衆議員吉川兼光訪問自由中國，在台北說：美國根本不懂外交。東南亞要美援而「喜美國。

美國人聽了不要痛心。亞洲人不怕「見金夫」，只怕「不有躬」。這是不懂外交的人也該懂的常理。試作一篇使美國人讀而痛心的小論：以征利為實，以仁義為名；金未盡而交疏，信不孚而叢怨；喜欲加膝，怒即墜淵。恃此求友，不亦難乎！

△寮國內亂危機有轉圜的希望。寮國的「罵戰者」倒眞的似有「和平共處」的可能。

泰國人可以暫時鬆一口大氣，總算在這一課裏面認識西方盟邦的「可靠性」。

△印度總理尼赫魯說：印度從前是在牛糞時代，現在只是脚踏車時代。

難得他會經企圖使牛糞時代的印度成為亞洲國家的盟主。

△剛果總理魯蒙巴大概已被共黨在幕後操縱，態度越來越見可慮。西方外交家現正開始作這樣的觀察。另據日本駐西德記者報導：中共滲透非洲的活動力超過蘇俄。

由此可見，對於共產黨開闢新戰場的努力，以及使用力量的方式和程序，西方人士自始即沒有足夠的警覺和認識。

△北平「人民日報」為呼籲農業增產著論，說要在年內增加農產一倍。

平白便可增產「一倍」，這是魔術。由於魔術家這一呼喊，倒可確證大陸同胞目前只能吃個「半飽」甚至不夠。換句話說：人民都在「半餓」狀態中。

△中共和蘇俄鬧意見的傳說仍然不斷增加。據說赫魯曉夫和毛澤東將在北韓開共黨內部的「高峯會議」。華盛頓的外交觀察家並不以為他們立即分裂。有一個說法是：「他們兩者均欲消滅吾人而後快。所不同者，一方要用大棒，另一方則要吾人緩緩而死。」

別忘記中共目前窮成這個「可憐相」，狂喊增加農產。「農不與工敵，窮不與富爭，奴不易反主」，這是鐵律。蘇俄前年對毛澤東開刀開得不徹底，要第二次動手術也不會太過困難。共產帝國的「大棒」始終握在蘇俄手裏，不會放鬆的。

△星加坡警察當局發表年報，將共黨的顛覆與黑社會的勒索並列。

勒索每禍在一人，顛覆常禍在一國。

方南

在嚴禁濫施體罰聲中

台北警察毆打監院職員

八月十九日上午行政院答復監察院，謂已嚴禁有關機關濫施體罰，想不到當天晚上，監察院一職員被警察毆打重傷，這簡直是對行政院一大諷刺。

台北通訊

（本報特稿）在自由中國的警察打人事件，如同「惡狗咬人」一樣，已經不算是新聞了。最近，台北市的警察，毆打監察院的職員李聽明而致重傷，這件警民間的糾紛，竟發生於行政院答覆監察院嚴禁治安人員濫施體罰刑求之後。行政院說，政府已命令各有關機關，對於審理人犯，嚴禁濫施體罰，違者將從嚴處罰，這則消息是中央社發佈，見八月十九日台北各報。而警察毆人的事件，發生於十九日晚上九時許。監察院書記官李聽明，於是晚和中部來台北的朋友數人，在台北中正路同慶樓便飯喝酒，因爲聲音較大，致鄰桌幾位便衣警務人員不滿，乃上前干涉，故雙方發生爭執，李聽明爲了息事，勸解雙方，即與鄰桌便衣人員交談，並表示：大家不必爭吵，如有什麼事情，大家可以好好地談。殊料，便衣人員則以流氓視之，拿出手銬，將李聽明的雙手銬起來，不問皂白，將李聽明拖出同慶樓，強拉其去中正路派出所，李欲與之理論，對方即以拳腳交加，毆打李聽明，警務人員七八人，前呼後擁，沿途用木棍橫加毆擊，路人咸敢怒而不敢言，所以李不支而臥倒地上，但對方則慘無人道地邊拖邊拉邊揍，當李聽明被帶到七洋行監察院宿舍門前時，李慘呼救命，始被監察院住在宿舍內的其他職員丁某等所悉，隨即向警務人員查詢事實眞相，然而有恃無恐的警察，竟欲加害於某等，幸經監院宿舍其他同人拉開，丁某等才倖免於揍。這件事情發生後，警方曾湮滅部份證據，即將李聽明被毆染有血漬的香港衫和西褲，强行脫去洗刷。但李聽明在派出所雙手被銬的情形，却被監察院攝成照片，而成爲台北民營報的新聞圖片。這則新聞，轟動社會而引人注意，因爲受害人是監察院的職員。

八月二十日，李聽明在取得台大醫院診斷書後，即到台北地檢處按鈴申告，控訴台北市警察局第五分局中正路派出所警察杜東林等八人傷害及妨害人權自由罪嫌，案經檢察官方正受理偵辦。警務處長郭永聞悉此一事件後，親赴監察院向于院長致歉意，于院長當時曾這樣的說，警察打人，總不太像話！弄得郭處長面紅耳赤，連聲答稱：決定嚴懲違兇警員。於是，警方成立專案調查小組，由市警局督察長陳籌舉負責調查製成報告書。報告書的內容，雖經台北各報「社記」窮追不捨，但仍未洩露，因爲警方將這份報告書，列入極機密的文書，所以外界就無法得知內容了。

不過，警方却利用公共關係發佈新聞，這些新聞都是有利於警方的。但是，從這些新聞中加以分析，其予盾之處，不攻自破了。比如警方說，李聽明酒醉毆打警察，但誰被毆打？傷在何處？警方又不提出事實爲證。至於李受傷，係他自己不愼跌傷的，如果說這是事實，那麼！李聽明何以會跌得頭破血流全身腫痛傷痕累累？更幼稚而可笑的，是警方承認用手銬將李雙手銬起來，但這種手銬是保護李聽明，這樣的說詞，不是荒唐的謬論嗎？不是欲蓋彌彰嗎？因此，監察院推派監委陶百川，曹德宣等進行調查，本案眞相如何？即不難大白了。

台北點滴

禁屠政策可以休矣！

自從去年八、七水災後，政府即採取每週二、五禁屠政策，除節省消耗目的外，復令人對水災有傷之心，用意不可謂不善，然實施一年來，其效果竟適得其反，蓋屠宰猪隻數量減少甚微，而政府屠宰稅則因此稅減，且私宰之風，反比以往更形猖獗。而一般「肉食」者，只須早一日屯購冰藏，或乞靈於私宰販，則二、五之日，仍可大快朵頤。「禁屠」也者，徒具虛名而已。因此近來議壇及輿論界，紛紛根據實際情況，提出停止「禁屠」之意見，但政府目前似無「從善如流」之雅興，却一本「堅持到底」的精神，大有堅持「蝕本生意做到底」的意思，不知打的是何算盤？

現階段日本對華政策探討（一）

羅堅白

（一）一邊倒的意向和騎牆的動向

過渡內閣　池田內閣成立已滿一月，我們中國人當然不免急欲知道它的對華政策。怎奈日本正翹足待望國會衆議院的解散，在即將到臨的衆議院選舉結果被揭曉以前，池田內閣只是一個過度內閣。它的整個內政外交方針都還未曾定局，甚至可以說並無定性。所以我們談到它的對華政策，只有不嫌暗中摸索，去找尋它「也許可能」的趨向。

中共對日三原則　日本現階段中的對華政策，必然會以對中共政策爲核心，應無容贅語。在中共方面，具有所謂對日三原則，要日本奉作進行復交的金科玉律。最近來過日本的中共總工會主席劉寧一，臨去鄭重表明這三原則訖無變更。所謂三原則者：一是「停止敵視中共」；二是「不參加美國製造兩個中國的陰謀」；三是「對台灣斷交」。

池田的對外政策雛型　池田依照新角初上舞台慣例，於當選自由民主黨總裁，被指名爲內閣總理後，隨即舉行一般記者會見各一次，嗣又舉行外國記者會見一次。由這三次他所發表的談話中，筆者可以指出三點，看作他的外交政策雛型；一是「日本決不採取中立政策」；二是「提高自由國家對日本的信賴」；三是「求使共產諸國尊重並畏懼日本」。

黨方所擬外交基本方針　八月十六日自民黨外交調查會發表所擬「日本外交基本方針」，其與池田上述談話有關聯處，略云：『日本應排除中立主義；始終堅持爲自由陣營一環的立場。爲使日本與自由諸國之協力關係更臻强固，除與美國協力外，應與中華民國，加拿大，澳洲，紐西蘭等太平洋諸國，及英、法、義、西德等西歐諸國，增進多角的協力；並求與太平洋及西歐諸國，緊密其經濟關係。對蘇聯及中共，以在互不干涉內政及互相尊重政治社會體制的原則下維持和平關係爲前提；對蘇置重點於增進貿易及合理解決漁業問題；對中共適應其對外態度及國際情勢之推移，而加以善處；眼前姑聽由民間自動與之促進經濟及文化交流。』

小坂外相的外交基調　對於這個外交基本方針，我們不可率爾認爲爾後池田內閣將會依照這腳本去演劇。不過它爲池田充塡那次談話以內容，尙頗具體而坦白；但八月十日小坂外相出席外交知識普及會講演所表明的「外交基調」，發揮池田談話的旨意，較覺圓熟典雅。小坂說：『現在世界政治，以自由世界與共產世界兩相對立之事實爲其特徵。排除來自此種對立之不信與不安，以造成和平國際環境，乃今日世界課題。國家不問大小，應俱以此爲其外交使命。日本所應堅持之立場，係基於自由與民主主義，努力以求成爲自由世界能夠擔負其應有責任之一員。此種堅持，當吾人求與立場不同之共產世界諸國維持友好關係時，應不至於互相矛盾。故吾人在不犧牲此一基本立場及可能之分野內，當唯力是視，與共產諸國維持並增進友誼。』

文人與「家」

張希明

台灣搞文化的人，新起的朋友們，多半是光桿文人。他們在一起談起來多半談到生活中缺乏了生活內容，沒有太太，或者沒有愛人，甚至連女朋友也少得可憐了。在老一點老一輩文人圈子裏當然早已成了家，有了孩子，對後一輩新起的文人來說，從未關懷過一次的。

事實上在台灣寫文章的人，光桿者佔極大多數，他們寫文章寫得太可憐了，寫了十來年，至今還是一個人，似乎感到他太對不起自己了，在文化戰綫上已站了起來，可是在成家立業上，還是交了一張白卷，毫無半點成績可言，在文字上有了一條出路，在太太那一條路上，却豎起了一根白旗。這是文人的悲哀！

有一位朋友向我說，文人光桿要想脫離光桿圈子，只有一條路可走，那就是辦雜誌，編刊物，可就編刊物時的機會，與女孩子接近，這不是要你自己與女孩子接近，而是有[illegible]會給你作對象的選擇。一般女孩子多半喜歡與文人結交作朋友，一方面被女友中視爲還是了不起的人物，一個女孩子認得在文化界較有地位的人，把她自己也提高了一步。另方面是給她頭上加上了一點「虛榮」皇冠，可說百分之九十九是如此。因此女孩子會送上門來，與你作朋友了。

女孩子藉與編輯先生來往，可以請編輯先生改稿，拉感情，表現她一套鍾情於他的手法。又可以使她的稿子有「出路」刊出來，來裝璜她狹小的門面——作起女「作家」來，也好在女朋友中間抬起頭來，與別人比起來自然是高人一等了。

在編輯本身來說，可以感情用事，即使她——某一鍾情的女友來的文章，不夠水準，加點醬醋，用用剪刀裁剪一下，再用筆三鈎兩劃，刊上雜誌裏，使她戴上「作家」的帽子，還以多情的手法，發給「優厚」的稿費，或贈禮物，或借她來幫辦雜誌，聊表提拔之意，這是女孩子們心目中最喜愛的目標。因此在此一呼一應之下，一男一女便成爲一對作家夫婦了，門第書香有家可傳了。并非故意造謠，有例可循。

如果非如此作法，則光桿作家想得到一位愛人，那眞是一種比登天還難的事。怪不得一位至今三十五歲的朋友，本是喜歡文藝，而不常寫，最近爲了討老婆，辦了一份專門性的雜誌，每期闢出部份地位作青年習作園地，以廣泛接觸青年男女，作愛情媒介的橋樑。上次我去拜訪時，社內用的人員清一色是女性，連文藝園地用的文章，非女性者不用，其用意之深，眞是非局外人所能瞭解。此兄近來已紅光滿面，女友送上門來，由自己選擇，可用滿室生春來形容了。前次他家大宴女作家一批，藉此拉攏感情，其計策各人肚裏自知。

另一位我的朋友，交了三十多歲，有一次他到某報去領稿費時，恰是有一位女性作家在那裏領她的稿酬，他是她的崇拜之一，可是難得一見廬山眞面目，此次眞巧碰在一起，經編輯先生介紹之下，倆人成爲知交，進而成爲蜜友至今已結婚了。這是文人之家，也可謂莫逆之交也。

近來幾位光桿作家朋友，多在命鑽這惟一近路的路子，以期覓得一份「愛人」在身。東奔西走拉關係辦雜誌，提高自己地位，又可以在女孩子送上門來的時候，坐享其福。

大陸文壇萬花筒

巴金指桑罵槐（上）

——岳　騫——

目前在大陸的非「黨」作家中，巴金要算是最受優待的一位，可是，巴金受的罪也較別人爲大。十年來，斷斷續續都有攻擊他的文字發表，尤其是一九五八年到一九五九年，巴金一直被鬥爭了兩年，北平有幾間大學成立了巴金創作批判小組，專門來攻擊他。他以前所寫的九大創作，就有五部（滅、亡、霧、雨、電、家）受到攻擊。中共一般打手甚至指巴金是無政府主義者，和「黨」立場反對地位。

不過，攻擊儘管攻擊，巴金地位毫無影響，他一直担任着上海文聯主席，「收獲」雙月刊的主編。可見巴金自有他的一套辦法。巴金應付中共的辦法說來也很簡單，就是以靜制動，有什麼運動也跟着搖旗吶喊，眞要去作就藉故推宕，一九五八年毛澤東搞大躍進時，周揚出馬逼着作家躍進，每人要訂下計劃，一年中間寫幾個長篇，幾個短篇，自矛盾以下包括巴金在內都向「黨」寫了保證書，決心完成任務，可是一年過去了，巴金一個字都未寫，周揚也只好光着大眼看着他。

一九五八年底，中共發動大陸文人鬥爭美國投奔自由的共黨作家法斯特，每個人都用盡了惡毒字眼把法斯特罵得不成人類，只有巴金却抱着悲傷同情的心情來寫，認爲法斯特的行動是可悲的，但是也還有值得原諒之處。落筆十分溫柔敦厚，隱然對法斯特的作風抱有共鳴，看到他這篇短文之後，不由得想起溫飛卿過陳琳墓詩：「詞客有靈應識我，霸才無主始憐君。」巴金當時對法斯特確實有這種感覺。

中共的作風向來是不留餘地的，要捧就捧上天，是太陽、是鋼，要罵也要罵得澈底，是匪幫，是叛徒。寧可過一段時期自己再打自己的嘴巴，今天也絕不留退步。對於巴金這篇文章，自然就不能滿意，大舉予以攻擊，表面看來，巴金確實岌岌可危，很可能步丁玲、馮雪峰後塵，中共在大陸重新掀起一個文字獄，可是，結果巴金却安然無恙，其中大概有兩個因素救了他。

社會小說　香港地

五、有錢佬

木客著

這幾聲呵呵大笑，首先驚動那兩位竊竊細語的青年男女，都不禁回頭望了他們兩眼。梅大亮卻不管這個，繼續着說道：「向有錢佬借錢，等如向藏書家借書，比登天還難，那才是恰當不過的比喻呢！」這話一出，連楊先生也忍俊不禁，一起哈哈笑將起來。

這便不只驚動露台前面的一雙情侶，連坐在客廳裏面的客人也齊齊受了驚擾，把視線向露台外面投射。

霍新開就在這時跑到露台上，向二人擠眉弄眼的笑問道：「你這兩位古董笑些什麼？」

梅大亮和楊先生都不知怎樣容覆他才好，也覺得剛才說話未免過爲放恣一點，萬一給主人聽見，怕不免大大失體。霍新開見他們並不回答，便低聲笑道：「裏面的客人都被你們的笑聲打斷了話頭，連主人也是。你們到底發覺有什麼好笑的材料，且告訴給我聽聽！」

楊先生見其實無可容覆，便向梅大亮弄一下眼色，故作神秘的笑道：「這叫做天機不可洩漏，難以直說。」

霍新開回頭向那一雙凭欄並立的情侶，若有所悟，又向兩人咬耳笑道：「我知道了，你們是笑這兩位寶貝鬧得太過火熱。」他說了，也是弄一下眼色，然後大聲宣佈道：「這兩位大作家請聽，主人請你們都去看他著名的蒐藏品，大家開開眼界。」

霍新開突然宣佈這樣的一個節目，似是故作驚人之筆。那兩位青年男女作家被他喊得再把頭扭轉回來。霍新開便帶笑說道：「對不起，驚擾了你們兩位。現在所有客人都齊集了，主人是一位著名的收藏家，此刻正好利用客餘的時間，看看他的藏書室。請你們兩位都來！」

這話倒教梅大亮聽得叫奇。他料不到這樣的一位主人竟然擁有一間藏書室，而且是一個著名的收藏家。

他便向楊先生悄悄問道：「主人既是一位著名收藏家，究竟一向喜歡收藏些什麼？」

楊先生隨口回答了兩個字：「鈔票」。（五六）

老吳（上）

劉杰

別人都說老吳怪，我不知道他怪在什麼地方。我常和老吳在一起，尤其最近三個月內。老吳開了一間撞球檯，沒有請計分小姐，撞球客也就特別稀少。

我掄起撞球桿，我說：「老吳，你就陪我撞吧！」

「想不到你還會來撞球場的。」

他狐疑眼光落在我身上。老吳只知道我讀書，寫稿，那裏知道讀書寫稿以外，還有娛樂的興趣。

「稀奇吧，」我說。「我還會打撲克，還會抽煙，還會打牌。」

「你簡直在吹牛。」他不相信。「我從來就沒有看到過你。怎麼也不會相信。」

「要是我不來打擾球，你也就不會相信我會打撞球。」

他沒有話說。但他還是用狐疑眼光望着我。

我在球檯撞了兩個來小時，就沒有一個球客來；有幾個球客站在門口望望，老吳還客氣招呼：「進來坐」有一個球客望望檯布，對另一個球客說：「檯子倒蠻不錯。」

「沒有一個妞兒」。拉着球客就走。

我對老吳望望，老吳搖搖頭。

我說。「你也該找個漂亮妞兒來！」

「我何嘗不知道，但我——」

「你有什麼難言之隱吧！」

「只是我不願請妞兒，我寧可撞球放在這裏沒有人打。」

我不滿意，球桿猛然落在水泥地上，「叮噹！」的在水泥地上響起。

「你是在和錢開玩笑。你有多少錢賠下去！」

「誰不是和錢開玩笑，」他冷笑着，說：「錢是奴隸，我是主人，我要錢怎麼樣就怎麼樣！」

我跳起來。「沒有錢你不能夠生存下去吧！」

他顯然不耐起來，把球桿子摔在一邊。「我也看錯人了。想不到你也是離不了錢的人，你是永遠做人的奴隸，錢的奴隸！」

傷了我的自尊心。我在荷包裏掏出十元鈔票摔在地上。「朋友，你應該到另一個世界去。我們這裏是人的世界，你應該到神仙的世界裏！」

差不多有兩個月，我沒有到撞球場去。有時，在路上碰到頭，我把臉轉過去，表示沒有看到。老吳也不向我招呼。

我知道，他的撞球檯還在繼續營業，一天中只收入十來塊，連撞球檯的消耗還不夠。

我想：「看他有多少錢賠下去！」

又是兩個月過去。是一個下着毛毛雨，我從山上跑下來，外面的一層衣服淋濕，頭髮上也盡是水。我站在老吳撞球檯外面避雨。

「你還在恨我！」老吳走過來。「恨我吧！永遠的恨下去！」

「我不會忘記的，」我沒好氣地，「我像記得我自己的名字記下去！」

「那很好，」他說。「有個對我恨的人，我就覺得我沒有白到這世界上來。」但他馬上轉變口氣。「其實，你不了解我。」

我體味到他真正的悲哀。「你要我了解什麼呢？」

「我只希望你了解我的本性。我不懂得，這世界爲什麼不歡迎誠實的人，說眞話做眞事的人！」

「你去問上帝去！」我說。「人心都送到狗嘴裏，你還來唱着『眞』！」

「我寧可被時代遺棄我，我不遺棄我的眞！」

「那你只有凍死，餓死！」

「我會安心瞑目的！」

（未完）

談「喜相逢」

修衡

銀塘隨筆

影片商本身沒有影院，聽候編排映期，觀衆同樣感到不如意。「辮子姑娘」就在這情況下，不能繼續聯映，「喜相逢」押後不久即冒了出來。對于睇迷的觀衆來說，自然很高興。「喜」片於風雨中上映，並沒使觀衆失望，這個戲「蒙太奇」可謂天衣無縫，不愧出自名編導之手。全片以喜氣織成一片，說明主題明確。如果把故事當做傳奇性來看，那麼這現實生活，沒有一樣不是傳奇的。然而，只要對小市民動態稍加留神，類似這樣情況，即可在眼前浮現，對它不會陌生。不然，人們那會知道：這是怎樣的一個社會。當人們明白了一個孤苦無告少女處境之後，將作怎樣感想呢？但於同時反躬自問，自己的孩子，爲了某種目的，會向自己撒謊？流氓的話不足信，是小市民的經驗。反映了易文的劇本，對許多細小動作非常重視。此外，羣演所選擇的實景很多，使劇情顯得生動靈活，予生活內容更見充實。

全片重點在一個「錢」字上面，那麼許多上中下三等人物沒有人不是爲「錢」而爭，對現社會是一次極有力諷答。事實上類似這種的故事中人物，確是呼之欲出。從這一點上看，不啻於現實生活中投下一顆炸彈，讓人們對社會、人生，有進一步認識。這部片子除了王皓，使人對她演技重新評價，其餘全體演員，在合作方面有顯著成功。

儒林九尾龜

吳敬鋅

第三回：柳暗花明又一村

老者進了門問道：「這裏是驚濤社嗎？盧孟德先生在不在家。」

黃安民連忙站起來說道：「盧先生剛出去，也許不久就會回來，老先生是不是等他一時。」

老者點點頭：「可以，可以，你請坐，不必客氣，我隨便看看書。」

老者說過在書架中抽出兩本驚濤月刊，聚精會神向下看，看了一本書之後，盧教授還未回來。老者站起來踱到辦公桌上，看見他們六個人正在看書報，剪報，整理資料，老者點點頭說道：「這套功夫倒還不錯，只要積年累月搞下去，將來可編一套近代史。」

黃安民說道：「老先生說的很對，不過我們這個方法太原始，並沒有經過名人的指點，作出來是不是有用也很難講。」

老者笑道：「不必客氣，治學之道本來就是靠自已摸索的，你們幾位都已經有了相當的根基，每期發表在驚濤月刊上的文字，我都看過。」

老者說過，大家面面相覷，小石嘴快，搶着說道：「老先生記錯了，驚濤月刊上我們未會寫過一個字。」

老者愕然道：「你們未會寫過一個字，每期這麼多的文字都是誰寫的？」

小石冶笑道：「都是盧先生一個人寫的，我們那有這種火候。」

老者笑道：「孟德的精力眞不可及，這麼大一本雜誌，自寫自編可眞不容易，若是用這份精力好好治學問，將來也許會有成就的，可惜他專愛搞政治，就無法了。」

說到這裏，盧教授回來了，背後還跟了一個矮子，一看見老者，連忙過來握手，問道：「克老幾時來的，眞對不住。」

說道，就向背後的矮子介紹：「這位就是當代國學大師胡克圖老先生。」

那個矮子連忙過來鞠了九十度的躬，嘴裏連說：「幸會，幸會，在南京時就久仰克老先生大名，不想在這裏見面了。」

胡老先生連說：「不敢當，請多指教。先生貴姓，孟德兄也未介紹。」

矮子連忙掏出一張名片，雙手奉上，自我介紹道：「晚輩姓朱名衣，有時在報紙，雜誌上胡亂寫點東西，筆名叫做一擔。」

胡老先生連忙點頭：「閣下大名經常在報上見到，不過因爲事忙，文章讀的不多。」

三人坐下，盧教授問道：「克老今天光臨，有什麼公事嗎？」

胡老先生笑道：「現在有一個機會，我特地來找你。」

（十八）

小啓

六月份稿費早經核發，有少數文友尚未具領，至盼駕臨本報經理部領取，以清手續，爲感。

癆症預防

徐學慧

中國有防癆會，創於民國九年四月五日，香港亦有防癆會，則未知創於何時。在傳染病中，癆症爲最普遍而蔓延最廣者，每傳染於無形，其爲禍之烈，有甚於洪水猛獸，東西各國，對癆症不留視之爲蛇蠍，觀於香港防癆會至於年每要舉辦一次賣花運動，一以資捐注，再以資宣傳，即足以知道癆症之可怕性。

據香港衞生當局報告：一九四八年全港約一百六十萬人口中，患肺癆者逾廿三萬人，約佔七分之一。這個比例委實是太可怕了，療治癆症進而至於消滅癆症，全靠政府之力不能奏效，最重要的乃在每一個居民的自動自覺。

癆症並不是不可預防的，防病於未然，遠勝於事後之治療，此則爲確切不過之眞理。因此，一切防癆知識，應普及社會各階層，只要每一個人能消除本身之威脅，則此一社會大害，自能掃蕩淨盡。

每年香港防癆會舉行賣花運動之日，醫務當局例必擬定一些「癆病可怕」之標語，交由報章發表，然此日一過，則鮮見有人提及了。竊以爲醫學界人士，理宜對此問題時時發表一些文章，以資警惕，方是正理。把偌大的防癆工作，全部委之於香港防癆會，不論站在任何立場，都是不對的。一個人的疾病，足以影響家庭，進一步足以影響社會，只要是這個社會的成員，是應該而且有必要把這種預防疾病的工作或者理論當作分內事，不能默爾不言的。可惜，眞能這樣作的，實在太少太少。

也正因爲如此，李采廬博士所著的「癆病指南」一書，就顯得非常可貴了。該書厚達三百頁，共分十章，述癆病之病狀及其治療與預防方法甚詳。由李采廬博士之友好捐資刊印二萬部，分贈各方，以資宣傳，且開放版權，歡迎翻譯，其嘉惠社會，自屬至深且鉅。

采廬先生今年八十，上所述民國九年成立於廣州之中華防癆會，即爲先生所發起。固有心人也。承惠贈「癆病指南」一書，感其意之厚，並以此乃爲一社會運動，故樂爲介紹，本欄從不對任何朋友捧場，本文之作，亦非所以捧采廬先生，（因筆者並不認識采廬先生），徒以此籌事，我覺負言責者理宜爲之介紹也。

釋耒集

章太炎先生駁康有為論革命書，謂康『尊稱聖人，自謂教主』，余

聖人

按康所為孔子改制考叙曰：「天哀生民，默牖其明，白日流光，煥炳瑩晶，予小子夢執禮器而西行，乃睹此廣樂鈞天，復見宗廟百官之美富，門戶既得，乃掃荊榛，而開途徑，撥雲霧而覽日月，非復人間世矣。不敢隱匿大道，乃與門人數輩，朝夕鉤撢，八年於茲，刪除繁蕪，就成簡要，為改制考」。依此而論，則康有為隱然以素王、玄聖之繼承人自居，亦顯然為西漢今文經學「受命於天」幽靈之再現。其實聖人一詞，最初尚之者當首見於易傳，如曰：「聖人作而萬物覩」。及「知進退存亡而不失其正者，其唯聖人乎」。白虎通繼之，曰：「聖者通也，道也，聲也；道無所不通，明無所不照，聞聲知情，與天地合德，日月合明，四時合序，鬼神合吉凶」。其說亦源於易傳。至於論語孟子論聖人，則但曰：「學不厭，教不倦」及「聖人，人倫之至也。」而已。司馬遷作孔子世家，稱孔子為至聖，曰：「天下言六藝者皆折中於夫子」，其所根據，指在學術上之成就言之，其說亦至平實。聖人一詞，具有神聖不可侵犯之義，始於西漢儒生「受命於天」之說，稱孔子作春秋，為一王制法，然後孔子始有素王玄聖之號，及唐之中世，韓愈氏倡為道統之論，北宋諸子，以虞廷十六字之說相與應和，欲以師道抑君道，然孔子之號愈尊大，而孔子之教反愈漓昧，而聖文神武之美稱，凡歷君主，不問昏明，皆可得之，實猥濫已極。西教入中國，約翰、保羅、雅各之上，莫不冠以聖字，其義亦仿自漢儒受命之意，故神甫、牧師，均得為神之代表，因而聖字之宗教意義，益以濃厚。而常人亦絕不敢以聖者自居矣。然佛說：「我不入地獄，誰入地獄」？及儒生所稱：「當今之世，捨我其誰」之精神，實為敢於以聖人自居之信念，士大夫生衰亂之世，存已飢已溺之心，毅然以天下事為己任，故不卹人言而以聖人自居，非為名也。本炎先生雖反對康有為，但以聖人自居之襟懷則無別，清光緒廿九年（癸卯），因蘇報案入獄，獄中自記云：「上天以國粹付余，自炳麟之初生，迄於今茲，三十有六歲，鳳鳥不至，河不出圖，惟余以不任宅其位，緊素王素臣之迹是踐，豈直抱殘守缺而已……而遂斬其統緒，國故民紀，絕於余乎，是則余之罪也。」今之君子，「不以聖人待其身，而以聖人望於人。」乃日流於浮猾權譎，大廈已傾，終不見一木，國史或將以馬寅初、殷[illegible]為遺老，則康有為、章太炎，亦去聖人為不遠矣。

曲齋

海隅消暑錄

巫術和迷信（二）

謝康

巫術的來源，幾與人類同其悠久，原始人類不知道怎樣支配自己的命運，他們看見自然現象和生命現象的變化無常，有事乃求靈於巫覡，想利用超自然的力量，來解脫人的災難，達成一種實用的目的。他們以為有許多神靈，散佈在各處，這些神靈都有超人的（或超自然的）力量，能呼風喚雨，能醫治疾病，能幫助人們得到意外的收獲，也能使人生病，釀成一種災難。於是利用符咒，舞蹈或某種儀式，使神靈降臨到魔術師或女魔術師（女巫）的身上。而他或她就憑着鬼神在身的緣故，可以做出非常效驗的法術出來。

巫術的種類很多，對於人類有益的，統稱為白巫術；對他人有害的，統稱為黑巫術。前者約可分為航海、捕魚、狩獵、戰爭、醫病、結婚、生育、求雨、驅鬼、農耕、收割、作人神媒介……等類的巫術。後者則包含害人的，使人生病的，控制他人使就範的巫術。廣西、貴州僻遠的鄉村，有所謂「放蠱」，又鄰近安南的邊區，有所謂「雞蠱」，大概都是黑巫術的一種。台灣土著族的巫術，以白巫術為主，即以增加生產或消災除禍為目的的巫術佔多數。有一種巫術儀式稱為「出草」，如遇疫癘流行時，常以「出草」為禳除手段。「出草」也是帶有巫術性禁忌的對外族作戰行為，有各種齋戒的習俗。除高山族以外，漢族（閩、粵人）在台灣，也有很多迷信，神祇們多精通生意經，時常弄出「朝聖」、「靈籤」的玩意兒，以便「橫財到手」，至於是否替人消災，那只有天曉得。

公務員吟

筱臣

自由中國公務員的加薪案，已由立法院通過，今後公務人員或可以稍舒積困，欣聞之餘，亦不無若干感想，茲述於次：

公務員加薪案，醞釀甚久，遲遲至今始獲實現。當時台灣報紙曾刊登過題為「公務員吟」的打油詩一首。詩曰：「柴米油鹽醬醋茶，開門七件亂如麻，妻涼衣服愁無着，兒讀詩書費豈除。擬借薪金遭白眼，欲歸故里嘆無家。此身已被歧途誤，後代從今不作它」。有着嗟怨嘆的氣氛，令人讀之沮喪。猶憶在重慶，曾見某報載有「公務員自祭文」一篇，文詞悱惻，委婉動人。文曰：「嗚呼哀哉！天生萬物，汝爲人；非但爲人，位列縉紳。上有所教，惟命是遵，下有所效，作則以身。循規蹈矩，不卑不尊，披衣急起，趨在朝暾，安步扶歸，多以黃昏。且恭且敬，允武允文，恥為順民，堪稱忠臣。鄉士雖變，國豈無人？亡秦必楚，此志長存。入川，衣服散盡，四體猶至。陋巷簞食，嚴在簞瓢，既領春糧，還有俸錢，糙米味香，菜根味甜，聊可自慰，何用人憐？中原未復，驟雨長瞑，嗚呼哀哉！我自飲恨，鬼車來迎，遙念妻子，孰能忘情，妻啼子哭，嚶嚶嚶嚶，兒兒家室，誰為經營？食米既吞，俸金亦停，衣衫典盡，宿債未清，一念及此，有所不平，魂兮來歸，撫我幼嬰，兒若成人，莫求令名，為商為賈，鈔票盈庭，囤積居奇，莫慣時許，錢能通神，遇禍[illegible]物，誰敢不平！既富必貴，揚名顯親，莫效爾父，愚蠢忘形，願佑吾子，死而有靈，嗚呼哀哉，尚饗。」

這一篇自祭文，與打油詩同一旨趣，都有「後代從今不作它」的感嘆。但是這種消極的咏嘆，雖然出之以幽默，作為遊戲文章，但它之影響於復國的情緒，自我消沉，究屬不可為訓。於是我又發現了一篇葉芝生先生的新作，那是題為「退公吟」，取詩經國風羔羊篇：「退食自公，委蛇委蛇」，及朱子注：「南國化文王之政，在位皆節儉正直」的意義，現身說法，使公務人員讀之以後，倍感興奮。詩云：

「東鄰女出嫁，西鄰娶新婦，南鄰喜弄璋，北鄰綵衣舞，退食自公者，低頭不一顧，非伊人情薄，誰識寸衷苦。逢迎灶下妻，雖將破襪補，垢面小兒女，繞膝索果脯，妻惱兒跳號，相攻欲鳴鼓。時難為夫，囊羞難為父，幸有五斗米，尚可撐腸肚。配煤更給鹽，官家不我負。君不見中土，更有甚於吾。鐮刀秋掛壁，顆粒獻毛米，終歲空勤勤，分田口莫糊。從此參軍去，迢迢三韓道，纍纍白骨枯，一去無消息，婦寡子亦孤。西伯利亞地，八月寒風呼，史灘頭甫指，百萬遺日奴，指復裂鐵膚，斯民亦何辜。墜幕非人世，爾曹知之乎？毋忘身在莒，嫁娶勿張舖，薪米兼嘗胆，吟咐於妻孥。」

這一首詩，饒有積極的意義，實在義正詞嚴，發人猛省。公務員今天流亡在海外，較大陸的同胞求生不得，求死不能，實在幸運若干萬里。又不知相去若干萬里？與其長吁短嘆，自怨自艾，何如變消沉為怒吼，蹈厲奮發，臥薪嘗胆，以圖匡復舊國哩。

海嶠舊談薈

我與共幹夏曦（二）

諸葛文侯

夏曦以其老幹的資歷，迨民國十九年至廿三年間，他與賀龍率領共軍出沒於鄂西北與湘西諸邊區，夏係「政委」，權力在賀龍之上。民國廿一年夏，賀龍在鄂西被國軍清勦掃蕩，一敗塗地之後，殘部竄往湘鄂西的山澤地帶，乘隙蠢動。民廿三年秋初，夏與賀龍分率共軍萬人，竄至湘西津市，擬攻擊鄂西的松滋縣，圖折企圖來鳳，興山，限縣各竄在江西瑞金的共軍大本營，已決定實行傾巢突圍計劃，命令鄂北的張國燾，徐向前，鄂西與湘西的夏曦，賀龍等，負擔前驅，陸續進擾川境，新擇根據地，時愚適充任鄂省第七區行政專員兼保安司令，松滋縣是我的轄區，湖北綏靖主任何成濬電令我率保安團隊防守松滋，毋得遲誤，戒以軍法究處。軍令未可忽視，我以初生之犢子不怕雷的心情，明知僅有當千名的地方保安團隊，決不足以抵禦大量共軍的攻擊，但職責所在，只好硬着頭皮，督隊前往松滋縣南部西齋市，擇險佈防，以待敵來。

我在防地偵知共軍擬從津市竄擾松滋的新江口，係夏曼伯所部，賀龍的大股人馬已經遝向來鳳，興山一路進發，會合徐向前股，正與國軍張振漢師鏖戰甚烈。我乃秘密寫一信，派人送交夏曼伯，促間乘筆，文言與白話夾雜着，文字殊冗長，大意說是：「別來十餘載，只因彼此政治立場不同之故，音問闊塞，良深惦念，今且拔刀相向，竟成仇敵，人生際遇若此，殊非意料所及也。足下如必攻松滋，我自竭力周旋，倘不欲與故人兵戎相見，則我亦不擬越境相斫，一切唯足下省察之，幸甚」。書去並無回答，但逾月未見共軍前來竄擾，意想夏氏亦率部別去了。未幾，距我軍防地「西齋」約十餘華里的松滋新縣治，忽被夏氏所領共軍攻陷，據縣長江文波以去，並未停留，仍回竄湘鄂邊境深山大澤之間，旋將江縣長殺害，別無動靜。越廿四年春，賀、夏兩股共軍，復由湘西闖人黔省，與毛澤東會合集於遵義了。聞夏氏即係於此役中乘馬渡河時，溺死水中的。

松滋縣長江文波之死難，亦有一段離奇的故事可紀。江氏素來精研命理與堪輿術，當他殉職前三個月，我同他馳往該縣新定設治地點查看時，他力說新建的縣府風水極壞，縣長必罹非命之災，表示即擬辭職不幹了。然新治地點經省府核定，限期遷治剛逾月，江氏果然殉職，詎於非命，此一奇也。江遇害後，我急赴該縣巡視，檢查他的公文皮包內，有一張縣府公用信紙上，寫着兩句話：「立秋以後有大不利，慎之慎之」。審其字迹，確為江氏親筆，而江亦係死於立秋之後，此又一奇也。江縣長對於新治公廨風水及其自身命運的禍災，事前皆已灼見預知，斷言其後果，然又躬自蹈之，不予防範趨避，豈冥冥中早已註定，非人力所能挽救歟？異哉！（完）

窮秀才的詩

有秀才某，赴秋闈，因貧乏，坐於船尾，夜雨淋漓，滿身皆濕，而逸興勃發，偶成一律云：「搭船誰敢道辛酸，梢尾中間一斗寬，縮頸睡時如鳳宿，屈身坐處似龍蟠，九天雨下渾身濕，午夜風生透體寒，最是有錢真個好，官艙裏面樂盤桓。」

讀胡適中美學術會議演辭後

阿公

道家道教，未可并論。道家原於上古史官，故伊尹、姜尚，漢志並列道家，李聃其一也。順自然，一屈伸，綜剛柔，錯強弱，姑予取，齊號令。守中制外，如珠走盤，從橫顛倒，視古今中外如一局。機契如躍，否則如淵，儒家獨瞠目其後。王猛，雅律楚材而後，幾無傳人。

道教萌於東漢張道陵，至北魏寇謙之，始以教名。總其修持，煉丹飛升，以求長生，遊戲人間。雖有上乘中乘下乘之說，而宗主不一，參閱道藏直錄可以得其概矣。其所以尊於唐而盛於當時之故，實由唐室老氏，同屬一姓，皇族教徒，互相援引，藉資統治。胡博士乃以近代「民族主義」加諸其上，則亦失於考矣。至於釋道之爭，此各自原有熏習之不同，若云是則兩是，非則兩非。吾人非釋非道，大可不必是此而非彼，徒使深於釋道教義者齒冷。

三、文化與文藝，形近而質異。文藝只能表達文化，未能充實文化。只能潤色文化，未能創造文化。苟為不善，反足毀滅文化，戕賊人心。故文化為衆人之事，無關讀書識字，文藝為少數人之事，不必尙義崇德。如指某人不詩不文，則人將舍笑置之。如指某人不孝不弟，則人必憤然拒之。是之為中國文化。是之為中國文藝。胡博士反復敷陳文化傳統與歷史之演變，多側重文藝，似於文化文藝，尙欠分曉。（三）

栗海彈心錄

[illegible]

自由報
THE FREE NEWS
第八十五期
[illegible]
（逢星期三、六出版）
每份港幣壹角
台灣新台幣壹元
社長：雷嘯岑
督印人：黃行靈
社址：香港銅鑼灣高士威道二十號四樓
20. CAUSEWAY RD 3RD FL. HONG KONG
TEL. 771726　電報掛號．7191
承印者：四風印刷廠
地址：香港灣仔高士打道二二一號
台灣分社
台北市西寧南路壹壹壹號二樓
電話：三〇三四六
台郵批儲金戶九二五二

美國外交政策之再檢討

雷嘯岑

張君勱先生最近在美國電台上，發表了一次廣播演說，題目是「美國外交政策之再考慮」，特別對於美國現行的遠東政策多所論列，而希望白宮當局藉援外計劃以促進東方國家的民主政治建設。換言之，即接受美援的國家必須實行民主生活，才可望獲致預期的效果。否則「美援乃使專斷獨裁的領袖免於受議會控制，因而與美國在全世界促進民主的初衷相違背」。張先生認爲「美援雖然是美國外交政策之一部分，它同時亦是受援國的內政之一部分，美國政府應就援外政策的授受兩方面加以重新檢討」。張先生且提出兩點建議，作爲促進受援國家實施民主生活的方法，即除由美國政府提供意見──事實上就是美援的附帶條件──以外，另由民間組織一個「民主促進顧問委員會」，隨時派代表赴受援國家觀察「民主程序在亞洲運行得好不好」。我以中國人的立場和志願，決不懷疑張先生這種依民主運動的力量以反抗共產極權主義的苦心孤詣，但認爲美國現行的外交法術（並無所謂政策），實不足以語此，終將使張先生的滿腔愛國熱情，感到幻滅的悲哀！

一

誰都知道，美國近六十年來的對華外交政策，始終是以商業利益作出發點的門戶開放，機會均等，與夫維持中國領土行政之完整爲基準的。在一九四九年以前的半個世紀期間，中國受着國際上不平等條約的束縛壓搾，處於次殖民地的環境，因而內亂與外患不斷，國命危殆。中國人對美國這兩句爭取商業利益的外交詞令，頗有空谷足音之感，又鑑於美國對他國並無領土野心的事實，認爲跟其他的資本帝國主義者有別，美國只求在中國爭取商業利益，固無所謂。所以，在這段時期的美國對華外交行動，是有其一貫的政策作基礎，而適合於客觀環境的。中美兩國的邦交和兩國人民之間的親睦關係，亦特別深摯而篤實，遇事互信互諒，毫無間言。例如羅斯福總統在雅爾達會議中，越俎代庖，擅將中國領土──外蒙古──出賣於蘇俄，事後繼致中國政府同意之所爲，若不是兩國具有深厚的交誼，中國人能夠容忍嗎？自一九五〇年中國大陸淪於俄共集團之手以後，世界形勢與中國情況皆已不變了，然美國依舊抱殘守缺，施展其純粹商業性的對華外政策，企圖以鉅額的美元與美援作香餌，痴望取得中共的親善合作，照樣地讓美國在中國大陸上追求貿易利益，而維持門戶開放。機會均等的老局面，竟不惜將多年來患難與共的中華民國政府，聲明「一筆勾消」，且謂台灣並不在美國的太平洋防線範圍以內，急盼中共予以諒解妥協。似此盲目愚昧的外交行爲，經過了無數次的碰壁失敗，雖然稍有警覺，對中華民國政府重拾舊歡，實行有限度的軍經援助，而以第七艦隊協防台灣海峽，但其用意只在向中共示威，其目的仍欲取得中共的妥協合作，無所謂反共不反共的政治理想，亦無所謂民主不民主的政治生活，一是皆以美國的商業利益與安全繁榮爲第一義。這時候，美國的對華外交措施，可說是祗有一時的法術，並無堅定明確的政策，搖搖擺擺，莫明其妙了。

二

二次大戰後的美國，由於財力物力雄厚甲於全球之故，藉援外計劃一躍而居於世界盟主地位，領導着自由人類的反共產極權奴役運動。然其文化精神不足以濟之，祗知追求商業利益而不知政治理想爲何物，美援所到之處，即爲美國商品市場所在地。所以，英國首先發出「要貿易不要援助」（Trade no Aid）的呼聲，而其他若干接受美援的大小國家，亦隨時發生反美言行，最近連那慕爾寮國也要放棄美援，改走中立路線了。

過去的兩次世界大戰，美國皆樂於及時參加，且以「民主國家兵工廠」自任，用心雖然都是以商業利益的主旨，但多少還有爲促進世界民主自由生活而戰的意義存在着，因爲美國擁有絕對優勢的武器與資源，戰爭的火焰始終不致蔓延到美國本土，縱然參戰，犧牲亦是有限度的。等到俄帝亦能夠製造原子彈了，美國即爲之驚震不安，强調「原子僵局」之說，害怕新大陸將有膺受原子武器襲擊的危險，乃形成一種歇斯忒里式的畏戰心理狀態，而千方百計地希望跟共產極權主義者和平共處，決無爲促進世界民主政治，保障人類自由生活而唯力是視的意念與氣魄了。美國實施援外計畫的目的，祇是藉軍援以鞏固消極性的外圍防線，藉經援以開拓其過剩生產品的市場而已。美國前任國務長官杜爾斯，曾經坦白聲稱現階段美國外交政策的中心作用，是「開明的自私」。所謂「開明」，乃意味着對於接受美援的國家，並不像俄帝對其附庸政權之嚴密控制；所謂「自私」呢，很顯明而痛快，但求保持美國的安全繁榮，他非所問也。白宮當局一向大言炎炎的甚末「解放政策」，「猛烈報復主義」，以及「自由運動」等等，全係自欺欺人之談，而杜爾斯的「戰爭邊緣」論，亦不過是掩醜遮羞的一種作態游戲罷了。

美國這種「開明的自私」外交作風，對中國問題尤其發揮得淋漓盡致。十年來，死七八賴地希望跟中共妥協，而又聲言「不讓台灣落入非友好國家之手」；既認中華民國爲「盟友」，實行軍經援助，而又限制自由中國政府對大陸採取反共救國的軍事行動，並且準備製造「兩個中國」，祗要能夠間接保持着台灣這個外圍的國防據點，即令犧牲中華民國這一「盟友」，亦在所不惜的。美國一般政治人物，隨時口口聲聲說是不能漠視中美兩國人民的長期友誼，像美國這種對華外交作風，大陸上五億以上的中國人民，對美國由失望而怨望，再加以共黨的宣傳蠱惑，固然不會有甚末好感，而台灣和旅居海外的中國人，眼見美國自私自利，毫無政治理想，亦無國際信義的種種言行，對美國更視爲僞善主義者的損友。中美人民百年來漸積存在的友誼，已被白宮當局最近十年來的對華外交法術，摧毀得一乾二淨，祇剩有怨憤心情了。還說甚末不能漠視長期友誼的廢話呢？

三

以上說明美國由於沒有文化精神的素養，光是憑藉着財富而居於世界盟主地位，她的外交政策即無政治理想之氣味可言。張君勱先生希望美國利用援外計劃以促進世界的民主政治建設，談何容易呢？民主生活原係一種政治理想，非有相應的文化精神潛力不爲功。美國孜孜汲汲所追求者，祇是本身的安全繁榮，一切政治措施與外交行爲，皆不脫商業利益的窠臼，就美國的主觀條件而論，她對於促進世界民主生活，非不爲也，是不能也，這「不能」的最大原因，即是缺乏文化思想。有如一個經商致富的暴發戶，心裏未嘗不想附庸風雅，但結果總不是那末回事啊！

民主主義的最大敵人，就是對人民實行極權奴役的共產主義，但美國人對於共產主義的本質和其作風，可說是完全不瞭解。過去美國當局以促進民主政治的理由，曾強迫中華民國政府跟共黨組織聯合政權，如一九四九年的對華外交白皮書上，即載着這樣的話：「[illegible]說中國各項政[illegible]，以和平步驟，重新予以調整……：此是如其失敗，則吾人應擺脫國民黨之牽累，而開始跟那必將統治中國的共產黨取得若干合作，俾能保持獨立地位，並對美國親善。」（見白皮書第三章第三節）現在美國當局爲着避戰畏戰的關係，更希望跟共黨和平共存，而視民主生活爲次要問題了。美國固不漠視民主政治之創進，但她對於英法以外的世界各國，一談到民主問題，每以自己的尺度衡量別人，不管別人的傳統習慣如何，也不問別人的社會結構怎樣，一律要向美式民主生活看齊，否則便是腐敗低能，即認爲不值得援助，事實孔多，不遑枚舉。

因此，美國現行這種沒有政治理想之「開明的自私」外交策略若不改變，張先生期待美國藉援外計劃以促進世界民主生活的願望，一定是要落空的！

自由談

故鄉之戀

馬五先生

「富貴不歸故鄉，如衣錦夜行」，這是我國古代英雄項羽所說的庸俗言論，在以打倒封建思想爲職責的共產仁兄們看來，自必指爲反動落伍，不值一哂的。

可是，共產祖國的蘇俄政府頭子赫魯曉夫，最近却好整以暇，跑回他的出生地──烏克蘭邊境的俄羅斯共和國一個名叫「凱林諾夫斯基」小村裏，盤桓了兩天。這表示赫酋的封建意識，比我國那位生在封建時代的西楚霸王尤爲濃厚。礦工出身的赫酋，居然貴爲新沙皇，並且縮領着國際間的若干附庸政權，視項羽的富貴功名偉大多了，當然要回到故鄉去炫耀一番，向父老子弟們發洩其內心深處的英雄思想，引爲快慰。如果共產黨徒並非如史達林所謂「特別材料造成的」冷血動物，而是普通圓顱方趾的人，那我們對於赫酋衣錦還鄉的行爲，乃至於毛酋澤東的對其出生村莊大事修建美化，也就沒有甚末可說的。但共黨素以反對英雄主義，打倒封建思想爲教條，強令生活於鐵幕內的人民，泯滅溫情，六親不認，而其本身乃表現着十足的封建意識與英雄思想，這證明共黨完全是以違反人性的獸性政策，作爲生存發展的不二法門，此其所以該殺也！

普通人對於故鄉的眷愛之情，本乎天性，發乎自然，殆與富貴功名不相干。尤其是別離故鄉數十年之後，一旦回去，見着兒時嬉游之地的一石一木，樵牧之區的一邱一壑，所省識的一翁一嫗，以及聽鄉里兒童說言客來之聲，決非筆墨所能形容。區區一生無富貴可言，亦鮮功名可炫，然在抗戰時期曾經回到自己生長之地，而相別已閱廿餘年的故鄉小住，其快慰眷戀之情，至今永留回味，難以磨滅。

政治原係管理衆人之事，一切活動都是人的事，統治方法而違背人性，罔顧人理，這不是率獸食人的野蠻行爲嗎？明乎此，反共的思想體系即奠定了。

小調天下

△約旦發生大規模的謀殺案，總理瑪雅理被炸死，數十人同時罹難，中東局面又起危機。

自由世界「積小亂爲大亂」，共產黨有希望積小勝爲大勝。

△柏林又有新問題，東德宣佈封鎖交通五天。這無非叫人起「扶得東來西又倒」之感。

△寮國妥協之局，又生變化，叛變的傘兵聲言發動新戰爭。

似和似戰的騷亂，不湯不水的中立，除了使寮共得寸進尺，還有什麼？

△泛美各國外長會議一番，發表一篇「聖約瑟宣言」，譴責古巴引導共黨入寇西半球。

等如未讀這篇宣言，讀了五言八韻，賦得一個「聖」字。

△中共要在大陸「大辦農業」，據說：發展國民經濟必須以農業爲基礎，這是毛澤東對馬列主義的一個重要發展。

毛澤東好像「忽然」發覺農業才正是養命的根源呢。「十年一覺荒唐夢，萬戶蕭疏鬼唱歌」，這荒唐夢是什麼？是「工業大躍進」之夢也。想不到以「農民革命」起家的流寇頭目，坐穩江山十年，今天却要驅使城市各業人民下鄉幫農民耕田去。

△周恩來以通商向日本施餌誘，日本未予瞅睬。

作爲共產國家的推銷員，手上貨品其實有限。不是「和平餅」便是「通商餅」，再不然便是「文化交流餅」。

△美國有人預料中共與蘇俄公開分裂之期，當在十一月。

怎見得不是十月或十二月？

方南

再論胡適

答陳伯莊、徐學慧先生

·曼濤·

八月十三日筆者在本報發表的「台北市佛敎界圍攻胡適」一文，編者先生已在按語中說明，因其新聞性質，特爲發表；筆者所寫之內容，亦正係當作新聞發表；故重點節要，並未詳分細論，僅就胡適言說而予以置評；因此：陳、徐二位先生閱後竟有所指評；這點，當然我仍感謝陳、徐二位先生；因爲：這使我更明瞭不論爲什麼問題，先必須寫出「爲什麼？爲什麼？」然後才好下結論「是甚麼，是甚麼。」否則只說「是甚麼，」不先說「爲甚麼？」這是很容易引起讀者的誤會和非難的。

關於陳、徐二先生所指難拙文的幾點，筆者在此略作三點補述：

一、「他對佛學不僅未曾了解，且更極盡其歪曲之能事，荒謬地批評敎理，惡毒的攻擊佛敎」。這幾句是針對胡適原文所說的：「佛敎是自私，反社會，及篤信未來世界的哲學。」佛敎是否自私，是否反社會及篤信未來世界的哲學，諒高明者可予以評判；禪宗的「當下即是」，和「直下承當」，維摩詰的「心淨則國土淨」；太虛大師所提倡的「人間淨土」；請問這是否篤信未來世界的哲學？胡適先生不從佛敎的眞實敎義來評判佛敎，竟從一般流俗的形式或魯魚亥豕地把印度婆羅門敎的觀念來批評佛敎，這實在有失其學者之風！（我讀胡適原文後，會語朋友云：「胡適說佛敎是自私、反社會及篤信未來的世界這些話，如果他聲明這是就中國佛敎近數百年來的情況來說，那我是非常贊同的，因爲近數百年來的中國佛敎，確實已違反佛敎原有的精神太遠，今天我們敎內亦一致的稱那是：避世的山林佛敎——違背佛法的山林派，釋迦佛早爲此遺一可責語，稱他們爲『蕉芽敗種』；胡適不此之圖，竟籠統批評，其若非未曾了解佛敎，即是居心攻訐。」）緣此，我們才指責他是荒謬的批評和惡毒的攻擊，想伯莊先生該會同意吧？

二、「相反的將若干非文化的陋習搬了出來」，承伯莊先生指正：「須知，在現代人類文化學裏，文化CULTURE一詞是包括一切——不論精粗美惡——胡氏所用『文化』一詞，祇是照着學術界久已通行的使用而已。」是的：伯莊先生此語甚確；但我們之所以說他「將非文化陋習搬了出來」，乃是就胡適之講題：「中國之傳統與將來」而說；我們批評的重點在中國傳統的文化精神；此精神即我們所認爲儒家的「仁」和「孝」；我們希望今天中國學者，在西方介紹中國文化，應該把「仁」和「孝」的精神，向彼邦人士大肆闡揚；胡適亦不此之圖，竟仍記住他那三十年前的藉口，把纏足的陋習以概括中國文化之精神，這在我們失望之餘，實不得不如是辨明的，我們對西洋文化，當稱道它的時候，也只是認其民主與科學是它的精神，而不把四寸高的跟鞋及緊束腰身的非人道風習，當做它的正統文化；此一意義，我想高明如伯莊先生者，也不至於否認吧？

三、「所謂新文化運動，並非有甚麼創新的文化，所謂新文化，祇是某些人士，一時盲目的推翻了舊的後，使國家成爲一眞空地帶，於是乎馬克思主義乘虛而入，以至整個大陸沉溺。」這一點陳伯莊與徐學慧兩先生均不以爲然，且徐先生給筆者的批評是：「此則已非危言，並非怪論，而是淺薄幼稚得出乎常理之外。」這點筆者並不怪徐先生如是批評，因爲我們的論點是在否認有所謂文化之「新」，徐先生說的：「文化永不會有創新的，所謂新文化運動，並不是[illegible]創造另一種新的文化；一個民族的文化，少則數百年，多則數千年，一脈相承，乃不斷激盪損益，以便於適應時代者。」此語也正是我們的觀點和論意，徐先生致批評筆者（關於這一則筆者應自負其責，因爲當時與會諸公並未作如是說法，只是在筆者報導的時候，揣度發言者之意，用了這一則話來表達。）幼稚得出乎常理之外，也許是徐先生沒有細味這一則話吧。

至於陳、徐兩位先生認爲五四運動以後的文化眞空，歸咎於胡適不對；且以爲是：「某種欲藉攻擊胡適以提高身價者之流倡此怪論，淺見者不察，自從而和之，幾令胡適成爲國家罪人。」此點，筆者在此必先作一聲明，在我們檢討胡適演說這一般敎內朋友當中，我們可以自身的思想及[illegible]斷言，決非欲藉胡適以提高身價者之流，亦非淺見者之察，從而和之；因爲我們與胡適無社會名利之爭，亦無學界虛名領導之爭，自家作着自家的「搬柴運水」與「饑來吃飯睡來眠」的工夫；此可請徐先生勿作敏感的猜疑。然而我們又何以作此論調而來批評胡適先生呢？這乃是各人對近代中國文化檢討時的觀點之不同，並非蓄意或有其他居心，必令胡適爲國家之罪人而後快。我們不否認馬克思主義之乘虛而入，自有其外在與內在的原因；但我們在檢討這個文化眞空因素的時候，我們覺得與五四運動就打倒中國傳統文化運動而來說，實在不無關係；當然我們亦非因此就盲目地一概抹煞五四運動之價值；也一如我們雖評責胡適，但也不否認他對自由思想之提倡，及白話文學之貢獻；胡適對中國文化之功罪，我想就我們目前所處的時空來說，恐怕也不是你我便可定論的了！因爲我們都有其時代的主觀存在；不過：我們目前唯一可以評衡的：那就是看他自身所立的言說於時潮反應的效果如何而定；但功與罪並非一絕對的肯定命題，乃是一或然的矛盾命題，這就是說：在他自身中有罪亦有功；至於功罪的比例如何，那我們便把他留在以後的歷史家來評判吧。

再者：徐學慧先生說：「俄國的十月革命如不成功，則馬克思主義是否能在中國滋長？誠屬未知之數。」又說：「至於馬克思主義之乘虛而入，自有其外在與內在的原因。」這點，我想以一淺薄的常識來就敎於徐先生；假如你的身體很健康，抵抗力也特別強，那流行性的感冒，該不會至於會侵襲閣下吧？（此本亦是徐先生所謂內在原因的範疇，但不知閣下所指內在的原因爲何？）次謂：「則我們不竟要問：既然『只是某些人士』，則數量上自然不多，何以竟能『一時盲目地把舊的推翻，而國家遂即陷爲『眞空地帶』。」少數人士能夠把多數人所擁護的文化一時推翻，這在歷史與現實上並不是一件希有的奇跡；中山先生推翻滿清，共產黨逼國民黨偏安一隅，秦國一夜之革命，老撾目前所發生之政變，在在都是少數人士成功之例；至於多數人士爲何不把舊的扶起？這話說來太多，我相信博學如徐先生者，當不至於以常識觀念來要筆者答覆這一理性（邏輯）上的懸殊問題。

再如陳伯莊先生說：「數年來這樣的論調流行極了。歷史上因果關係有這樣簡單嗎？假如一九一七年俄國革命失敗，恐怕一切都不一樣吧。」這與徐先生前面所說的無異。我承認兩位先生這一個假設的理由；但我也希望陳徐兩位先生對這個問題再作深一層的思索：俄國之革命成功，因而給我國帶來赤色的遽變，這固然是俄國共產成功的原因，然試問俄國革命成功，其共產主義爲何不在歐美各國興起，而偏在中國成功呢，這原因該不能單純的推到假設上去吧？復次：陳先生又說：「我們應該就新文化運動本身加以批評，不必做「君夫人、陽貨欲」這一類的截搭題；而且虛雲、太虛、歐陽竟無與胡適並世而生；胡適談民主與科學之時，這三位佛學大師又各弘其法，胡適何嘗能夠造出眞空地帶！」這個問題無異於說：「毛澤東、蔣介石、胡適並世而生，毛澤東談共產主義時，這兩位捍衞中華的政界和自由思想的領袖同時各關其說，毛澤東又何嘗能造出大陸的鐵幕呢？」伯莊先生可允許我這樣附會吧？

總之，關於胡適與文化、佛敎各問題，要細評之，決非數千言可以盡；至這次胡適的「中國之傳統與將來」一文，我們已經着手針對他的觀點寫一篇「中國之佛敎」及沿用他的題目：「中國之傳統與將來」兩文。前一文並係應美國學者之請，完稿後，當再就正於海內外之高明。現在，我可以先告慰於伯莊先生者，我們決不「惡毒地攻擊胡適」，我們只是乘着我們的觀點，寫我們所了解的佛敎，及中國文化之傳統眞精神；有關胡適與近代中國問題，暫且拋開不談；他給我們的評擊，我們除在報導消息及申述爲何要針對他而發表言論時，稍作涉介外，在我們正式的立論中，決不以矛攻他。胡適對禪宗歷史的推翻，那只是他個人的推翻，不能獲得學術界、史學者一致的共許，那只是顯示其標奇立異和故唱反腔罷了、同時也奉勸陳、徐二位先生，爲一個徒負一世虛名，而毫無學術成就的僞學者辯護，也只是自浪費兩位先生的寶貴時間和筆墨罷了！

　　編者按：凡涉及論戰的文字，作爲一個編者，最公正的方法，就是將雙方的文字加以刊出，任由讀者裁判。惟以本報篇幅有限，有關胡適的辯論文字，到此爲止，不擬再登，謹請各方原諒。

現階段日本對華政策探討（二）

羅堅白

編者按：羅堅白先生寓居日本已十餘年，對日本之政情民俗，瞭解極深，此次應本報社長之邀，遠道惠文，爲本報生色不少，謹此致謝。本文長萬餘字，論日本現階段對華政策，入木三分，請讀者特別注意是幸。

東京通訊

小坂所謂堅持自由世界立場，便是池田所謂決不採取中立政策。但是採取這種立場，已夠中共指爲「敵視」」。加上以能扭負其應有責任，提高自由國家的信賴作註脚，極可能被中共解釋爲：死心塌地奉行美帝一切命令，更不止於「參加製造兩個中國陰謀」了。而以國家不問大小云云暗自認爲非大國之謙虛語氣，表現他造成和平國際環境的抱負；與較池田所謂求與共產諸國尊重並長懼日本對戰反感文字，大爲平淡穩妥；然從中共看來，日本這區區四島之國，居然敢說大話，夢想戰前大日本帝國想要以自己爲中心去左右國際全局。尤其自民黨的外交基本方針中，把與中華民國增進協力關係，更與中共所要求「對台灣斷交」背道而馳。可以斷言：池田的對華政策，正與中共那「三原則」針鋒相對。中共也要看今後池田對「三原則」的態度。由此觀之，似乎池田簡直要中共低頭還就日本以來復交，比較岸前內閣的「靜觀政策」，正與中共所採取「高姿勢」」。然而事實上並不如此單純。池田雖似不無這樣朝着自由世界一邊倒的意向，但從另一方面，我們看見他跼蹐於自由世界與共產陣營中間一些動向；就是中共方面，也似如此觀察。請看劉寧一在與社會黨首腦們會談席上，公開表示說：『朋友告訴我：池田與岸不同；其不同不僅言論表現，在內容上也是如此。但我以爲問題[illegible]行動；要看他今後對三原則的態度如何。』

（二）怎能獲致左翼如此包容

松村替池田向劉寧一緩頰　劉寧一所謂朋友，我們猜定不是別人，是去年繼石橋後訪問中共的自民黨左派領袖松村。松村於八月七日夜邀宴劉寧一等，席間致詞：『[illegible]政策，採取達方針。希望不因各位滯日期限延長未准，而連帶將這種不愉快算入評價之中。我打算稍候另行恭請各位再來日本，屆時各位當可從沒有偏頗的角度上，了解日本的實際情況。』

池田不能任意干涉法務省

松村這一席話裏所含蓄的事實，我們能知道的：第一是池田業已同意下次邀請劉等組織更大規模團體來日，松村已被內定爲代表自民黨出面的邀請人；第二，[illegible]劉等滯日期限的，是出入國管理局的最高長官小島[illegible]的反共方針。他是池田內閣裏恪守岸[illegible]相，也代表岸派而在其職權範圍內絕不干涉。所以小島一經說出不予延期，便無人能使讓步。不過松村能如此替池田[illegible]然驚異：

※※※ 大陸文壇萬花筒 ※※※

巴金指桑罵槐（下）

——岳騫——

此次中共召開文代會，巴金既是上海文聯主席，又是作家協會副主席，「當仁不讓」的也要發表一篇頌揚中共及毛澤東的話。

巴金的文章發表在八月八日的人民日報上，題目是「文學要跑在時代的前頭」。長文約四千字，看過之後使人有一種深切感覺，這位二十年前就成名的作家，實在有他的高明處，全文四千字，句句在捧中共，罵反共的國家和個人，但是你只要稍微用點心思就可以看出，其中句句都是罵的中共。而且就讓中共看出來也是無奈何，因爲抓不住他的辮子，寫作技術之高，實非我輩所及，名作家眞眞不同凡響。

巴金開頭先恭維了一番大躍進，然後說他到各處，在箇舊的工人宿舍裏，在汽車司機的休息室裏，在杭州西湖的湖濱……都看見人在讀「林海雪原」、「青春之歌」、「紅旗譜」，這些書都是青年們必讀的，他說：「這些書都是青年學生們必讀的，也是人們不知道前途的人看的。不在情形下，到了這樣的一個時候，當然有工人在讀書。」

選擇題材，生活和我們可以自由採取，我們參加了到何地去表現，火熱的鬥爭。」這些話說得好聽，巴金也在沒有創作自由的舊社會裏寫了二十多本長短篇小說，在從來沒有一個新社會裏篇短巴經寫了十多年，他爲什麼到一篇短篇小說也沒有寫？巴金也許會笑着回答：「請你去問毛主席吧！」

其次，他痛罵美國一陣，卻異想天開說艾森豪「嚇得被台灣海峽隆隆砲聲，只好厚起臉皮滾回去。」中共開炮迎送艾森豪，大概是中共號稱十一年來所作千萬件無聊與無恥事件中，頂兒尖兒的一件，相信毛澤東午夜夢迴，想起這件事臉上也會發燒的，巴金偏抓住這個痛脚大做文章，其居心何在，不問可知。

最後，巴金又攻擊國民黨統治沒有寫作自由，「在新中國和在蘇聯，以及其他兄弟國家一樣，作家享有最大的創作自由，我們可以自由

特別提出這一點，可作一個是恭維還是挖苦，讀者們究竟作一個客觀的判斷。

……去看家、春、秋、霧、雨、電。甚至子夜、虹、蝕，或者阿Q正傳，狂人日記了。巴金

社會小說　香港地

五、有錢佬

梅大亮還以爲楊先生是在說笑話，那知道一經進入馬行時的藏書室，才明白楊先生說的倒是眞話。

馬行時這個藏書室面積不少，他領導一大羣賓客由客廳轉入側面的一個大廳子，笑着說道：「我今天是在孔子廟前賣文章，雖得各位大作家光臨寒舍，沒有甚麼東西可供欣賞，只好拿這個陋的藏書室獻醜了！」

原來這裏面竟藏有許多書籍，十三經二十四史俱存，還有洋裝大部的西書，書[illegible]得非常漂亮，這已出乎馬大亮意料之外，還有更[illegible]，是這藏書室劃有一半地方給收藏鈔票之用，儼是四壁琳瑯，蔚爲大觀，竟把全世界各國新舊各式各樣的鈔票都羅致在這裏，分門別類，編好次序，分別放在壁上的玻璃櫥內，張貼得整整齊齊，說明得清清楚楚，每一種鈔票都有中英合璧的解說文字。那些壁櫥裝得滿滿，再裝不下，便另用長方木桌陳列，上面也有玻璃片子蓋護着，同樣附加說明，那些鈔票的圖案，大都很美，五顏六色，悅目得很，只有少數是紙質粗糙，式樣簡單，但馬行時卻逐一指點，如數家珍，倒認爲那些最原始而不美觀的鈔票，才值得珍貴。他似乎熟誦了一部鈔票沿革史，不只口若懸河，而且表現出對此道非常厚而深入的興趣，其知識淵博之處，固令嘉賓們驚訝贊歎，單就他那副伶俐的口齒而論，亦顯出他學養與辯才的優越，特別長於解答各種疑難的詢問。

梅大亮隨意瀏覽着這些花花綠綠的鈔票，偶然也聽聽主人盛意拳拳之講解，心裏便笑道：「楊先生說的果然不錯，這位收藏家所收藏的不是什麼珍奇文物，只是一張又一張的鈔票。料他在決心作這一門收藏家之前，必經打過算盤，算定這決不會是一宗虧本的生意了。」想罷，便要找那楊先生說幾句話，可是，卻不知他幾時離開了這間藏書室，形影渺然，遍找也不見，便料他已獨自跑回舜台去了。（五七）

木客著

老吳（下）

劉杰

我直覺得這個朋友是個可愛的朋友，但太固執了。晚上，我同小王談起，小王只是搖頭。

「不要提他，一提起我就煩心！」

「但他的本質是善良的。」

「你這腦子也該送到博物館裏！」小王說。「善良賣好多錢一斤。」

我不服氣。「難道這世界就是人吃人的世界！」

「還是假的，像老吳這種人，不需要別人來吃，自已就可以吃自已下去！」

「有一天會被人發現的！」我替老吳不平。「那就會被人惋惜，被人崇敬！」

「你腦子也太頑固，」小王的頭搖的像波浪鼓的小錘。「人死了還管那些幹什麼。今天有的是享受，老爺就享受一天！」

「你也太現實了。」

「誰還能離開現實！」

我覺得和小王辯論不出所以然來，當晚就跑到白光茶室叫了一杯很濃的咖啡。咖啡小姐對我笑了一下，特別甜。

「我會再來的。」我說。「再笑一個。」

「我會天天對你笑。」她眉毛揚了一下；轉過身子，裙子也飄起，在枱子旁邊穿出去，猶像一隻花蝴蝶兒。

我發現她對每個客人都像對我一樣的笑態，我覺得笑的並不夠甜，我有一種特殊的惡感。咖啡小姐又飛到我枱子邊上來。

「我倒歡喜妳哭。」

她驚住，眼睛睜得大大的。

「哭一會。」我說。「掉一顆淚珠下來吧！」

她的咀也張開來了。

「哭吧，」我說。「大聲的哭吧！」

她的咖啡盃在手上抖動。

「別人都喜歡我笑。」

「我喜歡妳哭。」

「那會傷害客人的。」

「眞正的傷害是笑！」我說：「我要的是眞，不是勉强的笑！」

她懂得了，小手指在我額上輕點一下。「你呀，心眼兒倒不少！」

我更覺得她是個女巫，是霍夫爾的筆下的可憐人物。我會了錢衝出茶室，我跑到老吳的撞球室，老吳正在打瞌睡。

我的脚步聲音驚醒老吳，他揉揉睡眼。「怎麼這晚還來到這裏！」

「我相信了一樣東西！」

老吳站起來，逼近我。

「什麼東西？」

「眞！」

「我知道你會相信的。」他說。「只要有良心的人，都會追求眞的！」他又補充一句。

我再了解你了。」我說。「我不會說你是怪人！」

他把撞球桿拿出來，我們又撞了半個小時的球。我心情特別舒服，冷風吹在臉上又特別涼爽。我是吹着口哨兒上床睡覺的。

青年之聲徵稿

本版特闢「青年之聲」一欄，專載海內外青年學生的文藝作品及其生活動態的報導。歡迎各校同學來稿（勿超過五百字），一經刊載，略致薄酬。請註明年級及學校。

星星　月亮　太陽

——衡修——

銀燈隨筆

「星星、月亮、太陽」，前（一）日已在永華片廠開鏡，這是電懋以徐速的一部文藝小說改編的電影，在所謂劇本荒缺現階段，改編現成小說也是一種辦法，最低限度比剽竊外國電影故事强得多。不過，依據過去情況看來，改編的戲並不一定很好。這一點對電懋來說，似乎不需要担心，很據該公司歷年製作看，不同於一般粗製濫造的片商。我曾經看過原著，也曾對過劇本，比較下來，劇本比原著優。因爲它已刪掉了許多蕪雜，革除了若干不合理情節，成爲一個實際完整故事。再就「卡司脫」看，無怪一張報紙强調它是一部「王牌」片，也有說是歷史上罕見的出色片。這當然不祇是說那張「卡司脫」是王牌，强盛是不可否認的。如尤敏、葛蘭、張揚、蘇鳳、王萊、劉恩甲、田青與吳家驤這一批電懋旗下基本演員之外，還有一支包括了歐陽莎菲、林靜、沈雲、陳又新等勁旅。單就芸芸衆星看來，這部別開生面彩色片，將使國際間對它刮目相看。由於「星」片開拍，使我想起電懋過去的成就。就彩色片看，「龍翔鳳舞」可以說已經不錯，時間已經過去很久，印象仍然很新；科學幻想片「兩傻大鬧太空」，反映了電懋在製作上一路領先。最近兩月間，繼「紅男綠女」，「野玫瑰之戀」後，「殺機重重」已在澳門拍實景，這是一部警世駭俗片，與「星星、月亮、太陽」，那是兩種截然不同戲路的佳片。

儒林九尾龜

吳敬銲

第二回：柳暗花明又一村

一說有機會，盧教授頓時喜上眉梢，連忙問道：「什麼機會，是不是老洪來信了。」

胡老先生愕然道：「那個老洪。」

盧教授紅着臉說道：「就是洪政之。」

胡老先生笑道：「我同他未通過信，自從離開南京就未見過面，他到此地來也未來找過我。」

盧教授一時顯得十分尷尬，胡老先生又接着說道：「我說的機會是指的教育方面，我教書的那間大學，最近缺了一名講師，我想介紹你去，不知道你肯不肯屈就。」

盧教授尙未開口，一抽搶着說道：「幹那種事作什麼？教書有什麼出色，工作累得要死，按月只拿一些固定的薪水，眞沒意思，常言說：『好漢不用有數的錢』，還是搞政治，一旦時運來到，成間銀行都是我們的。」

一抽一頓連珠砲，轟得胡老先生目瞪口呆，盧教授也顯得十分難爲情，停了幾分鐘，胡老先生站起來說道：「孟德兄，你再考慮一下，我候你的回信好了。」說過又同一抽握手，鄭重掏出一個名片交給他。說道：「我的地址印在上面，有工夫請過來談談。」然後又同李鴻飛等人拱拱手下樓走了。

胡老先生走後，一抽搖搖頭就道：「這位先生眞胡塗，這個時候還要抱着死書去教書，不趁此機會顯點神通，成功了固然是一步登天，就算不成功也面團團作個富家翁，教書幾時能教得發達，盧先生你千萬不要去。」

盧教授笑道：「一抽兄，你口口聲聲搞政治，好似成竹在胸，究竟你有什麼錦囊妙計，可否說出來讓我長長見識。」

一抽聳聳肩，說道：「其實也談不上錦囊妙計，我的方法說出來人人都懂，但是未必人人都全用，這就非天才不可了。」

盧教授聽了大笑起來，說道：「老兄，不用賣關子了，這裏不是在南京夫子廟，說故事留個啞謎，可以多要點錢。」

一抽也笑了，說道：「我的辦法是三面逢源，第一步我是擁台，親美，反共。這一個階段的政策是向台灣要官，向美國要錢。假若這個目的達不到，我就反台，中立，親美並不反共。」

盧教授綳綳眉頭：「第一個步驟我還懂，第二個步驟的目的安在呢？」

一抽鼓掌大笑道：「我的教授，怎麼連你也不懂了。我這一步棋是全力反台灣，但是不攻擊台灣的政治，軍事，只指明台灣某些要人是共產黨，製造一些假證據去做洋狀，當然洋人的政府不會相信，可是有一部份專門在雞蛋裏頭找骨頭的胡塗議員，他們會拿着棒槌當針的。」（十九）

編輯室小啟

一千五百字左右的文章，在本報三四兩版較易刊出，請各文友特別注意。本報爲半週刊，除連載小說而外，其他各類專欄文字均以一期完爲原則。近來接獲若干文稿，有長達八千字者，對此惟有割愛而已。又關于用有格稿紙繕寫一事，幾已成爲撰稿者之普通常識，然亦間中有標奇立異者，今特與諸君約，嗣後凡遇有此種文稿，恕不過目也。

新聞記者

望海樓隨筆

——徐學慧——

到本文見報時，記者節已經過了兩天。但此文寫作時間，倒正是記者節前夕，而且還是在參加記者節聚餐回來以後。

平日很少參加宴會，但一年一度的新聞記者節聚餐，卻每年必到。香港這個地方雖然不大，可是，記者們每天東奔西跑，倒也很難得有暢叙一堂的機會。難得有這樣一個日子，讓大家叙叙，總是好的。

十年香港，白髮暗添，在記者聚餐會上，有些年輕的記者簡直就不認識了。儘管在年齡上，像我這種人，還是壯年，但由於年年攪腦汁的結果，壯年人居然有了二毛，這就不免大煞風景了。

在這個時代，作新聞記者，眞是可爲而又不可爲。

新聞記者，俗稱「無冕之王」，在英美甚或日本，幹記者這一行，不僅爲社會所敬重，而且待遇優厚，年中尙有假期。這種記者當然可以幹得過去。

我不知道香港的新聞記者，是否爲世界上最可憐的人，無論如何，說香港記者可憐，總是必須予以承認的事實。

在我們這一行的同業當中，有兼數職而月入不過六七百元者比比皆是，這就不是「無冕之王」，而是無鞍之牛馬了。當然也有些記者們買了汽車或者是買了一層樓，但爲數不多。而且，在香港作記者而想買洋樓，大概也得日寫萬字，積蓄七八年，如以字數計算，雖不類天文數字，也就很可觀了。

香港記者，在四十歲以前而頭有二毛的人，可能要佔百分之八十。這都是攪腦汁的結果。

本來嘛，「君子憂道不憂貧」。可惜，今天這個時代，「君子」實在不常見，因此，我們既要憂道，又要憂貧，貧與道交加，而髮白矣。

要什麼時候才能讓香港的新聞記者每年能有一個月左右的假期呢？

要什麼時候才能讓香港的新聞記者不致身兼數職而月入可以仰事俯蓄呢？

這些問題，都不是一個人的力量可以解決的。年年有記者節，照例也就例有一次聚會。在這難得的聚會，每一年的記者節，照是喝兩杯酒喫一餐飯就算了。新聞記者每天爲文替社會抱不平，可是，記者本身的不平，却很少有人在筆下提及，細想起來，倒也是怪淒涼的。

釋耒集

余讀本刊岳鶩先生所述大陸文壇雜事，愈覺文人處境之可悲；昔太史公曾言：「文史星曆，主上倡優畜之」。是文人之不足為，其由來固遠矣。文人學士，不幸而生于據亂之世，文史述作，尤易觸犯忌諱，攖其羅網，而專制君主，焚史隱惡，藉以氓其慚德，則往往禍及異代，焚書戮屍之禍，不可勝數。按之清史，乾隆三十九年，既開四庫館，詔天下求異書，一面諭令有觸忌諱者毀之，迄乾隆四十一年，江西巡撫海成獻應毀禁書八千餘通，傳旨褒美，列所應毀書於違礙書籍目錄，遂使宋人言遼金元，明人言元之著述，以及晚明諸將相獻臣所著，遺聞軼事，前代遺臣所錄，非得于口耳傳述，均被毀禁，靡有孑遺矣。原夫焚書禁學，旨在於愚民，並使士大夫殺其咸餘，絕其先王經世之志，甘心則于絡首穿鼻為牛馬以供人驅策，以流毒言，清室較秦皇為彌甚矣。邇者余讀大陸書坊所印之舊籍，正文之前，例有以出版社名義所作之出版說明，其作家仍生存者，則又加一自序，出版說明，旨在列舉舊書籍中「進步」之見解，作為出版之理由，其末則照例聲明「進步」之中，仍有若干反動或封建之餘毒，必須嚴厲批判者，以為卸責之交代，作家自序，十九先說明原書曾經依照斯大林或毛澤東之思想，痛加刪改，自承以前因未經向斯、毛學習，思想中極多矛盾不通、或反動、反革命之成份，今得據以改正，謹藉此向偉大之革命領袖致謝云云，營之種類，縱極紛雜，而此兩種文件則並無不同，崇其佞諛，讀之使人慚憤，文人至此地步，則又倡優之不若矣。尚憶十五年北伐以後，國內三數文學團體，時生齟齬，遂有所謂筆戰云者，而成仿吾，郭沫若等之創造社，方以革命文學自為標榜，魯迅當時，大抵尚未參加左聯，譏成郭等領受『盧布』津貼，為國際共產黨人服務，其所謂革命文學，實為遵命文學云云，成仿吾以此，遂指魯迅為有閒階級，其罵魯迅之警句有云：「有閒、有閒，第三個有閒！」及筆戰告一段落，魯迅集中此一時期之雜文，出版單行本，題曰三閒集，自序特為說明云：「所以射仿吾也」。夫有閒云者，即未受遵貼時身份，自亦無命之可遵，故猶得挺然彎弓以報怨，故其文字，縱無可觀之文采，猶令人可以彷彿其倔強之天性，未遽若後期之闇昧艱澀，不知為何等語也。就共產黨人而言，今日革命固已成功矣，而當年為之搖旗吶喊之嘍囉，均不得不由革命文人轉而為遵命文人，勢固然矣，乃竟至于牽連使墨翟，荀況，均為唯物論者，屈原，杜甫，類皆人民詩人，且為今日之社會主義而歌唱，此又秦始皇、清高宗之所夢想不及者也。

遵命文學

曲齋

粟海彈心錄

讀胡適「中美學術會議演辭」後

阿公

如「第一」所舉「李白、杜甫、韓愈，文學之復興」，曾何救於中唐之變亂。且「八百年間」，詩人文人，各從所好，又何嘗一尊李杜韓愈。「有效工具」，學術之末焉而已，則亦微不足道。

如「第三」所舉中國「文藝之復興，與新古典學創始之朱熹」仍是字簏中物，謂之考注可矣，與文化渺不相屬。

故中國傳統文化，旨重在化。老子謂「以德化民曰化」。禮樂記謂「化民成俗」謂之化。約言之，道德倫理也。具言之，孝弟忠信禮義廉恥也。文則交錯其間，以行其教耳。胡博士生平引以為重之「偉大口語文字小說」——水滸紅樓等等。以數十年間，庠序以此為文，以此為教，已將國人化得不成「樣子」，且以此為「近代文學復興運動之成功」。所謂成功？是否指中共而言，抑指自身而言。不能不為胡博士涕泣而道之。

四、胡博士贊美中國傳統文化——孔子「人道主義，理性主義。」「人道具載六經論孟，理性具載大學中庸」，好在胡博士今已參加台灣孔孟學會發起人，竊願於斯二者，「開出清單」，俾國人與西方學人參究，功德無量，並以數語奉告。

中國間世衰亂之故，多由當國者治理不善，而文化窒息於上。然中經衰亂而未嘗滅亡，且多難興邦者，緣於人道理性文化之基礎貞固，淵源人性，猶存於野。史實具在，一一可考。至若「纏小足，嗜鴉片」一如法國之男性之嗜酒，西方女性之束腰。凡此皆少數人之荒淫墮落所致，遂成一時之惡習。一經民國元年令行禁止，轉瞬弊絕風清。此其故安在——中國之固有文化，未盡泯也。要知國家之由弱而強，國民之由貧而富，大多數十年間事，其致力也易於反掌。設並此不存，則「中國之傳統與將來」，正未知所屆。今其端已彌漫，倘或因循坐視，迷而不復，若干年後，起而救之，竊恐難於登天。陸象山有言，宇宙內事，皆吾分內事。顧亭林有言，天下存亡，匹夫有責。來審胡博士於此意云何。（完）

張宗昌趣聞

陸權

張宗昌的趣聞很多，然言者往往憑傳聞，或加渲染，泰半失去了真實性，張雖係武夫，不學無術，但亦有可取的地方，如事親至孝，待人誠懇，講究義氣。當他任山東督辦時，會向人說過，他有「三不知」（一）不知兵有多少，（二）不知錢有多少，（三）不知姨太太有多少，兵和錢究竟有多少，自己或者不會有準確的數字，至於姨太太有多少，自己都不知道，豈非荒天下之大唐，然事實上，他的確有不知道的可能，他每打一次勝仗，佔了地盤，那後房的姨太太會自然而然一批批的增加，假使吃了一次敗仗，又會自然而然一批批的失蹤，所以就無從估計，再是逢到他高興的時候，會把姨太太賞給了下屬或馬弁，使有情人成了眷屬，逢到他憤怒的時候又會把男男女女一概驅逐，那都是常有的事，所幸張家沒有一本姨太太入出流水帳，否則，上收下付，果真有些麻煩，但這種情形倒又有人稱謂他近乎武人本色呢！

張出身微賤，未得志時，落魄江湖，一度在浦口某鐵舖充工匠，有一個相士，見其容貌威岸，軀幹偉岸，對他說，我相你日後富貴，不可限量，但結果恐不得善終，張聽了喜不自勝，並說：「我能有一天好日子，必定好好酬謝，那善終惡終，我姓張的倒不在心上」，後來到了某部隊去當兵，以軍功累升至河南師長，到轉戰東北入關，馮玉祥倒戈，奉軍軍長，竟升任了第一軍軍長，和李景林的第二軍，張學良的第三軍，鼎足而三，率軍南下，直抵上海，這便是他飛黃騰達一帆風順的日子。

張於民國十四年任剿匪總司令時候，司令部駐在徐州東門裏的花園飯店，適值張生辰，數日前就接了他的母親，到了徐州，一時軍政屬僚，爭相設筵為太夫人接風，有一次張某旅長宴，入席後，看見桌上有一大盤桂圓，張母不識，取了便嚼，嚼後方覺有殼有核，嚼下不好，吐又不好，在座賓客會吃桂圓的，當然大有人在，無不暗暗恥笑，張母大窘，但又不便問張為何物，怎麼吃法，故以後庖廚所進各菜，不敢率然嘗試，以免再鬧笑柄，後來，事後和兒子談起席間窘狀，張略一思索道，「我明天一定要你老人家翻本，定要把面子找回」，果然明天設席還禮，席間亦預將桂圓一大盤，但是成桂圓大小形狀，剝出肉，塗以黃色，張母入席後，首以桂圓饗客，並告以不必去殼，同時自己隨取一枚入口大嚼，以表示我輩吃桂圓是如此吃法。席中又有螃蟹一味，亦為張所設計，與吃桂圓用意略同，先將蟹肉剝出，仍裝入蟹殼，整個熱騰騰滿盤上席，外表看來，只似每隻生煮，及至吃時，只將殼分開，不煩敲剝挑剔之勞，賓客中多稱奇不絕，張母亦自鳴得意，稱讚好兒子為母爭光。

那時特別貨捐局總辦趙琪是張的老鄉，該局設立未久，適逢張由前方督師回來，趙即攜帶捐局章則，及所有征收貨物每噸收幾元，什麼貨物每件收幾元，大致彷照鐵路統捐稅則辦理，或參酌情形，量為增減，未及數語，張便說道，「咱不管那一套，乾脆每噸都收五塊錢」趙又解釋，貨物有貴賤，多少大小輕重的分別，不能完全以同等價格一硬性規定，倘照這樣一律征收，恐難實行，張大不耐煩的說，「既然如此，你只要去辦就完啦，我只要你每月五十萬塊錢，充軍餉，短少得問你，一切我不管」趙無話可說，只好辭出。後來突然又把青島東業銀行鄔行長拘來訊辦，鄔行長莫明其妙，不知犯了什麼罪，那知張父在山東向為有名的吹鼓手領班，鄔某昔年結婚之日，就雇用張父做吹手，到場吹打，大約是鼓手們吹打不夠賣力，爭吵起來，張父被鄔某摑了兩下，今日為報兩掌之仇，鄔某查出來龍去脈，追憶往事，方才明白，由此乃四出託人向張緩頰，結果拿出十萬元為張壽，一天風雲，纔告平息。張在魯五六年，曾迎老父到督署奉養，而張父以不慣受種種拘束，不顧而辭了回來，到縣，便仍幹他的本行，張屢次派人去暗中設法阻擋，而張父對去的人說，「他幹他的，我幹我的，當督辦的人，河水不犯井水，各不相涉」，以後張再也不提起迎養了。

海嘯寓談薈

南天王悄然下野

諸葛文侯

當年奄有「南天王」一稱號的廣東省主席兼粵軍統帥陳濟棠，對粵省頗多建樹，人民安居樂業，蔚成小康之治。胡漢民幽居南京市外湯山事件發生後，陳氏雖為「西南政務委員會」的中堅人物，但對胡元老亦非竭誠擁戴，言聽計從者，因而胡先生由湯山回到廣州小住，即卜居香港，表示不欲多預粵政的澹泊志趣，迨胡先生猝然以腦溢血逝世，粵局宜若可以恢復小康狀態了。詎未幾而「南天王」竟黯然去位，政治上波譎雲詭，變幻莫測的情況，固非常理所能推斷的。「南天王」坍台的原因，既非自動倦勤，亦不是中央政府明令免職，乃係變生肘腋，迫使其不能不去也。當時陳氏所擁有的武力相當雄厚，計陸軍七個師，空軍一大隊，海軍艦艇亦足敷全省海岸與內河巡防之需，任何方面若欲以武力強取粵省政權，皆不易易。民國廿五年陳氏坍台之前，全國各界充滿着「抗日救國」的呼聲，大家盼望內部統一團結，協力對外，不願再覩內亂的迹象，這是陳氏失勢的基本因素，中樞利用民衆的愛國心情，稍事運用，陳氏即唯有急流勇退而已。

粵軍七個師，以駐防粵南地區的鄧龍光，李漢魂兩師最精銳，鄧、李素與粵南人楊永泰有往還，楊為中央軍事委員長蔣公所信任，對鄧、李的吸引力甚大；此外五個師分駐省境東西北各處，師長皆為東江籍，他們跟中樞顯要粵人曾養甫相接近。空軍司令張惠長，與孫科、吳鐵城同係中山縣人，通過空軍宿將黃光銳的關係，粵省的飛將軍即首先駕機分批飛赴南京，投歸中央建制了。繼而陸軍鄧、李兩師亦表示擁護一致對外的抗日救國主張，其餘五師自未便獨異而悍然冒天下之大不韙，掀起內戰。海軍司令陳策更贊成和平統一政策。「南天王」在這種情勢之下，除卻見幾而作，卸去職權以外，可謂一籌莫展，殆如項羽所說：「此天亡我，非戰之罪也！」

中樞對於粵省主席繼任人選，初屬意於「南天王」麾下大將余漢謀，余堅辭。旋由曾養甫建議，為使粵省局面安定起見，擬就粵籍退役軍人之中，擇其資深望重，素為各方所崇，而又出身東江者承其乏，藉以拊循現有粵軍中五個東江籍師長，且舉出在任的蒙藏委員會主持人黃慕松最合條件。黃氏係粵省軍人中的老前輩，素未過問粵政，曾任陸軍大學校長，在政治上沒有私人恩怨關係，對中央與地方，允稱適材適任的人物。中樞採納曾議，明令發表黃慕松為廣東省主席，果然匕鬯無驚，各方協調，善後工作甚為順利，越年黃以急病卒於官，而吳鐵城乃得欵段回粵主政，從此粵省與中央沆瀣一氣了。

巫術和迷信

·謝康·

「落降頭」或「放降頭」，是南洋華僑對某種黑巫術的稱呼。據說南洋土婆子多擅長這一套，作為控制對方踐守諾言的有效手段。有些華僑阿伯，出國前既然娶妻，到南洋後又和土婆結婚生子，最後受了巫術控制，縱然想遺棄土婆，歸返家鄉與「唐山阿嫂」白頭偕老而不可得。只能向土婆請假一個時期，回國省親，到期就得轉回僑居地向她銷假。否則被落降頭」，腹部脹痛，頭昏目眩，不思飲食，喉嚨奇癢，得了一種莫名其妙的病症，醫師無法醫治，解鈴還要繫鈴人，非得請她出法術解救不可。這種落降頭的傳說，老一輩的僑胞，定能言之鑿鑿，筆者親耳聽說的此類故事，已經不止一次了。

× × ×

張天師的道教，除附會老莊思想外，實滙集中國巫術的大成。例如，現時還有許多人相信「扶乩」（又名扶鸞）或「扶箕」，所請的乩仙，大半屬於道家的眞人或仙人如呂洞賓之類。類似扶乩而為社會上所流行的玩意，如八月十五中秋節的「迷仙」，和客家婦女在這天晚上所請的「猪欄神」，據說「仙」來之後，都能解答難題，談言微中，往往有意想不到的「神力」。筆者在年青的時候，也曾經親身體驗過。（三）

海隅消暑錄

自由報
THE FREE NEWS
第九十五期
中華民國僑務委員會登記證　中華郵政登記爲第一類新聞紙類
（逢星期三、六出版）
每份港幣壹角
社長：雷嘯岑
督印人：黃行富
社址：香港銅鑼灣高士威道二十號四樓
20 CAUSEWAY RD 3RD FL HONG KONG
TEL. 771726　電報掛號：7191
台灣分社

「土共」毛澤東的前途

劉龔三

中共和蘇俄分裂的傳說，近來極受西方國家重視、一般都看重在中共和俄共「理論」上的分歧，甚至說成這是「領導權的爭奪」。我也想把個人的看法提供大家參考。

我認爲：這場糾紛起於毛澤東對赫魯曉夫鬧別扭，也起於「工業蘇俄」和「農業中國」的矛盾和衝突。

我們不該認爲中共與蘇俄就此便會鬧成分裂。也不該看重所謂「理論」爭辯的表層。我們該着眼在共黨頭目權力鬥爭的底層，要看清他們「無可避免的」一種潛在的衝突因素，不必加以抹煞。

目前流行的說法有幾種：一、中共雖與蘇俄鬧意見，但總會因爲本身的利害打算而避免分裂。這與英美雖有歧見而終能團結對外，情形正復相同。二、他們所爭辯的不是什麼，只是用大棒打死美國或使美國慢慢流血而死的方法與程序上的問題而已。這不會使他們鬧成分裂。

以上兩種說法都有理由。我們更可以這樣看：

站在蘇俄方面看中共：它在經濟和軍事兩者的生命都牢繫在自已的掌上，不怕它反到那裏去。而且，它在反美和仇美的全面宣傳運動上業已走得太遠。它由宣佈「一面倒」的時候開始，一直到最近這兩年，要倒回頭再走是不可能的。把握着這幾點，把它慢慢泡製是一宗有把握的事。

站在中共方面看蘇俄：它要維持共產大帝國的團結和完整，少不了自已做一根有力的柱。畧爲鬧一下別扭是可以的。

假如他們不是故意唱雙簧，而在事實上鬧得不愉快，也只限於「齟齬」的範圍而已，至於對外推進滲透和顛覆的工作，行動仍然是一致的。他們在許多事件上面仍然合拍得很圓滑和快活。像在古巴、剛果、寮國諸地最近發生的變亂，蘇俄與中共互相呼應的例子很多。關於他們之間爭取領導權的說法，我們不妨認爲：這如非西方「心理作戰」部門有意播散出來的東西，便是妥協主義者由幻想得來的消息。

不過，事實的底層也有其值得注意的部份。

赫魯曉夫眼底的毛澤東，是國際共產黨中的「土共」。這是一個遲早必須清除的「土包子」。

毛澤東當年靠大陸各省「土共」打成江山之後，立即進行一次全面的「清土運動」，把各省土共頭子殺的殺，徙的徙，降的降，原因是：不如此便坐不穩江山。正如毛澤東當年之視各省「土共」頭子，赫魯曉夫之視毛澤東，由於必須「清土」而「除毛」，乃是必然之勢，連毛澤東也怪他不得。

我們不能忘記毛澤東由「政府」的「主席」被摔下來的事實。那時毛澤東決非只因受到內部的壓力而自願「棄政抓黨」，那壓力是內外一齊來，外力可能大於內力，這是憑常理可以推測得到的。毛澤東棄政而抓黨，是萬不得已的事。如連黨也抓不牢，他早就完了。他爲什麼能夠支持到今天，還能向赫魯曉夫稍稍還以顏色呢？這可看出毛澤東還有他的一手。他抓得緊早年的「梁山弟兄」，沒有誰願起來推倒他。他靠的是歷史，手段，與這些「梁山弟兄」殘餘的「溫情」。這一手大概是最初被赫魯曉夫忽視了的。至於說他在蘇俄內部和各國共黨首腦得到多少支持，在我們看來是不大值得置信的。他當年倒下來，是因受外面的壓力，現在不倒是因內部仍有「梁山弟兄」支持他。

但，我們也不能說毛澤東完全沒受到來自內部的壓力。他今天和赫魯曉夫鬧別扭，如作詳細分析，因素可有幾種，當包括中國人民對他的憤怒和反抗這一種。

這幾種因素是：一、毛澤東的性格是極其複雜的。他對內極權如秦始皇，對外喊「爺爺」的恭順則如「兒皇帝」，讀過他那首「沁園春」的人都會驚訝他的野心。此人此性，有史太林在世一天，他會誠心俯伏叩頭一天。赫魯曉夫的「輩份」壓不下他在性格上的「野傲」處，自從赫魯曉夫將他整了一整，叫他不啣恨在心是不可以的。

二、蘇俄今天是「百有」，中國大陸今天是「百無」，毛澤東本人雖是吃得肥胖胖的，在北平享受的也是「百有」的生活。但是，如說他直到今天還看不出中共的經濟危機是來自大陸人民的「百無」，那也是不對的。他遭到知識份子曾經領導起來的人民反抗運動，總知道長此「百無」也就是一條死路。這種壓力透過種種途徑加在他的身上，使他不能不向「百有」的蘇俄身上打主意。地大概也會想到「轉移憤怒」這種詭術，但又不能明目張胆，便只能借題發揮，在「理論」上稍爲立異。

三、毛澤東一帆風順，足有十年，在韓戰僥倖沒栽跟斗，到了金門砲戰這一仗才認眞洩氣。他這回因得不到蘇俄出力支援而大丟面子，免不了對蘇俄有所啣恨。這點恨火在毛澤東心裏燃燒，一直難以減滅。

以上幾點，都是有事可稽，依情據理而談的。今天大家所傳中共與蘇俄理論之爭，集中在應否發動世界大戰以達成「革命目的」的一個問題。試想中共憑什麼力量去發動世界大戰？「力量」握在蘇俄手上，中共怎能強廹莫斯科依從出自北平的「理論指導」而行事？這在理由上是說不通的。細加研究，說是蘇俄不肯支持中共對台峽認眞開火，才被中共擴大其詞，成爲理論上的爭執，大概也沒有什麼不對的吧！

毛澤東是個「土包子」，只知「人海戰術」可以起家。當年既服從蘇俄的指導，以東北和西北的工業建設地區奉獻給蘇俄一手支配，便已注定永遠「一面倒」的命運，乃至「人海」受制於「火海」，碰壁之餘，惱羞成怒，狂搞「煉鋼運動」，狂喊「工業大躍進」，轉因此而觸犯蘇俄的大忌，違反了「工業蘇俄，農業中共」的指導原則，又注定非倒霉不可了。最近他把「工業建設」置之腦後，改喊「大辦農業」，內裡消息是瞞不了人的。如果用十六個字作爲他的定評：「工農交困，內外樹敵，既不能令，又不受命」，又何必蓋棺而後定論呢？

整個中國大陸之大，決不比東歐各個小國之小，赫魯曉夫要淸除毛澤東雖是必然的，但這是一個太大的手術，赫魯曉夫雖掌握着有利的條件，但不能不特別小心地慢慢地來。賴此，毛澤東才可苟延殘喘，在赫魯曉夫的五指山裏翻跟斗罷了。誰替毛澤東算算命運，占斷他的前途，都不會有半句好話的。

說到這裏，我們更該認識：自從「圍堵政策」實行以來，只有在金門這最猛烈的一「堵」，才使由共黨方面猛撞而來的力量反撞回去，發生嚴重的一連串的久遠的影響。這一例子，彌値珍視，但莫斯科，是不是對於「兩個中國」的暫局，也暗中有心助其形成，不願在時機尚未成熟之前，突破美國在太平洋的堅強防綫呢？而這，究竟是不是中共和蘇俄鬧別扭的一種微妙而潛伏的因素呢？這一點，我們也不妨細心究考，別被表面的疑雲蒙過了，才正是「縱觀全局，察及隱微」的應有之舉呢。

小論天下

△古巴宣佈與自由中國斷絕外交關係。

對一個在自由世界除名的國家，只能這樣說：你放棄了自由，你將失去自由。

△剛果內戰慘酷，屠殺極爲恐怖。據說有蘇俄軍火輸入作祟。

對落後國家輸入落後武器與「落後的革命戰術」，蘇俄固優爲之。

△赫魯曉夫決定率領大批共黨國家高級人物赴紐約出席聯合國大會，並再倡高峯會議之說。美總統艾森豪及西方國家首腦們正在商量應戰。

「好佬怕爛佬，爛佬怕潑婦」的妙論，西方國家目前還缺少「潑婦」式的政治人才，才覺難以對付赫魯曉夫這樣的一個「爛佬」。

△中共廣播，紀念「蘇軍解放東北十五週年」。

這正好提醒中國人切勿忘記：由「日本的東北」到「蘇俄的東北」，決須來一次眞正的「解放」。至於中共此時故意向蘇俄表演這一幕「丑感恩」，只等於喊出一句：「赫爺爺饒命！」

△南韓張勉內閣的下年度預算案，受到黨內反對派的猛烈抨擊。

南韓任何一個當政的人物都會有同樣的苦惱：替美國看守基地便不能不用美國的錢，但美國的錢却不一定能使你養起那麼多的兵而又不發生經濟上的麻煩。

當然，還有附帶的苦惱是：沾惹了美援便會發生有人「從中揩油」的問題，也就有「肥瘦不均」以至「分贓不匀」的問題。

如何使「美援」不至成爲一種「災害」，恐怕連李承晚今天在釣魚思過的時候也難以想得通透。

△美國利用泛美組織發動對古巴的「外交告一段落，批評家認爲：美古雙方打成平手。

這等於說：美國打輸了。俄共的赤爪把古巴抓得更加堅牢了。

△「自由中國」半月刊發行人雷震在台北被捕的消息，香港赤報均以頭條刊登。「仇快」已是衆目共覩，「親痛」當亦有之。這一「震」，眞是不好。

方南

怪象

荷蘭擬派軍艦赴日本作友好訪問，這原係國際間極尋常的動態，毫不稀奇。然印尼蘇卡諾政府卻向日本提出抗議，聲稱日政府如果不拒絕荷艦來訪，即須召回其駐在印尼的外交使節，大有不惜絕交的威脅氣概。這簡直是公然對別國內政作無理的干涉，可謂豈有此理！

詎料日本的勞工總會——即「勞動總評」——恬不知羞，竟發出反對荷蘭派艦訪日的宣言，號召日人阻止荷艦進泊橫濱港口。就日本人的立場說，這不但是自瀆自賤，玷辱國格，且有叛國媚外之嫌，實爲不可思議的咄咄怪事。若說「勞動總評」不是崇奉「工人無祖國」之信條的共黨機構，還有甚末理由可以解釋這種怪現象呢？

怪事尙不止此，日政府亦居然不受抬舉，害怕開罪印尼和國內的共黨，要求荷艦暫緩東來訪問，說是「不來亦領情了」。這成甚末話？又是何等丟人失格的行爲呢？前有岸信介政府因爲害怕中俄共暨國內共黨份子搗亂，而婉拒美總統艾森豪之來訪；後有池田內閣以同樣心情而拒卻荷蘭的友好表示。想不到素來賦有強烈自尊心的日本民族性，竟因一戰敗北而變成變料的自卑感，沒有絲毫太和魂的武士道精神了，不亦怪哉！

仔細研究日政府當局這種妄自菲薄的原因，只是爲的經濟利益，既顧慮因此喪失了印尼的貿易市場，又躭心毛共對日本的通商要求將不予理睬。人窮則志短，看在金錢的份上，祇好甘作「衰仔」了！

我們若專從生意經設想，對於日本政府當局亦就不必多所責難，君不見堂堂自由世界盟主的美國，一切外交行爲亦皆以商業利益爲依歸嗎？豪富的日本領導者且如此，貧窮如日本，豈能驚虛聲而棄實利乎？至於日本之猖獗，還不是深拜美國民主方式之賜，若非美國在佔領期間以揠苗助長的手法，強使日本社會結構及政治制度，一律向美式民主生活看齊，有如教那剛告解放的纏足婦女，穿着高跟鞋去跳「查查舞」，日共及其同路人，又何致有今天這種聲勢呢？吾爲日本前途悲，更爲自由世界前途懍懍危懼也！

馮君先生

生產教育實驗所參觀記

——楚軍——

【台北通訊】八月廿二日中國文藝協會邀集了廿多位作家們（其中有小說作家王藍、穆穆、墨人、師範……劇作家朱白水……詩人彭邦楨……暢流半月主編吳裕民，聯合報副刊主編林海音、自由青年主編呂天行、新生報編輯張明……等等）去參觀了台灣省生產教育實驗所。這是一個思想的改造單位，凡是中過共產黨思想毒素而已被政府當局經過調查偵訊屬實，仍然頑而不化的人，就送到這裏去改造，讓他（她）們自動自覺的醒過來。

行約莫三十分鐘，就到我們所要參觀的地方。這裏的負責人王超凡主任，是一位個子不高的而十分和氣的中年人，他對我們的訪問，表示出誠摯的歡迎。

首先，我們在他的會議室聽了這裏的教導長三十分鐘的簡報，對實驗所的概況有一番大畧的瞭解，這樣對於我們接着去實地參觀有了很大的幫助。

化敵為友　歸誠就範

化敵為友，歸誠就範，是這個生產教育實驗所的最大前題。

到這裏受感化教育的人，是沒有冤枉的，當局是根據他們有共黨偏激的思想及行動與事實表現才送來的。

這裏不是共黨集團國家中的集中營，也不是勞動改造營。他們在這裏並非一個牢犯，他們自由得和一個普通人差不多，他（她）們有自己的教室（讀書的），自己的寢室，這些教室和寢室都沒有鐵窗鐵門，它和普通一般公共場所的玻璃門窗一樣，可以自由出入無阻，每一個教室和寢室的外面都是很寬大的花園，種植着四季各樣的花卉和樹木，陽光和空氣毫無阻攔地從敞濶的門窗透射進來，可以晒到，撫摸到他（她）們的潔白的床舖上。

當然，在這裏着重的是改造他（她）們的思想，但是所方對於那些初來的人所堅持他（她）們自己從前中毒很深的共黨思想並不立予駁斥，教育當局姑且讓他（她）們暫時保持着，而却首先培植他（她）們的自尊心，讓他（她）首先恢復仁愛的理性，然後使他（她）們自覺到教育當局並非他（她）們的敵人，最後化敵為友，心誠氣服地成為自由人，這一個自覺的過程，也許很短，也許很長。

這個教育所成立到現在已屆七年，受感化教育的人共有一千零十八人，陸續結業輔導在社會各階層就業就學的有六百餘人，現在還在受教育的只是小半數了。

這些小半數的偏激份子已逐漸在覺醒中，但他（她）們還沒有打從心底裏服膺人性之愛。

為了使他（她）們徹底認識人性之愛的偉大，教育當局對於他（她）們的幼小的子女也給予義務的撫養，創辦了一個幼稚園，如果到了就讀小學中學的年齡，還繼續把他（她）們送到附近的國民學校和中學裏去就讀。所方不但供給這些孩子們的膳食學費，還供給他（她）們的衣着。

當局要讓這些父母妻子兒女感覺到這是一個具有熱愛的大家庭。

減少負担　增加戰力

在這個教育所受感化的人，由於水準不齊（從文盲到中大專），當局把他（她）們劃為甲、乙、丙、丁、戊五個教育班，即為識字、小學、初中、高中、大專各班級，上午授以正式的學科教育，下午則授以職業教育。

職業教育現時計有印刷、紡織、編結（籐、竹、棉線）、雕刻、農藝品），使他（她）們離開此地進入自由社會裏能夠成為一個有一技之長的良民，增加國民生產。

現時所方均附設有上項各種工場，農場將他（她）們的生產成品出售市場，而出售那些成品的收入，則用之於改善他（她）們的生活，子女的教育費用，以及輔導升學那些人的學雜膳費與衣着費用。

在所方的檔案裏，我們可以看到那些被輔導就讀於台灣大學，成功大學各院系……等人寄回的成績單，都在八十分以上；王超凡主任也以此來向我們參觀的人炫耀他為家長身分的成就，（這也的確可以引為自豪的事）。

生產教育所的最終目的不是改造一個人的思想，而是教育他（她）們有正常的知識，有生活的技能，有人性的仁愛。

他們的工場雖則設在鐵圍牆內，而農場却設在圍牆以外，他們沒有一個逃亡，他（她）們已經有了有限度的自由，也知道更大的自由就會來到自己的眼前。

我把這篇參觀記寄到香港來發表，是希望讀者們比較一下，共產黨的集中營和勞動改造與自由國家中對付共產黨份子的是怎樣的不同，也證明仁愛的教育在長時間中一定戰勝共產極權。

郵費、報費、稿費

——台北點滴——

張希明

台灣郵資已自八月一日起增加百分之廿至百分之一百，聽說這是為了某些理由而增資的，給國庫每年收入六千萬元台幣誠屬可喜的事。在國際郵資比率上算起來，台灣郵資，並不算高，略為增加，當算合理。

在另一方面來說，台灣的稿費自三十八年以來，從未調整過一次，這是文化界最關心的大事，但始終未被人予以注意過。甚多報紙，雜誌等刊物的報價，雜誌價均三番四次地呼籲請讀者原諒，由於紙張漲了價，油墨及工人的待遇提高，不得不把報紙售價略予提高，由七角一份報紙漲到八角，而一元，而一元二角（現在的價錢）。奇怪的却是稿費未予提及半字。

郵資國內者平信漲一倍，掛號信漲一倍，限時信漲六角一封。以郵資來比較，稿費亦應酌量提高，不應老停留在這條老線上按兵不動。目前一篇千字稿酬得三十元一千五元，亦有二十五元或二十元一千字者，這樣低的酬勞，拿回來只可寄十封限時信（二十元），最高者亦寄不到二十封掛號信，此輩文人實在太清高了。稿費應予提高，是值得認真考慮的時候了。

現階段日本對華政策探討（三）

羅堅白

左翼對池田姑予畧迹原心　池田這次登台，自民黨的後台日本經濟界諸位巨頭老板，連日本經濟依為靠山的美國，其朝野要津，都不約而同，對他懷抱好感，表示歡迎。由上述外交政策談話，及黨方所公表文件並小坂講演詞推論之，池田在自由世界中負有衆望，其因果關係，殆屬自明。但中共及日本國內親共勢力，對他居然也覺得似乎可與相處。他怎能獲致左翼仁兄們如此大度包容？大家心照不宣的；池田當選自民黨總裁時，得票三百二十，然自派固有之票，不過六十，岸兄弟所提供者，合計不下百五十之多。因此岸兄弟在他的內閣中，其發言權非常強大。好在衆院不久便要改選，把池田捧上首相寶座的投票數字，瞬將失去威力。在親共立場，犯不着目前過於與池田為難；也怕把他逼得真成為「岸亞流」（視岸猶不如）。並且，他過去在政治舞台上所留給左翼仁兄們的印象，儘管只是局部片時的順眼，而觀感也各有不同；但有人肯把他當作同路人，到今日居然影響整個左翼，傾向於對他姑予略迹原心；期待他到了衆議院改選之後，無須敷衍岸兄弟時，變得更有利於左翼。

對共產國家修辭上的變化　左翼仁兄們這種出自如意算盤的觀測，筆者也認為不無相當事實根據可尋。例如上述池田的外交政策談話中，有求使共產國家尊重並畏懼日本一項。那畏懼二字，夫人而知，實大可能叫中共聽了氣破肚皮。池田卻脫口而出，與數年前「窮人應該安份吃麥飯」的放言，幾乎可以先後媲美。有些日本記者惟恐因此放言加重日本對中共的僵局；很輕巧的將「尊重和畏懼」縮作「尊敬」。池田大概也自已也感着不妥了；嗣後便絕口不提「畏懼」，而只留用「尊重」二字。有一次還自加解釋云：『日本雖繼續為自由世界之一員，但同時還要與共產國家保持友好關係，取得其信任與信賴，且將以此感動中蘇，使能「尊重」我國。』這不僅自動削去「被畏懼」的要求，且已擴張「求取信任與信賴」之對象，不限於美國，而兼及中蘇。這等變化，其彰明昭著為何如！

（三）與石橋松村等共濟祕密　至少曾間接與中共有聯繫　池田接見外國記者曾自己表白：他在過去六年之間，一直主張與中蘇維持友好關係。筆者也可代為證言：他不僅有過這種主張，且關於求與中共友好，他曾有所表現於實際行動。岸前總裁競選連任時，河野堅強擁岸，池田則以全力支持松村與岸角逐。是後池田遂與松村三木石橋等左派，結成反主流派以反岸，且為該派核心。試思岸若果為日本對中共友好之障礙，則反岸當然有裨於與中共友好；可在稽核成績簿上，記下一次功勞。又石橋松村既先後進入中共轂中，焉能不與同舟共濟之池田共此秘密！故池田當時至少間接與中共有聯繫。

「中國小姐」與文藝

沙漠

轟動一時的「中國小姐」選拔，早已成過去了。但留下來的那一本中國小姐選舉專集，卻令我有了一個有趣的發現。參加複選的卅九？（詳細數字恕我記不清楚）位中國小姐的身世報導，卅九位小姐，儘管姓名、年齡、籍貫不相同，而在專長欄裏，可說是全部都已填上「擅長寫作」或是「愛好文藝」。由於這個相同之點，使我發現到為什麼在台灣從事「文藝寫作」的工作者為人「嘲笑」的原因？也使我明白了「文藝寫作」成為女孩子們愛好的時髦玩意的道理所在。

本來，從事「文藝寫作」，並不是天才的專利品，但把文藝寫作變成為商店招牌一樣，爛而且多，也是不成話的。在台灣，女孩子們幾乎以文藝寫作為出風頭，當作明星的跳板。似乎冠上「愛好文藝」這個冠冕，總缺少了點「文明氣質」似的。實際上，她們並未從事任何實質上的努力，這樣，對文藝豈不是一個嚴重的「侮辱」？

當然，這也難怪，在台灣文藝界有一種現象，普遍的說起來，「男作家」沒有「女作家」吃得開，女作家是易於成名的，什麼中國莎岡呵！什麼作家明星啊！都在台灣出盡了風頭，這種女作家搶盡了男作家「鏡頭」的現象，自然使愛好出風頭的女孩子們羨慕不已了，由於這種心理的作祟，「文藝寫作」也就成為「中國小姐」們的「裝飾品」了，「文藝寫作」如果淪為與小姐們身上的旗袍、皮包、洋傘、等裝飾品同樣身價，這豈不是中國文藝的悲哀？

我不知道在台灣的文藝界中的領導階層，是否發現了這個毛病沒有？希望領導階層的大作家們，在相互歌頌、讚美自已的作品之餘，留點時間拯救拯救這種把愛好文藝寫作當做「裝飾品」的怪風氣吧！

大陸文壇萬花筒

新疆文藝界（上）

——岳審——

中共文代會於八月十三日結束，文聯主席郭沫若蟬聯選出十五名副主席，其中包括了梅蘭芳和歐陽予倩，這兩位曾受到南通張季直先生賞識，專修建「梅歐閣」以紀念的藝人，居然變成了文聯副主席，在思想尚未搞通的我輩看來，總覺得有點不倫不類，可是想開一點也就無所謂了。其中還有兩位副主席，他們到底和文學藝術有什麼關係，那就怎麼想也想不通了。一位是中共總政治副主任傅鍾「上將」，一位是中共新疆區委會書記處書記，新疆維吾爾自治區主席賽福鼎。

傳鍾的事情我們不去談他，現在只說一說這個賽福鼎，中共對於留在大陸的學人及附共政客，總是懷疑他們關係複雜，其實真正說出來誰也複雜不過賽福鼎，這四個字他真當之無愧。

賽福鼎是新疆伊寧人，民國三十三年，伊、塔、阿三區叛變，他也是主角之一。這批人除去在伊寧組織了一個「東土耳其斯坦共和邦」偽政權之外，還有一個政黨叫新疆民主同盟，簡稱新盟。張治中任新疆省主席，組織「聯合政府」的，賽福鼎隨阿合買提江和賴希木江之後去迪化參加，當時阿合買提江被任為副主席，賴希木江任建設廳長，賽福鼎任教育廳長。這次的聯合政權也只是曇花一現就結束了，這批人不久撤回伊寧繼續建號稱尊去了。

到了中共政權成立，邀他們去北平開會，阿合買提江和賴希木江同坐一架飛機在途中失事，兩人同時斃命，於是領導權就落在賽福鼎肩上。以後在賽福鼎主持下，「新盟」解散，伊寧叛軍改編為共軍第五軍，併入王震兵團，賽福鼎又當選候補中委。

賽福鼎原有聯共黨籍，可能也有蘇聯國籍，毛澤東就利用他這一點作為對蘇聯的橋樑，新疆改為維吾爾自治區之後，就任他為主席，民國四十六年毛澤東二次朝俄時，又帶他同往，毛澤東回來後他又單獨留在蘇聯磋商新疆問題，像這麼一個人，你說他同文藝界有什麼關係。（上）

社會小說

香港地

五、有錢佬

不出所料，梅大亮趕回露台去的時候，見揚先生已悄悄獨坐在那裡，悠然含笑，一派優悠自得的紳氣。梅大亮便問他：爲什麼要匆匆離開藏書處。

揚先生笑道：「看鈔票展覽，只看一張便夠了。看一張等如看千張萬張，何必費時？」

梅大亮覺得這話很有意思，但認爲在禮貌上不妨多留半刻，才不致損了主人臉上的風光。

揚先生更是笑道：「難得你也會說出這些話來。這裏的風光正値得欣賞呢。這我怕等會兒有人佔了這個位置，輪不到我們兩個老古董繼續佔有，所以及早抽身出來，料不到還有更好的風光給我欣賞……」

他的話似乎還有保留，話猶未盡，便作了一個神秘的微笑，就此打住。

梅大亮認爲事有可疑，忙問這裏有什麼「更好的風光」給他看到。

揚先生低聲說道：「說來怕你不會相信，[illegible]剛才我進來的時候，剛好看到一幕活劇，那兩位作家依偎在露台上面接了一個吻，你說這風光好看不好看？」

梅大亮大以爲奇，急問道：「眞有這回事嗎？這兩個青年男女縱是急色，怎能在這等地方出這等事情？」

「急色嗎？你說錯了。」揚先生接住發笑道：「他們知她只是一時靈感來了，才會在這等地方造愛。你要知道，凡是風光太美的地方，最會令到青年男女「靈感來了」的。我剛正看到女的在撫摩着男的，幽幽的說了一句話，這話也給我聽入耳裏去，舒服得很。你猜這是說的什麼？」

揚先生越說越有趣，把「急色」這話完全駁倒了，還賣個關子，要梅大亮費腦汁去思索，[illegible]，便隨口答道：「你眞的連她說的話也聽到嗎？她說的是什麼？」唉……

揚先生立即打斷他的話頭笑道：「你唉些什麼？你該換過一種頭腦和眼光，才懂得欣賞呢。」（五八）

木客著

炎夏漫筆

汶津

一到夏天，溫度計的水銀步步高昇，汗水成了大宗輸出品。胖子叫苦了，樂天的人依然其樂陶陶。電風扇的廣告擴大了一些，塵封的冷飲店又開張了。心了火。好睡的標語已被取代了，因爲游泳池裏難免有冤鬼出現。這是一個例外的季節，暑氣熏天不必說，就是幹些正活兒也覺得是在替上帝加班。

而我卻在這時節，倍伴孔孟的老古董，好像只是無聊的消遣，卻又有點不像。說些就是文化的精粹，我也不敢深信的。我只覺得正經的大道理裏面，還往往有些風涼話——就是讓人讀了忘了搧扇的那種妙品。比如每天偷鄰人一隻雞不合君子之道，每月偷一隻可能就是半個君子呢？但關於偷的日子，我建議，使雞主能好確作預防。[illegible]

俗語說：「防君子不防小人」，孟子有同感吧？他又說伯夷看見鄉人帽子沒戴正就馬上避開，[illegible]老人家竟餓死在首陽山下，[illegible]買櫝還珠，眞不值得！我也不怕人說我糟塌了聖賢書，[illegible]才該死呢！讀到「被髮左衽」，我又想到北方賣扇子，到南方賣皮襖的故事。幼稚園的學童回到家裏，毫不猶豫的對博士爸爸說：「你不知道，我跟你說，老師告訴我們……」[illegible]

[illegible]月天氣出門行釣，他老兄該也不會選擇又重又難扭掴的魚網吧？而且，釣魚時千萬不能把油鍋先準備在竈下；以食慾作後備軍，簡直就是饕餮鬼再世，簡直不足與論釣魚之樂。還是梭羅在他的「湖濱散記」裏說[illegible]

[illegible]

頂告說在下午×時有驟雨，現在只差半小時了。」我忘不了宋人守株待兔的故事——孟子講這類掌故眞是有聲有色——，我眞想建議他再到氣象局去問個明白。這時恰有一位衣著華麗的少女自身邊掠過，那位仁兄遂轉移目標。可惜我目前還不想著書立說，否則這一則小故事必予引用，將來或許竟會出現一個新成語——「按報索傘」。

以上是出門的偶然收穫，有時靠在沙發椅上冒充一番「秀才」，居然也跟周遊的世界差不多。可厭的是官樣文章，不過飯雖煮生了，煮爛了，沒其他糧食下肚，也只好將就。好在報紙等於雜貨店老闆，從「中美合作」到美容院廣告，應有盡有，任君選用。如果你經驗豐富，更可透過「香豔」「肉感」「刺激」，這些臭袜布似的字眼，而判斷某一張宣影片是否一無可取。有時明明是膠化充先鋒，巨型廣告上偏要安上些第一流導演，第一流演員的話，更可愛的，還附加一條「第一流的觀衆必不放過！」沒有「不勤心」的修養的，要闘過這一關，可不難哉！每次我讀到類似這些的廣告文學，如「請多帶幾條手帕」等等，必須把當扇開足，唉，才能略覺通氣。子老夫子以後眞該學學「養盂氣」了。

儒林九尾龜

吳敬鋅

第三回：柳暗花明又一村

盧教授眨眨眼問道：「那樣作，你又有什麼好處呢？」

一撫笑道：「廣東有句俗語，叫「靠公仔不必畫出腸」，你何必一定要我把最後一句話講出來。請問你，我第二個辦法專門破壞中美關係，受到好處的是那方面。」

盧教授恍然大悟，用右手大姆指食指指了個手勢，說道：「當然是老八了。」

一撫陰笑道：「對了，你怕毛澤東不給我錢嗎？」

盧教授連連點頭：「佩服之至，老兄的辦法眞多，第三步棋，恐怕是更高明了。」

一撫搖搖頭：「這是最後的一步，將來再談吧！」

又停了幾分鐘，一撫說道：「我今天來看盧先生，想提出一個建議，海外民主勢力是[illegible]

[illegible]敢當，眞到時機大家在起幹就是了。」

一撫十分失望，又坐了一時就走了。

等到一撫走了後，李鴻飛首先站起來問道：「這種人先生招呼他作什麼？那一套無恥下流的話，我眞聽得心頭起火。」

小石也說：「是呀！不是礙着先生，我眞要過去打他兩嘴巴。」

盧教授笑道：「泰山不厭土壤，所以成其高，黃河不擇細流，所以成其大，搞政治就是這回事，牛溲馬渤都要收容，[illegible]有時候也許會派用場的。」

盧聽雄笑着問道：「剛才那個姓朱的講的那些話，他是不是眞會那樣作。」

盧教授笑道：「他說得出就作得出，比這再荒唐的事，他都幹過，說來就妙透了。」

大家一聽都引起興趣，小石哀求道：「先生橫豎這一會沒有事，何不說話給我們聽聽。」

盧教授笑一下，又掏出日記本看看：「實在沒有約會，……」繼續說道：「一撫這個人，說起來眞有點神通，他並未讀過什麼書，抗戰期間他的家鄉淪陷了，他也和一般青年人相同都到後方流亡，別人去到後方或讀書，或作事，只有他到處東混西騙，這些故事我都不必說，到了抗戰勝利，他竟然得到了某鉅公的一封信，回到本省去見教育廳長，自認是中央政校畢業，某鉅公正是教育廳長的頂頭上司，廳長怎敢怠慢，馬上就派他回去任本縣中學校長，他還不肯作，經廳長說了許多好話，才勉強答應下來。」

大家聽到這裏，不由得都笑了起來。（二十）

李湄戲路改變

——修衡——

看「女俠文婷玉」試映後，覺得該片和一般「打鬥片不同。這一部片子，從李湄、張揚、王萊這三個人武藝看來，對國術表演，確有使人感到耳目一新，並證明李湄拍攝該片之前，曾經以一年時間，從師學習，不僅十八般武藝件件皆能，且能飛簷走壁，攀山越嶺，如履平地，這是眞功夫。沒有看過該片，很難使人相信。就李湄來說，她早期所給予人們的印象，是蕩婦淫娃型人物；近年卻覺得這是一個賢妻良母型女子。在此以前，美國一間百貨公司，企圖在李湄身上打主意，她一到美國，知道受愚，堅決反對穿泳裝做「模特兒」，這件事情在國際間鬧得滿天神佛，差一點弄到在美國興訟，她終於在舉世輿論支持下，戰勝了美商。

回港之後，要求電懋當局不再讓她再演淫娃角色。「女俠文婷玉」這個戲，即係她自美國返港後的新作，爲了她飾演文婷玉一角，不惜拜師習藝。因此，她已成爲國語片僅有的一個「女俠」，刀槍劍戟和棍棒，無一不會。這是一部古裝片，也是十年來僅見的大堆頭片，電懋當局不惜投下巨資，使該片內容更見充實，那參天古木，高大寬敞的王府巨宅，都在不惜工本，克意求實下完成的。看過永華公司的「國魂」觀衆，相信可以明白：在過去，可以在北平拍幾個實景，簡單易行，此時此地確實不太容易，雖然是佈景，和實景無大區別，但在資金上動用，就不能相提並論了。該片將自明（八）日起在港九聯映。

銀壇隨筆

當有聲電影產生的時候，默片時代就過去了。由於科學的進步，今日電影，已發展到多采多姿，幾乎連黑白片都要相顧失色。然而，三十年前由差利．卓別靈主演的默片「淘金熱」（滬譯淘金記）到今年已是第四度發行，竟然到處賣座，大受歡迎，這不能不說是一個奇跡。

銀幕上的差利，戴小禮帽，着大皮鞋，走八字步，手上抓一根「士的克」，這一副輪廓，永遠印在全世界觀衆的腦海裏，只要差利一出場，觀衆乃禁不住捧腹大笑。可是差利之所以取悅於觀衆者，其絕不若一班丑角之胡鬧而低級，他乃是憑藉其卓越的演技，以震撼觀衆的心弦，而使其不得不笑。同時，亦不僅是一笑而已，差利的笑片，更是笑中有淚呢！「淘金記」如此，「城市之光」如此，「大獨裁者」亦如此，至於他的近期作品如「舞台春秋」，「紐約一王」，更是不用說的了。

電影

——徐學慧——

差利這種人材，我們是不能以一個普通諧角來看待他的。在近三十年中，談到全世界影壇的人才，我只佩服兩個。一個是差利卓別靈，另一個是和路狄斯尼。差利以演技，和路以他的聰明，都是站在時代尖端的人物。那些捧過金像獎的男女紅星，縱或在某一劇中有特殊優異的演出，也不過是一技之長，說不上全材的。差利的電影，多自編自導自演，而其意義之深長，演技之精湛，則非時下任何一個大明星所能望其項背。至於和路狄士尼的卡通畫，在影壇中亦別樹一幟。「雪姑七友」、「仙履奇緣」，也是老少咸宜，到處賣座呢！「幻想曲」一劇，以畫面來配合音樂，維妙維肖，天衣無縫，可以說，這種驚人的幻想，與其不可多得的才能，求之並世影壇，幾無人可與匹敵。

可惜，這樣的人材，一在美洲，一在歐洲，而在亞洲卻無人能有此表現呢！像香港這樣的電影圈，我亦不奢望能產生差利卓別靈或和路狄士尼這樣的人物，只要能夠讓我們在一年中有幾齣可以一看的電影，也就不錯了。

我們簡直不能想象，在倫敦紐約等地，一部好的影片可以連映數月而賣座不衰，香港的國語片，如果挑到幾家一流影院放映，縱有主角隨片登台，最多也只能捱到五天。香港影壇的人才零落，乃爲人所共知之事。俗語說，長江後浪催前浪，最慘的是，前浪後浪也都不過是半桶水呢！

繹耒集

「五四」運動，近世史家，依其發展情勢立言，稱之爲新文化運動，此新文化一詞既出，則在此以前之文化，均被視爲舊文化，既有所謂新與舊，則隨之而有文化之消退與前進，或文化之衰老與新生，最近又於本刊發現有所謂文化眞空一語，亦指五四運動時一般情勢言之，且以爲此一眞空，實由胡適之先生所造成，此說余不敢同意。因余不相信歷史發展之形勢，可由個人力量造成之，而事實上人類之文化生活，亦不可能出現眞空狀態，所謂眞空云者，其義蓋同于無有，今按五四時期之中國人，並相沿祖先遺下之部份生活習慣，穿衣吃飯之外，照例娶妻生子，對較老之一輩，照例服勞奉養以至于送死葬祭，鄉黨鄰里，宗族親戚，照例有慶弔往來，凡此等類，均屬文化生活，所謂文化生活云者，即不同于原始狀態之自然生活也，亦即不同於無有，故不能謂爲眞空。然其時之中國人，雖亦娶妻生子，但已歆動于自由戀愛，與文明結婚之新鮮見解，以墨守三書六禮之儀文爲野蠻。對較老之一輩，雖亦養生送死，然已有人公開詛咒祖先崇拜爲退化，且主張于火葬場之旁開設肥料公司。鄉黨宗族，雖有慶弔往來，但前進之革命青年，已毅然呼父母爲同志，且亦有

文化投降

人主張廢除姓氏，以一數目代替舊式之姓名字號矣。其尤徹底者，並倡言廢除漢字，及焚却綫裝書，而實則至今未嘗廢，亦未嘗焚，所謂舊文化，依然寄存于萬千種舊籍之中，特擱置不用而已。其情大率類於彊埸失敗，屯兵而逃，自以其武器爲窳敗不足爭勝，遂棄而不顧，低首下心，向其強敵以求苟活，故稱之爲文化投降，實較近是，而不得謂之爲眞空也。文化眞空，必我國人，一切回復其獉獉狉狉之原始生活，如鹿豖之渾然相忘，然此事實之必不可能者，抑亦與人類生存之祈向相抵忤，不足深論。至于投降，其志不外于求自存，而事實上則適足以見其不足以自立，一民族不能自立，其生存終不免爲強者之僕隸，勢使之然也。今台灣一切賴美援，大陸一切向蘇聯學習，台灣第一流家族之子女，紛紛赴美入學，異時強半將歸化爲美國人，而大陸終久爲客卿之天下，我國士大夫，乃日飲唯物論哲學，及實驗主義之狂藥，風痺不知痛癢，反以先知先覺自命，此則歷史上空前之悲劇，又秦會之，吳三桂諸人之所望塵莫及者也。文化云者，一民族所賴以生存，而又能不失其民族立場之武器也，有不適于用之處，但能因事制宜，徐加改造，未聞外人用文化凌虐我，而我棄其所固有，置身別人刀俎之上，謂我將與之爭勝，則又不思之甚者也。

由齋

粟海彈心錄

新人新政

阿公

近時從政人士，每於用人行政更張接續之際，多以用新人行新政，昭示於人，自相矜許。國人從而和之者，又多不究其新人之需要標準如何，新政之大政方針如何，一若國計民生，富強康樂，止須新之一字，即可收拾乾坤，開拓宇宙，算無遺策，舉無遺事者。不可以不辨。

一、有政新人舊者。周書，「周雖舊邦，其命維新」，武王曰，「予有亂臣十人」。命斯新矣，而十人之中，周書所紀，邑姜而外，無一新人，卜世三十，歷年八百，承天休命，史不重見。

二、有人新政新者。漢高入關，除秦苛法，約法三章，與民更始，而當時王侯將相——黥、彭任俠。絳、灌屠狗。韓信材官。蕭何佐吏。張良王孫。陳平書生。其人品物望，卑不足道，相與共定天下，創業垂統。故士有伸於知己而屈於不知己者，又多不在新舊之分也，曷可勝數。

三、有政舊人新者。光武兄弟，崛起南陽。晉王父子，肇基太原。一時風雲際會，無非東西南北之人，而東漢中興，盛唐創統，一承西漢之餘緒，一沿隋室之陳規，開國承家，民安國富，亦有足多者也。

自茲以下，宋承周後，人猶是也，政亦猶是也。朱明起自由閭，與劉氏近似，其立國規模，殊乏遠猷。又不繫於宋明之新與舊也明矣。

至於王安石之於北宋，用新人行新政，乃至「天變不足畏，人言不足恤，祖宗不足法」其自信信人，可謂至矣。新政姑不論，而呂惠卿，章惇，蔡京，童貫，卒陷宋室於不可救藥。曾國藩之於遜清，其於人也，廣收愼用。其於事也，新舊兼蓄。未嘗喜新以厭舊，亦未嘗泥舊以摒新，數年之間，卒平大難。而羅澤南，塔齊布，彭玉麟，左宗棠等，或以理學剛正起家，或以智略材勇膺選，不拘一格，皆爲名臣。

總此以觀，人無新舊，當位則吉，政無新舊，適時者昌。矧今時今事，新舊殊難爲言，理論之是非無準則，物質之進步無休止。今日之新，未始非明日之舊。昔日之舊，又未始非今日之新。證以晚近數十年事，世界之演變推移，窮通變化，不可測度者，大都如此。

雅片文藝

筱臣

首先應該聲明，本文只是介紹雅片在舊文學上的一些作品，作茶餘酒後之談，並無任何歌頌雅片之意。

據說雅片來源很早，在中國唐時即有，名爲「米囊花」，古人不懂吸毒，視爲名花異卉。唐人陶雍詩有云：「萬里客愁今日散，馬前初見米囊花。」花開及於馬前，而且看了客愁爲之消散，可見唐時種植此花的普遍，和感人之深了。

宋人楊萬里也有詠米囊花的詩云：

鳥語蜂喧蝶亦忙，爭傳天詔詔花王；東君羽衛無供給，探借春風十日糧。

又明人吳幼培也有類似的一首詩云：

庭院深沉白晝長，階前仙卉吐芬芳。含煙帶雨呈嬌態，傅粉凝脂吐艷妝。種自中秋須隔歲；開於初夏伴傾陽。更誇結子纍纍碩，何必汙邪滿稻粱？

到後來雅片之害，愈演愈烈，近代有名的雅片戰爭，使得我們喪權辱國，至今猶有餘痛。但中國文人頗善飾詞，對於雅片的詠嘆，實留下了不少的佳作，有用白描手法的，如：

槍通，斗靈，燈光亮；鋪寬，茶熱，枕頭高。

很能道出他們所謂最舒適的享受。反之，某君列「悍妻，窄鞋，寒煙槍，暗壢燈」爲人生四憾，自可體會。

還有集前人詩句，隨手拈來自成妙諦的，則有。

重簾不捲留香久；短笛無腔信口吹。

改一字的如：

萬事不如「槍」在手；人生幾見「日」當頭。

皆天衣無縫，妙義橫生，的是鬼才之筆。

有替烟槍撰銘的：

可以助雀戰，可以却酒兵，可以破睡魔，可以攻愁城，故殺敵致果，可以槍爲名。

又有云：

蒼琅八尺匀而堅，可吸瑤草呼秋煙，誰其主餐霞仙。

清新可誦，幾乎掩蓋了它的醜惡。

屬於嘲諷的，有仿雲南昆明大觀樓的長聯，以譏嘲抽雅片，刻劃盡致。聯云：

五百兩烟坭，賒來手裏，價廉貨淨，喜洋洋與趣無窮，看粵誇黑土，楚重紅泥，黔尚青山，滇崇白水，估成辦色，不妨請客閒評，趁火旺爐熱，煮就了魚泡蟹眼，正更長夜永，安排些雪藕冰桃，莫辜負四楞響斗，萬字香盤，九節老槍，三鑲玉嘴；

數千金家產，忘却心頭，纔發神疲，嘆滾滾錢財何用，想各類巴菰，膏珍福壽，種傳罌粟，花號芙蓉，橫枕開燈，足盡平生樂事，儘朝吹暮吸，那怕他日烈風寒，縱妻怨兒啼，都裝做天聾地啞，只剩下幾寸四毛，半袖肩膀，兩行清淚，一副枯骸。

此聯最妙而又幽默，又警策，是一篇上乘的禁毒宣傳文字。又某君嗜雅片，就家祠中設灯管吸，有人贈他一聯云：

與祖宗呼吸相通，方是香烟一脈；嘆子孫詩書未讀，也知燈火三更。

妙語雙關，極盡挪揄之能事。更有在扶乩中直指出道友的嗜癖，而予以諷刺的，則其事更屬離奇。抗戰初期，有一張某別名景桓，特至上海木道人處，以扶乩的方法請其賜聯，道人固不知其姓名及其嗜好。道人贈聯云：

旅陽春以「煙」「景」；撫孤松而「盤」「桓」。

末一字嵌出「景桓」二字，而第五字所嵌的則赫然爲「煙盤」兩字，直率道出張君爲道友，而爲一般朋友均不知道的祕密。如斯巧合，實屬奇妙。

海嶠舊談薈

憶陳獨秀

諸葛文侯

曾是中國共產黨的首創者領導人陳獨秀，在生時因爲不滿意於俄共的胡亂指揮而遭整肅後，終其身不得再起，且被毛共集團誣爲「托匪漢奸」而開除他的黨籍，其人其行，頗有可稱者。

民國二十二年陳氏蟄居上海時，被毛共黨徒告密出賣，爲政府所逮捕，解繫南京獄中。當時在滬上執行律師職務的章行嚴士釗，自動譔狀投法院，爲獨秀作義務辯護，狀詞中襲用滿清末年章太炎營救劉師培的語意，謂「獨秀死，則中國讀書種子將告絕」。陳氏聞訊殊不謂然，亦不另託律師代辯。他只說是「章行嚴怎末能夠替我辯護呢？」意指章氏並不瞭解共產主義，也不明白共黨內部鬥爭傾陷的一切情形，光是做些之乎也者的文章，於事無濟也。

陳氏於抗日軍興之前出獄後，對外未發表任何談話，若無其事然。此與沈鈞儒等當年在蘇州監獄內，每天自撰所謂「六君子」的牢囚消息，併附以打太極拳照片，送交上海各報刊載的自我宣傳醜態，其賢不肖爲何如耶？迨日寇陷金陵，我政府遷移武漢，陳氏亦避難漢上，深居簡出，不預政事。詎毛共集團對陳氏誣蔑特甚，竟誣衊陳氏替日本帝國主義作間諜，並捏造陳氏按月向日本方面領取生活費幾千幾百幾十元幾角幾分的數額，在報上大事宣傳，致激起國民黨以及社會上一般高級知識分子的忿怒，由周佛海等聯名發佈宣言爲陳氏辯誣抱不平，而斥毛共黨徒之無理取鬧。但陳氏本人却始終緘默無言，當伊唔介事。

中央政府決計由武漢播遷巴蜀時，川省主席劉湘慕獨秀名，擬迎其入川，而以四千元法幣託郭春濤轉致陳氏作路費。此時陳住在武昌一家煤炭店樓上，某晨郭春濤懷金往晤陳，適陳氏方啜粥，郭具述劉主席眷顧之意，談到贈送程儀的話，陳怒目語郭曰：「春濤，你以我爲何如人？」郭慚悚，不敢畢詞，赧顏告退了。

陳氏入川後，卜居重慶附近之江津縣，是時毛共宣言服從國民政府，一致抗日，共幹周恩來，吳玉章，董必武等皆在重慶。一日，吳、董二人特赴獨秀寓所叩訪，多所安慰，最後聲言毛共集團擬恢復陳氏的黨籍，但望陳寫一悔過書乃可。陳氏笑謂：「我倒要請教你兩位，究竟我有甚末過錯可悔呢？」吳、董大窘，踧踖不安，祇好苦笑而亂以他語，匆匆辭別回渝。

抗日戰爭將近結束之際，陳氏寫過幾篇討論今後世界發展前途的文字，在報上發表，其所推斷的未來形勢，如說共產國家與資本主義國家將形成兩大集團對壘鬥爭等情，適與今日的局面相脗合。陳氏有一子名延年，民國十四五年間，曾在廣州爲共黨從事工運，他因此而委身爲黃包車夫，後來以釀亂被政府拿獲正法了。父子二人皆爲共黨犧牲，尤稱一門忠烈，獨秀且以凜然志節而永被惡名，共產黨人之殘酷無理性，對同類亦有然也。

巫術和迷信

・謝康・

古代歐洲，也和其他民族一樣，盛行着各種巫術，猶太民族的聖經裏，還保留一些巫術性的故事。今日西洋許多「洋迷信」，都是古代巫術的殘留，有些偶然發生的事情，諸如喫飯時鹽瓶傾瀉於桌上；照鏡時將鏡子打破；不接受親友贈餽利刀或利剪；十三人在一塊不祥；屋簷上釘着一塊馬蹄鐵；訂婚時將戒指套上新娘手指上；一枝火柴不宜燃三支香煙；四人相對握手時，忌形成十字架的模樣，都被認爲與吉凶禍福攸關。社會學上認爲是神秘的制裁的，都和宗教、巫術迷信有關聯。腓爾德（voltaire）說得好：

「迷信對於宗教，等於占星術之對於天文學；一個愚蠢的女兒，出於賢母的懷抱。」巫術，因此或可說是宗教的幼稚時期或未成熟狀態。迷信，却是無知或恐懼心理的產兒。古代聖人以神道說教，[illegible]初首領，皆爲能事圖騰的教士，王者與巫師原是兩位一體的。

海隅消暑錄

徵稿小啟

有內容有意義之隨筆、散文、掌故、小說、雜感、詩歌等類文字，本刊均所歡迎。請用有格稿紙繕寫，如需退還，請附信封及郵票。

一千五百字之散文隨筆比較容易刊出，過長則以篇幅所限，刊出的機會較少。請特別留意爲感。

自由報
THE FREE NEWS
第十六期
中華民國僑務委員會頒發
台教新字第三二三號登記證
中華郵政台字第一二八二號執照登記爲第一類新聞紙類
（每星期三、六出版）
每份港幣壹角
台灣零售價新台幣弍元
社長：雷嘯岑
督印人：黃行審
社址：香港銅鑼灣高士威道二十號四樓
20 CAUSEWAY RD. 3RD FL.
HONG KONG
TEL. 771726 電報掛號：7191
台灣分社

從庚子拳變談到清末政治

——爲紀念拳變六十週年而作——

左舜生

編者按：一九〇〇年庚子舊曆七月二十一日，八國聯軍攻陷北京城，慈禧太后與光緒帝於是日清晨，倉皇逃出首都而西狩。這是中國近代史上的一場大變局。今天恰爲一九六〇年農曆七月廿日，本報爲紀念這六十週年的國難日，特請研究近代史卓著權威的左舜生先生撰寫此文，敬希讀者注意焉。

去今六十年前，郎清光緒二十六年庚子（一九〇〇），在中國的北方，由若干萬下層社會的人民和一個顢頇無知的政府，合力扮演，造成了一幕幾乎牽動整個世界的非常事變，是即中國近代史上有名的『庚子拳變』之役。

關於這件事的起源，擴大，及其收束，我最近曾寫了一個近五萬字的長篇，連載於本港出版的某刊物上，自信所搜羅的資料較爲廣泛，去取相當嚴格，敘述也較有系統，現在老友雷嘯岑先生要我寫這篇紀念文字，我不願就我這篇長文作一提要拿來塞責，準備藉着這次的事變，來談談清末的政治。

清末一共有四個葉赫那拉氏：第一個便是慈禧，她是咸豐帝的妃子，同治帝載淳的生母；第二個是慈禧的胞妹，咸豐帝的老弟奕譞的福晉，也就是光緒帝載湉的母親；第三個是慈禧的弟弟桂祥的女兒，光緒帝的皇后，亦郎隆裕太后；第四位還是桂祥的女兒，她嫁給端王載漪，載漪之爲慈禧所寵信，乃至立他的兒子溥儁爲大阿哥，也就是由他這位福晉才討得慈禧這樣的歡喜。這四位葉赫那拉氏，自以慈禧爲魁，她自同治元年迄光緒三十四年，掌握中國的政權，凡歷四十七年之久，其基礎便大體建立在這一血緣與親戚的關係上面，滿清末年一切的腐敗與黑暗，也莫不從這一基礎上逐一的表現出來，而卒促成清室的滅亡。

當滿清未入主中國以前，郎清太祖努爾哈赤的天命四年（一六一九）他們把明神宗萬曆四十七年，當時一個相當强硬的部落葉赫（今吉林伊通縣及其附近之地）滅了，對葉赫人民加以瘋狂的屠殺，男丁幾無倖免者。時葉赫有酋長二人，長曰錦台什，次曰布揚古，均被縊而死。據說布揚古在臨死前曾痛恨的說：『但凡我葉赫能存一女子，將來亦必傾覆滿洲！』因爲有這樣一個故事流傳下來，清朝的祖制郎限制葉赫氏不得入選宮闈。眞沒有想到清朝末年的三個皇帝——前兩個——載淳與載湉是葉赫那拉氏的兒子，後一個——溥儀又是葉赫那拉氏的孫子，甚至一個準備做皇帝沒有做成的溥儁（大阿哥）也還是與葉赫那拉氏有血緣關係！儘管這只是一種巧合，可是，中國歷代史上這類的巧事，卻司空見慣，所謂『楚雖三戶，亡秦必楚』，所謂『代漢者當塗高，』也不外就是這類的把戲！

好，言歸正傳，還是讓我來談談清末的政治吧。

這裏所說的『清末』，係指清朝的最後五十年（包括同治十三年，光緒三十四年和宣統三年）中，自慈禧秉政以迄她的死亡，便占去四十七年，而最後宣統的三年，如以溥儀繼承同治而兼祧光緒，以醇親王載灃監國，慶親王奕劻仍留中樞處於領導地位，……這一切依然是慈禧的關係，而且完全是由於她的安排，她的這個皇太后名稱，也讓渡給了她的內姪女，不[illegible]，我們說清朝之亡乃亡於慈禧之手，這是完全合於事實的。

慈禧以咸豐元年入宮，年十六，初號蘭貴人，四年，封懿嬪；六年，生同治帝（載淳），翌年，進懿貴妃。十一年七月，咸豐帝崩於熱河，同治帝即位，慈禧母以子貴，乃與皇后鈕祜祿氏並尊爲皇太后，其時鈕祜祿氏年二十五，慈禧年二十七，同治帝則年六齡；寡婦孤兒，以不堪贊襄政務王大臣怡親王載垣，鄭親王端華，協辦大學士肅順等的專擅，慈禧乃與奕訢起，以迅雷不及掩耳的手段，置載垣端華肅順於死，因而造成一種兩宮垂簾聽政之局，這便算是慈禧長期掌握政權的開始，也可看出她的手腕頗不平凡。

在同治這一朝，因爲有慈安（即鈕祜祿氏）主持於內，奕訢文祥等翊贊於中，更得曾、左、李、胡諸臣扶於外，乃能次第敉平髮、捻、回諸亂，而造成一小康之局，居然號爲『中興』。在這一期以前，儘管經過了兩度的鴉片戰爭（第一度一八四二，第二度一八五六——一八六〇），可是當時這般握有權位的人們，對於西洋之所以爲西洋，還完全沒有認識，只是因爲吃了兩次敗仗，乃懂得船不如人，砲不如人之利，洋貨大量輸入，不能不感到相當威脅，因而考慮到防禦與抵制之方，於是中興諸鉅公，乃開始究心於洋務。所謂洋務者，其着眼完全在軍事與經濟，其與政治文教無關。其第一期的目標爲兵工與造船，進一步則爲煤鐵的開發，紡織的發展，更進則爲鍊鋼、築路，以次及於郵電等等。在那樣一個時候，要舉辦這類的事業，不僅奕訢等可以贊成，即慈禧也認爲無可反對，甚至頑固派如大學士倭仁之類，他也僅僅不以由科舉出身的人進同文館爲然，但並沒有說船不應該造，槍砲不應該用，於是中國乃居然步入一個所謂『洋務運動時代』。這一時代自二次鴉片戰爭開始，至甲午對日戰敗而宣告完結（一八六〇——一八九五），凡歷三十餘年，中國若干有力人物的心思才力固然都集中用在這一方面，即國家有限的金錢，也從這一方面消耗不少。領導這一運動的人物，前期爲李鴻章，後期乃加上一個張之洞，其他如曾國藩、左宗棠、沈葆楨等對前一期的推動雖亦與有力焉，但時間很短（曾在同治十一年即已逝世），經手的事不多，其重要性乃遠不如李張兩位。而爲李鴻章所最得志的乃即在此一洋務運動時期，居然由他一手建立了一支北洋海軍，李一生的英名，也便爲這支海軍斷送了一大半，其所以造成如此這般的一個結果：道理是很簡單的：原來洋務運動中所包括的一切項目，並不是西洋文化的本源，而只是西洋文化所開出的花，結出的果，我們要學西洋，不首先着眼於他們的政治文教，而斤斤於其枝葉以求之，這好比拖着一條辮子穿西裝，裹着一雙蓮步姍姍的小脚來參加賽跑，其弄成四不像而結果歸於慘敗，豈不是理所當然？

我現在便拿北洋海軍作個例子來看一看當日洋務內容腐敗的實況吧。中國的『總理海軍事務衙門』在光緒十一年成立，實際上雖由李鴻章主持一切，但上面一個負名義的首領人物，便是慈禧的老妹婿，光緒皇帝的老子醇親王奕譞。海軍衙門是當日一個最闊的衙門，其經費除以國庫撥款以外，另一部份則由各省分攤報効，慈禧是一個毫無知識，死要錢而最愛享受的女子，現在眼見這樣一個肥缺，『肥水不落外人田』，當然非派她一個最親信的人去主持不可。果然，因爲奕譞管理海軍衙門之故，修建頤和園這一筆浩大的支出，便由奕譞把海軍經費提去了三千萬兩，而北洋這一支艦隊，是由主力艦四，防守艦十二，練習艦二，補助艦四構成的，全部二十二艘，除掉平遠，鎮海，湄雲，泰安，操江這五艘是同治中葉和光緒初年分別由福州船政局和江南製造總局造成的以外，其餘的一十七艘，便全部購自外國。說到當日購買這支艦隊的事實，其經費也眞是可驚：以定遠，鎮遠這兩艘最大的鐵甲艦（其每艘的噸數爲7035，馬力爲6000，速力 14.5，炮數22，船員 330）來說，乃是由德國斯丁伍爾鏗廠定造的，其造價共爲三百萬兩，可是經手的李鳳苞，便侵吞了回扣兩成，共爲六十萬兩！以此例推，其他的一十五艘共被侵吞去多少，當不難想像。定、鎮這兩條大船是光緒十一年到達中國的，因此北洋海軍便於十四年宣告成立。先是十三年四月，慈禧命奕譞巡視北洋海口，同時還派她一個朝夕不離的總管太監李蓮英隨同前往，在一般海軍人員的眼中，奕譞倘屬次要，只有李蓮英才夠得上說是慈禧本人的眞正代表，因此闔得聲勢烜赫，一般馬屁鬼的面目也完全暴露，以致引起御史朱一新的嚴重參劾，甚至說到『深宮或別有不得已之苦衷』！其實別的『苦衷』也不見得有，無非因爲這也是一個最有油水可措的濶差事，因而順便叫她的蓮英去撈一把，同時蓮英與她的關係既不可分，無論蓮英在任何地方所受到的恭維，她也就『如同身受』就是了。我上文提到同治一朝，慈禧還沒有十分的胡作亂爲，但何以到這個時候，她便變得如此猖獗呢？原來在光緒七年，她已經把慈安太后毒死，十一年藉口中法事急，更把奕訢趕出軍機，所有軍機大臣，都換上了她自己的親信，於是她乃大權獨攬，一切可以惟所欲爲，惲毓鼎說：『辛巳後（按辛巳爲光緒七年）土木游宴之風始盛』（見惲著『崇陵傳信錄』）便可看出慈安死而奕訢去，乃是清廷愈趨於腐化的基本原因。縱慾敗度，寡廉鮮恥，既有慈禧在上面大力提倡，因而貪污糜爛之風，乃瀰漫全國。著『東方兵事紀略』的姚錫光批評當日的北洋海軍說：『自左右翼總兵以下，爭挈眷陸居，軍士去船以嬉，每北洋封凍，海軍歲例巡南洋，率淫賭於香港，上海：……』果然，甲午八月黃海一戰，乃被日本打得大敗，再經五個月，所謂北洋海軍者，乃在威海被日軍殲滅無餘，而擁有洋槍洋炮的淮軍，也幾乎無役不潰，卒至不能不忍辱求和，鴻章親自前往馬關，也僅以身免。當日論我海軍之失敗者，謂日本的船小而新（日本最大的松島旗艦，便只有四千二百七十餘噸），炮少而快，這兩點我太不如敵人，其實這只是皮相之論。

（下轉第二版）

小論天下

△剛果越亂越糟，總統與總理互相革職。艾森豪勸蘇俄休再在剛果造亂，他們簡直都想「革」掉對方的「命」。此局亂下去，又是共黨得益，而造亂正是共黨的天職。艾森豪這一勸好比是勸貓別吃魚。

△赫魯曉夫一再宣傳赴紐約出席聯合國大會，[illegible]

△美國與中共在波蘭華沙舉行的第一次會議，歷二小時三十五分而結束。下一次會議，訂在十月十八日下午二時開始。[illegible]

[illegible]看。

△拉丁美洲赤禍蔓延，美議員提議速組「西半球警察部隊」。[illegible]將於離開總統職位之後，[illegible]計劃，積極地參加國民外交[illegible]，這是一個很有意味的消息，這可較杜魯門開口放空砲爲稍具實效。而且[illegible]赫魯曉夫「報仇」的最佳途徑。

△楊傳廣在世運會贏得十項全能比賽亞軍的銀牌，成爲自由中國朝野騰歡的一件大事。笑多於淚乎？淚多於笑乎？發掘和培養像楊傳廣這樣一個可愛的寵孩子，不管天才也好，今後該不只是幾個有優勁的私人的事吧！

方南

小啓

本期稿擠，馬五先生之「自由談」暫停一期。

義大利的觀光職業學校

劉有新寄自羅馬

羅馬通訊

世界觀光古國的義大利，數年前即在羅馬成立一國立的觀光職業專門學校，並於巴勒摩及阿麻飛兩地設分校。此一職校的目的，在於以實驗教育，來造就辦理觀光事業有關的工作人員，以一再教育的機會。為達此一目的起見，特按下列班級分授後列各項課程。

一、觀光關係機關人員的職業教育，為期五年，畢業後可充任旅行社、運輸業及觀光關係單位的職員。

二、依上述教育方式授課二年的特班（滿十五人始開班）。

三、為旅行社職員開辦的補習班，利用公餘時間，為期一至二年。

四、對已受觀光教育人士的補習教育，為期一至二年。

五、以提高各種專門知識為目的，對已受觀光教育者所實施的特別教育，按其志願施以高深的教育課程。

全部課程依照現代教育原理，以最新的教學方法從事。除以法德英三國的語言作為教育的對象以外，並授以：社會學、經濟地理、觀光地理、概論、地圖閱讀法，簿記概論、觀光事業、簿記、運輸制度，各種宣傳與廣告實用法、觀光關係法規，觀光事業史、藝術史、速記、打字；選修科目為西班牙語，繪製簡圖及書法等等。

此等課程的研習者，應參加實習與討論；並發行校刊，以提高學習氣氛。

課程修畢經考試及格者，發給畢業證書。考試在每年十一月間舉行，不及格或未參加者，得申請次年補考。

每年均有教育旅行和實習旅行，此項課程不論在國內或國外，皆可研習。證書的取得須經過考試，科目為職業上的專門知識，及法德英三國的語言。對於專門知識與外國的語言，有高深造詣者，以考試及格論。不及格者，其海外學習的承認即被撤銷；但得申請延長授業期間，並接受心理適性檢查。

義政府觀光委員會，觀光部、全國觀光協會、旅行業者公會，及其他關係方面，鑒於此一學校的重要性，均特別設法予以援助（獎學金補助金）。

每學年視業務需要與學校設備，決定新生錄取名數。左列人士得參加前述一及三項的入學考試。

A、中學或商業學校畢業持有證書者，不須經過特種考試。

B、十四歲以上未持有前項畢業證書者，須接受特種考試。

前述二項之二年特班入學考試，參加者年齡以廿五歲為限，高中、高級實業學校、實業養成所畢業證書，以及參加外國語（德法英語任意選二種）及格者，可報名參加。語言考試係由筆試（翻譯）及聽講二科目所成，錄取的順序，係按畢業證書平均分數與語言考試分數決定。

學生有出席受業的義務，其不足受業時間三分之一者，撤銷其學籍。在義大利國內以及前往國外的實習旅行，學生負擔旅費，食宿由學校供給。

影劇界的動態

——台北點滴——

張希明

台灣通行一種影星登台表演——亮相。這在其本身來說無可厚非，上海話嘸啥希奇。在客觀來說，這是一種生意眼，不如此，一部不太合觀衆心理的新片子，就無法提高其票房紀錄。

目前第一美人夷光在台灣四處登台亮相，她是為了「良心與罪惡」一片去登台的，內心如何，當無法知道，但說她是為了自己的產品的銷路問題，而向觀衆低頭，則總是事實。與夷光同時在各城市戲院登台的是莊雪芳小姐，她一方面是為了回國拍片，另一方面則是為了片子的出路，她而來，是熱愛祖國而返國登台，與第一美人夷光又自不同。

影星的生活是使人摸不透的圈子，男女影星之間，彷彿不造一點新聞出來，在報紙上亮相一下，就不能提高她們的地位與觀衆的印象。台語明星洪明麗與藍天虹發生了愛情後，生了一男孩子，而被藍的太太硬逼他與她分離愛情上的關係。洪小姐一失足成千古恨，不得不又揩着眼淚，再作馮婦，進影圈子去拍片，但願在事業上能有所成就，把兒子養大了再說吧！

小艷秋與朱保羅結婚之後，生了一個男孩子。前幾天報上說她與外子發生了別扭，而北返獨居。近日又有與她有關的新聞發現，謂她們生活得很好，並沒有口角，是外界在造她謠言。究竟是謠言還是噱頭，那就只有天知道了。

現階段日本對華政策探討（四）

羅堅白

東京通訊

與河野合為岸之繼承人

自長崎侮辱「五星旗」事件演成中共對日斷交以後，自民黨中流行一項神話式的豫言，謂「下屆總裁應是能夠打開日本對中共僵局者」。河野、池田，當時俱以岸的繼承人自命，故均須中共對其保有好感，以便較易適應打開僵局之豫言。

河野被岸察覺與中共勾搭

去年五月，社會黨代表團由淺沼率領赴北平「朝覲」。先是二月中旬，河野向自民黨提議：宜派一閣員級代表與社會黨代表團同去。本已與岸洽妥；由自派要角通商產業大臣高崎達之輔任代表前去。歸岸忽察覺河野與中共有勾搭，乃改口先由黨幹事長發至中共黨中央以書簡，試探反響不惡然後派代表去，以免有傷體面。後來經福田幹事長一推二拖三稱病，直至淺沼業已率團前往，而書簡仍未發出。再後福田乘與藉口淺沼在北平歡迎會上講演謂美國是中共與日本的共通敵人，卒將河野提議根本作罷。

池田發表兩可變關性談話

當河野開始焦待發出該書簡時，池田於三月二十一日在廣島發表談話。池田略謂：『據社會黨議員佐多隆前自中共歸來報告：中共認為兩國間不有正式國交，則貿易無從談起。日本欲恢復國交，應以不承認兩個中國並不惜一切努力除去復交障礙（意指對台斷交）為前提。關於此二點，岸內閣並無正確認識及毅然決然的氣概，僅甚於一廂情願的情況判斷，貿然發致中共以書簡，我想不會引起對方興趣的。』他這篇談話對於求與中共復交的活動，可以說是潑冷水，也可以說是火上加油；很巧妙的能夠兩可變關。

與河野對中共競送秋波

當時池田河野兩人為競爭繼承岸的總裁交椅，過事若冰炭不相容，大有「既生瑜何生亮」之感。所以池田這篇談話，竟被岸派作為他在反對致書中共，甚至反對與中共談復交，而利用以對河野說明所以不得不把書簡延發之由。唯有讀賣新聞卻揭穿池田眞意，是「主張應有承認中共之決心」。但我們可由此看出池田當時在對中共河野競送秋波以爭寵信；就是他與中共的關係，原自問不遜於河野，當然不是尋常泛泛之交。（未完）

從庚子拳變談到清末政治

（上接第一版）

我們要確切認識日本的明治維新，他們自始便是把改革政治文教和建立近代化的海陸軍與發展工商業齊頭並進，在甲午戰爭的時候，日本憲法的頒佈已歷五年，議會的召集已經是第三屆，預算決算的制度，久經確立，凡預算上用於軍事部門的經費，不僅是明治天皇不得過問，即他們的內閣又豈能亂用一文？中國沒有常識的洋務運動者，其想法與此剛剛相反，他們以為只要有了類似外國的近代武裝，便可對付外國人，有了工業，不講求其本，而抵制洋貨，甲午之戰，便是這樣的失敗，換言之，是非完全敗於軍事，而乃敗於政治。有人要問：像這樣一種明白淺顯的道理，難道當日便沒有人能見及此嗎？我可以回答，有是有的，可惜太少，而且居下位，人微言輕，無人肯聽，更沒有人敢照着去實行，例如鄭觀應著『盛世危言』便曾說：『……西人立國，育材於學堂，論政於議院，君民上下同心，務實而戒虛，謀定而後動，此其體也；輪船大炮，洋槍水雷，鐵路電線，此其用也。中國遺其體而求其用，無論竭蹶步趨，常不相及，就令鐵艦成行，鐵路四達，果足恃歟？』當時留學法國的馬建忠寫給李鴻章的一封信上也說：『竊念忠此次來歐，一載有餘，初到之時，以為歐洲各國富強，專在製造之精，兵紀之嚴；及披其律例，考其文事，而知其講富者，以護商會為本，求強者以得民心為要。護商會而賦稅可加，則蓋藏自足，得民心則忠愛倍切，而敵愾可期；他如學校建而智士日多，議院立而下情可達，其製造軍旅水師諸大端，皆其末也。』（見馬建忠『適可齋記言記行』記言第二卷）像這類的話都說在甲午以前，尤其黃遵憲的『日本國志』，對日本的維新，更有詳細的紀載，是何等的深切著明，可惜李鴻章張之洞之流，充塞腦經，尤其被無數線裝書弄得昏憒糊塗，總以為多買些船砲，多開幾處紡織廠，便可以富國，可以強兵，乃卒召致甲午之敗！

甲午一役，其影響的惡劣，遠在過去三度的對外戰爭（兩度鴉片戰爭，一度中法戰爭）之上，一度對洋務運動完全破產，獨立國家也快到無以自存，於是代表維新派的康、梁，代表革命派的孫中山，乃同時並起而要求政治改革，這個時候，革命的機運還沒有成熟，於是康梁的維新運動乃首先登場。好容易做到一個『百日維新』，但卒為貪位戀權的慈禧、剛毅，頑固守舊的榮祿，以及投機取巧的張之洞袁世凱等所活活扼死！一般維新志士，有的是被殺了頭，有的是被充軍，有的是被革職而且失掉了自由，在北京，在全國各地，所有的新氣象皆被一掃而空，一個柔弱而有心向上的光緒皇帝，乃不僅被拉下寶座來，甚至弄得性命也幾乎不保！無數頑固守舊的分子，一個個笑逐顏開，所有在維新期間丟了官的人們，乃又袍笏登場，彈冠相慶！以這樣一人擁戴着一個昏庸貪殘的老太婆來指揮一切，這便為『義和拳』安置了一座發育滋長的溫床，同時也就為一切侵略中國的帝國主義者，鋪平了一條蹂躪中國人民的道路！

平心而論，所謂『拳匪』是可以原諒的，『拳匪』只是一般不知天高地厚的人，惟有這班打算縱容『拳匪』來從事排外的人們，才眞是不可原諒的。慈禧也畢竟不是一個完全不能考慮利害的人，截至這個時候為止，她已當國三十九年，又何至愚昧到不知中國決不能與世界列強為敵？她所以陷於這樣一個重大的錯誤，其原因可以說相當複雜：一、她當國的時間這樣長，她眼見外國對中國的欺侮侵凌，也眞是豈有此理，她安得不異常憤慨？二、戊戌以後，她更痛恨外國人，她恨他們保護康梁，又恨他們同情光緒皇帝，她也恨外國人使她的廢立計劃不能實現。三、在她左右的一般人，其知識高於她的並不多，又為她的積威所刧，縱有不同的意見，也不敢向她直陳。四、她的教育程度畢竟有限，平日大致只能聽聽戲，看看小說，從戲劇和小說中，加強了她對神權的迷信。五、當然也是可能的，富國強兵的洋務論敷陳，還可以聽得進去，以外，中國惟有徹底改革政治制度，和中國文教有關的施設，才能謀國家的長治久安，這種道理她當然不懂，因此她惟有頑固到底，及至聯軍攻入北京，倉皇出走，她乃泣不可仰，這可見她畢竟是一個女人！

當拳變初起，孫中山已謀起義於廣東，唐才常等則籌劃於長江一帶發難，（其時孫三十五，唐三十四年）。正是生龍活虎之時，孫曾透過何啓遊說當時的香港總督BLAKE，要他勸李鴻章據兩廣獨立；對張之洞也透過某日本人表示願以自立軍擁護他割據兩湖，與滿政府脫離關係；可惜乎李張均不足以語此，而張且掉轉頭來，大殺兩湖自立軍人士至三百人以上，這也是張之洞在這一幕中最不可寬恕的一端。

慈禧自庚子九月在西安建立行在政府以後，迄翌年十一月重回北京，一直到光緒三十一年日俄戰爭結束以前，在這五年之間，她也確實做過若干遮羞的改革，前一期大抵出於榮祿的建議，後一期則與袁世凱、劉坤一、張之洞有關，但此五年間改革的事項，並不能超出康有為『百日維新』的範圍。可是，在庚子十二月下詔變法的時候，却要附帶把康有為痛罵一頓，用其言而罪其人，這也足以證明她毫無誠意，毫無悔心。等到日俄戰爭的結果，日勝俄敗，從此朝野都確信非立憲不足以圖存，於是她也就順應潮流，有九年預備立憲的宣佈，其時她的高齡已經七十一，她想再有九年，是否尚在人間，且不可知，因此藉此來相敷衍，其實她的心目中並不覺悟，祖制不許后妃干政，她却再三垂簾而聽政，祖制太監不許出北京一步，她却放縱安得海李蓮英到外面大肆招搖；祖制不可預建儲貳，她却要立大阿哥以代光緒；她的個性是這樣頑劣，即令她之身而有成立憲法，又豈束縛得了她？好在光緒三十四年她死了，她以前還把光緒毒死，拖着光緒帝一同死，除放出一個小皇帝以外，她也就再無可為力；因此她死後不到三年，武昌革命軍的起義一舉，滿洲者告滅亡！然其時距葉赫族之亡（布揚古之死），凡三百〇八年。

社會小說

香港地

五、有錢佬

楊先生竟似用教訓的口吻，一本正經的說了那麼一句話，才提出他急想知道的答案，說道：「我那時悄悄的出到露台去，便見他和她在摟着接吻，這像不是女的在半推半拒，而是緊緊的摟着那男的，用很有詩意的語調，顫顫的發出一聲聲感嘆道：『這真沒辦法，靈感來了便不由自主』。我那時聽得很清楚，幾乎笑出聲來。幸而沒有鬧出亂子，及時退回廳子，輕咳兩聲，才慢慢的踱步而出。這才不至於驚走了他們的靈感。」

梅大亮也真的幾乎笑出聲來。他很想知道那男的說些什麼話。當他再提出詢問時，楊先生只有擺擺手，回答道：「這就難以推測了。我實在沒有聽到說些什麼。大概他的靈感使他說不出聲，變似『無聲勝有聲』呢。」

梅大亮又是一笑。那時已有不少客人由藏書室走回客廳，一陣議論嘈雜的聲音再次由裏面開始。不久，新聞宣佈會餐開始，客人各可自適其適，隨便拿刀拿叉拿碟子，向食盤上面抓取自己所愛吃的東西，然後找個座位，據桌自酌和自吃。他宣佈得十分有趣，請大家不要客氣，說是：「任吃唔嫐」，切勿「執輸」為要。

梅大亮見到這般情景，便向楊先生提議，彼此分工合作，仍據在露台上原來位置，輪流負責看守地盤和抓取食物回來。他們一直合作得很好，果然沒有「執輸」，一邊吃着喝着，一邊打開話匣，無所不談。

梅大亮覺得主人馬行時是一切表現都不俗，至少在藏書這一方面的成績而論，勝過許多男書生，看他頭腦靈活，常識豐富，應對得體，詞令嫺熟，確非胸無書卷的市儈可比。便在談話當中，帶着感慨的神氣說道：「有錢佬而像這裏的主人，學問和才情都不錯。似乎對一切很微細的事情也有充份的研究，連抽烟、喝酒、品茗、造菜、買車子，布置傢具和藏書，一切都是內行，沒有半點含糊馬虎，這真了不起！」（五九）

木客著

罪惡

陳永昌

廿世紀六十年代的今天，世界各地的罪惡，較之古代不知要增加多少倍，鄉村的詭詐已使人看不過眼，城市罪惡，更觸目驚心，使人咋舌。嘆道世風日下，人心不古。

就看東方之珠的香港，繁華都會，內裏不知藏着多少不可告人的秘密，似乎繁華是離不了罪惡的，此中黑幕，一揭破了，不獨令宗教家搖頭三嘆，就算凡夫俗子，見了也感覺真的有點不對了，罪惡已帶人入了窮途末路，有人把罪惡比作深淵，比作鎖鍊，所以，有關世道人心者，誠恐真的陷入了罪惡的圈套，世界末日也許不遠了！

環顧我們的左右，天天犯罪的，真是五花八門，說之不盡，數之不清，犯罪學家也搞不清。不獨成人犯罪，小孩子也會犯罪，偷了媽媽一毫錢去買雪條，犯了偷竊罪，這裏使人想起聖經裡說的：「世人都有罪。」誠然，我們自出娘胎後，天天犯罪，小孩子犯小罪，大人犯大罪，善良的人犯輕微的罪，兇惡的人犯嚴重的罪。而我們天天在犯同樣的罪，還自以為是對的，一生一世犯下去，世世代代都是一樣，以至越犯越深，成了習慣，不可自拔。

有些人以為去妓院找妓女，只不過為了解決性苦悶，算不得什麼罪。有些人上舞院玩舞女，認為只是調劑一下枯燥的生活，算不得甚麼罪，於是「一元試片」，「藝術舞」，「一元拍拖」，「寫生班」，「話劇」等等，都被視為生活的一部份，談不上犯罪這麼嚴重啊！怪不得戰爭販子們「視殺人」，也是生活的一部份了。

近來此地人士有愛好「眼睛吃冰淇淋」，「靈魂坐梳化椅」之癖，於是乎影院便大量放映肉感片，以應大眾之「需求」，以甚麼「酥胸」，「臍浪」，「一覽無遺」，衛道人士看了，大呼「那個」不已。更有所謂「金神舞」——男女舞者均全身赤裸，在身軀上塗上金粉，左右搖曳，擁抱撫愛，不惑之年的老夫，看了也怦然心動，血氣方剛的青年男女，更有想入非非之感，小心，這就是罪的開始，沒有誘惑是不會犯罪的，不受金錢的誘惑，不會去暗偷明搶與詭騙，沒有肉慾的誘惑，不會去犯強姦誘姦騙婚之罪，柳下惠，世上畢竟很少，甚且可說是絕無僅有，人畢竟是人，情感往往戰勝理智，奈何！

賭博雖總該是被人咒詛。然而文明的世界，卻有所謂合法的賭博，最顯著的例子，就是在馬會內賭馬。「買字花」被認為不合法，法官說有「罪」，「買馬票」卻是天經地義的事，沒有人會罵你，更沒有人坐牢之憂。這叫人大惑不解。幾許公務員到馬場把薪金舖了草皮，回家時太太責罵幾句，還理直氣昂的說：「妳懂事，那算是犯罪，賭馬那會犯罪，假如賭馬也有罪，政府不好會禁止的，現在輸了是運氣差吧了，下次再來，且看老子紅運當頭，財星拱照。」你道做太太的氣結不氣結？

至於飲酒，本來無可厚非，算不得犯上甚麼罪，醫生也說，少量的酒，可以提神健脾，對身體是有益的，可是多喝了，以酒為一種嗜好，以酒為一種工具，那酒便變成罪惡的根源，且多喝酒可以亂性，使人頹喪，對生命不振奮，放棄前途，自暴自棄，變成一個沉淪的人。

「白粉道人」陳屍公廁橫巷的新聞，我們常時都可以在報上看見，死無葬身之地，誠屬人間慘事，更且得不到社會的同情，死後瞑目者幾難矣！沒有一個吸毒者承認自己的所為是罪惡，我吸我的，我要做道人，我要升仙，我要干卿底事？這真是自作孽，不可活啊！吸毒者不獨自己受苦，家眷也受苦，下一代毒素的遺傳，更屬無辜，真的種種都對不起，連祖宗也對不起啊！罪！罪！吸毒真是一種罪，罪已禍人，直無了期。

罪者，四非也，嫖賭飲吹非也，色錢酒毒非也，世紀末的現在，四非特別多，特別容易使人染上，切勿以為嫖妓付纏頭非罪也，公道賭博，非罪也，醉鄉尋樂，非罪也，作道人求仙，非罪也，這一切都是罪，不獨道德宗教觀念上是罪，我們直覺上都會知道，這是不對的，這「不對」的感覺，就是罪了，別讓罪介在我們生活中，莫做世紀末罪的犧牲品吧！

儒林九尾龜

吳敬鋅

第三回：柳暗花明又一村

盧教授又接着說道：「他那裏會辦學呢？只是拚命刮龍，到了後來學校裏面學生越來越少，教員的薪金也積壓不發，而且還謠言他和女學生鬧出不名譽的事，地方上的人雪片向上面去告，教育廳長礙着某鉅公的面子，始終不肯動他，結果他一直幹到共產黨來了為止。」

黃安民搖搖頭：「官場事情是污濁的很。」

盧教授白了他一眼又接着說道：「他那個縣，靠海又靠山，國軍一撤退，共軍尚未趕來，縣裏面一小股土共，就先進了城，城裏士紳，公教人員，都到鄉下去避難，只有他安坐在學校裏，土共進城之後，他去拜會土共的縣長，表明自己的身份，原來他是延安馬列學院出身被派到這邊來作地下工作的，論到黨齡他比那些土共長得多，再加上他是從黨中央來的，土共如何敢得罪他，把他敬若神明，大小事都要請教他，許多本地人也都仗他作護符，跑出去的人都回來了。這樣又過了半個月，共軍大股來到了，就在這天夜間他帶着學校存款溜了。這時才知道他根本未去過延安，更不是共產黨員，全部是胡扯，但是土共竟然被他騙了。」

大家都笑起來，小石拍手笑道：「騙的好，這傢伙真有兩手，不怪某鉅公賞識他。」

盧教授搖搖頭：「他根本就不認識某鉅公，他未讀過中央政校，說來又是騙局。」

李鴻飛搖搖頭：「此君未免太善於騙人了，只是教育廳長見了某鉅公怎麼不問呢？」

盧教授笑道：「官場上的事你那裏懂，他是做了假信，刻了私章，又用教育部的信箋寫的。誰能懷疑他是假的，長官不開口，屬員怎敢多嘴。」

李鴻飛長長吁了一口氣。

盧教授接着說道：「跑到香港之後，他仍然繼續騙人，首先是向政府行騙，直接去信國防部，說他在浙東有好幾支游擊隊，都在化整為零打游擊，假若政府能予以接濟，他可以回去活動。不過這次卻失敗了，因為大陸有多少游擊隊，國防部是清清楚楚，沒有辦法變戲法的；當時回了一封信把他的要求批駁了。」

烏應桂笑道：「這叫做上得山多終遇虎了。」

盧教授笑道：「他在軍事方面講不通，轉過頭來就從政治上想辦法。有一次慶祝國慶，那時參加的人沒有現在這麼多，只有一百人左右，邀請的也很嚴格，不知怎麼被他混進來了，行過禮，主席致詞之後，司儀剛剛說到自由演說，他就慌張地站起來搶着講話。」（廿一）

看「女俠文婷玉」

—衛修—

銀燈隨筆

「女俠文婷玉」這部片子，和一般古裝打鬥片不同。似乎是永華公司十年前攝製的「國魂」以來，僅見的一部影片。它的外景場面，和「國魂」不同，內景較「國魂」多，雖光更與前者迥異。這樣一部鉅頭片子，當懸投下的資金，顯然和普通片子大相逕庭。故事意義，不僅刻劃出奸佞的醜惡嘴臉，反映了忠臣後裔報仇雪恨的勇敢。李湄飾文婷玉一角，以俠義心腸的閨閣千金姿態演出，在藝術上獲得了新的評價，考諸古籍，不論型象，舉止，和傳記中的文婷玉一模一樣，這是她第一次飾演這個文武全能角色，演技洗煉，不拖泥帶水，身手靈活，確有使人敬畏之處，就其武藝來說，並不多見。

張揚以孤臣孽子心情，隱名埋姓，伺機鋤奸，予一般含冤受屈，忍辱負重者，不消說是一大鼓舞；此情此景，給予時下一般專談戀愛，不理國事的男女青年，不消說是一大有力啟示；王萊飾孫六娘，說明了一個奶媽對國家大事關心，見義勇為決心。這是一個智勇雙全的重要角色。田青飾「桂王」兒子，對「王府」中的卑污，發掘得相當透徹，使人對一個奸佞子弟面貌，能夠一目了然；和劉恩甲飾「桂王」，同樣予人以一個具體深刻印象。這幾個角色，在人物造型和性格刻劃上是極成功的。其他許多名角，合作上都有很好表現。以能爽朗明快，一氣呵成。布景道具和音響效果，也是全片一大特色。從這一部黑白片中，對攝製條件，將會增進許多認識。

大陸文壇萬花筒

新疆文藝界（中）

—岳騫—

這次賽福鼎出席文代會所作的報告，有些地方頗能道出實況，例如他說：「新疆地區文學藝術方面的右派份子，並不是什麼真正的作家，藝術家，他們之所以裝扮成作家，藝術家，只不過是為了糾結同類，霸佔文壇，把文學藝術變成他們向黨進攻的橋頭堡壘，他們的矛頭，主要地指向黨的領導和社會主義制度，他們藉口所謂「照顧民族特點」，實質上是反對黨對文學藝術事業的領導，他們把結合政治任務創作的作品誣之為「日居主義」，他們把自己裝扮成不會政治的，清高的高踞於工農兵群眾之上的文學家、藝術家。」

賽福鼎這一段話說得十分含糊，也許有人以為是共產黨八股，實際上到是真有出處的。一九五八年四月間，中共在新疆會展開大規模整肅，正式宣佈的有高級共幹八人，都是新疆土著，就當時情形而論，可說除去賽福鼎之外，土著高級幹部無一幸免。

八人中有兩名是文化界的負責人，一個是「新疆維吾爾自治區」的文化廳廳長、「中國作家協會自治區分會」主席，「文聯自治區分會主席」，文化廳和作協分會黨組分組書記，還兼任着中國作家協會理事的孜牙·賽買提。另外一個是「自治區民政廳長」，「民政廳黨組書記」，「作協會副主席」依不拉音吐爾地。

孜牙·賽買提當時以「照顧民族特點」為名，拒絕中共從內地帶去的小二黑結婚，白毛女一類話劇上演，秧歌舞更在禁止之列，並且公開向土著幹部宣傳「維吾爾族歌舞是最偉大，最有吸引力的藝術，世界上任何民族的藝術都趕不上它。」又說：「漢族只有幾把胡琴，那裏能和我們的文化相比呢？」（以上均見一九五八年十二期文藝報）

孜牙·賽買提還反對毛澤東的文藝政策，拒絕「學習」毛澤東「在延安文藝座談會上的講話」，在他率領之下，全體新疆文藝界人士都反對，他們的理由是「根據新疆目前情況，特別是文藝界情況，學習這篇文件是不合適的。也是不現實的。」中共當時對他竟束手無策。

釋未集

共存

第二次世界大戰告終，我國因國共紛爭，美國馬歇爾將軍，銜命來華主持調解，及談判決裂，馬氏匆匆返國，當時國內報章雜誌，均就此事紛紛著論批評，曾有人主張以水滸傳一冊，送馬細讀者，蓋以爲馬既不通中國歷史，亦不諳中國人情，能一讀水滸傳，庶幾得以了解中國之人情，則其對國共談判所採之主張，或不致於如此愚妄，今已事過情遷，其是非不足深論，而近者因美國大選之期將屆，世人對美國兩黨所標榜之對外政策，極爲注意，所有報章雜誌，並復著文評述，又因不久之前，南韓、土耳其，相繼政變，最近則剛果、古巴，尤危疑叵測，使人憂懼。余因憶及某君欲令馬歇爾閱讀水滸之往事，頗思若今之美國決策人物，能稍稍通習戰國策，則亦未嘗無補。按史記張儀列傳云：『今秦與楚接境壤界，固形親之國也，大王誠能聽臣，臣能使秦太子入質於楚，楚太子入質於秦，請以秦女爲大王箕帚之妾，效萬室之都，以爲湯沐邑，長爲昆弟之國，終身無相攻伐，臣以爲計無便於此者。』甘言厚利，又可免於戰爭，此今日蘇俄所倡導之共存論也。殖民主義，名廢而實不改，貿易暢通，工業利潤大增，實西方國家夢寐不忘之美景，於是楚臣屈原曰：『前大王見欺於張儀，張儀至，臣以爲大王烹之，今縱弗忍殺之，又聽其邪說，不可。』而懷王曰「許儀而得黔中，美利也，後而背之，不可。」故卒許張儀，與秦親。」然自此從敗約解，楚終爲秦所滅，所謂終身無攻伐者，徒欺人之語耳。又范雎列傳云：「王不如遠交近攻，得寸則王之寸也，得尺亦王之尺也。今舍此而遠攻，不亦繆乎！且昔者中山之國地方五百里，趙獨吞之，功成名立而利附焉，天下莫之能害也，今夫韓、魏，中國之處而天下之樞也，王其欲霸，必親中國以爲天下樞，以威楚趙，楚強則附趙，趙強則附楚，楚、趙皆附，齊必懼焉，齊懼，必卑詞重幣以事秦，齊附而韓魏可虜也。」使楚、趙、齊三國悉附於秦，則韓魏特秦人俎上之肉耳，附楚、趙與齊而虜韓魏，此秦王既定之決策，張儀、范雎一也。其與今日由蘇聯領導之世界革命，曰。必令尼克遜之子孫，爲社會主義國家之公民者，無以異也。然則今日之局，一戰國之局耳，劉子政有言曰：「敵侔爭抒，盡爲戰國，貪饕無耻，競進無厭，國異政教，各自制斷，上無天子，下無方伯，力功爭強，勝者爲右。」如此而謂共存爲可能，則亦不讀戰國策之過矣。

曲齋

粟海彈心錄

新人新政

如必強爲分別，自立疆埸，而世之趨新者，不必盡是，且不必盡爲可用之人，守舊者，不必盡非，且不必盡爲無用之人。若以此用人，竊恐人日虛僞，以此爲政，竊恐政益浮夸。抑或以調動崗位，變更職守，爲新人新政，則所謂新人，當不若是之易。所謂新政，當不若是之淺。可以斷言，果如所云：則新人新政，又可知矣。

台灣十年近事，雖未能盡如人意，而亦有足稱者，舉凡農田水利耕耘防堵肥料種子之改善。工業貿易之進展，貨幣金融之安定，電力郵政公路之開拓，蔗糖及其它農村副業之增產，俱犖犖可觀，苟非附麗政制人事之牽綴，其成果當不止此。如必以近人爲新，則前者俱屬廢材，近政爲新，則前者皆爲多事。又將何以信其後而新是謀，不亦戛戛乎其難哉。

昔楊綰淸儉爲政，而士習詐僞。王旦平易爲政，而事多迂弛。張居正總核爲政，而吏尙刻薄。淸儉平易，美德也。總核，善政也。其流弊猶如此。故當國爲政，不可眎人以所好，好則必爲人所欺，欺則事事皆善，即事事皆惡，事事皆舉，即事事皆廢。此孔子所以戒執一也。竊願今之從政者三復斯言，庶幾舊者亦新，而新者日新又新，此予所以不能已於一彈。（下）

阿公

窮教師吟

筱臣

執教鞭，吃粉筆，坐冷板櫈，做猢猻王教師匠生活，在香港說來，一般官立小學待遇較爲優厚，差強人意。至於一般學店，則待遇極其菲薄，吃不飽，穿不暖，仰既不能事父母，俯又不能畜妻子，眞是再清苦也沒有的職業了。號稱詩書畫三絕的鄭板橋，年青時代也捱過書塾教師的辛苦，後來成了名，根據當日的經驗寫成一首七律：

教讀元來是下流，傍人門戶過春秋。半飢半飽清閒客；無鎖無枷自在囚。課少父兄嫌懶惰；功多子弟結寃仇。而今常作靑雲客，遮却當年一半羞。

詩中第五、六兩句，對窮教師的左右做人難，可說是刻畫盡致描繪入微了。

湯臨川的「還魂記」傳奇裏，有一個出場人物老腐儒陳最良，他有一首慨嘆自已老而不遇，仍舊要去做窮教師的七絕：

咳嗽病多疏酒盞，村童俸薄減廚煙；爭知天上無人住，弔下春愁白髮仙。

晚近有清光緒時，有李森癡其人，亦係窮教師，到了年晚歲除的時候，有寄婦詩十首：

今年館事太淸平，新舊徒生祗數人；寄語老妻休盼望，想錢還債莫勞神。

父無佳館子閒居，命不如人總是虛；今歲家中宜省儉，老饑喂鴨菜淘豬。

我命從來實可憐，一變赤手覓爲田；今年恰似逢乾旱，祇半收成莫怨天。

家中定要買棉花，手內無錢祗自嗟；我有一言吩咐你，不妨姑向鳳翔賒。

賒得棉花作速彈，更頭此際要連翻；婆婆打雜姑姑紡，媳婦旁邊莫躲懶。

零星舖賬布柴錢，虧空今年要汝塡；曾記俗人言一句，貼夫之半頼妻賢。

所在言談要使乖，逢人切莫倒招牌；但云今歲盛前歲，支扯方能籌得來。

幾度思量要戒煙，此身猶恐病纏牽；早晨吞個芝麻泡，晚上開燈要一錢。

每日堆花要半斤，打油打酒並開葷；算來攪用非輕恕，一百銅錢就幾文。

果然苦盡自甘來，何苦今生不發財；但願嬌兒能入泮，相從誰不羨紅梅？

以上十首詠窮詩，全體採用打油詩方式，詩雖不佳，但窮酸之態如掬，讀來尙不討厭。祗是這一位窮教師，還是一位道友，窮而有嗜好，吸食雅片，恐怕他一輩子也難得有發財的機會了。

還有一位窮教師，時當歲暮，散館將歸，惟主人堅留之同渡新歲，師以主人情殷，不便固却，於是寫了一首打油詩，寄往他的太太。詩云：

日出東方一點紅，主人留我過殘冬；寄語家中賢內助，須待來春始相逢。

其妻得詩，大爲不滿，便覆一書道：

月出東方一點白，丈夫不回我接客；一夜接十個，十夜接一百。

窮教師得書，亟欲辭歸，主人問故，教師出妻函相示，主人笑道：「婦人之言，何必盡信！」教師道：「莫說盡信，只信一成，已經了不得啦！」這雖屬諧趣，但窮教師的可憐相也就夠慘了。

窮教師到了窮極無聊的時候，也不免要向東家阿諛一番，期有以保全飯碗，於是也有人嘲以詩云：

「占得朝南椅一張，之乎也者說荒唐。身穿藍布袍兒綠；頭戴紅櫻裏子黃。辮線斜拖三尺短；煙筒倒曳一枝長。閒來笑對東翁道，第一聰明是令郎。」

從前私塾的窮教師，笑料頗多，不勝縷述，茲不再贅。今昔異勢，今天的窮教師，應該是別有一番窮滋味罷。

雜作四首

姚琮

車笠共一堂，浮萍聚還散。尊酒罄心期，得失紛舌戰。黨人思元祐，馬坐恥田灌。朝議無大體，明日此階亂。鑪烟晚照浮，御柳春風困。一往山岳深，嘯傲發三歎。

必欲挽狂瀾，百思唯從善。清濁莫混流，乾坤自旋轉。封王爲陳踊，毀印納張諫。定冊集衆長，創業非武斷。循理無近憂，逆情有後患。歲晚受風多，生怕滄桑變。

莫道遼東豕，遙同卞和璞。林下抱孤忠，清淚落幽竹。鵬圖早在胸，芻議空滿腹。吠影玉階前，洗耳微我獨。羽翼詎扶漢，且暮但思蜀。月明臥北窗，徒覺夢境蹙。

老朽無所營。塊然守斗室。新詩惱雨催，罪言甘義屈。風誼重故人。雲泥久近切。蟬聯主謹嚴。蟲吟傷高潔。好惡旣靡常，涇渭遂離別。安得一忘言，吾還守吾拙。

海嶠叢談

談雷震（一）

諸葛文侯

「自由中國」雜志主編人雷震，近在台北以「叛亂」罪嫌被治安機關逮捕了。關於本案的是是非非，且聽法庭究處，暫毋庸議，但他既已成爲新聞人物，不妨談談他個人的軼事，藉供讀者們茶餘酒後的閒話資料云爾。

雷氏體軀偉岸，談話是一口很純正的南方官話音調，世人多以其爲北地或兩湖人士，實則他是一個地道的「豐沛子弟」——浙江湖州人，與陳果夫、立夫，朱家驊等黨國要人具有同縣之雅，過去在大陸上曾是國民黨最忠貞而跑紅的幹部人物。八年前，他奉本黨總裁之命，到海外聯絡反共非共的中國知識份子時，那一股藎忠黨國和愛護領袖的熱情表現，逈非一般「門神式」的黨員所能幾及。詎料不旋踵竟被開除了黨籍，乃一變而爲「社會賢達」，再變而爲「民主人士」，三變而爲「反對黨領導階層」，四變就成了「叛亂」罪犯。這眞是「十年人事幾番新」，不亦怪哉！

雷氏的頭髮頗稀疏，因而常年光着頭顱，外表很像是個穿二尺半制服出身的丘八將軍，友輩給他恭上一徽號曰「三毛」，寖且成爲正式名稱，他亦泰然接受，不以爲忤。據聞六七年前，曾有幾位黨國要人當着領袖面前談論雷氏時，彼此皆稱「三毛」而不名，領袖詫詢「三毛」是誰？經說明後，領袖亦以幽默語意答道：「那末，他可以寫『三毛流浪記』啦！」允稱政治佳話。

前年初夏，我在台北作客，老友洪蘭友先生約到私邸便餐，陪客有雷三毛，吳開先，陸京士三位。雷最後到來，剛坐下品茗，他說：「今天你們貴黨中央黨部開會，決定某種事件」云云，開先、京士與我，登時齊聲斥之曰：「三毛你眞豈有此理！在我們這些老朋友面前亦擺出社會賢達的醜態來。你全身縱然化成了灰，也含有濃厚的國民黨員氣質，如果共產黨捉到你，還不是一樣的宰殺嗎？」他祗好苦笑無語了。迨進餐之際，洪宅名菜「揚州獅子頭」用大沙鍋盛着，雷氏吞食二枚即止，蘭友笑謂：「三毛平時在我家吃飯，最少要吃獅子頭四枚，今天被你們罵得食量大減了！」三毛仍笑而不答。飯後他即興辭告退，我不讓他走，說是有事商談，他答以有一份英文文稿須跟朋友商酌，約定了時間非去不可，我說：「敢情又是要去告洋狀不成麼？」他握拳作出要揍我的樣子，相與哄笑而別。這些都是三毛爲人的可愛之處。

越數日，我坐着汽車到台北市外木柵鄉拜訪咱們本省的老主席趙炎午前輩，途中遇見三毛手持洋傘，踽踽獨行回家，我急忙停車招呼他，他站在路側高處揚聲曰：「我怕被你們這般濶人的汽車輾死呀！」我答道：「你怕甚末？設或自已行路不慎跌死了，也可以說是國民黨的特務暗害的，你的生命安全實在比我更有保障啊！」我倆一見面，總是如此打情罵俏，鬨閙頑笑，不改學生哥的本色，是亦一樂也。

巫術和迷信

·謝康·

上古帝王降生的神話很多，可證明爲神權時代政權不分的一種象徵，也是圖騰社會的一種信仰。據傳說：「聖人無父，感天而生。」詩經：「天命玄鳥，降而生商。」說明殷商的祖先，出自玄鳥（燕子）。又姜嫄履大人跡，孕生后稷，詩經也說：「履帝武敏歆……載生載育，時爲后稷。」又說：「維嶽降神，生甫及申。」也有天神降世化生爲人的意思。此外夏禹降生，據說是母親吞了薏苡；漢高祖降生，由其母與龍相交，所以成爲龍種。後世風水迷信，所謂「看龍脈」，「點龍穴」，祖墳葬得好，子孫就有做皇帝的希望。似乎也和感天而生的神話，不無多少關聯。

此外，對動物的禁忌（台怖），不消說也是圖騰社會的迷信遺風。例如古波斯人敬狗；印度教徒敬公牛；蘇門答臘人敬鱷魚；古不丹人（Koptin）以貓爲神物，至今設有貓醫院；瓜地馬拉土人認某種獸類爲「兄弟動物」，回教徒不喫豬肉；有一些印度教徒以飲母牛的小便，來洗滌自身的罪惡；中國人以貓頭鷹之鳴爲不祥，十二地支每年由一種動物爲當年太歲，拘忌之多，更難更僕數了。（本節完）

海隅消暑錄

自由報
THE FREE NEWS
第六十一期
台教新字第三二三號登記證
中華郵政台字第一二八二號執照
(逢星期三、六出版)
社址：香港銅鑼灣高士威道二十號四樓
20 CAUSEWAY RD 3RD FL HONG KONG
TEL. 771726
台灣分社

雷震案應該慎重處理

雷嘯岑

突如其來的「自由中國」雜誌主編人雷震被捕事件發生後，頗使世人莫名驚詫。本案正在治安機關偵查期間，是是非非，固未可遽加論斷。但我們基於愛護國家和尊崇法治的心情，對於處理這椿非常案件的原則問題，不妨據陳所見，希望政府當局密切注意爲幸。

不要構成文字獄

據台灣警備總部發言人初次指述雷震的罪嫌是「叛亂」國家，證據爲「自由中國」雜誌自第十七卷至廿二卷刊載的文字中，有所謂反攻無望論，贊成別國干涉我國內政，揑造「讀者投書」，詆謗國軍官兵，煽動軍人對政府不滿的情緒，挑撥台灣人與大陸人的惡感，鼓吹民衆革命流血等等言論；繼而聲稱同在縲絏之中的「自由中國」雜誌會計員劉子英係「匪諜」，雷震亦有關係云。除了劉子英的匪諜情形我們不明瞭是何內容以外，關於上述的「自由中國」所刊佈的六項述近「叛亂」的言論文字，却係有目共睹的事實，無可否認的。

可是，這些被視爲破壞國策，搖惑軍心民心，涉及「叛亂」罪行的文字，早在兩三年前，即已陸續出現了。當時海內外輿論界，對於該雜誌所倡導的若干怪論，多所批評指摘，然政府當局寬容，未加追究——至少亦應該依照出版法加以取締的——如今乃指爲大逆不道，必須置之於理，而且要用軍法審判，這就難怪海外的輿論界揣測紛紜，疑慮叢生了。至於說該雜誌揑造讀者投書，詆毁國軍一節，苟係指「陳懷琪投書」那回事，則這案子早經法院正式受理審訊過了，雖未判決，似不宜重新論究吧？再說該雜誌連年發表若干超越言論自由軌範的文字，誠然失之偏激，然若要按律治罪，就應以被告訴諸行動的事實，如其只有言論而無行爲，充其量亦不過是違犯了出版法的規定，與懲治叛亂條例的法意不相吻合，即無採取軍法審判之必要。談到「匪諜」問題，據台灣治安機關宣稱，「自由中國」雜志社經理馬之驌，亦係曾經自首而許其自新的共黨份子，加以會計劉子英又係匪諜，且與雷震有關係，是該社不啻成了匪諜的逋逃藪，如果雷震確有通匪的事實，而不僅是失於覺察的話，那末，憑着這項罪行，即可以援用「懲治叛亂條例」，從事法律審判了，又何需乎列舉該雜誌歷年來的文字，作爲犯罪的證據呢？治安機關於逮捕雷震後陸續發出的聲明，其所指示的犯罪事實，殆係以該雜誌歷年刊載的文字爲主，「匪諜」關係爲從，因而不免要是一場文字獄嗎？這文字獄在歷史上數見不鮮，并不希奇。然而，那都是君主專制政治之下的產物，而且是衰世之治的象徵，凡屬政教修明的盛世之治，即令是君主國家，文字獄亦少有的。若在現代的民主法治生活中，更無文字獄之可言，因爲人民的權利義務，法律上規定得很詳明，法律之前，人人平等，任何犯罪行爲，律有明文，分別究處，既不能羅織成罪，亦不能失出失入，否則皆難逃輿論的監察。大興文字獄的結果，必然使社會上的知識份子，深感處身於荆天棘地之中，人人自危，相率逃避現實，莫談國事，而以置理亂於不聞的消極態度，企圖苟全性命，得過且過。遠者不必說，即如滿清中葉以後的中國士大夫，皆以殫竭心力於考據訓詁之學爲職志的情形，就是雍正、乾隆兩朝大興文字獄所使然的，窒息文化發展機能，汨沒讀書人的報國思想，莫此爲甚。目前我們的國運極其艱屯，正需要每一個知識份子的才智皆能盡量貢獻於反共救國之役，莫過於團結人心，激發知識份子的愛國熱情，視國事如家事，知無不言，言無不盡，蔚成一種復興氣象，文字獄絕對是要避免的。

審訊應迅速而公開

治安當局對於逮捕雷震的原因，再三聲明與所謂反對黨問題無關，亦不涉及「自由中國」雜志的發行問題，純粹是法律範圍以內的事。這樣，案情就並不複雜了。我們不反對治安機關依據戒嚴時期的法定程序，對雷震等從事偵訊工作，但偵查的時間應以儘量縮短爲宜。普通法院對於妨礙人民身體自由的羈押，偵查、審訊等，皆有一定的期限，不能隨便延長的，軍法沒有這種約束，所以一般人聽到「軍法從事」這句話來，即有談虎色變的心理反應哩！本案的四個被告人都不是穿尺二牛皮制服的「武裝同志」，是社會人士，但在社會人士的觀感都不如此，爲表彰軍事機關一例尊重人權的信譽起見，我們盼望儘可能迅速結束偵訊工作，進入正式審判階段，兩個月的偵查期間，似乎太長了吧？

本案的審判事宜，我們認爲最好是交由普通法院進行，因爲治安機關第一次聲明雷震所犯的六項罪嫌，都是屬於「自由中國」雜志的言論文字，第二次才補充說出劉子英的「匪諜」問題，指雷氏亦有關係。就整個案情的實質而言，似不能否認其爲沒有政治意味。如果不交普通法院辦理，即很容易引起社會人士誤會當局是興的文字獄，而藉劉子英的匪諜嫌疑，作爲軍法審判的口實，這對政府的威信是頗有妨害的，此其一。根據近日從台北方面傳來的消息，說劉子英已供認他確有匪諜行爲了，既然如此，不管雷震等人是否同謀共犯，普通法院自可援用「懲治叛亂條例」論究其刑責，並無失出之虞，所不同者，祇是軍法審判經最高主管長官核定後，被告人沒有上訴權而已。上訴並不一定就得減刑，有時候且反而加重，只要犯罪行爲與證據皆明確完備，讓被告上訴也罷，抗告也罷，終歸逃不了法律上的應有制裁，然政府却表現了充分的法治精神，亦與古人所謂「廉得其情，則哀矜而勿喜」的仁政意旨相脗合，此其二。社會上一般人士對於軍法審判的觀感，不免另眼看待，而歐美先進文明國家，除了純粹的軍事犯以外，任何訴訟皆未聞有軍法審判之說。若謂事涉匪諜罪行，必須保密，則普通法院於必要時，亦有禁止旁聽之規定。雷震等一干人犯，如果不是平民身份，不是文化機構的主持者，不是「自由中國」雜志的言論被認爲有煽亂嫌疑，尤其雷震若不是所謂反對黨運動的中堅份子，那末，對他們交付軍法審判，自不會引起海內外輿論上的驚詫猜測，而發爲神經過敏的批評。爲澄清物議，表明政府實事求是的法治措施，本案似以交由普通法院審判爲上策，事從政治政策的利害觀點設想，我認爲殊有考慮之必要，此其三。假使當局者基於法制的硬性規定，必須交付軍法審判的話，那我們就希望准許被告人自請律師辯護，並且以公開審訊爲原則，一句總話：要給世人以無枉無縱的事實證明，莫使政府信譽受到不必要的損害！

結語

「自由中國」雜志最近幾年來的言論文字，有許多地方確乎失態過激，甚至否定了自己反共救國的立場，而流於逞快洩忿的意氣用事。我個人對於該雜志所倡反攻無望，讓外人干涉內政的論調，亦曾經迭次在海外的報刊上詞而闢之，更當面跟「吾家儆寰」爭辯過。今天他們束身司敗，固屬咎由自取，但這是使親者痛，仇者快的大不幸事件，爲着反共救國的全盤利害得失關係，却不能不望政府對他們略迹原情，從寬處理。我是以極度的傷感情緒來寫這篇文字，還有許多話積結在胸，不及吐傾呢！

小調天下

△關於赫魯曉夫赴紐約出席聯合國大會的傳說，一是：他將宣佈釋放兩名美國機師，二是：他將宣佈限期收回柏林。

總而言之：他如非帶來毒藥便是帶來炸彈。美國準備「劃地爲牢」，把這位不速之客放入「檢疫所」是對的。

△投共而成爲「蘇聯公民」的美國特務人員，因請父母赴俄，說及旅費如何籌措等。

由此可見俄共對美國人進行「心理作戰」用工的細緻；他們要使美國人相信：共產國家也有「法律」，共產黨員也有「溫情」。怪不得那個赴莫斯科探夫的「間諜之妻」回美下機伊始，便憤憤然表示對美國政府的不滿了。

△北平的口風在轉變，一則表示願與美國坐下來談，二則強調與蘇俄團結而沒有分裂。陳毅與劉少奇都會爲後者而大發議論。

毛澤東的心坎一半兒在發抖，一半兒在發狠。

△剛果混亂再混亂，寮國革命再革命。美國向蘇俄警告！它如干涉剛果，美國將有行動，同時向中共提出的警告是：它如過問寮國反共的新革命，美國決予注視。

當思麥語「不發火當作病貓」一句妙語。

△印度國防部長梅農又發表談話，爲中共打氣。他說：希望中共進入聯合國以後，變得循規蹈矩一點。

據此，聯合國果眞是馬戲團了。只惜這是一個沒有馴獸師的馬戲團。

△關於中共將與蘇俄分裂的謠傳，一位美國專欄作家說：它們的爭論，只不過給許多「以解釋爲生」的西方人士提供「預言」的資料而已。兩位美國參議員在聽取前任駐古巴大使史密斯的證供以後，說：古巴是由美國人的共同行爲移交給卡斯特羅和共黨的。此與將中國大陸交給共黨如出一轍。

兩段妙論合觀，「以解釋爲生」者錯了固不好，「以慷慨爲懷」者錯了更糟糕。

△泛亞社由台灣傳出的消息：高雄縣長因拒絕答覆議員質詢，遭全體議員罷議以表示抗議。

「罷議」一詞頗新，該查明出自何經何典。

方南

自由談

不祥的太歲

馬五先生

今年閏六月，我國人的傳統觀念，認爲閏月之年多是不吉利的，如非天災流行，便係人禍發作，而今年又爲庚子太歲，庚子年在中國近代史上，更是令人怵目驚心，不堪回憶的國難年啊！

據毛共的「人民日報」自述，今年大陸上的耕種土地中，因受旱、潦、蟲三災而完全沒有收穫的，在六億畝以上。估計國內的可耕地不過廿億畝左右，災情慘重若此，一般民衆的痛苦程度，可想而知了。然而，毛共還要爲着滲透中南美洲的陰謀詭計，竟以二十萬包大米贈送給古巴的卡斯特羅政權，而置中國人民的生死於不顧。這樣的倒行逆施，焉有不產生奇禍之理？毛共近來大力鼓吹世界戰爭必不可避免之說，誰敢保證「八國聯軍」進北京的歷史舊劇，不會重演於六十年後的庚子年呢？

反共的自由中國朝野人士，對於這種被認爲不祥之年的庚子太歲，也應該特加警惕才是。歷史事實縱不完全依樣畫葫蘆地重演，但絕對有重現之可能。六十年前的庚子歲，滿清王朝因有爭王位的宮廷之變，馴致滿朝文武官吏以及在野的士大夫，派系叢生，互相傾陷，殺言官，戮正士，天下洶洶，人禍大作，而外患乘機蠭起了！

禍福無常，唯人自召，政治上表現着祥和氣象，社會上即滋生康樂景色，如響斯應，決無例外。因此，我盼望自由中國的朝野人士，大家警惕這不祥的歲神當前，好自爲之，切忌做出親痛仇快的事體，致貽他日噬臍莫及之憂，曷勝企幸！

議會言論竟被指為誹謗

陳美惠控告黃文章

·劍聲·

台北通訊

民意機關代表在議場內所為之言論及表決，對外不負責，為憲法明文所定，自是不易之論。

台北市議會議員黃文章、陳建祿等，在七月二十八日，該議會舉行第四屆第八次大會時，行使質詢權，質詢台北市水肥會總幹事黃善德行政措施不當，濫用職權，強姦部屬女職員及非法舞弊等情，不料，竟被控妨害名譽，台北地院刑庭推事王維靜已於八月二十六日，及本月二日先後兩次開庭審理，並傳訊雙方當事人到庭應訊，王推事且庭諭控方在庭外和解。

黃文章議員在議會大會所提出的質詢，其內容共有十三項，茲摘要報導如下：一、水肥會總幹事黃善德不以身作則，竟利用職務之便利，上下勾結，串通農會商人作弊，並有盜用公款瀆職的嫌疑。二、水肥會將水肥分別售與台北四郊三重、板橋等十餘鄉鎮農會，每天出售水肥百餘台車以上，每台售價一百多元，該會自四十七年六月份起到現在止，並未向市政府報賬，且置之不問，是否圖利，殊令人可疑。三、該會有水肥車五十七台，淸運市區水肥，按理是沒有問題的，結果，市民為黃禍而叫苦連天，似此不無有失職之嫌。四、該會工友為五百二十名，實際工作者僅四百八十二名，有無而浮報數十名，令人費解。五、漁利，該會工友既領薪水、津貼等，復又向市民收取工資，實屬不合理。六、四十六年度該會短收一百二十八萬多元，四十七年度差額一百三十多萬元。該會自四十六年六月，迄今分文未報，這筆糊塗賬，如何處理？七、該會購買公物，均未按照法定手續辦理，且有官商勾結圖利之嫌疑，故需徹查。八、該會總幹事黃善德利用職權，威脅女職員陳小姐姦淫，並將女職員的未婚夫汪媽克（水肥會職員）調職。黃善德姦宿陳小姐，結果，陳女竟成為未出嫁的媽媽，事為乃父所悉，黃某於本年二月十日親到陳女家，向女父陳木旺談判，同月二十五日，黃並託市議會張議長出面調解。

黃文章議員將上述各節，在議會提出向市長黃啓瑞質詢，質詢內容經各報採訪，議會記者發表後，黃善德竟對黃議員加以「恐嚇」，繼之，這位未出嫁的媽媽陳美惠小姐，向台北地院刑庭提出自訴，控告黃文章議員等涉嫌誹謗罪嫌。據自訴人陳美惠在庭上指證理由說：假如黃文章議員等不在議會大會提出質詢，則報紙上決不會發表新聞，云云。這樣的理由，不但干涉了民意代表的質詢權，抑且破壞民主政治的議會制度。若是控方獲勝，則將使中華民國憲法所定：民意代表在議場內發言，對外不負責的保障，等同具文。

三輪車應否淘汰？

唐昌晉

讀者論壇

這些年來，很多要人先生們從外國考察歸來，總以為三輪車是自由中國獨有的現象，是代表落後的象徵，於是處心積慮，三輪車面臨淘汰邊緣，這些日子來，三輪車是否應予淘汰的問題，見仁見智，各有不同，筆者特藉此略抒己見。

第一，我們不能生產大量汽車，（裕隆廠產量有限，且須向國外購進部份零件。）也不出產汽油，普遍推行計程汽車的結果，不啻是替洋人開闢市場，這在外匯頭寸已相當支拙的情況下，是不是妥當呢？就是有錢，非萬不得已也不應該讓洋人賺。

其次，三輪車伕會因而失業，三輪車製造業也會因而關門，這在人浮於事的社會裏，又平添這許多失業羣衆，試問政府能拿出什麼妥善的辦法來呢？由計程汽車業者收購三輪車牌照的辦法，是絕不能徹底解決三輪車伕就業問題的。

最後，計程汽車的價格太高，決非一般市民所能乘得起的。要是三輪車被淘汰了的話，由於公共汽車之太擠，以後一般窮公教人員為要趕上課上班時間，將會大大的感到困惱。

其實三輪車並不足以使得台灣丟人，台灣自有其值得驕傲的地方。我們不要以為有了三輪車，便一切不如人了，這種自卑感是多餘的。

現階段日本對華政策探討（五）

羅堅白

東京通訊

（四）嫁前情絲之再續

搖身一變與河野易地而處

嗣後岸對河野不信，河野對岸不滿，這一對老搭擋只有分道揚鑣。但池田卻看準了：自己既要競選下屆總裁，應特別重視岸兄弟所掌握之百二十張左右的選票，可成為決定性之主力。而欲博取岸兄弟支持自己當選，必須與之發生特別親密關係。於是他趁河將被岸派排出主流，岸弟佐藤拉攏他協力擁岸的機會，搖身一變加入第三次岸內閣，並分得能夠擴大自己政治資金來源的通商產業大臣的地位，恰恰與河野易地而處，其手法可謂捷於疾風速雷，而妙如偷天換日！

與反岸主流派藕斷絲連

而尤出人意表者：池田雖已由反岸主流之核心，豹變成岸主流之台柱，卻並未被元反岸主流派各領袖斬斷情絲；極似婦人於嫁後與出嫁前所交男友等，依然保持着不令旁觀刺目的親近。而河野雖已變成反岸主流派，卻與反岸主流派各領袖，俱覺格格不相合。

與石橋的深長淵源

池田被日本評論家們半嘲半譽為「吉田政治學校優等生」；他確是在前吉田首相加意培植下奠定政治基礎而有今日。且吉田當國期間，他對於吉田的政治領導，奉贊維謹，誠不無類似恩師與得意門徒間之關係。然最初把他由大藏省（財政部）一主稅局長，拔擢為常務次官（次長）的，卻是任第一次吉田內閣藏相時的石橋。是後池田經歷片山，蘆田，第二次吉田各內閣，伺候歷代藏相，直至一九四九年競選國會議員第一次當選，始受吉田直接知遇，入第三次吉田內閣任大藏大臣。這長達三四年間的次官地位，叫他洞悉日本財政經濟的竅妙，且被他發現了政治資金的寶庫和鎖鑰。可以說：他的政治基礎之底層，是石橋憑空贈送給池的，世人卻少注意。

反岸反彈壓左翼的史實

一九五六年鳩山首相退休，岸與石橋石井爭奪後任。當選舉黨總裁時，池田畢其閥派，初選將票投給石井，決選投票石橋。致岸敗於「衆不敵寡」，而出現石橋內閣；池田因得入閣再任大藏大臣。這雖然是論功行賞，理所當然；然擁戴石橋，不能否認池田之心念舊恩。他與石橋松村三木等公然呼號反岸，當然是以後情勢演進的結果；然攜手同行，實從此次擁戴石橋決選起。及石橋抱病去職，岸繼任總理，他們遂隱然形成岸之一大敵國。一九五八年六月第二次岸內閣成立，池田第一次被岸弟佐藤說服，以無任所國務大臣（不管部政務委員）與三木聯袂入閣。佐藤曾與池田同在吉田內閣任大臣，亦同在黨首腦部任最高幹部，俱為吉田所親信，故俱被稱為吉田學校優等生，兩人間友誼甚篤。然是年十二月因不贊成岸之修改警察執行職務法案以備積極彈壓左翼，池田竟與三木及另一自派閣員灘尾連帶辭職，表示與岸政權絕緣。上述他支持松村攪亂岸的總裁聯任局面，就是不滿一月以後的事；其最初目的當然是倒岸。所以池田的反岸反彈壓左翼，自有儼然史實足徵。松村對劉寧一說他與岸不同，決不是僅為替他緩頰而信口胡謅的。（未完）

美蘇火箭比較

最近美國北極火箭的發明，無疑地是軍事上一件大大的成功。這北極火箭代表一個新的戰術時代的來臨，也將使過去的戰略大大的改變，蘇俄以長程越洲火箭而自詡，到現在美國的北極火箭，可以抵銷它的威脅了。

北極火箭大約有十四噸重，射程一千八百公里，（可以改進到二千五百公里）祇能算是中程火箭。但是箭頭除了原子彈之外，是兩級的，一枝箭頭的力量，抵廣島式原子彈的許多倍，足以毀滅一個幾十萬人的中等都市。

單有北極火箭，是不足以和蘇俄的長程越洲火箭相抗衡。配合着北極火箭，美國又發明了原子能潛艇，像最近落成的喬治華盛頓號，便有五六〇〇噸的排水量，可以裝備十六枝北極火箭。全艇除了軍官外，還有九十人，將來人員配備還可以減少很多。像這種華盛頓原子潛艇，不久便可造成六艘，目前已有兩艘落成。有了這種潛艇，等於有了任意移動的基地。

美國試驗北極火箭，已經有了七十次，祇有一次失敗，證明這種火箭，已接近完全成功的階段了。

蘇俄以擁有長程火箭而自誇，美國才急了起來，運用了二百五十八人的智慧，如今造成了這北極火箭，也使蘇俄吃驚，因為蘇俄的長程火箭，儘管可以任意射到全球任何角落。美國過去，祇有地面基地，報紙什誌常常印了出來，照片上不但看得出基地，連附近村落都一一顯露，這給予蘇俄以莫大便利，可以利用長程火箭，一一予毀滅。可是如今北極火箭，便無需基地了。除了潛艇之外，火車上也可以裝設放射。則蘇俄將防不勝防。目前美國所急要改進的，是如何使得潛艇的響聲再予減低。華盛頓號會在水面下三十公尺處以每小時兩海浬的速度行駛，海面相當平靜。潛艇最大的時速，可到五十海浬。在海面波濤洶湧情形之下，由於艇上有特種平衡設備，照樣可以放射火箭，因此在作戰時期，當然靈活得多，而敵方則應付為難。

美國目前準備製造九十六個北極火箭，配合十六艘原子潛艇。這個數字，不一定能確保必勝，將來必需擁有七八百枚，才敢說有必勝的把握。

蘇俄目前尚在試驗製造潛水火箭，地面基地，還不會放棄，將來一旦發生戰爭，最後決戰，終必仍在陸地，所以陸上基地，仍然有其重要性。

蘇俄的長程火箭，誠然有其威力，三十分鐘之內，可以射到美國乃至全球任何地方。再想縮短時間，已不可能，因為如果再快，則火箭將射離地球而失去地面的作用。可是祇要蘇俄發射火箭之後，十五分鐘內，美國由於雷達網的完善，便可找到蘇俄火箭的行蹤，蘇俄的火箭，用的是液體燃料，燃料要在發射火箭之前臨時裝進去，裝滿火箭，大概需要十五分鐘以上到一小時多。確實的時間，尚無法知道。美國的北極火箭，則是用的固體燃料，所以可以事先準備，隨時發射。

今後美俄的戰爭，決定不是外圍戰，而是攻心戰，雙方都了解這是生死關頭，所以都在等待和準備。

丹士

小啓

岳騫先生因病，大陸文壇萬花筒暫停一期。

從U二機事件說到

鮑華斯的「忠貞」

美國退伍軍人協會全國總會會長麥克尼爾對於「U2」偵察機駕駛員鮑華斯在俄共法庭上的供述，稱之為「對國家報效極差」；同時，認定他這種行為，是「美國精神衰落的一種預兆」。「他之願意担任這項工作，只是為了賺取酬金。」這種指責，站在美國對共軍人忠於「國家，榮譽、責任」的要求來說，那是必然的。

但鑑於美國政府在鮑華斯被俘後，即直承認其U2機為從事俄國境內的偵察飛行，以及俄共那一套對「犯人」「審判」特別靈效的技術，則很難過份對鮑華斯的「忠貞」態度作苛刻的要求。

美國之承認U2飛機係一種間諜飛行，其保護鮑華斯的用心，可以說是盡到了，但對於美國的榮譽，却是一個重大的損害。也許美國此舉，還有另一輕重權衡，那就是承認這一樁鐵幕的偵察飛行，可以取得俄國人民的相信：美國從事此項飛行，已經歷時相當久，並由此獲得了俄共準確的軍事秘密，教俄共不敢輕於啓釁；同時亦使自由世界對美國維護和平的信賴因此加强。但實際上美國儘可從其他方法顯示這種事實，而不必讓俄共獲得這次冷戰的上風。美國有許多事情，在我們東方人看來是不能理解的：為了鮑華斯的個人被俘而犧牲國家的榮譽；為了幾個被中共擄作人質的平民，而在日內瓦與華沙與中共談判了若干年；甚至還有人在為未來大戰失敗時擬訂如何投降的計劃。表面上看起來，似乎美國對每一個的生命自由都會盡到最大的保護努力，而其結果，卻不是那麼一回事。儘管美國能曲盡屈辱的能事，但對於那些可留供共黨宣傳和勒詐的人質，仍絲毫得不到實惠，而徒然喪失了自己的立場，損傷了國家的榮譽，為自己的人民帶來愈來愈多的災害。

其實像U2偵察機從事間諜任務的事件，美國根本可以矢口否認的。說不定因為政府的否認，使得鮑華斯能發揮他的「忠貞」態度，但美國政府既承認之後，鮑華斯縱「報効」有心，亦推翻不了自己政府在先替他承認了的罪名。麥克尼爾徒責鮑華斯之「對國家報效極差」，而不知國家已根本堵塞了他可以向她「報效」的餘地。這種怪責不能說是公平的。

總之，美國在這回冷戰的失敗是非常不值得的；而鮑華斯在這種情況之下，被譴責為不「忠貞」，也是不值得的。

慕雲

社會小說

香港地

五、有錢佬

木客著

梅大亮對這位主人改變了觀感，居然說出贊美的話了。楊先生聽得笑了一笑。那時他剛吃到一橛雞腿，用手拿着，放在口裏啃了幾啃，一笑之後才道：「俗語說得好：『雞髀打人牙骹軟』，你對馬行時由白眼變受而為青眼相看，到底是不是雞髀改變了你原來的主意？」

梅大亮也在吃得津津有味，笑而不答。楊先生便道：「這沒有什麼稀奇。馬行時對各種物用的常識特別豐富，見聞比我們廣，一句話說穿：因他有錢，錢會使他改變。一個原來沒有錢的人，什麼都不懂，一經成為有錢佬後，自然變成什麼都懂。他會由一個「大鄉里」變為交際長才，懂得怎樣大排筵席，用什麼奢侈場面去表示高貴身份。他懂得買什麼牌子的汽車攝影機和收音機，才最夠體面和切合實用，至於什麼牌子的酒和煙才吃得過癮，什麼傢私才適合擺設在某一種型式的廳房之類，他當然一概都懂。他也會當衆演說，會寫字，會打太極拳，會熟念波經和馬經，會佈置書樓，憑書籍來充場面。這與其說他『有錢使得鬼推磨』，倒不如說，錢使他懂得原本完全不懂的東西。」

楊先生竟然說得非常興奮，滔滔不絕，直至把一橛雞腿啃完了，將雞骨擲在碟上，砉然有聲，才將一段長長的話截住，待喝過一口酒才續道：「你會知道漢高祖劉邦在未做皇帝之前，十足是一個無賴，甚至做了皇帝之後，仍然脫不了無賴本色。自從經過叔孫通的教導，訂定了朝儀，他才知道做皇帝的過癮處。於是他也算懂得擺皇帝的架子了。這是權勢改變了漢高祖，權勢也和錢一樣，是可以使人改變的。」

楊先生像是恐怕梅大亮不了解他話裡的眞義，故此不憚煩地引經據典，平白把話題扯到漢高祖身上去，這頗教梅大亮也算將起來，說道：「對對，你說得對，我明白你的意思。只是，關於這裏主人家裏的事，我還得請教請教。」（六十）

女僕

汶津

為了「法律之前人人平等」，政府會有一項規定：女僕應改稱「女工友」。朋友是五倫之一，這樣稱呼眞也夠雅了，何況更加上勞工神聖的聯想！

不過女僕的俗稱——下女，却依然不時聽到。說良心話，誰的心裏都有數：她們一點也不低「下」，她們有着許多被默認的權利。

我自己雖還不會有資格做「一家之主」，為用女僕的辱操一份心，但跟女僕總是有過不少接觸。記憶最深刻的是小時候侍候我長大的那一位。我還記得她叫「阿渝」（本來是那個字我不清楚，不過「渝」字比較雅些，所以讓我用上了。）那時節她大概是把我當小少爺看待了，我大約也多少有點莫須有的少爺脾氣。只記得有回她幫我洗脚，我嫌她洗不乾淨，使勁的用手往腿上磨擦，磨出一些垢屑來向她示威。她有點惱了：「我服侍過許多太太小姐，就沒有說像你這樣挑剔的！」我不記得她有沒有用「小鬼」這個字眼了，我想她大概不會的。當時我似乎覺得自己理虧，口頭上自然還是强硬的，不過我的天性中可能沒有刻薄的成份，所以我對她那樣看待的。一次我放學回家，媽恰好不在，而阿渝正忙着摺衣服還是什麼，我就問她課本上的一個字，她好像很高興的告訴我。別的，我都模糊了。後來她嫁了人，我有些說不出來的感覺，可是我敢担保，我並沒有因她的離去而掉眼淚；要是我是女孩子，可就難說了。我的記憶中還有一張她和她的男人合拍的相片。

第二位是來台灣前在吳興雇用的。她本來頗願意跟着我們來台，甚至船票也為她買好了，可是臨時變了卦。那是她的母親（似乎是養母）的主意，那位老人家也古董得夠絕的。我記得她叫過我小狀元，我很有點受寵若驚。後來那位女僕沒有跟我們上船，我似乎不太能夠原諒她們娘兒倆。可見人都是喜歡為自己打算的；也可知那位女僕給我的印象本來不壞。

在台灣用的女僕較多，因為此間女僕有一種特色，過年過節固然非請假不可，看到你家裏有什麼要緊事，也樂得開個小差。而且口說無憑，三天的假期居然會延到一星期。一月個以上是用不到一月個以上的。自然也不是沒有例外的，但那些例外的多半本身有問題，譬如是私自出走的養女等等。也有受了夫家虐待而出來賣力氣的，可是心裏就難得自在；是否有「專業精神」，也得打上個大問號了。

等小弟也就大了些，我們家也就不大用女僕了，開始嫌不大慣，久之就辦除了大部分的依賴性。現在除了洗衣服另請一個外，一切由家人分擔，母親不用說是其中的大成，辛苦得多些；其實有女傭人在的時候，母親也從沒有養成眼不見為淨的習慣。

照說一件事跟自己斷了關係，就不會再放在心上了。可是「女僕事件」却不然，居然常常拿做話題，甚至對我家毅然廢除女僕的勇氣表示讚歎。我倒覺得話要翻過來說，長期雇用女僕而百折不回，那才是莫大的勇氣呢。

有一回我在一位老師家看到了一幕活劇。那位老師膝下有五位可愛的小國民，師母也有職業，所以別的可以克難，用女僕這樣事可是欲罷不能。那一陣辭走了一任的朋「友」，繼任乏人。好容易東託西託的，才找到一位，話說那天傍晚那位「新官」對師母說：「太太，媽媽來台北，今晚要去……」師母沒有忘記昨晚曾准過假，今早飯煮好了她才姍姍而來，因此略表遺憾。焉知說時遲那時快，那位女傭隨手提起她的包裹。話不用多說了！這下子師母可急了，忙把老師叫來，共同婉勸。老師更掏出一篇說辭來：「你對媽媽很好，你很孝順……今晚讓你去沒有關係……」我忍住了沒笑，可是當事人却欲哭無淚呢。一言既出，駟馬難追，那位走馬上任的女工友終於拂袖而去，大有不為五斗米折腰的氣概。

關於女僕，我沒有興致再多說了。打扮得花枝招展，與我何干？反正我不是相對失色的千金小姐；男朋友絡繹不絕，也只是別人的困惑。我家的收支預算中早已蠲免了這一項。

介紹「紅男綠女」

修衡

「紅男綠女」是一個新穎的諷刺喜劇，由葉楓、喬宏領銜演出，「卡司」很強，尚有蘇鳳、劉恩甲、吳家驤、歐陽莎菲、王沖、李英、蔣光超、陳又新、馬笑儂等，都是一流演員。

電懋公司攝製該片的重點，目的為揭開現社會光明與黑暗面的事實。開始是描寫現代新聞從業員生活，葉楓飾一間報館的出色記者，嫉惡如仇，那是不消多說的，其他如喬宏、蘇鳳、吳家驤、陳又新等，都是在業務上表現得很成功的。這一部電影把光明面的報社內幕，有系統地介紹出來，而從事記者生活的演員，均曾在香港幾間大報館實習，演技相當熟練，儼然如吾人行家。

在揭破黑暗這方面，名編劇汪榴照，曾經耗去冗長時間，實景很多，將反映各方面搜集許多資料，但內容並不簡單，該片的目的是協助警方破獲一個「老千」集團。簡單說來，就是葉楓、喬宏如何拆穿「老千」的手段，如何穿插於公衆場合，與怎樣誘使「老千」上鈎，劇情高潮迭起，喬宏中計險喪生命，而葉楓終告身份暴露；「老千」竟欲加以謀害，緊張刺激之處，簡直使人驚心動魄。也許會有人認為編劇者故意賣弄情節，渲染「老千」作了任何人無從臆測的奇妙詭計，根本這部影片對現社會許多罪惡給予揭示，使迷途者不無警惕。該片由卜萬蒼導演，未被人所警惕，可望在近期推出公映。

銀燈隨筆

儒林九尾龜

吳敬鋅

第三回：柳暗花明又一村

小石冷笑道：「他大概不會再講去延安馬列學院畢業的事了。」

盧教授搖搖頭：「他這時却一變為忠貞份子，每次講到國父，總統，都要立正表示敬意，知道他的來歷的人，都覺得好笑。可是，他自己却表演得十分認眞，所以我說他是一個演劇的高手，可惜走錯了行，去搞政治。」

黃安民笑道：「他以後怎麼變的呢？」

盧教授說道：「他剛才不是已經說得清清楚楚，他當時的目標是向美國要錢，台灣要官，兩個計劃都落了空，甚至他寫了一些文章，送到幾家反共的報館去投稿，也因為寫的不通被退回，他於是遷怒到政府當局，搖身一變又反對台灣了。」

李鴻飛問道：「從此他就開始向毛澤東要錢了。」

盧教授笑道：「獨子要慢慢地轉，他當時只是轉到第三方面，仍然高唱反共，可是這方面也容納不了他，因為他自己主持一個部門，既無此項經費，他也不是那付材料，至於像一般人去投稿，他的文字也實在不通，最初有些刊物還勉強刊出一篇兩篇，後來就乾脆退回，於是他一怒之下才又向左轉。」

「向左轉就比較容易，他最初寫了兩篇稿子，投到兩家左報刊登，內容是揭露自由文化界內幕，內中加油加醋，渲染了許多不可告人的事，左派抓到這些，自然不肯放鬆，文字加以修改就發表了，從此他到處以作家自居，別人問他在那裏投稿，他又說不出，不久，這件事為大家知道，他在自由文化界更沒有容身之地了。」

「這條路走不通，他又去騙洋人；冒稱自己是共產黨，可是洋人向他要證據，什麼證件都沒有，這時他忽然靈機一動，看到洋人書架上擺了一本『我和共產黨』是一個自稱共產黨人寫的，他就指指那本書的作者，說就是他。」

盧教授說到這裏，幾個人都笑起來，林逢時嘆口氣道：「此君應該搞政治，他這種膽大臉皮厚的作風，眞非常人所及的。」

盧教授繼續說道：「洋人當時是將信將疑，摘出書中事情問他，他又說的牛頭不對馬嘴，洋人知道可能有詐，就另外約定一個時期再談。等他走後，就打電話給那家出版社託主持人把這位作者約來，時間故意安排在一起，當大家一見面變成了眞假李逵，眞的當然沒關係，假的就慘了，從此他就又斷了一條路，最後無計可施，只好去向毛澤東討生活，看他最近情形大概是勾上了，否則不會這樣神氣，不過這恐怕是最後的一回了。」（廿二）

青年之聲

重遊「小夏威夷」記

——香港調景嶺信義中學——

高二：毛毛

在街上偶然看見一個精巧美麗的東西，走過幾步，必定想回頭多看它一眼。為什麼？因為它有引力；它的引力是什麼？乃是它的構造比別的靈巧些，美觀些。同理，「小夏威夷」是我們去年已經旅行過了的地方。而現在，我們却又舊地重遊了。

「小夏威夷」，位置在清水灣公路的山下盆地，有平坦的，茵綠的草地；潺潺的流溪；以及那像寶鏡的碧湖，在陽光下閃爍；加上魚兒在水中玩戲，鱗光熠熠，追逐不已；有如玉女蹈舞、嫦娥奔月、燕子裁衣，蛟龍渡河，變化萬千。

湖邊更有蜜蜂採花，蜻蜓點水，和蝶兒在花間習技，這一切一切，都在動着、盪着、盪着、動着……

溪旁，長着叢叢的樹木；微風拂着樹梢，鳥兒在樹上歌唱，使人眞有出世之感呢！

叢林的對面，可以看到青綠的稻苗。它，經不了微風的誘引，而成了起伏不定的稻浪。遠處有耕牛在那兒吃草，農民在那兒工作；這時，雖然是清涼的早上，但他們却滿身淌着黃豆般大的汗珠！忽然，我驀地想起了：「鋤禾日當午，汗滴禾下土，誰知盤中餐，粒粒皆辛苦。」的詩句。

這是一個美麗的地方，這是一個生命力極其旺盛的地方，但這也是一個最容易勾引起遐思的地方。眼前，彷彿是一副圖畫，我就在這如畫的山水中，盡情地享受。

一切安排得那麼微妙，也那麼調和。藍天，白雲，遠山，綠水，青草，叢林……。

風吹，鳥唱，蝶舞……啊！沒有比這再微妙的了，也沒有比這更調和的了！

我不想歌唱，因為有鳥兒在樹梢；我不敢舞蹈，因為有蝴蝶在飛舞；我甚至不敢喃喃細語，因為有流水潺潺！

我只是在想，我曾經在什麼地方見過這樣的景緻？

望着遠處，想到深處，陡覺得天在旋轉，地在移動，頃刻間，我分不出那是「小夏威夷」，那是我遙遠的故鄉……。

釋耒集

陶淵明歸去來辭，幼年於蒙塾即開始誦習，當日除覺其易於成誦之外，即未嘗有所悟入，亦不知所謂宦途，竟至於如此爲人厭薄也。然自來恬退如陶者，願絕不多見，後來讀隨園詩，有譏白樂天句云：「鎮日言歸歸不得，總緣官樂是唐朝」，考之樂天集，爲左拾遺日，有句曰：「月擲諫紙二千張，歲愧俸錢三十萬」，及外出爲蘇州刺史，則云：「十萬戶州尤覺貴，二千石祿敢言貪。」升河南尹曰：「厚俸如何用，閒居不可忘。」最後爲太子少傅，乃曰：「月俸百千官二品，朝廷僱我作閒人。」樂天胸懷高曠，未必戀戀於一官，而唐朝爲官之可樂，比之爲五斗米而折腰，誠不可以道里計矣。如此則言歸而不肯歸，自屬人情之常，不足爲諱，且我國士大夫，學而優則仕，初不必以恬退爲高尚也，近讀范公稱過庭錄云：「先君初仕平恩啓行，右丞曰：爾行裝幾担？先君時新娶，實應之曰：有十担，右丞曰：初仕如此，久宦將奈何，我昔赴遂州，只三担，罷官仍舊，不惟緩急易於去就，亦免張外醜也。」又鶴林玉露載：「楊誠齋立朝時，計料自京還家之費，貯以一篋，鑰而置之臥所，戒家人不許市一物，恐累歸担，日日若促裝者。」以此論之，實與淵明爲近，其謂：「緩急易於去就」，及「日日若促裝者」，其情又不在於微祿之不足戀，而在於傾軋之害不可不遠矣。故官情官況，宋雖遠不及唐，而士大夫猶得「日日若促裝」，以期「緩急易於去就」，則其自惜羽毛，猶知矜尙名節，故雖炙手可熱如韓平原，竟不能使楊誠齋爲撰南國記，及今思之，猶凜凜也。海通以還，西方式之城市，日見發達，士大夫不復以邱園爲可救，布衣蔬食，與安貧樂道之生涯，適足以召人笑侮，浸假遂至退無可守之地步，結果鑽營奔競，一往無前，以仕宦爲衣食之源，終遂致於朋比相結，割據壟斷，一切以派系小組之利益爲前提，魚餒肉爛而不可救，前事不忘，如影歷歷，思之使人寒心，今政府遷台，其勢固有異於晉宋之偏安，士大夫失其憑藉，尤屬史無前例，故貌雖主人，實同客戶，盟邦美利堅，不過利用此孤懸一島爲防共之據點而已，反攻復國，既無定期，則杯位之爭，主客之辨，勢將日益加緊，影響所及，官常將日隳，士氣將日頹，民主憲法，將永久成爲具文，故官員不自矜其名節，則官常無由整肅，官常不肅，則綱敗壞，國運必日在危疑叵測之中，得以自存，已屬徼倖矣。

官常與國運

曲齋

粟海彈心錄

中學教育與家庭教育（一）

阿公

中華民族，自部落聚而爲封建氏族，自氏族分而爲家庭，而家庭爲國家社會組織之中心。故三代庠序（今之中學）之教，與家塾之教並重，「黨有序，家有塾」是也。春秋秦漢之際，國子之教廢弛，而私人講學起而代之，魏晉以降，迄於明清，庠序之制盡廢，而私塾與書院起而代之，由是社教禮俗文化道德，不繫於國家而繫於私人者久矣。國民教育，莫由普及。國民智力，陷於偏頗。治少亂多，既貧且弱，端在於此。

民初以後，漸復古制，自小學以至大學，悉由中央省縣分層任之，而家長擇師教子之風，不可復行於今世，而社教禮俗文化道德以至技藝等等，不繫於私人而繫於校教者明矣。故校教居今所負之責任——子弟之造詣，家長之付託、社會之希望，政府之期待，其繁重至不可思議，且舉世無有能貸其毫末者，此予所以不能已於一彈。

近年學生之相毆相殺，教師之相毆相殺，甚至師生相毆殺，幾無月無之。北投中學四十八年九月一日案，死傷十四人之多，今又以教師殺教師聞，橫舍竟成殺人場所。中國五千年來，實無此劇變，有之自台灣今日始。太保太妹，又當別論。

每每案發之日，教育行政當局，無非「派員勘查，非常重視」，千篇一律之公文書而已。至若事前事後因果關係之所在，則未嘗措意，而冒昧如故，坐視「虎兕出於柙，龜玉毀於櫝中」一若於己職責無與也。此台灣教育日趨於不可收拾者，實非偶然。

公文諧詩

介人

現在公文常用之「等因奉此」，「查明具報」等術語，多由清代沿襲而來，原只限於公文；私人函牘，則甚少引用，但官場中習用既久，往往鬧成笑話；也有故意編成諧詩，用來諷刺一般術語的陳詞濫調，類多幽默，不可不記。

前清蔡崑陽先生，廣東人，進京會試，路過淮安，有其同鄉邵某，方任山陽知縣，蔡因往謁；意在敘話鄉誼，詎名刺遞去，邵遽在名刺批「查明具報」四字，蔡見之，大怒而去。及抵京，竟大魁天下，成爲狀元。歸途再經淮安，遂遣人贈邵摺扇一柄，並題詩一首云：

「去年風雪上長安，舉世誰憐茂叔寒；寄語山陽賢令尹，查明須向榜頭看。」

邵得之，大爲慚愧。此詩是公文術語之最早運用於詩句中的，詩亦頗爲風趣。後來公務人員坐辦公廳，每多餘暇，竟日無所事事，乃竟有運用公文術語，作成七律四首，雖有稍涉牽強之處，但無一字無來歷，公務人員讀來，似乎更不陌生，頗有親切之感。其詩如下：

等因奉此准函開，據報前情合亟催。照得有關祈鑒核；竊查無案懇鈞裁。仰將遵辦毋延宕；一俟簽呈擬駁回。姑念礙難應照准，務須原令撤消來。

未便毋庸仰恪遵，准函奉諭擬呈稱。迭承層轉希移送；顯係無關事屬經。妥覆致干仍報案；略開相應不瞻循。前情合理詳申處，附件隨文各等因。

仰懇仍須尙可行，查無實據擬原情。事關通案應專案；着即分呈益補呈。略以節開煩洽辦；祗遵覆核特申明。合行文到一週內，奉此先期迅了清。

核簽交辦議遵批，避免旋經係法規。去訖如何正擬覆；後開可否另呈之。合無前奉殊非法，似有緣由會令知。如此仍將分令外，云云備案准咨移。

又公文術語中的「該」字，也有人用來不甚妥的，即令上司對於下屬，用得太多亦易引起反感。抗戰時期，廣東某縣有一個縣立小學校長，兼任某鄉的保甲長，那時期的保甲長，有的僅係掛名，並沒有眞正辦事，而校長先生也沒有功夫兼顧，只不過是遙領虛名而已。

有一天，鄉長轉下縣政府交給保甲長的一紙令文，鄉長照例抄原令之後，來個「等因奉此」，結束上文，然後大發他的偉論一通，文中一連用了「該保長」九次之多，校長接閱後，認爲鄉長太過「沙塵」，心滋不悅，置之不理。

過了幾天，碰到縣長請吃飯，鄉長校長碰在一起，校長一見鄉長，勾起前事，就諷譏鄉長的官僚作風太重，初時你一言我一語，後來竟老羞成怒，相罵起來，同座客人連忙相勸。縣長也好笑，便用半申斥半和解的語氣對鄉長說：「這是鄉長不該，大家都是同寅，爲國家出力，應該和氣，我現在用該字謅了首打油詩，請各位一讀，哈哈哈就此收場，我們來喝杯！」

縣長說後，就抽筆寫道：

「一紙公文九個該，一該該出是非來。從此該員該注意，不該該處莫該該！」

這一位縣長也頗爲風趣，他的和解詩中，也接連用了九個該字，針鋒相對，應該是善做打油詩的能手。

又軍閥時代，某師長用一書記，原只辦理公文，某師長忽命其作詩。書記素不善此，苦思無所得，於是用日常公文術語集成七絕一首云：

「案奉師長命作詩，等因奉此不敢辭；遵查職腹無詩料，理合呈復鈞座知。」

總之，過去公文術語的陳詞濫調，陳陳相因，到了今天，實在有改弦易轍之必要。更何況若干不負責之輩，每藉此互相推諉，一再拖延，今天行政上的作風，仍不免有「永遠監禁」，或者是「長途旅行」，其流弊亦多半由於公文術語的運用所引起。尤有甚者，則爲若干貪污酷吏，藉過去公文術語之推拖，便於掩護貪墨之行徑，其用心尤不可恕。

海嶠叢談

談雷震（二）

諸葛文侯

有一次我以莊重的詞色叩問雷三毛，究竟是爲着甚末不能相忍相諒的情事，以致跟自己具有深厚關係的政黨鬧成囚終隊末的敵對地位呢？他慨然答道：「說來話長，我祗告訴你一樁故事就夠了。當年『自由中國』雜志爲着台北市民使用美鈔常被『經檢隊』查究一事，發表了一篇『政府不能誘民入罪』的社論，除招致治安機關派兵到私宅監視的後果外，更被黨部某一個年輕小伙子叫到黨部去，指着我的鼻子臭罵申斥，聲稱『你要仔細點，如今不是政協時代了』，有如主人教訓奴役的氣燄。我在爲黨從事革命工作之秋，這位對我狂開教訓的人物，還是個小學生，你看這教我如何能忍受呢？」似有實逼處此的隱衷存焉，我唯有喟然太息而已。

三毛的個性頗倔強，渾不似生長在山明水秀的蘇杭一帶人士那種雍和的氣質，所以我跟他一談到政治問題就要抬槓，有時候彼此爭辯得面紅耳赤。可是，他的理性觀念亦很充裕，並不因此而妨礙私人的友誼。他說原籍本是河南許昌縣，先人游宦到浙江，才落籍於長興（即湖州）的。我稱他爲「豐沛子弟」，他決不承認，而且反唇相稽，說我才是眞正的「豐沛子弟」，舉出章行嚴（士釗）所作「居然吾郡成豐沛」的詩句爲證，倒使我啼笑皆非呢！

今春我在台北住了幾個月，常常看到「自由中國」雜志的文章，越來越偏激，對政府與執政黨完全出以挑戰的態度，殊非正常的言論自由風格，愁然引以爲憂。某夕，他約我到鄉間寓所晚餐，在座者只有「自由中國」雜志編輯傅正與愚友夏濤聲先生。飯後我倆暢談政治思想和言論問題，我勸他今後對「自由中國」雜志的文字，必須改由絢爛歸於平淡一點，避免過激的作風。起初他堅持己見，認爲並不偏激，是甚麼，就說甚麼，決非造謠之談，他教我舉證以明之。我隨便答道：「例如前任教育部長張其昀先生曾在某一民間學術團體講演，闡述我國的易經上即有原子能的思想潛在着。你們竟指斥張氏此言『有辱國體』。研究學術思想的言論，無論對與不對，皆與國體不相干的，這不是偏激之談嗎？」他依然不屈服。最後我提醒他：「一個統治者在亂離顛沛的階段中，如果受到內外的環境逼迫過甚，無可如何時，很可能使出嚴厲的手段以對付異己者，這類例子歷史上很多。現時政府當局覺得國事大有可爲，所以容忍『自由中國』經常唱反調，假使你們煎逼太急而過甚，一旦它要收拾你，却不費吹灰之力，你縱然做了『民主烈士』，於事又何濟呢？我決非替政府作說客，祗是替你個人設想，不能不進此逆耳之言」。他對我這段話，表示無異議，臨別還說「你勸我的話，我一定記在心裏」。誰知言猶在耳，三毛終於下獄了！當我侃侃而談之際，濤聲兄默然不作聲，傅正君在旁頻頻點首，好像很同意我的說法，如今傅君亦在縲紲之中，我憑良心替他作證如此。（完）

年歲與慾望

·謝康·

溫帶地方的樹木，秋天都開始落葉，有些樹葉變了顏色，或黃或紅，隨它的本質而不同。年歲對於人，可能長出新的慾望，但也隨各人的稟賦不同而有多少差異。愛情本隨着年歲而成長，至於新陳代謝由成熟的母體長出新的幼苗，那又是一種生長的方法。但是有些高級組織的有機體，不能像普通細胞一般自我繁殖，於是不能不隨年代而發生變化。例如小孩之好喫和貪得性，漸漸因年齡的長大而改變了。於是另一種追求與獲得的慾望，嗜好與意見，也跟着產生了。這時青年的慾望，表現是討論的熱心，是注意裝飾及儀表，他們的作品，好似易褪的桔梗色所反射出的光輝；他們對異性的追求，好似紅金絲雀的愛情舞蹈。

人類的「果實」現在成熟了，從青年到壯年，生理學的現象又轉變了一個方向，男子生而願爲之有室，女子生而願爲之有家，這個願望，伴着做事業發財分遺產的觀念以俱來。同時領袖慾，或權力的慾望，也會在這時候開始。古代人稱慾「三十曰壯，有家；四十曰強，而仕；」到六十歲纔退休，四十，五十正是立功、立德、立名、立言的時候。所以孔子說：「四十五十而無聞焉，斯亦不足畏也已。」那就是說到五十歲還搞不出一個名堂來，這個人大概也不會有什麼前途了。因此，我們說：在三十五至五十這個階段，是人生事業成敗的關鍵。（一）

海隅消暑錄

徵稿小啟

有內容有意義之隨筆、散文、掌故、小說、雜感、詩歌等類文字，本刊均所歡迎。請用有格稿紙繕寫，如需退還，請附信封及郵票。

一千五百字之散文隨筆比較容易刊出，過長則以篇幅所限，刊出的機會較少。請特別留意爲感。

自由報

THE FREE NEWS

第二十六期

每份港幣壹角

社長：雷嘯岑

督印人：黃行寬

20 CAUSEWAY RD 3RD FL HONG KONG

TEL. 771726

台灣分社

毛澤東的悲哀

李璜

一

在相信思想鬥爭，認爲鬥爭便可以鬥出一個眞理（？）來的共產主義者，自來是要那樣的永遠不斷的鬥口、鬥力，你鬥倒我，我又鬥倒你，乃是常事，毫不足怪。故在共產陣營裏，一國之內或兩國之間，頭目們彼此鬥爭，舌劍脣槍，一時鬧得滿天風雲，人們都應該冷靜的去認爲這是他們的「家事」，與自由世界的利害並不相干；他們自已彼此儘管鬥去，而對於自由世界彼此都並不會放鬆侵略的打算，這是鐵定的事實。因此，俄國一個外交官酒後吐眞言：「中俄共的眞正歧見所在，乃是消滅西方的方法問題」；而在中俄共的根本觀念中，自由世界是終應被消滅的，自由世界的人們又何必引爲高興呢！

不過，照這半月來的電訊報道，赫魯曉夫要鬥爭一下毛澤東，乃是鬥定了的。赫魯曉夫正在共產陣營裏糾衆行兇，不但糾合東歐的附庸，而且糾合到亞洲的外蒙古、北越、北韓，行將開會，宣佈毛澤東教條主義的不適合現狀，有製造分裂運動的嫌疑，要毛澤東收回他的「戰爭不能避免」的論調，而服從赫氏的「和平共存」的主張。老赫的聲勢甚大，其影響力足陷老毛於孤立的形勢，因之，在趨勢上看來，毛澤東在老赫面前，這一回將要打下敗仗，將要屈服，而仍將乖乖的聽候蘇俄老大哥的指揮！

「在原則上，共產黨只有一個」，這是四十年前列寧就指示過的，而史太林用第三國際的手法，且奉行而貫徹之甚力；尤其對於中共，史太林從一九二三年以來提携保抱，耳提面命者達三十年，主奴之勢久成，毛澤東要想翻身自主，談何容易！但是，在事實上，毛澤東以三十餘年的努力，着着順利，將中國大陸霸據到手，增加蘇俄老大哥的聲光確實不小；尤其在韓戰中，毛澤東以百萬以上的中國人生命爲史太林去火中取栗，這個下屬確算盡到了他的忠誠服務，十分對得起他的老板的。乃今統治着五六億人口，雄視着東亞，手伸出中東，北非，以至南美，毛澤東從三十歲起服事老板，一直到今年六十八歲了，而蘇俄老大哥仍不許他舉首張目，論列是非，以企於平等相待，大國相看的地位，今日老赫還是不稍讓步，還是要鬥爭他，這不能不說是毛澤東的悲哀！

二

毛澤東的悲哀，本不自今日纔開始的。當一九二七年史太林派羅明那茲來華，指揮中共從事都市暴動失敗後，毛澤東提出農民革命，而且與賀龍、項英諸匪隊合流，上了井岡山，然後纔將中共的一線生機延續下來。那時候，蘇俄的第三國際指揮者便不承認毛澤東這一作法，而仍舊信任李立三，不但托洛斯基在那時候指稱毛澤東爲「僞裝共黨」，而史太林也稱毛澤東是「假奶油式的共產黨人」（Margarine Communist）。在很長一段時間內，不但史太林不相信毛澤東的農民革命爲共產革命，即第三國際所指揮的上海中共總部主持人，也嚴厲批評毛澤東的江西游擊作法是「土匪運動」，永遠下不了山的。（毛澤東曾經辨別過「土匪也是無產階級」的話。）

這要等到一九三二年，中共中央纔因狼狽的在上海立不住腳，而當時負責人秦邦憲，不得已把中共中央部移往江西共區，托庇於毛澤東勢力之下的。但雖移往紅區，而黨權仍操於秦邦憲之手，史太林直至一九三四年都尚未正式表示毛澤東的勢力足以代表共黨，硬要等到一九三五年毛澤東在萬里長征，途次遵義時，自行用非常手段，完全排去了國際派，奪取了黨權，然後史太林纔無話可說，聽任毛澤東去大權獨攬的。

因是，毛澤東在其所謂農民革命的最初十年艱苦奮鬥中，不但並未得着蘇俄老大哥的賞識，而且予以批評打擊，其心中的悲哀情況，可以想見的！然而毛澤東在佔穩邊區之後，仍奉史太林爲師，第三國際爲指導者，因爲毛氏自知其知識不夠，敵人尚強，蘇俄老大哥雖然瞧不起他，而他因不能不特別靠攏。卻是在一九三六年以後，毛澤東仍舊是事事聽命於俄共，直奉史太林爲領袖，蘇俄爲社會主義的祖國；可以說從一九三六年西安事變釋放蔣委員長，一直到一九五一年抗美援朝大事犧牲財力人力，十五年間，毛澤東無一事不是服從史太林命令的。但史太林在此期間內也給予毛澤東的助力不少，特別是一九四七年在東北給予林彪的日軍武器，使毛澤東的武力突然壯大，得佔東北，然後進取華北，席捲大陸，卒使毛氏得以出頭，這是毛澤東始終不敢忘此大德的，所以毛澤東雖已稱孤道寡，而仍奉史太林爲「太陽」，而自視不過是一衞星而已！

三

不幸史太林死後，數年以來，這位赫魯曉夫新老板頗難伺候！赫氏使痛斥史太林，大鞭其屍，反對個人獨裁，主張集體領導，這一下，便不管給毛澤東一個突擊，使他手足失措，因爲毛澤東尚在靠史太林的偶像，以鞏固他個人獨裁的政治地位，何況又在韓戰之後，大陸經濟正陷困境，第一個「五年計劃」又還未完成，奪取分給農民的土地，而化農爲工，也正在艱難進行之中。但毛澤東又不敢對新老板過於違背，只好依違而可的也挂出「集體領導」的招牌來，而爲自身地位計，仍不願把史太林這塊牌子也收檢了起來。

不料赫魯曉夫並不長於領導，過於敷衍狄托，反而惹出波蘭事變，以至匈牙利的革命，革命一起，赫氏又使出鐵血手段來對付附庸國家，加以無情鎮壓，這種一鬆一緊，變化無常，毛澤東這個下屬却追隨得非常辛苦，因之，一面輕描淡寫的批評一下「大國沙文主義」，而一面仍不能不主張附庸國還得服從蘇俄的領導。但是，毛澤東從波、匈事變之後，便已感到這位新老板赫魯曉夫，有醉徒式的精神病態，喜怒無常，領導無方，而不能不自固吾國，堅守着「亞洲老大哥」的地位，而同時打算如赫氏鬧糟了，中共即起而領導共產世界。

本來，如以國際共產黨他們一面所標榜的原則而論，不管「馬恩」也好，「列史」也好，要說共產世界可以與自由世界和平共存，這在世界革命理論上是說不通的；即放下教條主義不談，而談戰爭的趨避，外交的運用，赫魯曉夫也無促使所有衞星國家同着他一時之間，奉爲原則的一唱同樣的調子的必要！而自由世界都認爲赫氏的和平，乃是一種手段，而赫氏本人也一會兒大談和平共存，一會兒又高叫「要埋葬民主國家」，這種發神經，莫明其妙，忽張忽弛，趨勢不一的，又安能算得原則，而一定要毛澤東去奉爲圭臬，以之來領導亞東的共黨活動呢？

赫魯曉夫竟說出在原子僵局之下，戰爭已不可能，換句話說，打倒資本帝國主義的主張，只有放下，而用生產比賽去追上美國，看看兩個制度孰優孰劣，以爲決勝的標準。這個主張話，如果要實行下去的，則蘇俄或者尚可以比賽一下，毛澤東又拿甚麼工業生產來與美國去比賽呢？是不是赫老板要毛屬員就這樣永遠的當附庸做機器零件的使用以終古呢？何況赫魯曉夫扶助毛澤東對大陸的工業化並不熱心，錢既借得很少，機器也運來不多，而蘇俄的顧問專家的本事，亦有限，而薪水却甚大，在一個貧乏的農業大陸，又如何能有此大物力人力來應付毛澤東的大工業大躍進？因是鬧了三四年躍進，毫無成績，已鬧得精疲力竭，又只好回過頭來，大喊出「以農立國」的「農業」口號了！

總之，毛澤東的「一面倒」政策早已將他的運命註定了，依存若要自行照抄狄托的右傾主義以報復赫魯曉夫，他不起，則不啻自打耳光，自已首先在黨內便站不住；守着「不斷革命」路綫，且貫徹向外發展主張，對內還可以壓服黨員，激刺羣衆，然而又爲赫魯曉夫所不容許；一味跟着新老板走，則自已聲光與附庸地位還得往後減退，而與老赫去鬥罷；勢然將陷於孤立，這眞是毛澤東莫大的悲哀！

四九、九、七

小論天下

△剛果兩個代表團在聯合國鬧「變包」，一時糾纏不清。

熱心的西方人士何不趁勢搞「兩個剛果」運動？

△剛果動亂不寧當中，非洲的幾內亞總統抵北平訪問，被中共列爲重大宣傳項目之一。

在香港人的看法是：北平將是「非洲的老襯「集中營」。

△周恩來說：美國如由民主黨執政，將大力搞「兩個中國」，中共對此決不贊同。

這話值得注意，他是說給美國民主黨未來的「影子內閣」聽呢？還是說給赫魯曉夫聽？赫魯曉夫會否拿「兩個中國」的秘密貨單向民主黨若干大亨們「丟眼角」？

△赫魯曉夫抗議美國將要把他放入紐約的「檢疫所」，限制他的行動範圍。

美國人理合這樣回答：鐵幕是你那裏的大，鐵籠是我這裏的小。

△活動的古巴業已變成靜靜的古巴。

美國人正在防範卡斯特羅跟赫魯曉夫到紐約的聯合國大廈來搗鬼。

共產黨在古巴及南美其他地方都已獲得靜靜地進行工作的優裕時間和良好環境。

此亦「西線無戰事」之一例也。

△艾森豪決向聯合國大會致詞，但未決定將否與赫魯曉夫會晤。

「寃家」不一定因「路窄」而必須碰頭。

△英首相麥米倫仍未決定將否赴聯合國大會出席。美國人倒覺得他冷淡得過份一些。

合理的推測是：他大概想再「熟讀兵書」。

△柏林冷戰漸緊，東西德互逞奇謀，各施限制。

柏林西區居民對付共產黨那種橡皮質的腦筋，確值得普遍尊重。

△中共向日本談「生意經」的宣傳工作在進行中。

日本也有不少「在商言商」的傢伙啊。

方南

自由談

隱形的誤國專家

最近美國有個曾任國務院官員，號稱爲「遠東問題專家」的范宣德其人者，在報紙上發表文字，指述當年羅斯福總統在雅爾達會議中，將我國的旅順，大連以及外蒙古等地區讓給蘇俄霸佔之失策，認爲這是構成共黨勢力在遠東迅速發展的基本因素。斯人也，而有斯言也，尤屬咄咄怪事！

提起范宣德這個名字，中國人並不陌生。他在二次大戰期間，跟美國另一個「遠東問題專家」謝偉志，同奉國務院之命，到中國戰區服務，幫助駐華大使高思，駐遠東美軍司令兼中國戰區參謀長史廸威爾，處理中美間的政治問題。後來杜魯門政府強廹我政府擴大基礎，容納共黨參政，說我國政治不民主，官吏貪污低能，軍隊沒有抗戰的意志和能力，而認定毛共集團纔是眞正努力抗日者。這些判斷和決策，完全是根據范宣德、謝偉志這些「專家」所供給的情報。迨魏德邁、赫爾利將軍東來分別接替史廸威爾和高思的職務後，纔把范、謝兩個「專家」遣回國。但他倆仍爲國務長官艾契遜所倚畀，嗣後白宮宣言「一筆勾消」中華民國政府，表示要與毛共親善合作，也是採納范、謝這般「專家」的意見所致。事實昭彰，斑斑可考。詎料時至今日，而范宣德居然指摘羅斯福總統對華政策的錯誤，能說不是稀奇古怪的事兒嗎？

記得范謝與拉鐵摩爾這三個「遠東問題專家」之被擯出國務院，乃是杜爾斯接任國務長官之後的事。如今杜氏既去世了，而在國會中負責調查共諜最嚴密澈底的參議員麥卡錫亦已早逝，美國朝野人士正充滿着跟俄共集團和平共存，以期避免戰禍的心情，范宣德之流的「前進份子」不甘寂寞，又想藉「遠東問題專家」的虛聲，從事變態活動，作賊喊捉賊，故意對死去的政治人物加以攻訐，旨在淆惑視聽，投機再起，可稱爲「隱形的誤國專家」。

廣東有句諺語，說是「見親佢就晦忌」——瞧見他就晦氣——現在中國人對於美國的所謂「遠東問題專家」，只見到他的大名，其觀感亦若是也。

馬五先生

聯合國大會即將開幕

我國能確保代表權嗎？

・未明・

⊙×××⊙ ×本報× ×特訊× ⊙×××⊙

自從神洲大陸被關入鐵幕以後，防衛國家的主權不受侵犯，以及鞏固國家的國際地位，除了運用「軍事力量」之外，尚需運用「外交力量」。尤其是在外交戰場上，每一次國際會議的籌劃、參加；無時無刻不在和支持毛共偽政權的赤色帝國主義的共黨極權集團作殊死戰，戰況激烈異常，就維護國家利益來說，外交戰比武力戰更具有決定性的影響力。

中華民國是聯合國的發起國之一，亦是安全理事會中五個常任理事國之一。對於國際間的和平與安全，曾經作過極大的貢獻。近年來聯合國每屆大會舉行時，印度常提出一個所謂討論中華民國代表權問題，由於我國的堅決奮鬥，以及大多數會員國的支持正義，在聯合國中支助我國的代表權，而我國在聯合國中的地位因之而更加鞏固了。

回顧過去兩年來，聯合國大會關於印度所提出的討論中國代表權問題一案的投票紀錄：在一九五八年的聯大，贊成將此案擱置不予討論的國家，計共四十四票，反對的國家有二十八票，棄權的國家達九票。一九五九年的聯大，贊成將此提案擱置不予討論的國家，一如一九五八年一樣，仍舊是四十四票，但由於非洲的幾內亞（已承認毛共）的加入聯合國，反對票增加一張，共為二十九票，至於棄權的國家仍然是九票。今年的國際局勢大有變更，雖然我國積極爭取新興國家，像非洲的喀麥隆，馬拉加西，馬利聯邦，多哥蘭等國，均先後與我國建交設館，但是非洲的迦納已和毛共建交，古巴亦已承認毛共，微露着今年九月間，各國支持中華民國在聯合國代表權問題的票數，可能會有變動。但中華民國代表權，仍舊必能獲得大多數聯合國會員國支助的。

為了瞭解我國在外交上的所佔態勢，以及奮鬥情形，可以參考左列表格，作一分析。

一、聯合國會員國與我國的關係表（參考英文年鑑，並予以修正）

甲、聯合國會員國與我有外交關係者共四十二國。

計有：1、阿根廷2、澳大利亞3、比利時4、玻利維亞5、巴西6、加拿大7、智利8、哥倫比亞9、哥斯達黎加10、美國11、多明尼加12、厄瓜多13、薩爾瓦多14、法國15、希臘16、瓜地馬拉17、海地18、宏都拉斯19、伊朗20、義大利21、日本22、約但23、寮國24、黎巴嫩25、賴比瑞亞26、利比亞27、盧森堡28、墨西哥29、紐西蘭30、尼加拉瓜31、巴拿馬32、巴拉圭33、秘魯34、菲律賓35、葡萄牙36、沙烏地阿拉伯37、西班牙38泰國39、土耳其40南非聯邦41、烏拉圭42、委內瑞拉。

乙、聯合國會員國與我無外交關係者共三十九國。

A、聯合國會員國已承認匪共政權者共三十三國。

計有：1、阿富汗2、阿爾巴尼亞3、保加利亞4、緬甸5、白俄羅斯6、柬埔寨7、錫蘭8捷克9、丹麥10、芬蘭11、迦納12、幾內亞13、匈牙利14、印度15、印度尼西亞16、伊拉克17、以色列18、摩洛哥19、尼泊爾20、荷蘭21、挪威22、巴基斯坦23、波蘭24、羅馬尼亞25、蘇丹26、瑞典27、烏克蘭28、蘇俄29、阿拉伯聯合共和國30、聯合王國（英國）31、也門32、南斯拉夫33、古巴。

B、聯合國會員國未承認毛共政權者共六國。

計有：1、奧地利2、衣索比亞3、冰島4、愛爾蘭5、馬來亞6、突尼西亞

二、中華民國駐外的外交陣容（參考英文年鑑及台灣指南並予以修正）

1、常駐聯合國代表團主任代表蔣廷黻。2、駐日本大使張厲生。3、駐韓國大使王東原。4、駐菲律賓大使段茂瀾。5、駐泰國大使杭立武。6、駐越南大使袁子健。7、駐伊朗大使[illegible]。8、駐約但大使保君建。9、駐黎巴嫩大使王季徵。10、駐沙烏地阿拉伯大使馬步芳。11、駐土耳其大使邵毓麟。12、駐澳大利亞大使陳之邁。13、駐加拿大大使劉鍇。14、駐法國大使館公使代辦陳雄飛。[illegible]謝壽康。17、駐希臘大使溫源寧。[illegible]大使于焌吉。18、[illegible]西班牙大使黃少谷。19、駐[illegible]譚紹華。21、駐美國大使葉公超。22、駐阿根廷大使[illegible]唐京軒。23、駐巴西大使李迪俊。24、駐智利大使館一等秘書趙金鏞。25、駐古巴大使劉馭萬。（編者按：已撤退）26、駐哥斯達黎加大使張道行。27、駐多明尼加大使厲昭[illegible]。28、駐厄瓜多大使[illegible]。29、駐墨西哥大使何鳳山。30、駐巴拿馬大使馬星野。31、駐巴拉圭大使館參事代辦孫邦[illegible]。32、駐秘魯大使[illegible]。33、駐[illegible]大使[illegible]平。34、駐[illegible]大使湯武。35、駐喀麥隆大使館參事代辦廖仲[illegible]。36、駐多哥蘭大使館參事代辦姚定塵。37、駐馬利聯邦大使館參事代辦陳厚儒。38、駐馬拉加西大使蔣恩鎧。39、駐盧森堡公使汪孝熙（兼）。40、駐葡萄牙公使王化成。41、駐哥倫比亞公使李琴。42、駐薩爾瓦多公使劉增華。43、駐瓜地馬拉公使[illegible]。44、駐海地公使劉馭萬（兼）。45、駐宏都拉斯公使參事代辦凌大會。46、駐尼加拉瓜公使館參事代辦江錫麐。47、駐烏拉圭公使嵩岳。48、駐委內瑞拉公使嚴萬里。49、駐南非聯邦約翰尼斯堡總領事館總領事劉宗翰。50、駐紐西蘭惠靈頓總領事館總領事劉毓棠。51、駐寮國永珍領事館領事廖德珍。

（凡已設大使館或公使館國家中，所設置之總領事館及領事館從略）

綜上言之，從第一表——聯合國會員國與我國的關係表——來分析，其中與我國有外交關係的國家，計共四十二國，與我國無外交關係的國家，計共三十三國。亞洲中南半島上的寮國，現臨內戰邊緣，日後動向，此刻無法預料，在聯合國會員國與我有外交關係國家四十二國中，可能有四十一張把握票。（包括贊成票和中立性的棄權票）同時，與我國無外交關係的國家中，除去已經承認匪共政權的三十三國外，尚有六個國家未承認匪共政權，這些國家可能會棄權。而且，即使在承認毛共的國家中，一旦情勢變遷，英國亦會支援美國，雖然不一定能支助我代表權，可能投下一張棄權票。由此看來，我代表權，仍將獲得大多數國家的支助。

再從第二表——中華民國的駐外的外交陣容——來分析，其中極大部份，是知名的職業外交家，以往折衝樽俎，頗有貢獻。對於國際間的慣例，瞭如指掌，尤其是一年一度聯大中所提出的中國代表權問題，已有先例可供參考，對於洽請駐在國支助我國代表權，自必得心應手，可收事半功倍的效果，即使由於情勢變遷，某些駐在國因政局或某種特別事故，以致不得不改變初衷時，預計這種情形不會太多，因此，對於我國在聯合國中的代表權，似乎不必多所憂慮。

本年聯大預定九月廿一日在紐約成功湖開幕，屆時可以證實本文的分析是極客觀而且正確的。

現階段日本對華政策探討（六）

羅堅白

東京通訊

使情絲再續的五票　此次池田自己競選總裁，雖然是以佐藤派為基本聯軍，以岸派為豫定繼續加盟之友軍，然與石橋松村三木等左派，迄猶互保默契，藕斷絲連。當投票前夕，站在反對陣營之松村，雖已聲明退出競選，以加厚池田競選對手石井之實力；但第一次投票松村居然得有五票。此五票於決選時俱改投池田；其數一見頗似微不足齒，然暗示反池田陣營團結有問題，警告中間遊動分子投決選票時知所決擇，藉以鞏固池田優勢，即阻礙石井挽回劣勢，意義非常重大。原與池田同屬反岸主流之左派與池田間的情絲再續，可謂即從此始。

石橋松村各助池田渡過一難關　如此再續情絲以後池田與反岸主流左派間關係之發展，由起用石田為新閣勞動大臣得到第一實證。石田原為石橋腹心；後雖轉蒙灰色，自稱中間無派，此次亦以此種資格入閣；然與石橋等私交，迄仍保持圓融。池田內閣關頭所遭逢的三池煤礦工潮行將演成數萬人流血慘案之大難關，竟因石田鹽痒奔走，得勞資雙方同意聽候中央勞動委員會（官民合組調處勞資糾紛機構）調處，而安然渡過。縱謂此為間接受惠於石橋之呵護，恐亦並非突兀。其次，劉寧一等欲延長滯日期限而不能通過法務省，在池田又是一個不小難關；却又得有松村代為請客，疏通劉等本人，使左翼激烈分子雖欲借題發揮却抓不着題目，亦告無事如上述。

五　有誰能影響中共的和平革命攻勢

中共的優容不過畧示喘息機會　由劉寧一公開表示要看池田今後對三原則的態度如何，似乎中共已決定對他姑予優容以觀後效。然此實姑以敷衍松村及其他對池田抱有好感之日本左派。至中共對日根本方針，乃基於自己所需要而樹立。即甘為中共忠實走狗如社會黨委員長淺沼之流，亦不能憑藉忠實走狗行動影響其推進。何況保守政治家如池田輩，焉能僅憑驕縱向使其為之觀望停頓瞬時！則優容充其量不過畧示喘息機會，以鬆懈日方敵性緊張。彼對日三原則云者，稍一詮索，即知正如古人所謂呼之入却先閉其門，乃對付日方復交攻勢所佈下之三道防線；無意識中自己暴露正在此防線背後埋頭作戰。故中共對於日本，在現階段中倘有所謂政策，莫非戰畧之別名，只如劇藥加上平藥之包裝。（未完）

大陸文壇萬花筒

新疆文藝界（下）

——岳寄——

賽福鼎報告中，提到「冒充詩人」的一件事，大概是指的依不拉音吐可地，一九五八年第二期天山月刊（在廸化出版）已經罵他「同樣是一個極端反動的老牌資產階級民族主義份子——右派份子，他以老詩人自居，也向文藝界插進一條腿來。」

說起依不拉音吐爾地，到眞是一個妙人，這位「詩人」在中共未佔領新疆之前，原是一個走江湖賣唱的，抱着一個琵琶，順口編一些時事小調，專門出進於名公巨卿之門，新疆省當時大員無人不認識他，抬高一點比喻，到頗像桃花扇中的柳敬亭。

新疆淪陷後，中共文化部發現了是他，聽他編的小調琅琅上口，比「毛主席」的詩調還容易懂些，和那位專門唱「觀音老母坐蓮台，一朵紅雲降下來」的大詩人趙樹理也在伯仲之間，於是一窩蜂似的把依不拉音吐爾地捧成詩人，當時新疆的報紙，雜誌，經載登載此「翁」的消息，認為這種偉大詩人，在國民黨統治下埋沒了幾十年，只有到了共產黨統治的「新社會」裡，才能發掘出來。

依不拉音吐爾地被捧成詩人後，就成了中共的工具，到處替共產黨的民族政策宣傳，他自己就是一個現成例子，足見共產黨對少數民族確實優待。這種宣傳在最初也會經起了一些作用。中共為了酬謝他的功勞，一方面也為了進行統戰，竟然用他當了民政廳長，其實他根本就認識不了幾個字（指維吾爾文——漢文更不必說），像這種人也當了民政廳長，又是詩人，足可成為毛朝新儒林外史及新官塲現形中最好材料。

一九五二年以後，新疆高級人士開始反共，雖然這批人都成了共產黨員，還都是黨組書記之類的黨官，但是却站在民族主義立場上反對中共的統治。又因為這批人背後有蘇俄撐腰，毛澤東對他們也無可奈何，直到一九五七年十月毛澤東，朝俄歸來後，才大動干戈，一舉整肅了所有土著高級幹部，依不拉音吐爾地也在其中，從此詩人就變成了罪人，至今下落不明。

寶島拾遺

何志聰

△大專聯合招生甲乙丙各組錄取名單，經已全部發榜完畢，本年度計共錄取九千四百名，錄取比率尚不及報名人數的三分之一，名落孫山的超逾兩萬，若再加上高中初中的落取生，其不幸者，何可勝數。這個龐大的數字，個個遭到失學之苦，既沒書可讀，就應謀職，否則即成為社會的寄生蟲，但今天在台灣，一個青年學生，能夠找到一份食而可飽的職業，談何容易。這倒是一個相當嚴重的社會問題。

△法官判罪法官，在台灣已是司空見慣的事了，近幾年來，這類案子，幾乎就成為社會新聞的頭號標題，當孟案高案還在審理之中，現在又爆出了一個嘉義「一心亭」賄賂案來，一賄就是新台幣四萬元，這件案子，涉嫌瀆職的嘉義地院庭長何芳麗，只能算是今日台灣黑社會的一條臭蟲。但令人不解的是，嘉義地院竟覺得家醜不可外揚，煞有介事的向新聞界發表聲明，說經調查結果，並未發現何芳麗有受賄的證據。究竟高等法院已察到事態的嚴重，飭令查報，這總算對輿論界有一個交待。

偷兒的話

文德

雖然這樁事情如常事一般的發生了，而且，隨時將被時間所沖淡，了無痕跡。我可以自始至終講得很清楚，但當我想找一個題目時，卻不自禁地失笑，「偷兒」，我到底用了這兩個字來代表我——阿梅，如別人這樣喊我。

我，如今，坐在自己家貧窮而破敝的灶前，用染滿煤色的五指，塗繪最近，近得只是三小時前的故事。此刻，我還聽到祖母喃喃地說：「妳不該用這種方法的，梅兒！」

回憶三十個日子以前，某日，（恍若昨日，又恍若一年）表妹介紹我到吳府當女傭，我曉得，我應尊照一切親人和主人們的希望，老實地當奴才，當狗，不響只做。這樣，阿梅的名聲不用死了，都能響遍大安區，說是個絕無僅有的好女工。啊，我當然也知道正路和邪道，不過是一把父母的兩頭，我呢，偏偏不肯走那偽善之途。

這是一條新鋪了柏油的巷子，進門後，修剪整齊的花木和草坪裝點成前院；野草淹沒後院的垃圾成堆，一勾劃出輪廓。幢幢日式的房子裏，堆滿幾百年來理不清的雜物，塵埃。這，就是我的東家。

太太，瘦骨嶙峋，蒼白，精明，一看就知道，辣得很！老爺只哼了一聲，表明他的身份高如玉山，不可攀。少爺小姐們分別去看電影跳舞了。這是個頗為西化的家庭。談話間，常有洋文雜入。客廳裏裝飾着只供擺設的洋酒和書畫。平日的飯菜是道地的中國味，宴客時却又是十足的西餐。

某夜宴客，僅牛肉一味就有炒、煮、炸、烤等各種吃法。其他新異的花樣更是不計其數。我對洋玩藝一竅不通，只能跟在主婦左右聽差，東取西搬。好了，好了，賓主們嬉笑圍桌而坐，我獨個兒在廚房裏呆坐。門縫裏吹進來十二月的寒風，涼得透骨，把我烘得發紅的臉，都給吹白了。

多久，多久，酒筵散了。我又奉上水果，手巾，牙簽。聽主婦的吩咐將烤鴨，色拉，咖哩雞……都放入碗櫥留存。收拾了狼藉的杯盤，只有一個油光光的桌面剩給我下飯。我悄悄地在泡菜罎裏夾出一隻紅辣椒，三片捲心菜。

慢慢地，我觀察到外人所不察的人性弱點，原因是主人們一心只把傭僕當做傢俱或活動機器，忽略了他們的腦子也是肉做的。他們主人們偽裝的闊綽，自私的貪婪，虛榮的眩耀，都逃不過在我的眼底。因而，竟他們的耀武揚威，就像一隻胆怯的獅子般不足以畏懼，更談不上敬重了。

其他的女傭都羨慕我的幸運，說我的東家在這條巷子裏雖稱不上首富，也算是個上等人家，至少每天的菜錢就相當可觀，加以經常有牌局，筵席，舞會，這些都是下人們「外快」的源頭。我心裏不懂得自己是什麼想法，我老覺得，一個人罩在面具裏過日子，總不大自在吧。

我在暗中盤算，滿月後不幹了。假若我提出辭呈，太太準誤解我的原意，認定我是要加工資的另一說法，侮辱太大，不行。那末等她辭退我吧，又不成，糟糕的是，她竟到處遊說，我——阿梅，是她所雇的女傭，最勤快忠厚的一個。不幸吧！思前想後，唯有「偷」這項武器。他們東西雖零亂，却捨不得別人沾一分光的。我看準這點，就打算見機行事。果然天從人願！

一天，少爺的皮夾突然不見了，他們一時找不着，懷疑集中我一身。趁他們正疑神猜鬼之際，我及時提出次日返家省親一天的建議。恰如我所料，他們立即驚視半晌，倍增疑竇，終於礙於身份面子，故作大量地答應了。當夜，也即是回家的前夕，我將小姐的一對經常戴用的耳環納入外衣口袋，準備讓她在捺不住好奇心下，搜之，獲之，人贓俱在，請我開路。

半夜，我如捕鼠之貓，凝神，守候，覺毫無動靜，自忖計劃失敗事小，錯估他人德行事大。[illegible]一隻纖手在探索，顫慄，好像她自己是偷兒，而不是搜索者，將我的外衣輕輕探去，到別室去找尋。不久，將我的寶藏取出，踐足而入。[illegible]其他的人低語商量。我這纔寬心入眠。

第二天清早，我故意大聲喊道：「事情做完了，我走啦。」我緩緩地步向大門，以待追兵。果然，不久，老爺自床上爬起，太太，少爺，小姐一夥一個個蓬首垢面，擋住我的去路，要檢查。少爺說：「檢查口袋。」小姐已探手入我的口袋，取出耳環。不用說，他們胸有成竹，氣焰高到太陽上去了。我佯裝沮喪，悔恨，莫可奈何地垂首恭聆，教訓。諸如行為不檢，名譽受損，原有：認罪、覺悟：一連串教人啼笑皆非的名詞，滾滾而來。並且，他們一口咬定我也偷了皮夾子。此一侮蔑非同小可，我立即憤然抗議。你們既要送我上派出所，我也有膽去，決不含冤荷生。

太太見我態度強硬，便息事寧人：「真是知人知面不知心，平時那裏看得出來。算了吧，阿梅，我也不能用妳了。今天，妳連衣物一齊拿回去吧！」老天爺，求之不得啊！

其他的人都恨不曾生得千嘴萬舌，好來訴說我的罪狀。老爺更是厲色嚴訓斥我一頓。我腦頂已金星四冒，心裏嘀咕着：痛了吧，省省你的老神！

我捲着包袱進了自家的茅舍，祖母低頭拾眼瞅住我。「婆，別驚，我滾出來了。」

我將剛才的事述一遍，甚至主人們講的自我緊張，偏偏如梁山伯英雄的氣概都點滴不漏地嘀嘀道出，祖母微笑而責備道：「妳不該用這種方法的，梅兒！」一直到現在，她還陸續地說着。

文字之禍

茵露

我國古詩中「托物寄情」之作，不勝枚舉。唐詩人駱賓王「在獄詠蟬」詩「露重飛難進，風多響易沉」之句，即係暗射讒人之言。宋蘇軾「花影」云：「重重疊疊上瑤台，幾度呼僮掃不開；剛被太陽收拾去，却教明月送將來」。以朝庭信任奸邪，重重陰影。唐王昌齡「長信怨」中「奉帚平明金殿開，暫將團扇共徘徊；玉顏不及寒鴉色，猶帶昭陽日影來。」寫班婕妤失寵於漢成帝，謫居長信宮奉侍太后，謂失寵之後玉顏不及寒鴉，尚有昭陽日影，悱惻淒惶。又唐人張籍「節婦吟」，「君知妾有夫，贈妾雙明珠。感君纏綿意，繫在紅羅襦。妾家高樓連苑起，良人執戟明光裏；知君用心如日月，事夫誓擬同生死；還君明珠雙淚垂，何不相逢未嫁時！」原張有友好為其介說一職，但張已服新職於明光（安徽境）故有「何不相逢未嫁時」之句婉拒。

古詩人往往因「托物寄情」，招致殺身之禍。傳聞安徽桐城文學大師戴南山，曾有咏「紫牡丹」句：「奪朱非正色，異種也稱王」。按清入主中原，戴憂時憤世，痛恨清人，（朱即為紅色，牡丹花之本色，又明代為朱姓）故有奪朱非正色之句諷之，因而遭殺身之禍。又其生前一日閱覽書籍，清風偶至，書頁為之翻動，戴即咏以「清風不認字，何必亂翻書」一句，亦諷清人。隋時薛道衡有「空樑落燕泥」（上句為「暗牖懸蛛網」）句，隋煬帝妒其才，招致身死，並在臨刑前謂：「尚能吟詠『空樑落燕泥』否？」

又聞唐詩人宋之問有外甥王胄，年十七，即工詩，以「年年歲歲花相似，歲歲年年人不同」出示於舅，宋之問大為激賞，並欲以為己作，就商於王，王不允，入夜其舅氏用沙袋覆壓窒息致死，以滅其口，此皆非遭天妒而遭人妒，文字之禍也，嗚呼！

藝術千秋

衡修

電懋新片「星星月亮太陽」開鏡之後，圈中有人嚷着：這個戲儘管順利完成，將來那張「卡司脫」排名問題，必然會構成幾個紅星嚴重爭端。結果却使這些懷有「好奇心」人士大感失望。現在排名完成，張揚掛了「頭牌」。這種「爭端」之說，是根據他們推想：女主角尤敏飾星星，應當領先；其次是葛蘭飾月亮，再次為葉楓飾太陽，該列第三；男主角張揚應屬第四位。

因為，上述三位女主角，都是國片中第一流紅星，「卡司脫」慣居第一。却並沒有理解：電懋公司所以能夠在風雨中屹然而立，完全歸功於它旗下衆星合作。推誠相處，親如手足，從沒有彼此傾軋情況，如過去「四千金」，「蘭閨風雲」等的「卡司脫」，都能很快排出。從這上面看，她們一向都很謙虛，推讓，排名在藝術至上觀念下，顯然算不得什麼了。

因此，電懋當局對排名問題，從來並不重視。幾位紅牌女星，在排名之前，先行表示決不計較，這次「星」片也不例外，尤敏、葛蘭、葉楓三人，私下早已定議，一到開會，她們主張以出場先後為序。於是，張揚掛上「頭牌」。在電懋當局看來確是一次創史性的成功——在全世界影片史上，張揚得風氣之先。以此反映出電懋的演員陣容，堅強得可比鋼鐵，任何詆毀，離間，折不開，打不散的。當然是好現象。本來麼，「人生朝露，藝術千秋。」這是白楊在大陸上屢遭「清算」之後，依然抱持着的不變概念。由此可以斷言：每一位重視藝術的演員，絕不會計較報酬和排名問題。

銀壇隨筆

儒林九尾龜

吳敬鋅

第三回：柳暗花明又一村

盧教授說完一拙的事，大家嘆息一番。盧教授又匆匆走了。不多時間郵差送進一包雜誌，小石打開一看，其中最暢銷的一本綜合性雜誌，把他的一篇論文刊出來了。小石登時高興得跳起來，指給大家看，果然不錯，上面還署明是鶯濤社的研究員。小石笑嘻嘻地說：「先生這回真是轉性了，這種東西若不是先生的面子那裏刊得出來，早被編輯先生丟到字紙簍去了。」

烏應桂笑道：「其實也是雙方面都有好處，外面看見你的大作下面署明作者是鶯濤社的研究員，人家一定會說『婢猶如此，何況夫人。』盧某人的工力可想而知了。」

大家正在說着話，李鴻飛又打開一本雜誌，原來是烏應桂的文章也發表出來了。當時笑着向烏應桂說道：「恭喜，恭喜，老學長，你這次是名垂竹帛了。」

烏應桂接過來一看，也喜不自勝。

黃安民說道：「大概這是先生有計劃安排，短期我們的文章都可以在本港報刊上出現的，大家不必只顧歡喜，還是用點功多寫幾篇吧！」

黃安民的話果然不錯，半個月中間六個人的文章陸續都發表了。稿費也都領了，這半個月鶯濤社充滿了生氣，大家都覺得有點富餘，李鴻飛也添了幾件衣服，可是到了月底發薪時，每人都只發了一半，盧教授把烏應桂喊進房內囑付幾句，要他向大家轉達，本月因為拿到稿費，所以只發半薪，其餘一半留下彌補社內虧空。大家聽了這段話，面面相覷，作聲不得，半晌還是小石問道：「我們下月假若沒有稿費怎麼辦呢？或者寫出來人家不肯刊登又怎麼辦呢？」

烏應桂搖搖頭：「那倒不會的，我剛才也問了先生，他說每人每月一篇稿子，他可以負責任推出，不必耽心。」

李鴻飛冷笑道：「假若我們要發表了兩篇稿子，豈不是就可以不支薪了。要是能發表三篇稿子，恐怕還要補還社內半月薪水哩！」

李鴻飛還想向下說，黃安民再三拉他衣襟，李鴻飛只好住口。

停一時盧教授出去了，黃安民嘆了口氣：「先生要這麼多錢作什麼用呢？」

小石恨恨說道：「還不是被那個該死的紅娘害了，還不是他勸先生共同走私，貨物失手被充公，損失一筆錢，看情形安全部從我們身上彌補了。」

林逢時縐着眉頭說道：「一走私損失了多少？」

小石說道：「據報紙轉載海關紀錄值港幣五萬元呢！」（廿三）

青年之聲

感想

九龍新界屏山明生學校　若瑟

閒得無聊，今天總算把桌上堆得亂七八糟的書報，刊物等東西，整頓了一番；不致令有有望之生厭的惡感。

埋頭執拾的時候，從書縫中發現了一封失去了信封的信箋；驟視，字體端莊有勁，使我發生了興趣；捧細讀之下，原來是一位同學的來信，署名王君者；王君他在我們同儕中，素以善文見長，且富正義感，有路見不平拔刀相助的無畏精神；良堪敬佩。

信中的大意，一言以蔽之；悲為學之不能一飽是也。他抱着滿腔熱望，神氣十足的步出了校門，踏上了險阻的社會的道路；自信可一展抱負，奠事業之基。可惜，事與人違；學非所用，為了生活而低頭，幹了與心相違的差事，過着粉筆生涯；為人師表，至為清高；作育英才，總是美事；本無所疚。惟可憾者，入息解決不了最低的生活費，幾陷困境，其情可憫。

份屬同窗之誼，見其處境之苦，理應伸出援手，以表同情；可恨心有餘而力不逮。際此人浮於事的社會裏；假如不善趨炎附勢的現實手法，恐亦難逃潦倒的厄運。古之聖賢文壇諸子，皆以名利輕，經籍為貴；榮辱止乎其身者。我們同屬失意者，何不以此而自慰呢？

小啟

木客先生有事，「香港地」暫停一期。

釋未集

憲政之治

不久以前，正組織反對黨甚囂塵上之際，余曾著論曰：「反對黨不足爲」，其意蓋以爲此西方政黨政治之形式，未必能適應目前我國所處之形勢，且歷史上但聞有黨錮黨爭之禍，故對于政黨政治，實不能無疑，近者雷震被捕，又適爲籌組反對黨之首腦人物。余前此所論，一若預見其禍變者然，惟本刊既不若「自由中國」之見重于高層之讀者，自亦不能發生任何作用或影響，其所以未遽中輟，亦陶元亮所云：「常著文章自娛，頗示己志。」而已。

近日偶閱本港某晚報，有人爲文評論「雷案」，以雷爲因文字賈禍，且以爲台灣今日之捕雷震，與民初袁世凱拘禁章太炎先生之情形相同。無論太炎先生民國元勳，在文化學術上有守先待後之胸襟，而雷儆爲因緣時會之政客，不得同年而語，即項城處境，亦與今日安危之形勢相懸絕，雖然，仍不得以此爲藉口，用軍法拘捕平民，以自暴其威刑也。夫明末之東林，復社，强半均賢人君子，世人之所共知者也。而攻之者猶曰：「派則婁東、吳下，營間；學則天如、維斗、臥子。」上握國柄，下亂民情，行[illegible]八俊三君，迹近八間五鬼，外乎黨者，爲杜不足言事業；異吾盟者，屈宋不足言文章。」及南都建號，阮大鋮語馬士英曰：「孔門弟子三千，而維斗聚徒至萬，不反何待？」至欲陳兵于江，以爲防禦，心知無是事，不過欲盡殺復社之主盟者耳。此孔尙任桃花扇傳奇之所謂：「社黨重鉤無縫藏」者也。

余又得守工商日報，獲見蔣總統對雷案聲明之覆訊，但曰政府捕雷，自有法理根據，而捕之所以[illegible]，實在乎若干文字中，對共黨有所……就目前形勢言之，雷案頗不易爲中國以外之國家所了解，而事情終將大白云云，並又不見「匪諜嫌疑」字樣，而且昔「朝廷不受語言文字罪人。」然則雷案又何以必付諸軍法審判乎？雷震所爲文字，具載其所主持之刊物，有目錄以爲罪案者，天下人共見之，不容爲諱，若雷震果爲共諜，甘心「幫助」共黨，則凡反共之中國人，必同視之如寇仇，肆諸市朝而無所吝，若其不然，則「君子疾夫舍曰欲之，而必爲之詞。」周內羅織，何所不至邪？嗟乎！台灣固蕞爾一島也。我中央政府實逼處此，其猶得爲中國人寄望之象徵者，徒以有憲政之治耳。當局若不顧憲法所規定人民之權利，行事有所偏頗，適足以損信譽，寧忍爲之耶？　曲齋

粟海彈心錄

中學教育與家庭教育（二）

阿公

如巳往毆殺戀殺等事件，何獨屑見迭出於中學，而上不在大專，下不在國小。此中構成因素，說者約有如下數端。

一、教育行政體系與職權，未能純化，因此頗受其它機構權力之牽綴與干擾。

二、省縣立中學校長，因此各有其背境與其依倚之個人或團體之勢力。

三、校長無權選擇教師，更無權解除品行不良之教師，因此無權或無能考察教師，約束學生。

四、中學生走讀制，已成定型，而各校分區設立，班次多寡，省立多於縣立，並非按照區地學生人數，而予以增減。學生强半東西南北奔馳，距離較遠者，又多在數十或百里以外。且須按照火車汽車行車時間，每破曉匆匆携帶便當離家，暮夜歸來，多有不及與家人共食者，因此課餘疲乏幼稚之身心，既不在校，（在校亦無主管者）又不在家。凡可與爲善爲惡之子弟，安得不受不良環境，引誘蠱惑，而墮入深坑。即有賢父兄師長，又烏從而知之。積久習成，責善則離，而爲之父母者，亦惟有仰天嘆息而已。（憶昔武昌文華、天津南開，門房有權管理學生出入，除星期六午後四點外，學生平時非持有校監手條，不得擅自出校門一步，管理之嚴可知。今台灣郵政局長許季珂，文華學生，其爲人之規矩純正，猶是當年該校之風範。）

五、按之佛家十二因緣所證，「無明而緣行。（此屬過去世）因行而緣識，識緣名色。名色緣六入，六入緣觸，觸緣受。」（此屬投胎至十二三歲時）以至生緣老死」（此屬來世）皆可不論。惟「因受而緣愛。愛緣取。取緣有」。此正人生十七六歲至二十歲後，廣遍追求，曾無厭足（有善有惡）貪欲旺盛，四方馳求（惡多善少）之時，亦即決之東方則東流，決之西方則西流之時。故曰，蒙以養正，聖功也，正則修身齊家，平治天下。不正則亡身破家，危害人羣。此予針對中學教育立言之旨也。（無明因緣，非醫學家生理學家所能道其十一也）

午睡趣談

道南

亞熱帶的地方，無論在任何季節，午睡已成爲一般生活習慣，幾已成爲日常所必需。南洋某地，爲了午睡的關係，在此期間，商店爲之停業，其重要可知。

明人五雜俎云：「人有嗜睡者，如杜牧、韓昌黎、夏侯隱、陳摶、王荊公、李巖老等皆有此癖」。明時的王陽明也是嗜午睡的。我們且看他自作的「山中懶睡詩」四首：

其一

竹裏籐床識懶人，脫巾山麓任吾眞；病夫已久逃方外，不受人間禮數嗔。

其二

掃石焚香任意眠，醒來時有客談玄；松風不用蒲葵扇，坐對靑崖百丈泉。

其三

古洞幽深絕世人，石牀風細不生塵；日長一覺羲皇睡，又見峯頭上月輪。

其四

人間白日醒猶睡，老子山中睡却醒；醒睡兩非還兩是，溪雲漠漠水冷冷。

由於陽明先生好睡，又沒有人管他，因此他自認「不受人間禮數嗔」，於是就「掃石焚香任意眠」起來。再加上沒有人叫醒他，更沒有人在他附近吹起牀號，怪不得他從中午一睡就睡到「又見峯頭上月輪」了。爬起來吃了晚飯，當時夜裏既無電燈，又無夜總會，電影院，他頂多燃一支蠟燭看看書，還不納頭又睡？而他却偏說，老子山中睡卻醒」，這眞是自圓其說了。

又明時張東海的睡丞記，言一華亭丞，謁鄉紳，見其人未出，座上鼾睡，頃之，主人至，見客熟睡，不忍驚之，對坐亦睡。俄而丞醒，見主人熟睡，則又睡，主人醒，見客尙睡，則又睡，及丞再醒，暮矣，主人竟未覺，丞潛出，主人醒不見客，亦入戶，世有此可笑之事。陸放翁詩云：「相對蒲團睡味長，主人與客兩相忘；須臾客去主人覺，一半西窗無夕陽。」此詩殆爲此題詠耶？

有清一代的達官顯宦中，張之洞也是嗜午睡的，每於剃頭要午睡的時往往不及一半，即呼呼睡去，呼喚不醒，偶醒亦必大怒，痛責左右，於是一般理髮師咸以爲苦。後來他的夫人，自鄉中覓一理髮者來，與張總角時相識，於其剃頭時，對張絮談家鄉事，娓娓不倦，使張不易入睡，即睡亦可喚之醒，甍張對之頗爲優渥。

到了民國以後，陝西的督軍胡景翼爲了身體的不正常——太肥胖的關係，每逢開會宴客，不待終席，即已呼呼入睡。據說有一次在莊嚴的宴會上，宴請外賓，他照常睡着了，因此鬧了不少的笑話。

廣東的聞人謝英伯，爲了體胖的關係，也是好睡，遠近皆知。嘗任某校敎員，一日於上課時呼呼入睡，學生悄然散，反扃室門，謝醒後，多方設法才得出。謝鼾聲奇響，曾住澳門某西人旅館，鼾聲大作，旅客終夜如聞雷鳴，不能安睡，第二天羣與司理交涉，司理無法，只好婉請謝遷居。

又一次謝由廣州西堤乘人力車，應該在堤中段下車，忘記告知車夫，車行後，即睡着，車夫直至東堤盡頭停車，叫醒他，問他到了沒有？謝朦朧答着：「走過了，拉回去！」不久又入睡鄉，回到西堤的時候，車夫又把他喚醒，謝又說：「走過了！」這樣往返了兩三次，車夫不停的跑，才算達到了目的地。

基上所述，除了因身體關係特別好睡，應予別論外，好睡究不足爲訓的，誠如王陽明所說「竹裏籐床識懶人」，好睡亦即是懶惰的象徵。曾記有一首流行的打油詩云：「春天不是讀書天，夏日炎炎正好眠，等到秋來冬又至，不如收拾待明年。」此可說是懶詩，其妙處是不成理由說成理由。祗是在亞熱帶地方，整年有如夏季，可說整年是「夏日炎炎正好眠」，這也許就是亞熱帶土人懶惰的原因。儘管古人中好睡的，不乏若干文人學士，午睡自有其風趣，但是絕對不可以尤而效之，自甘墮落。

海隅消暑錄

海嶠雲談薈

一段政治恩怨史

諸葛文侯

孫中山先生晚年開府廣州時，深知宋子文氏對財政金融事宜，曾於求學時期有所鑽研，不妨加以任用，但僅限於事務工作，而不令其担當政務職責，俾資歷練，以示因材器使之用人方針，亦寓有避免內戚擅權之意。初派宋氏籌設中央銀行，還受廣東財政廳長廖仲愷指揮監督，迨宋兼任粵省財政廳長時，又特任廖仲愷爲大本營財政部長，依然管轄宋氏之職位如故。孫公與廖氏先後逝世後，國民政府成立，革命軍實行北伐，宋氏因緣時會，得任財政部長，並且成爲「武漢政府」時代之顯赫人物。

於時也，革命軍已佔領滬寧一帶，武漢政府對革命軍總司令蔣先生多所忌嫉，曾嚴令上海金融界，非有宋部長的命令，不得以任何項目或名義，爲革命軍作財物之輸將，宋抵滬，亦發表同樣聲明，頗爲一般反共非共之革命黨人所不滿。既而蔣總司令通電辭職去國，寧漢對峙局面醞釀合流，居中策劃最力者，寧方如古應芬，漢方如伍朝樞，雙方對於大團結後之國府財政部長皆主張另易新人，旋由伍朝樞建議，調武漢政府交通部長孫科爲財政部長，而以接近寧方之王伯羣充任交通部長。蓋以孫科接管財部，宋子文自不便有所留難，王伯羣與當時代替蔣總司令統領革命軍之何應欽將軍係內親，如此安排，殊爲得計。宋氏明知此中經緯，對伍氏固不無怨甚之心，然爲顧全大局，而其所處環境亦甚孤立，唯有忍隱耳。

未幾，蔣總司令歸國復職，實行二期北伐，統一全國後，中央政府亦隨之改組，宋氏捲土重來，再攝財長之位，旋奉命代理行政院長，乃命伍朝樞出使美國，勿令預聞中樞政務，且使古應芬在政治上減少一得力助手。伍在駐美大使任內，從未獲許歸國述職一次，即其太夫人下世時請求回國奔喪，亦以外交事務繁重爲理由，令其移孝作忠，奪情任職，毋庸循俗守制。伍氏因此大爲憤懣，後來西南各省爲胡漢民幽居湯山事件而宣告獨立自主，另組黨政中樞以與南京對抗，古應芬係主幹人物，斯時伍朝樞在美國即拒簽南京中央政府向美方購買三十萬噸炸藥之證件，聲稱擁護西南政府，而西南獨立通電，亦以指摘宋子文在財政上之失職瀆職情形爲主要口實。如斯政治上之軒然大波，追本窮源，殆種因於私人恩怨之見，循環報復，貽害蒼生，此豈孫公始料所及哉？

年歲與慾望

·謝康·

這時雄心勃勃，志向遠大，由家庭之愛推廣到家族和社會國家，總想做一番事業。可是，時機的不就，環境的艱難，才力的不濟，命運的不齊，辛苦奮鬥了二三十年，一個人已經頭髮斑白，不覺垂垂老矣。

俗語說：「人怕老來窮。」孔子有云：「及其老也，戒之在得。」實際上許多老人，都患了吝嗇的毛病，不管他有錢還是貧窮，都一樣地「孤寒」而不肯施與，和莫里哀戲劇所描寫的慳吝人（L. Avare 或譯守財奴）那樣繼續積財，重利放債，不肯施與，他雖愛女色，却更愛錢，對意中人不肯花一個錢，應該給兒女用的錢都不用。鬧出很多笑話。有時新聞紙登載一個老乞丐因凍餒死於路上，警察去搜查他底住處，往往有錢藏在床底，爲數很有可觀的呢！這種人爲着慳錢寧願送掉老命，眞是可笑亦復可憐。和莫里哀的慳吝人，可說是無獨有偶了。這種情形，只有年老的人，才可以遇到。也可以說是老年人的一種「防老作用」吧。（二）

徵稿小啟

有內容有意義之隨筆、散文、掌故、小說、雜感、詩歌等類文字，本刊均所歡迎。請用有格稿紙繕寫，如需退還，請附信封及郵票。

二千六百字之散文隨筆比較容易刊出，過長則以篇幅所限，刊出的機會較少。請特別留意爲感。

自由報
THE FREE NEWS
第六十三期
每份港幣壹角
社長：雷嘯岑
督印人：黃行實
20 CAUSEWAY RD 3RD FL
HONG KONG
TEL. 771726　電報掛號：7191
台灣分社

國際鬧劇又告開幕

——對十五屆聯大會議的觀感——

雷嘯岑

一年一度的國際鬧劇——聯合國會議——近日在紐約正式揭幕了。這場鬧劇究竟會演出一些甚末精采的節目，對於世界的和平安寧前途將有何種裨助？我們不妨談談。

可以預見的節目

不用說，首先就是把所謂中國代表權問題作為開鑼戲，由俄共集團扮演大花臉，主張讓中共政權加入聯合國，而由印度、印尼、緬甸這些號稱為「中立國家」的代表們，以小丑姿態，隨聲附和，嘵嘵嘩咋。結果依然是經過英美代表的現身說法，決議「暫行擱置一年」，且待將來的局勢發展如何再談而已。

俄共集團想乘機排除中華民國的席位，為的是要摧毀亞洲這座反共最堅強的堡壘，使中共橫行於東方，為所欲為，構成列寧所預定的由印度洋直達大西洋兩岸的世界革命捷徑，固屬無怪其然。這在他們的政治理想上，不特毫無矛盾，而且是一項極其重要的步驟，一點也不含糊的。可是，號稱為自由世界反共運動領導人的美英等國，竟藉中華民國在聯合國的代表權問題，作為撫綏中共暴力政權的香餌，企圖跟中共妥協勾搭，試問這是甚末政治理想？美英人士動則以現實主義為解嘲的理論根據，然則二次大戰時期的法國「維琪政府」，亦是現實存在的，何以美英當時又不予以承認呢？且所謂「承認現實」云云，其標準如何，作用安在，若據吾人理解所及，最上是讓美英能在中國大陸從事貿易漁利，獲得本國經濟生活的繁榮；其次是望俄共集團適可而止，勿再向美英勢力範圍內的自由地區擴張；再次就是祇求西歐和美洲這兩塊土地不受到共產主義的侵害。果若是，美英人士隨時強調的「人類自由與奴役之爭」的宣傳詞令，豈非漫天撒謊的一堆廢話嗎？

敵人以政治理想為主力，對自由世界節節進攻，而領導自由世界反共的美英政府，卻以自身的商業利益和安全感為應戰的武器，這有如我國孟子所謂「製梃以撻秦楚之堅甲利兵」，寧有倖理？因此，我們對於聯大會議每次決議將中國代表權問題擱置一年的說法，認為是自由世界的一大醜態。如果反共運動是一場思想鬥爭，必須以政治理想為主力的話，英美就得領導大多數的自由國家，正正堂堂，乾乾脆脆地拒絕在聯大會議討論中國代表權問題，纔是應有之義。英美人士把聯合國席位視若拱璧，以為藉此即能誘致中共為着取得會員國的席位而與西方國家友好共存，實則俄共集團素來就是以聯合國為宣傳場所，並不稀罕會員國的席位。一九五一年聯大會議時，美英自作多情，特別邀請中共派代表出席大會，暗示在某種妥協條件之下，即可允許中共正式加入。然中共代表伍修權除卻在會議席上大罵「美英帝國主義」以外，絕無貪取聯合國席位的意思，即係最現實的反證。俄共集團每次必提出中國代表權問題來吵鬧，原是他們一貫的宣傳魔術，而美英竟像煞有介事，以中國代表權作市惠討好的工具，實在可憐可哂到了極點！

俄共頭子赫魯曉夫這次糾合若干鐵幕傀儡政權的首腦，以及一些親共國家的行政首長們，浩浩蕩蕩地出席聯大會議，更足以表明他是藉聯合國為宣講台的眞情實性，無論他在會議中表演出任何戲劇性的建議，都是徒亂人意的無稽之談。如裁軍問題，如高層會議問題，如文化交流問題，如柏林問題等等，盡係十年來談過幾十百次而毫無結果的陳腐濫調，俄帝果有協議解決的誠意，何待今日再來炒冷飯，且何必要到聯大會議來談呢？英首相麥美倫始終保持緘默，法總統戴高樂亦然，兩人皆不為赫魯的宣傳魔術所搖惑，而不屑出席聯大會議與赫魯串演鬧劇，這比美國人對俄帝的認識力強多了。美總統艾森豪還要親向大會提出甚末天空視察的新建議，作為實行裁軍的基準，就宣傳作用設想，這亦不過是跟着俄帝所奏的俚曲而跳舞。此事祇對新聞記者發表一次談話也就夠了，硬要在聯大會議席上與赫魯從事鬥嘴，何其妄自菲薄乃爾呢！

此外，狄托，納薩，蘇加諾，尼赫魯，乃至於古巴的卡斯特羅等人，自然也要乘機搔首弄姿，在大會中瞎三話四，各有說詞，期與赫魯歇夫併駕齊驅，爭取表演鬧劇的鏡頭，而其用意皆不外是對美國施展心理壓力，套取美國更多的經濟援助，使世界局勢常在不戰不和的僵持狀態中，他們就大有苗頭了。

大會的真正課題

這次大會的唯一任務，就是如何處理剛果事變？這場是非原係安理會引起來的，由於人謀不臧，致猱升木，俄帝利用殖民地人憎恨帝國主義的民族思想，煽動剛果民衆對白種人的仇視心情，而以比利時為對象。同時，又利用舊有的潛勢力，掀起剛果內部的獨立分裂運動，給俄帝以乘機煽惑、滲透的機會。因而情勢愈混亂，問題愈複雜了。當剛果發生動亂，對比利時人從事報復行為之際，聯合國安理會既接受剛果的要求，出面干預，而組織所謂國際警察部隊，前往維護秩序，當務之急，即應該制止當地人民對白種人的衝突，使比利時無所藉口，再派軍隊到剛果保護僑民，以致騷亂日趨激化。聯合國秘書長指揮下的國際警察部隊，美英法各國皆置身事外，不願參加，而由非洲若干剛告獨立的新興國家如伽納、摩洛哥，阿比西尼亞等派兵組合之。這些部隊的官兵心理，都對白種人沒有好感，表面上為聯合國服務，實際上是左袒剛果那位狂人魯蒙巴的。魯蒙巴又中了俄帝的蠱惑，藉反對聯合國干涉內政的理由，拒絕國際警察部隊維護地方秩序的一切措施，且對聯合國的文武人員加以毆打槍擊，視同敵人。如此，所謂國際警察部隊，即不啻成了剛果治安的障礙物，而聯合國的威信亦掃地以盡，可憐安理會還要懾於俄帝的宣傳攻勢，嚴令比利時軍隊從速撤退，英美更在幕後策劃，指導，迨比軍一撤，本來安定的地區（如礦產豐富的加坦卡省）亦勃發了戰亂。聯合國安理會接受當事國的要求，派隊馳往該國維持安寧秩序，這就是干涉內政之舉，但非甲國對乙國的侵略行為，怕甚末呢？事實上，剛果這種國家並未具備獨立條件，能由聯合國直接輔導，提攜，不失為促進該國獨立的上策。俄帝別有用心，藉口「干涉內政」的宣傳攻勢，迫使聯合國對剛果縮手，俾便它實行滲透非洲的陰謀詭計，情節至為顯然。美英各國要利用聯合國作盾牌，以期維護自由世界的安全，卻又潔身自好，不肯擔當責任，這是粵語所謂「精仔」的作風，焉能抵禦俄帝的煽亂、滲透行為呢？聯大會議對於剛果問題，如其不改變現有策略，決無合理解決之希望，一場吵鬧爭辯之後，依然是俄帝與英美各顯神通，在非洲進行激烈的冷戰。但我敢大膽預言：像英美現在的作法，要想在非洲與俄帝作冷戰，其未有不一敗塗地者也！

舊時的「國聯」，是以英法為主幹的，其自私自利的作風，跟今日的聯合國內幕情形之差不離。「國聯」之壽終正寢，是因為阿比西尼亞問題，現在聯合國面臨剛果事變，處理如不得法，即大有可能重蹈「國聯」的覆轍。歷史舊劇是否重演，就看這次聯大會議是否又以鬧劇終場？

小論天下

△寮國北部被不明國籍的共產黨部隊侵入。寮國正在焦急，準備促請東南亞公約國家採取行動。整個寮國已在事實上成為「三分之局。」西方國家要搞「兩個寮國」也不成了。

△剛果的亂局已由一個強有力的軍人控制住，驅逐所有共黨國的外交人員離境。這是蘇俄在非洲的一次慘敗。「逐客」而出以「掃地出門」的姿態，對赤色惡客們是應該的。

△赫魯曉夫在紐約遭受到極為難堪的待遇。這大部份是出自美國工人的策劃。他這才真正嘗到「工人當家」的滋味。

△菲京馬尼拉外圍發現非共武裝小數部隊，京城會作戒備。當共產黨有辦法從「地下」鑽出來的時候，你就要特別當心了。

△日本首相池田勇人在名古屋初嘗左派學生示威的暴力滋味，宣稱：「本國經濟情形已有改進，而社會秩序則反趨衰落。日本當前之教育，竟不能使全國國民彼此和諧相處，而使人與人之間發生非友即敵的對峙關係。」

準此，西方國家以為「經援」便是反共的萬靈方子，至少，在日本也有不靈的地方。

▽聯合國預算的赤字達二千一百萬元，秘書長哈馬紹說：「假如不能解決，勢將面臨破產。」

聯合國有一天鬧到完全破產絕不出奇，只不該為的是這二千餘萬金元。

△聯合國十五屆大會開場在即，在赫魯曉夫以次受注目的人物是：卡斯特羅，尼赫魯，狄托。料想他們腔調新奇，定必精彩百出。

△據統計：聯合國現有會員國九十七個，此次舉行大會之後，將可達到一百個。各國元首出席大會的人數，將以此次為最多，預料中立國的力量亦將大為增強。

一個將要「破產的公司」再要增加股東，來一次吵嘴大會，其不致一哄而散者亦幾希矣。

方南

自由談　談分析

無可否認的事實，西方人士的科學智識及其技能水準，絕非東方人所能望其項背的。科學方法最注重分析，對任何問題先加以分析鑽研，眞象立見，判斷自然正確，應付即不致失錯了。

很奇怪，西方人這項科學方法的分析工夫，對於東方的政治與社會問題——尤其是關於中共問題，竟變成黔驢之技，幼稚淺薄到令人難以想像的程度。他們由分析而達成的結論，不是像神話小說，即似童話故事。記得六年前，越共進攻奠邊府之際，因為西方人士基於「貧窮係培育共產主義的溫床」這種科學思想，認定提高人民生活水準，乃是抵抗共產主義最有效的手段。如是乎，西方國家在東南亞地區實施「四點計畫」經濟援助的機構，曾以大量的生活物質如奶粉、維他命丸、罐頭食品，醫藥用品等等，供給奠邊府的居民。繼而奠邊府被越共佔領了，一位西方記者很驚詫而失望，認為當地人民既已有了豐裕的生活物質，何以還不能抵抗共產黨之進攻呢？你說這種高見是否妙到了極點？

我仔細研究西方人士對共產主義這種莫名其妙的觀察論斷，還是導源於他們的科學思想。科學講究實驗，重視現實，例如我們東方人從事戰爭時，是以戰至最後一人為應有的職責，而以投降被俘為奇恥大辱，西方人呢，戰況如不利，馬上懸出白旗，高舉雙手，集體乞降，毫不為怪，認為現實利害攸關，義所應爾。所以，近十年來英美人士對毛共政權隨時以「承認現實」的科學觀念，主張妥協姑息，誰如表示異議，即指為「不切實際」，這次世運會攪出「兩個中國」的惡作劇，亦係現實主義作祟。即此證明他們平日對中共問題的種種分析，多是自說自話，不知所云的瞎扯淡也。

反共運動原是一場激劇的思想鬥爭，非以政治理想作指導原則不可的。然政治理想胎息於文化精神，西方人祇有重視現實的科學智識，以及由此而培育出來的商業思想，距離政治理想的境界有十萬八千里，教他們領導自由人類的反共運動，其不糟糕者鮮矣！

馬五先生

從西西里看義大利

——達時寄自義大利——

歐洲通訊

在意大利南部西西里的西南沿海，有一個小城叫做格拉GELA，目前約有五萬二千人口，歷史家艷稱是本島第一古城，甚至竟是全意大利最古的城，在耶穌紀元前六百八十九年，便成了希臘克雷特島和羅特島人的殖民地，凡是到過格拉的人，一定馬上可以獲得深刻的印象，那城市可以代表西西里，也可以代表整個南意大利，大堆的人羣，晚上全部都集中在大街之上，酒吧之中，而小巷和郊外，道路未修，全是土路，則代表貧民窟。也是市民的眞實面，誰看了都會失望和難過，留下不可磨滅的印象。

格拉城每年人口以千分之二四・四的比例在增加（意大利全國則僅千分之七、六）全市人口百分之六十至六十四爲無產階級，不是農夫便是路工。六歲以上不識字的，佔百分之三十二・二，而小學不會讀完的人口則佔百分之六十二・六。進教堂的人，男子不過百分之五，女子則有百分十八至二十，人民的知識，據某年八月間，正當游泳季節的某一星期日統計，全城一天祇賣了八五二份日報。其中七二七份是西西里報，四六十七份羅馬報，四十一份北部報，十一份外國報。就是說，除遊客外，每六十三市民，看了一份報紙，收音機全市三千五百台，電視機有三百台，可以說格拉市市民都是以耳代目，由理髮店、酒吧間聽來的。

至於衞生方面，則羅馬有一位講師，最近在西西里島另一城市巴爾馬地、孟德齊亞若PALMA DI MONTECHIARO考察之後，有一報告發表。他說，在這里城—也在島之西南，去格拉不遠—有兩萬人口，情況比格拉更慘。他親自參觀過十家麵包房。這些麵包房，多半是由貧窮的寡婦或者丈夫失去了工作的能力或坐監牢，同時又有很多小孩，所担任的。這麵包房內，有篩子、麪粉、烤具、熱水、桌子、烤爐等等。那些婦女都是僱來的，不拿薪水，祇拿麪包。那講師的統計數字如下：在十間麪包房之中，有八間晚上得住人，最多的一間住了九人。有六間晚上得住驢子。四間晚上住羊，一間晚上有豬，十間統統有雞和兎子。十間之內，共計有三十七人，七驢、七羊、一豬、九十一鷄、四兎、六貓、二狗，人睡在桌上稻草堆裏。三間有便所，有的隔開，有的簡直不隔開。六間無便所。五間無水，五間無窗，十間全有跳蚤、臭蟲、老鼠，而且很多，麪包房老板和其眷屬，七家有線蟲，四家害眼病，四家有傷寒病，六家有癆疾。

這些麪包房可以代表當地的生活住宅衞生一般情形，簡直是地獄一般。全市有四分之一的人家，官方登記認定是貧戶，大多數的房屋，即令照法令最寬的條件來看，都應該拆除。屋頂漏水，地是土的，而且潮濕，壁也破裂了。百家之中，八十九家沒有便所。很多戶連窗子都沒有。

巴爾馬公爵托馬西"TOMASI"，寫過一本小說，名叫「豹子」是描寫巴爾馬的古代英雄故事，那英雄在小說裏說：「我們西西里人是古老的，起碼有二千五百年的歷史。我們肩負了偉大的歷史的文化，我們和英國的女皇一樣，同是白人，可是二千五百年來，我們一直是殖民地，我不怪別人，我們只怪自己不好。我們好像睡了一大覺，如今大夢已經醒了，可是好睡懶覺的西西里人們，你們一定會恨那些喚醒我們的人，不管人家送我們甚麼好的禮物。」

這是幾百年來西西里人的自白。可是世界如今變了，酒吧也好，電視機也好，收音機也好，覺悟的人一天天增加，也知道世界上別處的人，生活比他們好得多。貧苦、無知、汚穢、本是人們覺悟的根源，同時可也是不滿和革命的泉源。

意大利自從法西斯死亡以後，一直是基督民主黨執政。國會中該黨的席次，已逐漸下降。一九四八年有百分之六十二、六，一九五三年降到百分之五十一、五。到了一九五八年，更降到百分之四十六、四，可見社會對於政府的不滿。得勢的原來並非共產黨，而是社會黨。一九四六年鄉鎮普選，社會黨得票三倍於共產黨。可惜社會黨的領袖們不善於領導和解決社會問題，以至到了次年，區域選舉，共產黨竟得到了七千票，而社會黨祇獲得了二二四票，從此情勢大變，共產黨竟像雪球下山，越滾越大。一九四八年國會大選，社會黨和共產黨一共獲得百分之二八、七。一九五三年，共產黨一黨便獲得了百分之三一、六，而社會黨僅僅獲得百分之四、四選票。到了一九五八年，共產黨更扶搖直上，國會裏竟獲得了百分之三九、一議席，社會黨卻仍然滯留在百分之四、一。照此趨勢，下次選舉，很可能共產黨趕上基督民主黨。這在南部各城市看得出來，格拉便是一個代表。據共黨代理書記說，黨員已在一天天增加之中。意大利政府，當然看到了這一點，因此不能不籌謀對策。那對策是加緊經濟建設，實行土地改革。最近我又曾去過格拉，全城張燈結綵，爲了慶祝一個新的化工廠，那是國營事業ENI在格拉附近鑽採出來了石油，雖然並非很好的油礦，含了很多的硫磺和瀝靑，本來不值得開採利用的，可是那公司的總經理恩尼可・馬太ENRICOMATTER，爲了打破南部的數千年來的窮困，毅然決定了，要在格拉建廠利用。

雖然意大利的執政黨和有知之士，正在各方面努力和注意，但是每一措施，都帶了來不少惡果。例如工廠建立之後，誠然有一部分人民，可以獲得較好的待遇，可是反過來講，一定同時招致更多賺錢少和沒有工作者的不平。再看土地改革實行之後，顯然一部分新分配得土地的人，並不感謝，覺得驟然改變了過去的生活，改業婦農不樂反苦。而過去的小地主們感覺到分去土地之後，家口多的人，生活更苦。還有一批分不到田地的人，覺得受騙，滿懷怨望之情，因之在實行土改的地區，共產黨的人數反而比執政黨的人數更爲增加。

此外還有一種可憂的現象，便是黑社會人士的操縱市場物價和工作機會。意大利南部小城市乃至拿波里，有兩個黑社會組織，一個叫做馬飛亞MAFIA，另一個叫做卡摩那，CAMORR，這些組織，都和美國若干大城的黑社會一樣，控制了一切。差不多每天報上登載了有謀殺案件。帕內莫PALERMO某市，祇有一萬六千多人，在十五年之中，被害了六十二人。而全省之內，在四個月中，便有二十八起，都是馬飛亞幫人做的好事。

綜括言之，義大利的現況可獲得結論三條如下：

（一）過去十年，義大利的部分土地改革地區，和交通建設，確有相當成效。而工業化也在若干地區開始。

（二）現在的局部工作，顯然還是不夠，必須要大規模的，全面配合的計劃才行。

（三）現在的經濟，社會和道德建設，不足以抗衡或克服共產黨，共產黨大可利用現有情勢和環境，漸漸奪取政權。

美國大兵與中國小姐

——台北點滴——

柯仁

熟悉美國大兵的台南小姐韋惠貞，不顧家庭強烈的反對，已與她的洋情郎夏利，在地院公證處結婚了。

她的爸爸雖然會表示：黑頭髮，決不同意嫁給黃頭髮，不過；這位小姐在未與洋情郎結婚之前，也已先行同居了，她父母雖然想盡辦法反對，但也敵不過洋式愛情的甜蜜。

但願這位小姐，眞正是爲了愛人，而不是爲了愛美金。要不；哭的日子可在後頭呢！

其實，美國人的生活水準雖高，但實際生活並不是像電影上所描寫的那樣享受，除非是富翁，否則很少有雇得起下女下男的。別看在台灣的一個美國大兵，家裏請了幾位傭人，那是因爲台灣物價便宜，人工低廉。其實他們在美國連孩子的頭髮，很多都是自己理的。

中國人還是過中國人的生活吧！如果是爲了享受與虛榮心的作祟，也許美國發現自己的夫婿竟是擦皮鞋的，那才妳哭乾了眼淚，也祇好打落牙齒和血吞，無處可訴呢！

現階段日本對華政策探討（七）

東京通訊

羅堅白

毛澤東對日和平革命戰署

毛澤東於一九五四年向蘇俄秘密提出之世界革命計劃中，關於日本部分畧謂：『一九六零年中國的兵力財力與工業力，俱將非常發達。日本支配階級，只須中蘇示以實力，便可使其降伏，而實現「和平革命」。我們却不可不戒備者：爾時美國可能選擇戰爭。能否防止美國訴諸戰爭，要看我們能否使其孤立；看我們的和平攻勢，能收多少效果。』

現階段的和平革命戰術

由此可知：中共對日本方針係以三原則爲表；以「和平革命」爲裏；或可稱爲和平革命攻勢三原則。本年適爲一九六〇年，該項戰略之收功，雖尚未能達到毛澤東所夢想使日本支配階級降伏之地步；然事實告知我們：日本正着着指向所謂和平革命路上走。去年春間，此間權威觀察家揭穿中共用以實施和平革命戰略的現階段的戰術，是「分裂自民黨」與「左翼人海示威」的雙管齊下，如車之兩輪，鳥之兩翼。由近年自民黨內部糾紛之空前深刻；與夫最近三池煤礦罷工中，本礦罷工工人數千糾合礦外赴援打手萬餘，與近萬警察劍拔弩張相對陣；以及兩年來爲葬送改正警察執行職務法案，攪亂道德教育師範講習，拒絕美總統應邀來日，阻止日美保安新條約通過國會並批准交換等等；發動羣衆動輒數萬，多至一二十萬，恣意暴厲騷擾，視秩序並法紀如無物；都可證明：該項戰術，正被切實遵照實施。

所以要分裂自民黨

中共所以要分裂自民黨，乃鑒於自已所佈置在日本的和平革命「土着軍團」社會黨，在國會中僅佔議席三分之一以下，這三分之一的數字，等於一道阻障社會黨再往前進的銅牆鐵壁，叫它無法染指於日本政權，且短期中這土着軍團並無突破此銅牆鐵壁之望。只有採用分裂戰術，使原由三個以上黨派荀合結成以把持政權永遠不肯釋手的自民黨，返璞歸眞於四分五裂；才可使社會黨安坐高臥而驟然變成國會中第一多數黨，開始有資格領導聯合政權。再埋頭若干時日，使出共產陣營的得意手法，勵行「統戰後期鬥爭」，將敵黨及參加聯合政權諸友黨各個擊破，便不難蛻化爲單獨永遠政權。屆時這個政權等於中共設在日本的分店，不僅不須對之炫示實力，連使其投降也是多餘了。（未完）

大陸文壇萬花筒

周揚的反蘇問題

——岳騫——

九月六日合衆國際社由東京發出一項消息，說是周揚在中共文化會上抨擊修正主義，是指桑駡槐，駡的赫魯曉夫，於是乎美國的中共問題專家們又找出一個赫毛分裂的證據，看到這一則消息之後，眞使人覺得笑固然笑不出，氣也實在是多餘。

合衆國際社發表的那一段消息，是刊在七月二十三日的人民日報，當時曾經讀過一遍並未會發現其中有絲毫抨擊蘇俄的文字，所以經過四十二天之後，被世界最大的通訊社當作新聞發出之後，竟然變了樣。當時自已也感到信不過自已，取出舊人民日報和合衆社的消息再校一遍，發現兩者文字竟全然不同，當然文字經過漢譯英，英譯漢，來回兩重手續之後，與原文自不能吻合。但是就照合衆國際社的通訊來看，也未發現其中有抨擊蘇聯之處。周揚這篇報告主要在攻擊人道主義，人性論，指這種思想是修正主義，說他們違犯「馬克思列寧主義，這個「他們」合衆國際社一口咬定是指的赫魯曉夫，可是赫魯曉夫幾時提倡過「人道主義」、「人性論」，這一點合衆國際社未會提到，但據我們所知是絕無此事。

實際上周揚這段話完全是駡的王任叔（巴人）及其擁護的人，何嘗敢涉及蘇聯和赫曉魯夫。

合衆國際社所以會鬧這種笑話，其基本因素是由該社的記者內心裏先有一種成見，以爲中俄共確在分裂，於是把任何捕風捉影的事，都拉進自已的幻想中去。

可是，這位記者及合衆國際社的主任編輯，缺乏兩點常識，第一，他們根本不知道中共有鬥爭王任叔的事，更不知道人道主義與人性論的本質，這完全是從中國文化誕育出的思想，赫魯曉夫做夢也說不出，中共即使敢攻擊赫魯曉夫是修正主義者，但也不會把人道主義的帽子扣在他的頭上，因爲實在戴不上。

第二、合衆國際社不知道周揚是何許人也，他有沒有資格去駡赫魯曉夫和抨擊蘇聯。（上）

社會小說　香港地

五、有錢佬

褟先生不待梅大亮繼續開口，便笑着說道：「是的，關於馬行時的事，我應該再說一大堆的話，才會使你看清眉目，知道像這樣的人過的是怎麼樣的生活呢。」這時他已經吃得飽了，似乎頗得吃，便閒閒的喝點兒酒，抽抽煙，愉快地享受那露台上的凉風，半晌又笑道：「這地方真好！我們今天都叨了有錢佬的便宜了。」說了，才把話帶回原來的題目，正經地說道：「梅老兄，你想知道馬行時每天最重要的工作是什麼？說來怕你不相信，那就是聽電話。每天他有一個鐵定的時間，用來接聽由外面專人打來的電話。那些經由電話報告的消息，並不是我們經常留意的新聞，只是許多十分燥的數字，像股票價格的升降，物價的變動，地產和金融滙兌行情的變動之類。這些數字在我們聽來都是毫無趣味的，甚至可以說是莫名其妙的。他却把全副精神用在這方面去，照例不許任何人在這時候向他打擾。這個「電話時間」過去之後，他便會作一會兒沉思，作出種種決定，再用電話發佈他要下的命令。這便是他一天最主要的工作，老兄，你想想，這一天的命令會影響到你或我的身上，但我們却毫無知覺，任憑他的擺佈。」

褟先生這回說得很鄭重，不由梅大亮不聽得怔然。（六二）

木客著

母親

程綺如

午後，屋裏暖洋洋地，使人怫悃欲睡，但梅芬仍然打起精神，蹲在榻榻米上，手裏拿着一塊破絨布，熟練地擦着一雙八成新的黑色火箭式尖頭平底皮鞋，他擦了一下，又停下來，仔細地端詳着，宛似一個藝術家在欣賞自己即將完成的傑作。

木板門響了一下，進來一個十七八歲的少女，穿着一件簇新的粉紅色薄呢洋裝，臉上堆滿了得意的笑容，用輕快的步伐跳到梅芬面前。

「媽，您看我的頭髮做得好吧！」她用右手攏了攏垂在頸後的蓬鬆而美麗的髮鬈，驕傲地說：「是××理髮廳第一號技師親自替我做的！」

「嗯！漂亮極了！」梅芬見小玲已經回來，便加緊了手上的工作。「瞧！你這鞋不是變成了新的嗎？可以不必買了？」

「不，媽，我要高跟鞋，今天晚上飯後還有舞會，我在生生鞋店看好了一雙，只賣兩百塊。」

「難道穿平底鞋就不能跳舞？」「你剛做了頭髮，又有新衣服，夠漂亮了，也該體諒媽的困難，將就點吧。」

「參加舞會的同學都有高跟鞋，只我一個人沒有，我不去了……要是爸爸還在……」說着她竟嗚嗚地哭了起來。

「失去爸爸的孩子，難免要受委曲的，只怪媽不好。」梅芬聽她提起爸爸，不覺一陣心酸，滾下了兩顆淚珠。「得，媽給你錢去買，快別哭了，眼睛哭紅了，同學們更要笑你啦！」

丁小玲像一隻彩色的蝴蝶，輕飄飄地飛進了一間洋溢着青春歡樂的小客廳，無數驚羨的目光，立刻盯住了她。

「美蓮，祝你生日快樂。」她親熱地握着主人的兩手。「我來遲了，對不起！」

「啊！小玲，你真是越長越漂亮啦！」

幾個要好的同學，把丁小玲團團圍住，讚美，取笑，弄得她非常窘迫，面紅耳赤，她不敢回答，忽然她聽到一陣很低的聲音說：

「奇怪，她媽辛辛苦苦替人家擦皮鞋掙來的錢，怎麼肯給她這麼亂化？」

小玲回轉頭，看清說話的是平時在學校裏專講她壞話的徐桂芳，不禁怒火上衝。

「你胡說什麼？誰替人家擦皮鞋？」

「你的媽媽。」徐桂芳不甘示弱，從墻邊的沙發上一躍而起，像宣佈什麼驚人消息似地大聲嚷着：「你媽媽天天坐在××酒家門口，替那些有錢的客人擦皮鞋，哼！神氣什麼？」

說笑聲突然停止，整個客廳立刻陷入緊張，靜默的氣氛，持續一分鐘後，「噓」……一聲迴響而悠長的驚嘆，不約而同地從旁觀者嘴裏發出，木然呆立的小玲，這才嗚嗚地哭出聲音，眼淚直流，她用最快的速度奔了出去，新高跟鞋夾得她兩腿奇痛無比，只好咬緊牙根強忍着。

她坐在三輪車上，心亂如麻，以往，媽對她說，因爲謀不到職業，是靠大陸帶來的幾根金條，換了放利過活的，難道媽隱騙她？如果她替人擦皮鞋，那自己還有什麼臉見人？更不能再去上學了。

回到家裏，屋門鎖着，房東的下女告訴她，媽出去了，她心碎了。

她匆匆趕到××酒家，果然，老遠就望見媽坐在門裏鞋櫃旁邊的小凳上，佝僂着上身，忙碌地工作着，面前擺滿了各式各樣的皮鞋。廳堂裏電炬輝煌，幾個打扮得妖形怪狀的吧孃，倚在櫃枱邊跟一個西裝畢挺的男人調笑，她不由自主地停下腳步，猶豫起來。

終於，她毅然走進去，撩起新裝的裙擺。蹲到媽的面前。

「媽！我也來幫您擦！」

「怎麼……你……」梅芬吃驚地張大了嘴巴，但當她發覺那窮吧孃所拋過訝異嘲笑的眼光時，便不動聲色地沉靜下來。

離開酒家，已快十一點了，母女倆緊緊地攜着手，走了很久，誰也沒開口。

「小玲，現在你已知道媽是個替人擦皮鞋的貧苦老人，你會感到恥辱嗎？」

「不，媽！您是世界上最偉大的母親。」小玲激悅地回答……「我決定明天把高跟鞋和洋裝送到拍賣行去。」

儒林九尾龜

吳敬鋅

第三回：柳暗花明又一村

林逢時說道：「先生祇是一個小股，充其量不會超過一萬元，究竟不是致命的損失。」

鄭仲明問道：「你曉得先生存款的數字？」

林逢時笑道：「我能估出大概，因爲我在社內管賬，先生有時候領了支票來不及取款，總是交我到銀行轉賬，所以我對於社內經費約略知道，不過先生不准談這個問題，平時我也不敢多嘴了。」

小石歪着頭問道：「依你估計先生現在有多少存款呢？」

林逢時也學一拙將右手的大姆指和食指分開打了個手式。

小石問道：「八千元嗎？」

林逢時微笑道：「還要從後面再加個零。」

烏應桂「咦」了一聲：「加個零豈不是八萬，除非先生中了馬票，那會有這麼多。」

林逢時笑道：「大家知道我的脾氣，我平常最不愛說話，說真話，我還嫌費事，那有工夫去說謊話，實情確是如此，你們不相信也就算了。」

烏應桂歎口氣：「八萬元，照我現在的待遇，足夠幹十多年。」

李鴻飛冷笑道：「我們先生口口聲聲講民主，駡國民政府貪污無能，國民政府過去有些財經大員貪污也是事實，但是也祇在中間尅扣一點，倘沒有人敢把國家的預算裝進袋裏，假若先生當了政，可能是民國以來第一貪官，像這樣言行極端矛盾的人，會在政治上有前途，倒真是一個奇蹟了。」

黃安民縐縐眉頭：「你少說兩句成不成？」

李鴻飛憤憤說道：「我才犯不上少說呢？我們所以捨生拚命跑到海外來，不單是爲了逃命，必還有自己一套理想，現在不能爲了每月這一點點錢，把理想出賣了。」

正說得激烈時，鈴燈一亮，大家趕快坐好，祇有李不理，還繼續向下說，盧新配了鑰匙，自己開了門走進來，關於李鴻飛講的話，也聽去了幾句。

盧教授坐定之後，按鈴喊李鴻飛進去，審問大家剛才談些什麼？

李鴻飛慨然答道：「別人沒說什麼？祇是我自己不想作了，打算離開這裏。」

盧教授當時吃了一驚，但是馬上恢復鎮靜，冷笑道：「你這個意思很好！我這裏的水太淺，養不了你這一隻魚，那你就請便吧！」

李鴻飛鞠躬退出，馬上就去整理行李。（廿四）

葛蘭戲路一大轉變

——衛修——

銀壇隨筆

「野玫瑰之戀」，是一部反映歌女悲慘生活的諷刺片。它描繪出一個「鋼琴吧」女歌星的浪漫私生活，揭開了社會陰黯面。

該片由葛蘭、張揚領銜演出，「卡司」很強。如所周知，玫瑰多刺，以女歌手比作一朵「野玫瑰」，不言可喻。本片唯一特點，是葛蘭的戲路，有極大轉變。她出身大家閨秀，過去的戲，似乎無一不是以其本來面貌演出，這次不同之點，乃是歌舞鏡頭特多。當然，一方面基於無數觀衆殷苛要求，同時，電懋當局也覺得對它的演員，應該使其儘量自個性方面發揮。葛蘭的歌舞，在國語片領域中，可以說首屈一指，該片將於近期推出公映，屆時相信必能使觀衆一開眼界。從該片試映演出過程來看，人們將會理解：一個歌唱明星，在藝術上固須痛苦磨練，在她生活中，却受到非人的磨折，這雖非普遍現象，但也不是一般人可以想像得到的。

故事內容是描寫一個大紅大紫歌女，怎樣被人玷污她的肉體，抽吮她的血汗。其最後，正慶幸於獲得新生一剎那間，竟然因打抱不平者，一怒闖出了大禍。本片的娛樂性固然夠高，緊張刺激的鏡頭，也足夠扣人心弦。歌聲淚影，有使人想不到的遭遇，有極意外的發展；反映了這社會是怎樣的黑暗，指出了一個悲慘痛苦中的歌女受到怎樣的欺詐和凌辱，在浪漫中遭人指摘，痛苦中使人同情。這是一部劃時代佳片，揭開了現社會被人忽略的另一面。

大馬戲團

——徐學慧——

海外隨筆

今日的聯合國，倒真像是一個大馬戲團演出的場地。

在這個場地演出，觀衆必然很多，可以大收宣傳之效，於是乎，世界有名的大馬戲團，乃隨時都在動腦筋，要怎樣把自己的馬戲團，搬到這一場地上演。

九月二十日，由赫魯曉夫馬戲團上演，「海報」已經貼出了，東歐的共黨頭目，全部以海狗姿態出場。新聘小丑卡斯特羅自古巴趕來，一方面與馬戲團同人見見面，另一方面，在戲場中亮亮相。

馬戲團團主赫魯曉夫，爲了籌劃這次演出，也着實化了一些心機。他很清楚，這個世界，只有兩個大馬戲團：一個是赫魯曉夫馬戲團，另一個是艾森豪馬戲團。艾森豪馬戲團的經理人即將去職，因此，對於九月二十日的演出，自始即無意參加，老赫看準了這一點，這纔大吹大擂的說要表演一些新奇節目。

但他也深深知道，自己這個馬戲團內，海狗之類的小動物雖然也有一些，畢竟是些小玩意兒，而且這些海狗們都是初次登場表演，也很難有什麼特異成績的。

老赫本人對於走鋼索，空中飛人這些節目，已視同慣技，但以如此一個馬戲團，全靠老赫一個人表演，到底也很難吸引觀衆呢！

古巴的卡斯特羅，原屬於艾森豪馬戲團，這次爲赫魯曉夫重金禮聘而來，演出如何，尚在未可知之數。

原屬赫魯曉夫馬戲團，後又退出的南斯拉夫狄托，這次也決定登場亮相。但也不過是亮亮相而已，演出的戲碼恐怕不會太多。狄托是馳名國際的丑角之一，三四年前，曾經想要和印度尼赫魯阿聯納薩二大名丑合組一丑生劇團，由於資本不夠，終於流產。這次到聯合國劇場露臉，其最大目的，只是令世人不要忘記他這位名伶而已。

另一丑角尼赫魯，一向不屬於某一馬戲團，這位先生有吹笛弄蛇之技，浪蕩江湖，靠此爲生。也常故作神秘，令人莫測高深。赫魯曉夫馬戲團，每到逢年過節，也經常送點小禮物過去，這次老赫要在他聯合國劇場上演，尼赫魯又故作神秘，若干人以爲是禮金尚未送到之故。其實，事情並不這麼簡單，原來尼赫魯在幾個月前，突然給蛇咬了一隻手指，一直到現在，還在敷藥呢！

釋耒集

感舊

尙書箕子陳洪範，首曰：「我聞在昔」。楚辭屈原哀郢都，亦曰：「悲江介之遺風」，自來懷舊之情，賢者不免，是以阮嗣宗臨廣武山，則慷慨激越，陳子昂登幽州台，竟愴然涕下，此傷心人別有懷抱，有不足爲外人道者也。近讀章炳麟先生所撰「勳一位耀武上將軍兩廣巡閱使陸君墓表」，尤不禁爲之掩卷太息，知是非論定之難，而流俗毀譽之不足憑也。其言曰：「余自討帝制時識君，及君隱吳下，往過之，言語姁姁，未嘗有不平色……爲人表裏洞通，舉事無不可語人者。……然自民國興至今二十餘歲，南北流污，南彌污于北，其兩無所染者，獨君與雲南倡義數公而已，好惡亟易，今人之視君如灰塵，歿六年，未有表墓之石。……」夫陸以草澤之雄，奮跡於法屬越南，強悍雄武，使碧眼兒聞風膽落，此人所共知者也。陸爲巡閱使時，余尙童騃，居常聞人談陸阿宋異聞軼事，輒不禁爲之喜動顏色，及余稍長，辭家至邕寧就學，時陸已爲省內二三後起軍人所逼逐，逃亡滬上爲寓公，其所有位於南寧內石牌坊之陸公館，列爲逆產，已被撥充爲新政府之公廨。故吏及桑時部曲，詆之曰：「陸譚（浩明，會爲廣東督軍，亦桂人）餘孽」。世事如奕棋，轉燭：銷盡豪華，古槐零落，英雄末路，有足以令人神傷者矣。及民國二十一年秋間，余又以事旅居邕垣，適陸之旅櫬，自滬上運回，抵邕之日，市民設路祭者，紛紛雜雜，奔走至爲忙促，故老追思舊德，往往有嗚咽流涕者，今按墓表云：「君老於戎事，軍行過百姓有恩，初治廣西，羣盜屏迹，其後仍歲出師，未嘗加賦，橐中無餘金銀，遇士大夫尤謙下。」可謂實錄矣。然此表若俾廣西人執筆，亦果能如是公允否？吾不得而知之矣。昔者，余嘗讀明末士大夫張岱所撰之石匱遺書，觀其所爲袁崇煥傳，詆之不遺餘力，竟謂袁之人格，不足以比秦檜，使忠魂毅魄，終古銜冤，抑又何心邪？因念桂省自民國以後，抗戰之前，軍事人才，號稱多士，桂軍戰績，尤無與倫比，而二三將帥，今皆老去，國變以來，載籍蕩然無存，能執筆如太炎先生之傳陸榮廷者，亦甚難其人，就令國土重光，國史已無可資採擇之資料，又安知其不如石匱遺書之厚誣賢者邪？余讀章先生文，以之取證于余昔時之所聞見，知陸榮廷雖已往，後人必有聞其風而興起者，此固章先生文章風力足以感人，倘亦陸平生禮遇士大夫，使其幽微潛德，終有見其光耀之一日，則天道之報施，果不爽乎？　曲齋

粟海彈心錄

中學教育與家庭教育（三）

關於一二兩項，責在政府，授權教育行政主管，純化教育體系，以一事權，然後督以職責之所在，「視其所以，觀其所由，人焉廋哉，人焉廋哉。」

關於三四兩項。責在教育行政主管，規畫校區，審選校長，而以考察教師之權，責諸校長，然後視其所以，觀其所由，人焉廋哉，人焉廋哉。

關於第五項，責在家長與社教當局，互相警惕負責，互相躬行踐履。不姑息。不護短。不放任。不優容。庶可補中學教育所不及，至若誨盜誨淫之影片，誨盜誨淫之小說，應即予以嚴行禁止。聞諸人言，上項影片，多由賄賂獲准，並見監察院彈劾案，而爲之辯護者，美其名爲藝術。然則青年男女學生之死於輕生非命者，得其所矣。而舉世爲之感慨嘆惜，與最近家長聯會之組織，提倡倫理道德之宣傳，則又反爲多事矣。矛盾至此，何以爲政。

要知同時布政之弊生，則仁信之治救焉。仁信之治弊生，則智勇之治救焉。苟或跬步自封，坐令歲月淹留，無有是處。至於頑劣不可教育之子弟，猶不過千分萬分之一二。矧飛蓬至曲，生於麻者則直。伊蘭至臭，旃檀薰之，可以爲香。物猶如此，而況人乎。謹以此意供今主管教育行政，與司中學教育之校長教師，及爲人父母者。盡心、克己、不倦、而爲之。臏不濟矣，可以斷言。

阿公

小啓

阿公先生以粟海彈心錄惠刊本報，瞬已半載，雖迭次以健康爲辭，不欲再續，亦經本報社長情商，未致中斷。近日先生遠自宜蘭惠書，辭以小休，其意甚堅，未便重違長者之意，無已謹遵雅命。先生徜徉于宜蘭山水間，杖履之餘，儻能藉文字以發奇趣，則不僅爲編者之幸，亦本報萬千讀者之幸也。因風寄意，謹祝步履綏和。

編者謹啓

女狀元

漁翁

滿清入關，以少數人而統治大多數人，深感弗勝，同時鑒於元朝用鎮壓、控制，不百年而趨於覆滅。於是改用懷柔方法，計誘明臣洪承疇變節，所有開國法則，多沿明制，皆洪所手訂，洪以大勢已去，退而謀其次，欲存漢人之體面，乃提出「滿不點元，漢不納妃」，依法須中狀元後，方得拜相，滿不點元，則宰相必落漢人手，在一人之下；也可以嘉惠萬民。

清開科取士，使一般智識份子，朝夕研究章句之學，皆眷於虛榮方面，乃得從容而臥治之。按科舉法；由童試獲取第一者爲「案首」，餘名「邑庠生」，俗稱之曰「秀才」。鄉試，於八九間在各省會舉行，謂之「秋闈」，第一名曰「解元」，餘稱「舉人」。會試在京都行之，第一名爲「會元」，餘「進士」。最後殿試，由皇帝蒞場主持，首名曰「狀元」，次「榜眼」，又次「探花」，即三元也，三元下，皆稱翰林，但也有呼解元，會元，狀元，爲連中三元者。

狀元是科舉時代最難得者，有清一代，文章如袁簡齋，曾滌生輩，僅以二甲，三甲進士入翰林，足見掄元奪魁之難能可貴也。

狀元固難得，而女子中狀元，更鳳毛麟角，有之，其惟傅善祥乎？清道光間，有傅槐者，南京人，以文名諸生，而尤好義舉，對慈善事，每傾囊以助，人咸德之。生一女，本作善降祥之義，而名之曰善祥。

善祥生而穎異，爲父母所鍾愛，時太平軍攻下南京，提倡男女平等，女子有應試參政之機會。善祥幼隨乃父讀，年十五，已名噪一時，不幸父母見背，依兄嫂爲命，仍繼續學業。※及笄，四書五經二十四史，皆畢讀之矣。

太平天國開國後，即開科取士，仍沿清制，由童試，而鄉試，而會試，而殿試，惟廢除滿清之「八股文」。是科由天王洪秀全之妹洪宣嬌所主考，張宛如，王自珍副之，女子參加考試者，達二百餘人，善祥亦其中應試之一。試題：「惟女子與小人爲難養也」。此外還有「北征檄」，與「應制詩」，善祥對「難養」兩字，駁斥不遺餘力，以女子之心思才力氣質，不遜於男子，主政者，有唐之武則天，擅文學者，有蔡文姬，謝道韞，習武備者，有花木蘭，梁良玉，載諸史乘者，不一而足，非難養也，咎在主政者重男輕女有以控制之也。

尤其於「北征檄」一篇，暢所欲言，有云：「問漢官儀何在？燕雲十六洲之父老，已嗚咽百年，執左單于來庭，遼衛百八載之韃胡，當放歸九旬。今也天心悔禍，漢道方隆，直掃北庭，痛飲黃龍之酒，雪仇南渡，並搗黑羯之巢。」此時太平天國，雖奠定南京，僅半壁山河，北京仍爲清皇都所在，非北伐，不足以言統一，所以有「北征檄」之命題，善祥善揚語句句不離「興漢滅滿」，慷慨激昂，爲全場中之特出者。

應制詩：「聖德應呈花蕊句，太平萬歲字當中，」此語合乎天王之口味，洪宣嬌閱之，認爲議論之嚴正，才調之豐華，書法之秀麗，贊歎不已，呈之天王，亦拍案叫奇，即提硃筆，欽點第一，賞戴花冠錦服，策馬遊街三日，極一時之盛。

善祥點元後，賜恩賞丞相，才色俱優，風華絕代，每策馬過市者，咸知其爲女狀元也。時太平天國東王楊秀清，大權在握，對善祥特別稱許，將城中婦女編入女館，以善祥統領之，並准自由出入東府報告館事，因此，女權於無形中提高起來。後東王爲北王韋昌輝所害，善祥之聲勢稍斂，迨太平天國全部崩潰，乃埋名隱姓，不知所終，一代巾幗天才，如此下場，豈非命歟？

姚琮近詩

頃年以來，園地多被佔用，伐木覆巢，不知凡幾。

昔移南國種。鬱鬱與雲平。樹密風逾響。花繁雨異聲。樓居疑海市。巢覆怨春鵑。予奪憑誰問。池邊月更明。

擬古

五里三里霧。三山渺何處。富貴既已極。浮生苦逆旅。逆旅非久長。世事不可常。桃華飛春雨。桂子落秋霜。秋霜陵寒松。森森見高節。本性適不同。等觀失萬物。萬物有榮悴。寸懷無窮通。即事如足樂。何用尋仙蹤。

國大會議紀事詞

蘭臺侍者

中華民國第一屆國民大會第三次會議，於民國四十九年二月在台北市中山堂舉行，原班角色，奏演連臺好戲，歷時四旬以上，情形特別熱烈而壯觀，甚盛事也。吾聞之：莫爲之後，雖盛不傳。渾忘謭陋，謹就其經過事實，而提要鈎元，逐一序次，而分別綴以打油詞詠歎之，藉存眞象，聊供後世史家有所參詳云爾。

如夢令

序曰：國大會議依法每經六年由總統下令召集，此次大會規定二月廿一日揭幕，而以二月一日爲代表開始報到之期。住居台北市區之代表諸公，相率爭先恐後，急往註冊，且有人於一月卅一日深宵，即紛紛抱衾與裯，馳赴中山堂外走廊中或屋簷下，露宿餐風，以待黎明之後，爭取前茅報到名次者。蓋一則可以首先在報紙上揭揚姓名，驕其妻妾朋友；二則可使自己在會場中之席次，排列於最前座，得與政府長官席位毗鄰，庶幾乎有機會結識名公鉅卿也。

曾是下車馮婦，
六載光陰虛度，
君命一聲宣，那
管夜行多露！休
誤休誤，明日且
驕親故。

年歲與慾望

·謝康·

法國哲學家亞蘭（Alain）說他底祖父是一個驕而好舖張門面的一個鄉下人；到了八十歲以後却變得非常的慳吝。（我是喜歡聽亞蘭演講的一個人）他又說我們不要以爲他的祖父慳吝，所以過的苦行頭陀的生活；其實因爲過的是苦行頭陀的生活，所以他纔慳吝起來。在他最後的生涯中，他只有一桌一榻和他最節約的一點糧食，他的態度是異常小心而保守的。他在冬天用一根瘦削的木柴燒火禦寒，因爲他自己已不能用力砍柴了。唉！好可憐呀！人到老來，無論貧富幾乎全都變成那麼「孤寒」。有錢人年老時的慳吝，其方式大概和貧窮的老頭兒是相同的。

歐洲的諺語說：「慳吝的父親，浪費的兒子」，又說：「慳吝的婦人往往伴着揮霍的男子」。中國的俗語也說：「兒孫自有兒孫福，莫替兒孫作馬牛」，又說：「人遺子金滿籯，我教子，唯一經」，廣東話有「二世祖」這個名詞，就是上一代遺產很多，任由兒子浪費的意思。中國式半耕半讀的家庭，在神主牌位的旁邊，許多人寫着這樣一付對聯：「聰聽祖考之彝訓，應知稼穡之艱難」，本是書經「無逸」的古訓，也是祖宗辛苦了幾十年，積下了多少財產到老年時的經驗談。同時也是深恐子孫生活趨於浪費的警惕語吧。刻苦，耐勞，節儉，是咱們民族的傳統美德，南洋華僑白手成家，尤其是從勤苦中得來。節約之極，該用的錢都不用，寧願把錢省下來，積成一筆財產，以遺子孫，有時自難免於慳吝了。而在子孫看來，既然有了錢，節約不必要，慳吝更不合理，他們於是慷祖宗之慨，大用特用起來，變成功二世祖！（完）

海隅消暑錄

小啓

海嶠樓談薈作者因事忙，暫停續稿，敬希讀者諒察。

自由報
THE FREE NEWS
第四十六期
每份港幣壹角
社長：雷嘯岑
督印人：黃行雲
社址：香港灣仔高士打道二十二號四樓
20 CAUSEWAY RD 3RD FL HONG KONG
TEL. 771726　電報掛號：7191
台灣分社

美國的危機和中國的反省

美國是自由世界中目前唯一為蘇俄所處心積慮埋葬的主要敵人。在鐵幕以外的世界中，只要俄國把美國征服，整個世界便可不戰而完全赤化，這是莫斯科打蛇打頭，擒賊擒王的基本戰略。

在中國大陸還未捲進鐵幕以前，美國人幾時聽見過史達林和毛澤東無論公開或秘密都是以美國為「首要敵人」？中國大陸的共黨在國民政府時代，又幾時曾晝夜不停的從事反美運動？當史廸威將軍來華時，中共不是還想盡方法企圖獲得美式裝備嗎？——史廸威和中國政府的不洽，起因便由於此。至於毛澤東還就美國的建議而到重慶，他們用盡方法在美國人面前告洋狀攻擊中國政府，何曾含有絲毫今日的反美迹象？

但世界反美運動的開始和反美理論的首倡，則是來自莫斯科，此應為凡有理智的美國人所了解。而今日中共的對內反美教育，對外反美宣傳，乃是對新建政權的中共本身極不利的行為，中共內心何嘗不知；知之而厲行此種政策較蘇俄還積極，其為莫斯科的一種陰謀，而非出自中共本身的主動，此更應為有政治頭腦的美國人士所了解。

時至今日，美國人還不提高警覺，放大眼光，看清楚鐵幕內的九億人口都在準備埋葬美國，和全世界各民主國家內部為共黨所組織控制的政治力量，社會力量，羣衆力量，在未來對美國本身所埋伏的威脅和危險的可怕。尤其是在美國內部所隱藏的危機，已逐漸走向中國大陸抗戰時期的階段。

當美國羅斯福總統安撫史達林，把中國的外蒙古和東北領土主權，作為禮品奉送蘇俄共產黨時，美國是未料到其對遠東種下的禍根有如此嚴重的。以後杜魯門總統派馬歇爾到中國又施第二次壓力，要國共組織聯合政府，阻止中國政府對共產黨的剿匪政策，（他們稱之為「內戰」。）當時美國友人對我們苦口婆心的勸告，置若罔聞，尤其對我們所提出共黨將來必定以美國為敵人的警告，更不相信。（其時正是發生「安平事件」——美軍被共軍襲擊屠殺，和沈崇案共黨宣傳中國女學生被美軍強奸。）

在馬歇爾將軍以唯一武器——「美援」作壓力，打擊他所不喜歡的中國時，再加艾契遜的白皮書一筆勾消中國之後，中國大陸整個淪亡於蘇俄及其代理人之手，而今日美國文書中的「福摩薩」基地，是在誰人手上才保持住的？那時有美援嗎？有第七艦隊嗎？有中美聯防條約嗎？直到兩年後，韓戰發生，美國不許中國向大陸反攻——開闢反共第二戰場，也不許中國軍隊參加韓戰，在聽命英國工黨政策之下，當時就已內定了將來製造「福摩薩共和國」的幻想，同時也暗示出不許民主自由的中國，和流亡台灣與海外的五百多萬反共中國人民重返大陸。

美國自二次大戰至今所造成亞洲歷史性的悲劇，是對美國有利的麼？事實的答覆是否定的。我們今天不必再替美國人抄一筆被共黨所埋葬的生命數字清單，但美國是和英國人一樣重視經濟利益的，我們只把他們只在大陸的財產損失，合計所連同整個西方國家的教會在內，已不下十億鎊；而今後為了防按年支出的軍費與援外金錢，更決非當年馬歇爾所停止支持的五億美元所能比吧！但問題並不如此單純，因為病根仍在美國內部，尤其是在美國能的無行文人和少數既自私又低能的政客。

一九五八年二月美衆議院非美活動調查委員會的年報，曾經這樣說：「蘇俄已組織了一百多萬美國的人民，藉以在美國進行公佈顛覆活動。」「它們的活動範圍，從參加四圍的共黨陣線組織起，至參加簽署共黨發起的請願書，並包含對共黨活動經費的捐獻。」衆議院調查非美活動委員會主席指出「在美國的共黨活動，對美國安全已是一種嚴重威脅。」衆議院議員華爾德說：「美國共黨在表面上似已銷聲匿跡，但由曾受訓練死硬特務所主持之共黨活動，已經加強共黨地下活動，」他並在留台發表談話說：「在美國的共黨間諜，使蘇俄在科學及技術方面與美國並駕齊驅中，扮演一個重要角色。共黨曾獲得吾人在科學及技術上的基本秘密。」（一九五九年二月一日南本德合衆國際電）。在衆院的該委員會，曾在一九四六年就調查出美國共黨據有四所退伍軍人學校的案件，那是自一九四五年以來，就已從美國財政部領取了三百多萬美元的補助費的學校。這些不過是略舉一例，其他出自美國報刊自己報導的事實還多。至於在美國知識份子中和國務院與文化界內由於嚮往「社會主義」生活，以及不知不覺作共黨同路人的部份政客與資本家等等幫兇人物，這裏是指不勝屈的。過去的拉鐵摩爾，戴維斯，費正清……和現在的衆議員波達……，參議院內專搞干涉美援國內政的外委會支持康隆報告的某些人，他們正在替赫魯曉夫挖掘埋葬美國的墳墓。（今日古巴，是誰造成的？）這些人對美國的不忠，並不下於把美國機密帶到蘇俄，公開宣佈「美國正在用金錢和地下活動推翻為他們那些人所不喜歡的美援國家政府。」的美國專家。

這樣的國家，何時才能戰勝蘇俄？要美國與中國有百年以上的傳統友誼。中國人一向對美國過去是相信他們無領土野心的。但他們在今天的事實證明，雖無領土野心，但卻有醜陋的優越感和商業經濟利益的慾望，尤其最大的錯誤在不與人平等共處，欺軟怕硬。

二次大戰時，美國是中國的盟友，大戰勝利，先於美國和日本打四年以上的中國，反而遭遇與戰敗國相同——損失領土主權。美國憑什麼理由，可以自由處分中國的領土和主權？這是平等共處嗎？壓迫中國對共產黨組織美式聯合政府，否則便是不給「民主」，便施以經濟打擊，這是平等盟友嗎？到今天又來了，又在對風雨飄搖，前綫砲聲隆隆的中國內部攪風攪雨；把從共產黨方面所學的「滲透顛覆」把戲，在南韓取得「革命」勝利，又想在中國，南越……一試，不想這自由世界的——尤其是美援國家的觸目驚心，共同對抗俄團結陣綫的士氣上，將發生什麼樣的後果？這還不是替莫斯科人自己拆美國的台？全世界的孤立美國的反美運動？中國人第一次接受蘇俄政治壓力，造成俄勢力由東北外蒙進入華北、西北的後果。第二次接受美國政治壓力，坐下來和所謂不承認為合法的共產黨平等和談，高喊「民主」，因而使共黨軍力坐大，擴大叛亂範圍；再加美國的經濟壓力，造成貨幣崩潰，全面瓦解。這次又有人要用「民主」招牌來搞「中台國」，有些人甚至支持中國內部在文字上宣傳「革命」，在行動上準備「流血」，與「請願」，搞「台灣獨立運動」，包庇叛亂份子，這是為了美國的利益？還是為了共產黨造機？是不是打算與整個中國人民為敵？替美國製造危機？

歷年來我國屈伏於美國壓力的政府，對美國的耐性，甘心苟安，貪圖「美援」的作風，不敢獨立自強，至今還不敢取回在中國的兵權，保持現狀。不交還反攻權，外交經濟上十年的外銷和貨幣膨脹……的望。尤其是外交政策與經濟政策，內部政策（包含民族主義的，反攻復國的）教育政策與憲法所規定三民主義國家的作法不符。

張六師

目前正當美國內外危機緊迫，已經過千錘百煉的中國，今後還是獨立自強，自強呢？還是屈伏求多福呢？還是再接到處陪人殉葬？再接受美國的內政干涉？

本報對雷案評論文字
台北英文報予以轉載

（台北二十一日泛亞社電）民營之英文「中國郵報」今日未發表社論而將香港及台北等地中文報刊有關雷案之評論摘要譯載於社論欄之地位，其摘要譯載之次序如下：㈠九月六日香港「星島日報」社論，㈡香港「新生晚報」社論。（未註明日期），㈢九月五日香港「大晚報」社論。㈣九月六日香港「工商日報」社論。㈤香港「自由報」社論（未註明日期）。此五家之後則為九月六日台北「公論報」，九月十六日台北「自立晚報」，九月六日台北「聯合報」，九月七日台北「新生報」與九月十九日台北「中央日報」之評論。

小論天下

△聯合國大會開幕之日，寮國內戰同時開火。這邊在談，那邊在打，談的是冷戰，打的是熱戰。其為「戰」則一。

△赫魯曉夫在紐約表示：願無限留住，並希望與艾森豪見面一談。「許便」不易，「賴死」尤難。赫魯曉夫竟想鑽入美國肚子裏面去「賴死」。妙！

△古巴的卡斯特羅在紐約受杯葛，故意住在黑人區域。赫魯曉夫隨即演出走訪黑人區一幕好戲。難得美國人在紐約供給他們以這樣好的戲台。

△美國輿論在憂慮：中共會在聯合國大會進行當中，掀起金門炮戰，故意向蘇俄表現搗蛋的姿態。毛澤東到這時候應該痛切地了解：上台不易下台易。

△南斯拉夫的狄托在出席聯合國大會的第一天，面無表情地坐了幾個小時。替同時聚在一堂的赫魯曉夫和狄托齊寫面孔，該算是漫畫家最好的題材。他們沒有表情，也就是最有表情了。

△聯合國大會緊急會議通過：中國代表權不變。中華民國代表在一篇駁斥對方的聲明裏面說：「這不是首次，也不會是最後一次。」

他表示：不願在這深更半夜，求大會延長時間。他的話想來有味。好在提到時間是在「深更半夜」。但願沒有「盲人騎瞎馬，夜半臨深池」那一回事。

△大陸又傳東北部旱災嚴重的消息。大陸傳來新聞只有越來越慘，現在不難在沒有眞確消息的豐富來源，只難在這些新聞慘到難以使人相信。

△尼赫魯赴紐約出席聯大，艾森豪有與就地會晤之說。尼赫魯的身價應在此時吃了香。彼既移船就磡，此當移樽就教為是。

方南

自由談

可恥的教育制度

馮五先生

香港有一位中小學教師李子然，因為被迫退休，不堪失業的寂寞貧困生涯，最近背着兒女們投海自殺了！

李氏一生以教育為職業，行年不過六十二歲，觀其容貌，不特體質尚健，精神亦殊飽滿。但他服務的學校當局，依照洋式教育法規，非教他退休不可。上了年紀的公職人員屆時休致，理論上固屬無可非議，可是，實行這種制度必須有「社會保險」這項先決條件具備着，不能盲目胡來的。而且各人的精力強弱有別，亦未可膠柱鼓瑟，一例看待。香港的一般學校，平日已有「學店」雅諡著稱於世，教師待遇非薄，萬難贍養五口之家，跟碼頭上的「苦力」生活相伯仲，政府又缺乏「社會保險」的措施，不分青紅皂白地強行退休制，眞是舍本逐末，踏蹋了神聖的教育事業！

香港的中小學教師如此，大學教授又怎樣呢？一些號稱為最高學府的甚末「學院」「書院」之類，對於教授們的待遇，亦不比一般的「學店」有多少優勝之處，教課按鐘點計報酬，純粹商業行為，這還罷了。凡因狂風暴雨，或逢公衆假期（連同自己的校慶例假在內）不能上課時，一律扣除鐘點費，決不客氣，一派剝削搾取的市儈作風，實在是對教育事業的一大污點，更係對於大學教授的莫大侮辱！

資本主義社會有其可以詛咒的罪惡，但以教師商品化這項制度最為荒謬可恥，這就是「全盤西化」的結果，把咱們固有那種尊師重道，政教相輔相成的高級文化精神，摧毀殆盡了。李子然之下場，不過是社會罪惡淵藪中的一個泡沫而已。

俞鴻鈞與中央銀行

・蓋棺可以論定矣・

台北通訊

・秋聲・

逝世不久的俞鴻鈞氏，在台灣的報紙上，都一致表示哀悼。因為他生前做過新聞記者，及顯貴後，仍不忘其本，對於新聞記者特別關切，所以贏得報紙輿論的稱譽。

俞氏做過三次的中央銀行總裁，其在中央銀行的口碑如何呢？筆者自央行方面的朋友得到的消息，大都說俞氏對央行同仁卻沒有什麼了不起的關切，平時既沒有杯酒聯歡，而在集會時總是空空洞洞圓圓滑滑的訓話，使人摸不着邊際。俞氏所關切的，祇有他的親信人物。

俞氏任行政院長時，中央銀行很有可以復業的機會，他始終沒有推動，直到卸任院長，專任總裁已經也有兩年，他也沒有準備。最近因為交通、中國兩銀行的復業，且因為銀行將，劃出中央銀行的兼業，而另設「中央銀行業務部」的消息披露後，使他吃驚，感到面子難堪，乃急急籌劃中央銀行的復業。幸虧最高當局立即批准，所以有央行真正復業的現象。

俞氏在央行的親信人物，圈子很小，凡是上海市政府過來的，或南京財政部過來的，或是聖約翰同學，或是廣東同鄉，都是他的親信。他替每位親信安排央行以外的兼職，使其兼領車馬費，例如紙業公司航業公司交通銀行等機關，都有他的親信。他又派一位聖約翰大學歷史系畢業的親信，從央行到美援會，再到美國華盛頓擔任國際貨幣基金後補執行幹事，每月薪俸收入美金一千四百元。這都是他「仁慈」的個性表現。

俞氏素患氣喘病，延有私人醫師陳忠緯，終日隨侍左右，此醫師奉派在中央印製廠為正式職員，月支新台幣二千餘元，同時復担任中央銀行顧問，每月加領新台幣一千五百元。最近被審計部查賬發覺，認為兼職兼薪，有違法規，提出糾正，在案。

俞氏兼任行政院長時，照例每月支領機密特支費新台幣十五萬元，同時在中央銀行仍享受供給制，不支薪津。據央行朋友稱：所謂供給制者，即公館內一切日常開支的衣食住行費用，都由中央銀行支付，每月平均約有新台幣三四萬元左右。俞氏於被監察院彈劾後，央行的供給制才告取消。

俞氏對於中央銀行兩件舞弊嫌疑舊案，未能親手結束，人們認為似有明知故縱的嫌疑。其一是成都分行黃金案，當成都分行撤退來台時，運來黃金漏報兩萬餘兩，曾經立法院嚴切質詢過，依然杳無下文。另一件是太平洋各島剩餘物資，約值美金四千萬元，毫無着落，該處行所派李法端顧問，處理物資不清，李法端日前由台赴美，逍遙海外數年，此案曾經監察院查詢過，現在亦杳無下文。這兩件舊案可說是俞鴻鈞蓋棺論定以後，留給世人的「去後思」吧！

現階段日本對華政策探討（八）

羅堅白

人海示威之作用

近年日本勞工運動往往由左翼全國性工會「總評」發出大規模統一羣衆行動命令，而罷工大抵長至半日，短僅數十分鐘一兩小時，便自行終結。又都市上所常見的左翼人海示威行進，卻也並非每次演成暴動流血，不過鬨哄哄一陣，各自散場。居常疑其何故頻繁如此小題大做，且多不必做出任何文章。迨聞中共在和平革命戰略下，有此人海示威戰術，然後恍然大悟；悟到他們的目的有兩個：一是演習動員；另一則為造成習見事象，以掩蔽臨機突變陰謀，鬆懈防範者的注意力。例如七月十九日日美保安新條約自然成立之夕，國會及總理府被十數萬羣衆圍困得水洩不通。倘有人趁此送上若干輛卡車的輕機槍，發給豫伏在羣衆中受過軍事訓練的中堅同志，則日本保守政府被其推翻，當易如反掌。如此也不須要中共的實力拋頭露面，而日本支配階級已可根本被從內部打倒。可見中共實施和平革命戰略所用的戰術，現在比一九五四年當時所想定的，業已進步多多了。

六、仍在繼續邁進中的中共對日戰略

中共眼前絕無意於對日復交

這次劉寧一之來，其主要目的，應是試探池田肯否承認過去與中共的關係，及今後因而可加利用至何等程度。他臨去表示：要看池田今後的行動，筆者已覺其試探不大滿意，故面目凜若冰霜。但更重要的，是劉所發言的弦外之音。例如劉說：『日本人民這一年來，做了一件偉大的事，便是反對日美保安條約的大衆鬥爭。我說這話也許有人以為干涉日本內政，然而這是一個國際問題：日美軍事同盟是敵視中蘇的，是攻擊性的。』此外尚有關聯着對日問題中共所定下明確而具體的目標，為我們前此所未會聽到者：在上述三原則中，日本報上過去所用曖昧表現「不惜一切努力」云云，經劉坦白喝破，乃「對台灣斷交」。其次，由劉提議中（共）蘇日美另訂保安條約，其前提卻為『使亞洲太平洋不再有美國軍事基地』；得知中共把對日復交時期，排在這個前提實現以後，眞是遙遙無期；證明它眼前絕對無意於此。

公然鼓勵日本左翼在國內破壞秩序及法紀

劉極口褒揚過去一年來日本一部人民在左翼煽動下，所鬧出的人海示威成績，給戴上一頂「偉大」的高帽子。除了明知那是鼓勵破壞秩序及法紀，干涉日本內政，卻曲解為國際問題，絲毫沒有把日本看成一個有主權的國家，以答復池田「求使畏懼日本」云云以外；更藉以警告池田：中共對日作戰，並未終結於岸前總理引退之日。

三縣知事選舉結果使中共暫緩攻擊

不過中共最高決策者，經過平心靜氣將日本內部情勢加以澈底檢討，覺得人海示威戰術，在這次即將到臨的日本衆議院選舉以前，須要暫予休止，延緩對池田政權開始攻擊。因日美保安新約批准未幾，反新約之左翼示威，方似釜下雖已熄火但鍋中猶在餘熱沸騰之際，青森埼玉羣馬三縣先後改選知事（地方最高長官），自民黨在逐鹿中連戰皆捷。證明該黨並未如社會黨及左翼方面所宣傳：已被人民厭棄。而岸前總理所謂「聽於無聲」，確屬言之有物。恐在衆院選舉以前貿然發動人海攻擊，將反使社會黨被人民厭棄而招慘敗。只好隱忍以待之；盤馬彎弓，迄未敢發。

掀起學生文藝的高潮

『台灣省教育廳為展開全省學校文藝運動，輔導學生課外進修國語文及陶冶善良的品德，決定成立文藝教育委員會。這次學校文藝運動，預定在四十九學年度第一學期開始展開，劉眞廳長業已聘文藝界人馮放民、鍾鼎文、杜呈祥、陳紀瀅、黃彭年、楊蔭齋、趙友培、劉心皇、林適存、屠義方、王藍、林海音、魏希文、鍾雷等十四人，為該委員會會員，並訂期舉行第一次委員會議。』

在台灣學生文藝沒落的今天，這不管是一件令人興奮的消息。多年以來，台灣各中等學校裏，是沒有文藝活動，課外的文藝活動，只有少數的愛好者，自己在孤獨中摸索、學習、進取。而這種毫無指導的學習，成就畢竟是有限的。

這次教育廳為了輔導學生進修國語文，決定成立文藝教育委員會，並且已聘請了在文藝界的名作家十四人為會員，以期展開學生文藝運動，足證教育廳已重視學生文藝運動的重要性，筆者亦願於此略抒己見。

我個人認為，若要全面掀起學生愛好文藝的狂熱，必須文藝界人士與從事教學國文的老師們相互配合、策動，才能收效。文藝教育委員會不妨決定推動學生文藝活動的原則與方法，各縣市可組成分會，由各級學校中擔任國文教學且在寫作上有成就的老師們担任會員，（據我個人所知，很多作家們都在從事教育工作。）這樣有系統、有組織的去推動學生文藝活動，我想是要比只由一個文藝教育委員會的力量來得大。

同時，另一方面編印純粹刊載學生們自己作品的刊物，以引起學生對文藝愛好的興趣。廣泛的介紹文學方面的常識，不要以台灣現有的文藝成就為滿足。擴展年青孩子們的心靈，使他們能了解到從文學作品中所能得到的力量與勇氣，也才能使他們從文學作品中鼓起對人生眞善美的追求的信心。

以上淺見，尚未召開的文藝教育委員會中的諸位作家們，不知以為然否？

沙漠

論都市的空氣清潔

讀者來論

人生不能缺少空氣，猶之乎魚類不能離開水。一個人每天肺部吸進去的空氣，平均有一萬一千公升（十一立方公尺），一分鐘十六次，每次半公升。（呼出吸入合計）這是指坐着不勤的人而言。勤作多的人，一分鐘可能到六十公升。一個人一天吸進去的氧，有五百公升。吐出的炭酸，則有四百五十公升。可是空氣裏面決不會乾淨，無論都市或鄉間，或多或少，總免不掉煙子，煤煙，灰塵，廢氣，蒸汽和機氣。而灰塵或塵埃更能受氣象因素，飛得很遠。華北的黃土，是由蒙古飛來的。非洲沙哈剌沙漠，可以飛到北國的瑞典。爆發的火山，可以噴到至世界。不過要看風向，風力和氣象，高低，遠近，成份不同罷了。

除了天然的汚積以外，還有人為的，像工廠的煤煙，化工廠的氣，乃至汽車的煙幣等。鎣硫礦來說，小小一格繭媒的碳磺，燒了之後，能使二千立方公尺的空氣含毒。水泥工廠，汽[illegible]有一百萬噸。人們目前在工業國家所吸的空氣，如果一立方公尺內含着汚粒一千萬個，還算是好的。更糟的地方，可能超過十倍，即是每公升空氣之中，含有汚粒一百萬。試想一個人每一次呼吸半公升的空氣，便可能吸入五十萬粒汚塵，那是如何可怕的數字！

因之有些國家，已經注意到這個問題，英國在一九五六年已經公佈了「空氣清潔法案」，西德在去年十二月牆乎鄰訂同樣法案，從今年六月[illegible]

丹士

周揚的反蘇問題

大陸文壇萬花筒

——岳騫——

關於王任叔的事情，本欄曾報導過幾次，現在只談周揚，周揚原名周起應，抗戰前就在上海主持左翼文壇，當時中共派在上海的文化工作負責人，當時由魯迅扛大旗的左翼作家聯盟，實際就由周揚主持，魯迅只是一個活的偶像，不料後來周揚竟然同魯迅鬧翻了，表面理由是為了「國防文學」與「大衆文學」之爭，骨子裏面還是私人的意見不投，環繞在魯迅周圍的一羣人，有胡風，黃源，馮雪峯都和周揚不對，漸漸影響了魯迅，最後魯迅公開批評周揚，連白衣秀士王倫都不如，幸而不久魯迅就被他設計氣死了，否則繼續爭執下去不是中共當局處分周揚，就是逼得魯迅向右轉，這場爭執並未因魯迅之死而結束，魯迅手下一批人仍然繼續和周揚鬥爭。大陸陷共後，周揚成為文化界總管，凡是留在大陸的文化人都在他管轄之列，十五年前舊恨又重新提起，胡風首先倒了霉，成為「反黨份子」，至今生死不明，一九五七年鳴放時，乘機又把黃源鬥倒，接着又大開一次殺戒，把馮雪峯，丁玲及這個小集團的人一網打盡，周揚這時已經志得意滿了。

可是到了本年七月間召開的第二次文代會，馮雪峯又冒出來，可見反周勢力依然存在，目前文化界足以與他抗衡的人只有一個錢俊瑞，勉強再算上夏衍，我估計以錢夏兩人為首結下一個新的反周集團，這個集團力量正日漸強大，一年來周揚已在走下坡，王任叔就是他的大將，這次竟被清算，還要由周揚來主持，已經慘到了。本屆文代會及作家協會的改選，周揚有幾名親信，都榜上無名，在自身不保情形下的周揚，竟而敢去攻擊蘇聯，不啻剃光了頭去碰泰山，那有這種道理，就再退一步說，西方國家的情報確實，中共與蘇聯在互相攻擊，中共方面也輪不到周揚出馬，周揚在文化界雖然顯赫一時，但在中共黨內他只是一名候補中委，職位只是一個副部長（中共中央宣傳部副部長，以及中共國務院文化部副部長），這樣一個腳色敢出來攻擊蘇聯，正如三歲小孩子揮拳要打楊傳廣一樣，只有增加笑料而已。但是西方專家們竟會想到周揚身上，想像力未免太豐富了。（下）

社會小說

香港地

五、有錢佬

楊生先眞似有意教梅大亮在這齣台上面，痛痛快快的上一次課。

他見梅大亮有了恍悟之狀，便道：「梅老兄，你我都曾自負是讀飽了書的人，把天下許多道理都看得通透，卻不知我們在這個商業城市裏面，原只是一個空無所知的鄉下人。換過地位，用馬行時的眼光看我們，正式是大鄉里，土包子，還不只是腐儒而已。比如他問你一句：『你知道香港鈔票和美元或英鎊比率的升降，每天是憑什麼來決定的呢？爲什麼許多國家的鈔票會分出如許複雜不平的比率呢？』我相信你必瞪目不知所答。於是，他就得笑你是正式的大鄉里。你決不能拿半句話反駁。因爲你天天是在使用鈔票，和被鈔票支配着，但你對於鈔票的知識卻如此貧乏，等於只能吃飯而不知稻麥菽粟的分辨。豈不可笑？而他卻是玩鈔票的專家呢。」

梅大亮無端受了一頓教訓，竟然心平氣和的接受得服服貼貼，並且利用楊先生吸煙不再說話的一段時間，靜靜地思索了一會，才笑着答道：「是的，我們在這裏都是大鄉里。我覺得滿身浮華氣的城市人走到鄉村農業社會，和我們滿身土氣的大鄉里走到城市商業社會，一般是無知與愚蠢得可笑的。」

梅大亮聽得點頭不迭，也在沉思了半响之後才道：「我們對於鈔票和股票都沒有什麼知識，而這在他們眼中都是很可玩的紙牌。他們大都成了玩紙牌的專家，這樣說法，不經不覺把許多人都捲進紙牌裏去，玩在一起。這眞是有趣得很呢。我如不說，怕你從未認眞在這個問題上面動過腦筋，但一經說穿了，覺得有趣抑或無趣是你自己的事了。」

他們兩個一談便談了不少時間，客廳裏外的客人也已吃得七零八落，興致闌珊，大概快要到散席的時候了。霍新開仍是那種活躍的樣子，活躍滿場。（六二）

木客著

書癖

汶津

有人一度尊稱我爲「書呆子」，我頗覺居之有愧，但又卻之不恭。據說我在週歲時曾在幾十宗象徵性的物件中抓了一本書，那本書的內容如何，已不得而知。除了略覺驚訝之外，倒也發展了我的「先天說」。

有的人生來是跛的，有的人一出娘胎就或聾或盲或啞，這是無可奈何的，我們只盼醫學能更進步些。同理可證：我之愛書，也是無可救藥的。

其實我也沒有多少珍本書足以炫人，別人誇說我的書眞多的時候，我幾乎有點慚愧。如果有那麼一種比賽，我可能會演出了書海戰術，謂君不信，我的「斗」室被書一侵佔，差不多就只賸下五升了。

最近大暑把存書整理了一下，不禁有君子之歎。許多印刷物所以能始終高踞書架的原因，實在簡單得有點可笑：它們和我巳有了某種感情，即使它們本身「食之無味」，我這主人仍感到「棄之可惜」。象養牛馬的人，一俟那些畜生的剩餘價值榨完了之後，便磨刀霍霍——「你不要怪我無情無義……」「養」書的人可不能依樣畫葫蘆。至少，我活到那麼大還沒有把舊書撕開了當柴燒的習慣。

書店對附庸風雅的人向來另眼相看。這樣人買書跟買花瓶一樣，祇選擇封皮而不大翻裏頁的，比起那些又精明又寒酸的讀書人，自然好待候得多，他們不計較版本，缺頁，錯字那些瑕疵；祇要是精裝的，有燙金的藝術字更好。

我可能是書店夥計不太歡迎的顧客，但也不致於讓人厭個三天三夜。有人專在書店裏作長期閱讀，難免有擋人財路之嫌，我就常見夥計們瞪目而視，敢怒而不敢言，可惜那老兄往往不知不覺，怡然自得。有一次終於發生衝突了，許多買主一齊圍上去看熱鬧，書店大概又少做了一筆生意。我也往往不太理會那些市儈反應如何的。有餘錢的時候，我樂意到書店去走走，至於買書與否，還須臨時決定。有時心裏打了底稿，準備買某一類書，到了「市場」，卻又洩氣了。我時常在琳瑯滿目的書叢中走來走去，最後低着頭走出店門，歎口氣說：「簡直沒書可買！」說是矯情吧？試想漂流海上的人焦急着沒水喝的情景，就不必我來爲自己洗白了。——鹹水不能解渴呀！

話也不能一概而論，時或無聊，我也會買些莫名其妙的書回來，那類書多半很快被打入冷宮。我的「冷宮」，位於書架上冠冕堂皇的一排得寵者的背後，進去了很難再見天日——除非是送葬。至於邀寵的書本，也不能担保那天會失勢的。其中一部份是「備而不用」的，看起來很體面，實際上是被我列爲「參考類」的——那意思就是「擺擺門面而已」。

我的書桌上也積有不少書。它們多半被讀過三分之一到五分之三。因爲少於前者，使我覺得對不起自己；超過後者的話，我準會鼓勵自己一口氣把它拼完的！數目多的時候，幾達二十左右。空閒的時間，我一屁股坐在椅子上，對它們親切地凝望，直到望得我有些發愁，才猛地抽出其中的一本。正好像古代帝王駕幸後宮的光景。

有產階級總能得人青睞，這是第一步；下一步就是有所求於你了。問我借書的，也許不比某些聊備一格的小圖書館少，我又安能閉關自守！但書借出後，心裏有兩種想法：好書，還盼他早還；不好的書，還不還在其次，下次來時，不要祇對我呵斥浪費他的寶貴光陰。

有時朋友——當然是不頂熟的朋友——來，會誇獎我「用功」，有書爲證。我往往不知如何答覆。有一次，我可說了老實話：「我的愛書，正像有些人愛鈔票一樣，至於用不用，就是另外一回事了。不少人是終生把錢藏在保險箱裏的！」

但願我時刻不忘把我的保險箱打開！

「殺機重重」驚險刺激

修衡

「殺機重重」是電懋本年度製片大計劃一部分。這部片子曾經一波三折，一直擱到現在才完成；這一由李湄喬宏主演新片，王天林執導，故事內容爲針砭現實，揭破黑暗。自「鐵臂金剛」上映後，人們對電懋的偵探片引起極大興趣。「殺機重重」背景也很多，比「鐵」片不同，更接近現實，如大規模的賭博場所，幾乎沒有人會不見過，澳門有「東方蒙地卡羅」之稱，人們當會理解：煙館、賭窟都是藏垢納污去處。「殺」片當然不是鼓舞人們向惡，而係誘使人們自黑暗走向光明。李湄在這個戲裏，她以「交際花」姿態出現，喬宏卻是一個年輕有爲青年，兩個人身分不同，傾向各異，前者嗜酒成性，後者雖有愛意，終不滿於她的腐化生活。人總有同情心的，喬宏對她規勸，誘導，對一個沉緬於酒色女人，卻不會產生任何效果。

於是，喬宏企圖用「激將法」，扭轉李湄態度，改變她的生活，在李湄面前，故意和其他女人親熱；李湄不僅無意改變生活，反而妒火中燒。以爲那個女人奪去她的愛，斷她財路，竟然求助於黑社會人物，對喬宏加以恫嚇：「只要他和任何女人結婚；必將那女人殺害。」她在酒後，糊裏糊塗「買兇殺人」；然而，一經酒醒，卻悔悟不採取該卑鄙行徑，找黑人物推翻前議，設法找到黑社會首領，焦急得坐臥不安。這是一幕實景，從這幕實景中，將會使人覺得夠緊張和夠刺激，其他不言可知。

銀壇隨筆

第三回：柳暗花明又一村

儒林九尾龜

吳敬鋅

一聽說李鴻飛要走，大家都緊張起來。黃安民嘆口氣：「你是我接來的，我陪你走好了。」

李鴻飛再三擺手，勸黃安民暫時作下去，因爲黃安民一走，勢必要牽動全體，問題就比較嚴重了。

李鴻飛收拾好簡單行李，先出去到黃大仙找到一個朋友，租了一間木屋住下，月租祇有十八元，還容易對付，這時雖然還有一點積蓄，也祇可支持一兩個月，勢必要先解決生活之道，最初他眞打算去打石子，後來考慮一下，還是寫點稿子出售，祇要每月能刊出幾篇，生活也就解決了。李鴻飛程度本來不錯，在驚濤社混了幾個月，也摸到一點寫稿的竅門，所以寫的稿子有百分之五十可以發表，生活也就定下來。

因爲要在報紙雜誌投稿，李鴻飛經常要在外面走動，認識了許多文化界的同行，也見識了許多千奇百怪的事。

有一次李鴻飛到一間文化報去送稿，一進門看見編輯鄭實齋和一位客人談話，這位客人約有五十來歲，五短身材，白淨面皮，看見李鴻飛就起身含笑讓座，鄭實齋介紹之下，原來此君名魏本思，過去是上海名作家，現在也在文化報投稿。

魏本思拉着李鴻飛的手，再三稱擄說道：「我們雖未見過面，實在神交已久，我每次在本報看到老兄大作，十分佩服，祇是未識過頭，今日眞是幸會，不想老兄又正在英年，前途眞不可限量。」

李鴻飛見這位先生說話好似開了機關槍一樣，當時眞不知如何回答，祇是連說：「老前輩太客氣了，以後請多多指敎吧。」

從此兩人成了很熟的朋友，魏先生爲人很風趣，談起上海掌故，如數家珍。談到當年上海文壇的熱鬧情況，更令人悠然神往。不過時間稍久，李鴻飛發現魏先生寫出來的東西並不見佳，完全是從幾本舊雜誌上抄下來，自己一點創作也沒有，不免有點奇怪，可是又不便問。

隔了一個時期，魏先生突然拿了一份稿子來找李鴻飛，要他同鄭實齋說，想在文化報上發表，李鴻飛接過來一看，原來是一本章回小說，署名「變離淚」，描寫後母虐待一雙姊妹的事，文字內容頗似三十年前上海流行鴛鴦蝴蝶派文字，但文筆卻差得多，再看其中許多稱謂，都是不文不白，不中不西，這種小說實在不合香港的水準，當時反問道：「魏先生和鄭編輯熟得很，爲什麼不直接交給他。」

魏本思搖搖頭：「我的脾氣不慣求於人，當年在上海祇見編輯向我約稿，我從未求過編輯，這個習慣至今未改。」（廿五）

美國

——徐學慧

美國的物質文明，經已發展到最高峯，現在開始走下坡了。

在這一次的奧運會中，有幾項爲美國囊括了多年的金牌，眼睜睜爲他人搶去。運動會還沒開完，美國國內已掀起了一片檢討聲，有謂乃由於美國人耽於逸樂所致，未始沒有道理。

一葉落而知秋，我們固不必爲美國諱。富強並不可恃，中國俗語有云：「富貴無三代」；個人如此，國家又何獨不然？文化精神，民族道德，如果不能配合科技的進展，則其結果乃必致令這一民族在精神上瀕於虛脫。

今日的美國，正是患的精神上的虛脫症。

文化是根本，技藝是枝葉，今乃捨根而逐葉，其不逐漸枯槁者，絕無天理。

美國的繁榮，始於第一次大戰，而極於第二次大戰。此四十年中，爲美國的繁榮期，由於其地理環境之特殊，兩次大戰不僅未會令其受到半點損害，反而叨戰爭之光，大大地繁榮了這個國家。

國家繁榮，而人才寥落，（此處乃指政治人才，外交人才）此則成爲美國國運的致命傷。而溯本追源，則精神虛脫，道德淪亡，有以致之也。

美國的政治人物，羅斯福以後無傳焉。羅斯福爲創造美國繁榮的人，其氣魄與才幹，乃成就於繁榮以前。此公一死，就繼起無人了。近二十年來，美國政界中的領袖，幾無一可與言大道；昏庸愚昧，而又愚而好自用，無遠見，無魄力，於是乎天下之事，乃盡在此輩昏庸而愚昧的所謂政治人物手中，弄得一場糊塗。

這倒眞是二十世紀的莫大悲劇。

韓戰爆發時，美國的汽車自澳門源源流入中國大陸，前後達四千餘輛，這些車輛由共產黨用來在韓國作戰，對付美國人。天下滑稽之事，孰有甚于此者。但美國的商人卻安之若素焉。

剛果戰事發生，一美國礦商卻向魯蒙巴遊說，只要能簽訂若干年的採礦合同，則軍火自當源源而來。這乃是稍明大義者所不屑爲，而美國人亦安之若素焉。

國於天地，必有以立。美國拿什麼東西立於天地之間呢？吾思之重思之，不知何以自答？

張宗昌與王天培

近閱本報五十八期「張宗昌趣聞」一則，乃引起我回憶三十年前一件奇異的遭遇，就這椿事而論，也可見鹵莽軍人，有時亦懂得重教育的。

民國十五年間，軍閥張宗昌，孫傳芳，聯盟抵抗國民革命軍北伐，宗昌駐節徐州，指揮軍事，此時，江蘇省立徐州女子師範校長爲倪朗若女士，以戰雲迷漫，乃請假返南京原籍，筆者卽負起校政臨時的責任。戰事一天一天緊張，遠道學生，大多請假回里。我們爲徐州附近七十學生學業，及保護校舍起見，和五六個同事商定開學臨時課，在風聲鶴唳的環境下，居然不輟絃歌，所以教師與學生都特別起勁。可是，徐州濱河郵淮，形勢重要，自古爲兵家必爭之地，軍隊衆多，番號複雜，終天五成羣，聲勢兇惡已極，前來借駐校舍。我雖是個軍校伯，但也會爲目的不擇手段的，凡是來借駐校舍的官兵，我總向他先行九十度鞠躬禮，讓到客廳坐下，烹好茶，敬名烟，還備有點心招待，好話說盡了，送鬼出門。但是，來得愈多，借得愈急，我感到應付維艱，甚至無術應付了。於是異想天開，不管三七二十一，就做出一件孤注一擲冒險的事，不惜重本以代理校長名義，拍一個急電致張宗昌，說明女校不宜駐兵的理由，並強調如能在戰時，使女校安然開課，則千秋後世，必稱頌大帥的功德。果然不出所料，得到復令，好像是說：任何軍隊，不准借駐女校，違即嚴懲不貸云云。我們馬上買兩張大紅箋，寫拳頭大的字，高懸在學校大門上，眞個咒符有靈，嚇倒小鬼，凡來借駐的官兵，一見紅箋，無不怏怏而遁了。學校臨時課，安然維持至三四個月之久。

國民革命軍第十軍軍長王天培，圍攻徐州時，砲聲隆隆中，我們照常開課，這是我一生最得意，而引爲驕傲的一幕。迨至宗昌敗退，王天培軍進駐徐州，他的政治部一定要借駐學校，政治部秘書李某，面目猙獰，態度兇惡。我和他講理，絲毫不肯讓步，一天三四次爭論不得開交。筆者那時年少氣盛，不顧一切，拍桌大罵，軍閥尚知愛護學校，革命軍却摧殘教育。那個傢伙老羞成怒，竟拋出一頂大帽子，指我爲「反革命」份子，並要懲治我，幸經地方黨部，及公正人士，出來調停，終將學校前進新樓借給他們，這才了事。但臨時課照常開辦。

拿王天培比張宗昌，則張宗昌似乎還是要略勝一籌的。

靜仁

小啓：曲齋先生因事，「釋未集」暫停一期。

國大會議紀事詞

蘭臺侍者

敍頭鳳（依陸放翁原詞）

序曰：大會揭幕以前，對於將總統連任之方式問題，各方主張不一。國大代表三分之二以上人數，力主修憲，并有一千二百餘人聯名簽署提案，候交大會通過施行，但執政黨殊不謂然，擬以修訂憲法上所附「臨時條款」爲限度，彼此爭持不下。迨大會開幕前數日，報載現任考試院長兼國大代表莫德惠（柳忱），人稱「莫柳老」，曾與于斌，曾寶蓀，王雲五等「社會賢達」兼國大代表諸公，在某顯要私邸讌會中，一致贊成修訂臨時條款，且由莫氏領銜正式提議，議案原文同時刊諸報章。議諸公多數代表見之大譁，譏諸公爲「敍閒清客」，而對莫柳老攻擊尤烈，指其爲「巧宦」焉。

詎大會開幕典禮秩序，當局又內定由莫氏任主席，如是大衆更憤激，曾有人於開幕前數小時，馳赴會場書處抗議，謂將在會場上轟莫氏下台。嗣經秘書長谷正綱多方解釋，請大家顧全大體，毋令外賓見笑，羣情方告穩定，然餘怒猶未息也。莫柳老聞訊，中心頗惶遽不寧，故屆時所致開幕詞乃雜亂無章，不成系統，聲容亦震顫失措，迴異平時風度，一時物望大爲低降，旋競選正式大會主席團位置亦告落第矣。事後柳老頗怨官方報紙不應將其提案列佈過早，以致招來無謂之煩惱，耿耿於懷不能去也。

凝閒手，聯歡酒，媚時恰似隨風柳；評論惡，與情薄，者番心事，解人難索，錯，錯，錯！

人如舊，容消瘦，語無倫次誰猜透？傷零落，慚台閣，高官仍在，怨詞奚託，莫，莫，莫！

女侍詩話

筱臣

香港各大酒家，現在仍有花技招展的女招待，爭妍鬥艷，各顯所長，以資號召。在台灣亦有所謂「特別酒家」，設置女招待，雖政府屢有取締之說，但習俗相沿由來已久，亦未能嚴格執行。

女招待究竟始於何時，多以爲始自卓文君，卓文君私奔司馬相如，司馬相如則閣着犢鼻褌當跑堂，當壚賣酒，比之壓酒勸客的吳姬，似乎仍有差別。女招待的始祖，當亦有其人，惜至今日已無從查考了。

猶憶二十多年以前，香港卽已盛行女招待，「正聲吟社」曾以「女招待」命題徵詩，一時佳作如林，茲謹錄陳履譜先生所作八首，措詞均有來歷，或可從此詩中，找得一些綫索。詩云：

本是良家女子身，如何入市溷壚塵；壚邊沽酒謀生活，艷說文君第一人。

少小胡姬十五餘，春秋佳日獨當壚；兩鬟窈窕千般媚，尤物移人一世無。

昔聞西漢霍家奴，原是姓馮名子都；既藉將軍驕貴氣，居然調笑酒家胡。

太白仙才號楚狂，金陵留別引壺觴；莘莘子弟來相送，壓酒胡姬勸客嘗。

客舍門前近水邊，綠楊樹下繫漁船；邯鄲女子曾沽酒，對客挑燈鏡數錢。

紅粉當壚絕世姿，美人醇酒最相宜；夕陽西下能留客，醉倒長安輕薄兒。

白馬銀鞍氣象雄，五陵年少立西東；落花滿地環遊後，直入胡姬酒肆中。

樊川詩集最清華，曾詠秦淮賣酒家，商女不知天下事，國亡猶唱後庭花。

上詩談到秦淮，不禁令人想起秦淮河的往事，秦淮河畔，向多佳麗，昔時畫舫風流，抗戰勝利後，遂成陳迹。此等倚門賣笑之雛，除在茶樓豁歌以外，多半轉入酒家爲女侍。民國三十五年，大集成酒樓有女侍雅英，倚年玉貌，放誕風流，且酒量最宏，凡遇熟客轟飲，輒加入助陣，幾杯以後，醉顏微酡，益增其媚。與戴月老爲最善，雅英呼之爲契爺，朋醵偶有宴集，如戴在座，雅英必至，戴故善飲，然猜拳必敗，慨由雅英出爲抗敵，以是人有稱之爲父女兵，酒客中有天壤王郎，爲皖北名士，嘗贈以詩云：

其一

安道風流最有情，秦淮風月舊時清，未將雙槳近桃葉，且把千金寄雅英。掌上明珠看宛轉：燈前眉語任縱橫。從今酒陣應無敵，贏得人稱父女兵。

其二

華筵幺鳳荐流霞，春在青溪賣酒家。九畹幽蘭醒醉草；一枝紅杏寄生花。冒娘漾月能酣舞；謝女當壚擅煮茶。欲去逡巡行復止，微波猶自照乾爺。

此詩清麗雋雅，的是名人手筆。大陸淪陷後，戴王均已避難赴台，但此一秦淮麗人，現已不知流落何所。

酒家有了女侍以後，致令一般詩人週旋其間，平添若干佳話，解事的主人，更倩名手，製成了若干的佳聯，使一般顧客身入其間，爲之陶醉。過去的香港石塘咀，卽爲花叢薈萃之區，禁舘秦樓，望衡對宇，開筵生花之酒樓，不下二三十家，如陶園除園林幽雅而外，更多清麗可誦之聯。其中有一聯云：

「檻外蝶多情，詎爲採香才入夢；幗邊花解語，未曾呼酒已消魂。」

又有萬花樓鶴頂格門聯云；

「萬」貫解腰錢，莫愁買醉無資，虛度春秋拋好景；「花」叢添眼福，但願司香有主，都成眷屬補情天。」

又某酒肆亦有一聯云：

「天有酒星，地有酒泉，飲者舊留名，莫使金樽空對月；一顧傾城，再顧傾國，佳人古難得，休將錦瑟誤年華。」

以上各聯，看來均似與花枝招展的女侍，互相輝映，大有相得益彰之妙。祇是這一些情趣，只可爲知趣者道，似乎難與俗人言，大凡進入酒肆，與女侍作糾纏之輩，又幾人能夠領略其中的滋味呢？

論中國文化

顧翊羣

編者按：本報雷社長曾致書遠居美國之經濟學者顧翊羣先生，擬請其撰寫有關台灣經濟問題之文字，以資本報，頃接顧先生來函，畧謂當前人類問題，已超越於經濟、政治、軍事諸範圍之上而爲文化、哲學與宗教指向的規範。而中國的儒家思想，在未來世界之新文化中，當居於一主要地位。因此，今後將從事此一方面之闡述。函中所論，實至爲精當。本刊特將原函發表，惟未及徵得顧先生之同意也。

儆寰先生道鑒：前奉一日賜諭，久應裁答，祗因鄙務蝟集，且對近事諸多感慨，今甫上書，諸請鑒原。關於台灣經濟問題，尹仲容，張麗門，王撫洲諸兄，均係學者，對於判斷症候，以及用藥方案，甚有研究。且每歲國際貨幣基金輒派員與我政府要員檢討一次，報告具在財部。如立法委員詢問時，當可得到答覆，（基金今年年報十日後公佈，弟已請其居期郵送一份致執事，對世界經濟現狀及趨勢足資參考）。

至弟個人則認當前人類問題，已超越於經濟、政治、軍事諸範圍之上，而爲文化、哲學、與宗教指向所規範。如人類定欲相信唯物主義，自然主義，倫理相對主義等等，而認孔孟之道（乃至釋迦基督等教義）爲無足輕重，則浩劫自難避免。然卽有浩劫，人類亦不致全體毀滅，屆時興起者當爲一具普通性之世界新文化，就中我國思想當居於一主要地位。例如孝道在其他國家，及其他文化與宗教傳統，及文學藝術者，總難與我國者相比。目前青年犯罪如此普遍，不有孝道何從挽回？此爲一正確之人生觀世界觀問題，三百年來科學興起後，若干哲學家乃至科學家，將人本性中上達部分看輕，而注重人與動物相同之處。目前危機乃此種看法之必然結果也。

此時所需要者，乃周公孔子釋迦基督一流人物。不得已而求其次，則教育家與主筆先生以喚醒青年爲職志者，均爲未來人類之造福者，其貢獻較叱咤風雲玩弄權力政治者遠爲重要。說者或謂此種人卽「平居無事談心性，臨危一死報君王」之流，早經前賢指責。但宋明末歲，儒者不講求實學，而空談理性，自應被批評。在現代則經濟困難之屬於資源，技術，組織等方面者，較易處理，關鍵在主持者之決心，歐州成效可爲殷鑒。獨眞理與道德之講求，則楊墨之說，久盈天下，近若干年來西方純正學者亦經見到，而大聲疾呼，如許華州，貝特也夫，馬里唐等人皆是也。伊等看法不外知行合一，眞理不在身外而須親身體會，道德尤重實踐，與我國儒家傳統主張相同。

弟深信中國思想在當前時會爲救世界救人類之金丹，對執事與台港諸學者在此方面之努力，無任欽佩。除於暇時當撰文請教外，並贊成　貴刊多登載青年學者見道之文章，俾涓滴漿成洪流。總之，弟對舊學有信心，對新知願吸取，對現代文明抱悲觀，對人類尤其我國將來則抱樂觀。私衷願成爲一出世之儒生，在家之和尚，雖不能至，當懸爲鵠的也。手此敬覆并頌

著綏

弟翊羣拜上九、十五

徵稿小啟

有內容有意義之隨筆、散文、掌故、小說、雜感、詩歌等類文字，本刊均所歡迎。請用有格稿紙繕寫，如需退還，請附信封及郵票。

一千六百字之散文隨筆比較容易刊出，過長則以篇幅所限，刊出的機會較少。請特別留意爲感。

孝與慈

·謝康·

人性本來大致是相同的，但因教育環境和社會組織的不同，於是古今中外各民族各時代的道德觀念就跟着發生差異了，以「孝道」來說，就是一個好例子。

中國傳統觀念，是比較重視孝道的，推而至於極端，遂以孝爲天下之大經，齊家，治國平天下之基本，如孝經和大戴禮記曾子大孝篇所說的那一番大道理。且孝與慈不一定是相對的「偶性道德」必須是父慈然後子孝。而是無條件的「大孝終身慕父母」。像虞舜那麽樣，「父頑、母嚚」，却能以「大孝格天地」的精神，孝敬父母，終於把他們感化過來。這種孝尤其是儒家所稱道的。但是，也只有儒家如此而已，按照楊朱爲我，墨子兼愛，道家虛無清淨，法家刻薄寡恩，佛家空諸依傍無所留戀的精神，比較儒家起來，都不大重視孝道。卽以儒家及春秋戰國時人而論，禮記內則篇寫兒子事父母是何等的孝敬；而當時所謂孝者，是謂能養而已（論語）。未必能必恭必敬的。又禮記三年問及論語記孔子與宰我對三年喪制意見之不同，和孝經論孝與論語論孝的大同小異，可見同是儒家，而各人談論孝道也容許有所偏重或出入的。（一）

海濱消暑錄

自由報

THE FREE NEWS
第六十五期
每份港幣壹角
社長：雷嘯岑
督印人：黃行寶
20. CAUSEWAY RD 3RD FL
HONG KONG
TEL: 771726
台灣分社

反對黨問題縱橫談

關德辛

年來海內輿論不斷在談到「反對黨」問題，本年六月間，「選舉改進座談會」在台灣成立，「反對黨」的組黨工作始積極展開。「反對黨」由理論逐漸成為事實，是很自然的演進過程，原無足異。非常有趣的，倒是座談會的三個召集人，亦即是「新黨」的發言人雷震，李萬居，高玉樹，恰好分隸於國、青、民三個黨籍；其中以高玉樹在民社黨歷史較淺，在台北市長任內是以「賢達」身份從政的。雷震以前是國民黨的黨政界要員。李萬居在法國參加青年黨，在該黨已有三十年以上的歷史。這些無關本文題旨，順筆提到便算。

依照憲法規定：人民有結社自由，「新黨」的籌組原應沒有問題。但在七月二十九日中央日報的社論提出了「政黨的承認問題」，接着，雷震在「自由中國」半月刊發表了一篇文章，用極嚴厲筆調加以反擊。情形發展至此，已可看出「新黨」的產生並不如一般所想像的那樣單純，而實實在在已成為一個政治問題。

到了九月四日，雷震因案被捕，在「新黨」成立前夕緊鼓密鑼聲中，更增加了戲劇性。儘管政府一再聲明：「雷案」純係法律性質，與「新黨」籌組無關。而實際上，「自由中國」是「新黨」發展的溫床，雷震又是「新黨」的首腦人物。法律與政治糾結在一起，使兩事相激相盪，因為問題涉及國家的民主立法前途，海內外自然同表關切。

「雷案」尚在偵訊階段，目前各方可爭論的不過是：本案究竟應由軍法或司法處理，屬於技術性的問題。原則方面，所提出的亦不過只是希望政府在處理本案時應極端審慎。我相信政府不會忽視輿論，「雷案」必然有一個合法的處理，而案情在不久亦將公諸社會。在未明瞭案情前，任何評論都將失之於感情上的主觀。

「雷案」暫置不論，就「反對黨」談「反對黨」，我覺得問題的發生，有着來自不同角度的各種因素。未可執一以概全。

首先我願意提出我個人對當前局勢的基本觀念；以此作為衡量問題的尺度，纔不致發生偏差。

反共復國與實踐民主是海內外愛國的中國人一致願望。「反虜之道，在事事與虜相反，」政府如果藉口反共復國需要，在民主政治軌道上開倒車，與論界固應適時加以糾正；若自由民主人士言論或活動方面足以削弱反共復國力量，同樣為國人所不諒。無可諱言的，年來政府的各項施政，是否符合民主政治要求，值得商榷之處仍多；但一個真正熱愛國家的知識份子，他必然處處顧忌國家艱危的處境，了解現在台灣的中華民國政府是國家命脈所繫；在他批評現實政治時，他的心情是沉重的，說話也是有保留的，寧可極端忍耐，用迂迴而委婉的方式，不憚煩瑣，向政府作善意的勸告，而不願逞恣個人意氣，只圖一時口舌之快。

不幸這種膚淺的道理，並不能為每個人所領悟和接受。有若干人的政治觀察只跼限在「點」和「線」上，而忽畧其「面」和「體」。由一點或一線所引伸出來的言論和行動易趨尖銳化，軼於「恕道」以外，亦即美國人所說的「民主激勵」。民主政治在中國尚在實驗階段，根基不厚，生機極為脆弱：「民主倒車」固然足以逐漸拖死民主政治，「民主激勵」何嘗不會造成「休克」？

表尺已有，現在再來看問題。中國民主黨的問題不在能否獲得執政黨承認，更不在「雷案」的糾結，而在其本身宗旨是否純正，能不能担負起時代任務，進而有利於國家。

「新黨」開始以「反對」標榜，世界上從來沒有因「反對」而組黨的例子。政黨組織的目的在實現一羣人政治的理想和抱負。不能在朝執政便在野負起監督政府的責任，這是民主政治的常態。在理論上，我們只能說，中華民國現有的兩個在野黨不夠強大，不能發揮在野黨的功能；而不能說這兩個在野黨不懂「反對」或不敢「反對」，因此需要另行組織「新反對黨」，這是不合邏輯語意學的。況且，「反對黨」一詞，只見於英國——「英皇陛下反對黨」，在美國政黨便只有執政與在野之分。

一個政黨的產生有其時代背景和歷史因素；儘管「新黨」人士對現有的兩個在野黨不表重視（新黨前身「選舉改進座談會」曾有人提出：解散青、民兩黨。）但我卻不相信「新黨」能取代兩個在野黨的地位。兩黨之中，除開極少數喜新厭舊的人，絕大多數仍將留在舊黨為本身理想而奮鬥。我並不是隨便這樣說說而已，有理論根據。

青、民兩黨與國民黨共同制訂憲法，只要憲法存在一天，兩黨就有監督政府的職責。青、民兩黨是在大陸生根的政黨，「將憲法帶回大陸」是兩黨的另一歷史任務。基此意義，兩黨也就必需具有維護中華民國至死不渝的決心。質言之，兩黨對大陸上的父老兄弟姊妹的責任並沒有完。而這些歷史背景，「新黨」是不具備的。如果說「新黨」的時代任務是促進民主政治，我想只有青、民兩黨的屹立不墜，纔是民主政治的最佳保證，一部憲法纔是民主的政治的運行軌道。總之，「新黨」還是一個未知數，我們不能主張現有在野舊黨放棄本身職責把國家命運寄託在未知數上面。

台灣是一個島，當地人民有其強烈的地域觀念，這是地理環境使然。過去「二二八」事件，我有過親身經驗，我覺得所有從大陸來台的大陸人 Mainlenders 都願與本地人設法泯除隔閡，增進彼此間的了解，加強其對祖國的認識，斷不可把尚未填滿的鴻溝再事挖掘，擴大本地人與大陸人感情上距離，這將嚴重損害反共復國的力量。「新黨」在台灣創立，如何以事實來證明它並不具有狹隘的地域性，而是以國家至上為主旨，「新黨」人士首應加以深思。

如所週知，「自由中國」半月刊是「新黨」喉舌，該刊的言論一向偏激而富爆炸性。是很好的刺激劑，但不能滋潤民主政治。一個政黨所負的責任與刊物究有不同。刊物所盡的只是言責，僅有法律責任，沒有政治責任，比較單純。政黨的一言一動，則應處處以國家利益為重，政黨彼此間的相處，首要「相忍為國」，單靠意氣是不能担當政黨領導責任的。以美國近事為例：高層會議前夕，赫魯曉夫藉口U2飛機事件，對艾森豪總統百般謾罵；首先對此事表示憤怒的，不是白宮，而是國會的民主黨議員。自然這大出赫魯曉夫意外。站在民主黨一黨的利益着想，在艾森豪將近任滿前，能得到機會打擊艾克聲望，正是求之不得之事。但民主黨人士考慮到國家利益，情形自然便不同了。美國民主、共和兩黨是真心能夠互相抗衡的，而他們也能善自珍惜其本身影響力量，不隨便用來攻擊對方，以國為重以黨為次。醉心英美民主政治者，對此最應虛心觀摩！

現在「新黨」已正式掛出「中國民主黨」的牌子。我相信它是一個民主的，反共的，愛國的普通政黨。亦即胡適之先生所稱：屬於英美式的B型政黨，而斷然不是類似納粹、法西斯的A型政黨。但信不信由你，實際在「新黨」發展過程中，卻孕育着一股乖戾肅殺之氣。這是海內外所有愛國的中國人所不願見到和聽到的。「新黨」人士不能專事責備他人，應首先檢討本身態度是否已經表現出能與他黨相處？作法是否完全恪守民主政黨本份？黨的特質是否屬於全國性？言論是否處處顧及國家利益，而並不純粹着重於黨的宣傳？大家所願意見到的「新黨」要它能以事實證明它確是一支促進民主政治的生力軍；對反共復國大業確有幫助，如果所產生的只是一連串「民主激動」，它是不會受到國人歡迎的。這個尚未正式成立的中華民國第四政黨，有無自知之明，了解其所以自處之道，我們不妨拭目以待。

小調天下

△艾森豪在聯合國大會的演詞，據被形容是深得「聽衆」同情。赫魯曉夫卻抓住殖民主義為箭把。他提議將聯合國總部由美國遷到其他國家去，並要廢除秘書長制度，由三人委員會來代替。

如果你不明瞭赫魯曉夫此行是「以搗亂為目的」，你便會覺得他的無聊無賴將致慘敗。其實他自己的計算是：只要有了搗亂的機會，任何失敗都是成功。

如果有人提議：把聯合國總部遷到莫斯科，讓自由空氣由這個缺口透進鐵幕；或者是：讓中共進入聯合國，由它派人出任秘書長，好使它變得「循規蹈矩」一點。這大概不算得是「怪論」。

△赫魯曉夫在聯大演說達二時二十分，飲水一瓶。他說：美國的馬也歡迎蘇聯。

美國的人要了解這個傢伙，還要多費工夫嗎？

△英美法正在會商對付赫魯曉夫的策略。西方觀察家特別注意英首相麥美倫和印度總理尼赫魯兩人，把挽救聯合國危機的希望寄在他們身上。

有一個人在心裏慶幸地說：「來了來了！」這個人就是赫魯曉夫。

他原就要吵鬧出一個「調人」出來，只要有了「調人」，他就不愁沒有文章可作。

這就是共產黨常在任何會議吵鬧得很兇的「老戰術」。麥美倫「見過鬼會怕黑」，怕只是：黐禁尼赫魯的慫恿。

△寮國之戰，據說美國和泰國意見有了分歧。

和美國做反共的朋友就是這樣難做。他要你立場堅定，但他自己卻吹「無定向風」。

△美國的「蘇俄問題專家」在用心研究過赫魯曉夫的演詞之後，驚奇地認為：這裏面竟有「中共的含意」。他們因此提出了警告，叫大家當心。

他們的驚奇倒才值得驚奇呢。這些「太可驚的專家」用來「分析」出的刀子怕是太銳利了，這才過早把蘇俄和中共「一刀兩斷」。

△古巴宣佈和中共建立外交關係。

他已吞下了自以為甘香的毒藥。

方南

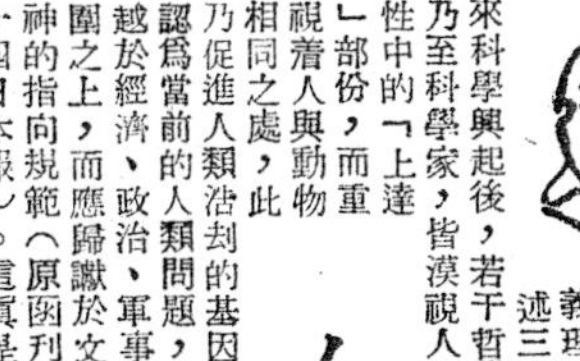

人禽之別

馬五先生

愚友顧翊羣先生最近函示其所持人生觀之義理，指述三百年來科學興起後，若干哲學家乃至科學家，皆漠視人類本性中的「上達」部份，而重視着人與動物相同之處，此乃促進人類浩劫的基因。他認為當前的人類問題，已超越於經濟、政治、軍事諸範圍之上，而應歸讞於文化精神的指向規範（原函刊載二十四日本報）。這真是一針見血的至理名言，良深傾佩。

人之所以為人，自有其與一般動物迥異之處，否則便不成其為「萬物之靈」了。然而，現代人類眩惑於科學與工業技術發展的物質文明，日唯孜孜汲汲於累積財富，追求優裕的生活享受，所謂「提高生活水準」云云，大家奉為人生至高無上的目的，而以向上發展的文化思想問題，為迂濶不切實際之談，十足地表現着「人之所以異於禽獸者幾希」的景象。我們只看現代西方人對於飼養狗與貓那種不惜耗費的所為，即證明他們是把人類與下等動物等量齊觀，無所軒輕的。

這情形，尤以富強甲於全球的美國社會最為顯著。例如：美國人一面對於年老不能從事勞作的人，視為無足愛惜的廢物，有如棄置道旁的爛草鞋；然，無所謂「敬老」的觀念；同時又慨嘆社會上青年犯罪之普遍流行，而欣慕一般旅美華僑子弟之馴謹自愛，引為詫異。殊不知道這是從中國固有文化陶冶而來的結果，而以「孝道」為基本潛能也。易曰：「形而上者謂之道，形而下者謂之器」，西方人就於物質文明的器藝生活，沾沾自喜，就人生的真諦設想，這是向着一般動物的形而下之發展途徑相同，生息在一片文化沙漠社會而不自覺，悲夫！

得天獨厚，遠景光明
幸運的馬來亞

◎×××馬來通訊×××◎

·剛宏·

凡是曾到亞洲遊歷的人，一定有這個感覺，亞洲各國可以分作兩類，一種是令人憂慮不安的國家，另一種則是看了令人安慰的國家。前者有如錫蘭，後者則如本文所說的馬來亞。

馬來亞地處赤道，正當太平洋和印度洋的交叉口，在亞洲大陸的最南方。資源豐富，景色美麗，儼如天堂，橡皮和錫的產量，全球首屈一指。一九五七獨立，成爲馬來亞聯邦，而爲大英集團之一員，新加坡是和馬來亞分開的，是另外一個半獨立的國家。

事實上，中國人到馬來亞最早，葡萄牙人是十六世紀才到馬來亞的，中國人更早。而中國人大量到馬來亞，則是在英國人統治馬來亞之後——一八七〇年以後的事。因爲那時英國人要開發馬來亞的錫，不得不僱用中國工人。以後又移民過去的不少的印度人，如今印度人成了第三位，而居於中國人之次了。

中國人最多的是在新加坡，但是馬來亞仍有不少的中國人。全國人口六百五十多萬，土人佔了一半，爲三百三十萬，第二位便是中國人，有二百五十萬，佔了百分之三十七，第三位是印度人，有七十五萬，佔了百分之十一、二，歐洲人很少。這三種人分配在馬來亞並不平均，中國人主要在西部各大城市裏如吉隆坡、衣坡、檳榔嶼和麻六甲。馬來亞人則分佈全國，和集中在東部各蘇丹城市。

英國人的政策，在歐洲是傳統地幫忙較弱者以壓制較強者，在東方各殖民地亦然。馬來亞土人儘管人數較多，可是中國人比較勤快又比較聰明，英國人對中國人的顧忌也較多，更怕他們和東南亞各地的華僑乃至和中國祖國聯合。馬來亞要獨立的時候，英國人自然偏袒馬來亞人。

可是馬來亞人，又分多少種，政治權力也不統一。那些蘇丹王公的小朝廷，多半是守舊派，而一般青年，又多半是摩登甚至於社會主義派。更有一批國家主義派，主張將華僑擠出馬來亞。另外還有一批現實派，則主張與華僑和平共存。因此在土人本身之中，意見也無法統一。最好也不要統一，不然，土人和華僑之間的鴻溝，一定更會越來超深的。

所幸馬來亞還算幸運不錯，馬來亞土人之中，居然還有一位明智的政治家，有眼光，有手腕，融合華僑和印度人，組織了一個聯合黨。去年八月間大選，聯合黨在國會一〇四席之中，獲得了七十四席之多，竟有三分之二以上的席次。

這個聯合黨的領袖是土人當中的貴族，名叫阿白杜、拉門通古的 tunku abdul Rahmen, Tunku 爲土爵王子），曾在英國受教育，後來回去當律師，是鼓吹馬來亞獨立的一個人。他曾說過：「我是一個愛好和平的人，上次和日本人的戰爭經驗，已經夠了。我主張不用戰爭向英國人要求獨立。英國人自然要看看，我們能否融合各種族和平共處而又能保持秩序，才能不戰而允許我們獨立。因此我才創立這個聯合黨。」今年五月間，英國聯邦召集各國開會時，這位拉門是批評南非種族問題最有力的人。種族和宗教問題，常常是不安的主力。試看印度和回教人的內戰，便知道拉門的看法是對的。

在馬來亞的華僑，和世界各地一樣，大半是生意人。原因在於中華民族的習性，缺少政治興趣。對於客居的國家，甚麼人統治或如何統治，都不大關懷，祇要不侵害他們的經濟利益就行。當拉門約集華僑領袖參加合組聯合黨之際，華僑都一致支持他們。

這位拉門土王，可稱是一位好官，非常和藹開朗。他的統治，也是非常溫和的。他的助手，董相當男爵阿白都，拉薩克 Tun Abdul Razak，既是副總理，又兼國防部長還兼農業發展部，則是一個強有力的人。不多話，會思想，初看時，你不知他是一個有力的人，可是他是眞正管理行政的有力和負責人，他能維持國內和平無事。

過去，在馬來亞各地，會有上萬個共產黨游擊隊，英國人用上整師的力量，才把這游擊隊消滅了大半。這個軍官，便是十五年前曾在西德英國佔領區，將柯隆市市長阿登諾罷免掉了的鄧伯勒將軍 templer。

聯合黨除了和平共存及消除了游擊隊之害兩大成功以外，還有第三天然優點，那便是馬來亞的經濟情況很好。馬來亞現在是全球最大出產天然橡皮的國家，是出超的國家。而遠景很美。就是目前，馬來亞人的生活，也比附近各國都好。

不過馬來亞也有他的陰影。除了人種問題不談之外，第一個可怕的便是中共，自從中共侵印以來，馬來亞雖然距離還遠，可是已然感覺到威脅。第二個可怕的，便是踞守大門口的新加坡，新加坡自從獨立以後，另是一國，單在那裏，便有一百萬以上的華僑，佔新加坡總人口八成。新加坡和馬來亞分家自立以後，便成了一個有頭無身的國家，經濟頓成問題。住民紛紛日趨激烈而左傾，對於新加坡的赤化，拉門是非常担憂的。（本報馬來亞特約記者剛宏寄）

現階段日本對華政策探討（九）

羅堅白

東京通訊

劉所指示之新猷　劉來日後，日本左翼學生及文化人等，大規模被驅遣下鄉，一面求與農村知識層成立友好聯繫，一面注重調查研究人民反新約空氣，何故竟在選舉中起了反作用。據聞這是遵照劉所指示而決行的新猷。由此可知：衆院選舉過後，左翼人海示威戰術，仍將繼續顯示身手。

分裂戰術的新邁進　然由最近日本政界動向，筆者看見中共分裂自民黨的戰術，却又劍及履及開始邁進，只尙未明白喊出打倒池田；然已不似人海示威戰術之僅止於秣馬厲兵。先是社會黨經七月五日中央常務委員會決定一項「當前政治活動方針」在那裏頭表明要實現以社會黨爲中心的「民主中立政權」。並在此以前如有必要，可與「彼善於此」的保守政黨相連立（組織聯合內閣）。八月四日，爲劉寧一來日後數日，社會黨中央政策審議會，更進一步關於樹立民主中立政權有詳明決議。其關於與保守政黨之一部連立執政實現步驟，未見公佈，但報上卻有加以影射批評者；可見事或涉及機密。頗疑該黨或遵照劉所指示，準備如何誘惑自民黨中反池田各派上鈎，再引起其分裂活動。

河野標榜保守兩黨主義　果然自翌日起，自民黨的河野派，便以此連立政權爲目標，在離東京稍遠的溫泉休沐地輕井澤繼續密議五日之久，決定標榜「保守兩黨主義」，發起另組新黨，顯然係與社會黨相呼應。河野自上月打出「黨人派」旗幟，擁戴石井與池田爭奪總裁失敗後，一時停飛息鳴。現又開始其分裂活動，不遲不早，正是劉來在東京之時，且在社會黨政審會開會有所決定之後。其受有劉的暗中策動，自在意中；蛛絲馬迹，亦不必尋。

（七）日方開始以牙還牙以夷制夷

池田不得不奮起抗戰　中共如此咄咄相逼；池田將何以處之？此不僅關係他的對華外交政策如何決定，並關係池田內閣政權的根本與前途如何維持。中共對日本，既然談外交是假，埋頭作戰是眞；日方對之，倘若始終當作通常外交去應付，那只等於穿着禮服恭恭敬敬捱打。中共現在未曾使出武力，用以作戰的是謀略；日方也只有以謀略抗戰。這倘若說是戰爭，便是以牙還牙；倘若說是外交，那只好算是禮尙往來，所謂「來而不往非禮也」罷了！最近有幾件事，看來頗似池田已在奮起抗戰，而且還似乎佔着上風。

文章出路在台灣

張希明

台灣這個地方，寫文章的人眞多。人寫文章，鬼也寫文章，甚至於很多毛孩子也寫文章。

一個新出籠的「作家」如果想在文壇上掛上一個名字，這是一條非常難的路，即使難到頂點，也還有這種優勁的人，向難路上追，爬，幹，鑽的，有這個信心去自打天下。

另一種「作家」是靠親戚，朋友，學生，老師，同事之關係，來享「文」壇之名，登文「壇」之路。假如他她們不走這「捷徑」，恐怕很少能登上「文壇」。在我認識的一位新「作家」，就是這樣登入「文壇」的，他以其師生之關係，捧上了她的學生成爲「作家」。其實文章水準還大大的值得研究。

另外辦雜誌，報紙的副刊（文藝版）的作者名字，只要稍爲留心注意一點，就可明瞭，今日台灣文壇上的文人，某一本雜誌即爲某些人的專有刊物，可以靠他拿定時薪水（稿費）來養活孩子太太。局外人士可別休想插入半個足趾，即使有此勇氣寄了去，也隔不了三天，就退回了「娘家」不誤也。台灣報紙，雜誌至少是一半有此毛病，某些雜誌且有此「優良傳統」習慣，不但成爲他們專有園地，有時還得有「分配」及「輪流」，免得弄成不均。有時某些刊物長篇累牘老是某一人的「專利」，期期是他的作品，天天有他的「大作」出現。

如果寫文章的人，沒有這條捷徑可走，則他的作品，將永遠被打入冷宮。

不過有一個例外，女孩子的文章可不列入此種行列。一般男作家的文章，編輯們非常地不感興趣。反之，女作家的文章，則篇篇而且是處處受歡迎，送去必登。我的一位作家朋友，他就是用「女」性名字用出了名的，躍登文壇。如今他已一帆風順大寫他的「女作家」之輩的小說。事實上是光桿作家，用了女性筆名，而出其名。可謂文由「名」！

我也會嘗試過一次，起先用本名送去，不到三天原璧歸趙回娘家了。我不信自己文章比不上別人，一氣之下改用女友的名字，重又寄去了，文中一字也未改，一週後某雜誌連稿費一下子寄來了，而且刊載在很顯著地位，又作了一個簡介。眞不免令人啼笑皆非呢！

作者、讀者、編者

曲齋、木之、與敬鋅、修衡、諸位先生：舞稿務請早日寄下，以便編排，爲感。

丹士先生：請續賜稿，並請用有格稿紙繕寫。

各位文友：第三四版稿件，以一千六百至一千八百字爲最適宜。近日有若干文友之稿件，動輒三千或五千，茲特於此鄭重聲明，凡此類稿件，能在本刊登載之機會甚微，請勿再事投寄。又本刊對外稿均有刪改權，亦不擬接受不能刪改之文稿，敬請曲諒。

大陸文壇萬花筒

大陸的畫壇

——岳騫——

大陸文壇已經夠寂寞了，畫壇却更慌，自從齊白石，黃賓虹，徐悲鴻相繼下世之後，不問國畫還是西畫均已繼起無人，及至江豐被清算，就連敢動筆畫幾筆的人也沒有了。所以中共目前可以強迫書家如沈尹默，潘伯鷹幾位先生寫字來海外換取外滙，只有繪畫，所翻印的都是古畫，近人的畫一幅也沒有。

中共對這種缺憾當然要想法彌補，可是想培養出一個名畫家談何容易，承平時代也非幾十年不成，而目前大陸的環境根本就不宜藝術家生存。中共當局也深知這一點，就鼓勵農民繪畫，打算用農民代替舊有的畫家。

這種情形在大陸非常普遍，八月十一日人民日報報導安徽省阜陽縣「王人公社」的詩畫創作情形，有許多「生動」的故事，簡直無法想像。

王人公社有一個李砦大隊，一共有六千多人，一夜就有一千多人提灯粉牆，八百多人寫詩畫畫，到處燈籠火把，五十多歲的李如江見到人家畫畫，急忙叫老伴打着燈，和兒子閨女一起畫起來。七個莊子一夜間都是新畫滿牆，大家都成了畫家。

其中有一位最傑出的「畫家」叫做楊風江，討過幾十年的飯，當然也未畫過畫，一旦到了大躍進時，他的靈感也來了，看見小學教師在牆上畫的競賽欄，只畫一個框框，覺得不對勁，就拿起筆來添上幾朵花，他的老婆李素蘭看見了，走上去拿起筆來說，「讓我也來畫」，於是一個在東牆畫，一個在西牆，楊風江畫了一幅「活捉美國狼」李素蘭接着畫了一幅荷花。

因爲畫家太多，連畫筆都用光了，就用麻扎代替，沒有顏料用紅土，經過兩年時間，這個公社共畫出四百一十四萬多幅，幾乎人人都成了畫家。

這種畫家在自由世界的人看來實在是笑談，但是這個公社却推出一名叫儲純的代表去北平出席文代會，並且在人民日報發表文章，要大家向他學習，無疑地，這種畫將來必是大陸最流行的畫體，幸而白石老人死了，否則他眞要痛哭流涕呢？

社會小說

香港地

五、有錢佬

霍新開不會冷落了任何一個客人，不停在說笑，也不停在跳動，一切表演得十分成功。其實，他在這次讌會裏面，是担任導演，不只是表演。所有被邀請赴讌的客人都成了演員，甚至主人馬行時和他的太太也是。這許多演員都在霍新開指導之下，有笑有說地演完了一台戲。

好不容易才湊成這台戲，演不到兩小時便散，人客如潮而來，又是如潮而去，一批又一批的分乘霍新開指定送客的汽車，陸續下山。

霍新開究竟爲什麼要請客呢？梅大亮到底莫明所以。他並未在讌會當中聽到霍新開說過有關此讌的目的，直至散會之時，仍被悶在葫蘆裏，猜不出所以然。

他心裏是這樣想道：「難道霍新開邀了這麼多朋友到這裏來，只是爲了看看馬行時家裏所藏的鈔票？」他覺得這也是一個理由，但不相信霍新開會爲了這樣一個簡單的目的，弄到「興師動衆」，大張旗鼓，顯得過份賣力。

這時已是萬家燈火的時份，由太平山頂望向山下，以及九龍半島那邊的燈火，越覺美麗可愛。梅大亮忽然動念道：「此事內幕，怕只楊先生一個人知得清楚，因他是霍新開的『死黨』呢。橫豎只有幾輪汽車分批送客，沒法一起把許多客人載走，我這個老古董不慣和別人爭座位，在這種競爭上面必然『執輸』，何不趁此邀楊先生同走，踱步到纜車的車站所在，一邊觀賞香港九龍的夜色，一邊向他問個明白呢？」

他打定這個主意之後，便放眼向四處找尋楊先生，竟發覺楊先生在和霍新開告辭之後，剛擠上了一輛汽車，又從車裏退出，露出似乎有些尷尬的樣子。他馬上舉手招呼，把楊先生喊到他身傍，並將主意說出。

楊先生一聽他提出這個好辦法，立即答允道：「妙妙！也虧你想得出。今天之會，雖有滿堂賓客，只你我兩個是真正的老古董和大鄉里。我們才算得是如假包換的『死黨』呢！此時安步當車」，果真有趣。」（六三）

木客著

談罌粟花與鴉片

程兆熊

編者按：香港新亞書院教授程兆熊先生，以農學專家而邃於文藝修養，茲爲本報撰寫此文，彌見其風華映掩，多姿多采的本質，閱者當有同感也。

罌粟在宋張翔的花經裏，是與薔薇並列。在游默齋花譜裏，罌粟的別名，是叫做麗春，又叫做賽牡丹，更叫做錦被花。到了明代，王敬美在其花疏裏也說是「芍藥之後，罌粟花最繁華」。袁宏道在其瓶史裏，則把罌粟和蜀葵並稱，說是「妍於籬落」，像是司空圖之鬱台，而把罌粟當作是芍藥之婢。在屠本畯的瓶史月表裏，是把罌粟當成四月裏的花客卿，又把罌粟和玫瑰等量齊觀。就是在高濂遵生八牋的草花三品說中，也把罌粟列置在中乘妙品內，讓它和百合、山礬、芙蓉、水仙等，居於一個行列。罌粟在本草綱目裏，李時珍說是「乃象乎穀而可以供御」。蘇頌則說是「人多時以爲飾」。

總之：罌粟是一個美麗的花朵，罌粟象徵了人類的糧，罌粟也做了人間的裝飾；罌粟在我們這裏，一方面是賽牡丹，一方面又做了芍藥的美艷的追隨者；牠在當年並不亞於薔薇。

罌粟在我們的近鄰——印度，更成了印度的國花。在那釋迦牟尼出生的地方，牠是代表着「安慰」，牠安慰了我們隣近的國度。

只是罌粟一到了大不列顛帝國的少數商人手裏，竟在我們這古神州的綠野裏，釀成了一場前所未開，舉世未有的所謂鴉片戰爭。在古希臘的荷馬史詩裏，掀起一場大戰的是爲着美人；而在我們中國，古時候的戰爭亦多是爲了「人禽之辨」等類因素，「師出無名」，一向是引爲大辱的。又幾曾逆料到：一個時勢的推移，竟會在這世界中，出現着一些特殊的商人，像一手拿着寶劍，一手持着可蘭經似的，用砲艦護着鴉片，並爲這鴉片而掀起了戰爭呢？

在這一場戰爭裏，不僅是轟毀了幾千來的罌粟花的美麗，而且是窒息了整個人類的心靈。在這一場戰爭裏，不僅是轟毀了無邊無際的古神州的綠野，而且是撕壞了整個人類的本性，又斬斷了整個人類的感情。這一場戰爭，在我們的損失是無窮的，但損失終於是光榮的損失，因爲我們從來就欣賞着罌粟，但這時都以決死之心拒絕着鴉片，拒絕這全世界人類的毒物，不使蔓延。這一場戰爭，在別人的收穫是可觀的，但收穫終於是可恥的收穫，因爲只知把美麗的花朵，作成亙古未有的毒物，又只爲着推銷這亙古未有的毒物，而不惜從事前所未有的戰爭，這何止全犯了摩西的十誡？

在我們的漫長的土地與心靈開發的過程中，我們以往所遇到的，雖然有着像先秦一樣的「曲折」，雖然有着像南北朝和五代一樣的病痛，又雖然有着像遼、金、元一樣的朔風，以至像愛新覺羅一樣的寒流，不斷地吹來，不斷地流入，但無論如何也逆料不到會招致着由罌粟而來的烏烟，會遭遇着這由鴉片的毒物而來的瘴氣！就這樣，我們固然已由此開始了一個最壞的命運，但放眼看看整個世界，整個人類，整個歷史，又何常不開始了一個最壞的命運？只不過，我們却對此悲劇並不負有任何責任。雖然我們儘有其慘痛的回憶，儘有其慘痛的瞻望；但在這裏的心靈，却總沒有被罌粟窒息，但在這裏的本性，却總沒有被鴉片沾汚，那會是眞實的。正因爲如此，我們也就願意根絕鴉片，而依然要欣賞罌粟了。

在我們這裏，以前對於罌粟，眞是有不少美麗的幻想：

宋謝邁罌粟花詩有句云：「一斛千囊蒼玉粟，東風吹作來長腰」，他怎樣也沒有想到那裏面是毒物。

楊萬里則更進一步想像着這罌粟會是人間的糧，又會是花間的糧，他的罌粟詩竟有，「東君羽衞無供給，探借春風十日糧」之句。

到了明代，吳幼培對罌粟又有詩說道：「更誇結子纍纍碩，何必汚邪滿稻粱？」

對着這種花的美，就往往要想到這花的子實；對着這花的子實，又往往要想及稻粱。大家似乎在一致的想着「使民菽粟如水火，則民焉有不仁者乎」的一句名言。有了美的欣賞，就會有了仁的用心，這眞是一種性情之敎的精髓。在這裏，大家的想像，竟簡單化到了一點，大家對着毒物，也作其美的想像和「善」的想像，大家竟不識人間更有何物叫做「毒害」，大家是簡單化到了這樣的一點，就是：「凡屬美的，都是眞的，又是善的」，同時凡屬善的也都是眞的和美的，而凡屬眞的也一樣是美的和「善」的。眞善美三者是通於一點，合於一點。這也就是通於性情，合於性情。就在這一性情上，大家都只知儘量地簡單的活着。大家都只知儘量地高明的想着。每一個人在性靈中，會有一個美妙的天地，會有一個美妙的田園。因之，每一個人在眼前所見的，都會是一個美妙的日月，一個美妙的花枝。更因之，大家便又會「天也不做他，地也不做他，聖人也不做他」。只是這樣一來，人家把罌粟花的子實，做成了鴉片，用砲艦護送過來，我們還以爲人家只不過是做着小小的買賣。於此，我們的回憶會是慘痛的。但人家一旦反省過來，一旦清醒過來，也總會承認這樣的事，實在是不合算的。

在東方，由牡丹芍藥到了罌粟，這原是一大墮落。

但在西方，由百合薔薇到了鴉片，這更是一大墮落。

在西方人士心目中，深紅色的罌粟是代表着「空中樓閣」之一花義，在以前，我人會欣賞着深紅色的罌粟花，我人對着這樣的罌粟的飄蕩，在心靈上固然會「飛昇」，但一落地，我人終於成了一墮落。

在西方人士的心目中，純白色的罌粟是「睡眠」花，在以前，我人也會欣賞純白色的罌粟花，我人對着這「無事」的罌粟，在性情上固然會安然的睡盈，但一睡下，我人終於遭了一大難。

只不過在這裏的大難，究竟是飛昇的墮落，究竟是飛昇的墮落。我人只要一落實，我人仍是無患。於此，罌粟花雖然是一個東方的災難的標記，但罌粟花也終究成了一個東方的特異的教訓。

青年之聲徵稿

本版特闢「青年之聲」一欄，專載海內外青年學生的文藝作品及其生活動態的報導。歡迎各校同學來稿（勿超過五百字），一經刊載，略致薄酬。請註明年級及學校。

儒林九尾龜

吳敬鉢

第三回：柳暗花明又一村

李鴻飛暗暗好笑，你不願求人，却要我去碰釘子，未免太聰明了。不過當時還念到也是一位前輩，不好過拂其意，就把這本「雙雛淚」拿了給鄭編輯看，鄭實齋看了一遍，就問這篇稿子是誰的，李鴻飛只好直說是魏本愚的，鄭實齋搖搖頭：「他是稿子不能用，我最近發現他寫的東西完全是從上海舊報紙上抄的，已經有不少讀者來信指出過，好在都是些短篇，我裝下胡塗也就過去了。像這種長稿子起碼要刊兩個月；假若在中途被人指出是抄的，到時怎麼處理，腰斬了與報譽有關，繼續登下去，我們的報紙豈不是變成了文摘。」

李鴻飛遲疑一下，說道：「這篇小說寫的並不出色，大概是他自己寫的。」

鄭實齋大笑道：「我只看了幾頁，就斷定他必然是抄的，我只舉說兩點，第一，他這書中對兩個女孩子並不稱她，而稱伊，這完全是二十年前上海流行的鴛鴦蝴蝶派的筆調，第二，書中不斷提兩個女孩子的梳裹，可見這兩個女孩子還是纏足婦女，現在寫小說有誰還用這種題材，可見他必然是從舊報紙上抄的，難得他保存了這麼久，不過稍微用點心就看出來了。」

李鴻飛對於鄭實齋十分佩服，覺得這位編輯眞是老手。回去找到魏本愚，把稿子還給他。魏本愚却彎腰作個揖，說道：「這篇稿子千萬拜托老兄替我想辦法推出，我實在等錢用。」

李鴻飛十分詫異，問道：「魏先生你交遊比我廣，說話也比我有份量，你自己出馬豈不更容易些，爲什麼一定要我去亂碰呢？」

魏本愚紅着臉，半晌說道：「實不相瞞，有幾家報館的編輯我都認識，但是他們對我的印象都不好，在他們眼中看，像我這種人是過時了，只有你們青年人說出來的話，他們才肯聽，所以你非幫我忙不可，請你再拿到別家試試，但是千萬不要提到我，否則又會打回頭。」

李鴻飛被他纏得沒辦法，只好再送到中興報去，並且未說出是魏本愚的作品，只是含糊說是一個朋友的。中興報編者一口答應，把稿子留下，過了幾日果然發表了。

剛剛刊出三天，魏本愚又來了，進門作揖打拱，千恩萬謝，坐下就開門見山向李鴻飛說，請他到中興報把稿費全部領出。

李鴻飛愕然道：「你的大作可以登兩個月，現在剛剛三天怎麼能把稿費全部借出。」兩人正在爭論，忽然郵差送進一封掛號信，拆開一看，李鴻飛呆了。

（廿六）

銀壇隨筆

林黛 蘇鳳 互爭 張揚

—修衡—

一個電影明星眞正本錢，是藝術造詣和經驗積累，絕不是誇張宣染可以捧紅。另一方面，任何一位大紅大紫影星，也需要經常有機會演出，不然，年華易逝，每使人們淡忘。最近兩年，林黛拍片不多，也許若干片子她個人並不合，一經閑散，偶試水銀燈下生活，漸感體力不支。

現在她一病數月，談到從影年齡，似乎尚在顛峯，她的戲，仍舊可看。且就她和電懋最近攝製那部「溫柔鄉」看來，林黛並不是「病美人」，活潑明敢的姿態，仍將爲觀衆擁護。她在這部文藝片中，和蘇鳳、張揚都是很好的朋友。誰也明白：朋友是朋友，跟情侶不能混爲一談。但男女間的愛情，有時候發展得使人覺得莫名其妙。那當然是友情向另一方面發展，兩性間的友情給種下愛苗，兩女一男之間構成了三角爭逐現象，這中間，自不免優勝劣敗。

「溫柔鄉」的故事內容，即係描述三角戀愛開始、發展、直到結果。林黛在該片飾演一個狡黠女郎，跟蘇鳳的溫柔忠厚、體貼性格，恰成反比。她知道蘇鳳是個老實人，更明白張揚的性格。爲了愛情，不惜設計排斥前者，爭取後者，老實人如蘇鳳，當然敵不過詭詐，專攻心計的林黛，在一個盛大酒會中，林黛把許多人灌醉，只有她個人獨醒。於是，一夕之間獲得了理想愛人，蘇鳳呢？這位百萬富翁千金，「賠了愛人又折兵。」俗語說得好：「路遙知馬力，日久見人心。」一個陰險的女人，未必能夠享受終身幸福的。

釋未集

本刊自由人時代起，即不汲汲於招登商業廣告，並不爲女明星捧場，復且停刊武俠小說，作風平實而强項，沂頃數期，經常獲見佟衡先生所撰之銀壇隨筆，自慚愚陋，對於所謂銀壇，實概乎未之有聞，惟本港各報所列之影評，或明星起居注，則不免於偶然寓目，心知此不過製片商或電影戲院之廣告，故亦未嘗關心其優劣，蓋以商業觀點論之，有商品即須有廣告，且須出重金僱專人爲之，技巧者往往能使人眩惑，誤廣告爲襃貶之評論。本刊若亦猥從流俗之所好，闢專欄刊載此類文字，浸假必至於爲女明星撰起居注，留意其三圍尺碼，記錄其一顰一笑，思之足使人寒心，賢者寧甘爲此邪？我知其必不然也。或者曰：今之電影，聲勢浩大，能善用之，可以裨治道，故西洋文明國家之政府，極意扶持其發展，其元首尤不吝優禮電影演員，甚且有因演技高妙而受封爲爵士者焉。余曰：唯唯否否，以余所知，西洋之所謂文學，以小說劇本爲代表，而小說中之故事，又往往爲編劇家所取資，電影演員，附麗本演出，遂因緣而有較高之聲譽，其尤俊秀者，往往風靡一時。若論其受封爲爵士，則我國昔時亦有所謂內廷供奉之優伶，而其實則尚爲弄臣，無以異也。我國之有女明星，大抵近世産品，而女人粉墨登場，亦始盛於明代，明人徐樹丕識小錄云：「十餘年來，蘇城女戲盛行，必有鄉紳爲之主，蓋以娼優，而縉紳爲之主，充類言之不知當名以何等，不肯者習而不察，滔滔皆是也。有某比部狎一女優，而此優者，一經部爲之主，以比部保挾之出，出必旬日，有妨其歲，遂至相訟，語不忍聞，女優者復好興無賴作緣，良家所不樂士子往也。」以娼優委伶，今雖時移勢易，有明星而本爲閨秀者矣。然涇渭之分，其間不能容髮，故凡爲女明星，即與一般職業女性無殊，隨波逐流，無復在山之泉水矣。今按明代女優，必有縉紳爲之主，而今之女明星，必有其經理人而外所謂製片商、導演等等，且同察於其前後左右，各有其不同之目的。明星稍有名，則凡開幕禮，須其剪綵，社團同國觀光，須其代表勞軍，忠貞人士紀念國慶，須其登台演講，宗親會，藉明星以光耀門楣，同鄉會，賴明星爲之敬恭桑梓。明星若曾入校讀書，則逢其學校慶典，又須明星主持頒獎典禮，貌爲借重，實則利用，與無故捧場者有別，今既不受片商或戲院之委託，乃日撰溢美之詞，近於同俗自媚，亦不知宜名爲何等矣。

曲齋

女明星

國大會議紀事詞

蘭臺侍者

浪淘沙

序曰：第三次國大會議於民國四十九年二月廿一日午前舉行開幕典禮，政府各文武機關首長自蔣總統以下，一致蒞臨參加，各友邦駐華使節，亦應邀到場觀禮，儀制甚爲崇隆。國大代表一千五百人皆衣冠楚楚，意態昂揚，相率高視濶步含笑入座，怡怡如也。是日在台上司儀者，素負「司儀專家」盛譽，會創辦司儀訓練班。開幕典禮秩序單上列有「總統致詞」一項，詎司儀專家居時竟高呼總統「訓」詞，全場人士除却外賓，莫不深感詫異，各代表更爲之啼笑皆非。總統原係國大代表所選出者，公僕對主人豈能訓話？司儀專家平日唱慣「訓詞」語句，習與性成，遂不覺衝口而出也。蔣總統致詞畢，緩步走下講台之際，忽有坐在前排之某代表，起立振臂大呼「擁護蔣總統連任」「蔣總統萬歲」等口號，聲震屋瓦，舉座愕然，良以蔣總統亦係國大代表之一，此時此事，殊非所宜，未免大煞風景。據聞某代表現任某軍事機關閒曹，欲乘機表示忠貞意志，冀邀總統青睞，或有「簡在帝心」之效能，用心可謂良苦矣。

堂上衆英豪，一代天驕，悅情愜意是今朝，抵死司儀開玩笑，隻字相嘲。失態有同僚，無謂招搖，狂呼萬歲震雲霄，身份渾忘求倖進，心力空拋！

父子同科

漁翁

有清一代，開科取士，分童試，鄉試，會試，殿試，四級，不僅在乎章句，而又注重於八德四維之修養。據傳在鄉試之前，央僧道設壇建醮，如有缺德者，必爲神鬼所不容，因此，凡求學之士，咸以禮樂先於書數，而在明德。

在科舉場中，凡父子兄弟先後會進士，入翰苑者，固不乏人，而父子同科舉於鄉者，爲世所罕見，有之，其惟湖南范芝田乎！

范芝田者，湘之邵陽人，生於清道光末年，家貧爲人傭，一日，遇星相家，見其狀貌清秀，有儒者氣象，謂其對面有茅廬兩間，惟對面可以一筆架山，謂爲可以出文人，乃勸其棄耒耜而易硯田，二十年後，必可光大其門閭焉。

芝田如相者言，半耕半讀，具有李密「掛角勤讀」之志，弱冠，以案首入邑庠，即秀才第一名，里人爭聘館其家，誨人不倦，出其門者，多拔萃之士。娶陳氏，婚後十年無所出，乃將束金所獲，泰半用之於慈善事業，年而立，始舉一子，本「積善之家，必有餘慶」之義，而名之曰有慶，有慶生而穎異，十歲能文章，年十三，以幼童應縣府試，得博士弟子員，鄉居於里，鄰居爲王姓巨族，慕其才，以女妻之，並資助上進，彼父子亦不以入學而自滿，仍咕嗶窮年，而致力於舉子業。

同應鄉試，歲光緒丁酉，行裝待發，欲而芝田忽夢睡媳房，認爲缺德，遂中止此行，夜夢，妻問其媳何在？告以在旁？應聲曰：「此夢甚佳，寓父子同科之先兆，已請毋猶豫爲。」芝田聞之喜，即偕有慶匆匆就道。鄉試在湖南省會長沙舉行，距邵陽居湘之南陲，水路達八百餘里，陸程亦七百里以上，當時無火車往來，僅一輪一葉輕舟之通行，時如風色不佳，需半月時間，奈考期迫近，恐難如期趕到爲慮，幸天公助美，一帆風順，僅八天抵埠，旅居三日，即入試場。

終場後，芝田索其子之試卷閱之，曰：「必取也。」有慶亦讀父卷，曰：「亦可入選也。」在座者以有慶用一「亦」字，對父失禮，輕薄者恐不永年也。可是旅館床頭金盡，居大不易，及揭榜，而喜訊至，歸後半月，范芝田得取第九名，芝田忙問：「有慶有名乎？」答曰：「未也。」於是芝田一喜一憂，喜者得薦秋闈，憂者其子年少，得失心重，恐不免鬱鬱於懷，乃婉言慰之曰：「父年近知非，倖而獲選，幸償宿願，爾年未及冠，來日方長，毋庸介意。」有慶矜才傲物，不免有「李廣難封」之恨！

彼父子正在忐忑不安中，忽又來一喜訊，范有慶以亞元入選，名列乃父之上。按亞元爲鄉試第六名，傳乾隆皇帝微服應鄉試，欲一試主考官之眼力，獲取第六，後知其爲乾隆，即以亞元名之。

父子同科，已驗夢兆，舉家喜出望外，即親友亦紛紛相慶，車水馬龍，極一時之盛。在設筵演劇間，忽二十年前之星相家至，芝田即延爲上座，致其勤懇之忱，曰：「我父子得有今日者，飲水思源，出於先生之所賜。」

尤以范芝田父子參加「鹿鳴宴」時，極感興趣。按「鹿鳴宴」，由撫台於鄉試揭曉後，定期宴主考執事各官及各舉人，用少牢，歌鹿鳴之章。韓愈送楊少尹序，有云：「楊君始冠，舉於其鄉，歌鹿鳴而來也。」此風流傳，已非一日。依例由解元居首座，解元本屆撫台排席時，便謙虛道：「有年伯在」。於是改請范芝田入席，並由撫台杯相敬，一時傳爲佳話。

自後，有慶雖會試失志，卒以大挑得爲進士，而氣狹，年未三十，即修文於地下，芝田以知縣終，壽八十有六。十年前，余過其門，見樓藏古書甚多，彼父子遺著亦不少，惟門座冷落，囹圄鞠茂草，不禁有今昔之感！

聯合國

徐學慧

二千五百年前，一個聯合國。這個聯合國的名義首腦是周天子，實際控制聯合國的卻是晉、楚、秦、齊四國。宋國雖然也是五伯之一，但畢竟沒有什麼發言權，有點像咱們中華民國政府一樣，雖然名列安理會永久理事，但也沒有什麼發言權。

那時候，誰想要「問鼎」，那就會被認爲是一件嚴重的事。列國諸侯儘管整天在吵吵鬧鬧，但對周天子還是保持表面上的尊敬。勢力均衡互相牽制的結果，周朝的天下拖多了五百年。

如果以周朝的歷史衡量今日的聯合國，則聯合國內儘管吵吵鬧鬧，照理應該可以維持一千年，可是事實並不如此。不同的事實是：周天子雖爲一個聯合國的首腦，而周天子幷不管事，有如英國與日本的皇室；今日的聯合國，設立了一個秘書長，這位秘書長如果也像周天子一樣的不管事，也就沒有事了。無奈二十世紀的國際情況，畢竟不同於二千五百年前，今日列強，莫不想挾秘書長以令全世界。秘書長之權大，而聯合國危矣！

赫魯曉夫這次在聯大會議上致詞，放了一個大炮，他建議聯合國搬家，又建議廢除秘書長而代以三人委員會。一時與論譁然，咸以爲老赫是瘋人說瘋語。且認爲老赫想拆聯合國的台，必遭慘敗。

老赫要把聯合國拆台，天下皆知，美國的國務卿赫德連表明，美國支持韓馬紹，換句話說，美國堅決支持聯合國。搞外交的人，當然並不知道人間有什麼所謂矛盾。今日之外交，集矛盾之大成，外交家口中的詞令，往往以今日之我，打倒昨日之我。細想起來，簡直是一大滑稽。

今日之聯合國，是個什麼樣子呢？老實說，尊重聯合國的只是一些弱小國家，至於所謂二强或四强，却是從來沒有尊重過的。

赫魯曉夫固無論矣！美國的赫德國務卿又如何呢？古巴事件發生之際，有人把這問題提到聯合國。美國政府却堅決表示，這事是美洲國家內部的事，與聯合國無關。

這究竟是不是拆聯合國的台呢？

戴高樂先生的態度，可就比赫魯曉夫那個老狐狸還要乾脆了。老赫只是要聯合國搬家，而老戴却爲了法國與阿爾及利亞的問題要「盡量與聯大會議疏遠」，所以，這次大會連去都不去。

難道這也是算敬重聯合國嗎？

要弱小國家尊重聯合國，而幾個大國却又視聯合國如無物，這個樣子的聯合國要它何用？乾脆關門大吉，落得耳根清淨吧！

姚琮近詩

送麗君四女遊學美國

負笈踰萬里。肯居女兄後。二難倘異言。太邱孰可否。謙和勝驕盈。倔强非老成。何來青白眼。難得月旦評。蝸予舐犢心。念爾違親意。離別本尋常。風塵老將至。

次韻酬林女士寄華

山雨秋風一小樓。輸君棨戟儼王侯。（門有兵衞）飛騰天路詩無價。閒放江城志倘酬。漢漢歸雲如有意。嚶嚶啼鳥定何求。陽和自古愁難和。況乃班生筆早投。

孝與慈

·謝康·

依宗法制度，流傳得相當久遠；儒家學術經漢代提倡及科舉制度，四書五經而成爲中國文化正統。五四運動打倒舊文化，而中山先生民族主義，仍以繼承中國文化優良傳統爲言，於是今天自由中國及華僑所到的地方，依然繼續教孝和重視孝道，所謂「孝莫辭勞，轉眼便爲人父母；事親竭力，留些好樣與兒孫」，由父父子子以及夫夫婦婦，兄兄弟弟等倫理秩序，以修其身而齊其家；孝，仍巍然列爲百行之首，五倫的基本思想了。近年香港大學林仰山、劉伯閔諸先生合編中國文選，以詩經的陟岵、凱風、蓼莪三篇冠首，繼以大小戴三年問，曾子大孝及論語、論孝諸篇，爲港大入學試之用。教育司以之列入中學會考課程。俱深知中國文化重點之所在，對於挽回世道人心，也許有相當幫助吧？

說到西方人對孝道的重視雖不如中國，而父慈母愛，至少是同等注重，甚至或有過之。關於母愛，我在「中國婦女文藝與母愛」一書及許多場合，都已經討論了，此處所要談的，偏於「父慈」方面。父字在中文的寫法，是從手持杖，就是家庭中的「嚴君」，時常會打人的樣子，所以「父嚴母慈」，已經成爲父母兩種不同性格的慣用語。現在普通文言尺牘中，常以「家嚴」代表我父，「家慈」代表吾母，慈這個字似乎和母親比較容易聯繫起來，因此「母愛」經常爲人們所歌頌，而「父愛」則比較爲一般所忽畧或不甚注意。（二）

海濱消暑錄

自由報
THE FREE NEWS
第六十六期
中華民國僑務委員會領發
台數新字第三二三號登記證
中華郵政台字第一二八二號執照
登記為第一類新聞紙類
（半週刊每星期三、六出版）
每份港幣壹角
台灣零售價新台幣弍元
社長：雷嘯岑
督印人：黄行奮
社址：香港銅鑼灣高士威道二十號四樓
20 CAUSEWAY RD 3RD FL HONG KONG
TEL. 771726　電報掛號．7191
承印者：四風印刷廠
地址：香港灣仔高士打道二二一號
台灣分社
台北市西寧南路壹壹壹號二樓
電話：三〇三四六
台郵撥儲金戶九二五二

毛澤東的醜陋相

王厚生

毛澤東曾在大陸上當衆辱罵讀書人梁漱溟先生，眞是豈有此理！毛澤東自以為漂亮，比西施還要漂亮，其實，他那副嘴臉醜陋得很。

中共之竊據大陸，事實上與毛澤東的「英明領導」無甚關係。此中的因素相當複雜，國民政府於抗戰勝利後未能收攬人心，史太林的陰謀詭計，美國對華政策之舉棋不定等等，都直接間接地促成大陸的陷落。毛澤東在這次赤化大陸的巨變，扮演史太林侵略主義在遠東的貓腳爪，也是國民政府喪失民心與美國對華政策猶豫不決的倖勝者。今天，毛澤東自以為很高明，自有所謂「毛澤東思想」。但如回顧一下過去十餘年間的演變過程，我們不難看出毛澤東的錯誤及其醜惡面目，他有什麼資格辱罵梁漱溟先生呢？他對不起國家和人民太多了，如果說梁漱溟先生比不上西施的美，那末，他也遠不及毛澤東的醜。

如衆所周知，史太林未死之前，我國的東北幾省曾經變成一種特殊區域，東北地方的首長竟然可以單獨的與蘇聯簽訂外交協定。那時候，儘管「中華人民共和國」已經建立，但毛澤東一直不敢出聲，迨史太林暴死，毛澤東始於一九五五年宣佈「獨立王國」之存在，並將東北王——高崗拘捕下獄。

一九五〇年十月，毛澤東奉了史太林的命令，發動「抗美援朝」運動，在韓國戰場上犧牲了百萬以上的精壯青年，那種以肉體築成的陣綫對抗熾烈的炮火和汽油彈，被譽為「人海戰術」，這是什麼呢？這是以義和團的符咒對抗洋槍炮的翻版，該是何等可笑可憐，可哀與落伍！送死不算，還須用物資償付蘇聯的軍援，這又是何等的荒唐？

一九五六年五月，中共宣傳「百花齊放，百家爭鳴」政策，以「陽謀」勾引大陸知識分子上當，然後以「資產階級右派分子」的罪名加於鳴放人士之頭上，加以整肅和改造。這一個惡作劇的編導者無疑就是毛澤東本人。到一九五七年二月，他在所謂「最高國務會議」上講「關於正確處理人民內部矛盾的問題」，提出六條扼殺鳴放的「標準」，這種出爾反爾的醜惡行為，只有毛澤東才幹得出來。我於一九五七年九月，曾著「論毛澤東的錯誤」，批評他的講演，指出他的荒謬。

中共與美國為敵，由來已久，這個形勢由中共革命的理論和最後目標所造成。中共革命以馬列主義為理論，以赤化全世界為其最後目標，美國為「資本主義國家」，為赤化的對象，所以中共反美乃是必然的。過去，中共反美，配合蘇聯的擴張政策。現在，特別自赫魯曉夫於一九五九年九月親訪美國以來，中共之反美顯得有點特出，成為共產國家中反美最為激烈的國家。但是，人們不致健忘，數年以前，中共的周恩來是怎樣請託尼赫魯向艾森豪說項的，那次外交上的生意雖無成交，一切內幕至今保守秘密，唯尼赫魯、毛澤東肚裏明白，但這類外交秘密總有揭開的一天，屆時，毛澤東將不知何地自容？最近，周恩來又倡議在太平洋區建立一個包括美國在內的非核子區，由有關各國簽訂條約。如果照中共的宣傳所說，「美帝」是全世界人民的最凶惡敵人，不應對它存有任何幻想，那末，首存幻想者，還是中共自身，我不懂作為中共「黨主席」的毛澤東的邏輯是何意義？

一九五七年十一月，毛澤東到莫斯科慶祝十月革命四十周年，第一次說出「東風壓倒西風」的話，在中共的宣傳中，這些年來的國際形勢是「東風繼續壓倒西風」。毛澤東說這種話，表面上夠漂亮，實際上是不識世界大勢。眼前的世界大勢明明白白的是西風東漸，而非東風得勢。請大家看一看蘇聯人民的心思傾向吧！東歐各國人民的反共趨勢吧！根據美國國務院的報告，在文化交換計劃之下，表現傾向西方的國家首推波蘭，其次是捷克、匈牙利、羅馬尼亞、保加利亞等國。東德人民之大批奔向西德，更為有目共睹的事實。在這一冷酷的事實面前，只有厚顏如毛澤東，才好意思說出「東風壓倒西風」的話，無怪乎所有的共黨領袖們現在都以赫魯曉夫為是，以毛澤東為非。當年，毛澤東在莫斯科也曾當衆捧蘇聯為共產集團的「頭」，引起波蘭，南斯拉夫等國共黨領袖們的不滿和恥笑，而今，連「頭」也不甚喜歡這個尾巴了！

一九五八年，毛澤東宣佈不幹「國家主席」，要騰出時間專攻馬列主義，這一舉動，充分證明毛澤東雖身為「黨主席」，但尚幼稚，不配居領導地位，所謂「毛澤東思想」，更不成話。近時，他與赫魯曉夫進行理論爭辯，被「赫老」指罵為學習綴字的小學生，更被迫簽名於羅共大會後之十二國共黨會談公報，為其他共黨國家所棄，致陷於空前的孤立。

自南共發表新綱領後，有所謂反對「現代修正主義」的鬥爭，毛澤東大表丑功，猛烈抨擊修正主義。但時至今日，中共却被赫魯曉夫罵為教條主義與宗派主義，被指為犯着左傾幼稚病。

與赫魯曉夫作理論爭辯時，毛澤東又不敢公開露面，只是躲在幕後，借別人的名義，或用機關報刊「編輯部」名義向「赫老」開炮。這種鬼鬼祟祟的懦怯行為，最為可恥！如與狄托反抗史大林，戈穆卡反抗赫魯曉夫之史實作比較，毛澤東實在是恬不知恥，無地自容。偉大的中國竟受制於此等小人，眞是氣數！

毛澤東一生受制於史大林，唯命是從，迨史大林死後，俄共內部有赫魯曉夫，米高揚諸人，敢於發起鞭屍運動，並公開揭發俄共與史大林之罪惡行為，反觀毛澤東之行徑，他不特不乘機修正共產制度之弊端，反而對史大林歌頌備至，奉為良師。可見此人的奴隸性屬於天生。

此人不能讀外文書籍，未曾到外國走過，不知今日何世，而妄稱核子戰爭可以毀滅資本主義，可以完成共產主義在世界範圍內的勝利。此種狂妄言論，已有狄托、赫魯曉夫加以嚴厲駁斥。此人之思想如此顢頇，可比擬於促成清朝亡國之慈禧及其臣僕，其反動性之顯著昭彰，無待贅述，其被世界各國公指為侵略元首，也殊恰當。

毛澤東自以為對亞非集團頗有辦法，但自鎮壓西藏、達賴逃亡與藏印邊境糾紛發生以還，已被尼赫魯指為侵略者，最近為毛澤東不同意赫魯曉夫之「和平共處」政策，尼赫魯又假所謂「五項原則」辛酸刻薄地對毛澤東諷刺一番。在印尼，蘇加諾殘酷地迫遷華僑，他也束手無策。

毛澤東指「美帝」為紙老虎，但對「美帝」之犯境只敢以警告對付，現在，這種警告已達一百二十餘次之多。為了「解放」台灣，「武力」與「和平」的方法翻覆應用了不知多少次。為了奪取金馬，「停轟」和「隔日轟」花樣百出。這些事例，已成民間的談笑資料。這樣的「黨主席」，難怪赫魯曉夫不引以為「同志」。在中共內部，已顯露毛澤東行將滾蛋的迹象，由「毛主席」改稱「毛同志」。九月九日保加利亞駐北平大使館慶祝國慶，舉行招待會，陳毅的講話中已改稱「毛澤東同志」。日前人民日報發表社論，談「民主黨派前進的道路」，說出「這是黨中央和毛澤東同志……」的話，尤值得注意。毛澤東的醜陋相，到今天已揭露無餘，讓世人够瞧的了！

小調天下

△聯合國勢將決定：將「中國代表權」問題再擱置一年。如果「年年必有此日」，但望「歲歲必有此一結果」。

△古巴獨裁者卡斯特羅在聯合國大會演說達四時三十分，但已被證明不受歡迎，他因此悄然返古巴去。這是卡斯特羅「每事必學共產黨」的一個失敗紀錄。當代第一雄辯家邱吉爾翁有資格教訓他們說：你們休在聯合國擺起比賽「長舌」的擂台。記得當年我發表決定幫助史大林抵抗希特勒的偉大演說，也只是一篇二千字以下的短文。

△赫魯曉夫與南斯拉夫狄托在紐約會談，艾森豪與埃及納薩亦作「幕後交易」的「盤口」，殆屬「天機不可洩漏」了。

△艾森豪拒絕與赫魯曉夫會面，贏得民衆歡呼。赫魯曉夫說：他不自動求見我，我不和他談。除了用粵諺「寃氣」二字作形容，怕眞的沒有更好的字眼了。

△「十、一」前夕，中共在廣州宣佈槍斃兩名「國特」。這是中共每年「國慶」前例有之舉。不殺人無以「示慶」也。

△香港一家大報九月廿九日一條大標題說：「十、一」前夕的强烈對照。左翼團體忙於佈置，回鄉行列忙於救飢。火車站的行李比一切口號更有說服力。

如舉行一次「一九六〇年香港新聞最佳標題選舉」，此當有首選的最佳希望。

△寮國內戰當中，「三方面」的戰訊極為混淆。它是在「打擺子」，可料「三方面」最後只有一方面眞正得益。

△冷戰中心將移遠東。日本防衞廳長官江崎眞澄提出警告。其實，冷戰中心「早」在遠東，目前寮國已被打開的缺口要彌縫是難，要繼續擴大却太容易了。

△中共與蘇俄在十一月公開分裂之說，西方觀察家越吹越起勁。他們可看不到：毛澤東心裡正在有十五十六個吊桶上上落落，這些吊桶都掛在赫魯曉夫手上。

方南

自由談

談「在商言商」

俄共頭子赫魯曉夫的馬戲班正在紐約熱烈演出，技藝庸俗不堪，令人作嘔。但美國那位著名的大腹賈伊頓先生，却對赫酋特表好感，酒會款待，殷勤備至，而以「貿易通商」之說，向赫酋懇切請願。這叫作「在商言商」，三句話不離本行，可與香港一些投共的市儈東西媲美，允稱難兄難弟。

香港的「前進商人」躲在資本主義的殖民地，藉着媚共親共的嘴臉，賺取大量金錢之後，萬一共禍來臨，他們早有秘密計劃，携其子女玉帛，遠走高飛，託庇於歐美的資本主義社會中，享受寓公生活，雖作「白華」，成為無國籍的亡國奴，滿不在乎。美國的「前進商人」如伊頓之流，拚命要賺取共產地區的貿易大利，用心固與香港這般「在商言商」的市儈，殊無二致，但他們決不作逃避異域之想。他們自信「美洲堡壘」是永遠堅固的，祗要發財，即是百無禁忌，安全繁榮，其樂無窮了。

美國的政治行為及其國策，都是以商業利益為基準的，伊頓之流的思想與作風，並非不合時宜。赫魯曉夫一面倡言「和平共存」，一面說要「埋葬資本主義社會」，他這種說法，在辯證邏輯上絕對不矛盾。像美國現在社會各階層普遍存着左傾自私的愚昧心理，風靡一時，俄帝決不需要以越洲飛彈的熱戰手段來直接攻擊，只用宣傳魔術和滲透工作，將來即很可能使美國自行崩潰，不可收拾。美國一垮，自由世界當然宣告完蛋！

我若是個原子能專家，此時一定對美國人發出預約券，保證將來有安全的火箭飛船，把他們送到月球去開闢新大陸，繼續跟地球上的共產國家貿易通商，賺取大量金錢，提高生活水準。我相信這項預約券至少也可以賣出幾千萬張，阿門！

馮子先生

小啓

本報七月份稿費早已核發，尚有少數文友迄未領取，請早日蒞臨本報經理部領取，俾清手續為荷。

戰鬥文學已經冬眠

自由中國文壇近況

·司馬玉·

※台灣通訊※

不久以前，有兩位先生在本報爲了幾篇報導自由中國——台灣文壇最近的動態，有些似乎與現實稍有距離，筆者願站在愛好文藝的旁觀者的立場作一次綜合的報導。

（一）初期的自由中國文壇（三十九——四五年）

自由中國文壇最茂盛而熱鬧的時期是從三十九年到四十五年，這七年裏，每一家報紙、雜誌、出版社，都趨向於反共文藝的高潮。

在大陸時期曾經主持過最高宣傳機構的張道藩先生，當時他雖爲立法院長，公務繁忙，抽空來創辦中華文藝獎金委員會（簡稱文獎會），以祛除大陸撤退來台一年裏的荒蕪，掀起那時期的文藝的高潮，實有莫大的功勞。

因爲文獎會是個沒有門戶的民間機構（雖則它的大部份經費是張先生向政府方面要來的——那和當時政府津貼自由中國半月刊出版並沒有兩樣——但它的文藝政策卻是自定的，沒有受到干擾），它不僅是鼓勵大陸來台的老作家們繼續爲反共的自由的鬥爭而創作，也培植了許許多多的新作家們，像王藍、金石、沈乘龍、孫陵、孟瑤、潘壘、南郭、墨人、郭嗣汾、郭衣洞、宣建人、牟少玉、王敬羲、楚軍、潘人木、彭歌、江石江、鍾雷、上官予、趙友培、趙之誠、鄧綏寧、端木方、鍾理和、廖清秀（此兩位係台灣青年）劉心皇、王臨泰等等均先後得過文獎會的獎金或經常獲得該會評選採用稿件最優稿費的。

那時受到文獎會培植與鼓勵的新老作家差不多有一百餘人。文獎會不僅是把他們的作品收買過來，還把它介紹各報章雜誌或會刊——上發表。

這一個時期，由於反共的自由的文藝鼎盛，那些黃色的黑色的作品就在自然的淘汰之列。

後來張道藩先生看到新老作家向文獎會投稿的越來越多，原有的經費又不足，自己的立法院長薪俸賠進去還不够，於是要中國國民黨中央增撥補助經費，結果政府寧願搞平劇，籃球隊出關，溜冰團進國表演，也不肯多給一點錢推行文藝政策，老道公一氣之下就停辦文獎會，祇用自己的薪水創辦了私立中興文藝圖書館，繼續作培植基本文藝愛好者的工作，這對一愛好文藝的老人來說，那是灰心的，失望的，當然這種損失不是他的個人，誰都知道。

（二）文壇的低潮時期（四六——四九年）

文獎會停辦後，沒有編輯路綫的和小圈子的作家們（尤是新進的作家們）馬上感到自己的作品沒有出路（事實上能够付得出稿費的地方也的確是突降縮到百分之卅），要想發表一萬字的短篇小說，已經非常難得找到地方，長篇當然更加不必談了。

在這種情形下，被時勢壓迫縮減而剩下的百分之卅的文藝園地（各報副刊的一部份，各雜誌的文藝欄），馬上發生了爭奪戰。能够繼續仍然在各報章雜誌露面的文藝作家，多多少少與編輯先生們有一點人情關係，或者是互惠的交換（編輯與編輯之間）人情稿，使得沒有路子的作家們祇有等他們（有路子的）漏下一點縫隙來列出一兩短篇創作而已。

我們可以從事實上看到，那些被排擠在圈外的作家們有的憑藉自己的真實才華向海外打出路，現在有好幾位作家的名字是常常在海外報刊雜誌上見到了的。

我深深地欽佩他們這種自我努力的精神，但也鄙視有等投編輯所好，寫和翻譯黃黑色的東西，而放棄自己原來的優良的文藝創作，甚至於有位革命文藝編輯竟繼續不斷的寫起武俠香豔小說××娘來，這不是文壇上的怪事和諷刺麼？

提到武俠小說，在自由中國文壇上，真是雨後春筍，它們是繼文獎會停辦後起來的。

作爲一個讀者的我，不能完全抹殺有些好的武俠小說含有俠義行爲的教育，但時下大多數的美其名曰武俠香豔小說都在誨盜誨淫，這對於反共復國的精神教育是大有損害的，如果這種趨勢繼續發展，將來我們可以更深度的看到人心的日趨下流。

看來，自由中國文壇的低潮還要繼續下去，過去曾經甚囂塵上的戰鬥文學，目前已經冬眠了。

（三）誰應負文藝低潮的責任

目前自由中國文壇處於低潮的狀態，政府是應該負全責的，可是那一個部門應該負這個責任，彼此都在推諉，彼此都不管。

教育部方面呢？他似乎祇注意學校教育，卻不大注意社會教育，要是說他注重教育的話，頂多是核准幾個球隊，歌舞團朝聖團，出國入國，便利一些人放洋走私。

中央宣傳機構呢？似乎也沒有誰肯去注意這些問題，甚至連一個海外宣傳方針也還是老早那一套陳腔濫調，據聞最近自海外歸國的一位華僑后希凱先生就在文協會的歡迎茶會上公開呼籲政府當局改訂宣傳方針以對抗共產黨的機動宣傳策略。

本來和共產黨打仗不是單憑武器的，文化戰爭才是最重要的最前綫的。

共產集團能把龐大的財力支援共產主義的宣傳，爲什麼我們想戰勝共產黨而不拿出資本來支持這個行動——文化作戰——呢？

如果政府說沒有錢，如果真正在刀兵的戰場以外想打勝共產主義，爲什麼不節省一點別的開支，甚至像張道藩院長那樣拿出自己的薪俸從事文藝運動的精神，由每一個院部長供獻出他們的特支費來給國家作爲文化心理作戰的經費呢？

自由中國文藝低潮是自由中國文化低潮的代表，但它在與共產主義作戰上太重要了！如果不立即振起時下之衰頹，那真是不堪想象的。

——完——

台灣女少男多

張希明

根據台灣省民政廳戶籍登記統計七月份人口共計一千零六十三萬三千四百零三人，其中男性五百四十四萬三千零四十一人，女性五百一十九萬零三百六十二人。兩相比較，女性少二十五萬二千六百七十九人。

照此數字直覺上看男性多了二十五萬二千多人，顯示男多於女的社會，女人奇缺，女人該是最吃香的地方。

反過來，其中還有更妙的文章在後頭，在同一週的前後兩三天報上列出了男多於女的數字統計，而相差還不到一百小時，在同一地位上列出台灣省婦女會輔導組爲七位前往登記「徵婚」的大小姐的新聞，列出了這則新聞的鵠的是找不到男人作她們的伴侶，沒有男朋友。如此看來，女人找不到丈夫，公開徵求，表示是女人太多，男人奇缺。如果看了前面人口統計才看後面的徵婚，則頗使人費解也。

每一個小姐公開徵婚，都有十打以上的男性王老五去嘗試追「求」，說得天花亂墜，倒後來仍難獲得一親芳澤。

在另一社會的後面，又有一則一向不會被人注意的新聞，台灣的「私娼館」仍未完全掃除，既然女人太少，何以還有這麼多私娼。似乎也是怪事吧！

現階段日本對華政策探討（十）

羅堅白

東京通訊

河野組黨出門早已碰壁

一是河野打出另組第二保守黨的旗幟後，池田除派了黨幹事長益谷造訪河野一度加以勸阻外，竟置之不理。而岸佐藤兄弟更毫不客氣揚言：反黨分子本待加以肅清；自已要滾蛋，正好讓他們滾出去罷。然河野對黨內在競選總裁時曾與他並肩對池田作戰的各派領袖遊說慫恿，俱遭婉拒。甚至河野自派嘍囉四十來名中，能與共行動者不過半數。爲使新黨能在衆院中被認爲交涉團體所需要之最少數二十五名，也湊不攏。八月十九日他於赴京都火車中與中途來會之大野晤談以後，對記者們宣佈暫停進行。當然，河野申明：爲着防止獨裁，並沒有放棄兩個保守黨的理念。並且大野松村都同他約好：假使自民黨又變得像岸內閣末期那樣專制獨裁，他們馬上同他另組新黨。所以問題並未得到最終解決；但中共第一次向池田挑戰，吃了敗仗，是不容否認的。

三池工潮也不敢再拖下去

次爲三池煤礦工潮經中委於八月十日提示調處案，允許資方指名解雇搗亂生產工人千二百名，不過在解雇手續上作爲自動退職，每人加給退職津貼五萬元。此案因所謂搗亂生產工人中包含工會領導分子幾乎全部在內，若承認其被指名解雇，則此後工會中活動分子人人自危；而工會之領導者，將無人肯出而担任；故爲罷工工人所激烈反對。但上級工會「炭勞」及再上級工會「總評」，俱已表示接受；所以勞方的慘敗算是已決定了。本來在衆院改選前，極不利於左翼的人海示威；故中共抱定方針，隱忍以待選後，前已述及。然該礦工潮，業經鬧了兩年；即使閉礦時起，亦已鬧過了兩百多天；再曠日持久若干天，已不成爲刺激。爲何不能拒絕此調處案，拖至選後而再大鬧特鬧呢？這個內幕筆者尚無所悉；不過不能不爲中共扼腕：此一敗仗，吃得幾乎使中共方面指揮作戰者，沒有面目見人！

竟似乎在以蘇俄制中共

又次則爲現在日俄間的關係，驟見活動而好轉起來了。八月十六日莫斯科舉行日本商品的樣子展覽即賣會；日本方面趕去參加開會典禮的，除了石井通產大臣及日蘇協會副會長兆村德太郎（自民黨松村三木派次於三木之領袖，又該會會長爲石橋前首相）外，尚有日本海外貿易振興會與朝日新聞發起組織的蘇聯產業視察團杉道助（大阪商工會議所會頭）等十六人。米高揚副總理對他們表示：願意與日本預訂十五年間長期貿易協定，並以此項貿易編入新二十五年經濟計劃的西伯利亞開發部門中。俄方這個態度，可謂公然打給中共的對日三原則一記沉重的耳光；甚至可以使中共的對日戰略戰術，由此開始整個破產。因爲中共實施現在的戰略戰術，在前綫所使用的兵力，全是由日本人組成的地下部隊。一旦蘇俄露出與中共間有所歧異，那麼這些部隊將全非中共所能指揮。倘若這是日方有計劃的利用赫魯曉夫與毛澤東間的矛盾來個「以夷制夷」，則中共這一次敗仗吃得無可再慘！

※大陸文壇萬花筒※

田漢創造的新戲

——岳騫——

最近中共召開第三屆文代會，田漢也循例報告一番共匪戲劇改進工作，這裏到包含着許多有趣的故事，可惜田漢沒有說出來。

自從中共政權成立以來，田漢就担任着中共文化部戲劇改進局局長，文化部長沈雁冰，是田漢的頂頭上司，但是文化部當時則屬於中共政務院文教委員會，這個會的主任委員是由副總理郭沫若兼任的。

郭沫若、田漢是創造社、沈雁冰是文學研究會，這兩個積不相能的團體，雖然到現在人事全非，可是鴻溝依然存在。兩派的形勢自然是郭派佔上風，沈派只是採取守勢，一九五八年第三期紅旗，郭沫若曾經寫了一篇論革命現實主義與革命浪漫主義的文字，大捧毛澤東卻暗箭射向沈雁冰、鄭振鐸等文學研究會的大將。

沈、鄭對郭沫若攻勢應付的方法是一味退讓，承認文學研究會當初只是浮動的文學團體，實質上等於並不存在，這樣以柔克剛的辦法，居然擋住了郭沫若的攻勢。

再從另一方面看，毛澤東、周恩來對沈雁冰頗有好感，雖然沈雁冰十年來未寫過一篇小說歌頌過新社會，也未喊過史太林爺爺。但是他卻穩坐了十一年的文化部長「寶座」，從中共政權成立起，到現在未曾更動過的部長只有五個，可見矛盾處亂世還有他的一套辦法。

郭沫若撼不倒茅盾，卻苦了田漢，原來自從一九五四年十月中共政權改組後，文教委員會撤銷，郭沫若原來担任的副總理及文教委員會主任全部垮掉，改派去人代常委會任副委員長，再也管不着沈雁冰。可是田漢的職務並未改換，仍然担任文化部戲劇改進局局長，在沈雁冰的「照顧」下，十一年不遷不調，別人和他同時當局長的，都也兼上一個副部長，只有他一毫未動。

田漢心裏當然着急，就想立點功勢向上爬，正好郭沫若動手編蔡文姬、武則天兩個劇本歌頌毛澤東，田漢不甘落後，就發明了一個今古同台的戲，算是他十年來改進的成績。

孔門教義新評價

——爲民國四十九年孔子誕辰紀念而作

唐昌晉

在中國以往純農業的社會裏，其基礎係建立在家庭制度上，故孔門教義特着重孝弟二字，由孝擴充以至於事君，由弟擴充以至於處人。事實上弟只是孝的陪襯，眞正構成中國倫理骨架的只是孝。

有子說：「其爲人也孝弟，而好犯上者鮮矣；不好犯上而好作亂者，未之有也。」這段話明白指出，孔子標榜孝弟的用意，在防止「犯上」「作亂」，亦即在維持社會秩序。二千多年來實行的結果怎樣呢？大抵天性厚、生來就懂得孝道，如曾參、閔子騫、王祥一類的人物，其所佔百分比非常之低。一般說來，「驕子不孝」。要父母管教得特別嚴，才可望養成子女聽話的習性——聽從父母的話是孝順父母起碼的條件，這對安定社會起了很大的作用。

可是到了今天情形就不同了。在經過打到孔家店運動之後，對孝道已很少有人提到了，法律上也不再維護父母對子女的絕對權威了，加以部份人受西洋教育思想的影響，誤認放縱爲發展兒童的個性，於是本來在中國很少有的少年犯罪問題，今天已成了嚴重的社會問題。（此處要附帶提到的，西部武打片對兒童的壞影響也不可忽視，當局應予以取締才對。）要是我們再把目光移轉向大陸看看，那將會使人更加憂心忡忡。由於中共利用兒童作政治工具，嗾使兒童反抗父母，無形中養成一般兒童暴戾恣睢的劣性。將來收復大陸後，如何使這批青年變化氣質，實爲我們教育家未來重大的課題。

所以，無論爲台灣青年着想也好，爲光復後大陸青年着想也好，要使得他們肯接受父母的管教，俾成爲社會有用之材，孝道實有大大提倡的必要。這在教任教師的指導與公民教材的編纂方面，應特別注意。

孔門教人的兩件法寶是禮與樂。禮只有三年之喪在民間流行得很廣很久，樂只有七絃琴和八佾舞每年在孔誕紀念會上點綴一番，對民間影響很少，可是宋儒以今天以研究孔子爲號召的人們，多是釘住禮樂兩字上做文章，但是他們所講的禮樂，似乎多是空洞的名詞，有內容者比較少。在我看來，禮是防範人類越軌的一種約束，但約束人類行爲的不止禮這一端，凡是足以約束人類行爲的一切規範與信仰，只要於人類有益而爲現代人的頭腦所肯接受者，都應該酌予提倡。而且禮的本身必須具備着時代性，如像我們今天所行的各種禮節，除參酌傳統習俗外，還得適應國際通例，是以孔子所删訂的禮絕不可能全盤搬出來。在訂定新的統一的禮節方面，我們正盼望另一位周公孔子降生呢！樂的功用在陶冶性情，凡是足以陶冶性情的東西，如詩歌、小說、戲劇、美術、雕刻、音樂等，都應看得同樣重要，分頭發展（淫穢作品須絕對禁止），藉收培養國民優良品德之效。總之，孔子是中國文化的代表者，但我們用以教育國民的教材，並不應以孔門教義中的陳說爲限。我私下曾訂了一個計劃，想把古今中外大哲學家、大宗教家、大教育家有關精神修養的言論，一一蒐集起來，加以整理，作爲教育下一代的主要教材。可是「生也有涯」，這樣龐大的計劃，恐怕需要國家專設機構來做才能完成。

社會小說

香港地

木客著

五、有錢佬

由馬行時的住所走到纜車的車站，其實也不太遠。梅大亮和榻先生徐步踱到山頂，邊行邊談，興味不淺。談到關於霍新開今天爲什麼請客的問題，榻先生是這樣答覆道：「這個我也不大知得十分清楚。大概可以說，他打算在文化事業有一番做作，不久便可以大張旗鼓，故此要招集一班人在馬行時家裏，擺擺場面罷了！」

梅大亮懷疑馬行時會出錢支持霍新開在文化事業大展鴻圖。榻先生却不以爲然，笑道：「文化事業有許多種，開學校賺錢也是其中之一。我看霍新開要幹的並不是這個，馬行時只把精神放在鈔票上面，除了那些可以賺錢的事，什麼都不感興趣，所以他決不會給霍新開什麼支持。」

梅大亮覺得此中頗有矛盾，立即提出疑問道：「那麼，霍新開爲什麼要在馬行時家裏請客？」

榻先生嗤的一聲笑道：「事情的奧妙就在這等地方。霍新開明知不能在馬行時身上打主意，却可以借他的名聲和地位來作號召，只要有辦法借用他家來請客，便自然有人給以信任和支持了。這一手可比似『借佛偷花』，連如來佛祖也會被瞞過呢。」

梅大亮怎也想不到此中有如許曲折，聽得瞿然叫出一個「啊」字，接着嘖嘖嘆道：「原來如此，眞有他的一手。不知馬行時怎肯借出地方給他宴客？」

榻先生笑道：「這叫做『運用之妙，存乎一心』，只要馬行時太太被他聯絡上了，馬行時怎能不賣他的賬？你看不出他在馬行時太太跟前活躍的光景，究竟含有什麼玄妙作用嗎？」

梅大亮聽得又是一怔，才知此事曲折之中還有曲折，關鍵是在馬行時太太身上，便再問道：「照如此說，剛才的宴會是由女主人一手支配的了。」

出乎梅大亮意料之外，榻先生竟然搖頭道：「不是不是，實際仍是馬行時自己答應下來的，女主人並沒做什麼主張。霍新開却懂得拿着馬行時的一點短缺，使他非答應不可。」（六四）

儒林九尾龜

吳敬鋅

原來這封信是中興報編輯寄來的，信中說這部雙雛淚以前不但在上海報紙刊過，而且出過單行本，現在有位熱心讀者連書都送來了，請問他怎麼辦？李鴻飛看過，氣得一句話都說不出，就把信擲給魏本愚。

魏本愚看過之後，從容說道：「這件事很簡單。」要他把原稿寄回來就是了。」

李鴻飛說道：「你這樣搞法，我怎對得起中興報。」

魏本愚呆了一呆，突然大笑道：「老兄，何必太認這個世界就是騙的世界，只要能騙到別人，都是本領，這次我們失敗了，要從失敗中吸取教訓才是，不要氣餒。」

李鴻飛實在忍不住了，氣憤憤地說道：「魏先生，這次

第三回：柳暗花明又一村

算我倒霉，被你騙了，希望你以後不要再給我麻煩。」

魏本愚面不改色，笑嘻嘻地走了。

又過了十來天，突然魏本愚神色倉皇的跑來，恤衫也被撕破了一塊，見了李鴻飛就說：「老兄，要救救我，這次不得了哩！」

李鴻飛不曉得是怎麼一回事，只是瞪着大眼看他。

魏本愚說道：「我今早晨坐霸王車，買了一張票，不經意丟掉，不料查票的來了，一問我沒有票，不容分說就抓住我的領子，說我坐霸王車，恤衫也被抓破了，到了差館判罰五十元，否則就要坐牢，我身邊又沒有錢，到處找朋友張羅只借三十元，還差二十元只有請你想辦法了。」

李鴻飛雖然對他不滿，但是眼見他陷入窮境，念到大家都是讀書人，又都是流亡在外，當時什麼話都未談，就掏了二十元給他，魏本愚千恩萬謝走了。

過了幾天，李鴻飛在馬路上遇到同魏本愚住在一起的小王，隨口問起魏本愚的近況，小王說道：「搬走了」

李鴻飛愕然道：「你們幾個人住在一起很合適，他爲什麼搬走了。」

小王冷笑道：「被我們打走的，本來我們住在一起幾個月，房租他從來未付過，伙食也拖欠很多，這都不去說他，最使人受不了的，就是他的橫行霸道，張口合口我是作家，你們是什麼東西。」

同住的朱老先生實在聽不下去了，只說一句：『你看不起我們，你何必同我們住在一起，你大可搬家呀！』

那知道他居然過來打了朱老先生一拳，這一來動了公憤，大家一齊動手，把他打了一頓，衣服也撕破了，然後將東西擲到街上，這樣他就走了。」小王說到得意處，縱聲大笑起來。

李鴻飛暗叫慚愧，又被騙了一次。

（廿六）

葛蘭重視情感藝術

——修衡——

葛蘭會不會離開電懋？是不是將於近期結婚？這些疑問，自從她由美返港後，圈內外人士一直很關心。因爲，她和電懋合約將滿，追逐她的「紳士」，誘使她跳槽的「波士」，紛紛對她包圍進攻；她的身體並不太好，對這些接二連三的煩擾，似乎起了反感，在與其一動莫如一靜原則下，前天已和電懋續約三年。「結婚」，「跳槽」流言，烟消雲散。她現在正趕拍「星星、月亮、太陽」；過去曾經勤習苦練的那部「野玫瑰之戀」，電懋已決定十月初公映。葛蘭到底是怎樣一個人呢？她爲什麼無意馬上結婚？爲什麼拒絕跳槽，仍爲電懋拍片？

這些問題如果憑空臆測，顯然不切實際。首先，人們應當理解：葛蘭是浙江人，她雖在南京，香港長大，仍不脫原籍海寧的傳統保守觀念。她並且更明白：愛情需要時間培養，情感必須禁得住時間考驗哲理；婚姻是終身大事，何況她是重視名譽地位的銀行家女兒，選擇對象，當然不一定全出她個人主意。另一方面，她在藝術上造詣，現時正屆發皇途中，半途而廢，豈僅是她個人的損失？再說，今天國語片領域中，能夠像葛蘭那樣成就，實在難找，她對她的前途，自不能不愼重選擇，這是延緩婚事的基本因素，也是和電懋續約的要求。人們固不否認：葛蘭具有天賦智慧，電懋給予她有機會充分發揮才能，也不能不使她由衷感激。她所以不爲利誘，適足說明了她那豐富情感，比金錢更重。人生原似朝露，藝術千秋不朽，葛蘭的思想情操，值得今日衆星效法。

銀壇隨筆

莫愁湖

漁翁

川山風物

莫愁湖在江蘇江寧縣三山門外，湖畔有女子，名「莫愁」，石城人，顏如渥丹，眉如風月，粉黛，齒如瓠犀，尤善歌謠，雅歌動人。據唐書音樂志云：「莫愁在何處？莫愁石城西，艇子打兩槳，催送莫愁來」。又宋周邦彥詠金陵，亦有莫愁艇子曾繫之語。莫以洛陽閨秀，遠嫁江東，因夫戍守遼陽，久無音訊，清操獨守，矢志勿渝，時人遂以其名名湖，志貞節焉。此湖爲金陵第一名勝，昔梁武帝作河中之水歌曰：「河中之水向東流，洛陽女兒名莫愁，十五嫁爲盧家婦，十六生兒字阿侯」。後之詠莫愁者，不離盧家少婦語，如沈佺期之「獨不見」，葉大民之「莫愁艇」，皆寫其人其事，而不及於湖光山色也。尤以清代郡守李堯棟，性好山水，葺而新之，並賦詩云：「樂府誰家唱阿侯，洛陽風景遜昇州，生增湖水千秋碧，只洗繁華不洗愁」。因此，騷人墨客，流連歌詠者，委實不少。

湖上有「勝棋樓」，爲明太祖所建，樓下即「鬱金堂」，懸莫愁像，而風景幽美者，厥惟「曾公閣」，爲追思曾文正公而築者，遊人皆以此爲品茗休息之所，尋芳覽勝，其味無窮。

良夜思親

荷里活道官立學校

·林乃雲·

太陽做完了東半球十二小時的工作，又到另一個世界去散佈牠的光明，暮色慢慢地籠罩了大地，這時東方冉冉地吐出了一鈎新月，黑暗已呈現出光明了。

夜已很深了，微風遠遠地送來宏亮沉重的鐘聲，正報着十一點，皎潔無比的月兒高掛在蔚藍色的天空，幾顆小星，做牠的伴侶，她們似乎在微笑了，月兒從天上照在這萬籟俱寂獨自站在庭院，懷想什麼似的一個人的臉上，使他不得不對着她呆望幻想：故鄉也有這樣幽靜的月夜吧？唉！這便是我故鄉的那個月兒吧！也是我幼小時候的月夜吧！

我記得我幼小的時候，每逢這樣的夜裏，便坐在母親的懷裏，挽住她的衣袖，要求她說故事，童話，總是戀戀不捨，不肯輕易放脫她。

現在呢？母親的臉上，早添了許多辛勞刻就的皺紋；爲了撫育子女成人，而半生勤苦的她，老是患着綿綿不斷的病！在這樣的月夜裏，怎樣能不引起異鄉遊子的思親情緒呢？

天空中仍是皎潔無比，月兒和她的伴侶，仍在放射她們的光明，普照大地。她們的口角上，仍含着神秘的微笑，四下裏還是靜悄無聲。唉！這正是我故鄉的月兒，也是我幼小時候的月夜吧！

我呆望着月兒出神，不知在庭院中站了幾許時候？猛然叫出：「媽媽：你這時也正在想念你的兒子嗎？」眼眶一熱，不覺流出幾滴淚水來。

釋耒集

閱報獲悉美國商人屈臣，主張美國應容許中共加入聯合國，並與之貿易，而台灣則宜使之特殊化，例如託管之類。又一美國參議員博特，準備以其議員身份，於國會中提議干涉台灣當局之拘捕雷震。以前者論，此實商販文化之特色，遠承十九世紀殖民主義之傳統而來，且不獨美國商人為然，即自以為具有高度國際政治眼光之英國商人，亦莫不皆然也。倘憶抗日戰爭方熾之際，珍珠港事變尚未發生，日本軍用所需鋼鐵，均由美國商人，源源供應，利之所在，藉寇兵而資盜糧，固在所不計，循此以往，則與之貿易之事實，殆呼之欲出矣。論其後者，則大類暴發戶驟作鄉紳，事事均思越俎代庖，亦西部電影中惡霸之面目，可憎之甚者也。夫美國之於中華民國，以道義言，固有休戚相關之義務，以法律言，實守望相助之盟邦，而其商人，其參議員，竟至於友敵不分，昧於大義如此，而我舉國上下之人，一致以反攻復國之圖，寄望於美國，十餘年來，美國兩黨競選之勝負，遠東政策之強弱，軍經援數目之多寡，稍有差池，我則奔走駭汗相告語，若岌岌不可終日者，自存之道，固如此乎？且美國之無意介入戰爭，本為常理，其商人之急欲與中共貿易，如屈臣者，何啻千百？最近謠言謂在港拆卸之美國舊輪廢鐵，業已流入共區，使其事非虛，則今日之美國人，固與十五年前將廢鐵售與日本時之美國人絕無不同，謂如此之人，將與我守望相助，使我能反攻復國，信是說者，非愚則誣耳。昔者越王句踐棲于會稽之上，乃號令於三軍曰：「凡我父兄昆弟，及國子姓，有能助寡人謀而退吳者，吾與之共知越國之政」，大夫種進對曰：「臣聞之賈人，夏則資皮，冬則資絺，旱則資舟，水則資車，以待乏也，夫雖無四方之憂，然謀臣與爪牙之士，不可不養而擇也，譬如簑笠，時雨既至必求之，今君王既棲會稽之上，然後乃求謀臣，無乃後乎。」句踐復國，未嘗仰賴秦楚，必待于爪牙之士，必謀于父兄昆弟，此前事之可師者也。今西德、南韓、南越，雖亦分割，形勢實足以與敵人相抗衡，未若我之強弱大小殊絕也，然未聞藉盟國之助，以復尺寸之土，謂美國人特為厚我，與彼三國者不得相提並論，主是說者，亦非愚即誣，不幸此愚與誣者，乃皆今日之所謂縉紳先生，或友邦所稱許之知名人士，放翁詩有云：「諸公誰聽芻蕘策，吾輩空懷畎畝憂」，不覺慨乎言之矣。

愚與誣

曲齋

國大會議紀事詞

蘭臺侍者

卜算子

序曰：國大代表諸公對於蔣總統三次連任問題，認為衆望所歸，並無歧見。唯對於連任方式，則如前述兩種意見，即正式修改憲法條文，名正言順，依法選任之；或修訂臨時條款，將憲法第四十七條「得連任一次」之明文，暫時予以凍結不適用。主持前一說者，有代表千人，贊成後一說者，亦有三數百人，互相爭執，莫衷一是，而此兩派人士十九都是國民黨黨員，皆以擁戴蔣總統「光榮連任」為理由，志在爭取定策之功，振振有詞，理直氣壯。初時國民黨副總裁陳誠，以同志關係，約集雙方商談協調，羣情騷然譁咋，終無結果。最後由蔣總裁向大衆申述修憲工作不能輕率從事之各種原因，表示應以大局為重，不必斤斤於個人出處的小節，告誡黨人，務須一致遵從黨的決策，少所紛更，且謂如有不同意者，儘可宣告脫黨，決不相強。如是，修憲派在黨紀約束之下，乃如大夢警覺，不復堅持己見矣。

定策競邀功，明法多爭訟，見說場中對壘人，情誼猶昆仲。

領袖誡紛更，同志恣騷動，終有靈犀一點通，促醒邯鄲夢。

新婚韻事

筱臣

據報載時序已漸入深秋，日來締結良緣者頗多，各大酒樓均告早已定座，生涯鼎盛，這其間眞不知羨煞多少王老五。舊時結婚，花燭之夜，好舞文弄墨的，輒有所謂催粧詩，酒帳詞之類，點綴洞房間，類皆風艷而不傷雅。雖然到了今天，結婚的形式已迥然不同，但新郎新娘的情趣，應該是毫無二致的。

南通馮晏海（雲鵬）調記「一半兒」詞中，對於新嫁娘嬌旎風流情態，嫁前嫁後之心理，有極深刻之描繪，應亟錄之以為新婚夫婦助陣。

寶奩裝就待春風，鴛枕鴛衾色色紅。怎樣魚游春浪中？覷朦朧。一半兒猜疑一半兒懂。

花輿燈火簇雲銷，告別娘行並阿爹。執手叮嚀休憶家，聽咽咽。一半兒眞啼一半兒假。

華堂花燭忒多儀，鼓樂喧闐儐相齊。站拜成婚雲鬢低，步難移。一半兒心驚一半兒喜。

催妝促起望朝氛，淡盡春山兩鬢分。艷麗天仙無比倫，可銷魂。一半兒新紅一半兒粉。

旋來賀客鬧盈門，繡幔爭窺花樣身。謔浪生春如不聞，任評論，一半兒心煩一半兒哂。

不言不語看香燒，陪嫁雙鬟伴寂寥。暗想歡情如昨宵，意搖搖。一半兒難禁一半兒好。

清晨梳洗問翁姑，能繡停針一事無。晝靜惟聞鳥鵲呼，待兒夫。一半兒清閒一半兒苦。

小姑翻看枕紅羅，枕上誰開並蒂荷。帶笑回言流目波，便如何？一半兒他人一半兒我。

小姑獨宿不關情，徹夜酣眠到天明。自有同情人喚卿，怎安甯？一半兒迷濛一半兒醒。

碧梧新點鳳凰儔，坐並花茵擬並頭。半夜遲歸心便愁，望凝眸，一半兒思眠一半兒守。

兒家家住鳳橋西，門外垂揚水拍堤。屈指歸甯三日期，兩難離！一半兒爹娘一半兒你。

以上「一半兒詞」共為十一首，每闋均有各別的心情，半喜半憂半嗔半疑的姿態，歷歷如繪。在昔雙方素未謀面，祇憑父母之命，媒妁之言，還有所謂「却扇」的佳話。庾信文云：「分杯帳裏，却扇床前。」世說：溫嶠娶姑女，既婚交禮，女以手披紗扇，撫掌大笑曰：「我固疑是老奴！」又何遜有新婚詩：「如何花燭夜，輕扇掩紅妝」。

因為昔時盲婚關係，新婚之夕，不免具有嬌羞心理，故以輕扇自掩，習俗相沿，由來已久。至於洞房之夜，古人描寫為「一刻千金」，良以一對陌生的兩性，在紅燭微微中，悄悄相見，怕怕交談，在緊張、神秘、愉快，嬌羞各種情態交織之下，確有一番韻味。清人某有一香艷詞，也曲盡描摹之致。

「相見紅妝寶炬燒，郎也苗條，妾也苗條。魂兒眞個許郎銷：愛也今宵，怕也今宵。十幅流蘇護翠翹：推也含嬌，就也含嬌。明朝春意滿眉梢，郎也風流，妾也風流。」

在寥寥六十字中，此情此景，讀之令人意銷。何況身歷其境的一對新人，更有由新娘自述其洞房情景，香艷處亦足使人盪氣迴腸。

相傳昔時有一名門才女，嫁後三朝回門，閨友私詢洞房情景。初時僅以合巹交杯及鬧房等等，略述一遍，但閨友苦苦追詢不已，而女孩家深覺以後情事羞於出言，被廹不已。乃筆寫「小飲不期深睡去，被郎偷解鳳凰衫」。此中情景自有若干保留，但寫來何等含蓄？

降至晚近，則有較質直之「吉夕」詩，坦白自陳，又似乎像打油詩之類，詩曰：

「鴛枕鴛衾色色鮮，雙燃蓮炬照神仙。可知的是前緣矣；無所用其客氣焉。這般這般何便爾，如此如此竟公然。明朝相視還相笑，心照大家都不宣。」

這種質直，究屬過於露骨，毫無韻味之可言，較之寶山詩人徐水卿「吉夕」詩云：「明知惜玉須完璞，無奈看花想折枝」。此種風流蘊藉，方臻上乘之選。新婚夫婦，當亦為之莞爾。

古籍整理

望海樓隨筆

徐學慧

大陸方面在三年前就成立了一個古籍整理委員會。他們的所謂古籍整理，只是把中國的古典文學用所謂馬列觀點加以注釋與批判。不管他們的成就如何，但却顯示出一點，中共是懂得利用的。

印刷業是如此發達，要想焚書是不可能了。既不能滅絕古籍，就只有利用古籍，這正是共產黨人的一貫作法，殊不足怪。可怪的，倒正是反共的自由文化界呢！

中國古籍之必須加以整理，那已是人所共知的了。但我們絕不希望有如中共那樣的整理。

整理古籍的基本原則，是還他一個本來面目，再從此本來面目中，探悟出新理。

西方人對漢學的研究，比我們這一代的人還要高明。一想到這些，實在應該慚愧。

有清一代研究漢學的工作，只是在尋章摘句。某也有闕文，某也有闕字，這些，雖然也是整理古籍的一部分，但這只是小節而已。考據之學，不談說不是學問，但如專攻考據，而不及大道，則固已在根本上失去了整理古籍之原意。

降及近世，連考據之學都不談了，大家編書抄說，（請注意，絕非著書立說。）競相炫俗，人云亦云，令人齒冷。

不說別的，單說中國文學史吧！

近五十年來，坊間所見的中國文學史「著作」，少說些也有四十種。這幾十種「著作」，如果嚴格一點說來雖不說是浪費紙張油墨，但可觀之處實在很少。中國文學史上，需要重行估定價值的問題太多太多，而那些寫文學史的先生們，却沒有一個肯用點功夫去分析研究。把古人的話抄錄下來，然後在後面加一些「允稱精當」、「自是卓見」的批語，東拚西揍，就說是一部著作，這眞是近五十年來的文壇怪現象。

寫的人並不面紅，讀的人可眞有些難過呀！

談到經典方面的問題，那就更多了。

一本老子道德經，一開頭幾句話就沒有人能夠解釋清楚，幾千年來，習習相沿，一片混亂。解古籍的人，不能把自己的胸襟擴大到上通於原作者，却只是從過去那些註古籍者的辭語一味鑽進去，（這還是好的）差之毫釐，又怎能不謬以千里呢？

談到古籍整理，我們眞可以說，簡直還沒有開步。只要大家能靜下心來，我們就可以知道，有關古籍的知識，實在太少太少，而這太少太少的知識中，又有百分之九十九是近於人云亦云的。如此，則謂為全然無知，也不算太過吧！這纔是一個莫大的隱憂！

孝與慈

·謝康·

法國散文家波素埃（Bossuet）寫過「孝敬就是人底全德」這句話，但其中宗教的意味卻多於家庭倫理的意味。因為他們崇敬天主，父母和自己都是天主所造，一切由天主安排。以全部誠敬之心來敬主，對父母的孝敬，自然是次一等的，沒有那麼樣隆重的了。

因此，西方基督徒對兒童的觀念，也和異教徒不甚相同。聖經裏面有「繁殖你們自己」的話，為着使宗教發達，信徒加多，每一個教徒，似乎都有繁殖他自己的責任。基於這種觀念，於是生兒育女這件事，宗教的意味多，而世俗（家族的）意味相對的減少。自從耶穌降生為人的嬰孩，聖嬰從一個母親的身體中生出來，聖母和她的丈夫把小耶穌撫養成人這個故事深深地印入信徒的腦筋中以後，於是生兒變成光榮天主的觀念，更加牢固而普遍起來。這和咱們的「生兒防老」，「有子萬事足」，的望報恩觀念，是有相當距離的。同時他們的小家庭制度，同一屋頂之下，不宜有兩對夫婦同居，成年兒女必須分離，好似鳥類長大必須離開老巢，是一種生物的自然現象。而我們的詩人白居易之流，却以小燕子長成後「舉翅不回顧，隨風四散飛，雌雄空中鳴，聲盡呼不歸」這類的詩歌來譏刺人間的不孝子；而以九世同居，濟濟一堂，為大家庭的美德。這也可證明中西孝養觀念的不同。（三）

海濱消暑錄

致作者

邇來以本報銷數激增，致投稿者亦至為踴躍，諸君愛護本報，編者不勝感謝，惟以本報篇幅有限，未能盡量容納，謹請賜稿諸君每次不必投寄多篇，以免積壓過多，一時難于刊出。又本刊三四兩版，篇幅多固定，諸君投寄稿件，如自認適合三四版，請在一千六至一千八百字左右，切勿拖長。第三版為通訊版，最長亦請勿超過二千字，良以本報為三日刊，原則上希望全文一期登完也。又某一二文友所寄通訊稿件，每不標題，此則給予編者以莫大麻煩，茲特鄭重聲明，嗣後凡不標題之稿件概不採用，請特別注意。

自由報

THE FREE NEWS

第六十七期

中華民國僑務委員會頒發
台報新字第三二三號登記證
中華郵政台字第一二八二號執照
登記為第一類新聞紙類
（半週刊每星期三、六出版）
每份港幣壹角
台灣零售價新台幣弍元
社　長：雷嘯岑
督印人：黃行齋
社址：香港銅鑼灣高士威道二十號四樓
20. CAUSEWAY RD 3RD FL
HONG KONG
TEL. 771726　電報掛號．7191
承印者：田風印刷廠
地址：香港灣仔高士打道二二一號
台灣分社
台北市西寧南路壹壹零號二樓
電話：三〇三四六
台郵掛號金户九二五二

本報特別啓事

本報為慶祝中華民國四十九年國慶佳節，下期增出紀念特刊一張，售價仍舊，不另取費，敬希閱者注意。

從香港看台灣

劉冀三

從香港看台灣，有很多話是值得說說的。一個能夠經常和各階層大小人物接觸的新聞記者，常會聽到若干本來「無甚高見」的人物，說出他們由衷的話，其中卻有大部份是相同的。這該看作堪受重視的「輿論」之一部。本篇只是摭拾這種「輿論」而成，唯其平實，所以無奇，唯其無奇，所以可取。我個人的感覺就是這樣。

香港人口接近三百萬，絕大部份是中國人，幾乎有一半是近十年由大陸來這裏暫住的難民。現在，他們都已成為香港人。他們與原日在香港居住營生的人確已打成一片，猶如水乳交融，分不出界限。香港現在靠繁榮的新工業來生存。新工業的迅速建立，舊居民和新居民同樣有其貢獻。沒有這種合作便沒有今天的香港。新的舊的都是香港人，這是大家都懂得的道理，而這種認識也正是構成香港安定力量的一部份。

看今年「十、一」香港市面的情況，香港人確已百份之百地鄙棄中共。自然，香港人不論是新的或舊的，都對於自由中國的台灣具有好感。由這好感，自必發生期望，更由於期望之切，自必發生好意的詰責。

任何到台灣旅行過的香港人，必然贊美的一件事就是農村的豐裕。大家都知道這是「土改」的成功。更知道這是台灣人受了孫中山先生的福蔭，由於國府從大陸退守台灣而帶來這份厚重的禮物，確實具有歷史的意義。但，大家緊接着提出的問題，總是：為什麼台灣的工商業趕不上香港那樣繁榮？這些香港遊客，看到台灣有很多該向外面推銷的好東西，苦於在香港市場找不到，總不禁要問：究竟是什麼原因在阻止這種好東西向外面推銷？

於是，由台灣回的「香港遊客」的公正輿論，大概是稱贊的總在乎農業發達，教育普及，軍隊精良，不滿意的總在乎政治與經濟政策過於保守，機構繁多，限制苛而手續煩，工商業的進展配不上農業的發展。他們並不是不原諒政府處境有其特殊困難處，但總認為有許多限制是不必要與無益的。商人們大都愛說這麼一句話：「台灣不懂做生意。」

在香港人的眼中，台灣人也如廣東人，浙江人，山東人一樣，是中國內部一省的人，當然都是中國人而不是另一國的人。香港的閩籍潮籍人士，在赴台旅行的時候總是這麼說：「那邊說的話和我們是一樣的；」客籍人士也說：「台灣說客話的人多着呢！」香港遊客在台灣看到當地人的迎神，結婚和上墳，都純乎看到這是中國傳統的一套。因此，在大多數人的心目中，所有什麼「台灣獨立」「中台國」之類，都屬於不可思議的妖言。他們特別感到驚奇的就是這一個事實：當他們發覺台灣大多數人對於大陸的飢饉慘況，竟無所知，還認為是官方「過甚其詞」的宣傳，便都不禁發出疑問道：「為什麼政府的宣傳竟是如此的不濟？台灣大多數民眾享豐衣足食之福，竟不知大陸同胞確實過的是豬狗不如的生活，真是太可怪了。」許多未到過台灣的香港人，接觸到由台灣來的生客，見他們對大陸實況所知之少，沒有不發出訝歎的。這是普見的事實，而喜為高談闊論的人卻每置之腦後的。

大多數香港人看大陸中共政權，不只由失望而至絕望，且已視為一種禍患。這禍患一天不消除，大家心裏便不安。消除這禍患的希望，目前只有寄在台灣。所以，我們如說：從香港望大陸，是一個在日漸擴大的憂患；從香港望台灣，是一個仍在維繫中的希望。這當被認為是剖心之言，正是「人同此心，心同此理」，絕沒有誇大的成份。

很明顯的，台灣與香港也正如唇齒相依，假如台灣現有地位不能保持，香港將會變成怎樣的香港呢？這個問題的最後答覆，誰都心裏有數的。要把大陸的憂患從根消除，那便只有希望能由台灣反攻大陸。因此，對於要求國軍反攻大陸的呼聲，經常以由香港發出的為最多，而且最為迫切。這不只由大陸新來的香港居民如此期求；其實全體如此。為的是大家已判定中共是必須儘速消除的一個禍患。

反攻大陸如不實現，固不是香港未來之福，也決不是台灣未來之福。一個經常是嚴重的威脅擺在你門前咫尺之地，你不設法解決它，它終有一天會解決你。這原是顯淺的常識。香港人對於「取消反攻大陸論」的憎惡，和對於所謂建立「中台國」一說的憎惡是相同的。為什麼西方一部份政客與觀察家偏偏有所愛於這種論調，並且常常故意製造台灣原日住民與新由大陸遷台者的界限，恣其分裂之說呢？這在香港人看來，前者是姑息養奸，後者是有意造亂，必將貽誤大局的。三百萬水乳交融的香港人確實不能想像：如果有人要故意把此中劃分鴻溝，造成分裂，將會造成一個什麼樣悲慘混亂的局面！以此為例，台灣何獨不然？

以上這些意見，大可從街談巷議中得之，隨時都有，俯拾即是。沒戴上有色眼鏡與不存私見的人對此，是應該表示尊重的。

要使希望成為事實，便是重視台灣這個基地。我認為在台灣的自由中國當局，確有不少要加強努力的地方。

來自香港的批評，凡是成為輿論，出自共同的要求，不論詰責得怎樣苛切，總是善意的，應該採納的。政府的一切措施如能確切順應人心的要求，自會為人心所歸趨，亦自會增強其力量，凡是倚借外力而違逆人心的任何言論與行動，你想好好地應付它，就要確實把握由國內以至海外人心所產生出來的力量，妥善地予以運用。

香港在每年十月有兩次民意測驗，一次是對中共的，一次是對自由中國的。今年「十、一」的測驗業已過去，中共交了白卷，預料「雙十」的測驗將會給自由中國比往年更大的鼓舞。彼消則此長，自是正理。這種測驗是最公平的。那些隨處飄揚着的旗子都播揚出真摯的「心聲」，但如從台灣看香港，千萬不要以為這是永遠不變的傾向，更千萬不要以為這種傾向裡面沒有嚴厲的督責。執政當局要注意的是：如何順應這種人心的傾向，使他們最主要的期望不致落空。凡是他們對台灣所期求的改善與進步，如何使之迅速獲得滿足？這都該從頭檢討，從實快幹為是。

香港在亞洲的地位，大約似西柏林之在歐洲。世界各國視線經常集中在這裏。自由中國有一個無形的在香港「心理作戰」的戰場，這是因為中國人的心理傾向，慣常受到全世界的注意。但在台灣的自由中國當局，對於香港人怎樣看台灣的認識，一向是不是夠清楚了呢？西方的政治家和觀察家們，對於香港人對當前局勢的共同看法，尤其是對於台灣的看法，一向的觀察和批評，是否沒有模糊或歪曲的弊病呢？

拉雜成文，芻蕘是獻，旨固不在「應時」而已。

小調天下

△「毛澤東選集」，第四集出版，中共又大吹大擂一番。

與其說這是毛澤東向赫魯曉夫賣弄「理論」，不如說，這是毛澤東要使中共幹部閉着眼睛，看他目前的失敗，只要回味他從前勝利時的甜蜜。他把現成的飯燒焦了，賣「炒冷飯」自是一個辦法。

△赫魯曉夫繼續在聯合國吵鬧。他當英揆麥美倫向大會演說時，拍桌和喝倒彩。他詛咒聯合國死亡，說要另組社會主義的聯合國。他罵及西班牙元首佛朗哥，不服大會主席制止致被移去擴音器。

不必責本來無禮之人以不知禮，倒要知「無禮謾罵」亦是一種戰術。赫魯曉夫由「表演」給人的暗示是「你們瞧，艾森豪吃我臭罵，麥美倫吃我拍桌子。當今天下，誰奈我何？」

△看聯合國大會的趨勢，演「尾場」的主角將是：「中立主義」的尼赫魯，狄托，納薩，蘇加諾等等。

「反共」義勇之道消，「中立」投機之道長，聯合國其能久乎？

△以印度為首的五個「中立國家」建議：艾森豪應與赫魯曉夫握手談和。艾森豪雖予拒絕，頗感尷尬。

赫魯曉夫早就料到：只要吵到令大家難堪，讓大家都有「聯合國快要散夥」的恐懼，就必然有這些傢伙出面打圓場。這些傢伙縱不能迫使美國遷就他，總可為他壯壯聲勢。狡如狐，狠如狼，狂噪如鴉，無恥如烏龜，這就是赫魯曉夫。

△「十．一」在北平，緬甸總理宇努蒞訪的「喜訊」被擴大宣傳。「十、一」在香港，偽「慶」慘淡到不成樣子。

牽宇努之裙，掩毛澤東之腳，這是北平的幻戲。

以救濟對慶祝，以嘻笑代斥責，這是香港人的實幹。

△中共「人民日報」在「十、一」透露消息：大陸災區面積達九億畝。說這「是建國以來遭受到最大自然災害的一年。」

人口數字誇大為六億，災區面積決不會誇大為九億。「人民正苦」，其何以堪？

△法國總統戴高樂不赴紐約參加聯合國大會，正準備訪問西德總理阿登諾。

此公動定得宜，宜得「省卻麻煩」之樂。

方南

自由談

對平劇的觀感

馮五先生

中國大陸上的毛共政權，近年來為着羅掘外滙，不斷地利用舊有皮黃戲劇——即平劇——拍成電影片，向海外華僑社會映演。僑胞們以其為祖國固有藝術，且基於好奇心理，每多嘗試觀覽，而毛共的外滙收入，即可觀矣。

最近毛共在海隅推銷上演的「楊門女將」平劇影片，內容是新編的玩藝，庸俗無可取之處，（用意只在麻醉婦女們替共產政權効死），角色鼻新進人物，技藝殊生硬不熟，人們看過一次之後，即沒有再行欣賞的興趣了。然而，全港九的僑胞不下三百萬人，依照最低的估計，祇要有三分之一的人數去試看一次，毛共政權所搜刮的一筆外滙，豈是小數嗎？至於因此而對海外華僑社會所產生的心理攻勢之影響力，尤堪注視也。

若就平劇藝術造詣而言，台灣方面的「國立藝術專科學校」和「私立復興戲劇學校」諸生的水準，實超過毛共這次在海外表演的「楊門女將」諸角色，尤其是復興學校那羣髫齡的後起之秀，無論武打、文唱、做工等項，皆非「楊門女將」諸演員所能幾及的。可是，自由中國政府對於平劇電影化，以期普遍扢揚本國固有藝術價值的工作，一向未見積極推動，而私立復興戲劇學校且以經費困難之故，主持人忙於募捐籌款，日不暇給，亦未能安心致力於教育職責，否則該校更有優越的成績表現，殆無疑問。政府每年在海內外關於文教及其他反共運動所耗費的公帑不少，有些錢幷且花得很寃枉，何不對平劇的改良發展方面，亦稍加留意呢！時至今日，如果還是舊有那套觀念，以戲劇為末技，視演員為江湖賣藝者流的「戲子」，認為無足輕重，那就太可悲哀了！

蘇俄銀彈大炸古巴

金玉

古巴通訊

在這次聯合國大會的會場上，曾有「古巴狂人」渾號的古巴總理卡斯特羅果然以「狂人」和「小丑」的姿態出現，跟他的新主子俄酋赫魯曉夫大唱其雙簧，在演說中恣意抨擊美國，甚至攻訐到美國總統候選人尼克遜及肯尼第的身上，超越了發言的範圍，而致給大會主席波倫氏制止，並叫他遵守聯合國大會固有的秩序，當堂出醜，但他還不知恥辱，竟再強調着古巴已有蘇俄撐腰，聲明了「古巴如受到美國攻擊的時候，蘇俄將放火箭飛彈攻擊美國」云云，這聲明無疑是以天下第一號戰爭販子蘇俄來向美國示威，這更証明了卡斯特羅早已投向共產主義，與俄共蛇鼠一窩，使大好的中美樂園變成赤化的人間地獄，正是禍國殃民，正義的古巴人民當然不會放過他的。

誰也知道，卡斯特羅與俄酋赫魯曉夫的勾結已不是今日始的，自從卡斯特羅在一九五九年一月推翻了統治古巴二十七年的巴迪斯達將軍後，他便成立了新的古巴政府，自任總理，施政初期，他所表現的是民族主義的政策，而他的政黨也與共產黨無關的；可是，到了去年的下半年度，他領導的政府已呈現了左傾現象，而他自己也傾向了共產主義與社會主義的信仰，並企圖實行溝通了共產主義與社會主義而合併的新政策，一方面又與古巴社會人民黨（共產黨）作緊密聯絡，並釋放所有因批評獨裁政權的政治犯，反而整肅及追放那些批評共產黨的政治家，於是給共黨份子乘機活躍，喧賓奪主，在全國各地燃起了赤色狂燄。

卡斯特羅當時雖然與社會人民黨勾結，但他還想模倣南斯拉夫的狄托，不以共產主義爲政治標榜，卻又要利用共產主義，以蘇俄來對抗美國，而想從鷸蚌相爭，大收漁人之利，滿腹大計，所以古巴的共產黨只是卡斯特羅領導的反美交響樂團的第一小提琴地位，第二小提琴還是由他的近身政治家担任，可借他領導的反美交響樂團的第二小提琴位置太多，所以連第一小提琴的地位也吞沒了，而且常作獨奏，高呼反美擁俄的口號，到處掀起反美潮，反教卡斯特羅難以首尾兼顧了！

從一九六〇年起，古巴的反美潮更來得積極了，而俄共又乘虛而入，恣意煽動古巴政府和人民反美，俄酋赫魯曉夫更在本年二月派出副總理米高揚到古巴訪問，並與卡斯特羅簽訂了買糖和借款的條約，在今後四年間，蘇俄每年向古巴買入砂糖一百萬噸，並以低息貸款一億美元給予古巴，同時並恢復蘇俄與古巴斷絕了五十二年之久的邦交，正式互派使節，這一着，就是俄共赤化古巴的第一步棋。於是古巴首都哈瓦那又多了一座白堊的蘇俄大使館，而且駐館使節人員竟達二百名之多，爲駐古巴外國使館中陣容最大的使館。

另一方面，俄共還與卡斯特羅訂有密約，就是俄共負責對古巴作軍事援助，供給米格戰鬥機和海空軍專家，替古巴政府大事訓練軍事技術人員，自當時起，已傳說俄共軍事顧問團及技術人員已在古巴秘密建設軍事基地和噴射基地，作爲對美國的威脅。

到了本年六月，古巴已與美國交惡至頂點，結果在六月二十九日與七月一日兩天內，正式沒收了美英系資本的三家大煉廠，其後更進一步沒收所有在古巴的美國資產，於是古巴與美國的交惡已形成毒癌之象，回天乏術了！

在古巴沒收了美英系三大煉油廠後，七月三日，美國議會又正式通過新砂糖法，削減古巴糖輸入額七十萬噸，作爲一種抗議古巴政府沒收美國資產的行動，這一着又無疑是給一個機會予俄共，向美國大肆攻擊，誹謗美國對古巴的經濟侵略，以削減砂糖額來危害古巴的經濟安全，同時，中共也乘機混水摸魚，派出使節團訪問古巴，也跟古巴政府訂立了貿易和文化協定，又重施主子的銀彈政策來向卡斯特羅獻媚，却乘機在古巴滲入了中共特務，煽動和騷擾華僑，弄到華僑們無日安寧，聰明的華僑爲了避免麻煩，對中共特務的煽動却陽奉陰違，明知古巴政權漸趨赤化，中華民國在古巴的勢必會步美國資產後塵而被卡斯特羅徵收的，所以紛紛向中國銀行提取存款，另存別處，却教共匪如入寶山空手回。由此而觀，可知古巴華僑的反共情緒是怎樣乖巧的了！

時至今日，古巴的赤化狂焰已成燎原之勢，米格式飛機已在古巴上空出現，並掠過美駐古巴軍事基地示威，這更証明了古巴已靠蘇俄撐腰，利用蘇俄軍事力量來對抗美國，而且在聯大會場上振振有詞地攻訐美國，並且不打自招，搬出了蘇俄火箭彈來向美國示威；可惜的是卡斯特羅貪勝不知輸，受了俄共的銀彈偷襲還不自覺，滿以爲自己可以獲得漁人之利，却不知這一回却是引狼入室，與虎謀皮，反而給蘇俄以銀彈作餌而大收漁人之利吧！（九月廿六日寄自古巴哈瓦那）

「美國的對華政策」之研究

——從一九四九到六〇年——

許明桂

十年來，海內外出現不少有關美國外交政策討論的文章和專著，但却很少有以美國對華政策爲中心的專著問世；儘管在市面上偶爾也可以找到討論美國對華政策的文字，可是，不是作者受了政治背景的限制，便是受某一刊物言論方針的約束，再加之資料不足，所以雖也洋洋灑灑，下筆萬言，然而所給予讀者的印像仍然是不够明朗，仍舊是把握不住重心，其結果，讀者的時間雖不等於白耗，而讀者的希望依然落空。

「美國的對華政策」這本書可能例外。我之所以說「可能」的原因，乃是就我個人而言，至少已是例外，因此，我不敢正式來評介這本書，而只是來研究這本書。

這本書只有一百三十九頁，所包括的內容是從一九四九到一九六〇，這個短短十年間的美國對華政策，正如作者在自序中告訴我們的：「從一九四九至一九六〇年這一時間，對世界是一個決定性階段，對遠東和中國也是一個重要的關頭。」然而，在這個重要的關頭，美國開始是袖手旁觀，接着是落井下石，「一九四九年八月四日，正當百萬共軍長驅南下，大陸西南與西北諸省國軍竭盡全力，與共軍作最後的殊死戰時，美國國務院便發表了震驚一時的『美國對華關係白皮書』。這一歷史性美國外交文件，着重敘明自一九四四年至一九四九年期中的美國對華外交活動，解釋中國反共戰爭所以失敗的原委，企圖以此來解除美國對中國大陸陷入共黨統治所負的責任。」（一）

現階段日本對華政策探討（十一）

羅堅白

東京通訊

赫毛間的儼然事實

誠然，豫訂十五年間貿易協定，也許並無其他深意存乎其間，而不過是米高揚的純生意經的表現。然而我們記得；前年中共宣傳與日本斷交後，北韓及北越的對日貿易，都曾響應中共而自動停止。共產國家政治先於經濟，且對外步驟原應如此一致的。石井這次出發赴莫斯科時，曾對記者們表明：擬請蘇聯代向中共斡旋重開貿易，顯示日方確在改途圖謀打開僵局。米高揚表示願訂十五年貿易協定，假若就是用以答復石井的請求，那實在比較正式出面斡旋，不知更有力到多少倍！中共聽得如何能不心焦！關於中共與蘇聯間的矛盾，是二者眞有磨擦？抑或正在合演雙簧？舉世聚訟紛紜，殊永難得到正確結論。但日本一部觀察家，却老早抓住一點，就是：當印度及印尼各與中共間發生糾紛，鬧得風雨滿城的時候，經把赫魯曉夫的大駕請去一遊，並得其[illegible]言將予以友好協助，爾後便把中共的威嚇，視若無睹，聽若不聞。面對這種儼然事實，中共應該大有所警惕吧。

（八）希望池田的謀略非得自吉田學校

池田謀略的來源　池田過去在政界素以直情徑行著稱，筆者從未曾聽說：他也擅長謀略。但這次對於中共的挑戰，竟能不動聲色，充分而迅速的，把顏色直接送給毛澤東周恩來看。眞是「士別三日非復吳下阿蒙」。由現在看來，他對蘇俄積極下工夫，至少可追溯到石橋就日蘇協會會長起。石橋被推舉任斯職，久懸未就；等到池田登台，才忽然宣佈就職。石橋與池田的關係，既如上述；則石橋就職以前，說不定不會秘密與池田間有所諒解。故池田這次能從恿米高揚如此捧場，決非偶然。因此筆者回想到他競選總裁時松村所得的五票，是否暗中密洽妥貼，並事先有佈置，然後依照施行，亦殊難說。更回想到：中共分裂自民黨的把戲，池田在參加第三次岸內閣以前，應該從幕後看得一淸二楚。則他當時把河野從岸主流裏拉出來，而自己反鑽進岸主流裏去，等於從河野掌握中把岸兄弟的選票奪了過來；也可能是一項有計劃的謀略行動。則中共的分裂戰術，只白送給池田引誘河野的香餌，並替他把岸打倒；可以說中共老早便已敗在他手中。連岸若一想到池田與三木離閣而連帶退出第二次岸內閣時的心事，恐亦未免自嘲爲他手下敗將了。那麼，池田這種近乎神機妙算的謀略，是從那裏得來？也許我們局外人過於穿鑿，空想池田在以謀略克敵；而池田本人實不過福至心靈，並未經過勞苦思；甚或只是「亂碰發財」。這種說法也大有道理，惟惜一時尚無資料以資證明。不過這麼許多回合的謀略戰役，假若有人在替池田做軍師的話，則軍師只有「吉田政治學校校長」吉田其人，其他如石橋松村，都是心無城府而近於天眞的好人。如佐藤三木石田，雖然各自具有一套移山塡河役神使鬼的神通；但還不够使池田言聽計從，到這如此呼吸合拍的程度。

書商，讀者

張希明

台灣文壇作家林立，對於文化之發揚，確實已作到登峯造極的地步，純文藝的，言情故事性的，武俠小說之出版，此起彼落，熱鬧非凡，這是一個好現象，出還比不出爲好。此種文壇獨步的好現象，證明台灣文壇是有蓬勃不可一世的趨勢，總不能以沙漠中行舟來譬喻了。

書儘管出到如此之多，書店儘是新書出版，堆在桌上滿屋皆是，琳瑯滿目，美不勝收。可是書價不如人意，一本普通的文藝書籍，售價定得太高，一本要四十五元，而且已打了一點折扣，如不打折扣，可想而知更高了。一個拿薪水階級的公務員，買一本書就得化去十分之一至十五分之一薪水之多，他爲了肚子生活，不得不忍痛不買一本書回去作精神食糧，而回去買三斤半豬肉爲妻兒子女加加菜，還比較好些。

大陸文壇萬花筒

田漢創造的新戲

——岳騫——

今古同台戲的起源是從十三陵起，原來中共在明朝十三陵附近修了一個水庫，規模相當大，因爲修水庫引起毛澤東的靈感，進行挖掘明朝皇陵，最初目標是永樂帝的長陵，不料這位皇帝生前殘酷，死後刁鑽，大批人民挖墓專家，硬找不到道，最後移轍別向，改挖萬曆帝的定陵，總算挖開了。在挖定陵期間，毛澤東帶了一批高級首領去十三陵作體力勞動，實際上是去指示怎樣挖掘，到了地方大家居然假戲眞做的勞動了一下，毛澤東和彭眞兩人對面剷土，朱德挑担，周恩來擠在女人堆裏笑嘻嘻傳土，這個鏡頭拍成新聞片在各地放映，許多幫閒文人也隨之大作文章，臧克家的詩，以前曾經說過。田漢也就因此啓發了靈感，寫了一本「十三陵暢想曲」的劇本。以現代人的腦筋去想幾十年後的「幸福社會」，這本來也是典型的宣傳公式，但是田漢在演出方面却創了先例，把現在的人和將來的人混在一起了。

因爲田漢是戲劇改進局局長，他這一改進眞是風行草偃，各種戲都出現了今古同台的故事，鬧得烏烟瘴氣，聽戲的也目迷五色，不知道那個是人，那個是神。後來越鬧越離奇，一九五九年第八期「戲劇報」提出批評說：「最近人神同台的戲風靡一時，各個戲劇都有這類的戲，作者意圖是要表現革命浪漫主義，但實際效果却往往陷於誇大和無稽。如有的人神同台戲是這樣，作者爲了表現人民公社的優越、幸福，就安排了七仙女下凡，要求在人民公社當保育員的情節。」

還有更笑話的，該刊又指出：有齣戲表現鋼鐵元帥升帳，鬥倒八仙，勝利收兵。……甚至於有些人爲了刻意追求新奇，編出一些千奇百怪的情節，如請諸葛讀毛澤東選集，豬八戒打電話問煉鋼情況等。」

田漢的十年戲劇改進局長，就改出這樣的戲，當時也許有人會感到新奇，時間一久，想找個觀衆恐怕都很難，這種戲也就絕跡了。

（下）

香港地

社會小說

五、有錢佬

梅大亮越聽越糊塗，總想問出一個究竟來。楊先生便道：「你不懂得霍新開爲人的利害處，自然不知道他弄些什麼玄虛。須知馬行時爲人雖是精明，也有他的短缺處，這就是孟子書裏說過的一句話：『寡人有疾，寡人好色』，偏偏他的太太是一個察察爲明的女人，經常偵査得緊。霍新開自從和馬行時交了朋友，把握住一些情報，便從中設法，和馬太太來往得密切一點。你想想，只要他稍爲示意一下，馬行時能不由於他，不稍爲買他的賬呢？這叫做運環運用，其妙無窮，借地方請客也只是尋常小事吧了！」

楊先生把這個謎底揭出，竟似石破天驚，把梅大亮嚇得一跳，因他怎也推料不到，一場小小宴會也包含如許曲折的謀略與機心。這致他想來實覺可怕。

他沉默了許久，才再開口問道：「照你這麼說，霍新開並不是馬行時的密友，只因把握住馬行時的桃色秘密，才有辦法，把馬行時支使得從心所欲吧了！假如他拿着這些秘密做更大的勒索，豈不更好？幹麼只要出這一點點手段，便覺滿足了呢？」

說到這裏時，兩個剛剛踱到山頂的「老襯亭」，楊先生便請他暫在這裏歇歇，看看景色，才繼續走去乘纜車下山。也不自覺地笑了一笑，指着下面萬家燈火，說道：「香港人慣道：『太平山頂望落去，有好多老襯』，這話眞的不錯。難得霍新開「搵老襯」特別有辦法，能夠由山頂搵到山腳，由香港高高的花園洋樓搵到九龍的木屋，連馬行時這位有錢佬和你我兩個窮光蛋，都成了老襯，這眞是搵老襯的大手筆，不由人不佩服啊！」

他並未答覆梅大亮所提最後的疑問，只在「老襯亭」邊，發出這樣的讚歎，竟把霍新開形容得似是天上人一般，高高的安擁着這下面百萬人口，連梅大亮亦爲之啞口無言，非予以默認不可。

兩人便在那裏默默的站了一會。臨到離開「老襯亭」時，楊先生才作了一個解答。（六十七）

木客著

王大嫂

程綺如

我因爲斌一個人的收入，不敷維持生活，就在某機關找到了一個職位，勉强補補家用，可是家庭雜務，丢下了乏人管理，斌答應我的要求，寫了一則徵下女啓事，送到報社去。

沒有幾天，王大嫂便來應徵了。他是一個五十多歲的人，身驅又肥又矮，活像一個大冬瓜，一張圓大像戴着面具的臉，笑時露着兩排向外翻的黃牙，似是要咬人一口的樣子，右眼眉有一道疤痕，把眉毛隔成兩截，乍看之下，便有三道眉毛了，鼻子扁而且小，安放在一張闊嘴之上，這一付臉型，實在難以討人歡喜，尤幸衣服很清潔樸素，那爲歲月刻劃滿佈皺紋的臉，蘊藏着一股慈祥和靄，且她對工資不苛求，在這下女荒的時候，我們便決定雇用王大嫂。

出乎我們意料之外，王大嫂來了之後，家裏一切都在蛻變，由於她做事勤快，往時亂糟糟滿房滿地的物件，經過她一番整理，放置得井井有條，她每日除燒飯，洗衣帶孩子外，空下來便找工作做，家裏掃得一塵不染，屋外水溝沖得乾乾淨淨。照顧孩子，她比我們更細心，使我們深感自愧弗如，青兒和鈴兒與她如影隨形的寸步不離，她很愛他們，逗他們玩，或講故事給他們聽，有時連我們二人，也是聽衆呢！她對我夫婦倆，也像對兒女般的關懷，有時候，總覺得超過了她職權的範圍，常弄到我們啼笑皆非，但是，對這一付善意的枷鎖，我們畢竟把它戴上了。

有一天午飯後，王大嫂正在房內服侍小孩們午睡，忽然門鈴響了，我便走出去開門，進來的是一位裝束入時的少婦，我招呼她在客廳坐下，便很禮貌的倒了一杯茶，詢問她要找誰？

「太太，我來看我的媽。」

「看你媽？」我眞覺奇怪。

忽然王嫂由房中走出，嘴裏嚷着：「阿蓮，妳來看媽了」

「媽！」少婦站起來拉着王嫂的手熱情的說：「我時刻都在掛念妳，妳在這裏好嗎？」

「我在這裏很快樂。」

我爲了讓她母女細訴離情，便借故到隣居家去，心中產生了一個疑問，王嫂女兒的裝束，並不像是一個窮苦的人家，怎麼讓母親出外幫傭呢？

由隣居那裏回家，客人已走了，王嫂滿面春風的說：「太太！這是我女兒帶來給我的零用錢，請你代我保存，將來要用時，再向妳取。」

「嗯！」我把錢接了，腦筋越想越不解，王嫂家中反拿錢出來給她用，其中奧妙，眞令人難以猜測，便不禁向她詢問：「王嫂：妳家裏還有什麼人呢？」

「我的家？」她見問得奇怪，也像是笑我這個主人到現在才問她的身世：「我一家人都陷在大陸，只有我隨着長女來到台灣，女婿在台中經營一小雜貨店，生活倒也勉强過得去。」

「那麼，妳不是可以在女婿家安享清福嗎？」我想一定她的女婿對她不好，因爲有許多男人都不願和岳母在一起，便插嘴的問。

「是的！本來用不着我自謀生活，不過，我是勞動慣了，自死了丈夫，[illegible]茹苦的出賣勞力，[illegible]養三個子女成人，十餘年來工作慣了，閒來反覺無聊。」[illegible]

[illegible]流行性感冒侵襲，我們一家人都病倒了，她工作更忙了，她每日燒飯洗衣，服侍病人，購藥，忙得團團轉，[illegible]晚上，衣不解帶的照料我們，她對我們的關懷和愛護，並不亞於任何親人，[illegible]使我們遠別家庭的我們[illegible]愛的溫暖，[illegible]王嫂也瘦了，[illegible]王嫂醜陋的面孔，[illegible]在我們的眼中，[illegible]而且可愛，她的笑，[illegible]像咬人，[illegible]出她肚內那顆善良的心。

幾個月來，她的[illegible]

[illegible]有天晚上，我們大家在院中閒談，王嫂忽然對我們說：「我有一件事，請你們幫忙！」

「王嫂！你有什麼事，只要[illegible]我必定幫忙！」我和顏悅色的[illegible]

[illegible]

「[illegible]大陸賑濟什麼會的。」

「啊！是寄給大陸賑濟委員會？」我驚奇的[illegible]：「[illegible]」

「不是說大陸到處天災，共匪推行人民公社，人民反而都挨餓，沒有飯吃嗎？恐怕我的兒女也正在挨餓，我想寄錢給委員會，替我購買幾袋米，派飛機到我的家鄉去空投！」

「王嫂！妳眞好！」[illegible]她這樣眞的想！[illegible]投了不一定就能落到她的兒女手上，[illegible]

「我知道[illegible]王嫂正色的說：「[illegible]能救活一個，也好[illegible]上帝[illegible]保佑他們平安。」

儒林九尾龜

吳敬鋅

第三回：柳暗花明又一村

這樣過了兩個月，一天早晨李鴻飛剛剛起床，魏本愚又來了，手裏提了一個旅行袋，進門就說：「我是特來向老兄辭行，今天下午就動身去金門島，那邊司令官有信約我去，今後總算找到了一個報國的機會了。」

李鴻飛聽了非常動容，連忙出去買了兩包三個五香烟，一包水菓，塞到他的旅行袋裏。

魏本愚再三道謝，並且說道：「我們相處日子雖少，可是你老兄幫忙我的事情太多，現在一旦分手，短期很難把晤，祇好徐圖後報了。」

李鴻飛看見他說得如此誠懇，反而覺得不好意思，當時問他幾時開船，一定要送到船上。魏本愚再三辭謝，最後說出此行相當秘密，停船地點也不便讓外人知道，李鴻飛只好算了。

送走魏本愚，李鴻飛一連幾日覺得不開心，好似少了一件什麼東西，寫稿也安不住心，擱下筆到文化報看看，不曉得有沒有信件，那知道剛進報館，鄭實齋迎面笑着問道：「你怎麼不小心把魏本愚的錢弄丢了，害得他到處去叫苦。」

李鴻飛一頭霧水，半天說不出話來，站在那裏楞住了。

鄭實齋又追問一句：「你怎麼擠電車把魏本愚的稿費擠去了。」

李鴻飛縐着眉頭問道：「鄭先生你講什麼話，你幾時見到魏本愚，他那來的稿費？」

鄭實齋說道：「他剛走沒有十分鐘。」

李鴻飛不由得跳了起來，問道：「他還在香港，沒有去金門島啊！」

李鴻飛一句話把鄭實齋問得胡塗了，連聲問道：「他去什麼金門島，日日都要到報館來一趟，從未提過要離開香港，大概是你聽錯了吧！」

李鴻飛嘆口氣坐下，說道：「這個人簡直說謊變成了嗜好，又騙我一次幹什麼呢？」

鄭實齋笑道：「到底怎麼回事，我看你氣得話也說不出了。」

李鴻飛就把前天魏本愚去辭行的經過說了一遍。

鄭實齋詫異道：「這樣說來，你並未中與報去替他領稿費。」

李鴻飛搖搖頭：「說起中與報的事便是啼笑皆非，就是上次我交給你的那篇『雙雛淚』，後來替送到中央報，登了兩天就被人指出是抄的，害得我陪着去人，我還有臉去中與報替他領稿費嗎？」李鴻飛話未說完，電話鈴響了，鄭實齋接過來一聽，原來是魏本愚打來的。

（廿七）

談吳佩孚

漁翁

吳佩孚，字子玉，山東蓬萊人，蓬萊在渤海中，諸仙人及不死藥在焉；水光瀲灧，山色空濛，風景絕勝，氣象萬千！吳生長其間，秉兩間之氣，由師長而三省巡閱使，而十八省聯軍總司令，叱咤風雲，有不可一世之概，果山川亦足以蔚人傑歟！

吳不僅嫻武略，抑擅文字，幼入邑庠，俗稱之曰「秀才」，後領師干，猶有呼之爲吳秀才者。當其以第三師師長，駐防衡陽時，治軍之餘，繼以吟咏，所賦鐵樹開花詩多首，皆撫物感時之作，一時和者多起，不意細柳營中，成爲吟風弄月之所。尤其撤防時，作一曲以明志，署曰：「登蓬萊閣歌」，爲最饒雅致，囑將士沿途高唱，歌曰：

「北望滿洲，渤海中風浪大作！想當年，吉江遼瀋，人民安樂，長白山前設藩籬，黑龍江畔列城廓。到如今，倭冠任縱橫，風雲惡。甲午役，土地削，甲辰役，主權墮，江山如故，夷族錯落，何日奉命提銳旅，一戰恢復舊山河，却歸來，永作蓬山遊，念彌陀。」

此歌感慨激昂，衞國愛民之心，流露於字裏行間矣。

故鄉與藕

孝文

驕陽肆虐，溽暑難當，在那夕陽西下，晚風徐來的時候，信步徘徊，走到離宿舍不遠的一座藕塘旁邊，塘裏的荷花盛開，紅的，白的，如同出浴美人，一片風光綺麗，綠油油的蓮葉，一片片[illegible]清香，令人有清涼袪暑的感覺，不禁回憶着在家鄉觸景生情，夏季吃藕的往事。

江南的藕，又肥又大又鮮嫩；記得每逢夏季，給我們家管理藕塘的阿盛，總要自擂下挑着又白又肥又嫩的新花藕，有時也開或折下幾枝嬌艷欲滴的荷花，一些結實飽滿的蓮蓬，一片鮮嫩的荷葉，到我們家來，住上幾天再回去。每一次阿盛來了，母親便一面忙着招待這位來自鄉間的客人，一面又吩咐[illegible]花藕，送給親友們，把剩下來的藕，給我們做糖米藕，點心，和圓藕燉排骨湯做菜，用各種烹調方法，做成各種美可口的食品，眞是百吃不厭，記得是舅舅畢業那年，[illegible]親特別高興，[illegible]阿盛送荷花來的時候，做了一道別緻的點心請舅舅吃，那是用新鮮蓮花瓣，洗淨後，調着雞蛋麵粉和白糖，放在油鍋中炸成的蓮花片，又香又脆又甜，美味可口，得到很多人的讚美。

我和弟弟，最喜歡玩蓮葉[illegible]人，擇一張新鮮碩大的蓮葉，[illegible]頂在頭上，在烈日下捉蜻蜓和紡織娘玩，渴了就折下蓮蓬，[illegible]吸食涼透了的茶水，眞的清香可口，趣味無窮呢！

母親做的鮮荷葉粉蒸肉，不油不膩，眞是恰到好處，是宴會最受歡迎的一道菜，每逢有知己朋友來的時候，都有了大快朶頤的機會！無怪阿盛常說：「老太太的菜，眞會做菜，在我們鄉下，也就是最好的材料，吃不到這樣好吃的菜呢！」這倒不是句老實話啊！

[illegible]上市的時候，正是荷花開放，[illegible]漫的故鄉中，遙念在那赤色[illegible]母的故鄉，還有爲了家做牛做馬的阿盛，以及每年[illegible]荷花[illegible]又白又嫩的新花藕的池塘，我心裏總有一種說不出的感覺。

釋耒集

適變

門前不改舊山河
破虜曾輕馬伏波
此日獨經歌舞地
古槐疎冷夕陽多

此唐人趙嘏，經郭汾陽故宅詩，所謂山河依舊，人事全非，對此茫茫，萬感交集者也。日者，余乘電車東行，經海軍船塢及金鐘兵房，但見幢幢巨廈閒無一人，花落鳥啼，樓台八散。當年聲禁之區，凜然使人生畏之帝國象徵，俯仰已成陳跡，緬其將來，不久即將夷爲平地，或闢置商場，或建立工廠，則熙熙而來，攘攘而往者，無復有人知其曾爲帝國駐軍之地，而大不列顛之功烈，亦從此消歇，不知英國人視之，作如何感想耳？十年之前，余始來香港爲居民，平居無事，頗涉獵國史舊聞，偶亦留心于世運之升降，覺百年以還，英人統治香港之術，業已一變，而再變矣。其變之驟與急，則以最近十年爲尤甚，亦惟其能變，故乃獨得于遠東擁有此僅存之殖民地，信乎英人比之法人及德人爲卓越矣，英之有香港，始于鴉片之戰，今香港鴉片之禁反特嚴，此又英人善變之不可測者也。曩者余見香港街道名稱，悉爲對殖民政策有功臣民之姓名；且均爲英國人，歐洲大戰之後，漸次採用中國地理名詞，最近十年，且有直用中國人之性名者矣，此雖細節，但已具見殖民地式之香港，終將宣告結束，從而出現一新生之香港，此新生之香港，無復爲維多利亞王朝功烈之象徵，即鴉片戰爭之仇怨，亦必從此蕩滌，所可惜者，英國處理殖民地較開明之用意，仍未爲若干依存于殖民主義，自覺擁有特權之少數官吏所了解，若干場合，仍使人邂逅所謂：「紅頭阿三」之面目，往往對市井小民，恣其威虐，遂令怨忿叢積，此實香港前途之礁石，此礁石不除，則香港在物質方面之進步，將絕無意義。唐末黃巢，山東一流賊耳，乘時竄擾，禍遍中國，于廣州殺蕃人特多，庚子拳匪之亂，大旨在滅洋，洋人果皆可殺邪？夫人知其不然，在怨毒之所中，有不可以情理論者焉，況今日時勢，挑撥煽動，靡有底止，製造仇恨者，正欲得資以爲藉口，則「紅頭阿三」，正宜與金鐘兵房」同盡，否則新生之香港，即永無由出現。司空圖河湟感舊詩云：「一自蕭關起戰塵，河湟隔斷異鄉春，漢兒學得胡兒語，爭向城頭罵漢人。」賤丈夫論，古今如出一轍，比則大可哀者也。

由齋

國大會議紀事詞

蘭臺侍者

滿江紅

序曰：按照國大會組織規程，首先分組舉行提案審査會議，由各代表自由認定參加某組工作。憲政研究組」——即第一組——主持修憲問題，報名參加人數特別多，第一次開會時，中山堂光復廳內擠滿了代表諸公，當推定李宗黃，薛岳，林紫貴爲主席團。甫宣佈開會，秩序即驟然大亂，場內空氣緊張，喧囂若鬧市，彼此張脈僨興，不顧一切，七十餘歲之鄂省代表張知本，與江蘇代表蔣某，對座攀談，一言不合，某即起而揮拳相向，經旁人極力勸解，幸未大打出手。繼而河北代表許某與江西代表李某亦因話不投機，彼此奮力鬥毆，旋進旋退，難解難分，以致折腳崩額，血流滿面；繼而一位不良於行，而以拐杖支持步履之代表，又爲修憲問題，與鄰座同僚大演武劇，藉拐杖作武器，揮舞不已。如是，全場遍聞打罵之聲，而審議工作猶未開始也。川省代表任覺五狀頗不謂然，走到麥克風前大呼「散會」，羣衆更嘩咋甚烈，無可理喻。大會秘書長谷正綱跚跚趕至主席台，氣急敗壞而言曰：「會場秩序閙成這樣糟，主席團怎末維持呢？」此時李宗黃，薛岳皆已潛離台上，只林紫貴帛然高據主席之位，斥谷氏不應對主席團妄開敎訓，谷氏反唇相稽，由語言衝突而宣袖挈領，洶洶然彼且動武，旋台下有人高呼「主席跟秘書長不要再打架啦！」一幕美國西部電影片打鬥鏡頭乃未出現。如此打罵吵鬧半日，議案始終未能進行，惟有宣告散會，眞兒戲之不若也。

一派喧囂，渾不似、衣冠人物。抬望眼，群情越激，若臨前敵，相對片言忙動武，剎時五步看流血，嘆諸公辜負美名銜，如兒劇。

爭意氣，離心德；忘份際，矜拳術，更堂堂首領，公然失格，議政不成徒自擾，當場挽救竟無策；待他年重話舊聞時，彰污迹！

金蓮趣話

介人

筆者既已於本報四十六期畧述「天足史話」，但與天足相對立的三寸金蓮，似乎也不可忽而不談。要詳述金蓮的歷史，近代姚靈犀先生所編的「采菲錄」，有極其詳細之紀錄，後來更加存精去蕪，另改編爲「采菲精華錄」。曾於序言有云：「吳苑荒荒，空懷響屧，宵娘已杳，難見凌雲，此亦談往於花邨，何妨瑣云夫北夢；愛蓮有說，采菲名書。似較方絢品藻爲詳，善勝李漁選足之刻。……」又有題屧豔詩云：

玉軟香柔喜坐懷，含羞強悅鳳頭鞋，鄲摩款捏情都慣，惟有傳杯倘鐵鞋，爲君何惜解雙纏，軟玉鈎春一綫然；樂極渾忘當日苦，香蓮却喜得人憐。

此可見作者固愛蓮，爲「嗜蓮」之有心人。書中有仿于獻所作「美和金蓮」一文，作者自承係將豐子愷「從梅花談到美」改頭換面而成，雖出於游戲筆墨，但能用研究科學方法來談金蓮，確爲創格，而文筆亦淋漓可喜。

其次還有蓮史一文，對女子纏足作歷史考證，作者根據史記後漢諸書，作大胆之假設，竟謂纏足在戰國之時即有，惜未能詳作小心之求證。其他尚有清方絢之「蓮藻」，唐溫庭筠之「蓮詠」李漁「蓮飾」，「蓮術」諸篇，均爲蓮史之重要文獻。另有知蓮作者「蓮趣祕記」，尤稱妙品。作者曾云：「纖纖三寸，亭亭一鉤，却具有攝魄奪魂之魔力，可以助興，可以媚夜，窮秘記趣，春情撩撥，術至於述，無以復加，個中況味，非過來人不能道其隻字。」

「采菲集」還有若干圖片，專列金蓮之照片與圖畫。例如有一種睡鞋，多以大紅緞作面，刺繡花朵其上，五彩綜錯，極爲悅目，以白布二三層縫作底，因爲睡鞋並不着地故不覺其軟且薄。閨中女伴，日長無事，乃競賽睡鞋之工拙，有一種極其精巧的，全鞋作鴛鴦形，並取鴛鴦羽加以裝飾，左爲鴛右爲鴦，鞋尖略翹起以狀鳥頭，精細絕倫，觀之頗動綺思。惜今已不可復覩。

據說有姑嫂二人，擬作打油詩以詠睡鞋，姑說：「永無行地日」，嫂應聲續道：「也有向天時」，姑不服說道：「鞋那有向天時道理？」嫂微笑答道：「你嫁後便知。」姑終懷疑不釋，及嫁，才體驗到嫂所說洞房之際，鞋底向天了。

詠睡鞋的打油詩殊不多見，「笑林廣記」收有一首詞云：「嬌紅軟鞋三寸整，不下地，鞋乾淨。燈前換晚妝，被底勾春興，玉人兒輕蹺也，兩肩相並。」又「菱仙雜記」有五言古詩一首云：「睡鞋三寸整，入握多乾淨。下地妨踏片；向天蓮並頭。灯前映玉額，被底勾春興。嬌顧若爲情，左右肩相並。」這一首詩與笑林廣記所載之詞，雖稍有出入，而大致則相似，疑爲同一人之手筆，或者是先有這詞，後來被人改而爲詩，至於作者爲誰，則兩本書中都沒有提及，也無法考據了。

新疆迪化的昌吉縣，在清乾隆時候建築縣城，挖地深到五尺許，挖出一隻紅紵絲繡的女鞋，很爲精緻，還未腐爛，在五尺多深的土裏，至少也有一二十年，因何不壞？額魯特的女人不纏小脚，這三寸的繡鞋又從那裏來的？紀曉嵐的烏魯木齊雜詩裏有一首說：「築城掘土土深深，邪許相呼萬杵音；怪事一聲齊注目，半鈎新月蘚花侵。」這一隻繡鞋，也許是由中土傳去的，物以稀爲貴，當時新疆人或者是把它當作一種賞玩品。

基上所述，可知愛蓮者大有其人，形之於歌詠，由來已久。晚清時代的遺老辜鴻銘就竭力排衆議，主張纏足的。其理由爲女子一經纏足後，兩股必豐滿，嗇於足而豐於股，夫復何憾？他之所言，殊堪玩味！其實，金蓮畢竟是成了時代的陳迹，是不堪提倡的，所以六福客棧的電影，也就遭受到國人的激烈反對，李笠翁早就說過：「今人之言足者，以纖小爲貴，不曰金蓮三寸，即曰樣如新月，此亦過甚之詞也。夫使足如蓮瓣，則橫潤臃腫，果如新月，則纖側而彎曲。其狀可惜，未見可多，我不知美人之足，衆何取於蓮與月也？若能瘦而不礙於肥，視之纖小可愛，而握之柔若無骨，弱而不礙於步，凌波小立，飄然而弱不禁風，是上選也。否則立必架椅支床，行必扶牆傍壁，則又何取乎瘦小，反不若六寸圓膚光致致者之符天然美態也」。

中立國

徐學慧

由於美蘇二國之對立，而中立國乃得以大行其道，此誠爲二十世紀六十年代之怪現象。

世界上沒有嚴格中立的東西，今日之中立國，實際上乃是國際經紀而已。

尼赫魯是經紀中的佼佼者，狄托反蘇，演出了精采的一幕，也改行作了經紀。蘇彝士運河一役，納薩挾蘇以抗英法，亦至爲精采，於是乎，國際經紀陣營中又多一個焉。蘇加諾究竟是不是在作經紀，還很難說，但經紀陣營中却歡迎他，只好暫時在這裏棲棲身，再作打算。

加納的克魯瑪，是個新入行的人。他原本不想幹經紀這一行業，却爲了在聯合國大會上發言抨擊法國在阿爾及利亞的戰事，而被美國人硬派他做經紀。

這一來，今日世界的經紀陣營中，就有了五個頭目。此五頭目中，亞洲佔其二，歐洲占其一，非洲占其二，分配得相當平均。

剛果與寮國，本來也是可以參加這個集團的。但剛果與寮國的局勢太過混亂，要找個經紀頭目都找不到。寮國的蘇符馬親王，曾經標榜中立，其意若曰：我欲參加國際經紀集團，但他這話無人理會，連經紀老行尊尼赫魯亦不屑一顧焉。剛果的魯蒙巴從美國訪問回來，內戰爆發，魯蒙巴當即把「蘇聯老大哥」搬出來，意欲效法另一經紀權威納薩的作風，不幸也事與願違。

截至目前爲止，國際經紀已在聯合國註册領牌的僅有五人，此五人者，即上所述尼赫魯、狄托、納薩、蘇加諾、克魯瑪。既然註册領牌，自然要作一筆大生意，以廣招徠，於是乎五中立國提議艾、赫會晤之提案，就在此時乘機推出了。

赫魯曉夫對於這個提案，當然暗暗高興。苦只苦了艾森豪，以行將退休之身，突然碰到這些經紀們跑上門來，硬要作成這筆大生意，答應也不好，不答應也不好，委實苦惱萬分。

美聯社開始懷疑到這五個經紀佬，究竟是不是在作經紀？美聯社認爲，尼赫魯這班人簡直是在替老赫推銷貨品！事情的原委倒也難說的很。在經紀佬眼光中，盧布吾所欲也，美金亦吾所欲也，二者必要左右逢源，纔是經紀的不二法門。赫魯曉夫可以利用這些經紀，艾森豪何以不能利用這些經紀呢？

懷疑經紀，無補於事。因爲幹經紀這一行，本來就是左手要盧布，右手要美金，一視同仁，無分軒輊的。關鍵在如何運用而已。

孝與慈

·謝康·

不過拉丁文的PIETAS所表示的孝敬觀念，原是異敎的而不是基督敎的。所以孝思發展的結果，變成崇拜和感恩的意思。於是，祖宗崇拜和死者的祭祀，曾經形成古代羅馬家庭很重要的一個觀念，這觀念是在羅馬人改信基督敎以前的舊觀念，反而與中國人的尊祖敬宗思想，有幾分相同。

說到「慈」，實應包含父愛和母愛在內，父慈母慈，都用得着這一個字，所謂「親子的本能」和父母養育之恩，以及「慈悲」，「憐憫」，「寬恕」，「溺愛」，「同情」，「慈惠」，「仁慈」，「親範」，「溫柔」，「恩愛」等心情，都和它是有關聯的。所謂「父性」，「母性」和「父子主恩」等觀念，也決不是慈愛以外的東西。只有這種大慈大悲至仁至惠的心情，所發出的純潔眞誠施恩而不望報的利他主義底偉大精神，纔可以配得起慈父母的稱號，在孔德的實證政治系統一書中，似乎有類似的看法，我佛以慈悲爲本，但願天下父母，都能功德圓滿，成爲阿彌陀佛！（完）

海濱消暑錄

自由報
THE FREE NEWS
第八十六期
社址：香港銅鑼灣高士威道二十號四樓
20, CAUSEWAY RD. 3RD FL.
HONG KONG
台灣分社

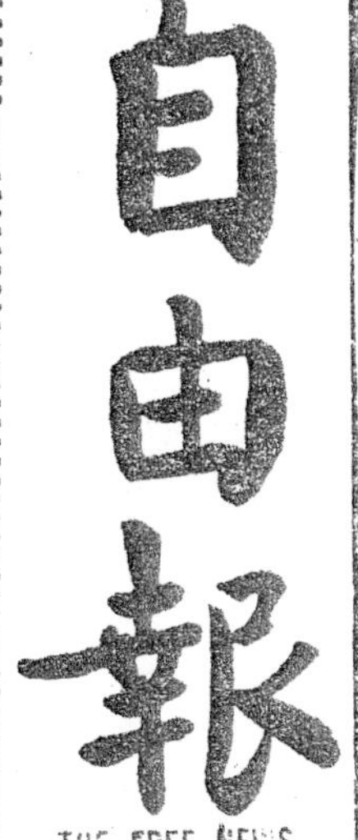

本報特別啓事

本報爲慶祝中華民國四十九年國慶佳節，本期增刊一張，香港區並隨報附送國旗一面，售價仍舊，敬請讀者注意。

團結就是力量
——民國四十九年國慶紀念詞——

雷嘯岑

這是我們在海外連續慶祝中華民國開國紀念佳節的第十一個年頭了！記得民國卅九年的雙十節，中央政府尚在廣州領導全國軍民征討共黨叛亂集團，西南半壁河山猶未變色。當時旅居海隅的愛國人士，擬約同國內外一般反共非共的高級知識份子，聯名發表一篇擁護中華民國的宣言」，而某些「知名之士」就拒不參加。繼而我輩在海隅從事文化工作者，正式集會舉祝雙十節，聞訊欣然預會的不過卅人而已。這證明當年一般人對於共產暴政毫無認識，相反地且被毛酋澤東的所謂「新民主主義」魔術宣傳所眩着，以爲毛共縱然奪取了政權，也未見得就比舊有的政府更壞，基於「思變」的心理作用，大家採取觀望態度，內心上對毛共是具有一種幻想的！等到毛共僭立了僞政權，毀棄中華民國的國體和國旗，宣稱對俄帝一面倒，對人民「決不行仁政」之後，大家乃從噩夢中霍然警醒，洎是每逢國慶紀念日，香港與九龍的大街小巷，皆插滿了青天白日旗，集會慶祝的人數亦成千上萬，到近年且感到沒有偌大的會場可容了。十年來一般人對國慶紀念之由冷淡而趨於熱烈，都是發於良知良能的自由意志，表現着眞誠而堅定的愛國精神，不會糊，不矯飾，以求其[illegible]

[illegible]

小調天下

△印度總理尼赫魯在聯合國大會致詞，反對赫魯曉夫改組聯合國之議；同時，對於促成赫魯曉夫與艾森豪再次會晤，又顯得非常賣力。

他似是聰明一半，其實，聯合國已逐漸變成「中立國」的戲台，他當然不會拆自己的台，也當然要出「中立」的風頭。

△英首相麥美倫與赫魯曉夫在紐約會談的結果：希望在明年易天再開高峯會議。

麥美倫做到「急來緩受」，「逆來順受」，打出一套英國外交傳統的「太極拳」。

明年必定有春天，誰知道明春美國人愛插的是什麼花？

△美國新任太平洋艦隊司令席斯德上將提出警告：請遠東者自遠東站開。他宣佈：第一艘飛彈巡洋艦將東來加入第七艦隊。

依照中共在「警告」方面的發明，美國給中共的警告，最好制定公式，每月發佈一次，以歸簡便。例如說：第「一○一」種秘密武器已在太平洋準備使用。此既可收「不戰軍秘」之效，亦可得「依此類推」之便。何樂不爲？

△寮國局面[illegible]惡化，共黨[illegible]見得勢。菲律賓[illegible]有主張由東南亞公約國家採取行動者。

那邊是打打，這邊只是談談而已。

△英國工黨代表年會通過：贊成英國單方面消除一切核子軍備。該黨領袖蓋茨克爾斯遭遇一次使人震驚的失敗。

共產黨死抱着「社會主義」的招牌去裝造「中立主義者」，看來眞是大有理由了。

△印尼陸軍總司令納蘇蒂安將軍：「他不是自由主義者和共產主義者，以及資本主義者。」

這是很漂亮的「三不主義」，假如再加上「不是法西斯主義者」，乾脆成爲「四不相」，豈不更好。

△中共閙恩來和阿爾及尼亞的阿巴斯拉上了關係，在北平發表「中阿聯合公報」，又做了一番吹擂工夫。

努力向非洲「撬老襤」，恐是中共目前中心工作之一。

非洲是英法的後門，拉丁美洲是美國的後門。西方國家的後門多的是地下老鼠。

方南

自由談

現實主義壯觀

馮五先生

俄酋赫魯歇夫在聯大會議中，以流氓嫡仔的嘴臉，瞎吵胡鬧，放僻邪侈，並且公然詆譭美總統艾森豪，有如對着寺廟和尚，又像潑婦罵街的醜態，實在豈有此理，太不成體統了！然而，美政府當局竟然表示大度涵容的氣概，[illegible]

[illegible]的，不亦怪哉！

古巴那位獨裁者卡斯特洛到紐約[illegible]出席聯大會議時，[illegible]以各種藉口拒絕他的代表團下榻，迫使其在聯合國大廈前的公園內搭帳篷過夜，然而美國朝野人士對於這類不能容人的小氣派作風，竟[illegible]

[illegible]

保全中國語文此其時矣

大專學生國文程度低落

桃潤

台北通訊

目前大專學生的國文程度，過半數低落得出乎人們想像之外，據亞洲文學第十二期中的短評中報導說：一次台灣省建設人員特種考試中，報考的大專理工科畢業生的二十本國文（題目：言志）試卷中，能夠稱得通順而又沒有錯字的，找不出兩三本。這就是說目前的大專畢業學生，至少有百分之八十，國文程度低落得驚人！

自從大陸撤退來台，我們的固有文化一直無人注意，一般年青人，拼命美化，平常言談，多多少少夾上幾句英語，表示時髦，最奇怪的是我們國家裏上了年紀的父兄們，不單是鼓勵子弟洋化，還存心送他（她）們進美國子弟（小學）學校。有一天難免這一班小犢兒，眞要弄到漢人學得胡兒語，跳上城頭罵漢人哩！

共產黨在大陸公開摧毀中國幾千年的固有文化，我們在自由區一致撻伐其罪大惡極！然而我們在自由區，却不願意保存祖宗的遺產，棄置之如垃圾敝屣而不顧，其罪惡與公開摧毀者如五十步笑百步耳。

我們絕不反對鼓勵年青的這一代努力趕上外國的科學，但我們必須儘可能的保存中國自己的文化。我不能相信一個英美的大專畢業學生對於他們的國文像我國的大學生一樣作一篇簡單的國文還是錯字連篇，不通不順。

一個中國大學生，而沒有把中國語文搞通順（通順是起碼的條件），站在外國人的面前，那將是莫大的恥辱！

任何一個進化的民族都有他優良的語文，這種語文是他們祖宗的文化遺產，它不僅是代表他的歷史存在，也代表他們生命的存在！如果他們的語文一旦被消滅，這個民族當然也會被消滅無疑！

所以要保存中華民族，必須要保存中國的語文！

近三十年來，無可諱言，有許多稍有成就的中國人入了外國籍，但我們絕不容許在國內公開鼓勵子弟去投入外國籍。

最近楊傳廣回國，有位記者探問他道：「聽聞有人勸你入美國籍，這訊息確否？」他正色的回答說：「我覺得生為一個中國人很驕傲！」

楊傳廣先生是一位山地同胞，以他過去所受的教育水準來比擬那些受過高等教育而已經入了外國籍的先生們，他們眞該羞愧以死！

我在這裏似乎說得太遠了一點。為了搶救中華民族，我們必須趕急保存中國語文！如果我們教育當局繼續對此視而不顧，有一天，我們不必等共產黨或別的民族來滅亡我們，我們將會自然消滅！

如何保存中國的語文，教育當局比筆者清楚，用不着我在這裏多嘴。我祇在這裏提出一個危機的信號！

阮女玲執壺東雲閣　輿論界空作杞人憂

（本報台北特訊）△當選去年商姐王后阮女玲小姐，突於九月十三，十四日執壺下海，在台北東雲閣做酒陪笑，轟動了新聞界，連日各報不惜以巨大篇幅，刊登了這一則社會消息。言論一向謹嚴的國民黨喉舌中央日報，竟在一天之內用了六個標題，登載了約六千字的文章，幾佔半頁版面，可謂浩浩乎為今年度台灣第三號的新聞人物矣！

據悉：阮女下海兩天所得，達新台幣二千八百餘元，超逾了她在南華公司的一個月薪俸。這年頭，有錢能使鬼推磨，只要取之無損他人，誰說不宜？

工商界和輿論界，對阮女淪落執壺，皆一致表示惋惜，其實大可不必！此妹昔日只不過當選一商姐而已，今日「當」有所用，仍在商場上角逐撈錢，這地肥田不外溢也。局外人有何可哀？眞叫後人而復哀後人者噫！

△政府為促進台灣經濟

何志聰寄自台北

工業繁榮，繼頒佈了「獎勵投資條例」後，又來個一億二千元的工業大貸款，以低利貸給工業建設資金之用，無乃大家並不感興趣。原來政府規定需貸者之業務賬簿必須公開以瀏審核。其實今日台灣工商事業，內部眞是弊病叢生，莫不諱忌求醫，這回政府極願扶助他們發展，本應有供不應求的現象，只惜大家皆一身纏病，動彈不得也。一億二千萬元的貸款還是懸得高高的。

現階段日本對華政策探討（十二）

羅堅白

東京通訊

現代的西園寺公吉田自下野以來，雖然優遊自適；但並非不問國事，每次政治發生波瀾，這位老人家的大磯別墅，就免不了一陣黨政要人車馬之喧；頗不無大正末昭和初元老西園寺公的興津坐漁莊之感。他喜歡戴法國式圓巴巴便帽像西園寺一樣，所所記者們替他取個渾名叫「便帽西園寺」，却正合着他以現代西園寺公自況的胃口。他老早就編排好保守政權新陳代謝的腳本，是由岸而池田，由池田而佐藤；可囑依照扮演，而自己隱然担任導演。在此次總裁公選大會開始競選活動初頭，他公然露面勸石井退讓。石井不聽他的，但結果白費勁空忙亂一番，一如他所豫言。他在戰前由一奉天總領事昇調外務次官，是田中內閣田中自兼外相的時候。據說因為他設計並執行一項非常重大的對華謀略，建有奇功，故得此為酬庸。東條內閣末期，他策劃一項推倒東條的謀略，正在奔走進行中，被憲兵逮捕，吃了幾十天官司。這一場官司却叫他戰後忽受幣原特達之知做了幣原內閣的外相；於是一帆風順，登上夢想不到的首相寶座。所以他夙以謀略戰略自喜，談到謀略戰便覺手癢心花起來。他現在身心俱閒，一心一意愛護池田的政權，他所修鍊的謀略法寶，當然樂意借給池田一而再再而三去使用。而消息確也靈通，國內外各種關係瞭如指掌。須要如何踏瑕抵隙，縱橫捭闔，無時不在三寸胸中，籌之爛熟。池田對他的尊崇信賴，殆不亞於劉玄德父子之對諸葛孔明。這種看法，筆者深信能為多數觀察家所首肯。但筆者希望上述替池田打天下定江山的各種謀略，並非出自這位老人。假若果然是的，則希望今後池田至少自已能由劉後主進步到劉先主的程度，不要始終盲從這位老人的擺佈才好。

吉田師徒輕侮中國的觀念

池田「求使共產國家畏懼日本」一語所謂共產國家，不是指蘇俄是指中共，用不着多費解說。他確不愧為吉田傳授衣缽的門徒；此語以與吉田學校另一「非優等生」自民黨前副總裁大野所主張「合併朝鮮台灣成立日本合衆國」之語相參照，便覺珠聯璧合，都是吉田教育精華所聚。在吉田記憶中，中國無異一頭順受宰割的羔羊；其輕侮此羔羊的觀念，戰後猶深根固蒂於其潛意識裏，牢不可拔。宜乎求使中共畏懼及合併台灣的想法，都出自他的高足弟子。吉田不久以前漫遊歐美東南亞便道訪問台北，外相小坂為充隨員，據談吉田當面勸蔣總統放棄反攻大陸；也許就是要台灣安於一蕞爾小國，俾將來較易成為日本合衆國之一部吧。

「美國的對華政策」之研究

—從一九四九到六〇年—（二）

「白皮書」有一篇序言，是艾契遜呈給杜魯門總統的信，在那封信中，艾其遜相信中國「固有的深邃文化及民主性個人主義，終將發揮其力量，而將此外來桎梏掃蕩無餘，凡以此為目標的任何發展，無論在目前抑在將來產生於中國，吾人均將予以鼓勵。……中共政權者竟甘為蘇聯帝國主義之工具而企圖侵犯中國鄰邦，則吾人及其他聯合國會員國，勢將面臨一破壞聯合國憲章原則及威脅國際和平與安全之勢，」

作者在此找到三個要點：「一、是『中國狄托』政策，二、是等待與觀望政策，三、是不准中共帙出中國的政策」，不幸的很，艾契遜提示的美國對華政策雖有把「中國狄托」這一目標作為一個長遠的設計的打算，誰知「一九五〇年六月十五日韓戰的突然爆發，使美國對國際共黨的一切如意想法，遭受一個沉重的打擊。」於是，回過頭來，杜魯門總統不得不於韓戰發生的第三日「正式下令美第七艦隊協防台灣及澎湖羣島，準備防止中共的任何攻擊行動。」「美國亦不僅此也，令第七艦隊巡邏台灣海峽已足，她還得與中國政府加強聯繫，與設法改善對中國政府的態度，於是一九五〇年七月二十八日，美改派藍欽為駐華公使銜代辦，費丙特海軍少將為駐華海軍武官，同月三十一日，當時韓境統帥麥克阿瑟，亦親來台訪問，一時台灣便成了一個全世界注視的目標。」到了九月三十一日，美國國務院主管遠東事務的國務卿魯斯克更宣佈：「我們對於台灣，除繼續予以經濟援助外，幷將給予選擇性軍事援助，以加強台灣的防衛實力。」又過了八個月的時間，即一九五一年的五月一日，美國軍事援華顧問團來台也在台灣成立。據作者的敘述：派遣一個軍事顧問團來台的建議，早在一九五〇年十一月，已由麥克阿瑟總部呈請華盛頓參謀首長聯席會議予以考慮，而麥帥的這一建議，亦是基於同年十一月廿三日從台撤退回東京的美臨時駐台軍事代表團的報告來決定的。為什麼美國人改變得這樣快？理由很簡單：一九五〇年中共「人民志願軍」的大規模參加韓戰，使韓國戰局又出現了一種嚴重的新局面。

第七艦隊奉令巡邏台灣海峽以後，協防台灣的安全便成了一個美國的既定政策，但，「在這一時間內，美國的協防台灣，是為了保持台灣所具有的地理上的戰略價值，而不是為了支持中國政府，並非為了協防中國政府而協防台灣。」這一段把美國協防的用意，說得最為具體而簡明，也最令人猛省而憂慮，原來杜魯門總統宣佈以第七艦隊協防台灣的同時，「要求台灣國軍同時停止對大陸的海空攻擊」，在政治上等於美國「對中國政府的歧視態度加上第一個手銬」，「一面剝奪了國軍反攻大陸的權利，一面又無形保障了中共的安全」。

一九五三年共和黨政府上台，即明白解除台灣中立化，恢復國軍對大陸的行動自由，同時派大使駐華，表面上並未使中國人失望，然而追杜勒斯與英首相邱吉爾，外相艾登會談以後，艾登對下議院作了一個說明：作者對這一說明的背後指出：「美國的所以宣佈解除台灣中立化，原是為了緩和美國民意對韓戰的反應，也說明：解除台灣中立化之後，美國並不會鼓勵以援助軍作實際反攻，也說明今後美國對華政策有何重大決定，美國必須徵求英國的同意。」

許明桂

立委建議輸出新娘

四十萬王老五情何以堪

友萍

台北通訊

立法委員潘衍興於上月卅日在立法院向僑務委員長周書楷提出「輸出新娘」的建議。他說：「許多海外青年，找不到中國女子作妻子，便與當地土人結婚，中華兒女的血統也有些混淆了。」因此建議大規模輸出新娘，以符合僑胞們的需要。

這個建議原則上很好，且一定得到僑胞們的歡迎，和「寶島姑娘」的某些響應。因為事實上，年來確有不少海外僑胞致函國內，甚至親自返國徵婚的；而國內一般「崇洋」小姐，也有以出國為榮，一若有「洋」可出，即如登仙境。其平時即以千方百計，營鑽外出，一旦有「計劃」輸出，信必更加踴躍。

惟暗中叫苦的，厥即目前寶島將近四十萬急切求偶而勢不易得之男「光棍」也。

據台灣人口統計，男多於女約二十餘萬人，其中尚不包未設戶籍之三軍官兵在內；而此少數之女性中，又因其年齡較長，與因適應曠男特多而產生的娼妓之類佔一定數目，所以適齡而未婚之男性（指三十歲左右）當在四十萬以上。此輩適齡而未婚之曠男，並非全由於經濟基礎關係，而確由於男女之比例失調，故女性在台灣，實不愧為「天之驕女」。常有公開徵婚之女性，所收來件，動輒數千。雖其本身文化程度甚低，或年在三四十以上，且有「附件」乖巢，而問津者頗不乏一時俊彥，由此可見問題實在不簡單。

而尤使曠男困惱者，即他們需求愈渴，則女性之自標身價亦愈高，需時間對她們極少壞的影響，却反以時間來引長她們的選擇機會。

現在潘委員又有「新娘輸出」的建議，不知道潘委員是否也準備向政府建議從日本這些女人過剩的國家實行「新娘輸入」的計劃？大概台灣的四十萬曠男，他們是不會計較中日血統的混淆問題的。

「男有分，女有歸」這是「大同」社會的理想，自由中國的立法委員熱烈關懷海外僑胞的婚姻問題是值得讚揚的，但祇有輸出而無輸入，將使台灣的曠男問題更趨於嚴重；海外華僑小姐也有向心國內的，如果能海內外交流一番，也許更是一件值得提倡的事！

社會小說

香港地

五、有錢佬

原來個中內幕，說來却是簡單，照楊先生的解釋：像馬行時那樣的人，雖有「好色」之疾，却決不肯隨便玩女人，怕的是一玩便玩上了身，脫不得手，鬧出米飯官司，那便不只名譽有關，而且必然大破慳囊，損失重大。所以，這些人不玩則已，要玩便玩得十分秘密，等閒不易洩露風聲而且也有他們玩的機智和技術。以馬行時的高級朋友圈子來說，够格同在一起來玩的並不多，霍新開還不算是那一『皮』，因此，霍新開決不可能拿着馬行時的眞憑實據，只就傍敲側擊所得，構成可以開玩笑的資料，拿的馬行時面前酒弄，那就會挨到一點點甜頭，借作偶然勒索的把柄了。

因爲雙方都是聰明人，彼此都可在「不傷脾胃」的原則下，互相賣弄小巧術數，做到心照不宜，各受其益。這正似戲法人人會變，各個巧妙不同，如果看得太過刻版，那便成了刻舟求劍，膠柱鼓瑟，不算得是明眼人了。

楊先生說出一篇解釋的話，把霍新開和馬行時一概推許是「聰明人」，並且揭穿了一些有錢佬玩女人的秘密，越發令得梅大亮大開茅塞，大有「聽君一席話勝讀十年書」之概。

梅大亮口裏連說了幾句「聰明人」，才笑謝道：「你給我的解答眞的週到，看來你也是聰明人呢！你怎會知道他們身邊許多瑣細的事，說得如數家珍？而且，你也怎知道霍新開如此存心，這般設計呢？難道是他自己親口對你直白的嗎？」

楊先生聽了，連忙搖首道：「我不是聰明人，只是明眼人罷了！你忘記了我曾幹過商會秘書的差事嗎？有些商家佬知道有錢佬身邊的事，比我們拿筆桿的人清楚得多了。但凡只知其所以然而不能做的，那是明眼人，不只能知而又能做的，那是聰明人，並且做得絕妙的，那是聰明人。聰明人才配是身在局中的棋客和賭徒，明眼人只合做棋局和賭局傍觀者而已。這兩者大有分別，你不可『自作聰明』才是呀！至於霍新開的心事，我當然會比你知得通透。他縱然是一個聰明人，有時也會『鬼拍後腦』的呀！」（六六）

木客著

拜拜（上）

汶津

編者按：「拜拜」是台省民間極流行的一種習俗，每逢節慶，家家大張筵席，逢人邀宴，更輔以歌舞遊街，汶津先生主張把此一習俗加以改良，知用很生動的散文筆調，來加以反覆闡揚，自是高手。

有時我們聽說「拜拜」，便會冠冕堂皇的說：「簡直迷信！」可是你能否認你會因拜拜而聯想起故鄉的可愛風俗？你不是常看到拜拜而浮現起童年的迎神賽會？你撇着嘴說：「拜拜低級」，那只是說明拜拜並不能引起你的主觀愛好而已；要末，你是被科學、進步這一類名詞搞昏了頭，連人情味這件奇寶也宣告遺失了。

我知道：你會拍拍胸脯，以未來的社會改革家自許，因此你說：「拜拜絕應禁止，這是十八世紀（或者得說得早些）的落伍風俗！」那麼我要老實不客氣的問你一句：「假如有人認爲電影及其他娛樂應予廢止，你閣下將有什麼感想？」你又會說：「胡鬧，電影是二十世紀的新藝術！」不錯；可是你總不能指望每個人都搖身一變，化成像你這樣的尖頭饅啊！而況人心都是肉做的：今天活着，明天還願活着，並且快樂又幸福的活着。我對你的社會學論文是佩服得五體投地的，但我卻不贊成你斷然對拜拜使用否決權。

自然，誰也不容否認拜拜有迷信的氣息。大概拜拜的對象是多神，這總不失爲一種心理上的支柱。且看一般本省同胞，平日省吃儉用，那怕家人有一個收入不壞的職業，全家老少在閒暇的時間，仍然一個個捲袖管，到院子裏幹他們的副業；有時你偶而走過，怕總不免要以袖掩鼻，外加連吐唾沫數口，以表示嫌惡之狀吧！可是他們却天天親自下廚，自在得如入芝蘭之室，親手也許是一雙王手，奉上侍八寶飯式的食料，侍候着那些豚君子，他們爲了什麼？發財嗎？也許是的；但事實告訴我們，即使那些「大貨」給他們帶來了財運，他們也還是輪不到過享福的生活的——刻苦慣了的人，對於享福是不希罕的。那麼，爲了生產優良的獎狀？哈，天底下第一流肥豬，爲一張紙兒流三百六十天汗的！好了，不賣關子的告訴你，他們一多半還是盼着拜拜！

別那麼猴急的跳起來，我的話還沒有說完呢！或者我這樣說法牽強了一點，但你也不必把頭搖得像貨郎鼓兒似的！你仔細想想拜拜的光景吧！那可眞是竭盡爭奇鬥勝的能事了：「且看誰家的豬兒肥，誰家的烟火旺，誰家請的客人多，誰家迎的神祇多。半載辛苦，多少血汗，今朝一曬，晚上覺也睡得香又好。這「拜」他一下，豈不消盡了積日的勞瘁？那怕皺紋滿面的老太婆臉上也開了花。雖然花費了一大筆，心裏還滿以爲神祇感受殷勤，來年保祐他發一筆大財，生一個肥兒吧！我說拜拜是人民精神上的調劑，恐怕這比那些往睛裏看轟上肉彈的娛樂高尚點兒吧！

「可是拜拜終究是浪費啊！」你不愧是聰明人，扭轉話兒另找主題。

是啊，我根本也沒有否認這點。可是時期，你總不能一切從簡用「節約」一類的標語，向那些知識水準並不高的人去宣傳啊！這不就得想辦法，不知不覺中你可以使他們轉移方向，不如舉辦個民衆同樂晚會或各種生產競賽，和和睦睦的，一方面大家同樂，一方面又乘勢兒，對啊，這就是那句「老古話」；「因勢利導」了——讓他們有機會炫耀炫耀自己的成就，於是不要拜什麼泥做的菩薩神祇，勞軍捐款也好，買愛國公債也好，大家臉上照樣有光彩。這句俗語，這可不是「化腐朽爲神奇」？這個好容易讓你頑石點頭了。什麼？「說時容易做時難」？這個還用你說？否則多來個像我這般只會「舌上談兵」的策人也成囉。——得，你要不厭煩，咱們來談談一些先賢吧！

青年之聲徵稿

本版特闢「青年之聲」一欄，專載海內外青年學生的文藝作品及其生活動態的報導。歡迎各校同學來稿（勿超過五百字），一經刊載，略致薄酬。請註明年級及學校。

談曾國藩

漁翁

曾國藩，字滌生，湖南湘鄉人，道光十八年進士，少年入學，試題爲論語首章「子曰」二字，曾破題曰：「聖人一言，而爲天下法」。自此扶搖直上，以次入翰林，而至政府官職，拔選第一。在咸豐八大家中，爲首屈一指人物，而出於桐城派。世人每以爲道貌岸然，殊不知亦有風流韻事，其輓妓女春燕一聯，膾炙人口，文曰：「未免有情，對鏡空憐燈影紅；最恨絕不相識，萬事都隨春去了；似曾相識，恨桑空泥燕，幾時重見燕歸來。」嵌春燕二字，渾然自然，眞不愧一代大手筆。咸豐初，廣西洪秀全起兵反對清廷，聲勢浩大，曾在湖南練鄉團，以「不要錢，不怕死」二語，爲軍紀嚴明，因此成爲有組織，有訓練之勁旅，卒以削平太平天國，而爲有清一代中興之名臣，官兩廣總督，封一等侯爵，卒於同治十一年二月四日，壽六十二，穆宗聞耗，輟朝三日，追贈太傅，賜諡文正。凡讀過曾氏家訓及「治家語錄」，便知其持盈保泰，居仁由義之一貫家風，莫不引爲楷模。

儒林九尾龜

吳敬鉡

第三回：柳暗花明又一村

鄭實齋只說了一句：「魏先生，鴻飛兄要同你講話。」就把電話遞給李鴻飛。

李鴻飛滿腔怒火，接過電話劈頭就問：「魏先生，我幾時弄掉你的稿費？」

魏本愚在電話上連聲申辯，沒有講過這種話，李鴻飛說道：「既然如此，請你到文化報報社來談談。」魏本愚滿口答應就來，李鴻飛放下電話，心情十分興奮，這次一定弄清楚是非，當着鄭實齋的面，揭破魏本愚的謊言。

那知道從下午四點等到八點，看不見魏本愚的影子，鄭實齋笑道：「鴻飛兄，你實在忠厚，魏本愚的話如何能信呢？我恐怕你等到明天他也不會來的。」

李鴻飛恍然大悟，咬牙切齒說道：「又被他騙了一次，這筆賬終究是要算的。」說過怒沖沖地走了。

過了一天，李鴻飛去文化報領稿費，見了面鄭實齋笑道：「這次我們跌了眼鏡了，那天你剛走三分鐘，魏本愚就來了，在這裏發了一頓牢騷，說你不等他，仍然一口咬定稿費被你弄去了，見了面要同你對質哩！」

李鴻飛氣得暴跳如雷，罵道：「這個老傢伙眞不是人，在電話上他賭咒發誓沒有說過這句話，怎麼轉眼又變了。早知如此，那天再多等一個鐘頭也要等到他。」

鄭實齋笑道：「你還是弄清楚眞象，據我的看法那天你即使再等五個鐘頭，依然等不到他！」

李鴻飛愕然道：「這是怎麼回事。」

鄭實齋笑道：「據我估計，那個老傢伙可能早就來了，躲在街傍邊或者一間咖啡館子裏等你，看見你出了報社，他馬上就進來，否則那會這樣巧。」

李鴻飛恍然大悟，恨道：「我捉到這個老王八蛋，一定打他個半死才出氣。」

鄭實齋笑說道：「你空發脾氣沒有用，單憑你自己一定找不到他，而且就是在馬路上遇見，你也不能眞打他，因爲打人是犯法的。」

李鴻飛恨道：「這件事怎麼辦呢？難道我就白受這個老傢伙侮辱就算了。」

鄭實齋連連搖手，「你不用着急，我總有辦法讓你們見面。」

過了兩天，李鴻飛突然接到鄭實齋的信，約定明天下午三時在第一樓飲茶，信上註明無論如何忙，非到不可。並且說明必須準時，遲到早到都不成。

李鴻飛接到信覺得好笑，這樣請客倒乾脆，曉得一定有特殊原因，不敢大意，第二天準時在三點鐘到了第一樓，一進去看見鄭實齋，魏本愚及中興報編輯文希孟都在。（廿八）

大陸文壇萬花筒

華羅庚的用場

——岳窬——

提起華羅庚，大概三十歲以上受過高等教育的人，對他都不會太陌生。他是中國最早揚名國際的學者，數學上的造詣曾受到愛因思坦的推重，苦學成名，更難得的是這位學者又是無師自通，所以更受世人尊敬。

這位不世出的天才，當大陸陷共時適在美國，本來他可以在美國定居下來，繼續研究工作。不幸受到共特的遊說，竟然返回大陸，是大陸陷共後第一批返回共區的學人。中共當時對華羅庚的歡迎也是空前的，待遇也十分優厚，不久成立了科學院，就派華羅庚担任科學院數學研究所所長。

但是這個數學研究所完全是個空名義，什麼都沒有，華先生一腔熱血，希望能以所學爲「祖國」效力，可是中共卻使他每天開會，向留美學人，向台灣親友廣播，完全把他變成一付宣傳機器，華先生最初還予以敷衍，後來實在受不了，曾經找周恩來訴過苦，但這是「黨」的政策，周恩來也無可奈何。只有連嚇帶騙勸華先生勉爲其難。到了一九五七年鳴放時，大家都在吐苦水，華先生也不例外，把中共蹧蹋學人的經過及數學研究所的內容全部講出來，和另一位同病相憐的錢學森（力學研究所所長）所發表的談話，對於中共的海外統戰工作，確實是一大打擊，從那次以後再沒有一個留美學人回大陸了。

鳴放結束之後，到了大整肅時期，中共當然不肯放過他們，錢學森曾經作過悔改聲明，也曾追隨李濟琛，沈鈞儒一批人之後，扛木牌向「黨」交過心，只有華先生不肯屈服，到現在還未見他發表過悔過書。

幾年來未見到華先生的消息，以爲他一定是埋頭作高深的數學研究，那知道九月二十七日的人民日報突然發表他一篇短文，怎樣計算小麥產量，原來他已下放到農村種田去了。所以對於計算小麥的產量，頗有心得。

華先生的數學天才及造詣不但中國第一，世界上也找不出幾個，假若給他一個安定的環境去研究，將來未嘗不可追過愛因思坦，但是中共卻派他去計算每畝小麥的產量，此項罪行，應列於賣國殘民之上了。

釋耒集

由排滿到抗俄

曲齋

春秋大一統，嚴夷夏之防，故公羊主復九世之仇，則排滿抗俄一也。余讀鄒民革命軍之言，然後知先烈排滿精神之不可及，又然後知我今日何以衰頹至於此極也。所謂排滿精神者何？一曰養成上天下地，惟我自尊，獨立不羈之精神。一曰養成冒險進取，赴湯蹈火，樂死不避之氣概。一曰養成相親相愛，愛群敬已，犧牲義務之公德。一曰培成個人自治，團體自治，以進人格之人群。凡此四者，辛亥諸先烈，實均具之，故能爲祖國請命，擲其頭顱，暴其肝腦，以共推此二百餘年狹隘專制之部族政柄，迄於今茲，已半世紀，我先烈所悉具之精神，漸漸滅至於淨盡，惟我自尊，獨立不羈之人，不死於侘傺之遭逢，則死於莫須有之寃獄，赴湯蹈火，樂死不避，於競私利時，或偶然一見，大率婉阿取容，競爲流俗之所稱許，兵魂消盡，國脈如縷，故終爲共產黨所竊竊，而奴屬於俄羅斯。夫滿洲部族，不同於漢種，猶禹甸內之一支，爲客帝二百餘年，殘殺暴虐，雖無所不用其極，顧猶未至於滅絕我文化，剝奪我衣食所需，使我四萬萬神明子孫淪爲夷狄牛馬之餘，又復絕其稻草菽秫之供給，必令其無噍類而後止。則滿州部族之不仁，猶未逮俄羅斯萬萬也。夫馬蹄之袖，纓頂之珠，何殊於列寧制服耶？自中央至地方，各級政府，各種部隊，徧佈政治顧問，方之一二滿州將軍，駐於衝要之地，謂能收鎮撫之效者，瞠乎後矣。金礦、鎢沙、穀類及肉食品，以至於全國天然之名產，悉數先運蘇聯，較之數百萬之滿人口糧，尤不可以同年而語，然則數典忘祖，認賊作父之倫，開口天皇聖明，頌康熙乾隆之深仁厚澤者，未必皆虛語矣。而我自鄭成功、張煌言以下，以至呂留良、曾靜之倫，無日不謀有以攘逐之之策，至洪秀全，楊秀清之起義，則已大義凜然，不容有所猶豫矣。故雖權譎如曾國藩，旣賠洪氏之後，反刊佈船山遺書，爲排滿革命預播種子，是則人心未盡死，自昔有然者也。國變以還，余託踪異國，匆匆十更寒暑，每年雙十國慶之日，輒見海隅諸左派報紙，仍循例撰文表示紀念，而改其名曰辛亥革命紀念日，今按辛亥革命，所以攘逐滿人，春秋大一統之義也，春秋之法，諸侯用夷禮則夷之，夷狄進於中國則中國之，是用夏變夷，未聞變於夷也。不忘辛亥之排滿，即不當有今日之自附於俄帝，先烈在天有靈，神明必鑒其醜矣。

國大會議紀事詞

蘭臺侍者

定風波

序曰：第一審查委員會經過一場激烈打鬥之後，暫行休會幾天，而由執政黨派員會同國大會議主席團王雲五等，進行調查工作，方法是對於若干桀驁不馴之少數份子，暗中許以某種權益或名位，囑其稍安毋躁；對於修憲創制問題表示不妨從長計議，可由國大代表特設機構研討之；關於全體代表之待遇問題，亦決計重新調整，俾與立監委員看齊。如是，第一審查委員會復會時，情勢乃告和緩，最後且決議通過莫德惠所提修訂臨時條欵案，送交大會討論。迨大會討論本案時多數代表深恐被愚弄，依然不願順利通過，爭辯綦烈，情勢又有趨於惡化之象。王雲五以國大會議主席之一，兼行政院副院長資格，流露着滿面威容，登台發言，要求大衆照審查意見決議辦理，誓言：「我是作生意出身的，最講信用，保證履行協定不誤」。經王氏運用其慷慨悲歌之詞色，力加勸導，原案方得通過三讀程序，正式成立。政治有如買賣，其然，豈其然乎？

脩憲無成創制難，因人作嫁且收場；莫怪臨時爭議起，真是，一腔心事太淒涼！
政治原來如貿易，堪笑，通神端賴水衡錢。若問箇中功孰著，多趣，悲歌慷慨看王郎。

香艷詩詞

介人

香艷之詩，王次回的「疑雨集」，早已膾炙人口，愛讀的人很多；然終究不如李後主的「菩薩蠻」，此一闋，是他之昭惠后染病，他乃與小姨偷情之即景，其詞曰：

「花明月暗籠輕霧，今宵偷向郎邊去，剗襪步金階，手持金縷鞋。畫廊南畔見，一晌偎人顫，儂自出來難，教郎恣意憐。」

爲怕步履聲給人聽見，所以寧願行襪底（剗襪步金階，）對於偷情的描述，可說是刻劃入微。尤爲難得的，全詞不着一個衾枕羅帳字眼，更見艷而不淫，意境自是高人一等。

清乾隆時的袁香亭，作有「無題」數首，亦殊琅琅可誦。

其一

碧桃花下訪臨邛，含笑開門有病容。帶一分愁情更妙；不多時別興尤濃。枕衾先自留虛夕；衣鈕邏郎解內重。親舉纖纖偎頰看，分明不是夢中逢。

其二

惺惺最是惜惺惺，擁翠偎紅雨乍停。念我驚魂防姊覺；教郎安睡待奴醒。無寒被角傾身讓，風過留帘側耳聽。天曉餘溫留不得，隔宵密約重叮嚀。

此外佳句如「他日悲歡憑妾命，此身輕重待郎心」，「常防過處留燈影，偏易行來觸珮聲」，「勸君莫結同心結，一結同心解不開」，皆極其纏綿盡致，令人盪氣迴腸。

大凡香艷之詩，亦多涉及滑稽情趣。例如清人陳至即有嘲笑新婚遺溺詞，調寄「水僊子」，頗爲雋永有致，其詞曰：

「佳人一貌不尋常，流出桃花賺阮郎。身軀兒頃在陽台上，藍橋水淹得茫茫；錦二三更泄漏青光。繡緯中被裏翻江浪，波液長，一對戲水的鴛鴦」。

新婚之夕，碰上了這種惡作劇的怪事，如此妙詞，眞會令人忍笑不置。

又有一對胖夫妻，有人作詞嘲之曰：

「一個胖雙娘，就了個胖蘇郎，兩口兒便是熊模樣，成就了風流喘豫章，繡緯中一對兒鴛鴦象，交肚皮廝撞。」（見王元鼎所譜撥不斷。）

某君以販書爲業，娶某女子爲妻，新婚之夕，與新娘聯句，某君首唱云：「原版初雕印刷工」，新娘含羞續云：「裝釘不怕蛀書蟲」，某君大喜，作第三句云：「若教明日來翻版」，新娘搖頭微笑曰：「劉過殘書便不同。」詩爲伴娘竊聽，稱新娘爲「原版印刷工」，稱新郎爲「翻版蛀書蟲」。

富人某，頗享齊人之福，好事者詠以詩云：

不暖不寒二月天，一妻一妾正堪眠。鴛鴦枕上三頭並；翡翠衾間六臂連。開口笑時還若品；側身睡處恰如川。方才了得東邊事，又被西邊打一拳。

上面曾經敘述了一對胖夫妻的豔詩，走筆至此，又想起一段關於「非非」的豔詩，其事甚趣。據說從前有一個禿子，娶了一個缺唇女子爲妻。洞房之夜，新郎戴了帽子，掩蔽光頂，新娘子則以巾掩嘴，彌縫缺陷。禿子非熄燈不敢脫帽，乃催新娘子吹燈。新娘因缺唇，不敢當着丈夫面前吹，新郎再三催促，新娘無奈，乃背着新郎，以口向燈吹之，唇缺氣滯，只聞一片「非非」之聲，而燈則光亮如故，好事之徒聞之，乃作打油詩云：

檀郎何事緊相催，袖掩朱唇出繡緯；滿口香風關不住，致儂吞自喚「非非」。

這首打油詩的艷趣；作者也眞是想入「非非」了：

又某君詠婦女月經詩二首，頗有韻致，特錄之以爲本文之殿。詩云：

紅潮乍泛意惺惺，問破年華是妙齡；聞道今年添閏月，算來剛是十三經。

爲道鴻溝未許通，朝來顏色帶春風；狂郎撩撥渾無語，笑看階前月月紅。

海濱消暑錄

說「笑」（一）

謝康

笑是一種生理的和心理的現象，也可說是一種社會的本能或社會的制裁。它是一種喜悅，也是一種警告，一種懲罰。

笑有多種：有喜樂而解頤的笑，有可癡的笑，有諂浪笑傲的笑，有脅肩諂笑的笑，有笑裏藏刀的笑，有巧笑倩兮眉目傳情的笑，有心中難過強作歡顏的苦笑，有目空一切輕視他人的冷笑，有修養功德佛座拈花的微笑，有家人宴樂婦子嘻嘻的嬉笑，有發現人家缺憾自已優越的勝利的笑。從前褒姒不笑，周幽王爲博得她的一笑而傾國；晉朝的陸雲，因笑得太多而成疾。佛經故事中有布袋和尚，不痴不顛，但一天到晚都在笑個不停。有人作布袋和尚大笑歌說：「眞好笑，眞好笑，眞好笑，和尚原來識孔竅，且住笑，且住笑，我也指君笑一笑；世間笑事縱然多，何苦勞君笑不歇？萬事堪供笑一場，紛紛說話皆饒舌。」看來天地間古往今來的事，無非笑料罷了，正因爲笑料太多，所以有寫不完的「笑林廣記」和喜劇。

有人從心理分析，以爲惹人發笑的資料，其種類雖多，大體上多可以看作「生氣的機械化」或生理上動作上的缺點成爲呆拙醜陋的現象，例如一位退伍的老兵到餐館裏而竟充當堂倌；有一次，旁人戲向他喊「立正！」他就慌忙把兩手垂下，讓所捧的杯盤通通落地打碎。這種情形就是生氣的機械化。卓別靈的幽默電影，馬克吐溫的小說，莫里哀的滑稽劇，笑話故事中的傻女婿，舊戲中小丑的動作，多半屬於這類的性質。

辛亥革命憶語

諸葛文侯

辛亥武昌革命運動掀起時，愚以髫齡，方肄業吾邑官立小學校，固不知「革命」二字作何解釋也。繼聞諸祖父言：邑令鍾麟（滿洲旗人）曾密告彼以武昌有排滿興漢之造反風潮。鍾令再三表明自身係蒙古人，並非滿族，希望吾祖父代向邑中士大夫說明一切，勿滋誤會。蓋吾祖父時以鄉紳資格，常在縣城于役地方公益事業也。祖母聞武漢方面發生造反情事，爲之駭然。急命人作書致在長沙求學之叔父「野青」等，囑其馳歸避禍，謂吾家世代耕讀自愛，子弟倘若有造反行爲，滅門之禍立至，可不愼哉。蓋時一般小資產階級之人生觀，多類是。

未幾，長沙亦已宣告獨立。愚叔父等陸續還里，具言長沙起義狀況，謂革命黨人焦達峯初任都督之際，舊有各官衙諸大小職員皆逃避一空，乃派人向省城各學校邀約學生幫衆至都督府任事，馴謹者多裹足不前，唯平日所謂不守繩墨者皆一躍而爲偉人矣。俗言「胆大有官做」，信然。

堂叔叔海（名瀛），武昌起義時肄業當地「文普通學堂」，與湖北陸軍中學生桂陽人雷洪（號容海），聯袂投入革命軍學生隊，担任武昌城防之責。事後攜其向家鄉父老談革命故事，謂學生隊出勤時，遇行人即命其唸一至十之數目字一遍，凡有唸「六」爲「劉」字上聲，唸「十」爲「分」音者，輒指爲滿人，舉槍擊之。可見動亂時代法紀蕩然，人民遭玉石俱焚之災，不知冤枉犧牲若干好人也。又謂民國元年彼與雷洪由武昌回至長沙，以革命英雄氣槪，往晤都督譚延闓時，譚優禮有加，而雷洪對譚殊放肆，談話每以手槍擊桌几，譚憪然無可如何，即派他以官費赴德國學習軍事，先給旅費一萬元，嗣後學費按月匯寄云。雷氏携此鉅款還鄉小住，旋赴滬上，原擬放洋，但流連春申十里洋場中，恣意揮霍，經三數月而床頭金盡矣。雷氏失此留學機會後，一生潦倒，毫無事業成就，鬱鬱而終，此可爲少年得志者昭炯戒焉。

長沙宣告獨立後，邑人李國柱（老同盟會會員）偕鄰邑宜章同志彭邦棟潛回家鄉，策動革命事宜，首先以吾邑鍾麟爲對象，實行民變，包圍縣府，鍾令於夜間挈家男婦大小六人皆自殺於公廨大堂上，僅一媳受槍傷未死。次晨愚與諸同學等曾馳入縣府看熱鬧，悴見大堂中橫屍纍纍，一婦人臥地柔聲呼救，不禁惻然於懷，此慘象至今思之猶歷歷如在目前也。

民十六年愚任南京國民政府秘書時，一日與主席譚延闓先生暢談辛亥長沙起義故事，謂當時領兵駐防長沙之清將黃忠浩，原係湘西人，出身科甲，平日常與譚氏文酒唱酬，交誼頗篤，蓋譚先生係湖南諮議局長也。迨革命事變發作，譚氏素以黃氏目光烱烱過於顯露，慮其必不善終，曾婉言諷勸黃置身事外，黃不能從，已而被民軍狙殺於長沙小吳門城樓上矣。

徵稿小啟

有內容有意義之隨筆、散文、掌故、小說、雜感、詩歌等類文字，本刊均所歡迎。請用有格稿紙繕寫，如需退還，請附信封及郵票。

一千六百字之散文隨筆比較容易刊出，過長則以篇幅所限，刊出的機會較少。請特別留意爲感。

自由報慶祝中華民國四十九年國慶增刊

再論自由與道德

謝幼偉

大約在十多年前，作者寫過一篇「自由與道德」的文章，發表在「思想與時代」月刊上（現收入拙著「自由之眞諦」小冊內，台北中央文物供應社出版）。這篇文章是從玄學的立場出發，可說是深一層的說法。現在感覺這一題目，仍有再說的必要，因題爲「再論」，而擬從另一角度去說，就是從一般人的立場去說，也可謂是淺一層的說法。不論深或淺，作者的主張是一貫的。讀者們看了這篇文章之後，如再看作者的舊作，即可證實作者之所言。

當前的世界，大家都感覺到自由遭受威脅。有一半以上的世界，自由是被蹂躪而不復存在。其餘另一半所謂自由世界，自由雖存在，自由却被利用，被誤解。不少的野心家，在自由的名義下，正在幹其破壞自由的工作。他們表面上是自由的擁護者，是愛好自由，是爭取自由，實際上却是自由的破壞者，是利用自由，是誤解自由。所以今日自由的敵人，不光在另一半的世界，卽在自由世界內，依然有不少自由的敵人。我們自由的威脅，不僅在外面，亦在內部。自由是在內外夾攻中。如何維護我們的自由？如何解救自由的厄難？這是今日人類自救救人所不能逃避的責任。

爲什麼自由世界會有不少自由的敵人？爲什麼有不少人在利用自由？在誤解自由？作者認爲最主要的一種原因就是在他們不懂道德，不懂道德與自由的關係。他們的眼光只看在自由這一面，而忽視了道德這一面。他們要自由，却不想要道德。所以他們喜談自由，却不喜談道德。他們似乎以爲自由是可離道德而獨存的。只要有自由，有沒有道德是無關係的。這是一種最錯誤的想法，不少人即爲這種想法所誤。

自由與道德是不可分離的，是互相依存的。有其一，卽須有其他，否定其一，卽否定其他。道德需要自由，沒有自由，卽無道德。反之自由亦需要道德，沒有道德，卽無自由。十八世紀德哲康德嘗說：「一自由意志與一受道德律控制之意志，是一而相同的。」這等於說，自由與道德是一而相同的。我們不要以爲康德之所謂自由，是指自由意志而言，是玄學意義上的自由，實則一樣意義上的自由，一樣是受道德律控制的自由。不受道德律控制，與道德分離，便無自由之可言。此義容再申說，目前所應認識的，就是自由與道德之不可分性。

爲證明自由與道德之不可分，我們可從兩方面來看：一方面是從自由的一面，從自由的重要性來看。我們承認自由是重要的。自由的存在，是道德存在的必要條件。道德需要自由，需要玄學意義上的自由，亦需要法律意義上的自由。所謂玄學意義上的自由，就是意志自由。意志不自由，一切均爲因果律所決定，凡我所爲的，皆我所不能不爲的，如機械然，一舉一動，悉爲前定。如風起，如雲湧，如山崩，如地裂，如一切無機物的運行，則是非善惡之於我，尙有何意義？我們決不會說風起，雲湧，山崩，地裂等事，爲是或非，爲善或惡的。我們所以不以是非善惡之名加諸於這樣的活動者，就是認爲這樣的活動，乃是必然的活動，是無自由的活動。設人類活動亦爲這樣的活動，卽絕無自由的活動，則是非善惡之名，自亦不能加諸於人類。可是人類活動究有是非善惡之名，我們究可以是非或善惡加諸於某一種人類的活動而不感覺其不適宜，這充分證明人類活動實有異乎風起雲湧等一類的活動者。此其所異，如不以意志自由之有無去解釋，則人類的道德判斷便是無根據的。人類的道德判斷，實建立於人類有意志自由的假定上。我們所以判斷某一人之某一殺人行爲爲惡者，我們實假定某一人有不殺人的自由。如某一人竟無不殺人的自由，若劊子手然，我們即不會說某一人的殺人行爲是惡。可見在我們是非善惡的判斷上，我們實假定人類有意志自由。這種意志自由，康德認爲是道德上的要求，儘管理論上無法證明，實踐上却不能不加以假定。

意志自由是道德上的要求，而法律上的自由，就是根據道德上的要求而來。法律上規定人類有若干思想，言論及行動的自由。這種法律規定的自由，卽志在成就人類的道德，志在保證人類的意志自由。設我們竟無法律上的自由或法律竟不保障我們有若干言論和行動的自由，使我們在言論和行動上遭受嚴厲的限制，一言一動，悉受束縛，我所言，非我所欲言，乃受强迫而言；我所行，亦非我所欲行，乃受强迫而行，一如今日共產國家內人民的處境，則所謂意志自由，便只有空名。意志自由獲不到法律自由的保障，也就是法律上剝奪了人類的一切自由，意志自由卽隨之而被剝奪。法律自由所以保障意志自由。沒有法律自由，卽很難說今日鐵幕內的人民，在法律自由被剝奪後，尙有意志自由嗎？沒有意志自由，又怎有道德可言呢？可見在保障意志自由上，法律自由一樣是道德的存在所必要的。

道德的存在，需要自由，這經如上述。但從另一方面來看，從道德的重要性來看，自由的存在，亦需要道德。我們必須承認道德的重要性。道德的存在，一樣是自由之存在的必要條件。絕無道德的社會，是決不會有自由的。試設想一個絕無道德的社會，設想生活於其中的每一人都是絕無道德的人，也就是每一人的行爲都是不道德的，你虞我詐，你想殺我，我想殺你，或你在攻擊我，我在攻擊你，這樣的情況下，我們會有自由嗎？在這樣的情況，我的一言一動，都可遭受他人的攻擊。我想言，他人可禁止我言。我想行，他人可禁止我行。我的言行，表面上是有自由，實際上却可因他人之不講道德而喪失。你我不講道德，你我無自由。大家不講道德，大家無自由。道德的消失，就是自由的消失。道德豈不是自由存在之必要條件嗎？

謂道德爲自由存在之必要條件，道理本來是很顯明的，本來是不必多說的。可是有不少人却不明瞭，却只知談自由而不知談道德，只知高呼爭取自由而不知高呼維護道德。假如有人爲維護道德之故而剝奪了某人的自由時，這些人可在「爭取自由」的名義下去爲一個不道德的人辯護。一個走私漏稅，三妻四妾的人，一個出賣國家民族利益的人，只因爲他談自由之故，這「自由」的法寶竟可掩蓋他的道德行爲，而使不少人在担心他的自由。試問這些爲不道德的人爭取自由的人，豈不是忘記了道德的重要性，而忽視道德爲自由存在的必要條件嗎？假如這樣的行爲普遍化，也就是假如每一不道德的人都可不受處罰，這後果是什麼呢？這後果不會促使每一人的行爲都成爲不道德嗎？如每一人的行爲都不道德，我們的自由還有存在的可能嗎？

自由的存在必須以道德的存在爲條件。道德所以促使自由的存在，亦所以保障自由的存在。無道德的存在，卽不會有自由。我們要自由，我們卽須有道德。我們想保障自由，我們卽須保障道德。爲着保障道德，我們卽須限制或束縛不道德的行爲。以道德律去限制或束縛我們的行爲，表面上似不自由，實際上却正是自由存在的必要條件。蓋所謂自由，決不是絕無限制或絕無束縛之謂。我們不能有絕無限制或絕無束縛的自由。英哲柏烈得萊認爲這樣的自由，只是空無或死亡。他說：「人皆欲自由也。但何謂自由？……如自由等於免除束縛，則極自由，卽爲免除一切所有之束縛。如免除他人之束縛，免除法律之束縛，免除道德，思想，及感官等事之束縛者，尙有何物不被免除者耶？是求免除一切所有之束縛云者，乃求成爲空無而已。惟有空無，始極自由。自由卽爲抽象之空無。若死卽空無所有，則吾人惟在死亡中始自由矣。」我們既不能有絕無限制或束縛的自由，則所謂自由者，乃自己限制自己或自己決定自己，也就是以自己的道德律束縛自己之謂。道德律是自己的，不是他人的，以道德律軌範自己的行爲，等於自己決定自己的行爲，這不是自由嗎？人人遵守道德律，就是人人有自由。我們不能容許有人不遵守道德律，我們必須處罰不道德的人，這卽志在保障道德，亦卽志在保障自由。

總之，自由與道德是不能分離的。我們需要自由，我們亦需要道德。我們不能因談自由而忽視道德。自由世界若竟容許不道德的人談自由時，則自由世界的自由可能是不會久存的。

庚子雙十節日

江山萬里心

何魯之

回憶民十二在巴黎的國慶日

·李璜·

自由報要我寫文紀念中華民國的雙十國慶。自從流亡香港十一年來，每逢國慶來臨，心情反特別沉重起來，念先烈創造民國的艱難，見同胞受着赤禍的慘痛，既憤且憤，因之下筆輒感手顫，竟不成篇，況在今年，又適添新的刺激，使我對於國運前途，更加悲感，慶之一字，頗難着筆，無已，特將民國十二年我在巴黎參加慶祝國慶一段往事，寫在下面，藉以塞責焉。

我在巴黎讀書，整整六年，中間參加了五次國慶。海外僑人對於祖國的熱愛與懷念，通統要在雙十節這一天，特別表現出來的。故在巴黎的留學生、華工、及僑商等在這一天下午四時，都會不期而遇的會見於中華民國駐法公使館的官式慶祝會中，濟濟一堂，舉杯痛飲，盡歡而散。在官式慶祝會後，照例有盛大的晚會，由僑民自行組織，國旗高展，國歌齊唱，酒食豐盛，外賓衆多，歌舞餘興，通宵達旦，大足以一慰思鄉之情，一申愛國的懷抱的。

但是，民十二的雙十國慶，在巴黎一大旅館客廳中開慶祝晚會，到有主賓共六百三十餘人，中法人士各半，正在舉杯歡然慶賀中，忽然闖入中國共產黨徒二十餘人，以一桿紅旗爲前導，高唱蘇俄所授的國際歌，環繞會場一周，竟來下我國旗，會衆齊聲喊「打」，中共黨徒見勢不敵，乃又高唱而去。會衆氣憤填膺，磨拳擦掌，本要飽打這班賣國無恥之徒一頓，我見外賓甚多，力主鎮靜，縱之使去，但是我的歡樂心情，爲之一掃而空！

中國共產黨自始即是一個賣國黨，然而從民十三起，這個賣國黨狗皮膏藥，竟以改頭換面的僞裝伎倆，在中國逐漸推銷漁利，眞是匪夷所思。曾琦先生與我於民十三年從法國啓程回來，以國家主義來反對這一賣國主義，九月六日到上海，雙十節便與左舜生、陳啓天諸同志出版了醒獅週報。我們這樣的急迫從事，也爲的是怕中共這一賣國主義的狗皮膏葯如果讓它大量售出，貼在人的身上，不但要全身潰爛，四肢解體，而且謬說流行，國將不國！

中共的謬說有兩點足以使全民離心，全國解體的爛藥：一是封建思想極其濃厚的所謂「黨高於國」；二是英雄主義特別強烈的所謂「專政獨裁」。說它是「舊階級」也罷，「新階級」也罷，總之，它是與全人類進化歷程所在表現的眞正的平等、自由、博愛三趨向相反，它是與中國革命所應實行的民族、民權、民生三原則相背！不幸，眞正的不幸，這爛藥竟要爛完整個的中華民國啊！

念先烈創造民國的艱難，見同胞受着赤禍的慘痛，我們要慶祝雙十國慶，我得去努力打倒共黨的封建主義的黨高於國，而恢復民國精神，並且努力去摧毀共黨的英雄主義的政權獨佔，而實現平民主義！

四九、十、六

中國當代虛無主義底兩流（一）

陶一大

虛無主義（nihilism）就是一種以「否定」精神，「物化」「量化」精神做爲內容的思潮。這種思潮在俄國，特別是在十九世紀六十年代的俄國，曾經風靡一時。這種思潮在我國清末，尤其是在當代更甚囂塵上。而且不論是在俄國，在中國，都由此等思潮的激盪，醞釀而產生一個共產黨的獨裁暴政。這眞是無巧不成書。史事竟這般巧合地使中俄兩國在近世酷似一對孿生兄弟。

說到我國當代的虛無主義，實有着面貌和強度相異的兩流，即以學術面貌出現的「徽末理智流」，和以政治姿態登場的「莽蕩漫想流」。前一流，以胡適之爲代表，它曾經據有，而且現在還據有中華民國政府的學術文教機構。後一流，以毛澤東爲首席，它且在大陸僭竊了僞政權已逾十年。這兩流，它們的面貌和強度雖恁地有着差異，可是它們所自出的源頭却是同一的，即對有清考據末技表示反動的清末民初今（康有爲集其成）古（章太炎最特出）文學家的怪誕浪漫思想。它們所緣起的現實條件也是同一的，即由那怪誕浪漫思想所開啓的「五四」運動，一見思結。近人論近代思想人物，指康（有爲）、梁（任公），胡（適）、陳（獨秀）兩對，良有以也！

有清考據之學爲什麼會激起一反動，一怪誕浪漫底思想？個中理據實甚簡單，即那考據之學只是在清帝高壓箝制之下所產生的末技微光，旨在逃避現實，它喪失了中華民族的傳統精神，枯竭而沒有一絲絲的生命力，更透不出高遠而普遍的理想。因此，等到清帝在這種末技微光之下慢慢枯萎凋落，無力再像以前一樣實行高壓箝制的當兒，當然就會有人出來，挾着他們的生命力以反對那卑陋的考據學了。這些人，最主要的便是順着今文學家下來的康南海，和古文學家章太炎先生等。同時這些人的生命力又是溟溟濛濛的，沒有經過純粹理智和道德理想洗練過的自然產物，盲目衝動。因此，由這種生命力反對考據學所激起的思想，就難免怪誕不經，放僻邪侈了。然而它們究竟怪誕浪漫得像個什麼樣兒呢？說出來眞是令人好氣又好笑呢！

先說康有爲：他可說是今文學之集成的人，所謂今文學者，便是不知孔孟微言大義，而平空抓着公羊傳來瞎講義理，瞎構理想的一流人物。康氏便是這一流的流風餘韻，撫取公羊三世之說來大爲特寫其大同書。在大同書裏面，他按照三世——即據亂世，升平世（又叫做小康）和太平世的進程，把人們的一般活動和道德行爲都一一規定停當。他約莫認定在據亂世的當兒，人們只該「各人自掃門前雪，休管他人瓦上霜」。不，甚至遇事連門前雪也不要掃，乾脆就杜門不出，不聞不問。例如外面有人吵嘴打架，或是出了什麼的案，屋子裏的人都只合閉起門來坐視不顧，不可以出去招惹是非。這豈不是怪論？這種怪論敎人聽了豈不是又好笑又好氣？那當然是的。不過這種怪論和它使人又好笑又好氣的程度到還小可，講到後面却越發怪誕和越發使人聽了要大大地噴飯且復佪冠。爲什麼？因爲他說過了據亂世，升平世，到達太平世，也就是他所說的大同世界時，人間的一切界限都一齊打破；自此人無國界，無種界，乃至無人獸之界，因爲在那個大同世界裏，人們共有一切，人們不但共有財產，而且公共妻子，質言之，即男女不必婚聘，只合隨便同居，同居一滿週年或不到週年，（此即無人獸之界）便應該分手換新。這，拉喝也還沒有講得恁般到家，因爲柏氏在他的「理想國」（Republic）裏講公妻還只限於貴族階級，並未涉及整個社會。這，掩沒了固定的家庭制度，人生下地便送進嬰兒院，老了便送進養老院，人死了便把那皮包骨頭燒成灰當做肥料去肥田（此即無人物之界）。同時，他還規劃着怎樣進行把人都變成一個模樣兒，怎樣把人的皮膚都變成白人的皮膚。（上述皆大意，非原文。）這眞是豈有此理，可笑可鄙極了。

再說章太炎：太炎先生在表面下處處和康氏相反，但在骨子裏却與康氏具有同一的精神的。譬如康講今文，章却講古文；康據公羊三世之說講進化，章却據佛學造俱分進化論；康在實際政治立場上力主君憲保皇，章却居心革命排滿。這便是他與康有爲在表面處處相反的事實。再如康氏據公羊三世之說，把人量化，物量化，講那個野氣的虛無大同，太炎先生則剽竊老莊佛學之外義（即非本義）造五無論，大倡其無政府，無聚落，無國家，無人類，無世界的虛寂（純否定意義的）大荒。這便是他與康氏在骨子裏相同處的物化量化底否定精神。這種精神是荒謬而可笑的。而且他自已到了晚年也知道這種精神的可笑，來一個一百八十度的大轉灣，歸於平實通達而尊歷史，重儒行，以圖亡羊補牢，然已噬臍不及了！

最後我們還要約略一提吳稚暉先生。吳先生是一位老國民黨人，可是他的思想却與孫中山先生的三民主義大不相侔。三民主義推崇大學所揭示的內聖外王之道，自承儒統，容納西方文化思想（西洋的長處——科學），絕對而全面地肯定人性，人倫和人文；講盡心盡性，盡倫屬制，重視個人人格和民族國家，創建民權政治，民生社會學術以立道統，法統和學統，圖中華民族的頂天立地，繼往開來，並進而平治天下，促成「理性理想」的大同世界。然而吳先生却反是偏從「人與臭石頭一類」的原始純粹唯物的觀點出發，來講他漆黑一團底物質宇宙觀人生觀，說人生沒有什麼大不了，只不過吃飯，生小孩，招呼朋友而已。這種觀點具見於吳先生所著的新信仰之宇宙觀人生觀。這宇宙觀念簡直連雞觀狗觀都談不上，而只是猪觀。因爲雞狗除了那三件事以外，還要司晨守夜，對宇宙盡牠一份責任，有牠一分價值，所謂雞有雞德，狗有狗德，唯有猪便光會吃食，養小猪，看到人送得食來了便立刻互相打招呼，此外一無所事。猪眞是缺德的下等動物，然而吳先生所樂道的便是這種缺德的猪的宇宙觀人生觀。這種宇宙觀人生觀和舊日儒家所樂道，所深信的重人性、良心、德行，講人文與倫常禮制的觀點委實大不相同，誠可謂之「新信仰」。這種新信仰，再加上他那無政府主義（anarchism），又使他的怪誕思想不期然而然地與康有爲，章太炎的思想相浹以俱化，漫蕩以同流。

以上便是清末民初一些主要的怪誕浪漫思想。這些思想的主要特徵大要不外：（一）純否定的精神，它全面地澈底地否定了人的隨順天命下來的明德，個性尊嚴，人格尊嚴，智情意的心靈活動，以及人間秩然有序的倫理，文制典禮，家庭制度，國家法度和自已的祖宗——中華民族的傳統精神，乃至無所不翟育，無所不持載，無所不住在底生生「大理」（荀卿語）底天命；（二）外物量的精神，它舍此而執彼，把人剝得赤條條以後便往外一推，視之爲物，與猪仔等量齊觀，申言之，即將人的內在實質抽空以後，再完全把他外化、物化、量化，於是人只是對面不認六親的 mass man（Jose Orteg a Y Gasset語），以及（三）玩世不恭的態度，它不能夠莊嚴敬畏地對天地負責，對人類負責，乃至不能對他所妄構的那個外化，物化、量化的 mass man 和那個「nothing butempty」的荒涼世界負責。具有這些思想特徵的思想家們，當時便以那種玩世的態度，死心眼兒地操起其生花妙筆，抒放其汗漫才情，吐出其無端涯的詞氣，表露其怪誕思想，來聳世動俗，而名之曰「啓蒙」，「開放」。結果是越啓越蒙，未開（個體之德慧未開，整體文化之新生機運未開）未解（眞理未解，國家民族之苦難未解），盡放（物理獸慾盡放）大放（秦莽物氣大放）。凡此既放，「五四」一以理智主義爲主的見思結使倏焉以成。五四一見思結使既成，沉淫之所及，我國當代虛無主義的兩流，便開始漫蕩了。

五四運動，本來是一個愛國的民族運動，以後又倡民主，講科學；它似乎是可以和「民族主義是倫理」，「民權主義是民主」，「民生主義是科學」底三民主義的實際革命運動相結合，以開創中國之光明前途的。不幸得很，五四的民族意識，由於它甘於淺薄的理智，便只是扁平面的，生物學的東西，九自與三民主義之一貫性的，具有華族大羣眞生命的重王道自然之倫理學，歷史文化學的民族主義天淵相懸。而且，到後來就連這點生物學的民族意識都拋個一乾二淨，只顧提倡民主與科學。這樣一來，那足以創制立法，建立眞正民主政治和科學知識的主體，便被踢出舍外，只賸下一些失魂落魄，神不守舍的人在那裏瘋狂地否定自已祖宗的全部精神遺產，在那兒亂講民主，瞎嚷科學，乃至於僞裝民主人士，假充科學家，以至眞正的民主與科學不能夠在壯麗的神州建立起來。因此五四運動不但不能促成孫中山先生的國民革命，反而釀出當代虛無主義之兩流：一爲徵末理智流，以從內部「一點一滴」（胡適先生語）地腐蝕了而且還腐蝕着國民黨政府；一爲莽蕩浪漫流，從對向「以暴以騙」地否定了國民黨政權，正在大陸挾着它那具「階級壓迫」的大機器，迫使大陸同胞隨它奔赴那馬克斯所虛構的荒漠大同。這是國民黨的悲劇，更是中華民族的悲哀！

然而我們並不是說五四運動全無是處。五四運動，就其意義所在來說，它提倡民主科學來彌補中國文化的短處，它標榜重新估定價值，尊重思想自由，個人自由的流滯精神，肯定人格尊嚴的精神，都可以說是極中肯綮的，不過由於它的一往否定破壞，一往外化量化物化，以致這些極中肯要的東西都沒有地方生根而漂浮隱逝了。因此，五四運動便很少有正面的建設性的成就，而只替當代的兩流虛無主義做了個催生的疏緣。這不容否認，因爲這是活生生的歷史事實。誰予不信，但看那運動由單純的學生愛國運動，轉成複雜的所謂「新文化」運動時，那些攪新文化運動的「先知」們，便「子孫無膈，賴墳頹屋」地一時「見賢」俱起，由反抗帝國主義壓迫的情緒，一轉而爲怪先人，反傳統文化之不可嚮邇的無明之火！於是他們一些人便以傳統儒家學統爲民主科學之死敵，宋明理學爲不切實際空談，而不顧西洋文化的全幅精神、宗教精神、理性主義、人文主義精神；一味片面的，一點一滴的搬它一些實用主義、功利主義，自然主義來「打倒孔家店」，和不顧淺薄，用屈曲之淸學來否定宋明儒學；甚至說中國古書裏只見「吃人」字樣（魯迅的妙語），要把綫裝書丟到茅厠裏；明儒講人爲天地之心爲玄緲，倡說人類臭石頭一。

國慶節感言

向大藩

一、喜怒哀樂之必中節

凡事有可喜而悲者，其兆不祥，有可悲而喜者，其禍必至。日出而作，日入而息，樂其所當樂也。殷憂啓聖，多難興邦，悲其所當悲也。先天下之憂而憂，後天下之樂而樂，憂樂及時也。故無論個人與國家，喜怒哀樂之發，必皆以節，傳曰：「哀樂失時，殃咎必致。」不失時，即中節之謂。

二、國慶節意義之重大

國慶日爲國家肇造而舉行儀式，此乃國之大典，誰敢有所非議！人之誕辰，尙集親友宴祝，況國家誕辰乎。要知國慶的重要意義：追先烈創業之艱難，寓景仰於紀念之中。凜然知它成之不易，蓄黽勉於慶祝之內。光陰嬗遞，年復一年，欲國家壽命，久而彌康，承先緒於不墜，每屆國家誕辰，政府與人民，皆應有鄭重之檢討，先烈創國後交付與吾儕之產業，保守無缺乎？疇昔人民之生活與現在比較，抑有進步乎？國計之良否，民生之榮枯，社會之進化，國際地位之升降，今與昔相衡，其得失進退，政府應編撰年鑑，以作儆惕而爲改進張本。人民亦應思對國家盡義務負責任，每年有無增減和改善之處？均決不能懵然不察，迷惘不知所之。由檢討的結果，纔能有憂樂的準則，更顯示國慶的偉大！

三、今年國慶的自我討檢

今日係民國誕生四十九年的國慶，中國國土係三十五行省及蒙藏海南島等地，今則台、澎、金、馬以外，已淪入鐵幕矣！四億五千萬同胞，除台灣一千萬外，其餘四億四千萬皆飢寒交廹，度其非人類的生活矣！民生凋敝，國際地位低落，今年與去年較，與前年較，與十年和十五年以前相較，我們應喜樂或應悲哀？大家應否儆惕而知所改進？當然有個肯定的答案。不過儆惕不是過了國慶節這一天，就解除了，改進不是空談，更不是過了國慶節就存而不論了，因爲儆惕和改進，是繼續的，是長期的，所以憂樂也就不單是國慶節一天的表現，也需要繼續與長期的把握着，培養其情緒，任重而道遠，毋忘掉國家的緩急，毋拂逆人民的意志，政府必需自責，自強，人民必需互助，互勉，我們大陸易手後，現居台灣的行政元首每與人民及各團體交談時，恆言：「以待罪之身，當力圖立功以贖前愆，」旨哉斯言，可作針對國慶節向人民宣示的美妙詞令。

四、毋忘臥薪嘗膽的教訓

昔吳王夫差之報越，每出入，使人立於庭，必呼曰：夫差，汝忘越王之殺汝父乎！應之曰：否！越王勾踐之沼吳，臥薪嘗胆，生聚教訓。夫差勾踐係周代春秋蠻貊小邦，尙知復仇雪耻，報怨自强，況今日之中華民國原爲五强之一，現時尙係聯合國理事會的當然常務理事，在時代上國家之重要性，當然遠過當日之吳越。吳夫差因其父闔閭與越戰死，這是不共戴天的深仇大恨！以視我們大陸淪陷，被屠殺之同胞，多至千餘萬之衆，皆係戕人之子，殺人之妻，屠戮人之父母，同係骨肉仇恨，是質同而量倍蓰矣！越勾踐爲吳所敗，僅以甲盾五千保於會稽，與今日我們僅以千萬人退保台灣，情況相若！夫差卒能破越，使勾踐臣妾於吳。勾踐卒能奮發圖强，及身反攻，屋吳社稷。均令吾人不能不致其景仰之情懷，反觀中原鼎沸，遍地荆棘，「雖賢者爲之，孰令致之。」痛定思痛，當知復國報仇，是責無旁貸的！但吳王夫差使人作立庭之呼，乃加强整軍經武計劃入越之興奮劑，勾踐向吳求和而忍辱苟安，有待於生聚教訓之完成。吾儕須知今日何日，國慶儀式之舉行，應視爲夫差立庭之呼，跼促台灣已十餘年，當有勾踐生聚教訓之道，夫差勾踐雖春秋小國之君，可以爲法，可以取訓。

五、結論

以常情言，既曰慶賀國慶，當有歡喜愉悅之情，念及國土與人民，則悲從中來，這種悲喜交織的心懷，不知所擇？歡樂而舉行慶賀乎，何以對先烈之創業，及在大陸受苦難的同胞？悲哀而號泣乎，何以點綴今日慶賀之大典？中心惶惶，計將安出？且愴懷哀樂之失時，必罹不祥之災禍，繼念災禍之未至，必防其猝發應消患於無形，今日我們的國家，災已遍乎大陸，禍已瀰漫而不可收拾，曠昔早種不祥之根，如今已臨欲哭無淚之境，是今日非但憂多於喜，且無喜之可言！非今日始患不祥之禍害，直在不祥和禍害之中，業經十有餘年，沉淪無以自拔，紀念國慶之日，乃吾人觸景傷懷之時，茲述周代晉國一小事，藉以證明此日宜憂宜喜，「知悼子卒，未葬，平公飲酒，師曠李調侍，聞鐘聲，杜蕢自外來，歷階而升，入，曰：曠飲斯，調飲斯，北面坐而飲之，趨而出，公呼而進之，曰：汝飲曠，何也？曰：子卯不樂，悼子在堂，斯其爲子卯者，大矣；不以詔，是以飲之也，調，君之褻臣也，一飲一食，忘君之疾，是以飲之也，平公曰：寡人亦有過焉，酌而飲寡人。」杜蕢以宰夫而關心國事，納諫於君，平公迷途知返，從善如流，由此，知晉國霸業，歷久不衰，殊非偶然！卿卒未葬，諸侯不得飲酒，以視我們今日的國難，自可作憂喜的嚴格判斷，吾惡夫商女不知亡國恨，隔江猶唱後庭花之輩，沉湎於歡樂之中，更進而作權力爭奪的傾軋，抱薪救火，自居其上而謂之安，宜在國慶日一思國家創造艱難與權禍的慘烈，回頭是岸，猛力加鞭，凡是中國人民的一份子，應貢獻其對反攻復國一份的力量，位愈高，權愈大，錢愈多，其貢獻亦應愈大，且對國慶節之反省和憂感亦應愈深！國人均應以嚴肅之姿態，哀矜勿喜之情緒，不懼不餒的精神發奮圖强的意識，以紀念此國難嚴重之國慶節，質諸國內外諸同胞，以爲如何？（四十九年于香港）

民主自由問題質疑

唐昌晉

編者按：本文所論，雖未必全爲我們所同意，但作者亦能言之成理，故特樂爲發表。海內外有識之士，儻能就此一問題各抒己見，則本刊篇幅雖有限，亦當予以刊載也。

一

世人常把民主自由混爲一談，其實這兩者之間並沒有絕對的因果關係。我國在辛亥革命以前，行了幾千年的君主專制政體，但是由於道家無爲而治的思想之浸潤了部份君主的頭腦；由於自然現象的變化（如日月蝕）之誤認爲是上帝對君主的警告；由於貧苦子弟之常透過科舉制度而得到參與實際政治的機會，以後能隨時反應民間疾苦：老百姓總是享有充份的自由。相反地，美國是今日民主政治的典型，可是能眞正享有自由權利的，以言論自由來說，只限於那些有錢辦報、辦廣播、辦電視的大亨，至一般貧而無告的小民，有苦也無告的小民，有苦也無處訴。（拉基斯在他晚年著的「美國的民主」一書中也持此看法。）可見民主政治之下，不一定人人有自由，儘管法律如此規定。

二

自由在過慣了自由生活的人們的心目中，並不覺得其重要，惟有那些已失去自由的人們，如鐵幕後的人民，才會視同瑰寶。事實上自由是一切文化進步的原動力，也是我們今日反共的理論支柱。它唯一的缺點，在給共匪以滲透顚覆的漏洞，例如國際共產黨徒現在各個自由地區煽動罷課罷工及遊行請願示威等種種暴動，那一樁不是在自由的掩護下進行的呢？因此，我們得到這樣的結論：即共匪一日未消滅，我們便一日不應該過份強調個人自由。因爲這樣做的話，無異給共諜以口實，給自由本身敲喪鐘。

三

講到民主，它的缺點不僅在給共黨以滲透顚覆的漏洞而已。

二次大戰期間，法國是怎樣失敗的呢？主要是由於一般政客，爲了討好選民，平時主張儘量縮短國民服兵役的期限，以後在總動員的時候，無訓練可用的兵，安得不敗？今日某些民主國家的政客們，爲了迎合國民怕死和吝嗇的心理，又正在响應赫魯雪夫和平濫調，並勵行減稅政策，其後果誠不堪設想。

民主與貪污似乎結下了不解之緣。這也難怪，在選舉期間，政客們既然投下了一大筆選舉費，在選舉勝利之後，自然要連本帶利撈回來。爲救國救民而甘願自我犧牲者，不能說沒有，但是不能期望於一般利慾薰心的政客。此處也許有人會反駁：不實行民主，官吏不是也有犯貪污的嗎？不錯。不過在國民經濟結構與國民道德水準相同的國度裏，民主一定帶來較多的貪污事件。

民主的最大功能，在避免流血革命。然而南韓這次流血革命，就是因選舉糾紛而引起的。這樣說來，連這點功能也成了問題。

四

一國的政治體制，每與該國的地理環境，歷史背景以及國民教育與經濟條件，具有極其密切的關係。

英美是海洋國家，長期沒有敵國外患，人民的注意力因而集中在自身的權利義務上，故其講民主，乃是順理成章之事。至大陸國家則就不同了。由於鄰國之虎視眈眈，隨時有進犯的可能，是以不得不提高政府權力，加强戰備，其結果，軍人多起而掌握政權，實行中央集權，縱有議會亦形同虛設，俾斯麥時代的德國即其一例。俾斯麥本人雖非軍人，但因其倡鐵血主義，全力貫注在整軍經武上，自可與軍事領袖等量齊觀。法國首創共和，可是拿破命叔侄始終受法人崇拜，民主政治始終未走入坦途，今日的戴高樂說是一位獨裁者，誰曰不宜？但是他獨裁得對。日本本來也是一個海洋國家，大可步英美民主後塵，然而由於地狹人稠，亟思向大陸及南洋發展，於是拼命擴充軍備，實行軍人干政，在九一八事變前夕，連名義上的政黨政治，也隨犬養毅之被刺而告結束。至落後地區的國家，因爲人民太窮，廹於生計，無暇過問政治，同時由於教育之不普及，一般人民沒有行使政權的能力，所以這些國家的民主都是有名無實的。要是勉强鼓吹民主，最後只有便宜那些僞善的野心家們，共產黨徒在落後地區就是這樣得勢的。

在就古今中外的政制作了一番粗枝大葉的檢討之後，我對我們過去在科舉制度下的政治運用，不禁油然而發生好感。這種制度的特點是：如前所述，實際行使政權的人，是來自社會各階層的舉子，因此在實際政治中，能反映並盡力滿足各階層的需要；其次，飽受儒家教義薰陶後經過公開競爭考試而爬上崇高政治地位的人，必然會具有過人的聰明和深厚的修養，這兩點是現代民主政治所辦不到的；末了，透過科舉選拔政治人材，不致助長樹黨營私的風氣。當然過去也有過黨錮之禍，可是那不是科舉出的毛病。

現在恢復科舉制度自然是不可能的了，但科舉的精神還值得採納，這就是說，要實行國父孫先生眞平等的主張。即讓全國各級學校一律免費，不論貧富，經由公開競爭考試，按其天賦高低，分別予以適當造就的機會；政府用人，則憑各人的造就來定取捨。這樣，國家的名器，庶不致給政治流氓透過選舉搶奪去。

自由報

THE FREE NEWS

第六十九期

中華民國僑務委員會頒發
台教新字第三二三號登記證
中華郵政台字第一二八二號執照
登記爲第一類新聞紙類
（半週刊每星期三、六出版）
每份港幣壹角
台灣零售價新台幣弍元
社　長：雷嘯岑
督印人：黃行審
社址：香港銅鑼灣高士威道二十號四樓
20. CAUSEWAY RD 3RD FL HONG KONG
TEL. 771726　電報掛號．7191
承印者：田風印刷廠
地址：香港灣仔高士打道二二一號
台灣分社
台北市西寧南路壹壹零號二樓
電話：三〇三四六
台郵撥儲金戶九二五二

從寮國局勢看東南亞前途

雷嘯岑

寮國自從伞兵營長李江在首都永珍發動政變，揚言採取中立政策，組織所謂「革命政府」以來，即陷入內戰的紛亂狀態中。以桑怒爲根據地，揭櫫戡亂勤王旗幟的沙諾旺部隊，敵不過巴色寮叛軍，節節敗退，而一向對寮國實行軍經援助，具有政治指導地位的美國，乃宣告停止支援，亟亟於撤退僑民，外交人員亦隨時準備下旗歸國。現在永珍的傅瑪親王內閣，正與巴色寮叛軍進行和談，願意跟寮共組織聯合政府。看情勢，和談可能成功，寮國今後表面中立，實際政權操在共黨手裏，殆屬必然的結局，而泰國與越南即從此岌岌可危了！我們如果回憶一九四八——四九年中國大陸之所以被共黨竊據的一切經過情形，今日寮共這套把戲，實與中共當年在大陸上所表演者一模一樣，有如翻版文章，俄帝對自由世界實施蠶食性的擴張計劃，無往而不奏效。這樣下去的話，俄帝只要高唱着「和平共存」的俚曲，即大可以「埋葬資本主義社會」，毫不費力，俄酋赫魯曉夫所謂「戰爭幷非必要」之說，良有以也。

寮共得勢之後

蕞爾寮國，論其本身的力量，似乎沒有左右東南亞大局之可能，但這是皮相觀察而已。若論東南亞諸新興國家的軍事力量，連同印度在內，可說是一邱之貉，談不上作戰能力的。去年印尼政府對華僑實施瘋狂地非法殘害政策之際，我曾經在報上呼籲自由中國政府以實力護僑，認爲只要使用台灣陸軍一個團的兵力，便可以橫掃蘇卡諾所擁有的全部軍隊，不成問題。過去越南保大政府與越共胡志明內戰時，亦全靠一枝中國人所組成的「外籍軍」撑腰，他們在重賞之下，包打勝仗，眞是戰無不勝，攻無不克。後來由於時局變遷，西方國家對越南各懷鬼胎，步驟凌亂，而胡志明所率共軍，又大部皆由中共派來的僞裝「越軍」負責前驅，奠邊府就是因此陷落的。我敘述這些史事的用意，是在向世人說明現時寮共的巴色寮軍，實係中共的化裝部隊——這是最近從寮國出來的華僑和寮人一致證實的事——所以它能夠擊破那有泰國在背後支持的沙諾旺軍。將來寮國的中立親共政府一旦構成，泰國與越南當然慄慄危懼，急求自衞，而中共的僞裝部隊更將大量潛入寮國，打着寮軍的旗幟，隨時向泰、越尋釁侵略，造成「旣成事實」之後，美英法這些所謂「東南亞」公約的操縱者，充其量又是以「局部問題」或「地方事件」爲口實，或請聯合國派些由印度、印尼、緬甸等國供應的「國際警察部隊」前來維持秩序，另以「承認現實存在」之說，從事和談，而將泰、越的失地讓共黨慢慢消化，不妨再訂立一種板門店式的「停戰協定」，說是爲要避免引起原核子大戰，非和平不可！如是乎，泰、越等地區乃被俄共集團逐漸蠶食不已，泰、越當局——尤其是泰國，爲着生存起見，只好也就改趨中立親共路線，整個東南亞即如此這般地爲美英的「避免原核子大戰」政策斷送乾淨。最後他們大不了實行撤退，同時發佈一篇期望共區人民起來反抗暴政的宣言，只要共區能夠跟他們貿易通商，對於一般受奴役人民的痛苦生活，便如粵語所說：「你死你賤」，好少理了！

符籙式的東南亞公約

寮國和高棉都是在「越戰協定」中明文保證它們獨立自由的，東南亞公約更有間接履行這項條約義務的職責，因爲東南亞集體聯防公約的唯一對象就是中共，寮共在中共卵翼護持之下，崛起得勢，即係直接對泰國、越南的莫大威脅。若以西方國家維護西柏林安全的精神而言，東南亞公約國對於俄共集團鬻食寮國的行爲，便不應袖手旁觀，漠然無動於衷。可是，東南亞公約成立以來，連「反共」字句都不敢在公報或宣言上流露一下，遑論其他？我敢打賭，將來泰國一旦受到來自寮共與越共的軍事侵襲時，泰國本身的實力必不足以抵禦，因而喪失若干領土。這時候，東南亞公約的操縱者，一定又是藉口避免引起大戰的理由，提出「兩個泰國」計劃，越俎代庖，向俄共集團進行妥協，而以繼續軍經援助自由泰國的阿Q精神來解嘲塞責。所以，東南亞公約實際是等於巫覡所畫的一張符籙，而公約國偶爾在某處舉行海空軍演習，或者展覽幾顆「鬥牛勇士」之類的過時飛彈，殆無異於道士爲病人吹法螺，響鈴鈴，口唸咒語以驅邪嚇鬼的玩藝，可哂亦復可恥！

所謂東南亞公約的構成單位，多半都不是眞正的東南亞國家，也沒有集體聯防的軍事組織，即令專談文化經濟合作，亦無絲毫裨益可言。美國的經濟援助，並非以「公約」存在爲前提的。同時，操縱着東南亞公約活動權力的幾個西方國家，又同床異夢，爾詐我虞，說到以實力抵抗共禍侵襲的實際問題，他們就彼此避之若浼，然平日卻教別人努力反共，而將東南亞公約當作一劑麻醉藥，或是一紙催眠的符咒。俄共集團看透了這種內幕情形，乃使用乘隙抵𨱍的手段，向東南亞地區施展內部顚覆和兼弱攻昧的滲透戰術，先以寮國，高棉，越南爲進取對象。過去中共以大量兵力化裝爲越共軍，攻佔奠邊府之後，即已控制着安南的大部分土地，且由西方國家公認爲合法的存在了。現在又以同樣方法，利用寮共的巴色寮軍出面，參預國政，控制全寮，而東南亞公約國竟熟視無覩，這不是東南亞各個自由地區的凶兆嗎？

遏制共禍的有效方法

共產黨原係暴力集團，它祇是對實力低頭的唯物主義者。俄共集團旣不敢從事無把握的大戰，又深知美英各國一味避戰的苟安心情，針對着西方國家的惰性觀念，厲行蠶食性的局部侵略政策，乘虛而入，唯力是視。東南亞這些林林總總的新興國家，本身旣無抵禦外患的軍事力量，也談不上文化與經濟反共的潛能。美國人總以爲運用經濟援助之力，提高貧弱國家的人民生活水準，便有意想不到之反共效力發生，殊不知經濟建設必須有安定的環境和相當的時間來進行，纔可望獲致實益。中共竊據中國大陸之後，東南亞與東北亞地區即隨時受到共禍威脅，不遑寧處了。在這種情況之下，不先行遏制共黨的擴張暴行，而侈談經濟反共之說，殆與我國古代士大夫唸孝經以退黃巾賊的愚騃思想差不離啊！

東南亞自由國家的大敵人就是中共這個暴力集團，這些國家都是剛從殖民地生活中新興起來的，由於各種內在因素之故，即令美國給以現代武器的軍事裝備，他們一時亦沒有單獨抗拒中共暴力進攻的能耐，這是無可否認的事實。西方國家如不願捲入亞洲局部戰爭漩渦，唯一有效的反共策略，祇有運用中華民國的地位和潛力，作爲亞洲——特別是東南亞方面——反共的主體，因爲單是住在東南亞各地區而効忠於自由中國的一千多萬華僑，就是一種强大的人力，若以能征慣戰的中國人對抗中共，以局部戰爭的手段對抗共黨的蠶食暴行，加以當地政府與民衆的協力合作，美國只要給予相當的物力財力應援，必可以歇制共禍無疑。可是，現在的東南亞公約沒有中華民國參加，而一些參預其間並且享有主幹權力的西方國家，又畏共如虎，避戰如羊，談到實力抗共的話，便與英國哲學大師羅素的主張相呼應，寧願投降亦不肯冒戰爭的危險，結果徒然替東南亞自由國家製造引狼入室的災害而已。

要挽救東南亞的嚴重危機，非迅速改組東南亞公約不可，要切實遏制東南亞的共禍，非運用自由中國的潛力不可。如果認爲這樣就會觸發世界大戰，那末，以美國爲首腦的資本主義國家，最好是各自準備後事，聽候俄帝來舉行「埋葬」典禮吧！

小調天下

△赫魯曉夫向聯合國放臨別的一炮，誓稱一意孤行，憑實力在會外攪風攪雨。

這只等於說，大家不許他鑽入肚子裏去攪，他要在外面攪得加倍利害而已。

西家觀察家只管說他失敗而去，他自己的看法是：這回業已十分成功地做了一次「測驗」。

△聯合國大會果如預料通過：本屆仍不討論「中國代表權」問題。但投票取決的雙方票數，已比前更爲接近。

「中立劑」恐怕將是聯合國的「催命符」，趨勢越來越明顯了。

△自由中國駐聯合國代表蔣廷黻的大會致詞，指斥蘇俄爲最大殖民國，它的帝國主義爲最劣的帝國主義。

假使「優勝劣敗」之說爲可信，西方國家該叫一句「慚愧」。

△中共「人民日報」有篇文章引用毛澤東的言論：「倘無人民發動的鬥爭，原子彈毫無意義。」

毛澤東說得不錯。眞的，中國大陸將不會有原子戰爭，中共政權必將由眞正的人民戰爭來解決。毛澤東準備嘗試這種滋味好了！

△美國一位家庭主婦送給赫魯曉夫三種禮物：手銬、羊毛手套與馬口鐵。據解釋，馬口鐵是準備給它在咬牙切齒時放在口裏之用。

中國人儘會想到「　口裏長不了象牙」一句老話。

△寮共越加得勢當中，　國組織「聯合政府」之說甚囂塵上。

美國應有「第二代的馬歇爾」出馬才是。

△美國兩黨候選總統作電視辯論，民主黨的肯尼第說，他如當選總統，將勸中國政府放棄金馬，從新劃定一防線。

請問：美國在拉丁美州早劃定的一條防線，現在怎樣了？自由世界如以重劃防線爲放棄土地的藉口，合該劃的防線太多了。

△雙十之日，國旗在香港處處飄揚。

這是全面的慶祝，不是點點的慶祝，「十、一」得其「點」，可用錢買來，雙十得其「面」，那便不是用金錢收買得來的了。

於此可見：「收買少數」只是「搞政治」的「小手段」，與政治大道無涉。

方南

自由談

鶴立雞羣

馬五先生

本屆聯合國大會，由於俄共頭子赫魯歇夫到會表演馬戲式的政治魔術之故，各個會員國的行政首長都親自出席湊熱鬧，唯有法國總統戴高樂當伊嘸介事，不屑理睬。世人皆醉我獨醒，戴氏可說是有爲有守的政治家，值得稱讚的。

試看聯大會議自開幕到現在這幾十天的經過情形，大家除卻胡鬧瞎扯，專說廢話以外，對於世界和平問題，那有絲毫的裨益？最無聊就是英美的一些新聞記者，每天替赫魯歇夫作起居注——他在會場上拍了幾次桌子，在會外某處散步了多久，開過甚末玩笑，擺過何種手勢，莫不詳細報導，視爲珍聞，請問這類消息又有甚末價值可言呢？

一批所謂中立國家的領袖們，本來就是乘此機會到紐約游樂一番，反正旅費由國庫開支，可以自由揮霍的。因而他們儘量裝出「中立」的相貌，搔首弄姿，招搖闖騙，對於關係世界安危前途的若干重大問題，不能作良知良能的批判，提出公正的主張，卻聯名建議要求美總統艾森豪與赫魯歇夫見面。他們把搆成世界緊張局勢的癥結，歸獄於美俄兩國執政人物的私人感情好惡關係，這不是天大的笑話嗎？總算南斯拉夫的獨裁者狄托還有點羞惡之心，他率先悄然回國，臨行表示對聯大會議很失望，認爲冷戰只有加劇而已。

俄帝素來是以聯合國爲宣傳台，英美各國則以聯合國爲雞耍場，每年藉此使紐約的餐旅館和百貨店增加一筆商業利益之外，別無作用。戴高樂先生之拒不出席，有所不爲，眞是鶴立雞羣，令人欽佩呢！

裁軍能否實現

——丹士譯——

編者按：本文為法國裁軍問題專家莫許所作，莫氏為法國社會主義者，幾次參加組閣。聯合國及日內瓦裁軍會議，均由莫氏代表法國出席，本文乃莫氏為紐約時報所作之專論。其結論為「蘇俄如果不願意放棄經濟建設的話，最後必然被迫同意裁軍。」他的看法是樂觀的，是一個有頭腦的人的看法。可是誠如他說：一個集權的獨裁者，最可怕的是喜怒無常。如果集權的制度不改，不用理智，但憑情感衝動，則和平仍是無望的。

在日內瓦裁軍會議破壞之後，人們都看清楚了，裁軍已然無望。可是儘管裁軍會議兩度破壞，却仍然有復活的希望。特別是蘇俄，如果要減輕軍事負担，非實行裁軍不可。當第二次大戰之後，一九四一到四五，這幾年之間，蘇俄一片荒涼，情況遠甚他國。當我某次到蘇俄東方參觀時，曾和一農民談話。那農民正在復耕那久荒蕪了的土地。那農民說：「為什麼我們還要來一次大戰？上一次的災害還不夠嗎？我們有的是土地，耕都耕不完！」他的話可以代表無數的俄國人的看法。蘇俄官方宣傳和平，當然也是民意的反映。

不過一個萬能的領袖執政時，喜怒無常，却是最危險的事，可是每當赫魯雪夫公開演講時，儘管他惡意攻擊某一國。可是獲得聽衆掌聲最多的，仍然莫過於說到世界和平 Mir oi Mir。問題的結癥，卻在於赫魯雪夫目前的動向。

第二個理由，證明蘇俄對於裁軍的態度，是樂觀的。在三十多年以前，俄國有兩個不同的觀念，紅軍的組織者托洛斯基是主張「永久的革命」的。他認為一個共產國家，在四面被資本主義國家包圍之中，祇有永久革命。不但在國內，而且在外國，才能夠生存。而列寧則是主張「可以和平共存的」，至少在短時間以內，則不如先建設本國。」他反對「永久革命」因而才有五年計劃和今日的七年計劃。

一九二七年托洛斯基失敗了。斯太林全力推動工業化而收到了效果。那時許多領袖都有一個共同觀念：「我們需要先建設，共產主義最後一定能戰勝資本主義。」蘇俄的政策，如果我們了解俄國的廣大和貧窮，就不會奇怪。直到今天，蘇俄領袖們的信念，比過去還要堅定。卅年來，廢墟建造起來了。工業化的戰爭，也勝利了。蘇俄的成功，共有四種：軍事、科學、工業和體育。我們也許要問，他的成功，花了多少代價呢？生產量至今不高，工人生活，如此困苦而沒有自由。可是事實上，從一九一三年時代，那麼多的文盲，到今天人口二萬萬，工業升到全世界第二位，這不能不算成功。

蘇俄既然目的在求最後勝利，爭取自由世界的歸心，必須證明一切都超過資本主義國家。因之赫魯雪夫一定了解，如果要達到這個目標，關鍵不在火箭，而在乎人民的生活。他一定又了解，如果有了戰爭，則俄國的一切經濟建設，必然又將全部被毀，而一無所獲。因此如果蘇俄不想作戰，而注意人民生活就非裁軍不可。因為火箭不是武器，生活提高，則是最後的勝利。

因此蘇俄的領袖們一定會攷慮到：「說我們會攻擊別國，那是胡說。如果我們一旦發生戰事，便全被損毀。一切工業，我們要花許多財力，去製造這些不生產的武器和人力，而製造武器，誰也不敢動手去用，尤其荒謬的是，明明知道美國英國法國，決不會動手打我們，而我們還要準備戰爭！我們為甚麼不裁軍，將人力和財力用來建設呢？」

話雖如此，可是蘇俄也有四點顧慮，兩點是害怕，一點是懷疑，另一點，則是心理上的錯誤。第一點害怕的是德國。希特勒的攻俄是一雖，是兩面作戰，蘇俄雖然與美英聯盟，勝利獲來頗不容易。目前西德則是和美國聯盟，萬一西德要收回失地，美國又支持他，運用北大西洋公約，那便怎樣？因此蘇俄自從西德參加了北大西洋公約以後，便日夜不安，堅決要東德獨立，一切外國軍隊撤離西德，更怕西德有原子武器。作者在一九五〇年代表法國，反對西德重整軍備時，已知蘇俄的用意，所以曾說過幾句話：「如果我們同意西德建軍，等於叫德國喪失了再度統一的機會。」

蘇俄害怕的第二個，是美國在西歐、八格林設軍事基地，北非、中東、日本，到處都有，而且武器精良。可是由於火箭的不斷進步，基地的任務也大為減輕，如果越洲飛彈成功，則失去其重要性。蘇俄現在要求美國撤退國外基地，然後再伸展蘇俄的勢力，和裁軍無關，因為限制了國外的基地，而不限制國內的基地，其對和平之威脅，仍然是一樣。

蘇俄的第三個障碍是懷疑。他自己是一個秘密國家，却更討厭國際共同監視。在國際情報上，當然視重。不肯供給情報，如果大家真心誠意，何必監視？萬一隱藏了陰謀詭計，蘇俄則不肯接受監視。祇表示「讓我們先討論裁軍的原則，然後再研究控制的各種細節。」又說：「我們是主張對建軍加以限制的，可不便等於以控制來執行裁軍。」這和西方國家的看法和誠意都不盡同。

蘇俄的第四個障碍是心理上的。人的性格，和我們的不同，因此，對於我們的說話，和反應，不但不能了解，反而有相反的看法和判斷。祇有我們西方國家，先做給他們看，我們必須要有勇氣，改變和限制我們某幾種防禦機構，放棄我們的武器，當然也要求對方採取同樣措施。

我們來講困難的一點，在西方，各國集團是聯盟式，而共產集團則是一致式。北大西洋公約國是若干獨立自由國家的聯合，不但意見要一致，還要先統一各國內部意見。彼此意見的不一致，是西方國家不可避免的弱點！總而言之，核子戰爭，將是全球人類的災難，誰也不敢先下手。因此各國的領袖們，也不願意冒險，儘有時間去研究裁軍的問題。而裁軍的重要問題，不但是人道和道德[illegible]，更是經濟和政治問題。投資在軍事上，花費太多，而且也不知道用在那一種武器上，誰也不敢用。這一點危險，各國都會慢慢體會到。談到巴黎的幻滅，和日內瓦的失望，是過去的事，並不是事實。裁軍起不了什麼作用的時候，間歇是有的，過去的挫折，不是絕對的。一時的錯誤，不會永久，人們的狂妄，必然也會覺悟的，終於還是能[illegible]

公文旅行二百四十六日

僑胞回國一千二百餘人

柯仁自寄台北

△一位消防隊員在本年二月七日因援救火災時奮不顧身，致身受重傷。由虎尾鎮公所報請縣府發醫藥補助費，誰知公文一去不復返，隔了二百四十六天，方覆知鎮公所：「碍於法令規定經已修改無法付給」。

因公受傷理應補助醫藥費，而一紙公文旅行了二百幾十天却未邀准。假如這位因救火受重傷的消防隊員，不是自已設法借錢治傷，等公文下來，怕骨肉早已化灰了。

省府周主席很重視行政效率，這件小事最好也查辦一下，以免以後消防隊員怕受傷對救火敷衍，則茲事體大了。

△參加雙十國慶之國軍，儀容整潔，精神飽滿，尤其是這次陸軍輕航空隊也第一次的編隊出現在台北上空，證明了國軍的現代化。

這次國慶閱兵規模較歷年為大，各軍種的樂隊都在分列部隊前行進，參加閱兵的陸軍前瞻部隊，穿着米色軍便服，着連皮綁腿之黑皮鞋，背綠色背包及軍毯，打黑領帶，戴白手套，英俊端莊，令人起敬。

海外各地僑團也是十年來回國最多的一次，總數有一千二百多位，組成一個團體，他們親眼看到了國軍的強大，內心說不出的高興。

在國慶閱兵大典中，友邦各國也均派軍事代表團前來觀禮與慶賀。

台北市是人山人海，較過年還要熱鬧，大家見到了我們國力的雄偉，均一致希望反共復國的目標早日實現。一位老先生說：「到台灣已十一年了，樹高千丈，葉落歸根，早日反攻回去吧！」

現階段日本對華政策探討（十三）

羅堅白

東京通訊

縱使關係國計民生，完全不把放在眼裏。他問鼎於政權，係從鳩山內閣末期起，迄今不過三四年間。所以關於如何主持國政，論他在心志方面的準備，其膚淺幼稚，幾乎近於外行。

自大主義兼事大主義的化身　吉田在美軍佔領期間，執政最久。他狐假虎威，素被本國人稱為 Oneman（獨裁者），然在美軍將領前，則完全是一位 Yesman（乖乖聽話的傢伙）。他真可算日本民族傳統思想 Jidai 主義（自大兼事大主義）的化身。遇到對方弱小，則沉下「自大主義」的面孔，妄自驕傲；遇對方強大，却能發揮事大主義的精神，充分拋棄自己。吉田表現自大兼事大主義的史實，可舉出一兩件以概其餘。舊金山對日講和以後，自由中國因未能參加正式簽訂和約，不得不忍痛與日本直接談判復交。時吉田自兼外相，其在幕後指揮談判，咸氣凌我，刁難百端，幾無異於戰前大日帝國之對我國。以致中日復交條約，遲遲半年始成。又鳩山內閣時，國會所特設的憲法調查會，正式備函諮詢吉田對修改妨礙再軍備的現行憲法的意見。吉田復函，值蘇俄搶先把人造衛星射入太空，誇耀其科學與技術與工業力凌駕美國之直後；他便認為美國已經不行了，馬上顯示其去美就蘇的傾向。在復函中鄭重表白反對修改憲法，博得左翼齊聲喝彩；竟似完全忘記日本事實上之再軍備，原開始於他自己當國之時。吉田在這兩件史實中所表現者，前者是自大主義的一面；後者是事大主義的一面；斯二者原來在骨子裏氣脈互通，可以轉變自如。因此，池田若永遠尊奉吉田所傳授衣鉢，則日本現所標榜「自由陣營一環的立場」，不見得會始終「堅持」不變。

九、尙如渾金璞玉的池田本質

並無真知灼見與滿腹經綸

池田上台後，已打過了幾道難關，並出現了得到蘇俄捧場的奇蹟；所以池田內閣雖被為「低姿勢內閣」，却已樹立起一種氣象，望之儼然。無奈池田本人，尙如渾金璞玉，只能以一「政治學校優等生」期待他；不可以為他自有其真知卓見的大政治家的滿腹經綸。今日日本在經濟上雖然繁榮發展，為舉世所驚異，然在政治上徬徨歧路，方瀕臨着興廢關頭。輪到池田來決大疑定大計，實屬綆短汲深。他出身官僚，日本官僚的習性，是把自己關閉在職務圈內，公事至上，飯碗第一；外加權力神聖，上司尊嚴，格式萬能。

大陸文壇萬花筒

毛澤東選集第四集

——岳騫——

本來要把毛澤東的「大作」列入文壇，那就不僅和文壇開玩笑，也未免有意挖苦毛澤東，不過當毛澤東選集第四集運來香港發售之時，此間只談談他幾次選集付印的經過，並不評論它的內容，因為毛澤東的「大作」和文壇實在沾不上邊也。

毛澤東平時最喜歡舞文弄墨，不但用本名發表什麼「講話」「指示」，有時還用筆名或者「觀察家」一類名詞在人民日報寫短評，時間一久，人民日報上所發表的社論或評論，那一篇是「毛作」很容易看得出，因為毛文最大特色有一種流氓氣，這類文字大概隨意舉上十條至二十條決不費力，以最近兩年來說，前年金門砲戰，幾次猛轟無效之後，毛澤東異想天開又進行和平攻勢，那篇以彭德懷出名的告金門將士書，其中有幾句：「有些共產黨人暫時還不理解這個道理，怎麼打出這樣一個主意呢？不懂！不懂！同志們！過一會兒你們會懂的。」

又如西藏事變發生後，尼赫魯在印度下議院發表談話，人民日報駁斥尼赫魯，中間有兩句帶着威脅性的話，一勸尼赫魯少管閒事，「你走你的陽關道，我走我的獨木橋」，一望而知又是毛澤東的手筆。

因為毛澤東這一類的文字太多，編印選集時非割愛不可，所以也很費工夫。一九四九年九月，中共偽府尚未開鑼時，周恩來在北平講話曾透露過毛澤東編選集時要大段、大段的割掉。當時尚在上海出版的大公報主筆王芸生得到該報駐平特派員徐盈的電告，如獲至寶，馬上整理出來在大公報上發表，把毛澤東和共產黨恭維上天，認為真有「開國」氣象，那知毛澤東看過以後大為不滿，就拿大公報出氣，嚇得王芸生和徐盈連名登啓事，承認報導錯誤。可是後來毛澤東選集一二三集出版確實刪掉了許多，可見周恩來那次倒是說的實話。

毛澤東選集一二三集出版了六年，到現在第四集始出版，大概還是修改困難，沒有時間整理，直到去年「辭去主席」之後，經過一年多時間才整理好，前年底中共發表公報，說毛澤東不競選主席為了專門研究馬列理論，大概這就是成績了。

香港地

社會小說

木客著

五、有錢佬

兩人談談笑笑，到了車站，趁纜車下山，榻先生待到了車上，才把「鬼拍後腦」那句話解釋一番，說道：「凡是有了『大亨』身份的人，大概都不會把這類秘密作爲談話資料，只有「中亨」之類，一心想做到大亨，經常和某些大亨有了接近機會，而又和低級的親友不至距離得太遠，有時說話說得太過高興，便會在不知不覺之間，把本身的術數權謀，和大亨們身上的秘密，吐露一二，這就叫做『鬼拍後腦』，假如沒有『鬼拍後腦』那樣的事，這類秘密簡直是無從打聽的呢。雀新開只算是「中亨」之中的第二流人物，臨後當然有鬼，豈在話下？」

纜車向下滑走得很快，梅大亮越聽越有味，仍想知道雀新開在今宵這個宴會裏，打算用什麼名目來「搵老襯」，到底要搞些什麼生意。

榻先生笑了一笑道：「你讓我保留一點最後消息，賣個關子，好不好？橫豎將來你自己也會知道的，用不着叫我來預告呢。」說時，從襲裏掏出一張名片，遞給梅大亮道：「這上面有我的住址，你如有空，找我談談也好」。

梅大亮接過名片，也把他自己的通訊地點，告訴給榻先生知道。

榻先生很欣賞在纜車坐向下面的景色，認爲從前望纜車登山頂遊玩，只在日間，這回如沒有梅大亮臨時提議，怕已走失了一次機會。因此，他不免要向梅大亮道謝一番。

梅大亮聽了，忽然省記起剛才一件事，不覺問道：「本來你在馬公館門前，經已擠上了那架汽車，爲什麼會自動再走下來，陪我同走呢？」

榻先生被這句話引起回憶，不禁呵呵笑道：「原來我忘記對你說，那豈不是爲了那兩位男女作家，又在那裏製造『靈感』嗎？」

這話一說，頓教梅大亮噗哧一聲，也便想起那兩個青年人在露台上演過的一幕，因道：「原來如此，他們此行，靈感似乎特別豐富，料想收獲亦自不淺了啊！」

說時，纜車剛剛抵達終點。（六七）

拜拜（下）

汶津

別着急；瞧你那樣兒！我又不準備開歷史講座——奇怪，你這人怎麼那麼怕歷史呢？」——「唉，我知道：古是古，今是今；老兄你這是第幾遍啦！我早都領教過了。我也不是魔術家，難道想把二十世紀開進上古的歷史書裏？我是這麼想的：古今雖然面子上大不相同，骨子裏的精神總是有一丁子兒不變的，我們講歷史便是抓住這一丁兒精神。打個譬喻罷，原始人是要吃東西的，我們還不是得吃！管他是中食，是西餐，總之是送進口落下肚！唉，又扯得老遠。其實我這先賢也不算什麼太古的人哪。

開門見山，不遠道兒的告訴你：我是講吳鳳，你總也對他有些印象吧！嘿嘿，他正是那個自尋死路的「傻老頭兒」——哈哈，傻老頭兒！你這句幽默佳構又引起我的感觸啦！這世界上要沒有些肯幹的大傻瓜，怕還沒那麼進步吧！唉，有時候聰明人可眞比街上狗還多——呵，我又貪嘴了，總之，傻子只要傻得有道理：……像吳鳳爺，替番人出力了一輩子，番人把他愛得像爹娘；可就是一樁，番人喜歡抹漢人血，借個因兒說什麼不拿漢人頭祭神要發火啊，——這不就是風俗習慣麼？你又怎能小覷它？——吳鳳爺可爲這件事傷透了腦筋，左勸右勸，番人們只是說：「吳鳳爺，別的什麼都依得你，這件事可是祖宗傳下來的規矩，誰也改不了絲毫的！」瞧，這就是民族的風俗那一股潛勢力在作祟啊！好容易吳鳳爺苦苦哀告，才答應把乾隆年間亂事裏殺的幾十漢人頭充數。可是幾十年過去了，舊人頭用完了，番人們手癢了，幾十年，唯恐吳鳳爺不答應，竟把吳鳳爺辦公室一圍。唉！幾十年的功夫，還有吳鳳爺那麼一個能幹的官兒，那風俗卻還沒有除根——這一下吳鳳咬着牙說：「好，明早給你們一個紅衣人去殺吧！」就這樣，吳鳳爺送出了他的老骨頭！這下番人才算悔啦，打自己耳刮子都來不及，總算發誓不殺人了！我說這個，可不是請老兄你位社會改革家去做吳鳳第二嗎。我是覺得來，就得學吳鳳爺那徹始終，捨己爲人那一丁子精神呀！

個民俗改革家了，我只想到西門豹啊！」「別亂打岔，什麼？」笑話！西門豹是水滸裏的大賊麼，我是說古代的魏國的西門豹，太史公就書特書的水利工程師，你想——他在那河伯娶婦的地方上任，唔，那好，我不不是，那好，不答覆了；——種環境，只有他那種大刀闊斧的激進作法才成；可是你想治爲迷信的，我保險你那這兒行不通！哎喲，你是不鳴則已，一鳴驚人！你道一聲可把我嚇煞了！什麼話？你憑那一點說我用「愚民政策」？我可是從「民本」着眼哪，是風俗不是可以用一個「禁」字或別的看相兒的字眼可以改革的？慢慢來！政府是主張少拜拜而行「集拜」的，這也是辦法，反正只要記住大夥兒都是有血有肉的人，不能像排積木一樣的辦就得！否則，您說您的，咱拜咱的，豈不是太不對勁了嗎？嘿，該死，你來向我灌輸「革拜」理論，我倒反對爲主向你說教起來！老兄你請多多包涵，要是聽着不順耳，就當我瞎三話四了，犯不着發氣！不過也千萬可別洩氣：我說了半天，不是諷你不要去做社會改革家，老實說，你有遠大志向，我只是欽佩還來不及呢！你也別太相信上了聽的理論了，實際也得上一疏忽的——說了半天，對了，我眞忘記說，改革風氣的治本方法，正是我說教育！……說教育，不普遍並無意義！……民俗可以使拜拜之類的不良習慣，淘汰了；民俗的文明進步，更多使民俗經過提煉，使它進化到最合理的地步！假如連根本也掉了，那人類便什麼也喪失了它的寶貴的靈魂，萬物之靈呢！還談情說愛，了好了一大篇東扯西拉，時間不早了，去拜拜，你也該忙了！拜拜！

註：拜拜，台省民間最流行的一種，特殊風俗，每逢節慶，家家大張筵席，四出邀宴，更輔以歌舞，人山人海，街巷每爲人遊所塞。

上將總統請出兵反攻大陸書

——調景嶺信義中學——

·李幹華·

大總統鈞鑒：

曾記得當大陸變色時，總統說：「……同胞們！忍耐吧，數年後我們會回來的！」這幾句話一直存放在我心裏，所以，我有勇氣活下去。雖然遇了艱難、困苦，我總是盡力忍受。因爲總統的話決不會落空的，即是說，這是我的一道曙光，一線生機。

雖知流亡、流亡、流亡足足有十一年了，這時間雖不說它長，但，也不能說它是短的。爲什麼？因爲這期間所受的痛苦，實在太多了；如生活無着，精神上的憤恨，外人的歧視等。許多人，因經不起這個，而墮落了，這是很可悲的！

總統，請出兵反攻大陸吧！在人民眼睛裏，共匪在大陸屠殺已經十一年了，它的眞面目，是認識得非常清楚的。總統一旦發兵討匪——反攻大陸，人民一定如響斯應的。正如一列火車，車頭不動，車廂又怎能自己開行呢？況且，現在我三軍，士氣激昂，民心振奮，加以西藏事件已引起西北民族的反抗，和國際間的抨擊，我們正應聯合西藏義軍，內外夾攻，收復大陸，必易如反掌。

時局如棋，勝負之分，已明顯地擺在我們面前，總統，把握機會吧！

信義中學學生李幹華敬上　十月三日

儒林九尾龜

吳敬鋅

第三回：柳暗花明又一村

李鴻飛這一來眞是如獲至寶，三腳兩步趕過去，到地方一看還有一個生人，以前曾未見過。

魏本愚一眼看見李鴻飛，趕快起身讓坐，用手指指那位客人，說道：「我替你們介紹一下，這位是卞式人先生，這位是李鴻飛先生，都是同行。」

李鴻飛剛坐下，魏本愚附耳道：「我找你找得好苦，我們之間有許多誤會，都是別人挑撥的，少停我們出去再談，在這裏千萬不必再提了。」

李鴻飛未與理會，決心要當着大家把魏本愚造謠的事說出來。可是總插不上口，那位卞式人先生的嘴好似一架馬克沁機槍一樣，不停向外發射，全桌只有他一個人說話的份，而且越說越有勁，口講指劃，有時還揮舞着拳頭。李鴻飛仔細聽，他正在背誦自已的歷史，原來此君是清代名臣之後，累世簪纓，到了他一代雖然是未作過官，當年在上海也是赫赫有名的記者。抗戰期間爲醉心和平運動，棄軍從政，在故鄉當了一任縣長，勝利後不爲當局所諒，下令拘捕，好在消息靈通，立時遠走高飛，逃到海外來，靠着一支筆到也可以維持生計。

卞式人談過以前的光榮歷史，然後說到正題，他最近籌辦一個音樂會，請了上海有名低音歌唱家獻技，還有大牌明星參加，過去在上海當選歌后的明星也在其列，在香港當然是一個難逢的盛會，本來票價訂得再高也不愁沒有人買。但是文化事業，志不在賺錢，所以票價只訂了五元十元兩種，現在希望朋友們幫助推銷門票，恐怕有些熱情觀衆買不到票而失望。」

卞式人說過，魏本愚拿了兩本門票給鄭實齋，又拿兩本給文希孟，說道：「黃色的每張十元，紅色的每張五元，每本十張，你們兩位每人負責一百五十元。票欵明天付也不遲。」

未等鄭、文兩人開口，回頭又向李鴻飛問道：「你要幾本？紅的還是黃的。」

李鴻飛眼都氣紅了，大聲說道：「我一張都不要。」

卞式人陪笑道：「李兄，不肯幫忙麼？」

李鴻飛雖然恨透了魏本愚，却不好開罪卞式人，當時陪笑說道：「卞先生，我日常接觸的都是一些難民，他們每日掙錢每日用，那有時間去聽歌。」

卞式人笑道：「那些不必邀請了，不過，老兄你自己要來捧捧場吧！」

李鴻飛不好再推辭，魏本愚馬上撕了兩張黃色的給他，笑道：「你買兩張好了，另一張可以陪女朋友去。」（三十）

中國當代虛無主義底兩流（二）

——陶一大——

這樣一來，把那能夠吸收外來文化，担負正面建設的主體暫時否定掉了，它當然便不會有什麼正面建設的成就，而只催生這兩流虛無主義了。

這兩流：一則講考據，講實在主義，講實用主義，要步英美後塵；一則講獨斷，講共產主義，講唯物主義，要「走俄國人的路」（毛澤東語）。它們在「精神武器」和要走的路線上是那麼地差異乃至反對着。但是它們在情趣方面却是同一的，即都同樣具有濃厚政治興趣；它們在基本精神上是同一的，即都同樣地以那見瞋俱起的純否定，外物量的心態，作爲它們的內在實質。NICOLAS A. BERDYAEU 在他的俄羅斯共產主義之本源中寫道：「六十年代的虛無主義者們的主要興趣，是自然科學及政治經濟學，俄國革命的共產主義者一代也有同一的興趣」。我們觀察我國的虛無主義，似乎也可以得出這樣論點：

「比如那直接以政治姿態登場的莽蕩浪漫流要「從槍桿子裏出政權」（毛澤東語），並且已經從槍桿裏出了政權，其興趣在政治經濟固不在話下，就是那以學術面貌出現的底徹末理智流，也同樣是熱中政治的。他們大多沒有西方學者那種念茲在茲，儘管你們在政治上翻地，我却聚精會神，專在「眞理大海邊拾蚌殼」（牛頓語）以畢其生。西方科學家如 NEWTON 便這樣專心致志地在眞理大海中拾蚌殼，拾得連小貓可以鑽大洞，大小兩貓只須開一個大洞進出這樣簡單的事宜都不暇用心去想，那兒還會想到政治的玩藝呢！哲學家如 SPINOZA 更連教授都不愛當，只顧磨鏡子過活以從事眞理的探討。他們都不會這樣傻氣，他們更不會傻到像西方學者那樣連皇帝老子來請也不齒他，甚至於連刀架在頸上也視若無睹的那種田地。西方學者偏能這樣地做，君不見希臘大哲 DIOGENES 以酒桶做住屋，當雄踞歐亞的 ALEXANDER THE GREAT 來求賢時，他竟斥他快退五十步，否則便不和他答話。又不見那希臘名數理學家 ARCOIMEDES 以所治學爲命，當羅馬兵走進他屋子，把亮晃晃的刺刀對準他的胸膛刺去時，他還叱責着說，「不要弄壞了我的幾何圖形」！可是我國當代的許多所謂學者們便不能這樣做。（本文接國慶特刊所載）

釋耒集

四十九週年雙十書感

自余始知「雙十」爲國慶日，距今蓋已三十餘年，而國慶日之使余動念興感，則自近十年始，若最近三四年以還，則直可謂之曰驚心動魄矣。猶憶五一年秋末，余始自內地脫身來港，會皇窮廹，幾不可終日，而僞國慶「十、一」之期已至，秋日晴空，紅旗招展，因憶史記有云：「項王夜聞四面皆楚歌，乃驚曰：漢皆已得楚乎？是何楚人之多也？」不禁爲之氣盡。及「五六」年雙十，九龍郊區，羣衆因護旗而鬥爭，死事者纍纍，余於是知人心未盡死，大事猶未至於絕望，而嗣是以後，果然由剩而復，爲僞慶懸旗者已漸少，今尤每下愈況，然終以國土尺寸未復，邱園廬墓，夢寐徒勞，親戚故舊，半爲異物，故雖逢雙十，未嘗敢强顏歡笑，修言慶祝。蓋弔與賀不可以並行也。昔者，余讀宋史胡銓傳，觀其力陳恢復之義，以爲舉朝之士，皆爲婦人，以今日之事論之，則亦賈生之所云，可爲長太息者也。孝宗隆興元年，銓上書論事，論和戰利害曰：「側聞虜人嫚書，欲書御名，欲去國號大宇，欲用再拜，議者以爲繁文小節，不必計較，臣竊以爲再拜不已，必至稱臣，稱臣不已，必至請降，請降不已，必至納土，納土不已，必至銜璧，銜璧不已，必至輿櫬，輿櫬不已，必至如晉帝靑衣行酒，然後爲快，事至於此，求爲匹夫，尚可得乎？倘乾剛獨斷，……絕請和之議，以鼓戰士，下哀痛之詔，以收民心，如此則可賀者亦有十，省數千億之歲幣一也，專意武備，足食足兵二也，無書名之恥三也，無去大之辱四也，無再拜之屈五也，無稱臣之忿六也，無請降之禍七也，無銜璧輿櫬之號九也，無靑衣行酒之寃十也。」今我自播遷以還，忽忽已逾十載，友邦存東方狄托之望，盟國作分割爲二之謀，一黨專政則失民心，包容異己則虞顚覆，反對黨尚未組成，而反攻無望之論已出，然則國步之艱，未有逾於今日者矣。而及今不言恢復，則曠日持久，一年一度之懸旗，必至於寖失本意，故論史者曰：高祖不遣入關，光武不遣徇河北，則義帝，更始一牙將耳。田橫入海，僅得爲俠客渠魁，延平雄踞台灣，亦不過孤臣孽子之行，英雄創業，固大不類，故紫陽綱目，所以獨與漢光武與蜀先主者，以其能乘時奮起以光復舊物也。嗟乎，關山明月，秋風蘆管之聲，海上旌旗，杜宇泣多青之血。永言憂國，良足悲矣，大張天討，果何時乎？

曲齋

國大會議紀事詞

蘭臺侍者

醜奴兒令

序曰：修憲問題已告一段落，按照憲法規定之國大代表職責，只有選舉正副總統此項工作，方係應有之義。然而，在未選舉以前，行政院長和其所屬各部會首長，尚須逐日到大會報告六年來施政情形，所說者盡屬冠冕堂皇之官樣文章，而聽者亦但求消磨漫長之開會期間，且以表現其民意代表逢官高一等之權威而已。隨後大家復按日集會討論提案，彼此爭相發言，秩序甚亂，不知「民權初步」爲何物。有一小羣人對於與自己意見不同之發言者，動則高聲噓叱，外加拍桌頓足，怪象百出，無殊民國初年專制作風，又如市場上劣幣驅逐良幣之情況然。因此，大多數不願強出頭之代表，相率緘口結舌，默坐無聲，而一般如尼采所謂「百事皆有說詞，而百事皆不知其所解」之雄辯家，乃盡力表演，得其所哉。實則國大會議任何決議案，無論內容如何，對政府並無絲毫拘束力，其效用殆不如一紙傳單揭帖也。枉費唇舌，是亦不可以已乎？

議場妄逞風頭健，口也無儀，手也無儀，這是狂童狂也且。

又

發言罔顧常規範，甲也咿咿，乙也咿咿，這是寒鴉噪夕暉。

閒話豆腐

筱臣

豆腐是價錢最廉而又可口，並且最富有營養的食品，這是中國傳統的佳餚，在外國是沒有的，如果說現在已經有了的話，這是李石曾他們在法國留學時開豆腐店時傳去的。

只是在今天，「一窮二白」的大陸，買豆腐也要排隊，除了經常吃野菜以佐膳外，豆腐已經成爲無上佳品，這是令人不可想像的。猶憶兒時經常唱的一首民歌，那是爲了提倡節約而作的，歌曰：「芥菜芥半年，莧菜莧半年，想吃塊豆腐，要等過小年」。

這一首歌，不管是預言的話，不料在今天實現了。不過豆腐這項食品你切莫小看了，能夠做出很多花樣，而且還要吃得很可口，吃慣大魚大肉的人，轉轉胃口，倒是無上妙品。

清康熙年間做江西巡撫的宋犖，一向是講究飲食的。康熙帝南巡時，他在蘇州接駕，皇帝念他是老臣，賜給他羊、鹿、雞等食物外，又傳旨云：「朕日用豆腐一品，與尋常不同，因巡撫是有年紀的人，可令御厨太監傳授與巡撫厨子，為後半世受用。」（宋氏的「西陂類稿」），到底他的御厨太監有什麼烹豆腐秘法，可惜不傳於外，使後來嗜食的人無從研究，未免可惜。

乾隆帝吃豆腐的花樣，也是多采多姿的。乾隆三十六年（公元一七七一年）二月，他南巡到山東，長蘆鹽政西寧就進上一個蘇州著名厨子張東官，此人善燒豆腐，豆豉炒豆腐一味，尤爲拿手傑作。

乾隆四十三年東巡盛京才把張東官交在御膳房隨營服務。（到四十六年二月，才正式入宮，列名御厨。）七月廿二日在途中，還特傳張東官做一味豆豉炒豆腐一品，這豆豉炒豆腐不知如何炒法，能使十全老人如此喜歡，大概那時候他的牙齒已有問題了。現在一檢故宮的御膳檔，乾隆的豆腐食品有：「鹽水豆腐」，「燕窩紅白鴨子燉豆腐」，「燕窩黃燜鴨子燉豆腐」，「山藥豆腐羹」，「菜花頭炒豆腐」等。

天家的豆腐有此種種妙品，但民間也有燒豆腐的名手。梁章鉅說他在南通書院掌教時，有廣文劉瑞紫的門斗善製豆腐，不但甲於南浦，就是別處講究的人家，也不辭千里而來買他的出品。這個門斗的製豆腐的方法，一直神而秘之，死後不傳。所謂「門斗」，乃昔時學官的司閽人，因爲冷官，不能多用僕人，又學官收取學租必用斗，司閽人兼司斗故稱門斗。

梁氏又說他在山東做臬台時，有一次他和幾個同寅同飲於大明湖的薜荔館，歷城知府侯理亭親下厨弄一樣小菜上來，每人一小碟，裝兩小方塊，食之極甘，衆不知爲何物。侯太守曰：「豆腐也。」可惜梁氏後來匆匆升官他去，得不到他的烹調之法。

隨園老人是最講究食的，他的詩話有一段關於豆腐的，亦頗有趣。附錄於下：

「蔣觀察招飲，珍饈羅列。忽問余：會吃我手製豆腐乎？曰「未也。」公即着犢鼻裙親走厨下。良久擎出，果一切盤餐盡廢。因求公賜烹飪法，公命向上三揖，如其言，始口授方。歸家試作，賓客咸誇。」

談到吃豆腐最有趣的文字，又無如過去上海名小說家雙熱君，曾經著了一首歌，題為「老太婆吃豆腐」，看了這個題目，也就叫人拍案叫絕。這一個命題，眞是想入非非。歌曰：

侖嘴老婆婆，牙齒沒了吃什麼，婆婆愛吃包蘿（即玉蜀黍），老來只好手裏槎（吃不來只好槎也）消悶要吃長生果，拿來研盆細細磨，下飯東西眞意左，軟的少硬的多。雞鴨蹄筋好滋味，嘎嚼不來可奈何？蝦米海蜇江瑤柱，婆婆只好看看他，饞涎起碼三尺半，無如嚼勿爛兮咬勿斷，渾侖吞來眞無味，不如買塊豆腐醬油麻拌。有時燒燒醃肉湯，有時油煎兩面黃，有時紫菜蝦米吃碗豆腐花，有時雞燒豆腐葱椒辣花加大蒜。朝朝夜夜豆腐吃勿厭，歡天喜地豆腐地。五錢一塊眞便宜，婆婆有錢不須欠；還有一種臭豆腐，婆婆稱它美味連盤吃。吃完豆腐念卷消痰經，大佛，小佛活佛，死佛，七佛，八念搭，後來一塊豆腐忽然塞斷婆婆氣，大家還要大燒豆腐替她送入殮。（喪家必大嚼豆腐，大陸各地多有這種風俗。）

在此時流寓的我們，吃豆腐是遍平常的事，更無須排隊，較之大陸的窮困，不啻有天淵之別。而更有此閑情，閑話豆腐，寧非幸事！

國慶

徐學慧

到本文見報時，四十九年雙十國慶雖已過去了兩天，但撰寫此文的時間，卻正是國慶日。

流浪在海外已有十一個年頭了。年年此日，照例有慶祝大會，也照例有名人演講，還有餘興，就我個人所知道的，這些演講的內容，也是千篇一律，雖不能說是廢話，但稱之爲濫調，實在也並不過分。

在香港，慶祝國慶的團體集會，要以新聞文化教育影劇界所聯合舉行的爲最熱鬧。節目似乎是年年差不多，唯一不同的是那些担任餘興節目演出的所謂明星們的面孔。十年的時光中，星海浮沉，變化頗大，有些明星，過去担任餘興節目演出，現在，年紀大了，成了名流，晉升至出席主席團；有的明星，過去唱一曲清歌助興，而現在，徐娘老去，也只有憑藉風華作作嘉賓而已。歲月本來就是無情的東西，而對於明星們，歲月卻是無情得可怕

對明星如此，對國家又何獨不然。

十年前，我們看到某些明星登台高歌，到今天，我們可以看到某些明星的女兒在台上表演芭蕾舞。我說這話的意思，無非是想藉此說明，我們耽在海外的日子實在也不算太少了。

可是，我們的錦綉河山，卻仍然在赤氛瀰漫之中。

是誰在唱着，「記得我倆，小時住在丁香山裏，如今老大了，不能歸去，……幾時回到丁香山上……？」彷彿是二十年前，年輕時候聽到的一首歌？又彷彿是在一年前，在什麼地方聽見過？

不錯，一年以前的國慶佳節，曾經有人在大會上唱過這首歌的，到今天，又是一年了。

每一個流亡在外的人，都會懷念到兒時在故鄉的一切。這就是說，每一個人都有他理想中的丁香山，可是，一幌就過了十一年，還不能歸去。

我站在香港的太平山上，盼望，盼望，盼望了十一年。幾時纔能回到我們的丁香山上呢？

年年此日，我們都可以看到一些宏文。

年年此日，我們也可以聽到一些高論。

在我個人心目中，那些高論卻遠不及「丁香山」那支歌那麼動人。

要什麼時候，纔能回到丁香山去呢？

有多少人站在香港的太平山上，盼望，盼望，盼望了十一年。丁香山，啊！可愛的丁香山！

說「笑」（二）

謝康

人底生命是活動的，不喜歡呆板單調，而喜歡豐富有變化，要能這樣，生命纔得美滿。因此，我們的心靈一方面要緊張活躍，一方面要鬆弛而有彈性，使能隨機應變以免生硬笨拙露出醜陋缺憾的窘態出來：一有這種失了常態的言語動作，就難免成爲笑料。譏笑有時是有意義的，有時是無意識的，甚至於不道德的，然而它那譏諷的目的，總想要達成社會控制的功用，有些社會學家稱爲「譏諷的制裁」，凡是可笑的題材，都是諷刺的對象，有些成爲笑柄的東西，雖則只是令人笑一笑，似乎沒有多大關係，然而往往已表現社會制裁或令人服從的力量了。（參看拙譯社會學導言頁八八至八九。）

亞里斯多德以爲喜劇的取材，偏於醜陋的材料方面，劇中人物的拙劣的言動態度，常令人驚訝可笑，而不一定令人覺得可憎可厭。因爲可笑的與可憎惡的畢竟不同，可笑的有時與可愛的相聯，可憎的卻與可愛的卻是兩種相反的心理現象。可笑的往往伴着某種程度的快感，可憎的往往伴着或多或少的怨恨。柏格森以爲笑不關痛癢，在見人言動拙劣而起哀憐或憎惡時，我們決會發笑的，既然笑，心中便沒有深厚的情感，笑的趣味完全是理智的。（從朱光潛譯）至於憎惡，卻是感情的作用居多。

有時笑還有一個特點，就是受着社會言語的限制（除卓別靈的啞劇式的動作外）某種社會中人對某種笑話纔會發笑，同是一個笑話，換一個社會，則不易引人發笑，因此，有人說喜劇最難翻譯，就是這個道理。

海濱消暑錄

自由報
THE FREE NEWS
第七十期
中華民國內政部登記證內版台誌字第三二三號
中華郵政台字第一二八二號執照登記為第一類新聞紙類
（半週刊每星期三、六出版）
每份港幣壹角
台灣零售價新台幣弍元
社長：雷嘯岑
督印人：黃行富
社址：香港銅鑼灣高士威道二十號四樓
20 CAUSEWAY RD 3RD FL
HONG KONG
TEL. 771726　電報掛號．7191
承印者：田風印刷廠
地址：香港灣仔高士打道二二一號
台灣分社
台北市西寧南路壹壹柒號二樓
電話：三〇三四六
台郵撥儲金戶九二五二

對雷震案初審判決的觀感

雷嘯岑

轟動一時的雷震「叛亂」罪案，業經軍事法庭初審判決了。如果這案件是不許上訴的，無論判決的內容如何，我們都沒有置喙之必要。既然允許上訴，那我以新聞記者的身份，就不妨說說個人的觀感所及，希望政府當局俯加參考為幸。

先說一個故事

民國十三年我在日本東京讀書，當時曾奉國民黨上級黨部命令，從事學生運動，担任中國留日學生總會的幹事長。是年雙十節後，學生界舉行國事會議，國民黨人當場跟人數較多的反對派（為首的就是後來官拜國民政府外交次長的吉林人王家楨）發生激烈的鬥毆行為，繼而且把一個奉命前來維持秩序的日本警士打成半死不活，奄奄一息，連腦漿亦打出來了！大隊憲兵馬上馳入會場，將國民黨人捕去八名，交由東京地方法院審判罪行。我們求救於孫總理的老友犬養毅先生，他介紹日本律師公會會長關直彥為被告出庭辯護。檢察官列舉各項事證，樣樣確實，無從狡卸，判處各被告徒刑一年。關律師聲辯道：「請庭上注意：我們日本在國際上素以法治國家著稱的，假使這八個被告中，有一個不是真正的兇犯，而枉受徒刑，那我們在國際間的法治國家信譽，便要掃地以盡啊！」檢察官即宣佈下次開庭再作最後裁判。後來各被告一律予以不起訴處分，那位被打出腦漿來的警士，只好為國家的榮譽而犧牲，凄然以殘廢人終其一生了！

卅年前的日本，原係軍國主義的國家，犯罪者又是些沒有領事裁判權的中國人。然而，日本法院為着保持自己國家在國際間的信譽起見，乃作此法外的寬厚處理。現在政府對雷震案再三聲明這是法律問題，與政治無關，果若是，我覺得初審的經過情形，以及據為量刑的理由和事實，殊有研究之餘地。因為我們國家行的是憲政之治，本案又純屬法律問題，判處稍有漏洞，國際間對於我們的法治精神，便要發生不良印象，而認為我政府所謂「法律問題」的聲明，亦是無足信賴的宣傳詞令。這對雷震等人的關係尚在其次，對自由中國政府的憲政信譽，影響滋大，千萬忽視不得的！

最大的漏洞

雷震是否犯有叛亂罪行的唯一關鍵，就在他是否與劉子英有同謀從事「匪諜」工作的確實證據？關於這一點，初審判決書上不特未將劉子英執行匪諜任務的事實舉出，即所指雷震包庇匪諜的罪證，亦只是根據劉子英的自白書中，說他到台灣後，曾將邵力子之妻傅學文教他替共匪做宣傳工作的情形，告訴過雷氏等語，乃以「自由心證主義」，拉上「自由中國」雜志刊出的文章作證物，認定雷氏犯下了叛亂罪。這其間，沒有經過被告人當庭對質，也未經雷震的辯護律師對劉子英有所盤詰，僅憑劉氏在偵訊時的片面自白之詞為量刑的張本，自難怪雷震夫人宋英女士指說劉子英的自白書是在何種情況之下寫的，她極表懷疑了。即令雷震真是包庇了匪諜，未加檢舉，亦得看那匪諜有無叛亂的行為？如其光是口頭說說，並無事實表現，那就等於某甲對某乙說他要去殺人放火，某甲雖未着手實行，而某乙亦須負共同殺人的嚴重罪責，這豈是法理所許可的事嗎？果若是，然則任用劉子英為「人事室主任」的國史館長，以及任用劉子英為幹事的中日文化經濟協會理事長，為甚末又沒有責任呢？

初審判決書上說雷震「連續以文字作有利於叛徒之宣傳」，這當然是指「自由中國」雜志平日的言論文字。可是，「自由中國」的一切言論，只能說它是，「作有利於美國對華政策之宣傳」，却與共匪的意旨不相侔。例如它對於金門炮戰之役，主張戰事只限於金馬地區，這就是揣摩美國的政策而立論的。美國當局在金門炮戰時那種唯恐戰事擴大，而使第七艦隊捲入漩渦的作風：原為世人共見的事實，否則我守軍當時寧有坐着挨打而不出擊反攻之理？共匪後來自動停止砲轟，覥顏託詞「人道主義」「和平主義」以遮羞，實係知難而退的醜態。然初審判決書上，竟以「自由中國」雜誌主張金馬戰事局部化之說，認為是與共匪的「和談」號召相唱和。如此深文周納的定讞，能說是平允的嗎？梁肅戎律師所謂行為人在主觀上如無叛亂之意圖，實難以言論文字之批評，即成立顛覆政府之罪行，乃是合理合法的論斷，應該採納的。不特此也，偌大的一樁罪案，被告亦有三四人之多，而審訊與判決的工夫，僅有一次開庭就完事，如此草率應付，適足以增加世人對軍法審判不敢信任的心情，更要替雷震叫屈了。

總之，劉子英如果沒有從事匪諜的行為和證據，則雷震最大的責任，亦不過是誤保共諜入境而已。關於這類的事情，近十年來，住在台灣的朋友們亦曾經發現不少，但未聞有處以十年牢獄的重刑者，法律之前，人人平等，何獨對雷氏就要施以嚴刑峻法呢？至於「自由中國」雜志的言論文字，無論是否妥當，亦不能眷為「叛國」的罪證，否則就成了文字獄，便要給國際間指摘我國沒有言論自由的莫大口實。若以法治國家的信譽作代價，來收拾一個「處士橫議」的文弱書生，此中利害得失之數，實在太不成比例吧？

最後的希望

我在本報談過「理性政治與權力政治」問題，認為善於運用權力者，能使一般被統治的人，並不覺得政治權力是一種難以忍受的壓迫，而視為羣體生活中應有的約束，這樣就是高度的政治藝術，必可獲致政通人和的績效。就雷震案件的處理情形而言，不但是談不上政治藝術，即論政治技術亦是不敢恭維的。現時我們國家正處在艱困迍邅之際，而國際形勢亦對我諸多不利的迹象，目前我們唯有內部團結安定，自强不息，示人以不可輕侮的國力，纔可望渡過難關，漸入佳境。雷震案件並非甚末不得了的問題，因此而激起國內外的軒然大波，致令國家信譽蒙受損害，實屬不祥之至。本案已在上訴中，我希望蔣總統以國家元首兼三軍最高統帥的法定特權，對於這種軍法審判的「叛亂」案，略迹原情，罪疑維輕，最後能予以最大的減刑裁定。雷震等一干人犯，在過去並無實施叛亂的行動，經過這次教訓，且受到總統的寬大處分以後，亦將退思補過之不遑了。

同時，亦希望海內外一般同情雷震的人士，能夠保持冷靜的心情，對本案作理性的批判和建議，而避免意氣用事或借題發揮的言行。大家如其真是愛護雷震而要加以營救的話，對政府當局過於激昂苛酷的攻訐指斥，皆非所宜，這樣就是間接增加雷氏的困苦，愛之適所以害之。誠然，在歐洲那些先進民主國家中，人民隨便斥責政府，毫無所謂，如美總統杜魯門當年撤去麥克阿瑟的統帥職務時，全國輿論，竟有以草人寫着杜魯門的名字，在街上予以槍斃者，而杜魯門亦滿不在乎。可是，咱們中國的民主政治尚在學步的幼稚階段中，我們取法乎上則可，馬上就要向別人看齊，却不容易奏效，這是事實問題，與理論未可同日而語也。

自由談

喝倒采

馬五先生

美國下屆總統競選運動，已進入高潮階段，而以對華外交政策為爭取選票的主要方法。這原是由來久矣的政治把戲，我們看膩了，對此不感絲毫興趣，而且頗有反感。

誰來做美國總統，我們都無所謂，却憎惡民主黨人藉對華外交問題作攻訐政敵的口實。因為中國乃至於全亞洲搞成今日這種共禍瀰漫的狀況，就是美國民主黨政府一手製造出來的。從雅爾達協定擅行出賣中國的領土主權於俄帝起，繼之以强迫國共合作，組織聯合政府，讚許中共叛亂為「土地改良主義」的社會革命運動，中政府不同意，即聲明「一筆勾消」中華民國的邦交，更以對華外交白皮書來狠狠地打擊中國的反共力量，讓毛共席捲中原，為所欲為；迨中共大軍投入韓戰場之後，既不許自由中國政府對大陸採取軍事行動，也不許麥克阿瑟攻擊中共的軍事根據地——鴨綠江岸的東三省區域。這些關係亞洲安危的決策，都是民主黨政府的拿手傑作，而肯納第與富爾布來之流，居然還好意思藉對華外交政策為奪取政權的武器，讀美國的民衆對此作何感想，我不知道，至於我們中國人，連同共產黨人在內，沒有不引為笑料，而嗤之以鼻的！

共產黨的本質及其作風，究竟是怎末回事？我敢說美國朋友十九都是莫名其妙，強不知以為知，而且像煞有介事地拿來作競選總統的題材，真令人不勝兩腋要命之至。對着這種政治戲劇的表演，不由我不怪叫一聲「通了！」

小論天下

△日本社會黨總裁淺沼稻次郎，被一個十七歲的極右青年殺死。左翼份子乘機舉行大示威。

這是一宗「並非意外的意外事件」。在日本這樣一個國家，你不能希望左翼的瘋狂行動不致引起右翼的自然反應。當右翼仍未擁有足夠的羣衆時，暗殺便成了發洩瘋狂的唯一方法。

△赫魯曉夫在聯合國大會為「裁軍」案而咆哮，高叫「恢復軍備競賽」。

越來越更顯明，他真的想替美國吵出一個新的「和平總統」來。

△美國民主黨在競選的宣傳口號中，最有力的一句是：「共和黨政府使美國聲望低落」。艾森豪正在為此而苦苦申辯。

美國聲望低落是事實，那是由於艾森豪的軟弱。民主黨却以為他；只弊在姑息得不夠他們的理想。

△中共宣傳機構忽又發動對日本首相池田勇人的攻擊。

這是日本內部必將有事的朕兆。「干涉日本內政」與「挑動日本」業已成為中共毫不掩飾的「國策」。

△寮國又爆出「第四勢力」，由三分變為四分。泰國僑民由永珍撤退。美國助理國務卿帕森斯急飛寮國。

慢驚風快變為急驚風，慢郎中恐怕仍是慢郎中。

△印度首相尼赫魯忽發異論，譏彈艾森豪的「開放天空計劃」，表示聯合國現狀不妨稍改一改。

「中立主義者」並不要使「此心如天平」。他唯一要做的工作是：這一刻鐘向右邊加重五錙，下一刻鐘便向左邊加重一分。

△英國報紙揭載消息：西德已發明廉價原子彈的製造方法；並建議禁止其向外國推銷。

此事只合向上帝請求。怕的是：這連上帝亦無法禁止。

△赫魯曉夫將由紐約返國，臨時決定取消古巴及北韓之行。

「觀察家」最容易提出的測斷：大概他的精力已在紐約消耗光了。

△法國總統戴高樂呼籲西歐大團結，籌開六國高峯會議。但西德與法國總理會談的結果，證實兩國對歐洲駐軍問題有歧見。

團結就是那麼一回事。只在呼喊時才正輕鬆。

△南韓又有人發動大示威，指責張勉內閣。起因為法庭輕判了李承晚時期幾個官員的刑罰。美國國務院立即聲明信任張勉。

法律與秩序經常遭受威脅。一個新的信仰中心無從建立。南韓和日本表面症狀不同，但都是棘手的病。

方南

十年舊事從頭說

閒話「自由中國」

．周之鳴．

自從雷震先生創「自由中國」什誌以批判政府，又為了「自由中國」什誌而被捕下獄，他個人固因此驚動世界，名震中外，既成了世界的新聞人物，也成了中國的歷史人物，而「自由中國」一詞，也更大走鴻運，成了歷史性的名稱，且由此成了學人創辦什志的爭取目標。據十月三日台灣「聯合報」消息，香港將有一份「自由中國」半月刊出現，由陳遂楚，梁寬，陳庭均三人負責，已向香港政府辦妥登記手續。並謂某出版社亦有意辦此一名稱之雜誌，因陳等已先登記，乃以港幣三萬元洽購此一登記證，為陳等所拒云云。使筆者想起了十年前一個有關的故事，雖然情節略有不同，但「自由中國」既已成了歷史性的名詞，這個故事，也有一談的價值。

原來台灣雷先生他們辦的「自由中國」什誌，乃是筆者讓給他們的。因最先登記的是筆者而不是胡適先生。大約在三十八年六月底七月初時，筆者任「民族報」（現為聯合報之一）發行人，董事李漢儀先生（現為民族晚報社長）提議辦一新型雜誌，用以聯絡學人與民族報相配合，得董事長王逸芬先生同意後，由筆者與李先生聯名邀請任卓宣，張鐵君，黃紹祖，鄭學稼，林一新，孫陵及易君左諸先生於筆者北投寓所便餐，商討一切。當時假由任先生提議用「自由中國」名稱，並推他及張先生為編輯人，李先生為社長，筆者為發行人，負責辦理登記手續。八月初雷震先生以胡適先生名義，同以「自由中國」名稱向省新聞處登記，知筆者等已登記在先，因其與任先生相識，初函任氏商請讓其登記，任以非實際負責，函復雷先生逕與筆者及李先生商洽，雷乃函請新聞處長吳錫澤先生，轉懇筆者等出讓。吳于八月八日函筆者商談，並出示雷函，筆者商之李先生，時報社同仁有持異議者，不數日吳以雷催促，復又來函懇商，乃決無條件相讓。此「自由中國」雜誌誕生之故事也。

但十年以後又有一個故事。蓋胡適先生于去年十月二十日「自由中國」舉行創刊十週年紀念會時演說中，却說：「為什麼要用『自由中國』這個名稱，因為在當年我們感覺到今後的形勢，將要分成一個自由的中國，一個奴役的中國，所以我們對『自由中國』的名詞不能不注意，所以『自由中國』四字最初恐怕是我們幾個人說出來的。」當時筆者看報，覺得與事實不符，乃函雷先生提出異議。任先生主辦的「政治評論」三卷七期，也有一則「漫談」題為「誰先說出『自由中國』四字」，對于胡先生演說有所辯論。九期更有筆者關于「自由中國」一詞由來的「讀者投書」。然接雷十二月卅一日復函，說在卅八年二月間他們在上海討論辦雜誌時，胡先生就說要用「自由中國」名字，三月間並書有「自由中國」四字作為封面，同月底在台灣開會又擬定「自由中國運動綱領」，並說且有日記證明。這樣，我們就只有一半是對的，一半却是錯了。即「自由中國」這個雜誌是我們先登記的，而「自由中國」這個名詞，應該是胡先生他們先說出來的了。這個故事的結論，在將來「自由中國」的歷史上，似也有它的地位。

最後筆者對于「自由中國」雜誌有個不吉利的迷信感覺。雷先生固因辦「自由中國」，成了中外聞人，然却被捕下獄。而筆者自從想辦「自由中國」雜誌起，也就一直倒霉，命運不佳。在北投開會那天，家裏出了事，接着，因為主筆張鐵君寫新論「非不能也，是不為也！」一文，擁護李宗仁改善士兵待遇主張，當局以其動搖軍心，製造變亂，將其拘捕並查封報社，事後張君遭此打擊即舉家遷港，甚之連筆者這個介紹人，事先也不說一聲。終則，報社負債累累，無法展開，乃不得已無條件將發行人讓出（入謂會出賣登記證得了一筆大錢實不確，因筆者不是文化商人）。最近（雷案以前）更因「自由中國」雜誌，弄得走頭無路。不過希望香港辦「自由中國」的先生們，能夠幸運，有個好的結果，並預祝他們成功。但最好不談政治。

「美國的對華政策」之研究

——從一九四九到六〇年——

新書評介

本書目錄共分五章（從一九四九至一九六〇）：第一章，美國發表「白皮書」以後的對華政策。下分四節。第二章，韓戰發生後的美國對華政策。下分六節。第三章，美共和黨政府上台後的美對華政策，下分五節。第四章，一九五四年下半年後的美對華政策。下分六節。第五章，總結論：美國對華政策中一度出現的另一想法；

看完目錄以後，使我不禁想起對作者的才思非凡，他能夠用幾個簡單的字，把美國的對華政策給顯現出來，彷彿作者現在不是生活在中國，而是美國國務院的一位官員，他也許是與美國國務院很接近吧！

其實不然，本書作者宋文明先生不僅生活在中國，而且是一位道道地地的中國人，他的家在甘肅相當富有，然而他的眼光從少年時代起即輕視財富，用心關注世界問題，及至成年踏入社會，他選擇的不是如何晉升，而是如何替人民講話的新聞工作，在新聞機構裏，他又站在一個報紙喉舌地位的主筆，他前後作過和平日報、掃蕩報、民族報的主筆，現在是台北最大民間報紙「聯合報」的主筆，而他所研究的問題始終是以國際問題為着眼點的。（續完）

現階段日本對華政策探討（十四）

羅堅白

東京通訊

不反共的戰後知識階級一分子　尤其他飛黃騰達自戰後；戰後日本共產主義大流行，反共者被認為舊軍國主義的渣滓；頗似中國人現在若拖着滿清時代的辮髮，在香港大街上走，必被萬衆嗤之以鼻。及朝鮮戰事突起，駐日美佔領軍改取反共政策；一般日本知識階級，却已先入為主，認美軍最初樂觀共產主義之發展是基於良識，嗣後加以彈壓是美國站在自私立場上所需要之策略。而且他們未曾受過共產主義的實害，毋記得過去軍閥與德義訂立三國防共協定，害得舉國家破人亡。池田不過是此種知識階級之一分子。

自民黨的經濟外交傳統　自民黨雖然是一個八九派人同床異夢的黨；但關於外交，却有一個大家都不反對的共通見解，自然形成一種「黨是」。到岸內閣初期，不知何人給取上一個「經濟外交」的名稱，始被公認為該黨暗暗一脈相承的傳統政策。經濟外交是要「外交服務於經濟」；並在國際關係上「求經濟與政治分離」。質言之，無非盼望自由共產兩世界都能諒解日本不得不只求經濟前途之展開，而避免捲入兩個世界對立抗爭的漩渦裏。雖說要堅持「自由陣營一環的立場」，但決不肯叫日本成為自由世界的忠實伙伴。其對共產國家，不僅不敢開罪；假若共產國家肯以重大經濟利益相吸引，足可使其將此「一環」忘諸腦後。對於中共的和平革命攻勢，根本無認識。你假使告知他們如此這般，他們必將懷疑你在替美或台灣宣傳「反共八股」。此項傳統，池田自然也在無意識間，幾乎完全予以接受。

對美協調態度之由來　池田自担任第三次吉田內閣的藏相以來，正值美國為整頓日本財政，派道濟專使來日，揭櫫「緊縮財政九原則」作為整頓軌範。池田協助其實施，曾發揮非凡手腕，博得美國及日本國內兩方稱讚。以後美國財經界中，便有不少名流成為池田的知己。一九五三年秋，他在吉田總裁下任自由黨（自民黨前身之一）政治調查會長時，以吉田個人特使名義赴美，與美方洽談日本獨立後的防衛問題，鋪好日本現有防衛軍備漸增的軌道。其對美協調態度，叫美國對他發生更進一步的信賴感。但美國人似乎未會察覺：他在美軍佔領體制下及講和直後的協調態度完全基於奉行公事，保持飯碗，依賴權力，服從上司，還就格式的官僚習性。其個人不反共的見解，在這等習性前，自然斂藏若無。等於日本人在家穿和服，出門換西裝，絲毫不感着兩種服裝將生活分裂屬於兩個時代的矛盾。（未完）

談「研究補助費」

台北通訊

「國家長期發展科學計劃綱領」，係教育部與中央研究院會同擬訂，並經教育部提出行政院第五九九次會議通過的。當這個綱領公佈後，有些刊物會對它有所批評。查該項發展計劃，係於去年二月間展開實施工作，到現在已有二十個月，其中工作表現，是否盡如人意，此時加以批評，當屬言之過早，不過，該項計劃綱領第四條之規定，在實施上是否有值得改進之處，倒是若干學者所關心的。

按該項綱領第四條之規定：「發展科學專款之用途定為六項」。其中第四項是設置「研究補助費」，補助對象，包括各大專院校之任教人員，各研究機關之研究人員及各大學研究生，以鼓勵其專心致志從事研究工作。這一用意原是很好的。但問題出在申請研究補助人士身上。據我們所知，去年申請研究補助的學人，共有五百多位，經審查結果，補助二百四十人，今年因申請的人多，又增加一百多名額。至台灣各大學教員及各研究機關之研究人員（研究所之研究生暫不計入）究有多少，現尚無法統計，然大約估計，或不少於五千人，以五千人與四百個名額比較，可見仍是僧多粥小，不敷分配，不過國家財力有限，也是無可奈何之事。現在成為社會人士指責的，是同為學人，同樣填表申請，同樣說明一年研究計劃，結果有的准了，有的不准。據熟悉內幕者說，有名氣的學者容易核准，有人事關係者可以核准，有研究計劃與主其事者所素習的有關係也可核准。這些話姑留以待證。

一般社會人士，咸認為申請研究補助費的辦法，應加改正。即申請補助者，可將其發明或著作送請該項專設機構（已成立之國家長期發展科學委員會）審查，如認為有相當價值，即給予較優之稿酬，並代為出版，公之於世，這樣做，比每人補助一千六百元或八百元，更為公平合理。同時亦不失國家獎勵學人專心從事研究之至意。好在中央研究院院長胡適先生曾在立法院聯席會議中表示，這一計劃（指國家長期發展科學計劃）尚在「試驗」階段，並非一成不變，那末，我們就拭目以待其改進吧！

滄公

大陸文壇萬花筒

中共禁止文藝雜誌出口

岳　騫

最近一年來中共對外宣傳方面又有了新的變化，自從去年十一月禁止除人民日報之外所有的報紙出口，一向偏重於文化教育的光明日報從此絕跡於海外。到了今年又陸續把有關文藝方面的雜誌禁止出口，「文藝報」是中共文化界最高指導雜誌，好似報紙裏面的人民日報一樣，在本年六月間停止出口了，接着偏重於哲學歷史的「新建設」，七月份出來最後一期已斷了消息，其餘過去經常看到的文學知識，文學評論，北京文藝，長江文藝，上海文藝，萌芽，天山，人民文學，收穫，在七月份以後，全部在海外絕跡了，最使人莫明其妙的是一種「旅行家」雜誌，原是由以前的「旅行雜誌」改名，內容在報導大陸各地風光，也有一兩篇外國通訊，文字水準都很高，雖然也是宣傳中共的建設，但尚不至部流於八股，使人看了頗起故國之思，假如說中共所有宣傳品稍微能起點宣傳作用的，也只有這本雜誌，中共竟然也禁止出口了，可見中共的宣傳人員，完全換了一批愚蠢的傢伙，不是大陸淪陷前那些搞風搞雨的人了，那批人近十年來大部受到整肅，現在這一批都是較可靠的人，也就是毛澤東所說都是花崗石的頭腦。

中共禁止報紙雜誌出口是恐怕「春光外洩」，因為大陸的事情太見不得人。不過最初禁止出口的報刊偏重於軍事經濟方面，對於文藝到未放在心上，自從去年下半年爆發了馬寅初事件，本年上半年又發生了巴人的人道主義鬥爭，這兩件事對中共的打擊很大，前一個問題證明了中共的經濟政策是一條死路，馬寅初是一位親共的經濟學者，他的文章對中共經濟政策無異判了死刑。至於後者則說明中共教育政策的失敗，經過十年的思想改造，訓練，下一代的青年人還未泯滅人性，仍然崇尚人道主義，而入黨幾十年的巴人及其同黨，也在馬列主義與人道主義之間選擇了後者，這對中共的打擊相當巨大，而這兩個消息洩漏出來，更增加了海外反共人士的信心，中共為了防止以後類似事件傳出來，就把鐵幕又拉緊了。

社會小說
香港地
五、有錢佬

兩人下午出站，是要互相告別的時候了。楊先生還對梅大亮說了幾句笑話道：「我們都是上了年紀的人，從前和太太在路上同行，總是隔得遠遠的，唯恐其不疏，現時青年人剛好和我們相反，男和女都想緊緊地摟在一起似的，不怕衆目睽睽。你知道是什麼原故嗎？」

梅大亮知得他這樣發問，定是有感於他剛才在席上所說的事，一時想不出怎樣回答才好。楊先生已自提出解答道：「你不知道嗎？從前我們做夫妻的，都有信心對自己說出這樣的一句話道：『隔遠一些也好，倒免別人注意，那怕她就此跑了？』現在的人都不是這樣想法呢。他們唯恐相偎得不密，心裏大概是這樣說：『休教他跑了才好！』這樣『稍縱即逝』的恐慌，是我們從前沒有的啊！』

楊先生說到末了，連他自己也笑將起來。梅大亮很佩服他那份輕鬆的心情，一面笑着連說幾個「是」字，一面伸手和他握別。那知楊先生談興猶濃，竟湊嘴到他的耳邊，低聲道：「我還忘記了一句要緊的話。今天我們都混了有錢佬的便宜，說過不少替有錢佬捧場的話。可是，你休要忘記：錢會使本來愚蠢的人變得聰明，也會使本來聰明的人變得愚蠢，那才妙呢！別天有空，我們再談談這個問題，好不好？」說了，拍拍梅大亮的肩膊，才和他握一握手，說聲「再會」，就此揚長去了。

梅大亮看楊先生這個人，眞個有點玩世不恭，忒是有趣，便帶着滿足的心情想道：「今天出行，收穫也不少呢！交上這位朋友，才不致白白被霍新開捉弄一頓，不然的話，便是如入寶山空手回了！」

他一面由太平山下踱到統一碼頭，乘船過九龍，再回木屋區裏去，這正是由最高走到最低的，一小時間環境的變換，使他有無限感慨，也有無窮領悟。當他回到家裏時，他的太太正在做她的例常工作，還未睡去。（六八）

木客著

死

沙漠

我死了，我微笑的死去。靜靜的躺着，在這殘酷的世間，我不會再受到欺凌，侮辱。我死了，對我，這是無比興奮的消息。我不會活着流淚，我不再對任何人忍氣吞聲……。

是的！我死了！我知道自己已不能再呼吸了。四周無比的寧靜，沒有記憶，沒有幸福，沒有悲哀，一切都沒有了。祇有我靜靜的躺着，「多美好的死啊！」我想。如今：我是自己的主人了，任何人也不能左右我，任何人也不能再像我活着時那樣的壓迫我。於是：我要笑，我要大笑，我要狂笑，然而，我聽不到自己的聲音，我只感到自己的嘴巴微微的裂了裂……。

我躺着，遠遠的，遠遠的，我彷彿聽到一陣陣的悲哀的笑泣聲，這聲音越來越近，終於我聽到一個蒼老的男人的聲音哭着說：

「啊！他死了，他是我最好的兒子！啊！嗚嗚！」我聽出這是我父親的聲音。接着我又聽到一個年老的女人的哭泣聲：

「不！他不是你的，他是我最好的兒子！啊！他死的這麼可憐！啊！」我意識到她是我的母親。接着，我聽到一男一女兩個聲音，不約而同的哭着說：

「不！不！他是我最好的弟弟！他知道最愛他的！啊！弟弟：你死的好可憐啊！」我曉得他兩是我的哥哥和姐姐………。然後：我又聽到一個少女輕脆的悲泣聲：

「不！你們都沒有愛過他，只有我是眞正愛他的。啊！愛人！」。我的愛人也來了。接着，我聽一大羣的聲音哭着說：

「他是我們的，他知道只有他的朋友──我們──是最愛他的。」

他們圍繞着我的屍體哭泣着，爭吵着。他們都一致的說我是死的太可憐，說我是個好人，指責別人在我生前虐待了我………。

而我記得，我活着的時候，他們都責備我，侮辱我，他們讓我孤獨的活在貧窮與飢餓裏，爸媽說我沒出息，兄姐嘲笑我不爭氣，愛人諷刺我是壞孩子，朋友們故意的離開我……。而現在我死了，他們却都成爲最愛我的人。

他們爭吵着，哭泣着，互相指責着。我躺着，我要笑，我要大笑，我要狂笑：……。我掙扎着起來了，我大聲的狂喊着：

「爲什麼你們都在我死後愛我了？」

我的聲音驚動了他們，他們一個個都嚇呆了，他們停止了爭吵，哭泣，指責：……，半响，他們才覺醒似喊着：

「不得了！他是鬼啊！他是鬼啊！快跑啊！」。接着，他們一個個沒命的狂跑了。

我睜開微閉的眼睛，看到他們狼狽而跑的情狀，我終於笑了，悽厲的笑了……。然後：我躺下來，靜靜的睡着，睡在死寂的世界上………。四周再也沒有聲音了………。

四九年八月於台北。

青年之聲徵稿

本版特闢「青年之聲」一欄，專載海內外青年學生的文藝作品及其生活動態的報導。歡迎各校同學來稿（勿超過五百字），一經刊載，略致薄酬。請註明年級及學校。

觀音山記行

·台灣省立台北建國中學高三·

王樂同

七月十日，天朗氣清，與同學三人相約赴觀音山遊覽，八時許在台北橋搭公路車，約四十分鐘抵山腳，下車後開始步行上山，山道迤邐蜿蜒，傍山勢彎曲而上，半小時後始見石級，拾級而上，有一小廟，額曰凌雲，內無甚可觀，小坐片刻，乃再循石級上行約二十餘分鐘，遙見一灰色廟宇矗立山腰，寺甚大，遠望宛如圓通寺，於是大家爭先恐後，一鼓氣衝到了廟前，則又爲凌雲寺也。

寺中陳設整潔簡樸，佛堂內供奉著千手觀音及漢陽殉難三烈士，大陸死難同胞靈位，莊嚴肅穆，寺前有石桌，石櫈，供遊客香客休憩之用，憑欄遠眺，平原景緻，一覽無遺。

遊罷，寺後自一方形石門穿入，見有石上刻兩箭頭，一指淡水，一指高峯，我等志在觀海景，遂擇往淡水一途，行不久，遇一老者，衣著襤褸，肩負兩袋麥麩，知其爲本地人，乃與其攀談，一路且談且走，行抵一處，見一副茶具置於方石上，值烈日當空，炎熱難熬，大家遂蜂擁而上，圍坐痛飲，然而四顧無住家，茶水從何而來？正錯愕間，老者始笑曰「此乃老漢爲爬山客準備者，十年來如一日。」我等皆深受感動，稱謝不置。

行行復行行，約一小時，已抵老者住處，土石圍屋，茶樹成林，別有風趣。

稍憩，重上征途，彎入一可通山巔之支徑，坡度甚陡，攀登殊費力，未幾，則一面海之茶樹園在焉。海風習習，淸涼舒暢，偉大壯麗的自然美景，盡呈眼底。藍天碧海交互輝映，白雲輕舒波濤怒捲，岸邊金黃色的沙灘襯着一條條滾滾而來的白浪，輕輕地捲上又逐漸消失，景象至壯且河。淡水河口恰橫陳脚下，微黃的美水在一股迴旋的激蕩中，很快地沒入了浩翰的海洋，偶記起「白日依山盡，黃河入海流，欲窮千里目，更上一層樓」之詩，誠不啻爲此景寫照。

稍事盤桓，見一樵夫荷鋤欲下，蒙指點歸途，乃歸而爲之記。

儒林九尾龜

吳敬鋅

第三回：柳暗花明又一村

李鴻飛一肚子火發不出來，只好掏出二十元付票價。兩人一齊伸手去接，還是卞式人手快，抓了放進袋裏。

這時魏本愚站起來說道：「式人兄，我們還要趕快過海吧！」

卞式人連聲說是，兩人站起來拱拱手，一溜烟走了，李鴻飛瞪着大眼看見魏本愚跑掉，又不能拉住他。

兩人走後，文希孟翻看眉頭問道：「老鄭，你打電話把我約來飲茶，就是爲了替姓卞的推銷門票嗎？」

鄭寶齋嘆口氣道「這件事一言難盡了，因爲魏本愚在外面造謠，說鴻飛兄在你們那邊替他領的稿費，擠電車時擠掉了，他到處以這個題目向人借錢，我早想揭穿他的謊言，苦無機會，恰好他昨天打電話來約我飲茶，我想這回他是自投羅網了，趕快通知你們兩位來，預備當面證實他造謠，以後他就沒有臉來同我們麻煩了，那知帶來這個卞式人，憑空惹出這樣一件意外的事，眞是變成一身蟻了。」

文希孟冷笑一聲：「老兄，這種入場劵我們萬不能代爲推銷，我看十之七八是騙局，這位卞式人在上海時就有個諢號騙死人，誰提到誰怕，試問他從那裏去約什麼電影明星來唱歌。」

鄭寶齋搖搖頭：「此君竟是一個老千，可眞想不到，我過去並不認識他，只是看到他在報紙上所寫的文章，經常唱着冠蓋滿京華，斯人獨憔悴，一付懷才不遇的樣子，頗使人同情，原來竟如此無聊。」

李鴻飛插嘴說道：「此人品行如何我不知道，但是看到他在報紙上的大作，却實在不敢恭維，他每天寫一篇全是抄別人的，一千字中間最多只有二百字是他寫的，八百字是別人的，他先看好一篇文章，摘出其中精采的一段，然後在前面加上一節按言，誇讚這篇文章寫得好，然後一直抄下去，到了最後再加一段評語，希望政府當局，社會人士都留心讀一讀這篇文章，如此便算完篇，這種寫法未免太容易了。」

文希孟笑道：「你還不曉得哩！他那種大作居然還印了單行本，而且還連銷兩版，你說奇怪不奇怪。」

鄭寶齋笑道：「老文，你眞是文化界的包打聽，怎麼這些事我都不曉得。」

文希孟呷了一口茶，說道：「他印書的印刷廠我認識，書名叫做桑田集，共印一千本，知作爲兩版，第一版五百本，第二版也是五百本，一二兩版同時付印，你說算不算一件奇聞。這還不妙，妙在他眞賺了錢。」

鄭將齋搖搖頭：「你這話就離譜了，一千本書全賣完，也不能賺錢呀！」（卅一）

中國當代虛無主義底兩流（三）

──陶一大──

他們都宛若春秋戰國時代的諸子的化身──說得正確些，只是像蘇秦張儀之輩的化身，但又沒有那種政治外交才能，故充其量也不過高等食客之流類──一個從外國留學，學得科學回來，「常只去作宣傳科學的哲學講演，再轉幾轉，便轉到政治上去。至少亦要轉到學校行政上去」（唐君毅先生語）。又如最富代表性的民國十一、二年間的科學玄學之論戰中，强調科學的丁文江先生是如此，大陸淪落前攪改幣制出金元券的翁文灝也是這般，就是當今極其值得敬重的胡適博士，在第二版的韋伯氏最新國際大辭典上，有關人物傳記的部份，在「胡適」那一條下面，也只是說明他是一個中國的外交官。而且人們還特別感佩他會丟下中國哲學史大綱，白話文學史等書不完成，即便棲棲遑遑去辦外交，但亦爲此惋惜。這不過是舉其大要罷了，其餘的還多着呢。這是已經出洋有了大成就的，就是那還在學校裏研究的亦多類是。有一次，一大學哲學研究所的某君（姑隱其名）便和人說：「我那裏會把哲學搞到底，等到我完成學位研究，到外國去一趟，最後還是要搞政治的」。這或許還是上焉者，下焉者則令人噴飯。他們先是拚命地在國內外研究學術，講演學術，儼然學人。如果像這樣長久下去，政府（包括滿淸餘孽、軍閥和國民黨。）還沒有睬他，給他一官半職，他便要高吟「二月黃鸝飛上林，春城紫禁曉陰陰，長樂鐘聲花外盡，龍池柳色雨中深；陽和不散窮途恨，霄漢常懸捧日心，獻賦十年猶未遇，羞將白髮對華簪！」（錢起贈闕下裴舍人），深悲不遇；或是低唱「八月湖水平，涵虛混太淸，氣蒸雲夢澤，波撼岳陽城；欲濟無舟楫，端居耻聖明。坐觀垂釣者，徒有羨魚情！」（孟浩然臨洞庭上張丞相），這麼酸溜溜地吃着醋，乃至罵將起來了。如果政府給他個官兒，乃又不遠千里而來，「有以利吾國」地走馬就任。從此以後，再也不大去摸摸書本，有的便把會議室乃至跳舞廳代替了研究室，實驗室。因此，他們宣傳科學，提倡科學，搞了幾十年，我們中國還不能成就眞正的科學。也許有人要說，中國不能眞正地成就科學的原因並不在此，而在於儀器設備不夠，和政府的不注重科學。其實這根本不成理由，因爲在GALILEO乃至NEWTON時代，比我國當代的儀器設備還差。

釋耒集

語言文字之禍

六藝出於詩教，詩教之本在溫柔敦厚，故敦詩則說禮，先王化民成俗，胥在於是。然王者之跡熄而詩亡，詩亡，則其教絕，詩教絕而訛言作，所謂「言之者無罪，聞之者足以戒」云者，自此永為陳迹，而秦皇愚黔首，遂不得不燔滅文章，坑殺儒士。漢廷雖較秦開明，而蓋寬饒竟以妖言獲罪受誅，天下冤之。考之周禮八刑，言雖居其一，而妖言者死，實起于秦漢，後世以言語被罪者，史不絕書，至明成祖，遂有東西廠，專責伺察妖言，所謂「朝廷不以言語罪人」之說，乃終不免託于空言。清人入主中夏，對漢人極意防猜，以文字末節羅織成獄，誅戮之慘，尤史無前例，或曰：東胡非我族類，不宜一概而論。較近民權發達，咸以為言論自由，為人類神聖之權利，故新聞記者，遂號稱無冕之王，康梁變法失敗，扼於西后，及亡命日本，乃利用報紙醜詆那拉氏。民國肇興，所有報章，大率均政爭之工具，故名記者，往往為爭權之實力派所忿嫉，以是黃遠庸、林白水、邵飄萍、史量才之倫，不死於公開之槍斃，則死於暗昧之狙擊，及中共得志，原日之新聞記者，強半為所殺害，其事實頗同于坑儒，而酷烈過之。昔王安石，譏春秋為斷爛朝報，若春秋果有似于報，則孔子實為最先之主筆，今讀班氏藝文誌，敘錄春秋之言曰：「春秋所貶損大人，當世君臣，有權威勢力，其事實皆形於傳，是以隱其書而不宣，所以免時難也」以孔子之聖，作春秋為後王制法，猶且不敢放言高論，「以免時難」，則春秋猶有遺意也。後世文人，以意氣自矜尚，有時忿嫉之言，固足以稱快于世俗，如陳孔璋之詆曹操，駱賓王之罵武后，然亦於事實無補，等而下之，又不足深論矣。近聞台灣當局，以自由中國半月刊發行人雷震，其言論為共黨張目，判處有期徒刑十年，民國以來，報人以語言文字賈禍，受徒刑之處分，或當自雷始，時人對此，間有深不以政府為然者，而雷之好為激論，不能曲諒政府處境之艱難，而訛言聳聽，藉以爭取人心，為其組織反對黨之張本，今非堯舜之世，則其必至於召禍，不待蓍龜矣。余按宋史載：孝宗時，溫州人倡言方臘之亂且復起，某官論之曰：「罪之則無可坐，縱之則惑民，」編隸其為首者而驅其徒出境，民言乃止」。因曰：「所以撫定其民，此之謂繩之以法」，蓋不靜則昏，昏則其法紊，靜則明，明則其法平，未有不鎮以靜，而能繩之以法者，抑又聞之，妖則有形，訛則有聲，妖訛相仍，姦究其興……是以君子不恃法，而修德，存之誠，行之信，誠信立，妖訛息，彼造言者，何恃而為亂哉。」若此之言，又當局所宜深思者也。

曲齋

國大會議紀事詞

蝶戀花

蘭臺侍者

序曰：國大會議於三月廿三日投票選舉正副總統之後，任務殆已完畢，無所事事矣。然預定會期為四旬，必須有以排遣之，如是，按日仍舉行大會，討論各種提案，問題多如牛毛，內容應有盡有，大而反共抗俄，小而台北市街陰溝之修築方法，莫不具備，會議時大家認眞辯論，毫不含糊，一若議案通過即可付諸實施者。實則國大代表之身價，於投票選舉總統前後，迥然有別，政府對於選舉後之國大會議一切提案，業已視若具文，不屑一顧也。皖省代表湯志光目睹同人熱烈辯論提案情形，喟然揚言於衆曰：「昨日代表至上，今朝代表至卡，何必枉費唇舌，多說廢話呢？」蓋以大會雖未閉幕，然總統既經選出，國大代表之評價即非至上，實已降至不上不下之「卡」字程度，尙何權威可逞哉！其言譏而虐，亦係寫實語，未可厚非也。

花事闌姍春色暮，走馬王孫，枉把殘紅護；無限綺思關不住，多情自作憑誰訴？

昨日方新今已故，一片芳菲，過眼成煙霧。君莫怨春歸急遽，人生本是如朝露！

河南梆子

與父

編者按：與父先生這篇文章，如果放在第二版作台灣通訊也未嘗不可。但為了文中所談的還有些涉及河南梆子的掌故，所以我們特地放在本版發表。目前台灣也有梆子戲上演，但與父先生指出：「美中不足的，缺乏經濟力的培植，缺少有血有肉有靈魂的新戲。」因此，作者主張「有錢的拿錢出來，會寫劇本的先生們拿出劇本來，把河南梆子好好整頓一下。」這一意見，是值得有關方面注意的。

民國三十年前後，可稱為河南梆子戲的鼎盛時期，尤其在隴海路上，洛陽、西安、寶雞等地，到處有河南梆子戲，他們多是積年累月連續的演下去，黃河流域的老鄉們，也積年累月的連續看下去，眞過癮，眞夠勁！

抗戰勝利後，在蘇州、開封，以及平漢路由鄭州至駐馬店之間各縣，也是到處都有河南梆子戲院，夜夜笙歌，堪稱熱鬧。

梆子戲的最大優點是通俗，吐字比較清楚，很容易為羣衆接受，北方各省，如河南、河北、山西、陝西、山東、安徽、湖北等省，與江蘇及甘肅部份地區，對梆子戲也特別歡迎。

梆子戲，多稱為「河南梆子」，簡稱為「豫劇」，普通說它是「河南戲」，事實上，稱河南梆子比較妥當；因為河南戲除了梆子戲以外，還有曲子戲、高梆等，越調，墜子、越調又稱為四股絃，四股絃與梆子戲的受人重視與愛好，無分軒輊；墜子是說書人的演習，有時一人即可，二三人者也很普遍；除此之外，最早還有二架絃，現在三十左右的河南人，聽到這種戲的恐怕不太多了；梆子戲祇是豫劇裏面的一種，如果說梆子戲就是河南戲，那是因為在台灣還沒有別的河南戲露演，似乎也未嘗不可。

抗戰時期，演梆子戲比較有名的為陳素眞，常香玉，還有分佈各地的所謂「十六蘭」，現在空軍業餘豫劇團的毛蘭花女士，就是十六蘭中的一蘭；編排新戲比較多的，為樊粹庭氏所領導的「獅吼劇團」，在西北各地，倍受歡迎，川陝各報紙，時有讚譽，當時的河南梆子，對民心士氣，確有鼓舞影響之處。

現在台灣的梆子戲，有時可以看得到的，為空軍業餘豫劇團，以及海軍陸戰隊的飛馬豫劇團，先前，黃河流域一帶的老鄉們，以久違鄉音的關係，曾「捧」了一陣，經過時間的考驗，覺得不過就是那麼一套，尤其很多戲太不近情理，很多戲過於陳舊，值得一看的，實在微乎其微；在這裏頭要補充說明的一點，筆者所說的祇是戲，至於演唱的人，如毛蘭花，張岫雲女士，以及各劇團的所有演員，他們的演技，唱腔與熱情等，還是值得鼓掌叫好的。

除此兩個劇團以外，聯勤某廠還有個四四豫劇團，陸軍黃龍部隊還有個虎賁豫劇團，河南同鄉們，還準備組織一個豫劇改進促成會等等，河南梆子在台灣，委實還是不錯。

前些日子，張岫雲女士所參加的「飛馬」，曾在桃園新竹等地上演，新訓練了十幾位小朋友，據聞還不錯，聽說名武生李琦女士，費了不少心血，可欽可佩！毛蘭花女士所參加的「業餘」，曾在台北紅樓劇場上演，與其所組成的豫劇訓練班合演，表現得很夠味，這十幾位小朋友，是當年在河南鼎鼎大名的「老少迷」——周清華君的辛勞所得，良師手下出高徒，有厚望焉！

四四豫劇團，也確定招收新生了，少不了周清華君又得多收個弟子，這眞是梆子迷的好消息。

虎賁豫劇團，也正在加強中，據聞張岫雲女士主演之「凱歌歸」編導人王某某君，應「虎賁」之請，曾為之編排「花燭」佳劇，劇情曲折，內容充實，較「凱」劇為佳，正在加緊排練。

從各方面看，河南梆子戲是有其前途的，缺少經濟力的扶植，缺少有血、有肉、有靈魂、有意識的新戲上演，如果可能的話，有錢的拿錢出來，會寫劇本的先生們拿出劇本來，把河南梆子好好整理一下，對國家有益，對社會有益，再說得現實一點，也就是把它當作[illegible]，不然的話，再等幾年，在梆子戲上演的戲院門口，就可以捉麻雀燒肉吃了。

說「笑」(三)

謝康

關於解釋笑的心理，各派學說相當紛岐，此處礙難遍舉了。至於生理方面的解釋，大概可以說：笑是有拘學性的一種動作，特別是面部（口部）的張弛，肩部的伸縮，呼吸方面和發音器官的動作。至於強烈的狂笑，可能影響到身軀，四肢腹部以及全身。俗語所謂「笑破肚皮」，「笑死老牛皋」，「笑死人了」都是指生理方面的影響而言的。笑之時，雖突如其來，但各種有關的動作，亦可分為兩個階段：第一階段是口部張開，肩部抬高，胸部擴張，裝滿了空氣，第二階段，是肩部縮低下來，胸部的空氣排了出去，然後纔透一口氣。同樣情形，當我們感覺驚訝受一些不平衡的刺激而發笑時，我們的胸部和肩部，也似乎在表面上受一種威脅而瞬即歸於消失，好像電光一閃，很輕快的也就過去了。笑就是這麼樣奇特而微妙的東西，尤其是肩部的一高一低，可能重複若干次之多。為什麼老是抬高肩膊呢？普通人每一次當應付一個艱難的動作時，胸部先充滿空氣，同時抬高肩膊，使兩臂的筋肉得着有力的支柱，於是肩部堅挺，屏氣不息，作為準備舉重的樣子，等候動作完成。

麥克．吐溫說過一個故事：「我們是兩個孿生的兄弟，形貌十分相像，我們曾經一同出浴，當其中的一個人浸在浴盆中時，我不能分辨到底是我的哥哥還是我！」這個不能分辨誰是自己的人，其言語動作是笨拙而可笑的，這些話似乎令人驚訝，也感覺得不尋常，所以成為笑料。而麥克吐溫之所以成為幽默大師，也可於此窺見一斑。（未完）

海濱消暑錄

林靜宜平安歸來

徐學慧

在審美觀念上，西方與東方是截然不同的。「中國小姐」林靜宜小姐近自美國參加世界小姐競選歸來，對記者發表談話說：「東方的含蓄美，不為西方所尚」。此語容或有其道理，但能夠發表這種談話的人，其本身卻也未必含蓄呢！

林小姐又指出：下次如果有人參加競選，最好是穿中國的古裝，因為旗袍所占的面積太小，不易引人注意。

這可說是林小姐的創見。不過，這只能代表一個女孩子的意見。

服裝與時代，環境，習俗有關。一切制度文物的演進，必有其時代與環境的關係，今古不同，原是很自然的。林小姐還是個女孩子，她當然未必瞭解這中間的道理，本文所論，也不過是藉此而發，絕無意與林小姐來討論古裝與時裝。穿古裝去參加現代的世界小姐競選，則今日的平劇界花旦當大有資格。問題卻在，這樣的打扮，已不是現實世界中的人物，因此，穿古裝競選，也不管是人鬼同台。那纔是個大笑話呢！

由美國主辦的世界小姐競選，本來就是一個商業宣傳的玩意，不值得加以重視的。幸而我們的林靜宜小姐落選歸來，否則，一「冠」在頭，（皇冠之冠也）一紙拍片合同在手，怕也就不會回來了。

以我們中國目下的境況，此類有閒階級的玩意兒，還是可免則免罷。前些時，為了選拔中國小姐，不知費了多少曲折，甚至還有許多人批評林小姐並不眞美。我們身處海外，對此不能置評，但即使是天姿國色，又將怎樣呢？撈到一個世界小姐，對中國又有什麼光榮呢？

一切現代的選美，皆為商業宣傳再加上色情玩意，美國長堤，絕無例外。派一個小姐去參加競選，與國民外交全無關係，國民外交也不是用這種方式可以增進的。

現在，林靜宜小姐，我們的國花，總算是平安歸來了。在我們看來，落選而平安歸來，比較當選而從此過着波浪滔天的生活，實在要幸福得多了。當然，林小姐大概不會是這麼想，她可能會想到長堤的風光，可能會想到耀目的世界小姐皇冠，可能會想到明星拍片的光采，可能會想到飛上枝頭變鳳凰。

一個女孩子，能夠平平靜靜地過日子，就是最幸福的了。波浪滔天的生活，對於一個女孩子，並不相宜。不論東方與西方，這畢竟是一個男性中心的社會呢！

徵稿小啟

有內容有意義之隨筆、雜感、散文、掌故、小說等類稿件，本刊均所歡迎。請用有格稿紙繕寫，如需退還，請附信封郵票。文長以一千六百字為限，過長者本刊有刪改權，如不願刪改，請特別註明為感。

自由報
THE FREE NEWS
第七十一期
中華民國僑務委員會頒發台僑新字第三二三號登記證
中華郵政台字第一二八二號執照登記爲第一類新聞紙類
（半週刊每星期三、六出版）
每份港幣壹角
台灣零售價新台幣貳元
社長：雷嘯岑
督印人：黃行富
社址：香港銅鑼灣高士威道二十號四樓
20 CAUSEWAY RD. 3RD FL HONG KONG
TEL. 771726　電報掛號 7191
承印者：田風印刷廠
地址：香港灣仔高士打道二二一號
台灣分社
台北市西寧南路壹壹壹號二樓
電話：三〇三四六
台郵撥儲金戶九二五二

瞻望寮局

戈止

編者按：寮國局勢自康勒上尉發動政變以來，已日趨惡化。世界人士之注意力，則正集中在三個地區，一爲非洲之剛果，一爲美洲之古巴，另一則爲亞洲之寮國。此一東南亞小王國之神秘內幕，一向鮮爲外界所知，自政變發生迄今，各方面對該地區之報導與評論，多屬隔靴搔癢之談，混亂而矛盾，莫衷一是。本報特請戈止先生就寮局瞻望爲題，作極深入而詳盡之分析。戈止先生爲名政論家，對英、德、法文之造詣極深，又爲名小說家，散文家，文藝理論批評家，先生近數年來，旅行東南亞各地，本其親身體驗，發而爲文，自較一般臆測文字深入警策。惟以作者堅囑勿予披露眞實姓名，本報自當尊重作者意旨，謹此說明，敬請讀者細讀本文。

雨季將過，湄公河已漲至最高潮，狂流挾着枯樹滾滾南去，秀錦河邊道上的行人，正閒指着急流捲去，隨波翻轉的茅屋，他們不知道他們的國家也正和那茅屋一樣，將爲一股來自北方的狂流所淹沒。

寮國這個人口不滿二百萬的落後國家是決沒有抵抗共黨侵略的能力的。近年以來，美國曾苦心孤詣地在那裏爲寮國訓練着一支二萬五千名的地面部隊，目的在於用來鎮壓國內的叛亂和應付來自越盟那邊的少量的驅援部隊。至於稍大規模的戰事呢，那就沒有答案了。東南亞公約是一個稻草人，嚇得了鳥雀，但決嚇不了共產黨。寮國也是公約指定的保護區域之一，但得在寮國政府正式請求援助的時候，公約國才有採取行動的可能。而公約國又能採取怎樣行動呢？依照公約的規定，它們將集議，以後將按照各國憲法規定行事，也就是說，不像北大西洋公約一樣，那會員國被侵即等於全體會員國被侵，有關政府無須等候國會通過，立即自動進入戰爭狀態。公約國也許會訴之於聯合國，也許會召開某一種形式的國際會議，但決不會出之於軍事抵抗，而軍事抵抗卻是唯一的可以保持或恢復寮國獨立的方式。

軍事抵抗的局面之不能出現是顯而易見的。抵抗的力量必須來自幾個西方的會員國，法國，英國和美國。印度支那已經成爲法國的一場噩夢，法國在這方面的勢力已經消失殆盡，創鉅痛深，即有餘力，也不會再來的了。英國呢，這裏不是蘇彝士運河，干它底事。一九五四年奠邊府危急之際，英國不是連以新加坡爲軍事基地這一要求，也未肯答應？至於美國，也已有一九五四年華盛頓對越戰的政策可以參照。六年以前，尚在談解放政策的美國尚且不願「單獨行動」，今天的美國怕是更不願單獨行動了。就算美國忽然願意「單獨行動」，不顧英法的阻撓，結果又會是怎樣呢？這決不是一個寮國內部的戰爭，也不只是一個對寮共加上越盟的戰爭，而是和韓戰一樣，是一個對中共的戰爭。對中共的戰爭也仍然可以取勝；問題是，一個以中共爲對手的戰爭，卻是不敢損及中共本土的毫末，因而使敵方享有無窮的戰略深度。一個享有無窮的，而又可以不受侵擾的戰略深度的敵人是不可能被擊敗的。那末，就算美國以至東南亞公約國願意在寮國的蠻煙瘴霧之區和共黨相週旋，也不可能出得一個有利的結果來。

情勢如此，因之一部份寮國的政客之覺得寮國最好還是中立，並未可厚非。寮國人可以坦白地對西方的政治家說，你們要我們親西方，很好，我們就親西方。但我們要問一句，當共黨向我們進攻時，你們會來保護我們嗎？你們誰個肯和我們簽一紙共同安全協定嗎？你們不肯，那麼我還是中立的好。西方的政治家該怎麼說？這恐怕就是爲什麼本年五月間諾沙旺將軍所領導的「國家權益委員會」大選勝利之後，不敢組織一個十足親西方內閣的理由；這恐怕也就是爲什麼本年一月間親西方的少壯派軍人倒了傅伊內閣之後，不敢組成一個全親西方內閣的理由。原來西方國家在寮國的政策，恐怕也就只是希望它能夠維持一個把寮共排除在外的中立政府。

可是這種想苟安下去的政策到底是抵抗不了共黨的有恃無恐的積極政策的。雙方的政策有一個極爲顯著的差別：在西方是想迴避戰爭，在共黨是不怕戰爭。因之，在西方是拖延的守勢，在共黨是主動的攻勢。

依當前的情勢看，共黨方面倒也還不想一口把整個寮國吞下去。他們也無須那樣做，那是會觸怒世界的輿論和嚇走若干依違兩大之間的小國的。他們祇須在永珍安置上一個標榜中立而實際親共的所謂「聯合政府」，也便可以打開囊括整個中南半島之路。寮國對共黨的價值也就只是南侵的通路的價值。

針對這樣的不利的形勢，在這個區域裡的休戚與共的反共國家們還有什麼可以爲力的地方沒有呢？

困難誠然是困難，辦法卻還不是沒有，問題在於有關的國家有沒有決心，有了決心，則加上一點兒想像力就行。

寮國的問題是中共攪出來的，這不須細說。滲入在越盟裡和寮共裡的中共，既然膚色，服裝甚至語言都無從分辨，也就不能估計其數目。只有西方的政府爲了迴避責任起見，才在那裡找尋中共或越盟滲入寮共的證據。除了部隊之外，寮國的後方也正散佈着無數的中共工作人員和爲共黨所利用的華僑商人。本年五月間被拘的寮共領袖等（包括蘇發那方親王在內）之能夠集體揚長而逃，據說就是華僑用錢收買衛兵的結果。利用康勒上尉發動政變的，筆者也想不出除了中共的工作人員之外還有誰。康勒所採的步驟和所提的條件，完全像一個熟讀毛澤東著作者之所爲，而康勒卻是不懂一個中國字的。

對付中共，那些和善而樸素的寮國人是不夠的。懂得對付中共的，恐怕還只有反共的中國人，而要對付中共所策劃指揮的武裝，恐怕也只有求之於反共的中國武裝了。明明白白地說，要挽救寮國的危局，恐怕得求之於東南亞公約以外的國家，中華民國。

這聽來似乎有點怪誕，因之需要一點兒想像力。只有中華民國的武裝才最懂得共黨的作戰技倆，也才能把中共潛伏在寮國內部的顛覆份子辨認出來，清除出去。中共在韓戰中可以有志願軍，寮國的反共政府爲什麼不可以有志願軍？這些志願軍無須乎東南亞公約國家負責，甚至於無須華盛頓負法理上的責。共產黨自然將破口大罵，但讓他們對台灣海峽的風浪大罵好了。這可能是一種綿長的戰鬥，也可能促成一種國際會議，但寮國至少是可以不落入共黨之手了。這種志願軍並且可以是國際性的，菲籍、南越籍和泰籍的志願軍都可以參加，但骨幹必須是來自中華民國。這裏面自然有一個最主要的問題：西方國家特別是美國必須確立一種不怕戰的政策。不爲來自莫斯科的核子戰爭的威脅所嚇倒。共黨國家和親共的所謂中立國家可能噪鬧一頓，但它們將不能掩蓋一個事實：戰爭在寮國的境內進行，是共黨侵入到寮國境內來進行戰爭。

此外還有一個已不大受外界注意的事實。在寮國西北部，連接緬境，還有着一批枕戈待旦的反共志士，只須把這批志士編整一下，給以使命，恐怕也就夠把所謂巴特寮者掃蕩以盡了。

反共國家的政治家們必須有決心，再加上一點兒想像力。

小論天下

△美國兩黨競選總統涉及中國金馬防守問題，引起中美朝野輿論激辯，因民主黨的肯尼第業已改變論調，爭辯告一段落。在許多抗議中還未有人提到：肯尼第此種主張，不只幫毛澤東鋪平進攻台灣之路，也幫毛澤東重新穩定其搖搖而失盡民心的政權。試想：當大陸幾億中國人看到毛澤東昂然進軍金馬，而這邊卻是拱手奉讓之時，他們除了說一句「完了」，還能對自由世界希望些什麼？

△美國現任紐約州長共和黨大亨之一的洛克菲勒聲稱：「如中共肯釋美俘，乃可以談金馬撤防」。此人的算盤似乎打得很精，不妨割友邦寶貴的土地，換回自己的殘俘，卻不道這是給共產黨以「啓示」，叫他們越法努力以「綁票」爲政策。假如共黨國家設法弄到一千條美國「肉票」在手上，怕美國人不想辦法把整個自由世界（包括美國本土）都自動制獻一光？

△美國助理國務卿柏森斯黯然結束寮國的訪問，據說沒有甚麼良好對策。新任蘇俄大使含笑進入永珍，接受隆重歡迎。就在西方國家嘲笑赫魯曉夫在聯合國失敗之時，他卻在寮國勝利了。

△日本左翼份子爲淺沼事件在東京市區遊行的示威隊伍，警察制止無效，被由酒吧衝出的一羣醉漢以蛇舞及酒罇衝散。深懂「以兒戲搞政治」之三昧，醉云乎哉？

△中共宣傳貸款北韓之後，赫魯曉夫中止對北韓的訪問。西方觀察家又說，這是中俄共在北韓醞釀新鬥爭。照我們所知，中共的錢原就是蘇俄的錢，而蘇俄的錢卻決不就是中共的錢。中共如能一反常例，「以窮敵富，以奴反主」，那倒是一宗好事。

△古巴卡斯特羅政權又槍決兩名美國人。美對古巴禁運將在本週作最後決定。這兩個受死刑的美國人和幾個在中國受囚禁的俘虜，其生命價值該作何等比較？

△英國「經濟學人報」評述：中共農產歉收，等如一次災難。任何國家的歉收都是一種災難，中共特別在以種種方法將人禍天災連合而成爲「死結」。

方南

自由談

談「黨友運動」

馮之先生

吾國執政黨最近提倡所謂「黨友運動」，這名詞很新鮮，可入「世說新語」之列。

一般的政黨組織，都是有排他性的，革命黨派的排他性尤其強烈，這是必然現象，無論中外古今，其揆一也。朋友與同志之間的關係，自有親疏厚薄之分，所謂「黨友」也者，亦與「友黨」有別，即是憑着個人的感情作用，對社會上的一般黨外人士，加以聯繫游說，使其同情本黨的政策和行爲而已。至於已經有了黨派組織的人，這「黨友運動」就用不着，因爲私人關係不能違背本黨的政治立場和主張，儘管是父子兄弟姊妹之親，如其黨派立場各異，臨時依然各行其是，不相爲謀的。

因此，「黨友運動」的號召雖然美麗動聽，實行起來也不致發生與預期相反的後果，但其眞正效用究有若干，我認爲是一種玄妙的未知數。行有不慊於心，則反求諸已，與其向外面爭取黨友，不如對內部團結黨員；與其對朋友表示聯絡拉攏的妥協態度，不如對同志實行親愛精誠的民主生活。

任何一種政黨，一朝執政即有變質退化的趨勢，執政的時間若長久，由退化而腐化的可能性亦忒大，必須遵循黨內民主的原則，身體力行，互相批評檢討，去腐生新，纔可以維持其原有的朝氣於不墜。假使內部派系林立，充滿着圈子主義，大多數黨員都形成了「門神式」的地位，離心傾向暗長潛滋，那末「黨友」雖多，亦奚以爲乎？

第一手的政情報導

東南亞旅行記

剛宏

本報特稿

多少年來，全世界都關懷着東亞各國，究竟民主制度能夠在東亞各國成功與否。儘管若干國家，情形未可樂觀，但是變化很大，昨天的情形，可能明天便變了，記者以半年的時間考察了十幾個東亞各國，草成本文，也許是最新而可靠的政情報導。

民主政治，也許還算印度第一，我曾幾次到印度國會旁聽，越看越感到滿意。印度的國會分爲上下兩院。兩院討論的議案，有時重複——例如中共侵入的問題。除了例假和週末之外，每天規定有一小時的質詢，鐵定在十一時至十二時。所有質詢案件，都要頭一天提出，排表印出，分送各議員及記者。多半屬於例行公事，也有有關外交等等問題。所有質詢者，都事先編號，誰提出的？質詢內容與及質詢的單位。主席按次提出，按次解答說明。有的很簡單，幾句話便說明了，有的卻很詳盡。都由主管部次長親自解答。議員們可以補充質問。一直到滿意爲止。然後再由主席提出下一問題。負責解答的部次長，是夠緊張的。部員準備的資料，也許不夠應付臨時的詢問，所以非得事先好好準備不行。部長們也不必全部時間都坐在議會裏，只要輪到解答時到場即行。可是質詢並不按照性質分類，而是照提案人送出質詢案的先後排列的，因此可能某一部佔了頭尾兩案，而當中卻由另一部解答，這一點或者可以改良。上下兩院的質詢時間，是相同的。雖然兩院都在一所大樓之內，可是部長得來回親自出席。由這一點，可以看出來，民主國家的主人是議會，而部長們不過是執行官罷了。

尼赫魯身兼總理及外交部，常常叫次長代表答覆（次長常常爲女性），他自己卻也在場。必要時他自己也說明。我便親眼看見過他夾着公事包在上下兩院之間來回跑着。

十二點以後，議會開始自己內部的工作，尼赫魯和部長也多半在場不去，每一議員不必上發言台，就在座位上發言。台上有許多播音機，在場的人都可以聽得到，因此議員們也不敢任意亂說。他們辯論的水準很高。譬如中共侵入印度一案，幾位議員的質詢和尼赫魯的說明，幾次問答之後，全案便完全清楚。

印度的報紙辦得很好，第二天便將議會情形，詳細報導出來，誰發言，以後說的甚麼，都摘要描敘。因此議會的辯論，便不能隨便亂說。同時報章上也常有議會的專題社論，因此印度的議會，便不能成爲一個戲院而能成爲眞正的民主制度的心臟。這在一個歐洲記者的身份看來，在這東亞熱帶地區，這樣窮苦而又有許多文盲的國度裏，居然有英國風度的民主制度，簡直比若干歐洲國家還要好，不能不說是一個奇跡，更不能不讚美英國人培育之功！

像印度這種優良民主制度，不但是中央，便在省級裏，也是同樣的好。例如在克芮拉省，我親身看見選舉的一幕。那一省原來由共產黨執政了幾年。而這一次的選舉，其秩序之好，效率之高，多數的人，摒棄了共產黨。證明了民主制度一定可以打倒共產黨。

印度的鄰邦，希馬拉雅山國尼泊爾，同樣是一個窮國。而且幾乎全部都是文盲，在七十五年前，還是一個奴隸國家。到今天，國民的生活，還仍然停留在原始時代。卻在去年，也辦了普選，結果卻很順利，由尼泊爾國民黨以多數當選。黨魁是一個非常聰明能幹的政治家，名叫柯若那 Koiala，如果能不遭受中共的侵襲，很可能尼泊爾很順利地建立起民主制度。

東亞還有兩個國家，巴基斯坦和緬甸，過去兩年政治不良，常常令人對於東方民主制度發生懷疑的，這兩國都在一九五八年秋天發生政變，由軍人執政。巴國是阿育白汗將軍 ayub Khan，緬甸是尼文將軍 Ne Win。阿育白汗並非野心的軍事獨裁者，是一個能幹的軍官。他看見巴國政治鬧得一塌糊塗，這才奪取了政權，希望能在幾年之內努力建設，同時建立秩序，進而奠定民主的基礎。他自己像一位嚴師一樣，監督學生們聽話。同時學生也組織學生會，可是限制了他們的權力，讓他們認識責任，養成負責制度。緬甸的情形，和巴基斯坦又有不同，那是軍人攬權，不過其目的也在監督着公平而自由的選舉，一待眞正的民意代表選出之後，他也準備將政權交還給文官的。

另外一個特別形態的政治制度是印尼，蘇卡諾近年以來創造了一種指導民主。他取消了國會，取消了多數表決制度，而是由他任命一個什麼會議 gremium 去代替國會。他自認代表大多數民衆的意見，可是並無根據，要刺殺他的人，越來越多，他會不會垮台，要看軍隊是否支持他。目前似乎軍隊還支持他，以後有沒有變動，都值得懷疑。許多軍官心裏不願意內戰，更不願意只顧到爪哇一島，摒其他各島的命運於不顧，所以印尼的政治形態，到今天可以說還未定，共產黨的活動，也沒有前幾年兇狠，全國的軍隊，壓制了共產黨的活動，反共的國民更對中共沒有好感。（十月二日寄自印度加爾各答）

從僑生蔡德光自殺說起

（台北通訊）據此間的聯合報載：新加坡僑生蔡德光，於上月二十二日在花蓮一旅社中服毒，旋就治於省立花蓮醫院，竟返生無術而告死亡。死者沒有遺書說明自殺原因，但據警方根據現場遺物推測，可能係殉情而死。至現場的遺物很簡單，有一隻旅行袋，裡面放了幾件衣服，還有現款一百廿七元五角。值得注意的遺物有兩件，一件是一只長約三尺的白色枕頭套，兩端用藍線各繡一字，一端是「奇」，一端是「緣」，合成「奇緣」二字，死者服毒後，緊緊地抱着這只枕頭套不放，顯示這枕頭套，對於他的自殺，或有相當關係。另一件是一把紙扇，上面有鉛筆寫的「黃麗娟」三字，是女孩子的筆跡。又據報載：死者蔡德光，現年二十二歲，祖籍廣東潮安，係四十五年底隻身來台升學，已在華僑板橋中學畢業。據該校說：今年暑期他又考取政治大學。蔡德光的父母均在新加坡，台灣沒有親屬等語。

我們讀了這條消息，除表示哀悼惋惜外，對於死者實不願再說什麼話。不過我們認爲一個青年遠從海外回國升學，好容易高中畢業，又好容易考入大學，今一旦自殺殞命，其家人之悲痛是可以想見的。

在此，我願略述個人感想與建議。即自民國四十年起，海外僑生回國升學，逐年增加，由最初數十人現已增至萬人，這不能不歸功於爭取僑生政策的成功。可是我們對於僑生處處表示優待，事事遷就，無形中養成一種放任態度。據我們所知，僑生中，刻苦力學的固多，而逾蕩成性，束書不讀者，亦不能說沒有。鑒於蔡德光這一慘案的教訓，我們認爲有關當局今後對於僑生不能太過姑息了，換句話說，也就是要忠告僑生：回國求學是爲的進德修業，決不是回國來找對象。而且，僑生迢迢千里回國深造，其目的與抱負當然不在戀愛。因此，我更希望各大專導師先生們，對於僑生輔導，應多致力，青年是可愛的，死者是無辜的，蔡德光的慘案不可重演。（行素寄自台北）

現階段日本對華政策探討（十五）

羅堅白

東京通訊

將如何滿足交際花姨太太的經濟要求　然池田自初入仕途作稅吏起，一直生活於日本財經兩界天地中，知道日本經濟的對美依存性，至爲透澈。這是他抱有意向倒向自由世界一邊的唯一根源；但是這個根源，須要不斷加以培養，否則將立見其枯竭。由上述不反共的本質，加以經濟外交傳統，池田內閣對於美國的外交，將不免以儘量索取友好協調的價錢爲基調。很像交際花女人，對於愛她的男友，極力避免變爲糟糠之妻。此次日方主動改訂保安條約，雖然類似交際花有意與同居男友確定夫妾關係；然她只係想叫同居丈夫安心於此關係，以爲此後當大有異於路柳墻花，不至隨便遭人採折，而放任她以淑女姿態攀交其他男友。她的理想，務使同居丈夫常自警惕：有人在與競爭愛情，以期不斷得進一步的恩寵報效。最好能公然獲得同居丈夫及男友互相比賽報效。尼赫魯治下的印度，納薩治下的埃及，蘇嘉諾治下的印尼，俱能獲得美俄兩方的經濟援助；乃日本所最羨慕而想效法者。當然，日本今日在經濟上已自顧可廁身於大國之列，不好意思要求他國的經濟援助。但是使它的商品無限制向美國輸出，與夫在它所要開發的東南亞地區，由美國出資本，憑它去設計指導開發；這等類的經濟要求，是沒有止境的。所以美國將如何付出由日本所得友好協調的價錢，以保持並發展池田所抱倒向自由世界的意向，這是美國須要費盡心思去研討的課題。

自由中國應否過問日本的對華政策

自由中國現在對日本似乎是以無策爲上策；似乎深信日本不至逸脫美國所劃給它的範圍，以爲我們何必多管。至於美國是否眞能範圍日本？萬一美國觀察判斷錯誤，我們要不要分食其惡果？似乎提出這種疑問，都是多餘。究竟是否應該採取如此上策？見仁見智，各有千秋；筆者不欲枉費其辭。但筆者只想籲請我們的當局牢記着一件事，就是艾森豪總統受邀訪日本被擋駕，美國朝野始大吃一驚；豈知那是美國自佔領日本以來自種其因，十幾年後始爽然於不得不自食其果；證明美國十幾年來對於日本的觀察與判斷都不可靠。吉田池田，美國人似乎多認爲是澈底親美的難師難弟，我們的當局或依然會追隨着這個見解。筆者自更不欲妄肆批評。不過回憶一九五八年冬天，池田偶被周圍某智囊所提示的美國法學家色利格曼所作「限定承認中共論」的小冊，遽自判斷美國即將承認中共，因而與樹村三木等加强團結，公然喊出倒岸的口號來。池田這種見異思遷的性格，今日既然秉國之鈞，要見諸行動，當如閃電不及閉目。而其周圍，當更複雜微妙於前。我們似乎應該嚴密注意，不讓美國人替我國再度大吃一驚則幸甚矣！（完）

大陸文壇萬花筒

方志敏的一生

岳騫

中共佔據大陸之後，活着的共幹雞犬升天，可是對死去的人卻很少表揚，就連毛澤東第二任妻子爲何芸樵槍斃的楊開慧，報刊也從未提及過，毛澤東塡一首蝶戀花詞贈李淑一，只是含蓄地說一句「我失驕楊君失柳」，楊是指的楊開慧，柳是柳直荀，但是對這兩人也未見報刊介紹過他們被殺的經過。

三十年來，中共幹部被政府擒獲正法的最重要人物首推瞿秋白，可是中共對瞿秋白被殺經過一向諱莫如深，最近兩年才斷斷續續發表一些故事，無意中透露出來瞿秋白還是他們自已陷害的。另外又爲曾任中共總書記的向忠發，上海中共最高負責人羅亦農都是怎樣死的，中共更是提都不願提。此外還有陝北土共劉子丹及江西的方志敏兩人之死，也是中共一件大事，可是劉子丹的情形，中共也很少提起，只有方志敏的事情，說得比較多些。

以前中共報刊曾經發表過託名方志敏著的「獄中記實」，「可愛的中國」，最近又出版了一本「方志敏戰鬥的一生」，是一種傳記體的宣傳品。「方志敏戰鬥的一生」這本書，是方志敏的「愛人」繆敏著的，書中內容完全是誇張方志敏的英勇，攻擊國軍的無能，這些都不必去說它。不過這本書卻有一個特色，全書未提到「毛主席」如何如何，與其他同性質的書截然不同。例如中共發表紀念瞿秋白的文字，也說瞿秋白被捕以後還擁護「毛主席」的領導，那眞是活見鬼，相信瞿秋白在汀州獄中若是想起毛澤東也只是咒罵，決不會有絲毫懷念。

方志敏當然也不會頌揚毛澤東，他的死，毛澤東要負很大責任。不過，此時編輯方志敏的傳記，竟然沒有替方志敏說幾句恭維毛澤東的話，總使人有意外之感了。

中共報刊對這本書相當捧場，捧場的原因還是爲了「教育」活人，十月八日人民日報就坦白的說：「他（指方志敏）在那樣艱難的歲月裏，能夠爲人類的徹底解放——偉大的共產主義事業艱苦奮鬥。我們在今天這樣美好的日子裏，爲什麼不能爲社會主義，共產主義事業鞠躬盡瘁呢？」千里來龍，到此結穴，這才是中共捧方志敏的眞正原因。

編者·作者·讀者

曲齋先生：尊稿務請早日寄下，以便編排爲感。

台北楊先生：尊函已代轉文德先生，茲接得文德先生來函，略謂近日將有台南之行，暫難晤面。謹此奉告，恕不另函覆。

社會小說

香港地

六、人情味

梅大亮看見這位賢勞的太太，還在十分忙碌地把一疊疊手襪整理，並未準備歇息，便道：「時間不早了，待明朝才整理不好嗎？」梅太太却不答他，只問他野宴的情形，他便說了一個大概，不覺把馬行時住的那家山頂花園洋樓，說得似神仙宮闕一般，似乎猶有餘羨之意。

梅太太聽得默不作聲，只顧做她自己的工作，待把所有織好的手襪都紮停當了，放入一個麻袋子裏，才說了一聲：「好，」如釋重負地道：「這些東西都弄好了，明天能夠越早拿去換錢回來越好，我們的錢都給人借光了，剛剛還有人來借兩塊錢，好等明朝買米下鍋，我們這幾天墊出得太多，也得靠這包東西換回幾個錢應用了。」說罷，再冷冷的笑道：「你識山頂的有錢佬，你向他借兩塊錢給我看看？大概你也想中馬票頭獎去往山頂洋樓吧！」

梅大亮知道這正是渾家老脾氣發作的時候，也只好一笑便算了，不去惹她，再把自己的話重行檢討一下，也覺得就壞在太過讚美馬行時的花園洋樓，故此引起他的不滿。

經過了這幾番應酬活動以後，梅大亮雖覺得有些煩膩，但也覺得渾家怪責，指少見識，再則恐怕她不安於室，[illegible]日常寫作的生活，這樣一直過了十多天，足不下山，[illegible]

[illegible]

木客著

花瓶

洪鐘

當我緊皺着眉頭讀完了女秘書彭麗珠打好的報價單後，却不由自主地搖頭聳肩，把這份報價單放回彭麗珠的打字機的旁邊，低心下氣地對她說：「麗珠，你又打錯了，請你小心點重新打過一張吧！」

彭麗珠聽我這麼說，却不動聲色，而且還像俯瞰似的閉上眼睛養神，倒氣得我啼笑皆非。

本來彭麗珠在我的寫字間裏任女秘書職已有一年光景了，她並不算得是個好效率的女秘書，而且她的英文打字也不算嫻熟，總是錯誤百出，儘要重複打上幾遍才完成的！可是，彭麗珠也有她的很大的優點，那就是她那弧型的身材和嫵媚艷麗的臉孔，當她嫣然一笑的時候，倒可使人忘記了太陽是躲在雨雲後面的；當她對人說話的時候，她那嬌聲瀝瀝的更像一頭出谷黃鶯，使環繞着她的人都感覺到春天回來了！她就有這樣超脫的優秀條件，我當然捨不得辭掉她而另聘一個能幹的女孩子來代替了！

有了她做我的女秘書，我也感覺自己青春了許多；有了她，我們的有限公司的生意也好了，因為她的擅言弄姿和嫵媚的表情，却可以吸引住了顧客的野心，使我容易說服對方而完成彼此間的買賣；對於她的工作散漫和錯誤，我是從來都沒有怪責她的，只是對她諄諄善誘，而且還要對她的懷柔政策。

這一年來，彭麗珠對於我的提携的答謝，就是她的纖纖玉手上已多了一枚由我替她御上去的訂婚指環，這雖是鑲了一顆小鑽石的指環，但已表現了我倆的情意已結在一起，從這時起，我對她的工作的錯誤更加遷就了！

當彭麗珠重複打好了那張報價單後，已到了下班的時候，她却不管那張報價單有沒有打錯了的地方，只管挽起了她的手袋，一溜烟似的下班了！

我倜悵地收拾了桌上的文件，正好下班，趕到彭麗珠的家去跟她一起晚飯，可是，總經理莫理仁這老頭兒却走進我的辦公室來，不客氣地坐在我的旋轉椅子裏：

莫理仁嚴肅地說：「彭麗珠實在配不上做你的女秘書的才幹，我以為還是另行物色一個能幹的女秘書才對呢！要不然的話，我恐怕你的前途會受她的影響的！」

我聽了莫總經理這樣說，倒不禁心裏着一怔，難道他已經窺破了我和彭麗珠的訂婚秘密？可是我雖然在莫老頭兒面前振振有詞地解釋着，但在莫理仁的眼中，却[illegible]：「總經理，你對彭麗珠的估計是錯誤的了，她的工作能力可算是我們公司的職員，她自從她進入這公司任職後，我們的業務也擴展了好轉了，你且算算吧！我們這一個年度所賺的利潤，不是比上年度多了百份之二十以上嗎？老實說，這是因為有了她在這兒工作，我跟我們的客戶主顧談判生意時是特別順利的，因為她的嬌態可會分散主顧們的經濟心理呀！我們實在犯不着要辭掉她的！」

可是，莫老頭兒還是堅持着他的頑固頭腦，只管搖着頭，跟着又是一派正經地說：「據我的意見，你還是另行物色一個能幹的女秘書好的。」

我見他已猜透我和她的心事，只好和盤托出道：「事實上我已跟彭麗珠訂了婚，而且打算不久便正式結婚。」

「你這番話可是瘋了嗎？」莫老頭兒瞪着眼說，「這妮子前晚才答應跟我結婚，而且一切條件也談妥了，怎麼你却說已跟她訂婚？這簡直是廢話！明天你且看我們的喜柬吧！」

這一着真是晴天霹靂，却教我像觸了雷電似的，整個人當麻木了，我真不相信我的耳朵的聽覺了。我失神地別過了莫總經理，却氣咻咻地趕到彭麗珠的寓所去，可是，出乎我意料之外了，抵埗後，才知彭麗珠已在兩天前搬走了，而且又沒有說明搬到什麼地方去！

第二天，彭麗珠果然沒有上班了，而且還叫了一個女傭人把那枚鑽石指環送回來，同時還附送來一張紅色的喜柬，裏面刻着的果然是她和莫理仁的名字，上面的文告我也沒有心情看下去了，但覺整個身體都變了麻木不仁。

我真想不到彭麗珠會這麼狠心，中途變志；更想不到她會瞞着我而暗戀着莫老頭兒的，這一回，我確是枉費心機去替公司置了一個花瓶，結果却害到我賠了花瓶又送花哩！（完）

說謊

·劉杰·

儘管有人咒駡說謊，詆譏說謊，說謊人依然存在，比比皆是。說一句話，做一件事，都有謊的存在。王爾德說：「說謊也是一種藝術」。文人寫出來的文章，稍微誇大一點，就言過其實，成了「謊」。只要這個謊不傷大雅，多說幾個也無所謂。

女人最喜歡說謊，最會說謊。明知到街上買東西，說是散散步。明知錢是借來的，說是別人送了她的錢。女人送給別人的禮物，說是花了好多好多錢，又從那裏那裏運來的，花了好多人力，花了好多心力。其實是人送給她的，她再轉送別人。

女人還會哭，哭也是謊言之一。假的事，一哭就變成了真的。女人遇到一點小的刺激，就往床上一倒，哭將起來。所以古人教我們。「婦人之言勿聽」。

搞政治人也愛說謊，是因為要獲得官位，就以謊字作招牌。

在台下說得天花亂墜，到台上又是另外一回事。

伊索寓言裏有段記載。「烏鴉咀裡啣了一塊肉，狐狸看見，狐狸要吃那塊肉，就喊：「烏鴉哥，我很欣賞你的歌喉，唱一個給我聽聽」，烏鴉把嘴一張，肉落了下來，狐狸啣了就跑。」會說謊的人往往是不勞而獲。

孔老夫子最反對說謊，「人無信不立」，可是，真正有信的人實在不多，這世界還是一個說謊世界。

儒林九尾龜

吳敬鋅

第三回：柳暗花明又一村

文希孟冷笑一聲：「我的話一點也不離譜，他第一個辦法是印刷不付錢，成為無本生利，第二個辦法是論人推銷，書價不定，譬如他這本桑田集裏寫了某一個大員，把某公捧得天上有，地下無，然後把這本書寄給你，請隨意捐點印刷費，你好意思不給嗎？花錢又不多，比登廣告還要光采些，這本集子裏面像這種人有十來個，他就發筆小財了。」

李鴻飛笑道：「他既然發了一筆財，印刷費應該付了吧！」

文希孟搖搖頭：「一文未給，連紙張費也是印刷廠墊的，當時也有人勸他，把印刷費付了，起碼紙張費也應該給，尤其是這間印刷廠已因周轉不靈，即將倒閉，更不應該欠他的債。可是，卞式人却堅決不肯，恐怕壞了名譽。」

「怎麼還債會壞了名譽呢？」李鴻飛和鄭實齋都感到莫明其妙。

文希孟笑道：「不但你們兩位聽到奇怪，就連那位勸他的朋友也被他說得目瞪口呆，就問他這句話作何解釋。他說的才妙哩！他說：誰不知道我在上海是鼎鼎大名的騙死人，現在遇到這間印刷廠，不過是牛力小試，假若按數付了錢，我半世英名豈不白費了。」

兩人聽了都是搖頭嘆息。

文希孟繼續說道：「當時這位朋友勸他改變作風，這樣搞下去將來必陷於絕境。他回答的更妙！他說：登在太平山頂向下望，這麼大的香港，三百多萬人口，就算一天騙一個，一年也不過騙三百多人，從現在算，騙到死也不過騙個萬兒八千，只是老虎身上拔一根毛而已。」

文希孟說到這裏，李鴻飛苦笑道：「此公一天騙一個人，大概今天就是我了。」

鄭實齋也笑道：「老文，明後天大概是我們兩個了。」

文希孟搖搖頭：「我們才犯不着上當呢？照數退給他，一張也不能代銷，恐怕又是騙局。」

三人又談一時，也就散了。

過了幾天，到了音樂會演唱時間，李鴻飛到不一定要聽音樂，只是想看看究竟卞式人是不是又在騙人。音樂會入場時間是七時，李鴻飛七時半才去，到了地點，只見門首站了幾十個人吵成一堆，李鴻飛趕到跟前一問，原來都是購了票來聽音樂會的，可是這間夜總會根本就不知道有這回事，既沒有人來租場子，也沒有人安排什麼節目，所以侍役攔着不讓入內。又停了一時，聽衆越來越多，門前秩序大亂，夜總會的主持人一看問題嚴重，只好打電話報告警署，馬上警車來了。（三十二）

中國當代虛無主義底兩流（四）

——陶一大

並未曾稍礙其建立前所未有的天文學，物理學；又因為學術差不多都在他們手裏，更不能說科學未能真正地建立，即在政府的不注重！所以說這都不是科學未真正建立的理由，其理由多在於學人的不能專心治學而熱中政治。當然這也不能只怪那些以學術面貌出現而混入仕途者的本身，要亦中國「學而優則仕」的實踐精神，和「一登龍門，身價十倍」的社會風氣之所獎許。這樣他們才不甘寂寞要跳龍門，搞政治。這樣中國才至今還不能建立真正的科學。所以我說他們祇是以學術面貌出現，而真正的興趣則在政治。這樣說來，這兩流虛無主義都有搞政治的同一興趣，乃是鐵的事實。不過莽蕩浪漫流則還其莽莽蕩蕩的「大塊」之氣，自然之氣，羅秦皇、漢武、唐宗、成吉思汗而上之，要倚賴外力壓根否定中華民國政府，用武力席捲天下，「彼可取而代之」地一手遮天搞獨裁；而微末理智流則僅能出其嘻嘻噓噓的鄙陋詞氣，後天習氣，要從內面枝枝節節地分得一份政治權利，又一點一滴地反對那政府，否定那政府，以獲取青年之同情，而挾之以自重罷了。

這兩流，如上所述，不但興趣是同一的，而且它們的基本精神也是同一的。它們同以往見瞭的（一）純否定，和（二）外物量底心態作為基本精神。首先說它們的純否定精神。也就是大破壞的精神。它們都莫名其妙地把中國傳統文化，「把儒家學術的精神及其真理性凝結於時間中，以往二千年的一段整個文化中，一起外在化之，推出去作一個死東西看，名之曰封建文化，過時的古董，罪惡的根源，因而一起否決之」（牟宗三先生語），徹底破壞掉，這便叫做「反封建」。這種名為反封建的破壞傳統精神的工作，不但毛澤東在大陸上挾着他那具「階級壓迫」的機器在不斷地在施行，就是胡適博士也不曾放鬆，也還在前不久，在中美學術會議上即席發表的那篇中國的傳統與將來的演詞中，高唱「殘酷不仁的纏脚，八百年的理學並不能化除」的反調。當然這種反調在目前總算是低沉得多了。想當年則不然，在當年，他們便像煞洪秀全那一窠蜂，洪秀全無知地把四書五經和滿清諸君臣等量齊觀，都給戴上「妖」的一頂「大帽子」，指為「妖書」「妖官」。他們也曾如此，要把線裝書丟進茅廁。這是極其錯誤的。

釋耒集

植柳與剪韭

曲齋

日前得大陸親友來書，堅囑乘時購買花生、食糖、蝦米、大豆等土產，以寄遞郵包方式，寄返家鄉。類此者已不止一次，其理由大抵謂：「祖國同胞購買力普遍提高，在共同搶購之下，任何日用品及食物，均不易購得」云云，此則共產黨統治下，人民憑其智慧所創造典型之謊言，凡有親友居留大陸者，莫不耳熟能詳，心知其意。故亦大抵不求甚解，但視力之大小，隨份購寄，至於是否收到或徑自原件退回，亦多不予深究，而本港各土產公司，例於店面大書代客郵寄大陸包裹字樣，藉以推廣其生涯，與左翼報紙宣傳富饒之大字標題，互相輝映，余於此除深佩此等宣傳家厚顏無恥之外，實不勝其惶惑，近讀淸人法時帆陶廬雜錄，有論治一則云：「今之論治者，率欲禁奢崇儉，以爲富民之術，殊不知天地生財，止有此數，彼虧則此盈，彼盈則此損，富商大賈，豪家巨室，自侈其宮室車馬飲食衣服之奉，正使以力食人者，得以分其利，得以平其不平。孟子所謂通功易事者是也。上之人從而禁之，則富者益富，貧者愈貧也。吳俗尚奢，而蘇、杭細民，多易爲生；越俗尚儉，而寧、紹、金、衢諸郡小民，恒不能自給，半遊食於四方，此可見矣，則知崇儉長久，此特一身一家之計，非長民者因俗爲治之道也。」今按大陸自「解放」後，已無私人財產存在，黨中領導階層，已一變而爲新興之特權階級，宮室車馬飲食衣服之享受，雖極爲豪侈，但均以「國家」或「人民」之名義，無條件獲得之，人民雖飢寒至於不能自保，亦無由以分其利，均其不平也。而禁奢崇儉，獨有令人民勒緊肚帶之一法，故人民除向海外親友乞靈外，僅能束手待斃而止，曰購買力普遍提高者，固已血淚十斗矣。語曰：「善役民者，譬如植柳，薪其枝葉，培其本根，不善役民者，譬如剪韭，日剪一畦，明日復剪，不盡其根不止。」回思中共沒收財產之日，實不啻爲一一鏟去其根，夫殷富折而爲貧窶，又復繼之以踐踏凌虐，元氣生機既盡，雖仍在鞭策下供其力役，不過掙扎以圖苟延殘喘，在無復有生人之樂也。近閱本港日報之廣州通訊，據謂廣州居民，已與當年之乞丐，毫無區別。回憶一九五〇年夏，余仍家居，一日入市理髮，肆中髮匠，原爲坊鄰，愀然相告曰：已匝旬不見一客登門矣。彼時沒收財產，尚未開始，業已村落成墟，市廛寥寂，今爲時逾十年，追呼鞭撲，無所不用其極，則人民與乞丐無別，不得謂爲宣傳家厚誣之詞矣。

平劇名伶今昔觀

諸葛文侯

海嘯雲談薈

年來在海隅偶爾觀覽中共爲浯克外滙而作「飢餓輸出」之平劇電影片，年高八旬之老伶工蕭長華，猶被迫登台獻藝，慘受奴役勞工勞動生活，實令人不忍卒覩。他如梅蘭芳，趙桐栅（即芙蓉草）等尚未及遲齡者，隨時爲毛共政權拚老命於舞台歌榭間，固不待言也。

蕭、梅、趙三人，皆爲吾國近代戲劇界碩果僅存之著名演員，技藝超羣，蜚聲全國，但在暴政脅迫之下所表演者，若與當年自由生活時代之演藝相比較，殆有天淵之別，雖曰年邁力衰，然心境抑鬱寡歡，亦大有關係也。憶民國十四年農曆十二月下浣客游北都時，曾觀當代名伶集體扮演「窩窩頭」義務戲，開鑼即係程硯秋，郭仲衡，李萬春之寶蓮燈帶救母。次爲言菊朋，小翠花，王又宸諸人之翠屏山。再次爲余叔岩，蕭長華之問樵鬧府，蕭去樵夫所表演之聲容及技術，與其近年在毛共所製羣英會影片中飾蔣幹之情形，判若兩人矣。壓軸爲龔榮甫，陳德霖之雁門關，二人互顯其湛深之造詣，相得益彰。大軸爲楊小樓，梅蘭芳之霸王別姬，時已深宵鐘鳴三下，然觀衆仍精神抖擻，無一退席者，名伶號召力之偉大，蓋可想見。

愚友黑龍江人張啓良君，時以學生玩票，嗜唱黑頭，尤傾慕楊小樓之演技。是夕購得樓上前座票，當楊伶出場之際，忽小解殊急，但不敢離去座位，蓋觀衆擠擁，如起去，即有人進佔，乃堅忍之，迨霸王別姬演畢，張氏膀胱已脹裂出血，昏眩不省人事，急送醫院施刀圭，留院治療月餘，始告痊癒，如此戲迷，允稱藝林佳話。芙蓉草去探母回令中之太后，愚曾數數觀之，今覩其在銀幕上之老邁枯瘠面貌，毫無表情，內心淒楚可知。共黨不仁，以人類爲芻狗，奴役剝削，到死方休，吾不禁爲當代三數老伶工之晚境悲愴不置也。

王氏趣話

介人

歷來姓氏的趣話特多，頗多幽默可喜，茲請先說王姓，在筆者的王姓友人中，即多有引用「王八」互相笑謔。故雖有排行第八，而亦諱莫如深，因爲恐怕他人引以爲嘲笑口實，首先要聲明的這一篇講話，絕不含有影射的用意，只是就記憶所及，拉雜寫來，以博一笑。

舊小說中，李松石所著鏡花錄第八十六回載有王氏兄弟八人，一個個形象不離本姓。一日，有人替他起道號的綽號，說得幽默夠味，亦足以見中國形象文字之妙。茲特把它介紹出來，並在每一綽號之下附加註釋：

第一個名喚做王主，綽號叫做硬出頭的王大。（王字加一點成主字，所以叫做硬出頭）。

第二個名喚做王玉，綽號叫做偷酒壺的王老二。（王字旁加一點成玉字，所以叫做偷酒壺）。

第三個名喚做王三，綽號叫做沒良心的王三。（王字中間抽去一直成三字，所以叫做沒良心）。

第四個名喚做王丰，綽號叫做扛鐵鎗的王四。（王字下加一直成丰字，所以叫做扛鐵鎗）。

第五個名喚王五，綽號叫做硬拐灣的王五。（王字旁加一拐成五字，所以叫做硬拐灣）。

第六個名喚做王壬，綽號叫做歪腦袋的王六。（王字上改一撇成壬字，所以叫做歪腦袋）。

第七個名喚王毛，綽號叫做翹尾巴的王七。（王字加一鈎成毛字，所以叫做翹尾巴）。

第八個名喚做王全，綽號叫做不成人的王八。王字加一入字，因入字似人，同時又因王八不是人，所以叫做不成人的王八）。

這是一段罵人的笑話，讀者當一望而知，只是「王八」是費解的，也許由於「忘八」兩字諧音而來，因爲同音，而不求其解釋。既不求解，因是常致錯誤，王姓中即有如下的一個笑話。

清光緒中葉，殿試的時候，有進士王國鈞其人，已到鼎甲，臨唱時，慈禧太后忽然發覺其姓字音似「亡國君」三字，因說：「此人名字可惡！」臨時抽置殿軍，致王國鈞卒以進士終老一生。

關於同音的訛錯，還有一個笑話。江浙人對「黃」「王」二字，多讀爲一音，致書寫姓氏時，往往錯誤。如嘉善黃韡靑，爲淸咸同間詞人，有同年某投書致候，誤書爲「王先生」，黃得書大笑，因答以詩云：

「江夏瑯琊未結盟，草頭三畫最分明；他家自接周吳鄭，敝姓曾連顧孟平。須向九秋尋菊有；莫從四月問瓜生。右軍若把涪翁換，孤負籠鵝道士情。」

此詩典雅幽默，應該屬於王姓的佳話。既談到有關於王氏之詩，因此，使筆者又聯想到有一則王四先生的詩話，據說以前稍有地位的家庭，多用婢女，有些婢女侍小姐讀書，亦有能作幾句詩的。湖南淸末有于姓，爲一鄉望族，請王某爲家庭教師，家人稱爲王四先生。

一夜，王四先生正在燈下吟詩，主人命婢女送包子二只給先生，其時他在搖頭擺尾，搜索枯腸。婢問老師在想什麼？他說我正作詩，顧不得吃東西了。婢問他什麼題目，師道：「你懂得什麼？」婢說：「我也略知一二呢。」師說：我要作一首詠風的七絕，有了兩句：「忽聽窗外竹籬蕭，陣陣秋聲到樹梢。」總無法續成。婢吟道：「昨晚隔鄰王老四，坐在門前抓卵泡」。師大怒，高聲漫罵，主人出問故，婢說：先生作詩未成，小婢續了兩句云：「捲地吹將黃葉落，滿山吹遠白雲高」。師氣憤道：「胡說」。可是又不便將她的先兩句唸出，氣得只好做兩手勢，用手指出兩個圓圈形。主人笑道：「是不是指她送來的兩個包子呢？」

這是一則罵詩人的趣話，一般喜歡吟哦而作打油詩的冬烘正多着哩，又豈獨王四先生才有此遭遇呢？

有關王氏的趣話很多，那是由於王姓爲中國大姓的原故。只限於篇幅，只好就此打住了。

美國無人論

望海樓隨筆

徐學慧

羅斯福逝世以後，美國沒有領袖人才；杜爾斯去世以後，連國務卿的人才都沒有了。文化的植根不厚，在精神上乃陷於虛脫，今日美國，正是一個患了嚴重的精神虛脫症的國家，以此領導自由世界，寧非一大悲劇？

民主黨與共和黨，皆一丘之貉耳。所謂兩黨，也只是爲了政權之更遞，而並非在基本觀念上有所不同。說到人才，則今日美國直是漆黑一團，簡直看不出有一個目光如炬的政治家，能權衡利害到三十年或者五十年後。

肯尼第欲將我們的金馬奉獻給中共，其荒謬之處，固已不待詳說。但共和黨那位具有潛力的紐約州長洛基斐勒，在荒謬的程度上，却比肯尼第更有甚焉。洛基斐勒指責肯尼第不明瞭中共，乍看去，似乎是不同意肯尼第欲以金馬奉獻給中共的論調，但細聽下去，却原來不是那麼回事，他只是說金馬不宜隨便奉獻，而必須索回美國人所需要的代價。

美國人所需要的代價是什麼呢？洛基斐勒說得很明白。他說：「美國應將金門馬祖交換中共將其釋放現尚拘囚於中國大陸之美國人。」

這樣的話，出之於一個美國政客之口，而這個政客，曾經一度被認爲是可以逐鹿美國總統寶座的，這就不免太無聊了。當然，要說洛基斐勒無聊，倒也很難說得過去，因爲金馬地區根本不是美國的領土，而囚禁在大陸上的美國人却是自己的同胞呀！

如果我們認定美國是講道義的國家，或者認定美國是堅決反共的國家，那末，洛基斐勒的論調，當然屬於無聊。可是，我們必須認識一點，美國並不是反共的國家啊！至於說到道義，則本欄曾經說過很多次，而且還舉過多少例子，說明強國之不顧道義。以道義期於強國，那也不啻是緣木求魚呢！

今日世界的局勢是：美國與蘇俄，都不想和平，也不想要核子戰。個別地區的小戰，形成一種緊張氣象，那正是他們所求之不得的。爲的是緊張而不大戰，則雙方都可以不致犧牲一兵一卒，而能從中漁利。

美國從緊張中，賺取其商業利潤，維持其經濟之繁榮。蘇俄從緊張中，推銷其共產主義，逐步分化蠶食。

儘管在目前，雙方都可以獲利，可是，只要我們能把目光放遠到三十年或者五十年後，我們固可以斷言，對共產集團之利是大於對美國之利的。

這是一個莫大的悲劇。這悲劇將令人類淪於浩刦者三百年甚或五百年。

說「笑」（四）

謝康

據論語所記孔子生活，似乎莊嚴的意味多，而幽默的意味少。但也屢次記述「夫子莞爾而笑」，「夫子哂之」這類的話。有一次他在衛國，向公明賈打聽公叔文子是怎樣一個人，說道：「這位老先生眞是不說話，不笑，不要錢的嗎？」公明賈說：「公叔文子該說話的時候就說話，內心歡樂的時候就笑，該拿錢的時候就拿錢，所以人們都不討厭他呢。」孔子說：「你這說是眞的嗎？沒有騙人嗎？」（見論語憲問篇）從這番對話看來，孔子也會注意到別人笑不笑的問題，同時也可知道當時賢士大夫的言笑不苟，後來理學家之缺乏幽默感，和這個態度是很有關係的。

站在健康教育的立場，適當而不過度的笑，大概是有益於衛生的，斯邁爾（Smiles）說得好：「最有效的工作，是出自快樂的人底心靈和雙手上。」一個快樂的老好人，和純是畢生的兒弟，在他底嘴唇上，常常掛着一絲絲的微笑。

天眞無邪，樂觀活潑，笑容滿面的人有福了！因爲天堂的門是爲他們做着的。

達觀快樂，處亂世而能露出會心的微笑的人有福了！因爲地上的樂園，就建在他底心田裡（完）

海濱消暑錄

小啟

蘭臺侍者有事，「國大會議紀事詞」暫停一期。

自由報
THE FREE NEWS
第七十二期
中華民國僑務委員會頒發
台僑新字第三二三號登記證
中華郵政台字第一二八二號執照
登記爲第一類新聞紙類
（半週刊每星期三、六出版）
每份港幣壹角
台灣零售價新台幣弍元
社長：雷嘯岑
督印人：黃行[illegible]
社址：香港銅鑼灣高士威道二十號四樓
20. CAUSEWAY RD 3RD FL HONG KONG
TEL. 771726 電報掛號 7191
承印者：田風印刷廠
地址：香港灣仔高士打道二二一號
台灣分社
台北市西寧南路壹壹本號二樓
電話：三〇三四六
台郵撥館金戶九二五二

美國的威望是怎樣衰退的？

李宗谷

據華盛頓本月廿日合衆社消息：去年十二月艾森豪總統任命的一個高級秘密調查小組，最近將其調查研究美國在世界上威望日趨衰退的結論揭露出來，認定自一九五七年蘇俄首先放射人造「伴侶」衛星之後，美國的威望就逐漸下降了。這是一種幼稚的現實思想作祟，乃完全不切實際之談，殊難令人置信也。

構成美國威望的因素

美國威望之所以構成，應歸功於已故的富蘭克林．羅斯福總統。他在第二次世界大戰期間，以「防疫」的理念，號召世界人類不僅是毅然參戰，並且悉索敝賦，支援各國爲自由而戰的聯盟國家，而以「民主國家兵工廠」自任，美軍遍佈歐亞非各個重要地帶，負弩前驅，義無返顧，終將德、意、日這幾個極權侵略勢力擊潰，教它們無條件投降；同時又爲着創進世界和平的新秩序，運用民主自由精神的想像力，倡立聯合國藉以維護和平，主持正義公道。美國憑其富強的國力，爲拯救人類被奴役的危險，挺身站在最前綫，不惜一切犧牲，積極奮鬥，有理想，有行動，獲致了最後勝利，威望自然崇隆，所謂「萬國衣冠拜冕旒」的世界盟主地位，眞是天與人歸，誰也不能跟美國抗衡的。

所以，羅斯福總統在大戰期間雖然亦有些影响美國威望的措施，如雅爾達協定之過份安撫蘇俄，損害中華民國的領土主權，如聯合國組織之特別讓蘇俄擁有各個會員國所未有的表決權（蘇俄享有三票權利），然大家皆能予以諒解，因爲他的政治理想很崇高，他的重要行動亦符合世界盟友的願望。同時羅斯福總統遇事亦頗能表現其豁達大度的風格，不愧領袖氣派，如二次大戰中期我國朝野上下皆怨懟美國對我支援不力，多所責難，當時重慶大公報且發表一篇「我們向世界控訴」的文章，指摘美國對華援助太少，而對蘇俄及其他歐洲盟國特厚，憤憤不平。但羅斯福本人固然接受諍言，趕快對我國增加財力物力的應援，而白宮主管當局以及國會議員們，亦沒有人說我們是意存「敲詐」——一九四九年春間，我國立法院長孫科會說：『美國如不積極支援我國政府，我們便要考慮新的外交政策』，杜魯門政府的國務院官員，即公然指爲這是『敲詐美國』的言論——而表示其悻悻然小丈夫之詞色。美國當局既有基於政治理想的對外政策，又有以天下爲己任的行動計劃，再濟之以泱泱大國的風度，威望日高，殆爲事所必至，理有固然啊！

美國威望衰退的由來

羅斯福總統於大戰末期突然去世之後，由於繼任人物之低能淺薄，缺乏「繼踵前修」的才智，已經顯示着不夠世界盟主的資質了。而託賴於原子彈的威力，使戰事及早結束，美國又宣佈實行經濟援外計畫，贊助各友邦的善後復興工作，這時候，美國的威望尚能維繫於不墜。然則美國威望是怎樣衰退的呢？語其大要，不外兩端，却與人造衛星毫不相干。

首先使美國威望開始衰退的重要原因，就是韓戰。史太林以爲美國務長官艾契遜宣佈「南韓不在美國太平洋防綫以內」之說，是可信的，乃唆使北韓共軍對南韓實施突襲，企圖進而控制日本，要把美國勢力驅出東北亞。杜魯門政府毅然決然出兵抵抗，並且乘俄共集團「杯葛」聯合國的機會，由聯合國煥汗大號，討伐侵略者，而聯軍在韓戰亦節節勝利，中共的「志願軍」死傷百萬以上，從華南的廣州到華東的上海各大都市，中共僞政權且暗中從事疏散重要物質，準備放棄了，然而，美國當局竟託詞於「警察行動」，對於主要敵人的中共軍事巢穴——東三省，不許聯軍進攻，更以第七艦隊阻遏台灣國軍對大陸作軍事反攻，唯恐中共勢力崩潰，復以聯軍統帥麥克阿瑟主張進攻東三省而予撤職，將韓戰搞成不勝不敗的怪象，最後乃接受史達林的主張，停戰言和，依然恢復戰前的原有態勢，侵略者未受到絲毫懲罰，而杜魯門、艾契遜之流，還要邀請中共政權加入聯合國，聲言「這是程序問題」，美國對此事不能使用否決權。如是，中共大事宣傳韓戰勝利，誣美國爲「紙老虎」，而南韓所損失的無數生命財產，美國在韓戰場犧牲的廿萬靑年子弟，皆不知其所爲何來？尤其是以聯合國名義出兵討伐侵略者這項行動，其用意究安在呢？美國既然領導自由人類從事反共產極權侵略運動，如今共黨無端實施軍事侵略暴行，而美國又不贊成以實力膺懲它，甚至甘受「紙老虎」的惡謚而泰然自安，試問美國臨時倡說的「自由運動」與「解放政策」云云，究竟作何解釋呢？迷信唯物主義的共黨，只是對實力低頭的，美國有可以制勝的實力而不肯用，然又以軍經援助教別人反共，這不是胡扯嗎？似此莫名其妙的反共方法，美國的威望那有不急遽衰退之理！

其次使美國威望繼續下降的原因，即是艾森豪總統讚美中立主義，宣稱美國就是從中立主義中强大起來的。他發表這種言論的唯一用意，是想拉攏國際間一些游離國家，不使它們爲俄帝所利用。實則中立主義之所以日益滋生，就是源於美國那種半吊子的反共策畧而然的。現時號稱爲中立主義渠魁的印度，在韓戰初起時，即曾經依照聯合國決議，派遣醫藥隊赴韓戰場效力，履行參戰義務，尼赫魯在韓戰以前，並未對中俄共表示過獻媚乞憐的言行，即其明證。自從美國對韓戰以「紙老虎」自居，對越戰亦以所謂「痛苦的決定」作口實，默認共黨侵畧行爲而贊同出賣越南的慕尼赫式停戰協定之後，東南亞各新興國家，林於自身缺乏自衛力量，希望美國以實力應援又是幻想，他們爲存苟安計，採取中立路綫，良非得已。美國要想保持其辛苦造成的威望，祇有用實力保障弱小國家安全，使其獲致無恐怖之自由生活，才是上策。光是利用一點美元或美援，期望他們表面中立，內心親美，眞是跟村農們「豚蹄篝車」的慾望一樣，及其弊也，這些中立主義者戴着兩副面具，左手向俄帝乞取盧布，右手向美國要索金元，臨到國際間有重要問題發生，他們即以兩面人的作風，搔首弄姿，矯揉矜持，充其量在表決時表示棄權而已。試問這種中立主義者對美國所倡導的反共產極權侵畧運動，又有甚末裨益呢？俄帝不以實力控制這些中立國家，並不是害怕他們實力抵抗，而是要利用中立主義來實施滲透顚覆的蠶食陰謀，避免引起大戰。美國讚許中立主義，間接就是對俄帝幫忙，徒然斲喪自己的威望。假使全世界所有非共的國家都實行中立，只剩下美國與俄共集團對立着，那時節，俄帝的原核子武器亦與美國相伯仲，甚至過之，請教美國有甚末辦法可以制勝俄帝，而保住「美國堡壘」不被攻破呢？美國擁有原核子優勢時，恬嬉自逸，坐視共黨橫行侵畧而不願以實力對付，一旦俄帝搶先放射了一枚人造衛星，即大呼「原子僵局」，嚇得神魂顚倒，更不敢談實力對付的話，而欲以讚美中立主義來維持日益墜落的威望，豈可得乎？

上述兩點，確係美國威望的致命傷，其他皆屬無關宏旨。美國當局如要挽回十年前的崇隆威望，唯一辦法即須具有羅斯福時代的政治理想，予世人以共見共信，然後依照政治理想來制定一貫的對外政策，不復表現搖搖擺擺，怕痛怕癢的外交言行，而威望自然如日方升，光被四表了。

小論天下

△美國國務院戲劇化地宣佈暫時恢復對寮國的軍援。永珍政府亦戲劇化宣佈將一個顯著左傾的軍人首腦作「技術上的扣留」。大家都在「做戲」。寮共卻是認眞地在「幹」。

△泰國與情對寮局愈感着急。東南亞組織秘書長乃樸作電視廣播，指出寮國已受共黨控制，但說，這是寮國內部三兄弟打架。東南亞組織不能有所作爲。「蠶食」最好藉「內戰」的名義而進行。泰國這一塊「葉」，在外表還是完好的啊！

△二十個國家聯名向聯合國大會提出「鬆弛世界緊張情緒及世界和平案」，經獲通過。當「中立者」自己緊張時便呼「狼來了」！他自已不緊張時便喊大家鬆弛。共產黨是騙也好，嚇也好，結果總達到一個目的：使「中立者」向自由世界要求「更多的安協」。這便能通過「中立者」的手，給自由世界以或多或少或强或弱的束縛，使任何多數勇敢的反攻行動都被取消，甚至堅强抵抗亦無可能。

△十一月在莫斯科舉行的共黨大會，毛澤東有不肯接受「公審」，派劉少奇代爲前往之說。這一回是：毛澤東「鬧情緒」，劉少奇「頂硬上」。

△大陸傳來飢民聚衆搶糧食之訊，近又在廣西隆山縣發生。當大陸的同胞不斷以書信向香港進行「溫情式搶糧」的同時，當然會用拳頭向共黨進行「英雄的搶糧」。

△菲律賓駐美國大使羅慕洛在美演說，指出美國在亞洲方面的安全已屬危險關頭，並提出警告，目前的冷戰是一場生死存亡的鬥爭。美國人看看日本和南韓內部的動盪，菲律賓和自由中國對金馬問題的憂憤；以及泰國對寮局的焦慮。其亦能泰然自若，「以撤退爲上計」乎？

△美國宣佈對古巴施行經濟制裁。古巴向聯合國控訴美國「侵畧」，預料古巴可能收回干達那木海軍基地。敢問肯尼第之流：美國在古巴的基地也有「撤退」的必要嗎？

△中共在訓練中及業已派出的「志願兵」，近傳古巴，阿爾及尼亞，以及巴拿馬均有之。如以「志願兵」而論，它將成爲全球「輸出」最大的一個「國家」。

方南

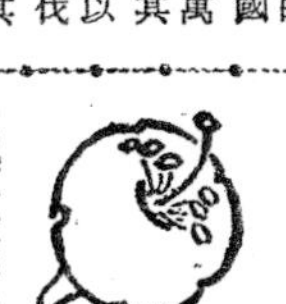

醜惡的美國人

最近有美國人寫的一本書，名叫「醜惡的美國人」，內容是敘述一般奉派在異域從事外交工作的美國人，驕蹇狂妄，低能貪汚兼而有之，以至到處不受歡迎。美國的知識份子中，能有這樣明白事理而不飾非護短的人，可謂難得也矣。究其實，這本書裏所描述的那些醜惡的美國人，在我看來，還比他們國內的一般政治大亨們可愛得多，他至少沒有專爲美國自私自利的觀點，而公然主張把友邦的領土賄於美國的敵人作爲交易品啊！

試看美國近年民主、共和兩黨的政治大亨，爲着競選總統的拉票關係，竟至漠視國際禮儀，驕狂越份，大談其應否將中華民國的領土——金門馬祖地區交給毛共的問題，好像台灣是U.S.A.所屬的一州，他們可以任意處置，滿不在乎的。紐約州長洛克斐勒這位市儈後裔更狂妄，他要以金、馬土地交換被毛共囚禁的兩個美人，這是什末屁話呢！

我常常懷疑美國祇有文明而無文化，看這些政治大亨們的言論思想，簡直是沒有常識。他們的文明生活亦就是極低級趣味的，跟暴發的市儈人物，妄思附庸風雅的醜陋相，并無二致，更不知「文化」二字作何解釋。

因此，「醜惡的美國人」這本書的主人翁，應以肯納第、洛克斐勒，富爾布萊，摩士之流爲首選，纔算是名副其實的佳作也。

馬五先生

教育界應該正視的問題
惡性補習急待取締

・學仁・

台北通訊

「惡性補習」這一名詞，在大陸時未之前聞，近幾年來始見之於台灣報章。在台灣各方面雖僉認惡性補習對學童身心戕害甚大，然論者盈庭，迄無解決之方。據九月廿八日聯合報黑白集載：「台北市有一位天分很高立志頗大的小學生，雖在惡性補習之下，達到了考取第一流省中的願望，却病倒進了醫院，小小生命已到油乾燈盡的地步，夭折前還因看到註冊證而發出最後的微笑。這一最後的微笑，像一個難解之謎，留給世人解說。」這不是一個故事，而是一個活生生的事實。連日此間各日晚報都有類此的記載，說一個有名有姓的可愛學童，他立志要考取台北第一流的中學，將來中學畢業，再投考台北第一流的大學，可是他惡性補習結果雖然考取了第一流中學，而他的慢性盲腸炎延及腹膜，終至喪生了。

不久前，我國駐美教育家程其保博士回國，在一次座談會上（在教育部會議室舉行），曾經談到台灣的惡性補習問題。他一開口就說道，回國後第一個印象，就是連日在街頭看見許多學校年青少年，都面帶菜色，體格不強，探其原因，無非是課程太重，要升級升學不得不出於惡性補習之一途，若與外國學童比，其苦樂頗有距離云云。誠然，即平日例假和寒暑假亦在趕功課，不僅父母責罵鞭笞，學校老師亦不顧規定亂施體罰，如此摧殘體格，閉塞心智，其不喪生者幾希？這就是說，縱然學童身心不生影響，成績亦復不惡，但能否考入初中，尙屬問題。（因為成績好的太多，聽說國校畢業生八十多分的去考初中，錄取希望都不大。也就是八十多分的成績，在一班中不算好成績。）即幸而錄取，仍不免成績低落甚至留級。以此類推，由初中入高中，由高中再入大學，學校愈少考生愈多，若不惡性補習，怎能與人競賽。因此，這一問題不僅苦了成千成萬的學童，亦傷透了成千成萬的家長腦筋。像這樣一個嚴重問題，豈眞無人注意嗎？是又不然。我們知道各級教育當局和教育界人士經常開會研討這個問題，可是這個問題牽涉較廣，如中學課程簡化，及添設各級學校等問題，不是一蹴可成的事。總之，惡性補習演變至今天，已使人談虎色變，上面所記的一個悲劇學童，不過是其中的一個，我們無法知道的還不知有多少呢？與言及此，不寒而慄，希望社會人士，正視這個問題。

美人言論太荒唐
台北輿論表憤怒

（台北通訊）今日共匪與俄帝的殘忍較之當年希特拉不知更要惡毒得多少倍，可怪的是還有一些淺薄幼稚的美國人，似乎是賤骨頭，要想跟流氓惡棍拜把子，禮物是奉送中華民國的自由土地——金馬。有識之士莫不啼笑皆非，而此間軍民均一致表示十分憤怒。認為：這些人如果不是拿了盧布，則可能神經不正常，說不定他們以後會提出，將當年美國向俄帝買來的阿拉斯加奉還，以便促進「和平」呢！

蔣總統對此現已發表嚴正聲明：「中華民國在任何情況之下，決不放棄沿海各島」。

總算美國還有尼克森那樣的人才，說了幾句坦誠的衷心之言，這位未來可能成為美國的總統說：「肯尼第忘了一項事實，東歐的關入鐵幕，中國大陸的淪陷，韓戰的發生，都是有一個共同的原因，那就是我們未能向共黨明白表示我們將拒絕他們的侵略」。又說：放棄金馬外島是「糊塗而幼稚的思想」。這眞是值得喝彩一針見血的睿智之言。

亡羊補牢猶未晚也，自由世界今天不僅不能再喪失一寸土地，應更積極的努力打破鐵幕，支持中華民國反攻大陸，才是免被奴役，被屠殺的最好辦法。

此間人士一致表示，如果再有任何人，發出放棄金馬的荒謬言論，則是我們共同的敵人，我們當以對共匪的立場對付他。（柯仁寄自台北）

淺沼被刺前後

張宇光

東京通訊

社會黨首領淺沼稻次郎被刺事件，在現時的日本社會上，鬧得滿城風雨，若在戰前，這類事情却是司空見慣的玩藝。如卅餘年前的日首相原敬，被一青年刺殺於東京火車站上；廿餘年前的首相犬養毅，被一羣青年軍人刺殺於官邸中；最近岸信介首相亦曾被人刺傷過；日本人並不感覺這是不得了的事。可是，這次淺沼被刺殞命，恰在日本國會快要舉行大選之際，社會黨藉此大作宣傳，希望博得羣衆的同情，因而一般左傾的勞工和學生團體，大搞其示威運動，同時也由於選舉關係，日共與社會黨乃特別警惕自愛，不敢釀成騷亂狀態，以免引起民衆的反感。

淺沼這位綽號為「火車頭」的在野黨魁，出生於硫磺島附近的太平洋孤島——三宅島上，資質並不聰穎。他在中學畢業後，立志投身海軍，曾經三次投考海軍學校皆不及格，乃改入東京早稻田大學政治科，規定四年畢業的課程，他却讀了七年纔完成。離開大學之後，即獻身於勞工運動，成為早稻田大學名教授安部磯雄所領導的社會民主黨幹部。戰後他追隨社會黨右派領袖西尾末廣，在西尾担任內閣副首相時，推舉他為文部省（即教育部）大臣，他對西尾恭敬從命，十分忠貞。後來社會黨左右合流，他又以右派高級幹部的資格出任書記長，從這時起，他就受着俄共集團的誘惑，逐漸成為熱烈的反美親共角色，而與西尾分道揚鑣。所以，去年西尾派單獨組織「民主社會黨」，而淺沼即與左派勾結一氣，脫離西尾關係，寖且被推為社會黨委員長了。

前年淺沼被中共邀赴中國大陸一行，回來時，他就戴着毛共所製的「列寧帽」，招搖過市，且在新宿車站廣坪上發表演說，極力主張反美親共；當場受到聽衆一般噓特噓。像他這種作風的人物，自為一般愛國反共的人士所憎惡，那青年刺客山口矢二，始終不承認他刺殺淺沼是受有別人教唆的行為，若就日本民族性設想，這話或許是真實的。（十月十五日寄自東京）

大陸潛望鏡

△由大陸獲准來香港之人，多因久飢已甚，稍受親友飲食暑豐之招待，即發生急病，致須送醫院救急者，其數不少。若干有經驗之醫生已作口頭勸告，希望香港居民對於招待大陸親友，愼勿令其暴飽。

△大陸各大城市居民，近被驅迫下鄉從事農業生產者，以有「不良紀錄」之「右傾份子」及「地主成份」為屬，每翻出多年前之「案底」，雖老弱亦不免，每午夜有人扣門傳令，即須出門冒風寒而去。此已成為普遍之恐怖。

△今年雙十國慶以後，在大陸城市之民間「耳語」，以廣州一地為例，仍以「國軍何不反攻」之一個話題為最多。近半年傳遍廣東各地之民間私議，大多有如下一個論調，謂國民黨在台灣不反攻，是有意報復當年大陸人民對其不合作，故將反攻時間拖遲。（記者按：此乃一個由廣州獲准來港之樸實婦人，以前從廣泛接觸中所聽到者。）

信不信由你的人間鬼話
「鬼胎」夏琴心

文明世界，居然還有「鬼話」，眞是信不信由你了。影星夏琴心被影劇界人仕說為「鬼胎」。台北聯合報影劇版會有如下一段報導：『……但就在這當口，夏琴心談了一個駭人聽聞的故事，這個故事的女主角正是她自己。據夏琴心自己說：二十多年前，她的父親患染沉痾，鄉間羣醫束手，就等着辦後事了。但有個道士被他家請來「跳神」，那老道士在地上滾了幾滾，口吐眞言，說是夏琴心的父親，因為被一個陰魂不散的女人追求，非要和她結婚不可，而且說明這個女魂的住所和家庭環境。夏琴心父親家裡的人按址探訪，果然有其人，根據台灣習俗，就得把那個死去不久「女鬼」的牌位，迎親迎到家中來舉行「婚禮」。

同時，夏琴心的母親，也在她丈夫的床邊聽見他垂危時中仍喃喃囈語，說是要陪人到台南去玩，要她為他準備衣帽鞋子。

在神棍的促使下，夏琴心的母親終於讓她的丈夫再娶了個「鬼妻」，而這時候，恰好生下來夏琴心，所以家中的長輩都說夏琴心（原名陳雪峯）是個「鬼胎」，是那個女鬼的女兒。

她出世後就被許為被迎回家來那個牌位的女兒。同時逢年過節，她都要向牌位請安問好。這件事是夏琴心的一件秘密。

夏琴心每次回麻豆老家時，都要在家中客廳的牌位桌上，向其「鬼母」拜拜，臨去的時候也要喊：「媽，我走了，妳多多保佑我吧。」但據她說，在心理上似乎這位鬼媽媽的確常常照應她，至於夏琴心是否因為這位「形而上」的母親而對她的生身之母在孝思方面有所影響，她說：「不會，我對兩個母親都很孝順。」』

文明社會的人間，還有「人間」鬼話，眞是怪哉！信不信由你。

張希明

大陸文壇萬花筒

知識份子永遠反共

——岳騫——

十年前，筆者由大陸逃難來港，坐滬粵直達平道經杭州時，曾寫過一首吊吳越王錢鏐的詩云：「當年開府鎮東南，歌舞湖山笑語酣，獨惜君王材畧短，英雄誰肯拜朱三。」詩固不佳，頗能道出當時心境。十年來，發現留在大陸知識份子，大體均抱同樣態度，甘心情願向朱毛低頭者，究屬少之又少。

去年中共科學院出版陳援菴（垣）先生「通鑑胡注表微」一書，我當時曾經摘出二十幾條發表於民主評論，內容全是借古罵今，指斥中共暴政，有的竟直接罵毛澤東為盜，明白警告中共「中國人雖愛和平，萬不可凌至忍無可忍也。」由於中共審查幹部之無知，此書竟得出版銷行海外。

援菴先生已經中共准許入黨，本心尙且如此反共，其他受迫害的知識份子，更隨時隨地發表反共言論，經常散見於書籍報刊。

本年中共出版了一本「張蒼水集」，這倒是一本好書，中華書局編輯所，根據以前出版的三個本子互相校勘後付印，蒼水先生明末孤忠，事蹟堪與文天祥媲美，中共印出他的續集，可能出於勉強，所以紙是用的粗紙，比較抗戰期間後方用的報紙還差，好紙却都用去印列寧全集，史太林全集，毛澤東選集這一類鬼書去了。

因為紙質太差，這本書在海外的銷路並不太好。看的人自然也不多，當然更少人去注意前面的「出版說明」，出版說明是中共翻印古書的例行文字，可是這次却不知出於那位先生之手，他在出版說明中縷述張蒼水與鄭成功聯合抗清的經過，對於蒼水兵敗被執，從容就義尤為讚美，這些已經違反了毛澤東延安文藝座談會上的談話對古籍去其糟粕，取其精華的規定，因為蒼水先生一生忠君愛國，至死靡他，在中共看來正是他一生的短處，這一類的文字自然也是糟粕了，可是出版說明在最後偏偏引用他致清朝安撫趙廷臣的信中幾句，「十洲三島，莫非生聚教訓之區，嘗胆臥薪，別有扶危定傾之計。臣靡尙在，天意未忘禹功，諸葛猶存，正統還歸漢胄。」這幾句話雖然是蒼水先生說的，但此時寫出來，恐怕還是給我們看的，寫這篇「說明」的人，無疑地必然是一位反共份子。

社會小說 香港地

六、人情味

木客著

這倆個受傷者的姓名，一個是張柏威。梅大亮記得這正是亡友張君實的兒子，剛結婚不久，那時自己曾經參加過他的婚典，聽他的妹子白麗說過一段稀奇故事。另一個不是誰，剛就是譚福祿。

梅大亮幾乎不相信他自己的眼睛，拿着報紙喃喃自語道：「受重傷的車主是張柏威，受輕傷的過路人是譚伯祿。這兩人湊巧碰在一起，可不是太奇怪了嗎？敢情是另有其人，只姓名偶然相同吧！但決不會兩個都是我熟識的呢！」

他滙起張伯威那個闊翩翩玉貌的新郎，心裏便想道：「眞的可能是他借了老婆的財來買車，做起車主，才會因爲車而失事，弄出這宗禍事來呢。但據說和他同車受傷的女人，只是他的女友不是他的老婆，那又從何說起呢？難道這小子貪新忘舊：……」一想到這種沒趣的事，他不再想去了。他只搖頭歎了一聲，再喃喃自語道：「這種寶貝，什麼事做不出來？且休想他，且去看看譚伯祿要緊。」

他拋下工作，下山到九龍市區，找譚福祿去。譚福祿住在油蔴地上海街，距離九龍仔不遠，走不到半個鐘頭便到。

當他按址踱上譚福祿所住的舊樓，叫開了門，踏步出到騎樓的時候，看見譚福祿剛躺在一張帆布椅上休息，那臉上的模樣竟使他嚇了一跳。

譚福祿果因受了輕傷，躲在家裏養病，這並未出乎他意料之外，使他駭異的却是：譚福祿整個模樣變了，頭頂剃得光光的，面上貼了幾塊膠布，左一塊右一塊的，都打上交加，最奇是從前臉上掛着的一副長鬍子都剃光了，現出了青色的光光的下頷。

梅大亮知道譚福祿會靠那一把長鬍子來發財，扮作西藏喇嘛，在一間神廟門前擺檔，替人解簽，一向看那把鬍子是吃飯本錢和生財工具，如今竟忍痛割愛，完全換了個模樣，當然不免吃驚暗忖道：「這就是他嗎？險些兒認不出啊！」

譚福祿却不等梅大亮開口，先表歡迎道：「你來得眞好！有心有心！你還認得我嗎？這番我是剷鬚棄袍了。」（七〇）

記長沙大火

漁翁

長沙，秦置郡，漢置國，其地域包括湖南全省，明置府，淸因之，民國廢，以善化縣並入，即今之長沙縣，爲湖南省會所在地。山有衡岳之勝，水有洞庭之秀，不僅山水鍾靈，而又爲粵漢鐵路中心點，在淸光緒三年，已闢爲商埠，自後更形繁盛，成爲軍事上，經濟上之重心。

抗戰開始，中央調湘主席何鍵爲內政部長，而以張治中繼之。張字文白，安徽巢縣人，卒業於保定軍校，以黃埔軍校區隊長起家，由軍事委員會政治部長調湘後，不及三月，即授意左右，編輯「張主席言論集」。大放厥辭，並擬具兩大方案及用人標準，印發各市縣，張貼壁間，堂皇冠冕，但令而不行，行而不通，則不之計也。

時鄧悌有意回湘效勞，張以鄧係湘陰籍，卒業黃埔軍校第一期，歷任軍校政治部主任，訓練總監部敎育處長等要職，爲中央所信任，歡迎臂助，以壯局面。惟鄧志在保安處長，欲本敬恭桑梓之心，荷負捍衞鄉邦之責，奈此職已經張委其同學同鄉之徐權担任，乃婉勸鄧暫屈就第二區行政督察專員兼常德縣長，爲鄧所不滿，遲遲不拜命。

旋派兼第二區保安司令及常德警備司令各職，並許不久，將更有所借重，始允赴任，下車伊始，即賦詩一首，內有「武陵城下試牛刀」句，（常德爲古武陵郡）自負爲龐士元非百里才，矜狂殊甚。

民國二十七年秋，戰事逼近武漢，張乃調鄧爲長沙警備司令，未幾又保爲省府委員，必要時，即將軍政大權，交其代理，而鄧以桑梓所在，雖奉命於危難之際，亦在所不顧。

十一月初，敵軍已進入湖南之岳陽，情勢緊迫，張乃召集軍事會議，遵照中央焦土抗戰計劃，經決定如敵軍侵入，離長沙城三十里時，即行放火，分東南西北四城區，同時舉行。

迨是月十三日薄暮，得前方電話情報，誤謂敵軍已至「新河」，其實尙在「新牆河」，（按：新牆河居岳陽與湘陰間，距長沙遠在三百里外，新河離城僅二十餘里，）於是張皇失措，即依決議案而舉火，長沙精華，付之一炬，非僅物資損失慘重，即居民死於夢中者，亦無法統計，成爲空前之一大悲劇。

事後以敵未至而自焚，咎將誰歸，張素機巧，即歸咎於鄧氏與憲兵團長文重孚等，而本人僅以一去了之。鄧對當國，尙稱忠勤，不幸代人受過而送命，並蒙「遺誤軍情」之罪名，九泉有知，其能瞑目否耶？

漢高帝解滎陽之圍，紀信替死，張治中縱長沙之火，鄧悌殺生，其死也，一則重於泰山，一則輕於鴻毛，豈亦有幸有不幸哉！

大火之後，湘人以張僅撤職了事，認爲不平，有人撰聯登之報端，上聯爲「治績何存，兩個方案一把火」；下聯「中心安忍，三顆人頭萬古寃。」橫額爲「張惶失措」，蓋明嵌「張治中」三字以諷之也。

在大火之夕，北區方面，由長沙縣社訓敎官兼副團長王偉能負責，是夜因事外出，不及放火，故北門倖未波及，王以遺誤戎機，恐有生命危險，心感不安，旋知爲電話所誤，稍釋於懷，後張召見，以其沉着應變，擢爲沅江縣長，因禍得福，亦幸運也。

猶憶是年秋，余在長沙敎書，其時日軍已侵入岳陽，此地逼近戰區，人心惶惶，學校雖早已遷入鄉曲，而余尙未離省，行坐不安，散步馬路旁，見往來人羣，咸向測字處，問國家事，余亦在署名「蓬萊山人」攤上，拈一「灰」字，問「長沙安危」，術士歎曰：「此字不佳，內有一「火」字，中央焦土抗戰，恐此地化爲灰塵，最好以遷地爲良」。次日舟車不通，乃步行到湘潭，夜間果大火，已驗術士言，迄今不覺爲二十二年事，往事回溯，感慨萬千。

相思夢

·林佛兒·

漏夜歸來，已是更深了。

子夜很靜，而我的心很煩，很亂。

歪倒床上，我輾轉反側，思潮像海浪，憶起往事，我是歡笑的飲泣着。

於是，我一夜失眠，一夜眼淚。漫漫長夜，我的情感與理智激戰着——

晨起，黑雲密佈，細雨霏霏，這情景如同我底心，底愁。

昨夜鐵綫橋的一席談，雖然我很悲哀，也很痛苦，但我認爲這也是修養與抱負的考驗。最低限度，你已敎訓了我，也提醒了我。

雖然我還爲生活而掙扎，雖然我是一失去家園的遊子，但妳能說我是永遠這樣一輩子的狼狽嗎？何況，以勞力換得來的金錢是神聖的，無分階級的。須知：祇有人格才有高貴低賤。

如今，我已下定決心與志向，將來即使我做了大官也是我的職業而已，而我志在文藝，文藝才是我眞正的事業。我將把我的精力，心血甚至生命致力於這方面。

今後，我不會再打擾妳，再自尋煩惱。過去已是過去，一切已成往事了。

讓寂寞繚繞我，讓我在寂寞中默默的進取。

儒林九尾龜

吳敬鉺

第三回：柳暗花明又一村

警車來到之後，跳下幾名警員，一位幫辦，先把大家的入場券要去看一遍，然後問是誰經手賣出的。大多數人都說是從卞式人那裏買的，警員又問卞式人的地址，大家都不曉得，李鴻飛忽然想起，早幾日會見卞式人時，他曾經留有一個通信地址，當時抄下來交警員，一羣聽衆也就散了。

隔了幾天，李鴻飛又到文化報去，見了面，鄭實齋問道：「卞式人出了事，你知不知道。」

李鴻飛笑道：「那天出事時我在場，不過並未看見卞式人，以後情形就不曉得了。」

鄭實齋嘆口氣：「他這個人可算是聰明一世，胡塗一時，他開音樂會，本來打算找幾個舞女，能夠唱幾句的，到時候去客串一下，聽衆儘管不滿，也沒有辦法。那知道租場子的時候出了問題。」

李鴻飛笑道：「大概因爲他的名譽太壞了，夜總會不敢租給他，是吧！」

鄭實齋笑道：「你只猜對了一半，他和夜總會的主持人是熟人，零零碎碎也曾關過那人好多次，所以租場子他也不敢出面，特派了魏本愚去，打算先交一筆定錢，租好場子之後，他再帶了一批舞女歌唱家趕了去，橫豎定金已付，夜總會也不敢反悔，至於表演過了之後，下欠的數目當然也就不付了。」

李鴻飛搖搖頭：「這傢伙的算盤打得眞精，完全是無本生利，可是後來怎麼會出事呢？」

鄭實齋說道：「毛病就出在魏本愚的身上，卞式人給了他兩百塊錢要他去付定錢，那知道魏本愚拿了錢去狂嫖爛賭，根本就沒去，那間夜總會的人當然不曉得有這回事，及至許多聽衆在夜總會門首鼓噪起來，警察按址找到卞式人家中，他正在家中已經和那些舞女準備停當，就等候魏本愚回來去登台唱歌了，那知警察來到不容他分說就拉上警車，他身上穿了一套晚禮服都未來得及換，到了警察局誰看見誰笑，最後只好穿着晚禮服上公堂了。」

李鴻飛說道：「他大可以向魏本愚身上推呀！」

鄭實齋笑道：「法律最重證據，不是推的事，假若能找到魏本愚，而魏本愚又挺身而出，敢承當這個責任，卞式人的罪自然就輕些，但是你從那裏去找魏本愚呢？而且就算找到，魏本愚一口否認沒有這回事，又將如何。」

李鴻飛歎口氣：「這位卞先生有名的騙死人，可是遇到魏本愚竟然我了這麼大的跟頭，眞是強中更有強中手，這一類的朋友，我們以後還是少來往吧！」（三十三）

中國當代虛無主義底兩流（五）

——陶一大——

這種錯誤，錯在他們不會「一點一滴」地把中國傳統文化的內容，和記載這種文化的線裝書，以至與實際政治簡別清楚，便非常冒險地用那個全稱否定命題。他們會用那個全稱否定命題要把中國傳統文化全體破壞，一筆抹煞掉。當然，他們不一定能根本地把它一筆抹煞，但是它一挫於元，再折於淸，到民國又遭此刼火，也就陷於一息僅存的危境了。因此，他們這種否定、破壞是生了效的。而且這種生效了的否定破壞，也不僅祇像他們所說是反封建。封建，就現代人所公認的含義來說，那的確是應該反的。可是他們所反的不僅是封建，而是把中華民族幾千年的文化歷史都牽連在內。因此顧頡剛先生乃要把「櫛甚風，沐甚雨」，孔子且「無間然」的大禹看做一條蟲。這簡直像CHARLES DARWIN派定人類的先祖叫猿猴一樣。這似乎過份了一些吧！當然，他們這種過份的破壞行爲，因爲器小無大力，詞氣無勇功，畢竟還是有限的，他們還祗是以否定中國傳統文化爲止境，還不敢連婚姻制度，家庭制度，國家制度等等一概否定掉。至於毛澤東們則不然，他們激蕩着那股秦莽的，狂暴的自然物氣，舞動其唯物辯證法的「精神武器」進行階級鬥爭，要否定其他無產階級以外的一切階級，因而也就要否定那人類過去所創造的一切，如婚姻、家庭、社會倫理、國家、法律、宗教、藝術、哲學道德，乃至一切人性的光輝。因爲他們認這些都是具有階級鬥爭性的。其他一切階級既被斬除，祇剩下無產階級淸一色，便再也沒有階級鬥爭，因而這一切也就一齊凋落了。於是人類便走進那寂天寞地，昏天黑地的荒涼大同中。ENGELES且說是：「人類由必然的王國進入自由的王國之飛躍」。豈不悲哉！

其次，由於那種見——偏執物化外化量化——瞋——忿恨過去的一切，乃至講理性理想的，講人之所以爲人底中西哲教——「人俱起的心態，結果他們所否定的，祇是那「人心之所同然」的「大者」，那足以安頓宇宙人生的內在而普遍的「大理」，那成就大藝小已之實踐，成就盡人之性，物之性，贊天地之化育而與天地參的至誠；而那些耳目之官所薰染下來的一切惡習氣，便不能破除（胡先生說理學不能破除纏足的漏習，其實胡先生的考據之學，既不能讓仕女們不束腰和穿四吋的高跟鞋，也不得不歌頌中國人自口紅開始接受西洋人的「物質文明」）。

釋耒集

社會主義

近讀本港日報所載倫敦通訊，報導有關保守黨及工黨在執政競爭上勝負之預測，認爲保守黨將繼續獲勝，因大多數英國人，業已發現工黨「謀國不忠」，對之十分厭棄云云。余對外國政黨活動形勢，所知甚少，如英國之工黨，僅知其爲標榜社會主義，主張維護勞工利益，比較左傾之集團，其與共產黨，有無相同之淵源，就現勢以言，有無互相依存之關係，不得而知，亦不擬深論。可以斷言者：則其旣主張維護勞工利益，自然亦不反對階級鬥爭；旣標榜社會主義，自不免漠視國家及民族之意識。以是之故，則其「謀國不忠」，實爲先天所具備之因素，絲毫不足爲怪也。以余所知，社會主義一詞，約當民十以後，抗日之前，在我國亦會風靡一世，歐文、蒲魯東、巴古寧之理想，馬克斯，因格斯之方法，稍喜閱讀報刊之青年學生大都耳熟能詳，可以言其大畧。權威學者如孫詒讓、章太炎、梁啓超諸先生，又相率以墨翟之兼愛，釋氏之平等，文飾其說，民十三年，中山先生在國立廣東大學演講三民主義，即慨乎言之曰：「我爲積弱之國，方受制于列強，不宜講世界主義（按：即社會主義），並謂元之成吉斯汗，清之康熙大帝，其所講者即世界主義，故世界主義云者，不過強國統治弱國時之一種藉口而已。」可知當時國民黨之實力雖漸增，而信奉三民主義之青年，即以革命策源地之廣東論之，固亦寥寥無幾也。北伐告成，抗日戰起，我國人仍賴民族自覺之精神，與日敵作殊死戰，不幸而共產黨之勢力已潛滋暗長，政府當局，旣不能禁政出私門之積弊，又不能弭通貨膨脹之風潮，坐令共產黨人，資爲宣傳之藉口，而國人國家民族之意識，漸已澌滅，及大勢已去，高層黨政軍事人員，紛紛賣身投靠，更未聞有人能「忠於謀國」者，則又可悲者也。今大事旣明，回顧此數十年失敗之往跡，誤於軍人之跋扈，政客之貪污，以至領袖之昏庸者，不過十之二三，誤于學者之矜名好異，青年之盲目傾動，以至于教育界之舍本逐末者，實佔十之六七，考諸近代世界歷史，侈言社會主義者，實首推英人，而工黨對保守黨咄咄逼人之勢，亦足令人生畏，以如此之形勢，工黨勢力，反日以消退，浸且爲國人所厭棄，無復能起而執政，則國民政治水平爲之也，英國以工業立國，勞工佔國民總數之絕大多數，今自謂代表勞工利益之政黨，乃爲其國民所舉發，謂其「謀國不忠」，此英人之所以不可及者也，必有如此之國民，然後惑人之邪說無所施其技，若處今日之時勢，英人猶足以與蘇聯相抗衡，豈偶然哉。

曲齋

國大會議紀事詞

蘭臺侍者

序曰：國大代表六年集會一次，爲時不過四旬，平日散處四方，默默無聞，政府當局亦僅是對立監委員尊崇備至而視國大代表若贅瘤。如民國卅八九年間大陸淪陷之際，凡來至台灣之立監委員，皆由政府特別照顧，不虞衣食住行之匱乏，唯國大代表乃皇皇如喪家之犬，無人理睬，當時多有流落街頭，形同乞丐者。迨國大會議一旦正式召集，代表身價突告飛騰，政府文武顯要相率奉代表爲上賓，張筵宴會，游藝歡娛無虛夕，得暇又以專車載濟濟多士，從事集體遊覽參觀，每逢大隊車輛聯轍接轂，出入市街時，行人一律駐足道旁，不得通過，無殊清道警蹕，威嚴不可一世。各旅店餐館皆奉令對國大代表特別優待，八折收費，禮遇之隆，得未曾有。台灣境內各種軍車，常於市街橫衝直闖，隨時失事傷人，但在國大會議期間，軍車司機均十分謹愼將事，蓋恐撞傷國大代表，惹下大禍也。觀此情形，足徵國大代表斯時允稱天之驕子，使立監委員亦爲之相形見絀矣。

西江月

六載江湖委頓，一朝魏闕賁臨，王侯將相競歡迎，好箇當頭鴻運！

優禮流傳市井，高軒辟易行人，勸君得意莫忘形，記取平時苦境！

財神趣話

筱臣

秋季馬票快將揭曉了，筆者也不免見獵心喜，明知無望，也勉強破費慳囊買了一張。據說大凡能夠獲中馬票的幸運兒，多屬財神照臨。中國人的傳統習慣，對於財神也是虔敬維誠的；尤其是商店，更是每一店舖都必需供奉財神。

按財神向來相傳爲趙玄壇，即道家所供奉的趙元帥，名公明，手執鋼鞭，身跨黑虎，雙目圓睜，兩眉間復有垂直眼睛，形狀極其威猛，作爲財神而形相如此凶惡，不知何故。

按「三教搜神大全」云：「趙爲鍾南山人，自秦時，避世山中，精修主道，功成封正一玄壇元帥，主除瘟剪虐，保病禳災，凡訟冤伸抑，使之解釋公平，買賣求財，使之宜利。」是財神不僅管理買賣求財，尙兼管護法衞生諸事，實爲一個聰明正直的神，而且兼職頗多。又據「封神榜」所記趙公明成神，乃在周武王成功之後，姜太公將戰爭中死亡將士，一律封神，其封趙公明勅書說：「特勅封爾爲金龍如意，正一龍虎玄壇眞君之神，率領部下四位正神，迎祥納福，追逃捕亡，爾其欽哉！」是其職掌乃在迎祥納福，追逃捕亡，似與求財無關，一曰招寶天尊蕭昇，一曰納珍天尊曹寶，然其所謂部下四神；一曰招財使者陳九公，一曰利市大官姚少司，則又皆與財有關，所以商人莫不信奉虔敬。

「三教搜神大全」所記的財神，不知根據何種典故，有人曾經詳查秦漢間的典籍，即如道家氣味極濃的淮南子，也無趙公明得道的傳說。且趙公明其人，各書均不見記載。「三教搜神大全」旣稱他秦時避亂，又有元帥的封號，推想起來，這人應該是秦漢間地位頗高的武人。

其次，漢時民間尙無拜財神之俗，似乎要到六朝時，才有拜趙元帥之風。「搜神祕錄」記梁武帝（劉裕）時有一士人夢趙元帥，教以浮海，數年乃大富，這好像是最早的一項求財神而發財的記錄了。

但是，這和財神的傳說起源是無關的，中國民間所祀奉的神，多有出處，如姜太公、周武王相父等，只財神尙無人考得其出處。

後來有人認爲「續神怪錄」，其中有一則記趙公明爲大富翁，其後盡散其財，入山修行，乃得成佛。因此，有人認爲這應該是財神的可靠記錄。總之，神怪錄這一類書的記載，可靠性極少，祇是仙神冥渺，姑妄言之，姑聽之而已。

因之，乃有人從這些地方推想，認爲苑蠡和卓文君的祖先，都有成爲財神的可能，祇是這也是一種聯想，並不是有絕對的確證，喜歡考證的人有此一說而已。

因此，如果要考證財神究屬阿誰，很難得一結論。總之，財神已經成爲人們虔奉的神，這是事實。

猶憶某地財神廟有一聯云：

「雖有幾文閑錢，你也求，他也求，給誰是好？不做半點正事，朝來拜，暮來拜，教我爲難！」

這聯對於求神的人們，可說是罵得極爲刻毒，今天買彩票的人們心理，閱此當可猛省。又某地有一財神廟，有陸某代題一聯，出筆洒脫，亦含有滑稽諷世之意。聯爲：

「君能使鬼；人盡呼兄。」

按錢名孔方兄，又俗語有云：「有錢能使鬼推磨」，此聯即用此兩語造成，可說善於諷刺。

又浙江省財神廟有一題聯，亦頗富有警世之意。聯爲：

「聰明正直謂之神，冥冥難欺，知義利交關，有福善禍淫可據；東西南北，隨所往，頭頭是道，最後損人利己，何愚無識？」

梁士詒夙有財神之稱，但諷他之聯亦多，茲姑數之，以爲本文之殿，且博讀者一笑。

其一云：「金穴深藏，銅山忽倒，財神千古，餓鬼千古；洪憲忠臣，共和敗類，興邦一人，亡國一人。」（按相者謂梁財神縱紋入口，有如亞夫鄧通，終必餓死。）

其二云：「剝膚趙地無皮，只留得短褲千秋；翹首峴山齊墮淚，捉怪拿妖，一天有眼，聽到令牌一拍，埋頭港海倍傷心。」按那時梁士詒自帝制失敗後，即逃來香港，故第二聯有云。

國大

顧翊羣近詩

驚聞陳伯莊先生逝世敬悼

卅年友直數元方，早歲才高晚更強。學以風標匡一代，詩從氣格紹三唐。放翁愛國輕榮祿，子政傳經恥稻粱。凄絕糜山聞返駕，海天遙望淚沾裳。

承謝扶雅先生贈詩並賜大著宗教哲學等書詩以謝之

探究人天見本根，標原理性破迷昏。遺民會記西台淚，弟子爭傳上蔡尊。白首窮經今伏勝，青衿治易舊虞翻。何時幸接高軒過，頌德還傾酒一樽。

談詩

徐學慧

中國人對於任何宗教的信仰皆不虔誠，可是，中國人在心靈方面的修養，都遠非那些有宗教信仰的人所能想象。如果要研究這中間的因素，自然一言難盡，但無論如何，中國人有其豐富的詩歌遺產，足以替代祈禱與跪拜，因而獲致了超越的著性怡情之效，則是一個無可否認的事實。

詩可以不作，卻不能不讀。讀詩可以令人靜慮襟懷，可以令人超塵絕俗，換句話說，陶冶性情，捨詩而外，無以爲

近四十年來，談新詩者頗多。可惜，新詩的道路還在摸索中，如果以現在所表現的情形來看，新詩是無法代替舊詩的地位的。

我爲此語，並不是有意復古，叫大家去作舊詩。相反的，舊詩且已不能再作。但作與讀完全是兩回事，舊詩雖不能再作，也不必再作，卻是不能不讀的。爲的是中國文學上的寶貴遺產，而此種遺產，且與中國的民族性格與社會習俗混爲一體，形成了一種特有的中國文化。這句話，似乎還是說得太淺了些，我們簡直可以說，這些遺留下來的詩歌，幾乎已成爲我們這個民族的力量的泉源。

中國人沒有教堂，沒有聖經，也沒有祈禱的經文，而中國人卻可以從詩歌中獲得比祈禱更爲深遠的靈性啓示。此種啓示，也即是力量之所由生。歷代學人，並未留下一本有關討論人生哲學的書，而中國的詩歌，幾全爲人生哲學之結晶。我們這個民族，如果把這些詩歌全部廢置，我不知道這個民族在精神上還有甚麼內涵？

我們之所以熱愛重陽，乃是因爲有一個重陽登高的故事，再配合以歷代詩歌的吟詠。我們之所以熱愛中秋，乃是因爲有一個中秋的故事，再配合以歷代詩歌的吟詠。

不僅是重陽，也不僅是中秋，所有爲我們紀念的節日全是如此。有許多詩歌，歷千百年爲人傳誦，我們熱愛這些詩歌，因此也附帶熱愛這些詩歌所附麗的故事，不管這些故事是怎樣的無稽，而我們却把它賦予以感情，讓它在每一個人的心靈上生了根。

中華民族之所以能歷久不衰，實與詩歌有莫大關係。今天，雖然不是詩歌的時代，但作爲一個中國人，而不懂得中國的詩歌，那是不免有些滑稽的。

我不反對任何人高談新詩，但我卻想向他們忠告：在高談新詩之前，請先熟讀舊詩。

收音機和「麻雀」

——謝康——

人之一生所聽到的聲音甚多：有人聲、鳥聲、獸聲、蟲聲、風聲、水聲、車聲、雷聲、飛機聲和金石絲竹之聲，匏土革木之聲。工作時有鋸木聲、打鐵聲、機器聲、和勞動邪許之聲。娛樂時，有唱歌奏樂之聲，有收聽廣播之聲，有樂隊所奏出的舞曲或交響曲，有電影院有聲影片之聲，有喝雉呼盧，推牌九，輪盤賭之聲。家庭生活不協調時有河東獅吼之聲，有中庭相泣之聲，有勃谿詬詈和小孩啼哭之聲。在鄰里不睦時，有隔壁二叔婆與王四嫂吵架之聲，有罵家婆「噬交」之聲，也有咒罵對方不堪入耳之言。在熱鬧的市場上，有抗喉叫賣衒鬻其物以求售之聲，有爭議價錢之聲，有爭攤位而謾罵之聲，嘵嘵然嘈雜之音，鬧成一片，使聽覺器官，無從分辨；但覺市聲之可厭可憐，還不如鳥聲，蟲聲的悅耳了。在虛僞的社會裏，有獻媚乞憐，倚門賣俏的微笑聲，有「今天天氣哈哈哈」的大笑聲，有無病呻吟之聲，有恭維諂笑之聲，也有爾詐我虞互相欺騙的鬼話。這些聲音又不如學校中瑯瑯的讀書聲，教堂裏和諧的「阿們！」誦禱聲好聽多了。

總之，我們每天所聽的聲音不少，有自然的也有不自然的；有可喜的也有可悲的；有有所求的，也有無所求的；有誠實的也有虛僞的；有飛在空中的，也有潛在水底的。種類不一，實難備舉。若就香港小市民所慣聽的聲音而言，却以麗的呼聲和搓麻雀之聲爲最普遍了。（一）

海濱消暑錄

自由報

THE FREE NEWS

第七十三期

中華民國僑務委員會領發 台救新字第三二三號登記證
中華郵政台字第一二八二號執照 登記爲第一類新聞紙類
（半週刊每星期三、六出版）
每份港幣壹角 台灣零售價新台幣弍元
社長：雷嘯岑
督印人：黃行靈
社址：香港銅鑼灣高士威道二十號四樓 20. CAUSEWAY RD. 3RD. FL HONG KONG
TEL. 771726 電報掛號：7191
承印者：田風印刷廠
地址：香港灣仔高士打道二二一號
台灣分社
台北市西寧南路壹壹零號二樓
電話：三〇三四六
台郵撥儲金戶九二五二

自由中國必須自立自救

孟廣樸

（一）

不管我們中國人對於所謂「兩個中國」這項國際詭謀的心理反應如何，然由宣傳而趨於嘗試實行的可能性，似已日見濃厚，「山雨欲來風滿樓」的態勢，有目共覩了。策劃這項詭謀的，亦不僅是美國少數的幾個民間團體（如康隆學社之類）或個人（如鮑爾斯之流），早在八年前，美英政府當局創出「台灣地位尙待國際決定」之說，就是作爲製造兩個中國的理論根據，目前他們認定時機業已成熟，纔由美國方面公開提倡而已。

我們千萬不要過於天眞幼稚，而幻想着美國下屆總統若依舊是共和黨人當選，或許會打消這種出賣友邦的詭謀。實則共和黨與民主黨的對華政策，祇是大同小異，基本上並無二致，試看他們最近對於金門，馬祖應否防守的意見，即可憬悟了。民主黨總部聽到菲律賓副總統馬卡柏佳在華府闡述金、馬非防守不可的主張，居然致函指摘他的言論是「干涉美國內政」，固屬荒誕不經之至。但共和黨的紐約州長洛克菲勒，亦公然提議將金、馬兩島交換被中共囚禁的兩名美俘，在基本觀念上，跟民主黨人無所軒輊——都是把台灣地區看作美國可以隨便處置的私有土地。不過，民主黨人不問中共是否願意接受他們這種慷他人之慨的禮物，亦纔是要死七八賴地自作多情，再三奉送，而共和黨人卻須取得一點預期的代價，這便是他們兩黨的小異之處。

對東亞的共同事業

（二）

國際形勢如此，人爲刀俎，我爲魚肉，自由中國政府如其不願聽人宰割的話，其究竟何以自立自救呢？這眞是危急存亡之秋，禍至無日，不能不作切實的「心理準備」了！最墮落的想法，不外乎默認「兩個中國」暫時存在，而希望確實保持着偏安一隅的局面，以待國際局勢之演變。可是這無異於慢性自殺行爲，卻係常識所能判斷的事。中共僞政權一旦參加了聯合國的組織，自由中國政府不特在國際間不成比例了，而且還有國際魔力隨時蠱惑台灣同胞搞獨立自治運動，例如台奸廖文毅之所爲，假使沒有國際魔力作背景，他能夠在日本公然稱孤道寡，自封爲「台灣共和國總統」嗎？這種魔術雖然百分之百的不會得逞，但可使自由中國內部不斷地滋生動盪不安的情況，而所謂「兩個中國」的存在，也就不無問題，那時節，我們要想保持着中華民國這塊招牌，恐怕比現在更困難呢！事情很顯然，美國祇是爲着它的利害關係，決不讓台灣被中共所侵佔，並非有愛於中華民國這個友邦。只要俄共集團不以武力攻擊美國在海外的軍事基地，任何妥協政策，皆可以嘗試的。所以，我們縱然惰性十足，情願苟安一隅，結果亦是凶多吉少也！

古今中外沒有完全倚賴外力以生存的國家，有之，即是資本帝國主義下的殖民地，以及共產帝國主義下的傀儡政權。自助者人助，自侮者人侮，我們如不願俯仰由人，而要自己掌握着生存的命運，唯一條件，必須求其在我。假使自由中國政府能夠劍及履及，揮戈反攻大陸，漫說是光復全國，祇要克服沿海二三省地區而固守之，國際地位亦馬上便告上昇無疑。然而，在目前這種論調似乎太高，未免不切實際，不得已而思其次，那就是如何確保自由中國政府在台灣的時候，沒有被人隨便擺佈出賣的危險，這該是最低調了。但低調亦得自己妥爲演奏，才有人注意傾聽的，否則還是沒有出路的。這低調的主要內容，就是在經濟上盡力促進生產事業之開創和發展，以期減少外援的依存性；在政治上切實做到海內外團結一致，共赴國難的同心協力狀況，而且要以行動和事實表現出來，給世人共見共信。這兩項工作，實際是一而二，二而一的事，政治上如果不能把海外僑胞和台灣人民沆瀣一氣，精神團結，造成和諧安定的環境，則任何經濟建設，皆屬鏡花水月的幻景，不會有實效的。

（三）

本年三月間，執政黨爲着總統選舉問題，召集了一次臨時中全會，宣稱今後要團結海內外一切反共力量，開拓新局面，網羅新人才，創進新機運。這號召可謂適時適事，十分正確，但在苒苒半年，依然是止於文字宣傳而已。最近又舉行了一次正式的中全會，世人總以爲必有異乎尋常的決策和實施計劃，昭告社會大衆，一新中外人士的耳目了。然而據當局所宣佈的會議結果，跟過去所宣傳的，並沒有甚末不同。光是開大會，作決議，發宣言，而不繼之以行動，證之以事實，表現着「周雖舊邦，其命維新」的氣象，怎能夠振奮人心，激起內外民衆的愛國思想，各盡所能，共赴國難呢？以宣言文告求治的時代早就過去了，如不改變舊觀念，實行新作風，而唯空談是務，雖日發萬言，何補大局？我們在海外常見中樞黨政機構的負責者，每逢某種紀念時節，必在報紙上發表一篇不知所云的告某某文字，實在令人肉麻噁心不已。這套在大陸上早已搞臭了的玩藝，誰也沒有屬目的興趣了，如果憑這種方法就能夠團結海內外的反共力量，那我們根本就不會退出大陸啊！

眞正要達到團結海內外反共力量的目的，積極方面必須有立大信，袪大惑的行動表現，附以恢宏豁達的氣魄，說話一定兌現，對人處處推誠，廣開言路，容納評諫；消極方面必須減少一些對人民不必要的束縛或恐懼，而其要旨即爲徹底整理現行多如牛毛的新舊法令，同時在政治上實行網羅新人才——尤其是在野黨的人才，更要盡最大的可能，讓他們有報國的機會。二次大戰發生時，美國總統羅斯福即以內政，陸軍兩個重要部門的職務，請共和黨人諾克斯，史汀生擔任，表示舉國一致的精神。我們現在的國難程度，比二次大戰時的美國，嚴重多了，更需要這種非常的措施，才可望獲致團結反共力量的實效。政府當局祇要誠心誠意地盡其在我，公忠體國，只問耕耘，不問收穫，則凡屬反共非共的中國人士，即令個人有甚末恩怨之見，但在大義與良知的感應之下，最少最少亦不能不顧全大局，而做出親痛仇快的事情了。

自由中國政府能將海內外二千萬以上的人力團結起來，以衆一心，爲反共復國而共同奮鬥，張之以變，實就是不可輕侮的國力，人多心齊，無論在政治上，經濟上，國際法亦就不愁沒有，國際間的觀感自然隨之而異，這樣，還有誰能敢出賣我呢？非如此，勢將難以保持「兩個中國」的偏安之局，亦是失望的成份居多，大家提高警覺罷！

小論天下

△自由世界金市忽然吹起一陣狂風，來得快，去得也快。各地輿論，對美元的領導地位開始耽憂。有人懷疑蘇俄暗中搗鬼。金風送爽，其亦有「一葉知秋」之懼乎？

△諾貝爾獎金得獎人鮑寧博士稱：美如使用三百個氫彈，可將整個蘇俄毀滅，而美國現時此等氫彈已有二千顆。

爲甚麼沒有人想到：在大陸數億中國人心上可以引發起來的一個「氫彈」，已是毀滅蘇俄最有效的武器！

△匈牙利革命四週年紀念，美國發佈譴責蘇俄文告如儀。此亦厥鍊厚臉皮之一法也。

△日本首相池田勇人宣稱：日本不宜走「中立」路綫。日本大選快將舉行，議會解散在即。「池田觀風」已定，已有信心「馳騁」了吧！

△美國民主黨參院副領袖曼斯菲提出自以爲是的「新遠東政策」，大要爲：承認和接受日本「趨向中立的廣泛傾向」，順應此種趨勢以改善美日關係，並主張韓國仿行類似路綫，循中立以換取統一。

犧牲「反共」以遷就「非共」，製造「中立」以自置於「孤立」。美國民主黨大亨當中眞有這一派人物。

△菲律濱駐美大使羅慕洛撰文呼籲「美國醒來」，指出美國在共黨恐嚇及威脅面前之「軟弱」，是以使美國友人感到惶惑及心寒。這已不只是「旁觀者淸」，而是「旁觀者急」了！

△美國競選總統兩巨頭現正殺成不分上下，同感吃力。莫斯科廣播稱：尼克遜和肯尼第是一雙「爛鞋」。赫魯曉夫該曉得爛鞋也有用處，如果要在聯合國拍桌子而感到「肉麻」之時。

△剛果又有軍事變動新危機。寮國永珍政府軍與反共軍發生新衝突。

潛藏在兩個小地區「多變」的新聞裡面，大謀略家的巧妙手腕當然是無形無影的。但，顯而易見的是：西方國家總吃虧在沒有足夠的鬥志與決心。

方南

自由談

談祝壽

馬五先生

蔣總統最近傳諭海內外各界人士，當此國步艱難，中原淪於共匪手中，大陸同胞過着人間地獄生活之秋，不可爲着他的壽誕而耗費財力物力，使他深感不安。這是先憂後樂的崇高精神，大家應該景仰遵循的。記得前年蔣總統亦曾經表示過同樣的意旨，說是等到光復大陸後，願與全體同胞在其誕辰中，盡情歡樂一番。這又是何等誠懇而光明的心情呢！然而，言者諄諄，聽者藐藐，到時候還是有許多人慶祝如儀，此時此事，決非信口雌黃，確有事實可證的。

眞正對國家元首懷有忠貞志節者，隨時隨事隨地奉行國家法令，遵循政府指示，即係忠誠不貳的良好公民，固不必以諛言媚行來作態也。禮節表示須在一定的限度以內，纔是眞誠的，過份即爲虛僞。

如今一般熱心於祝壽行爲者，似乎專在表演忠貞的戲法，因而就是用文字或口頭大獻其諛詞，即算盡了祝壽之能事。甚至有些從海外揚言歸國祝壽的「忠貞」人士，假祝壽之名，作營私之實，每多藉題活動，別有企圖，其心殊不堪問。這類事情，近十年來我在海外迭見不鮮！

蔣總統教大家不要爲着他的誕辰而鋪張揚厲，這就是限度。如果不切實遵從，還要大張旗鼓地進行祝壽，便是過份，即係虛僞的行爲，禁之便……

祝壽的人們，能如廿年前集資購獻飛機以恭祝蔣委員長五旬壽誕的方法，我不但高舉雙手贊成，而且亦要以賣文所得的微資捐獻若干，聊盡國民天職哩！

大陸糧荒慘重

·裴有明·

以農立國的中國，災荒本是司空見慣的事。從漢武帝到清末的兩千年中，僅旱災就發生過一千八百多次。可能局部性的較小災還未列入歷史上。平均起來幾乎每年有一次。中共自成立政權這十一年來，凡水、旱、蟲、風、霜、雹等災年年都有發生，倒也合乎歷史規律。可惡的是中共無視受災人民的飢苦，在「生產自救」口號下要求災民「靠山吃山，靠水吃水」！

俗語說：「皇上無福民遭難」。毛「皇帝」豈止是無福，簡直是缺德八輩！大陸出版物上，是凡「偉大」、「英雄」、「太陽」、「道路」、「旗幟」等等肉麻的字眼，除了上帝沒用外，「四拌爛」都用來歌頌毛酋了。大有毛澤東是個前無古人後無來者的「人民領袖」。事實上毛澤東是中國歷史上最混帳的暴君。桀紂雖虐，也不像毛酋那樣文過飾非，「滿嘴天官賜福，一肚子男盜女娼」。和尚出身的朱元璋算壞了，但當天旱不雨時，並未像毛澤東一樣強迫災民「與天開戰」大搞「羣衆運動」。而是披散頭髮，着白皮、穿草鞋，率領百官由深宮步往天壇祈雨。明史：「上（明太祖）以久旱祈禱齋戒，后妃親執爨，皇太子諸王饋於齋所。於六月戊午朔，上素服草履，徒步至壇，席藁曝日中；夜臥於地凡三日」。看起來祈雨是迷信的，但以帝王之尊卻示了「罪在朕躬」。

打個譬喻，朱元璋是毛酋，劉、周等人是「諸王」。旱災嚴重時朱元璋和后妃、太子等「金枝玉葉」還吃點苦表示「愛民」一番，而毛澤東等那一羣寡頭統治頭目，只在口頭上張口人民閉口羣衆；事實上老百姓餓得打晃，而他們這些人卻是肉林酒海，連滿漢全席都吃膩了。今年十月一號「人民日報」在社論上透露，大陸受災面積達九億多畝，佔耕地面積二分之一以上。同日「人民日報」四版上卻刊出消息說；周恩來舉行的「國慶宴會」，僅外賓就有兩千多人！此外，劉少奇、林彪、陳毅、廖承志等等共要也分別舉行宴會，統計起來不下數十次。雖然說為了招待外賓，舉行宴會是應該的，但中共千不該萬不該胡吹濫擺「糧食增產」，而強迫老百姓過牛馬不如的生活。

幾年來中共不斷地驅策農村男女老弱興修「水利」。到一九五八年年十月止，全「國」灌溉面積已達四億多畝（五八、一〇、一四「人民日報」）。五九、六〇兩年有更大的「躍進」。但這種「水利」既不能防止江河的汛濫，更不能補救乾旱的災情。以近三年為例，五八年受災四億八千萬畝、五九年五億多畝，今年卻「躍進」至九億多畝。其中，主要的災害是水災和旱災。中共大吹大擂的所謂「水利」，除了勞民傷財頂個屁用？

農田災荒嚴重，直接受害的當然是老百姓。主食只有幾兩米，不足量採用野菜、水藻等煮食充飢。一九五六年費孝通「重訪江村」（江蘇）時一個老太婆向他反映：「社會主義就是好，就是糧食不夠吃」。這句話說明人民對中共苛政的畏懼，也說明在戰戰兢兢之中還是無法忍受轆轆的飢腸。人民在飢餓的綫上作垂死掙扎的情況，雖然中共宣傳「大豐收」，但卻沒有改善：相反地卻是王小二過年——一年不如一年。控制人民胃口的辦法也是越來越翻新。上海市管下的松江縣竟搞「節約糧食競賽」，以「吃得最少者為先進」。今年七月中旬「人民日報」透露：該松江縣發動一項一人一天吃三斤菜運動。松江縣黨委還組織一個「宣傳隊」，用講演說唱，廣播、黑板報等作宣傳。復組織一支四千人的「生活檢查團」發動公社與公社、管理區與管理區，生產隊與生產隊之間「節約糧食競賽」，那一個單位用糧少就被許為「先進單位」。

至於副食，肉類已像「反革命」一樣被中共「徹底肅清」了。豆餅製的「豆腐」，粗糧磨粉製的「糕點」，也採配售辦法，非「節日」是買不到的。食用油類，中共正大力推廣米糠搾油。九月上旬「人民日報」稱：「依賴廣泛利用米糠搾油這個辦法，用米糠搾油是開闢了新的油料來源的一條最現實最有效的辦法」。這種「大躍進」產物——米糠油，是否有「油」的成份實值得懷疑，營養價值和味道也只有「新中國」人民才有這份「口福」。中共正鼓勵各地「人民公社」普遍使用。在廣東省的五百九十五個糧食加工廠都在兼作米糠搾油工作。據說已搾出一千四百多萬斤，分供全省人民食用。

最近蘇北一位朋友返鄉三個月回港透露：中共和農民是「你胡弄我我胡弄你」。農民吃不飽，到田裡就「泡」。徵諸各地農田發生「草荒」，和中共大批下放幹部到農村去担當副生產隊長「跟班勞動」，前後對照，絕對是事實。那個朋友還說：很多年富力强婦女，因長期營養不足，加之「婦女半邊天」和男人同樣勞動；雙乳乾癟收縮了，連月經都停閉了。在中共來說，眞是求之不得之事。不但可收避孕之效，連月經用紙都節省了。至於「經期」照顧婦女也用不着了。

據中共說：大陸人民「拿富日子當窮日子過」，是因為「社會主義覺悟普遍提高」了，「為了社會主義的遠景」。中共的「政治掛帥」竟掛到老百姓的胃口上，眞眞是阿彌陀佛佃家劃！中共新貴們為何不為「遠景」糾正一下荒淫無耻的生活呢？他們為了考究菜餚的「色、香、味」，九月上旬在「國務院」下設立一間「烹飪學校」，專門訓練「有一定基礎的廚師」，把他們的「拿手菜」還要進一步地予以「提高」。

這該算是另一面「紅旗」了。

台灣點滴

柯仁

學府忌才，匿名信困擾農院教授

△一位對台灣根瘤菌及其接種劑有研究成就的農院教授，因為得到美國一大學的教育研究贊譽，不幸遭到嫉妒，先是投書譏諷，繼之用標語，匿名信在精神上加以困擾。

原來這位教授與她的先生，平日祇知埋首於研究工作，或是脫掉鞋子下田，不喜逢迎。加上對看不慣的不合理事要批評，骨頭太硬，不肯對惡勢力屈服，於是就受到似乎是有計劃的包圍性攻擊。

台灣的十一年，把島嶼民族性格的優點沒發揮，劣點倒已在學府中培育起來了。自己沒出息不肯好好反省，努力研究些成就出來，反嫉妒別人的成功。

這件事某報已有專欄報導，想必教育部一定會管一下，消弭這種惡劣的作風瀰漫在育人的學府中的。

功德無量，教育廳消弭惡性補習

△摧殘兒童身心達極點的惡性補習問題，教育廳總算下決心要徹底消弭它了，這眞是一件上對得起綿延民族生命的歷祖歷宗，下對得起千萬代後世子孫的德政。

說起惡性補習問題，祇要看一看精神萎靡的孩子們，眞是令人痛心萬分。

小學一到五年級就要開始補習起來了，六點多就要趕車上學校，中午規定在學校吃便當，一直要到晚上七八點鐘才回家，吃過晚飯還要做習題。十一二歲的孩子一天睡不到八個小時，有幾個還能天眞活潑得起來？

初中、高中，更是拼命的大難關。

多少年的惡性補習問題，但願這次眞能樓梯一響人也跟着下來。那眞是一件功德無量的大好事。（編者按：本報上期已發表「惡性補習急待取締」一文）

青年作家們的愛情

沙漠

編者按：本報近來接獲台灣文友寫寄類此題材的稿件甚多，在女少男多的情況下，男女戀愛的事件竟然成了一個社會問題，這本不足怪。我們並不怎麼同意本文作者沙漠先生所說的這是「年青一代作家們的悲哀」。但為了這一類的稿件太多，不得已乃擇一發表，但我們並不希望以後的來稿僅是談這個問題。

在台灣比較年青的從事文藝寫作的作家們，如果沒有優裕的環境，可說是大部份都在少女們的面前吃過「香蕉皮」（本省人以失戀為吃香蕉皮），嘗過失戀的滋味。這正代表了生活在台灣的小姐正盛行着拜金主義和年青一代的作家們的悲哀。

這羣年青的作家們大部年齡在卅歲以下，靠着自己的愛好與努力以嚴肅的態度從事寫作，正由於年青，他們嚴謹的寫作精神是值得可佩的，他們不鑽門路，不拍編輯們的馬屁，以自己的作品去贏得作家的頭銜，也由於寫作使得他們和一些也愛好文藝的女孩子們（我曾說過在台灣女孩子愛好文藝就如同愛她們的洋傘、皮包一樣的成了裝飾品。）結下了文字緣。

大多數的女孩子的頭腦是充滿幻想與夢景的，她們想像中的作家應該是和出現在她的作品中的人物一樣完美。然而，時日接觸越久，她們原來心目崇敬、愛慕的偶像破滅了。這年青一代的作家們除了能寫一點文章，其他一無是處，又窮、又寒酸，事業更無基礎，在這樣的情形下，「香蕉皮」的滋味終於嘗上了。

尤其這些少女們所表現的情感完全是「愛之欲其生，惡之欲其死」的態度，假若是一個對人生認識不夠，不深的人，是極容易發生凶殺事件的。所幸，這羣年青的作家們，他們懂得愛的眞諦、生命的意義，以寬恕、友愛、容忍讓這痛苦的事如雲烟般的消散。自然，世界上沒有比過到曾得到過又失去的事令人痛苦的事了——尤其是情感上的。在失戀之後的年青作家們所表現的生活態度有兩種。有一些年青作家們在遇到情場的失敗之後，自然免不了痛苦一陣，隨即，他們以更嚴肅的態度去從事自修與寫作，絕不再自作多情、自尋苦惱，使自己永遠在寫作的道路邁進！另一種則是從此不再寫作，沉緬在一種不良嗜好中，以煙、酒、賭博或是其他的壞習氣來刺激自己的腦神經。在我所認識的從事寫作的朋友中，如前者的有之，如後者亦有之。我常想，假若一個從事寫作的人，因為失去了一個女孩的愛而永遠不再寫作，這該是誰的錯呢？

自然，「文人無行」的年青作家們也有，但，在台灣戀新忘舊的作家可說是太少，大部都是被遺棄者，也許時代、世紀的不同，再加上女少男多的現象，年青作家們的愛情很少是一次成功的，大部都成為女孩子的遺棄者。

最後，我借自由報的寶貴篇幅，向生活在台灣愛好文藝的女孩子們作一呼籲，珍惜你們的情感，萬萬不可以兒戲態度和年青一代的作家作愛情遊戲，這是毀滅自己、也是毀滅別人的不可饒恕的罪惡。（四十九年十月於台北）

大陸文壇萬花筒

劉大杰口服心不服

——岳霽——

自從郭沫若捏造一個蔡文姬著胡笳十八拍的故事之後，曾經引起許多學者的批評，但是郭沫若倚老賣老，堅持自己觀點正確，直到劉大杰先生發表了幾篇文字，條分縷析證明胡笳十八拍不可能出之蔡文姬之手，才算把郭沫若的氣焰壓下去，雖然他到現在還是不服，但是已並不敢目空一切，自我作古了。

郭沫若氣量之小，大家都知道，這次在劉大杰手中栽了跟斗，如何不恨，從胡笳十八拍去論爭，他當然不是對手，但是可以從其他方面用政治力量去陷害大杰先生，尤其是大杰先生那部大著「中國文學發展史」，完全是根據自己研究所得寫出，今天中共硬把各種文學作品都要套進馬恩史列毛的思想圈子裏去，問題自然就多了。本來這部書已經被中共勒令改了許多次，大杰先生已是待罪之身，再經郭沫若從中媒孽，更是罪上加罪，有幾個月未再看到大杰先生的消息，大概是送去「社會學院」和吳文藻、錢端升等人一起「學習」去了。

最近中共召開文代會，大杰先生亦特准出席，並在會上發表了一篇類似悔過書的談話，歌頌毛澤東及共產黨，自矢從此以後努力作一個新的知識份子。這種情形本是陷在共區一般知識份子的普遍情形，我們原不必苛責任何人。不過大杰先生究竟還有與衆不同的地方，他在這篇悔過談話中，還要掃了郭沫若一鞭。

他說：「……你能虛心接受批評，不但不損失你的威信，反而增加你的威信。這兩年來，關於這方面我有深刻的體會。」

接着他又舉出杜甫兩句詩：「新松恨不高千尺，惡竹應須斬萬竿。」所謂新松在大杰先生的心目中，也許是指的大陸新生的力量，也可能是指待命反攻的國軍戰士，至於惡竹，毫無疑問是指的郭沫若周揚，而擴而大之也許包括全部共產黨徒，但是他口口聲聲擁護「毛主席」，歌頌共產黨，不用說共產黨徒看不出其中奧妙，就算明知道也只能裝胡塗，揭開了就更醜，中共對知識份子之束手無策，從此地又得一例證。

社會小說

香港地

六、人情味

梅大亮看到譚福祿傷勢不重，心裡略爲一寬，便問他：「劉鬆棄袍」這話怎解？那個撞傷他的車主是不是張君寶的兒子張柏威。

譚福祿等梅大亮坐下來，喝過了茶，才嘆氣答道：「正是張君寶的兒子，才會有這宗禍事呢！」

梅大亮急問所以，還要知道張柏威傷得重不重。

譚福祿本想舉手摸他領下的長鬍，這是他從前說話時的習慣，待發覺業已沒有鬍子可摸，才恍然若失，將手高舉到頂上，一邊摸着光頭一邊答話道：「那天我如不碰着他，當然不會受傷遇險。他如不遇着我，也不會將車駛斜，闖出禍事。據他說，他剛見我橫過路上，本來可以立即收煞掣的，因爲看到我那把鬍子而失驚，時慢了一慢，才會收掣不及，斜斜碰傷了我，還使他自身受了重傷呢！」

梅大亮這才知道原委，便道：「難道他竟因此怪你嗎？聽說車上還有一個女的同時受傷，那是不是他的新婚太太？」

譚福祿先是點點頭，後來又搖頭道：「有一個女子受傷是真，却不是他的新婚太太，而是新相識的朋友。」

梅大亮唔了一聲，又問道：「你知道他們傷在那裡」大概不會有性命危險吧！」說到這裡，不知怎的，心裡忽然一酸，歎一口氣才續說得下去道：「張太太多麼辛苦才養大這個兒子，如果就這樣便送了命，太不值了！」

譚福祿在那塊綳着紗帶的苦臉上面顯出十分哀痛的神色，半晌才答道：「你說的是。張君寶死得不值，幸而有個好太太，把兒女一個又一個的養育到長大。本來，第一個成材的應該是這個兒子，却不幸變成這副模樣。你說張太太怎不痛心？她昨天晚上曾來看我，把這個兒子說過的話都轉訴給我聽，我才知得他是爲了我的一把鬍子才會出事的呢！」

他說得有點哽咽，眞個是悲從中來，不能自已。看來，他如非認眞同情張太太的處境，不會說得那麼悽涼婉轉的。（七一）

木客著

閒話重陽

漁翁

九月九日，爲日月皆値陽數，故曰「重陽」，又名「重九」。東漢道家桓景登高避災，後人遂定此日爲「登高節」，到唐代蔚爲全國風尙，其後規定以重九講武習射，謂之「賽馬節」，宋以其制，明俗定是日爲迎女歸寧，名「女兒節」，清俗於重陽夕犒百工入夜操作，曰「夜作」，直至民國三十一年，國民政府規定以重九爲「體育節」，四十二年，又接受台北市民建議，本「黃花晚節香」之義，以是日爲「老人節」，此乃歷代重陽之簡史。

據續齊諧記：「汝南桓景，隨費長房遊學累年，長房謂曰：九月九日，汝家中當有災，宜急去令家人各作絳囊，盛茱萸以繫臂，登高飲菊花酒，此禍可除。景如言，舉家登山，夕還，見雞犬牛羊，一時暴斃。長房聞之曰：此可代也。」即此，所謂「茱萸會」，「菊花酒」者，已成爲重陽佳節之習尙矣。

按茱萸爲喬木，高丈餘，枝多刺，葉成羽狀，花爲淡綠，其味辛辣，禮記所謂三牲用藙者即此，此物以產於吳地者爲最佳，故名「吳茱萸」。風土記：「以重陽相會，登山飲菊花酒，謂之「登高會」」又云「茱萸會」。杜甫於離亂後，在藍田崔家莊，參加九日盛會，此地有藍水玉山之勝，主人僅知姓崔，而不詳其名，所賦七言一律，結聯：「明年此會知誰健？醉把茱萸仔細看」。又楊萬里九日即事：「昨日茱萸未苦香，今朝籬菊頓然黃」，可見古之詠重陽者，離不了茱萸兩字也。

再談菊花，盛開於九月，故稱九月爲菊月。西京雜記：菊華舒時，並采莖葉，雜黍米釀之，至來年九月九日始熟就飲焉，故謂之「菊花酒」。又載：「戚夫人侍兒賈佩蘭，後出爲扶風人段儒妻，說在宮內時，九月九日，佩茱萸，食蓬餌，飲菊花酒，令人長壽。」蓋菊傳延年，酒可行氣，飲此，不僅祓除不祥，抑可以益壽也。陶淵明九日閒居詩：「酒能祛百慮，菊解制頹顏。」黃庭堅鷓鴣天詞，「黃菊枝頭破曉寒，人生莫放酒杯乾」。又清聖祖九日幸景山登高：「佳辰欣客賞，滿泛菊花杯。」誠以菊具暗香，玉液輕浮，別有滋味，爲重陽不可缺之點綴品。

晉書孟嘉傳：「爲征西桓溫參軍，九月九日，溫燕龍山，（在湖北江陵縣西北十五里）寮佐畢集，有風至，吹嘉帽墮落，不之覺，溫令取還之，令孫盛作文嘲嘉，着嘉坐處，嘉還見，即答之，其文甚美。」李白九日飲龍山有云：「九日龍山飲，黃花笑逐臣，醉看風帽落，舞愛月留人。」一經留題，不僅龍山有幸，即孟嘉落帽之盛事，更膾炙於人口。

又讀李白九詩：「昨日登高罷，今朝更舉觴，菊花何太苦，遭此兩重陽。」白値此佳節，登高把酒，流連兩天，而興猶未盡，無怪乎蘇軾所云：「四時令節，惟淸明與重陽，不宜虛度。」是重陽之見重於人間，已非一日。

岑參行軍九日思：「遙憐故園菊，應傍戰場開」，情況宛如今日。王維九月九日憶山中諸弟：「獨在異鄉爲異客，每逢佳節倍思親」，今日飄泊海隅十餘年而身世如斯者，不知凡幾！當此黃花匝地，白雁書天，古之詩人，往往於登高覽勝之餘，而有萬千感慨之作：「苦遭白髮不相放，羞見黃花無數新」（杜甫詩）但將酩酊酬佳節，不用登臨嘆落暉，（杜牧詩）可是吾人在流浪中，不須着悲歎與感慨，須隨遇而安，及時行樂，一洗衰老消極之心理。崔曙九日登仙台有曰：「陶然共醉菊花杯。」蘇明允重陽宴會亦云：「爲壯心還倚醉中看。」其志氣昂昂，足爲吾人流亡者所效法。重九登高，可以避災，而五嶽之高，莫如泰山，但今日之泰山，即登之恐亦難免於禍，惟此間之太平山，爲香島最高峯，不僅可以避災，登之亦可獲得太平，偶成五絕一首：「今日逢佳節，吟風獨自開，登高何處是？只有太平山」。

談健忘

劉杰

健忘的故事很多，伊索寓言裡有關於健忘的記載，日本人也有一個健忘的記載，是說一個郵差來了，那個人問：「有我的信吧」？郵差問他叫甚麼名字。他抓了半天腦袋，之後他對郵差說：「我回去問問我的太太。」這種健忘在我們中國常常有的，一個人用功過度，就有這現象出來，不足爲奇。

有好些事不應忘掉的，卻偏偏忘了，叫做糊塗。下面寫了個報告，希望調個職務，或者借幾個錢用用，上面眉毛一皺，將報告往抽屜一丟。一了百了。下面不會馬上來問的，就是問也只是一句話：「還等我考慮考慮。」考慮了一個月，兩個月下去，再一問，他會說：「甚麼事情啦，我到現在還不知道。」這是裝健忘，官場上這種事兒屢見不鮮。

在個人方面，健忘是種美德。甲罵了乙一頓，乙氣得面紅頸子粗，一定要找個機會報復一下，可是覺一睡，忘的一乾二淨，第二天又彼此成了好朋友。也有人能夠把自己的恩仇記到臨死還忘記不了。這種人到底還是少數。

越是見過大的世面，越懂得過多的書的人，就越把天大的事也當做「不過如此」，因此就不放在胸懷上。健忘大都是不把事情當做事情，認爲人在世上，就如李白的「夫天地者，萬物之逆旅；光陰者，百代之過客」，也就沒有甚麼了。

儒林九尾龜

吳敬鋅

第四回：人何寥落鬼何多

經過卞式人這場事件之後，李鴻飛更覺得意興闌珊，好幾天未曾出去，突然黃安民一早來了。

李鴻飛十分奇怪，連忙問道：「你出來這麼早，有甚麼事嗎」？

黃安民笑道：「我來給你作伴了，請你去幫我搬東西，來遲恐怕你出去。」

李鴻飛愕然道：「怎麼回事，你被盧教授開除了？」

黃安民搖頭：「他倒未開除我們，是我們自動離開他，現在只剩爲應桂一人在那裏了。」李鴻飛問道：「他有甚麼事犯了衆怒，你們居然大部份離開了。」

黃安民嘆口氣：「說來話長了，自從他同老洪合夥走私，失手之後，對於金錢看得更爲重要，對外到處鑽營門路，對內就專從我們幾個人身上打主意。這些且不去說它，最近不知誰漏出了風聲，說是我們知道他有幾萬元存在銀行，他心裏大起恐慌，恐怕我們聯合一致和他算賬，就在中加以挑撥，離間我們感情。他認定小石年輕容易騙，就告訴小石，我們講小石沒用，白吃閑飯，最好趕小石滾蛋。

小石問他誰說的，他信口就說林逢時。從此小石恨透了林逢時。他轉過又向林逢時說，小石報告林逢時管賬舞弊，有許多賬目不清，這一來林逢時當然受不了，就向我說，要我問下小石，究竟怎麼回事？

那一天等到盧先生出去了，我們栓上大門索問小石，那知小石一提到這裏大哭起來，說我們集體要趕他滾蛋，這樣大家更搞得莫明其妙了，仔細問起來原來兩方面的話都是盧先[illegible]

就在這時爲應桂開口說道：「任何事情還是談出來好，悶在心裏反而壞事，譬如先生告訴我，安民說我的壞話，我雖然極力忍住，也難過了好多日。」

我聽到宛如一個炸雷，連忙問我怎樣講他的壞話，爲應桂還搖頭幌腦的說算了，後來大家逼着他非說不可，他才說出來，盧先生告訴他，我說爲應桂的文章不通，一味冒充內行。你曉得我的脾氣，我從來不在背後論人的是非，更沒有到盧先生面前講過誰的閑話，這眞是從何說起。

當時大家一商量，不問盧先生此舉眞意何在，總之我們不能再與鬼同行，決計集體離開那裏，另謀生活，把填的表也要回來，完全斷絕一切關係。」

李鴻飛拍手道：「這樣才痛快。」

（三十四）

中國當代虛無主義底兩流（六）

——陶　大

因此，人心便似乎不得不一天一天地澆薄，一天一天地墮落；社會便不得不一天一天地糜爛，一天一天地腐化，像這樣地否定，可不傷哉！

此外，它們也都講「反帝」：一是反「俄帝」，一是反「美帝」；反俄帝則爲外侵略而內極權之帝，反「美帝」則是順着列寧帝國主義論所論定的資本帝國主義之帝。這一點，衆所熟知，無待深究。

再說它們外物量的心態，也就是馳心外務，純然物化，量化的心態。就這一點上來說，它們也都是一樣的。此如微末理智流，他們講考據之學，馳其心於書本子的名物字句之間，一點一滴地做那排比餖飣的工作，一往不返地「鑽歷年故紙」，這是外物量的心態。再如莽蕩的浪漫流，他們奉馬恩列史爲列祖，講辯證唯物主義，講歷史唯物主義，講「科學的社會主義」（其實並不科學），只是物化量化，把歷史文化，把人整個往外一推，然後視之爲「耳目之官」所薄的對象，即感覺對象。這種心態更是外物量的。像這種外物量的心態，由於它只是「柯葉自催折，根柢浮滄海」地飄流着，所以它們都不會有什麼正面的成就。（當然，它們也沒有什麼眞正的正面，因爲它們都是虛無主義）這在微末理智流如此，在莽蕩浪漫流也是這樣。微末理智流，有氣無力地出其考據之詞，嚷嚷科學，嚷到今天，也還只聽見他們但拾取杜威、羅素之牙慧，在那兒一鱗半爪地唱着「實用主義」（毛澤東們依俄國人的口吻，把它叫做沒頭腦的事務主義）「實在主義」的低沉調子。「但是你須知道這些都是襲取的裝飾品。他們中間沒有一個杜威那樣的實驗主義，羅素那樣的實在論。所以，他們並不能代表科學，亦不能由之而引發科學。」（牟宗三先生語）因此直到現在也沒有成就什麼科學。他們嚷民主，嚷到現在，也沒有見到他們所附着的那個政治團體，能夠眞正的建立民主政治（不要說孫中山先生所規劃而爲他們所不屑道的，以人之德性個性之平等尊嚴，和盡職責而非爭權利，所謂「有千萬人之力，服千萬人之務，有一人之力，服一人之務」爲基礎的實質的民主政治，沒有建立起來，就是那他們所樂說的量的代議政體的眞正精神也沒有樹立）。莽蕩浪漫流亦然。

釋耒集

中共自佔有中國大陸之後，即倡言促成中國工業化，並預計某年迫上英國，某年超越美國，及「五八」年，實施全面煉鋼，此一高潮，旋即消歇，而工業化一詞，遂爲大辦農業一詞所代替，考諸國史，大禹謨叙六府三事，歸本於厚生，洪範八政，所重首在民食，五紀兢兢于敬授民時，及孔子論爲政，先在足食足兵，管仲言牧民，必務充實倉廩，即孟子論制產，亦不廢勸農桑，此下商君耕戰，趙過代田，李悝盡地力，鼂錯論貴粟，舉先聖後賢，固未嘗不主張大辦農業者也。班固著史，敍錄藝文，謂古之學者耕且養，故耕讀傳家，力田孝弟，遂爲風俗淳美之基礎，而「田家作苦，歲時伏臘，烹羊炰羔，斗酒自勞」之生活，亦遂爲安貧樂道之士大夫所傾慕向往。陶元亮，儲光羲，聶夷中諸人歌詠田園，同情農牧之詩歌，其託興之深遠，運筆之自然，尤使瓜架豆棚，彌增情韻，而爲農夫以沒世，又爲士大夫倦退之歸趨，諸葛公苟全性命于亂離，不過隆中數畝薄產，但亦無妨其三分決策，兩朝開濟之經綸，故言及農業，於中國讀書人心目中，其意義絕不限於仰足以事父母，俯足以畜妻子之簡單也，近閱報見中國大陸通訊，載稱若干省區之農民，多於收穫時將所得作物，暗自拋棄，

農業

藉以對抗中共之搜括云云。夫農民之視其作物，顆粒皆血汗所凝成，何致忍心拋棄？依此以觀，則中共大辦農業之成績，必將與煉鋼相同，一律歸於虛幻，可斷言也。夫趙過代田，務在增產，鼂錯貴粟，旨歸重農，人情之所以勤耕牧，犯霜露寒暑而不辭者，謂可以靠田園長子孫耳。今舉其終歲勤勞之所獲，一一歸之於政府，又由政府以統制方式，以億萬人之血汗，供其作政治上之投資，人民收穫者米麥薯芋，所食用者草根樹皮，鼂錯曰：「腹飢不得食，膚寒不得衣，雖慈母不能保其子，君安得以有其民哉！」西漢昭帝時，政府用桑弘羊議，實施鹽鐵專賣，召開鹽鐵會議，令丞相，御史大夫，及民間賢良，文學，論其利害。桓寬敍錄其言，曰鹽鐵論，其力耕篇有云：「文學曰古者十一而稅，澤梁以時入而無禁，黎民咸被南畝而不失其務，故三年耕而餘一年之畜，九年耕而有三年之畜，此禹湯所以備水旱而安百姓也。草萊不闢，田疇不治，雖擅山海之財，通百末之利，猶不贍也。是以古者尚力務本而種樹繁，躬耕趣時而衣食足，雖累凶年而人不病也，故衣食者民之本，稼穡者民之務也，二者修則國富而民安也。」今民力耕而不免於凍餒，則農業徒有其名耳，然則自毀其耕作之所獲，亦勿怪矣。

曲齋

菊部軼聞（上）

諸葛文侯

平劇名伶馬連良，俞振飛，楊寶森，以及名琴師王瑞芝等，當大陸赤化之際，相率違難海隅，無意生息於共區。馬連良因有杜月笙照顧，更不欲重入鐵幕，俞等則以鬻藝營生。然香港市民對皮黃劇多不感興趣，而戲院租金又昂貴，雖名伶登台，亦不易獲得若干盈利，足以贍養也。楊寶森與張君秋，王瑞芝等乃被迫先返大陸，馬俞二人仍流寓海疆，冀謀出路。既而杜月笙逝世，馬連良頓失依據，即擬赴台灣獻藝，曾挽在港之某人向台方先容，旋得當時位居政府要津之某公復函應允，計劃已定，馬伶準備就道矣。某忽憶及馬伶染有阿芙蓉癖好，深恐將來到達台灣後，或有人對馬氏惡作劇，查究煙犯，以致影響信譽，使一般願意赴台灣之藝人裹足不前，即再函某鉅公說明一切，希望特許馬氏暫行吞雲吐霧，徐徐戒除。詎某公復書大打官腔，謂政府不能爲容納一伶人而開放煙禁，表示拒絕。馬伶入台不成，偃蹇海隅，蹩躠驪騁，毛共聞之，即派人多方游說，請其歸國爲「人民」服務，旅費照給，煙癖特許無禁忌，且附有其他優待條件，總以誘其踏上賊船再說。現在馬連良在大陸爲毛共奴役勞動，到處登台演藝，煙癖亦已戒除。

俞振飛在港時，台北某一民間戲院主持人曾擬接其入台，俞亦欣然同意，但循舊例每月需要包銀若干，且聲明不作義務勞軍工作。然台北娛樂場所票價受政府限制，不得隨便增加，包銀過鉅，即難負担，而勞軍尤爲當務之急，豈敢保證俞氏獨異哉！議乃不諧。毛共又向俞氏誘惑，除代其清償連年負債以外，更給以相當數目之旅費與安家費，請其重返大陸，俞氏走投無路，只好如平劇台詞所謂「明知山有虎，偏向虎山行」矣。

重九諸趣

筱臣

到了九月九日的重陽節，各報附刊談重九掌故的頗多，千篇一律，殊嫌乏味。爲了避免這種重複起見，茲篇且述重九笑話，藉以爲時令之點綴。

三羊開泰

光緒廿一年時爲乙未，正國勢不振，台灣割與日人之後。其時翁同龢以師傅之尊，被西太后派他到總理各國事務衙門（即外交部的前身）辦事，與恭親王奕訢共同主持外交。

翁同龢最恨外國人，更不願與外國人來往，但皇上既派他去，不得已只好勉爲其難。他一肚子氣，只好沒有法子宣洩，只好在日記裏大罵外國人爲犬羊夷狄以洩氣。北京人到現在還有這種習慣，每年重陽，一定要家家戶戶吃羊肉，取「羊」「陽」同音，此俗由來已久。

乙未年重陽，翁同龢退朝後，即入總署辦公。第一個去拜見他的外國人是美國教士李提摩太。同龢是日日記云：「李提摩太豪傑也，說客也。」未正，見英鐵路公司威德哩，朱爾典與之偕來（按：當時朱爾典爲翻譯，十餘年後即已升任公使），鉅賈也。申初晤利國克羅伯，翻譯歐登科，廿一歲（按：利國即荷蘭，歐登科後亦任公使，民國初年，且爲北京公使團的領袖），彬彬如也。北京人今日食羊肉以應重陽之節，余乃屢接洋人，眞三陽矣。」連見三洋人，有「三羊開泰」之嫌，這眞是匪夷所思，或爲外交史上的大笑話。

巧婦諱九

從前有一個老頭子名叫「阿九」，因爲廣東話「九」與「狗」音近，人家時常取笑他，叫他「阿狗」。但是他家裏有一個媳婦很是賢慧，凡是有「九」字的音，她都替公公避忌，阿九也着實稱贊她，因此老懷殊慰！

偏生一班同年的老朋友很不服氣，便找一個機會想難倒她。某年重陽的前夕，他們約齊了九個老頭子，似乎想九步武香山九老，每人手執一把韭菜，對他的媳婦說明請客的意思：「妳的公公阿九回家，可告訴阿九說：有九個老朋友，大家都拿着韭（諧九字音）菜，約他明日九月九日去郊外登高飲酒（九字音），叫阿九不諧，不要推辭。」

這一連串的「九」字，大家同音總以爲可把那位賢媳婦難倒了。及至阿九回家，她對阿九唸一首九字詩，說：

「有四雙零一個老公公，人人手執一把扁扁葱；齊說明日是個重陽節，請你公公登高吃一盅。」

好一個巧婦，眞巧得牙尖嘴利，她把「九」字說是「四雙零一」，信是算學上的最新公式。「韭」字說是「扁扁葱」，形容得維妙維肖，「九月九日」說是「重陽節」也運用得妙。「酒」字說做「一盅」，却也切當。結果並沒有嘲笑到阿九，他欣然赴約，大醉而歸。

一飯屢忘

某東家，延師課兒，恰巧那天是乞巧佳節，却未嘗設席款待西賓。過了第二天，先生便出一對題叫學生對句子，因題：「客舍淒涼，恰似今宵七夕。」學生對不出，回家告知父親，他父親頓然醒悟說：「我忘記了，昨宵沒有款待你的先生呢。」於是援筆代答道：「寒村寂寞，請待下月中秋。」

到了中秋之夕，一輪明月照澈大地，家家吃團圓酒，唯東家仍然鄙吝，仍無設席款待。次日，先生又出一對道：「綠竹本無心，過節時挨不過。」

學生自然是又對不出，只得又回家告知父親，他父親知道先生意在索取酒食，但佳節已過，遂代對曰：「黃花如有約，重陽以待何遲？」先生接對，亦爲之無可如何。時光容易，忽然又「佳節重陽」了，東家仍然失約，連影子都不見了，原來他已和朋友登高飲酒去。先生懷着一肚子悶氣，又出對道：

「漢三傑，張良、韓信、狄仁傑。」學生想來想去，對不出來，照例又回家稟知父親，他父親說：「你的先生搞錯了，三傑都是漢人，狄仁傑是唐人，這不成對子的。」學生把以上的話對先生說了，先生埋怨道：「你父親前唐後漢，記得爛熟，何以一飯屢忘？七夕忘、中秋忘、重陽再忘呢！」

秋天與詩人

徐學慧

秋天，彷彿是一個詩人咒詛的季節。從古以來，多少詩人墨客之作，十有九是對秋天沒有好感的。平心而論，天高氣爽的秋天，也並不亞於萬紫千紅的春日，可惜詩人眼中所見的，多半是那愁人的秋風秋雨，於是乎，覩風雨而念行人，覩風雨而傷遲暮，一片悲懷傷感之緒，乃自然而然地湧上了字裏行間。

歐陽修的「秋聲賦」，描寫秋風悲號之情，也算得句斟字酌的了。嚴格的說起來，風之可詛咒者，不一定是在秋天，春天的東風，夏天的南風，冬天的朔風，同爲一風，而在詩人詞人筆下，却往往歡喜提到秋風，這眞是有幸有不幸了。

「桃花依舊笑春風」，「東風又綠江南岸」，好一個「笑」字和「綠」字，直把東風描劃得生氣勃勃，令人感到無限輕鬆。「南風之薰兮，可以解吾民之慍兮！南風之時兮，可以阜吾民之財兮！」直把南風描寫爲一仁厚長者，令人覺得富麗堂皇，樂相親近。至於北風呢？大抵北風勁厲，必有霜雪，在雪地冰天中，圍爐飲酒，談笑賦詩，斗室之中，別有天地。窗外儘管有朔風怒號，亦多與詩人無關。即令興之所至，開門出去，却被那瓊樓玉宇的偉大景象弄得目眩神昏，因此詩人歌頌雪花之詩倒是常見，却很少詛咒北風，這可能是冬日的雪較冬日的風更具吸引力的原故。

最倒霉的莫過於秋天的風雨了。它既不能像夏日風雨的雷霆萬鈞，也不像春天風雨的空靈清淡，它是那麼沉重的，朦朧的，打在枯枝，飄着枯葉。到後來，連枯葉都沒有了，便乾脆淅淅索索，像流不完的眼淚，所以詩人稱秋風爲颯颯，秋雨爲蕭蕭，這蕭蕭颯颯之景，倒也是有些難受的。

更兼着秋天一到，燕去雁來，只要一想到孤雁橫空，縱聲一叫，在心理上，就不免有些難過了。雁聲之激越，比不上呢喃燕語之富有人情味，這大概也是秋天之所以不爲詩人所喜的一個因素吧！杜牧的早雁詩：「金河秋半虜弦開，雲外驚飛四散哀。仙掌月明孤影過，長門燈暗數聲來。須知胡騎紛紛在，豈逐春風一一迴。莫厭瀟湘少人處，水多菰米岸莓苔。」下「驚飛」二字，最是傳神。雖然也有鴻雁不驚，對秋不怨的，如杜甫的「江涵秋影雁初飛，與客攜壺上翠微。塵世難逢開口笑，菊花須插滿頭歸。但將酩酊酬佳節，不用登臨歎落暉。古往今來只如此，牛山何必淚霑衣。」其實，這也只是表面上的不驚不怨而已，聊爲曠達，以遣悲懷，骨子裏的痛苦，仍然是很沉重的啊！

海濱消暑錄

收音機和「麻雀」

謝康

收音和打牌，如今大概是通行港九澳門乃至南洋有華僑地方的兩種消遣。和代表農村景象的鷄鳴狗吠相聞，比較起來、似乎大有城市娛樂的意味。

它們也可說是咱們中國人表現自由主義和優越感的兩種玩意。中國人除發明蠶桑，指南針，火藥，印刷術等通行於東西各國外，麻雀牌也是一種得意之作。宋楊大年（億）好與門人飲博投壺，著「馬弔經」，後人誤馬弔爲麻雀，是此戲至遲起於宋初，明人或稱爲「馬將」，至清代而普及於全國，清末明初流入東西洋各國，於是乎就成爲全球性的賭博玩具了。有人以爲我國參加世界運動會，時常慘敗，如果在世運節目中參加上「打麻雀」一項節目，可以担保我們一定得到冠軍。中國有此發明頗覺得意，玩起來四人對坐，各霸一方，自不免有飄飄然的優越感了！至於叉麻雀的自由，歷宋、元、明、清四個王朝，一千年來都沒人管。民國以來，尤其在抗戰時期，有些地方，曾經懸爲厲禁；但日久玩生，故態復萌，依然是民間最通行的一種娛樂。香港地情形特殊，除家庭衞生「麻將」之外，竟有「麻雀學校」之設，公開要樂，響徹通衢；半夜三更，雀聲與「鷄聲」相應和，自不免擾清夢，妨礙工作；警例雖有以午夜十二時爲度之說，但能否認眞執行，又是另一回事。在「民主自由的櫥窗」裏面，自由打牌要樂而不受干涉，那眞是十足自由主義如假包換的。至於玩牌者的優越感，看他們那種旁若無人唯我獨尊的神氣，也可以得到證明。然而在半夜雀聲鼓噪當中，作爲鄰居而沒有這種嗜好的人，被這種必必拍拍的神經戰吵到失眠，可就苦不堪言了！（二）

自由報
THE FREE NEWS
第四十七期
社長：雷嘯岑
社址：香港銅鑼灣高士威道二十號四樓
20, CAUSEWAY RD. 3RD FL
HONG KONG
TEL. 771726 電報掛號：7191
台灣分社
台北市西寧南路壹壹零號二樓
電話：三〇三四六
台郵撥帳戶九二五二

論日本政局的趨勢

雷嘯岑

日本政府決定解散國會，定期來月下旬舉行普選。這是日本從實行君主立憲以來即已遵循的憲政軌道，每一個執掌政權的內閣總理大臣，無論任期久暫，到必要時即須有此一舉，說是「問信於國民」。越是政局常在動盪不安的現象中，解散國會，重行普選的次數就越多，因為在野黨亦以此為政爭的唯一手段也。

這次日本的普選，原係意料中事，池田勇人內閣雖然還是自由民主黨的政權，在議會裏照樣地擁有優勢的多數議席，但由於當前有些重大的內政、外交政策，不特是在野黨異議橫生，阻礙孔多，即其所屬的自民黨內部，亦復意見龐雜，莫衷一是，恰好最近又有社會黨領袖淺沼稻次郎被刺案件發生，一般左傾分子及共集團，在日共與社會黨激進派煽動策劃之下，藉題發揮，騷動不已。池田內閣唯有從速宣佈解散國會，重行普選，纔可以緩和人心，避免動亂形勢之繼續擴大，可謂一舉兩得了。

預測日本下次普選的結果，自民黨繼續取得第一大黨議席的成分最多。原因之一：日本的生產關係近年來漸漸的回復了舊時狀態，戰後經由佔領軍統帥部以強制手段施行的土地改革法案，事實上成效不大，農村土地由於農民沒有自耕自給的經濟能力，多半趨於兼併集中的老路，而一般工商企業亦就循着資本主義的發展規律，相率實行生產集中制，如戰前的日本著名財閥三井，三菱公司等，戰後已被佔領軍統帥部予以解散，化整為零，但現在又化零為整了。職是之故，日本的社會結構依然猶昔，沒有甚末大變化，所不同者，只是受着生計艱難，生活窘困的威脅，一般國民道德日見頹廢墮落而已。原因之二：在日本社會具有影響力，或者發生領導作用的人，還是中年以上的知識份子，這般人基於舊有文化思想的薰陶，對於共產主義那套玩藝，是格格不相入的，至少亦抱有強烈的疑懼心情。即如以頭戴毛共的八角帽——又名列寧帽——為榮，口稱「美帝是日本與中國的共同敵人」，最近在羣衆大會演說台上被刺殞命的淺沼稻次郎，他的內心上亦與共產主義者距離頗遠，祇是為要在政治上拚命地往上扒，終於把生命斷送掉了！暗殺別人或切腹自殺，乃至於男女「心中」共殺，在日本社會裏是司空見慣的事，並不稀奇，這也足以反證日本民族的傳統性，並未隨着戰後的殘敗環境而丕變呢！原因之三：日本人具有因應現實利害以圖存的特長，目前日本在經濟上必須仰賴於美國的援助，軍事上更在美國卵翼之下，此時若要反美親共，就是以整個國家民族的生存前途作孤注一擲，這在大多數日本人的心目中，是不敢苟同的。儘管上次美國總統府秘書哈格第到東京時，會被以萬計的羣衆包圍擋駕，但那是日共與社會黨受着俄共集團的教唆賄賂，用每名六角美金出動一次的代價，收買而來的人羣，（事後日人揭發出來的內幕）也就是上述國民道德墮落的象徵，決非日本人的普遍行為。

基於上述原因，再看看池田勇人最近斷然發出日本決不走中立路線，要與美國加強合作的政策聲明，即可認定下月普選結果，自民黨必將佔取優勢的勝利。支持自民黨的社會力量就是日本各大財團，這些工商企業家的唯一願望，即為環境安定與經濟外援，要達到這種目的，只有跟美國在一起才行。池田勇人如果不是為着取得各大財團對自民黨的選舉經費大量支持，同時兼以取信於全國一般中小企業者和農村知識份子起見，這時候實不必要作此鮮明的政見表示。他若不切實瞭解一般選民的真正心理，更不會有此露骨的政策聲明。自民黨內部的所謂「反主流派」如河野一郎，亦以注重中小工商業利益相標榜，這對於整個自民黨的選舉，亦有相互相成的妙用。

日本社會黨年來在議會裏極盡反對之能事，且不惜出以非法的搗亂行為，如包圍議長不讓其執行職務，如霸佔議席深宵不散，使議會陷於混亂癱瘓狀態，至於演武打鬥，尤屬常見的暴行。雖然如此，還是計不得已，乃隨時要求解散議會，重新選舉，以為多有一次普選，社會黨便可能增加若干議席，終有奪取政權之一日。我們固不能武斷地認定社會黨決無當政之時，但在現階段中，他們這種希望却是很渺茫的。淺沼之死，社會黨當然要利用為爭取選票的宣傳材料，所以，他們對於東京總工會與學聯會為淺沼死難而策動的示威運動，乃不能不提出警告，致大家不好過於暴亂，以免招致民衆厭惡，對選舉發生不良的後果，他們要以「哀軍」姿態，乞得選民的同情，這項戰術未嘗不可使用。但是，在日本人民的觀感中，對於刺殺一個政治人物這類事情，並不認為特別嚴重，而淺沼在生時亦沒有幹出甚末福國利民的事業，留給人們以深切的去後思，社會黨這項「哀軍」的作戰方法，究竟有多少效用，那是很難說的。社會黨在這次普選中，如果能夠增加十個八個議席，就算是意外的收獲了吧？在任何一個憲政國家中，政黨為選舉運動所耗費的金錢，為數總是可觀，日本更不例外。自民黨有各個大財團從中支持，固不困難，社會黨的錢是從那兒來的？民衆皆明白，那是來自莫斯科和北平的金元援濟，這也是間接使社會黨不可能獲得優勢選票的一大因素，否則日共又何致於在議會裏得不到一席之地呢？至於西尾末廣的民主社會黨，羽毛未豐，能夠維持原有的三十個議席，已算不錯了。

我們不要以為淺沼稻次郎被日本右翼團體分子所刺殺，即誤認右翼黨派在這次普選中可能抬頭，這是不切實際的觀察。日本各種右翼黨派和集團為數不下三百單位，但他們沒有統一的結合，沒有適當的領導人，更缺乏適合時代要求的政治主張，尤其是缺乏國際間的聯繫與應援力量，很難有重大的發展。這些團體多半都跟舊時的軍人有關係，而舊軍人在日本社會上已沒有號召力了。

綜此，日本未來的政權，仍然是掌握在自民黨手中，似乎勢所必至的。但自民黨內部意見亦不一致，若干政客官僚如松村謙三，河野一郎，石橋湛三等人，由於不甘寂寞之故，將來很可能發生分裂運動，然亦不致與社會黨合流的。新選舉後的日本政府，只要是自民黨當政，則池田勇人所聲明的政策——反對中立，加強日美合作關係——還是新政府的施政方針，而政局亦可望趨於安定。若欲實現美國民主黨參議員曼斯菲爾的主張，修改美日安全互助條約，讓日本採取中立路綫，那祇有社會黨起而執政纔談得到，目前是不合時宜的。

小葉 SIAU YEH

要幾時纔能制服你？

小編天下

△南越局勢重新引起憂慮，非僅實與美國正在注意越共的活躍狀態，北韓舉行「韓戰十週年紀念」，因有中共大將數員參加，亦傳將有危險新行動。另方面更傳：泰國已準備在不得已時介入寮戰。不說是「滿城風雨」，不如說是「山雨欲來風滿樓」也。

△美國民主黨大亨們紛紛抨擊共和黨政府，責其隱瞞一個有關「美國聲望低落」的重要報告。他們推售「姑息主義」以削弱「美國聲望」，却指責政府使「美國聲望低落」以自高聲價。蓋不只「稻紳以清談為廟署」矣。

△傳英國計劃將氫彈分散貯存在海外基地，以備穿梭遠航的轟炸機隨時使用。在「核子戰」來臨之前增加一些「捉迷藏」的把戲也好。英國這一示意，北平注意的程度會超過莫斯科。

△中共宣傳大陸正有六百萬城市青年下鄉，輔助農業生產。改唐詩四句以哭之：「負笈離城郭，人人淚滿襟，拋書曾鍊鋼，又作種田人！」

△大陸飢荒嚴重：農人大都暗中在田上拋棄收穫的谷與棉，工人則在工廠拋棄鋼鐵，現正用嚴方法防止。

總括說一句：人民在心理上一致拋棄共黨政權。因為共黨是唯物的，他們便要拋棄所可拋棄之物盡量拋棄。

△美國共和黨總統艾森豪正在出馬，為尼克遜在競選最後關頭打氣。他在設法說明：這是美國歷史上最重要的一次選舉。

不錯，當自由的力量可在中國大陸作戰時，美國的民主黨曾經「應戰而不戰」；當自由的力量可在韓國戰場制勝時，美國的共和黨政府曾經「應勝而不勝」。下一屆的美國總統便要創造「應敗而不敗」的奇跡了，怎不嚴重？

△法國總統戴高樂在國會擊敗反對者的彈劾，並與其「戰時老友」英國大老丘吉爾翁會晤。這當然不是「煮酒論英雄」之時，大概兩人都會在掌中暗寫一個「火」字吧！

△委內瑞拉左派學生暴動。古巴反卡斯特羅的革命行動漸見活躍。薩爾瓦多同時發生政變，一個反共的總統被軍人架走。

你一拳來，我一腳去。拉丁美洲從此多事矣！

方南

自由讀

書生之見

馮玉先生

吾國近代學人兼政治評論家梁任公，於民國六七年間脫離實際政治生活，在上海創刊「大中華」雜誌時，曾對國是問題說過兩句很感慨而頗為自負的話：「十年以後方知我，舉國若狂欲語誰」。這是他當時的一腔孤憤之詞，想見其憂國憂民，不滿現狀的鬱結心情，何等深切而沉重啊！

梁氏自民國成立後，曾經適應時代進化潮流，放棄舊有「保皇黨」的思想，與其恩師康有為分道揚鑣，依附袁世凱以及北洋軍閥諸渠魁，從事政治生涯，又以維護民國而與袁氏對立成仇。他如此栖栖皇皇，負謗招尤，冒險犯難，不惜叛離師門，開罪友好以從政的用心，自係基於愛國熱情而然的。可是，他畢竟是個讀通了書的書生，行已有耻，不願昧着良心胡搞，而一般據有統治權力的人物，對於他的政見與作風，又少所許可，祗想利用他作為政治上的點綴品，藉以欺世盜名而已。他不甘被軍閥們「倡優畜之」，毅然退出仕途，而恢復其以言論報國的書生本色，目擊當時統治者那些貽害國家民族的秕政敗行，無可挽救，因而不勝感慨地發出警告性的呼聲，冀迴當道觀聽於萬一，用心可謂良苦。

我認為書生論政未必就有優異的成就，然書生論政卻多見其每有獨到之處，原因是旁觀者清，而又輔以充裕的學識，當然切中肯綮，迥異尋常了。求治之道無他，祇要能夠採擇書生之見，毋因毋我毋必，身體而力行之，至少亦可望蔚成小康局面。假使一般讀書明理的知識分子，對現實政治皆抱着「十年以後方知我」的感想，那就是「天地閉，賢人隱」的衰世象徵，國事如不敗壞者鮮矣！

中共的兒童組織「少先隊」

裴有明

本報特稿

中共兒童組織「少先隊」的隊，脖上繫條紅領巾，所以又稱「紅領巾」。

中共組織「少先隊」的目的，是企圖把全大陸上的兒童團結在黨團組織的周圍，在兒童心理上，從小就給他們培養「黨性」，以期長大成人後，好承担它的所謂「共產主義事業」，做它的「接班人」。

中共把它的黨，共青團和「少先隊」譬喻為「三代人」，它要求：「一代帶着一代，沿着一個方向前進」。

共產黨是「祖父」，共青團是「父親」，而「少先隊」就是「孫子」了。中共經常教育「少先隊」——以致大陸上所有的兒童：「要聽毛主席的話」，「當毛主席的好孩子」。

中共為了把它的「孫子」教育好，讓他們能「走上共產主義的道路」，當一九四九年一月中共決定建立「共青團」（當時稱「新民主主義青年團」一九五四年九月十八日改稱「共產主義青年團」）同時，就指示「共青團」組織：「要派最好的幹部去領導少年兒童工作」。

一九四九年十月，「共青團」中央發佈建立「少先隊」（當時稱「中國少年先鋒隊」——簡稱「少先隊」）決議後，遂在團中央置一「少年兒童部」，專責領導大陸兒童組織工作。

「少先隊」組織，首先在小學，中學（低年級十五歲以下者）和兒童教養機關（如孤兒院等）中開始的。一五五三年以後，又開始在校外發展組織。「少先隊」組織系統，分為大隊，中隊和小隊。大隊置「總輔導員」。一般的學校設一「大隊委員會」，每一班裏設一「中隊委員會」。一個小隊包括七至十三人，設一個小隊長兩個副小隊長。「總輔導員」及「輔導員」大部份由共青團「優秀幹部」專任，也有的是由學校中黨、團員教師兼任。近二年，中共為了給兒童加強「勞動觀念」，又抽調一些共青團組織的農民「勞動模範」，或工人中的「先進生產者」担任「輔導員」。

兒童參加「少先隊」，要先種一棵樹，或作一件「公益的事」，才能提出「入隊申請書」申請入隊。經過「中隊委員會」討論後，四個中隊「委員」一致同意，就算批准入隊了。

在兒童「入隊宣誓」時，「輔導員」先給入隊的兒童繫上「光榮的紅領巾」，然後用嚴肅而帶有訓誡的口吻說：「要準備着，為實現共產主義而奮鬥」！入隊兒童答：「時刻準備着」！就這麼一問一答，一個一般兒童變成了「少先隊」員。帶上了紅領巾，既表示是一個「好孩子」，又表示是為了「榮譽」。從這一天起，一個天真的孩子，算是加入組織的「大家庭」了；不但要「服從組織」，還要過其刻板的「組織生活」。

十多年來，「少先隊」組織的發展是迅速的。據統計：一九五〇年末為一五〇萬人；一九五一年八月為三〇〇餘萬人；一九五二年末為五二〇萬人，一九五三年六月七〇〇萬人，一九五四年六月八〇〇萬人。一九五五年末入隊兒童驟升至兩千萬人。到一九五六年一年又增多一千萬而達三千萬人。到一九五九年六、七月間的大陸上的兒童已有四千四百萬人帶上紅領巾了。

從一九四九年中共開始建立「少先隊」起，經過一九五〇年四月的第一次「全國少年兒童會議」，到一九五五年的第二次「全國少年兒童工作會議」，以至未久又召開的第三次「全國少年兒童工作會議」止，每年「少先隊」員數字的增加均在二百萬人左右。但在第三次「會議」上決定大力發展「少先隊」組織後，入隊兒童遂有所急遽的增加。僅一九五五年四月到翌年一月的九個月中就增加一千萬人。

一九五六年間，中共宣佈：大陸共有適合加入「少先隊」的兒童七千六百萬人。當時入隊兒童已有三千萬。可是中共對這個「成績」還不滿足，認為「與新形勢的發展，完全不能適應」。

三千萬紅領巾，已將為大陸九至十五歲兒童總數的百分之四十以上，可謂可觀了。當時，中共的黨員約佔成年人的百分之三左右，共青團員也只佔全國青年的百分之十左右。此外，還可利用中共工會吸收工人入會的數字作一比較。中共透露：一九五五年底整個大陸共有工會會員一二四三萬人，到一九五六年五月底的五個月中，只增加三十萬人。而「少先隊」員在同一時期却增加五百萬人。從上述數字看，見出小孩子是容易欺騙的，也證明中共不相信成年人而認為純潔的兒童在政治上是可靠的。

大陸人民，對中共政權經過十多年的體驗，已洞悉過去它在刦國戰爭階段開給老百姓的「支票」完全是「空頭」的。用粵語說：「佢哋咸拌爛係車大砲，並且車得冇譜」。因此，大陸上的一大些成年人和青年人已對中共由傾心而變成離心了。

中共寡頭統治集團，當然也是自己心裏有數。所以，它才加強兒童組織，並「從思想入手」加強對兒童的教育工作。兒童的知識是單純的，心靈是純潔的；經過長時期的所謂「組織生活」，和共產主義思想的灌輸；變成了「新中國的優秀兒女」。實際上，大陸廣大兒童已成中共各個戰綫的小特務了。

中共為使兒童脫離自己的家庭，讓他們具有強烈的黨性和階級仇恨觀念；進一步使兒童只知道「聽黨的話」，在心理上認為「黨說的話永遠沒有錯」；因而，強調「兒童教育社會化」，由組織教育代替家庭教育，組織生活代替家庭生活。使兒童們從「基本上擺脫家庭的影響」，時時刻刻「沐浴着黨的陽光」。

中共「人民公社」化以後，兒童已基本上脫離家庭。一般輿論認為中共統治下的大陸，未來將變成「動物園」，這種說法實不為過呀！

香港耳語

雷震被判處十年徒刑的消息傳出後，曾有人喟然而嘆曰：「台灣執政當局如此洩氣，我們今後的文章怎末做法呢？」這語意究竟是同情雷震？抑係贊許政府的措施？只好讓大家去猜想了。

有以共諜王續曾名義，致函台北李萬居，宋英二人，說要匯款萬元援助雷震諸人及其家屬等語。如此低能愚蠢的共諜，香港人懷疑他根本就是潛伏在台灣的吧？

某學院要辭聘一位好作政治活動而激烈反對自由中國政府的教授，却有台灣方面的某貞忠人士從中斡旋說項，得以作罷。香港人認為台灣執政者如有這種容忍精神，中國的民主政治早已可觀了。

由香港赴美國的某將軍，近於彼邦華僑們的雙十節國慶紀念大會發表演說，主張在國民黨領導之下，反攻復國云云。頗引起海隅一般民主人士的異感，說他此行是與由台灣赴美游歷之吳三連有異曲同工之妙。

外國的月亮

柯仁

※×××※ 台北××展望 ※×××※

打從小時候起，就聽說外國的月亮比我們大中華民國的要圓要大要亮。這句話一直深深的鑽在我腦子裡。後來大一點上學了，對老師的第一個問題就是：「為甚麼外國的月亮比較圓、大、亮」？直把那位做老師的表姊，問得氣紅了臉，回家告訴我媽，說我上學就搗蛋，害我挨了幾下屁股。可是我心裡總是不服氣。外國的月亮又圓又大又亮，並不是我發明的，是那位從外國回來的姨表哥說的，打屁股應該打他才對。

後來我才知道，科學上證明世界上的月亮是一樣的，但潛意識中，這件事對我始終是個謎，直到現在我才發覺一個眞理，科學上的證明是另一回事，社會上的證明才是現實的。

現在社會上已證明了外國的月亮的確是，又圓，又大，又亮。那便是受到月亮光照過的東西，也一定是好的（這當然包括人在內）。我這裡可以提出很多證明（社會的），祇要到過外國的人，他也一定照到過外國月亮的光，不管是阿貓阿狗，一回來，則身價就不同。要不，為甚麼那些在家一點委屈都不肯受的大少爺大小姐們，寧肯到外國去擦地板，洗碟子，受洋人們的呼五喝六呢？目的還是為了外國的月亮。

至於沒法到外國去的人，退而求其次，用些外國貨也是夠彩的，因為祇要是外國貨，那一定會經受到過外國月亮光幅射過的。

於是：

「你看，這東西雖然舊一點，但那是眞正的外國貨呢！」

「啊！眞好，究竟是外國貨。」

問的人與答的人，下了一個結論：「祇要是外國貨，舊的也是好的。」

有位先生好不容易出國了一次，買回一架台灣出口的電扇，雖然後來知道是道地的國貨，但他却認為，既然是受過外國月亮幅射過的東西，那一定比國內的好。還有位太太從香港帶了一大批衣料回來，別人發現也是我們中華民國的國貨，害得這位太太哭了三天三晚，咒罵為什麼國貨上儘是洋文不寫中國字。

社會證明了外國的月亮的確是又圓、又大、又亮。所以寫不通一封中文信沒有什麼關係，不能出口帶幾句洋文那才沒出息。

此地有家大醫院中，工作人員滿口是「阿奴係」，似乎老闆是友邦人士，活人醫成死人，那是另一回事，講洋文是使[illegible]精神，否則不是辜負了往日「奴化教育」，變成「忘恩負義」之人了嗎？至於鄉鎮單位與一般商店職員，更是一口流利洋文，完全是替「國語推行委員會」捧場。見面與再見的鞠躬如儀，完全是一對標準奴才派頭，君如不信只要「站在台北街頭望過去都是人頭」（本年升學試名句不敢掠美特借用）中，觀察五分鐘，就保你深深的相信社會證明「外國的月亮，變得又圓又大又亮」是不錯的。

但願有一天，風水倒過來，我們中華民國的月亮，變得又圓又大又亮，使洋人們也來沾點光，也免得我們那些優秀的黃子黃孫們，叫上帝，劃十字的，遠涉重洋肉包子打狗，替別人拖地板，抱孩子了——阿門。

大陸文壇萬花筒

「人性論」困擾了中共

岳霽

自從巴人發表了「論人性」的文章之後，錢谷融接着發表了一篇「論文學是人學」；王淑明又發表了一篇「論人情與人性」，其他還有幾篇類似的文字相繼在報上發表之後，「人性論」在大陸馬上傳播開。一年來在文藝作家中，中共幹部中及共軍官兵中，形成了一種風氣，最初都在公開討論人性論，後來公開討論禁止了，私人還在偷看這一類文字，巴人等幾位作家，也成了人們心目中的英雄，其影響之大是超出中共當局也超出海外自由人士所估計之上。

我以前曾在本欄指出過，中共對這個問題比較對付胡風和丁玲難得多。胡風事件是留在大陸的自由作家和共黨文化幹部之爭，其影響所及只限於文化界的圈子，波及不到其他部門。至於丁玲事件則是共黨作家中的派系鬥爭，也就是所謂赤區工作人員與白區工作人員之爭，範圍更小，即在文化界也不發生太大影響。

獨獨這次巴人等所提出的「人性論」，硬是人性與獸性之爭，只要是個人，必然有人性存在，雖然一時不幸，加入共產黨，獸性掩蓋了人性，可是看到「人性論」幾篇有關文字之後，宛如醍醐灌頂，頓時回復清明，恢復了人性，對共產黨來說，這當然是一個無比的打擊，因為共產黨這個組織實際上是一個萬牲圈，圈住一羣野獸供獸役驅使，一旦獸類都變成人，萬牲圈勢必非關門不可了。

人性論對中共打擊雖大，中共却始終拿不出好的辦法來應付，處處顯着進退失據。最初是大張旗鼓的討伐一陣，後來感到這樣下去反而發生了反作用，使原來本不注意人性論的幹部，也引起了興趣，又因為各文藝刊物及報紙均奉令要抨擊人性論，每一個編輯先生勢必要把人性論有關文獻「學習」一遍，有些人學習之後反而變成人性論的信徒，如文學評論編輯王淑明就是為了寫反駁「人性論」的文章，受到感染，現在反而成了人性論的大將了。

中共負責幹部看到大事不好，一度下令禁止再論人性論，中間間斷了兩個月，但是這個問題勢成懸案，最後還是要解決的。（上）

民主自由與反共（上）

周燕謀

讀了自由報八十六期國慶增刊，唐昌晉先生「民主自由問題質疑」——宏文之後，我忍不住又要多嘴了。吾豈好辯哉！因爲民主自由太重要了，故不得已也。民主自由之所以蔚爲世界文化的潮流，不知道攪過多少人的腦汁，流了多少人的鮮血纔產生的。因爲一些人假借了民主而行集權，濫用了自由，而突破了法治，因此而出現了漏洞，便怪民主自由不好，並且還主張大陸國家不宜實行民主政治，而應當實行集權。這種理論太危險了。民主自由關係着世界人類現在及未來的幸福。因此我不得不借自由報這塊寶貴的園地，說幾句話，以就正於海內諸賢達，並就教於唐昌晉先生。但我之所論，實是老生常談，只就唐先生的宏文，而與我之所見不敢苟同之點，畧抒管見，卑之無甚高論，尙希大雅，有以教正。

民主自由已成爲今日世界文化的主流，乃是無可否認的事實。自由本是民主制度上的產物，沒有民主制度，則不會有眞正的自由；沒有自由，也談不上民主。自由乃是民主的基本要件，自由與法治，同爲民主的內涵中的兩個不可分的連環。講自由如離開了法治，則成了暴民政治，講法治而沒滅了自由，則成爲專制。此二者在民主的內涵中，不可缺一。一些人把自由和法治往往分開，分開便出了毛病，乃怪民主自由要不得，不應當實行。這是不明民主自由的眞諦，實在太可悲了，也太危險了。

一、「事實上自由是一切文化的原動力，也是我們反共的支柱」。唐先生此種宏論，是任何人均讚同的。然而唐先生又說：「它唯一的缺點，在給共匪以滲透顚覆的漏洞。」唐先生只知其一不知其二。共諜雖可假借民主自由，但它只能在不民主不自由之情況下，更能假借民主自由，而且任何人都容易附合它的假借，那纔眞的危險極了。須知共諜假借民主和自由，它是在不民主不自由之情況下纔容易假借的，在眞正的民主國家，它沒有辦法假借，不信請看英美國家的共產黨它能假借民主自由嗎？

二、既立定「自由」爲反共的支柱，而又主張「共匪一日未消滅，我們不應該強調個人自由」，如此自相矛盾，怎能自圓其說，如此主張，豈不是向敵人學習，以暴易暴嗎？如此則犯了假借民主的招牌，而售集權的藥，這種冒牌民主的藥，是不能治病的，而且還會致人於死的呀！如果眞可以「以集權對集權，以組織對組織，以獨裁對獨裁，以虛偽對虛偽」的理論能成立，那麼又何必反共呢？美國今日最大的敵人是俄帝，美國也可以向敵人學，然如此，全世界都要民主自由，大家都搞集權講暴力，厲行奴役政治，那又還談些甚麼反共的鬼話，豈非天下烏鴉都一般黑了嗎？如唐先生的主張理論一旦成立，我們反共的支柱（「自由」）將自己倒下了，不必共黨來打我們了。

三、觀察史實，須放大目光瞻全望局，不可只抓到一點一滴來看，唐先生以爲二次大戰法國的失敗，究竟二次世界大戰誰勝誰敗，史實擺在眼前，我們都是眼睜睜看到的。失敗者乃是實行集權統治的軸心國家，勝利者乃是實行民主政治的民主國家。德日在軍事上得逞一時，能算它已勝利了嗎？

四、民主最大的功能是在避免流血革命。這是大多數人同意的理論。然而唐先生又以韓國此次流血革命，就是選舉的糾紛而起的，民主的功能已不能存在了。可是唐先生卻忽畧了事實的眞相，而且只着眼皮毛。試問韓國的流血革命，究竟發生在民主的本身上呢？還是發生在不民主的情況下呢？我們如果放大眼光，深一層去透視一下，便不難發現，韓國的革命流血是發生在並不民主的政府下的，並不是在眞正的民主政府下而發生的。韓國執政黨包辦選舉的罪魁崔仁圭的供詞中，已證明了李承晚政權並不是民主的，唐先生認爲是民主沒有了功能，豈不冤枉了民主。民主在任何國家都可以實行，就看你實行的程度如何了，如果假借民主欺騙人民，那眞是太危險了。

社會小說　香港地

六、人情味

本來，梅大亮曾經痛恨那個只識金錢，不孝不義的薄倖青年張柏威，此刻却因非常同情他母親張太太的處境，也不覺對他撞車失事的不幸遭遇添了惋惜。他繼續向譚福祿問道：「張太太昨晚來看你，說那小子的傷勢怎樣？」

譚福祿搖頭道：「大概還不至就此送命，但終身殘廢已是不免的了。醫生說，他會變成一個跛漢子，有一條腿非廢不可。」

梅大亮聽得一愕，想起「天有不測風雲，人有變時禍福」那兩句老話，眞不禁替這個本是大好青年扼腕。

譚福祿又道：「那是一架簇新的車子，是他的太太買給他的。他卻和新交的女朋友到郊外飛車作樂，那個女朋友也倒霉得很，撞折了一條香臂，登時暈將過去。據說也有七成要變殘廢。」

梅大亮再回想起這個青年人結婚時春風得意的神氣，竟是呆了，半晌才答道：「可惜，可惜，我眞替張太太難過。沒法想得出她會痛心到什麼樣的程度。」

譚福祿道：「張太太痛心是當然的，但她沒有哭。她來這裏看我，見我還不至因受傷變爲廢人，倒要向我道賀。但我看出她笑得十分勉強。她很堅決的說了這樣的幾句話：『這兒子是沒用的了！但不管怎樣，他仍是我的兒子。媳婦如果不肯照顧他，我有一分力便盡一分！』她說這話時，她的女兒白麗也在傍。白麗也來這裏看我呢！你猜，白麗對她媽說些什麼？」

梅大亮從沒忘記過白麗這個有志氣的好孩子，聽了卻是一喜，急問道：「白麗也來看過你嗎？她怎向媽媽勸解？」

譚福祿帶着微笑歎說：「白麗眞好，她就是這種時候對她說：『哥哥從前最得意的時候，是一個沒心肝的廢人，現在是一個折了腿的廢人。只要他的心肝回來了，我們出力幫這個廢人，也不會太過灰心的。』你瞧，這女孩子看道理多麼透澈？」（七二）

木客著

儒林九尾龜

吳敬鋅

第四回：人何寥落鬼何多

黃安民繼續說道：「可是，爲應桂不肯，他認爲盧先生爲人還勉強可以爲善，假若大家都走了，再找一批壞人進來，說不定盧先生會到左邊去，因此，他還想留在那裏盡一份力量。」

李鴻飛嘆口氣：「其實他也是幻想。不過，我們這位老師竟然是這樣人品，說來眞使人傷心。」

黃安民含着眼淚說道：「你傷心還淺一些，我們幾個人眞是傷心透頂了，當你未來之前，當地出過兩次兇殺案，反共的文化人士被殺了，他怕的不得了，恐怕殺死他，每天晚上回去時，我們幾個人給他當盾牌，前後圍繞着他走，預備假若有人打黑槍，打死我們。不料我們滿腔烈血，卻保護着一個這樣的人。」黃安民說着不禁流下淚來。

李鴻飛勸道：「過去的事了，不經一事，不長一智，以後睜開眼睛看人就是了，現在你們打算怎麼辦呢？」

黃安民道：「林逢時主張大家暫時分開，因爲擠在一起，生活更難，目前他們三人分住在三處，我就到你這裏來，暫時住下，慢慢再找工作。」

李鴻飛點點頭：「你暫時住下好了，吃住都沒有問題，工作慢慢地找，不用着急。」

兩人正在談話，突然院內有人在喊：「李鴻飛先生是不是住在這裡。」

李鴻飛出來一看，只見一個青年人，年紀大約二十多歲，穿着一身筆挺西服，打扮得十分光鮮。再三端詳卻不認識。當時也只好過去打招呼，說道：「我是李鴻飛，先生貴姓。」

那人突然過來握着手說道：「鴻飛兄，還認識吧！我是高不成。」

一說是高不成，李鴻飛突然想起來，還是在三年前，他初來香港第一次參加國慶紀念大會，那時參加慶祝的人沒有現在多，只是租了一個酒店的大廳就成了。開會時，主席報告之後，還有兩位先生演說，演說完畢之後，司儀習慣問一句：「還有那位演說？」突然從人叢中舉起手來，大家一看是一個青年小伙子，衣履不整，十足是個難民模樣，當他一走上講台，全場的人都投以奇異的眼光，看他說些什麼？

這小伙子膽子相當大，跑到台上先自我介紹一番，原來他是一個流亡學生，現在正作報販，於是他就開始演說，先罵共產黨，後罵第三勢力，本來那次國慶集會，凡是反共人士都來了，原是一個大團結的局面，被他這樣一罵，第三勢力人士認爲他是政府買來罵人的，許多人一怒而去，對政府的誤會更深了，惹下這場禍，小伙子，就是高不成。（三十五）

重九登高

白荷

夏曆九月九日，是爲「重九」，又稱「重陽」節，按「重陽」，因爲九爲陽數，恰巧月份與日期同逢九字，故亦俗稱「重陽」節。

重九登高與中秋賞月，同爲我國富有詩情畫意，而且有益身心的傳統風俗；在這秋高氣爽的季節裏，登高遠眺，可以令人心曠神怡，胸襟開朗，實寓有提倡運動注意衛生之意義在焉。

關於登高吟詠，古人詩集中不少佳句，如「盡日登高興未殘，紅樓人散獨盤桓」，「一上高樓萬里愁，蒹葭楊柳似汀洲」，「明月樓前可萬家，鳳山菴下日初斜」，「坐對高樓千萬山，雁飛秋色滿闌干」，這些詩句描繪出美麗的景色，也寫出了登樓者的萬種心情。

重九登高的風俗，由來已久，且有重九食重陽糕以應景者，歲時雜記云：「二社重陽，尙食糕，而重陽爲盛，以棗爲之，或加栗，亦有用肉者。」崔正言詩曰：「歸去釀錢煩里社，買糕沽酒作重陽。」重陽食糕飲酒，今時已少見矣。曩昔在宮庭中，頗重視重陽佳節，據宋武林舊事記載：「禁中例於八日作重九排宴於慶瑞殿，分別萬菊，燦然眩眼，且點菊燈，畧如元夕。」在明朝時代萬歲爺每値重陽，多幸萬壽山，飲菊花酒，並賜百官花糕。

古之詩人對於重陽亦多應景佳詠，如孟浩然詩有「九月未成旬，重陽即佳辰，登高聞故事，載月訪幽人」，杜甫詩云「客心驚暮序，賓雁下襄州，共賞重陽節，言隨戲鷰遊，湖風林成柳，江雨隱山樓，且酌東籬菊，聊袪南國愁。」異鄉作客，勞碌奔波，而在佳節良辰，更有不勝懷念故鄉之感！

中國當代虛無主義底兩流（七）

——陶一大

他們也講科學，講民主。不過他們的物氣彌漫。不耐微末理智流那麼淺陋低調地唱那些名詞。他們說那是已經過時了的「沒頭腦」的「資產階級的科學」，和舊的「資產階級民主」。他們不屑講這些，而要以辯證唯物主義爲籠罩地講科學，說辯證物主義是「哲學的科學」（Ppilosophicalscine 這與所謂 Srient fical Philosophy 相映成趣），說「歷史唯物主義是解釋社會發展，解釋一種社會制度過渡到另一種社會制度的完整的、嚴密的科學理論」。說它「是研究一切社會現象，研究個別國家和個別民族的全部歷史的唯一正確的科學方法」。（康士坦丁諾夫語，毛澤東他們也跟着這麼嚷），說，共產主義是社會的科學主義」但是也不見得眞有了不起的科學成就（有一次，看到「人民日報」上載刊一幅漫畫，畫了一個科學家提着個皮包，一路到科員室，科長室，會議室院長室，等走到研究室時，卻重門緊閉，禁鎖難開）。縱使在技術上有些表現，恐怕還是通過那「資產階級科學家」的路子。他們要以階級觀點講「新民主」，要以無產階級，不，以「無產階級的先鋒隊」——共產黨，也不，是以「黨的領導」爲最高權力所在，儘管他們喊民主喊得漫天價響，那除了能夠騙取一些目光如豆，心眼閉塞的可憐蟲的所謂「民主人士」，幫他們搖旗吶喊，跑龍套和捧場，收到了一點所謂「人民民主統一戰綫」的效用外，那更連一點民主的氣息都嗅不到。因此，它也只是襲取科學民主爲政治宣傳的飾物，而不能眞正的成就民主與科學。這樣說來，它們便都無所成了。然而這也不，它們雖沒有成就好的，可成就了壞的，惡的。而這種壞的、惡的成就，在程度上雖有大小的不同，但在本質上卻又有異曲同工之處。此如（一）成就了外化物化量化的人心和社會風氣。當然，微末理智流其成就還只能達到這種境地，即「成功了類漫氾濫的時代風氣。它把人引到無守無律的境地，頂現實頂物化的境地，自私自利，要小聰明，玩小漂亮的境地」（牟宗三先生語）。因此，它不但腐爛了社會人心，許許多多青年聖潔的心，也間接直接地腐蝕了國民黨。因爲多少年來，國民黨的許多重要學術文教機構，大都掌握在這類人的手裏，他們就利用這些機構來進行一點一滴的外化，物化，量化的教育，而得以腐爛挫蝕之。

釋未集

門戶之見

世俗門戶之見，大抵萌起于師承與家法，其次則地域與郡望。戰國諸子，其源皆自六經來，但各引一端則異說遂起矣。漢代今文經學大行，立學官者得置博士，有弟子員，利祿所在，故不免于專己守殘，而黨同伐異者乃滋甚。漢末黨錮始于甘陵，因桓帝師甘陵周福爲尚書，而同郡河南尹房植有名當朝，鄉人爲之謠曰：「天下規矩房伯武，因師獲印周仲進。」二家賓客，互相譏揣，各樹朋徒，遂有所謂黨人，嗣後又有：「天下楷模李元禮」，及「不畏强禦陳仲舉」之言，標榜之風愈甚。建安之世，孔北海著汝潁優劣論，列舉兩地知名之士，比較品藻，云：「汝南張元伯身死之後，見夢范巨卿，潁川士雖有奇異，未有鬼神能靈者也」，又云：「汝南李洪爲太尉掾，弟殺人當死，洪自劾，詣閣乞代弟命，便飲酖而死，弟用得全，潁川士雖尚節義，未有能殺身成仁如洪者也。」身死見夢，是否爲靈鬼，其事幽微，難爲憑信。弟殺人當死，而以身代之，不得即謂爲殺身成仁。論人物而至于依此以定其優劣，不過阿私所好，以求稱快於流俗而已，不足以服天下人之心也。而士之虛矯以盜名，亦由此而起。及曹操爲丞相，建安十九年下令曰：「有行之士，未必能進取，進取之士，未必能有行，陳平豈篤行，蘇秦豈守信，有司明思此義，則士無遺滯，官無廢棄矣。」而操與孔融手書則竟云：「孤爲人臣，進不能風化海內，退不能建德和人，然撫養戰士，殺身爲國，殺浮華交會之徒，計有餘矣。」操之爲此，則黨人流風餘韻所激起之反動也。即寧靜淡泊如諸葛孔明，所見亦與此不相上下，其致丞相陸遜書云：「……當今取士，宜寬于往古，何者？時務縱橫，而善人單少……苟令性不邪惡，志在陳力，便可獎就。……若于小小宜適，私行不足，皆宜濶略，不足縷責。……故曰以道望人則難，以人望人則易，賢愚可知，自漢末以來，中國士大夫如許子將輩，所以更相謗訕，或至於禍，原其本起，非爲大讐，惟坐克己不能盡如禮，而責人專以正義，夫己不如禮則人不服，責人以正義則人不堪，內不服其行，外不堪其責，則不得不相怨，相怨一生，則小人得寶其間，得容其間，則三至之言，浸潤之譖，紛錯交至矣。」今之士大夫，不相服固矣，留學生有歐美日本之不同，出身本國者，淸華、燕大，固自以爲得風氣之先，北大、中大、實亦積不相能。以學術言，治文學詆哲理曰空疏，習理工者譏文史爲迂濶，各樹朋徒，不自今日始，互相譏揣，亦未有已時，使曹操復生，得無亦以爲浮華交會之徒否？

曲齋

海嶠叢談

菊部軼聞（中）

諸葛文侯

毛共對於大陸藝人之有專長者，無論老少，一律予以羈縻劉削，衰而頹爲優遇，不拘細節，如崑曲藝人「傳」字輩名丑毛某，亦獻身紅氍毹上或銀幕中，爲毛共廣闢財源。聞崑曲名小生顧傳玠早在台灣，隱姓埋名，不彈舊調，遯迹市廛間，竟無人予以發掘，致令其優越之藝術，湮沒不傳，寖成絕響，吁可慨也。

馬連良、俞振飛、王瑞芝、顧傳玠等，皆爲當代著名藝人，無論從藝術觀點或宣傳政策設想，自由中國政府胥應盡力羅致，妥爲安頓，俾得自由獻藝，號召於世，表示政府當局重視藝人之新思想與新作風，站在時代前頭，領導羣倫，亦可使一般藝人憬悟自由與奴役生活的實況，知所取鑑焉。如某鉅公所謂「政府不能爲容納一伶人而開煙禁」之說，適足以彰其頑固落伍之思想醜態，適成爲反共運動之絆脚石耳。馬連良到大陸後可以戒除阿芙蓉嗜好，若到台灣，詎不能耶？豫杜鼓惑，何其謬爾乃爾！台北已有近代化建構之影戲院，昕夕映演外國所製各種誨淫誨盜之色情與打鬥電影片，然對於宣揚本國固有藝術之皮黃戲院，除一二爲軍方所設置之「獨樂」新式合樹外，民間別無所見。蓋以嚴格限制票價，不易供養演員，商人明知其爲虧本生意，自不願投資經營也。此種政策不改變，現時政府與民間所開辦之平劇學校諸生，將來學成之後，誠不知其向何處求出路，保存國粹云乎哉？

疊字詞聯

介人

偶閱「秋雨盦隨筆」，有一則談及「疊字詩」，他說詩有一句疊三字者，奧融秋樹詩，「一聲南雁已先紅，槭槭淒淒葉葉同」，是也。有一句連三字者，劉駕詩，「樹樹樹梢啼曉鶯，夜夜夜深聞子規」，是也。有兩句連三字者，白樂天詩，「新詩三十軸，軸軸金玉聲」是也。有一句四疊字者，古詩「行行重行行」；木蘭詩「喞喞復喞喞」是也。有兩句五疊字者，王胄詩，「年年歲歲花長發，歲歲年年人不同」，是也。有三聯疊字者，古詩「靑靑河畔草」六句是也。有七聯疊字者，昌黎「南山」詩，「延延離又屬」十四句是也。至李易安詞，「尋尋覓覓，冷冷淒淒，淒淒慘慘戚戚」，連下十四疊字，則出奇勝格，眞匪夷所思矣！

讀了這一則隨筆以後，使讀者想到疊字詩詞，到了後來，竟成爲遊戲文章之作，不若前人的敦厚，而且香艷疊字詞曲，尤爲膾炙一時。茲畧述數則，以資玩味。

喬夢符天淨沙云：「鶯鶯燕燕春春，花花柳柳眞眞。事事風風韻韻，嬌嬌嫩嫩，停停當當人人。」

這闋俳體自然渾成，婉媚多姿，如畫裡眞眞，呼之欲出。

西靑散記鳳凰台上憶吹簫疊字倒字及異義字互用，哀感頑艷，得未曾有。詞云：「寸寸微雲，絲絲殘照，有無明滅難消。正斷魂魂斷，閃閃搖搖，望望山山水水，人去去，隱隱迢迢，從今後，酸酸楚楚，只是今宵。問天不應，看小小卿卿，嫋嫋嬌嬌。更見誰誰見，誰痛花嬌？誰望歡歡喜喜，偸素粉粉寫寫描描。還誰管生生世世，夜夜朝朝。」

此正所謂三生繫夢，再度魂銷，似夢似煙，如癡如醉，多情者正復爾爾。

一笑散藏趙明遠越調鬥鵪鶉云：「燕燕鶯鶯，花花草草，擾擾勞勞，多多少少，媚媚嬌嬌，婷婷嫋嫋。戀鳳交，沒下梢，空就了些是是非非，受了些煩煩惱惱。」

這曲一共用了三十二個疊字，而一氣呵成，沒有斧鑿痕迹，寫情之艷，猶其餘事，細嚼之餘，是大堪玩味的。

到了晚近，更有人將疊字製成楹聯，自然亦多屬游戲之作，文人舞文弄墨，矜奇炫巧，無非一時興之所至，率爾操觚，當不足齒於大雅之林。如每年的農曆二月十五日，爲百花生日，因爲從這一天起，各花將次第開放，故特爲慶賀。在花朝之日，婦女剪五彩紙繒成花紙，黏花枝上，以祝茂盛，叫做「賞紅」，種花人家，以佳種相餽，叫做「獻花」。剪綵條爲旛繫花樹上，叫做「護花旛」。後來有好事者爲之立花神祠，更有好事者以疊字作花神廟聯云：

「翠翠紅紅，處處鶯鶯燕燕；風風雨雨，年年暮暮朝朝。」

花朝節過了就是清明，於是又有人描寫清明節掃墓的形態，作了一首疊字聯云：

「紅紅翠翠，淺淺深深，近近遙遙，處處啼啼哭哭；暖暖寒寒，風風雨雨，朝朝暮暮，年年冷冷清清！」

這是描寫拜山的情景，寫來如繪，極爲自然。又有人作疊字聯贈妓女云：

「卿卿我我，惜惜憐憐，生生世世；雲雲雨雨，依依戀戀，暮暮朝朝。」

妓女本屬朝秦暮楚，但當其濃蜜的時候，未嘗不是卿卿我我，生生世世，此聯寫來，頗能諷刺之能事，火山孝子讀了以後，當亦廢然知返。

又有人代旅店擬一疊字聯云：

「熙熙攘攘，暮暮朝朝，可憐他去去來來，個個勞勞碌碌；我我卿卿，夫夫婦婦，但願伊平平穩穩，年年喜喜歡歡」

某校門首，曾於新年貼出一疊字聯，頗饒風趣。聯云：

「上上下下，男男女女，老老少少，都添一歲；家家戶戶，說說笑笑，歡歡喜喜，各過新年。」

這應該是承平時候過新年的景象，至於現在的大陸，屠殺已，清算，鬥爭，還無人民有歡笑之可言。因此，亦有人爲之擬一聯云：

「林林總總，老老少少，爭爭鬥鬥，時時殺殺砍砍，搜搜刮刮，看看乾乾淨淨；戶戶家家，女女男男，孤孤寡寡，處處驚驚慌慌，哭哭啼啼，眞眞慘慘淒淒！」

這種寫實，眞實如人間的活地獄，走筆至此夫，復何言？

隨筆

寂寞

徐學慧

寂寞是每一個人都可以感受得到的，但卻有種種差別。

年齡，職業，環境或造詣之不同，其對於寂寞的感覺也自然有深淺。其實所謂深淺，也不過是一個抽象的形容詞，或者可以這麼說，這也不過是主觀的而已。

少女的寂寞與少婦的寂寞不同，中年人的寂寞與老年人的寂寞不同，退休將軍的寂寞與學者又不同。雖然如此，但在每一個人的本身感覺上可能是相同的。

作一個海員，這是被一般人公認爲寂寞的行業，海員的寂寞，是不錯，我們可以想象得到的，船在大海上航行，水天一色，極目無涯，不見山嵐，這種寂寞，當然也是難受的。

在深山禮佛的僧尼，也是一般人公認爲寂寞的生活，這也是不錯，僧尼的寂寞，也是我們可以想象得到的。靑磬紅魚，枯燈古佛，雖然有山光水色，鳥語花香，足以怡人情懷，但心靈深處，總不免有些寂寞的。

不過，這種寂寞，我們還可以想象。但有些人的寂寞之感，卻不是凡夫俗子可以想象其萬一的呢！世界上最寂寞的人，應該是有高深造詣的學者，或者是具非凡智慧的思想家。

造詣愈深，寂寞之感愈重。放目看芸芸衆生，幾乎沒有一個可以交談的人，只這纔是眞正的寂寞。

李白之所謂「古來聖賢皆寂寞」，蓋深得寂寞之旨。聖賢何以會寂寞，乃是由于聖賢造詣與常人不同，因而其所想象的亦與常人有別。

整天在世俗的圈子中打滾，所與來往者，沒有一個是可以談學問，或者是可以理解自己的思想的。這就是最大的寂寞了。

談風花雪月，人人都有資格；一談到學問，就只有獨唱了。古今中外，哲學家思想家都有些特立獨行，因乃被目爲怪物。實則這些哲學家思想家並非怪物，而只是常人無法瞭解呢！

海濱消暑錄

收音機和「麻雀」

謝康

收聽播音，雖不是中國人的發明，但香港人卻能充份地享受，特別是麗的呼聲，幾乎每一層樓，家家戶戶，都有這個玩意。有了加上別種長短波的收音機，一齊開起來，整個香港，變成「機械音樂」的世界，在夏秋天時窗子洞開的時候，從朝到晚鬧個不停，直令人有刺耳欲聾之感。因爲這種東西妨擾別人的思慮或睡眠，比麻雀聲有時還要厲害得多。然而，在於表現個人自由主義和唯我獨尊的優越感，倒是一樣的。

我承認廣播有許多便利，也有許多正當的用途，和麻雀牌不可同日而語的，例如每日新聞、音樂，有教育性、文藝性、科學性的演講，還有政治的和商業的報導，戲劇小說等等引人入勝的東西，要不是這樣，我的朋友梁均默先生，也不會担任中國廣播公司的董事長了。但我很知道有許多人不喜歡收音，聽廣播，甚至於發生厭惡，法國名人杜亞美（Duhamel）亞蘭（Alain），中國名作家林語堂都是很突出的例子，因爲內容的庸俗和聲浪嘈雜滿天飛，都會使人難受，可是話分兩頭，廣播的內容好壞是一回事，濫用收音機來發展個人的自由，而妨礙別人的安靜，增市聲的喧囂，那多半是聽者的道德修養問題。我們要求提高廣播內容的價值，同時也要求提高收聽者的道德修養。

香港是商業社會，做買賣的人以投合羣衆嗜好爲生意爲前提，所以說「顧客常是對的」，以不寫一行能令讀者愛聽的話爲原則，商業的呼聲時常有「福如東海，壽比南山」這類爲人祝壽的話，大概也是這種討好顧客的心理。它原是爲迎合趣味不很高的一般聽衆，而產生一些富於刺激性和麻醉性的節目吧了，至於這些聲音是否應該把那些趣味比較高尚或者正在打渴睡的人，它似乎沒有考慮的必要。要是不然，它會失卻羣衆，也就違反生意經，而不能「搵大把銀紙」了。

麻雀鳥本不能鳴，叉麻雀卻整日吱喳叫，怪難聽的。麻雀聲的單調，那多半使人疲倦，更遠了。然而樂此不疲的人，越打越好呢！許多人說話很大聲，以爲越大聲越能表示自己的威風，也許同樣的心理吧。（三，本篇完）

自由報
THE FREE NEWS
第五十七期
每份港幣壹角
社長：雷嘯岑
社址：香港銅鑼灣高士威道二十號三樓
20 CAUSEWAY RD. 3RD FL. HONG KONG
TEL. 771726
台灣分社

論中共與俄共之間

王厚生

　　中共與俄共之間的關係，以及兩者的各別情況，仍應嚴密加以注意。中共方面，內部有嚴重的糧荒，大陸人民正在飢餓綫上掙扎。造成糧荒的原因甚多，比較重要的原因有三：一、人民公社組織，農民實行怠耕，田園間野草叢生，負責領導的地方幹部也不實力，而幹部的怠忽職守，也是因為太苦，鬧情緒，不滿公社組織，同情農民的困苦。這種情形可以一句話道出其緣故，即公社組織違反人性，再換一句話來說，是毛澤東的「思想」違反人性。根據最近出版的「東歐」月刊報導，在東德的某次農業展覽會中，會懸出中共的口號：「到共產主義的道路是通過人民公社」，這口號後為東德當局所見，即刻命令除下，指斥這個口號「完全與馬列主義不符，吾人不要原始共產主義。」二、糧荒雖嚴重，中共的飢餓輸出並未停止，仍以大宗農產品向俄國輸出，以償舊欠，這使大陸上的糧食更加不足。三、天然災禍頻仍，中共事先沒有預防的措施，事後也沒有補救的辦法。

　　中共的宣傳是說今年豐收的，實際是糧荒已無法宣傳掩蓋。八月二十五日的「人民日報」發表社論，號召「全黨動手，全民動手，大辦農業，大辦糧食」。在「紅旗」半月刊第十七期上，刊出廖魯言的「全黨全民動手，大辦農業」的文章。至十月下旬，更有六百萬青年下鄉，走上農業第一綫的號召。十月二十四日，中共「對外貿易部副部長」雷任民復與緬甸政府在仰光簽訂協定，決定明年向緬甸購米三十至四十萬長噸。民以食為天，如中共不能搞妥糧食問題，長此下去，勢必釀成「官逼民反」的大動亂無疑。

　　除農業外，中共的工業也大有問題。在這一方面，俄國的不合作是主要的原因之一。俄國原來答應幫助中共建設的，時至今日，必已停頓。共產黨人是可以這樣出爾反爾的，在他們心中，無所謂信用，信用乃是資產階級的舊道德之一，根本要不得。今天俄國的機器設備不來了，技術顧問撤走了，這必然使中共的經建計劃發生困難，甚至陷入癱瘓狀態。俄國抵制中共的這一着，在短期內，可使中共的工業生產混亂。據南斯拉夫駐大陸的記者報導，中共已命令工業部門的管理人員下廠下礦，直接參預生產。以遼寧的撫順煤礦為例，中共當局已下令管理人員離開辦公室，實行下坑，僅少數搞工會組織和運輸人員留在地面上。這種做法，於生產有何裨益，很難想像。但中共確已這樣做了，其用意莫非是希望管理人員之組織和監督才能，足以填塞因蘇俄技術人員走後所形成的空缺。

　　中共的另一頭痛問題是與俄共的思想分歧，在這一點上，有兩項顯然的事實：一、赫魯曉夫已使各國共產黨擯棄中共的思想路線，當前，中共在共黨陣營中，已陷於孤立，四面楚歌，如毛澤東戀棧，死不下台，情形很難轉圜。二、中共中央在表面上維持團結，一致對外，彭真在六月羅共大會上的發言，仍與俄共的觀點保有相當距離。六月三日，在招待阿爾巴尼亞人民共和國人民議會主席團哈奇·列希的晚宴上，劉少奇的講話中有如下一段：「對於美帝國主義這樣一個最兇惡的敵人，決不能抱有任何不切實際的幻想，而必須同它進行針鋒相對的鬥爭。」「毛澤東選集」出版後，林彪在「紅旗」第十九期發表一文，題目是：「中國人民革命戰爭的勝利是毛澤東思想的勝利」。羅共大會後，有十二國共產黨會談公報，中共也簽字於公報之上，引起各方謂中共已向俄共低頭的傳說。誠然，中共最後終須向俄共屈服，但在目前，中俄共之間的觀點仍有差異。在中共是保持鬥爭的姿態，劍拔弩張，繼續冷戰，以求所謂「和平共處」。在俄共是通過裁軍後的「和平共處」，實行經濟競賽，以爭取共產主義的最後勝利。中共的理論基礎是列寧的帝國主義論，戰爭論，堅認「帝國主義」存在一天，戰爭即無可避免。俄共的理論是赫魯曉夫新創的，認在此核子武器時代，戰爭過於殘酷，結果無勝敗可言，唯有消除國際間的緊張氣氛，通過經濟競賽，始足以取得共產主義的最後勝利。毛澤東的理論是正統的教條的，赫魯曉夫的理論是辯證的創造的。

　　最近，「毛澤東選集」第四冊出版，中共有計劃地製造一種學習氣氛，表示中共中央仍信任毛澤東，面對於俄共的理論衝突，尚能團結一致。這事可作正反二面來看，從正面看，二共中央為既得利益集團，用吉拉斯的術語來說，是「新階級」，只要中共中央內部的分贓大致均勻，還不致發生嚴重的分裂。毛澤東從前做「主席兼任「國家主席」，獨佔太多，數年前已讓出「國家主席」給劉少奇。既得了利益，還冒危險為撈什子「共產主義」，「馬列主義」而生異動，這種人究屬少數。從反面看，中共眼前的團結一致是表面的虛偽的，幕後有些什麼醞釀，一時還看不出來。假使赫魯曉夫堅持毛澤東應該走開，而中共又不能脫出蘇俄的集團，毛澤東下台的可能性很大。這事須待下月莫斯科共黨首腦會議以後，才見分曉。

　　讓我們再看蘇俄方面。赫魯曉夫的主張上面已經說了一個大概，他於九月赴聯大會議後，曾在十月二十日向莫斯科民衆大會發表演說，其中有云：「最近時期蘇聯與美國的關係惡化了，發生這種情況不是我們的過錯。我們相信，我們兩國之間，我們兩國人民之間，我們政府之間關係改善的時刻一定要到來。」赫魯曉夫又談到聯合國成立後世界上的大變化，並且指出聯合國目前的組織已不能適應大變化後的情況。這可代表赫魯曉夫的思想變通性。就正統的共產教條而論，赫魯曉夫不談美國政府為資產階級的工具，簡直是拋棄共產主義的原則。有人指出，赫魯曉夫作為一個共產黨人，說的話不可相信，他的「和平共處」是假的。這一說法基本上正確，但不夠清楚，應詳加說明。我以為「和平共處」是策略，應無疑問，但俄國不要戰爭，也該是事實。在史大林時代，到共產主義之路只有一條，各國共產黨應以俄為師，吸取蘇俄的先進經驗，依樣畫葫蘆，農業集體化，工業中央化，按步就班；赤化全世界，取激進方法，取武力擴張，取煽動革命。現在，情形不同了，到共產主義之路可以有許多條；赤化全世界取緩進方法，取暗中滲透。為爭取亞非新興國家，赫魯曉夫的策略無疑要比史大林的高明些。毛澤東在亞洲地區的行為未能贏得印度，印尼等國的同情，亦證明赫魯曉夫的策略對爭取所謂中立主義的國家也是正確的，赫魯曉夫為此應領導共產集團。

　　赫魯曉夫聯大之行，評為「得不償失」尚可以，說他「慘敗」則不確。赫魯曉此行，主要目的是企圖與艾克言歸於好，重溫高峯會議之舊夢（麥米倫和孟席斯等可以作證），因為這是赫魯曉夫的外交政策，與他在國內黨內的地位有關，可是，艾克為避免使其國人有共和黨對蘇聯態度軟弱的印象，影響大選計，多方拒絕與他見面。這是二國政治背景不同的必然結果。赫魯曉夫的成功處在於：一、吸引了許多國家的首腦與會，即連事先不打算出席的艾克，也為情勢所迫，不得不親自出馬了。這象徵蘇聯的大國聲威。二、赫魯曉夫在聯大聲桌揮鞋，主張改組秘書處，撤換哈馬紹，另設聯合國，或聯合國撤出美國等，一切騷動，是目中無人，使聯合國威嚴掃地，自由世界和美國對之無可奈何，由此而顯示蘇聯的大國威嚴。三、使許多國家在顧慮聯合國前途的心理下（從求和厭戰與害怕局勢緊張的心理演繹出來），削弱中華民國的代表權地位，據我估計，經赫魯曉夫這次搗亂，上述心理有與日俱增之勢，易言之，中華民國的代表權地位有日增的危機。四、通過反對殖民地案，誘惑非洲新興國家。至於協助中共參加聯合國，赫魯曉夫並沒有真心，因為這將有損於他代表共產集團的發言權，又須提防將來中共在聯合國的言論與行動不受控制，演出類似今日的思想分歧。赫之努力，一為例行公事，表示老大哥竭力幫忙，二為表示中共之見拒應自負其責，因中共反美太過激烈，使美國出全力阻撓（美首席代表華茲渥斯曾在會上宣讀「紅旗」雜誌上論帝國主義之文章），進一步言之，毛之言論與行動應負責任，從而得出結論：為中共計，毛應下台，中共應接受赫魯曉夫的思想領導。（十月三十一日）

小論天下

△美國向古巴基地添兵，卡斯特羅高呼戰爭來臨，越更指責美國侵略。

古巴遲早要變成「西班牙第二」的趨勢越見明顯。

△盛傳中共「志願兵」開抵阿爾及尼亞的同時，法國透起左右兩派示威騷亂，均以阿爾及尼亞戰局為問題，向總統戴高樂表示不滿。

要拆散西歐以孤立美國，就得拖垮戴高樂在法國的地位以摧折西歐的樑柱。要拖垮戴高樂就得緊捏阿爾及尼亞這個弱點，在法國內部及阿爾及尼亞同時造成混亂。共產黨在拿定敵人某一主要弱點時，決不會放鬆半分的。由莫斯科通過北平而到達巴黎之路，已不必經由印度而經由阿爾及利亞。這是「紆迴」進攻，也是「越洲」進攻。

△盛傳毛澤東將親赴莫斯科，參加會議並向赫魯曉夫索取核子彈殼」。

回想當年毛澤東由延安飛重慶時那種忐忑心情，再看最近俄國高級人員神秘死亡的離奇消息，該說毛澤東一生最大的冒險。

△關於蘇俄與中共分裂的傳說時起時伏，西方觀察家越來越多妙論。紐約時報專欄作家蕭柏格說：蘇俄不要戰爭，但要戰爭的果實，而中共則要戰爭的本身，這兩者都不是好兆頭。他是說毛澤東只為嗜好戰爭而戰爭，其實該說：火中栗果貓兒爪，瘟神伴戰神。

△寮國永珍政府正式宣佈接受蘇俄經濟援助。寮國高級官員批評美國恢復對永珍軍援（實即援發軍餉）為糊塗，荒唐，與「形同兒戲」。

他只是「腳痛醫腳」而已。

△美國官員對拉丁美洲共黨活動的分析，指出委內瑞拉與阿根廷業已變成為「問題國家」。

最後成為問題的當然是美國。

△西方觀察家又預測：赫魯曉夫將在明年四月在柏林引起新危機。

西方就只有等候他喜歡吹出什麼調子，才跟着來跳跳蹦蹦。

方南

自由談

大言不慚

史正

　　美總統艾森豪日前發表演說，旨在為共和黨的下屆總統候選人尼克遜幫忙助勢，駁斥政敵甘迺第所指美國威望低落之言。賣薑的人當然說自己的薑特別辣，理有固然，無可厚非。

　　不過，艾克先生把結束韓戰這回事夸夸其談，作為美國威望提高的證據，說韓戰是「浪費無益」的行為。好像認定當年民主黨政府之出兵討伐共黨侵略南韓，乃是大不應該的事，幸而他接任總統後，不擇手段地跟俄共集團簽訂停戰協定，這才使美國威望高漲了。如此亂車大砲，豈教我們這些局外人亦為之「吹脹」呢！

　　美國當年若實行國務長官艾契遜的主張，視南韓是與美國太平洋防綫無關的地區，讓共黨侵佔亦不在乎，那末，美國勢力今天不特早已退出日本，連東南亞亦沒有「花旗佬」立足之地了。請問：韓戰真是「浪費無益」的行為嗎？只可惜杜魯門政府把美國在世界的威望，剛剛藉韓戰樹立一點，又搞成不勝不敗，不進不退的窘象；艾森豪先生一進白宮，更不惜戴着共黨所賜給的「紙老虎」帽子，甘作「窩囊仔」，忍辱含垢，簽訂板門店協定，而美國的威望從此一落千丈，掃地以盡了！

　　艾克先生無論用甚麼理由來渲染美國威望崇隆，皆無所謂，就是不能提到韓戰問題，提起它，便有「鴨屎臭」的氣味，世人皆將掩鼻而過，掩耳疾走啊！

　　政治人物的功名富貴，如果真的是與運氣有關的話，我就心尼克遜的總統寶座未必一定坐得上，因為艾克老總的助選言論太糟糕也。

上期「自由談」之「書生從政未必有優良的成就」句，「從」誤植「論」，以致文義不通，應予更正，敬希讀者諒察之。

馮丑先生

美國現有軍事力的剖析

金鐘

華府通訊

儘管列強首腦在大聲疾呼着要實行「裁軍計劃」，但在這計劃未實現之前，依然不肯放棄建軍計劃的，尤其是對世界虎視眈眈的俄共，更是空口講白話，一方面對外嚷着要馬上召開「裁軍會議」，一方面又在國內大力生產軍事設備和武器，依然窮兵黷武，自相矛盾。

至於美國方面，美總統艾森豪是極力主張世界裁軍的計劃的，所以一部份軍事評論家對艾森豪政權的國防計劃大肆攻擊，認為他的裁軍建議可能影響到國防計劃的加強，以致給俄共有機可乘，有懈可擊，有胆量隨時發動攻勢來襲擊美國，攻其無備，重演珍珠港事件的悲劇。

其實這樣的抨擊是存有偏見的，因爲美國的軍事力到現在還沒有什麼弱點暴露，如果發動全面戰爭的時候，美國現有的軍事力對於敵人侵略的抑制力也沒有弱點出現。

俄共的「大陸間彈道火箭飛彈」的生產比美國多，這也是無可否認的事實。但為什麼俄共對於「大陸間彈道火箭飛彈」的生產要比美國多？這也是有着很大的理由的，也是俄共準備發動戰爭的一種戰略，而其致力於長距離火箭飛彈的全面生產，主要的理由有如下幾點：

第一，火箭飛彈是發動「奇襲攻擊」的戰略的唯一最完善的兵器。

第二，俄共可能利用轟炸機來偵察美國的火箭飛彈的發射基地，却難利用長距離的轟炸機運送火箭飛彈去襲擊美國的軍事基地，因爲俄共的有限的長距離轟炸機很難集中一起作火箭飛彈部隊而忽略其他的空中戰略的，因此，對於美國的火箭飛彈發射基地或其他的軍事基地的奇襲攻擊的任務，只有靠長距離的大陸間彈道飛彈來担任了！

第三，由於美國是民主的開放社會的關係，俄共對於偵察美國軍事基地的情報比美國偵察俄共鐵幕下的軍事基地較爲容易和正確，所以長距離的大陸間彈道飛彈在襲擊這些軍事基地時可以大派用場。

第四，俄共沒有接近美國的飛彈發射基地，所以中距離的火箭飛彈沒有用武之地，難派用場，迫使俄共要注全力於長距離的大陸間彈道飛彈的生產方面了！

然而，儘管俄共的大陸間彈道火箭飛彈的生產數字比美國佔了優勢，而美國對於所謂防衛與報復的全面的軍事力的其他重要焦點却又比俄共佔有絕大的優勢，因爲美國具有戰爭抑制力的所謂「混合物」的戰略的攻擊力，足可向俄共的挑釁及奇襲突擊予以絕大的反擊的。

而下面所列舉的就是美國軍事專門家對美國的戰略的攻擊力的分析情勢：

一、美國擁有數逾二千架的長距離戰略轟炸機，這數量已優越於俄共的擁有數字，而且這類長距離戰略轟炸機在現役中正分作各階段的任務，隨時隨地都保持着警戒態勢——多數的長距離戰略轟炸機隊在十五分鐘的預告中便可集中一起整機待發；另有少數的長距離戰略轟炸機却常時飛到空中負担着警戒的任務。同時，這類長距離戰略轟炸機都配備有數個大陸間彈道火箭飛彈，隨時都可對目標予以相當威猛的破壞力。

二、戰術轟炸隊兩個聯隊；這是搭載核子兵器的轟炸機隊，分配於世界的戰略地點多處軍事基地服役中。

三、十四隻現役航空母艦中，有數隻已派遣到接近俄共國境週邊的海域，作爲海上的活動性的空軍基地，隨時可以移動及反攻，對俄共及赤色衞星國予以核子攻擊，而其艦載機的數字，已比俄共的重轟炸機的總和還多。

四、裝備核兵器的戰鬥轟炸機十四個連隊，現已分配於海外的軍事基地，另有若干個連隊則保持在數小時內即可出發海外作戰的戒備態勢。

五、訓練及裝備完成的大陸間彈道火箭飛彈機動部隊，隨時保持發射「巨人」式大陸間彈道火箭飛彈的準備態勢。

六、另一機動部隊則裝備有「響尾蛇式」飛彈，這種特式的飛彈，裝有大型的彈頭，發射距離可達八千八百五十公里。

七、巡洋艦二隻及潛水艇五隻已裝有「獅心星」式彈道兵器，可從海面或海中發射，攻擊海面或地面的目標。

八、中距離彈道火箭飛彈，最近又有六十個引渡至英國本土的聯合部隊裝配。

九、另有四個機動部隊是具有各種巨型火箭飛彈的混合裝備，只是其中一個單位的威力，已可相抵於二次大戰中摧毀歐洲軸心國家全軍事目標的綜合轟炸力而有餘。

只看上面所列舉的美國現有的軍事力的實況，已足証美國對於俄共的挑戰和奇襲攻擊是具有潛在的防衛力和報復力的，縱使俄共怎樣大力生產長距離的大陸間彈道火箭飛彈也好，但跟美國現有的軍事力量相比較，還是有小巫與大巫之比的。（十月二十五日寄自華盛頓）

台灣的吏治與民俗

柯仁

◎××××◎
台北展望
◎××××◎

在台灣不管是什麼大小會議，出席的不論是大小官員或是芝蔴綠豆官，訓話也好，致詞也罷，結尾少不得要來上一段……風調雨順，國泰民安……再振臂叫上兩句好像恨不得馬上全副武裝親自打回大陸去的口號。

這幾年來台灣經濟建設是很有些成效，軍事上靠着三軍的努力奮鬥，自助人助，已由退、守、轉變爲攻勢，這强大的力量，在這次國慶校閱已用事實證明了。社會上也是日趨繁榮，可是不幸的是溫飽之餘，惑於物慾，社會道德頹落得可怕，打開報紙看看，紅包案，監守自盜、情殺、等犯罪事件，層見迭出。而「笑貧不笑娼」的無恥風氣瀰漫，很多女人因虛榮心的作祟不安於室，很多男的外水一多就飽暖思淫慾的金屋藏嬌，還有賭風之盛已到了使人驚奇的程度，有些沉緬於賭的人，男的是早晚坐牢，女的是早晚出賣自己。

麻將現已稱之謂「國賭」，一到入夜，巷子裏到處可聞麻將聲音，父親忙着應酬上酒家，母親忙着「一條龍」、「姊妹花」，太保太妹就應時而生，社會就更不太平。

公務員的收入雖少，但只要省吃儉用，那末生活比抗戰時期不知要好上多少倍了，但因風氣所趨，大家認爲錢能解決一切，「有錢忘八高三級」，於是「吏治不清，民俗不敦」。奉公守法的公務員苦矣！太太見別人進一件出一件，麻將一底是幾千元，我嫁了窮鬼，燒飯洗衣帶孩子苦到現在何時出頭？於是：有機就吵，一吵就要離婚，台灣內地女人行情看漲，只要長得過得去，不怕沒人要，要吃要穿嫁男人，人生幾何？

意志堅強的男人，則「去妳的，大丈夫何患無妻」。差不多的，則起先是不得已中收紅包，後來是開門見山要紅包，有朝一日東窗事發，則是身敗名裂悔之已晚。

台灣各地監獄中，不乏是工作能力高人一等曾受高等教育的人，而他們的罪名却是「貪污」。

政府與其事後用刑懲之，何不事先防止？治亂世用重典，難道眞有不怕死的貪污英雄？曾記得各級機關曾有堂皇命令：「公務員賭博者一律撤職」，惜未能嚴格執行。禁賭你禁，賭我照賭。如果政府能下決心，雷厲風行的不怕得罪人，公正的嚴格執行，當能轉變一下社會風氣，以免鬧成忘八蛋也競選議員，私娼館老板是好人好事表揚會上模範國民的笑話。

一千萬軍民齊聚在這島上，朝夕努力的目標是反共復國，那末在這勝利前夕，必然會有一番艱苦的奮鬥，發揮抗戰精神正其時矣！

社會進步，生活水準必然提高，發揮抗戰精神，並不是說要大家穿草鞋吃糙米飯醃菜過日子，而是希望守本分，大家儘一己之長，貢獻給國家，不作非法之事，對那些不法之徒，也希望當局拿出當年氣魄，槍斃幾個。

國家之興隆，繫於人心之興廢。救國保家機會不多，中國人今後能否存在於世界，就靠我們了。願政府痛下決心，治亂世用重典，澄清吏治，敦厚民俗。

台灣點滴

阮成

四十八小時叫人拆房子

△一家代管公產的銀行，發出一件公文，限整條街的居民們，在四十八小時內把房子拆掉回復原狀，還要賠償歷年使用費。這笑話鬧遍了台北市，某晚報的一位先生題爲「沒有人味」，還加上二則銀行家沒有人味的故事，令人讀了稍吐怨氣。

辦事的人大概是數鈔票數昏了頭，自己一件公文辦了一個多月，却叫人在四十八小時內「遵照辦理」。

新聞尾巴是「賠償歷年使用費」，以便辦事的人可以抽它幾成獎金，使一天到晚數新台幣的人，可以數些到自己口袋裡。

高居顯要的大人物們，希望今後對公事的劃行上，稍爲替老百姓想想，以免這種笑話越弄越多。

百多萬台幣牽涉到紅包

△一個走江湖的日本馬戲團，在東南亞其他地區斷了本，打着親善的旗幟想到台灣來撈一票。奔走說項演出的人，都拿出了堂皇的理由，好像不核准，中日邦交馬上就要斷絕似的。

三個月下來，果然撈到了幾百萬，甜頭一嘗捨不得走，却硬說是虧本得連回去的盤費也沒有了。

事情一鬧開，又牽涉到不知去向的百餘萬新台幣，是否已之於紅包問題，當初把他們當祖宗的一批貨色，這時候却噤若寒蟬。

那位起先用日本話發表歡迎親善言論的三重鎮長，這時候也顧不得「親善」了，要緊的想收回借出去的三十萬公款。不過即使公款能收回，這官司想也吃定了？

經過這次，主管機關以後對外來遊藝團體，應該出之以負責態度，事先好好考慮。准就准，不准就不准。以免紅包謠言影響了國譽。

有破案神速之譽的司法行政部調查局，對這件事最好能查個水落石出，查查馬戲團來台演出這件事，從頭到尾究竟有沒有紅包問題。

編者·作者·讀者

本報第三四兩版，現下所能容納之文字，以一千六百字左右或五百字左右爲最適宜，且亦易於刊出。邇來迭接稿件，多不照此規定，茲特再向各文友鄭重聲明，務請留意。過長或過短之文章，至少在目前，殊難有刊出機會，請勿投寄，爲感。

「人性論」困擾了中共

岳騫

大陸文壇萬花筒

本年七八月之交，中共召開了文學藝術工作者第三次代表大會，中共中央宣傳部長陸定一又在大會上發表抨擊人道主義的文字，並且把人道主義扯到狄托頭上去，甚至於從狄托扯到杜勒斯身上，好似人道主義是杜勒斯與狄托領導的。

這種說法，表面上很是嚇人，但是大陸學者若當眞去研究陸「部長」的報告，一定會捧腹大笑，因爲陸的話太語無倫次了。

現在的跡象非常明顯，中共要對付人道主義者，自然是一舉手之勞，彰明昭著提倡人性論的人，據筆者所知尚不足十人，即使加上各地方報刊，全部計算在內，最多也不過百人，以中共手段之辣，控制之嚴，對付這麼一些少數的人，不問是屠殺勞改，都輕而易舉。困難之點是如在大陸所有知識份子，包括共黨幹部及共軍官兵的心中拔去人性的根源，使他們回復了獸性，無條件供共產黨驅使，這就大費腦筋了。

中共現在的辦法並非鎮壓，只是用文字來宣傳，採取說理方式，攻擊「人性論」，最近兩個月來，各種文藝報刊紛紛撰文抨擊，目標仍然是王任叔、蔣孔陽、任鈞、錢谷融、岳野、王淑明等人。

最大型的文藝批評雜誌——文學評論季刊，本年來第四期就發表兩篇批評文字，一是蔡儀著「人性論批判」，文長兩萬七千字。一是「人性論的一個新標本——評王淑明同志的關於人性問題的筆記」，著者是王燦熒。文長兩萬二千字。

前篇是普遍攻擊人性論及有關的作者，後篇則是專對王淑明而發，可是這兩篇文字犯了一個毛病，就而長而無當，言之無物，自己的話沒有引證別人的話多，引證中國人的話又沒有引證外國人的話多。這種文字若不用政治壓力，強迫別人學習，相信找一個讀者都難，更不必說發生什麼效果了。

不過，王燦熒那篇文字却透露了中共的一項政策，仍然盡是縮小範圍，不敢把事態擴大，所以像王淑明這樣扛大旗的人，王燦熒還勸他「回到馬克思主義的立場上來」，其他的人（除去巴人之外），大概暫時都可以不究了。（下）

社會小說

香港地

六、人情味

梅大莞聽得大爲感動，默然久之，才太息道：「有這樣的母親，有這樣的女兒，難得難得！但如果調轉來，那個浮青年肯不肯說：母親仍是我的母親？」

譚福祿也呆呆想了很久，才答道：「難道」你還不肯原恕一個業已成爲殘廢的人嗎？他錯是錯了，這時當然會知道懺悔，我們用不着說他的壞話啊！」

梅大莞點點頭，却想起另一個問題，道：「他的母親也肯原恕他了，我們還好說他的壞話嗎？但這的確是一宗調不轉來的事，你說是不是？好在青年中還有像白璧這種人，才教我太過浪費呢！且說那天，你爲什麼跑到青山那麼遠的地方去？你如不去，便不會闖出這宗禍事了啊！」

譚福祿答道：「說來當然湊巧，那天我到青山某一個角落去，爲的是看一座廟宇，打算拿一點錢，投承出來，在那裏做廟祝，料不到，倒因這一片神心弄出了禍事。」

梅大莞覺得出奇，急問道：「什麼話，你打算去那裏當廟祝？」

譚福祿反問道：「做廟祝有什麼不好？你可知道，我打這個主意已不是一朝一夕的事。那裡有一座不大不小的廟宇，環境很好，更可說它風水不錯，平時拜神的人當然不多，但每年誕辰到臨，總有十天八天熱鬧，只靠那一筆香油費的收入，便可靠一年的開支了。我就愛它地方清靜，認爲在廟裏長住，猶如隱逸一般，不必多費半文租錢，如能招呼三兩個朋友在那裡居住，輪流負責料理廟中事務，自是一樂，說不定還會賺錢，可把大家養得飯飽茶足呢。」

梅大莞怎也想不到，譚福祿竟會有這種奇妙的打算，照他自己的想法，廟祝決不是一種可以經營的行業。當然更不會是一條生財之路。

譚福祿見他露出懷疑的神氣，便續向他解釋道：「廟祝這門行業，不慣做的當然覺得沒甚意味，而且不能投資。這是要拿錢向政府投承出來的呀！但是，有經驗的人却認爲這是包保不會虧本的生意，而且也悠閒自在之樂，爲任何其他行業所不及。」（七三）

木客著

民主自由與反共（下）

周燕謀

（五）唐先生認爲海洋國家，長期沒有敵國外患，人民注意力集中自身權利義務上，故其講民主乃是順理成章之事。唐先生的意思是說我們大陸國家，是不應當實行民主政治。可是史實並不然。海洋國家，注重權利義務，講求個人自由。因其注重個人權利義務的伸張，人心是往外向的，向外發展，是應當講求堅甲利器，向外殖民，成爲帝國主義。照此說來，海洋國家應當實行集權才是順理成章之事，爲什麼反而實行民主呢？中國是大陸國家，但幾千年，不大重視外患，反而注重內政的修明，中國人創造的文化是向內看的，着重內治。照理論講應當是發達民權才對，爲什麼民權反而較西洋落後呢？再說日本也同樣是海洋國家，西洋的海洋國向外發展便成功，而日本向外發展便失敗，這是何原故呢？無他，自已實行民主政治爲後盾，則成功，自已實行集權，只重堅甲利器，則終必失敗。不同者，民主不民主耳。如果日本早實行民主政治，不向外侵略，中國也老早和它携手合作了，中日在亞洲携手，共進民主，而今日的亞洲，又何至如此的亂呢？共產黨又怎能把中國大陸奉獻俄國毛子呢？

（六）唐先生看到了「國際共黨」，在各自由地區煽動，罷工罷課，遊行示威，請願，種種都是自由掩護下進行的。」但是唐先生所指的自由地區，不知是那些地方，據我觀察，這些運動大多在亞洲和中東，歐美國家此類情事較少。亞洲及中東地區的國家大多是假借民主自由的，那一個國家夠得上算眞正的民主國家。政治不民主，鉗制自由在在都有，因之自由爲人民所渴求，共產國際看了這點，假借自由，與非共人民結合，鬧成亂子。自由雖然可以假借，但是須在不自由的情況下才能被假借的。試問在英美何以共黨不藉口民主或自由呢？韓國土耳其也同樣發生遊行示威，但他們並不是共產國際搞的，而且他還是反共的。須知遊行示威，請願罷工，這是民主自由下的產物，人民用以反抗專治獨裁壓迫的武器。鐵幕國家也同樣有遊行示威運動，民主國家更應當有此自由。自由不但共黨可以假借，任何人都可以假借，但假借民主自由的人，終必失敗無疑。人民的眼光很亮，愛好自由的人，絕不能因怕共黨假借自由而願意政府剝奪自由。共黨不准人民自由，我們反共也不要自由，因爲有了自由怕共匪假借。照這樣的理論來看，那麼我們又反些什麼呢？照唐先生的主張，世界上的民主自由國家，凡是有共產黨的，都應當放棄自由，而實行以奴役對奴役，以暴力對暴力了。如此主張成立了，世界上的民主自由國家，都不要反共了，俄帝赤化世界，可以兵不血刃。但這種理論不僅我不同意，自由世界的人都不同意。因此唐先生的「宏論」也只好休矣了。

說得很多，實在浪費感情。最後我有幾句粗淺的話作結束。民主自由不可假借，自由與法治不可分離；民主自由是反共的武器，反共必須眞正的民主自由；只有眞正的民主，纔能戰勝共產極權，還有幾句是蘇聯反共領袖波倫斯基，在四十六年台北亞盟會對新聞記者說的，他說：「我們決不贊成共產黨的方法反共，更不能用法西斯主義反共，因爲那樣人民會厭棄我們，像厭棄共產黨一樣的厭棄我們！」旨哉斯言。我還得再說兩句，民主自由，由革命而來；民主自由乃建築在民主自由的基礎上。任何人假冒不得，假冒的後面就是不幸！（十月十五寫于台北）

青年之聲徵稿

本版特闢「靑年之聲」一欄，專載海內外靑年學生的文藝作品及其生活動態的報導。歡迎各校同學來稿（勿超過五百字），一經刊載，略致薄酬。請註明年級及學校。

說貪污

·劉杰·

發牢騷的人可多，都是對現實不滿。現實給他們太殘忍，太苛刻。但也有些人在現實過得很得意。同是一樣的才能，同是在一個機關服務，爲什麼一個得意，一個不得意呢？一句話，一個會弄到錢，而另一個却沒有這種本領而已。

「錢能通神」，有錢能買鬼推磨。沒有錢，磨也推不成，還逼死英雄漢。所以錢是好東西。沒有那個看到錢不要，。

孔子說，非義之財不取。這到底是書本上的話。今天不義之財裝在荷包裏太多太多了。如果操上經濟大權的人，不想法子裝上幾個在荷包裡，是心不死的。所以貪污案層出不窮。那些貪不到的，看見別人有那麼多錢，眼睛就紅起來，就罵貪污。

其實他自己貪不貪污呢？他是無汚可貪，有了污一樣的貪，而且貪的特別厲害。要想制服有經濟權的人不貪污，大有一途：要有個良好的制度，要以科學管理方法，使其汚沒法貪，今天貪明天就被發覺。貪一塊錢也有人知道，貪萬元以上更不用說了。

近來有人提倡「不說謊運動」，但這也是文字上，口頭上的事兒。其實說謊的，不在凡夫走卒，而在顯官達貴。凡夫走卒就是說句把謊，至多影響幾個人。顯貴們一說謊，便影響到幾千幾萬人。就和我們要制伏貪汚的人，就要制伏有經濟權的人，使其看到錢不敢貪，是一樣的道理。依法制貪，那是最笨而也是最終的辦法。

儒林九尾龜

吳敬鋅

第四回：人何寥落鬼何多

散會後，魏本愚跑過去和他握手，並介紹李鴻飛，從那次起李鴻飛算是認識了他。

以後高不成也常到文化報，中興報幾處投稿，可是文字寫的實在不通，最初兩家報紙編輯看在他是一個流亡學生份上，還勉强加以修改發表，後來大家實在不勝其煩，就乾脆退給他了。

高不成不能投稿，也就不到這兩家報館來了，所以幾年來李鴻飛也未見過他，久已把這個人忘記了。不知高不成突然跑來，衣服相當講究，人也顯得文雅得多，李鴻飛莫明所以，只好讓他到房裏坐。

坐定後，高不成掏出一包「好彩」敬主人，李鴻飛、黃安民都不抽烟，高不成又掏出一個金光閃閃的打火機燃着火，連噴幾個煙圈，然後微笑說道：「鴻飛兄，你這幾年情形還好吧！」

李鴻飛笑道：「你看我這個景況，一間木屋，兩塊床板，還能談到好嗎？」

高不成搖搖頭：「你這個人太老實了，所以沒有一點發展，在香港混着不能出奇，看永不能出人頭地的。」

李鴻飛看到他那一付神氣，不由得好笑，當時問道：「看你的情形是很得意了，有什麼好辦法可否說出來讓我們見識見識。」

高不成笑道：「這個經過說來也很長，自從我在文化報投稿碰壁之後，已經走投無路，忽然遇到一位賣報時的伙件，好幾個月未見他，原來他去粉嶺一間書院讀書去了，我靈機一動，就要他介紹我去，結果院長見面問了幾句話，未經考試就入學了，從此我就作了學生。」

作學生怎麼會有辦法，李鴻飛覺得不懂，看看黃安民，他也迷惘得很。

高不成洋洋得意說道：「我作了學生之後，首先可以到教會去活動，領取救濟物品，漸漸和裏面管事的人混熟了，他們看我年輕有爲，凡是學校的事情都讓我辦，這樣我就認識了許多專上學院的學生。」

高不成說到此處，李鴻飛明白了幾分，這小子一定是在發放物資中，搗了鬼，所以才變暴發戶。

不料高不成繼續說道：「時間久了，許多同學無形中結成了一個團體，大家感到有意見無處發表，不如乾脆辦一個刊物，當時開會決定推我作社長，出了一個月刊，銷路倒是很好。」

李鴻飛知道這小子文字不通，聽說他能辦刊物，不由得奇怪，忙問：「你們辦的什麼刊物？」（卅六）

中國當代虛無主義底兩流（八）

——陶一大——

這也就現政權的被從內部腐蝕來說，乃是國民黨不眞知學術文教之重要，不注重「筆桿子」而只看重槍桿子，有關文教責任「一以委之」之必有的報應。蔣先生到台灣後反省到這個問題，但是顯得不够，所以國民黨還是「家風依舊」，而台灣的人心和社會風氣，也不爲報紙雜誌所注視！甚者，且有所謂「反對黨」之醞釀（組黨而曰「反對」一望即知其爲虛無主義者）。這是徵末理智流之所成。至於莽蕩浪漫流所成，則在其從外部否定中華民國，取得政權以後，更使人：父不父，子不子，夫不夫，妻不妻，人不復爲人；人只是「製造生產工具的動物」（馬克思用富蘭克林語），人只是機器；人被徹底地物化量化了，化成可憐的 Massman 社會也要被徹底物化了，要化成那個昏天黑地的大同。這是馬列的功勞，也是清末民初那一浪漫流，康有爲思想的妄想的落實。這是中華民族的悲哀，也是人類的悲哀！（二）

成就了它們自身兩種不同的獨覇獨裁。這個成就，莽蕩浪漫流之已在大陸建立了所謂「人民民主專政」，說「人民民主專政就是無產階級專政」（劉少奇語），而實際上只是那早就得意洋洋地高吟着：「秦皇漢武，略輸文彩，唐宗宋祖，稍遜風騷，一代天驕，成吉思汗，只識彎弓射大鵰」沁園春詞兒的毛澤東在獨裁，乃盡人皆知，毋庸申述。至於徵末理智流，說它本身有着的獨裁獨覇作風，則因爲他們提倡自由民主不遺餘力，恐與事實不符。這一點我們得略加解釋。在這裏我們不是說它眞地有那末的氣力，能像毛澤東一樣攬獨裁政治。同時毛澤東的沁園春，儲他們哭都哭不出來！我們只是說它據有的學術文化機構，要是不和他一鼻孔出氣的人，你便休想進去。比如當今的「翰林院」的翰林——中研院院士——就沒有點到一個不是跟他們一鼻孔出氣的學人，這回開中美學術會議也都沒有他們的份兒。據說程天放以前想到台大去教書，也被「五年之內無著作」一謝絕了。由此可見吾言之不誣。有一次，我跟一位虔修淨土法門的同道邊走邊談，談到這個問題，他說，他們只可惜沒有那股氣力去取得政權，如果有，可能比毛澤東還要獨裁。因此，他們的民主含義，可說是「你是民，我是主」；他們的自由觀念是「你自我由」！這眞是豈有此理！

釋耒集

韓魏論

不久之前，余曾主張請美國黨政外交決策人物，對中國問題之處理，宜一讀戰國策，事或近於詼諧，情則實甚沉痛，通者彼方因大選競爭日迫，對是否協防金馬之辯論，亦隨以日見緊張，先則肯尼第主張放棄，繼則洛克斐勒欲以爲交換被中共囚禁美人之美僑，此等論調，自爲右派知識份子之所不喜，故連日盈罵之聲不絕，此固人情之常，無庸深論。十月二十七日，讀報獲見共和黨總統候選人尼克遜之反對意見，略云：「台灣海峽，實爲美國在遠東之屏藩，故不宜放棄。」夫：「人之視己，如見其肺肝然」。余以爲尼氏此論，實爲「由衷之言」。足以使我國人迷途知返，而若干論客，亦不必激昂事理，以道義責友邦矣。蓋尼氏以爲不可放棄，但曰台灣海峽，不指言金、馬也。而其所以不宜放棄之理由，不過因其爲美國之屏藩，設令日內瓦之商談獲得協議，貿易可以進行，則台灣海峽所有者，不過自然地理教科書所云云而已，其時第七艦隊巡行之水域，將一變而爲美國貨輪進出之海洋，然則今日之協防，或不免爲爭取較有利之貿易條件而起，與所謂「盟國」或「友邦」，固風牛馬不相及也，蘇子由六國論云：「秦之用兵於燕趙，秦之危事也，越韓魏而攻人之國都，燕趙拒之於前，而韓魏乘之於後，此危道也。而秦之攻燕趙，未始有韓魏之憂，則韓魏之附秦故也。夫韓魏諸侯之屏障，而秦人得出入其間，此豈知天下之勢也。委區區之韓魏，以當强大虎狼之秦，彼安得不折而入於秦哉。」韓魏附于秦則韓魏亡，韓魏之人未嘗不知之，特以投降而亡，猶得苟免於兵火之傷夷耳。然未有韓魏附於秦而燕趙可以無事者也。燕趙不能無事，則共存之論，徒欺人之言耳。然則貪遠洋貿易之利，背盟敗約，適足以爲赫魯曉夫所竊笑而已。依此以言，則美國黨政外交之高層人物，其慮患之疏，見利之淺，昧於天下之勢，未嘗稍優於六國之君臣也。獨竊怪我十年以來，養兵六十萬，生聚敎訓，整軍經武，不過爲美利堅遠東屏藩之戍卒，此則余之所謂「情則實甚沉痛」者也。今若令金、馬繼大陳之後，拱手讓人，其勢有同於日削而月割，終將趨於喪亡，等亡耳，此韓魏之所以附秦而不悔者也。使台灣逆知美國之必將背盟敗約，則台灣亦韓魏之續耳。昔孟嘗君說燕王曰：「秦攻魏，而燕不救魏，魏王折節割地，以國之半與秦，秦必去矣，秦已去魏，魏王悉韓魏之兵，又西借秦兵以因趙之衆，以四國攻燕，王且何利，利行數千里而助人乎？利出燕南門而望見軍乎？」此語也，又安得使尼克遜、肯尼第一聽之乎？　曲齋

海嘯慶談薈

毛共最近向海外所作「飢餓輸出」之平劇電影片「楊門女將」，附以大量宣傳鏡頭，表示其重視戲劇訓練之各種情形，敝帚自珍，殊屬可哂。此在未會見識舊時戲劇界科班內容者，或許被其欺騙，而認爲共產黨眞有其不可及之處，實則非也。

曾憶民國二十一年四月末，愚奉政府命赴北平公幹時，友人劉郁芬（前西北軍馮玉祥部將）邀讌於前門外梅蘭芳主辦之「北平戲劇學校」，同席者皆係當時在燕京諸名伶，除新艷秋因母喪未便赴讌外，自梅蘭芳，楊小樓，余叔岩以次均預焉。現在台北之齊如山先生維時坐鎮校中，處理日常校務。是日愚到最早，初在如山先生辦公室閒談，見壁間懸有胡琴，試操之，而梅伶

菊部軼聞（下）

諸葛文侯

適至，笑謂愚曰：「您亦喜歡這玩藝嗎？我來唱一段吧！」愚聞而惶遽遜謝，自忖手藝甚劣，焉能爲「伶界大王」伴奏哉！然梅氏已覷破愚之心情，即謂試唱西皮原板「兒的父投軍去」四句如何？愚勉强對付，不覺汗流矣。繼而余叔岩蒞止，手持紙扇，兩面書畫皆係自作者，愚觀其書法殊不俗，頗出意外，詢以緣何輟演，答言患小便出血，不能再勞動也。

宴後，梅蘭芳引導參觀該校諸生訓練實況，首先爲武生集訓班，楊小樓親自敎練，諸生頭戴籐製圓冠，中有若干空格，視綫無礙，手持戈矛對打。楊伶在旁指述劇情，告以彼此對打之法，左邊應技擊幾次，右邊應回擊幾次，不能失序，亦不可有所增減，否則必誤事傷人，旋又親自表演身段與槍法，循循善誘，十分認眞。次看梅伶敎導旦角戲，是日彼着西服，穿漆皮鞋，仍如在舞台上表演女人之姿式，命諸生亦步亦趨，逐一學習，或歌或舞或道白，莫不指示週全，維妙維肖。最後參觀胡琴訓練，諸生各持鉛筆與拍字簿，圍坐於圓桌旁，敎師先念腔調，再操琴奏出數遍，敎諸生皆以「龍、介、攏」之音韻註出，切戒用「工尺」字樣，謂按「工尺」學操，拔藝即落於下乘矣。愚對胡琴即係用「工尺」方法者，宜其無成就也。綜觀上述訓練工夫，其皆非毛共今日大事宣傳之電影鏡頭所能企及，不啻毛共之宣傳品加以稱讚，陋矣！

閒話市招

介人

今天中國大陸上的工商業，均已一律公營，所有過去熱鬧的商店，大都門可羅雀，商店的「市招」，自然也將隨着一股逆流，悄悄的收市了。因之，使筆者回憶到過去各大商埠市招的衍變及其風趣，頗使人爲之嚮往不置。請先談北平，北平舊商店的招牌，多喜歡用祥、利、寶、發、興、盛、水、長等字，極爲普遍，大概取其吉祥順利。

山東孟家所開設的綢緞店，都叫什麼祥，瑞蚨祥，瑞林祥，賣藥人所開設的藥店，都叫做什麼仁堂，同仁堂，達仁堂，懷仁堂等，本來是有其意義的，因他生意發達，後來新開的綢緞店，也多叫什麼祥，藥店也多叫什麼堂了。

北平王麻子的剪刀店，馳名遠近。在它的附近，就有一家汪麻子剪刀店。宣武門大街王致和臭豆腐店，也是很有名的，在它的附近就有一家王芝和臭豆腐店，這些字音相近，在字面上還有分別。他如東安門以萬應膏、萬應錠馳名全國的東安堂藥舖，在一條街上，就有兩家同名的藥店，不是老北京，就難辨出眞僞了。

北平舊商店，還有因綽號而著稱的，西四瓦缸市和順居白肉館，用沙鍋煮肉，俗呼「沙鍋居」，而不叫「和順居」。五道廟廣福居小館莊因女掌櫃善炒菜，俗呼「穆家寨」，而不叫「廣福居」。煤市街同聚館因餡餅做得好，俗呼「餡餅周」因綽號而揚名的，大抵都有它的特色，相沿既久，本店字號，反而不傳。

北平最老的商店，有傳自明朝的。如揚梅竹斜街濟安堂的狗皮膏，俗稱王回回；宣外菜市口的西鶴年堂藥舖，煤市街的六必居醬園，在明嘉靖年間就開設了。此外如崇文門外喜雀胡同同思堂（售接骨回生丹），清康熙年間開設的。煤市街萬安齋靴鞋店，清乾隆九年開設的。琉璃廠胡開文筆墨莊，清乾隆六十年開設的。這些老店到現在都是有幾百年悠久歷史。但是到了今天，都隨着收歸公營而一律予以消滅了。

舊商店的招牌，寫的好字很多，過去琉璃廠一帶，稱爲文化街，所有舊書店，筆墨莊，南紙店和古玩舖的招牌，十有八九都是名書家的手筆。而招牌字最老的，當推煤市街的「六必居」和菜市口的「西鶴年堂」兩家，相傳這兩家的招牌，都是明朝嚴嵩所寫的。

除了北平的市招，令人寄以懷念，發思古之幽情而外，其次應該推有「小北京」之稱的成都。成都的住宅，和成都人的閒情逸致，無一不有北平人的風味。以市招而言，則有題得很典雅，而且有多至七個字以上的。

如小吃店有：「大不同」、「天天好」、「忙休來」，大餐館有：「醉漚」、「味腴」、「哥哥傳」、「古女菜」、「竹林小餐」、「不醉無歸小酒家」；茶樓取名「歸去來」，鞋店取名「載人舟」；司馬相如的萬里橋邊有一家賣豆漿、牛乳的小店叫做「萬里橋邊一乳家」；有一家裱畫舖，店主姓鄭，招牌叫做詩婢家。

其次福州的市招，也還不俗，福州的一般商店如「觀我頤」、「鼎日有」、「美且有」、「閩中奇」、「陸經齋」、「小有天」等，絕不像京滬杭一帶什麼「王寶隆」、「王潤興」、「高義泰」，甚至如「三六九」，「四五六」之類俗氣薰人，俗不可耐。

再其次在福建的漳州，卻有很多奇異的市招，令人爲之一笑。如漳州有一理髮店曰「無辦法」，有補鞋店曰「眞看破」，有旅社曰「隨你意」，有炒麪店曰「美的炒麪」，有油炸檜店曰「摩登油條」，有人認爲此種命名皆屬可傳之作。

又某君曾述及他在武昌時，看到當地有幾家小旅館叫作「賓館」，黃鶴樓側的一條小街，有一家旅店的名字很別緻，名叫「呂洞賓館」，他當時覺得這旅店老闆，倒很能運用巧思，到後來，他避難南來，偶至九龍上海街購物，行經一家牙醫門口，看到門上掛的一塊招牌，叫做「姜子牙醫」，偶然記取「呂洞賓館」，不禁大喜道：「呂洞開賓館，姜子作牙醫，呂洞賓和姜子牙也想不到他兩人會成爲這樣一副妙對吧！」

這種命名，實屬牽强附會，可說不通之至，但亦不失爲奇異市招之一，姑錄之爲本文殿。

心境（上）

徐學慧

萬事皆能捉摸，只有這方寸之地的心靈，却是個神奇莫測的東西。它有時候狂風暴雨，波浪滔天；有時候却又是鳥語花香，綠茵滿地。

爲賊爲王，爲善爲惡，爲腐儒，爲浪子，儘管其型式不同，但有一個基本原則却是相同的，那就是他們都有一個理想來支持他們的行動。至於這理想之好壞，那又是另外一個問題。

有些人生來愛好權勢。小時候，拿竹枝當馬，拿木片爲刀，躍馬橫刀，在同輩的小兒羣中，昂視濶步，旁若無人，他自已覺得這就是惹人羨慕的英雄氣概。及年齡稍長，醉心於劍俠小說，噓氣成雨，點豆成兵，那些法力無邊的茅山道士，或者峨嵋仙人，在在都可以激起他們的幻想，幻想到有一天，他自已也能夠作一個路見不平拔刀相助的英雄好漢。這種人，一入社會，就是個主義的崇拜者，他的智慧與力量，盡量消耗在權勢的追逐中，他可以冒彈雨槍林，可以犯龍潭虎穴，他知道，要作一個英雄，就必須要有這種勇氣。

有些人，生來便愛好恬靜。小時候，臨水畔觀魚，在花間望月，那天然美色，給予他以無可名狀的快慰與歡欣。及年齡稍長，醉心於綺麗詩詞，東籬載酒，南山採菊，那些高雅恬淡的詩人詞客，在在都足以逗引起他們的遐思，遐思到有一天，他自已也能夠作一個對花曼舞對月低吟的高人雅士。這種人，一入社會，就是個獨善其身的人，他的智慧與力量，盡是陶醉在性靈的涵養裏，他可以撫琴書而自娛，戲貓犬以爲樂。他知道，要作一個高人，就應該有這種涵養。

有些人生來便愛好雲遊；高山立馬，月夜泛舟，平生遊屐遍天涯，甘願伴江湖共老。這種人的人生觀，是將生命與自然妙化爲一，故其人必有奇氣傲骨，可以爲詩人爲畫家，却不能側身廊廟作一個將相。

有些人生來便近於豪放；一擲萬金無吝色，美人名士一齊來，他今朝有酒今朝醉，明日無錢明日憂，這種人的人生觀，是將金錢與人生混而爲一，故其人有豪氣，有魄力，可以爲英雄，可以爲浪子，其實英雄大抵皆浪子，本來也是差不多的。

洞庭秋月

漁翁

湖南簡稱湘省，位洞庭湖之南，故名。有瀟湘二水，瀟水源出湘之零陵九嶷山，湘水源出桂之興安陽海山，合流於零陵白蘋洲而匯入長江。

據湖南通志：長沙古蹟中有「八景台」，宋廸曾在台上繪壁，繪「瀟湘八景圖」，八景者；即洞庭秋月，瀟湘夜雨，平沙落雁，遠浦歸帆，江天暮雪，山市晴嵐，漁村夕照，烟寺晚鐘，其中洞庭秋月，指「蓮花潭」而言，水光瀲灩，月色鮮妍，爲八景中之特出者，騷人墨客，以此爲吟咏之資料，而李白所題之名句最多，地由人傳，人因地名，文豪與名勝，往往並垂於不朽。

李白性喜漫遊，足跡遍南北，最後飄泊於湖北安陸縣，一住十年，所賦「舉頭望明月，低頭思故鄉」之靜夜思，即在此地而作。安陸接近洞庭，每於秋高氣爽，月白風清，泛一葉舟，優游於蓮花潭畔，望水天一色，而有所詠：「洞庭四望楚江分，水盡南天不見雲，日落長沙秋色遠，不知何處弔湘君」？湖上有一小島，爲舜二妃湘君所遊處，故曰湘山，亦名君山，湖光山色，氣象萬千！

白遊湖時，必先載酒舟中，飲輒醉，醉而歌，所賦洞庭秋月，有云：「南湖秋水夜無烟，耐可乘流直上天，且就洞庭賒月色，將船買酒白雲邊。」其愛月縱酒之情，躍然紙上矣。

山川風物

自由報

THE FREE NEWS

第七十六期

中華民國僑務委員會頒發
台社新字第三二三號登記證
中華郵政台字第一二八二號執照
登記為第一類新聞紙類
（半週刊每星期三、六出版）
每份港幣壹角
台灣零售價新台幣弍元
社長：雷嘯岑
督印人：黃行奮
社址：香港銅鑼灣高士威道二十號四樓
20 CAUSEWAY RD 3RD FL HONG KONG
TEL. 771726　電報掛號：7191
承印者：四風印刷廠
地址：香港灣仔高士打道二二一號
台灣分社
台北市西寧南路壹壹零號二樓
電話：三〇三四六
台郵撥儲金戶九二五二

中華民國正面臨考驗

我們是否能真正獨立自主，强硬抬頭，或是仍舊因循自誤，坐失時機，現在已到決策的時候。

張六師

近週來舉世比較動人的新聞，莫過於美國大選。美國大選之所以引人注目，是因美國為自由世界抵抗俄共的首要國家。它正掩護着整個自由世界的生存。如果美國在蘇俄共黨暴力之下倒下來，除非具有特殊能力智慧，能對共黨作最後打擊，從全世界各個共黨基地，施以新型革命的內部攻勢，以傾覆新奴隸制度的王朝外，其他低能愚蠢的「中立國」與「地方民族主義」份子，敢不俯首貼耳地一邊倒麼？

對於美國大選前途的判斷，從赫魯歇夫在破壞高峯會議時所暗示的言論，——他只願參加八個月後（即美國另一新總統選出）的會議，已清楚的露出蘇俄必然要在幕後與地下，發動全世界共黨及同路人，以打擊這個不向蘇俄道歉，劃地安撫，退讓低頭的政黨，而必定支持歷史上從羅斯福起，對蘇俄安撫，撤退，圍堵，妥協，不許韓戰勝利，以第七艦隊阻止中華民國反攻，和拒絕安理會常任理事國參加聯合國警察行動的政黨。這個政治路線，正和莫斯科近年來不斷宣稱，他們要用選票和不流血以達到社會主義和無產階級專政的路線，毫無偏差。而且事實上，他們在近東，非洲，在中美，南美，東南亞和日本，……正走向逐步成功的途中，對美國自不例外。

這不是說，假如民主黨的肯尼第當選，美國便會赤化，而是說肯尼第如果當選，美國的共黨與左翼份子，妥協主義者，投降主義者，主張安撫的政客乃至共黨同路人，都必然抬頭。而毛澤東年來所宣傳「美國紙老虎」，「美帝必然死亡」，「資本主義正在爛下去」……的話，便會逐漸成為應驗的事實。因為美國既然可以在蘇俄壓力之下，向它道歉，退讓，安撫，妥協，這不是紙老虎？自由世界許多國家既和美國分離而走向「中立」，為了恐懼戰爭而親共反美，則美國除了退保本土，被共黨世界孤立，窒息，最後，還能免於被埋葬嗎？

我們不就心蘇俄對美國的全力進攻，而是對美國內部是否會面對現實，不為蘇俄的心理與軍事攻勢而退縮？尤其是美國人民是否會竟至放棄美國建國初期的傳統理想，而向蘇俄共黨低頭？

我們中國人民，在過去三十年來，曾為國家的獨立，自由和領土主權流血鬥爭，我們只問是否應不應做，而並不考慮危險與困難，過去如此，今後亦然。因此，鑒於美國內部既有可能犧牲盟友，妥協敵人的力量在抬頭，我們便有提高警覺的必要。

基於目前的情勢，中國人民，根據過去的沉痛教訓，不得不向中華民國政府提出「居安思危」的呼籲：

（一）我們預料美國大選後，無論何黨執政，美毛的華沙談判必然繼續，只要這個妥協之門不關，客觀情勢許可，美毛之間，萬一產生妥協奇蹟，我們已否有所準備？

（二）在所謂中立國家與英，俄壓力之下，未來的高峯會議，終必召開，國際姑息，安撫空氣籠罩之下，犧牲弱小，已成慣例，我們會否對此預有安排應付之法？

（三）由於美國生產與經濟有下降之勢，（最近美金貶價風潮已露其端），今後美國外援政策，可能會有變動，我們十年至今，是否已奠立自給自足的經濟基礎？

（四）無論國際情勢如何演變，美國政策如何修改，我們反攻復國政策，決不至於動搖，在內部人心思變，海外人心思鄉，大陸人心渴望解救的情勢下，我們究竟已完成了若干獨立反攻的準備工作？

（五）假如「兩個中國」情勢，可能出現，（不要以為中共真會反對兩個中國）。中共已有入聯合國可能，而美國在幕後妥協，不特不支持我們反攻復國，甚至還要阻碍我們獨立行動，我們將有何對策？

（六）盱衡大勢，蘇俄絕不會對美和對歐洲採取軍事冒險。中共除了虛聲宣傳，只在亞洲滲透，顚覆以外，仍是追隨蘇俄，向非洲，中南美從事挑起局部性變亂。他們正集中力量，專對美國，從事孤立，分化，與地下活動，在戰爭恫嚇下，對美國人民作思想意識的軟化與轉變；美國在絕不先向敵人放槍的原則下，自不可能會出現以冷戰制勝蘇俄的奇蹟。時間蹉跎，世界共黨的力量，將日益蔓延，美國危機更大，我們與大陸同胞是否長此坐以待斃？

（七）今日的時代，已到發揮集體智慧的時代，我們集處一隅，是否已盡吸收天下豪俊，團結一心，準備發揮應付來日大難的集體智慧，以開創局面，打破僵持狀態？

一年以來，世界的變局日趨複雜，但無處變亂不有共黨的陰影，甚至是共黨的主動。由南韓暴動，日本暴動，土耳其暴動，義大利暴動，印度暴動，剛果暴動，法國暴動，委內瑞拉暴動，乃至最近古巴反美激化，北非戰事趨緊，寮國左傾勢力長大，正當美國大選，日本大選和莫斯科國際共黨召開大會之際，這些客觀情勢，都是使我們怵目驚心，提高驚惕。

例如日本的暴動，已在促醒右翼勢力的抬頭，印度暴動，已刺激尼赫魯對中共的警惕，古巴反美，使美國又獲得一新的教訓，北非戰事緊張，更和中俄共黨已發生直接關係……凡此種種，對中華民國也都有直接間接影響，我們的外交和盟友，似乎不一定只對一個國家，甚至不是只在求人幫助，無論在軍事經濟方面，我們又何嘗不可以幫助別人？尤其是祗要他是共黨的敵人。

總之，世界的局勢，已到由窮而變的階段，我們的處境，也到了非變不可的程度。國際共黨既不可能讓我們坐以待變，我們也無法只株守待援，長期聽人宰割之理。究竟是否全國上下，一致奮發，團結對外，獨立自主的强硬起來，開創局面呢？還是依舊因循，滿足現狀，把命運交人安排，目前已到必須決定的時候，不要等別人大選後，政策已定，才臨時周章，貽誤無窮。

小論天下

△蘇俄駐泰大使訪問泰國總理乃沙立，建議訂結兩國文經協定。泰國原則上表示贊同。有人指出：這是蘇俄企圖「中立」泰國的第一步行動。

「中立」已經碎裂了寮國之時，用「中立」去軟化泰國也是時候了。西方國家的「無定向風」終有一天要把泰國堅强的反共決心吹歪的了。

△南韓學生發起「中立韓國運動」，建議張勉政府與華盛頓及莫斯科直接談商。張勉召集內閣緊急會議，研究抵抗此一運動的措施。據稱：此乃北韓「共特」策劃的一個運動。

南韓「學生運動」開始轉風了。第一步搞「中立」，第二步會不會搞「反美」，誰能「抵拒」這些曾經推倒李承晚的「學生運動」？

△中共「紅旗」雜誌這一期的論文，標舉大搞「反美統一戰綫」。觀察家認為：中共與蘇俄分裂的跡象業已減少。

美國如對「中立運動」看差了眼，也就等於大力幫助中共搞「反美統戰。」

△日本刺殺社會黨領袖淺沼的過激青年兇手山口矢二，在獄自縊斃命。東京兒童以山口為偶像，每在街頭仿演行刺一幕。

是誰在「謀殺」日本的青年和兒童？左翼教師及政客對青年的「集體謀殺」憑誰去阻？

△印度缺糧，尼赫魯倡導「少吃飯運動」，說：吃飯太多會使人昏睡及懶惰成性。

原來毛澤東與尼赫魯之成為「同志」，其原因在此。

△東南亞公約組織對寮國變亂不能採取行動，因為法國不贊同。據非報消息：寮國發動「中立」的政變也是由法國策動的。

此說如果當真，試從寮國想到阿爾及利亞，應該對法國人「另眼相看」了！

△美國總統競選運動到達高潮，賭城盤口漲落甚大。

有多少人知道這正是「賭國運」的嚴重關頭？

△據傳：古巴卡斯特羅可能使用苦肉計，製造美國「侵略」的口實：又傳：古巴「民兵」奉令，一旦開戰，將殺盡美國人。

這是毫無足奇的事。在熟悉共產黨作風的人看來，他們在拉丁美洲搞「反美」，必然盡力製造瘋狂。

方南

自由談

「不信書，信運氣，公之言，告百世。」這是曾國藩在生時自撰墓誌的四句銘語，其中包涵着若干親身體驗到的血淚史事，也表示着一種實驗主義的人生觀。

信運氣

可不是嗎？古往今來，許多貴為天子，富有四海的大英雄豪傑，有幾個是多讀詩書的士大夫出身的呢？相反地，凡屬學問淵博，深信聖經賢傳所闡述的義理，而奉作行為軌範的讀書人，縱然不是純粹的書呆子，亦係三年造反不成的酸秀才之流，幹不出甚末大事業的。宋代的宰相趙普，相信半部論語可以治天下，這是湘諺所謂「扯卵談」的說法，他自己的宰輔政績就不高明，其他更無論矣。

再說一般普通人，不管他的職業屬於那一行，如果一生事業稍有成就，也決非依照書本上垂訓的義理所致。例如人生普遍具有的財富慾，假使相信書上的話，躬行而實踐之，即未有不窮乏一輩子，死後還是「不能成殮」者！有些讀書有得的士大夫之所以在政治上能夠蜚黃騰達，一半是由於他拋棄了詩書的教訓，服膺「厚黑主義」，昧良鮮恥，一半是碰運氣，而運氣又常是在「不要臉」的生活環境中纔容易碰到的。若夫知恥自愛，迷信聖賢遺教的人，相應背時倒霉，理合終身貧賤無疑也。

曾國藩能以具有濃厚鄉土氣質的少數練勇，敉平勢力強大的太平天國軍，封侯拜相，聲威煊赫，却奈何不了區區的捻匪，終致叢謗受譏，無以自解，這不是運氣的關係嗎？

奉勸社會上感覺鬱鬱不得志的朋友們：如要作官發財，乃可拋棄書本，憑着厚黑主義去碰運氣，包得行！

馮玉先生

中共移民墾荒工作分析

裴有明

本報特稿

大陸耕地面積，據一九五五年統計，共有十六億四千萬畝（五六、七期「新華半月刊」一〇）。近數年又有增加，根據本年十月一日「人民日報」社論的透露，當已達到十八億畝左右。如按六億幾千萬人口平均，每人不足三畝地。但在邊疆地區則是人少地多。「北起黑龍江，沿着內蒙古、寧夏、甘肅、青海、新疆、西藏、雲南，一直到海南島，總面積達六百多萬平方公里，佔全國總面積百分之六十以上。這些地區共有可墾的荒地三億五千萬畝，佔全國荒地總面積的百分之六十九」左右（五九、一期「中國青年」半月刊二四—二五）。在江南人口密集省份，有些地區每人只分得一畝左右地；但在黑龍江省，平均一個勞動力要負担五十畝耕地（五八、五期「紅旗」半月刊二七頁）。中共爲增加糧食生產，及減輕人口集中地區和城市的經濟負担；所以，歷年來均在大力推進移民墾荒工作。一九四九年，中共開始在邊疆地區對荒地進行勘測。一九五〇年開始從北平、上海、山東，河南、湖北等地分別向黑龍江、寧夏、新疆、及海南島等地移民。此一工作，是在「投資少、收效快、獲利大」之方針下進行的（五七、一八期「新華半月刊」一九五）。中共是「既要馬兒好，又要馬兒不吃草」。其獲利之大亦確是很可觀了。以新疆爲例：到一九五九年止的十年中，糧食收穫量竟增長百分之四七·五（五六、三、六「人民日報」）。

中共在一九五六年三月十六日「人民日報」社論上指出：除有上述的經濟意義外，還有「重大的政治意義」。

所謂「政治意義」；中共表面上說，向邊疆地區移民，是爲了「幫助各兄弟民族，促進政治、經濟、文化的發展」；實際上却的陰謀分化少數民族的團結；使之逐漸「形成各民族間的社會主義關係」；從而「達到社會主義祖國的團結和統一」（五七、九、七「新華社」電訊稿）。中共全「國」共有四十五種少數民族，三千五百多萬人。但却佔有大陸總面積的百分之六十左右。中共爲了「統一」，爲了防止少數的「叛亂」，首先以「自治」名義分散其團結和集中。譬如中國的回族，過去共有八百萬左右。其中聚居於甘肅、青海、寧夏等地的回胞，因接近漢人，所以，言語、衣著均與漢人相同，稱「漢回」。居於新疆地區之回族，因頭纏白布稱「纏回」。但他們都是伊斯蘭教的信徒，由於宗教信仰的相同基本上是團結的。俗語說：「天下回回一家親」，中共當然十分清楚這個道理。所以，當它的僞政權成立後，却將新疆的「纏回」改稱維吾爾族建立「維吾爾族自治區」。中共僞「憲法」上說這是讓「各少數民族聚居的地方實行自治」，事實上却不是如此。「內蒙古自治區」共有一千多萬人口，其中蒙古族只一百萬人左右，而漢族却有八百多萬人（六〇、二期「中國青年」半月刊五）。所謂「少數民族自治」云云，純粹是放其狗臭之屁！

此外，中共還可藉「移民墾荒」名義，將各地「無業游民」、「危險份子」、頑固的知識份子和「右傾」幹部等，集體送往邊疆地區進行「勞動改造」。

中共於一九五〇年舉辦「春季移民」。該次移民，大部份是來自平、津、河北等地，總數不過三萬一千多人。

與中共「春季移民」同時，中共曾在「動員無業游民參加生產」名義下，在大陸各城市進行大逮捕。以東北爲例，從一九五〇年三月四日開始在東北所有大城市同時於夜間進行逮捕。當時，筆者正在瀋陽；據當時「東北日報」透露：僅瀋陽一地被「動員」去的「無業游民」就有一萬零六十多人。所謂「無業游民」多屬國軍軍官。筆者鄰居李羣，係新六軍一個團長，他是三月四號深夜被逮捕去的。

一九五一至五四年當中，移民工作似在停頓狀態。但實際上，不但未曾停頓反在大規模地進行；只是調換一種方式而已。在這數年中經過各種政治運動，將大批「囚犯」送往邊疆去的實比一般移民多過千百倍。中共在一九五一年開展的「鎭壓反革命」運動；和同年開始展延至五二年的「三反」、「五反」運動；在這兩項運動中，被中共橫加罪名遣送邊疆墾荒的人當不止數百萬人；

一九五一至一九五四並未停止墾荒工作另一證明：一九五〇年「國營農場」耕地面積爲十五萬五千公頃，五二年增至二十四萬六千九百公頃（五七年「人民手冊」四七二）。墾荒面積一九五三年爲九五一萬畝，五四年則增至一、三五七萬畝（同前註四八五）。

由「鎭壓反革命」到一九五四年八月二十六日通過「勞動改造」條例止，血腥的所謂「肅反運動」已「勝利完成」了，一九五五年又開始第二階段的移民工作。一九五五年春，由山東移往黑龍江、內蒙古共有一萬五千戶約六萬人。同年江蘇省男女青年五百四十人於八月二十二日從南京出發赴新疆參加生產建設。一九五六年計劃墾荒六百萬畝，移民三十三萬人。這一年中除由山東、河南、河北、北平、天津、上海等地移往邊疆各地四十多萬人外（五六、一〇、一〇「光明日報」）；復因一般移民（非「勞動犯」）與邊疆地區原居民發生磨擦，因有私自逃回，「鬧事」等情況發生，「乃在重慶、北平、湖北、河南等地組織「青年志願墾荒隊」從內地到邊疆去墾荒。

據統計：到一九五八年末止「共從內地動員了一百四十多萬羣衆和解放軍，前往西北、東北、內蒙古和海南島等地進行開發和建設工作」（五九、一期「中國青年」半月刊二四—二五頁）。另據一九五九年九月二十六日「中國青年」透露：自五五年起，到五九年九月止，到邊疆地區去參加墾荒的青年共達六十多萬人。

寶島拾遺

嘯谷

手續麻煩，收稅如理髮

△陽明山稅務股某股長日前在北投某理髮店理髮，有一位理髮小姐向他抗議，說繳稅手續太麻煩，每次向稅務股申報稅額，常常跑上幾趟還不能辦好，她埋怨稅務股太不便民了。某股長畢竟有他一手，對這位小姐還以顏色，他說：繳稅手續固然麻煩，但理髮手續也不簡單，每次理髮剃了要洗，洗了要吹，吹了要修，又何嘗不麻煩呢？結果這位理髮小姐爲他這一番妙論說得無言以對。

提倡體育，彰化賽風箏

△彰化縣政府決定在十一月十二日國父誕辰紀念日那天，舉辦一個別開生面的風箏比賽。縣政府這次舉辦此項在寶島尙屬創舉的風箏比賽，完全是出自縣太爺的意思，因爲，縣太爺自幼就對風箏甚感興趣，現在雖已年屆耳順，但仍念念不忘玩風箏，他要藉此來提倡一般民衆的體育活動。

美國通訊

美國人談美國教育

旭軍

編者按：本報文友旭軍先生曾在與其美國友人貝納特先生之通函中，討論美國教育實況，並提出若干問題，均經貝納特先生一一裁答。承旭軍先生加以整理後交本報發表，謹此致謝。

（一）美國的小孩子都有機會進小學和中學麼？

就威斯康辛州及大多數其他各州來說，小孩子規定必須進學校，一直到十六歲爲止。大多數城市的學生，規定必須進學校，直至十八歲。或至中學畢業爲止。到了十六歲年齡的學生，有百分之三是脫離了學校的，但必須進職業學校，每星期返校三天，直至十八歲爲止。

（二）在這些學校普通有些什麼學程科目呢？

在基本學校（Grade School）—由幼稚園至小學第八年級，普通是有讀本、說話、拼字、書法、社會常識、算術、自然科學、藝術、音樂、體育。

至中學（自第九年級至十二年級）就增加許多學科。例如：代數，平面幾何、大代數、立體幾何、三角、四年均有英文，在自然科學方面有生物、動物、化學、物理、打字、製圖案、木工、音樂、工業藝術、會計、速記，西班牙文、拉丁文、與體育等。

（三）在初等小學的衛生教育是怎樣的？

健康教育，在各學科均有提及，但很注意小孩子本人健康。例如牙齒有展覽會，及戲劇宣傳牙齒衛生。鼓勵小孩給女看護檢驗，和獲得牙科醫生檢驗的報告。

假如學童患病了三天以上，必須有醫生証明病情，才可以返校上課。檢疫很嚴格。防疫注射均免費。城市的看護探視患疫被隔離的小孩子，給他們照顧。食水常加檢驗，保證純淨有食物及醫藥的法規，特別嚴格管理供午餐的學校。在威斯康辛州特別鼓勵食牛乳業產品。因爲威斯康辛是出產牛乳品甚豐的一州。該州的人民也喜歡購買本州的出產。在大多數學校之中，看護們作免費的身體檢查的服務。醫生也協助體育的學科教授。教員們常在授課中強調適當食物之重要。各班自然均有體育運動。

（四）中學是否有阿飛問題？

曾估計過在中學阿飛佔百分之三。這並不是嚴重的問題。大多數學生都覺悟到良好教育之重要。並非如外人傳說及電影上之誇大，校中如有害羣之馬，會儘快革除的。

（五）美國學生對於大學教育採取什麼態度？

普通的情形是：「一間中學畢業班，四份之一是升大學的，他們大多數是優秀的，學生們也視升大學是達到更高社會地位與生活水準的途徑。提高薪資，也是被考慮的一個因素。因爲提高職業上的智識技能程度。並非如外傳美國的青年不喜入大學，而急於出來滾。

（六）美國學校暑假和寒假有幾長？

暑假有兩個半月至三個月之長。而耶穌誕假期是兩星期。復活節一星期。其餘的各種放假日，除星期日和週末以外大約七天左右。

（七）在假期中，大學生或中學生是否容易找錢？

這是一個很容易答的問題。因爲我正在假期中幹一工作，攪一點外快。在這個暑假中，我大約賺取了一千元。其他的學生大約也賺取得一千元上下。政府並不向我們抽稅的。學生們最好在工廠中工作。斬獲最大。

（八）普通美國人對中國學生的態度怎樣？

我沒有直接的經驗和觀察。但我相信大家對中國學生沒有偏見和成見的。

大陸文壇萬花筒

文藝形式的回憶錄

岳騫

最近幾年來中共大小頭目寫「回憶錄」成風，比較有系統的短篇回憶錄集，如紅旗飄飄已出版了十二集，星火燎原也出了兩集，此外各省又有各的回憶錄，一些大頭目又有長篇的回憶錄，眞是「琳瑯滿目，美不勝收」。這些回憶錄寫多了，形成了一個公式，大體可分三種，一是自詡紅軍的英勇與國軍的不濟，二是寫長征的艱苦，三是寫自己的功勞蓋世。因爲大家比着吹牛，後來越吹越離譜，猶如大躍進時期小麥畝產六萬斤，豬日長十三斤半的一類笑話，弄得讀者無法相信了，甚至有些故事還是中共頭目自已揭穿的，例如一位「同志」自稱是毛澤東在延安的伙伴，寫了一篇「與主席在一個小組」，文中說他在延安時，中共中央把毛澤東周圍的一羣人，女護士，女秘書，男衞士以及伙伕合編「一個小組，也有毛澤東在內，大家推定他當小組長，每次開會毛澤東要向他「會報」，這篇文字雖然抬自已也很拍了毛澤東一下，不料毛澤東看過却致信出版機構，說明沒有這回事，他從來沒有用過這個伙伕。

其餘還有什麼「跟隨毛主席長征」，「和周副主席在一起十一年」，由於毛周二酋的事蹟大家都曉得，同這個回憶錄一對照也與事實不符。因此回憶變成了笑林廣記，中共當局也覺得不好意思，紅旗飄飄出了十二集就停了，後兩集且未准出口。星火燎原是經毛澤東點定的，以防露出馬脚。因爲這個原因，回憶錄一類東西，也停了一個時期未出版。

最近中共一位老幹部名叫鄧洪，在文藝報上發表一篇文字，主張用文藝形式寫回憶錄。鄧洪自已過去就寫過幾篇，書中的主角名字是假的，當有人問到的，他就說這種人本來生活在我們圈子裏，何必問眞姓名。

鄧洪妙論很多，談到回憶錄要不要寫眞實的問題，他說寫回憶錄當然要眞實，但是眞實不等於記流水賬，應當以「黨」的需要爲主，「黨」不需要的雖眞實也不能寫，需要的就是欠缺眞實也沒有關係，因爲是爲了教育民衆，最後他提出要用文藝形式寫，這樣才有讀者，不過將來眞是開了這個風氣，恐怕回憶錄都要變成西遊記了。

社會小說

香港地

六、人情味

譚福祿要出錢去做廟祝，梅大亮已認是稀奇的事，再聽到他對這門行業贊不絕口，更覺可詫，便向他詳細詢問一番，想知他打算怎樣經營。

譚福祿道：「神廟也有幾種，一種是長年香火最盛的。那必然落在鬧繁之區，交通方便。那種『旺廟』要有不少資本才好經營，用的人手也多；另一種是位在偏僻之處，但年中總有一個旺盛的誕期，你如懂得個中三昧，宣傳得宜，那便可以仗着靈神蔭庇，安穩發財，年中除了少數繁忙的日子，大半是悠悠閒閒的。享受清福。我目前準備接辦的一間廟宇，是屬於後述的一種。正是所費無幾，有益甚大，當我們在城市鬧雜的樓房住得煩膩了時，便把那裏的廟子當作別墅，豈不寫意？」

原來做廟祝也是一門生意，其中竟有許多經營的妙理，這在梅大亮倒是聞所未聞，不免咄咄稱異，尤其是聽到要拿廟宇當作別墅那句話，更忍不住發笑，調侃道：「你的算盤也打得很精，但怎可以把神廟看作別墅，作出這種幻想呢！再則，廟宇既是落在偏僻地方，你怎能包保不會蝕本呢？萬一在誕期時沒有人來進奉香油，你便怎辦？我覺得，這種靠神討飯吃的事，總是沒甚把握的啊！」

譚福祿笑了一笑，又不覺伸手去撚鬚，驀然發覺落了空，才又一笑，發歎道：「我曾經把事情想得十分通透，才去着手籌劃，其中還有些地方要借重你才成。須知人們如不需要神，怎會產生了神？和怎會有神廟呢？你知道，我曾經在神廟門前解簽發財，解簽也是靠神來討飯吃的呀！解簽既有把握，做廟祝爲什麼沒有把握？難道你不想我晉升一級，由解簽升做廟祝嗎？做了廟祝把這部鬍子割掉也不成問題了。從今還我本來面目，不要扮作西藏喇嘛，也是一宗好事呀！覷準了人們對於神廟的需要，我拿精靈的生意眼去籌劃經營，又有什麼不好？」

梅大亮一聽到譚福祿提到「需要」這兩個字，登時恍然。（七十四）

木客著

逍遙

汶津

做人似乎比做其他生物體面些，說到煩惱，可就不少。食、衣、住、行都不太像一加二等於三。小時候不懂這一套，即使哭哭啼啼也缺少幾分悲哀的氣氛，所以赤子之心爲人稱羨，天國也歡迎孩子們赴宴。但是上帝偏偏讓人們毫無例外地成長。

成長中的大孩子總覺得自己的存在正被人注視。不錯，治安機關對小伙子的確另眼相看，那些忠於職守的警察們的眼睛裏，常帶一個問號：「問題青年乎？」這道理說破了也不希奇：森林之王成爲十目所視的時候，自然是在動物園的囚籠裡。悲哀嗎？最悲哀的是那時候他們剛巧懂得「自由」這棉花糖似的詞兒。行動上好像脫了韁的馬，心靈却煞似蒙住了眼的驢。

好，忍着點兒，再往上長，長到成了家，立了業怎地？要鈔票花，不再受老子娘的氣了；要幹什麼，也犯不着讓人礙手礙脚了。「列子御風而行」，逍遙到家了。可是說不定碰上那一回「只欠東風」，却又教您白添了一束額紋！還不說您太座的保護關稅，您令郎令嬡的治外法權（「爹地，這個您別管，只要給我錢就得！」）。如此這般，請問究竟是做賢夫好呢，還是做「孝子」？有一天，假設有那麼一天，您火了，對自己罰咒說：「我倒要做一次大丈夫給他們瞧瞧！」於是您對嫂夫人厲聲喝道：「這個月我有急用，沒錢！」如果幸而此話未被攔腰截住，底下的戲也包你沒資格做導演！也許那一位啜泣起來，（這是比咆哮更科學的，）或者是小國民們團結一致，爲保衛媽媽而戰。最後您自言自語道：「我被拴住了。」

如果您曾經是一位「有爲」的青年，您必定有十來冊的日記簿被保留下來。您並不能說出保留它們的正確理由，可能它們只是您「有爲」的註冊商標。有一天，仍然是假設有那麼一天，您的家小們敦請您同去作一些正當娛樂——那意思當然是：請您去買幾張好位置的電影票等等。您臨機一動，運用了少年時代腦下的一點辯論術：「哎，我眞願意陪你們去，可惜今晚我頭痛得厲害………」這當兒自然有了反應：「好，那你休息會兒，明天還得上班。」這是您的賢內助；「爸爸眞可憐！」這是您的犬子或虎子。您終於留守了。於是您的頭痛很快痊愈了（假如您竟沒有說謊的話），您忽然想起那些似乎準備藏諸名山的日記。您翻開其中一冊來，以您所能夠演出的最悠閒的姿態，讀其中的一行——何等幸運的一行！——您幾乎不太明瞭那裏面在說些什麼，您只是看到出現三次以上的「飛」字。後來您索性闔上那染有積塵的冊子，靠在椅背上。三分鐘後您總算點了點頭；如果您還有點老天眞（抱歉得很，至少在令郎令嬡們眼中，您是不太年輕的）精神，或許會打着哈哈對一隻莫名其妙的燈蛾說：「那小子眞想飛呢！」「那小子」跟您早已了不相關，那小子倒是您子女那一夥！好了，您什麼也不想了，只覺得那兩個字眞夠諷刺——逍遙！逍遙！

歷史上好像也有例外，李太白啊，蘇東坡啊，不是正像莊周的那隻蝴蝶一樣的自在麼？別的不敢說，他們都曾被貶官貶得老遠，倒是查有實據的。而且，他們的氣質，也多少讓咱們俗人懷疑是沾着點仙風的。說得絕了，你我還沒這份造化呢！

照理說，臨死之前，造物總該額外開恩了吧？我們先想些有福份的：白居易老來詩酒自娛，也不去管天下的閒事了；自在是自在的，可還免不了爲着人道或生理學原則，而想忍痛遣走過分年輕的愛妾。到今天，養老院的容度總趕不上電影院，兒子奉養老子又不是時髦事。最逍遙的是赴九泉之會了。

想來想去，逍遙不可談，還是祈望睡時能免惡夢之役，多打幾聲鼾。那時間雖也短暫，要說和神仙接近，倒怕非此莫屬了。

說雁

·漁翁·

雁爲水鳥，嘴長，鳴聲嘹亮，狀如鵝，故人以天鵝名之。春去秋來，以其知氣候之寒暑，又稱之曰候鳥。入秋飛至衡陽而止，有峯曰「迴雁」，王勃序滕王閣，有云：雁陣驚寒，聲斷衡陽之浦。

飛時，自成行列，其方式；單行宛如「一」字，雙行相交，又一變而爲「人字」。陳陶詩：「列國山河分雁字」，蘇軾詩：「雁字一行書絳霄」。王奇詩：「書破遙天字一行」，均成爲吟詠「雁陣」之名句。

此鳥不僅知寒暑，且富有合羣性，相親相愛，如兄弟之有序，故天禽萬種，惟雁獨靈，宰之，如人啼然，令人聞其聲而不忍食其肉，以其有接近人類之靈性故也。

雁性雖合羣，但有時飄零而孤，談到孤雁，鮑當詩云：「更無聲接續，空有影相隨」，因此，世人以「鮑孤雁」稱之。又據司馬溫公詩話：鮑爲河南府法曹，失歡於知府薛映，每逢宴會，食至大雁（即天鵝）時，不許鮑落箸，因獻孤雁詩云：「天寒稻粱少，萬里孤雁進，不惜充官庖，爲帶邊城信」。其率直抑鬱之情，躍然紙上，薛知府閱之，許以飽啖天鵝肉，至今猶傳爲佳話。

今日離鄉棄親而孑然飄蓬於海角者，見鴻雁南來，而不得一字，讀孤雁詩，更感慨萬千！

儒林九尾龜

吳敬鋅

第四回：人何寥落鬼何多

高不成不慌不忙從皮包裏掏出兩本，一看封面印的「怒海」，李鴻飛不由得笑了。

高不成問道：「你笑什麼？」

李鴻飛連說：「沒有什麼？不過我看到你們貴刊名叫怒海，不由想起驚濤，到是天造地設的一對，就從字面看，對仗也工整的很。」

高不成說道：「你這個對唱說的恰當極了，我們就是要和驚濤唱對台戲，所以來請你幫忙。」

黃安民一怔，李鴻飛向他笑笑，黃安民不由得也笑了。

李鴻飛打開看看題目，全都是罵，罵台灣，罵共產黨，罵第三勢力。李鴻飛笑道：「老兄，你們的立場是什麼？」

高不成搖搖頭：「我們沒有立場，我們是最後勢力。」

李鴻飛愕然道：「這個話怎麼講。」

高不成說道：「我們是否定一切的，世間任何團體都不對，只有我們對，現在只有國民黨，共產黨，第三勢力這三大集團，所以我們權稱第四勢力，將來假若再出現了第四，第五勢力，我們就退到第六，總之我們排名一定在最後，等到大家都垮完了，最後剩下的只有我們一個勢力了。」

高不成一席話，聽得黃安民目瞪口呆。李鴻飛自從離開驚濤社，一年來見了不少怪人，也聽了不少怪論，可是像高不成這一套，到還是聞所未聞，一時反而不知怎說好。

高不成繼續說道：「我今天來拜訪，特別請老兄幫忙，替怒海多寫點稿，以前在文化報我親眼看見你寫稿的情形，提筆就寫，連草稿都不打，每個鐘頭起碼也寫兩三百個字，眞是又快又好。」

高不成說到這裏，黃安民忍不住了，插嘴問道：「高先生，你寫稿一點鐘能寫多少字。」

高不成搔搔頭，苦笑道：「我寫稿不能論鐘算的，有時靈感來到，一天也能寫上五六百字，有時拼命的擠，一天也擠不出一百字來，又要打草稿，又要謄清，又要找人改，眞是辛苦，我知道我不是這塊料，我天生來是作領袖的，所以我只向這方面發展。」

黃安民和李鴻飛面面相覷，一句話也說不出。

高不成又接着說道：「鴻飛兄，你千萬幫幫我的忙，我從來不會薄待人的，等到我當了大總統時，部長可以由你揀，你願意幹那個部就給你那個部。」

李鴻飛不由笑起來，問道：「高兄，你當了大總統只給我一個部長麼？」

高不成縐着眉頭說道：「好困難哪！行政院長已經內定了，其他幾個院都是冷衙門，你幹麼？」

（三十六）

中國當代虛無主義底兩流（九）

——陶一大——

此外，他們還有一種成就。Bernyaev 寫道：「俄國虛無主者對科學的態度是偶像化，科學，主要地是被理解爲自然科學，當時具有唯物論的色彩，被奉爲信仰的對象，又轉爲偶像而崇拜。當時俄國有值得讚美的學者們，他們自身構成爲一個特別的現象。但啓蒙運動的虛無主義先知們，不是科學之人。他們是信仰之人，又是獨斷的信仰之人。」那成就即是這個對科學，對考據之學，對辯證唯物的「獨斷信仰」。也許正因爲有這種獨斷的信仰做根基，所以才有其獨裁獨覇的成就。然而所有這些成就都是壞的惡的，都是外化量化物化的。這固然可悲，但也不必過份爲此悲哀，因爲「物極必反」，歷史文化至此物化之極時，必然會有個轉折，從外物量的追逐折反回來，離開外物以壁立千仞地顯現其道體，即精神的純粹主體 Pure subjectivity）以見其一，其正，然後再外射其心光，冷觀自然以顯其客相，以成就科學民主之多，以成其反，且進而攝反以返正，歛多以歸一以成其合，以「立心立命，繼往開來」，成就那以民族精神爲主帥的民主和科學了。其實歷史的這一步趨早就達到，揚言之，即在民國十三年孫中山先生開講三民主義時已經達到。因爲三民主義即是由恢復中國的民族精神，繼承堯舜禹湯文武周公孔子的一貫道統，而又擷取西方文化的長處（民主與科學），更益以孫中山先生的創見所成立的。只可惜歷史文化的這一步趨來臨此土時，此土之人的反應不夠，使它又成「空掛」；換句話說，國民黨自身由於內有微末理智浪漫主義的浸蝕，外有帝國主義，軍閥，及莽蕩浪漫主義的侵廹，沒能完整地實現它；汪兆銘，毛澤東曾經只着意玩弄過他；胡適之先生們，根本就不想理解它，峻拒它；一般學人，除了少數獨具隻眼，識見高卓，命意[illegible]遠，大義凜然，不避俗嫌，奇峯獨聳地闡揚中國思想史，殿以孫中山先生，和其他三數君子講講之外，大多以三民主義爲國民黨一家之私言，非學術之公產，生怕沾着它就會惹上「臭味」，降低了「學者」底格調，不肯講，或不明講而無着落。這，我們歸根結柢地說，除了一些外緣之外，還必須歸其根因於這虛無主義的兩流。唉！中華民族歷史，乃至世界人類文化的正面步趨，在這虛無主義之兩流的左右夾攻，衝激中，被沖到天上去了。（下轉第四版）

釋耒集

文弊

友人柯先生，執業為專上學校國文講師，一日退而告余曰：教師固不足為，而尤不可為國文教師，蓋當今之世，學生固厭薄國文，故凡教國文者，亦往往為同儕所不齒，其情緒若甚憤嫉者，余自思，來港十年，即以教國文為生計，惟平時既不敢妄冀別人之體遇，故別人縱輕蔑之，自亦無動於中，因而亦未嘗如柯先生之忿忿，今聞柯先生言，俯仰陳跡，試作深思，則國文之所以為人所賤視，實非偶然，綜核言之，約有數端焉：其一則教者之濫也。計自學校改制以來，習國文者，已無一定之軌轍可循，而白話文興，其道日以卑下，國文教師之流品，亦漸以冒濫，即以余昔日所從受之先生言之，究其出身，則富翁之門館先生也，達官之僚屬幕客也，或退休之策士，及過時之記者也。訓詁傳注，既借助于類書，修辭法式，又全靈于手冊，于是自問文理粗通者，皆優為之矣。此其所以招人輕蔑之由也。其次則學者之怠也，中國文學之領域，汗漫遼廓，自度力所不逮者，早已望而生畏，又加以社會之厭薄，誰復耗其有限之歲月，為此無益之追求？以是之故，習文學者固半非可造之才，不過濫厠其間，混一資格而止，于是每下愈況，漸至不齒于同儕矣。又其次則國文教師責重而事煩，尤不易著見成效，故精于擇業者，往往棄而不顧，以余所知，今之中等學校，其學生成績低劣，除勞作、音樂等術科外，大抵均歸咎于國文程度之不振，因學生所作之答案，文理不通，即屬國文教師之責任也，而教授國文，一小時之講授，最少須應付兩小時之批改，比任何科目均較煩重，合而言之，則吾友柯先生之所謂不足為者也。緣是之故，余又審知文學院之課程，除國文外，講師職責，均在知識之灌注，而國文一科，除灌注知識外，又須啟發其知慧，培養其功夫，因學文主要之目的在寫作，一文科學生，若不能執筆為文，則其知識縱極豐富，理論縱極週詳，終不得冒文人之名，曰我能教人為文也，不幸則今日之所謂文人者，強半均屬此類，其由來又不自今日始，故雖欲文之不弊，不可得也。昔姚姬傳論文，主義理、考據、辭章，不可偏廢，以清代言，則義理考據，實較辭章為易於得名，文章之道，寖以失墜，後人輕詆桐城文論，無復有人拾其餘緒，不知姚氏所言，實天下之公論，桐城固不得而私之者也。王充曰：「著作者為文儒，說經者為世儒，世儒當時雖尊，不遭文儒之書，其迹不傳，夫以業自顯，孰與須人乃顯。」然則褒頌記載，實文人之能事，既以學為文，不宜自餒，質之柯先生，亦以為然否乎？

曲齋

心境（下）

徐學慧

眾生眾相，萬有不同，要想將每一個人的心境加以明白的描繪或者解釋，倒也是相當困難的。「我醉欲眠君且去」，這是一種心境；「千金散盡還復來」，這是一種心境；「笑罵由他笑罵，好官我自為之」，這是一種心境；「痛哭六軍皆縞素，衝冠一怒為紅顏」，這也是一種心境。各個人的心境不同，因此，其所表現於外的一切，也就截然有別。以彼例此，或者以此例彼，是不可能的，而且也是不必要的。

「玄宗回馬楊妃死，雲雨難忘日月新」，以天子之尊，而不能保護一個弱女子，似乎應該可以非議了吧？但畢竟還是有人讚美他，說這「總是聖明天子事」，足見天地間的是是非非，委實難於細說。

二十三年前的英王愛德華八世，也即是現在的溫莎公爵，他當時貴為天子，却愛上了一個平民而且還是離過婚的辛博森夫人，這樣的事體，也是有點不可解吧！是的，當時的輿論都在攻擊他，說他破壞了英國王室的傳統，可是，他却能棄江山如敝屣，在「美人」與「江山」之間，毫不猶豫地選擇了前者。對於他這樣的心境，我們又將怎樣去解釋呢？

心靈，上天賦予人類的特別可貴之物，其微妙處，令人無跡可尋；其偉大處，足以令河山變色。正因其微妙，正因其偉大，所以我們對於一個當事人的心境，簡直無法用語言去形容，用文字去描繪，甚至無法用自己的心靈去想象。

當然，心境也還是與年齡、地域、教育，以及社會習俗、文化歷史的精神有關。例如那位追求瑪嘉烈公主的唐生上校，假定是當公主發表不能下嫁的一紙聲明之後，周遊天下，終身不娶，那又是何等可歌可泣之事。但曾幾何時，唐生竟先公主而另娶，致令這一偉大愛情故事的氣氛為之破壞無餘。這當就是東方與西方的文化歷史精神不同的關係，自然也是可以影響心境的。

改詩趣話

筱臣

詩在舊文學上是一種陶冶性情修心養性的工具；但又是精湛高深的學問，不特要有根底，還要有天分。即使學問夠，天分高的人，也還要配合「靈感所寄」「妙手偶得」的自然條件，才做得一首好詩。要不然，勉強湊集而成，苦吟推敲，限時限刻，成詩固然不一定就好，就是詩也變成詩匠了。寫文章已難，談詩更不易呢！不談詩，姑且談一些改詩的趣話吧。

由於舊詩，一般能背誦的人頗多，把它一經竄改，賦以新的含義，使得讀到的人，更覺溫故知新，趣味盎然。

有人把一首七絕舊詩刪去八個字，致成五言絕句，語涉諧謔，耐人尋味。原詩是：「洞房昨夜停紅燭，待曉堂前拜舅姑；妝罷低首問夫婿，畫眉深淺入時無？」刪去八字後，就變成了：「昨夜停紅燭，堂前拜舅姑；低首問夫婿，深淺入時無？」

又有人把一首五絕加上八個字，改作七言絕句，既幽默，亦諧趣。原詩是：「久旱逢甘雨，他鄉遇故知；洞房花燭夜，金榜掛名時。」加上八字後，就是：「十年久旱逢甘雨，萬里他鄉遇故知；和尚洞房花燭夜，監生金榜掛名時。」這種加深原詩的渲染成份，更是別饒佳趣，情調又迥不同了。

偶讀前人筆記，據說有楊瑩玉薛瑤台兩人，皆怕老婆，有一天兩人相會於酒肆，彼此暢飲，酒酣意氣漸盛，楊因與薛約，或婦當示威，即毆她一頓以振夫綱，且發誓為誓，各自別去。楊歸家，酒氣薰然，妻即加以怒詰，楊亦怒目相向，妻怒如虎，將楊手足，吊於屋角山頭，及晚始予釋放。楊即狼狽往薛處，將有所訴，比至月照中庭，薛長跪月下，還未起身，大驚而退。鄰人聞其事乃改唐詩清平調以諷之曰：「雲想衣形花想容，一聲獅吼塞河東；若非瑩玉山頭見，會向瑤台月下逢。」此事竟有如斯巧合，或非真有其事，想係後人強加附會吧。但懼內的人們往往會有這種遭遇，並非絕無可能。

關於改這首詩的趣話，還有昔年某君在上海，與友人作狎邪遊。上海人稱私娼寓曰「台基」，亦稱「鹹肉莊」，又有舞院曰「瑤池」。某君戀一舞女，在瑤池伴舞，頗自高身價，有一天，忽然在台基見著她，原來她正在台基應顧客之召，作營業的勾當。其友大沮喪，並改唐詩以諷刺之曰：「若非鹹肉莊頭見，會向瑤池座上逢」，且故意朗誦使舞女聞之，女亦慚忿交加，竟爾從此絕交。可是在今天的香港，一般的舞女，類多迫而出此，已屬司空見慣，這類悲劇，屢見不鮮。

以上的改詩，比較屬於輕鬆諧趣之類，閱之令人噴飯，但就筆者記憶所及，有一首詩，是較為嚴肅而且令人極為痛心的。那就是抗戰八年勝利以後，四川傳出來的一首改唐詩，而且盛傳一時。詩為：

「八年淪落朵雲間，千里江山不得還；兩岸義民啼不住，飛機已過萬重山。」

原因凡是戰時逃難到重慶成都去的人，他們眼巴巴望到最後勝利這一天，敵人是打垮了，但都還是欲歸不得。從重慶到上海，比戰前從上海到美國還要困難，你若是軍政委員，便可以騰雲駕霧。你若是個老百姓，雖然冠上了一個義字，抑休想享受到交通上的便利。所以這一首詩，至今讀來猶令人感到惆悵呢。

其次是在抗戰期間，重慶浮圖關集訓黨政軍人員，名之曰「黨政訓練班」，四五十歲的軍政人員，多有調往集訓，四川人素幽默，成都某君特改唐詩，以紀其趣：

「老大離家少小回，鄉音無改口鬚吹；老妻相見不相識，笑問兒從何處來？」

原因是受訓的人，偏重在軍訓，整齊劃一，不僅剃光頭，還要把鬍鬚一律剃光，我想還是在重慶受過訓練的人士，當可回憶此中況味。據說現在台北陽明山仍有此種訓練，一訓再訓，究竟它的效果如何？這兒姑且不談也罷。

最後要附帶補述的，就是昔日劉半儂在北平提倡保護文化城，不久九一八事變，榆關告急，舉國震驚。於是一般名流，提倡古物南遷，以為文化既搬走了，就燬了古城亦無所謂。魯迅即改崔顥的黃鶴樓詩云：

「闊人已騎文化去，此地空餘文化城；文化一去不復返，古城千載冷清清。專車隊隊前門站；晦氣重重大學生。日薄榆關何處抗？烟花場上後人驚。」

時至今天，古城不但無「文化」，而且純「奴化」，魯迅若在人間，定將再改為「文化一去不復返，古城十載血腥腥」了。

海嶠書談

大哉國父

諸葛文侯

孫（哲生）初由美國學成歸至粵時，中山先生方在廣州領導西南護法之役，就任非常總統職位，乃命哲生從當時非常國會參議院議長林森先生游，受聘為英文秘書，謂藉此可使其歷練世務，明瞭政情也。曾聞民黨前輩張溥泉（繼）、覃理鳴（振）、謝慧生（持）諸公言，當年彼等每於夜間聚議總統府與孫總理商談黨政問題時，常見哲生侍立左右，孫公囑聆取諸長者言論，毋得置喙，俾廣見識，增智慧。義方教子，孫公有焉。

越民國十一年，廣州市政廳成立，古應芬推轂「阿福哥」（粵人對孫科之雅謚）主持市政，孫公不謂然，以哲生缺乏行政經驗，恐有貽誤之虞。古氏力言行政經驗係從實際工作而來，如不從政，則經驗永付缺如，哲生既已畢業於大學，年富力強，正宜為國效勞，未可投閒置散也。孫公乃首肯，但囑古氏臨時指導，勿令隕越為是。民十二年，胡展堂奉命主持粵省政務，廖仲愷任財政廳長。某夕，胡、廖二人晉謁孫公，報告財政情形，謂革命政府勢力所及之地，僅為省垣暨鄰近周圍十餘州邑，稅務有限，然軍費政費又出浩繁，搘拄已極困難，然廣州市方面，阿福哥又不能合作，更感拮据矣。孫公會意，即答以「此事由我馬上解決可也」。次日召哲生來，語之曰：「年來北方盟友段祺瑞，張作霖，曾經先後派代表許世英，楊毓珣等來粵聯絡，情意殷摯，然我方尚缺報聘之禮。許、楊等均係對方重要幹部，我方自不宜隨便敷衍了事。汝可代表余赴燕京及瀋陽一行，先赴上海民智書局，將最近印好之「民族主義」講演攜帶五千冊北上，分送各界人士，以廣宣傳。此項任務重大，非歷時半年不能畢事，廣州市職務勢難兼顧，自應辭去，且在一週內即須出發」。哲生即遵命辭去市長職，摒擋一切，離粵北上。孫公囑胡省長保薦新任市長人選，胡以林雲陔報核，即認可。世人謂：非有孫公天下為公之精神感召，胡、廖等必不便向孫公指摘哲生之短；非孫公半日對同志能受諍言，無所容心，胡、廖更不敢作此「以疏間親」之陳述。偉大哉，國父也，微斯人，吾誰與歸！

中國當代虛無主義底兩流

（上接第三版）這是不是他們在心靈的深處全無善根要這樣做呢？我可以肯定的答覆，那不是的，他們之所以要出此，只不過是一念「但空」，「惡趣空」才如此的。中國當代的虛無主義者們，我這話對嗎？如果對的話，那末你們縱使不像你們俄國的朋輩，從東正教的苗床上孕育出來，具有強烈的罪惡，連吃多了果醬，睡得稍久等都以為是罪惡而痛苦而懺悔，但你們對所造下的這麼大的惡業，總應該在更深人靜的時候，反省反省纔是。如果你們真地不肯反躬，那個你們所樂道，而又不甚了解其所以然的歷史客觀（那是辯證的，但不是辯證唯物的，是真實的，但不是實驗的）便會審判你們！（全文完）

編者與作者

邇來迭接若干稿件，間有不標題者，有修改塗抹至不可辨認者，有以草體疾書而至于意到筆不到者，類此稿件，實平添編者無限麻煩，而此類麻煩本非必要。標題本非易事，但不能以其難而不標。固知有少數文友，或以其投寄之稿，一經刊出後，則編者所標之題，每與原稿迥異，故乃乾脆不標題目。惟此並非正道，以後請勿過分珍惜智慧。至於修改塗抹者，務請重抄一遍，感甚，感甚。

自由報

THE FREE NEWS

第七十七期

中華民國僑務委員會登記證僑報字第三二三號
中華郵政台字第一八二二號執照登記爲第一類新聞紙類
（逢星期三、六出版）

每份港幣壹角
台灣零售價新台幣壹元

社長：雷嘯岑
督印人：黃行宣

社址：香港銅鑼灣高士威道二十號四樓
20 CAUSEWAY RD 3RD FL HONG KONG
TEL. 771726　電報掛號：7191
承印者：田風印刷廠
地址：香港灣仔高士打道一二一號

台灣分社
台北市南海路台灣省農會二樓
電話：六四三〇三
台郵信箱：二九一

赫魯歇夫地位問題的觀察

——簡析莫斯科政變的謠傳

金達凱

關于赫魯歇夫垮台的謠傳，現已證實只是謠傳而已。此一消息的背景如何，赫魯的統治地位能否長期鞏固，馬林柯夫有無東山再起、重握政權的可能性，以及今後蘇俄內部鬥爭的發展趨向如何？本文作一簡單的觀察。

此次克里姆林宮政潮的傳說，雖來自維也納，但實際上是整個西方對現階段蘇俄局勢看法的一個初步總結。此一看法的形成，主要當係基于左列幾項因素：

第一、近年來西方人士始終認爲蘇俄統治階層內，還存在着一個「史大林派」，赫魯歇夫仍或多或少受着史大林派的影響。而這個「派」是以舊史大林份子爲骨幹，與被清算的馬林柯夫和被貶抑的莫洛托夫等有其密切聯系。因此赫魯歇夫稍一失手，則這股反對力量就會乘機抬頭。這是這次莫斯科政潮謠傳的背景之一。

第二、年來赫魯歇夫在外交上一再碰壁，其所主張的東西高峯會議，既因自己的破壞而無法開成，而裁軍問題及柏林地位問題等亦毫無結果，使其在國內和國外的聲望均告降低，特別是這次在聯大會議上的失態，引起各國代表的反感，最後一無所獲，空手而回。這在重視外交問題和注意國際聲望的西方人士看來，赫魯歇夫更招致內部不滿，而醞釀成一個倒赫運動。這是赫魯失勢的謠傳的背景之二。

第三、最近蘇俄政壇人事之異動，也是引起外間猜測的一大原因。近數月來，蘇俄人事變動甚多，如聯共中央委員拉契諾夫之死亡，飛彈部隊司令尼德林之座機失事身死，陸軍副參謀長巴甫羅夫的「因公殉職」，以及白俄羅斯軍區司令提木盛科的被解除職務，等等，顯示情況之不尋常與其內部問題的複雜。這是造成上項謠傳的又一原因。

此外，所謂赫毛之間發生「和戰問題」的歧見，與毛澤東接近史大林派馬林柯夫和莫洛托夫的傳說，也助長西方觀察家之認爲，對赫魯歇夫正受內外兩方面的壓力。

在此情形下，赫魯歇夫垮台，馬林柯夫和朱可夫上台的消息，就隨之附會產生。因之可以說這是西方對最近蘇俄政局看法的一種結論。至于該消息的眞正來源如何，自不必多所研究，因爲目前赫魯歇夫的動態，已經否定了維也納的傳說。

自然，我們不可否認蘇俄內部沒有爭端。衆所週知，一部俄共黨史，基本上就是一部黨爭史。列寧時代的布爾塞維克與孟什維克的鬥爭，史大林之與托洛斯基、布哈林、季米特洛夫等的鬥爭，以及一九三五年至一九三九年的清黨運動所展開的大屠殺（其間由赫魯歇夫主持的「血洗烏克蘭」的慘劇，亦足驚人。）以後一九五三年一月的九醫生案，又有極大株連，如果史大林不突然暴斃，則三十年代的大黨獄勢將重演。史大林死後，其統治圈內又發生連串的鬥爭，先是馬林柯夫，莫洛托夫聯合赫魯曉夫以處死貝利亞，稍後是赫魯歇夫聯合朱可夫之推翻馬林柯夫和莫洛托夫，再後赫魯歇夫又聯合馬林諾夫斯基以鬥倒朱可夫，這一些打鬥的循環演出，說明了共黨的特性，特別是俄共的特性，是無日不在鬥爭之中，不是打倒人，就是被人打倒，或者是先打倒人，而後自己也被人打倒。因此，赫魯歇夫之終必失手，不是不可能的事。

其次，我們也不否定馬林柯夫和朱可夫沒有捲土重來的機會。過去馬林柯夫也曾經跌倒過，而由于環境的轉變，又爬了起來。一九四一至一九四六年，馬林柯夫與日丹諾夫的鬥爭中，馬曾被踢出中央書記處，由中央決策人物降爲農業技術幹部，直到日丹諾夫主持的西歐總罷工失敗，及狄托的巴爾幹聯邦計劃問題發生，馬始再度得勢。同樣的，二次大戰後朱可夫也遭受到史大林的貶削，但史大林死後，他又一度出頭，直到這次再被赫魯歇夫打倒爲止。這種起伏無常的情況，自是蘇俄政壇的一種歷史規律。

但是就當前情形看，赫魯既未臨到失勢的時期，而馬朱等輩也還沒有具備恢復權力的條件。這可以從兩點加以說明：

第一、當前赫魯歇夫的權勢基礎，主要是建立在軍權上面，取得對軍人的徹底控制，這與當年史大林的鞏固統治的手法完全相同。一九三七年的大整肅，史大林以「間諜」罪名槍斃了非議系的軍事幹部，其中包括杜哈契夫斯基元帥，布赫爾元帥和葉科羅夫元帥等十大將領，任用親信担任軍事要職，從而奠定了他的獨裁地位。而赫魯歇夫自一九五六年以來即在軍事上進行佈置，逐步剪除非議系人員，朱可夫的下台，和馬林諾夫斯基的上台，就是此一調整軍權的具體表現。現在自國防部長，總參謀長，飛彈部隊，各軍區司令以至華沙公約軍司令和東德駐軍司令等，幾全爲赫魯歇夫在二次大戰時充當政委的烏克蘭方面軍系統人員所佔有。這也是赫魯無恐的重要原因。在此項權力基礎沒有瓦解或改變以前，克里姆林宮的寶座，別人是很難取而代之的。

第二，今天足以影響赫魯政治生命的，是各附庸國的携貳。但是除狄托和過去匈牙利納基外，其他附庸尚無異動的跡象。這次前往莫斯科參加十月革命四十三週年紀念和出席共產國際會議的各國共黨渠要，計有羅馬尼亞共黨第一書記德治、保加利亞共黨第一書記日夫科夫、波共第一書記戈慕卡，匈共第一書記卡達爾，捷共第一書記紀諾沃提尼，東德總理烏布利希、蒙古總理澤登巴爾、越共總理胡志明及中共主席劉少奇等，顯見各附庸對赫魯的聽命。即以一再謠傳與俄共發生重大歧見的中共來說，其臣服的程度是有目共覩的。且看劉少奇抵莫斯科的談話：「中（共）國人民衷心感謝蘇聯對於中國革命和建設事業的巨大援助，在共同對敵的鬥爭中，中蘇兩國人民結成了牢不可破的友誼和團結。……不論在什麼情況下，不論世界上是否發生巨大的風浪和巨大的困難，我們總是站在一起的。加強中蘇兩國的團結，加强以蘇聯爲首的社會主義陣營的團結，是全世界人民爭取民族解放和社會主義事業的最可靠的保證」。而毛澤東致赫魯歇夫的電文，亦強調他們與俄共的團結「堅如磐石，是任何力量破壞不了的。」並要「用自己的全部力量，繼續加强以蘇聯爲首的社會主義陣營的團結」。這一方面說明中共的絕對「一邊倒」，同時也可看出赫魯仍有控制附庸的力量。

不過目前蘇俄內部絕不是風平浪靜的，赫魯曉夫垮台的消息雖屬子虛，但其周圍的反對力量仍未完全消滅，反之，地方的反抗暗流尤不斷滋長。除前述人事異動之可疑外，還有兩項問題值得注意：其一，據「蘇維埃俄羅斯」報的報導，在莫斯科東四百二十英里的韃靼自治區首府喀山地方黨部，正發生大規模的變動，所有領導人物全被解除職務，其中包括史太林時期曾任國家保安部長的伊格狄夫在內。這反映出蘇俄地方情勢的動盪。其次，當莫斯科政變謠言傳出後之二十四小時，柏林俄軍司令柴哈諾夫邀請西方駐軍司令和外交官的宴會突告取銷。其中蛛絲馬迹，耐人尋味。

綜上所述以觀，目前赫魯曉夫雖可保持統治地位於一時，但以鬥爭爲爭奪權力動力的俄共來說，他終要走上被鬥和失敗的道路。不過問題不在舊勢力系統馬林可夫等的翻身，而在其新的統治階層內的權力升降的變化，與地方反對力量的增長。

小論天下

△毛澤東雖然不敢去莫斯科，由劉少奇代赴蘇俄出席共黨大會。劉下機伊始，對蘇俄滿口奉承。回憶重慶當日的「溫情」，毛澤東遙對着莫斯科大抽一口冷氣。

△由奧京維也納傳出赫魯曉夫倒台的謠言，僅一天而音沉響絕。有人指是中共在幕後造謠。假設這是中共造謠，亦屬一趣。今天應該有人研究「造謠的藝術」。

△奧京盛傳赫魯曉夫倒台之時，香港也盛傳有人接到「廣州兵變」的消息。當然也有人重溫「京路帝崩」的舊夢。

△泰共開始活躍，利用寮國永珍爲活動基地。泰國反共當局怕的不是共產黨，卻是那個喜怒無常而又「寶爲後盾」的美國「波士」。

△南越風聲漸緊，越共滲入甚急，美國一官員被狙擊斃命，當局已採緊急措施。只怕不久的將來，一片都是告急聲。

△美國下屆總統競選進入決定階段。艾森豪出馬爲尼克遜大力打氣。艾森豪苦在不能坦白宣佈：我和共產黨交手了八年有過充分的「上當」和共產黨交手的經驗。這種寶貴的經驗業已一手傳給尼克遜。大凡和共產黨交手，沒有經驗是不成的。讓肯尼第這公子哥兒再替美國上一次「大當」，那就完了。他其實應該如此說，無奈決不能如此坦白啊！

△英國工黨前任首相艾德禮譏笑赫魯曉夫成就太渺小，遠比不上毛澤東。這不是譏刺赫魯曉夫，而是陷害毛澤東。用粵諺說，這是「靠害」。

△周恩來在英國電視露臉，說話的目的是：希望打動英國人，休再跟美國人走。據說，英國工黨有一個計劃：邀毛澤東訪英，會見西方領袖。大家都是在「拆」字上面做工夫。中共頭子猾而够狠，英國工黨多的卻是近乎天眞的幻想家。

△古巴卡斯特羅已完成作戰準備，據說因美國不來「侵略」而深感無趣。這個好戰者大概會成爲「拉丁美洲毛澤東」。

方南

不成名堂

土耳其的軍人冒稱革命，自設政府，把前任總統塞路拜雅與內閣總理孟德斯，以及各部部長等，一律逮捕下獄，組織軍事法庭審判他們的罪行。據最近由安哥拉傳播的軍法審訊情形看，法官指出該總統的重要罪狀，是他曾將阿富汗王贈送的一頭名犬，以高價售予動物園；該總理所犯的大罪計有兩項，一是鼓動人民爭取塞浦路斯的宗主權而掀起反希臘暴動，二是他跟一個舞女同居生下的小孩夭亡了。這充分表現着文化落後國家的政爭手段之卑鄙無聊，也證明政治生活實係最齷齪不過的玩藝呀！

行政元首出賣了一種友邦餽贈的禮物，內閣總理拋棄了一個私生子，便是罪大惡極的革命對象，打倒之後，還要判刑，這豈不是甚末話？至於土耳其人民因塞島問題而發生反希臘暴動，爲的是爭取國家利益，即令該暴動行爲是該內閣總理所策動的，亦係出於謀國的忠忱，說不上私人犯罪吧！若夫跟舞女同居，拋棄私嬰這類事情，更與第三者不相干。然而「民主革命」的土耳其軍政府，乃有此「欲加之罪」的「法治」觀念，所謂「革命」也者，其意義殆係無法無天，隨便胡搞之謂歟？

成王敗寇，原屬政治生活的定律，殊不足奇。但對於「王」與「寇」之所以然，總得從大處落墨，說來像煞有介事，向人民有所交代，纔可以掩飾事實，矇蔽觀聽於一時。像土耳其這次革命的軍人的搞法，未免太拙劣幼稚到不成體統了。如果希望這類人物當政之後，能夠建設眞正的民主憲政之治，那就是天大的笑話！

總而言之：政治工作本是人生最下賤的業務，而文化落後地區的政治生活，尤其糟糕透頂，不成名堂。試看東南亞、非洲和中東那些新興國家的情形，何莫不然，尋僅土耳其而已哉？

馬五先生

寫在雷震案覆判前夕

尹望卿

編者按：月來本報收到關于雷震叛亂嫌疑案的讀者投稿甚多，但本報篇幅有限，歉難逐一刊佈，茲擇載尹君此文，以示一般共同意見，其餘只好割愛了，敬希讀者諒察之。

讀者來論

轟動海外之雷案，業經台灣警備總部軍事法庭宣判。其中雷震判徒刑十年、劉子英判徒刑十二年、馬之驌判徒刑五年。或問：雷震部份判處，以爲如何？則應之曰：雷震眞構成叛亂，則科十年，似輕。但、據警備總部發言人王超凡自始即以雷爲「涉嫌叛亂」公開宣佈。「涉嫌」云者，於字義爲有點牽涉或有點嫌疑而已。亦即吾國古語：「瓜田納履、李下整冠」。納履於瓜田，未必便是盜瓜者？整冠於李下，未必便是偷李者？誠然，雷之罪，尚在疑中。「罪疑惟輕，功疑惟重，與其殺不辜，寧失不經，好生之德，洽於民心，茲用不犯于有司。」這幾句話，就是我國的審判官的開山祖——皐陶所垂訓於後世的。雷如以「涉嫌」而判罪十年，殊覺過重。但此爲初審。現雷不服，申請覆判，相信政府當局，有其最後一度平反。平反即所以求其輕重酌中，昭平明之治，在司法界爲一極關重要工作。故事：「雋不疑爲京兆尹，行縣錄囚徒還，其母問所平反，多則母喜，爲飲食言笑。或無所出，母不爲食。故不疑爲吏，嚴而不殘。」（見漢書雋不疑傳）父母愛子心切，莫不希冀其子爲良吏。且在舊社會中，一般最講求因果，居官者往往利用平反機會，廉察冤獄，而出其罪，作爲積德之一環。一直至今，人同此心，心同此理。

或又問：據有關當局，一再聲明：雷之受捕，是雷個人法律問題，與組黨無干。但據籌組「反對黨」另外負責人及雷之親屬，並雷少數朋友，都說：雷不當捕，捕雷，是因雷組黨，爲政治問題。不知究竟？則又應之曰：雷主持「自由中國」半月刊，經常言論，抨擊政府，尖刻峭厲，入木三分。尤以「反攻無望論」，荒乎其唐，遠超言論自由之外。政府隱忍至今，而因發現劉子英爲匪諜，劉之來台，係雷爲保，雷復安插劉於該半月刊社中，引爲心腹。瓜田李下，當難免嫌疑。當局根據法律，以雷「明知匪諜而不告密檢舉」爲一罪，「連續以文字爲有利於叛徒之宣傳。」又一罪。在此戒嚴情況之下，姑無論雷是否明知劉爲匪諜？更不管劉有無匪諜事實？劉非捕不可。捕劉不得不牽涉到雷身上。是雷之捕，非關組黨，明甚。吾人對籌組「反對黨」，如不加可否，但是，如果硬搞政治者，在掛起組黨招牌之下，蟠天際地，縱意所如，超「清風明月無人管」，則期期以爲不可。無論在君主時代，抑民主時代，黨爭不了，祇爭好壞。壞的黨，搞風搞雨，牴觸國家利益，違背政府法令，妨害人民幸福，無不敗者。試舉一例：東漢桓帝時，李膺、陳蕃、杜密、范滂等，互爲朋黨，誹謗朝廷，被捕者，二百餘人，禁錮終身。至靈帝即位，殺李膺等百餘人，其他有隙者六七百人，皆死徙廢禁。建寧四年，大赦天下，惟黨人不赦。論李膺在當時聲望最高，大學中稱爲：「天下楷模李元禮。」士被容接者，名爲登龍門。又豈今之什麼「名學者」所能比擬？但因路線走錯，捲入「小人之黨」漩渦，都難逃國法，可爲殷鑒。現在「反對黨」尚在胚胎中，相信是好的，政府何得是爲組黨而將雷捉將官裏去呢？

雷以一書生，得志於時，備位中樞，贊襄密勿。據聞：當民國三十八年，並曾參加上海保衛戰及金廈保衛戰，冒險犯難。其在已往，處處頗表現其進思盡忠，獨惜其昧於退思補過之義。比年賦閒，主持「自由中國」半月刊，謬論層出，見疑當世，毫釐千里，實爲其平生無可塡補之缺陷。現在各方對雷案非常注視，匪方因面臨崩潰，黔驢技窮，惟恐我政府當局對雷不重判。海外共特們，甚或暗中搗鬼，設局佈陷，企圖陷雷於非重判不可。雷愈重判，則利用隙縫，愈造作五花八門，迷離惝恍，遂行其挑剔煽惑，淆亂視聽。至於我方關心國事者，認爲復興有望，團結第一。「鳥鸑之卵不毀，而後鳳凰集。」大多數輿論，總希望當局對雷案於覆判時，特加審愼，從寬處理，原其心而畧其迹，棄其舊而開其新。「當堯之時，皐陶爲士，將殺人。皐陶曰：宥之三。堯曰：宥之三。故天下畏皐陶執法之堅，而樂堯用刑之寬。」畢竟皐陶不失爲賢士師，堯不失爲聖帝，傳頌至今，猶膾炙人口。

其實，政府當局對雷，其捕之也，出于「不得已」，其判之也，又豈得謂「莫須有。」在雷本人叫屈，以爲冤枉，一若「忠而被謗，信而見疑」然。吾人不能說天下無冤枉事，問題在乎自己剖白，將情將理，出之以最眞誠坦白之語。如鄒衍從梁孝王游，爲羊勝等所譖，下獄。吾人讀鄒衍獄中上梁王書」，委婉申訴，一則曰：「願大王熟察之。」再曰：「願大王熟察之，少加憐焉。」其中措詞，纏綿悱惻，娓娓動聽，孝王感悟，把他釋放，待爲上客。雷震亦頗能文者，何不師其意而爲之。以最高當局之睿智仁厚，援據「春秋之義，立法貴辭，責人宜寬」這一點，奚不可曲於哀矜，而法外施仁耶？

決疑平法，遠在漢時，已有顯著效率，蔚成風尚。「張釋之爲廷尉，天下無冤民。于定國爲廷尉，民自以無冤。」千載而下，傳爲佳話。于公有曰：「我治獄多陰德，未嘗有所冤，子孫必有興者。」雷案覆判，想當局正在縝密考慮中，筆者有所感，遂書之。

台灣通訊

日本電影在台灣

夢罣

日本的電影公司曾出過兩部片子，一部是「明治天皇」，另一部是「皇帝與大將」，這兩部片子在台灣上演的時候，居然賣座不惡，尤以「明治天皇」，我記得只高雄一地上演十六天，每日七場，場場客滿。這兩部片子大抵是談明治與乃木大將，東鄉大將三個人的豐功偉績。如今很多家影院仍在上演。這片子何以如此受歡迎，何以能在台灣放映，頗是費解。片中將當時的日本海軍東鄉大將及陸軍乃木大將描繪得有如武聖。但我站在中國人的立場來說，實在不敢苟同。

據說乃木大將很喜歡吟詩，在日俄戰爭以前，他就吟過一句這樣的詩：「踏破支那四百州」的句子。當時正是明治校閱他的部隊之後，以杯酒賜飲，乃木在得意之餘，就吟出上面的話。支那是中國，四百州是四百個縣，這詩的侵略思想很濃。尤其是當明治駕崩之後，太子大正繼位，乃木剖腹自殺，以殉明治。在自殺以前，曾有奏章呈大正天皇，這奏章等於乃木的遺囑，其中言語，皆關國策，內容除了對西歐的外交之外，就是必須克服支那。

日本軍閥在我國八年的騷擾，致令共匪坐大，而成今日之局面，能說與乃木的黷武思想無關嗎？

關於東鄉大將，在甲午之戰時尚是一名艦長。那時甲午戰爭尚未開始，東鄉率「浪速」號軍艦侵入到我國的黃海附近，適遇英國怡和公司的商船一艘，載有中國軍隊三千人，東鄉命英輪停航檢查，並令船上外籍人士全部登日艦。不顧在中國軍中的德籍顧問漢那根之反對，開砲將英輪擊沉。並且違反國際法，向落在海中的人們開槍射擊。適有法國軍艦經過，睹狀不忍，乃仗義阻止，並營救落海人員，後來清廷得報後，便照會各國，向日本開戰，這便是甲午之戰之起釁。「先擊爲勝」是日本軍閥的一貫戰術，與蘆溝橋及珍珠港如出一轍。兵不厭詐，固無可厚非，但向落海人員射擊，就不是名將的風度了。

電影是深具教育效用的，英雄在人們的心目中往往是盲目的存在。這兩件事實乃由一位八十高齡的先輩向我親口敘及。看到這兩部片子，在台灣上演，我心中湧上了一種無可名狀的感覺。前些時，電影檢查處的所謂「紅包」案，鬧得震天價響，筆者總覺將信將疑，但到現在細想起來，不免覺得空谷傳風，其來有自，不然的話，像「明治天皇」這樣的影片，怎麼會准許在台灣放映呢？

大陸潛望鏡

一、中共實行土改後，爲增產食糧，許多荒山及亂葬墳地，亦改爲農田，種植各種農作物，照理糧食增加，人民生活定當好轉，最低限度糧食配給會比以前加多，可是却剛相反，據來自鐵幕消息；以一向配給均比各地爲優之廣州市及台山、新會、開平等四邑各縣而論，目前廣州市有勞動力市民配給，每人最多每月只有廿五天糧食，無勞動力不足廿天。台山等四邑各縣比廣州市更差。最慘者莫如西江高要，雲浮等各縣，因地處貧瘠，成年人配給，每天十多小時勞動，亦不足糙米八兩，什糧數兩而已，故因營養不良，體力不支而死亡者，每區每天竟有二三十人。在工作中倒斃者，日有所聞。

二、易手後中共對於荒田開拓，確比前增加，但人民生活痛苦，亦日與俱增，究其原因，中共窮兵黷武，軍政費開支龐大，而國庫空虛，只有大量輸出土產，博取外匯一途，爲支持僞政權，乃不顧人民死活。至人民生活水準即每況愈下，故間所未聞之「蕃薯宴」，乃爲時興，繼而「蔗渣」餅面世（按蔗渣餅係將蔗渣晒干搗爛，和以木薯粉做餅），現則襲售四寶餅，（按四寶餅係以蔗渣、蕉樹心、木瓜樹心、黍米心製成）此種以前餵豬亦不使用的廢物，今大陸同胞，則爲充饑無尙佳品，輕易亦不能獲得，寧不可嘆。（南）

編者・作者・讀者

曲齋先生：尊稿請勿超過九百五十字。如有增刪，亦請將字數計算在內。倘能予以分段，則對字房排版方面之工作將較便利也。

劉杰先生：大作字跡過於潦草，不論編、校、排各方面均感不便。倘能交人代抄一遍，編者曷勝感激，否則，惟有割愛也。

台灣通訊稿作者先生：「拾遺」「點滴」之類的文字，雖然也爲本報所需要，但適來投寄過多，本報容量有限，積壓過多，便成明日黃花。謹請多寄些與政治、社會、文化有關的大文章來。至盼至感。

大陸文壇萬花筒

郭沫若拍上胡志明

岳騫

今年是越共建立政權十五周年，也是越共主席胡志明的七十大慶，中共「人民文學出版社」出版了胡志明的「獄中日記詩鈔」，共選了一百首詩，以表示敬意。

平情而論，胡志明這個人無論詩格與人格都比毛澤東高得多，他這一百首詩裏面也確實不乏可誦之句，如最後「新出獄，學登山」一首七絕：「雲擁重山山擁雲，江山如鏡淨無塵，徘徊獨步西峯嶺，遙望南天憶故人。」都還瀟麗可誦，比起毛澤東的「綠水青山枉自多，華陀無奈小蟲何」，自不可同日而語了。

這部書出版以後，循例需找些人捧捧場，于是就用着郭沫若了。

以拍馬術而論，我覺得古今中外沒有任何人勝過郭沫若，因爲他最少有三點爲人所不及之處，第一，臉皮厚，什麼話都說得出。例如他在莫斯科親史大林七十壽辰時，竟然詠詩稱史大林爺爺，雖然他原詩的意思是說代表北韓一個少年說的，但是這五個字別人確實講不出，尤其是在盛大集會裡振臂高呼。第二，技術高，能拍得恰到好處。從古至今一般脅肩諂笑小人，大都是不學無術之輩，如張治中之流，只知道高呼「夫人萬萬歲。」至于郭沫若就不同了，郭沫若確實是讀破萬卷的人，因爲書讀通了，拍馬的技術也就高人一等，這種例子舉不勝舉。就拿一九五八年「紅旗」第三期上他有一篇文章，中間有這麼兩句：「我要坦白地說，我是崇拜毛澤東的。」把這兩句話湊在一起，實在是絕世妙文，崇拜毛澤東在大陸正是生命與生活安全的保障，任何人都常掛在嘴邊的，只有到了郭沫若的筆下，才加了這樣一句助詞，表示其犬馬戀主之誠是發自內心。

第三，毅力強，受了挫折也不氣餒。郭沫若拍馬也並不是一帆風順的，有時也會發生錯誤，例如毛澤東的送瘟神詩，中間有兩句：「坐地日行八萬里，巡天遙看一千河，」大家都不懂，去問郭沫若，郭沫若說這句詩是詠的一個懶漢，早晨不起身，夜晚不睡覺，這篇郭氏新註發表之後，却撞了大板，原來這兩句詩是毛澤東詠自己的，這麼一來如何得了，別人都不免爲郭沫若担心，他馬上在人民日報發表一篇文章，把自己痛罵一番，也就過了關。（上）

社會小說

香港地

六、人情味

木客著

是的，因爲人類需要有「神」這東西，神才會起來，因此才會有神夜，接着才會有靠神廟來吃飯的人。事實既然有這「需要」，廟祝這門行業爲什麼不可以經營呢？「需要」是一個微妙之謎，梅大亮早經下過一番工夫去思索，所以當下被譚福祿一挑便醒。但是，他仍然有所不解的是：譚福祿會說過需靠他幫忙，到底是什麼道理。

他便提出來問道：「那麼，我便恭喜你晉升一級，由解簽升做司祝好了。但是，我能夠給你幫忙些什麼呢？這叫做『風馬牛不相及』，你要找我做甚？」

譚福祿笑道：「這當然是有理由的呀！你幹的是寫稿生涯，當然認識幾個在報館裏面做事的人。這對於宣傳是很重要的呀！我就是想找你幫我這個忙，將來替我做些宣傳工作。你大概會辦得到的吧！」

梅大亮心裏叫奇，即道：「這是什麼話？難道廟祝也要花工夫去宣傳的嗎？」

譚福祿長長一歎道：「當今之世，有甚麼事不需要宣傳？賣汽水的要宣傳，搞政治的要宣傳，做戲的要宣傳，幹廟祝也是要吃這個社會裏面的飯，怎能沒有宣傳？告訴你：做和尙也要好好地宣傳才做得紅來起的呀！」

梅大亮仍然有點糊糊塗塗的，問道：「那麼，你是不是要我托人替你發新聞，說你在某月某日業任某司祝，等如時下慣見的同樣東西，說某人的男公子女公子，在某日動程放洋，榮赴某國留學之類，好等你出出風頭吧？」

譚福祿連忙搖頭而笑。因這一笑，臉上給纈着的傷痕却痛將起來，疼得忍笑說道：「不是這個。人家是光宗耀祖，難道我幹廟祝還要效顰嗎？新聞非發不可，却不是這樣發。你知道嗎？我準備投承那個廟宇，位置既然太過偏僻，如不在神誕之前，做好宣傳工作，發出一些新聞，給大家一個備忘錄，怎能保證必然香火旺盛呢？除了這，添上一些故神其說的奇聞異事，替廟裏神靈做一下吹牛工夫，也是不可忽視的呀！」（七五）

孤寂

汶津

憎憎懂懂的人可羨嗎？他們和修養臻於涅槃之境的人一樣，是不覺孤寂的。自然，二者的境界有着天淵之別。很少人覺得豬圈中的胖君子值得欽羨，因此忍受着孤寂的萬物之靈確也不在少數。

誰都有被人了解的權利。但那只是「權利」，而非「權力」。父母眞能了解子女嗎？答案是不。許多父母自已也覺察這點：「我們是老朽了，顧不得下一代的事了。」美國某已故總統的兒子就對人說：「我父親一向主張一代人只管自己一代的事。」這是年輕國家的徵象。可是一個素以家族爲中心的國家，遭遇到歷代罕見的變遷，許多年青的、年老的人民，便都覺得面臨的孤寂感是不易忍受的。一位七老八十的老祖母，如果聽說在美國老爺老太太還得付小兒女的房租，一定會大驚失色，歎息這個世界太不成體統了。而她本人雖受兒女「反哺」之報，卻也很可能只得三餐裹腹，一日長閒而已。那些小輩只知忙着自已的事業，愛情……那裏還能顧得更多？同樣，一個正待教養的孩子，即使被送入國籍不同的學友羣中，也往往只能在牌桌上見到母親的「慈顏」。這年頭，「孤寂」實在是一種流行性的怪疾。

年輕人呢？尤其是勞心多於勞力的知識青年，討論「苦悶」似乎已成爲他們的天職之一。有福份，也有資格「做愛」的朋友，一感到孤寂就可以找他的另一位（如果再親密些，可能竟是「另一半」了）談心，訴苦，不管是面對面還是憑限時信。其他的呢？太保，太妹是最值得同情的！想想看：如果他們有很好的工作或娛樂，有很適宜的友誼或交遊，他們還會整日間和警伯週旋嗎？唉，甚至在公共汽車裏，在擁擠不堪的公共場所裡，一個現代人都會感到一股寒意：「我是孤獨的！」

我自已也可能正是這樣的一個典型。我猶記得最初嘗得寂寞的經驗，那是在抗戰勝利隨家人歸鄉的火車車廂裏。漫長的旅程中，只見窗外一株株的電綫桿單調乏味地向後退去，我的心裏有秋天的況味。而我記得很清楚：那時節正是秋季。

我很少離家，我不該是一個孤寂的大孩子。但沒有人會冒失到首肯這樣的「定理」的。每個人都不必向家人或友人談什麼寂寞，如果你怕他們多心或不悅。那是不必說的，那是必然存在的。最近我又翻到自已的一篇短稿，題作「疏遠」：

「星期天，家人們都上教堂了，剩下我這唯一的非教徒。室內的一切與我並存；寂寞也來向我探首。

「我翻開書，但這罕有的閒靜，並沒有使我恢復對白紙黑字的興趣。溜過了三頁，我停了下來，望望窗外。冬天已不帶虛飾的來了。

「我站起。季節給人的影響是不可捉摸的，但「自我」能感到它。

「重新看一看我身邊的這個小天地：……一種親切之感吞掩了孤寂。這就是我的——我生活在這兒超過十年了。那是過去的生命之半！

「……我又走出大門進了院子。這是一個大雜院。多麼陌生！雖然我天天從這兒進出。一羣鄰孩子在玩耍，使得整個院子顯得煞是熱鬧。

「那防空洞，蒼老了，還帶有修補的創痕。——當年我曾在它背上爬上滾下；而今却是那麼疏遠。還有那一邊，我眞懷疑自已有一兩年沒過去了。我發覺：以前和我距離那麼近的，都像陌路者了。是我的近視使然？還是季節的幻覺作祟？」

有一陣我也曾寫過一些無病呻吟的文字，但這一篇却眞摯得如一頁日記。那時候，家人們正追隨着上帝的語言與恩澤，他們無法了解一個可笑的株守者。

或許那竟是一種享受。如果在蜂擁的人叢中，你更容易感到自已的迷失。

但孤寂是不容你選擇的，那多少有點像空氣。喜愛它的，把它當作氧；否則，它便是氮了。

秋興

漁翁

秋高氣爽，逸興勃然，古之詩人，如杜子美詠秋興八首，潘安仁賦秋興一篇，千百年下，猶令人口誦心惟而不已。可是在三秋間，有較杜潘之所作而尤感興趣者，其惟鬥蟋蟀乎！據清人顧鐵卿所著「清嘉錄」載：「白露前後，馴養蟋蟀，以爲賭鬥之樂，謂之秋興。」

蟋蟀，亦名促織，又號天驕之蟲。古詩十九首有云：「明月皎夜光，促織鳴東壁」，入秋鳴聲甚厲，而鬥爭亦甚劇。晉陸機詩草木蟲魚疏：「蟋蟀似蝗而小，正黑，目有光澤如漆，有角翅，善鬥。」故鬥蟋之戲，由來已非一日。

唐天寶間，長安富豪，皆蓄蟀以博勝負，雖萬金亦在所不惜。宋相賈似道迷於天驕之物，在西湖葛嶺之半閒堂，與姬妾據地鬥蟀，元兵分路南下，而猶樂此不疲，並著一本專論蟋蟀品種之「促織經」，所定之名稱多種，猶爲今日所沿用。

迨至明代，此風更盛，帝京景物略云：「七月始鬥促織，壯夫士人亦爲之，鬥有場，場有主者，其養之又有師，鬥盆筩罐，無家不相貯之」。有朱鎮撫者，以鬥蟀見賞於皇帝，竟獲晉爵加官，亦奇聞也。

清朝鬥蟀，較明代更進一步，每執草以引敵，曰「蟋蟀草」，鬥蟀者，取此草之莖，分裂作絲狀，近其大顎誘之，令人亦做而效行。搏鬥之間，姑無論勝負如何？均喜形於色，饒有雅趣，顧鐵卿謂之「秋興」，誰曰不宜。

儒林九尾龜

吳敬鋅

第四回：人何寥落鬼何多

黃安民看見高不成越說越不像話，起身看看手錶說道：「鴻飛，我們同鄭實齋約會到時間了吧！」

李鴻飛未接腔，高不成搶着說道：「你們去看鄭實齋，我也去，這小子當年看不起我，送去的稿他都不肯登，我今天送本「怒海」給他看看，他辦得出這種雜誌嗎？」

李鴻飛勸道：「算了吧！古人說『宰相肚裡好撐船』，你是將來的總統，較宰相地位又高了一級，何必同這些窮文化人一般見識，再說你將來競選時，也還靠這些報紙佬來捧場，更不必得罪他們。」

一段話說得高不成回嗔作喜，拍拍李鴻飛說道：「鴻飛兄，你的口才實在不錯，看你可以當宣傳部長，你有時間去找高一環談談，他就是內定的行政院長。」說過，又留下高一環的地址就走了。

黃安民搖搖頭：「怎麼文化界裏面都是這一類的人物。」

李鴻飛笑道：「文化界裏面固然良莠不齊，但是像這種荒唐鬼，倒也少見。」

第二天，李鴻飛剛起身，突然又聽到有人問：「李鴻飛先生在不在家？」

李鴻飛隔着窗子一望，低聲說道：「行政院長來了」。

說着打開門走出去。

馬上走進來一位客人，身材較高不成還要矮些，鵝蛋型的面孔，比較斯文些。李鴻飛就同黃安民介紹：「這位是高一環先生。」他又趕過來同黃安民握手。

坐下之後，高一環先說道：「鴻飛兄：許久未見了，昨天高不成回去告訴我見到你，並且留下地址，所以我今早就來了。」

李鴻飛笑道：「今天本來打算過去拜訪，不料老兄來得這樣早。昨天不成兄告訴我，你們將來組成政府，就由老兄任行政院長，所以我想先去掛個號，等到你們組織政府時，千萬帶我一份。」

高一環愕然道：「他昨天怎麼說的。」

李鴻飛擺擺手：「千萬不要誤會，他只是說笑話，將來當了大總統，任命你當行政院長，我當宣傳部長。」

高一環連連搖頭：「這個人不可救藥了，我們團體已警告他多少次，不准他在外招謠，他總是不聽，再這樣下去，一定要把他開除了。」

李鴻飛奇怪道：「你們怎能把領袖開除，除非是團體解散了。」

高一環道：「誰擁他作領袖，是他自封的。」

李鴻飛說道：「既然如此，怒海上怎麼載明社長是他呢？」

（卅七）

山川風物

紅葉篇

楓葉與烏桕葉，一到深秋，便如潑丹砂的變成了紅色，北平的西山，蘇州的天平山，南京的棲霞山，均以紅葉著稱，現在已到了「霜葉紅于二月花」的時候，就不是九華山人，也不免要作了「停車坐愛」之想，尤其久居四季如春，沒有紅葉的台灣。

北平西山，本爲香山，潭柘山，玉泉山，翠微山的總稱，因其位居近畿之西北；其香山更多古蹟，舊有香山古寺，乾隆時，曾建靜宜園于此；山中又有碧雲寺，臥佛寺，洪光寺，及葛稚川丹井，感夢泉，金章宗祭星台，當年全爲禁地，非但不准芻蕘雉兔者往，就是遊人，也只好裹足，而嫣紅姹紫的紅葉，遂徒聞這一美麗名詞；迨民國五年，平綏綫接通，火車已在叢山中穿過，憑着車廂，也會看到翠微山上的怪石嶙峋，與錯落着的千萬棵紅樹，如碎錦，如斷霞，與秋日的爽氣，斜陽的反映，陡使方寸間另闢一個天地，而賞心悅目，尤在其次。

天平山在蘇州之西，它與靈巖山兩相並峙，故遊太平，無不遊靈巖，因紅葉以天平爲勝，而古蹟則以靈巖爲多也。靈巖有觀音閣，妙湛泉，牛眠石，望月台，繼廬亭，落紅亭等名勝，而劉夢得之所謂「館娃宮外姑蘇台」，西施雖已徒餘佳話，那姑蘇台的舊址，依然還在山之絕頂，攀登其地，太湖已在足下，萬頃煙波，正似吳王夫差做着的好夢一樣渺茫；由閶門胥門泛一葉小舟至木瀆鎮，即抵山麓，與虎丘山之七里三塘，可以水陸並進，同一方便。天平山並有宋范仲淹墓及范氏宗祠，范仲淹生祠；生祠塑有文正坐像，及其父母坐像，每年祭掃，從不間斷，此殆得力于興辦義莊，購辦義田之效。山上有遠公遺址之望湖台，鉢盂庵，鉢盂泉，而至一綫天，萬笏朝天，環顧四山，人已在紅葉叢中矣。

南京附近的紅葉更多，如清凉山之掃葉樓，北極閣之雞鳴寺，全是看紅葉的好地方；而最出名的，還有棲霞山，此山本爲佛地，上有達摩洞，因其麓之棲霞寺，爲南唐棲霞隱士修道處，故寺以人名，山以寺名，山中楓樹與烏桕參半，千佛嶺一帶多楓，月池以上多烏桕，而山之後方，更有能辨賢奸之香扇墜李香君之香君亭，有此許多點綴，每當秋日，面對着紅的楓葉，白的蘆花，青的山容，綠的湖水，黃的寒菊，紫的斜陽，唸着桃花扇中老漁所唱：「城郭蕭條，正對着夕陽道，野火頻燒，護木長揪多半焦，……白鳥飄飄，綠水滔滔，嫩黃花有些蝶飛，新紅葉無個人瞧」，又不禁棖觸萬千也。

磊庵

釋耒集

傳統

傳統一詞，或首見于孟子，梁惠王章有云：「君子創業垂統，可繼也。」而荀子論子思孟軻，亦曰：「略法先王而不知其統。」此所謂統，實指堯舜禹湯文武周孔，一貫相承之道。故後世多曰道統，道字之涵義，迂濶而籠統，近于玄眇，而論者又樂于以詰屈之詞，文其淺易，不知所謂道，特我遠祖以來，無貴賤之別，歷世相承，守而不廢，雖有造次顛沛而不失之生活方式而已。近于報端，獲見英帝國馬格烈公主之管家，曰克朗寧者，因不滿意新駙馬瓊斯先生之舉措，辭去其職務後，受聘任職于美國，會發表談話，解釋其所以辭職之原因，其詞甚長，要之，則不忍見英皇室及其所謂貴族之生活方式，瀕於崩潰而已。其行爲近于曹雪芹紅樓夢中之焦大，及美國小說隨風而逝一書中之黑嘜嘜。其一種效忠于傳統之熱情，所謂義形於色者，或庶幾近之。而其無補於帝國光榮之沒落，可知也。尙憶甘地先生未死之前，爲印度獨立運動，一再爲英人所囚禁，亦一再實行絕食，以示其抗議，其後英人知逆轉之勢，不可復遏，遂有所謂圓桌會議之舉行，英國大抵自首相以下，殖民大臣，印度總督，外交部長等等，均須出席會議，此等人物，固帝國光榮之象徵，均屬第一流紳士階級，其服裝之嚴整，儀表之尊貴，可謂無與倫比，而甘地先生，僅以印度土布一幅，披于身上，實無異於告地狀之乞兒，竟與之分庭抗禮，而毫無慚色，英國紳士作風，爲之掃地以盡。及愛德華八世，以帝國君主之尊，甘心娶一異國再婚婦人爲妻，而敝屣其王位，又使帝國臣民，徬徨失措，如遇晴天霹靂。故如馬格烈公主之欲下嫁平民，特其小焉者耳。今瓊斯先生于王宮之內，鳴指發聲，呼召僕役，御參觀賽馬之服裝，出席宮廷，延接外國君主之茶會，又于進餐時，除下外衣，置于椅背，以常人視之，實不足驚異，而克朗寧一僕役長耳，竟以此憤而辭職，此則英帝國自十八世紀以來，稱霸全球，賴殖民地供養其王室，使之坐享安富尊榮者數百年，遂有如許煩文縟節，以誇帝國無上之榮耀，而克朗寧之流，長養於若此氣氛之中，一種妄自尊大之優越感，橫梗於方寸之中，牢不可破，今瓊斯先生之口哨一吹，其內心所有之帝國榮耀，遂不覺搖搖欲墜，若將預見其幻滅者然。則所謂「害禮傷尊」，是可忍而孰不可忍者也。然此特英皇室之傳統，而非英國之傳統也，余之所謂生活方式，顧不在形式之高貴，及節目之繁瑣，而在適應于事理，而又不悖于人情，英國人稱霸全球之條件，今已不復存在。其由此而來之皇室傳統，亦將寢成陳賾，無復有保存之價值，固自然之趨勢也。

曲齋

道義

徐學慧

道義二字，誰都知道是個好名詞，它經常掛在縉紳士大夫的嘴上，潛藏在善良人們的心裏，却表現在江湖朋友的行徑上。

平日說仁道義的人，也許是一個最卑鄙的人，至少也是個僞君子。他只將「道義」作護身符，來達到他的不道義的目的，這種人，在眼前的社會裏，觸目皆是，說起來簡直令人心痛。

最不講道義的，大抵莫過於官場中人。明爭暗鬥，口蜜腹劍，過河可以拆橋，投井還要下石，可是，他一發表演說，或者露布鴻文，却又是滿口仁義道德，言必稱堯舜，聽者不察，從而習之，還可能以爲周召復出，聖賢再世。世事如斯，也可爲長歎了。

時至今日，路見不平，拔刀相助的人，畢竟很少。有錢有肉皆兄弟，無勢無權若路人，你想從那些達官貴人的身上，去找尋半點道義，那也不啻是緣木求魚。錢愈多，位愈高，權愈大，他的道義之心便泯滅得愈快。要富人進天國，難過於駱駝穿針孔，這句話倒是一點不錯的。

儒林外史上面，描寫的那些士大夫的臉孔，大抵都是屬於這一類的人物。那機警詭詐，卑鄙汚濁的神情，一個個活躍在紙上，也一個個都還活躍在眼前這個社會裏。像甘鳳池那種人物，爲了朋友的事，不惜在公堂脫掉袄子，去挨幾十大板，這已是不可多得了。

水滸傳上，像魯智深、李逵這些人，雖然都是武夫，究竟還有些正義感。別笑他們呆頭呆腦，出言粗魯，他們的立身行事，比起那些自命爲聰明的士大夫來，確實還要可愛呢。

左拉筆下的「娜娜」，借一個賣淫婦的經歷，大胆地暴露巴黎的上流社會的黑暗。在某些地方的諷刺意味，且較儒林外史猶有過之。

倒是那些江湖上的朋友們，還保留一點義氣。但這已非今日的士大夫所能想象的了。

徐文長故事

介人

明朝中葉，浙江山陰（紹興）縣出了一位怪傑徐文長，知縣，好奇計，喜雅謔，善古文辭，書法亦超逸，他本名渭，字天池，又號青藤。因爲他有狂生之稱，名氣很大，所以有許多捉弄人的故事，都說是徐文長的惡作劇。

這許多故事，一向流傳在兩浙民間，家喻戶曉，競相傳誦。於是就有許多文士把它搜集起來，大編其徐文長故事集，如林蘭女士所編的故事集，民國十四年即在上海北新書局發行，風行一時，一連出了好幾集。

據說文長做小孩子的時候，即已露頭角，入闈應試，仍然嬉戲如故，擾及鄰生，誡之不聽。等到快要交卷的時候，才伏案疾書，一揮而就。當他作文的時候，則脫其靴襪，以指擦香港腳奇快，鄭生爲了報復他，使他無法交卷。主試官巡至文長處，見其不停搔撓，不勝厭惡，從遠處窺探，始知道他用腳，才把卷呈上。主試官爲之大笑，因出一聯說：「童子烏足交白卷」。他乃即應聲對道：「宗師赤心拔毒衿。」

有一天，文長與朋友郊行，途中遇一女子偕一丫鬟迎面而來，友說：「此女貌美，笑容當更美，可惜不能博她一笑。」文長說：「這有何難，當爲你設法。」他於是在路旁檢得稻根一根，等到女走近之後，他即以草環頸大呼道：「我要上吊，那個來救我？」女竟爲之一笑。

又里中豆腐店有女端麗，人皆稱之爲「豆腐西施」，但是極其莊重，不苟言笑，有友人戲向文長約，如果能令豆腐西施爲之着褲，則願以魚翅全席賭東道，文長約以不得食言。時當盛夏，文長赤膊穿着短褲，以草繩繫錢腰際，窺女獨應門市時，乃入店伸右掌買豆腐三文，女切付之，又伸左掌說：再買三文，女又與之，文長轉身即走，女大呼：「你忘記了付錢？」文長乃很抱歉的說：「錢在腰際請自取」。女見文長兩手無暇，不得已倚身櫃際伸手取錢，文長故意使氣鼓腹草繩忽斷，女持褲大窘，雖面紅耳赤，但亦不得不勉爲之着褲。

浙江向多水道，來往交通，悉賴舟楫，有定期班船，俗呼之爲「航船」，沿途停靠，以利行李上下。有一天，文長乘航船，中一僧人正與人高談文長之短，文長亦故意予以附和，復與之談佛學，話甚投機，夜則抵足而眠。天剛曉船抵埠靠岸，衆客還在熟睡中，其時一羣婦女就水邊洗米洗衣，文長潛帶僧帽穿僧衣出船頭，對羣女公然小便，羣女詬罵，則仍返船脫衣帽擁被而臥，船中人皆不覺，羣女上岸走告，街民譁怒，入船扭僧痛毆，僧始終在夢中，文長還出而予之排解。

又有一次，山陰一班同學和他打賭，他能說一個字使得衆人發笑，就請他吃酒席，徐文長說這有何難，於是約定黃昏時分在某宗祠公開表演。屆時到的人很多，不下數百人，皆欲一飽眼福。不一會，文長帶着一個手持樂具的盲公，緩步而來。他引盲公站在池邊，大喝一聲：「跪！」盲公撲通一聲，掉在池水裏，於是衆皆哄堂大笑。

還有一個與太守開玩笑的故事，也頗有趣的。據說他和一般朋友遊湖，見杭州知府坐在笙歌畫舫上飲酒作樂，朋友說：「徐文長，你敢作弄太守可惡的，我們請你吃酒。」徐文長說：「有何難」，於是雇了一隻西瓜皮小艇，衝向太守的大船，太守家奴如狼似虎，把他抓去見太守，太守大罵他一頓，要打他的屁股。徐文長要求說：「治下是秀才，請免責！」太守道：「秀才，必會做詩，做不出就打。」徐文長請太守限一字韻，太守說：「限一船字韻。」文長高吟道：「一天天天天天天天」，「天天天天天天天」，太守大笑，罵道：「原來你是個狂生！」文長接着吟道：「太守新天子接着新年去，山川草木皆悲淚，西湖泛着船，太守上座。」……算了。

[illegible]故事很多，非類似此種，能聽則述之，以上所述，事發見一二，大同小異，本不一定而足，所作徐文長傳，敍其晚年弄人的事，並沒有逃，蘇先生，實在不是甚麼，許一般所傳的人，閒託，他一時的人，意重，因此在下亦只妄言妄聽之而已。

談「黃埔精神」

諸葛文侯

世俗所謂「黃埔精神」，乃最近卅年間習聞的政治性專門名詞，指的是廣東黃埔軍校學生於民十四年敉平陳炯明的叛亂，以及民十五年國民革命軍北伐，剷除北洋軍閥勢力，統一全國諸役的革命精神表現。

我不是黃埔學生，也未曾在中央軍校服務過，但三十年來，跟老輩的黃埔學生（第一二三期），和後來的中央軍校出身的人士，多所交游，就我所知道的若干事實，大體說來，在民國十九年以前的「黃埔精神」，確令人敬佩不置，茲舉兩例以明吾說之不謬。

愚友川省威遠縣人曾擴情，黃埔軍校第一期畢業生，其爲人也，誠懇厚重，素爲同學們所尊敬，皆稱爲「曾大哥」而不名。民十六年春，曾氏奉命赴巴蜀行役，視察川中諸軍頭對革命運動的意志究竟如何？蓋是時巴蜀各軍頭雖因時勢所趨，紛紛張出國民革命軍旗幟，然割據地盤，橫征暴斂如故也。他們對於曾氏這位革命軍總司令的親信門生，無不竭力交歡，欵待優渥，當他出川時，餽贈亦復不菲。曾氏原未直接帶過兵，在政治上亦未曾居顯位，但他於民十七年間，首在南京置新宅一所，室內陳設亦頗華麗。如是乎，一般黃埔同學見之大譁，指摘「曾大哥」喪失了革命精神，生活漸趨腐化，羣起要求蔣校長基於平日的教訓，飭曾氏非將其新宅第賣去不可！「曾大哥」在這黃埔精神的督責之下，祇好如命辦理，回復平民生活，再不敢作求田問舍之想了。

另一黃埔軍校畢業生顧潛，亦是四川人。民十六年春，他以憲兵團第一營營長駐在南昌，這時寧、漢政府已公開對立，革命軍第三軍長朱培德受武漢政府之命，與共黨合作，擬奪江西省主席職位，且將革命軍總司令設在南昌的行營及其所屬部隊，一律驅逐出境，顧潛所領的一營實力殊強，但他竟懷異志，暗投朱培德願效驅馳，抗拒憲兵團長杭毅的命令，不肯開拔東下。繼而朱部師長王均（時兼任南昌衛戍司令），終不信任顧氏，將其所部改編，而飭顧剋日自動離贛，免干未便。

顧潛倉皇走到南京，急向總司令部辯解一切，即被逮交軍法處訊究，他誓死不承認有背叛行爲，軍法處別無佐證，亦覺難以定讞。這時候，住在南京的黃埔同學，凡是從南昌而來的，一致摒除私情，維護正義，聯名上書總司令，指證顧潛確有種種叛行，罪在不赦，而顧氏即伏法了！

上述兩種黃埔精神，自民國十九年以後，似已罕見了。這並非「人心不古」的關係，乃是一般從事革命的智勇辯力之士，在政治上得意當權之間過久，自然而然地被權力所腐蝕，朝氣漸消，暮氣增進所致。權力與腐化性能互爲表裏，非有至大至剛的識力，定力和魂力，是不容易永久保持革命精神於不墮的。

論諸葛亮

謝康

中國史乘特別發達，史論之多，也可算得並世文明各國首屈一指。因此歷史的棺是永遠不蓋的，許多歷史人物，都成爲後世文人評論人臧否批評的資料，見智見仁，應經翻案評論的意見乃層出而不窮。我很懷疑：這種風氣，也許肇始於春秋的褒貶，賈誼的過秦，史記漢書的贊論。經漢代太學的清議，魏晉的清談，唐代的黨禍和科舉策論，到了宋朝這風氣更盛行起來，老蘇大蘇的史論，呂東萊的博議，司馬光資治通鑑各篇之後所繫「臣光曰」，都是很好的證據。明清兩朝，作者更多：王船山的讀通鑑論，金聖嘆的批三國演義，杜詔的讀史論略，就是其中很著名的三部。至於散篇史論或用詩歌體作出的詠詩，從阮籍庾信計算起，以至於筆者的同鄉先輩瓊湘帆先生的「詠史百篇」，都可說是史論的別體。

因此，春秋責備賢者，或替古人捧場，或評古事以發牢騷，黨同伐異，賢者不免；好作翻案文章的人，尤其逞奇立異，表示自已見解的高明獨到，南宋俞文豹吹劍錄稱「前輩謂湯武非聖君，伊尹呂尚非賢臣，孟子非賢人」云云，就是一種翻案的意見。（一）

自由報

THE FREE NEWS

第七十八期

中華民國僑務委員會頒發
台教新字第三二三號登記證
中華郵政台字第一二八二號執照
登記為第一類新聞紙類
（本週刊每星期三、六出版）
每份港幣壹角
台灣零售價新台幣貳元
社長：雷嘯岑
督印人：黃行賓
社址：香港銅鑼灣高士威道二十號四樓
20. CAUSEWAY RD. 3RD. FL. HONG KONG
TEL. 771726　電報掛號．7191
承印者：田風印刷廠
地址：香港灣仔高士打道二二一號
台灣分社
台北市西寧南路壹壹零號二樓
電話：三〇三四六
台郵撥儲金戶九二五二

美國新選總統的因果觀

雷嘯岑

艾森豪先生曾在電視廣播中告訴美國人民：做一個國家元首，必須具備着品格、能力、責任感與經驗這幾項條件。如果照這種標準來銓衡美國這次總統選舉的候選人，尼克遜應該是首屆一指的當國者，肯納第瞠乎其後矣。然而，尼克遜卻失敗了！這表示美國人民的基本人權十分充裕，自由行使，毫無罣礙，同時亦證明一般民衆對於選擇政治公僕的標準，並不深切考慮到國家全盤利害問題，而是以個人的現實願望爲前提。艾森豪所提示的那種基於政治理想的候選資格，大多數選民却不重視。誠如本報今年八月十七日的紐約通訊所說：「尼克遜與肯納第逐鹿白宮主人座位的勝敗關鍵，既與內政無涉，亦不在外交政策，他們自己本身的關係最爲重要」。所謂「本身的關係」，主要是選民對於素無崇隆聲望之候選人的直覺觀感，其次就是他在競選時向民衆發出的政治諾言，是否迎合大家切身的願望——將來兌現與否，那是另一問題。第一次大戰初期的威爾遜與第二次大戰前夕的羅斯福，都是以保證美國不參戰的諾言而博得選民擁戴的，後來他們走進白宮不久，即實行參戰，美國人民還是跟着總統走啊！

肯納第勝利的因素

美國與論界一般的論斷，認爲肯納第經過四次電視辯論之後，在儀表和談吐上，給社會大衆以良好印象，乃奠立了勝利的基礎。我覺得這固然不失其爲勝利的因素之一，却不是主要的，另有兩點關係很大：一是肯納第宣稱他若當選，一定要設法改進一般人民的經濟生活，使大家的收入比現在更增加，同時解決四百萬人的失業問題，又主張以强硬手段對付古巴的反美運動；二是肯納第仗着以哈佛大學爲大本營的一般左傾智識份子，以及勞工團體的大力贊助，尤其是勞工領袖人物，他們奄有各種不受法律拘束的方法，可以操縱選舉事宜的。前者投合社會大衆之所好，頗爲動聽。至於他一方面說要以强硬手段對付古巴，一面又主張跟反美極其厲害而死硬的中共妥協，既指摘艾森豪政府把美國的威望折損低落了，又主張艾森豪總統爲U-2飛機事件應向蘇俄道歉等等矛盾言論，事關政治理想，選民們却認爲無關宏旨，不屑研究了。後者適應着美國人一貫地喜歡變動新鮮的傳統性格，自較尼克遜的穩健保守性言論，容易討取普通民衆的歡心。美國「華爾街日報」本月二日的社論卽已指出：「尼克遜不知何故竟將自身的利劍化爲鈍鋒，他放過許多好機會而未指斥他的對手方之財經計劃，未說明他自己那經濟自由的主張，亦未確切申述在政府行政當中，什麼是負責任與不負責任？他對其政敵主張在國外國內採取魯莽滅裂的行動，曾經保持緘默」。又說：「甚多選民的抉擇係根據想像，而勝利的政客是懂得如何激起選民之適當想像的」。的確，尼克遜的競選言論大部分都是側重外交政策，如表示願參加與蘇俄談判和平的高層會議，如主張挽請胡佛，杜魯門，艾森豪三位卸任總統訪問鐵幕國家，如聲明對付古巴反美運動僅以經濟封鎖爲限。這類靜止的守勢防禦政見，沒有絲毫激動意味，在一般選民的心目中，自不及肯納第那種大言炎炎的論調富有剌激性。一般民衆並不眞正明瞭國際和國內政治的實況，誰對他們說得熱鬧，足以聳動聽聞，逞快一時，他們就直覺地認爲「收得」，不妨投他一票。華爾街日報社論預言尼克遜「未能把握選民對他應有的想像」，而表示惋惜，允稱先見之明，尼氏太過於矜持審愼了吧？

在這次選舉現象中，使共和黨與尼克遜個人皆感到難堪的，即爲紐約與加利佛尼亞兩大州的大多數選民都是肯納第的擁護者，紐約州長原係共和黨大亨洛克菲勒，而加州更是尼克遜的家鄉，居然產生了「肥水往外流」的結果，可謂一大諷刺。共和黨人今後如不澈底改變作風，加强內部團結精神，恐怕在最近的將來很不容易進入白宮了。

肯納第與世界前途

若就美國現時所居自由世界盟主的地位和職責設想，而以客觀心情衡量美國總統的人選問題，老實講，肯納第與尼克遜都不是適才適任的理想人物呢！可是，事實勝於雄辯，肯氏既已實際成爲美國的行政元首，我們對於他今後領導自由世界以抗禦共產極權侵略主義的一切作爲，由於禍福休戚攸關，自不能不特別關懷了。

肯氏在競選期間聲述過一些意態雄傑的外交政見，說是要憑主動的政治理想，站在「新前綫」以創進世界和平，挽回美國已墜落的威望，而其主要方法即爲通過裁軍談判，實行和平共存。競選的言論原是沒有準兒的，結果或許反其道而行之，亦不稀奇。不過，不管是共和黨或民主黨執政，有幾點原則却不會變動，且可能比艾森豪時代更要堅定而積極些。首先是美國利益第一主義，即爲着維護美國的安全繁榮起見，任何妥協姑息政策皆不妨予以嘗試。肯氏的政治智囊團人物，盡是些信奉「倫理相對主義」的左傾智識份子，爲目的不擇手段，無所謂國際道義的。所以，英國人士現在已躭心肯氏主政之後，很可能實施通貨膨脹計劃，致令英國的經濟前途發生困難，如輸入原料價格提高，使英國變爲工業加工國家，而輸出商品成本即相應高昂，因而受到經濟威脅。英國人這種敏感，決非毫無根據的杞憂，歷年來西方大國對反共運動經常歧見橫生的癥結所在，就是跟美國之間的經濟利害衝突也。其次是重歐輕亞主義，這是美國兩黨外交的一貫策略，而以民主黨最爲急進，試看戰後杜魯門政府把中國大陸斷送於共黨之手，以及對韓戰的作爲，即可證明，共和黨不過稍爲注意亞洲問題，不像民主黨人悍然主張將亞洲自由國家的領土，作爲保全美國利益的犧牲品而已。因此之故，亞洲方面的中立親共現象，今後還要日趨濃厚，只要俄共集團不採取戰爭手段——尤其是不直接進攻美國所視爲必需保持的軍事據點，美國不特可以容許中共僞政權進入聯合國，且可以讓東南亞地區連同泰國在內，一律變成中立親共的「友邦」。這是美國一般左傾智識份子的「新政派」思想，不久即將隨着肯納第總統參預國家大政的史蒂文生，鮑爾斯，富爾布萊之流，便係重歐輕亞主義的積極策動者。在外交政策上，肯納第因爲缺乏認識與經驗之故，不能不接受這些人的主張，那是毫無問題的。

談到美國今後的對華政策，除却嘗試推進「兩個中國」的詭謀而外，當不致有其他的重大變更，關於金、馬防守與否的爭論，那不過是爲着競選而瞎扯的玩藝，毫不相干。自由中國當務之急的事，乃是如何構成使別人不敢隨便擺佈出賣的實質，而不必沾沾於是否將有被人出賣的危險。光是翻出十年前肯納第在議會發表的對華外交政策言論，指證他過去原係主張積極援華的，希望他不要「以今日之我，反對昨日之我」，這是一廂情願的惰性觀念。我們如其依然俯仰由人，不能自立自强的話，過着一個奉行「倫理相對主義」的朋友，他在十年前所謂「我們曾經努力奮鬥，以保全中國之自由。但我壯士血汗之所辛勞挽救者，竟爲外交人員及總統棄於一旦」這項仗義執言之詞，亦可以另作解釋的，戒之哉！

小論天下

△美國民主黨的肯尼第贏得下屆總統席位的競選。共和黨的尼克遜黯然失敗！

肯尼第這個年青人很有朝氣，也似乎富於想像力。希望他競選的勝利不只是代表「有錢佬」的勝利！希望他不要相信美國的「紅鬚軍師」！希望他所說把「希望」帶進鐵幕去，不似艾森豪所說「解放奴役」那樣「車大炮」！希望他所倡導的「美國青年十字軍」，能夠減少「醜陋的美國人」的諷刺！希望他在自由世界不只造成一時的起哄，徒然只是美國政壇上一個「占士甸」，或者是「貓王歌手」！

前面正有許多困難在等着他，他應該減輕一點興奮而增加一點深思。

△艾森豪失望地接聽尼克遜的敗訊，開始準備過渡時期的移交。他將首先移交肯尼第以一張有八年歷史的「圍堵長堤」的地圖（堤後繪有許多蟻穴），最後會移交一包頭痛散。

△莫斯科對於肯尼第當選的第一個批評，說這是美國人厭惡「冷戰」的表示。

赫魯曉夫當然以能撥去尼克遜這顆「眼中釘」爲快，並希望再搞一個「高峯會議」。他可要當心：肯尼第有的是衝力，好勝逞强的性格，和青年人容易受衝動的情緒。

△西德社會民主黨一個發言人估計：美國政策將向左傾及有更大的彈性。香港左報却指出：這只是走了一個軍人，來了一個大亨。

中共只能罵肯尼第是資本家，再不能罵他是「資本家的走狗」。至於潛伏在他身邊的左傾政論家，中共卻非表示歡迎不可。

△蘇俄駐泰大使再訪泰總理乃沙立。據說，不論泰國提出任何要求，蘇俄均將「樂於給與」。這等於說，蘇俄垂釣，慣用直鈎。

△南韓新成立的「新人民黨」，宣佈設法與北韓共黨恢復文化交流與通訊。

是誰在那裏消滅反共的意志和精神？是誰在那裏替共產黨開路？看！狼快要來了！狐狸已不怕伸出了尾巴！

△法國軍人醞釀爆發倒戴高樂運動，戴高樂政府呈現新危機。阿爾及尼亞總是一個要壓垮戴高樂的沉重包袱。共產黨只在這包袱上面插上一個指頭，他便增加千斤的重担。

方南

發思古之幽情

馬五先生

宋朝名宰相王安石推行新政時，一般所謂賢士大夫如司馬光，蘇軾等，羣起攻訐，司馬光且以長函致安石，勸其少事紛更，免誤國計民生。安石用很禮貌而堅定的態度答復道：「人習於苟且非一日，士大夫多以不恤國事，同俗自媚於衆爲善。上乃欲變化，而某不量敵多寡，助上以抗之，則衆何爲而不洶洶？如君實責我以在位久，未能助上大有爲以膏澤斯民，則某知罪矣。如曰今日當一切不事事，守所爲而已，則非某之所敢知！」

像這種有卓見，有魄力，而又勇於負責的政治人物，從宋代到現在，中間除却明朝的一位張居正庶幾近之以外，實在尋不出第二個。現代人楊永泰頗有幾分相似之處，但他並未能躍居宰輔地位即被刺殞命了。近十年來，由於國運阽危之故，習聞朝野間發出「用新人，行新政」的呼聲。然在政治上據要津，秉國鈞者，總是那幾個不倒翁式的舊人物，殆爲韓退之所謂「中朝大官老於事，詎知感激徒媕婀」，但求說說空話，叫叫口號，實際却是「一切不事事，守所爲而已」。以此而侈言行新政，寧非笑話嗎？

今世決非沒有如王安石，張居正一流的人才，祇是被一般「同俗自媚於衆」的官僚們阻擋而埋沒了。因此，近二三十年來，任何良法新政的計劃方案，皆燦然具備，宣傳不休，就是徒託空談，不見實施。即如執政當局近年間經常大倡「團結一切反共力量」之說，宣傳了長時間之後，依然是表現着「今日當一切不事事，守所爲而已」的作風，又說是要在憲法體制下求團結。反共非共的中國人士，誰也不會主張要以破壞憲法體制爲團結的方法，無端自繪陰影，故佈疑陣，團結云乎哉？沒有新人當政，即無新政可行，更無團結可言，今日之王安石何在耶？爲之執鞭，所欣慕焉。

各方注目，急待拯救
唐榮鐵工廠還債風波

台北通訊　　嘯谷

唐榮鐵工廠是自由中國當今首屆一指的民營企業，但近兩個月來却陷入了債台高築，財務上的擱淺狀態，受到朝野各方面的深切關注與重視。兩個月來的演變，由唐榮廠的要求援助，到政府開出拯救條件，再進而到唐榮廠的準備「自力更生」，但問題却並未眞正解決。十一月二日，唐榮廠爲積極清理高利貸，決定與債權人協調償還本金辦法，在協議前並決定兩點減息辦法：（一）協議前暫停支付利息。（二）在本金清償前，按照政府核定月息一律改爲一分六厘五支付。至三日，又公佈三種協調清償辦法，請債權人就三種協調辦法任意選擇其一，如債權人另有意見，請註明提出，以便約期商談。此三項協調辦法爲：（一）存欵人得將其存欵全部或一部認購該公司發行之優先股，（二）存欵人得將其存欵全部或一部認購該公司將發行之公司債，（三）若存欵人不願選擇上開（一）（二）兩種辦法，則將存欵約定三年爲期，第一年定期，第二年起分期償還。

此一辦法公佈後，經濟部長楊繼曾於四日應新聞記者詢問後答稱：唐榮鐵工廠減低借欵利息一事，於法並無不合，該廠將對外借欵利息減爲一分六厘五，符合台灣銀行儲蓄存欵利率之標準。楊部長並表示：政府會建議唐榮廠與債權人協議減低利息，以減輕該廠財務上的負担，因該廠財務負担如不減輕，將無生存可能。楊部長又表示：政府並希望唐榮廠放棄與煉鋼業務無關之附屬事業，作價轉讓給債權人經營，藉以減輕該廠之負担。

但債權人方面，其中部份軍公敎人員及普通小額存戶人員，在唐榮廠公佈前述辦法後，表示異議，乃向該廠提出以下債務清還辦法之要求：（一）所有軍公敎人員及其眷屬之存欵，於到期之日，如不願續存時，應將全部本息（數目不論多少）一次還清。（二）關於普通小額存欵，其金額在十萬元以內者，於到期日，如存欵人不願續存時，由公司負責人與債權人雙方商定後，在存欵單據內，寫明還欵日期，惟最遲不得超過一個月之時間，應請一次清還。（三）四十九年十一月份之存欵利息，爲維護公司之信用，除已照付利息三分外，其所支付之利息轉作本金與否，應與債權人商洽後決定之，免使部份債權人日常生活受到影響。至於本年十二月份起，如再續存時，同意減爲二分四厘。

同時，五日上午十時許，唐榮廠台北連絡處被數十位債權人包圍，有位老太婆哭哭啼啼要求償還她的辛苦錢，另有兒子二人因索欵不遂，吵鬧不休，一怒之下拍桌大罵，並欲搗毀辦公桌椅及電話，致引起一場小紛擾。唐榮貸欵案發展到如此地步，眞是傷感情之至！

台北若干報紙對此發展，均著論評述，茲擇述如下：

徵信新聞報五日社論中說：「目前已有人在爲唐榮大聲喝采，說它能夠不賴政府而『自力更生』了，假如唐榮確能『自力更生』，我們的喝采，將比任何人更響。不幸的是，所謂『自力更生』原來是『停息』並且要求債主把『存欵』轉爲股本和公司債。不用說，唐榮負有絕對的義務，要隨時歸還所有借欵本金，而在借欵時並不會告訴人家有一天要把這筆錢改爲『股本』。轉爲股本的意義是債權人將變爲唐榮廠的債務人，誰會願意由債權人的地位一變而爲和唐氏家族共負虧累的債務人呢？至於說換發公司債券，則存欵單──那是一張更强力的票據──已經失去它在法律上的價值，誰又能保證公司債的價值呢？」

中華日報五日「如是我聞」短評中說：「據唐榮鐵工廠稱：在其負債數億元中，小額存戶的總存欵金額僅五六千萬元，現唐榮正在設法首先清償這些債務。……不過，唐榮如何清償呢？照唐榮自己提出的辦法，恐爲大部份債權人所不滿意。正如小額債權人所說的，這些存欵，正是他們一生之積蓄，生計之所賴，是差不得一點的。」

徵信新聞報六日「今日春秋」短評中說：「唐榮的虧本，背高利貸是原因之一，因此，要救唐榮，減息勢在必行。不過，這事要做得雙方情願。大家當初把錢存進唐榮，本在貪息錢較銀行爲高，而唐榮之能取得這些錢，也是以利高誘人，現在如果翻臉不認，至少應讓債權人有選擇存與取的權利。……唐榮家族在台灣，可以說是頂兒尖兒，做一場喜事，花上幾百萬元既不算回事，那麼，對於那些食些生活貼補的公敎人員與退役軍人，也不必算盤打得太精。唐榮有今天，是否祖宗積德，不得而知，但本身做些善行，亦是傳家陰後之道。」

民族晚報六日社論中說：「我們承認唐榮工廠確實有其不能清償債務的困難，但我們認爲上述三項協調辦法，唐榮工廠方面多少有點太爲自己打算而不爲債權人打算的嫌疑。因爲第一，所謂協調，一定要經過債權債務人兩方面的協商，而爲雙方同意才能算數，現在唐榮鐵工廠，是單方面訂定辦法，只要債權人如何如何，有何協調之可能？第二，大多數債權人存欵的目的，是在有安當的保證下，獲得利息，他們並不是要經營事業，如果硬要他們認購優先股或承購該公司行將發行之公司債，殊有失借欵與存欵雙方之原意，如何能夠行的通？爲了債權人的利益，爲了唐榮工廠的信譽，我們希望唐榮鐵工廠拿出誠意，與債權人進行協商，無論是分期償還本息也好，無論是減息還本也好，總以取得債權人之同意爲上」。

中央日報七日短評中說：「唐榮工廠吸收一萬戶以上的存欵，作爲他經營事業的資金，一旦由於他經營不善，週轉失靈，他便隨意減低債權人的本錢，減低其約定利息，並企圖發行股票，以抵償債務，倘如他自定一辦法，私即可支配債權人的所有財產，那他的辦法的效力，比政府的徵用徵收，還要强大的。在國家法律之下，在民生主義政策之下，此事在所不許，我們以爲政府仍應堅決，[illegible]最初決定的方針，對於唐榮工廠的資金運用及債務清理嚴格管制，對小額存欵務必[illegible]，取得債權人之[illegible]，大額存欵作爲股東，不使債權人驚慌騷動，及唐榮工廠『朝三暮四』之現象，繼續發展下去！」

據悉八日唐榮鐵工廠將邀集債權人商談債務清償辦法，願能有適當的解決，才好！（十一月七日寄自台北）

大陸瞭望鏡

△中共爲進一步控制城鎭居民，繼各鄉村實行公社後，又在城鎭實施，台山、新會等四邑僑鄉正如火如荼展開；去月新會會城鎭大有廠，烟絲廠，糧油加工總廠，大香廠，兒童食品廠，豆類製品社等十餘單位職工，已被迫簽字，參加會城人民公社申請書和決心。開平縣蜆岡成立公社後，現已進行辦理幼兒食堂，統計已辦妥幼兒食堂卅一間，强迫幼兒離開父母在幼兒食堂吃飯，以便逐步，將各個家庭拆散，實行共產主義「有國無家」計劃。

△中共外匯枯竭，爲爭取華僑，在海外宣傳，無所不用其極，港澳兩地毗隣鐵幕，多不受其愚，海外因距鐵幕過遠，對共匪眞相不明，認爲以常理測之，不會如所傳之甚，有的受當地統戰份子所惑，乃返鐵幕，殊不知返抵故土後，中共在海外宣傳優待歸僑面孔，早已變爲猙獰面目，財產全數沒收外，並解往勞動，過着牛馬不如生活，過去乘「芝蓮號」和「芝萬宜」號輪船返穗發表不滿，印尼歸僑一千七百多人，最近即被强迫往花縣，清遠華僑農場落戶勞動，有五百多人，到海南工礦部門及興隆華僑農場有四百多人。其餘仍在分撥中。恐亦遭厄運。又南海縣九江鎭歸僑僑眷二百四十餘人，於七月一日起，已强迫參加公社，現集體在九江鎭新建未久之僑聯大廈內開大鑊飯，參加集體勞動恐難避免，毛共所謂優待歸僑，原來如此，希望海外華僑，切莫上當。（南）

寶島拾遺

竹床濶二尺，兩夫婦日夜輪流

△有古城之稱的台南市，最近傳出這一段佳話：南市友愛街有一對夫婦，銀行存欵少說也有十萬八萬之多，惟其自奉之儉，雖猶太人恐亦要甘拜下風矣。原來，這對克難夫婦的住屋僅有臥室一間，且其面積奇小，僅濶三尺餘，長六尺餘而已，臥室中擺了一張濶約二尺的特小號竹床，床下塞滿了衣物，床前置小竹桌一張，桌上是女用化粧品，桌下是炊具雜物，毫無空隙處。因床小睡不下夫婦兩人，匪覺乃採取「輪流制」，前半夜妻子去酒家執壺，床便給丈夫睡；後半夜丈夫上街兜售杏仁茶及趕早市賣蔬菜，床便給妻子睡。據悉，妻子可從午夜二時睡到翌日下午一時，丈夫可從下午二時睡到午夜一時，兩人各睡十一小時。於是，支出少而收入多，日積月累，竟已儲蓄驚人，這對克難夫婦現已成爲小富翁矣。

開業僅九天，介紹所偃旗息鼓

△港都高雄市大港埔，最近出現了一家以介紹婚姻爲業的「婚姻相談所」，從該所命名上看，還帶有不少的日本風味。該所於十月廿八日正式掛牌營業，先後前往登記的，有男子十人，女子五人，同時，在該所一種特別快的形式之介紹下，據說竟已有一對男女成爲夫婦，但該所拒絕透露該對夫婦姓名。

根據該所的規定，申請登記的男女，每人須繳登記費五十元，照片兩張，同時填登記表一張，內容計有：姓名、年齡、籍貫、身份證號碼、通訊處、學歷、經歷、語言、健康狀況、希望對象等多項。

該所設有「紅娘」五人，專司牽線工作，凡經介紹成功之男女，須另送酬金若干。

在已登記之五位女士中，年齡最大者爲三十餘歲，最小者爲十八歲，這位十八歲小姐的登記表健康項下，載明三圍是三十六吋、二十四吋、三十六吋。

這是台灣第一家以介紹婚姻爲業的「婚姻相談所」，因此一經報紙傳播以後，各方面均予重視，據高雄市政府民政科主管人員表示：該科並未收到「婚姻相談所」申請登記的文件，私人辦理婚姻介紹，流弊甚多，即使申請，恐亦難獲省方核准。十一月五日，高雄市警局以該所未向政府領取營業許可證而「先行交易」，已派警取締，將該所招牌拆了下來，並命令主持人在未經政府許可前，不得經營婚姻介紹的業務。此一開業僅九天的「婚姻相談所」至此祇好暫時偃旗息鼓了！（良）

大陸文壇萬花筒

郭沫若拍上胡志明

──岳霽──

現在且回到本題，郭沫若這篇拍馬文字。他在一開頭介紹了胡志明兩首詩，接着寫道：「詩鈔我反覆讀了好幾遍，這不單純是詩，而且是一部詩史，而是一個革命家的自畫像或者，詩形式的自敘傳。這一百首詩，差不多每一首都活鮮鮮地表示着一個洒脫的、智慧地、安詳地、樸素地、堅毅地革命老人胡志明同志。眞眞是詩如其人。」

看了這段文字，不由得想起郭沫若以前在重慶會見蔣委員長時，所寫的「在轟炸中來去」一文，稱頌「蔣先生的手還是那麼柔軟」，「蔣先生知道我耳聾，談話時屢次把椅子向前移動。」那種感激涕零的味道，像張治中只會兩腿一磕，高呼委員長萬歲固不足望其項背，再如他在史大林七十壽辰時所寫的那首詩「親愛的鋼，永恆的太陽」。比起赫魯曉夫、米高揚只會張着喉嚨喊史大林、烏拉（俄語萬歲）又及得比了。至於他捧毛澤東的文字更是舉不勝舉，就拿上面所舉的「我要坦白地說，我是崇拜毛澤東的」，也可以說筆力千鈞，搜遍了今日大陸也找不出兩個人有這種筆法，古語說宰相須用讀書人，實在說弄臣才非讀書人不可哩！郭沫若說胡志明的詩鈔可以刻劃出胡志明的形象，我們看了上面這一段文字也可以想像出郭沫若是個什麼樣的人了。

看過郭沫若對胡志明那番恭維，我們覺得已經歎觀止矣，實際上他的「成就」尚不止此，下面更有精彩的表現。原來胡志明那首詩：「古詩偏愛天然美，山水煙花雪月風，現代詩中應有鐵，詩家也要會衝鋒」這首詩在胡志明的作品來說，原是水準以下的東西，又似兒歌，又似歐歌，就是不像詩。可是郭沫若眞有本領，抓住了鐵字大做文章，先從鐵說到「保衛和平」，然後又自言自語從現代修正主義者說到好戰，接着又罵到帝國主義，回頭還是要用「保衛和平」。

看他這篇文章腦子慢一點都跟不上，因爲曲折太多了，可是看過之後人們也許會問，他說這一大堆話是甚麼意思？說穿了只有一點，就是既捧胡志明又捧毛澤東，因爲用鐵「保衛和平」正是毛澤東的主張，一拍兩馬，妙在含而不露，此郭沫若之所以不可及也。（下）

社會小說

香港地

六、人情味

這正是見一事，增一智，梅大亮這才明瞭譚福祿打算幹廟祝這一行，也有學問在裏邊，便又問道：「那麼，照你所說，將來央求報館朋友替你發新聞時，該怎樣替你那間廟宇的靈神說話才是？是不是說它慣會捉妖治邪，也會閃動眼睛和拔腳走路的呢？果眞如此，便近乎妖言惑衆，怕也問心有愧吧！」

譚福祿搖頭道：「照你所說，普天之下，凡是幹宣傳的人都期問心無愧，那還有什麼工作可做？許多人白白撒謊替自己吹牛，臉上半點也不發紅，何況替菩薩吹牛嗎？你每天讀報紙，看滿紙都是大大小小的宣傳新聞和文章，究竟能找出幾分之幾沒有撒謊成份的呢？大家風氣如此，我們又何須替神靈宣傳得太過老實？須知凡是信神的人，總會相信神是有靈的了。你如今說得誇張一點，也不過是頰上添毫，增加一點點興趣吧了，這總比無端替一個人胡吹牛皮還更無愧於心吧！如說這是妖言惑衆，你便簡直不必看報紙了，尤其是共匪黨左友們辦的報紙。」

梅大亮沒話可說，只得承認他說的也有合理之處，最後是這樣答他道：「也好，將來你如實的做成了廟祝時，我準備賀你一賀，並且常時到你那間『別墅』去，借作遊宴之地。至於替你發新聞稿的話，我只能在原則上決定幫你一點忙，却不敢担保必然有辦法將新聞刊出。因爲我所識的報館朋友，大都是寫文章和編副刊的，和編新聞的沒甚麼關係。到時再作商議，才作決定不遲，只要你別忘記給我一個消息，我準會替你走走路線呢！」

這樣談了很久，梅大亮覺得不該太過影響譚福祿養傷的精神，便和他告別，訂約再會，離去他的一角騎樓，落到街上，因見時候還早，更想起張太太和她的女兒白麗，不禁自語道：「譚福祿這裏是問候過了，張太太那裏也該去看看才是。」因這一念，他便轉移目標，走向張太太的住處去，沿途想起譚福祿要當廟祝的事，不禁一時發歎一時笑。（七六）

木客著

遺失了的心

沙漠

我哭泣着，悲哀的哭泣着，爲我會有過的一顆純潔、眞摯、善良的愛心，那顆愛心，隨着歲月的消逝而遺失了。

我必須尋到那顆心，那顆愛別人而無須別人也以愛報答的心。於是，我走遍了大街小巷，走遍了城市、鄉野，走遍每一角落，流着我的眼淚，狂喊着：「心啊！我曾有過的心啊！如今你在那裏？」

「哥哥！你哭什麼？」一個溫柔的聲音，來自我的身旁，我看到一張純潔無邪的臉，一個年幼的小弟弟張着一雙明亮的眼睛同情的望着我。

「啊！小弟弟！我在尋找一顆心。」我擦乾眼睛，哀傷的回答。

「你尋找一顆心？」他奇異的問我。

「是的！我尋找一顆心，在我曾有着那顆心的時日，我愛所有的人，我給予任何人以愛，無論他們給予我什麼，我毫無怨言，我只是爲愛而愛，因別人的幸福，自己也感到幸福。而今，那顆心被我遺失了。我要找回她，我要自已仍有着至高的心靈！小弟弟！你看到我那顆心嗎？」我帶着惆悵的情懷問他。

「啊！哥哥！你那顆遺失的心，確太好了！如今，我也有着那顆心，希望每一個人都有愛，希望每個人都活得幸福！我是不是可以把這顆心分一半給你呢？哥哥！」他以無私的口語對我說。

「不！這是你的心，我必須要找回我原有的那顆心！」我站起來，繼續我的行程！那孩子也站起來，帶着懇求的口吻對我說：

「那麼，允許我陪伴你，允許我在你的身邊幫助你尋找那顆遺失了的心！」

我沒有理由拒絕他，於是，我和他一同邁向茫茫行程，尋找那遺失的心，我不再悲哀，不再哭泣，我只是渴念着那會有過的心！

在風雨夜裡，在酷熱的白天，我和他跋涉了無數的山崗、河流，我們盡了最大的力量高喊着：「心啊！心啊！你在那裏？」

終於，我們都氣餒了，身旁的小弟弟也帶着懷疑的口吻問我：

「你要找回的那顆心對你有什麼用呢？你遺失了她，對你又有什麼損害呢？」

「啊！小弟弟！我遺失了那顆心之後，變得自私，我不再愛任何人，不再信任人，我不再同情或憐憫受着痛苦的人。我把自已看得比任何人都重要，我受着物慾的誘惑，盡一切的方法、手段來滿足自己的需要。甚至爲了金錢、權勢，我殺了好些無辜的人，小弟弟！你說，那顆心對我是多麼重要啊！」

「可是，像你這樣的去尋找，什麼時候能找到呢？而且，人爲自已並不是壞事啊！」當他說完最後一句話時，我看到他的臉變了，我見到的不再是善良的孩子的臉，那對眼睛，已失去我初見時純潔的光彩。

「小弟弟！你也遺失了你那顆心！」我抖慄的對他說。

「啊！」他摸摸自己的胸口，臉變得慘白，帶着哭泣的聲音喊着說：「我的心呢？我的心呢？」他站起來向着我們走來的方向奔去……我沒有阻止他，我只是望着他狂奔的後影在笑、在發出慘白的微笑……。

我不再悲傷、不再哭泣，不再在艱辛的旅程上找回那顆遺失的心。在「幸福」站，我佇足了，於是，我活得比以前更歡樂、更愉快……。

「心啊！心啊！你在那裏？」在遙遠遙遠的山谷，傳來了那孩子的哭泣聲與狂喊聲……

虎頭埤遊記

——台灣成功大學——

·冰山·

欣逢台省光復紀念日，開學已多日了，而迎新會遲遲未開者，蓋以有待也。同學等一致決定以此富有歷史意義的日子來歡迎我們的新伙伴，經過幾番磋商，我們決定這次來個郊遊，地點是距離本校十五公里的虎頭埤。

晨風清涼，輕撫着路上飛馳着的騎士，高歌爽笑，多豪放的聲音，綠葉如茵，遠山葱蘢，東方朝陽正露臉向我們微笑。也許它正奇怪還有比他更早的人，響着爽朗的笑聲，讓車輪輕快的向前滾動。你看那稻浪翻風，原野裏散發誘人的鄉土氣息，滌淨胸中的淤氣，把都市的嘈雜，煩擾拋諸腦後，我們原該快樂，啊！快樂的王子，我們願跟你在一起。

帶着愉悅的笑聲進入了新化街，虎頭埤已不遠了，大夥兒下了車買些五臟神的祭品，免得它命令兩條腿不作工，啊！到了！到了！大夥兒亂叫，我眞奇怪，今天兩條腿眞管用，走幾十里路滿輕鬆的。上得堤上來，但見波平如鏡的虎頭埤正埋在羣山的懷抱中，不算大的埤中，有個玲瓏的八角亭，亭與那邊的山崖，跨着一條小巧的吊橋，在水中投下了婀娜的橋影，益爲此湖光山色增趣不少。可惜此時已屆初冬，否則來個白鷺戲水，好鳥亂鳴，簑翁獨釣，豈不妙哉。山上那豐茂的野草，勁秀的松樹，冷硬的板櫈，都成了我們的好去處玩，大夥兒，歡叫唱鬧，在秀麗的山水懷抱中我們盡情歡樂。直到金烏已將西墜，我們纔快快告別。

儒林九尾龜

吳敬鋅

第四回：人何寥落鬼何多

高一環笑道：「這裡有個曲折的，當我們初辦怒海時，知道這個刊物對任何人都罵，總有一天要引起法律問題，都不願出頭担任社長，恐怕吃官司，只有他不怕，大家就推他了。」

李鴻飛和黃安民都笑起來。

李鴻飛問道：「一環兄，你來香港幾年，聽說過『監躉』這個名詞沒有？」

高一環搖搖頭：「倒未聽說過，不知道什麼意思。」

李鴻飛笑道：「九龍城寨和木屋區有許多毒竇，開毒竇的人都是有財有勢的黑社會份子，大部分在警方都有案，不敢露面，因爲這種毒竇遲早會被警方破獲的。於是他們就花錢僱一名道友看守，如被警察抓住，道友就拍胸承認自已開的，甘願坐牢，這種人就叫做監躉。」

高一環點點頭：「怪不得早些日子一間左報因爲觸犯了當地政府法令，被提出控訴，社長本是一個傀儡，可是這時也需出頭打官司，許多報紙喊他做監躉，我當時不明白，原來就是這個意思，高不成到眞是担任的這個角色？」說過三人一齊笑起來。

李鴻飛問道：「一環兄，我有一個問題，想請問你，如不便答覆我也不怪你。」

高一環睜大了眼：「什麼問題呢？」

李鴻飛道：「你們的經費從何而來，大概很充裕吧！」

高一環搖搖頭：「那能談到充裕，完全是靠各處捐來的，所以有時根本就不夠開支，還要欠賬。」

李鴻飛道：「單看高不成，你們的經濟情況應該不差，他不但舉止闊綽，生活也豪華的很。」

高一環嘆口氣：「說到這一點，實在是我們前途一個隱憂，他頂着社長招牌到處去招搖，見到年齡相仿的人，也就亂封官，然後藉口經費不足，向人借錢，遇到地位高的或者是外國人，他又自稱是港澳流亡學生會的領袖，現在辦一個雜誌沒有印刷費，請求幫助，別人也就不便十分拒絕，多少總給一點，積少成多，現在變成了我們團體窮他一個人富了。」

黃安民搖搖頭：「所以歷史上秀才都是趕不上流氓，張良，蕭何只能輔佐劉邦。劉基，宋濂也只有投奔朱元璋，安知他們當初擁戴劉邦和朱元璋，何嘗不是和你們架高不成當社長的理由一樣，因爲現在出了問題充其量只是坐監，那時失敗了不僅是殺頭還要滅族的。」

黃安民說過，高一環連連點頭，停了一分鐘，突然說道：「我今天來，有件事要和兩位商量一下，請你們幫忙。」（卅九）

台澎史話

——貫星源

大凡略具歷史常識者，莫不稔知台澎原本我中國版圖，而且早已劃爲行省之一，但不幸於遜清光緒二十年（公元一八九四年），因朝鮮事件，中日發生戰爭，結果中國敗績，史稱：「甲午之役」。翌年，清廷派遣全權代表李鴻章赴日議和，簽訂所謂「馬關條約」。竟將我台灣本島合澎湖羣島，割讓給日本。似此喪權辱國，視人民如草芥，棄土地若敝屣，凡稍有國家民族觀念者，莫不氣憤塡膺，尤其直接身罹大難的台澎同胞，羣情激昂，誓死反對，即於同年（光緒二十一年公元一八九五年）五月一日，成立「台灣民主國」。單獨與日本作戰，戰雖失利，事雖無補，然其轟轟烈烈之概，亦足以驚天地，泣鬼神，昭耀史冊，永垂千古。

台灣被割讓後，我同胞陷溺于殘政統治蹂躪之下，水深火熱，生命倒懸，因而又常常發生抗日運動，期能恢復我領土，當時我台胞有許多恥臣倭奴，「舍生取義」，「殺身成仁」的烈士，咸抱定「寧爲玉碎，不爲瓦全」的決心，終於爲國犧牲而死了！可是他們充分表現出民族英雄鄭成功的意念和氣魄，更可媲美於黃花崗七十二烈士的壯烈精神。這眞是人生自古誰無死，留取丹心照汗青。

迨至民國二十六年（公元一九三七年）狼子野心的日本軍閥，傾其全國兵力大舉寇犯，直欲吞爲已有，遂在華北各地百般挑釁，節節進逼，我軍民同胞忍無可忍，會有蘆溝橋駐軍吉將軍星文者赫然揮軍發砲還擊，全面抗戰，從此展開，因時在七月七日，故稱：「七七事變」。我全國軍民同胞在總統蔣公英明領導之下，集中力量，浴血抗戰，歷時八年，愈戰愈强，終于迫使日本無條件投降，獲得最後光榮勝利。

先是抗戰進至民國三十二年（公元一九四三年）階段，我總統蔣公，膺美國前總統羅斯福的邀請，前往非洲埃及的開羅，商開中、美、英三國會議，參與會議者，除我總統蔣公，美前總統羅斯福，英前首相邱吉爾外，尚有中、美、英三國的軍政高級官員多人，當時會議中所決定的事件頗多，其中關于我國最主要者，是三國一致同意把日本以往侵佔中國的領土，例如東北四省暨台灣澎湖羣島，一律歸還我中華民國。迄于民國三十四年（公元一九四五年）八月十五日，日本無條件投降後，被割讓五十一年的台灣，始又回到祖國懷抱，且成爲我自由中國反共抗俄的基地，自由民主國家聯合陣線最堅强的一環。茲因時屆本年度台灣「光復」節日，謹書此梗概，以資警惕云爾。

釋耒集

秦檜故智

丁傳靖輯宋人軼事；卷十五引金國南遷錄云：「天會八年（金太宗完顏晟年號），諸臣慮宋君臣復讎，思有以止之，魯王曰：惟遣彼臣先歸，使其順我。……忠獻王曰：此事在我心裡三年，只有一秦檜可用，我喜其人，置之軍前，試之以事，外雖拒而中常委曲順從，檜始終言南自南，北自北，因說許某着手，只依這規模分別。今若縱之歸國，彼必得志。」又引脚氣集云：「金諸大臣會於柳林，議遣秦檜歸國，諸將言彼得志，我事可濟，至計果得行，廢殺諸將，而南北之勢定。」依此言之，則秦檜之歸，實金國君臣之陰謀，使其永遠爲金人服務而已。兩般秋雨盦隨筆卷第四，「甯主知人」一則，不知引自何書，但云：「秦檜主和議，一言於帝曰：方今天下，須南人歸南，北人歸北，帝曰：朕北人，將安歸？檜語塞。」夫南自南，北自北，此秦檜主和論之根本也，至于廢殺諸將，南北之勢既定，則主和論實施後之效果也。不圖此意，今之聯合國，亦竟採行之，故德意志有東西之分，而大韓民國，有南北之別，交趾置兩越南，神洲立兩中國，以分割求共存，規模分別，豈非秦檜之故智乎？今日閱報，見台灣通訊載云：退職議員台人徐某，母喪出殯，送殯行列，至十英哩，人數不下五萬，謂是台灣土著，向政府顯示其實力之強大，欲以因而達成某項政治目的云云，台灣土著，昧大義而貪近功，其排斥大陸同胞，有三十五年「四、二二」之前事可證，事涉危疑叵測之際，不容苟且隱諱，曰某項政治目的云者，則不過以台人爲主之反對黨，欲早日取得合法地位耳。今聞該黨欲以胡適之先生爲領袖，余因念昔年讀胡先生自美回台之演講筆錄，自謂幼年時曾居台灣，故台灣實爲第二故鄉，台人黃純青，則徑稱胡先生爲台灣人。及胡先生首次由台赴美，題詞致台灣人，則曰：「維桑與梓，必恭敬止」。今組織反對黨之負責人，堅欲胡先生出而負責領導，否則亦將奉胡先生爲精神領袖云云。緣情考跡，則此反對黨，實以地緣關係爲其核心，而胡先生因有第二故鄉之淵源，又身非國民黨員，在思想學術方面，具有國際性崇高榮譽，故遂爲台灣一二賢豪長者所爭取之對象，蓋欲藉胡先生之力量，爲新黨作過河卒子而已，然則與五萬人之送殯行列，欲以達成某項政治目的之用心，固已昭然若揭矣。胡先生態度如何，吾人不敢懸揣，若以歷次在報章上所見之零星意見觀之，雖堅曰不欲爲該黨領袖，而對于反對黨，實未嘗忘情，則可以斷言者也，胡先生平居美國最久，習見于兩黨對立之政治情態，美又富強康樂之國，其不能忘情，亦理有固然者，但當其敬恭桑梓之餘，亦曾否念及：「南自南，北自北」原爲秦檜之故智乎？　曲齋

政治藝術

徐學慧

今年纔不過四十三歲的肯尼第，居然踏進了美國的白宮。這在美國歷史上是空前的事。肯尼第之何以能夠當選，那是時事評論家或政論家所宜研究的事。本文不擬談那些大道理，卻想談點小小的感想。

月亮雖不是美國的好，但談到政治風度，則美國這個國家確有其不可幾及之處。視棄天下如棄敝屣，在我們中國人看來，這只是三皇五帝時代的人纔有這種風度，但今日的美國人，可眞有這般風度呢！

美國立國，才不過百七十年，可是，他們在政治修養方面之深，使得我們這些具有五千年歷史的古國後裔，不能不暗暗地叫聲慚愧。

美國人是眞正懂得政治藝術的。春秋之際，中國人的政治藝術也並不壞，可惜，時間一久，此種藝術反而無人講究，到今天，看到這個年青國家的政治藝術修養之高，我們除了讚嘆感喟而外，還能說些什麼呢？

尼克遜已經失敗了，但尼克遜在預知將要失敗之時所發表的談話，卻也值得我們體味。尼克遜說：

「如果他確定成爲我們下屆總統的話，我將衷心地支持他。……對於這次肯尼第在這次競選中的優秀言行，我謹致祝賀。我相信我國全體人民，不管是共和黨的或民主黨的，將團結一致地去擁護我們的總統，從而令美國應付命運之神已經放在我們面前的一種挑戰。」

與尼克遜併肩作戰的伙件洛奇也說：「在選舉後，美國人民必須團結支持新總統，對共黨表現團結陣綫。」

這是何等光明磊落的態度！

這種態度，在並世各國中，只有美英二國能達到此一境界。對我們中國人來說，我們固然也可以自誇在三千年前有此風度，可惜，三千年後的今天，倒反而把這種風度消失了！

在政治的藝術運用上，我們這塊「文明古國」這塊招牌還得暫時收起，因爲我們還不會學步呢！

立冬瑣談

漁翁

一年分四時八節二十四氣，玉海云：「五日爲一候，三候爲一氣。」在二十四氣中，霜降後十五日爲立冬。立冬例在陽曆十一月七日或八日，今年立冬爲陰曆九月十九日，而是陽曆十一月七日，夜長晝短，已成氣溫低降之季節。

依據地球運行，循黃道由南而北時，經過黃道與赤道之交點，曰春分點，時爲陽曆三月二十一或二十二日，謂之春分。地球運行在赤道北二十三度二十七分者，曰夏至點。時爲陽曆六月二十一或二十二日，謂之夏至。再由北而南，經過黃道與赤道之交點，曰秋分點，時爲陽曆九月二十三或二十四日，謂之秋分。地球運行至赤道二十三度二十七分者，曰冬至點，時爲陽曆十二月二十二或二十三日，謂之冬至。而立冬之日，即太陽自黃道之交點，開始運行至黃道之最早點，地球與太陽之距離漸遠，故天氣亦因之寒冷矣。

冬來矣，「窗前木半枯，井竭甘泉稀」，所有蛙蛇等動物，均潛伏穴洞，絕飲食，止運動，以待來春。人雖爲萬物之靈，而不能如蟲類儲備脂肪在體內，度過長期間之生活，必須作秋收冬藏之打算，預備食物，以防隆冬需要，故王逢詩云：「妻拏防歲饉，甕盎隆冬儲」，即此，可見冬天一屆，百物凋零，一瓜一果，而不易得，凡以勞力圖生者，自立冬之後，謀衣謀食，誠有不寒而慄之感！

古今註載：「漢文帝以立冬日，賜宮侍承恩者及百官披襖子，魏文帝詔百官，常以立冬日戴大帽子，謂之溫帽。」又清異錄云：「唐制，立冬日進方平帽，以羅帛一餘屑錦夾絡之。」襖子與帽，均係禦寒之品，足徵入冬氣候開始寒冷之證明。

據熙朝樂事載：「立冬日，以各色香草及菊花金銀花煎湯沐浴，謂之掃疥。」又廣濟方云：「立冬采桑葉一百二十片，遇閏年多采十片，每十片過洗眼日期煎湯洗之，治眼百疾。」古之人，每逢佳節，往往有洗澡，作整潔強身之舉，如五月五日端陽節，採菖蒲古草煎水沐浴，以防瘡毒，所以立冬亦不例外，姑無論是否能醫百孔千瘡，但洗濯澡垢，大有益於人生之健康。

家熟事親云：「立冬日，先立一丈竿，占影得一尺，大疫，大旱，大暑大饑，二尺，赤地千里，大旱，四五尺，低田收，六尺，高低田收，七尺，高田收，八尺，九尺，大水，一丈，水入城郭。」又民間俗諺：「立冬無雨一冬晴」，此乃我國一種神話，可作齊東野語觀。

「隆冬風雪冷，丁香花落海棠殘」，際此蕭瑟景象，頗令人有「風景不殊，舉目有山河之異」之感，可而此天氣雖進入冬季，似乎既無霜，又無雪，香港花，漸漸萌芽，人與臘梅，立者賞，吊後翠竹，比肩爭秀，而山上落葉並非東方之珠多，亦是太平洋上之一大樂園。十一寒暑，依然未有……「獨在異鄉爲異客，每逢佳節倍思親」之句，不禁百感交集矣。

海嘯樓談薈

羅斯福的自大狂

諸葛文侯

凡是據有統治權力的政治家，遇事必須具備着由卓識與定見交織而成的自信心，纔不致於張皇失措，貽誤事機，這叫作「胸有成竹」。但切忌我慢自專，懷持成見，以成見爲基準的自信心，最容易流於自大狂，雖誤盡天下蒼生，猶不自覺也。

已故美國總統佛蘭克林、羅斯福，固不失爲近代的一個大政治家，但他在二次大戰中對付國際共產黨徒和史達林的方法，卻完全表現着由成見而來的自大狂，貽害至今爲烈，殊堪浩歎。

一九三九年九月間，第二次大戰已經開始，美國雖然尚未實行參戰，亦在積極準備之中。這時史達林與希特勒攜手合作，簽訂五不侵犯條約，夥同瓜分波蘭了。美國助理國務長官貝爾樂，曾向羅斯福總統秘密報告史達林在美國設立了間諜網，獲得了美國最機密的情報，而供給這類情報於蘇俄間諜的人，就是現任國務院政治顧問助手的希斯(Alger Hiss)。貝爾樂說他這項消息是一名共產黨的情報傳遞者詹伯斯向他告密的，確實可靠。可是，羅斯福聽罷以後，竟用極輕蔑而冷淡的態度答道：「今天早晨的陽光很美，你出去蹓躂一下，精神便會愉快了」。表示不屑傾聽的心情（詳見一九五〇年二月份美國「迹象月刊」），而貝爾樂不久即被調開國務院，降任爲巴西大使了。實則希斯爲蘇俄間諜服務，千眞萬確，他現時還在縲絏之中。祇是這樁大間諜案，等羅斯福死後五六年，纔由共和黨人麥卡錫和尼克遜揭發出來的呢！

一九四五年一月，羅斯福飛赴雅爾達與史達林會議的前一天，有位歐洲國家的駐美使節來見羅總統，請他謹防史達林的狡詐陰毒，羅氏卻以驕倨形色答道：「大使先生，我看你是不十分信任我那著名的迷人能力吧！」後來他在雅爾達被史達林欺騙玩弄，簽訂了出賣盟邦——中國——的密約後，還沾沾自喜地向美國勞工部長柏金斯女士誇稱他此行的功績，說是：「你知道，俄國人是挺有意思的。在到達德黑蘭的頭三天，我和史達林始終沒有私人間的接觸，我連夜考慮，乃下了一個破釜沉舟的決心。第二天從走進會場起，我就開始動作，和史達林進行個人談話，帶着很親暱而機密的空氣。一坐下來，我就開老邱（邱吉爾）的玩笑，說到他的英國脾氣和『約翰牛』，以及他的雪茄煙等等，史達林聽得很開胃。老邱的臉上紅一陣，白一陣，他咀裏越咕噥，越惹得史達林好笑。最後，從老史的一陣狂笑聲中，三天以來，我第一次看到光明了。我接着說下去，把史達林逗得同我一道哄笑起來，如是，我便開始稱他爲『喬叔』。從這時起，我們的友誼是建立了，冰層是消融了，我們談起話來，便像朋友兄弟們一般」。（詳見柏金斯所著『我所認識的羅斯福』一文）

羅斯福憑着這種自大狂的心情，以與俄共協商處理世界問題，結果是害苦了自由人類，也貽誤了美國的前途，他在九原有知，能無愧怍乎？

歷史人物

論諸葛亮

謝康

吹劍錄又云：「古今論諸葛亮者，莫不以忠義許之，然予兄文龍以爲孔明之才，謂之識時務則可，謂之明大義則未也。謂之忠於劉備則可，謂之忠於漢室則未也……。」俞文龍所持理由，約有兩點：

第一、劉備爲漢室遠房疏族，當時的聲譽又不甚好，孔明爲什麼一定要幫助他呢？如果說他是漢室的胄裔，就擁護他嗎？那爲何不擁護漢獻帝呢!?明人王應奎很不同情這種說法，以爲孔明之不以漢爲念，知獻帝已在曹氏掌握中，無法可以復興，故希望劉備繼承漢統，這好像孟子之不尊東周，而游說魏齊的國王，因周已不足以有爲之故。所以要責備孔明不擁護獻帝，只是書生之見，不切實際的說法。而且劉備稱帝是在曹丕篡漢以後，這時東漢已亡，劉備稱帝，繼承大統，若非天經地義，至少也是不得已的辦法吧。

第二、隆中之對，諸葛亮早有三分天下勸劉稱帝西蜀之心，出師表所謂「興復漢室，還於舊都，此臣所以報先帝而忠陛下」云云，只看出他的心事；只知有劉備劉禪，而未必知有眞正的漢室了，又亮自比管樂，可見他志向只在輔助霸主，割據一方；而不見得一定要恢復漢家的天下，好像光武中興那麼樣的規模。俞文龍這番見解，王應奎也不以爲然。因爲曹魏勢大，挾天子以令諸侯，漢祚難扶，已成定論。孔明幫忙劉備，入四川稱漢中王，實以割據西南，爲他日反攻滅曹的根據地。「三分割據紆籌策，萬古雲霄一羽毛，伯仲之間見伊呂，指揮若定失蕭曹」，杜甫這些詩句眞寫出了一個「兩朝開濟」的老臣心事。今天，諸葛大名仍然留存在宇宙間，注入老百姓的記憶裏面，這個百世流芳的「一才子」，和杜甫、李商隱、羅貫中、金聖歎諸人的詩文，以及前後兩篇出師表的列入古文選集裏面是很大關係的。（一）

徵稿小啟

有內容有意義之隨筆、散文、掌故、小說、雜談、詩歌等類文字，本刊均所歡迎。請用有格稿紙寫，如需退還，請附信封，及郵票。隨筆以一千六百字之散文，過長則以篇幅所限，刊出的機會較少。請特別留意爲感。

自由報
THE FREE NEWS
第七十九期
中華民國僑務委員會頒發
台敎新字第三二三號登記證
中華郵政台字第一二八二號執照
登記爲第一類新聞紙類
（本週刊每星期三、六出版）
每份港幣壹角
台灣零售價款台幣弍元
社長：雷嘯岑
督印人：黃行寰
社址：香港銅鑼灣高士威道二十號四樓
20. CAUSEWAY RD 3RD FL
HONG KONG
TEL. 771726　電報掛號．7191
承印者：四風印刷廠
地址：香港灣仔高士打道二二一號
台灣分社
台北市西寧南路壹壹零號二樓
電話：三○三四六
台郵撥儲金戶九二五二

論台灣高等敎育的改革

黃少游

關於高等敎育的含義、目的或任務，以及目前台灣高等敎育應有的改革，作者除已在政治評論五卷四期（十月廿五日）另文「我對於當前高等敎育改革的意見」中論述外，惟現在意猶未盡，特再提出補充意見如左，以供有關方面改革之參考：大學應該學術化和敎育化，而不應該趨向機關化和衙門化，這是人所公認的。但是，現在台灣的各大學，確實有極濃厚機關化和衙門化之不良趨向，至於學術化和敎育化，更缺乏得可憐。

關於前者（機關化和衙門化）我們不說別的，祇舉學校對於敎員和學生的態度就可以爲證：甲、現在學校對於學生的課業不是不管，就是蠻幹，所謂不管，就是學生上課與否，學校皆不管，敎與學方面是否應改善或有無困難，學校亦不管。所謂蠻幹，就是學校當局平日對學生既不管訓，缺乏親切的積極的指導，而臨時小有過失或犯規，即小題大做，以記過開除對付爲能事。乙、現在學校對於敎員缺乏之過去在大陸上，尤其是在平津一帶大學裏那種「尊師重道」的精神，換言之，現在大學對於敎員，多半是抱的「招之即來，呼之即去」的態度，什麼敎育的尊嚴，和敎師的地位與保障都談不上，祇有「敎員中之流氓」，或「流氓中之敎員」，即所謂「學棍」或「學閥」這般人，披着敎育的外衣，才有辦法耀武揚威，而其他志行高超及學問淵博之士，唯有退避三舍！像這樣的大學，實質上與官場或政壇有何異乎？

關於後者（學術化和敎育化），我們也不多說，祇看有什麼大學的學術研究空氣是濃厚的？和經常出版過什麼學術性價値書刊？（如過去國立北京大學的新靑年、新思潮、現代評論及社會科學季刊。北平朝陽大學的法律評論、法律系講義，淸華大學的淸華學報，南開大學的經濟週刊等）有什麼中外學術權威學者的學術講演？以及學生各種學術的活動？更未見什麼大學很有敎育氣氛，如對學生「循循善誘」「指導」「親切」；對敎員「尊師重道」「禮賢下士」的。（如蔡孑民氏之辦理北京大學，張伯苓氏之辦南開大學，汪有齡氏之辦理朝陽大學等）就我們所知道的，現在台灣的各大學的情形非常之壞，可以說多半是學棍或學閥與官僚政客們暗中互相勾結，割據把持，狼狽爲奸，排斥異已，扶植黨羽的場所，因而毫無學術與敎育之氣質可言，自非怪事。

現在的四年大學敎育制，本是原來四二制改成的（即大學預科二年，本科四年），過去在大陸上，大學敎育的水準還不差，但是現在台灣的大學近年雖蓬勃發展，但敎育的水準已降低了。一是現在大學的入學考試，祇等於過去高中的入學考試，即所考的科目和程度並非從前大學預科所學的科目和程度。二是現在大學一二年級的功課，祇等於或不及從前大學的預科，如國文、英文、心理、論理、法學通論、經濟原理等，在從前大學本科是沒有的，有也祇是較高深的國學、英文文學名著，而非現在實質等於中學程度的普通國文和英文。三是現在大學四年畢業的程度，實際祇等於從前的大學本科二年級修畢的課程，決不能與四二制四年的程度相提並論。這實在是當前國家大學敎育實質的後退和財力物力的浪費。

現在四年制的大學敎育的課程，最高的敎育行政當局實在應該設法亟求改進，至少，應與過去四年大學本科畢業的程度相等，所修習的學科也一定要趕得上那樣的份量和充實，否則，我主張恢復舊有的學制，即將現在中學改爲四年制，大學改爲六年制——預科二年，本科四年。

現在的大學學制若不能改還四二舊制，那末就要充實高中的課程，使高中畢業達到從前大學預科二年畢業的程度，同時，大學入學考試的程度亦要相應提高，須知道，大學不是中學的延長而是中學的高升，因爲中學祇注重普通一般預備升入大學的課程知識，而大學（等於從前的本科）本身乃是要注重專門的和比較高深的知識課程。爲配合大學的需要，現在高中應分文理科（組），其課程應以完成將來志願升入大學專門讀文、法、理等系預備程度爲標準。將來大學入學考試，亦應以學系來定入學考試科目，而不應像目前不分文、理法、農、工、商沒有重點的亂考一頓。

今後凡在高中畢業應修好之學科，在大學不應再設置。如普通國文、英文、數學以及其他等等。大學應有印刷及出版書刊之最低設備，如從前北平各大學除排印敎員講義外，並出版各種書刊，此對於敎學及學術研究影響甚大，不可忽視。否則，大學敎育將成爲商品化，即一方學校打算盤逼使敎員自印講義或少編講義，藉此省去講義費用，另一方而助長敎員非爲研究有成而編印書，只是爲謀利斂財，亦非爲敎育而敎課，乃爲推銷編印書刊而敎課，總括一句話：敎育靑年的學校變爲商場，神聖的敎育變爲商品。此種現象台灣近年來極盛，我們看市場出版書籍雖多，但眞正有學術價値者殆如鳳毛麟角，誰爲厲階，現時大學簡陋及不健全因素有以致之。

大學專任敎員應嚴格限制其兼課兼職，不管是政府或公營私營機關掛名支領津貼，都應一律禁止。現時大家只要有錢就什麼都兼，而且不顧輿論，多多益善的腐敗現象，非切加改革不可！

兼任與專任敎員待遇過相懸殊，鐘點費既少，而其所敎的學生又較專任者爲多，似乎近於虐待。同時，不管新任舊任，一學年都祇以十一個月計算，此實爲抗戰前在大陸上各大學所未見的刻薄辦法。

至於大學校長及敎員，要破除派系，關係要具備一定的資格和學術聲望，始可聘任，同時，亦必須有法定原因及程序始可去職或解職。否則，講學沒有自由，工作沒有保障，則學校絕難辦好，此點尤關重要。大學敎員的職責重要，生活淸苦，要改善待遇，必須普遍而平等，如其像今年以「科學發展研究補助」和「國立講座」的方法和方式，結果祇是造成了大學敎員中的階級分化不平等狀態，有失「共同甘苦」的崇高精神，也祇便利了大學敎員中極少數的幸運兒。

上述皆一時觀感所及，拉雜論述，謬誤之處，自所難免，惟當前台灣的高等大學敎育實有檢討及改革之必要，作者不過拋磚引玉，邦人君子，幸有以共謀之，不勝企禱。四十九年十月廿九日寫。

小論天下

△南越傘兵向總統吳廷琰「逼宮」，發動政變，歷三十小時戰鬥而失敗。吳廷琰的「家族政治」再受美國輿論批評。

「家族政治」固是不妙，「軍主」並不就是「民主」。吳廷琰値得同情的地方是：他經常要對許多方面作戰。除了共產黨，還有法國的殘餘力量，地方上的政治垃圾和賭徒，他自己左右親近的貪污份子；最後便是美國「波士」要支持的反對勢力。他如不能首先贏得肅清貪污的勝利，便不能應付四方八面的夾攻。

△寮國王都發生兵變，反共陣營新添一個據點，永珍政權再受打擊。

雖則變來變去仍是那幾柄槍桿子，恐怕永珍的「中立者」最後連立錐之地也無。

△危地馬拉發生兵變，南美又增危機。

這種「感冒傳染」是可怕的。可惜美國醫生開不出好方子。

△赫魯曉夫搶先向美國當選總統肯納第致賀，提及羅斯福時代的路線。西德總理阿登諾率先表示，希望與肯尼第會談。英首相麥美倫亦作同樣聲明。

赫魯曉夫固然念念不忘羅斯福在雅爾達協定給蘇俄的甜頭，更妙的是：他想趁勢向羅斯福夫人拍拍馬屁，希望她向民主黨新政府多發生一些影響。

對於利用「寡婦」，由宋慶齡、何香凝、以至李德全，共產黨眞有他們的一套。

△由東德傳出的消息，共產黨對肯納第有一個看法，怕他看發動核子戰爭猶如小童射麻雀那麼容易。因此可能恢復杜勒斯的「戰爭邊緣」政策。

「寧欺白鬚公，莫欺少年郎」，肯納第能給共黨陣營以這種心理上的威脅，也是一宗好事。

△肯納第約晤尼克遜，向他拉上一把，民主黨也有人主張請他担任下屆政府一個重要職位。尼克遜對於一般所傳有些地方發現選舉舞弊情事，亦表示不願究問。

唯其有這種氣量與風度，才可以說團結，才可以使民主政治達於美善的境界。

△土耳其又有發生政變的跡兆，是前執政的全國團結委員會中，有三分一委員被免職與軟禁。

「軍主」的「集體領導」總是靠不住的。

東方反共的第一綫國家都有內變之憂，這就是「長期圍堵」的自然產品，偏有人以爲不須「安內」而可「攘外」，不努力建立「共信」而熱心於製造分裂。

△「兩個中國」的論戰漸見激烈。曾經鼓吹「中台國」謬論的美國民主黨議員鮑以斯表示：他一向反對承認中共，並認爲中共威脅甚於蘇俄。共和黨議員葛頓反對未來新政府任鮑以斯爲國務卿。中共亦斥鮑以斯爲無恥之尤。

一廂情願，兩不討好。損人而不利已，割地未可求和。說說便惹麻煩，妄行定招大禍。鮑以斯共亦有悔心矣乎？

方南

自由談

知之維艱

越南兵變敉平之後，美國方面以紐約時報爲主要發言人，對於越南總統吳廷琰頗示不滿，認爲吳氏係採取獨裁統治手段，不能容許反對派存在，而在用人方面又側重「家族」關係，以致官吏貪污行爲，未克清除；最後警告吳氏：如欲避免南韓總統李承晚之覆轍，必須積極改革庶政，擴大政府的「民衆基礎」云云。這些話在理論上是正確的，但係「美式思想」，非所語於產業貧乏與文化落後的新興國家——尤其是剛從殖民地生活中翻身獨立的新邦，距離「美式思想」的實際境界很遼遠。

凡是以農業經濟爲中心結構的社會生活，政治上任用私人與貪污瀆職情形，可說是勢所必至，理有固然的定律。大多數民衆都是些文盲，平日爲着個人的生活和生計而胼手胝足，不遑寧處，既無團體組織，更缺乏公民訓練，對政治興趣甚淡薄，一旦敎他們實行歐美人士那套民主憲政體制，談何容易呢？一般知識份子除却拚命向政界活動，求得一官半職，藉以解決生活而外，別無其他出路，所謂「爲貧而仕」的說法，並不奇怪。如是乎，貪污瀆職行爲，也就視爲當然的事了。人民尙未養成過問政治的興趣與能力，民主憲政生活即不會從天上掉下來，沒有民主政治的力量，官吏貪污之風即永遠盛行着。作官既可解決本身乃至於後代子孫的生活，擁有統治權力的人，自然天下爲私，非儘先任用家族親戚人物不可了。夫是之謂「所識窮乏者得我」，不特肆無忌憚，且引爲無上的榮譽啊！

明乎此，即知亞洲非洲的一大羣新興國家經常鬧政變、兵變把戲，以及容易被共黨滲透煽亂的所以然了。可是，美國人卻不瞭解這種實際情況，總是使用自己的尺度以衡量別人，動則指摘別人的政治不民主，期待別人能作「揠苗助長」式的政治建設，殆所謂隔靴搔癢之談也！

至於東南亞半島亂盪不安局勢之所以構成，倘有一種特殊的因素，即西方國家在這些地帶互爭經濟與政治上的壟斷控制權，各不相下，最近寮國和越南的變亂，多半就是這種原因促發的。再如中東各國近年來的一切動亂，也是這種因素從中作祟所致。我希望美國朋友能作深刻的研究檢討，切實反省，然後再責備別人的好！

馬五先生

瀕滅絕邊緣的大陸佛教

——裴有明——

本報特稿

佛敎的世界觀是「空」與「無常」；而共產黨是唯物論者，以「有」爲其立足點；强調佔有空間的才是眞實。佛敎的敎義，和共產黨的理論是基本上衝突的。所以，在「徹底的無神論者」的共產黨統治之下，如果准許「宗敎信仰自由」，允許宗敎長期存在，那除非是共產黨放棄他們的唯物論觀點，放棄他們的馬列主義敎條。

共產黨消滅宗敎，在他們的理論觀點上，和世界觀上，是天經地義的事。因此，這些年來，中共對大陸上佛敎的摧殘，比之歷史上敎難的「三武一宗」實有過而無不及。中共控制大陸後，認爲僧尼二衆是「從事迷信職業」者；「直接，間接，或多或少地在替封建主義，帝國主義，反動官僚資本主義服務」（五〇、七、一二，香港「大公報」）。中共把延續釋迦老子慧命的有「人天師表」之稱的僧伽歪曲爲「迷信職業者」，說他們是「孤寄空門與羣衆脫離」生活（五〇、九、二七香港「大公報」）。因此，主張像「掃蕩土匪一樣地來掃蕩佛敎徒」的出家二衆。在這樣的惡政策下，僧尼被殺害，被强迫還俗等等情況，到處都有發生。有「眞如居士」之稱的龔擺份子陳銘樞，他在「佛敎的新義」一書中透露：在大陸上「佛敎徒成爲世人鄙賤的階層，廟產成爲世人鴆毒的目標；全國到處僧徒等於俘虜，寺廟等於匪巢，寺產等於贓物」。本來這本書，所謂「新義」云云；是陳銘樞生搬硬套地想把馬列主義揉進佛敎的敎義裏去。他在該書「序文」中就已指出：是要「以唯物的觀點和辯證的方法來看佛法」（五七、七、二三上海「文滙報」）。但他這項出賣佛敎的生意却弄巧成拙了，因他在書中提到一小部份中共迫害佛敎的事實；加以在一九五七年中共「反右派」階段，把他列入「右派份子」中，幾乎把他「整」得「復生西方世界」去。

中共把「漢語系」的僧尼二衆，視爲綿羊；所以，在一九五三年前的數年中，毫無顧忌地已將各地寺院，宗敎儀式、習慣生活等摧毁殆盡。但對內蒙、甘、青及西藏等地「藏語系」和雲南傣族「巴利語系」的少數民族佛敎徒，是用試探的方式，採取逐漸消滅的辦法來對付的。他知道，佛敎在少數民族中，尤其是在蒙藏二族中「享有很高的信仰」（五三、一、一香港「大公報」）。如果操之過急，會惹起反抗的。它知道棘手；因此採取小心態度對之。當然它對少數民族中佛敎徒的痛恨也比較深的。譬如對西藏，早在一九五〇年西藏「和平解放」之前，已對之展開惡毒的宣傳。說西藏的活佛，世家和喇嘛「麻醉人民」，甚至作「出賣民族的勾當，想藉帝國主義勢力來維持殘餘統治（五〇、一卷二期「新華月報」三六三頁）。

中共根據「宗敎信仰自由本身，就包括宣傳無神論者的自由在內」（五六、五月號「現代佛學」三三頁）這種說法，和它建立政權同時就大張旗鼓地展開反宗敎宣傳了。中共的「共同綱領」，以及後來公佈的假「憲法」中，雖都有「宗敎信仰自由」的條文，但那只有一紙虛文而已；相反地却利用宣傳工具和組織力量，有計劃有領導地全面展開打擊宗敎。一九五四年十月到一九五五年三月的一年，中共僅在北平，天津等八個城市中舉辦批判唯心主義提倡無神學說運動，參加的幹部達七十萬人（五五六年「人民手册」五五二頁）。

中共不僅消滅佛敎的形式存在，更要徹底洗清人民的宗敎感覺。不過，因中共在西北、雲南、西康等地與少數民族佛敎徒發生過幾次局部衝突，所以又由急進改爲緩進手法。中共中央統一戰綫部部長李維漢於一九五六年在中共「八大」上發言中指出：「共產黨是唯物主義者，所以不信仰宗敎；但共產黨又是歷史唯物主義者，懂得宗敎會在長期內存在的原因」。其實，早在一九五〇年九月二十五日「人民日報」的「社論」中就曾經强調：「對於純粹宗敎信仰的問題，任何採取强制行動的意見，都是無益而有害的」。說是這樣說，但在實際上却忘記了這套理論；因而在一五九年三月引起西藏佛敎徒的大規模浴血反抗。

中共的要求，是：「我國宗敎界人士，不僅僅是一個宗敎徒，首先應是個愛國者」。對佛敎徒，中共早已明白指示：「只有在共產黨領導下，走社會主義道路才有出路」（五八、七、二二「光明日報」）。

跋扈而强橫的當屬中共內蒙自治區委員會第一書記烏蘭夫；他在一九五八年七月於錫林浩特召開的一次上層喇嘛座談會上，公開要求：「喇嘛必須走社會主義的道路」。除非「願作人民的敵人」，不然就得如此。

大陸上的佛敎已經瀕臨滅絕的境地了。但它爲了對東南亞和日本等國進行統戰，掌握在它手上的還有一個徒具形式的「中國佛敎協會」。此一名義上是全「國」性的佛敎組織，而實質上只是中共的一個御用統戰工具。利用此一團體和它的「機關刊物」——「現代佛學」月刊，向外宣傳大陸上有「信仰自由」；並通過此一團體對外替中共搞統戰工作。

據中共宣佈：它對「佛寺的培修作得很多」；這是作爲它「尊重佛敎」和准許佛敎有「信仰自由」的有力證明。其實，中共所修過廟宇，有洛陽白馬寺、西湖靈隱寺、西安慈恩寺、交城玄中寺、南京昆盧寺、上海玉佛寺、青海塔爾寺、昆明華亭寺、重慶羅漢寺、北京廣濟寺、雍和宮和法源寺等等（六〇、四、一五「人民日報」）不過數十座而已。如果不知道中國大陸上有多少廟宇，倒也容易相信中共這些鬼話，認爲它普遍地修葺了佛敎的廟宇。其實，這才是騙人的表面工夫，修了幾十座無非是裝門面給那些「只通過胃而不通過腦」的國際觀光者看看而已。如果不是爲對外統戰，不是爲了給外國佛敎徒參觀，中共決不會這樣「唯心」而「浪費」的。

如果相信中共「尊重佛敎」的讕言，那是受了中共的欺騙；否則，就是那「披着宗敎外衣」的嘴裏阿彌陀佛肚裏是馬列主義的「焦芽敗種」。

中共已經把「馬列主義科學方法，作爲佛敎的新準繩」了；也就是說佛敎的敎義已換上馬列主義的新內容了。下邊引述一段僞「中國佛敎協會」會長喜饒嘉措在一九六〇年四月召開的「全國人代會」上的發言，作爲本文的收尾，也作爲中共消滅中國佛敎的證明！他說：「黨的一切措施，都是爲人民服務，爲人民謀福利的；這與宗敎決無相違之處。任何宗敎沒有不以利生爲依皈。我們認爲在多數和少數之間保護多數，在强弱之間保護弱小，在貧富之間保護貧窮的共產黨政策；同佛陀的『自他同悲』的密意是水乳交融，因此我們應該堅決擁護黨」。共產黨主張階級鬥爭，主張無產階級專政；這與佛敎的和平、平等，是根本上互相背謬的。中共在『肅反』、三反、五反、鎭壓西藏護敎革命等運動中，殺人何止千萬；這與佛陀的「自他同悲」又怎可「水乳交融」？

他還說：「政治和宗敎也有不同的地方，但是這些不同，決不應該成爲替人民服務的障礙。在解決這些不同之點的問題時，如果這種不同點違反黨的政策，而在佛敎上又無足輕重，則應依黨不依敎；堅決放棄佛敎主張，堅決服從黨的政策。如果這種不同點對黨的政策不起任何影響，而對宗敎却很重要的，則應照顧宗敎信仰」（六〇、四、一五「人民日報」）。

如果對中共也重要，對佛敎也重要；當然還是「依黨不依敎」了。這是甚麼話呢？

這位僞「中國佛敎會長」喜饒嘉措，雖然是個青海的喇嘛，但是信仰正敎的佛敎徒實不應再看他是佛敎徒。他是「敎奸」，是中共扼殺中國佛敎的劊子手！他既是「青海省副省長」，又是「全國人民代表大會代表」，「政治協商會議全國委員會委員」，另兼僞「國務院」下「民族事務委員會」委員之一。這種六官六僧的東西，眞是混蛋加三級！

我祖師說：「寧將身入地獄，莫將佛法作人情。」喜饒嘉措不但把佛法「作人情」，簡直是把全中國大陸上佛敎徒的「心」都由他代表「交」給中共了。

花蓮縣蝗虫過境　風景區災情慘重

寶島台灣東部的花蓮，被風景名勝所累，廣招來客。客者是各縣市議員老爺們，爲了任期即將屆滿，臨別依依，宜乎及時行樂，他們懂得古語所謂「行萬里路，讀萬卷書」，所以打着考察團或訪問團的旗號，接踵而來。來者登山西行可以進入橫貫公路看太魯閣空谷清幽山水，欣賞中央山脈頂峯的雲海，賞心悅目，優哉遊哉！但花蓮縣府和議會爲了盡地主之誼，設宴招待費源源不斷的開支，已經陷於「捉襟見肘」的境地，頻呼蝗蟲過境，災情慘重。（益裕）

寶島拾遺

▲台中有一對夫婦，因房屋於八七水災被洪水冲失，想盡辦法挪了幾個錢自行復建，詎料被以違建名義强行拆除，但隣居同一情形的違建却未受影響。當時雖一再向派出所哀求，請爲其一家五口開一活路，但未能獲得同情，致在無路可走之下，憤而在派出所附近服毒自殺，遺書請「派出所負担棺木」。

這件慘案發生後，社會又增加了三位孤兒。

據聞這案件牽涉到的刑責是瀆職，過失殺人，妨害自由，毁棄損害等。相信警察局一定秉公辦理。千萬不要爲了面子問題替少數不肖警員掩飾，連累了好警察的聲譽。

派出所前服毒自殺　小菜場裡偷錢養家

▲雖然有錢人的「沒有人味」的事情很多，但台灣沒有錢的人却是獨多做「有人味」的事。一位十三歲的女孩子，父母雙亡，繼母又患了嚴重肺病，她靠賣花生養活三個弟弟，還給他們上學，日前因爲弟弟買書沒有錢，廹於無奈在菜場第一次行竊偷了卅元錢，這一件可歌可泣的辛酸事，因好心記者們的報導，引起了社會普遍的同情與援助，幾天下來已捐到了一萬多元和一大批衣服食物。

不過可感嘆的是，捐助的人都是一批軍公敎人員，數目都是三十五十一百二百的窮人，尤其是待遇微薄的阿兵哥們有很多都捐了一個月薪餉。

希望那些在女人身上一擲萬金，一天到晚打補針的大人先生們，也發發善心拔一二毛出來，這種陰德多積積，包你延年益壽。

類似黃愛華這種事，相信還有，希望鄰里長和管區警員們，今後多留意一下。大家抱着「老吾老以及人之老，幼吾幼以及人之幼」的心情，發揮我們的同胞愛。（柯仁）

大陸文壇萬花筒

一本新天方夜譚

——岳騫——

中共幹部寫的回憶中，有一本「跟隨周副主席十一年」，記述周恩來在重慶時的經過，其中除去時間地點尚無大錯之外，中間的故事完全是假的。因爲周酋在重慶居留期間，無法垂鐵幕，一切行動大家都知道，所以看了這本書就覺得更荒唐，其實所有的回憶錄都是這一類貨色，不過，其他的書知道眞正內容的太少，不能一段一段來印證，就顯得稍爲「眞實」些了。

這本書裏面有一段記述毛澤東到重慶的事，最爲可笑。例如毛酋幾次參加宴會，圍有上萬的人在看——這些事情到是有的，完全是由於市民好奇心，記得早幾年香港仔捉到了一個大烏龜，也有很多人從新界搭車跑去看，一時也圍上千上萬的人。又如在故鄉時，每逢縣政府殺人，也能圍上幾百人看，這如何能解釋爲擁護。至於該書記載重慶市民看到毛酋時感動得流淚，高呼毛澤東是中國的救星，當時曾住過重慶的人都可作證，是絕對沒有的事。

這本書的造謠技術有時是很高的，例如他說毛酋參加一次酒會曾和三位老先生密談國家大事，這三人是覃振，譚平山，馮玉祥，大家都哭了。湊巧的是這三位老先生都死了，正叫作死無對證，可以生安白造，他再不敢提到今天生存在海外的人，恐怕拆穿西洋鏡。其實毛澤東和覃老先生秘密談話的事是有的，他偷偷去問覃老先生說：「理老，你看我能不能回去。」這一段事也是人所共知的，却沒有記載下來。

另外一個特點是記載的活人中，現在降共的只有郭沫若，沈鈞儒，李德全，邵力子四人，却沒有「三上延安」陪伴毛澤東到重慶的張治中，也沒有在參政會「寶油條」的黃炎培，等而下之如蔡廷鍇，蔣光鼐，馬叙倫，許德珩等人當時也在場，現在却提也不提，從這裏也可看出留在北平的一批降人中間的得失榮辱。

最有趣的是書中說毛酋到了重慶之後，登門去拜訪陳立夫，請求協助早日達成協議。立夫先生笑着說：「國共合作我是前輩，我一定盡心效勞的。」該書作者罵立夫先生無恥，其實正是立夫先生幽默處，原來抗戰開始前，中共向政府接洽投降，第一次的信就是給立夫先生的，該書作者不知道才罵立夫先生無恥，其實毛澤東肚裏到是明白的。

社會小說

香港地

六、人情味

木客著

梅大亮一向有這種習慣，愛在走路時東思西想，有時更會自言自笑或自歎。不知道他這種習慣的人，常會把他看似是半個瘋子呢！他正在喃喃自語，忽覺有人在他肩背上面拍了一下，不禁一驚，回頭看時，才知道是一個從前在某次詩社雅集結識的朋友，記得他姓王名鎮球，便點頭招呼道：「王兄，原來是你，近來可好？」

王鎮球和他並沒很深的交情，只是泛泛相識而已。他本想說過兩句寒暄的話，便繼續走自己的路。可是，王鎮球顯得面色很沉重似的，開口道：「湊巧遇着梅老兄，有一宗事可正好請你出頭代辦。」

梅大亮不知他為什麼說的如此緊張，愕了一愕。王鎮球已凄然續道：「你可知道，韋大悲翁死了！」

梅大亮一聽這話，也吃一驚。韋大悲是一個頗有名氣的詩翁，為人敦品勵行，刻苦耐窮，不只圈子裏面的人很尊重他，也算是社會知名之士，梅大亮雖不是他的密友，平素對他總有幾分仰慕，現在忽然聽到他的死訊，當然感到驚悼。

「大悲翁是幾時死的呢？」梅大亮剛說出這一句，才想起王鎮球先前提及的要求，便改口問道：「你要我出頭代辦的是什麼事？」

王鎮球道：「大悲翁是昨天深夜逝世的。這時他家一貧如洗，沒錢辦理後事。我本來想代他家向霍新開交情太淺，所以有些委決不下，但急切之間，除了他便沒有誰能馬上設法濟急，你和霍新開比較相熟，如能出頭代辦，那是最好的了。可知你肯不肯答應？」

梅大亮聽說，認為義不容辭，稍為想了一想，即道：「就這樣吧！我們便到附近一間咖啡店小坐，由我撥一個電話給霍新開，看他怎樣表示，以後才想其他辦法。好不好？」

王鎮球覺得這個辦法最好，立道：「先用電話聯絡，也是一個好主意，虧你想得出，你比我聰明得多了！」（七七）

丈夫的陰謀

上官雲英

在一家珠寶公司的廚櫥前，正站着一對中年夫婦，那男的活現了不耐煩的神態，只管獨個兒游目四顧，却把他身旁的伴侶冷落了；可是，那女的對他的冷落像是滿不在乎的，只管全神貫注在窗櫥裏陳列着的珠寶飾物。

好一會兒，那女的却指着窗櫥裏的一枚紅寶石指環對她身旁的伴侶說：「輝，我很喜歡鄉枚紅寶石指環，我以為它比鑽石指環更可愛，而且它的價錢也不算貴。」

可是，那男的却不做聲，像是沒有聽到她說了甚麼似的，還是像剛才一般游目四顧。她便輕輕地搖撼着他的臂膀，繼續說下去道：「輝，你想想吧！我倆已結婚達十五年，這麼久了，但每年你都忘掉我倆的結婚週年紀念日，你從來沒有在這一天送過紀念禮物給我哩！你可記得今天又是我倆的第十五週年的結婚紀念日嗎？我現在請求你買這枚紅寶石指環給我做紀念，雖然價值不過一百塊錢，但我會把它看作無價寶的，我會永遠御着它，相信它會帶給們幸運的！」

這一項合理的要求，倒教鄉做丈夫的歐陽輝不能不大破慳囊了！

他買了那枚價值一百塊錢的紅寶石指環，親自向他的伴侶御在她的指間，而且又像抱歉地說：「青薇，別怪我忘記了我倆的結婚紀念日，要知道我每天都狠命地忙着我的工作，日以繼夜，弄到頭昏眼花，又怎會有閒情逸緻來追憶這個結婚紀念日的好日子？」

那做妻子的青薇一面欣賞着指間的紅寶石，一面却嬌憨地說：「輝，我相信你的話，我知道你是永遠都變的，雖然有人對我說過你另有新歡，但我始終不會相信這些蜚短流長的謠言的！」

這一夜，青薇的十二歲女兒小芳發現了媽媽指間御了一隻紅寶石指環，便天真地要求媽媽把那枚紅寶石指環給她御戴，可是，青薇却婉言同女兒解釋道：「小芳，聽我說，這指環是你爸爸送給我的禮物，是用來紀念我和你爸爸結婚的，所以我要永遠御着它，等到我有一天死掉後，這枚指環便會遺下給你御戴，它會教你永遠想念着你的媽媽。」

好容易又過了一年，有一天，郭青薇突然失踪了，她的丈夫歐陽輝馬上向警署報案，同時又向他的女兒歐陽小芳慰道：「我不明白你的媽媽為甚麼會突然離開這個家庭的，而且她還帶走了一些東西，但你不必難過，我相信她總有一天會回來的！」

小孩子一旦失去了自己的媽媽，實在是傷心不過的，所以小芳聽說媽媽走掉後，却大哭大嚷起來，口口聲聲說要找回她的媽媽，倒弄得歐陽輝手足無措了！

第二天，警署却派了一個探目名史德和的到歐陽輝的家裏去調查郭青薇失踪的事實，而且還要搜查郭青薇的睡房，因為警方需要有一些綫索，才可着手辦理這宗案件。史德和這一項要求，歐陽輝是沒有理由拒絕的！

史德和搜遍了郭青薇的睡房後，却檢出了一枚紅寶石指環和一條鐵紋纍纍的殘破的波紋圖案領帶來。

那天真無邪的歐陽小芳看見了史德和拿着那枚紅寶石指環，便不由自主地嚷道：「不要拿走那枚指環呀！它是媽媽最心愛的紀念品，她曾對我說永遠要御着它的，到她死了後才留給我做紀念她的東西呀！」

那探目史德和這時却坦白地對歐陽小芳道：「好孩子，這指環快會屬於你的，因為你的媽媽已死掉了！」

「甚麼？她已死掉了？」歐陽輝像是無限惶惑地問着。

可是，史德和却拔出了手槍和手鐐來，嚴肅地盯視着歐陽輝道：「不必假惺惺作態了！我現在要拘捕你歸案，控告你謀殺妻子的罪名。其實我們今早已在石郊的懸崖下發現了你妻子郭青薇的屍體，死得體無完膚，但她的手裏還緊握着一些波紋圖案的布絮，而且發現她的指間還有被尖銳指甲劃傷的血痕，這當然是為了有人強脫他指間御着的指環而創下的傷痕；現在再根據你女兒的道白，更顯示了你的殺妻嫌疑性的濃厚了！」

歐陽輝的陰謀終於給警方揭穿了，雖然他在法庭上還死口強辯，但是為了殺妻證據確鑿，無所遁形，陪審員也一致認定他的殺妻罪名成立了，結果被判了死刑，只可憐那歐陽小芳却變了個伶仃的孤兒，給送到孤兒院裏活下去。

（完）

楓葉之戀

香港調景嶺信義中學

·李幹華·

無情底炮火，拆散了多年的友誼，使這乏味的人生，實在難於體驗。為了生存，為了自由，掙斷了鐵鐐的枷鎖，逃脫了赤色的狂流，天涯海角，綠海碧波，撩起似火的思潮。

想當年，相攜遊於紅葉之下，歡笑於紅葉之間，艷麗的光照得滿面通紅，似是酩酊大醉的水兵。是的，我們真的已沉醉於真摯的友情當中，領略大自然的風光。

夕陽西斜，萬綫金光，相映成趣，我愛紅葉，你也愛紅葉，由於紅葉愛好的相同，使我們建立了真摯的情感，不願分離，永不離散。同時，我們也愛紅葉的艷色，因為它象徵着生命鬥爭的意義，從而領略幸福的人生，充滿快樂的泉源。

臨別之夕，我們以楓葉相贈，聊寄相思。可是一別數載，兩地渺茫，不知何年何日才可相逢，在海外十一個年頭的流亡生涯真夠辛苦了。

在南國的山野，我找不着美豔的紅葉，可是北國的家園，已是紅葉滿山，而童年的歡樂已被共匪踐踏了。

我愛楓葉，更珍惜我們的別離，什麼時候我們再重遊於那紅葉的山上，找尋那失落的友誼呢？

鮮明的紅葉，在微笑着，不久的將來，我們又會陶醉在你的懷抱裏。

儒林九尾龜

吳敬鋅

第四回：人何寥落鬼何多

李鴻飛估計又是寫稿的事，連說：「高不成己經和我談過了。不過，我現在沒有空。」

高一環十分詫異，連忙問道：「他和你談什麼，他怎麼會知道？」

李鴻飛說道：「不就是我寫稿嗎？除了這個還有什麼事。」

高一環搖搖頭：「不是那回事，我要同你商量的是一件正經事，最近我們旅港一部份流亡學生打算有個組織，他們已推定我籌備主任，我想請你加入，將來負一部份責任。」

李鴻飛聽到這段話，不禁吃了一驚，連忙推辭道：「這件事請你原諒，我這人本來對政治就沒有興趣，來到香港之後在驚濤社鬼混了那一段時間，被盧孟德騙了一場，對政治更是心灰意冷，再也鼓不起來興趣，目前只求賣稿能維持生活，一旦局勢有變能打回去，無論担任什麼角色我都幹，可是把共產黨打垮之後，我也不會去搞政治，教書種田都好，一生很易對付過去。至於在此地又不是本國土地，人力，財力完全不夠，再加上我們一羣人沒有絲毫經驗，能搞出什麼名堂呢？」

李鴻飛一面說，高一環一面點頭，等到李鴻飛說過之後，高一環笑道：「鴻飛兄，你那一套思想過時了，你認為政治不能插手，是有道理的，但是你應當去設法改造它，你避縮避不是辦法，因為社會進化到了今天，人不能離羣生活，你不搞政治，政治有時會來找你的。」

李鴻飛笑道：「事實固然不錯，但是你們在這裏能搞出什麼名堂呢？」

高一環笑道：「你所顧慮的不外是人力財力，至於人力有的是，只要工作正式展開，找人容易得很，說到財力更不必担心，先把架子搭起來，憑着我們一羣青年的招牌，自有洋人會給錢的。」

李鴻飛見高一環說得頭頭是道，當場拒絕實在困難，只好採取拖的戰術，說道：「一環兄，你的好意我很感激，不過這個問題比較重大，我一時實在不能作出決定，容我考慮兩天再答復你好吧！」

高一環見他這樣說，不便再逼，只好暫時放下，又談些閒話就走了。

高一環走後，黃安民笑道：「此高較彼高要高明得多了。」

李鴻飛搖搖頭：「高一環正式受過大學教育，雖然文章寫不好，畢竟有點根基。高不成純粹野狐禪，如何能比。」

第二天李鴻飛過海去送稿，黃安民在家煮飯，晚上李鴻飛回來，進門就笑着說道：「安民，我告訴你一個有趣的消息，高不成被人打了。」（四十）

市聲

·孝文·

市聲，是城市裏小販們做買賣的，吸引顧客的一種特殊的聲音；不僅代表他們所賣的物品種類，還帶給人們一種時間上和季節上的感覺。

在大陸上華北一帶，一到冬季的夜晚，就有直着嗓子叫賣「燒……鷄……」「硬麪……餑餑」，「烤……白薯」的聲音，隨着老北風飄逸在長街小巷裏，使得圍爐烤火的人們感到有一種冬夜漫長的蕭瑟意味，與舊曆年關即將到來的情景。

若是夏天，在江南一帶，早晨有沿街叫賣「白糖……粽子」的少女聲音，清脆嘹亮的嗓音劃破了城市中清晨的沉寂空氣，使人們體會到端陽節快到了，正是時入仲夏季節的暗示。夏季裏下午三四點鐘光景，有挑扭子的賣糖藕，不用叫喊，只在手裏敲着木魚，發出像寺廟裏敲木魚的聲音，人們都知道這是賣糖藕的標記。晚上，賣餛飩麪的扭子，手裏搖着帶有兩粒珠子，叮噹作響的小銅鑼；賣湯圓的，則敲着附在扭子上的竹筒，發出「篤……篤……篤」的音響。

這些聲音，在久居城市的人，分辨得很清楚，一聽便知是賣什麼的。

自從來到台灣以後，這些熟習的市聲，好久未會聽見了；豈料在我現在住的這條街上，最近每天早晨，有位搖着銅鈴賣豆腐油炸燴的小販，經過我家門前，幾個月來，不問晴雨都一樣地在上午七點左右來到這條街上搖着銅鈴做生意；只有一次，三天沒聽見他的搖鈴聲，也沒再見到他那副咖啡色的木製的扭子，趕到第四天，才見他又如往昔一樣地準時經過我家門前，我像老友般關心地和他閒聊起來，才知道他是一位剛由大陸逃出中共虎口的義民，前幾天他的兒子，又由香港來到基隆，他是去基隆碼頭，參加歡迎反共義士的行列，去歡迎他的那位反共義士的兒子歸來，所以沒有空做生意了；現在他兒子的一切均已安排妥當，於是他又到南部來，仍舊捨不得放棄這份搖着銅鈴賣豆腐的自由生活！

我每日早晨，聽到這位義胞在門前賣豆腐的搖鈴聲，便嚮往着以往在大陸上城市裏可愛的市聲，不禁興起思鄉之念，希望政府早日反攻回去！

釋耒集

漢學在何處

曲齋

漢學一辭，約有二義，其一指與宋學對峙之訓詁、考據；又其一則今歐、美、日本、及印度學者，研究中土禮俗政教，及文史哲學之通稱。今之所論，僅指後者。外人研究漢學，其目的不易確知，若以國人研究西學爲求富強，比類推求，則外人習漢學，其目的或爲求和平。西方之富強，必自競爭勝利而得，競爭結果，優勝者臻于富強，劣敗者即勢必陷於貧弱，及富強者浸趨腐化，則貧弱者又起而圖復興，於是競爭無已時。中國人不尚競爭，但欲安足；故老子曰：「甘其食，美其服，安其居，樂其業，民至老死不相往來。」外人習漢學之般，則知其求和平之切。然此國人均曰學絕道喪之際，所謂漢學，將從何處求之乎？回顧一世紀以還，我以內憂外患，實瀕于覆滅，公私所藏典籍，散亡畧盡，故「漢學不在中國」，已爲流俗所默認之事實。巴黎論者遂倡言曰：「二次大戰前，漢學實在巴黎」，以法人藏我既失之圖籍獨多也。今巴黎聲望，無復當年赫弈，因又有人曰：「漢學在紐約」，或「在日本之東京。」則以戰後所有我國圖籍，流入此兩地者多也。是外人心目中漢學之所在，實隨圖籍之聚散爲流轉。昔孔子言禮，必徵之於文獻，故刪舊史，必觀周書，且曰：「文武之道，布在方策。」圖籍之所在，即學術之所在，則誠是矣。然孔子亦嘗曰：「其人存，則其政舉；其人亡，則其政息」。又曰：「人能弘道，非道弘人。」是政之存亡，道之隆替均在人，殘存之舊典，但得供爲佐證而已。故若問漢學所在，宜先問「漢人」所在，而「漢人」之身份，且不得以膚色或語言文字判定之。大抵對固有生活方式表示厭薄，對民族自由獨立已無信心，或對傳統學術，文化，惡意誣衊者，均不得謂之曰：「漢人」，故無「漢人」之地，即不能有漢學。若曰：凡中國人皆「漢人」：則徧地球皆中國人，不得謂徧地球皆有漢學也。蓋自其膚色及語言文字言之，雖有若中國人，而其思想、情感與信仰，則決非中國人，此等人聚居之地，固無漢學，即此等人所講習者，雖亦爲六經，諸子，二十五史，五七言詩，四六駢文，然均不得謂之曰漢學，因其以學術爲商品，雖冒講學之名，實市儈耳。雖然，中國人及其學，有與異國人不同之處，亦有其大同之所在。二千年前，中國之聖人，即主張中國、諸夏、夷狄爲一體，無大同之處，則一體之論，無由成立，故易曰：「一致而百慮，同歸而殊途。」存安逸樂，普天下人皆欲之，不限於中國。中國人之所以異，在不以自身之存安逸樂，使別人憂勞危苦而已。「故寡人之妻，孤人之子，獨人父母，得一忘十」，中國人實羞爲之。

人情味

徐學慧

人情味本是極平常的東西，但發現於權貴顯要身上，則彌足珍貴。

一個人，一到了成爲顯要，如能稍稍表現一點人情味，就被視爲是一件了不起的大事了。

古代的天子躬耕，后妃紡織，雖說含有倡導之意，其實也只是向老百姓表現一點人情味而已。降及近世，權貴的面孔我們看得很多，但富有人情味的表現却又看得太少。官愈大，權愈多，本來面目蕩然無存，所表現於世人面前的，就只是一副官架子，這副架子，使得權貴與凡人之間，隔下了一道鴻溝。

一個顯要權貴，要想表現人情味，實在一點也不困難。問題是在想不想表現而已。談到這一點，又涉及政治的藝術了。

我總覺得，西方人的政治藝術，比我們玩得高明。並不是說西方政治家的智慧比我們高，也不是說西方政治家的人情味別比我們好，而是他們懂得加以利用就是了。

英國的愛丁堡公爵貴爲王夫以後，去年曾訪問香港，在他的座艦上招待賓客時，有一個胆怯的衣着不入時的船家女也被招待在內。這個船家女，是十四年前，公爵作海軍上尉駐防香港時替他打掃房間的，那時候這個女孩子纔不過九歲。時隔十四年，公爵仍然記得起，而且他還要香港方面替他把這個「老友」找來參加那一次的盛會。想一想，這種人情，能不令人感動嗎？

艾森豪貴爲總統，在前天却寫了一封信給一個患心臟冠狀血管症的電影明星奇勒基寶，後者剛巧住在醫院裏。艾森豪在信上說，一九五五年，他也患過這個病症的，囑咐他不要憂慮，需要靜養，要絕對聽從醫生的勸告，同時不要生氣。

這樣的人情味，又怎能不令人感動呢？

表現於權貴顯要身上的人情味，就是最高的政治藝術！在我國，此種藝術，已成廣陵散矣。

屠狗佳話

筱臣

立冬來了，北風獵獵，正是人們進補的季節，也正是屠狗正當令的時候。香港是禁止屠狗，但儘管禁令森嚴，喜歡食狗肉的人，仍然是偷偷摸摸去大快朵頤，據報載，今年台灣當局，也禁止了屠狗，今後，在香港或台灣，如果要嘗此味的話，是比較困難的了。

遠在我國古代，屠狗便很盛行，如「禮記內則」載云：「鄉飲酒禮，烹狗於東方。」又禮記：「凡祭宗廟之禮，犬曰羹獻，以犬嘗麻，先薦寢廟。」可見那時候的狗肉，不但被人視爲很珍貴的食品，而且亦是皇家所用以祭祀祖先的牲品。此後歷代典籍，都有關於狗肉的記載。如「漢書」禮儀云：「明帝永平二年，上於辟雍行大射，祀聖師周公孔子，牲以犬。……」至於漢朝赫赫有名的大將樊噲，便是歷史上有名的屠狗之輩。

在宋時還有因爲屠狗而作賦的。宋朝那個三元馮京，據宋人羅大經的「鶴林玉露」說，馮京家貧，年少時讀書僧寺，和尚養了一頭狗，馮京也是喜歡屠狗的，見了食指大動，就和同學烹而食之了。

和尚失狗之後，知道是馮相公所爲，於是去到衙門告他一狀，縣令見馮京是讀書人，叫他寫了一篇「偷狗賦」，如果寫得好，就恕他無罪。馮京不愧狀元才，援筆立就，中有警句云：「團飯引來，喜掉續貂之尾；索綯牽去，驚回顧兎之頭。」縣令大爲讚賞，延之上座。

又有人好屠狗，寫一首詩而得大嚼者，其事頗趣。褚石農「堅瓠六集」引「蹇齋瑣綴錄」云：「坐客偶談有人好食犬，命賦犬詩，主人知其意，以鹽字爲韻。客立就云：

幾年辛苦伴蘆鹽，長夜巡行護短檐。依戀戀見人渾識舊；依向主肯趨炎。臥從荒草苔痕砂；立傍梅花雪片粘。會向山中擒狡兎，拔毫製筆與君拈。」

主人大喜，殺犬食之。」

至於屠狗之輩而富有民族國家觀念，最突出的爲明末屠者徐五，其事可歌可泣。相傳明季福州曹石倉先生學佺辭官歸里時，間行街巷，見一陋屋，柴門不正，上署桃符云：「問如何過日；但即此是天。」詢之宅主乃屠者徐五，迎入廳事有兩聯：

其一「仗義半從屠狗輩，負心多是讀書人。」

其二「金欲兩千酬漂母；鞭須六百撻平王。」

曹見之悚然，因與訂交。甲申之變，徐五携雞斗酒，逕造先生廬，見先生驚曰：「吾辦此奉祭耳，何尚在也？」先生遂拜而就義。後數日，徐五白衣冠，自沉于溪。按徐五原名英，字振烈，明亡，隱于屠，志潔行芳，遂造成了屠狗輩的佳話。

至于清季屠狗的佳話，則有中興名將鮑超的軼聞。鮑將軍在其奉節原籍里第，由川人趙某撰寫有一聯，經常掛在他的廳堂。聯云，「英雄老去爲屠狗；大將生來不讀書」。有人指此聯在翻鮑的底牌，說他不學無術，鮑請就聯解說，那人即先指「屠狗」兩字，直是罵人語。不料鮑大笑駁斥說：「你不知屠狗二字，剛道着我！當年我隨老帥（指曾文正）圍打四眼狗陳玉成，記得快近過年了，全軍齊說老帥有詩，裏說着準備永豐辣油，調好益陽醬油，好屠狗過年哩！後來我們眞的把那四眼狗屠掉了，這幅聯能說到屠狗，眞是極爲恰切。」那人聽罷，只好搔首不迭。

至於曾詩，據說是戲寄文忠的。原詩爲：「江南江北陣雲連，笑指洪崖一拍肩；我備芳椒君備醬，與君屠狗過新年！」

清代的大書畫家鄭板橋，亦有喫狗肉的辯。當時揚州有鹽商求他作畫，他不肯，於是有人替鹽商設計，在一個景色清幽的地方，大屠其狗，煮狗肉，果然被那香氣所引誘，鄭板橋走過，流出饞涎，那人遨他大嚼一頓。然後，他一高興，擲起紙來，請他作畫，幾頓筆下酣暢淋漓，都屬得意之作。事後才知上了當！但狗肉佳味之迷人，從這段故事中，不難想像得之。

最後得鄭重聲明的，以上一連串敘述的若干的屠狗佳話，在香港與台灣這些禁令煌煌的地方，並不想大家明知故犯，自蹈法網。而只是想到今天祖國大陸，四眼狗之輩正是到處橫行，爲禍鄉邦。我們也天天在嚷着反攻復國，要等到何時，才能「與君屠狗過新年」哩？正不勝企予望之！

海嶠塵談

閒話賀耀組（一）

諸葛文侯

湘省現代軍人賀耀組（貴嚴），出身日本陸軍士官學校，與今總統蔣公司期同學。自從民國十五年國民革命軍佔領長沙，賀氏投入革命陣營以來，直至大陸淪陷於共黨前夕爲止，迭領兵符，封圻主政，入中樞參贊密勿，歷據要津，顯達冠於儕輩，允稱幸運。顧其資質庸懦而多慾，又昧於自處之道，終至二三其德，晚年投彝秩歌王朝，甘爲降虜，備嘗奴役生活，不知命在何時，可憐亦復可哂也。

賀氏自日本學成回國，即于役湘省軍中，曾與唐生智同隸譚延闓所屬旅長宋鶴庚部，分任團長職務，而其師長即爲現居台北之前湖南省長趙恒惕（炎午）。迨趙氏繼譚組安總領湘軍，主持省政時，擢賀氏爲第一師長，劉鉶，葉開鑫，唐生智等分長二三四師，且命葉氏兼任「湘西善後督辦」，唐氏兼「湘南善後督辦」，專閫稱雄，形同割據。四人中，唐生智野心忒大，兵力亦較強壯。民國十四五年之交，廣州國民政府積極準備北伐，對湘省軍隊，暗中從事策反工作，擬任唐生智爲革命軍第八軍軍長，賀耀組爲第九軍軍長。蓋以唐部駐防湘南一帶，緊隣粵北，頗有爭取之必要，賀氏與革命軍總司令蔣先生同學，亦有拉攏之價值。是時唐生智已決計反叛趙恒惕，攘奪湘省省長職位，爲佈置後路計，欣然接受革命軍第八軍長委任令，而以先行倒趙爲急務，粵方亦樂得利用敵人內部矛盾，冀收不戰而克復湖南之功。詎賀貴嚴竟拒受粵方軍職，且於唐氏倒戈叛趙之際，協同劉、葉兩師長組織「護湘軍」自任總指揮，對唐作戰。唐部初戰不利，衡陽且岌岌可危，急派劉文島赴粵乞援，除通電就任革命軍軍長職務外，又兼任北伐軍前敵總指揮，仗有粵援聲勢，大舉反攻，先將賀貴嚴所部擊潰，大軍直薄長沙，趙炎午出奔，葉開鑫殘衆亦隨之退至岳陽以南地區。此時賀氏窮蹙無所歸依，初向唐生智接洽，願効馳驅，唐答以「革命部隊只能容納常勝將軍，決不需要常敗將軍。」故予賀氏以難堪，賀乃派人向粵方活動，希望仍任第九軍軍長，然早晚時價不同，粵方僅給以獨立第二師師長名義而已。

民十五年秋間，北伐軍進入江西，與孫傳芳系之北洋軍鄧如琢，方本仁等部激戰於德安一帶，蔣總司令蒞臨長沙，轉赴前方。賀貴嚴以同學關係，請求率隊出湘北伐，並乞擴充部隊，乃被任爲革命軍第四十軍軍長，時賀所擁實力僅有一師，但爲及早避免唐生智之蔑視威脅，急率部衆經武漢前赴九江附近待命。賀以唐生智譏其爲「常敗將軍」，深感奇辱，激勵部屬，務須雪耻。斯時孫傳芳駐九江督戰，賀氏未奉命令，竟自由行動進攻九江，徼倖成功，否則貽誤大局，危害殊甚，據聞事後曾受到統帥嚴詞詰責，以其有違節度也。

歷史人物

論諸葛亮

謝康

然而世界上極少所謂「完人」，諸葛孔明一生，也曾經犯了若干次錯誤，雖經羅貫中把他寫得那麼聰明睿知，天縱多能；羽扇綸巾，道貌岸然，態度又那麼自然瀟灑，胸懷又那麼豁達儒雅，好像是儒、道、法三家滙合而成的理想人物，有爲有守的古今稀有的大政治家的模樣。可是六出祁山，軍糧不繼，陳壽稱其「連年動衆，未能成功，應變將畧，非其所長。」又說他「理民之幹，優於將畧，」似乎也都有事實的根據。諸如誤用馬謖，至有街亭之敗；不信魏延，亦欠知人之明。出師表裡面所保薦費禕董允和向寵等，雖則志慮尙屬忠純，而才器似不足以担當大局艱危的重任，有人因此懷疑諸葛公是否也難免有一點扶植私人，排斥異己的嫌疑。以致後來姜維的恃才武而九伐中原，耗盡國力，造成「蜀中無大將，廖化作先鋒」的笑話資料。「南陽祠宇空秋草，西蜀關河有暮雲。」自五丈原頭，大星殞落，一部三國演義好像沒有了主角，只落得黯淡的收場，「徒令上將揮神筆，終見降王走傳車」給李義山和後世人傷心憑弔罷了。（三）

自由報
THE FREE NEWS
第八十期
中華民國僑務委員會登記
每份港幣壹角（星期六出版）
社長：雷嘯岑
督印人：黃行靈
社址：香港銅鑼灣高士威道二十號三樓
20 CAUSEWAY RD. 3RD FL. HONG KONG
TEL. 771726
承印者：四風印刷廠
地址：香港灣仔高士打道一二二號
台灣分社
台北市西寧南路壹壹零號二樓
電話：三〇三四六
台郵劃撥二五二九號帳戶

就美國人觀點 看美國外交動向

李璜

自從美國少數議員先生主張出所謂「兩個中國」，尤其是鮑爾斯發表所謂「中台國」的荒唐主張以來，筆者曾在聯合評論上寫過兩三篇批評文字，自由報的雷嘯岑先生也不斷發表其美國外交政策之檢討，再檢討等篇，自由報要求我再行着筆。我覺得我們已經寫過的，不免多少是就中國人的立場說話，雖然同時也爲美國的利害着想，也不過這中間總有對自由中國的利害偏重。如果說，美國人就完全不顧他自己的利害，一味要去與中共與俄共謀妥協，這也未必。然而這十二年來，美國政治界（無論共和黨或民主黨）在與中俄共妥協時，卻有點不顧友邦，損及本國立國的精神，簡直有點忘卻是非利害了，這又是何故？茲特只就美國人的觀點來看看美國人的外交動向，試以解答其故，所謂客觀分析是也。

就美國的民族性的觀點

美國民族在大家都認爲是青年民族，青年人當然好勞動，好奇心好愛新而不願保守。何況美國民族又在新大陸以「拓荒」的心情與努力，去迅速得到了從新的成功；從一七七六年建國到今天不過一百八十四年，其生活當中的足產，確是驚人，大有動即成功，無往不利之住的情勢！因此，分析美國的民族心理，應不忘下面兩點：一是他的動力（Dynamic），一是他的好意（Good Will）。在前一點動力上看，美國人多數都是不安現狀，不受束縛，而要向前開創，甚至不惜冒險投機，苦幹不已，不是弄得傾家破產，便是大發其財；有時幹傾了家，又從頭來過，竟又遇着機會，再度成功。因此，凡事的可能性（Possibility），在我們老年民族看起來，總是要打折扣，而在美國的這青年人看起來，總是比較興奮的看大看漲。拿廣東人交易所的術語來說，美國人多數是「好友」。以十年來美國對中俄共的外交動向來說，其民主黨的杜魯門及其同僚固是好友，而共和黨的艾森豪及其同僚也是好友。但是我們今日能用「動則有悔」的話，勸美國的新總統及其同僚暫行不動，堅持立場，冷靜應付嗎？可能，他們的「動力」主義不容他暫時停的不去與中俄共打交道啊！不過，我們又不能說，美國政治界在一味的盲動妄動，因爲美國人乃有他的做人原則的指針在，這就是「善意」的見解。

美國人的祖先雖多是清教徒，但因其百多年來創造的努力，而認爲人們總是向上的，更由此而相信人，該當以善意。因此要美國人總是能相信赫魯曉夫，或者毛澤東，以至所有的中俄共人，一看見美國人的生活繁榮，出產優良，而市場上物質享受之至，便會艷羨之至，改不變宗旨，向上努力，而同以人類的和平幸福爲念了啊！有時中俄共吵得兇了，搗亂得利害，則美國人會認爲他們是危險分子，但一旦不吵，而裝出和平共存的樣兒，則美國人又對他們發生善意了。

就美國研究問題的觀點

其次，美國人研究問題的態度與方法，又不同於我們東方人。東方人心物並重，有時東方人認爲精神的力量大於物質，而美國人則大半偏重數字的統計，爲認識問題的根據。譬如對中共問題的認識，首重他控制着六億五千萬人民，便不大重視這個鉅大數字的人民是不是心裏贊成中共，樂爲之用；次重中共有十年以上的統治時間，便不大注意近年來他的統治效力是怎樣的在走下坡；復次，中共有五百萬的大兵（並非現代裝備），有若干萬噸的鋼（玩具而已），有若干萬（……）交通網（連輸並不靈活）等等，都在美國所謂遠東專家或中國通的統計表上數字列舉得甚爲清楚，在問題上甚爲重視，認爲這是不可否認的事實根據，而對世界和平有甚大的影響。前年陳啓天與蔣勻田兩兄在美國與其國務院中的中國專家們，就曾面對着這一類的統計表冊，而大大辯論了一番。據他兩位告我，他兩位的說法，不但未能折服這些所謂專家們，且被認爲他們是東方的精神勝利者，無濟於事。

我承認，上面這段話，是一個東方人說的，不免有點讒謗。美國政治上也相信這樣子的所謂專家。我知道美國人雖相信專家，然而在美國過事都相信專家的美國人雖是個人主義者，自由好尚也相當的強烈，但在專家權威號召之下，美國人又能自願的一切接受，不大懷疑的。好賣狗皮膏藥的中俄共看懂了美國人注重統計數字與專家廣告，於是中俄共數年來大賣其廣告，而廣告總是充滿了統計的數字，無日無夜的中俄共的廣播，無不在宣傳人口增加了幾多幾多，糧食增加了幾分之幾，工業出品超額完成若干若干，以至赫魯曉夫親口吹出原子彈的威力如何如何……於是這一類數字的廣告，在我們的了解便認爲是在瞎說，在美國人的習慣便不認爲是說假話，總有幾分可靠性，因是大費錢財去搜集材料，大花精神去研究結論，而其結論都只是根於物質的數字，不免形成唯物的偏見，因爲人心的能量乃是無法用數字來統計的。更因是而原子僵局也，我們反攻復國是神話也，種種似是而非，並未見得如此其鐵定的議論，便在美國流行起來！筆者並不是說中俄共的內幕不應該去研究，國際共產黨既以美國爲敵人，而美國對敵人的研究，自應用力，所謂知己知彼，百戰百勝。不過，研究敵情，而只注重在數字的統計上，且其數字之不可靠性，有時幾乎是百分之百的偽造，又如何能用爲根據，便爾放心加以信任。固然美國專家考證材料及其數字的方法很科學，然而中俄共的造假騙人的本事也很大啊！

還有實驗主義的哲學

實驗主義（Pragmatism）的哲學思想，在美國一向發展，支配着美國的教育界，對於美國人思想行動的影響力相當的大，我對於實驗主義所知不多，不願在這裏對之有所議論。不過實驗主義所認爲眞理的準繩要以實行上的價值來論定，則實驗主義者便不能贊成別人的定見，而必須由一已的試驗其眞實可信與否。因此實驗主義者主張不斷的嘗試。杜威是實驗主義的哲學大師，胡適之先生是杜威的學生，所以適之有一首詩，最足以說明實驗主義者的精神所在，詩是：『嘗試成功自古無！放翁這話未必是。我今爲下一轉語：自古成功在嘗試。……』

因此，美國對中俄共的外交，要去開會議求解決，艾森豪及其同僚去嘗試失敗了，肯尼第及其同僚還得去嘗試的。一定要嘗試到最後，把實行的價值自已判定出來，感到此路不通，或者有害無益，然後勇敢的青年人自然會掉過頭來，另尋奠定世界和平的途徑的。末了，筆者相信，美國政治界，無論共和黨與民主黨，終是反共的，其立場且不只是自顧其私，而對於自由與正義終是不肯拋棄其信心的，對於人類的和平幸福也終是抱着善意的期待的。我們不必因他們的外交動向與作法不切實際，不符理想，便對之灰心或喪氣。反過頭來想一想，我們東方反共的人們，我們是不是對於自由正義與人類和平自已也一樣的懷着信心與善意，而便不會自亂其私意，動向錯誤，以致故障橫生呢？（四九，一一，一七）

小調天下

△香港向深圳買水，業已正式簽約。看中共的宣傳作用，是要叫這裏的人「飲水思源」，結果當然是：有人飲水思汗，也有人飲水思血。

△蘇俄宣佈盧布變值，他們自己要增值或貶值都無所謂。只在美元貶值的謠傳當中，這一手來得特別有意思。

△自由世界石油市場表示憂慮，說蘇俄將向石油市場插手，恐怕難以抵禦。蘇俄手上的金子和石油都會變成原子彈一般的武器，震撼自由世界的貿易市場。

△美國政府考慮採取行動，減少美元外流，避免黃金儲量減少，已準備向西德政府協商，由西德分担美軍駐防費用的一部份。西德亦已表示歡迎。西德政府荷囊要麥克，連美國「波士」也要向他開一次「金口」。這對於自由中國當局該是一個好榜樣。關於如何促進台灣工商業繁榮，該不只說說便罷吧！

△美國農業部長班森訪問台灣。香港各報刊載所發新聞，多在標題暗示「已使自由中國精神一振」，稍近來因美國總統選舉所受的困擾……如果我們有的只是這種「精神」，可怕極了！

△南越總統吳廷琰有驚有險，政治改革之說，曾邀集高官閉門懇談，痛哭流淚。李承晚也對學生流過這樣的淚。許多失敗的英雄都弊在流得太遲。吳廷琰運氣還算不錯。

△南韓一家大學三十五名學生因發動反美示威被拘，漢城警察當局奉令嚴密警戒，張勉總理表示：「此事甚爲不幸遺憾。」南韓有人公然鼓動「反美」了！天可憐見！我們常常希望「幸而言之不中」，卻偏偏是「不幸而言中」。

△中共開始宣傳「工農並進」，口氣一變再變。這證明「大搞農業生產」又要失敗了。

△危地馬拉叛變已被鎮壓，危國總統指控古巴卡斯特羅是這次叛變的策動者。

據美國前駐古巴大使指證：卡斯特羅從前在古巴的成功，是由於美國若干「熱心人士」的支持。這與毛澤東曾獲美國「熱心人士」支持而在中國成功，並無二致。准此，卡斯特羅今天在整個中南美洲的搗亂行動，也只是毛澤東當年在中國大打游擊的同樣表演而已。是誰使中南美出了一個毛澤東？是誰使古巴變成美國後門的金馬？

△東南亞公約組織舉行參謀會議，泰國出席會議的國防部長泰羅提出呼籲：認眞正視寮共活動的危險局勢！泰國這時說話會比較有力，因他已隱約表現了可能「傾向中立」的姿態。

方南

自由談

論政與從政

馮五先生

素以「兩個中國」之說著稱的美國民主黨衆議員鮑爾斯，近來忽然再三聲明他並無姑息中共的思想和主張，即對他自己在倫敦錄了音的關於「兩個中國」問題的言談，亦說那是半年以前的舊話，不足爲訓。此公不惜以今日之我，否定昨日之我，可怪也已！

實則這也並不稀奇，因爲民主黨快要執掌政權，而鮑氏又被認爲極可能出任國務長官的首選人物，共和黨參議員柯林業已公開宣言，他要堅決反對鮑氏這種姑息主義者來主持白宮的外交業務。參議院對政府任用高級官吏，具有最後的同意權，共和黨人在參議院的勢力殊不弱，美國一般民衆亦憎惡共產黨。鮑爾斯眼見着唾手可得的顯要官位，勢將觸礁流產，成爲泡影，祇好隨風轉舵，表現着覺今是而昨非的意念，將以求吾所大欲也。這叫作昧良心出於無奈，至少我個人對他是同情諒解的。

即此可知凡是熱中於功名富貴的士大夫，平日高談闊論政治問題時，總是標奇立異，譁衆取寵，一旦置身於政治舞台上，一切言行，乃至於意識形態，前後判若兩人了。這決非他的智慧突告汨滅，而是現實情況使他不能胡思亂想，權利慾掩蔽了沽名釣譽的心情，存在決定思惟，無可如何也。

對政治問題始終堅持其所信，言行一致，而不爲一時的利害得失所搖惑者，唯有才識卓犖的大政治家纔行，普通的政客策士之流，固不足以語此。職是之故，當國者對於一般處士橫議性的批評庶政得失之言，大可不必嫉視忌憚；見怪不怪，其怪自敗，必要時最好教他作一下官，看他再有唱高調的勇氣不？從前的君主政治時代，御史臺諫們最喜歡放言高論，敎他一行作吏之後，縱使再居言官地位，也就持重了。今人不明此義，專搞思想統制的玩藝，治絲益棼，不亦僨乎？

伊朗面面觀

德士

伊朗通訊

伊朗國會第二十屆會期的選舉，雖然並非由於失敗，可是因爲這是一沒有受過訓練的民主制度試驗性的選舉，却使得艾格巴 Eghbal 內閣垮台了，伊朗的選舉，凡是非文盲的公民，都有選舉權，由政府認可的各黨的候選人中，選出二百名國會議員。政黨共有三個，一爲政府黨，一爲國民黨，一爲人民黨。選舉之前，沙王（伊朗國王稱沙）宣佈，絕對自由選舉，可以和美國英國法國一樣地自由，每一選民，除了叛黨以外，都可以享受個人的自由。可是事實上並不如此。人民黨是反對黨，責難政府偏袒了國民黨。沙王反駁，並命令艾格巴總理辭職，而這個總理，在他過去任內，確曾做過不少的事情，而且成績非常之好的。他曾推動土地改革，這是伊朗最重要的農業問題。他又主張制定社會法令，和發展工業，懲治貪污。不料他却犧牲在大選風潮之中。

伊朗是一個農業國家，凡是有土有水的地方，便建立成村。每一村爲了治安，都有土磚砌爲高牆。每一村都有一個公共浴室，僱了專人管理。每天在一定的時間，供給熱水。每個村民都可任意入浴，祇要帶點東西給那管理人卽行。那東西不外小麥，水菓，木材，稻草之類。村中長老，名爲卡苦大 Kad-khuda，負責維持一村秩序。又設一水道管理員，名爲彌若伯 Mirab，監視全村地下灌溉渠道（坎井）。村民常識很豐富，很懂得幽默，對於本身有關的任何事情，都感興趣。尤其好客，不惜分杯羹以待客。在半封建的社會制度下，他們努力工作。這個制度，加上土地的貧乏，更使伊朗的經濟發展，感到困難。

現在全國祇有耕地不到三千萬畝（七百五十萬公頃），不過佔全國總面積的百分之二五，可以擴充三倍到三千萬公頃。全國二千萬人口，約有四分之三，直接間接都靠農業生活。可見得農業關係之重要。從一九五〇年起，已經着手土地改革，國王所屬田地，已經有一部份分給了農民。一共在二百三十個村子裏將王家土地分去了三五八二九五畝，給四萬人家。第二次國有土地再度分給貧民，是從一九五八年開始的。土地改革法案，今年或可完成。原則上，地主如不住在土地上，禁止保留土地，強迫大地主們將土地賣給政府，政府再分給農民。伊朗的土地，百分之七十五在大地主手裏。

伊朗有三分之一人口，以遊牧爲生。這批人如果應付得好，可以成爲一個大的力量。他們追逐水草於山嶺之間，有人想使他們定居下來，可是在那荒涼貧苦的土地上，叫他們何以爲生？他們也不慣住在土屋子內。幾百年來，都是以蓬帳爲家的，這些蓬帳，都是以羊皮做成的，有白，藍，黃，黑各色。裏面用棉皮襯裏，棉布生於伊士法汗和卡山兩地。這種棉布，叫做卡倫卡 Kalemkars 這種布於十七世紀傳到歐洲，至今在法國南部還很出名。

伊朗近年來做了些公共工程，經濟已有進步。尤其是水庫，一面發電，一面灌漑。正在南方施工的德次登大堤，要到一九六二年完成，那將是世界第三高堤。庫齊士坦地方要建設鋼廠。建設雖不夠，批評却很多。說是資金流到外國去太多了。幣制貶值了，生治高漲了，薪工不加等等。

旅客一到伊朗，便感到這國家太窮。尤在從新舊建築物上看得出來。伊士法汗是一個沙漠裏的綠洲。在十六世紀，沙王建爲國都。規模，禮拜寺，園亭，宮殿，城墻，走廊，噴泉，眞是美輪美奐。如果再到培色波尼士一看，那是古波斯王進軍歐洲的孔道，一路遺跡更多，更是雄偉。不過如今已經荒蕪失修罷了。

伊朗是一個高原。乾燥，多陽光，有風，夏熱，冬涼。高山積雪，化水下流，由坎井在地下滙流到都市，鄉村，乃至田地。土名叫做夸那特 ate。夏季多北風，又乾又熱，將塵土捲起，一直吹到波斯灣。因此處處都要土牆。菓樹花木，都要圍墻。玫瑰有紅白黃和複色各種，甚至一株之上，有各色玫瑰，那是伊朗人最心愛的花。花木菓園，不但可以遮陽，使空氣清新，生活舒適，菓子更是人人所愛吃的。

德黑蘭有二百萬人口，有出名的王宮，就叫玫瑰宮。孔雀王座就在這宮裏，孔雀王朝是波斯最光榮的時代，是一七三九年，拿地沙從印度德里蒙古兒王宮帶去的。這王朝深入國民心間，是東西兩世界的一個橋樑。國民中的各階層人士，無論工人，農民，商人，官員，乃至知識份子，都沒有革命的傾向。不滿意的人和反政府的人，當然不會沒有。是否集中在軍隊裏的青年愛國軍官裏，還是疑問。是否會像土耳其一樣，來一個革命，也不敢說。因爲宗教的信仰，軍官的效忠，沙王自已也是軍官出身，似乎不大可能，其次德黑蘭大學裏，也顯着不穩。今年春天，爲了考試的意見不同，京城裏瀰漫着不安。第三個可慮的，是莫薩德克士博士 Dr. Mossadekhs 和他的黨員們。這是一個標榜國家主義和中立主義的政黨。最後還有第四個不安，那便是半共產主義的徒德黨。黨員有多少，無人知道。却是一個組織非常嚴密的祕密團體，反對沙王和政府，攻擊他們是美帝的走狗。至於共產黨的宣傳在廣播電台一天天地增加。莫斯科用伊朗話在德黑蘭附近廣播，簡直無法加以干擾。徒德黨自已也設有秘密電台，目前正宣傳組織國民陣綫，

我們和伊朗是有邦交的，去年伊朗國王還訪問過台灣，對於這個友邦，我們將如何加以支助呢？（寄自德黑蘭）

台……北……側……記

△雷案發生後，民營報刊大大吃香。由李萬居發行的公論報日增數千份，零售攤日銷廿份的增加百餘份之多，聯合報也打破最高紀錄。公論報的零售攤突然大增，到處都是「公論報零售處」的紅字條。誰爲爲之，孰令致之呢？

△多災多難的公論報，最近接二連三遭到恐嚇警告，現在已被警備總部檢舉而訴諸法律了。因此雷案給公論報帶來者，幸與不幸，二者可謂得兼。

△雷案發生後，九月份的立監兩院大家都作「明哲保位」的沉默，側聞某某諸監委欲作提案，事爲某方所悉，使用阻撓包圍壓力被迫而流產了。最後一日的院會中，輪到雷震的太太監委宋英發言時，監委某公厲聲怪叫「散會」！結果宋英上去講了幾句客氣話，最後說：「謝謝各同仁的幫忙」，不知此公聽了之後，良知如何也。

△十月份的監院院會中，仍然是很沉靜，想不到突然來了一陣扣人心絃的事。那就是由陳翰珍等六位監委，提出一件臨時動議，指出「雷案」審判後，海內外輿論嘩然，中有疑議三點，須加調查。當發言的動議送到主席手中時，李副院長立刻神色大變，秘書長宣讀臨時動議後，全場鴉鵲無聲達數分鐘之久，竟無一人反對，此是監察院院會中破天荒的創舉。這位陳翰珍委員，可謂不鳴則已，鳴必驚人。（謀）

文化官僚現形記

讀者來函

編者先生：

香港有一所由台灣的「大陸災胞救濟會」撥欵支持的文化機構，起初是丁文淵先生主持其事，尙能認眞工作，發揮了一些救濟文化界難民的效用。等到丁先生去世，換一個素以腐敗官僚著稱的人物來接替後，該機構卽完全變成衙門，一切情形皆表現官僚主義化了。例如一般「委員」之外，又有「常務委員」，常委的地位和享受，比較一般委員不同。秘書之外，又有「執行秘書」，執行秘書的權力和待遇指淩駕原有秘書之上，等於該主持人的私有雇員。該主持人日常很少到該機構辦公，而其執行秘書亦以兼職兼薪之故，每天只能到該機構坐鎭一二小時而已。該機構的全體委員幾十名，除却該主持人接任之日，邀集大家爲恭聆他的致詞而舉行過一次官式會議外，至今歷時兩年以上，並未開過一次會，也不知道該機構究竟做的一些甚末事，每月照收六十元港幣的伕馬費，其他卽茫然無所知悉了。這是該號稱爲文化協會的內部組織和日常會務情況。

談到該機構的救濟工作實際情形，過去丁文淵負責時期，委員與職員的人數甚少，大家分配一定的任務，每一委員皆有其認定的專責，成立小組，分工合作，經常舉行小組會議，或全體委員會議，檢討會務，解決問題，頗有朝氣，亦有相當績效。自從該機構衙門化之後，舊有規模卽已面目全非，每年除了在報上登載一二次徵文消息，照例發出若干獎金以外，別無所事，而這些徵文評判工作如閱卷等，亦並非基於救濟意義，交由生活貧困而學有專長的文化人負責處理，乃係該主持人所認爲好友者，才能夠享此權利——因爲閱卷是有金錢代價的。該會另一項「救濟」工作更可笑，竟把台灣方面從國內和國際上辛苦募捐得來的救濟金，作爲政治性的餽贈禮品。凡是平日對台灣表示不滿，高唱反調的，別人並不要求，亦不需要救濟，該會却按月贈送津貼如儀，別人每加拒却，還是再三要送（如某某兩著名出版社卽是），而眞正窮困的反共非共人士所辦的文化事業，因其不表示反台，縱然向它請求救助，亦復相應不理。請問這是救濟文化界難民的應有作風嗎？

最近該機構託詞「節餘經費」，斥鉅欵若干萬元購置洋樓大厦作會所，不管是假救濟之名，營私浪費，已引起社會人士羣聲指摘攻擊，說他們只顧「救濟」自己，忘却本來的職責了。此外該會平日還有若干可哂可歎的事情，不勝枚舉，說來話長，姑且存而不論。我是在海外流落了十年的知識份子，從未向該會有所干求，亦不需要他們救濟。但目擊這類腐敗現象，跟過去在大陸上的文化衙門一模一樣，本諸良心血性，特爲貴報一述，希望貴報站在正義公道的立場上，爲着反共復國前途的利害關係，稍加注意，予以批判糾正，幸甚。

讀者黃士澄上四十九年十一月九日。

大陸文壇萬花筒

中共作協的書記

——岳騫——

中共第三次作家協會理事會擴大會議，選出了一百多名理事及主席副主席，接着就選出書記處的人選，共選出書記席十三人，由主席茅盾兼任，副主：劉白羽、老舍、嚴文井、何其芳、陳白塵、邵荃麟、張天翼、張光年、郭小川、曹禺、曹靖華、蕭三、臧克家。

從這項名單看，有兩點可以提出討論。

第一、作協副主席此次選出六名，卽周揚、巴金、柯仲平、老舍、邵荃麟、劉白羽。前三人並未担任書記處書記，可能由於工作太忙，無法兼顧，如巴金担任上海文聯主席，經常要住在上海，周揚更是一個忙人，柯仲平大槪是負責國際宣傳工作，都不可能經常過問「作協」的事，其餘三人，老舍尙未入黨，自沒有任何權力，邵荃麟和劉白羽兩人分別担任作協黨組正副書記，總眞是作協統治人物，所以作協今後工作將由邵荃麟負責領導，茅盾固然是個傀儡，周揚恐怕也沒有時間過問。

第二、上屆作協書記連茅盾在內共十一人，實際只得十人，本屆增至十三人。上屆十人中，章靳以下放勞動時死在機器房內，吳組湘已被整肅，其餘人人均蟬聯，新增的五人爲何其芳、張天翼、曹靖華、蕭三、郭小川。

五人中間何其芳是周揚手下大將，近年來頗受同系排斥，時遭批評，已在走下坡，此次當選作協書記，情況似乎好轉。至於張天翼是老作家，大陸陷共後他從未曾向中共作過無聊歌頌，仍有衆醉獨醒之槪，不過，却未受到迫害，一些名譽職務還有他一份，也算「善全有術」了。曹靖華是俄文專家，以前就翻譯過許多俄文書籍，他很早就是共產黨員，不過，並不得意，多年來大槪也是因爲過去不屬於周揚系統。

至於蕭三據說是個詩人，只是比較難產，好詩固然作不出，壞詩也很少見，他唯一資本是毛澤東中學同學，這次當選作協書記恐怕還是託毛澤東之福。最值得注意的是郭小川，此君去年被圍攻多次，且曾到南斯拉夫去，打了一場國際筆墨官司，他本是作協秘書長，這次却升爲書記，倒算是因禍得福了。

編者·作者·讀者

汶津先生：請續惠稿，字數最好在一千六百字左右。

劉杰先生：尊稿均收到，謝謝。提名道姓的捧場文字，本報例不刊登，此則須請閣下留意者也。

社會小說

香港地

六、人情味

梅大亮說了便做，立即和王鎮球向附近找到一間小咖啡店，剛坐下來，要了兩杯咖啡，便搖一個電話給霍新開。

湊巧的是，霍新開剛正在家，聽他在電話裡說出韋大悲的死訊，居然非常驚慨地說道：「他怎會就這樣便撒手死去呢？可惜可惜！他是一個好人，他真的是一個好人呀！」

梅大亮覺得他表示得還好，便說出了韋大悲身後蕭條，希望他馬上代為設法幫助，儘速料理後事，這在梅大亮原來的推測，得助的希望是有的，卻不敢說有甚麼把握。可是，霍新開反應得非常爽快，而且表現出無比的熱情，立即在電話裏答應道：「那是朋友們應該出力的事，難道還會成問題嗎？好，我馬上坐車子去找他的太太和公子，我們應該替他發新聞，最好是來一個追悼會追思會之類，為他表揚表揚，這種好人值得我們同情呀！」

這一大串的話！好像由機關槍口裏噴出的子彈一般快和密，不由梅大亮不聽得心裏寬慰，還來不及回答他兩句話，霍新開又已接住問道：「喂！梅老兄，你還沒告訴我，他是在那裏死的呢？在醫院死的還是在家裏？」

梅大亮倒問得茫然，忙向王鎮球轉問，才知得韋大悲是在香港一間慈善醫院裏面病死的，便照實回覆。霍新開剛詢悉了結果，馬上把電話掛斷，似乎急不及待，非火速動程不可呢！

梅大亮鬆一口氣，回到座位去，把交涉經過對王鎮球說知，王鎮球料不到霍新開為人如此熱腸，也贊歎一番道：「難得難得！這叫做一生一死，乃見交情，人家常說霍新開為人滑頭，看來也有些不實不盡呢！」

到了這時候，王鎮球才將詩翁韋大悲在醫院逝世的情形，約略說出，原來在香港住固不易，死更困難，「一家八口一張牀」雖是住得辛苦，比那臨死時才僥倖送入慈善醫院的病人廹着要和其他垂死的人擠在一起，沒有足夠的病牀供給「壽終正寢」之需，彼此瞪着眼喘着氣，呻吟相對，半迷半醒，還較為好受得多呢！（七八）

木客著

自私

汶津

我是一個自私的人。

若要說一句反話，就成了「此地無銀三百両」。

楊朱究竟是正是邪，我不想回答。堯舜的故事倘使純屬神話世界，雖使許多人覺得不過癮，卻能減少我一份不肖之感。其實，說穿了，「不自由，毋寧死」這句名言如果竄改一字，勢成大部份人類的最佳坦白書。

數銅子而忘天下的人，其自私的水準殊為可嘆。真正自私的高材生，是那些善於享用陽光的人們；會看星星，且知道星星也不會忘了自己的人，才是自私得不着痕跡的。為什麼準要把自私看作毒蛇猛獸？連孩子尚不甘例外哪：媽媽的乳頭，舍我其誰哉！

如果說自私的人必然身胖體碩，我無與焉。然而，請為說瘦者之自私：自私包括自衛，此盡人皆知者。強調高血壓為害之烈，實即我等諸君子的傑作。覬覦天堂的人，必須渲染地獄之黑，其理若同。有次我想到了一句口號：「這世界都給你們吃窮了。」其實瘦子的食量何嘗就小！胖子的自私我未嘗領略過，不敢亂騁其想「象」力。偶而在公共汽車上看到一位擁霸三個座位的典型人物，與木立於前的孕婦瞋目而對時，卻也不免歎為觀止。

但自私的人忘不了家、國、天下。無家何以高枕，無國何以趾高氣揚？無天下何以享用舶來品以及其他？真正懂得自私的三昧的人，必不肯效顰於魯濱遜，飄流孤島獨自營生。對於他們，世間的教條，正像踩在腳底的枯葉。

如果「自私」一且成為一種競技，智力測驗可能因此淘汰。「各盡所能，各取所需」無疑只是歷史上的一行廢字。不自私的工作中絕無奇蹟！而我們這世界，人口擁擠得已如穴中之螻蟻，沒有奇蹟是無法不翻車的。大禹三過家門而不入，後人你也詠歎我也欽佩，可是每個人心裏難免會想：花三分鐘進去看看家小也沒什麼不是啊！有人乾脆就說禹是爬蟲。這麼說來，倒是爬蟲不自私囉？——非不為也，是不能也。

「博施濟衆」在這個年頭聽來，未免有股酸氣。「濟衆水」倒是耳熟能詳的。不過濟衆之先，且濟自己；只要我的荷包滿了，那「水」兒靈也不靈，就得瞧您的造化了。另一些作神仙狀的聰明人，他們的藝術也是教人欽佩不已的。

一方面，「天下為公」那塊匾仍舊十分賣座，要人演說中，公用刊物上尤其使見翻版。而對自私多用否決權的，也絕不遜于聯合國大會上的蘇俄代表。懷孕的太太買一件被列入奢侈品的大衣，大可向丈夫陳述如下的理由：「我是怕胎兒着了涼！」她是怕鄰家太太比她更體面。

有時候，人真是十分慷慨的。這可能是人的可愛處：他把自私的一面以相反的方式發洩了出來。「雙城記」中的薛德尼·卡登便是一例。近尾聲的時候，那斷頭台對他是有條件的；無條件的為人死，不是聖人就是騙子。

我相信凡人都很誠實，只有在「自私」這一點上，往往有些夾纏。我久已有意提倡一項不害羞運動，不過標語用詞還稍有困難。「自私是光榮的」；「自私萬歲！」似乎不合科學精神；又有政治色彩。好，就暫用「自私即是自愛」吧，這樣也許會被阿Q認作徒子徒孫，那也顧不得了。

在大街上，常常聽到司機大聲叱罵自車前穿越過街的行人：「該死，不要命了？」乍聽好像為陌路人的性命擔心；如果當然懂得他是為自己着想：如果見了血，監獄之門準會張着口候他的大駕的。有一位司機真夠老實：「你不要命我可要！」說這話實在可敬。這是替大夥兒說的。在不損己的原則下，他們也誠心的希望天下人都生活得好好的。

憶故鄉

香港東方英文夜校

・趙山宗・

別了——我底故鄉，秋風秋雨，黯然觸起了我底追憶，那難忘的故鄉山水，那難忘的鄉土人情。在長久的孤伶中，有時也禁不住歸心蕩漾。可是，歸！歸往何處？我生長的故鄉啊！啊！它是黑暗的囚籠。在那個囚籠裏，有我底父兄，也有我的朋友，還有我的同胞。碧綠的田野，茂密的叢林，故鄉，只永遠留給我以兒時的回味。為了自由，為了幸福，我冒險犯難，跑到了這自由的天地；這不是傳教，也不是遊埠；這是逃亡，逃出無道而殘酷的赤色魔掌。

數年了！一切的人和事都是在隨着時代而轉變，一個充滿了溫柔，熱情的故鄉，已經變成了黑暗，冷酷的地獄。故鄉啊！我幾時才能回到故鄉的懷抱呢？故鄉的人與事，故鄉的泥和土，故鄉的山和水，故鄉的花和樹，啊！故鄉，可愛的故鄉啊！什麼時候才能回到故鄉的懷抱呢？

黑暗不會長久籠罩大地，大地就快要黎明，故鄉啊！總有一天，我要回來的。

青年之聲

儒林九尾龜

吳敬鋅

第四回：人何寥落鬼何多

黃安民連問被誰打了，為什麼打他。

李鴻飛笑道：「這件事情就有趣了，你要沉住氣聽，笑斷了腸子我可不負責任。」

黃安民也笑着說道：「別做文章了，那個小子一天到晚招搖撞騙，挨打是很自然的事，有什麼好笑。」

李鴻飛搖手：「不是你想的這麼簡單，這次確實有趣，他是因為競選總統挨打，要算是個大笑話吧！」

黃安民聽了又驚又笑，連聲問：「他真的去競選總統，怪不得被人打了，這次是不是能教訓好他。」

李鴻飛笑道：「打他的人也是一個總統候選人，所以這場鬥爭更有趣。」

黃安民聽說又有一個總統候選人，不由得捧腹大笑，連忙問道：「那位總統候選人是誰，我見過沒有？」

李鴻飛搖搖頭：「這個人你不認識，我同他也不十分熟。此公名叫王占山，年齡有四十幾歲，以前也常提筆寫寫文章，以後覺得文化人沒有出息，就改行從事政治，論到人品學問都比高不成知道多，尤其是關於政治法律方面的書籍，更是用過工夫，據說中華民國憲法他能正背，倒背，只要你說出第幾條，他馬上就能背誦得一字不漏，這套功夫自非高不成所及。

最近因為中華民國第一屆總統任期即將屆滿，本年三月間就要改選，王占山靈機一動，就向朋友湊了幾個錢在香港一間酒店開了一個房間，作為競選總部，也有幾個無聊的人希圖騙吃騙喝，跟着他湊熱鬧。一羣人每天躲在酒店裏商討競選方針，草擬競選政綱，好似真的一樣，不料這個消息漸漸傳給高不成知道了。」

黃安民笑道：「高不成知道就去找王占山打架了嗎！」

李鴻飛搖搖頭：「並非如此，高不成這個小子天天嚷着要當總統，實在於總統選舉年任他也不知道。忽然聽說總統要選舉了，而且本地另外已有人競選，他不由得着忙了。也糾合了幾個小嘍囉，在同一酒店裏開了一個房間作為高候選總統的競選總部。和王候選總統唱起對台戲來。」

黃安民笑道：「一山難藏二虎，就怪不得打架了。」

李鴻飛笑道：「你別打岔，事情還不是這樣，當這兩個競選總部成立之後，所有助選人員出出進進，漸漸都熟了；他們私下一商量，說是這樣競選，未免把力量分散了，不如請兩位總統候選人公開舉行一場辯論，看看誰的政見對就誰穩操勝算了。

兩方面助選人員商量定了之後，回去各向老板報告，就說對方提出挑戰，要舉行正式辯論，若不答應就算失敗了。」

（四十一）

糖炒栗子

白荷

昔日在平津一帶，秋天的街頭景像，最引人注目的，要算是糖炒栗子了；每當夕陽西下的時候，街頭的炒栗子攤販，熊熊的爐火，騰騰的煙氣，夾雜着清脆的鐵鏟炒栗子的聲音，一陣陣「壁壁剝剝」栗子爆開的響聲，還有一股熟栗子的香味，真令人有「饞涎欲滴」之感！

諺到栗子，就想到良鄉，由於良鄉栗子出名，故不論遠近小販，都打着「良鄉栗子」的招牌，其實栗子約分三種：一種是結實大的名魁栗，產在安徽安慶一帶；次大者名市栗，出在山東兖州一帶；小者名茅栗，產於浙江省；栗子生在樹上，外殼如蝟刺，熟則自裂；陸游有詩云：「蝟刺折逢新栗熟」，由此可證。

有關昔日京師糖炒栗子記載，據燕京雜記上說：「栗稱漁陽，自古已然，其產於畿內者，在處皆美，尤以固安為上，八月後即聚鬻於京師，賣栗者炒之甚得法，和以沙屑，沃以飴水，調其生熟之節。恰可至當，每日落上燈時，市上炒栗，火光相接，必營灶門外，致礙車馬，殊不可解也。」可見當時炒栗子是秋天街頭特色之一，也是應時的食品了。

又樊樊山詩中亦有「此事休文恐未知，東京風味仲秋宜，斜街土銼鐙如豆，滿路糖香似舊時。」炒栗子是用砂子來炒的，當其快熟時，再加上糖水摻拌，如此在栗殼上就有一層油潤的亮光，格外容易引起人的食慾，故所謂糖炒栗子，美其名而已，真正炒栗的主要材料，是要靠一粒粒烤熱的黑砂，將栗肉炒熟的；這也正如不問是否炒的是「良鄉栗子」，但大多數掛的招牌，卻寫着「糖炒良鄉栗子」一樣，利用美麗的名詞引誘老饕們來購買。

炒栗是我國很古的吃法，已有悠久的歷史，據契丹國志記載：「蕭罕嘉努嘗對遼主言，言知炒栗小者熟則大者必生，大者熟小者必焦」，可謂炒栗者經驗之談；又老學庵筆記亦云：「故都李和，炒栗名聞四方，藝者百計效之，終不可及。」據此汴京亦有此風，而南渡以後，則又傳云至江南一帶，因而秋天糖炒栗之風行，更趨於普遍。

如今秋高氣爽，正是吃糖炒栗子的時候，可是大陸同胞在「人民公社」裏，一日三餐都難吃飽，遑論享受「糖炒栗子」的風味了！

釋未集

為大學國文課本進一解

一九五五年，香港大學出版社，發行「中國文選」兩冊，其編輯例言第二條曰：「本書分上下編，……下編材料，約當以前大學一年級程度。」依此以言，則香港專上學校一年級國文課程，原有官定標準，似可不必更為立異，惟多年以來，批評該書之意見，絡續見於本港各報所刊佈者，實已不鮮，而持異議者尤多，因知現時本港各專上學校之大學一年級課程，當甚為紛歧。頃聞崇基、新亞、聯合三學院，曾一度舉行會議，討論關於統一大一國文課程問題，此種會議，能否求出一共同滿意之結果，實不能無疑，故此一課程，欲求事實上之統一，若非出之以強制，則徒空言耳。竊嘗思之，近百年來，以言論文，湘鄉曾氏之見解，實最為本光，而所纂聖哲畫像記，於古文之學，但取韓柳歐曾四家，且並之以曰：「師其一人，讀其一書，終身用之，有不能盡。」惟近時學人務為淹博，曾氏所言，或不免以為固陋矣，然論學文之善者，無如歐陽永叔之學韓退之，宋書本傳曰：「修遊隨，得唐韓愈遺稿於廢書簏中，讀而心慕焉，苦志探賾，至忘寢食，必欲並轡絕馳而追與之並；舉進士甲科，調西京推官，始從尹洙遊，為古文，議論當世事，迭相師友……遂以文章名冠天下。」及修晚年，追念其學文經過，有「記舊本韓文後」一文，述其既得韓集，愛而習之，曰「是時，天下學者，楊劉之作，號為時文；能者取科第，擅名聲，以誇榮當世，未嘗有道韓文者。……後七年，舉進士及第，官於洛陽，而尹師魯之徒皆在，遂相與作為古文，其後天下學者，亦漸趨於古，而韓文遂行於世，蓋於今三十餘年矣，學者非韓文不學也，可謂盛矣！」今按歐公之文，敘事則層累鋪張，言情則慷慨嗚咽，及其持論，又宏通博辨，醇深條暢。窮探其源，可以上溯至董賈之對策，太史公之論贊，以至班孟堅漢書諸傳；而未始不從韓文中入手。故善學者，從一家入已有餘，不善學者，兼諸家而終無裨於敗塞。今諸先生之議，其選取之標準數量，吾人尚未知，但若以港大所用中國文選下冊論之，則經學、史學、文學、及漢學之考據，宋人之義理，以至西學之傳譯，實兼容而並包之，選文達三十篇，準目前專上學院每週授課四小時計之，亦恐不易授完。至於學文必用編定之課本，固不知昉自何時，實則近於制科時代之程墨，喜言師承家法者，獨尊尚之，但過於求同，爭議必愈紛擾，此子瞻對於介甫，所以有黃茅白葦之論也。曲齋

幽默

徐學慧

幽默之道，並非盡人皆能，必其人有絕大智慧與絕高境界，方能體察到任何事物之來龍去脈，從而幽默幾句，讓人哭笑不得，喜怒不定，這纔是幽默的妙處。

過去在上海，林語堂黃嘉德博士幾個人主辦的什麼「論語」和「宇宙風」，倒也還有些幽默文章可讀。那時候，國家局面雖然也是一團糟，究竟也不像現在這個樣子，一班寫文章的朋友們，多少還有點閒情逸緻去發掘幽默，而且在那個時期，寫文章似乎還未成為一種固定的職業，用不着搜索枯腸勉強幽默。在興到的情形下，自然是可以產生一些會心一笑的文字來的。

時至今日，一切都變動得太厲害了。國家已經沉淪到這步田地，社會又冷酷到這步田地，人與人之間，勾心鬥角，鐵面無情，在這樣的情形之下，要想產生幽默，實在很不容易。何況那些寫作的朋友，也比以前不同了。在以前，寫文章如票友登台，演出來的自然是幾齣拿手好戲，到今天，寫文章已成為三百六十行以外的一種新興職業，要職業文人來寫幽默文章，它的本身就是一個最好的幽默呢！

常見有些歡喜坐咖啡室的朋友，往往三朋四友相聚，互道近況，不是說改行作經紀，就是說改行寫文章。寫文章還可以由其他行業轉過來，這個玩笑可眞是開的不小。可是，在香港的文化圈子裏，正不知有多少轉業文人，在這兒吹縐一池春水，細想起來，這又是一個不大不小的幽默。

前些日子，香港似乎有一本以「幽默」為名的雜誌，薄薄一本，售港幣一元，即此一端，經已替我們提供了最大的幽默。但除了「港幣一元」的幽默而外，倒也很難使我們欣賞到其他的幽默呢！

嗚呼！幽默之道，亦難言矣！

聯語拾趣

漁翁

聯語，首在切題，次對偶，尤貴自然而通俗，令人閱之，咸感興趣。我國每值慶弔大典，以撰聯懸於堂室間之前兩柱，謂之「楹聯」。

據宋張唐英所著「蜀檮杌」載：蜀主歸宋之前一年，歲除日，令學士辛寅遜題桃版於寢門，以詞非工，自命筆云：「新年納餘慶，嘉節號長春」。楹聯叢話，以此為楹帖之權輿。宋時如蘇文忠眞文忠及朱文忠撰語，尚有存者，元明以後，作者漸夥，入清尚章句，尤為盛行。

李鴻章，清合肥人，道光進士，累官太子太傅文華殿大學士，名噪一時，其母李太夫人於十月初，壽晉古稀，賀聯祝詞，琳瑯滿目，有直隸候補道員撰書一聯，文曰：「十月小陽春之前，七旬大壽；兩宮皇太后而下，一品夫人。」為鴻章所賞識，懸諸中堂，並簽請以實缺補之。

曾國藩，湖南湘鄉人，考列三甲，賜同進士出身，為生平一大憾事。有同年某，[illegible]每為妾服賤役，不避忌，一日，曾訪之，而某方為妾洗足，曾笑曰：有一聯，請君對之：「替如夫人洗脚」，某不假思索，即不離而答曰：「賜同進士出身」，曾為之氣結。

曾與左宗棠同鄉，議論頗不合，遇於朝，曾出對曰：「季子敢言高，與吾意見大相左，」蓋左字季高也。左即對曰：「藩臣終誤國，問他經濟又何曾？」均以姓名相對，瀟灑自然，眞不愧一代之大手筆。但左對曾，仍備極尊崇，曾卒，左挽之曰：「謀國之忠，知人之明，自愧不如元輔；同心若金，攻錯若石，相期毋負平生。」足見曾左之風度恢宏矣。

王壬秋號湘綺老人，晚年，常布衣出遊，一日，步行湘潭城外之石塘村，適王姓婦十一月十一日作七十壽，賓客滿座，王口占一聯以賀之，始書上聯：「閱王母生辰，十一月十一日；」衆賓以其對主人開玩笑，均不予以重視，待續下聯：「祝孺人壽誕，八千春，八千秋。」衆乃愕然，請署名，一見「王壬秋」三字，主人認為失禮，即延至上座，至今猶傳為佳話。

湘綺斷絃後，不復娶，即以女傭周媽為繼室，出入與俱，不稍避忌，湘綺逝世時，周媽輓之以聯云：「忽然出，忽然歸，忽然向清，忽然親袁，恨你一事無成，空有文章驚四海；是君妻，是君妾，是君良友，是君執役，歎我孤棺未蓋，憑誰紙筆論千秋。」此聯頗能概括湘綺之一生，但不知出於何人之手筆。

蔡松坡與小鳳仙一段之艷史，今人知之，鳳仙頗通翰墨，與文人騷客唱和不少，結識松坡後，認為器宇非凡，求一聯以作紀念，松坡即揮毫應之曰：「自古佳人多穎悟；從來俠女出風塵，」惟此時尚未露眞姓名，署欵時稍猶豫，鳳仙曰：「大丈夫作事，當磊磊落落，何顧慮為？」松坡始署本名，鳳仙見之，更情篤於前，助其得間出險，以竟倒袁之功。帝制推翻後，松坡督川，不幸以喉疾卒於日本，年僅三十五，鳳仙以聯輓之曰：「不幸周郎竟短命；早知李靖是英雄，」傳誦一時。

葉德輝，博學多文，尤善詼諧，惟滿面麻花，人皆呼為「葉麻子」，以文章得名，而復以文章賈禍，民十六年，共黨在長沙，肆行農民運動，葉以農會兩字冠首，口占一聯：「農會宏開，稻粱菽麥黍稷，盡皆雜種；會場廣濶，馬牛羊雞犬豕，都是畜生。」一時大街小巷，傳誦不絕，共黨以葉破壞詆毀，發動農民，捉至教育會坪公審，葉遂死於刀槍下。

魯滌平，湘之寧鄉人，為人廉介，歷主湘贛兩省，不名一文，與如夫人沙氏，情感彌篤，魯死後，沙氏痛不欲生，竟跳樓身殉，變棺運抵長沙，湘人開會追悼，輓聯數以千計，就中以某名士所撰者為最出色，聯云：「不名一文，是為之魯；何來變柩，莫明其沙！」嵌「魯沙」兩字於末，語出自然，令人贊賞不已。

上述各聯，為余目所見耳所聞者，頗有趣味，錄之以佐筆談而已。

海嘯雲談薈

閒話賀耀組（二）

諸葛文侯

賀氏於攻下九江後，即擴編部隊，正式組成第四十軍建制，而以原任參謀之士官同學黔人谷正倫，及其旅長毛炳文，外甥李益滋等分任師長職務，揮軍東下，進攻金陵，首先攻克秣陵關，捷足佔取南京，迨國府成立，奉派為首都衛戍司令，此為賀氏軍中生活最得意之時代。

越民國十七年，革命軍二次北伐之役，賀部與方振武軍在濟南城抗拒日本軍閥侵略行動，鏖戰甚力，日方堅持須撤懲賀等作為罷兵條件，我政府不得已忍辱認允，暗中囑賀保舉繼任軍長人選。賀屬意於其外甥李益滋，但李資歷尚淺，而當時革命軍總司令部參謀長朱紹良氏，與賀同學日本士官學校，亦示意願為賀氏代勞領兵，賀乃以朱紹良，毛炳文，李益滋三人呈請遴用，自忖本身因係愛國禦侮而犧牲軍職者，有功無過，上峯必能體恤其隱衷，眷念其功績，而以李益滋承其乏也。詎明令發表朱紹良接替，賀甚失望，頗有怨言，朱聞之亦不快，兩人友誼從此發生裂痕矣。洎後中樞整編全國軍隊，凡原有名軍番號撤消，一律縮編為師，賀部改編為第八師，由毛炳文任師長，仍歸朱紹良統率之。民十九年中原大戰——即討伐馮、閻戰役——最高統帥任賀氏為津浦路總指揮，然賀要求將第八師舊部調回掌握，方肯就職，是無異拆朱紹良之台，朱亦不讓第八師重歸舊主。賀之目的終不得達，更對朱紹良起反感，兩人嫌隙乃愈深，殆所謂「好姻緣變成了惡寃家」也。

賀氏原任之首都衛戍司令職位，早已交給其部將谷正倫接替，旋且改為憲兵司令，谷氏及其部隊，與賀完全脫離關係，而毛炳文之第八師又非復賀氏所能縮領。半生戎馬，從艱難困苦中創造而成之一部兵力，一旦化為烏有，徒興撫髀之歎，賀此時蓋不勝其拔劍擊柱之悲憤心情也。當年賀曾語愚曰：「一些雜牌軍人，只要擁有一師之衆，即可以據地稱雄，名利雙收，中央不惜予以省主席或綏靖主任以及勦匪總司令等崇高職位。我自動首先實行軍隊國家化，乃落得毫無是處，怎不教人寒心喪氣呢！」此即賀氏後來變節投共之基本因素也。

賀氏脫去軍旅生活後，雖歷國府參軍長，參謀部次長，軍事委員長辦公廳主任暨侍從室主任諸要職，仍抑鬱不樂，蓋其志在封疆大吏，得專方面之任耳。民國廿六年中樞任命朱紹良為甘肅省政府主席，朱不就任，是時中樞銳意準備對日抗戰工作，急須修築由蘭州通廸化之甘新公路，乃命賀代理甘省主席，限期完成此項任務。賀到任年餘，政聲不佳，甘人紛向中央控訴，甘籍參政員水梓，且在參政會提出彈章，要求罷免賀氏，中樞俯順輿情，調賀回京，仍飭朱紹良赴甘省主政，此民國廿八年事也。

論諸葛亮

·謝　康·

三國文學，以曹氏父子及建安七子為翹楚，遠非西蜀或者東吳所能比擬的。諸葛亮不長於詩，中國詩史沒有他的地位，陳壽編他底集子，目錄上也沒有詩歌一類，只有散文二十四篇，十萬四千餘字，又稱其「言教書奏，多有可觀，」今已大半亡佚，殊為可惜。幸而有前後出師表兩篇奏議文字，證明他很長於寫散文。自從陳壽將前出師表列入蜀志本傳，歷代綜編古文的選家如茅鹿門，姚姬傳，曾滌生，過商侯之輩，莫不將出師一表列入選本，遂廣流傳。加以古文家奉散文為文學正宗，又對此表推崇備至，以為有伊周之風，非兩漢文士所能及。至少是奏疏類中的最好者。特別是劉勰，歐陽修，蘇東坡，方望溪，姚姬傳諸家，十分佩服它，似乎認為三國文章第一，於是建安七子的才名，遂為諸葛公的大名所掩了。因為這些古文家的傳統觀念是以文載道的，而所講道德，必以五倫為基本，五倫，以君臣冠首，諸葛公一生對君臣之義，漢賊（？）之分，是最認眞不苟的；所以他底大名和大文能受到提倡古文和研讀古文的人普遍的尊敬。正是「蜀漢幸能存正統，莫將成敗論三分！」在今日，堅持反攻復國的人，對着這兩篇出師表，更加覺得有一種激勵和親切之感了。（四）

歷史人物

自由報
THE FREE NEWS
第八十一期
中華民國僑務委員會領發
台僑新字第三二三號登記證
中華郵政台字第一二八二號執照
登記為第一類新聞紙類
（半週刊每星期三、六出版）
每份港幣壹角
台灣零售價新台幣弍元
社長：雷嘯岑
督印人：黃行齋
社址：香港銅鑼灣高士威道二十號四樓
20 CAUSEWAY RD 3RD FL HONG KONG
TEL. 771726　電報掛號．7191
承印者：四風印刷廠
地址：香港灣仔高士打道二二一號
台灣分社
台北市西寧南路壹壹肆號二樓
電話：三〇三四六
台郵撥儲金戶九二五二

中共經濟決策的謬誤

唐昌晉

報載：倫敦經濟人報最近分析中國大陸的災荒，大都原於人造的原因。我雖尚未看到原文，但我相信他們的分析是百分之百正確的。世人早就料到，由於中共決策之謬誤，遲早總會導致經濟總崩潰的結局。

大家知道，共產集團的經濟發展是以建立重工業，製造新武器為其重心，而將農業及輕工業置於不重要地位。殊不知健全的國防係建築在整個國民經濟之上，重工業，特別是武器，固然屬於國防範圍之內，民生日用必需品又曷嘗不與國防有極其密切的關係。一定要平時民生日用必需品儲存得異常豐富，然後在戰時對士兵的補給才可不虞匱乏，劉邦之所以能戰勝項羽，主要在蕭何的後勤工作做得好，不然的話，縱有張良的機智，韓彭的勇武，亦無由得逞。無怪乎孔子認為足食之後才談足兵，國父孫先生也只在民生主義裏面講到衣食住行，而從未提到堅甲利兵，至堪玩味。因此，就中國現階段的實際情形以從事經濟建設，應以發展農業，解決民生問題為第一着，凡與農業有關的工業，如化肥工業，農具機械工業以及水利工程等，應優先舉辦。由農具機械工業牽連到的鋼鐵工業，由水利工程牽連到的電氣工業，也是要適當配合的。待農業資源充份開發之後，在滿足一般國民溫飽條件下，以剩餘農產品向工業先進國交換嶄新的工業設備，進而發展原子能工業及軍火工業，庶不致形成經濟上畸形的發展，而是很有根基的自然成長。

現中共不這樣按步就班的作，偏偏在西北各省興建一些與民生不相干的工廠，以滿足其好大喜功的心理。可是由於沒有技術人材，沒有原料，沒有市場，更沒有暢通無阻的交通網，這些工廠將永無開工的一天。過些時日，機器銹爛了，這筆浩大的興建費用還不是等於白費！有一位美籍記者看到這種情形，說中國人頭腦不合邏輯，其實這只能說是幾個中共頭子的頭腦不合邏輯而已。即如中共對外熱烈宣傳的長江大橋，實際上對國計民生並非當務之急的事，把這筆錢拿來建一所大規模的化學肥料工廠不是好多了嗎？去年中共盲目而瘋狂地搞土高爐煉鋼，煉出來的成果怎樣呢？後來鬧出嚴重的春荒，就是因土高爐煉鋼躭擱春耕所致（這可能是經濟人報論據之一）。共黨不重視科學智識，瞎搞一起，浪費資金和資源，我們本是一個窮國家，再經他們這樣胡搞一陣，民衆怎能不陷於水深火熱的痛苦生活之中呢！

中共經濟決策上的第二個錯誤，在於他們太忽視了人們自私的天性。自私並不是絕對的壞事，只要能因勢利導，使得公私利害一致，那末自私是可以的。我們古代的政制就是建立在公私利益兼顧這項原則上。顧炎武日知錄「言私其豵」一章裡面說過：「自天下為家，各親其親，各子其子，而人之有私，固情所所不能免矣。故先王弗為之禁。非為弗禁，且從而恤之。建國親侯，胙土命氏，畫井分田，合天下之私，以成天下之公。此所以為王政也，至於當官之訓，則曰以公滅私。然而祿足以代其耕，田足以供其祭，使之無將毋之嗟，室人之謫，又所以恤其私也。此義不明久矣，世之君子必曰有公而無私，此後代之美言，非先王之至訓矣。」在英國工黨當國的時期，勵行國有化政策，企圖將所有大規模私營企業收歸國有。這時有一位工會主席就曾經指出，工黨雖能將大企業國有化，卻不能將從事企業的人國有化。意思是說，要想這些人辦公家的事如同辦自己的事一樣，精打細算，這是不可能的。果然不出他的預料，國有化政策推行的結果，卒造成龐大的浪費。到今天，英國大多數的國民再也不相信國有化政策了。國父孫先生深明此中道理，所以在民生主義裏只主張將具有壟斷性的企業由國家經營，餘由民營，並由國家予以扶植。現中共將所有企業及農場全由偽政權直接經營，結果怎樣呢？簡單的一句回答，就是造成驚人的浪費！以工業來說，許多公司的倉庫領東西，根本沒有手續，而是打開在那裏任人挑選，掉了東西還不肯認賬；鋼鐵廠拿鋼錠墊院子，倒塎鋼錠更成了家常便飯；紡紗廠則將紗筒當燃料，機床精度不一會兒就損壞了。就農業來說，牲口年年死亡，洪水冲走了牲口與糧食也沒人管；餓瘦了的耕牛，霉爛了的糧食，損壞了的農具，更是成了普遍現象，成批的水車掉在河裏也沒人打撈。這一切，乃是由於人民漠不關心，甚至故意怠工以反抗共產暴政所致，決不是反浪費可以反得過來的。

第三，中共因襲了十九世紀資本家的剝削故智，儘量延長工作時間，減低工人待遇，以為這樣最合算，殊不知由于工人精力的不足所造成的事故，以及有意怠工所造成的惡劣品質及低落的效率，反使工農業本身蒙受莫大的損害。

此處要附帶一提的，中共靠工農運動起家，可是得魚忘筌，今日竟把工農大衆折磨得要死。就工作方面講，到處出現人拉犂；不管是七八十歲的老年人，或者是十來歲的兒童，在寒冷的季節，都要參加翻地或挖河工作；每天很早就出工，一直幹到深夜，平均只能有四五小時的睡眠。這種慘無人道的奴役政策，就是最忠實的匪幹們也在喊吃不消了，有的要「下馬歇歇」，有的存着「甘居中游」的思想，不願再拼老命。至於吃的方面，在糧食統購統銷政策下，口糧普遍不夠吃。據下放的共幹反映，華北農村多賴糠，雜糧和野草充飢。就是後來中共認為辦得最好的徐水大寺各莊食堂，其所公佈的菜單，也沒一樣是葷菜。從事重體力勞動的人們，不吃葷是不易維持其所需的氣力的。因此很多共幹在嚷：「生產大躍進，生活也得大提高，過去許了願，現在不好反口，不給羣衆多分點，怕影響生產，今後勞力不好調配。」要是共黨頭子還是執迷不悟，蠻幹到底，不僅工農業本身會受到進一步的損害，而且要間接危及秧歌政權的生存。

最後一個錯誤也是最根本的一次錯誤，即是計劃經濟的計劃訛謬百出。十年前我曾細心讀過英國劍橋大學名經濟學教授莫勒斯・達伯（mauriel dobb）的一本鉅著，叫做「一九一七年後蘇俄經濟發展」。在這本書裏，作者指出蘇俄計劃經濟的計劃，在最初的一個階段，由於基層情況，無法瞭解，統計資料之殘缺不全，致計劃全與現實脫節。後來從上到下，雖建立了一個計劃系統，但是因為每個企業的細胞單位都須設置若干計劃統計人員，其結果不僅冗員增多，開支浩繁，而且對從事實際工作的人員反而碍手碍腳，同時計劃得還是不週到，舉一件小事為例：一艘汽船由甲埠運貨至乙埠，常常空船開回來。（書中所列舉的例子很多，時間久了，已記不很清楚。）中共處處追隨「蘇俄老大哥」的「先進經驗」，因此蘇俄所有的缺點，中共樣樣都有，而且程度上有過之無不及。原因是中國地大人衆，加之一般民衆缺乏科學訓練，要接受蘇俄的衣缽真傳，倒不是一件容易的事啊！大陸各地的企業，皆直屬偽中央各部，以致各地企業之間互不協調，不能因地制宜，全是「計劃」出的毛病。又如農業機械化問題，中共只想一窩蜂式的將機械化運動推廣，而沒想到建立及時供應各種零件，及時修配的強大的修配網，更沒想到農村技術人員是否夠用，夠水準？這是多麼輕舉妄動的一種計劃呢！他如機器是否耐用，能否節省人力，計劃者根本不予考慮。這樣的計劃，對執行部份言，不是簡直害死人嗎！所以我認為一國的經濟計劃，只能作綱目性的釐訂，如國父孫先生的實業計劃然，要是管得太多，計劃得太死，結果將百無一是。

以上是就中共經濟決策所作的客觀批判。這些錯誤不糾正，中共經濟總崩潰的厄運是無法挽回的。然而這些錯誤與共產主義本質及共產黨徒的習性息息相關，想糾正也似乎是不可能的事。

小論天下

△日本進行大選，親美執政的自民黨傳出勝利呼聲，會發動左翼反美示威的社會黨黯然失色。

依照岸信介從前說過的話，此時「無聲」勝「有聲」了。

△國軍十四萬員兵在台舉行「襄陽」大演習，進入緊張階段。

想當年：「直從巴峽穿巫峽」，盼如今：更自「襄陽」望漢陽。大概「演習」而名為「襄陽」，意在此乎？

△寮國永珍政權決與共黨組「聯合政府」，左傾已成定局。

把「中立」的牽向左，最有效的辦法是先做好穿鼻工作，然後牽着鼻子走，共產黨固優為之矣。把「中立」的牽向右，每壞在「黃金不多交不深」，尤其壞在「金盡則交疏」。

△在莫斯科開幕的共黨大會業已舉行多天，消息秘不外洩。外間正在等待閉會文告。

鐵幕之下，密不通風，而美國大選則鬧得震天價響，此固有陰陽異路之觀，亦有利害迥殊之感。

△拉丁美洲的赤色騷動，由危地馬拉，尼瓜拉加以至玻利維亞，層出不窮，艾森豪下令美國艦隊出動，向古巴提出實力警告。美國海軍陸戰隊二萬人將登陸牙買加「休假」。據傳古巴已輸入蘇俄軍火達萬噸。古巴經濟使節亦已抵達北平。

這叫做「放火容易堵火難」啊！

△美國由夏灣拿得來的消息：曉魯曉夫正在勸告卡斯特羅，勿採急進行動。

由此推論下去，很可能有人會「過早」希望卡斯特羅成為「拉丁美洲的狄托」，進而製造他與赫魯曉夫分裂的消息。

△北大西洋公約國秘書長史巴克稱：共黨如在亞非擴展，自由世界前途黯淡。

此語妙在出自西歐，恰好是美國「重歐輕亞」的諷刺。

△中共頒佈「特赦」令。外國記者同時發表毛澤東對游泳的妙論：「我以為水是畏人的，水怕人的壓力。」

他如不怕「水能載舟」，還要「特赦」甚麼？大陸人民永遠不會是「死水」！

方南

自由談

邪門兒

馬五先生

在海隔有一個號稱為西方新教徒領導人的傢伙，最近常着稠人廣衆面前，極力稱讚中共暴力統治是符合基督教義和其精神的。他指說中共迫使人民吃苦，正與耶穌教人們「飲苦杯」的心情相同。大有奉共產黨徒為「天父天兄」的神氣，可謂咄咄怪事！[illegible]都是絕對的無神論者，[illegible]馬克斯的教條，認定宗教是人類精神上的麻醉品，非徹底剷除不可，同時亦否定靈魂之說。他們厲行「思想改造」的殘暴方法，祗許人們奉馬克斯為「天主」，列寧為「天子」，史達林為「聖神」，成為鐵幕天地中「三位一體」的救世主。所以，在共黨統治之下，任何宗教皆在摧毀打倒之列，任何傳教士皆誣為「帝國主義間諜」，一律予以拘捕虐待。按照常理說，凡屬宗教徒都是跟共產黨人不兩立的。詎料怪事到處有，香港特別多，身居「教頭」地位的宗教徒，竟對共產黨表示肉麻的獻媚詞色，歌功頌德，恬不知恥，這從那裏說起呢？唯一的解釋，新教徒原是被逐出教會者（EXCOMMUNICATION），即所謂「異端」也。他當然跟一般基督徒的思想有別。可是，他必不承認自己是個無神論者，否則他那「教頭」的飯盌就端不成了。也有人說，他是為着香港的環境關係，不得不對毛共表示好感，藉以配合他們的國策。果若是，即完全屬於政治性的言行，宗教家能夠為政治作用而犧牲信仰，違背教律嗎？因此，我對於這種莫名其妙的吃宗教飯者，無以名之，只好用一句北平話贊歎道：「這真是邪門兒」！

赤燄燃燒瓜地馬拉

中美通訊

自從赤色銀彈攻陷了古巴後，卡斯特羅搖身一變而成爲赤色走卒，這不只造成美國後門失火的形勢，而且使中美洲國家羣的處境更形複雜，陷入了多事之秋的漩渦，隨時都會有受到赤色火燄蔓延的危機發生的。

果然的，連天來已有幾個中美洲國家先後發生了暴亂事件，繼薩爾瓦多暴亂後的就是處在中美洲最北部的瓜地馬拉（前譯危地馬拉），由赤色思想的叛兵發動兵變，企圖推翻艾狄哥拉斯總統領導下的現政府，叛兵得自古巴接濟的軍械和糧食作後盾，更是如虎添翼，所以叛變後馬上佔據了一個基地作叛亂的橋頭堡，但現總統艾狄哥拉斯却應變有方，立即發動大軍救亂，逼使叛軍退處一隅，到現在還加緊剿滅中。

瓜地馬拉這次兵變是早有預謀的，而且預先由來自古巴的赤色份子煽動及支援，所以掀起了這次兵變；另一個兵變理由，也就是由於瓜地馬拉的政體及政策的不夠健全，所以給赤色份子有機可乘而致發動了這次兵變。

關於瓜地馬拉的地理形勢和建國歷史，相信許多人都不會十分明瞭的，現在且略述如下：

瓜地馬拉是中美五國家中處於最北部的地位，與墨西哥，英屬洪都拉斯，洪都拉斯共和國，薩爾瓦多等國境銜接，三分之二的國土是山岳地帶，位屬熱帶圈內，所以氣候常是暑熱，山岳地帶的氣候却比較溫暖。全國面積十萬八千八百八十九平方公里，人口總額只得三百五十萬人，國民中有百分之五三是印第安人，百分之三五是印第安與西班牙人種的混血兒，其餘的多是西班牙人和黑人。首都的名稱也是瓜地馬拉，人口約三十五萬五千人，是個高原都市。

瓜地馬拉在紀元前，原是瑪雅帝國的繁榮地域，到了一五二四年以後的三百年間，爲西班牙人佔領，成爲西班牙殖民地；到了一八二一年，西班牙人的支配崩潰，中美諸國開始結成中美聯盟，推翻西班牙人的統治，而瓜地馬拉也在一八三九年創立了共和國，這就是瓜地馬拉建國的初期。

在第二次世界大戰後，由於民族主義運動的狂熱化，到了一九五〇年，瓜地馬拉由哈科波·格斯曼就任總統後，却以農地解放爲政治目標，在一九五二年制定了農地改革法，厲行赤化政制，並且實行沒收美國人的資產及大地主的土地，然後分給農民，但受到資本家階級的反抗和美國的反對，格斯曼却因此而垮台，由阿爾邁斯上校繼任大總統，其時是一九五四年六月，阿爾邁斯總統放棄了前總統的土地改革的計劃，重組政黨，成立了獨裁政權，結果又在一九五七年七月被暗殺，同年十月舉行大總統選舉，由民主國民黨的領袖柏沙里爾氏當選，但給陸軍非難，認爲此次選舉不公，以軍事壓力再行大選，結果就由艾狄哥拉斯當選大總統，任期原定六年。

瓜地馬拉的政治在第二次世界大戰後便陷於不穩的狀態，到了一九五六年二月，再由阿爾邁斯總統制定了新憲法，制定了總統任期爲六年，而且規定了滿任期的十二年間不准再作競選總統；國會共有六十六個議席，任期爲四年，制定每兩年舉行一次半數改選。

自從阿爾邁斯總統被暗殺事，瓜地馬拉的共黨勢力已開始伸張，到了一九五八年八月間的地方選舉，極左政黨的革命黨更獲得大勝，由此留下了赤燄的火種，到了去年一月，古巴革命成功後，於是瓜國赤色份子乘機展開活動，在同月中旬即來一次鐵路員工要求加薪的罷工運動，五千員工響應，頓使全國鐵路陷入麻痺狀態；同年二月，又煽動一萬名學生與教師聯合要求文化部長總統夫人基諾妮絲女史辭職的學運潮；同月底又在東部的沙卡柏地方發動反政府陰謀，雖然事敗，但已顯出共產主義勢力對現政權的反動陰謀是怎樣積極，雖然現任總統艾狄哥拉斯從政後已掃除了獨裁的政治作風，而且推進了自由報導，自由投票和地方行政獨立等民主政治，但依然爲共黨份子所不滿，蠢蠢欲動，到處煽動小火頭，最後更變本加厲，竟然靠古巴的赤色政權的支援和鼓勵，發動了這次兵變，企圖利用軍事力量來推翻現政府，以遂其赤化瓜地馬拉的陰謀，幸得艾狄哥拉斯及早揭發了古巴政權的侵略陰謀，同時又發動大軍剿滅兵變部隊，到了這幾天，艾狄哥拉斯總統還向美國要求，派遣軍艦到來保護，共同鎮壓共黨的暴亂，稍戢共黨赤燄的暴威，但是後果如何，還得留待下回分解的！

鄭重

（編者按：美國經已於本月十八日宣佈派遣軍艦巡邏加勒比海，據國務院聲明，係應瓜、尼二國的請求。）

林雪美尚無意中人　莊雪芳傳有男朋友

台灣點滴

△本省唯一的北縣一女鎮長林雪美，最近有些紅鸞星動，但她本人對此事却堅決否認。這位三峽女鎮長，登上十里侯寶座後，在表現上，並不輸給鬚眉男子，因欽佩她而拜倒石榴裙下者大有人在，而這位風姿綽約的女鎮長，雖因受競選諾言約束，但她親友却因她已廿八歲，均頗爲着急，已準備先替她找個男朋友。

在台灣女少男多的畸形社會裏，女人雖吃香，但總不能向女鎮長頭上鑽念頭，也許她是女中丈夫，抑或男仕爲慕名而去追，甘拜下風。也許她爲了公衆服務，而忘了自己易逝的青春，果眞如此，則眞是值得使人欽佩的一員也。

△據台灣某刊的「新藝」版中透露出，莊雪芳此次來台登台，有了意中人。報導中說：「影星莊雪芳，對傳說她與籃球健將謝恆夫發生戀愛的事，作有限度的否認。但從莊雪芳的談吐中，可以發現她對謝恆夫並無惡感。謝曾於昨天上午打電話給她，而且當莊雪芳在板橋登台時，曾應謝全家之邀，到謝的家中作客，賓主相談甚歡。莊與謝相識，是年前謝恆夫隨民生籃球隊征港時，莊雪芳應邀去開球，彼此認識，莊這次來台，謝又趁訪，乃有進一步的交遊。」影星與球星相戀，倒是一件好事，希望好事能諧，給影迷與球迷留下一個好印象。

台北的馬路

讀者來論

無可否認，台北市府建設，近來的確很有進步，不過有些進步太表面化，致使受惠市民，有時難免有啼笑皆非的感覺。

例如現在很多馬路的修理，大都是塗上一層柏油，再舖上一層細碎的小石子，然後用壓路機壓一下，粗看起來整條馬路變成新的，但事實是增加了不少塵土，使沿路居民飽嘗灰塵之苦，而馬路兩旁充滿了碎石，走起來又滑又難，加上很多馬路沒有人行道之設，行人在各種車輛夾縫中走，眞是驚險萬分，如果不小心滑跌一下，後面恰好來上一部汽車，就是緊急剎車也難避免危險，這車禍的責任誰負？行人呢還是司機？

所以談建設就必須澈底，修路就好好澈底修一下，不要變成報銷主義，每年像縫窮婆似的，東補西縫。尤其這種用碎石子鋪路的粉飾作風太要不得，因爲居民未受其利，反受其害。

不信請在辦公室內策劃的先生們，步行一下試試看，相信你也一定會受不了塵土迷眼與隨時提心吊胆怕滑跌的味道。

這種修好的馬路兩旁實在太滑，別說孩子們不好走，連大人們跌交的也有的是，因此被車子碰傷的事，也無日無之。

有多少力量做多少事，老百姓不是不講理的，但却很難原諒紛飾與報銷作風。

願從事市政的先生們，虛心接受批評後，好好的檢討一下，爲全市市民謀取眞正的福利。

柯仁

假教友推銷書刊

台灣一種新興的行業

報載二位中西人仕，假上帝的意思，去挨戶作禱告——賺上帝的錢。報導中記載着：「軟硬兼施推銷書刊的手法，並非中國人所專利，外國人士亦有此種藉機斂財的行爲」鳳山基督教會人士，特爲此發出警告，盼望基督的信徒，提高警覺，防止假冒爲善的撒旦門徒。據基督教會方面的人士警告：近來有外國人和中國人合作兩人一組到住宅區推銷書刊，其書係冠以「神學書類之名」，但其內容是違背聖經眞理的，並且很荒謬。盼望教友勿誤信他們的虛假作爲。要切實分辨其所推銷書籍之內容。警告並稱：已經有教友上了當；因爲他們見來者是外國人不好意思拒絕，或因其禱告而受迷惑。應當知道，外國人也有壞人。據悉：這種推銷書刊的「中外合作」人士，並非眞正的基督徒或天主教信徒，而是假信徒，他們所推銷的書，一部份是敎會的贈送品，一部份是他們自己不知從那兒弄來的荒謬書刊。他們用的是傳道方式，一進住戶家門，先是一聲：「啊，天國近了，你們應當悔改。」然後爲這家人禱告，接着才是賣書，所以一般人都不好意思拒絕，事後知道上了當，亦不便去報案。據警告者說：「眞正的傳道人，絕不會有如此的賣書行爲。」

上帝是勸人爲善的，但，地球上的「假道學者流」，既然違背上帝的意思，揹着上帝的招牌，賺上帝用不着的人間的錢，來充實他的腰包。上帝如有眼睛，看到這種違規行爲，可能要淚滿雙頰了。阿門。（希明）

作者與編者

柯仁先生：尊稿均收到，已絡續發刊矣。

張明先生：尊稿過長，本刊爲編幅所限，不擬刊登，乞諒。

一讀者先生暨艾雷先生：本刊暫不擬刊登新詩。

劉杰先生：尊稿務祈繕寫清楚，以免給編者與字房以不必要的麻煩。

李鎮華先生：「儒林九尾龜」中之「高不成」究竟指的是誰，連我們也不知道。小說中人物，臆測可也，不必太過認眞。至於所詢該文作者姓名，則以報刊對任何作者之眞實姓名均有保守秘密之義務，恕難奉告。

台北黃煥文先生：致張六師先生函，經已代轉矣。有暇盼爲本報撰述有關軍事方面之文字，無任感荷。

中共與文學遺產

大陸文壇萬花筒

——岳騫——

最近一期的「文學評論」上，何其芳提出了一個有趣的問題，有人問「過去的文學既然是過去的社會的上層建築，爲甚麼它又不隨着過去的社會的經濟基礎的消滅而消滅。許多資本主義社會，封建社會，甚至奴隸社會流傳下來的作品不但沒有被我們拋棄，而且還被我們稱爲遺產呢？」

這個問題其實是舊話重提，當中共竊據大陸之初，許多幹部以爲他們的勝利是靠了馬克思，列寧的庇佑，史大林，毛澤東的領導，對於中國固有的東西，從人到物，無一件不被視爲敵人，當時一口氣屠殺了兩千多萬人，就是從這種恨的人生觀出發的。至於固有文化，除去少數被崇拜的人物如黃巢、聶夷中、皮日休等人的詩之外，也只就有民歌還可姑予保留。當時中共報刊上凡是談到古代文學作品的，是一片謾罵聲，頂荒唐的是一九五零年北平出了一本「中國人民文學史」，把歷代名作家排列出來，文自左氏班馬，韓柳歐蘇下迄桐城派，詩自屈宋漢魏，李杜元白下至同光體，統被稱爲「正統文學」，認爲「正統文學」只是「人民文學的傍支」，不過是「人民文學的支流發展到最後的沒有靈魂的骸骨。」

於是被封爲中國「正統文學」的固有文化遭了大劫，一些「進步」青年誰也不肯去看這些書，在大學教文學史的教師簡直不敢開課，因爲中國歷史上的「人民文學家」太少了，除去「大齊皇帝」黃巢留傳下來三首七絕之外，赤眉黃巾的首領張獻忠，李自成一批「人民英雄」都不似毛澤東躺在藤椅上「長征」時，還能咏「紅軍不怕遠征難」的詩，其他一些人民詩人如聶夷中，皮日休還都是後來發現的。一部中國文學史總不能只講三首黃巢的詩就算了，所以在這個期間可說是眞空時期。後來毛澤東的詩詞，有時被人提起，在人民日報及重要刊物上複述一首兩首，等而下的一些要人如林伯渠的詩「偶因小病臥農場，聯袂來訪不敢當」的大作也發表出來，接着到了一九五五年詩刊編者臧克家呈准毛澤東把毛詩詞十九首在詩刊上發表了，人民日報又加以轉刊，大家看看毛作也是談的個人抱負，風花雪月，造詣雖和古人沒得比，風格也無不同之處。一般學者覺得毛「主席」作得，我們研究一下又何妨，於是研究中國文學才又普遍展開。

社會小說　香港地

六、人情味

來來，梅大亮是要到張太太那裏去問候的，此時便改變了主意，要和王鎖球到醫院去，向韋大悲的遺眷吊慰一下。梅大亮也知道，今天香港許多家庭最怕的一件事，就是有了垂危的病人，不好安置。子路所歎的「生無以爲養，死無以爲殮」，應該加上一句「死無以爲死」，這意思就是：沒有較爲安靜的地方讓病人死得較舒服一點，除了少數有錢能夠進入私家醫院的人是例外。這除了「傷哉貧也」那句老話以外，還有甚麼話好說呢？梅大亮少不免和王鎖球慨歎一番，然後離開咖啡館，齊向那家慈善醫院而去。

他們到了醫院，先在停屍房裏面見過韋大悲的遺體，那種慘淡悲涼的情景，使得梅大亮十分難過，以後便和韋大悲的兒子談話，說的也不外是「節哀順變」之類的事，還把霍新開答應慷慨仗義的事，順帶說將出來。

韋大悲只得一個兒子，名叫榮基，年紀還不大，只是十六歲的中學生，他聽了梅大亮和王鎖球一番安慰的話，流着眼淚，帶着憤懣的神氣答道：「是的，霍新開來過了！」

梅大亮頗覺出奇，急問道：「他是幾時來過的！」「他是坐汽車來的，剛走了不久。」王鎖球也着急問道：「他有說過給你們甚麼幫助沒有？」

韋榮基垂淚答道：「有是有的。他說，他會叫一間做壽木生意的店子替我父親包辦一概殮葬，不用我們耽心花錢，一概都由他賬。」

王鎖球正在說一聲「好極了！」韋榮基已緊接住說下去道：「王伯伯！其實我很不願意受他幫助的，只是沒奈何。我和家母剛正痛哭了一回，就是爲着這件事。」話才說完，又是淚如泉湧，哭得非常傷心。

梅大亮見這個少年人悲憤欲絕，再看他的母親也在旁不時以手捶胸，似乎快要哭到絕氣，不禁大爲詫異，且料得這裏面必有文章，却苦不便在此時動問，只得和王鎖球面面相覷，都在心裏無限疑惑。（七九）

木客著

標會

劉杰

小王遞過來一張紙。條，還交待：「明天上班交給我。」我把紙條往袋裏一塞，燃起一支新樂園香煙。

小李子跑到我寢室來，就講到「錢」的問題，皺了皺眉頭，兩手也搓着不停。

「我又接三張紅帖子。這個月餉早已報銷，還——」

「你可以標個會。」我說：「會可以救你一個急。」

「我就這麼打算。」小李子說：「我打算廿元標過來，你不要對別人說。」

「我不會說的。」我說：「五十元一會，你就標廿元，是化不來的。」

「有什麼辦法。」小李子兩手一攤：「沒有錢，只好走到這條路子上。」

我倒一杯開水給小李子。小李子又說些皺眉頭的瑣碎話。走的時候，還打招呼：「不要同任何人說，不然我又抓不到繩子。」

我正準備上床睡覺，趙老大跑來，要我陪他到圖書館去一趟。他看看錶說：「還有一個小時，來得及的。」

「你有什麼事這麼着急。」

他把外衣扣子鬆掉一顆，裏面只是件襯衫。

「老兄。」他拍着我的肩膀：「天氣不容許我這樣下去。」

「你準備買毛線？」

「就是的。」他說：「我到圖書館看看報紙上的行情，要是和得的會錢還不多。」

我在圖書館足足呆了半個小時，我看完兩個報紙的副刊，還看幾個大的新聞標題，他才和我出來。

「我決定標。」他捏住我的手：「我算了下，得會還是化得來。」

在十字路口，我和他分開。月亮還掛在樹枝上，星星也在對我眨眼。我剛走到寢室門口，聽到隔壁孫寶琦和猴子談話。

「如果再不得會。」猴子說：「賭博眼就沒有法子來還。我請你把這個會標來。」

「那末要標多少？」

「標子寫大一點。」猴子說：「寫大一點，可以標到的。」

「準備寫多少？」

聲音小下來，我還是聽的很清楚。

「標廿三元好了。」

「我聽你的話。」孫寶琦說：「我明天就寫你說的數字。」

我倒在床上，枱燈也扭熄掉，就有點兒不大對頭。我確實也是需錢用，因爲下個星期就是我的公休，還準備環島旅行，荷包裏却是空空的。

翻了一個身，我的主意上來，眼睛一閉，我就到了夢境。

第二天，上辦公時，我的標子交出去，接着我看到小李子，孫寶琦，趙老大都交上去。

「現在開標。」小王的破鑼嗓子叫開：「五元二角孫寶琦……」

我的頭被什麼東西擊了一下。

「三元三角趙老大……」

轟隆一聲，我的身子搖了幾搖。我扶住桌子。

「一元九角小李子，……」

我幾乎要叫出來。小王的破鑼嗓子亮的更高。

「廿五元劉杰。」小王叫着：「劉杰得標。」

我不知道，我是怎麼樣走回到辦公桌上的，我也不知道，小王的錢什麼時候放在我的口袋裏。

公休我沒有走出寢室一步，我睡在床上，多抽了十包香煙。

青年之聲徵稿

本版特闢「青年之聲」一欄，專載海內外青年學生的文藝作品及其生活動態的報導。歡迎各校同學來稿（勿超過五百字），一經刊載，略致薄酬。請註明年級及學校。

望江樓

白荷

望江樓在成都郊外，在抗戰時期闢爲公園，進門有兩副長聯，文辭甚佳，內容記述薛濤的故事，經過月亮門，兩旁編竹爲籬，花木繁盛，曲徑通幽，望江樓矗立道左，褰衣登樓，北望蓉城，歷歷在目，浣錦江自西而來，流經樓下，向東再折而南，形成一大三角洲，水聲潺潺，雜以船夫欸乃，其音如同優美樂章，登樓閒眺，但見波光瀲灩，水清見底，風帆上下，頗饒情趣，遠望長橋如虹，跨臨江峰，樓後竹林陰深，幽雅恬靜，筆者至此，常會聯想到杜工部所作：「稠江亂蕊裹江濱」和「江深竹靜兩三家，多事紅花映白花」的詩句來，園南建茅亭，顏曰「枇杷亭」，是用來紀念唐代名妓薛濤枇杷門巷的故里；西面有屋數椽，售各種碑帖，尤以鄭板橋書「難得糊塗」四字，蒼勁有力，氣魂渾厚；北側有一水井，水甜而清冽，井旁有石刻「薛濤井」三字，想爲昔時薛濤遺物，今已成爲供人憑弔古蹟之一，井旁設茶亭，供遊人休息品茗，享受薛濤井水之清冽風味。

園後江中，傳說有烏金牛，向有千人脚的遺跡，俱爲昔張獻忠屠川時的故事，不遠處，有武侯祠，有名詠武侯祠的詩「丞相祠堂何處尋，錦官城外柏森森……」寫出名勝所在地的景色。如今時隔十餘年，一憶及此，懷念之情，油然而生！

山川風物

儒林九尾龜

吳敬鋅

第四回：人何寥落鬼何多

這兩位總統候選人都不肯示弱，就定期公開舉行辯論，在王占山的房間裏作爲會場，靠窗本來有一個小茶几臨時算作講壇，兩位候選人一左一右，分別站立着，聽衆就坐在床上。

會議開始，王占山先講，他拿下眼鏡，掏出小手絹擦得乾乾淨淨，然後戴上。一連咳嗽兩聲，廓清了嗓門，不慌不忙地說道：「我們中國問題，到了今天非解決不可了，解決之道團結爲先，要講團結，先靠國民黨和共產黨自身當然不成，因爲兩黨搏鬥了三十年，仇恨太深。目前要勸蔣先生去接受毛先生的領導，固然是絕大侮辱，反過來要再勸毛先生高呼蔣主席萬歲，把解放軍改編爲國軍，服從蔣先生指揮，自然也做不到了，所以這件事必須有第三者出來方可以。我所以要競選中華民國總統，決不是爲了做官，實在是下決心要解決中國問題，因爲在國共兩黨之外，想找一個能使蔣毛二公都信服的人，就非常的難。」

王占山說到此處，頓了一頓，呷口茶繼續說道：「我同蔣毛二公的淵源說來很長久了。蔣先生還担任軍事委員會委員長時，我已在軍委會警衛團第一連當文書上士，每次委員長出來進去看到我時，總要多看一眼，從那時起他老人家就知道我將來必成大器。至於毛先生到重慶來時，我已經搞民主運動，曾經到飛機場去歡迎，雖然因爲前面人多，未能趕上去和毛先生握手，可是他也狠狠看了我幾眼，相信現在見了面他還認識。」

說到這裏已經有幾個人鼓起掌來。

王占山又接着說道：「我當選中華民國總統之後，先到台北就職，然後再到北平和毛先生見面，他在大陸這幾年胡作非爲的事體我也不追究了。不但如此，在新政府還要盤量用變方面的舊人，甚至一定敦請蔣毛二公出山，作爲我的最高顧問，大家想想，如此一來，中國安得不強。」

王占山說過，全場聽衆一齊鼓掌。

高不成惱了，他感到這個對手果然堅强，這次若駁不倒他，本屆總統是無望了。當時不等司儀請，就搶着說道：「王先生的話我不能同意，我以爲國民黨和共產黨都是舊勢力，都該打倒，只有我們最後勢力是由一批青年人領導的，才是中國的救星。」

高不成說到這裏，王占山拿掉眼鏡看看他，擺手問道：「慢點講，你今年多少歲。」

高不成被他問得一怔，稍遲答道：「我按外國年齡算是二十四歲又十一個半月。」（四十二）

談測字

漁翁

測字，亦作拆字，占法之一種。任舉一字，從偏旁點畫離合去參互，觸機附會，以判吉凶，卜貴賤，往往所言無不合。自唐宋元明清，以迄民國，此風流傳，未嘗稍衰，即令科學昌明，而談相測字者，猶大有人在。

據新訂指明心法載：唐裴晉公征吳元濟，掘地得石，文曰：「雞未肥，酒未熟，」相字者解曰：雞未肥，無肉也，爲已，酒未熟，無水也，爲酉，破賊在已酉，」後果如相字者所言。

宋謝石，字潤夫，四川人，以卜術測字問世，後之測字者，咸奉爲祖師。謝在臨安時，名震遐邇，宋高宗耳其名，欲一試其本領。一日，微服往訪，寫一「問」字求測，石曰：「此字左看似君，右看亦似君，看來一定不是平凡人，請再寫一字測之」。高宗把所持手杖，隨便在地上寫個「一」字，石即跪地叩頭道：「一字在土上爲生，先生乃帝王中人」。高宗喜，畀之以官。

高宗以石測字如神，與之閒談星相學，娓娓不倦。時秦檜當權，帝以「春」字命石測之，石奏曰：「春頭過重，壓日無光，恐非國家之福」。後爲秦檜所知，貶石遠方，使不接近於帝。石出京城，途中遇一老人設檔測字，認爲同道，以「謝」字求測，老人曰：「君立身於言寸間，亦係術數中人。」石又寫一「石」字於老人手上，老人曰：「皮遇石必破，行藏須謹愼」。石下拜，同時請老人寫一字給他測之，老人立在山旁說：「即以我之形狀爲字，」石曰：「人立山旁，非仙而何！」因此遂隨老人去，不知所終。

元朝有邵居敬者，以字之偏旁定吉凶，據云：「二口一犬者爲「哭」，牛角安刀者爲「解」，所著「龜鑑易影皇極數」，爲研究測字之張本。

及至明代，測字之風，更爲盛行，成祖永樂元年，敕解縉姚廣孝等，編「永樂大典」，以韻字類聚經史子集天文地志陰陽醫卜僧道技藝之言爲一書，凡二萬二千八百七十七卷，而測字之法，詳於卜術之內，除因歷代變亂遺散外，餘已輯於「四庫全書」中。

清初，江西周亮工，字元亮，明崇禎進士，研究星相之學，取謝石測字之法，參以古今字說之有根據者，著「字觸」一書，所謂「觸」者，即隨意所觸，引而申之，微而中，雜而不越，總不離乎會意之妙。此書較「永樂大典」所載術數部門，更爲神化矣。

釋耒集

文氣論

魏文帝典論論文，首倡文以氣爲主之論，謂「氣之輕濁有體，不可力強而致，……至於引氣不齊，巧拙有素，雖在父兄，不能以移子弟。」嗣是劉彥和著文心雕龍，乃曰：「心生而言立，言立而文明，自然之道也」，以文章原於自然，其說實出自曹子桓，蓋子桓之所謂氣，質言之則才情是也，其得之由于天賦，故不可以力強而致，其實亦彥和所謂自然之道也。宗是說者，其爲文實主情韻，故鍾仲偉詩品序，亦曰：「氣之動物，物之感人，故搖蕩性情，形諸舞詠。」是則舞詠之生，亦本原于氣也。故又曰：「古今勝語，多非補假，皆由直尋。」而顏延之喜用古事，仲偉則譏之曰：「彌見拘束」。任彥升動輒用典，則又惜之云：「詩不得奇」。因知魏晉人論文，實重天賦，建安諸子之箋札，小賦，贈答詩，均本性情，未嘗填塞典故，此其所以獨絕也。而後世倡言情韻，綴以排比之句，出以婀娜之聲者，實宗師之。至唐韓昌黎持論，亦主文附於氣，其答李翊書云：「氣，水也；言，浮物也，水大，而物之浮者小大畢浮，氣之與言猶是也，氣盛，則言之短長與聲之高下者皆宜。」然昌黎之所謂氣，並非出於天賦，乃養而致者，故曰：「養其根而俟其實，加其膏而希其光，根之茂者其實遂，膏之沃者其光曄。」至宋，蘇子由承其說，上韓太尉書有云：「轍生好爲文，思之至深，以爲文者氣之所形，然文不可以學而能，氣可以養而至……其氣充乎其中而溢乎其貌，動乎其言而見乎其文，而不自知也。」綜合其言，則氣者，功夫與學養之代稱耳。功夫深者則其氣盛，而其文乃縱橫馳驟，噴薄而不可禦。於是言文章者，遂于情韻之外，別有氣勢之一說。所謂倒流三峽之水，獨掃千人之筆者，豈虛言哉！竊嘗論之，子桓彥和言氣，本之三才五行，原于自然之道，實從易傳莊老中來，六朝文士，緣其說以求情韻寖假乃至于：「尋幽逐微，遺理存異」，日益違離于天道之自然，故昌黎論六朝之文，遂有：「其志弛以肆，其辭淫以哀」之說，非故爲是偏激之論也。昌黎、子由言氣，其功夫在存養，其說實出於孟子，唐宋以下言古文者，緣其說以求氣勢，而不思氣勢由泛濫停蓄而來，於是率意爲之，其文乃極蕪累而粗濫。古文家，陳義明當，遣詞繁簡有法，其間實幾費經營，絕非隨手揮成者，所謂下筆千言，文不加點，特世間江湖名士，驚世駭俗之言而已。柳子厚曰：「吾每爲文章，未嘗敢以輕心掉之，懼其剽而不留也。」故不知自然之道，不足學六朝，不重功夫存養，不足以繼唐宋，斯義不明，縱極紛紜其說，皆文章之外道也。曲齋

敏感

徐學慧

敏感未必是一件壞事。能夠遇事敏感的人，其人必有機智，必凡事謹慎小心。然而，天下之事，往往利害夾半，敏感的人，固然有機智，但有些時候，敏感者亦極易喪失理智。敏感之爲物，過多過少都足以敗事，要想修養到恰如其分，倒也很難。

男女之間的事，最怕敏感作祟。驀然回首，忽見那人嫣然一笑，便以爲「卿本多情」，而至於千方百計欲一親美人香澤者，這種男人應是天下第一等傻瓜。

朋友之間的交遊往還，當然更不容有敏感二字作祟。偶因細故，或多隔膜。最好的辦法是當面說明，讓心內疑團渙冰釋。若果口裏不言，心頭暗慮，往往眉頭一皺，計上心來，其結果乃必至冤枉好友，終身滋愧。

故敏感而能作到不枉不縱，眞不知要費多少涵養功夫。可惜這種個性，大半屬於先天。有些人，整天胡思亂想，將理性完全喪失，因而至於對眼前事物，無法加以思維，其應付之道，就全憑那一點「敏感」。這樣的人，雖然有時候亦可能因此而逢凶化吉，逃險成祥，但概括的說起來，他的結果終不外下列數端，一是「杯弓蛇影」，終身鬱結；二是「打草驚蛇」，遭人暗算；三是「庸人自擾」，害人害己；四是「自作多情」，遠離現實。

在現實社會裡，在我們所交遊的朋友中間，敏感的人實在太多。大家都是神經過敏，這社會就給鬧的亂烘烘而不能自已。也難怪，數十年來，戰禍連綿，人類在無情的現實的折磨之下，欲求其不敏感殆不可得。曹操煮酒論天下英雄，說到「天下英雄，唯使君與操耳。」劉玄德竟至失落雙筯，這就是一個最好的例子。

然而，眞正的思想家政治家則不然。他滿腹經綸，胸具萬法，能見微而知著，能由近而及遠。大變之來，當機立斷，來龍去脈，瞭如指掌，在這種理智的衡量之下，自無所謂敏感，亦無所用其敏感。

學府諸趣

介人

每見各報刊雜誌的學府風光，多由學生作自動投稿，其中實不少奇文趣事，可圈可點。可惜筆者已不是青年更不是學生，這一類文章，非親身經歷，實無法閉戶造車。姑且摭拾以前的學府諸趣，藉資談助。

香港的英文書院頗多，因此在諸趣中不少雜以英文，其最膾炙人口的當推伍廷芳博士所作的一首詩，幾乎至今猶爲人所傳誦，其詩云：

「閒來無事Look girl，Beauti ful天下無，Exercise我唔做，臨到考試down know。」

這是諷侃民國初年的男女學生，因爲那時社交風氣初開，學生們日以追求異性爲事，而以打油詩出之。時至今日，「勝女仔」之風依舊流行，此詩似乎意義猶新。

湘潭吳劭之，爲王湘綺高足，擅於製聯。當其講學長沙時，學生以伙食事大鬧風潮，因撰長聯張於食堂門前，其事頗趣。聯云：

「今試思世變何如哉？橫流滄海，頻起大風波，河山帶礪是誰家？勸諸君嘗但臥薪，每飯不忘天下事；士固爲境遇所累耳，咬得菜根，才是奇男子。將相王侯寧有種？看前哲斷虀畫粥，讀書全在秀才時。」

又在抗戰時期，一般大學的伙食均差，許多學校都有膳食問題發生。當時，某大學學生某君，一時氣忿，吟了一首詩，頗爲不惡，詩云：

「×大學生眞可憐，每逢吃飯叫皇天；汚泥堆積眉間鴿，冷氣貫穿牙齒間。碗底菜中油二滴，半升米裏沙三千。諸公若是能垂愛，勝唸心經十萬禱！」

這詩的好處，全是實情，半點不假，不用說連一點文藝的誇張也沒有運用上的呢！「祇是今天大陸上的人民食堂」，恐怕相形之下，又不可同日而語吧。

就在這一時期，陶行知在臨時首都重慶的北溫泉，創辦了一個育才學校，校中有自然學園，爲學子遊息之所。中附有一厠所，惟苦臭氣四溢，他想設法改善，但又不願出之以強制，總想要學生自動自發，互相戒勉。想了很久，文思忽大動，且因之得一善策，遂疾書一告示張貼於厠所牆壁。學生們以厠所貼有佈告，詫爲怪事，且有人朗讀其文曰：

「愛自愛，蓋蓋，倘若不蓋，大便細菌作怪。吃進得肚不要，棺材亦蓋，莊諧亦諧。」的妙文，學生讀了以後，果大感悟，厠所居然整潔，收到了預期的效果。

一般的學生除了理工科外，對於數學總是感到頭痛，某校學生會作了幾首三角幾何的詩，錄之於下：

「恨三角幾何，苦頭昏腦，究所學爲何？×××把人折磨，點線弦圓角，三角廢除，×××學生唸彌陀！×××可嘆人生有幾，偏被三代來縛，我又不作工程師，請問幾何値幾何？」

另外還有一首在會考期中，題爲「怨試」的打油詩，頗能道出學生對考試的既恨且怕而又不能不考的一般心理，附帶一併錄此，目前尚在學校讀書的同學們，這些或許能引起你們會心的微笑吧？

「一科一科又一科，……分數不能獎飢寒！奈何！徒喚一聲奈如何！」走筆至此，又想起了還有一首幾何詩，較之上詩更簡潔可誦，不可不錄。其詩云：

「人生何必讀幾何？何用？幾何讀了幾何用？幾何讀了幾何如何用？」句句是疑問口氣，正所謂非用「學姐」的幾何，是透了多少「學哥」呢？再者，某學府的「學生」一時，其歌曰：

「學生苦，學生哭，滿堂餓，學生愁，列坐講堂，學生急，腸如鳴鼓，學生窮，信無消息，假不到課，學生樂，新買皮鞋，隆隆格格。」

這一首詩，把學生們的喜怒哀樂之情，寫來有聲有色，可見過去學府之內，亦有窮有樂。今天香港九龍的一班「學店」的牛仔女們，似乎也有同樣的情形吧？

海嘯樓談薈

閑話賀耀組（三）

諸葛文侯

朱紹良到任後，曾將賀氏所用各級重要官吏，概予拘捕徹究，賀聞訊極憤慨，即擬呈報蔣委員長，指朱擅作威福，凌轢異己，乞嚴令制止，以彰公道。是時中央政府撤至武漢，賀與其秘書龔雨村在旅舍商辦此事，龔謂：若是則朱氏老羞成怒，勢必摭拾若干事故，強加被捕者以罪名，終致無法疏解，不如私人直接電朱，請其顧念同學舊誼，勿爲已甚，藉留他日見面餘地，或有轉圜之可能，若上達天庭，事必僨化惡化無疑也。賀納其議，姑試爲之，朱氏果將諸囚繫人物陸續釋還矣。朱賀二人原係同窗老友，私交頗篤，乃因爭奪軍權之故，凶終隙末，嫉忌不已，可知張耳，陳餘之歷史悲劇，信不誣也。

賀於交卸甘肅省主席職務後，雖拜命爲軍委會辦公廳主任，暨軍事委員長侍從室主任，位尊而親，然仍自傷淪落，侘傺寡歡，內心實迷戀於省主席座位，尤垂涎湖南省主席，念茲在茲，無時或釋。對日抗戰中期，曾嗾使其親信幹部（多係戍黨人士），假湖南同鄉名義，在重慶散發攻訐湘省主席薛岳之傳單，薛聞知大怒，聲言中央簡派任何人來湘主政，皆所歡迎，若賀某來，決不理會云。賀之主席夢，終難實現。

民國廿九年多，國府任命賀氏爲重慶特別市市長，愚與湘人唐生智，田湘藩等曾赴賀宅道喜，賀淒然曰：「你們應該替我哀悼，何喜之有呢？」蓋認中樞不畀之以省主席，而命其屈任市長，殊感缺望也。愚謂特別市長與省主席官階相等，無所軒輊，若論興革庶政，且視省區更易進行見效。彼仍不感興趣，越日簽呈蔣主席請辭，旋奉批示不許，又續呈乞收回成命，面交陳布雷先生轉遞，布雷告以未便再三瀆之之義，若必欲辭謝，唯有親自晉謁蔣公，當面陳情乃可。賀如囑入覲，婉述才幹短缺，難勝繁劇之任諸理由，中有「實在不行」一語。蔣公諭以「就是因爲你不行，總教你學習學習，庶幾乎慢慢地就行啊！」賀乃不敢固執，退而準備視事焉。

賀氏接任市長兩年中，市府秘書長即四易其人，計有賀沛誠，陳介生，楊綽庵，沈賀清等。既係自己之幕僚，重不予信任，不經秘書長之手，因而賀氏經常埋頭於公文批閱自處理，極少時間籌劃興革之政事。秘書長閒逸無聊，反而時夕在外間應酬活動，而賀又深滋不悅，常對友人言：「我是秘書長，他纔是市長哩！」對楊綽庵尤惱恚，維時愚亦屢與賀氏晤面，彼數數爲愚說及楊氏係不可大受之宵小人物。愚詰以既知其爲小人，何必任之爲幕僚長耶？其他屬吏皆不妨旁求陌生人才，唯秘書長則非親信者不能濫竽，對，即此可以概見其爲人治事之一斑矣。

論諸葛亮

·謝　康·

據說和諸葛亮屢次北伐，使得和他對壘的司馬懿很敬畏他。有一次送巾幗等女人的服裝來侮辱司馬，向他挑戰，但他寧願受辱也不敢出來。又其後諸葛死後秘不發喪，還可以嚇走這個手握重兵，在軍事上處於優勢的司馬仲達呢。

今天，天下如果擾亂，必須多生幾個諸葛亮，關羽岳飛這種人才，率衆討賊，然後冤苦衆生，才有出水火而解倒懸的希望。即使是在準備軍事和政治反攻的時期，像諸葛公的「智慧」、「才識」、「器度」、「節操」忠於職守，鞠躬盡瘁，以及那種淡泊明志、寧靜致遠的高尚精神，都是我們每一個有良心有節氣的人所願意愛戴和推崇的。

有許多人相信「世風日下，人心不古」，以爲「古今人不相及」，像諸葛孔明的高風亮節，聰明蓋世，如同「天半朱霞，雲中白鶴」是可望而不可即的。這些話我不敢說是一定錯誤，但不免「太薄今人愛古人」，有幾分「妄自菲薄」的心理，正中了諸葛公所指摘的劉後主的毛病。如果人類是退步的，一代不如一代，爲什麼諸葛亮的聰明才智，在運輸方面只能造木牛流馬，而現代科學家能造汽車和飛機呢？「人皆可以爲堯舜」，誠如孟子所說：那麼，現代中國爲甚麼不能產生一個諸葛亮?!（完）

歷史人物

自由報

THE FREE NEWS

第二十八期

社長：雷嘯岑

社址：香港銅鑼灣高士威道二十號四樓

20. CAUSEWAY RD 3RD FL. HONG KONG

TEL. 771726　電報掛號 7191

承印者：四風印刷廠

地址：香港灣仔高士打道一二二號

台灣分社

台北市西寧南路壹壹叁號二樓

電話：三〇三四六

台郵劃撥儲金戶九二五二

眞要團結反共愛國人士嗎？

——先決條件在立信——

雷嘯岑

兩年前，有朋友從美國遊歷歸至香港，具言他在彼邦跟若干素來愛護自由中國的知名之士如參議員諾蘭等晤談情形，他曾問諾蘭：「先生近年來對我們反共復國問題，似乎很少發表意見了，何故？」諾氏答道：「我有些厭倦了！」（I am tired）這話意很含蓄，也很感慨，却無惡意，只覺得光是講空話而沒有一些事實以資印證，未免令人掃興，即不願多所置喙了。

我對於團結海內外反共愛國人士之說，在今年三月以前的若干年間，亦曾經津津樂道，鼓吹甚力，迨今春國民代表大會中，我與旅居海外的若干代表聯名提出「請政府及早召開反共救國會議，加强團結反共力量」的建議案被否決後，即決計不再重彈此調，以免徒亂人意，自尋煩惱，其心情亦與諾蘭先生相同，蓋不勝其「親者痛」的感想啊！

最近台北方面發出消息，政府當局根據執政黨中央全體會議的決議案，將要展開這項宣傳了六七年的團結工作，預定先以不拘形式的方法，分別邀約各界愛國志士，交換意見，而於來年雙十節前後，正式舉行綜合性會議，集思廣益，共謀國是。這比過去的宣傳號召更進一步，已形成一種實行的圖案了。因此，我對於這項存而不論的舊問題，也願略抒管見所及，藉示樂觀厥成的意念云爾。

先應造成和諧氣氛

既然要團結反共愛國人士，即是有不團結的因素存在着，自不待言。衷考海內外反共非共人士的意志，未能混淆一氣，蔚成總體戰力的所以然，既非對於反共抗俄的國策有甚歧見，也不是要爭奪這一階段中華民國政府的領導權，更無預於個人的政治恩怨關係，祇是對於政府播遷台灣以來的一般措施，見仁見智，有所不同而已。這些不同的見解，亦常常公開表現於輿論界，大家見共聞的。此中情節雖然複雜，但可用「一語包括之，即認為不夠民主憲政之治。由於這種民主不民主的理論爭執辯駁，再加以若干事實經過（如修訂出版法即其一例），朝野間各持一說，各行其是，互相責難攻訐，彼亦一是非，此亦一是非，是非之言洋溢乎海內外，上下的心情壅塞阻隔，殊而不合，相激相盪，距離日益遙遠，而政府當局在運用政治的技術上，有時候又太不講究藝術，表現着我行我素的樸質作風，即在小地方亦不能表現一點「公僕」的謙抑態度，給在野人士以樂於接近，願意進言的親切之感，今日海內外未能構成舉國一致的團結現象，其故在此。

政府倡言團結，自動主張召開反共救國會議的宣傳之聲，歷時已有六七年了，只聞樓梯響，不見人下來，久而久之，人們對這類宣傳詞令，興趣索然，認為是聽膩了的濫調，即使當局者眞有坐言起行的誠意和決心，大家亦抱着懷疑觀望態度，不敢相信的。民無信不立，政府對於國事問題的一種非常號召，乃使民間發生疑問，這怎能達成團結救國的大目的呢？為今之計，立信最要緊，至於個別邀約交換意見也罷，綜合性的集體會議也罷，都在其次。立信之道無他，政府先做一二椿輕而易舉，且為社會大衆所共同期許的事情，各界人士的觀感即煥然一新，認定當局者確係與民更始，非復「吳下阿蒙」了。這是先決條件。心理上的隔閡距離一經縮小，和諧氣氛自然產生，再從事團結工作，協商救國方略，必有事半功倍的效用，殆可斷言。談到輕而易舉的立信之道，我也不妨提出一二項，以供參考：如廢除出版法，以放寬言論自由的尺度；如儘量簡化台灣出入境的限制方法，以利民行；如恢復某些政治犯的完全自由，以尊重人權（像張學良，孫立人之流，是否可以不加管束呢？）這些事，既不違背憲法，也不妨害政府威信，更不致影響行政效率和社會安寧秩序，且做來不費吹灰之力，然對於團結海內外人心，卻具有莫大的效能，善言政治的道理者，必能瞭解此中妙用。

如果召開綜合性會議

政府隨時個別邀約反共愛國人士，交換國事意見，固無所謂，縱或無補大局，亦不致有甚末損害的。可是，若要召集綜合性會議，那問題就不簡單，稍有疏虞，即將招致無限的是非糾紛，未見其利，先蒙其害，非特別愼重不可。

首先就是人選問題。政府邀請反共愛國人士協商救國大計，不管作出任何結論，雖然沒有法律性的約束，但參預這項會議的人選，究竟憑甚末作標準呢？今日流廣海內外的反共非共知識份子，自認皆有過問國事的資格和權利，要想詢謀僉同，即令舉行一種萬人會議，亦復遺賢孔多，難以普及。若僅僅限於三數既存政黨的少數領導幹部，加上幾個知名之士的所謂「社會賢達」，這樣的綜合性會議，卻缺乏舉國一致的代表性，即難收精誠團結的績效。不特此也，由政府指名邀請的人，有的未必肯來，而願意赴會，且具有代表性者，因為不在邀約之列，終告向隅，無形之中又潛滋着不團結的因子，其後果或許比沒有這種會議更壞！最妥當的方法，政府只規定預會人數總額（最多不要超過兩百名）按照現有政黨暨海外華僑團體，以及國內——在台灣的——有組織的職業團體與中央各級民意機構等單位，各酌量分配名額，讓他們各自遴選代表，出席會議。這樣可以避免許多煩擾，消弭若干不必要的是非。至於有些不屬於上述黨派和團體，而政府認為有邀請必要的人物，可由政府特邀。這種會議本來旨在溝通意志，團結人心，並無權利之可言，但現代中國的知識份子，大多數皆熱心於政治運動，政府如其直接指名邀請，結果必然招謗叢怨的。

其次是會議內容及其後果問題。政府為要團結反共力量繼舉行這種會議，其性質即屬於政治協商的範疇，所以政治法則之窮則變，變則通，也有其理。商討的問題只能提綱挈領，從大處落墨，以避免枝節為上策。既經協議了的事項，政府必須付諸實施，切忌徒託空談，而不行，又使人心失望，歸咎政府的信譽，於團結亦為渙散之大損傷，又何貴乎有此一舉呢？時人每聞及「政治協商」這項名詞，即聯想到過去在大陸上的「政治協商會議」往事，認係敗國害政的不祥之兆。這是被蛇咬過的人，見着黃鱔也怕的心情！其實「政治協商」這詞彙有甚末不好的意義嗎？朝野人士用協商態度來解決政治問題，只要彼此相見以誠，即係祥和的氣象。我認為這種會議如果開端有益，且不妨隨時舉行，至少每年召開一次，國事前途，庶幾有豸！

假使在首次舉行這項會議以前，朝野間不能產生和諧的氣氛，臨事又沒有妥當平允的計畫，亦無對於協議事項的誠意，但求具備會議形式，表示團結，那就趁早不開的好，以免增加分裂的趨勢，再唱這類調兒。事實上，政府只要做一二項興利除弊的事，適合社會大衆的新要求，雖不號召團結，而人心自然集結於政府領導之下，反共復國，一致團結。召集會議與否，根本不成問題。「為政不在多言，顧力行何如耳。」說的太多，做的太少——尤其是關於團結海內外反共力量這件事，政府當局宣講了六七年，到今天還是在坐而論道的階段中，殊非求治的應有作風吧？

小調天下

△美國派大員赴西德，磋商由西德分担美軍駐防費用六億元事，西德未即答允，尚無結果。美國方面認為遺憾，西德表示從長計議為合。

「講到錢就傷感情，」此之謂矣。

△剛果軍隊要驅逐聯合國派駐的加納代辦，與聯合國軍開火，卒達目的。

此類故事，當從「東周列國」求之。

△印度總統尼赫魯稱：「世界現時在半戰爭狀態中。」

該用同樣的語說：印度現時只剩得半個「中立」。

△寮國永珍政權的左傾實力派首腦部，揚言進攻王都。反共實力派亦正準備進攻永珍。美國國務院深恐永珍成合聯立政府，可能有巨大的危險性。曾向永珍提出警告，不可接受蘇聯援助。蘇俄正「空運」汽油[illegible]寮國。

回思馬歇爾昔年在中國大陸所倡「聯合政府」之局，眞正哭笑不得。

△蘇聯與中共在莫斯科共黨大會爭執之謎，西方國家仍在忖測不定中。

這只是一個長壽的啞謎而已，在美國尚未有人為此而打賭，在「賭城」造成「盤口」。

△美國麥克阿瑟有於明年訪問日本與菲律賓之說。

鴉噪滿天下，斯人胡獨瘠？

△西方觀察家預料：赫魯曉夫將候肯納第接任美國總統後，以勒索問題務廹他同意開高峯會議。

肯納第要站在美國黃金儲備量的低潮上面接任，面對着外交上高峯會議的壓力。

△美國能載北極星飛彈的核子潛艇「伊森·艾倫」號行下水禮，聯合參謀首長雷米茲警告蘇俄中共對美突襲就是自招毀滅。

這種潛艇比較馬其諾陣線較好的一點是：它能夠在水底和敵人捉迷藏。

△菲律賓外交官員指出：東南亞公約組織之內部分裂，已使其抵抗共產主義效能發生動搖。

共黨由於分裂寮國所得的最大收獲，其實就是分裂東南亞公約組織，更由這個現成的缺口進入，席捲整個東南亞。

方南

自由談

聯合國鬧窮

馬五先生

聯合國秘書長韓馬紹日前大呼「聯合國將要破產」！原因是經費支絀，已發現兩百萬美元的赤字預算，他號召各會員國踴躍繳納攤欵，藉應燃眉急需。所謂世界政府竟有此窘象，可憐亦復可哂也。

現時的世界形勢，頗似我國古代東周的情形，列國爭霸稱雄，大家表面上尊奉周室，挾天子以令諸侯，實際是自私自利，目無王室，强凌弱，大併小，周天子只是幾個霸道諸侯的傀儡而已。聯合國成立迄今十餘載，亦係由三幾個强權國家操縱於其間，怕强欺弱，徇私溺職，把那充滿着正義公道精神的聯合國憲章，束之高閣，視同廢紙。每年敎一羣弱小會員國集結聯合國大厦中幾十天，敬陪末座，恭聆三數强權國家代表們宣講吵鬧，不知所云，對於國際間發生的任何問題，皆無法作合理的解決，若是涉及三數强權國家直接利害關係的問題，即使空口辯論亦不可能。十餘年來，這類事實不勝枚舉。最近非洲的剛果事變，由於聯合國插手處理之故，治絲益棼，局勢逾弄逾複雜，亂象逾演逾擴大。所謂世界政府的實質如此這般，而其組織又龐大無比，耗費自然可觀，却要大多數「敬陪末座」的會員國分攤費用，未免太那個了！

依我之見，聯合國如果因經濟破產而宣告關門，倒是可喜可賀的事情。否則今後的經費，應由美、俄担負十分之五，英國負担十分之二，法國十分之一，其餘的兩成，可由八十幾個會員國平均攤派，以資點綴。這樣包管不會再有鬧窮之日，而會員國的權利與義務，亦比較公允妥切了。至於聯合國的職責，亦不妨重加釐訂，即以每年召集大會三個月為唯一任務，開會時，對任何問題皆可提出研討，但只限於辯論宣傳，而不作決議——反正有決議亦行不通，事情還是讓關係國家自行處理的好。

有人說，聯合國之所以一事無成，癥結就在蘇俄擁有否決權，遇事搗亂。這話也不盡然。即令蘇俄不搗鬼，你敢相信其他幾個强權國家就會遵循正義公道的立場，創進世界人類的永久和平生活嗎？笑話！

本報特稿

如果不改變，就只有滅亡
北大西洋公約組織面臨難關

·淦克超·

「如果北大西洋公約這個偉大聯盟還要保持其偉大，就必須改變，否則祇有滅亡。」這是紐約時報軍事評論家於該報十一月七日的專論的結語；詞句警策，語意深長。現在北大西洋公約理事會將於十二月開會。至於十一月二十一至二十六日在巴黎舉行的是評議會，美國的副總統當選人強生和參議院外交委員長已前往出席。這世界唯一的防共長城究將如何加強，與現時西方國家的反共實力之演變如何，也許是「問今何世」的一般人士所樂於探討的。

今日西方的優勢（主要是美國的優勢）在海權，和有人駕駛飛機（尤其在長程和中程轟炸機），而共產方面的優勢在陸上實力。至於飛彈競賽，蘇俄在若干部門中顯然領先——尤其是在中程彈道飛彈之數目上——而在其他部門中頗落後，特別是在對付飛機的飛彈，空對空的飛彈，和從潛艇（如北極星一類的潛艇）上發射的飛彈。

今天美國仍爲世界上最強的軍力之首。這雙方實力之對峙形勢足以嚇阻大戰；究竟明日能否嚇阻與否，乃繫於西方國家之發展及現代化它們的武器，以面對共產國家之進展了。

西歐暫時是穩定的。在重要的中央前線，北大西洋的原定的「屏障部隊」爲三十師，從未足額，現僅達二十一師又三分之一師，已足以使俄軍不能長驅直入。蘇俄果想席捲西歐，必須先集中大軍於東德，但任何如此的集中，乃無異發動那一觸即發的戰端了。

北大西洋公約之較大的弱點或許是有賴武器一般之現代化，特別是更多的中程彈道飛彈。蘇俄在這方面的優勢抵消了北大西洋在全歐的各基地的作用一部份。

現在反共世界所面臨的是多種威脅，尤其是蘇俄所運用的軟硬兼施的威脅。經操縱着的「蘇俄裁軍案」——如在聯合國所提出的——乃是軟性的威脅。俄國計劃是要在裁軍之第一階段內，在沒有任何適當的保障或控制辦法以先，就撤消美國在國外的一切基地。威脅之「硬的」部份乃是火箭勒索。蘇俄運用得很起勁，以嚇倒中立主義者，而予西方的較小國家以印象的。莫斯科的「硬賣」hard-sell威脅——用火箭炸彈來對付國外基地——與俄國的「軟賣」soft-sell裁軍提案有異曲同工之妙：解除美國現時所享的最大的戰略上的利益之一——環繞蘇俄外國的美國基地——而弱化西方的共同防禦力量。

還有共產主義方面之純軍事的威脅，特別是蘇俄地面部隊之現代化；蘇俄發動飛彈飛機之突襲能力遞增，以及蘇俄力量（主要的是潛艇）向公海伸展。

北大西洋公約範圍內，法國總統戴高樂與西德總理阿登諾持不同的見解。戴高樂主張各國軍隊間之鬆弛聯合，而多少由各國自行指揮。阿登諾則主張在北大西洋公約下成立西方的更緊密的組織。

戴高樂決心要使法國成爲一有核子武器嚇阻力量的國家，還可能導致核子武器之更分散，和國家與國家間的競爭。對於法國此項計劃之對策，乃是使北大西洋公約組織（以美國的協助）成爲第四位核子武力集團，已準備提出討論，但英國此時已表冷淡。

另一項重要問題爲戴高樂的要求之一——擴大北大西洋公約組織至全世界，成立美英法三強之最高督政制度。

今天西方國家之實力不是靜態的，固定的，不變的，亦不可能如此。各種壓力使現狀不能不改變。在過去十年中，西方的聯盟已證明係適宜於改變的——雖則改變頗慢而不無困難。今天却沒有人能夠預料所必需作的改變，也許最重要的改變乃涉及北大西洋公約之推廣或其他集團在北大以外的區域之推廣；阿爾及利亞戰爭之終結；供應飛彈及核子武器至北大組織，並由北大控制；以及北大之現代化。（取材紐約時報十一月七日）

大陸潛望鏡

△大陸出產藥材最著，易手後，中共爲控制各種藥材產品，乃在各產區分別組織藥材公社，規定各藥農所採得藥材，全部歸公社，致使藥農整天工作，最多只有飯吃，甚至兩餐亦難溫飽，因此各藥農甚表不滿，乃採放任態度，形成藥材非常缺乏。廣州市各國營藥材店亦無貨應市，各藥鋪更慘，十有九絕市。每有病執藥，行走十餘間藥材店亦無法照單購齊。有等鄉人病重，竟將藥單寄出海外囑親友代購付回大陸者，港澳兩地藥材價格亦因此影響飛漲十倍至十餘倍，最普通的當歸頭，以前每斤最賤者，只賣廿餘元港幣，現竟售至港幣八九十元。

△中共物資缺乏，乃利用廢物製造食品應市，謂係先進經驗，前有牛屎喂豬，現有蕉渣餅，近台山縣四九公社採用番薯甜菜頭製造黃糖，由工人雷堯負責試驗，據謂已成功，總計百斤番薯可製黃糖卅斤，渣卅九斤，可蒸酒，酒糟又可餵豬云。

⊙寶島拾遺⊙

王老五娶妻，三年計劃
準岳丈擇婿，廿萬粧奩

苗栗縣公館鄉人張某的三子，台灣大學法學院畢業後，復參加司法人員考試及格，以推事任用，可說是少年得志，前程萬里。此一訊傳到桑梓之後，一班有女未嫁的準泰山們，似較張家的親友們更爲興奮，他們紛紛登臨張府說親，攀龍附鳳，爲兒女婚姻作媒。

據說，每一位準泰山都提出了優厚的嫁女條件，有的聲明「完全無條件」，有的表示願意「津貼結婚費用」，有的更願以「粧奩豐厚」作爲爭取乘龍快婿的條件。最後，由一位擁有資財的準泰山，以「新台幣二十萬元，住宅一幢，甚至包括所有一切之傢具用品」的最優厚條件而捷足先登。

又苗栗鎭曾任某國民學校校長羅某的公子，現正肄業於台灣大學醫學院，現亦已爲未來的泰山物色而去。據說，該未來的泰山爲台北市某著名外科醫院院長郭某，郭某爲女兒爭取丈夫的條件爲：（一）求學時期男方所需之一切費用（包括零用）概由女方全部供應。（二）畢業後開設醫院所需之費用，以及結婚組織家庭之費用，亦全部由女方負担。而男方之唯一「義務」與「權利」，即不得與其他女郎談戀愛及結婚，否則，應負完全賠償責任。（十一月八日寄）

△四十九位東瀛姑娘，芳齡自十八歲至廿六歲之間，先後寫信給旅居中國（台中市）的日籍女稻津小夜子（住台中市），信中表示她們極嚮往自由中國，並希望稻津女士能竭力幫忙，介紹一位中國青年爲夫，進而結爲終身伴侶。稻津女士收到這些信以後，除已轉介紹了十餘位親友直接與她們通訊之外，因爲稻津女士生活圈子不廣，尙有卅餘人無法介紹適當的青年，就請新聞記者們幫忙，公諸報端，讓君子來追求這些淑女。

但出乎意料之外的是，從十一月五日起，至七日已只有三天時間，稻津女士已收到了一千多封應徵信，使稻津和她的丈夫應付爲難，不得不日夜處理。據稻津女士透露：這些應徵信中以學生及軍人居多，其次爲公務員及商人；以省籍分，本省籍佔十分之七，外省籍佔十分之三；年齡最大爲三十六歲，最小爲十八歲；來信中大多數均表示精通日、英文。現在，她只有按應徵人年齡、志趣等與日女相當者挑選數十人，送與日女自行選擇決定，因爲實在太難取捨了。

△台南市某機關小單位主管陳某，年逾三十，仍是孤家寡人一個，就在年前訂下了一個「娶妻三年計劃」，切實執行。據他親口向同事宣稱；計劃內容分「人」、「金錢」兩大項，「人」項下，註明在本機關內就近物色，觀察至訂婚時間是一年，訂婚至結婚時間又是一年，以免婚後發生婚變；「金錢」項下，第一年除必需食用物耗以外，不應酬，不看戲，不吃零食，不坐三輪車，致力於節約儲蓄；第二年將以每月收入剩餘作交女朋友之用，決不透支；第三年則將第一年所儲蓄的本金與利息，充作結婚成家費用，在不太寒酸的原則下，還打算稍有剩餘作儲蓄金。陳某手訂了這計劃後，雖能切實執行，詎料在「交遊」階段，不二月就將他的全部儲蓄化個精光，後繼無着，目前，究竟是硬着頭皮再交遊下去，抑或趕快撤退？眞使他大傷腦筋。　嘯谷

讀者來論

替中國男人出了一口氣
歡迎外國新娘

遠在九月三十日，立法院立法委員潘衍興向僑務委員會委員長周書楷，提出「新娘輸出」的一個建議。此一建議當然是爲一些祟洋拜金小姐所歡迎，但却使台灣目前的「餜梲」苦悶不堪；如果眞的實行，這幾十萬王老五的問題將何以堪？每閱徵婚啓事，動輒數以千計的信如雪片飛來，因此使小姐們以爲奇貨可居。目前我們的社會已經到了「女有歸，男無分」的地步了。這一問題向不爲當局者重視。其實問題愈來嚴重，影響社會人心實不算小呀！

今閱報端，社會新聞台中通訊，有一批日本小姐，徵求中國郎君的喜訊，我心亦爲之一喜。其經過情形是這樣的：有一位中國先生謝文墻，三年前娶了一位日本小姐名稻津夜子做太太，這位日本小姐，在自由中國生活三年中，深切體認到她的中國先生體貼，而所接觸到的中國人亦彬彬有禮，遂於月前向日本平凡雜誌社投稿，敍述中國人之重道義，講信用；並敍述自由中國的進步情況，最後她並希望以一個中國夫人資格，願爲希望與中國人做朋友的小姐服務。文章刊出後，日本小姐紛紛來信，初經分別介紹中國朋友，後因來信日增，至今已有四十餘封，乃公開徵求。不料各位嚮往東洋美女的男士深感與趣，現有應徵中國先生已千餘人。其中以本省籍佔十分之七，外省佔十分之三，以學生軍人居多，次爲公務員及商人。以年齡計，最小十八歲，最大三十六歲，而且來信多能以日文通信。

我們看了這一則新聞，雖然仍有粥少僧多，供不應求之歎，然而還不失爲一種「新娘輸入」的可喜現象。外國人大多數皆以物質生活衡量我們，所以洋姑娘對中國先生不大感興趣。如以精神生活來衡量中國人生的「愛情永篤」，「百年偕老」，「如鼓瑟琴」等中國精神的偉大，實可使世界各國小姐仰慕者。同時乃不失爲提高外人對我們中國人過低的評價。如果有此廣造福田的民意代表，提出「新娘輸出」，改爲「新娘輸入」的舉措，豈不是一件功德無量之事嗎？與其提議離心離德的祟洋拜金之「新娘輸出」，何不如作鼓勵華僑或其他小姐，投向祖國，作同心同德的「新娘輸入」計劃，豈不美哉！（周遊）

大陸文壇萬花筒

中共與文學遺產

岳騫

以後又用大字木刻本印出「毛主席詩詞十九首」，古色古香，大小共幹爲了學習毛澤東思想，過去對於毛澤東搞女人，抽紙烟的本領都拼命的學，這個機會當然不肯放過，於是大小共幹一齊作詩，雖然所謂「詩」只是七字一句順口溜，但是久被掩抑的文學作品，頓時光芒萬丈，又普照中國大地。一九五七年光是一部唐詩三百首就銷了十多萬本，其他方面如三國演義，紅樓夢，封神榜，儒林外史銷路都二十萬部以上，只有水滸銷的少些，不到十萬冊，也許大陸人民經過八年「解放」，了解替天行道，殺富濟貧是怎麼一回事了。

以後所有舊文學作品都易銷，中共出版當局甚致搜羅了許多鈔本影印，也都大銷特銷，此種影印孤本在上海就曾賣到十萬本左右，有關紅樓夢的就有四種，其他如歷史上忠臣烈士的遺集，如謝疊山集，張蒼水集，祁彪佳集，都已先後出版，雖然書首編輯部照例在前面寫個出版說明，指出這批人是封建殘餘，言行不足爲法，只是因爲集中某些地方還有「人民性」，所以予以出版。每個集子都是用這種瞞天過海的手法，混過共幹的耳目。

舊的文學作品出版多了，就也實在影響了大家的思想，連一批青年學生，也傾向復古，例如，中共攻擊李後主是荒淫帝王，與人民毫無關聯，又攻擊琵琶記宣揚封建道德是一部有毒作品，但在一次座談會上，持反對態度的佔絕大多數，主持會議的共幹，敗下陣來。這種情形共黨中「有識之士」自然感到憂心，於是就層層向上面訴說，何其芳身爲中共科學院文學研究所的所長，最後只好由他來加以解釋，爲什麼文學遺產必須保存下來。

其實中共並非有愛於舊文學，而實在是無可奈何，就現在情況來說，有兩種壓力迫使不得不棄新迎舊，一是毛澤東一批人的附庸風雅，影響到大批共幹起而效尤，要拔「毒根」必須從毛澤東拔起。一是中共的新作家實在拿不出東西，不但文學方面，試看美術作品仍由榮寶齋印齊白石，徐悲鴻等人的作品出賣，戲劇寶座的劇目不外「梁山泊與祝英台」，「十五貫」，「楊門女將」那一部不是舊的東西，那一部內容又不是提倡忠孝節義，但是爲了錢，中共終於低下頭來。

（下）

社會小說

香港地

六、人情味

後來，韋榮基和他母親悲哀稍殺，梅大亮和王鎮球才敢提出詢問，經他們母子申說苦衷之後，兩人才正恍悟，倒有說不出的後悔。

原來韋大悲在兩年之前，曾經接受霍新開的轉托，替人寫了一篇墓誌銘。這種文章並不好寫，此時懂得寫的人固然很少，即使懂得寫而沒有什麼名氣的話，也不會得到富家巨宅垂青，肯拿錢請他寫諛墓的文章呢。韋大悲的文才和名氣，倒可應付得來，重以霍新開出頭介紹，才造成了一宗買賣。

這本來不是一種壞事，無奈霍新開這個介紹人似乎不夠忠實，原訂這篇墓誌銘的筆金是一千元，他只給了五百元便算了事，是否中飽，不得而知。韋大悲向中間介紹人追問過兩回，得不到要領，便算了事，並不想直接向買主查究，免損雙方面子。

事隔多時，韋大悲本已把這事完全擱下，只因近來患病甚重，纏綿床席，醫藥費用無着，正如俗語說的：「人窮思窮債」，才會向霍新開提起一下。

韋大悲那時仍能親自執筆寫字，曾經寫了一封措詞婉轉的信，約畧說及那篇墓誌銘的舊債，表示向霍新開求借一些欵子，藉應燃眉之急。這所謂「求借」，分明是客氣話，料霍新開必會有好意的答覆。

那封信是由韋榮基親自帶去，當面討取回話，係因急待借了欵項回來，才有辦法去清結欠下的藥債，繼續賒取藥材醫病，料不到霍新開看了那封信之後，面色一沉，當堂發作，對他太太冷哂了兩聲，很輕蔑地說道：「你看誰都伸手向我求救濟，但凡開口借錢，總是十萬火急，說的更是天大一套大理由，這叫我怎辦才好？」

韋榮基年紀雖小，已覺情況不對，不料霍新開越來越不對路，竟對他用申斥的口吻說道：「你替我回去告訴你的爸爸，我沒有閒錢借給他！」（八〇）

木客著

夢與麻醉

——記一羣象牙塔裏的病人——

雲無心

據說：這是個多彩多姿的社會；也據說：青年人是喜歡文藝創作的；又據說：凡懂得寫兩個字的人，都有難尅制的發表慾……。

遂有那些青年文學家們出現了。他們戴着各式各樣不同派別的帽子，並且都在額上寫着「文學家」的字樣——他們走路的姿態也彷彿與衆不同。——他們在咖啡室裏見面，呷着香濃的黑咖啡，蹙眉嚴肅地談些別人、甚至自己也不大懂得的話。他們談存在主義，談象徵詩，聽的人模模糊糊，却不敢說不懂；說的人模模糊糊，起初還有點心怯，後來看別人蹙眉點頭相信自己，也胡胡塗塗的把自己也誆住。——這眞是有趣不過的玩藝兒哩！

他們硬把存在主義和象徵詩搬到這裏來，不問它們是否能適合、存在和有益於我們的文化。他們正如把一個西洋人抓了來，硬叫他穿上長衫馬褂，硬叫他說中國話，然後拍手笑說：「我們創造了一種藝術。」

他們喜歡和別人糾葛：不是互相吹捧，便是互相毀罵。至於自彈自唱的工夫眞有中國人傳統的精華。據說一位「青年文學家」出了本單行本，然後化了他女朋友的名字在報上寫介紹文章，大意是：現在的香港文化界是一片沙漠，只偶爾會發現一些「綠洲」，而學生文壇上的「名作」——他是這樣寫的，不便加以修改。——某某便算得是「綠洲」之一。（是不是唯一的「綠洲」，作者沒有說，姑且存疑，讓一百年後的學者考證罷。）現在他出了一個單行本，內容有小說、散文等等云。……其餘的我一時也記不起了。

一個朋友送我一本「青年文學家」們的文集。作者的照片中有穿了睡衣銜着鉛筆頭支頤作追尋靈感狀的；有戴着貓頭鷹眼似的大眼鏡，俯着頭，兩眼上翻，文學家風味十足的；有只附一張側面剪影的；有用瘦骨嶙立的速寫像的。……在介紹作者的文字中，開章明義便是：『×君篤信「莊子」學說，但想見其爲人，固知發憤讀書一途而已。』不對！最近他爲了甚麼乳罩道德的，才和人對罵得好不熱鬧來的！

講立場，講派別，是中國的國粹。我們這些「青年文學家」們自然懂得一點「線索」，硬把幾個人拉在一起，作爲一派。他們都有點像狗，一時高興得互相追逐嬉玩，一時却忽然會因一塊想像的（只是想像而已！）骨頭互相咬噬狂吠。他們覺得做文學家很有趣，文學家的文章沒學到，文學家的壞習氣，我就是先學到了。所以要去喝咖啡，去談存在主義和象徵詩，去和別人吵嘴……。

他們寫風花雪月，寫「永恒不滅的愛情」——往往肉麻的扭揑得叫我發抖——寫自己也不懂的學術性文字。他們可以爲女人乳罩與道德之關係而大罵一場，化了幾個筆名來支持自己的論證。他們的口氣都儼然以「文學家」自居。這便是他們貧弱生活與心靈的整個存在意義，這便是他們的一切。

至於大陸的同胞的饑餓，自由民主怎樣被一些腐敗份子侮辱……他們都能熟視無睹，視而不見，聽而不聞。他們都懂明哲保身：與其去做，或去寫些能惹禍的東西，還是風花雪月和吵罵好。即使在他們身旁發生可悲可哭的事，他們也能無動於衷。夢罷！麻醉罷！

你們罵阿飛在舞院中自己又跑到「文學家」的象牙塔裏去做甚麼呢？你們不也在夢，也在麻醉嗎？唯有出了象牙之塔，一個人才有希望。去從事文學。但誰要出去呢？象牙塔中如此華麗溫暖，只要不動心力，不需勞神，更不需以一己的心靈生命去博取：而能寫出些風花雪月；這忽兒激昂，忽兒嘆息呻吟；便有那一羣同類怒罵，來捧自己的夢；已的確證實是自己的來確證：「這青年文學家」夠甜美！這一切不是很好嗎？何苦到外面的荒原中去，血汗漬在飢餓中滾打呢？向人叢的荊棘裡去，都會刺痛，都會流血，嫩肉都流血了。我們是人，所以我們會痛，會流血。留在象牙之塔裏的人性，是再自然不過的。夢罷！麻醉罷！你們「沙漠的綠洲」！這是個貧瘠的時代，這是個貧瘠的土地，你們要不要醒，只有由你們去！——你們是些貧血及營養不良的可憐蟲而已！

吹毛求疵

·劉杰·

一句話說上兩次，夠煩、夠厭；說上五次、十次，煩得不能再煩，厭得不能再厭。我就碰到過這麼個人：早上交待下面做一件事，下面人連連答了幾個是。不到一個小時，又把那個人叫來，問做好沒有，如果沒有做好，皺皺眉頭，又重新說一遍。一直到事情做好，才不說那交待的一件事。

比這還令人煩厭，而且受點兒氣的，君不見，常常有視察大員嗎？視察對你這一部門不大滿意，就在「骨頭」裏面找骨頭，甚至於連寫的字歪不歪，字寫的工整不工整，都在視察之列。

有一點點不如意的地方，眼睛一瞪，鬍鬚一吹。不要吐出話來，已經叫人退讓三分，連連幾個「改進」，「照辦」。尤其一個主管對你印象不大好，就是你本領上了天，也是「沒有用武」的地方。所以「人才」是埋沒的。因爲「人非聖賢，誰能無過」，事無大小，多多少少，都有一點小缺點兒。

在小缺點上大做文章。對個人方面來說！有好處也有壞處。對團體來說，有壞無益。

我想到陶潛在五柳先生傳裡說：「無懷氏之民歟？葛天氏之民歟？」當主管的應把這兩句話，用紙寫好，壓在「玻璃板下。」

儒林九尾龜

吳敬鋅

第四回：人何寥落鬼何多

一句話剛講完，王占山頓時變了臉，一翻手打了他兩個巴掌。

高不成知識學問都差，但是因爲立志要作政治家，修養到磨練得挺好。當時摸摸發熱的面頰說道：「王先生，你的道理講不過我，就動手打人，太沒有政治家的風度了。我們競選要用口，不能用手，眞是打架，你打不過我。」

王占山怒氣冲冲的罵道：「混賬東西，你來跟我胡鬧，耽誤了我的寶貴時間，這叫做惡意破壞選舉，是違犯法律的，你知不知道？」

高不成奇道：「王先生，你的話我聽不懂，你競選，我也競選，開辯論會也是雙方同意的，我怎能算是和你胡鬧，你今天說不出來道理，我可也要動手了。」高不成說過，眞的捲起袖子。

王占山冷笑一聲，「你也競選，你讀過中華民國憲法沒有？」

一句話把高不成問住了，他長了二十幾歲看也未曾看見過中華民國憲法。可是，當時又不能示弱，只好硬着頭皮說：「當然讀過。」

王占山「哼」了一聲：「你讀過就好說了，請你把四十五條背給我聽一聽。」

高不成不能再裝胡塗了，只好搖搖頭說：「不記得了。」

王占山冷笑道：「你不記得我記得，我告訴你吧！憲法四十五條規定，總統候選人年齡規定在四十歲以上的纔有資格競選，你還差十幾年哩！居然跑來和我開辯論會，不是搗亂是什麼？我只打你兩巴掌已是手下留情了。」王占山說過從茶几下面摸出一部憲法來，遞給床上的聽衆。

經過這一來，競選形勢頓時急轉直下，高派助選人全部倒戈，一致舉手擁護王占山競選總統。

高不成眼見大勢已去，到也漂亮得很，立時轉過口風說道：「王先生，我同你拍檔，作你的副總統好不好。」

王占山用手一指：「你又要挨打了，副總統候選人年齡也要超過四十歲，你仍然不合格。」

高不成眼見副總統都無份，難過萬分，又降一格要求道：「那麼，我助你競選，你當選總統之後，給我行政院長好不好？」

王占山搖搖頭：「行政院長你不夠材料，你充其量只能當一內政部長。」

高不成到這時不敢再硬了，內政部長也願意屈就，從此，就放棄了總統候選人的身份，變成了王氏助選團的宣傳部長，每期在「怒海」上大捧王占山。

（四十三）

水仙花

姚詠萼

年年到了陰曆年邊，我總得記起水仙花。大陸此時該是寒風呼嘯，百花零落的季節，水仙花却在寒風中綻開了。台灣沒有寒風，也沒有水仙花。

我獨愛水仙花，頌爲花中之王。世稱水仙爲凌波仙子。她的幽雅絕俗，確是別的花所不及的。我從小酷愛着她。記得童年時，家裏廳堂的天然几上，書房的書桌上，過年時父親一定擺上一兩盆葉子修長的，綠綠的水仙花。除夕前，母親用半寸來高的紅紙，裹住水仙花的葉根，紅紙外面再貼上一層細條的金紙。父親見了，嫌它太俗氣，總是不喜歡。母親却說：「過年過節，討個吉利。」在我幼小的心目中，母親作的事總是對的，而且也覺得在那些碧綠而修長的葉子上捲上，金碧輝煌的紙條，與淡黃色的花朵襯托起來，靜靜地立在白瓷盆里，顯得更富麗堂皇，俗不俗就不是我所能了解的了。我時常停留在天然几或書桌前，對着水仙花飽看一頓。四姊會教我一首水仙花的歌詞，雖不完整，還依稀記得些。

「美人渺何處！綠波思漫漫，凌波翠袖寒，香迴青玉案，夢老水晶盆，一樣同萍跡……憐渠守素難。」四姊早已不在，每次看到或想起水仙花，也就想起了這首歌詞，和教給我歌詞的人。

自己有了家，他知道我愛水仙花，愛看她在盆中發芽開花，年年到了陰曆十一月，水仙的球莖上市的時候，一定買一兩盆來送給我。抗戰前，我們住在上海。第二年冬他從城隍廟買回來水仙的莖與一只潔白的盆子，盤裏盛着五彩斑爛的小石子。我把花球放在石子上，注上一盆水，一個月，球莖淹在一盆清水裏，不見發芽出苗。那時已交陰曆十二月了，我心裏快快不樂。他總是說，慢慢來，總有一天會發芽的。一天，他的一位朋友來訪，看見一盆清水裏盛着石子與未發芽的水仙球莖，便說：「現在早是水仙長葉的時候了，你的花還不見苗頭，是你不知道供養的方法，上海的氣候太冷，每天要把花放在太陽底下晒半小時，就會發芽了。」他又叮嚀着說：「待到芽頭出來，不要再晒，晒多了葉子太長，也就不好看了。」我照着他的話去照顧水仙花，眞的一個星期下來：水仙的芽爆出來了。不到幾天，長了葉子，開花了。從此在上海那幾年，水仙花在我的化粧台上，伴着我五個年頭。抗戰那年，上海戰事爆發前幾天，我們帶着孩子怱促回家。那只盆子連書籍與家俱什物，一古腦兒丟在上海沒有帶出。（上）

釋耒集

兵機

閱報得知台北方爲軍事演習，定名曰：「襄陽」演習，往者且曾爲「長安」演習，及「昆陽」演習矣。實頗足以發人思古之幽情。今晨又見報載某將軍對是役之講評曰：「于演習中，乃知自由中國軍事進步之神速」。昔孟子有言曰：「雖有智慧，不如乘勢，雖有基鎡，不如待時。」台灣十年以來，一切以軍事爲中心，其進步神速，有由然矣，所可論者，其進步僅于演習中見之而已。孟子又曰：「夏后殷周之盛，地未有過千里者也，而齊有其地矣，鷄鳴狗吠相聞，而達乎四境，而齊有其民矣，地不改辟矣，民不改聚矣，行仁政而王，莫之能禦也，且王者之不作，未有疏于此時者也，民之憔悴於虐政，未有甚於此時者也！飢者易爲食，渴者易爲飲……萬乘之國行仁政，民之悅之，猶解倒懸也。」豈十年慘淡經營，時爲此區區之演習乎？老杜詩云：「飄然時危一老翁，十年厭見旌旗紅，喜君士卒甚整肅，爲我回轡擒西戎，草中狐兎盡何益？天子不在咸陽宮，朝廷雖無幽王禍，得不哀痛塵再蒙！」此又我輩之所以不能安于緘默者也。孟子之書，高談仁義，故曰：「仲尼之徒，無道桓文之事者。」而論兵不亞孫吳，蓋兵雖曰凶器，然救亂誅暴，聖人未嘗不用，湯伐桀，武王伐紂，其昭昭者也，而陳恒弑君，孔子亦請討之，然必制之以時，孟子曰：「……三里之城，七里之郭，環而攻之而不勝，夫環而攻之，必有得于天時者矣，然而不勝者，是天時不如地利也，城非不高也，池非不深也，兵革非不堅利也，米粟非不多也，委而去之，是地利不如人和也。故曰：域民不以封疆之界，固國不以山革之險，威天下不以兵革之利；得道者多助，失道者寡助，寡助之至，親戚叛之，多助之至，天下順之，以天下之所順，攻親戚之所叛，故君子有不戰，戰必勝矣。」唐甄曰：「若有大敵，非我克彼，即彼克我，雖支將遊旗，積累千百功，而決機在于一日，成功定于一戰，夫人情興則附，衰則去，誠能一大戰而勝，兵威震世，義聲盈耳，則人心歸附，豪傑響應，地有所不畧，畧一而得十，城有所不攻，攻一而得十。軍有所不破，破一而得十，夫用兵之道，過重與過輕同失，及銳乘間，不失其時，則天下之勢集于我矣。」……「若乃遷延失謀，數戰不利，數舉無功，二年三年，甲敝兵鈍，戰氣消歇，豪傑失望，思歸丘隴，人心解散，不可復振，此坐而自亡之道也。」去二年三年猶不可，而況于十年二十年邪？坐視倒懸而不解，反欲藉軍事演習以威天下邪？非我輩之所敢知矣。

曲齋

望海樓隨筆

美國音樂

徐學慧

印尼那位搞什麼指導民主的總統蘇加諾，如果就其政治上的措施來說，實在不敢恭維；但最近他對於西方的流行音樂與舞蹈所表示的意見，卻是值得加以讚美的。

據外電報導：蘇加諾批評美國流行的音樂是萎靡的，同時認爲美國的流行音樂，是「大吵大鬧就可以包括一切。」對於西方舞蹈，特別是那種所謂交際舞，蘇加諾是極力反對的，因此，西方的交際舞在印尼列爲「不道德，不斯文，不禮貌。」

美國的流行音樂，其趣味之低級，世間罕見。但他們對於推銷此類音樂，往往有一套宣傳手法，大約首先件同電影以俱來，然後不惜工本在電台廣播，過些時候，來一個某某音樂比賽，是爲高潮。高潮一過，該一音樂唱片的銷路即走下坡，然後，另一張大吵大鬧的唱片，又起而代之了。

倘憶所謂「貓王」的唱片初抵本港之際，香港那些讀「番書」的男女們，幾爲之如醉如狂，甚且有以不識貓王歌曲爲無上恥辱者。其時筆者曾在某晚報撰寫隨筆，曾以「無聊的貓王皮禮士利」爲題，中間有一段這麼說：

「野獸似的呼聲，或者近於是原始性的表演動作，在以含蓄爲至美的中國人看來，那實在是不能叫做藝術的。貓王之崛起，那只是美國電影公司替他宣傳之功，與其本人的藝術無關，因爲他根本談不上藝術。」

後來貓王被徵召入伍，筆者即曾預測，當貓王入伍二年後，那些野獸呼聲似的歌曲，將無人再提。今則果幸而言中矣。可惜，一貓王去，另一貓王來，去去來來之間，「大吵大鬧」的特質並無任何改變呢！

閒話三寶

筱臣

「三寶」一詞，據「辭源」上的解釋：（一）「孟子」，諸侯之寶三，土地人民政事。（二）「老子」，我有三寶，持而保之，一曰慈，二曰儉，三曰不敢爲天下先。（三）佛家語，以佛法僧爲三寶。佛說法而僧保守之，得永以濟世度人，故皆爲寶也，（四）道家亦有三寶之說，別爲內三寶外三寶。內三寶，元精元炁元神也，外三寶，耳目口也。

但在中國的大陸各地，有許多著名的土特產，名勝和建築，甚至於女人，當地人民把它編成「順口溜」，叫做三寶，其中大多數是協韻的，也有少數不協韻的，下面所列舉的，只是其中的一部份。

最膾炙人口而且比較爲人所熟知的，應該說是東北九省的三宗寶，那是：「人參，貂皮，烏拉草。」

在廣東是：「陳皮，老薑，禾桿草。」

福建是：「武夷山的紅茶，蒲城的煙草，閩侯的漆器天下少。」

山東是「黃縣的房，棲霞的糧，登州府的好姑娘。」

應城是：「湯池，石膏，靈芝草。」（湯池就是溫泉）

新疆是：「吐魯蕃的葡萄，哈密瓜，庫車的羊羔兒一枝花。」

綏遠是：「山藥，蕎麵，破皮襖。」

蒙古是：「牛奶，炒米，蒙古包。」

山西是：「喝燒酒到汾州，看鼓樓到代州，買煙袋到忻州。」

雲南是：「大渭山山水好，普洱茶喝不了，白銀如銅世界少。」

大理是：「風不進門是一寶，石頭砌牆牆不倒，白起台不會老。」（白起台是茶名）

江蘇宜興是：「茶壺、夜壺、織席草。」

江西是：「茶葉，夏布，磁器窰。」

遼寧是：「梨乾，塔塘，旗裝腳。」

寧夏是：「城大閣小，車大牛小，閨女不嫌漢子老。」

張家口是：「茶磚，口蘑，大火燒。」

山西大同是：「黑炭，紅銅，黃米糕。」

北平是：「雞不啼，狗不咬，十七八歲的姑娘滿街跑。」

唐山是：「洋灰，煙煤，薰雞好。」

深縣是：「山棗，柳竿，大蜜桃。」

棗強是：「東瓜，白杏，小紅棗。」

正定是：「扒糕，粉醬，豆腐腦。」

趙縣是：「小麥，北瓜，大石橋。」

天津是：「鼓樓，砲台，玲瓏閣。」（「閣」唸作「搞」）

在自由中國的蘭嶼島，那是以盛產蝴蝶蘭最著名的地方，那裡也有「三寶」是：「紅頭蘭，紅頭藤和紅蟲」。

桂林也有「三寶」，這是在抗戰時期盛傳一時的故事，今當回憶之餘，似乎頗富奇趣。

第一件寶却是名噪一時的小金鳳，她是桂劇女伶，色藝倘佳。馬君武辭去了廣西大學校長之後，以改良桂劇自娛晚景，並且收了小金鳳做義女。小金鳳本姓尹，他並爲了命名曰「義華」，那時小金鳳在南華劇場演唱，馬氏每晚必高踞廂房，爲其義女捧場，因之小金鳳的聲價百倍。他並且替小金鳳編了「木蘭從軍」，「梁紅玉」兩劇，一和時小金鳳的風頭之健，震撼了整個桂林城，那時，馬博士既已醉心於小金鳳，一切的非議，他是不顧及的了。因之，也有好事者爲之賦詩云：「詞賦功名悵影過，英雄垂暮意如何？風流契女多情甚，頻向廂房送秋波。」

民國二十六年冬，馬博士以參政員赴武漢出席國民參政會，對於每天必須謀面的小金鳳，依依不捨，後來他自在車上做了一首詩給她。詩云：「百看不厭古時裝，剛健婀娜兩擅長；爲使夢魂能依倚，車中酣睡過衡陽。」情意纏綿，馬博士與小金鳳增上留下了名士與美人的佳話。而小金鳳徐娘已老，祇有中共驅使，前年還要登台演出，到廣州一行，想當年的婀娜多姿，已無復當年了。

第二件寶，也就是大家所熟知的馬肉米粉，爲了篇幅所限，這裏不叙了。

第三件寶是腐乳，祇是桂林的腐乳之一，已或應該是鮮美絕倫，去年友太自桂林省親回港，攜來了兩罐，其味已經變質了。在中共的長久控制之下，祖國的「三寶」，殆將不可卒睹了。

海嶠談薈

論賀氏之資質與才情，決非政治中人；即從事軍旅，亦僅可担當中下級幹部職位而已。其爲人也，多疑自私，罔識大體；其治事也，優柔寡斷，舍本逐末。既無剛毅果敢之軍人氣魄，亦少圓滑隨和之官僚本能，更缺乏縱橫捭闔之政客技倆，殆一庸材耳。

賀氏一生事業無成就，源於兩大因素，即好用親戚與聽受婦言是也。無論主管何項機構，凡可以聚斂財富之重要位置，必使其內戚居之，如主政甘肅時，該省所設特貨運銷處處長，係其姪女婿彭某，如重慶市長任內，派其妻弟倪某爲全市日用品供銷處處長，是資證明。晚年自毀歷史，背叛國家民族，投靠共黨，則以其妻倪斐君之關係最大。

閒話賀耀組（四）

諸葛文侯

倪氏寧波人，原係南京城內湖南留日學生黃某所設私家醫院之看護。民國十八九年間，賀氏任職參謀部，常赴黃醫師處治療疾病，因得識倪，寖且私通，賀擬納爲簉室，倪不從。迨民國廿一年首夏，賀之愛妾在南京逝世，而其原配夫人素居湖南鄉間養老不出門，賀乃爲愛妾大事開弔；向各界親友遍發訃聞，稱爲夫人。維時楊永泰任豫鄂皖三省勦匪總司令部秘書長，在武漢接閱賀氏寄來上項訃告後，曾對人罵「賀貴嚴無聊」不置。實則賀氏此舉乃爲迎娶倪斐君而然者，別有所圖，良非得已。既而倪氏正式入嫁賀家，寵擅專房，賀貴嚴事無鉅細，胥爲倪婦之意旨是從。倪爲一隱形之共黨份子，賀始終懵然罔覺，廿年來寵愛不衰，雖在政治上常受其荼毒，亦復甘之如飴，（賀秉任軍統局長時，若干機密情報，皆由倪洩漏於共黨），朋儕有向賀氏微諷促其警惕者，皆充耳不聞焉。

賀氏充任重慶市長時期，倪婦與黃炎培，章乃器等過從甚密，組設「軍人之友社」，暗中從事反政府活動，而藉倪氏以「市長夫人」地位，隨時掩護之。一日，章乃器㝢中大火，賀市長與警察局長徐中齊密議決定傳訊章乃器，依律究處，倪婦聞章氏被傳至警局，竟夜馳入徐局長辦公室，顯示「市長夫人」氣派，囑徐立刻交他保釋，否則彼亦自願與章一併拘留，決不回㝢云。徐爲之大惑不解，蓋此案原係奉市長密諭辦理者，何以市長夫人竟背道而馳耶？旋以電話報告市長，請示應付之策，賀不得已，派副官來接倪婦歸去，未幾，徐局長亦突告去職矣。

對日抗戰結束後，賀氏不甘寂寞，暗中加入李任潮之「民革」集團，偕倪婦卜居上海，自組「太平洋學會」，常與共黨統戰份子往還，從事反動工作，斯時倪婦之眞面目已漸顯露，肆無忌憚矣。上海將告淪陷之際，賀昭及愚，囑勿離滬，謂將來接收政府各公共機關亦需人也。意態崖岸激昂，愚笑頷之，旋愚避地海隅，又見賀爲共黨策反甚力，據言倪婦已北上。迨秋歌政權借立後，賀在武漢屈任劉斐所主持之「華中水利部」參事，孑然一身，蟄居漢口某一啤酒店樓上，倪婦在幽燕自由行動，不復與賀氏接近。殆以使命業經完成，應恢復其共幹身價，而羞與降虜貳臣之「老奴」爲伍也歟？（完）

歷史人物

陳圓圓

謝康

烟翠層層金殿開，圓圓曾否此中來？婢娟已作黃冠去，錯認仙庵作鏡台。——昆明金殿瞻禮，一九四二年作。

二次大戰期中，香港淪陷的次日，我到了昆明五華山，訪吳三桂陳圓圓遺迹，游銅瓦寺（即金殿），俗以爲圓圓晚年修道處，寺觀林深，全身銅造，頗爲別致。又觀圓圓梳妝處，是否眞蹟，蓋不得而知。然一代紅妝，配合千秋勝跡，滙成傳說故事，爲後人憑弔之資料，亦足以點綴勝朝，名垂千古了。

據陸次雲圓圓傳：她本是玉峯歌妓，原姓邢，隨鴇母改姓陳，名圓圓；明史作陳沅，沅圓二字同音，傳寫因而有誤。初入田畹家做歌姬，旋歸吳三桂，吳梅村圓圓曲所謂「相見初經田竇家，侯門歌舞出如花」，「白皙通侯最少年，揀取花枝屢回顧」，就是寫田畹送圓圓給三桂這件故事。當時三桂駐防山海關，與清兵對抗。崇禎十七年三月，流寇李自成陷京師，（一六四四）思宗死社稷。三桂本欲投降於自成，以保身家，旋聞圓圓爲自成收爲侍妾，乃大怒降清，乞清兵申討李自成，自成敗退，三桂重獲圓圓，相與抱持，喜泣交集。圓圓曲所云：「若非壯士全師勝，怎得娥眉匹馬還。」即指此也。（一）

自由報
THE FREE NEWS
第八十三期
中華民國僑務委員會頒發台僑新字第三二三號登記證
中華郵政台字第一二八二號執照登記爲第一類新聞紙類
（半週刊每星期三、六出版）
每份港幣壹角
台灣零售價新台幣弍元
社長：雷嘯岑
督印人：黃行憲
社址：香港銅鑼灣高士威道二十號四樓
20 CAUSEWAY RD 3RD FL HONG KONG
TEL. 771726　電報掛號 7191
承印者：四風印刷廠
地址：香港灣仔高士打道一二二號
台灣分社
台北市西寧南路壹壹零號二樓
電話：三〇三四六
台郵撥儲金戶九二五二

再論中共與俄共之間

王厚生

從十一月十日起，在莫斯科舉行的共黨高峯會議似乎已經結束了，會議的公報或宣言尚未發表，對於國際共產黨今後的思想路線和策略，現已成爲世人猜測的題目。綜合各方面的情況，有兩點是可以確言的。第一、赫魯曉夫和毛澤東二人對於一九五七年莫斯科宣言發生解釋歧異，在毛澤東心中，覺得赫魯曉夫失去了「革命精神」，而「革命精神」正是「馬克斯列寧主義的靈魂」所在，而赫魯曉夫則根據該次宣言所謂「目前，和平的力量已經大大成長，已經有實際可能來防止戰爭」，所以，他是主張在「和平共處」之下，來與資本主義國家進行經濟競賽，爭取「共產主義」的最後勝利的。在中共所強調的「革命精神」，實在很有問題，它不能代表馬克思主義的全部精神。蓋依照馬克思主義，若干有民主傳統和基礎的西方國家，爲達成社會主義，不一定要採取革命行動，通過議會和選舉的方法，也是可以使社會黨或勞工陣綫取得政權的。在馬克思主義的這一理論下的共產黨或社會黨在有民主傳統的西方國家，只需要進取的精神，而不必一定需要「革命」的精神」，此則說明中共所謂「革命精神」是「馬克思列寧主義的靈魂」，關係曲解，而並不符合馬列主義的原來意義。

第二、赫魯曉夫和毛澤東二人冀欲以「社會主義」取代或埋葬「資本主義」則屬一致，所分歧者，在於二人的策略不同。在中共，顯然是採取了從前托洛斯基的「不斷革命論」，這個策略足以造成「國際」局勢的緊張，是一望而知的，所以，如要追究今日世界的動亂主因，應直指中共的政策，予以懲戒，以熄亂源。本來，「取代」或埋葬「資本主義」這句話並不可怕，所怕者在於取代或埋葬「資本主義」的方法。凡提倡社會主義的人，都覺得資本主義將讓位給社會主義，但世界各國的社會黨，並不令人畏懼。赫魯曉夫和毛澤東二人在方法上分歧，主要基於對「資本主義」的認識，「社會主義」所欲取代或埋葬的「資本主義」是什麼樣式的？十八世紀的資本主義嗎？是商業資本主義嗎？馬克思、恩格斯時代的資本主義嗎？是工業的資本主義嗎？二十世紀的資本主義嗎？還是原子時代的資本主義嗎？能號稱「科學的社會主義」者，如不弄明白以上問題，澄清「資本主義」的眞確內容，他的態度就是不科學的，他就沒有資格高談「資本主義」的問題。赫魯曉夫近年來遍訪西方國家，作實地考察，他大致明白二十世紀中葉（亦即原子能剛開始和平用途時代）的資本主義的內容和意義。毛澤東沿襲民國以前中國的閉關自守，坐井觀天，主觀地揣想現代資本主義的面貌，或根據十九世紀馬克思、恩格斯著作中的資本主義，大放厥詞。他不了解資本主義制度本身的主動性，更不了解除經濟一面外，政治因素對於資本主義制度本身主動性所能發揮的巨大作用，因此，他不了解西方國家中的勞工階級的思想情操。赫魯曉夫則不然，他比較具有時代的敏感，他相信憑藉資本主義的主動力量，必將登上社會主義之路，他時常對美國人說，你們的孫子輩將在社會主義中生活，正可以反映他那種通過經濟競賽戰勝資本主義的思想。由於認識的不同，赫魯曉夫和毛澤東所設計的方法或策略也不同，而實際上，毛澤東對現代資本主義的認識模糊不清，復受馬克思主義的教條禁錮，他的策略顯犯錯誤。從近處看，他的策略具有戰爭冒險性，張，適足以增加國際緊張，對資本主義國家來說，害多於利，但對共產國家來說，利多於害，史大林只能當二次世界大戰剛結束時，乘佔領東歐東德的既成事實，沾了便宜，後來當他企圖越過既成事實，突襲南韓時，他就碰得頭破血流，再無蠢動機會了。資本主義國家多爲民主國家，國際緊張，不便有利於經濟，抑且不利於對外作戰。從遠處看，毛澤東的策略缺乏持久性，他的策略必須實踐，以拖蘇聯下水爲前提，否則不易見諸事實。赫魯曉夫不願下水，自然不同意毛澤東的策略。

消息傳來，劉少奇在高峯會議中，發言逾四小時，喋喋不休，內容保守秘密。據我判斷，劉少奇那篇演說，主要是在替中共辯白，而不是固執中共報刊[illegible]。

前此所發的關於帝國主義和戰爭不可避免的理論，因爲根據十一月廿一日人民日報的社論（「發揚一九五七年莫斯科宣言的革命精神」），中共的態度已告軟化，這是因爲中共已陷孤立，而不得不作態度轉變，而劉少奇作的長篇演說，除作辯護外，可能亦提出中共激烈反美的特殊理由，以爭取其他共黨的同情和支持。

據合眾國際社倫敦廿五日電訊，倫敦所得的消息，拉丁美洲中國家共黨的領袖，支持中共西方的強硬政策，並且支持殖民地革命政黨，援助權力鬥爭，進行與赫魯曉夫的「和平共處」主張相左。這個消息頗有可靠性，因爲拉丁美洲各國的共黨皆以反美爲第一任務。這裏，中共的政策顯然仍不合與赫魯曉夫的政策，夫所要求者，是東西高峯會議，達成通過裁軍協議與「和平共處」，可藉裁軍節省之經費，從事於經濟競賽。他所深怕者，是中共的強硬路綫可能導引世界戰爭，拖累蘇聯，同時打消他的那一套戰勝資本主義的策略。[illegible]無把握，尤使赫魯曉夫傷心。所以，[illegible]十一月廿一日人民日報的社論中特別指出：「那種把同[illegible]」[illegible]中共一慣打腫臉充胖子，一手支援各國革命，一手要求蘇聯援助，毋怪乎赫魯曉夫要停止援助中共，要撤退技術顧問，看看毛澤東到底有多少力量。赫魯曉夫相信「社會主義制度」的優越性，相信經濟競賽最後可超過資本主義制度，他對於支援各國革命一事，顯然不及毛澤東熱心，就算不支援，也不能讓他或蘇共出面，要毛澤東或中共出面，而事實上，中共時常不守規距，在世界各地到處不自量力的與蘇共發生支援競賽，這豈是赫魯曉夫所能忍受。中共近年的行爲，往往操之過急，不守「國防主義原則」，處處與赫魯曉夫的大方針背道而馳，已是可惡之至，萬一橫衝直撞，闖下大禍，赫魯曉夫到了騎虎難下時，也只好啞口無言，被迫下水。拉丁美洲各國的共黨似乎沒有了解這一層，所以，跟在中共後面亂叫。除支援一事外，各國革命與世界和平並不對立的理論也有疑問。毛澤東在抗戰勝利之後，在大陸上吃了甜頭，於是斷定「美國是一紙老虎」，不會干涉各國革命。這種理論不能叫赫魯曉夫信服，一、他首先不以爲美國是「帝國主義」和「紙老虎」，他是道地的現實主義者和物質主義者，沒有毛澤東的義和團精神；二、他相信在今天而論，各國革命，一定招致西方國家的關切，甚至干涉，剛果的局面可以爲證，既然如此，大國革命大有事態擴大，引發大戰的危險，毛澤東欲以一國接着一國的革命，擴張「社會主義國家」的土地和人口，削弱或壓縮資本主義國家的如意算盤，在今天，分明是打不通的，赫魯曉夫不會愚蠢到上毛澤東的圈套，他永遠不會容許昧於世界大勢的毛澤東「亂說亂動」的。

此外的消息是說，劉少奇在演說中透露：中共現有四個原子反應器，不久就可試爆核子裝置[illegible]担心中共擁有核子武器後擺脫蘇聯羈絆而從事冒險嗎？還是赫魯曉夫有心挾帶中共參加國際裁軍會議嗎？這些地方，將使我們反共的中國人今後大費思索。

小論天下

△寮國發生熱戰，反共軍永珍派軍進攻王都，傳來倒戈消息，共黨陣營當然支持，美國表示大力支持。第七艦隊有準備干預寮戰之說。

「罵戰」已是水盡山窮，熱戰會不會急轉直下？

△美國黃金儲備量繼續減低，達到危險綫，美國爲阻止美元危機，與西德商議，未諧，法國不願出力，英國表示同情。及早發覺的病症倒不會釀成大的危險。「講稿」會不會傷感情，但西歐國家還不至蠢到把美國推回「孤立主義」老路去。看將來，美國儘可能依靠核子潛彈來達成軍事的孤立。

△莫斯科共產黨會議的一切消息，仍在緊密封鎖中。據傳劉少奇宣讀一篇長達一百二十頁的講詞，宣揚中共將製原子彈，使蘇俄震驚。

這一新聞發生的程序是：第一、說中共已有四個原子爐；第二天，說他擁有使用這些原子爐製造原子彈。那麼，第三天說他已製成原子彈，豈不更加乾脆嗎？這個「製造新聞」的「指導中心」似乎加工「得太快一點」！

△台北報載：台灣省議會新舊兩派議員將展開「自清運動」，全體七十三名省議員中，至少有廿三名被目爲「自清」對象。「非以議人，乃以議人」，這也不出奇，做議員最要是無慚於清議。

△日本自民黨在大選獲勝之後，黨內各派爭權甚烈。他們爭得如此急，似乎可笑，但他們如不爭這些，又幹嗎出許多氣力去攪政治。

△北大西洋公約組織秘書長史柏克說：如果西方不能應付經濟攻勢的挑戰，將被打倒；並指稱：蘇俄在廿四小時內決定把古巴的糖全部買下，西方如遇着同樣事情，怕要許多次開會才有辦法。他又指出：蘇俄能以高價買受希臘的煙草與葡萄乾；每不恤高價買入而賤價推出。

看來，西方竟似乎缺乏一個「經濟沙皇」。而共黨國家却敢於做蝕本的生意以贏取政治上的利益。

△美國當選總統肯尼第仍未宣佈誰是新政府的國務卿。未來副總統詹森僕僕於華盛頓，巴黎與倫敦之間，爲民主黨新政府宣達，擔當世界大任的信心。

看艾森豪最近做的幾件事：撤回海外軍眷，向西德及英法開口要錢，對古巴以實力提警告；都是替肯尼第做好鋪路的工夫。艾森豪並不想送給他一個「包袱」。艾森豪畢竟是一個「好人」啊！

方南

自由談

法治之羞

馬五先生

據本報台灣通訊指出：基隆市有一稚齡女子犯了竊盜罪行，被當地的刑警隊以非刑逼供，身體頗受殘害，受害人已向法院提起控訴云。這是一種違法抗令的野蠻行爲，非從嚴究處不可！

我們不必唱甚末法治國家的高調——因爲國際間的輿論常懷疑我們是否具備法治國家的本質？祇就人道主義立場設想，對一個十九歲的女子採取刑訊方法，亦係不能饒恕的暴虐措施，何況案情僅是竊盜嫌疑哩！記得七年前美國共和黨名人杜威訪問台北後，來到香港對人談及他此行的觀感，說台灣特務機構林立，經常見到的約有七種之多。他把警察出派所亦列入七種特務機構之中，理由是派出所可以隨便拘禁人民，不受限制，這情形，在歐美那些法治國家是絕對不許可的，因而杜威乃有此誤會的看法，無怪其然。假使上述這種刑訊竊盜嫌疑犯的情形，給杜威知聞的話，更要嚇一跳，認爲聞所未聞的咄咄怪事也。我輩新聞記者要想替本國政府的信譽有所辯解，但一些親民之官」的警務人員，竟對民衆使用刑訊方法，這教我們怎好意思閉着眼睛說瞎話呢？杜威原是我們的國際友人，他訪問台灣之後，除却在他的游記中，寫一章訪華觀感（對我們並無特別的讚許之詞）以外，至今沒有公開說過一句聲援自由中國的話，應該值得我們深切反省的。

世人每以台灣人與內地人之間有無隔閡爲念，實則據我所體察瞭解的情形，台省同胞決無排外思想，只是對於一般違法瀆職的警務人員和司法官吏，表示痛心疾首，而這兩種人十九都屬內地籍，又經常直接與社會大衆的日常生活發生關係，所謂彼此隔閡的癥結，即在此也。要消弭這項隔閡，澄清世人的誤解，杜絕野心家的挑撥離間，唯一要訣，就是政府以雷厲風行的毅力和政策，把警務、司法這兩種人員整飭改造，使他們切切實實地奉公守法，不敢亂來，否則任何良法美政，皆將敗壞於這類人之手。壯士斷腕去螫，唯恐不速，違法瀆職的官吏，即是政府手腕中的毒螫，如其因循忽視，四肢必然被其流毒所侵襲，將有噬臍莫及之患，可不慎哉！

共區兒童讀物常鬧稿荒

裴有明

本報特稿

中共出版兒童讀物，爲了「對少年兒童進行共產主義教育和革命傳統敎育」；其內容不外是中共「歷年革命戰爭的英勇鬥爭故事、革命領袖、英雄、先烈的傳記、回憶錄和當前少先隊員的優秀事蹟」等（五九、一〇、五「中國青年報」）。其出版兒童讀物的「事業」出版社，計有北平「中國少年兒童出版社」，「少年兒童出版社」，天津「少年兒童美術出版社」等。此外，北平「人民美術出版社」，上海「教育出版社」，「文藝出版社」以及各地文藝出版機構，均出版供給兒童閱讀的圖書（五九、六、一北平「大公報」）。

兒童讀物的內容即要淺鮮易懂，又要充滿「革命教育意義」；大陸作家是懦於寫這種吃力不討好的稿件的。一九五五年九月，「人民日報」曾爲兒童讀物問題發表社論。社論中要求作家和出版界注視此一問題後；中共「作家協會」和各地「分會」，馬上佈置任務，號召作家爲兒童讀物寫稿。此後有個一階段略見好轉。但到一九五八年兒童讀物又鬧嚴重稿荒了。尤其是兒童文藝讀物簡直少得可憐。一九五八年四至十月的六個月中，北平和上海兩個「少年兒童出版社」，共出書四四八種，其中文藝讀物只有十一種。同年「作家協會」收到各省、市、區「分會」彙報上來的一、〇五五種「創作計劃」中，只有兒童文藝三種（五九、四、七「人民日報」）。一九五九年三月二十七日上海「少年兒童出版社」在一九五八年中共出新書四、四八一種，印行六、二五〇餘萬冊。據說：不但在「數量上激增，質量上也有顯著提高」了。但在同段消息末尾上卻「爲少年兒童發出呼籲」；要求作家以至各階層人士，「不要忘記爲孩子們寫書」。這說明，兒童讀物出版上的稿荒問題還未解決。

兒童讀物的內容，應該以啓發兒童智慧，讓兒童多懂一些世事爲主；但中共卻在「爲政治服務」方針下，以兒童讀物作爲「向少年兒童進行政治宣傳，開展共產主義教育，配合政治鬥爭和生產任務，傳播文化科學知識的一種工具」（五九、七、九「中國青年報」）；所以，兒童讀物中充滿馬列主義歪理，誘使天眞無邪的兒童走向邪惡之途。如以「灌輸革命傳統敎育和勞動教育爲中心」的「共產主義風格的人」叢書，「農村兒童叢書」，「我愛祖國小叢書」，「總路線照耀下的紅領巾小叢書」等。

此外，中共出版的兒童讀物中「連環畫」佔很大比重。各地美術出版社，無不以出版「連環畫」當作重要任務之一。上海一地，自一九四九年至一九五九年六月止共出版二千多種，印行達三億餘冊（五九、七、八上海「文滙報」）。其中，僅上海「人民美術出版社」在一九五八年中就出版三五〇多種，印行達五千多萬冊（五九、九、三「人民日報」）。

中共爲讓大陸兒童全都變成「紅孩子」，近三年來不斷舉辦兒童「讀書運動」。此項「讀書運動」，在一九五九上半年中，中共通過各地各級「共青團」組織，在全「國」四千餘萬「少先隊」中，以「聽毛主席的話」，「好好學習天天向上」爲號召，進一步普遍展開多種形式的「讀書運動。」上海市於五九年六月一日開始「紅領巾獎章讀書運動」（五九、六、一上海「文滙報」）。成都市「共青團」於同年四月向全市兒童提出「人人讀好書，人人與好書交朋友」的倡議。此項「運動」一經展開，整個大陸大中城市兒童均被捲入這一狂潮中去。僅上海一地就有四十二萬兒童參加。西安市有二十五萬七千兒童讀了「向秀麗的故事」，「我的一家」等五本有關「革命烈士和革命鬥爭」的書。

爲了配合兒童「讀書運動」的推進，有的地方建立了「紅色書籍推薦組」和「紅色少年書店」（五九、六、一「光明日報」）。此外，復舉辦「故事會」、「報告會」和「文藝晚會」、「科學晚會」等活動（五九、六、一「人民日報」）。

人權何在？法治何存？

刑警苦刑少女

（台灣基隆特訊）政府三令五申嚴禁刑訊，可是少數無智無識的刑警，卻仍是陽奉陰違，好像患了虐待狂，一定要刑老百姓一下，精神才感到痛快似的？

基隆有位少女，因被老闆指控偷竊，刑警老爺傳訊時，不問青紅皂白就是一頓嚴刑苛打，先是木棍，繼以槍彈三粒夾入五指中緊夾，後再灌冷[illegible]到當晚十一時仍未能「屈打成招」方放了回去。

現在這位被害人，已向法院控告這位刑警用刑逼供，地檢處已予受理，日前已召開偵查庭調查。

婦女會理事說得對：「即令她偷了東西，也不應對一位十九歲的少女，施以這種苦刑。」

說實在的，警察中好的也多得是，但目前爲甚麼一提警察就使人搖頭，的確是應該好好檢討一番的了。「一粒老鼠屎帶壞一鍋粥」，這種風氣切不能再多所「表現」了。

建議主管當局，對這批刑警好好的教育一下，最基本的是告訴他們，在民主法治的國家中，「人權」是萬萬忽視不得的。（柯仁）

日本的中立外交（一）

羅堅白

東京通訊

十一月十三日自民黨的總裁池田首相，社會黨的代行委員長江田書記長，民社黨的西尾委員長，舉行日本自有國會選舉以來第一次在電視及播音中的黨首討論會。對於外交內政各主要問題，均會扼要說述各該黨所主張。就中關於外交方針，自民民社兩黨聯合駁斥社會黨的中立論。社會黨從開始便陷於支絀防禦，顯露着招架非常吃力。這次討論舉行於選舉一星期前，等於正式對全國國民各自發表公約。其代表性值得重視；並值得我們記取，以爲判斷今後日本動向的資料。

池田首相首先宣佈自民黨的集體保安政策，同時抓住中立論作攻擊目標。他說：『日本外交應以聯合國爲中心去推進。惟可惜聯合國自身尚無力量夠保世界和平及各民族安全；故只好採取聯合國憲章所定集體安全辦法，以維持日本的獨立與安全。最近有人倡出無防備中立論，其心情只是不欲捲入戰爭。然爲廻避戰爭，由眼前現實上說來，還是現行的集體保安可靠。』江田代行委員長接受池田挑戰說『社會黨是主張中立政策的。』但他完全不講中立的理論根據，只想借助於兩項國際事態，以證明中立的可能。謂：『現在聯合國各會員國中，中立集團的發言權已日見其強大；我們應該使它更強化起來。』『美國肯納第當選總統，雖難望其外交方針就會大轉變；然而他的當選，乃美國國民想要變更一下以前的做法；所以在我們也正是機會，去努力求外交緊張情勢的緩和。』西尾委員長是一面攻擊其立論腳不踏到實；想以此制馭複雜的現實，不合理處便由此產生。民社黨的外交方針，採取獨立自主立場；也是把目標定在以聯合國爲中心的和平與安全上頭；但不以中立本身爲目標。例如關於緩和國際緊張，或關於保安問題，或中共問題，爲着日本利益，我們應該具體地一個一個憑着自己的判斷，把它們處理下去。其結果有時當然可能現出中立傾向，但有時也許會傾向於親美；反正總是要守住日本獨立自主的立場。』江田似乎自己也感到社會黨所主張的中立論，尚未具體說出究竟是甚麼，於是說：『從來中立的姿態是消極的；想要在國際戰爭一面提示民社黨折衷於兩者之間的獨立自主方針。』他說：『中立主義只是一個簡單原則；想不受交戰國任何一方攻擊。現在戰爭的性格，已變成按鈕戰爭，變成全滅戰爭。因此最近尼赫魯納薩爾兩氏所倡導的中立，乃是較有積極性的，想要不讓戰爭起來。所以中立是超越主義主張，與任何方面都友善相處下去，而不與一方陣營締結軍事同盟。池田先生說要遵循聯合國憲章，我想聯合國的精神，應該不要製造假想敵人。但是日美保安條約，是有假想敵人的；那就是問題之所在。』

姑妄言之姑聽之

台中市府鬧鬼

台中通訊

△台北市政府前會計劃在全市設置無軌電車，此訊傳出之後，一般市民均至表歡迎，咸認此一計劃對公衆的「行」的問題之解決，必將有莫大之裨益。惟五日黃啓瑞市長表示：「各方對此已有反應，認爲台北市目前街道狹窄，市區內增駛無軌電車，將更增市區交通的困擾，且創辦無軌電車，市府財力也大有問題，因此，在目前市府已不計劃創設無軌電車了。」至此，台北市設置無軌電車的計劃業已告吹！

△台中市政府近日修理二樓會議室天花板，五日上午九時，一個十九歲青年工人不慎由屋頂跌下，脾臟破裂重傷，當即送醫院急救中。

此一不幸事件發生後，原無奇怪之處，惟好事者牽強附會，謂三年前市府雇工修理該處天花板時死，且當時天花板的位置，也正是現在損壞之處。因此，承包商疑神疑鬼，以爲係冤鬼作祟，不肯繼續修理，現已由市府事務股加以勸解中。惟此一「市府鬧鬼」之「鬼話」，卻已不脛而走。

△台南市有一位郭姓男子，結婚二十年，兩年生一個，至今恰恰生了十個子女，他自稱老祖宗郭子儀的七子八婿記錄，恐怕要被他打破。因爲，他今年只有四十一歲，兩年增加子女一個，到五十一歲時就可與郭子儀的紀錄並駕齊驅了。不過，郭某卻又表示：他現在的十個子女中，只有兩個是兒子，其餘的八個全是女兒，是則往後十年當中所增產的五人，必須全是男的；才可平他老祖宗的紀錄。郭某對此自認並無把握，且以過去的紀錄看來，太座的腹內大都是女胎，因此，在「量」的方面也許沒有問題，在「質」的方面卻可能大有困難。有人戲謂：既想平老祖宗的紀錄，何不請教科學家想想辦法？（嘯谷八日寄自台北）

大陸文壇萬花筒

中共大罵賽珍珠

—— 岳騫 ——

九月份出版的世界文學，中共一位署名思慕的幹部，寫了一篇「貓頭鷹的詛咒（斥賽珍珠的『北京來信』）」把美國女作家賽珍珠罵了一通。

「世界文學」這個月刊，風格上和文藝報，人民文學，文學評論，收穫等均不相同，那些刊物都是給中國人看的，內容也全是中共文化幹部的創作，世界文學雖然也是給中國人看的，可是目的是在介紹外國文學，每期刊載的文藝作品都是翻譯外國「進步」作家的，也有一兩篇批評外國作家的文字，實際上並沒有什麼標準，只是思想成份和寫作立場。

罵賽珍珠這篇文字長一萬字左右，總算是力作了。賽珍珠被罵的原因，主要是爲了她在一九五七年寫了一本名爲「北京來信」的小說。這部小說裏面的主人公杰拉德，是一位中美混血兒，父親是美國人，母親是中國人，杰拉德在中國生長，以後就當一間教會大學校長。中共「解放後」，杰拉德曉得來日大難，先把妻子送回美國，夫妻之間總要通信，於是許多共區現象都在信中暴露出來，這就是「北京來信」的大體結構。

至於內容方面，叙述共區的黑暗，沒有自由，人人都担心害怕，不肯繳納錢的商人被槍決，叙述中共一切罪惡，在我國中國人看來不過是九牛一毛，但在美國人看來就有點觸目驚心了。

書中有兩點很高明地方，一是共軍未到北平之前，卻有一些人感到興奮，有一位開旅館的白俄老人勸他們道：「有一天你會明白，沒有措施要比作惡來得好。」意思是說國民政府官吏無論怎樣無能，尚不至殺人放火，人民究竟歡迎一個無能的政權，還是歡迎一個雖然有能卻把能力完全用到殘害老百姓的政權。這一點自然是相當深刻。

另一點是杰拉德寫信給他太太，說出共黨配給他一位臨時夫人，作爲監視，這一點過去未見有人提到，卻實在是千眞萬確的事，要我們舉例子就很現成，想不到賽珍珠如此了解中共，怪不得中共破口大罵了。

釋耒集

正傾與救敗

昔賈誼因前代虐政之失，作過秦論，分上中下三篇。上篇論始皇帝之過，在乎：「仁義不施，攻守之勢異也。」中篇論二世皇帝，則曰：「貴爲天子，富有四海，身不免于戮殺者，正傾非也。是二世之過也。」下篇論子嬰，又曰：「貴爲天子，富有天下，而身爲禽者，其救敗非也。」因而總結之曰：「秦王足己不問，遂過而不變；二世受之，因而不改，暴虐以重禍；子嬰孤立無親，危弱無輔，三主惑而終身不寤，亡不亦宜乎。」其意蓋以爲，始皇之失，其勢僅至於傾，藉使二世才識，足以正始皇之傾，則漁陽之戍卒不驚，而望夷之頸血不濺。劉、項雖英雄，亦無用武之地矣。及楚師深入，二世遇弒，子嬰立爲秦王，山東大擾，諸侯並起，潰敗之象既成，正傾之道，不能爲役。然「使子嬰有庸主之材，僅得中佐，山東雖亂，秦之地可全而有，宗廟之祀未當絕也。」是敗徵雖已露，亦未嘗不可救，而秦自繆公以來，二十餘君，常爲諸侯雄，卒不免於亡，則遂過而不變，因而不改，惑而終身不寤之故也。賈誼生文帝之世，去秦之亡，不及五十年，持論如此，且引野諺曰：「前事不忘，後事之師也。」故文帝懲之，爲政尚黃老之術，務在與民休息，漢祚得以長久。使漢無文帝，由武帝承呂氏之後，則漢亦亡秦之續，非過言也。今者微聞國府即將召開國是會議，聚國內外賢達愛國之士於一堂，謀所以圖存興復之道。因念國家窮蹙至於今日，其傾也，蓋起於抗日勝利之始，使彼時能割親戚故舊之私恩，示天下以平明之治；如漢昭帝之誅桑弘羊，則金融崩潰之禍，消弭于無形，然後務爲收恤生聚，俾黔首安于邱園。則望屋而食，持白梃倡言革命之屬，其誰應之乎？乃不行此術，遂致傾危愈甚，東北，華北，相繼棄守，淮徐鏖兵，於是大將則陣前起義，士卒遂持械乞降，雖智謀之事，才如良平，亦無以善其後矣。及以副總統當國，反欲以和談爲救敗之策，卒以僨事，爲天下笑，此皆仁人志事，所以扼腕太息而無由自已者也。今國是會議，行將見諸實行，然與會之賢達，縱愛國，未必均黨人，習于傾耳而聽，重足而立，拑口而不言者，固已久矣，今遂批逆鱗，犯不測之怒以盡其忠言乎？而在上者又能開誠納諫，諮諏善道，從容以討論之乎？北伐完成，抗日勝利，前後不過三十年，瀕于傾危，未有如今日者，北伐、抗日、反共；中樞決策與疆場效命之人，未嘗有大改變，而成敗利鈍，相去懸絕者，其故可爲深長思：非勇力智慧之不如，則民心向背之不同耳，「察盛衰之理，審權勢之宜，」以改過求變，則謀國者之責也。

曲齋

命運

徐學慧

世間果眞有命運之神嗎？誰也不能解答這個問題。可是，偏有許多相信命運的人，整天希望幸運之神降臨到自己的頭上。

卜相之士，亦有談言微中者，其實此乃屬於數學上的或然率，並不是表示他眞能知道過去未來。

卜相之學，乃是就其所已知者推及未知。而此已知之數，全憑經驗。只是一班人不太注意而已。

鼓攻於中，聲聞於外，人相也是這樣的。心有重憂者，不能爲强笑，即强笑爲歎，對於一個有經驗的相士，亦不難看出。察其貌，觀其色，注意其細微的表情，雖不必來人開口，亦自可以估計到七分，再加上「引導作供」，便儼然十足了。（我常說相士對被相者的談話，是法庭上的引導作供。）

江湖術士，好談你的性格，教育，環境，家庭，其實這並不必要懂相術，但一定要有人生經驗。人生經驗愈豐富，則觀察愈詳；觀察愈詳，則命中的機會愈多。穿平日的衣服，用平時的談吐表情，在一個有經驗的相士面前，幾乎可以令其如見其肺肝焉，倒眞是無所遁形的。

從事某一行職業，即有某一行職業的特徵。理髮的常用剪刀，寫文章的常用筆，抓手常用手指，則在他們的手指上，就必然要表現一些特徵。對於一個相士，這些常識是必要的。

衣服並不光鮮，而大姆指與食指或小指的手指甲留得頗長者，此公大概是個抓手吧？

所謂命運，大都可作如是觀。

食粥史話

筱臣

屢接大陸親屬來函，告以食粥的苦況，尤其是雜以野菜、南瓜、蕃芋用以煮粥，食膩了每欲作嘔，而且勞役既重，粥不經飽，每一個人都面有飢色，因之患病者日益衆多。筆者在感嘆之餘，不禁連想起若干有關於粥的史話。

粥是日常的普通食品之一，吃粥的起源似乎很古，據周書載：「黃帝始烹穀爲粥。」粥和飯是互相調劑的，飯乾而粥濕，久食飯則思粥，久食粥則思飯，一粥一飯，乾濕相濟，最爲適宜。但經常食粥，只是貧窮人家才有此現象，今天的大陸眞是到了「一窮二白」的境地，人民有粥食，就算是萬幸哩。

食粥的故事用於書籍比吃飯的故事多。雲仙雜記：蘭先生坐翠莊食蘭香粥。又世說：三伏之月，沾汗淋漓，謝公着故衣，食熱白粥晏然無異。又禮：仲秋之月，養衰老，行糜粥飲食。又太公金匱，武王伐紂，都濟邑，雪深丈餘，尚有四人持一器粥，開門而進曰：天寒，故進熱粥以却寒。

又錄異傳：周伊氏貴盛，五葉不別，會食數千人，饑荒羅鼎作粥，聽之聲聞數十里。又帝京景物畧：十二月八日以豆果雜米作粥，名臘八粥。又金鑾記，白居易在翰林，賜防風粥一甌，食之口香七日。又東坡帖曰：夜飢甚，吳子野勸食白粥，曰能推陳致新，利膈益胃。又清異錄：盧澄爲平章事，當廚具小饌，澄惟進粥，其品曰粟粥，乳粥，豆沙加糖粥，三種並供，澄併而和食。

食粥可以養衰老，却寒氣利膈胃，已見上說。陸放翁更認爲食粥，可以長年致神仙，曾有詩云：「世人個個學長年，不悟長年在目前；我得宛丘平易法，只將食粥致神仙。」「宛丘」是指的張耒，他是宛丘人氏，也是宋人，他著了一篇粥記如下：「每晨起，食粥一大碗，空腹胃虛，穀氣便作，所補不細，又極柔膩，與腸胃相符，最爲飲食之妙訣。齊和尚說山中僧，每將旦一粥，甚繫利害。如不食，則終日覺臟腑燥固，蓋粥能暢腸胃生津液也。大抵養生求安樂，亦無深遠難知之事，不過寢食之間耳，故作此勸人每日食粥，勿大笑也。」

此一段食粥佳話，在今天的大陸，正好引來解嘲，作爲食粥的藉口。但古人以食粥用來形容其貧乏者亦大不乏人。如顏眞卿乞米帖云：「拙於生事，舉家食粥。」又秦少游春日遺錢穆父詩曰：「三年京國鬢如絲，又見新花發故枝；日典春衣非爲酒，舉家食粥已多時。」讀了這詩令人泛起同情之感，所以當時錢穆父立刻就送了他兩石白米。

明末詩人杜茶村，也是窮得食粥的，他說：中秋日一粥，閉門睡矣，忽聞叫門聲，乃柳叟敬亭，走力送酒，並青蚨一千，感而有紀：中秋無食戶變扃，叩戶爲誰柳敬亭；亟送酒錢仍送酒，直教明夜也休醒。

杜茶村到了中秋佳節，尚且吃粥，其窮可知，但安貧樂道之精神，仍活躍於字裡行間，柳敬亭的高義，不忘窮友，可說是二難並美，相得益彰。

清代的陳文勤公也有一首煮粥詩，大概是在困窮的時候，聊以自慰的。詩云：「煑飯何如煑粥强，好同兒女細思量，一升可做三升用，兩日堪爲六日糧。有客只須添水火；無錢不必作羹湯。莫嫌淡薄少滋味，淡薄之中滋味長。」

在民國初年，上海還有一個吃粥會的組織，這應該是屬於雅人韻事，當時參加的都是文化界知名之士，參加的人有吳稚暉、丁福保、蔣竹莊等，任奔走之勞的是吳錢代佛。有一次，吳稚暉還發表過一篇演說，大講吃粥的好處，最妙的是一段結論：他說：「吃粥樣樣都好，就是冬天夜裡要多小便不好！」這眞是妙語解頤，趣人趣事。

類是這種組織，在今天自由中國，仍然是遺風尚在。主持這一個粥會的，據說是狄膺夫婦。

在今天的大陸人民吃粥，個個愁眉苦眼，在自由中國吃粥的，大家都是一種歡愉的心情，這是自由與極權的分野，也是自由世界與極權統治者的强烈對照。

海嘯室談薈

「社會賢達」·「民主人士」

近廿年來，吾國政治界産生了兩個新名詞，即所謂「社會賢達」與「民主人士」。前者爲汪精衛所創造，後者係共産黨始作俑的宣傳詞令，不可不知也。

民國廿八年對日抗戰期間，國府爲要團結全民力量，一致對外起見，先與各個在野的既存黨派交換文書，成立協議，允許各黨派公開活動，取得合法地位，同時設置「國民參政會」，網羅各界知名之士，參預國計民生事宜，共赴國難，而以汪精衛担任會長職務。在遴派參政員時，對於人選標準，是以各黨派與職業團體爲銓衡單位的。但有些人物既非黨派中人，也不在職業團體之列，而政府又認爲必須加以羅致，究竟用甚末名義來參政呢？汪精衛靈感一動，乃創造「社會賢達」這種雅名，以資號召，如傅斯年以及莫、王二老，即係著名的「社會賢達」，成爲他們涉足政治舞台的金字招牌。

「民主人士」的稱號比較晚出，是中國共産黨要利用它來從事釀亂而製造的一種口號。毛共當年在延安窯洞生活中，假藉抗戰救國的名義，實行「七分發展本身勢力，兩分對付國民黨，一分抗日」這項陰謀時，自封爲天字第一號的民主主義者，攻訐國民政府爲「法西斯獨裁政權」，大唱其「聯合政府」論調，它對於一般表示不滿現實的人，無論其思想言行是何內容，指譽之爲「民主人士」——即使主張滿清王朝復辟的保皇派人物亦不例外。總之，只要是反對現政府的，即不問靑紅皂白，不管阿貓阿狗，一律捧稱爲「民主人士」，旨在加强內亂潛力，擴大反動局勢而已。

我對於名副其實的社會賢達與民主人士，決無間言，也沒有絲毫輕蔑的意念。但對於這兩個名詞却認爲頗有研討之必要，在實施政黨政治的國家中，各個政黨就是代表社會各階層利益而存在的，凡屬熱心於政治活動而具有一定抱負的人，十九皆參加黨派組織，只有肥遯鳴高，不事王侯的隱士之流，總是「羣而不黨」的獨善其身者，諡爲「社會賢達」，庶幾當之無愧。如其既要從政，而又對政黨生活避之若浼，殊與政黨政治的眞諦不符，這類人只可說是政治上的游離份子。「社會賢達」標榜無黨無派，實際却是無黨而有派了，若從廣義解釋，且可稱爲社會賢達黨啊！至於所謂「民主人士」的涵義與界說，更不易辨析確定，若說不滿現實政治措施的，即是民主人士，那除非執政當局完全不講憲政體制，而採取暴力統治方法，有如共産政權的情形然。如果民主與不民主的觀點，僅爲某種程度上的差別，那末，「民主人士」這項名義，所有擁護中華民國國體和政體的人，皆可以居之不疑——只有康祖詒張勳之輩纔不配——似非少數人所能獨佔專利的。因此之故，今日被稱爲「民主人士」的先生們，實際只可說是「進步人士」，即其政治思想比較執政者進步些罷了。

「社會賢達」與「民主人士」這兩個名稱，都具有矜炫的意味。特別是「社會賢達」更具刺激性，芸芸衆生皆係社會一份子，誰賢達，誰不賢達，是憑甚末標準鑑定的？無黨無派的知識份子被譽爲社會賢達，然則有黨有派的就是社會蠢才不成麼？孔子曰「必也正名乎！名不正，則言不順，言不順，則事不成」，信有徵也。

諸葛文侯

歷史人物

陳圓圓

·謝康·

圓圓隨三桂討自成，至雲南，受封爲平西王，寵之專房，建蘇台以居之，居昆明二十餘年，至一六七三年（康熙十二年），三桂反，領導三藩之變，時吳梅村已先二年卒（一六七一），故不及知圓圓離家作女道士和三桂造反這類事體，蓋圓圓曲作於三桂入滇後十年左右，觀其詩句：「傳來消息滿江鄉，烏桕紅經十度霜。」可以爲證。是時三桂年約五十，圓圓當不及四十。至事變前，圓圓已五十餘，窺三桂有異謀，自以年老色衰，請出家爲女道士，不知所終，其後內戰平，平西王府被抄家，婦女俱籍沒於官，送入禁掖，圓圓之名，獨不見於冊籍上，可知她有先見之明。相傳她有致三桂一書云：

『無殺人之心，而使人疑者危，有殺人之心，而使人知者殆，王未行大事之先，而使朝廷疑，將行大事之時，而使朝廷知，疑則有備，知則難攻，事之成否，未可料也。一朝失敗，危殆孰甚？況古之立大業建大功者，均有釁之可乘，苟無天時地利人和之機，終亦無濟。……』（二）

社會小說

香港地

六、人情味

韋榮基見霍新開擺出這態度，肚裏雖是有氣，但因父病已危，需錢孔急，便忍氣說出幾句懇求的話來。他知道父親並不是眞的向霍新開借錢，實在是討取賣文的殘賬，便這樣說道：「霍先生，家父如果有別的法子可想，也不至於辛辛苦苦的寫這封信給你呢！他是在床上勉強掙扎起來，寫了一會歇一會的，才寫得成篇，我如空手回去時，他的買藥錢從那裏去找？這是遲不得的啊！」

這孩子低心下氣，噙着淚來說話，却換來一個哼字，霍新開簡直下逐客之令似的，擺擺手才說道：「你回去吧！用不着對我說這囉囉嗦嗦的話。」

韋榮基抱着滿腹辛酸，空手回家，總因「少不更事」之故，不曾作過仔細考慮，便把霍新開的無禮態度，說給臥病在床的老父知道。這正是不說猶可，一說之後，韋大悲被氣得臉都黃了，渾身發顫，氣往上湧，因此病情加重，卒至驚動了幾個貧窮親友，多方代爲設法，臨到被廹送入慈善醫院時，已是無可搶救，只有等死的份兒了。

這一宗事件，如非這時由韋榮基和他老母和盤托出，王鎭球仍屬懵然莫悉呢。王鎭球就是爲了對此事毫無所知，當日見得韋家如此困難，才會本着一片好心，擅自請求梅大亮向霍新開求助的。到今，如整個事情都已瞭然於胸，他便不免覺得難過之極，只好自悔太過孟浪，錯開了口。

梅大亮是這宗事件的中間人之一，也有擺不脫的責任，自然感慨萬分，不禁在心裏自語道：「怪事年年有，今年特別多。霍新開這傢伙既是這般侮辱斯文，弄到韋大悲翁如此過不去，爲什麼在他死後又表現得如此慷慨呢？他顧死不顧生，又是什麼道理？難道是天良發現，自覺萬二分對大悲翁不起，才會如此爽快出力嗎？」他覺得事有可疑，似乎不易弄得明明白白，不覺想起和霍新開在電話裏面互相對答的話，便即從頭回想一遍，打算從這裡面尋出一點道理來。（八一）

木客著

行列

沙漠

長長的、長長的行列過來了。

走在最前面的，是一些孩子們，他們的步履矯捷，每一對純潔的眼睛裏，含有着希望、渴求的光彩。他們携着手，唱着歌，嘻笑而歡呼的向前奔去。

「孩子們！你們來自何方？去自何處？」不知從那一個角落裏響出了這樣的問語。

「我們在災難的歲月長大，來自貧窮、痛苦與充滿眼淚的過往；我們要去到有幸福、有歡笑、開滿艷麗花朶的伊甸園。」

「孩子們：你們停憩吧！在你們的前面，還有重重的危難，在你們的未來的途程中，有陡峭的高山、有湍急的流水，你們能攀援過去嗎？你們能跋涉過去嗎？停止前進吧！孩子們，未來不一定是一座開滿美麗花朶的伊甸園！在『現在』你們停憩吧！」這充滿誘惑的聲音溫柔的說着。

「不！我們要向前邁進，無論未來有着再多的苦難，我們也要前行，我們要戰勝高山和流水，我們要追求人生應有的歡樂和幸福！」孩子們以齊一而堅決的口吻回答着。於是，他們的行列過去了。

在他們的後面，一長串年青人的行列過來了，他們的步伐是齊一的，他們的臉上略有着愁苦的皺紋，而他們的眼中却有着堅毅的神彩，他們的嘴角掛着信心的微笑。

「年青人！你們來自何方？去自何處？」同樣的問語又響了。

「我們來自短短的過去，我們從戰鬪中長大，苦難多於幸福，淚水多於歡笑，而我們從不被不幸擊倒。我們要去自有愛情、有幸福的未來，我們要追尋生命中最可貴的時日。」

「年青人！休息吧！爲什麼還要前行呢？在你們未來的路途上，充滿了荊棘、佈滿了石子，一不小心你會掉落在死亡的深淵。爲什麼不在「現在」的時日，與你們身旁的伴侶共度幸福的歲月。」輕柔的聲音低語着。

「去吧！你這聲音，我們要向前行，我們要把充沛的生命力消耗在有意義的追求上。我們要在未來的荒蕪的土地上開拓，我們要使自己的生命開出燦爛的花朶！」年青人激動的回答着，踏着整齊的步伐過去了。

接着，一長串中年人的行列過來了。他們步伐懶散，蓬頭垢面，眼光黯淡，在他們的臉上刻劃着失意、頹廢的表情。他們遲頓的走着，偶而在行列中傳來一兩聲呻吟。

「中年人！你們來自何方？去自何處？」又是那同樣的問語。

「我們不知道自已來自何方，過去，有痛苦、有幸福，有淚、有笑，我們不敢追求未來，未來對我們是可怕的，啊！我們只是留戀着過去幸福的歡樂的時日：……」寥落的答語，懶散的：……

「啊！中年人，那麼你們休息吧！」那溫柔的聲音，似乎知道無須對中年人說一篇未來如何艱難的道理了。

「謝謝你！只是我們還得向未來走這麼一小段路程！啊！謝謝你！」於是，中年人的行列過去了。

最後，老年人的行列過來了，他們舉步困難，有的瞎眼缺齒，有的雞皮鶴髮，他們喘息、呻吟，沒有一點生命的朝氣……

「啊！老者！你們來自何方？去自何處？」同樣的聲音，來自同樣的角落。

「別問吧！過去，我們老了，我們記不清楚了。未來！我們沒有未來，我們只有死亡、只有墳墓，啊！讓我們休息吧！我們再也走不動了：……啊！生命多疲倦啊！」於是，他們一個個默坐下來，在孤獨的自語，孤獨的：……。

那聲音沒有了，那聲音也啞然……。

青年之聲徵稿

本版特闢「青年之聲」一欄，專載海內外青年學生的文藝作品及其生活動態的報導，歡迎各校同學來稿（勿超過五百字），一經刊載，略致薄酬。請註明年級及學校。

小丑

南道

張恨水在北平會一度以票友身份登台客串，與宋慧珠女士合演女起解，宋飾蘇三，恨水飾崇公道，據說演藝不錯。張恨水飾崇公道，天賦的沙音嗓子，恰合劇中人的條件，身材矮小，灣腿台步，也是恰到好處，何況他是演文明戲的先進呢。老實說：他懂的戲雖多，能唱的戲並不多，能演的戲更不多。

他整天埋頭寫小說，寫散文，寫打油詩，而以長篇小說寫的最多，每天至少須寫三五千字以上，同時要寫幾篇情節各異的社會小說，經年累月，愈寫愈多，頗爲一般讀者所歡迎。

他所著的長篇小說，計有「春明外史」，「金粉世家」，「啼笑姻緣」，「落霞孤鶩」，「太平花」等，不下數十集之多。其中「啼笑姻緣」，還被改編成電影，搬上銀幕。

在大陸淪陷以後，他曾經沉寂了一個時期，幸而沒有遭受到凌辱，這些年來，容許他從事寫作，散文雜感之類，我們在海外的尾巴報紙有時還可以看到他的作品；祇是那種言不由衷，曲意逢迎，醜態畢露，聞之令人作三日嘔，如今，他眞變成了一位十足的「小丑」了！

儒林九尾龜

吳敬鋅

第四回：人何寥落鬼何多

李鴻飛講過，黃安民笑得蹲在地下不能起身，問道：「以後怎麼辦了呢？現在這個助選團還在活動嗎？」

李鴻飛搖搖頭：「他們窮鬧了一陣，把乞求來的錢吃了，高不成也捐出一些，不久都用光了，房錢也付不出，酒店裏廹他們遷出，王占山不死心，到處奔走籌備選舉費，遇到一位前輩告訴他，競選必須到台北去，因爲總統是由國大代表選，不是港九居民選，他在這裏活動是白費力氣，只有替社會上增加一點笑料。」

王占山聽到這番話，爽然若失，回去就把助選團遣散，競選本部取銷，回到鄉下韜光養晦去了。

兩人正在說着，只見小石跑進來，進門就拍手笑道：「我一找就找到了，果然在這裏。」

小石說過又向外面擺擺手，只見林逢時，鄭仲平同烏應桂都來了。

李鴻飛同黃安民十分高興，站在門外歡迎，一間房子也坐不下六個人，當時把小櫈搬出來坐在院裏，李鴻飛說道：「你們既然來了，就痛快玩一天，少停我同安民去買菜，大家一齊下手作，吃了晚飯再走。」

黃安民問道：「你們三位工作找到了沒有？」

林逢時點點頭：「差不多了，我去一間印刷廠管賬，仲平去工廠作職員，小石又去上學，只有……」

烏應桂搶着說道：「只有我失業了，特地來找你們兩位想辦法。」

李鴻飛笑道：「老學長，你在驚濤社作得好好地，怎麼會失業，大概是說笑話吧！」

烏應桂一瞪眼：「誰說笑話，你原來也在驚濤社工作，爲什麼會離開呢？」

李鴻飛陪笑道：「盧先生不要我了，我不走怎麼辦！」

烏應桂冷笑一聲：「這次他到末趕我走，是我不要他了。」

黃安民也笑着問道：「老學長！你的涵養最好，爲甚麼也忍不住了？」

烏應桂拿出一本驚濤，遞給黃安民，說道：「你看這期文章內容，是個喘口氣的活人，還能忍耐吧？」

李鴻飛接過來一看，封面上赫然大字標題：「共國和談專號」，不禁驚跳了起來，連說：「這成甚麼話？」

小石冷笑一聲：「不要着急，看看內容也許氣死你。」

[illegible]了一遍，原來龐教授這篇大文，提出解決國是辦法，由蔣先生，毛澤東與他舉行一個三巨頭會談，談過之後，蔣先生光榮下野，國事交給他和毛澤東負責處理，台北與北平兩個政府合併。（四十四）

水仙花

姚詠萼

回家後，一度住在永嘉城廂，與母親隔鄰而居。雖說在抗戰時期，永嘉非用兵之地，得天獨厚，初時戰火還未延燒到這個古老的城頭。我們安居下來，正是秋盡冬初的時候，他偶然在一家茶葉舖子裡找到水仙花的球莖，買了回來。他把她安在一只古老的，圓形的盆子裏。永嘉是濕帶地區，冬天氣候並不太冷，室內的水仙，只要辛勤換水，發芽是很快的。

我們正在日夕盼望着水仙開花的當兒，平地一聲雷，日軍渡江的謠傳，已鬧得滿城風雨了。那是廿七年冬，陰曆十二月半。一個早晨，他催促着我帶隨身行李和小孩趕快回他的老家，是離永嘉百里的瑞安一個農村。永嘉城裏臨時的家，門戶什物，他答應一切由他收拾，不許我稍事停留，隨即送我上了小南門的河輪。船沿七十里塘河駛上永瑞宮——永嘉與瑞安兩縣交界的地方，敵機已在我們的頭頂上盤旋了。船艙內五十餘人，雖然都坐着不動，但忐忑不安之情，情見於色。河輪開足馬力拼命前駛，並不停靠安全地區。我在此時，掛念着在永嘉的他，頗悔自已先走，把他一人留在城廂裏。幸得那天敵機未有轟炸，僅是偵察而已。從瑞安縣城過飛雲江渡輪，買舟歸家，已是家家燈火了。第二天天色驟變，陰雲四合，狂風大雨，銳不可當。我帶着孩子擁被高臥，忽然聽得女傭高喊：「大少爺回來了。」我忙從床上起來，拉開窗帘一看，使我驚惶失措。原來他混身透濕，褲脚高捲，手裡捧着水仙的古老瓷盆。後面跟着一個脚夫，提着一只小網籃與手皮箱。後來我才知道，我認爲臨時快樂的窩，那些家具什麼，他不僅一點沒有帶回來，甚至沒有檢點一下，僅臨時通知了我母親一聲，帶着隨身的衣服，與一點必需品，冒着風雨，却捧出了我心愛的水仙花。我除了感謝之外，還有什麼好說呢？他還說，渡飛雲江時，風雨與潮水很大，過渡的人多，那只渡輪才勉強渡了一次。過了江上岸，已是滿艙的水了。這隻從戰火中搶出來的古老水仙花盆，年年供養着水仙花，抗戰期間一直伴着我。這次逃離赤禍，莫奈何才丟下了的。

現在又是寒冬，該是大陸老家水仙花上市的時候了，知大陸「人民」還有這份福氣否也。（下）

自由報

THE FREE NEWS

第四十八期

中華民國僑務委員會頒發
台報新字第三三二號登記證
中華郵政台字第一二八六號執照
登記爲第一類新聞紙類
（逢星期六出版）

每份港幣壹角
台灣零售價新台幣壹元

社長：雷嘯岑
督印人：黃行富

社址：香港銅鑼灣高士威道二十號三樓
20 CAUSEWAY RD 3RD FL. HONG KONG
TEL. 771726　電報掛號：7191

承印者：四興印刷廠
地址：香港仔高士打道一二一號

台灣分社
台北市西寧南路一四三號二樓
電話：三〇三六
台郵信箱二五二九戶

日見危急的東南亞局勢

李宗谷

一

我們對於列寧所謂「從北京經由印度以直達巴黎」的這句世界革命預言，如其不狃於純地理觀點的錯覺，而從政治經濟的演變發展情況設想，再看看近十年來西方國家對中國以及東南亞地區的一切作爲和其後果，即爲之不寒而慄，眞有禍至無日的感想啊！

過去西方資本帝國主義所賴以生存發展，進而支配全球人類的主要潛能，就是若干殖民地的人力、物力和市場，而以亞洲方面的殖民地關係尤爲鉅大。二次大戰以後，中國完全解脫了殖民地的殘存生活，東南亞各個民族國家，亦陸續從殖民地生活中，翻身獨立了。然中國首先淪於俄共集團之手，東南亞諸新興國家怵於共禍的威脅，以印度爲首倡，亦相率採取中立親共政策。它們對於西方列強，有的虛與委蛇，不敢親近，有的夙懷猜忌，不願親近；對於俄共集團呢，因爲沒有嘗到過共產主義的味道，莫名其妙，又聽信了「和平共存」，「不干涉內政」，「無條件援助」這類宣傳口號，不免心神飄蕩，甘受誘惑。例如二次大戰期間，緬甸政府與日本帝國主義合作，聲稱「寧願跟魔鬼攜手，不願與天使往來」，即係基於對西方殖民主義國家的仇恨心情而然的。

現在俄帝強調「和平共存」與「經濟競賽」之說，中共則堅持其對東南亞新興國家滲透煽動，激起反帝反封建的「人民革命」鬥爭。這是要從經濟政治上徹底打垮西方資本主義勢力的雙管齊下策略——即在經濟上將西方國家的世界市場日益緊縮，斷絕落後地區供應西方資本主義國家的營養料，在政治上利用新興民族對舊有殖民主義國家的仇視心理，構成反帝反封建的世界革命統一戰綫。至於中俄共之間，最近發生所謂理論爭點，只不過是一些戰術上的歧見而已，它們對於整個戰略乃相輔相成，毫無出入的。西方列強不知警覺自身的危機所在，力圖振作補救，而日唯張大其詞地宣傳中俄共反目對立狀態，可憐亦復可哂。我們閉目深思，像東南亞現時這種形勢繼續演變下去，而美英法各國在這方面又不更改其鈎心鬥角，爭權奪利的自殺政策的話，則泰國必掉頭，印度難以自保，整個東南半島將被俄共集團蠶食控制無遺。這不是共產主義「從北京經由印度以直達巴黎」的現實證驗嗎？

二

美國在東南亞搞出的集體聯防公約，有如一張巫師們所畫的符籙，不但不能發生作用，反而因此作繭自縛，遇事受到公約成員的阻礙，徒亂人意，無以自拔。操縱着東南亞公約活動的幾個西方國家，他們但求以姑息妥協主義，在東南亞地區爭取一些殘存的經濟利益，得過且過，若是實在維持不了的時候，即撤手西行，自固吾圉，而讓美國來捫木棉，跳火坑。自從東南亞公約成立以來，美國担負着對東南亞自由國家實行軍經援助的全責，而美援所到之處，即與西方國家發生商業利益的鬥爭衝突，同床異夢，不相爲謀，甚至於從中倒置作祟；如寮國與越南的變亂，背後都有這種不可告人的醜惡原因潛在着。美國在執行美援計劃之際，既沒有想像力作爲指導原則，亦不深切瞭解當地的實際情況，又不願接受別人的善意忠告，即以美元和武器，總以百無禁忌，不必多所瞻顧了。同時美國朋友還有一毛病，是以自己的尺度來衡量別人的國性，祇要受援國家的政治局面稍告安定，即隨時指摘該國政府這點又不民主，那點又太獨裁，一是皆以美式生活爲藍本，教別人跑步看齊，不惜由安定而趨於動盪，給共黨以挑撥煽惑的機會，卻忘記了這是在所謂落後地區，許多條件都不具備，揠苗助長式的政治改革實係害多於利的。

美國對於最近寮國變亂的應付方法，尤其令人莫測高深。[illegible]後的富[illegible]中立，[illegible]變首領，以接待友邦元首之禮來歡迎蘇俄使節，這至少也是一種共黨同路人的內心表現了。然而美國不理會這些，聲明照樣予以援助，而且登時就對富瑪所擁有的軍隊實行發餉。同時對於諸薩旺將軍所領導的反共集團——革命委員會，亦表示一體援助，無所軒輊，這究竟是甚末用意？美國援外政策的目的何在呢？無原則，無計劃，憑着大少爺要錢的作風，以爲有了錢就「百事可樂」，不愁反共運動不成功，但永珍的富瑪政權却不稀罕美金，公然宣稱要接受「人民幣」與「盧布」了。如是乎，美國又慌着發出警告，說是將要停止美援。這種搞法，不是兒戲，即爲愚蠢，可謂荒唐之至！

寮國的變亂已告惡化，決非政治手段所能挽回，內戰業已發動了。談到戰爭實力，富瑪與諸薩旺的軍隊皆不能作戰，但富瑪有寮共部隊作後盾，寮共部隊又可以滲入中共的化裝兵員，也可以混合越共的人馬，諸薩旺將軍如其沒有外援，勝負之數，毋待龜蓍。泰國必要時可能對諸薩旺加以應援，但泰軍的戰鬥力亦是未知數，何況泰國又是東南亞公約一份子，不通過公約國，亦不便採取軍事行動，而操縱東南亞公約的西方國家（美國亦不例外）基於避免觸發大戰的自我恐嚇理由，必不會贊成干預寮國的內戰，殆可斷言，到時候，美國多半又以「痛苦的決定」方針，讓寮共控制全局，自身唯有黯然撤退之一途呢！

三

美國對於東南亞自由國家的領導策畧，如果稍有想像力的話，東南亞局勢根本就不致於糟到現時這種地步。美國過去對於印尼的反共革命運動，初時表示支持，一二隣近印尼的自由國家，受着美國的精神鼓勵，也對印尼革命集團予以應援。詎料曾幾何時，美國又宣佈對蘇卡諾實行軍經援助，並且先以輕武器供應蘇卡諾軍隊，使憑着優勢實力，積極進攻革命軍。如今印尼的反共革命勢力消散了，蘇卡諾政府依然採取中立親共政策，經常在國際間爲共張目，蘇卡諾本人，今年出席聯大會議時亦附和俄酋赫魯歇夫的主張，聲言聯合國設在美國殊不相宜。目前美國對於寮國親共與反共勢力的對立鬥爭，又出以兩面人的應付手段，而託詞爲「協助該國維持其自由和獨立政策」（見十一月卅日國務院發言人懷特的聲明）。老實講，甲國要對乙國作軍經援助，要受援國家隨從自己的意旨以行事，這就不是完全的自由獨立性質了。俄帝聲言它的對外援助「不附政治條件」云云，乃係破壞美國領導自由世界反共產極權侵略運動的一種宣傳攻勢，否則它對於堅決反共的國家，何以不肯一例援助呢？美國只在表面宣傳工作上，與俄帝爭是非，却沒有政治理想作援外計劃的指導原則，但沾沾於一時的商業利益，又因此而與西方友邦明爭暗鬥，自亂陣營。這就是今日整個亞非兩大洲動亂不已的根源，不僅是東南亞而已。美國再不憬悟其多年來的失策，急起改絃更張，則赫魯歇夫指說「你們下一代子孫將過着共產主義生活」的大言，恐怕大有可能啊！

這就是聰明的路綫？

小調天下

△中共宣佈：貸巨欵與古巴，不計利息；並訂購古巴糖一百萬噸。

大陸人民口裏是「苦也苦也！」

△拉丁美洲又發生兩宗變亂。委內瑞拉首都左翼份子連續暴動多日，阿根廷亦有右翼份子倡叛，均被陸軍掃平。

「火藥」已普遍埋下，這時才正式引[illegible]點而已。正確的看法是：共黨[illegible]個拉丁美洲正在要來一個「猛火煎魚」的全面運動。

△莫斯科共黨大會秘幕未揭，盛傳蘇俄對各國共黨已失去控制力量。觀察家指出：蘇俄蔑視阿爾巴尼亞國慶紀念，中共大捧場，反之，東歐共黨國家聯祝南斯拉夫國慶，中共表示冷淡。

對於南斯拉夫與中共的互相醜詆與臭罵，只當視爲悍妾爭風，難明究竟，阿爾巴尼亞在「妾羣」之中，地位最低，中共勉强引爲同黨，故示親暱；妾心亦良苦矣。

△美國艾森豪政府連迭採取行動，維持美元地位，令禁全國人民持有黃金。

補塞漏巵，似乎未晚。但何以在未發覺此巵有漏孔之時，一直覺得它那麼完好，一旦發覺不對時，又覺得它的漏孔竟有那麼多？

△寮國各地反共部隊，宣佈以寮王爲「最高統帥」，開始向永珍政權發動水陸攻擊。

寮王是一張「皇牌」看打出後又如何？

△剛果又有動亂，業已被黜的掛名總理魯蒙巴脫離監視，逃亡無踪，謠言蜂起。

小國小人物要向世界大出風頭，當非搞風搞雨不可。魯蒙巴正是這個時代的「微妙產品」。我們的「東周列國」時代，不乏此種渾蛋。

△英揆麥美倫曾發表臆測之論，謂英美兩國會有可能「合併」，英國工黨議員請作解釋。

如要解釋，不妨引用邱吉爾翁創立的「英語民族」一詞。晉以三分而秦强，英美以合併而使蘇俄無以施其離間，說來不是怪論。

△印度加爾各答消息：大批汽車在印度拆散偷運大陸全部供中共軍隊使用。

走私商人有偷天換日之能，中共工業生產有偷龍轉鳳之妙。

方南

自由談

會議的眞正作用，是在處理重要事項時，集思廣益，詢謀僉同，以期避免疏虞，衷於至當。普通所謂會議，其性能與「議會」不同，前者非有必要即毋須乎多此一舉，後者以開會爲職責，按期舉行，不可或缺的。因此之故，一般行政機關自不能以開會爲治事的不二法門，這道理甚爲淺明，誰也能夠辨別的。

超級的官僚作風

馬五先生

可是，默察自由中國各級行政機關的服務情形，事無鉅細，一是皆以開會爲本。遇事慕於「有關機關」的理由，非開會不可，雖屬芝蔴綠豆般的問題，掛一次電話即可解決的，亦得召集會議，浪費時間，多說廢話，據說，一個政務官每週至少須參加十五六次的會議，而且必須親自出席。這樣一來，試問他還有多少時間和精神，以籌維處理本身所担負的政務呢？

不分青紅皂白地胡亂舉行會議，結果就是大家不負責任，互相推諉，形成「少做少錯，不做不錯」的腐敗官僚作風，而以會議紀錄爲工作成績，所謂行政效率，大家當伊嘸介事，且自命開會乃是表現民主（？）精神，會議越多，民主精神就越充沛，即可使國際友邦相信我們的民主政治業已十分到家，一舉而數善備，能說是不應該的嗎？

會議的結果如此，然則對於關係重要而又非解決不可的問題，將如之何呢？這很容易，大家實行「請示主義」！如其層層請示猶不能決定時，即請示於最高當局，將來事情做對了，自居功首，否則說是奉命所爲，毫無責任。官僚作風發展到這步田地，可謂登峯造極了！

開會爲服務之本，請示爲負責之本，此風如不痛加整飭，而侈談「政治反攻」之說，高呼「復興國家」的口號，不啻自我諷刺，非愚即妄也。

台灣的形形色色

——柯仁——

特稿抬出天皇，肉麻當有趣

運交學費要罰勞動

竹東中學有位貧困的女學生，因未能按時繳費註冊，竟被記過一次與罰勞動服務三十天。學校通知中說：『該生未按時註冊，根據本校獎懲辦法規定特予如上處分，除公佈週知外，特為函達，敬希嚴加督促，以觀後效』。如不是窮當不會要你『嚴加督促』。『以觀後效』，是不是下次提早繳費就記功一次？學校中有這種笑話規定，教育當局似乎太不好意思了。那位校長先生大概是放拆息出身，所以這位窮學生繳費太慢，罰起來要利上加利了。

軍中有好人　助人不留名

日前有位鳳山中學的學生趙連成，於上學途中突發羊癲瘋昏倒在橋上。適有一位海軍軍官路過見到，當即僱車送到鳳山醫院急救，除代付了車費及醫藥費外，再留下了該生回家車費，通知警員後，未留姓名而離去。使趙生的父母也無從當面致謝。

這種眞眞的好人好事，獨多發生在軍人身上，於此也可見年來國軍在各方面的進步。

支票掉頭寸　議員躉下台

台北市議會一位議員在砲轟水肥會之後，不料被轟者不服氣跑上講台說：「因為他拿支票掉頭寸未能如願，故利用民意代表身分來轟他」。這樣一來事情可鬧開了，民意代表拿支票向你掉頭寸是看得起你，如何可在議會掀他底牌，使他顯出尾巴，下不了台。下屆縣市議員競選，現已至鑼鼓聲響的時候了，當議員既有這許多便利，怪不得小三子小六子都要競選一下呢！

肉麻當有趣　特稿寫天皇

此間有位先生撰寫螺溪石特稿，為了要使他這篇報導顯得有份量，竟於結尾抬出日本天皇來加强語氣，實在有點肉麻當有趣，叫讀者汗毛立正。寫文章應有品格，不要忘了自己是黃帝子孫，稿費付的是新台幣。

議會用方言　能看不能聽

光復已那末多年，在公開的集會場所用鄉土言語，似太那個一點。台北市議會開大會，很多議員先生不知是要顯出他的高貴身分或是別有用心，不論是質詢或討論，總是用台語發音，叫人能看不能聽，實在太不夠意思。如果是不會講國語，則有所請托跑機關起來，國語發音是又準確又標準。

公開集會場所，用通用言語，是國民起碼常識。二個同鄉在一起，如果來了第外一人時，為了禮貌，也不能講家鄉話，何況是在議會呢！假如真的不會講國語，則能否麻煩「國語推行委員會」一些委員到議會老爺們府上去代為補習一下。加班費與車費，可列預算追加，相信一定通得過的。

下屆議員競選在即，希望選出來的，最低限度能叫人看得見也聽得到。以免這種笑話列入民主政治文獻中去。

日本的中立外交(二)

羅堅白

東京通訊

社會黨像這樣始終腳不踏到實地，始終在打着一廂情願的如意算盤。似乎從未想過：拚着死活互相對峙的美蘇兩方，焉能都與敵方友善的日本真實友善相處；依賴美蘇兩方經濟援助而絕無能力控制兩方戰備的印度與埃及，焉能不讓戰爭起來。至於聯合國憲章中既然有關於集體保安的規定，便是不否認須要集體保安體制的國家各自有其所疑懼之假想敵人。他簡直以為聯合國也同日本社會一樣地腳不踏到實地。西尾對於這種積極中立論，倒很婉曲地以兩點諷刺社會黨：一為不讓戰爭起來並非中立主義者的專賣特許生意；二為中立主義的花樣，正被非洲落後國家玩得出神。他說：『想要不讓戰爭起來，那不僅中立國如此，就是非中立國的英國及世界上任何國家莫不皆然。不過中立云云之中，大有一種言語的花樣存在。若講積極中立，無非要各國站在獨自的立場上，互相討論折衝；若僅言中立，則不過是消極地不站在任何一方面。近年尤其非洲諸國，所謂中立，都是消極地不想開罪於任何一方，而想從任何一方取得經濟援助。所以現在所謂中立，其傾向乃是想消極地守住本國，而不是想積極地守住和平。』於是池田緊接着西尾而打開窗子講亮話，他說：『中立論是要不附託任何陣營，日本可以是這樣嗎？我們何嘗不想迴避戰爭！但一看看日本的人口、文化、產業，覺得中立決行不通。因為中立行不通，所以只好就現在的體制以求鞏固自身，並貢獻於和平。』他更進一步指出中立所以行不通的一項主要理由說：『英國邱吉爾前首相曾說過：「力不均衡則戰爭起」；所以我們要努力於和平，須要保持力的均衡。』江田馬上攻擊這個力的均衡論說：『到第二次世界大戰為止，戰爭只是互以大炮相轟擊，還可以談力的均衡。現在大家都知道：業已進入洲際飛彈時代；倘若日本吃了三四發氫彈，就要全滅。結局，力的均衡不過是恐怖的均衡罷了。』但是他究竟不能不默認日本為着安頓人口，保持文化水準，發展產業，現在無法離開美國；特別關於這一點，他想安住國民的懸念說：『許多人一聽到中立，以為日美關係馬上就會陷入破局似的；那是過慮了！我們並沒有說要像剛果或古巴一樣，馬上要接收外國財產，或僅由片面宣言將要如何如何。』但他顯然以為日本現所受有美國的種種特惠，是完全不須要特別友善關係作基礎的；以為只要不像剛果和古巴那樣露出猙獰面目，老美便會甘心情願讓日本只享權利不盡義務的。尤其他雖反對力的均衡，卻並未說出社會黨有何辦法能使日本免於均衡的恐怖。所以西尾逼着問他：『由於美蘇互不相信，各自擴張原子兵器；現在即以此為中心互保力的均衡，並以此均衡暫時維持着這種不安定的和平。這種事實，我們不能不認識。既然如此，日本今若離開美國，則美方力量減少，同時使中蘇共力量增加；則均衡破裂，我們對此如何是好？』

香港風情

早在美洲作「廣婆」的前任副總統李宗仁夫人郭德潔，最近曾到香港小住，於上月卅日又溢返美國去了。她說此行是為料理私事，但在留港期間，亦接見過若干政治人物，除卻李德公的舊有僚屬以外，還有些失意份子爭着拜訪她，唯素來以李公親信自居的某投共份子，據聞她却拒未見面。有人問起德公的生活近況，她說是夫婦倆住在一間鄉間的小市鎮上，很少社交活動，日常生活費用亦得向大少爺幼鄰索取云。

前在海隅創辦某出版社的S君，最近由日本潛回香港蟄居月餘，對人訴說在東京的生活很清苦，全靠朋友接濟。但日前有一位來自東京的朋友，却說S君現在東京大興土木，建築私人宅第，又謂S太太亦到了東京，準備在彼邦安居樂業了。

台北官方最近發出團結反共愛國人士的消息後，海隅一般人士對此項宣傳多不感興趣，保持緘默態度，原因是這類消息聽過七八年了，大家認為這不過是說着玩兒的，冷飯一炒再炒，味同嚼蠟也。

毛共在九龍邊境建造大水池，宣稱義務供給九龍居民食水，但香港政府不接受這項「好意」，必須採取買賣方式，付出代價才行，同時已勘定地點，將再建兩個規模宏大的蓄水池，以期自給自足，這亦是冷戰之一端。

抗日戰史與史政局

讀者來論

這些年來，很多人都有這種意見，認為北伐與抗戰，是國軍引以為榮的大事；而事隔多年，至今還不見一本像樣的北伐戰史。第二次大戰結束未久，西方有關大戰的軍事著作已汗牛充棟。日本在獨立之後，也出版了數百種的回憶錄，而國軍還無力寫出一本自己的抗日戰史來。更不論一些有關國共作戰（戡亂）和韓戰史料的研究了。

筆者是對近代現代史有興趣的人，一向關心這件事，知道國防部史政局的先生們正努力編纂戰史，何以不見他們公布關於編纂戰史的情形？十一月初，他們用事實表現，在台北市舉辦國軍史實展覽。讓大家看到，有關方面對編纂北伐與抗戰史，不但沒有漠視，而且有了成績。

展覽的部門有戰事油畫，歷史性的照片，和一百六十三種的本國戰史；有詳有簡，有教訓，有檢討，還有一百多種的外國戰史。成果不能說少。值得一提的，約百萬言的北伐戰史四大冊，已在去年出版，所包括的圖表和照片，在千數以上。史實都是最精確的記錄，對研究北伐史的人士，可說是最寶貴的參考書。

更值得稱道的，是「抗日戰史」，已經編纂完畢了，即將印行。對日本軍閥侵略中國的政策和造成戰事的近因，遠因，都詳加分析，全書約八百萬言，圖表二千多幅，戰場照片七百多幀，起自九一八事變，終於復員受降，十四年間的政治、經濟、文化作戰及大小戰役，都有報導，這是中國方面最詳細的記錄。關於從七七抗戰到全面勝利的八年中日戰爭經過，更編為「中日戰史」，已經編好，原稿有十大箱，正在審訂，有一千二百多萬字，圖表三千多幅，比「抗日戰史」後八年的記載，更為詳盡。

筆者費了一下午的時間，對這兩部原稿加以瀏覽，並閱過詳細的子目，覺得其中的照片圖表，最為珍貴；內容的豐富，無他書可以比擬。如果寫一部翔實的中國現代史，北伐和抗戰兩部份，沒有參考這三部大書，那是很難寫得完善的。

此外，記述共黨滋長叛亂及國軍剿共全戰爭經過史實的「剿匪戰史」，也是一部大書，亦已編審完成了。至於敘述抗戰勝利到轉進來台戡亂戰爭經過的「戡亂戰史」，正在編纂中，其份量也很可觀，這四部大戰史，加上已出版的「北伐戰史」，可算是中國空前內容最豐富的戰史。

史政局的二十多位先生，多年來辛勤，值得敬佩的，他們是不聲不響，而有了如此的成績，甚至為人所不知，而誤為不了解或指責，實在是不公平的。

編纂和印行這幾部大書，都是不容易的。筆者希望主管當局應該好好地發揮這幾部大書的效果，特一、已提出版的公開發售。二、已編審竣事的，速加出版。三、在編纂中的加速完成。四、對歐美亞洲各國有關研究中國問題的學術機關，加以介紹請其購買，或交換或贈送。筆者相信，由於這幾大戰史的印行，許多被歪曲誤解的情形，自然可以漸漸澄清了。

大陸文壇萬花筒

中共又捧朱自清

——岳騫——

魯迅生前說過，一個人最不幸的是死後被人利用，他老先生到是有點先見之明，果然他死後被中共利用到現在，看情形還有一個時期不會放手，魯迅死而有知，不曉是橫眉還是俯首。

其實中共利用死人是一貫政策，對現代文人的態度是活的迫害，死的恭維，其中被捧的除魯迅之外還有聞一多，朱自清。

對於朱自清先生來說，認識他的人都知道，他是一位道地的中國讀書人，謙恭，溫和，教課認真，待人熱誠，從他身上可以嗅出舊時士大夫的氣息，却絕發現不出一絲共產黨的形象，可是共產黨偏拉他為同志，我們焉得不為朱先生叫屈。

最近出版的毛澤東選集第四卷，居然扯到朱自清身上，說「朱自清一身重病，寧可餓死，不領美國的救濟糧。」毛澤東講這句話的動機還是為了反美，不過把朱先生拉出來作個陪襯。可是一些幫閑文人馬上如奉綸音，大大的加以演繹，其中就有中共「北京」市副市長吳晗寫了一篇「朱自清不領美國救濟糧」，列在人民日報上，香港大公報馬上予以轉載，可見中共對這件事的重視，也許以為又抓到一個宣傳題目。

吳晗這個人，學術界原是後進，到了大陸陷共，他在清華也只作到副教授，品格固不必談，就論資望也較朱先生差得多。

吳晗這篇大文，一方面是捧朱先生不領美國救濟糧，一面也為自己丑表功，因為當時他已是中共派在清華負責學運工作的，所有當時清華風潮都是他搞出的。不過，吳晗這篇文字也暴露幾件眞象，第一，每次教授簽名都是他拿去活動强迫別人附和，第二，有幾次簽名却被朱先生拒絕了，理由是火氣太大了，可見中共硬把前進帽子加到朱先生頭上，他還是愧不敢當的。大陸陷共之後，朱先生曾被迫參加學習和思想改造，朱先生却說：「像我這樣人，還不大習慣，要教育我們，得慢慢地來。」可是，不久朱先生終於受不了改造而鬱鬱死去，中共在他生前加以迫害，死後又大加恭維，歿者已矣，存者恐怕也只有搖頭太息了。

社會小說

香港地

六、人情味

梅大亮回想了許久，覺得霍新開在電話裏說話時的氣概，完全是爽快的，慷慨的，明朗的，眞的是一片好心，無可懷疑。他又覺得，霍新開能夠在掛斷電話之後，立即飛車到醫院的殮房來看韋大悲的遺體，安慰他的遺孀，更證明他不只在電話裏說得慷慨，而且急要付之實行，正是「坐立即行」的最佳表現呢。

事已至此，他也不便勸韋家母子一定要拒絕霍新開的幫助，便和王鎮定商量一回，約定各自努力去找尋朋友，設法籌一點小款，幫幫韋家的忙，至於霍新開那方面的事，暫且置之不管。

這樣商量好了，兩人便無限惆悵地分手，各走各路，梅大亮心裏仍有不安，偶然想起一個人來，不禁自語道：「我怎的這般呆笨？有一個人最懂得霍新開的心理，除了他，還該找誰去研究？」

他想起的一個人，就是那回在山頂馬行時的花園洋樓中，談得非常投契的褟先生。他記得褟先生曾經給他一張名片，上面印有地址，當即向衣囊裏掏出一本小小的日記部，在裡面找到那張名片，居然看到褟先生所住之處，也有可以借來通話的電話號碼，便又自語道：「巧得很！打鐵趁熱，馬上打個電話給他，看他在不在家，問他一問也好。」

梅大亮爲了這一宗事，二次向咖啡店借用電話，被他接通了，褟先生湊巧在家，聽他把整件事說明白了之後，竟然哈哈笑將起來，在電話裏回答道：「梅老兄，你又是太老實了：這正是標準的最聰明的做法，如不這樣，霍新開怎算得是一個聰明的人？你可知道，一個病而未死的落拓朋友，會對你是一個沉重的負担，令你受到金錢上的損失，精神的痛苦。臨到他一死之後，情形又有不同了，如果他薄負微名，在名氣上稍可給你利用，那麼，他死後那條屍體便有用了，他很可能變成你的資產，化腐臭爲神奇呢？你懂不懂？」

這話把梅大亮嚇得一跳，爲的是太過不近情理，刻酷得可怕。他還要再問時，褟先生已不耐煩說下去，晒道：「你不信嗎？話休多說，明天看報紙好了！」（八二）

木客著

第三期

汶津

「第三期」，在學長們樂談時不失爲一個悅耳動聽的名詞。如果你是晚幾期畢業的，可能還會暗裡歆羨不已呢。然而一個長年的肺病患者乍聽之下，却必然會「病」容失色的。

玩圍棋的人講究段數，段數愈高號召力也愈大。患肺病則講究期數，期數愈多，愈能使人起一股帶嫌惡性的同情心。可是那也不能踰限：「第四期」、「第五期」……很可能被某些「幽默大師」用作「復活」的注腳呢！

某些專用名詞確實使小學教師頭痛。就譬如說吧「第三期」，又豈是三言兩語可以說得清楚的？中國人素來注重溫柔敦厚，可是若用「行將就木」這樣的成語，又豈非失之太雅！也許死並不是一件俗事，你不妨想像一位無疾而終的古稀老人，但與肺結核菌朝夕相處可不是一件賞心樂事。許多事出其不意才能使人感到一種神秘之美，要是朝也愁晚也愁的想着「一命嗚呼」，那根本就喪失了生存起碼的樂趣。唉，「第三期」爲害之烈，於此可見一斑。

「癆病鬼」的形象，在一般人的腦海中都是骨瘦如柴，弱不禁風的。倘若有一位體重二百磅的紳士竟被鐵面無私的醫生診斷，茶餘酒後的資料中，可就無形中多了一種。我們不妨代擬以下一段對話：

「眞想不到，那個袁胖子，他……」

說着從容自若的扮個鬼臉。「所以天底下的事兒沒個準兒。不過我看袁胖子平常不規不矩的，也不……」

「也不值得憐憫，是不是？其實還不是那麼回事！大不了，」雙手一攤，作無可奈何狀：「大不了只是一死！死，誰免得了那麼一死！」

「我倒對第三期的症狀很感興趣。那像伙可能喘氣喘得像頭豬一樣。」

「嗨嗨，一切都是命裡注定，沒話說！來，咱們再乾一杯！」

這倒也不能算是「傳奇」。在太陽、月亮、星星底下，什麼妙事沒有！可是且住：那兩位「旁觀者清」的張三李四，就準據能比袁胖子長進麼？第三期的病人還是上帝、中醫迎接奇人的機會，有過妙手回春的紀錄。記得以前有一位同學整日愁眉苦臉，人們都以「憂鬱患者」呼之（另有一術語，曰「第三期懷鄉病」，其實「第三」字還不足以狀之）。他也是之無悅。那知物極必反，一年之後，面目全非了。根據消息靈通人士報導：那位仁兄有了膩友，目前已堂堂進入第四期。不過「第三期」這三個字曾排比在一起，總使人產生嚴重的偏見。而我們對於不幸者的同情，又往往敵不過那種「敬而遠之」的私心，難怪「第三期」對於大多數當事人都等這一張死刑判決書了。

白蘋洲

·漁翁·

瀟湘二水滙合處，有一小島，在湖南零陵西五里許，周圍遍以蘋花，中無雜樹，開放時，遍地皆白，故名之曰「白蘋洲」。百年前，爲一荒涼地，僅古刹一，漁舍三四而已。柳子厚謫守古零陵郡時，凡愚溪石城山鈷鉧潭等處，均有所記，而對此天然形勝之小島，未有留題，蓋浮於江心，芳蹤不及至也。

道光間，有黃達者，以武舉出身，征交趾有功，官至提督軍門，以不識文字，每爲人所刺譏，引爲終身恨事！龍官歸，延師課其兒孫，並抱立人達人之志，以平生所儲之金，捐建書院於白蘋洲上，規模宏敞，可容千餘人。當興基時，堪輿家云：「此地居廣西下游，如建築完成，必有功名及第者出」。迨院址藏事，適值大比，而掄元奪魁者爲桂人，果如堪輿家所云。某翰林賦詩一首，有「白蘋洲滿狀元歸」句，足見風水之說，雖不足爲憑，而兩間之風，亦足以蔚人傑焉。

零陵原稱永州，轄八邑，各邑士子，凡已領一衿者，得入該洲書院，習舉子業，主其事者爲翰苑中人，講學者皆進士舉人之類，十年後，成爲湘南文化薈萃之所，與衡陽王夫之掌教於船山洲上，後先媲美。清末改書院而爲中學，門懸一聯：「中流砥柱，學海淵源」，冠中學兩字，語出貼切，字亦遒勁。抗戰時，此處改作倉庫，爲敵機轟炸目標，致成焦土，勝利後，於民三十六年重修，將竣，而李宗仁以當選副總統聞，論者以此有利於廣西，其信然乎！

⊙××⊙ 山川風物 ⊙××⊙

儒林九尾龜

吳敬鋅

第四回：人何寥落鬼何多

黃安民嘆口氣：「這個人臉皮厚到驚人，但是也大得包天，可惜荒謬透頂，簡直沒有常識，蔣先生是中華民國現任總統，爲全世界大多數國家所公認的中國合法元首，毛澤東雖是僞組織，到底也有幾百萬軍隊，還有幾億人民，你盧某人有什麼呢？一個薦社總共六個社員跑了三雙，變成了無兵司令，還妄想迫蔣總統下野，由他與毛澤東分政權，稍微有點常識的人都不會如此想法。」

李鴻飛笑道：「我從前看顯克維支的你往何處去，寫培特羅尼阿斯臨死時致尼羅王的信，大意說，可以原諒尼羅燒掉羅馬，殘殺了無數善良的人民，獨獨不能饒恕他的吟誦而毀壞了耳鼓，我今天對於盧孟德也頗有同感，他投共，他出賣自己都早在我們意料中，原不值得驚奇，我獨不能原諒他的一點就是他新發明了共國和談的語彙。」

烏應桂說：「這是什麼意思。」

李鴻飛道：「社會上有許多名詞都是習慣用語，類如提到英國和美國時，總是說英美，沒有人說美英，並不是說英國高於美國，而是說慣了。同樣地，中國報紙上提到國民黨和共產黨總是說國共，從來沒有說共國的，包括共產黨報紙在內。現在盧孟德却能先意承志，把國共改爲共國，纔算立了一功，到底共產黨給他多少錢，這樣賣力氣。」

林逢時接着說道：「其實任何人都可以這樣作，只有盧先生實在不該，他哥哥是國民黨的大官，他是國民黨保送出國留學，回來在黨校教書，大家都記得在南京時提到委員長誰也沒有他恭敬，何以轉臉一變又好似國民黨殺了他全家似的，提到台灣就咬牙切齒的罵，我眞不知道是什麼原因呢？」

鄭仲平道：「別人不知道還有可說，你怎會不知道，毛病還不是出在走私問題上。假若那次紅娘不失手，錢已賺到手，他也到台灣當了大官，相信提到委員長時他又立正了。」

鄭仲平說過，大家都笑起來。

小石叫道：「別亂扯了，趕快燒飯吧！等吃過飯我們再談好了。」

大家七手八腳去燒燒飯，李鴻飛悄悄問烏應桂道：「老學長，你離開薦社打算怎麼辦，目前不如在我這裏住，暫時寫點稿子維持生活。」

烏應桂搖搖頭：「不用，我正在活動教書，大概可以成功，假若不成，再來找你吧！」

吃過飯，四個人一起走了，又過一個多月，小石同鄭仲平一道跑來，進門就嚷：「又有新聞了。」（四十五）

談禮

有一次，我到本省朋友家裡，客廳簡簡單單，連個最起碼的招待也省畧掉。頂多是一杯茶、一支烟，接着主人就退出客廳。

這實在有點傷大雅。之後，問及當地人，據說即使長輩光臨，也祇是冷冷淡淡。

禮者理也。自周公起就開始講「禮」，注重「禮」。我們成爲「禮義之邦」。如果一個外國人觀摩本省同胞的每個家庭，那不知道該安上什麼字眼了。

也許有人說：台灣未光復時的五十年日本教育，我國的「禮」統統忘掉。但日本人也是注重「禮節」的喲！這件事倒眞是值得研究的。（劉杰）

漫談享受

——陳永昌——

世上有很多人，稍有成就，便動輒談享受了，三妻四妾是享受，齊人之福也是享受，人們求事業的成功，目的乃爲了享受，很多人的處世立場乃是，辛苦上半生，享受下半世，福祿壽全，兒孫繞膝，才是人間樂事。

幾許讀書人，他們唸書的出發點，全是爲了將來有好的生活，有好的享受，不然，那有閒情念其醫科，念其工程科啊！享受支配着很多人去工作，勤勞艱苦地工作，沒有享受的陶醉，人們便沒有工作的興緻了！

處於這艱苦的世代，小市民要有成就才享受，那比做夢還虛渺，不過，日常的生活中，何嘗沒有享受，上茶樓一盅兩件也是享受。一早起來，漫步到附近的茶樓，買張報紙，揀了個舒適的位置，叫壺茶，水仙壽眉或龍井，慢慢的斟茶，細細的看報，假如有二三知己，其樂趣更加增數倍，且不時有美味的點心在面前走過，剛出籠的牛肉或蝦球燒賣，要一兩碟又如何，熱騰騰的，滑調可口，就這樣，一個早上便可以打發過了，這是小市民的享受。

青年男女，出雙入對，把手觀戲，漫遊姻緣路，倚偎談情，這是一種享受。夏日炎炎，海灘河上，兩者雙對晒太陽，更是一種難以形容的甜蜜享受。

小孩子也有他們的享受，吃雪糕，玩彈子，踢毽子，有時偷聽哥哥在電話裏談情，或偷看姐姐半夜三更起來寫情信，這也是他們的享受。年紀大了，夫婦携手行公園，手推嬰兒車，不時逗逗嬰兒，遇上熟人道聲早安，其樂也無窮。歲月催人，鶴髮之年，老夫老妻相對坐在火爐傍邊，談談往事，算算兒女的前途與幸福，阿仔工科畢業，現做工程師，阿女當看護，且嫁了個醫生，開心極了，老夫口銜烟斗看晚報，老妻坐在安樂椅上打絨綫，晚年清福，捨此其何！

很多人都有其獨特的享受，有些以讀小說爲享受，有些視罵人爲享受，更有些視痛癢爲一種無上的享受，故此他們要「挖肉攞瘡生」，據說整天搔着癢處，有妙不可言的感覺。

有些瘟生們過着醉生夢死的糜爛生活，却說是享受，今朝有酒今朝醉，明日愁來明日當，打了這麼腐化的主意，他們在青年時代確是享受了，可是年紀大了，便受生活的折磨了。我們眞個不要希罕那些不合理的享受，貪圖片刻享受，而貽誤終生，這是何等愚蠢啊！

享受，只不過是緊張工作後的一個悠閒休息的時刻。

釋耒集

孔子論德行但曰仁，論言語但曰文，智勇恭寬信敏慧，均屬美德，而孔子一切以仁統之，故智勇恭寬信敏惠，特仁之一端耳，未若仁之粹而全也；言語尚書言「體要」，易傳言「立誠」，孔子又一切以文統之，至「司馬遷乃言義法，班固則言諷諭惻隱，曹子桓著典論，始分而論之曰：「書論宜理，奏議宜雅，銘誄尚實，詩賦欲麗。」陸機著文賦，又曰「重質而輕辭，則應而不和，重辭而遺情，則和而不悲，任情而無檢，則悲而不雅，約情而止禮，則雅而不艷。」故惟懷文抱質，旨遠詞文者，始稱極詣；及劉彥和著文心雕龍，別文章風格為八類，曰：壯麗、輕靡、精約、縈縟、顯附、遠奧、新奇、典雅。又以壯麗精縟生于才情，而淺深雅俗，歸之學養。蕭統輯文選，遂倡言立意敘事者為子史，必沉思翰藻者，乃謂之文。然齊梁以下，文弊彌甚，「指儒業為古拙，用辭賦為君子，文筆日繁，其政日亂」。隋唐之交，王通著中說，舉謝靈運，沈休文，以下，至謝玄暉，江總持，一一輕詆之，風月花草之文漸為世所厭薄，遂以開唐代古文運動之先河，而其功實成于韓退之。自茲而後，八家、桐城，紛紛蔚起，持論益以週密，諱避亦彌以叢雜，而文章之體度風格，去古人亦日以邈遠。載道，言志之論；散行、偶對之爭、交相詆斥，夫「從質及訛，彌近彌淡，競今疏古，風末氣衰」。適足以「煩簡牘，疲後生」而已。故一切不論，論文章風力。易曰：「鼓天下之動者存乎辭」，辭所以能動天下，辭之有風力也，詩大序曰：「動天地，感鬼神，莫近于詩。」詩所以能動天地，感鬼神，詩之風力也。孔子曰：「君子之德風，小人之德草，草上之風，必偃。」孟子曰：「聞伯夷、柳下惠之風者，頑夫廉，懦夫有立志」。惟君子能風化小人，故夷惠之風，可以使頑廉而懦立，此又人格之風力也。孟軻、荀卿，同為儒家，以文論，則荀子之風力不及孟子，商君、韓非，同為法家，以文論，則商君之風力不如韓非，道家則列禦寇不若莊周；史家則司馬遷超班氏。大抵以氣行者，則其勢噴薄而出，使遇者辟易而莫敢仰視。辛亥革命前，中山先生於日本創辦民報，汪精衛、胡漢民、馬君武之倫，以文詞論，均一時之秀，而革命大業之奠定，論者每歸功于太炎先生，康有為革命書，及鄒容烈士革命軍一書，非汪胡之文不競，而風力猶未足以鼓天下之動也。竊嘗思之，今文之靡，其弊實起于以考據入文，蓋叢雜蕪穢，先已自窳其氣，能成文者已不多見，尚何有于風力。夫風之在大氣之中，撓萬物而發天籟，風之力也，文之在社會之中，起衰濟溺，若風之在大氣之中，則鼓天下之動者也，而世運升降，亦于是瞻之矣。

文章風力

曲齋

仁慈

徐學慧

在生命中缺乏仁慈，那簡直是不可想象的事。這世界要想得救，就在我們大家能發揮仁慈的精神，消滅那些桎梏人性的殘忍。

儒家學說之精華，乃在一個「仁」字。談政治離不了人，只有以人為基礎的政治說是穩固的，也只有把人當人的政治才能獲得人民的愛戴。所謂「把人當人的政治」，就是「仁政」。

幹政治，固然也有應用機謀術數的時候，可是，這種機謀術數，不能應用到普遍的安分守己的人，這倒是一個大前提。

人與人之間，本來沒有任何階級存在。政治家應能順乎民之所好，使其能自由自在地生活在這廣大的空間。這所謂自由自在的生活，包括了他能為自己的理想而追求的精神領域，包括了他能自由理想而不受任何外力的壓抑，包括了他能任意言論而不受別人的干擾，包括了他能隨意行動而不受他人的監視。這些，都是天賦權利，不能也不應加以任何桎梏的。

天生萬物，各適其生，鳶飛於天，魚躍於淵，獸棲於林，彼此不相害。彼此皆生存。桃李開於春，菊花艷於秋，荷花盛於夏，梅花傲於冬，各安其份，各適其生，這就是天地對於萬物的恩惠。政治家應該法乎天地，至大至公，以求每一個人的安居樂業，才是正理。

不幸的是，這種政治家實在太少了。

在生命中缺乏仁慈，那簡直是不可想象的事。這世界要想得救，就在我們大家能發揮仁慈的精神，消滅那些桎梏人性的殘忍。

米南宮的怪癖

南宋初大畫師米芾世稱米南宮，字元章，號鹿門居士，又稱海岳外史。宋史說他「為文奇險，妙於翰墨。」大概因他除了畫得一筆好畫之外，也還能寫得一手好字。然而他那古怪的潔癖，莫名其妙的癲狂，卻也值得我們加以述說的。據「海嶽志林」所記就有二則：

「元章朝靴偶為他人所持，心甚惡之，因屢洗，遂損不可穿。在太常博士時，奏祀太廟，乃洗去祭服藻火，坐是被黜。」

又：「元章盥手，以銀為斗，置長柄，俾奴僕執以瀉水於手，呼水為斗。已而兩手相拍至乾，不用巾拭。」

這些舉動，雖不足大驚小怪，總不是一般人所能做得出的，稱之為癖，並不能說言之太過。

可是他有時也會忘卻自己有潔癖的：按「春渚紀聞」上說：「一日，徽宗與蔡京論書艮嶽。復召芾至，令書一大屏，顧左右宣取筆研，而上指御案間端研使就用之。芾書成，即捧研跪請曰：「此研經賜臣芾濡染，不堪復以進御，即進止。」上大笑，因以賜之。芾蹈舞以謝，即抱負趨出，餘墨霑漬袍袖，而喜見顏色。」其次「海嶽志林」中也有一則說：「宗室華原郡王仲御家，多聲伎。大會賓客，獨設一榻待元章，使數卒鮮衣袒背，奉其酒饌，姬侍環他客，杯盤狼藉，久之，亦自還坐於衆賓之間。」

在前段故事中，表現他能為遷就君王，可以「餘墨霑漬袖袍」也大可不管。而後段故事中，又顯出他為了不甘寂寞，而「還坐於衆賓之間」。足見他的怪癖並不會怎樣深，即使或多或少有些表現於外，有時還會很聰明地「因時制宜」而予以權變的。

至於說到他的癲狂，更大有所據，如「梁溪漫志」和「宋稗類鈔」中話及，有一回竟至攪了烏紗帽。

「米元章守濡須，聞有怪石在河壖，莫知其所自來。人人以為異，而不敢取。必移命至州治，為燕遊之玩。石至而驚，遽命設席拜於庭下，曰：「吾欲見石兄二十年矣。」言者以為罪，坐是罷去。

米元章一日回人書，親舊有於窗隙窺其寫至『芾再拜』，即放筆於案，整襟端下而拜。」

從這些故事中，使我們讀後，自不難承認他的癲狂乃屬「名不虛傳」。

同時，他與當時的蘇東坡，黃山谷、王安石等也很講得來，據「侯鯖錄」說他：

「東坡在維揚設客十餘人，皆一時名士，米元章在焉，酒半，元章忽起立云：「少事白吾丈，世人皆以芾為癲，願質之」坡云：『吾從衆。』坐皆笑。」

蘇東坡向是以富於幽默感為人所樂道的，他這樣說法，當然大家都一致贊同了。大概宋揚次翁所說：「二十年來，何處不知有米癲子耶？」並不徒然是誇飾之辭。也許他為適應社會和某種環境，不得不然而寓諂媚於癲狂之中了。

按五經志云：「米元章嘗謂蔡元長（京子）後當為相，愼勿忘微時交。蔡既大拜，乃引舟入都。時吳安中守宿，欲留數日，米謝以詩云『肉眼神通四十年，侯門拖袖氣如烟，符離經過無行李，西入皇都索相錢。』至國門，乃用外方先狀抵蔡，其略云：「右芾輒將老眼來看太平。」蔡喜之，尋除書學博士，權南宮外郎。」

他這樣的去向蔡京奉承，藉以獵取功名，不免招阿附之嫌，已反表現出一點也不癲狂了。

後世都稱揚他的書畫而把他的潔癖和癲狂畧而不譚，大抵認為是文人的結習吧！

散人

陳圓圓

·謝康·

今王於滿人入關之際，有天時之可乘，妾勸令逐胡而自立，而王棄之。未入滇之前，有地利之可據，妾請奉明嗣以光復故國，駐武漢而連合天下，而王置之。多爾袞鰲拜，蹂躪百姓，屠殺漢族，民怨叢興，人心憤懣，有人和之可賴，妾復慫恿王，釋明嗣而圖大事，而王忽之。延至今日，清基已固，乃欲以鐘漏垂歇之年，當北方虎狼之衆，甘為勝負難決之事，並遺重患於子孫，滋非計也。婦人女子之見，維王圖之！』

此信於光緒丙午（一九〇六）年，五華書院改建為師範學校時，從地下發掘所得。書院院址，即桂王由榔故宮，亦吳三桂平西王府所在地。中發現之圓圓遺物，除此函外，尚有石刻肖像及絹畫美人圖各一，石像作道姑裝，頗似觀音大士，像下有蓮座，刻七律一首，字極小，極目力審視，隱約可辨，其詩云：

「謫落紅塵四十年，目經滄海更桑田。身無可戀甘為鬼，國到難興願化煙，一寸相思一寸孽，幾番浩劫幾番緣。精魂不去啣頑石，手造雙軀補恨天。」

此詩是否圓圓所作，現已無從查考，但細玩其語氣，又似非弱女口吻，疑不能明矣。（三）

歷史人物

女色誤盡一生（一）

諸葛文侯

已故的投共人士郭春濤，曾任國民黨中央監察委員，國民政府實業部政務次長，為汪兆銘所領導的「改組派」重要幹部。但自從民國廿一年以實業部次長從政後，被派赴英考察實業以後，在政治上卸除了派系羈絆，不復重要任版，汪兆銘亦不再提拔他，終致鬱鬱落伍，變節投降共黨，當了周恩來的一名「國務院參事」，委頓以死。語其原因，完全跟政治無關，他是敗於好色而已。

郭氏湖南酃縣人，出身清貧的農家，民初與我同學於湖南省立第一中學法文班一年，且同在一自修室內，繼後改入英文班，郭仍習法文畢業。維時吳稚暉，李石曾諸人倡導「勤工儉學」運動，郭應招赴法國求學，適有原在第一中學教授法文的黃康年先生，亦供職駐法使館為參事，對郭多所贊助。郭在巴黎加入國民黨，好作政治運動，曾為着巴黎和會處理山東問題，糾集學生羣衆大鬧使館，被駐法公使陳籙押解回國，即在北京大學法文系作旁聽生，掛名讀書，實際是忙於政治活動。民國十三年國民黨改組容共後，舉行第一次全國代表大會，郭為北京市黨部的出席代表，到廣州奔走於汪兆銘，廖仲愷之門，由於廖氏的推轂，當選為候補監察委員，從此漸露頭角了。後來對日抗戰時期，他未到南京參加汪記政府，原因雖多，但香凝對他的影響力亦很有關係。

郭在北京從事黨務工作時，與徐季龍（謙）等同為親共的「翠花胡同」「國民黨」黨部主要份子，與朱家驊在「南花園」設立的國民黨部相對抗。這時候，我在北京民國大學教書，住教員宿舍內，春濤隨時來叩訪，且留宿長談，我以為他是篤念少年同學之誼，為表示親切而然。慢慢乃偵知他熱誠着一位直接聽我課程的民大女生某，她原是[illegible]（郭手[illegible]然），嗣經再三觀察，原[illegible]不揚，我深以郭彤的追求此女生為異，來該女生頗富有，郭所眷戀者在彼不在此也。民十五六年，郭投西北軍馮玉祥幕中，担任政治部主任，是徐季龍介紹的。迨民廿一年郭偕同民大那位女生在南京與我重相見，我曾以「女人第一」的理由，要春濤今後稱我為老師，不得再呼「學兄」，彼笑頷之。此時郭與陳公博掌理實業部，號稱為改組派紅人，炙手可熱。未幾，忽鬧桃色事件發作，經過多少周折，只好黯然下野去國了。

原來郭有一位小學同學，又同邑里的朋友某，在外交部担任科長職務，其妻略具幾分姿色，郭常常到某科長家訪談，某科長以其為同鄉的青梅竹馬之交，情若昆仲，一切不拘形迹，有時科長不在家，春濤來訪即與科長夫人聚談不去，科長知之不特不懷疑，且囑太太多招待，久之，郭與老友夫人私通了，兩人戀愛情熱，肆無忌憚，自然春光洩漏，為其科長所調悉。一日郭與情人幽會於旅邸密室中，乃被科長當場查獲，即要扭赴官府法辦，郭惶恐至極，如果醜事被新聞記者知道，那還得了嗎？急忙央請友好調解，但求不事宣揚，任何條件皆願意接受，要官或是要錢，只管開口，唯命是從。可是某科長表示甚麼也不要，只要郭春濤立刻解除次長職務，在二十年內不許作官（刑事案件的法定控訴有效時間為廿年）並他就忍下這口奇恥大辱的氣，否則，明在這廿年內，如其郭氏又現身政治舞台，他即依法控訴不貸。此事雖未對簿公庭，然已鬧得滿城風雨，盡人皆知了。這就是郭氏半生沉淪不得抬頭的基本因素，汪兆銘雖在中樞顯赫有年，對郭亦愛莫能助！

自由報
THE FREE NEWS
第五十八期
社長：雷嘯岑
社址：香港銅鑼灣高士威道二十號三樓
20 CAUSEWAY RD 3RD FL. HONG KONG
TEL. 771726　電報掛號：7191
地址：香港灣仔高士打道一二二號
台灣分社
台北市西寧南路壹叁叁號二樓
電話：三〇三四六
台郵信箱二五九二戶

看莫斯科共黨會議後

——兼論所謂中俄共的鬥爭——

金達凱

歷時三週的莫斯科共產國際會議，現已告結束。目前發表的宣言揭示了三項原則，而會議通過的「共產黨和工人黨聲明」及「告世界人民書」等則還未見披露。然由此仍可看出此一會議的中心內容，及中俄共間到底有無重大爭執存在。

根據近年來國際共黨的活動和當前的情況，這次俄京共黨會議的主要議題，當不外下列四項：

一、各國共黨的工作報告和檢討；

二、對美國大選後的形勢與民主黨今後作法的分析和估計；

三、對世界局勢特別是亞非和拉丁美洲民族獨立運動的討論和估計；

四、世界共產主義運動策略的研討，包括所謂理論路綫的論爭。

在上項原則下，所以它們的公報說：「會議參加者交流了經驗，相互瞭解了彼此的觀點和立場，討論了現代國際發展和共產主義運動中的迫切問題，以利于爭取達到共同目標——和平、民主、民族獨立和社會主義的共同鬥爭」。這表明了此次國際共黨會議的目標，是對外而非對內；是如何利用現階段的世界動蕩局勢，以促引「革命高潮」的到來；而不是斤斤于抽象的理論路綫之爭，以影響內部的團結，而給自由世界以離間和喘息的機會。

但是西方的觀察家，由于主觀上存有「中俄共終必分裂」的願望，將它們間的一切言論行爲，都解釋爲是一種重大爭執或嚴重分歧，因之認爲俄京會議是中俄共的攤牌，是共產陣營宣告破裂或維持團結的關鍵；而對于共產集團大會合的基本任務，及其對世界局勢的危害性，反而無意或故意忽略，因而無形中掩蔽了他們陰謀活動的眞相。

關于共產陣營「世界革命」的方式，是採取戰爭或和平手段的問題，在共黨立場來說，並不是絕對對立的，一是可以互相運用的。一九五七年莫斯科六十四國共黨會議宣言，和本年六月布加勒斯特十二國共黨會議公報，都沒有絕對肯定「和平路綫」爲共產陣營的唯一路綫，相反，他們在同一文件中也強調了鬥爭。

以一九五七年的莫斯科會議兩個宣言來說，一個是由蘇俄、中共等已取得政權的十二國共黨簽署的「會議宣言」，一個是以英共、法共、義共、日共等而未取得政權的共黨爲主體的「和平宣言」。前一個宣言的要點有三：一是強調社會主義力量的發展，鼓勵了戰後反帝國主義的民族運動，而社會主義和民族解放運動的發展，又加速了帝國主義的沒落過程。但是只要帝國主義還存在，就有發生侵略戰爭的可能，要世界各國人民對帝國主義所造成的戰爭危險，必須保持最大的警惕。二是反對修正主義，認爲資產階級影響的存在，是修正主義的國內根源；屈服於帝國主義的壓力，則是修正主義的國外根源。強調必須在共產黨和工人黨的隊伍中，堅決克服修正主義等右傾機會主義思想。三是強調取得政權只是革命的開始，而不是革命的終結。認爲「在目前條件下，在一些資本主義國家裏，工人階級有可能在工人陣綫和人民陣綫的基礎上，不經過內戰而取得國家政權，擊退反動勢力，使議會從爲資產階級服務的工具變成爲勞動人民服務的工具，同時展開議會外的群眾鬥爭，爲和平實現社會主義準備必要的條件。但同時又強調「也必須考慮到另外的一種可能，即非和平地過渡到社會主義，因爲資產階級是不會自願讓出政權的」。這幾項要點，都是強調鬥爭，鼓勵尚未取得政權的各國共黨積極奪取政權，擴展民族運動和民主運動，以與共產主義運動相結合。

而後一種宣言，即所謂「和平宣言」，論調則完全不同。它呼籲西方國家與共產國家「和平共處」，但第一次世界大戰死了多少人，第二次大戰又死了多少人，如發生第三次大戰，更不知死多少人。但「戰爭的威脅，是帝[illegible]

無一是處！

小論天下

△莫斯科共黨會議結束，發表空洞宣言，俄共中共循例宣告團結。西方觀察家強調蘇俄失去領導權之說。據傳由東歐共黨國家漏出消息：俄共「和平共存」的主張壓倒中共的「戰爭無可避免」論。

這一廂，乘機擴大「離間」的宣傳，這是陽謀；那一廂，趁勢佈下「和談」的陷阱，那是陰謀。其實，還沒有人在這陰沉沉的會議裏面，探出他們決定了要怎樣「埋葬」自由世界！

△英國大主教菲沙博士訪問羅馬教皇若望廿三世，作一次歷史性的會晤。

英國歷史學者湯因比之流，又可藉此提供西方國家與共黨世界「和平共存」的例證了。

△蘇俄宣傳美國已完成進攻古巴的軍事準備。由於中共宣佈貸巨款與古巴，美國國務院已面對古巴所展開的強烈威脅而愈形緊張。

美國第一錯在絕未明瞭敵人打算要怎樣做，第二錯在完全藐視了敵人早已申明的戰鬥決心。

△剛果被黜總理魯蒙巴在逃脫監視之後，仍被捕回，蘇俄要向聯合國提出營救的請求。

聯合國大戲台要上演一幕「捉放曹」。

△寮國右翼軍隊進攻永珍，略有進展。共軍亦正圍攻皇城，漸漸廹近。和談之聲仍不絕如縷。

這小小的佛國更能消幾番「大戰」！

△非洲新成立的毛里丹尼亞求進聯合國，蘇俄使用第九十一次否決權，予以否決。

如不加膝，便當墜淵。

△美國黑白同校問題仍屢次發生糾紛，醫學界宣稱有辦法使黑人變白，白人變黑。

由此証明：這個世界並不難於在表面上顛倒黑白，而今日大患仍在乎人心。

△國府監察委員陶百川提出：目前「腐化與浪費」已成爲一種習慣，此種惡化情勢如不予以理會，「美援」會被取銷。

當「美援」已出現了「雙重危機」的今天，我們才只爲害怕「美援」會被取銷而認眞奮發嗎？

蘇俄放出一艘「太空船」在空中焚燬，報紙預印安全着陸的消息，不及更改，照樣發出。美國放射一個太空飛彈，碎片飛墜古巴，殺死一牛。許多古巴學生被召到美大使館前，參加這頭牛的喪禮。

這都是「典型的」共黨宣傳方式。

方南

[illegible]

自由談

英倫報紙最近刊載一項「權威」消息，說蘇俄在西伯利亞一帶建造若干飛彈基地，以中共地區——卽中國大陸——爲目標。這是英國人早已發明的所謂「亞洲狄托主義」的一貫思想，並不奇怪。美國的一些「遠東問題專家」亦曾認定中俄共之間，將來由於中共感受大陸上人口蕃庶的威脅，必向西伯利亞實行大量移民，而與俄共發生衝突，這時候，蘇俄爲着反抗中共的侵略，將要求美國攜手合作，共同對付中共了。

低能的想像力

[illegible]

馬五先生

美國的「出氣店」應自嘆不如台灣「拆除大隊」禮讚

編者按：姚詠萼女士常爲本社撰稿，多屬散文小品。本文其實也是一篇很有理致的散文，應該列出在第三版，但經過審愼考慮，決定將其在第二版刊出。台灣「拆除大隊」的組織與工作，我們並不清楚，顧名思義，多少也瞭解幾分。關於違章建築物，並不是說一定不能拆除，不過，總希望在這一方面拆除之前，另一方面要有建設。單純的用强制方法去拆除，是不能解決社會問題的。姚女士這篇文字，是一種深刻的諷刺，可作散文看，可作通訊看，也可作讀者來論看。

前些年美國有一種出氣店，店裏擺着各種玻璃瓷器，以貨品好壞分爲甲乙丙三種價錢，任由顧客自擇，假使一個人碰到一肚皮怨氣沒處發洩時，即可到該店選擇一種貨品，用木棒把它儘情打碎，直待自己的怨氣發洩淨盡，心平氣和，乃高高興興照價付錢而去。據說這種出氣店的生意不惡。美國人是最會排遣自己的人類，隨時隨地總把自己排遣得服服貼貼，毫無芥蒂，抱着滿懷的興奮，再去從事每天的工作，管自己的事業與前途。這也可以說是美國人眞正做人的方法，是一點不足爲奇的事情。一個人生在世上數十年的光陰是夠短促的，何必把那些怨氣鬱在肚子裏，一天到晚拉長着臉過其一生，甚或飲恨以終呢？

在世上做人，有時不免要受一點無妄之氣，所不同的，是受了氣，能出與否已爾。中國大陸上的老百姓從避亂台灣以來，爲了這個蕞爾小島上人口擠擁，遂致到處有了違章建築出現，因此拆除大隊也應運而生。數年以來，拆拆搭搭，此起彼落，了無休止。最近報載中市因拆除違建而發生夫婦雙雙服毒，竟以死作抗議。人命關天，地無分中西，生遂致街頭巷尾，議論紛紛。據十一月二十四日自立晚報所載，中市警察局拆除大隊的李與華隊長，比過去幾個隊長的執行，都來得認眞而徹底，以前幾次在別處拆房時，曾親自動手，不是用繩子拉倒房屋，就是用斧頭敲毀門窗牆壁。這種拆除方法，固然很徹底地達成任務，功在市政，有口皆碑，但是被拆除的人，慘遭損失，卻是吃不消，兜着走的。妙哉！我看了這則新聞，聯想起美國人在出氣店用棍棒打碎玻璃瓷器的玩意兒，但拆除大隊的威風，氣魄雄偉，自不可同日而語。有人說，一是爲了自己出氣，另一是爲了替政府執行政令，完全是兩回事，不能相提並論。但我的看法卻不是這樣，我們爲私爲公雖然是兩回事，敲敲打打則是一也，安知那位拆除大隊長心中不無怨氣呢？不用說別的，因在台灣十年於茲，那一股怨氣也夠使有拆除大隊員由中假使有從大陸來的人，他在大陸本是不作這樣的事的，到了台灣之後，無事可做，剛巧碰到做了拆除大隊的隊員，湊巧心中正有一股怨恨，還不趁此時發散一下嗎？美國出氣店出了氣要化錢，拆除違建，是政府的命令，不用化錢且可立功，不妨假公濟私，左右逢源。因此我想向政府建議，拆除大隊這個可以出氣的美缺，儘可雨露均沾，凡心中有氣無可出的人，請到拆除大隊報名，從事拆除工作，把那股怨氣向違建的屋子上大洩一場，未始不是治國平天下的一個好方法。你有沒有看到報紙上的社會新聞？天天有自殺、有他殺、有謀殺、有凶殺，殺得屍陳各地，血流五步，慘不忍聞！那些自殺或他殺的人，心中有着忍受不下的怨氣，自是無可否認的事實。聽說有些拆除人員，因爲心腸太軟，加上那些被拆除者哭哭啼啼，心腸一軟，四肢無力，竟而拆不下去了。而如台南警局拆除大隊的李與華隊長那樣的英雄，又不可多得，遂致事倍功半，政府所付的時間與金錢蒙受了損失事小，妨礙市容事就大了。假使安排那些心受怨氣的人到拆除大隊報名，請李隊長授以技術，再去執行任務，必能事半功倍，無往不利了。這樣一來，人人的委曲有了發洩的機會，則人人心平氣和，社會自然安寧，死幾個違建的老百姓又有何妨，誰叫他高樓大廈不住，到這裏來搭棚戶呢？眞是活該。

（四十九年十一月於台北）　姚詠萼

香港風情

中國青年黨高級幹部王師曾，沈雲龍二人，最近由台北來香港探親，一下飛機即有當地政府人員向他們約法三章：不許作政治活動，不得舉行記者招待會，不能公開發表演說。他們小心翼翼地在香港小住了兩星期，已於前天（四日）回台了。據聞此行探親訪友的結果，凡旅居海隅的同志們多已接觸到小團結（本黨內部）和大團結（本黨與執政黨）問題，皆有相當的瞭解與成就。

香港有一位民營的銀行家，擬斥資百萬元，創辦一張規模像樣，言論公正的報紙，作爲異軍突起的文化事業，刻正協同三數專家積極計劃中，預定來年春間實現。香島全部居民爲三百五十萬人，現有大小報章共計三十七種，尙有新增之餘地。台灣人口在一千萬以上，至少還應該增加十家民營報館纔合乎需要，現行限制新報紙發行的政策，實在要不得！

香港全市工商業的公司行號賬簿，每年經過政府核准登記的會計師查覆一二次之後，依法納稅，別無麻煩，也沒有人搞兩本賬簿的非法勾當。台灣的大小商店用以應付兩本賬簿爲營業方針，而漏稅情形乃極普遍。這癥結就在法制上，只是多設胥吏，作消極的稽查追究，擾民有餘，增賦不足也。

別有用心（台灣漫畫通訊）

東京通訊　日本的中立外交（三）

羅堅白

江田答非所問說：『我們認爲美國的軍事政策，把遠東和平陷於不安；所以要美國改正這個政策。其具體手續，是循着外交涉，廢止日美保安條約，同時對於中（共）蘇，我們也應該有所活動。』他似乎以爲遠東和平可能超脫世界和平而單獨存在；所以世界全局上力的均衡破裂與否可不予關心。池田等不及同他講這種道理，單刀直入地問他：『那麼，江田先生：社會黨是否眞認美國爲日中（共）共同敵人；所以要美國從遠東撤兵？』『社會黨的眞意，決不是要與中蘇共同去攻擊美國。我們主張解除保安條約，也就是美國從遠東撤兵。』池田又逼上一步問他：『江田君說要美國從遠東把軍隊撤去，請問到那時候，美蘇可能怎樣？』江田說：『鈴木委員長在莫斯科晤見赫魯曉夫首相時，曾請其將中蘇友好同盟條約中對日條項予以削除，並主張應將千島歸還日本。社會黨以爲：爲着遠東的安全，應由中蘇美日加上印度，作成集體保安體制。這當然不是一蹴可幾的；但應該一步一步地，圖謀緊張的緩和。有人以爲日本一旦採取中立政策，則與美國間的經濟關係，將要垮台；但社會黨並不是要敵視美國，只要一面進行中立外交，一面與共產圈以及亞非各國結成經濟關係，以謀日本之繁榮。』由江田此言，我們可知日本社會黨並不是未曾想到：美蘇間的矛盾不從根本上謀全面解決，僅求其部分安協，是幾乎不可能；但只是想要美國不待安協而先讓步。但如何能使美國如此讓步，它可是絲毫不管；只想假若美國肯從遠東撤兵的話，日本也許能從蘇方獲取如此這般利益。並且它以爲日美間的經濟關係是決不會垮台的，並不須要日本站在自由世界這一邊。江田的話於此結束；於是西尾也把民社黨的見解結束說：『在今日美蘇對峙現狀下，既不能驟然期待其能讓日本守中立；而由日本文化經濟現狀來講，又不能像非洲那些新興國家一樣，採取消極的中立外交。所以爲着日本繁榮，民社黨的外交方針，是以爲與其中立，不若自主獨立。但是池田內閣倘若有意於超黨派外交的話，本黨是打算接受的。』接着池田也表明自民黨的態度說：『自民黨是反對社會黨的中立論的；但是民社黨的論法，我們可以了解。我從組閣以來，關於外交，老早就想使他成爲超黨派的。我只請大家不要忘記：日本是一個大國，在世界上佔有堂堂地位；這樣的日本，一旦採取中立外交，其結果將如何？我希望日本能爲自由世界所親睦，爲共產圈諸國所敬畏。日本的外交方針，是不容獨斷決定，更不容隨黨空想的。』這一次討論的形勢，社會黨無疑站在下風。它爲着挽回這下風，要求再來一次電視及播音討論會。池田馬上表示可以；但衆議院選舉的投票，已逼在眼前的十一月二十日，黨首腦部認爲不但池田自己，連各主要幹部，都不容易分出身來，恐怕就此打住了。不過記者要附帶報告蘇俄政府發言人庫德里雅折夫在十二日消息報的晚刊上發表一篇長文，特予日本社會黨的中立論以聲援。這種聲援，等於暴露社會黨的中立論是禀承共產陣營意旨而倡出；由過去實際經驗判斷，對於社會黨反爲不利。所以有人以爲蘇俄是有意利用這種逆效果，以打擊對中共特別親近的社會黨；因而判斷正在努力調整中的中（共）蘇矛盾，其成功的希望，微乎其微。（十一月十四日記）

編者・作者・讀者

散人、筱臣、劉杰三位先生：尊稿務請繕寫清楚，如或因平日慣寫草書，則不妨請人代抄一遍。應知報刊稿件，第一讀者爲編者，第二讀者爲字房工友，第三讀者爲校對，如編者不加改正，則字房工友與校對必至叫苦連天，諸君忍快一時隨意揮寫之樂，而令編者受終日改正之苦乎？果如是，則亦殊非所以對編者之道矣。唯君等憫其苦而徐圖改善之。

大陸文壇萬花筒

中共紀念托爾斯泰

——岳騫——

中共於十一月二十五日在北平舉行托爾斯泰逝世五十周年紀念，出席的人員有郭沫若、茅盾、楚圖南、丁西林、陽翰笙、許廣平、夏衍、老舍、邵荃麟、劉白羽等。重要的文化官周揚、錢俊瑞、何其芳、張光年均未出席。

俄國作家中托爾斯泰無疑地坐着頭把交椅，他的成就在俄國是前無古人，後無來者。可是當俄共取得政權之後，托爾斯泰的身價是並不穩定的。

大概在俄共當政之初，列寧爲了爭取民心，發揚國粹，曾經對托爾斯泰大加推崇。到了史大林繼起執政，蘇俄有一個時期專門清算古典文學，托爾斯泰首當其衝，被指爲資產階級的代言人，反動的作家。及至到了德蘇戰爭爆發，德軍下基輔，圍列寧格勒，卍字旗直指莫斯科時，史大林感到社會主義，工人當家這一類宣傳口號根本不起作用，唯一的辦法就是鼓吹俄羅斯民族的愛國精神以抵抗德國侵畧，這一類的宣傳品，最有效的也無過「戰爭與和平」，因爲兩次戰爭太相似了。於是托翁又交了好運。此後十年情況未變。

到了赫魯曉夫清算史大林時，連帶也揭破了史大林戰勝德國的謊話，於是戰爭與和平也因爲失去時效而被冷落，直到現在在蘇聯境內依然不振。

中共此次紀念托爾斯泰，只看周揚等人未出席，可見也只是虛應故事，實際並不熱烈，在紀念大會上先由郭沫若作簡短致詞，然後由茅盾作一個長達八千字的報告，指托翁一生是一個激烈的抗議者，憤怒的揭發者，偉大的批判者。

在郭、沈「茅盾」兩人報告中，發現一個很有趣的事，郭沫若很不客氣的說：「托爾斯泰由于受到時代和階級的限制，在作品裏也不能不暴露出他的世界觀的矛盾。」

茅盾則對托爾斯泰大加稱讚，指爲最偉大的現實主義者，這樣一來形成了郭、沈兩人的矛盾，其實還是舊恨新仇，過去茅盾的「文學研究會」是以現實主義自命，而把郭沫若的創造社譏爲浪漫主義，兩人現在雖然同殿稱臣，可是當年那段冤仇還是忘不了，一旦找到機會，就要互相攻擊，但是，在目前情況下，誰也奈何不了誰，只有「和平共存」下去。

社會小說　香港地

六、人情味

梅大亮因爲這話說得太響，仍在電話裏追問道：「喂！你說什麼資產？死後怎會變成資產？」可是，對方沒有聽懂，很快在電話裏把電話掛斷，懶得再作解釋。

梅大亮無可奈何，便漫無情緒的走出電話間，胡亂向各處朋友張羅了一些款子，凡是和韋大悲有關而又是他平素認得來的人，他都去拜訪過，總算大家盡了一點心，出錢不拘多少，各都獻出棉薄的力量。

這一天，梅大亮跑得很累，滿肚子不愉快，晚上也睡得不好，到了翌天早上，記着楊先生在電話裏說過的話，一起來便拿報紙來看。

事實證明了楊先生說得不差，報紙上面果然列有一段佔了不少篇幅的新聞，報告韋大悲因病逝世的消息，把他生平的學問人格修養等等，都說得十分動人，什麼高風亮節，當代文豪，詩壇祭酒之類的句子，用得很多，末後一段，是說他的擊友霍新聞，如何熱心努力，替他如何發起爲他輯印詩文，開追思會，以及籌措遺孤教育費用等等，直把那位霍新聞形容得義薄雲天，一般人看了便要大受感動。梅大亮臉還未洗，便呆呆的把這段新聞看了又看，越看越頭腦昏沉，心神恍惚，許久才省得把報紙放下，歎息自語過：「這還還成什麼世界？怪不得老楊說我不懂，這道理我的確不懂啊！」

梅太太見他失魂落魄似的，喃喃不休，以爲他今天着了什麼迷，罵道：「白的是紙，黑的是字，看來看去可還不是這種新聞？你還不快去洗臉，呆在這裏歎氣作甚？」說了，不由分說，便把他手上的報紙奪去，放過一傍，差些便要把它撕作兩塊。這是梅太太一種慣常的動作，因她認爲：這個世界本來沒有許多新聞；看新聞紙越快越好，這是簡單不過的事，用不着花時間在這裏面，看那些本來不是新聞的新聞。爲了這，她常常很不客氣的把梅大亮手上的報紙拿走，同時要發作幾句話。（八三）

木客著

甜酒

劉杰

看完「黑犬八王傳」出來，寒氣叫我打了顫抖。我把衣領翻起了，稍微好了一點。

「去吃點酒吧。」我摸摸口袋，還不錯，足夠喝酒的錢，我就走到小酒食店裡。

坐了好半天，老闆兼茶房走過來，問我吃什麼，我說酒。他堆下笑臉：

「先生，現在有甜酒。」

「就甜酒好了。」

我急於要暖身子：「快一點。」

「要不要雞蛋？」

「要一個。」

不到十分鐘，甜酒送了上來。我吃的很夠味道，碗底下一點渣子，我也沒有放過。

我問多少錢，他又堆下笑臉，伸出三個指頭。我掏出鈔票，我說：「明晚上我還要來吃。」

「我給你留一份在這裡。」

我回過頭來。

「這生意很是熱門？」

「談不上。」他說：「不過爲了生活，不得不想想新的方法。」

我接連吃了三天。到第四天晚上去的時候，門上貼了一張封條。

我問鄰居，鄰居對我搖搖頭。

「上午就給封了起來。你先生還不知道，他犯了法！」

我瞪大眼睛。

「他犯了什麼法？」

「這個我也不知道。我祇知道警察把他帶走的，說他做生意不大規矩。」

「你們知道他有那些地方不大規矩？」

「我們也看不出來。」鄰居說：「他是最老實的人，我們都是敬仰他。早上又起得早，晚上又睡得遲。他還和我們談過，如果生意再好起來，準備僱一個人來幫幫忙。」

「你們知道他現在在什麼地方？」

「到警察局就可以問得到，也許還在牢子裡。」

我一股血往胸口上湧。我叫了輛三輪車，一直拉到警察局門口。我把我的姓名說出來。

「你祇是見他。」警官望着我：「我希望有個人保他出去。」

「要個甚樣的人可以保？」

「拿出二萬元來

天呀！我沒有當時叫出來。我跟着警官到了牢裏。他垂着頭。警官退了出來。

「到底爲了什麼事情？」我說：「就嚴重到這地步。」

「祇是爲了甜酒。查了出來，說我是私酒，要罰二萬元。我把所有東西賣掉也沒有這麼多錢。」

「那你以後不做就是了。」

「以後自然是不做，才罰二萬元，做的話——」他的頭低的更厲害：「我並不是有意來做甜酒犯法的，我還有老婆孩子在台南，如果我不賺點錢，他（她）們就沒法生活下去。」

「現在怎麼辦？」

「只有聽天由命。」他說：「我只是爲兒女們生活掙扎，想不到掙扎還是倒下來。」

我轉過頭去。我覺得我沒有這麼大的能力，用手背擦了下眼睛，再伸出手握住他的手。

「我祇能做到這一點。」我說：「我們都是同樣的人物；雖然我是吃過你的甜酒的。」

青年之聲徵稿

本版特闢「青年之聲」一欄，專載海內外青年學生的文藝作品及其生活動態的報導。歡迎各校同學來稿（勿超過五百字），一經刊載，略致薄酬。請註明年級及學校。

談劉道一

漁翁

劉道一，字炳生，湖南人，爲革命黨先進揆一之弟，幼聰穎，六歲讀孟子至「民爲貴，社稷次之，君爲輕」一時，三復斯言而不輟，腦海中已印入民主觀念；又讀朱虛侯傳「非其種者，鋤而去之」等句，更感慨激昂，而以「鋤非」自號焉。稍長，在本省美人所辦之學校，習英語三年，即隨乃兄揆一留學日本，加入同盟會，並被推爲書記幹事等職，爲孫中山先生所器重。道一在日本時，與同志秋瑾于瑾等組十人團，從事革命運動，爲青年留學中之佼佼特出者。

揆一與黃克強等，志同道合，在湘兩度起義，均失利，仍亡命於日本，因嫌疑過大不能歸，道一年輕，頗不爲清吏所注視，乃自告奮勇，回國活動，以會黨爲革命之中堅力量，予以思想改造，俾知革命之目的，在求全民族之自由解放，會黨受其感化，互相砥礪，殊奮爲雄，日後武昌起義，得此輩之力居多。

光緒三十二年十月間，道一又在湘贛之萍瀏醴一帶發難，卒因衆寡懸殊而潰，並在長沙被捕，滿吏於其夾袋中檢出「鋤非」印章一枚，即以此而論死，遂於十一月十六日，就義於長沙瀏陽門外，臨刑時，猶高呼「革命成功萬歲！」年二十二，在留學志士中，爲革命犧牲之第一人。中山先生聞之，哀悼特深，輓之以詩云：「半壁東南三楚雄，劉郎死去霸圖空，尚餘遺業艱難甚，誰與斯人慷慨同，塞上秋風悲戰馬，神州落日泣哀鴻，幾時痛飲黃龍酒，橫攬江流一奠公。」

儒林九尾龜

吳敬鋅

第四回：人何寥落鬼何多

李鴻飛笑着問是那方面的新聞。

小石搖頭幌腦說道：「還不是我們那位先生。」

黃安民笑道：「他又鬧出什麼新聞，是不是到台北或者北平當部長？」

小石冷笑一聲：「能不能當上部長，還不知道，去了北平到是眞的。」

李鴻飛點點頭：「這到不算新聞了，他大概是同夏作人，賈虹一批人一道去的，恭喜他，這一次有三千元港幣好拿了。」

小石愕然道：「夏作人也去了，這到眞是想不到，你的消息確實比較靈通，佩服，佩服。」

黃安民笑道：「小石怎麼也學油嘴滑舌。不過，夏作人去北平，到眞是新聞，因爲他和盧孟德不同，盧某早已和中共眉來眼去，最後必然倒向那邊，是意料中的事，夏作人就不同了，他在海外搞什麼民主運動，本質上原是反共的，何況他那位後台老板又在美國代理着中華民國總統，據說麾下有雄兵百萬，戰將千員，隨時準備光復大陸，夏作人忽然倒了戈，這還成什麼話。」

李鴻飛搖搖頭：「這種人還能談到什麼立場，見解，實際有奶便是娘，誰給他作官，給他錢用，他馬上投靠誰，你把他當成政治家來看，未免太天眞了。」

小石說道：「我在南京讀書時，對他那位後台老板頗有好感，覺得此人到是一個忠厚老實人，其立身處世有類於北洋時代的總統曹錕，一生毛病是沒有中心主張，太平時期還可雍容坐鎮，一遇到驚風駭浪，就必然要被浪花淘去了。」

李鴻飛笑道：「小石的確進步了，你這一套話到是史家之筆，最妙的是你把此公比作曹錕，夏作人豈不就是李彥青了。」說過三人都笑了起來。

黃安民擺擺手：「你不要把話題扯遠了，到底他們這批傢伙是怎麼到北平去的。」

李鴻飛說道：「事情是這樣的，每年十月一日中共國慶，照例也在海外拉一批人去大陸觀光，可是搞來搞去就是那幾個熟面孔，據說今年夏天周恩來就曾經向統戰部下過命令，一定要找幾個新人，越是過去反共，曾經寫過反共文字的越好，因爲這樣才可表示人心已歸中共。

統戰部接到這個命令當然大傷腦筋，曉得這是一個難題，可是又不能不作，於是來海外物色，最初着眼點是在幾間反共的新聞界，經過一番運動也拉到二個不重要的編輯和校對參加，但是這些人都沒有份量，最後才找到夏作人。（四六）

唐伯虎詩話

——白荷——

唐伯虎，名寅，字子畏，又號六如居士，是我國明朝的風流才子，唐伯虎點秋香的風流韻事，更是家喻戶曉，膾炙人口，經過後世文人與作曲家的渲染，便格外曲折動人！

伯虎是江蘇吳縣人氏，吳縣即今之蘇州，蘇州山明水秀，風景優美，早有「上有天堂，下有蘇杭。」的俚語，在民間流傳，記得有一首唐伯虎描寫姑蘇景色的詩，是這樣寫的：「世間樂土是吳中，中有閶門又擅雄，翠袖三千齊上下，黃金百兩水西東，五更市買何曾絕，四遠方言總不同，若使畫師描作畫，畫師應道畫難工！」唐伯虎不僅詩文卓越，且有繪畫天才，以上「若使畫師描作畫，畫師應道畫難工！」兩句，無異現身說法，而於無形中，更增高姑蘇景色秀麗身價！談到蘇州風光，其惟一特徵，是在城市饒有水鄉景色，石板小橋，淙淙流水，環繞着街巷人家，點綴得城市波光瀲灩，越發幽雅動人，故有「東方的威尼斯」，亦即東方水城之雅號。

伯虎十六歲考中秀才，既而在南京應考，得中第一名解元，故有南京解元之稱；伯虎本擬再赴京都會試，因有人嫉妒他的才氣，捏造謠言說他暗通關節，知道試題，於是不但功名未成，反而受到牢獄之災，事後出獄，乃致力於詩，畫，飲酒自娛，作爲精神寄托，才氣格外橫溢，他對於人生觀的看法，可於其手題之「桃花庵」歌中見諸梗概，歌曰「桃花塢裡桃花庵，桃花庵裡桃花僊，桃花僊人種桃樹，又折花枝當酒錢，酒醒只在花前坐，酒醉還須花下眠，花前花後日復日，酒醉酒醒年復年，不願鞠躬車馬前，但願老死花酒間。車塵馬車貴者趣，酒盞花枝貧者緣。若將富貴比貧賤，一在平地一在天，若將貧賤比車馬，他得驅馳我得閒。世人笑我忒瘋癲，我笑世人看不穿，記得五陵豪傑墓，無酒無花鋤作田。」可見其玩世不恭，淡泊明志的胸襟，與及時行樂，隨遇而安的人生觀了。此外還有他自題嫦娥折桂圖的詩句，也是文彩橫溢的作品，詩句爲：「廣寒宮闕舊遊時，鸞鶴天香捲繡旗，自是嫦娥愛才子，桂花折與最高枝。」另一首爲畫菊所題的詩：「黃花無主爲誰容，冷落疏籬曲徑中，盡把金錢買胭脂，一生顏色付西風。」亦可見其才華與文學根基，無如造化弄人，懷才不遇，祇落得一個「江南第一風流才子」的稱呼，殊堪惋惜。

妙文雜抄

·冰山·

自古迄今，草澤市井，做出不少奇妙文章，文人士子，販夫走卒，均津津樂道，茶餘酒後，讀之，令人噴飯灑酒，爲之輕鬆飄然，茲錄古今數首，以餉妙人。

昔有一蒙師見內東少艾美妙，語言之間常常輕薄，學生銜恨。一日早起，生見其師身上有一虱子，學生說：「這虱子好像我娘身上的。」先生大喜，以爲話中有因，忙問曰「你媽虱子如何到我身上」。對曰「我娘虱子，爬在我父身上，再爬在師母身上，由師母身上，又爬到師父身上」。先生聞之大怒曰：「你這孩子，知道得太多了」。欲擊之，學生邊逃邊曰「師父別生氣，以後師母有虱子，還叫他爬回我父親身上就是了」。

另一與之有異曲同工之妙者，請閱下文。

「醫生，我的兒子患猩紅熱！」打電話的人說。「是的，我知道了。」醫生說，「前天我到府上看過他，你們祇消把他和家裏各人隔離和……」。

「但是你不知道啊！醫生」那人說「他吻過我們的女用人。」

「還有點麻煩了，既是這樣，你們祇好把那女用人也一併和家裡的各人分開了：……」。

「不過醫生，我也和女僕人親過嘴啊！」那人急道。

「這就愈加複雜了，豈不是連你也傳染了嗎？」「是啊！而且後來我還吻過我的妻子呢！」「媽的！」醫生說「現在連我也傳染了！」。

中日甲午之戰，清廷無能，以致泱泱大國，竟爾取辱於島國的日本，能不令人慨嘆。當時奉命往日議和的是文華閣大學士李鴻章，李奉全權之任，至日後，與日相伊籐博文宴於相府，席間，伊籐博文書李鴻章曰：「貴國本地大物博，何見於輸於吾小國？」李答曰：「中國乃文化之邦，忽於武備，而勤政事」日相又曰：「今吾出一上聯，係據貴國目前實況而言，敢請賜教下聯？」李知語必諷刺，但亦不示弱，乃請示上聯，上聯曰：「入無相，出無將，不得已玉帛相將。」李對曰：「天難量，地難量，這正是君王度量。」日相與各大臣均爲之折服。

一教書先生最喜白日睡覺，學生功課日見荒疏，東家憂之，一日書房閒談，問先生現講何書，曰：論語。東家曰：請先生將宰予晝寢一章，講與學生聽，先生知其意，乃曰：宰者殺也，予者我也，晝者白日也，寢者睡也。東家曰：先生差矣！宰予乃人名，豈可分倒。先生曰：東家，你倒不必如此費心，實告你，你就是殺了我白天也是要睡覺啊！

小啓：「釋耒集」續稿未到，暫停。

歷史人物

陳圓圓（續完）

謝康

絹畫長約六尺，寬二尺五六寸，上繪月影，下繪草地，左繪高柳，右繪大石，一古裝美人立柳下，右手抱琴，左手持鼎，鼎中香煙繚繞。美人豐姿綽約，栩栩若活，左上角題曰：『抱琴彈向月明中，』字下蓋章，章爲篆文，文曰：『家在奔牛山下住』與石刻像風貌相同，但畫像年輕，而石刻像則老到云。

梅村詩稱「家本姑蘇浣花里，圓圓小字嬌羅綺，夢向夫差苑裏游，宮娥擁入君王起……」似乎已肯定她是蘇州人。但據錢湘靈考訂則爲常州奔牛鎮人，與上文所錄篆刻「家在奔牛山下住」相合，未知孰是。或者因蘇常二府接壤，致有誤傳，亦未可知。

陳圓圓爲中國奇女子，圓圓曲則爲千古絕唱，美人名著，相得益彰，圓圓死而有知，當許梅村爲知己了。白居易元微之之寫楊貴妃，似不及此曲之哀感頑艷，激盪蒼涼。「妻子豈應關大計，英雄無奈是多情！」圓圓實是明亡清興最關大計的一個名女人，如果沒有她，中國歷史的一部份，可能重新改寫呢。相傳她於自成入北京後十餘日曾有致三桂書一通，表明心跡略云：「妾承將軍垂愛，貯之金屋，寵之專房，則妾固爲將軍有，豈得爲闖賊有哉？闖賊脅勒乾清宮，逼妾示僞旨，妾念及將軍恩義，誓不顧身，戟指罵賊，滿拚一死，以謝將軍，乃闖賊指揮侍衛使劍廹妾入於後宮，妾倘回盼，不禁物害，蓋此爲侍衛，即將軍之舊部施保仕也……夜漏三下，聞聽格彈指聲，急啓樞，則保仕竄身入，問妾不忘舊主，將何爲？噓噓！妾向何爲哉！此身可留，則圓圓爲將軍之身。此身不可留，請侍將軍於地下，唯將軍圖之……」

三桂得書，與自成拚命之心，更爲堅決，愛新覺羅族乃坐收漁人之利了。

偷情詩詞

筱臣

筆者曾於本報寫過新婚詩詞，在這種名正言順三媒六禮的結合之下，新婚宴爾，佳話頻傳，自屬文壇韻事。但偷情則絕不相同，其意境更較有咀嚼，因爲正式婚姻，總屬正大光明，無所用其閃爍，偷情則異是，氣氛固然是在危疑震撼之中，時機亦稍縱即逝。因此之故，古今來偷情之作，多屬絕妙好詞，其冶艷而不涉淫者，尤屬難能可貴。

談偷情詩詞，當要首推李後主之「菩薩蠻」，此一闋，是他之昭惠后染疾時，他乘隙與其小姨偷情之即景，其詞曰：

「花明月暗飛輕霧，今宵好向郎邊去，剗襪步金階，手提金縷鞋。畫堂南畔見，一響偎人顫，奴爲出來難，教郎恣意憐。」

爲怕步履聲給人聽見，所以寧願行襪底（剗襪步金階），小。尤其難得的，是全詞不着一個衾枕羅帳字眼，更見艷而不淫，對於偷字，刻劃入微，意境高人一等。

有女懷春，自昔難免，程詠雩郎有描寫這種閨情之作，調寄「蝶戀花」云：

「十二欄杆人悄悄，細數花枝，私把儂顏較。挽就雲鬟鬆更巧，妝成偷點櫻桃小，底事蛾眉顰不了。說是傷春，偏是春光好，燕語鶯聲都着惱，不情不緒誰能曉！」

此詞描寫女人性慾飢渴之情，十分入骨，妙在不着一字，而曲曲傳情。既然發生了這種如火如荼的慾念，當然難免紅杏出牆。於是卓人月有一闋「鳳凰台上憶吹簫」，寫來淋漓盡致。詞云：

「閨裡招人，冷中覓地，落花權作衾裯。笑風尖高舉，似門蟬鉤。逗得龐兒紅暈，無躲閃，只閉星眸。閒挑問，低聲難聽，語到還留，羞羞！按魂不定，兩三遍央郎，看有人否？被風驚起，旋把鞋抽。須照顧，向花砌私歸，附個情由。歸來也，還防聲響，環佩半收。」

此詞繪聲繪影，十分眞切，如今姻緣道上，公園野合，驚燕燕，這種情景正多着哩。這是在室外或花園所舉行幽會的情境，至於在室內的偷情，也有一首七絕，頗爲豔麗，其詩云：

「記得床前爲解衣，含羞見說比環肥；良宵好是迎風刀，嗔怪如何不掩扉。」

細味其中情節，可說風流細膩，溫柔敦厚，隱約其詞。除了詩詞而外，山歌之中，亦頗多偷情之作，顧頡剛所編的「吳歌甲集」，就搜集有如下的幾首：

「結識私情弗要慌！捉着子奸情奴承當。拚得當官雙膝饅頭跪子從實說：『咬釘嚼鐵我偷郎。』」

顧頡剛說道：「如此熱情，如此剛勇，眞使人覺得一字一句裏都藏着血淚。」

「姐搭情哥睏在一横頭，忽然雞叫已經到了五更頭，世上官員只有欽天監第一無見識，倷閏年閏月爲啥弗閏子五更頭？」

因自己熱戀情人而埋怨到欽天監，也可謂想入非非。

「弗見子情人心裏酸，用心摸擬一般般。閉子眼睛望空親一嘴，接連還叫一聲寶貝好心肝。」

是擬絕，又妙絕，山歌到此，眞入了化境，他們那些做香奩詩詞的，以爲細膩熨貼，想亦想不到此。

此外，除了舊體詩詞和山歌，也還有偷情的白話詩：

「悄悄裏，爬起去，屋裡的燈兒已熄，摸摸地走到後門時，月亮怪圓圓的，貓兒吱吱吱，狗兒汪汪吠，奴的心兒急，還不見他至。打開門來看，哥喲！一趟摸在奴懷裏。」

這詩也寫得很好，偷情是不可告人之事，所以舊詞中很少見，即偶有一二句，總是隱約其詞，上面這一首白話詩，情趣算是比較好的哩！

海嶠舊談薈

女色誤盡一生（二）

諸葛文侯

郭氏赴英倫一行之後，因爲不甘寂寞，而且旅費亦有限，未逾年即悄然回國，暗中與改組派人物暨馮玉祥等往來周旋，但其情敵某科長隨時密切偵察郭氏的動態，不許他東山再起。

民國廿五年十月，西安事變發生，全國震驚，中樞對於應變策略，莫衷一是。斯時郭銜馮玉祥使命，秘密馳赴成都游說川省主席劉湘互相結合，劉對郭代表優禮有加，奉之爲上賓，劉主席左右文武幹部，皆視郭爲未來政壇上的風雲人物，爭相逢迎結交，有電務處長王月潛者，家資富有，宅第宏麗，迎郭氏下榻於私宅，且介其妻與郭相識，繼而郭與王處長的如夫人秦氏（名德君）竟結下了不解之緣，成爲名副其實的「入幕之賓」，王處長惘然罔覺也。未幾，蔣委員長脫險還京，郭倉皇出川，而王處長的如夫人亦於郭氏離開成都後數日，席捲財物，潛逃東下了。王月潛遭此意外打擊，痛悔結交匪人，自貽伊戚，而其儕輩更藉此對王氏大事揶揄，說他做官心切，引鬼上門，賠了夫人又失財，自作之孽，於人何尤？王氏羞憤填膺，無可排遣，不久即攖疾逝世了。

對日抗戰軍興後，中央政府由武漢撤入巴蜀，以重慶爲行都，是時郭春濤聯絡朝鮮革命黨人之亡命在華諸志士，組設「中韓文化協會」，由政府資助經費，郭爲該會常務理事，駐在會所內（重慶蒼平街），生活頗有着落，閒逸無聊，寡人之疾復作，又在外面勾搭異性，雙宿雙飛。三十年春間，重慶報紙上忽刊出「秦德君啓事」，內容敘述郭對她始亂終棄的一切經過情形，指郭氏將她的錢財花光之後，反目無情，盼其稍具天良，和好如初，否則訴諸法庭，控以惡意遺棄之罪行云。這時候四郊多壘，交通阻滯，郭氏偃蹇瀘州，蹉跎歲馳，如果秦氏鳴官投訴，勢必束身司敗，毫無是處，縱使不致坐牢，而聲名狼藉，必將無以善其後，即其所恃爲安身之地的中韓文化協會理事職位，亦非喪失不可。廹不得已，乃請當時担任行政院長孔祥熙衛隊長職務的友人楊虎（嘯天）協同川軍名人范紹增出面調解，對秦氏多方勸說，輭硬兼施，秦氏只求郭不遺棄她，別無所謂，一場桃色風波，幸告止息。但「好事不出門，惡事傳千里」，何況秦德君曾有啓事張揚於報紙上，早已紛傳社會各界，成爲人們的閒話資料，郭氏的聲譽從此掃地以盡，無論識與不識，皆視他爲不可親近的無聊之輩了！

對日抗戰勝利後，郭氏流落京滬間，除與一些失意人物如馮玉祥、李濟深、陳銘樞之流，不時過從以外，政治上沒有他涉足之餘地，某科長雖不加以禁制，亦無人樂於援引郭氏，致蒙意外的損害。所以，郭春濤之投共，並不足怪，像他這種無品缺的人生觀，只有在那實行「一杯水主義」的共產社會中，滿不在乎，某科長亦沒奈他何了。郭氏原非無用之材，然一生專好勾引有夫之婦，怙惡不悛，以致不齒於人類，窮愁潦倒以終其身，自作自受，不足惜也。（完）

通儒

徐學慧

通儒非盡人皆能，自有其基本條件。通天人之微，達古今之變，或可爲此基本條件作註脚。但欲達到此種境界，談何容易！

智慧秉諸天賦，不可強求，而通儒則有智慧。本此智慧，再加工力，先求深入，而後淺出，則庶幾矣。世有淺入而止者，固不足深論。即深入而不能出者，亦難望成爲通儒。是則通儒之通，亦自難說了。

通儒不求其文之工，而其文自工，那只是因爲學有本源，而其行文，乃在闡揚一個思想或一種學說，故能以全力注入。八家而後，文人輩出，論其文非不美，惟以其有如「潢潦無根源」，故乃「朝滿夕已除」。（韓退之符讀書城南詩）是則詞章雖美，並不足貴。學問功夫，最重消化。單純以「句讀順適爲工，訓詁艱深爲奇」，（宋濂「文說」）乃文人之文，而非學人之文。學人之文重思想，文人之文重詞章，即此已可別其高下矣。

歐陽修曰：「聖人之文，雖不可及，然大抵道勝者，文不難而自致也。……後之惑者，徒見前世之文傳，以爲學者文而已，故用力愈勤而愈不至。」（答吳充秀才書）

徵稿小啟

有內容有意義之隨筆、散文、掌故、小說、雜感、詩歌等類文字，本刊均所歡迎。請用有格稿紙繕寫，如需退還，請附信封及郵票。

一千六百字之散文隨筆比較容易刊出，過長則以篇幅所限，刊出的機會較少。請特別留意爲感。

自由報

THE FREE NEWS

第八十六期

中華民國僑務委員會頒發

台教新字第三二三號登記證

中華郵政台字第一二八二號執照

登記爲第一類新聞紙類

（半週刊每星期三、六出版）

每份港幣壹角

台灣零售價新台幣貳元

社長：雷嘯岑

督印人：黃行富

社址：香港銅鑼灣高士威道二十號四樓

20. CAUSEWAY RD 3RD FL HONG KONG

TEL. 771726　電報掛號 7191

承印者：田風印刷廠

地址：香港灣仔高士打道一二一號

台灣分社

台北市西寧南路壹壹零號二樓

電話：三〇三四六

台郵劃撥帳戶九二五二

政治反攻乎？政治苟安乎？

雷嘯岑

自從已故的美國務長官杜爾斯最後一次訪台灣，與自由中國政府當局發表聯合公報，聲明不以武力爲反共復國的唯一手段以來，所謂「政治反攻」之說，即隨時甚囂塵上，洋洋盈耳。實則反共鬥爭的本質，就是一場最激烈的政治思想戰，軍事是相輔而行的一種策略，政治是主體，軍事是賓格，也就是戰略從屬於政略的必然律，用不着特別劃分，故意強調宣傳的。美國當局跟毛共代表在華沙進行了幾年的秘密談判，目的祇要毛共保證不以武力侵犯台灣海峽，維持苟和局面，因毛共不肯就範，必須美第七艦隊撤離台灣海峽再說。美國希望博得毛共的諒解，跟它和平共存，乃以各種理由，勸誘我們共同發表不以武力爲反共復國之唯一手段的無謂聲明。這在美國現行的非戰主義運用上，或許不無裨益，然在中華民國卻係有損無益之事，至少亦是一種不必要的廢話！

一

我不否認政治反攻之說在理論上的妥當性，然衡諸事實，應將其涵義與範疇加以限度，纔可望獲致反共復國的效用。一個中美安全互助協定，我們朝野人士已不免滋着濃郁的惰性觀念，認爲美國必不讓台灣落於非友好國家之手，天坍下來有長人頂住，第七艦隊在台灣的「泰山石敢當」，我們大可「居易以俟命」，不愁共禍來臨了。再繼之以放棄武力反攻復國的聯合聲明，一般人心其不陷溺於「春風吹得游人醉，錯把杭州作汴州」的苟安狀態者幾希呢？所以，我們對於政治反攻的義理解釋，只在加强軍事反攻的潛能，蔚成總體戰的優越勢力，枕戈擐甲，待時而動，卻不能幻想與共黨從事政治比賽，即可使大陸同胞聞風興起，揭竿發難，摧毀共產黨的暴虐政權。二次大戰時，俄共政權由於戰事失敗，搖搖欲墜，實行遷都流亡了，且未見俄國人起來革史達林的命。若希望專憑政治比賽的手段以奏反共復國之功，可謂非愚即妄也。因此，我對於一般人嘵嘵譁咋着「建設台灣爲三民主義模範省」的說法，固屬不敢恭維，即政府在台灣耗費大量財力物力，以興建若干徒壯觀瞻的公廨和賓館，與夫專爲外人游覽觀光而大興土木的各種營造，亦認爲殊無必要。中央政府播遷到台灣，原是暫時的，反攻至上，復國第一，除了爲着促進生產力以增益經濟功能的必要消耗外，一分的財力，一片的物力，都應該集中儲備使用於反攻復國的工作計劃上，表示政府決無偏安的意念。

稽考我國數千年來的歷史事實，原有政府於遭逢重大的危難之後而終告復興者，厥爲越王勾踐，至於唐肅宗平定安史之亂，光復舊物，情形卻稍有不同了。然越王勾踐在中興復國的過程中，他們上上下下那種艱苦奮鬥，寢饋不忘復興雪恥的精神與作風爲何如者，返觀今日我們朝野間的現象，能無古今人不相及之感乎？時代儘管不同，環境儘管兩樣，但政府本身必須泯除惰性，表現着迥異尋常的作爲，以期激勵羣倫，同仇敵愾，完成復興大業的這種基本精神，卻是古今一揆，毫無二致的。明乎此，即知南宋王朝偏安杭州百餘年，雖奄有全國大半的財富，也擁有相當的兵力，而終於不克復興的癥結所在了。政治反攻云云，作爲生聚教訓，多難興邦的努力標的則可，如其藉此以爲苟安自娛，得過且過的解嘲之詞，那就是莫大的悲哀！

二

大陸上的民衆和海外的僑胞們，心目中最急切盼望的就是政府何時實行軍事反攻？其他任何美麗的口號與文告，大家皆不感興趣。然軍事反攻卻非隨便輕舉妄動的事，必須先爲不可勝，乃可期其必勝，這才是政治反攻之說的重要作用。換言之，政府要以革新庶政的非常措施及其績業，使海內外的民衆相信當局者卧薪嘗膽，志切復興，並無偏安一隅的意象潛存着，而內外人心即自然沆瀣一氣，雖不號召團結，亦絕無歧見之可言了。

政府播遷台灣十年以來，在軍事和經濟方面，確有異乎往昔的建樹，這其間，國際友邦——美國——應援之力殊不鮮。但一般民衆以及國際友邦所殷殷期待的政治改革，卻與軍事、經濟的進步不相配合，因而到今天政府還要發出團結反共愛國人士的號召。爲甚麼有不團結的現象發生呢？這完全是政治因素，而軍事和經濟不預焉。所謂政治因素，我認爲觀念問題最重要，觀念不改變，作風即仍舊貫。憑着過去那套舊觀念與作風，若說可以復興國家；那末，毛共就不致於竊據大陸了。按照現行的政治制度和用人行政情形來觀察，姑置民主不民主的問題於度外，即論政治反攻，亦係自欺欺人之談，如果一旦實行軍事反攻，若不被這種政治作用所貽誤損害，那才怪呢！舊觀念與作風依然故我，根本就不容易切實團結反共力量，促進軍事反攻時機，而加強復興的氣勢，結果只有政治苟安之一途，最後陷於「兩個中國」的末路，無以自拔。

眞要發揮政治反攻的效用亦不難，只須當局者改變舊觀念，表現新作風，先從內部幹起，就行了。怎樣的幹法呢？第一，現有這部龐大而陳舊的政治機器（行政體系）以及多如牛毛而又大半不合時宜的法令規章，必須徹底改造整理，達到將總統所指示的「新速實簡」的要求，藉以提高行政效能，適應軍事、經濟的進度。今日政治上的因循腐敗現象，不特無異於過去在大陸時代，而其風氣之壞，且視舊時北洋政府的官僚主義爲尤甚，行政效率乃等於零，如此而侈言政治反攻，豈非笑話嗎？

第二，任何良法美制，不得其人以推行之，無益也。可是，十年來在政治舞台上出出入入的要角們，總是那些「猶吾大夫崔子」的若干舊演員，他們如果眞是世所罕有的才智超羣之士，大陸的錦繡山河即不會失掉。「敗兵之將不足以言勇」，亡國大夫不足以圖存，這人[illegible]休息。當國者[illegible]賢路[illegible]艱危時期，[illegible]網羅人才，[illegible]共赴國難。試看羅斯福、邱吉爾以雄才大略之資，一旦國家臨到非常局面，用人即不拘泥於政黨政治的常軌，而改取超黨派的人才主義。最近十年來，政府對於在野黨亦隨時提倡合作，但其方法只是請他們擔任一個行政院的政務委員，有如「陪臣」，然這作風就欠高明，自難獲得精誠團結的實效。

第三，從民國十六年到卅七年，我們國家是實施由軍政而訓政之治，自現行憲法頒佈後，訓政結束，憲政開始了。可是，一般「中朝大官老於事」的政治人物，不知不覺地依然沿襲着訓政時期的舊觀念以求治，即在意識形態上亦沒有劃時代的表現，這是若干年來國事蹉跎的基本因素。我們要發揮政治反攻的效用，必須從政治心理實行反攻，創造新氣象，蔚成反共愛國人士的大團結，貞下起元，剝極必復矣。是政治反攻與政治苟安之道，必然有別，大家愼思明辨而篤行之[illegible]！

小論天下

△美國政府下令，禁止以美元在十九個接受美援的國家就地購物。美國軍人要用美國貨。日本大受影響，經濟界震動，股票價格大跌。

看似大刀濶斧，不無手忙腳亂。

△莫斯科會議的共產黨新宣言，西方國家議論不一，大致認爲：赫魯曉夫並未全勝，毛澤東亦未全輸，雙方各自堅持的意見均已納入這一篇宣言之內。

可惜美國各大通訊社仍未做到這一點：在冗長的宣言裏面，摘出臭罵美國的最刻毒的幾句警語特別介紹給美國人普遍熟誦，使成爲「如所週知」的一課。

△日本在大選競勝的自民黨，經過一度內部劇烈爭執以後，已決定由池田蟬聯首相，淸瀨出任衆院議長。

這是老早可以看到的結果，無可避免的內爭，必可達成的團結。

△英國觀察家仍在注意中共將否獲得蘇俄供應原子彈。據傳：中共「很快」便可能舉行第一枚原子彈試爆。

我們中國觀察家經常注意的是：大陸同胞每日能夠配到幾兩糙米，會不會「很快」便餓死一大半人口。

△剛果內亂問題又鬧到聯合國去，蘇俄在不斷地搗鬼。一部份支持魯蒙巴的地方武力會燃起內戰的烽火。

剛果已有自由世界一個剷不掉的膿瘡。可惜它未經過「訓政」階段而匆匆獨立。對於殖民地獨立自主，英國最懂得「訓政」的重要，而且最有耐性爲「訓政」努力。値得體認的地方就是：「訓政」一詞從未出在他們的口裏。

△寮國戰亂紛歧。反共軍進攻永珍與共軍退攻皇都正在相對地發展。中立份子越覺左右爲難。

這是遲早必可看到的一件事：寮國沒有中立份子立足的餘地。

△古巴內部迭傳奮起，反對卡斯特羅的游擊部隊奮勇活躍，「以其人之道還治其人之身」，行動畢竟比較說話有力。這不只卡斯特羅會吃不消，毛澤東也是一樣。

方南

自由談

選舉的真諦

馮五先生

這次美國兩黨競選總統的費用，據報紙消息傳述，民主黨方面所消耗的約在一千萬元以上，而共和黨的總統候選人尼克遜，搞一次電視廣播，即耗去廿四萬元，全部的選舉費亦就可觀。再看日本最近的國會議員普選情形，自由民主黨的選舉費亦有一百億日元之多，因而獲致了絕大多數的議席，而西尾末廣所領導的民主社會黨，卻由原有的四十餘議席，降爲十餘席了！

我不相信上述選舉的得勝者，都是由於政綱政策適合一般選民的要求所使然。美國兩大黨候選人揭櫫的政見，內容並沒有多大的差別，尤其是內政問題，不過是唯之與阿而已。日本自民黨原係政客官僚集團，它對選民宣傳的內政外交政策，論新奇不如偏激的社會黨，講穩健進步更遜於民主社會黨，然而它卻大獲勝利了。這其間，若說不是金錢魔力佔着主要因素，那就令人莫名其妙，無從解釋了。

美日各個政黨的錢是從那兒來的呢？多是一般所謂中產階級的工商企業者捐助的，而美國的新選總統肯尼第，若不是家資豪富的話，他那項慘勝的結果恐怕亦大有問題。因此，像咱們這種根本沒有中產階級存在，一般搞政治的智識份子又十九都是些「爲貧而仕」的窮光蛋，要想跟別人的民主憲政之治看齊，憑選舉制度來轉移政權，不是[illegible]嗎？如要民主，乃可發展生產力，否則便是畫虎不成，難看之至！

現任教師也是有苦說不出 漫談台灣惡性補習

屏東商業職校教師　潘立夫

編者按：本報於十月二十二日第七十二期第二版，曾刊有「學仁」先生投寄之「惡性補習急待取締」一文，茲又接得潘立夫先生投寄本文，與前文立論略有不同，我們特爲刊出。潘先生來稿上注明爲「屏東商業職校教師」，他的論點是着重在說明現任教師的苦衷，此種苦衷，或非局外人所能了解，我們希望教育當局，省縣市議員們，學生家長們，都能一讀本文。

最近台灣又掀起圍勦惡性補習教師的風潮，這一次的圍勦比以往更具體更嚴厲，除了公文通令全省外還有標語和電影幻燈？（想出此下策的人有無常識頗有問題）。屏東某戲院的幻燈標語寫着——檢舉惡補教師，惡補是犯法的行爲。我的幾位小學教師朋友看了不禁搖頭長嘆：「啊！我們小學教師簡直是犯人了。」

眞的，這些侮辱實在太傷害教師的尊嚴了。不，台灣小學教師的尊嚴所存無幾了；（雖然年年有祭孔）簡直可說大大地傷害他們對兒童的愛心了。

他們現在的處境，是服從上級命令，依從家長意見，愛兒童三個責任壓在頭上，而這些都是循環性的矛盾：服從上級命令跟家長意見衝突，依從家長意見又跟愛兒童衝突，愛兒童又跟上級命令矛盾。其實也不那麼單純，每個問題本身還有矛盾，還有許多問題。

先說國家政策和國民觀念的矛盾：國家當然以整體的眼光來考察一切事物，她要全國兒童活潑、健康、聰慧，要多方面人材均衡發展，要國民教育爲兒童奠定美、德、體、智、羣平衡兼顧的基礎。這種理想很正確（姑不論其方法），可以改變百年來畸形教育給民族留下遺毒——愚、弱、貧、怯。所以禁止惡性補習是應該的，因爲惡補貽害兒童的心智與生理的正常發育。但在國民方面却未有那麼快速的進化觀念，而且所謂「私愛」的心理普遍存在，過去以士爲四民之首的下等政治意識，還是「陰魂不散」，最簡單的例子是「民國後中國的老百姓每一個都是皇帝」，每個人都想過過皇帝的癮頭正如全國父母都希望自己的兒子能讀中學，再讀大學，然後就是大（太）學生了；雖然大學裏有文理學院，可是攏統的意識，大學就是太學。過去的黔首那種一沾太學的希望都遺傳到現在。不過這有什麼不好，外國人也有同樣的希望，蓋大學生有人尊敬，可以光耀門楣。由於這些基因，所以大家不管孩子的聰明程度，健康情形，盡量逼其補習，於是「補」「逼」交加便成爲「惡補」了。政府下令取締惡補，家長出錢拜託教師惡補，弄得教師不知何從。

上級命令跟家長意見又是一個很微妙的問題，因爲上級包括許多上級和上級的平行級。國校的上級是縣政府的教育科。台灣既是實行政教合一，所以教育科根本不能獨立行事，要聽議員的命令和別科的干擾，不然諮詢期間就難逃炮轟，難免垮台。教育科的上級是教育廳，而教育廳又跟省議員有關。本來這是衆所皆知的，無庸多談，但這是教師隱處的苦衷。任何一位高年級的教師都擺脫不了補習的責任，這是家長要求，也是鞏固飯碗不讓議員到縣教育科，把教師調動到偏僻地區的方法。如若不然，那麼學校名譽壞，家長攻擊，學生他調，考核劣等，一切麻煩都會不期然的降臨。每次教師調動期間便可看到惡補的教師安若泰山，依法令行者大倒其楣。因爲議員必須遂其選民的心意，所以教師就像個滾球被踢來踢去。像這種情形教師惡補不惡補？

「愛兒童」，我敢說所有教師都愛兒童的，他們每天從早至晚都跟兒童在一起生活，（想到這一點眞要爲他們感到難過）。他們希望兒童聰明、快樂，前途光明。其用心實在可佩。然而如何聰明？如何快樂？如何前途光明？聰明是抽象的，原要依付事物才能看見的，所以它具體的表現是考試成績好。那麼要考試成績好怎麼辦？當然是補習。如何使孩子們快樂？快樂是成功的滿足，那麼教師要盡量提高學生的成績。如何前途光明？擺在將畢業學生面前的唯一途徑是升中學，而投考者總希望省中，大有非省中不足言考取的氣概。而省中有限，投考者多於過江之鯽，當然要拚。愛學生的教師爲要表現具體的愛，使學生永誌其恩，那只有拼背血，犧牲兒童的健康和自然的發育去惡補；教師們並不是不知兒童健康緊要，而是權衡其輕重產生了一種有如音樂家的情操——爲了成功不惜犧牲身體某部分的健康。當然是拚，臨到考期更是日以繼夜的拚。如果不然，學生沒有考上省中，或屈居三流中學，恐怕路上相遇非但不打招呼反而臭罵幾句。好事者或說：「灌輸給兒童正確的觀念。」但觀念抵不住事實的力量。愛兒童，給兒童光明的前途，教師自然惡補。惡補兒童願意，家長高興。教育廳雖然反對教育科礙於議員的制肘而徬徨，所以教師只好捨遠就近。

問題不只如此，如教師的經濟情形也是一個問題，教師每月所得一千元（包括油鹽配給），若家無恒產，無其他收入，五口之家或尙能維持，然而亞熱帶的台灣，何幸有五口而能止？若希望兼些副業，則衆目昭彰，何能逃「爲有師者如此」之譏。且小學教師整日在校，無暇他顧，非從補習齊手豈能擺脫經濟壓力。再者人口增加，地方派系之明爭暗鬥，考試方法之不當，皆是問題。問題之多非簡單禁令所能遏止惡補的風氣。若想徹底禁絕補習，使教育走上軌道，使千萬兒童能受到良好的教育，達成國家的富強，則廢去政教機構的合一，只保其政策的連繫，廢去地方性的政治干擾，（因台灣地狹習俗，並無地方性差異，故無地方性政教合一的必要）使教育機構獨立或許是捷便之徑。

讀者來論

多事的台灣鐵路

名勝

自去年「八七」水災鐵路大肚溪橋樑受損後，今年的「八一」水災也給鐵路帶來了不幸，這些非人力所可挽救的事，且不去說它，但行車事故人事疏忽，及貪污舞弊的事情仍時有頻傳，在記憶中尤可舉出較大的，如卅八年的新店溪火燒車廂案，猴硐撞車案以及最近兩年來的鶯歌翻車案，八堵撞車，中部貨車傾車及火燒車案，及最近花蓮辦事處爲修建木瓜溪鐵路工程舞弊百萬元案，凡此種種，表現台灣鐵路是多事不幸的鐵路了。

因此，台灣鐵路於本（十一）月廿四日廿一時五十分在縱貫線濁水溪鐵橋上又發生貨物列車相撞案，造成司爐一人死亡，司機受傷，南北交通中斷五十八小時之久，據鐵路局發表聲明，查明情形如下：（一）第五〇二次車司機員發現橋南端自動閉塞號誌爲紅燈，雖一度停車再開，但超過規定每小時十五公里之限速。（二）先開之前行第五四〇次車尾燈熄滅。（三）續開之第五〇二次車頭燈損壞，改用煤水車之後部標誌代替。（四）先開之第五四〇次車因見顯示紅色號誌，其在站外停車，後部位置在橋上。（五）是夜無月光黑暗，第五〇二次車司機在視距不清之情況下，難能發現前面停有列車。根據以上各情況，肇生此次事故之原因，已判明第五〇二次列車司機蔡進順超過每小時十五公里之限速，致撞及前列車，應予記過處分，並擬防止同樣事故發生云。

我們看過鐵路聲明後，不禁爲鐵路局嘆息。關於第（一）點，司機發現號誌爲紅燈，照章應該停開，但以鐵路局根據超過十五公里之限速來處分？其次關於（二）（三）點，兩事一尾燈滅，一頭燈不完整以煤水車後部標誌燈代替，照規定可否准其開行，何以不整備？疏忽人員有無責任？亦未提及！鐵路局自己是敷衍塞責；下級員工怎樣不「上行下效」？外人深表疑問？

中央日報十一月廿七日在短評中以改善鐵路交通爲題。便這樣說：本省鐵路交通最常受到的一種批評便是：點在進步，面在落伍。以濁水溪橋上貨車相撞事件，以及搶修工程的遲緩，似可爲其例證。就鐵路近況來說，每逢大雨或颱風後鐵路中斷情形，路軌及機車車輛的陳舊，快車以外多次列車的遲緩，行車時間不準確，車上車站秩序待改良以及車禍之一再發生，如此之類均應積極改善。這次濁水溪相撞事件，給我們一個警告，希望鐵路當局要找出肇禍的原因。虛心檢討一切，以期獲致應有的進步。

我們在此，亦不過盼望當局，重視建議，切實改善而已。此次肇事責任既是人事疏忽，即應從人事方面去檢討防止，根據時常搭坐火車的人員說，時有見到司機司爐在機車上或車廂內睡覺的情事，可能肇事撞車的主因，爲什麼會在執行工作時睡叫，是否工作過勞？是否營養不足待遇太低？抑或健康情形不佳？工作得不到鼓勵？升遷調動是否公平？宿舍有無配給？上班前是否集中管理？凡此種種，鐵路當局均有檢討的必要。不要以人民的生命財產當兒戲了。

台北市議會花絮

△雖然大會是最後一天，但出席議員人數並不踴躍，相反的來參觀與旁聽的選民却座無虛席。

上午時間已到十時半，簽到的雖有四十八員（總數七十三）。可是在座不到二十位。旁聽席上的老百姓都在竊竊私議，我們選出的議員忙些什麼？規定九時開會，十點多了還未見動靜，下次選票要好好考慮了。

△旁聽席上選民客滿，議員們爲有所表演，對每一議案都要爭論一番，好像不如此不夠派頭。六具麥克風都有議員搶着發言，使主席深感爲難，有位女議員忍不住了，起來請主席維持會場秩序。

下次選出議員後，希望內政部能夠每人送一本「會議規範」，以免少數台北市議員們，連民權初步也弄不清楚。

△老百姓爲切身問題，很多都扶老攜幼向議會請願，幾十件請願案，大都是違建被拆、無處安身。情景實在可憐。

違建問題一直鬧了很多年，始終未能徹底解決，其實如果事情做得公平，老百姓也無話可說。今天的問題是有辦法可以不拆，沒辦法的動一動修一修被拆個精光。有些並不妨礙交通與市容的無妨讓他存在，如果有必需要拆除的，一定也應在合情合理之下貫徹政策，不能不顧死活的說拆就拆。

大陸文壇萬花筒

「一串鑰匙」的故事

——岳騫——

共匪文藝作品愈來愈貧乏，去年以前，不問好壞，每年還有一部兩部長篇小說出版，今年却交了白卷，眞正成名的作家如老舍、巴金、茅盾第人固然沒人再寫小說，就連中共一手捧起的作家如趙樹理、周立波，周而復這批人也沒有新作問世了。造成這種現象的原因，主要是由於中共控制太嚴，下筆一不留神就會得到重譴，另外也實在沒有新鮮的題材，因爲共區社會情況是一個整體，甲地同乙地，張三同李四的生活均無不同之處，有人發現了一個新鮮材料，馬上大家一窩蜂都寫，常常能有十篇八篇同一結構的小說，要說誰抄襲誰，其實都不是，因爲大家所見到的事物都一樣，雷同自然難免了。

稍微標新立異的作品，眞正與衆不同的，在「立場」上也必然會發生問題，最近看到李淮寫的一個短篇小說「一串鑰匙」就是屬於這一類的。

李淮是中共一手捧起的短篇小說作家，最近三年來先後寫過十幾個短篇小說，立場自然是穩得很，每篇小說都要出現書記來領導，小說中主角一定是積極份子，每個人都是口口聲聲不離黨，例如這一類的句子：「如今是黨領導，咱只要立得正，有理走遍天下，還有什麼怕。」（李雙雙小傳）。「說實在的，這些成績全是黨的，要不是黨，我們怎麼知道土洋結合，怎麼知道羣衆路綫。」（耕雲記）

像這種小說固然合乎中共政策，但是却不合讀者口味，好在共匪文章不一定是給讀者看的，只要文化幹部欣賞就成了。

不過，「一串鑰匙」題材比較特殊，內容是描寫一個大家庭，主人白舉封，頭腦相當頑固，自恃是一家之主，要獨攬全家經濟權，可是，在「新社會」裏受到兒子，媳婦的反對，大家一齊起來鬥爭，在家庭會議中，要求「權力下放」，最後白舉封只好把一串鑰匙交出來。

故事雖然簡單，却是諷刺中共政權下級與上級鬥爭的情形，省級幹部不滿意「中央」一把抓，曾歷次要求「權力下放」，一九五八年中共「國務院」通令把專科學校、工廠、企業，絕大部份下放到省管理，就是這種鬥爭的結果，「一串鑰匙」的題材倒是眞實的，居然未出麻煩，總算幸運了。

儒林九尾龜

吳敬鋅

第四回：人何寥落鬼何多

這時正值夏作人經濟情況山窮水盡，紐約很久不再滙錢來，老板在港的財產，老板娘又委託一位親戚照管，夏作人沒有權過問，這一來夏作人連吃飯都成了問題。」

黃安民問道：「他不是在意大利得過博士學位的嗎？大可找份工作呀！」

李鴻飛搖搖頭：「說到他的博士學位，還是他們一位老鄉陳先生說得有趣。原來夏作人最早是在劍公部下作事，劍公當營長時他就當營部書記，及至劍公發達之後，他當然也就跟着水漲船高，可是，限於學歷，劍公也無法提拔他，最後就撥一筆公欵，送他到意大利去留學，實際上他不過是到歐洲鬼混兩年，你若問他巴黎鐵塔，羅馬溫泉，甚至歐洲那國女人漂亮，那國女人溫柔，他都說得口沫橫飛，可是你若問他意大利文有多少字母，他就瞪了眼睛說不出來了。

及至他得了博士學位回來之後，到了本省，大家同事設宴歡迎，問他西歐的政治，經濟，社會情況，他一概不知，劍公眼見他花了這麼多錢，一點知識也沒有學到，十分不滿，當時綱着眉頭說：『這個人眞是到外國白跑了一趟。』陳先生却笑着說：『其實這也不能怪他，一頭猪運到外國去，過了幾年再運回來，還是猪，不會變成大象的。』陳先生這段話，以後就成爲夏作人的按語，試問他能找什麼工作？」

小石插嘴說道：「你的話我還是不懂，他怎麼突然變得這麼快，正好轉了一百八十度。」

李鴻飛笑道：「不一定是突然轉變，不過，他暗地裏在轉變，我們不知道就是了。早幾年他在一間反共的文化機構，出了一本書談『蔣李鬥爭』，書中却大捧李濟琛，那時我就覺得奇怪，現在回想起來，大概在那個時候，他已經和李濟琛的民革勾上了？」

黃安民問道：「這次經過情形是怎樣的，我們還是談談正題吧！」

李鴻飛道：「統戰部的人先給三千元零用，過了深圳之後，一切招待都是人民的。和夏作人一談，居然馬上談妥，起初夏作人有點嫌少，的確，三千元在五年前不夠他在舞場一晚上揮霍的。可是，統戰部咬定這是官價，任何人不得增多。只要夏作人觀光回來之後，肯替人民服務，當然人民不會薄待他。」

小石歎口氣：「這種敗類，恐怕也難找第二個了。」

李鴻飛笑道：「那不然，盧孟德又那裏比他高明，至於賈虹，可能還不如他呢？」（四七）

幻

沙漠

夜深沉，我靜坐在室內，燈光昏暗，我默默凝思……。

「孩子！你還記得我嗎？」在我眼前昏暗的燈光下，幻動着一個人影，他漸漸的，高高的站立在我的桌旁，他有着一張慈祥而堆滿皺紋的臉，嘴角上掛着蒼白的微笑，這張臉對我似乎是熟習的。可是，我再也記不起他是誰。我歎然的對他搖搖頭。

「孩子，你眞不記得我了嗎？」他驚訝的問我。

「是的！我記不得了，我只是對你有着一種似曾相識的感覺。」我冷淡的回答他。

「孩子！你記得你的父親嗎？」那高高的影子說，眼角上掛着兩行淚水，蒼白的微笑消失了。

「啊！我？記得！」我想起了，他就是我的父親，「你不就是我的父親嗎？」我的情感仍舊是冷冷的、淡淡的。

「孩子！你終於記起我了！」他又笑了，伸出兩隻手臂擁抱我，我動也不動的坐在椅上，他失望的縮回手臂，接着，他以一種殷切的語言對我說：「我一直想再來看你，從我們死人的世間來看你，孩子這麼多年，你長大了，你也老了！」

「啊！我長大了？也老了？可是：我再也不會想念你或是爲你哭泣了！」

「那又是爲了什麼？」顯然，他因爲我的話痛苦了！

「爲了什麼？爲了你賜給我生命，假如你不把生命給我，我不會笑、不會哭，我不會明白痛苦與幸福的意義！」

「記得：我剛死的時候，你不是撫屍嚎哭嗎？」他流着眼淚說：「現在：你爲什麼這樣對我？」

「是的！我曾哭過，爲你的死而哭嗎？我只是爲自已喪失撫養而哭自己。」我更加强語氣對他說：「你知道的，在這十多年中，除了那一次，我又何曾爲你傷心流淚？我只是爲我失去愛情、失去了金錢、失去權勢而哭。甚至自怨自嘆命運不濟，有着你這麼個死得太早的爸爸，卽是你活着，你不是達官貴人，更不能腰纏萬金，對我又有什麼用呢？」

「啊！孩子！你怎麼變得這樣呢？你不愛我嗎？孩子！我是多麼愛你的孩子！啊！」他哭了！

「你愛我又有什麼用？你不能給我包括任何在內的幸福！去吧！」

「孩子！不要這樣，讓我再撫摸你一次，如同你年幼時那樣，孩子！這是我最後一次的懇求」說着，他的手向我伸過來。

我突然從椅上暴跳的站立起來，右手狠狠的拍着桌子怒吼着：「我不要你那隻死人的手來撫摸我，你還是回到你的死人世界去吧！我不愛你！不愛你！」

「孩子！你！你！」他哭泣着，身體漸漸向後縮回、縮回、在窗帘的後邊消失了。

夜深沉，室內燈光突然明亮起來，只有我一個靜靜的坐在椅上，靜靜的在凝思……。

四十九年十二月二日於雨港

青年之聲徵稿

本版特闢「青年之聲」一欄，專載海內外青年學生的文藝作品及其生活動態的報導。歡迎各校同學來稿（勿超過五百字），一經刊載，略致薄酬。請註明年級及學校。

社會小說　香港地

六、人情味

梅大亮對於梅太太這種習慣，應付得十分自然，原則不外乎：順其自然，休和她太過認眞。

可是，報紙雖然給太太奪去，梅大亮腦子裡仍在想着這一宗不愉快的事。

他起來洗漱完畢，吃過了油條白粥，等太太自到外面活動去了，便獨自坐在椅子上發呆。他由一閃目便幻想到未來有一個很熱鬧的追思會，爲草大悲作一次死後的宣傳，會裏是濟濟一堂，有許多名流來參加，靈新開自然是一個很活躍的人物，會堂裏面堆滿了花圈，掛滿了輓聯，那些輓聯全部出自名家的手筆，典雅高麗，鏗鏘可誦者，令到死者享受，大爲生色。

但是，這一幕在他腦裏過去以後，另外一幕跟着出現，那就是他昨在停屍室裏看到的一幕，那裏有的不只是草大悲一副屍體，同時還有記憶不淸的一列又一列，一副又一副，情景是多麼淒淸慘淡啊！與其說是某一個人的屍體，倒不如說是一條「鹹魚」爲好。這簡直是一條一條的「鹹魚」排在一起，比較富貴家錦繡堂中的華麗鋪排，懸殊得太利害了！

梅大亮從前慣聽市井流行的口頭禪，把屍體喊做「鹹魚」，一直不覺得這種比喩有什麼道理，現在他明白了，不錯，纍纍的被賤視的屍體就是鹹魚。

一想到這裏，他身體有些發抖。因爲他聯想到前聽過的一個恐怖故事：共產黨在粵南殺人的奇刑中，有一個法門叫做「鹹魚蒸鮮魚」，是把一條腐屍和一條受罪的活人縛在一處，背對背，要這個活人嘗盡了「鹹魚」的滋味，才給澆上了一身是腥穢的鹹魚水，引誘一大羣螞蟻向他身上爬，直至把他咬死爲止。

梅大亮在這些年頭聽過很多奇奇怪怪的事，沒法忘記的也有好多，這便是其中之一，這時聯想起來，連他的心頭也震，幾乎要大嘔大吐，發作出一場大病。

後來，他終於勉强支持住，苦笑了一下，沉吟自語道：「這算得是什麼？只要看得透一些，這不是太平常的事嗎？」（八四）

木客著

工展特輯

工展攤位裝飾賽　鋁業再蟬聯冠軍

亞軍爲利華民鱷魚恤，季軍爲捷和鋼鐵廠，其餘獲得榮譽獎及嘉獎者甚多。定八日下午頒獎

（本報訊）工展開幕之第二日（七日），卽舉行攤位裝飾評判，結果，去屆冠軍之鋁業公司攤位，本屆再告蟬聯，第二名爲利華民鱷魚恤，第三名爲捷和鋼鐵廠。攤位比賽係在昨七日舉行評判者，評判人員爲工業商管理處處長吳嘉士，羅拔遜夫人，鄭棟材夫人，香港中華煤氣公司經理史柏堅，及華僑日報秘書何少庵。各評判員曾觀察所有攤位，其評判原則爲攤位之設計與整個外觀，攤位設計對展出品之適應性，在計劃方面之效果，出價值、色彩、與一般表現，包括工作人員之服裝在內。

除冠亞季軍外，獲得榮譽獎者，計有上列各攤位：嘉頓有限公司，萬國美洲有限公司、藝館、國民製漆廠、喜樓堅營造有限公司、永利電業工廠、利工民織造廠、金錢熱水瓶廠有限公司（第二限公司）、香港自來水筆製膠製品廠、豪華金屬製造廠、東方帽廠。頒發獎品及獎狀，於昨八日（星期四）下午六時舉行。

工商業管理處「優勝盃」，係頒給最佳之攤位管理者，今年，將由廠商聯合會以一複製品給與獲獎人，作爲永遠紀念，第二名及第三名之銀盃，經由九龍總商會及中華廠商聯合會分別捐贈。（融）

捷和鐘錶攤位美觀

季軍捷和鋼鐵廠的得獎，其因素則以色素和佈置見稱，具有寧靜的氣氛，有優美的線條，更利用該廠的出品，作不定形的佈置，故其設計亦另有風格，榮獲季軍，自有其成功因素云。（坤）

安生堂特價優待

香港安生堂所首創王老吉驅風商標溫灸器藥，自一九四九年由東北瀋陽遷港設廠製造以來，歷年參加香港工業展覽，去年繼續展出，歷年蜚聲，此次發明十年來，業經行銷全世界，有百萬人採用治療神效，所以深爲社會人士所歡迎。今工展期間仍特價優待（坤）

余均益攤位大贈送

獲港九人仕好評的余均益辣椒醬，昨天開幕後遊客爭相購買，每屆參加工展均因其產品質靚而夠味，且在參展期內各種醬料如蠔油，辣醬，等都是料靚價正的，凡購買該廠醬品三元以上者送各式醬品一枝，而一元五式特價品更受遊客樂購也。（白）

駱駝漆油

國民製煉漆油有限公司之駱駝漆油，早已風行寰宇，在會場漆油攤位，多彩漆搶盡鏡頭，快把握上有些觀衆竟以手擦之，看看有否個究竟。（安）

白桂油攤位　建九層寶塔

白桂油攤位所建成「白桂油九層寶塔」，尤見突出，該塔建築費達四萬元之鉅，高聳雲霄，雕樑畫棟，不但莊嚴華麗，燦爛彩色，爲全場最精緻之建築物，高達八十餘尺，亦極偉大壯麗。

振興糖菓靚

十二街振興糖菓公司的攤位，美輪美奐，餅乾糖菓，樣樣精品，大人歡喜，小孩爭購，旣能可口又快朵頤。大會開放後羣相擁至振興糖菓公司購買，使到十二街盛況空前。（坤）

有野送　買白花油

白花油攤位，歷屆工展均以氣魄雄偉，獲推崇，今年攤位，比歷屆更華麗，而一羣白花油工姐側面活潑青春，口才伶俐，「買白花油有嘢送」的叫賣聲，邀遊客注意，攤位主人顏玉瑩，爲增加遊人興趣，凡買白花油一種用品玩具附送大派精美日歷云。（白）

工展會舉行攝影徵文賽

（本報訊）本屆工展會宣傳，爲宣揚本港工業製品，現已發動攝影比賽及徵文比賽，題材規定：作品取材不擬硬性規定，其範圍可包括以工展會爲背景之人物活動等照片及彩色照片均可參加。攝影分門類組：白及彩色組、人物組，彩色組等，每組參加張數，無限制。徵文比賽，凡居留港九或新界人士及在校學生，均可投稿，其組別參加，文字以不超過一千五百字爲限。分普通組、學生組，婦女組等。（譚）

釋耒集

以詩為文

曲齋

昔陳后山言：「杜之詩法，韓之文法也，詩文各有體，韓以文為詩，杜以詩為文，故不工耳。」韓之詩，杜之詩與文，工不工，平日未嘗經意，不擬論列，而近時論者，又有主韓以詩為文者，會心處與昔賢異趣，而此論實頗足令韓文面目一新，柳宗元揚評事文集後序云：「文有二道，辭令褒貶，本乎著述者也，導揚諷諭，本乎比興者也。著述者流，蓋出于書之謨訓，易之象繫，春秋之筆削，其要在於高壯廣厚，詞正而理備，謂宜藏於簡冊也。比興者流，蓋出于虞夏咏歌，殷周之風雅，其要在於麗則清越，言暢而意美，謂宜流於謠誦也。」依此以言，則以詩為文，固文章正宗。是以班固敘藝文，即曰：「賦者古詩之流。」及章實齋，則徑曰：「六藝皆出于詩教。」而諸子之文，雖各引一端，無非六經之支與流裔，是諸子之後，凡文辭之士，未嘗不出于詩教也。孔子教伯魚曰：「不學詩，無以言。」昌黎進學解有云：「上規姚姒，渾渾無涯，周誥殷盤，佶屈聱牙。」則韓文亦有本之虞夏咏歌殷盤周誥者矣。而世人往往因昌黎以道統自任，尊之儕于孟軻，凜然不可犯，巍然不可攀，于文遂獨取其高壯廣厚，詞正而理備之鴻篇，所謂：「觝排異端，擯斥佛老……障百川而東之，挽狂瀾於既倒」者。集中「麗則清越，言暢而意美」之雜文及贈序，反覷之為薄物小篇，無足輕重，遂由此而汩沒不彰，此實韓文之不幸，抑亦學韓者之不智也。夫書之謨訓，易之象繫，春秋之筆削，所以維持風教，而虞夏之咏歌，殷周之風雅，所以流露性情，王道本于人情，六經非聖人向壁所造，太史采詩，所以見風俗之美惡，流于謠誦，然後見性情之眞偽，人情澆漓刻薄，則藏于簡冊者，徒虛文而已，實未為可貴也。昌黎論文之作，進學解，答李翊書之外，莫精于贈高閑上人序，又特與詩論相通，如曰：「苟可以寓其巧智，使機應于心，不挫于氣，則神完而守固，雖外物至，不膠于心，堯舜禹湯治天下，養叔治射，庖丁治牛，師曠治音聲，扁鵲治病；僚之于丸，秋之于奕，伯倫之于酒，樂之終身不厭，」事未有根於性情，而可以樂之終身不厭者。然則昌黎言文，其偏重處仍在性情，則其本于詩教，以作詩之法治古文，非阿私之論也。少時習韓文，父兄師友，往往教以原道，原毀，或諍臣論，諱辯等篇，雖強為記誦，而實未嘗有得於其心，則去性情還遠，不足以疏瀹心靈，俾習者有所啓發也。蓋事義因時而異，性情則終古如此，故為文而不本於詩教，雖有崇論宏識，文亦已殘之芻狗而已。

自負

徐學慧

文人常多自負，一般人往往覺奇怪，其實，這是一點也不用奇怪的。詩人也好，詞人也好，當他執筆作詩詞的時候，他一定得有上天下地唯我獨尊的氣概，否則，那一股勇氣即無由產生。

儘管每一本書的前言或後跋中，都有所謂請大雅高明不吝指正的話，但這只是照例的客氣，並非作者的本意。任何一本書，如果是印上了定價多少的字樣，而不是「非賣品」，即足以說明這位作者經已自認其作品有令人出錢購買的價值。則其所謂不吝賜教的話，就不免是多餘了。

不過，話又得說回來。作家們也還僥倖有這一股勇氣，不然的話，文壇上豈不眞要荒蕪得像一片沙漠？

清代趙甌北刻印他的詩稿時，有人對他說：「先生的詩雖然趕不上杜子美，却已勝過楊誠齋。」（誠齋，宋人，亦能詩。）甌北聽了，大不高興地答道：「吾自為趙詩，安知唐宋？」這兩句話，實在道盡了作家下筆時的心境。

甌北之詩，究竟趕不趕得上杜子美呢？本文為隨筆性質，不擬對此加以分析。但甌北有幾首論詩絕句，倒還是值得欣賞的。詩曰：「李杜詩篇萬口傳，至今已覺不新鮮。江山代有才人出，各領風騷五百年。」「隻眼須憑自主張，紛紛藝苑說雌黃，矮人看戲何曾見，都是隨人說短長。」「少時學語苦難圓，只道功夫半未全，到老始知非力取，三分人事七分天。」「滿眼生機轉化鈞，天工人巧日爭新，預支五百年新意，到了千年又覺陳。」

論語諧趣

介人

用道貌岸然的「論語」，摘取一二節，把它編成諧趣，而且居然含有諷刺的深意；雖屬遊戲文章，但言之有物，絕不是離經叛道。這也可見仁人之用心，無所不用其極，因不得以一笑置之，因為在這些笑談中，實含有沉痛的警語。

認真不得

為了針對現代的一般惡習，遇事不肯認真，總是馬馬虎虎，籠統含混的過下去。於是有人把孔夫子「在陳絕糧」的故事，編了一個笑話，它的內容是這樣的：

孔子叫子路去問米店借糧，米店的老闆要考考他，寫過「眞」字給他認，他率爾而對說，這是個「眞」字，老闆搖搖頭說他冒充聖徒，不肯借米。跟着，孔子又叫子貢前去，他也遭了同樣的失敗回來。最後，孔子親身上門，米店老闆依然寫個「眞」字來考他，但他笑了一笑說：「是直八」，果然米借到了。後來門徒問他何故？他說：「這個年頭，認『眞』不得！」

在沒有是非，沒有公理的社會，認眞的便是吃虧，「難得糊塗」，便成了上智。這一段論語諧趣，自然有它的含義所在，你能把它視作等閒嗎？

盜鐘盜蓆

一個飽讀聖賢書的學究，做了縣宰老爺。

他轄下的縣，盜賊如毛，搶劫偷竊的案件層見迭出。他非常苦悶，立志要整頓治安，便下手令，以為當前的任務。一天，巡捕捉到了一個小偷，連贓帶人押回衙門。這賊偷的是一間廟的鐘，在廟門口碰上了巡捕，給捉了回來。那時的廟，是認為神聖不可侵犯的，偷了廟鐘，那還了得，小偷認為這次活該倒霉。

老爺升堂，問明案情後，拖長嗓子說：「聖賢有云：『夫子盜鐘，恕而已矣！』」（一）即刻走下堂去，親解其縛，吩咐左右送他出去。弄得這小偷丈二金剛摸不着頭腦，暗想：「哈，必是縣宰大人獎勵我去偷東西，好，我以後可以放胆去偷了！」於是，這賊更肆無忌憚，故態復萌了。

一個月後的某天早晨，這賊又被捉往衙門去。這回他偷的只是一張蓆，他心安理得地想：「上次偷鐘都沒事，這次偷蓆算得甚麼！」

照例，老爺打鼓升堂，他一聽到捉了一個偷蓆的賊，臉兒氣得猪肝一樣，即驚木一拍：「聖人有言，『朝聞盜蓆，死可矣！』」（二）吩咐左右，快押他出去斬！

那賊嚇得魂飛魄散，手下們也目瞪口呆，萬料不到偷一張蓆，竟遭處死刑。但在縣宰老爺淫威之下，這賊是身首異地了。

註一：本來應該是：「夫子之道，忠恕而已矣。」

註二：本來應該是「朝聞道，夕死可矣。」

這一個諧趣包含了兩個意思：第一是暴露了官僚主義者的昏弱無能，處理人命當作兒戲。第二是諷刺這些官僚主義者的曲解條文，開口法律，閉口條例，對於真理毫不顧及，也可說是對純教條主義者的最大諷刺。在今天的政治場合中，林林總總，比比皆是，令人不勝悉數，可勝浩嘆！

念奴嬌

（觀河南梆子）

貫星源

余洛陽人也，隻身海外，彈指十載，遙望中原，欲哭無淚。客冬有海軍陸戰隊飛馬豫劇團，來宜公演；余素愛此道，加以萬里鄉音，情更親切，擬十餘日，連夕往觀，滿懷棖觸，乃倚聲遣之。

萍流蓬散，依舊是，萬里天涯作客！此曲那堪連夜聽，一聽一回淚滴。三峽猿啼，九空鶴唳，鄰解愁腸結。滔滔傾訴，如聞黃水嗚咽。莫問風雨中州，樓台冷落，掩戶家家泣。檀板冰絃勾舊夢，他當還鄉一瞥。古調情深，中霄意戀，歌能添思憶。餘音嫋嫋，舉頭長望明月。

海嶠雲談

風骨稜稜劉尚濤

諸葛文俠

抗日戰爭時期在巴蜀逝世的前任國府監察院副院長劉尚清（海泉），他原是張作霖的高級政治幹部，當年與王永江被譽為東北政治舞台上的兩位傑出人物，替張大帥奠立了許多業績，如整理幣制，安定金融，即其最著者。民十九年他奉命到南京担任國府內政部長時，我纔跟他相識，因當時我在內政部供職之故。

當時內政部設置有一個「清理逆產委員會」，職責只限於處理南京市區內被革命軍查封的一些北洋軍人、官吏，以及工商份子的不動產問題，其他各省市的同樣事項却管不了。歷任內政部長對這項事情皆採取因循敷衍態度，不求有功，但期無過，原因是處理這類案件很容易招惹是非，蒙受不潔之名，乃相率實行「少做少錯，不做不錯」主義。劉氏接任後，對這種作風大不謂然，他派我主持這個委員會，先向我剴切說明隨便查封人民財產，對於政府是害多利少的種種理由，教我替他擬寫一件說帖式的意見書，主張以發還為原則，即日面呈國府主席暨軍委會蔣委員長核示施行，結果如擬辦理。我害怕因此而枉遭物議，表示辭却「清理逆產委員會」主任委員的職務，他說：「一切由我負責，我相信你，咱們只要問心無愧，怕甚末呢？」不到三幾個月，把那些逆產一律清理妥當；分別發還，同時撤消了「清理逆產委員會」這一贅疣機構。我很佩服他這種求治的識力和責任心，實非一般自命為滿腹經綸的新官僚政客所能望其項背也。

是年盛夏，中原大戰方酣，南京氣候酷熱，中央各部務會議時，有參事某君提議下午停止辦公，某參事強調不休，甚至謂街上已有黃包車伕被熱死的事情發生，報紙亦經紀載，不知部長閱及否？劉氏即以嚴肅態容道：「現在將士們在前線炎日之下指揮作戰，國軍官兵更是冒着鋒鏑，流血拚命。我們坐在後方辦公樓大厦中辦幾小時的公務，就怕天熱受不了，這種人即令熱死幾個，對國家亦沒有甚末損害的！」詞嚴義正，風骨稜稜，舉座為之肅然，某參事俯首無詞以對。

劉氏對於公私財物的辨別甚嚴格，雖小事亦不苟且。他的私廬中決不使用公家器物，即如機關公用的信紙信封亦不許攜回住宅，隨便濫用的。他聽說中央銀行主持人一家大小的日常生活必需品皆由公帑支給，甚至廁所紙亦不例外的情形，甚表惋惡，指為貪污風氣之漸。他於公餘之暇，常約集三數舊好在家裏玩八圈衛生麻將消遣，別無嗜好。民國二十年春間，江西省民政廳長王尹西具呈內政部，請示人民玩麻將牌是否違犯刑法上規定的賭博罪行？劉部長閱罷呈文後，對我笑道：「打麻將如果犯刑律，那咱們天天都得受罰坐牢了，豈不糟糕？可是，咱們亦不好武斷地解釋打麻將並不犯法，可轉請司法院核示之。」這是政治上的一段趣聞。

劉氏算是北洋政府時代的一位舊官僚，然其立身行己以及奉職治事之嚴正篤實，凜凜風格，求之於近卅年來的所謂革命政府官吏中，乃罕有其匹，可勝歎哉！

韓愈論

·謝康·

歷史人物

「一封朝奏九重天，夕貶潮陽路八千，欲為聖明除弊事，敢將衰朽惜殘年，雲橫秦嶺家何在？雪擁藍關馬不前，知汝遠來應有意，好收吾骨瘴江邊。」

——韓愈為侄孫韓湘作

韓愈（A.D.768—824）是中國散文文學上數一數二的人物。蘇老泉稱其文「如長江大河，渾浩流轉……淵然之光，蒼然之色，」東坡稱他「文起八代之衰，而道濟天下之溺，」享名之高，影響之大，後世傳習者之衆，一身兼挑，古今來沒有第二個文人，可以和他齊驅並駕的。柳子厚在當時雖曾經和他齊名，然而命途多舛，竄死南荒，年壽尚未及五十；且素不以道統自任，交游寥落，更無「韓門弟子」這一類的人，以至聲氣不廣，在當時的名望，原已遜韓一籌，而在宋明諸古文家的眼光中，除山水游記曲盡其妙外，議論文似不及昌黎。宋人評論雖多以子厚之詩工於退之，然亦有人以為不及韓詩之變態百出，才氣縱橫（歲寒堂詩話），不可一世者。即以坊間刻本古文評註而論，韓文則選錄三十四篇之多，柳文只十三篇而已，其份量差不多是三與一之比；吳楚村等選古文觀止，姚鼐選古文辭類纂，大概也有類似的比重或且過之。宋俞文豹吹劍錄甚至譏子厚黨王叔文為猖狂妄行，至於敗名喪節，為祖先墳墓之玷！此處，我不暇為柳柳州辨誣，只想指出昌黎文名之高，載道之篤，經宋人的捧場，就確定他坐穩了古文寶殿上的第一把交椅了。（一）

THE FREE NEWS
第八十七期
中華民國僑務委員會頒發
台教新字第三二三號登記證
中華郵政台字第一二八二號執照
登記為第一類新聞紙類
（本刊逢每星期三、六出版）
每份港幣壹角
台灣零售價折合台幣弍元
社長：雷嘯岑
督印人：黃行蕾
社址：香港銅鑼灣高士威道二十號四樓
20 CAUSEWAY RD. 3RD FL. HONG KONG
TEL. 771726　電報掛號 7191
承印者：田風印刷廠
地址：香港灣仔高士打道二二一號
台灣分社
台北市西寧南路◯◯◯號二樓
電話：三〇三四六
台郵撥儲金戶九二五二

本報啟事

凡是從台灣方面寄交本報發表的各種作品，今後一律以每千字台幣四十至六十元的稿酬率，按月核定通知本報台北分社如數支付，以免周折。將來台灣的外滙率如有變更，自應予以調整，敬希作家荃察為幸。

台灣國民教育問題之檢討

唐昌晉

編者按：關於小學生免試升學與惡性補習這兩項問題，近年來在台灣方面引起了許多辯論，莫衷一是，尤其是後者的利弊得失，殊難獲致妥當性的批判。唐先生對此兩項問題，有其折衷的意見，值得注視的。

一

近來台灣報刊充斥着「惡性補習」、「免試升學」這類名詞，我看全是些纏夾二的無謂之說。

台灣由於小學教育之普及，中學設備之有限，所以由小學升中學這一關，競爭異常劇烈。做家長的為要使得子弟考得起中學，並考得起省立中學，對所謂「惡性補習」，可說是歡迎之不暇，更談不上反對。至學校當局，則為提高學生升學比率，以期儘可能爭取學校最大榮譽，其立場與家長完全一致。可是教育當局則掛上一幅悲天憫人的面孔，說是為下一代健康着想，（尙未到懸樑刺股程度，何至如此。）決心取締這種補習。其辦法：一為免試升學；一為免試常識。現我以做家長的身份來就這兩種主張分別加以檢討。

「免試升學」似乎有兩大作用，一在免除「惡性補習」；一在延長義務教育。就前者言，小學升初中這一關雖可輕易渡過，但初中升高中，高中升大學，還是競爭得很厲害，不補習還行嗎？這樣說來，「惡性補習」是終於無法根絕的。講到義務教育之延長問題，今天已不如兩三年前那麼百分之百動聽了。

最近美國教育家注意到一件事實：即許多近乎低能或白痴的兒童，要唸好六年的小學課程，已感到很大困難，再勉強他們接受相當於初中的課程，那末由於他們對功課已失去信心，在學期間只好用跳皮搗蛋來打發日子。美國教育家為顧及學校當局在教學進度及管理方面的方便，他們對義務教育年限已有不作硬性規定的打算。要是如鄧萃英先生所說，延長義務的目的在收容流浪街頭的失學兒童，這理由實在有點說不通。你看，各級學校的學生不都是有失學失業的嗎？照此類推，一律用免試升學來收容救濟，問題能行得通嗎？我認為政府對這些學生的安頓，應有通盤計劃，即應設置各級職業學校或習藝所，按對方學力，分別予以收容訓練，使其成為社會有用之材。如像失學的小學生，只要不損害其身心健康，輕鬆的生產工作是可以訓練他們做的，禁止童工的規定，不宜作過於呆板的解釋。辦教育行政的官吏們，不從這方面動腦筋，只是閉門造車，空發好高騖遠之論，實未見其可也。

至於初中入學免試常識的辦法，我認為倒是可以採行的。因為常識這一課，全靠死記呆背，和國文、算術則多半靠天賦。記憶的結果，尙在其次。面從國語算術的測驗中可以發掘天賦較高的兒童（不受常識成績影響），同時也可免除因強迫背誦常識而引起的填鴨式補習，誰說不是一個好辦法呢？英國中學採雙軌制，一為不升學的普通中學，一為相當於我們從前大學預科的中學，叫做(Grammar School，進Grammar School）非經過一種類似智力測驗的極嚴格的入學考試不可。現我們規定初中入學只試國算，免試常識的辦法，與英國的Grammar School的入學試驗頗有契合之處，很值得鼓勵。可是教育當局又說要在口試中測驗常識，這樣看來，似乎他們還不會相信自己這一主張的正確性。

二

初中入學免試常識以後，做家長的對台灣的國民教育是不是已感到滿意了呢？不，我認為這只是一點雞毛蒜皮的改革，國民教育真正的缺點，是在教材方面。我的大孩子已是小學六年級的學生了，每天我督促他做功課，所以對小學教材，知之最深，恨之最切！

先說國語這一課罷。我認為國語的取材，應着重在陶冶品性與訓練寫作這兩面。可是現行的國語標準教科書的編者們，似乎根本沒有考慮這些。高年級的課本消好一點，中年級以下的課本簡直一榻糊塗，文字既欠簡潔，內容又多不能自圓其說。前者可用我的大孩子默書的情形來作說明。[illegible]天賦不低，但好像懶，每次月考以前，我總要他把國語在家裏先默唸一遍，因為他讀得不夠熟，不是掉一段，就是掉幾行或幾個字，可是一經推敲，我們發覺他所掉的字句，大部是應該刪掉的字句，你看，這樣糟的文章給小孩讀了，對他的寫作有什麼幫助呢？內容方面，可摘舉一個名叫比得的小孩故事（國語初級第五冊第三十課）作例子。一天傍晚，比得從堤邊走過，看見堤上有一個小洞，海水正從洞口流進來，他趕快用手將洞堵住，為的是怕這小洞越沖越大，終致把全村淹沒。第二天早上一個農夫從那裏走過，[illegible]堤岸修好了，並送比得回家。試問，比得一天晚上沒回家，他父母為什麼不沿途來找，而要等到第二天早上讓農夫發現呢？[illegible]不能自圓其說的。我深知台灣的文化水準非常之低，[illegible]給兒童和青年讀的教材，[illegible]萬萬不能找人寫，只能採用名人現成的作品。不然的話，用「求精國語」也比國立編譯館的「國語」好。「求精國語」已列為禁書之一，這大概是由於教育部門部份負責人員對書商賺錢眼紅所致。利用教育來作政治宣傳，可說已成了一種時代病，勢所難免，但是宣傳得宜，[illegible]同時份量也不宜太多，否則將變成八股濫調，影響兒童的心性，會引起家長們的反感。

其次談到史地常識和公民，我認為常識的傳授，應以下列三大原則為其依據：一是絕對真實，二是對兒童生活有幫助，[illegible]好奇心理。第三能適應兒童[illegible]。據此三大原則以衡量我們小學的史地常識及公民教材，[illegible]歷史問題似乎太多了。[illegible]歷史與考古學密切結合，神話不能當作歷史。燧人氏鑽木取火，[illegible]人類學根據，這與[illegible]火，是天帝的兒子偷給人類的[illegible]類此的例子很多，最好刪除，恕不枚舉。又歷史的發展，自有其一貫的脈絡，不能因強調某個民族英雄的忠勇史蹟（可編入國語教本），而將歷史割裂成片段的紀載。另方面，亡國的民族英雄固值得表彰，開國的民族英雄史蹟更值得頌揚，若僅僅注重前者，則令人讀了未免太沖氣了。現行地理課本地圖欠明，應重新繪製，務期簡明扼要，使小孩容易記憶。常識[illegible]一類題材，與兒童生活關係[illegible]，如「交通安全規則」「衛生常識」可斟酌編進去。公民根本可以取消。最後我希望國立編譯館編的課本[illegible]，「國語[illegible]算術」正式宣佈為國校補充教材才對。

這篇文章寫完之後，我內心非常難過，就是我總覺得一般的幹部們做事，老是抓不到要點，該做的不做，不該做的做得很起勁，長此下去，我很為反共復國前途擔憂！

小論天下

△寮國永珍中立政府垮台，首腦份子出奔，一週之內三閱軍變，左翼軍權掌握現局，右翼軍進行包圍。蘇俄空運軍火接濟被圍左翼份子，北越共黨發生請求蘇俄、英國干預的呼聲。很顯明的，共黨很快便要在寮國大幹一番，越共企圖引來第三者的干涉，藉利於寮共進行爭奪永珍的軍事部署。

△寮國「中立主義者」曾在永珍電台廣播：「吾人謹守下列諸事：不搗碎一朵蓮花，不弄污清水，不觸怒一隻青蛙及不傷害一隻小蚊。」美國外交大員深為此種變局所困惑。永珍一個印度商人却因軍變頻繁而賺了大錢。他把白布賣與右翼，把紅布賣與左翼，一時應接不暇。前者應得最佳的「和平文學」獎金，後者「服紅領白」的成績，亦應受尼赫魯傳◯◯學習。

△法國總統戴高樂因阿爾及利亞問題遭受壓力，出巡該地，法國居民與回教徒連迭發生暴動，◯◯多人。看這位冷靜的「最偉大的賭徒」會不會好運氣吧！

△中華民國在聯合國經濟社會委員會競選連任，遭受前所未有的挫折，引起輿論憂懼。聯合國本身業已極可憂慮，我們的不幸是：要在這上面附加多一點自身的憂慮。

△剛果擁護魯蒙巴者揚言「殺盡白人」，蘇俄不斷為請求「釋放魯蒙巴」向聯合國糾纏嘈吵。聯合國患了癌症，恐怕決不會有什麼特效藥。

△古巴工人首次向卡斯特羅示威。反政府游擊隊繼續活躍。卡斯特羅又下令槍決四個反對者。據統計：他自當權以來，業已殺死了好幾百人。如要剷除「古巴的毛澤東」，越早下手越好。

△美國下屆總統肯尼第，對於任用新政府各部首長，選擇得非常審慎。目前局面已經夠糟，他真要當心才好。別要讓來自另一星球的人發表一部「美國白皮書」。

△曾在遠東居留多年的美國耶魯大學羅素教授，近在台北演講，預料亞洲在兩年內爆發非核子性的傳統小型戰爭，屆時美國將措手不及。

就最近許多事情來說，美國「措手不及」的例子已夠驚人了。

方南

自由談

虛矯的政令

馬五先生

上期本報刊載台灣屏東職業學校教員潘立夫先生的一篇文章「惡性補習」，是討論所謂「惡性補習」問題的個中人語，內容很實，心情亦客觀。我讀罷不禁悽然長歎，對於一般受苦含冤的中小學教師們，發生無限的同情，也引起了無比的憤慨！

我並非贊美「惡性補習」的風氣，而是推究到惡性補習這項流行病所以潛滋的根源，責任並不在教師身上。台灣省的人口蕃殖率，每年要增加三十萬名，等於一個高雄市。然政府主管當局却忽視這種幾何式的人口激增現象，既不從國民基本教育的供求律設想，廣庠序之教，以消弭失學的因素；又不注意中小學教師的生活實況，讓他們啼饑號寒，亦沒法維持。祇知道打官腔，[illegible]說廢話，而通令取締所謂惡性補習，美其名曰維護兒童身心的健康發育。這種本末倒置，見樹不見林的作風，跟卅年前國府內政部長薛篤弼在南京發令禁娼，派武裝警察挨戶捉拿勾欄中的婦女，用大卡車轉送到城外遣散的把戲，後先輝映，如出一轍——都是無知無識，虛矯自矜的官僚行為，可哂亦復可恥！

促成惡性補習的罪人，教師與家長皆不在其列，完全是政府沒有通盤籌維的教育計劃所致。我要為遭受不白之冤的教師們鳴不平，要替招致求全之毀的家長們作辯護。政府如能將每年在國內外枉事消耗的財力物力，稍加節省，而用之於推廣國民教育事業以及改良中小學教師的待遇上，你看還有惡性補習的事情發生不？

五百萬元公欵存放唐榮鐵工廠 立委質詢行政院

台北通訊

唐榮鐵工廠債務事件發生後，立法委員曾不斷提出質詢，最近，又有立委楊大乾、汪新民、粲祖培、王仲裕、謝剛傑、丑輝瑛等六人提出書面質詢，指責某經濟主管首長，以五百萬元公欵存放唐榮放拆息，有瀆職守，請行政院長秉公澈查。但該項書面質詢，並未指出該經濟主管究屬何人。該書面質詢全文如下：

「最近，唐榮鐵工廠發生經濟恐慌，陷於停頓狀態，不僅影響四千餘員工的生活，四千餘債權人的權利，而且給工業界帶來了不良氣氛，損害全國投資事業的前途。政府為處理此項事務，不惜使用總動員法十六、十八兩條，以求暫時的安靜；用心良苦，原無可厚非之處。惟查唐榮鐵工廠，接受高利貸，以債養債的作法，由來已久，政府何不事先加以限制，以致亡羊始求補牢？並且，此次恐慌的近因，據有關方面傳稱：某經濟最高主管機關，在唐榮鐵工廠存放三筆欵項，共約五百萬元，在唐榮經濟緊張急待救濟時期，利用職權，強迫提出，消息外露，債戶紛紛索欵，以致唐榮一蹶不振。果有此種事實，大乾等以民意代表的立場，不得不向行政院長提出以下的質詢：

一、請行政院秉公徹查：經濟最高主管機關，有無以鉅額欵項，近五百萬，存放於唐榮鐵工廠套取高利貸之事實？

二、如確有此項事實，則請問以公欵存放私人企業，套取高利貸，是否合於國家管理金融及審計主計法規之規定？

三、據說，此種欵項，乃該主管機關之福利金及主官私人存欵，清查此項數百萬福利金之來源及其向來使用分配情形，是否有法令及預算之根據？其主官私人存欵近百萬，是否有正當之來源？

四、在民營企業經濟危機當頭，主管機關首長，不恤民艱，不顧國家經濟建設前途，利用職權，強提數百萬之存欵，其責任心何在？此種瀆職行為，是否有意製造經濟危機？

以上各節，請行政院長秉公澈查，並予答覆。質詢人：楊大乾、汪新民、王仲裕、粲祖培、謝剛傑、丑輝瑛」

監察院於十二月二日院會中，吳大宇委員提出臨時動議說：「據報載，各公營事業機關福利社在唐榮鐵工廠有大量存欵生息情事，擬請交審計部儘速澈查報院案。」曹德宣委員亦提出臨時動議說：「據報載，某經濟最高主管機關，曾以公欵五百萬元存放唐榮鐵工廠，套取高利貸事件等情，擬請併交審計部查報。」以上兩案經院會合併討論後，決議：「交審計部迅速查報。」

台灣新聞界對此事亦有反應，成功晚報二日社論中說：「其次，說者又謂某經濟最高主管機關曾以私向唐榮放欵約五百萬元，後於該廠拮据之際，利用職權，強迫提出，而消息外露，引起債戶恐慌，登門索提，乃發生風波。對此類流言，如是事實而當局不予澈查，如非事實而不予澄清，則其影響於政府的信譽者，皆非淺鮮。……至於某經濟機構放欵問題，則此事顯屬違法，外間既有此說，立委亦已提出質詢，政府當局更應從速澈底調查，如有其事，則應追究懲處，否則，亦應迅速澄清，以息流言。」

聯合報三日以「保護與限制」為題的經濟漫談中說：「關於唐榮事件，六位立委提出質詢，其內容有某經濟最高主管機關，在唐榮鐵工廠存放三筆欵項，共約五百萬元，在唐榮經濟緊張急待救濟時期，利用職權，強迫提出等語。這則新聞，相當新鮮，既出諸於立委之口，雖對外不負責任，總有百分之九十以上可靠性，在政府沒有正式提出明白答復之前，我們祇能信其有，不能疑其無。」

「政府此次對於唐榮事件，煞費苦心，引起總動員法第十六條及第十八條，並頒佈救濟命令，口口聲聲說是維持唐榮數千員工的生活，保護唐榮債權人的權益，政府如此負責，並貸出大宗欵項，儼然介入民間私人債務糾紛，意在安定社會；唐榮家族，唐榮員工，唐榮債權人各方應該皆大歡喜，感且不盡。可是，現在除唐榮家族，唐榮員工外，債權人方面的反應，似乎不太滿意，還向經濟部，立法院請願，這顯然對於保護權益云云，大有出入。

「今讀立委質詢內容，始恍然於『經濟最高主管機關』，為什麼『在唐榮緊張急待救助時期，利用職權，強迫提出』的理由，不然的話，這個經濟最高主管機關既信任唐榮於前，將數百萬鉅欵，存入唐榮，支取高利，復想盡方法救濟唐榮於後，貸出鉅欵，以保護債權人利益，沒有理由『利用職權』，急急地把存欵提出，此中不無大道理在焉。

「一言以蔽之，他們的債權人受到了充份的保護，而其他債權人的利益，則適用總動員法，受到了限制。他們的債權，因為機構關係，已經從凍結中融化，而其他的債權人的利益，則從流動中受了凍結。」

立法委員的質詢，監院通過臨時動議的交審計部迅速查報，以及新聞界的著論評述之後果究竟如何，請待下回分解。（嘯谷十二月三日寄自台北）

香港風情

香港體育界聞人某，於上月被政府拘留查究後，雖經家屬及其辯護律師迭請交保候訊，均未奉准。近聞已解送九龍滲咸道集中營，靜候發落，按照一般慣例，凡被押禁集中營者，多屬依法遞解出境之犯人。某所聘律師貝納祺、胡鴻烈，正在替他申訴中，下文如何，尚不可知也。

近數年來，香港對於招徠外客旅游事業，特別改進，因而若干方面的生活水準亦格外提高了。如理髮一次代價美金五元，飲一盃咖啡需港幣二元四角，而在九龍的一家豪華餐館內，兩個人進去吃頓便飯，花去港幣二百元以上，並不稀奇。

僑居香港的中國人，近來購寄食品和衣着到大陸接濟家屬者更多，惟不能寄給戚友，也不能寄「美帝」產品，否則沒收之外，收件人還有後患。因此，一些代銷大陸土產的商店，皆揭出「代寄食品回內地」的市招，間接替毛共搜刮外匯，可見共黨的聚斂方法，無微不至。

在海隅標榜「不談政治」「無黨無派」的一張華文報紙，原係幾個投共商人受毛共驅使，集資創辦的偽裝中立刋物。據聞由於銷路不暢，賠累過巨，創立人不願多破慳囊，全部員工薪資已積欠兩個月，而稿費竟有半年未發了。毛共若不斥資支持，勢將陷於停擺的末路。

追問政大水災責任

丘也山

讀者來論

近據中央日報載稱：「位於木柵附近的國立政治大學，三分之二為弧狀的指南山所環繞，其旁並有一小河流入景美溪，每屆颱風季節，山水注入河中，而河淺宣洩不暢，故每易釀成水災。政大遭受水害已有三次，尤以去年七月畢莉颱風時，上游山水滙集，下游淡水河水倒灌，致校園內水深數尺，學校以及千餘師生的生命財產飽受威脅，引起社會人士的一致關注。水利局鑒於此一高等學府和附近居民安全所負責任之重大，經政大提出請求後，已派員勘查並擬具防災方案。

水利局先後擬訂的方案共有三個：（一）自政大左側築堤，長一公里，以防止洪水泛濫時河水倒灌，預算五百萬元。（二）疏導河床，使宣洩通暢，預算三百萬元。（三）將築堤範圍縮小，使河水改道注入景美溪，預算九〇萬元。水利局對於上列三個方案，將視實際情形和財力負担採行其一。

本屆考入政大的新生，對學校水災問題至為關心，該校一位負責人於新生入學訓練中，特別提出報告，認為在水利局的協助下，不久即可有妥善的防治方法。」

看了上記這則新聞，便引起我幾段舊事的回憶。去年秋間，同幾位知交往木柵訪友，乘便到政大一行。剛到政大那條村口，我便望着前面的政大說：『此地不行，實在要不得！當時選擇校址者可謂太不用腦筋了！』友問：『何以故。』我隨口答道：『一來地盤太小，無發展餘地，不適為國立大學校址；二來盆地太低，必遭水淹，不宜作學校校址。』友謂：『何以見得？』我即加以解釋：『此地四面環山，斗而且近，地面既小又低，一遇天雨，山洪急瀉，直抵四周，而小溪河床過狹，不特無法容納，亦必宣洩不易，欲不泛濫，其可得乎？次則，村口石橋，為何選建在最高之地，上面且作弓形？不是明顯可以作證麼？』友人默然，將信將疑。甫抵校門，正值新生入學註冊之期，即聞多人談論水淹往事。蓋此一問題誠使政大一般新舊學子担心，亦於以知吾言之不謬矣。

由於上述的觀點，可知政大水患，實緣於未能慎始。事到如今，縱能如該校某負責人所提報告，認為在水利局協助下，不久即可有妥善的防治方法；但此九十至五百萬元公幣的花費，就未免冤枉。誰為為之？孰令致之？係當時認識不清，鑄成此錯？抑一時考慮欠周，有以致之？敢問當時當事之負責者。至教育部當時對此重大事件決定之不派員複勘，逕予核准，又為何也疏忽一至於此？實亦不能令人無失職之感！

西諺云，『好的開始，便是成功的一半』，若問責任，則校址選擇者，廠房設計者，應分別負之。假使政大當時負責人員能考慮及此，放棄此地，另覓良好地點，便根本沒有這個問題。於是，又使我聯想到另外一宗事體來。淡水河上，萬華與埔墘之間，有鐵吊橋一座，就是衆所週知的光復橋。據台灣老者言，此橋在建造之初，為來自廣東之台灣同胞所設計，為節省錢起見，把橋身寬度儘量縮小。迨橋成試車，兩車不能同時通過。設計者為表明責任所在，遂爬上橋頂，倒栽殉職而死，以贖其設計不周之咎。斯人斯舉，可謂責任分明，難能可貴！其情可憫！其志可嘉！但不知當時身負政大校址選擇責任者讀此作何感想！

大陸文壇萬花筒

吳晗暗害聞一多

岳騫

最近出版的「毛選四集」，也提到聞一多，其實毛澤東講這段話已是十年前的事，現在又重新印出來，一些幫閑文人，又趕着去注釋，其中最起勁的就是吳晗。現在有許多跡象可以看出，吳晗有野心想奪郭沫若的「文學侍從之臣」的位置，所以不問毛澤東講句什麼話，他就趕快去抱着注釋。大概吳晗對於這個「北京市副市長」的位置，十一年不遷不調，有點厭倦了，又想找機會向上爬，所以特別賣力。

「毛選四集」提到聞一多吳晗趕快寫了一篇「拍案而起的聞一多」，表面上是和紀念朱自清先生的文字一樣風格，但骨子裡面卻在陷害聞一多，說聞一多最初是國家主義派，在美國留學回到國內時，曾參加過大江社（國社黨的前身），一九二六年他寫信給一個朋友說：「國內赤禍猖獗，我輩國家主義者際此責任尤其重大，進行益加困難，國家主義與共產主義勢將在最近時期內有劇烈的戰鬥。」

由這封信來看，聞先生原是一位堅決反共的愛國主義者，後來所以誤上賊船，基於兩個因素，一是對政府的不滿，一是受到共黨的包圍。前者不必再說，抗戰以後的社會情況，大家記憶猶新，至於後者，吳晗到招供清楚，他們利用一多先生不滿現實的心理，派一些左傾學生（其中有共黨黨員，青年團員）日夜去包圍他，刺激他，使他的精神失常，漸漸失去理智，參加了吳晗秘密組織的座談會，經常泛舟昆明湖討論策動學潮。吳晗自己却不出面，利用聞先生去鬧。聞先生當時的口頭禪「飯都吃不飽，研究什麼？別人不叫我們鬧，我們就是要鬧。」

吳晗鼓動別人鬧，自己躲在幕後指揮，漸漸被聞先生看穿了，有許多次在「座談會」上被聞先生提出指責，吳晗不敢聲辯却懷恨在心，所以到了今天發表文字，還要指明聞先生是國家主義派，假若聞先生不死，相信他的狀況不會比胡風、葛佩琦好了多少。聞先生當時要鬧的理由是飯都吃不飽，今天不僅吃不飽，根本就沒得吃，聞先生若死而有知，是否也悔生前多此一鬧呢

民主自由問題質疑

——答周燕謀先生——

唐晉昌

周燕謀先生「民主自由與反共」下篇已拜讀過了。想不到周先生對各國政治的歷史背景及目前國際政治動態會如此隔膜！

從中學的西洋史課本裏可以看出，當海洋國家如英國向外殖民，成爲帝國主義的時候，實際政權早已落於工商業者之手，因此賴以向外爭奪市場原料的軍人，可說已成爲工商界豢養的鷹犬，不可能建立集權政治。日本雖同爲海洋國家，但其歷史發展的軌跡，剛與此相反，明治維新一開始，政權就落在藩閥之手，亦即落在軍人手裡，因爲推翻德川幕府，全仗薩長二藩之力。至日本工商業的發靱，則是在擊敗滿清，取得巨額賠款之後，資金才有着落，所以日本工商業勢力（如三井三菱）的成長，晚了軍人一步，在政治上一直被軍人壓抑得抬不起頭來。可見一國的政體，民主或集權，不但如前文所云，決之於地理環境，而且決之於歷史背景。這樣解釋，不知周先生認爲滿意否？

民主運動的動力在爭自由。中國老百姓既享有充份自由，自無爭自由的必要，更無建立西式民主制度的必要。

周先生以爲在民主國家裡，共黨不會假借民主自由，也沒有罷課罷工，遊行示威的情事發生，這簡直是欺人之談。英國的碼頭工人罷工，美國的鋼鐵工人罷工，不是對勞資會招致很大的損失嗎？英國工會在共黨滲透煽動下，不是曾遊行示威，要求美軍撤離英倫三島嗎？目前日本總算是一個民主國家了，學生和工人在中共支持下，不是曾發動遊行示威暴動，鬧得天翻地覆嗎？至國際共黨之欲在西方國家假借民主自由，從事奪取政權的陰謀，有一九五七年十一月廿二日人民日報所載「莫斯科宣言」可資佐證。這宣言的大意是說：在民主自由制度下（即所謂在目前條件下），在一些西方國家裡，共黨將透過政治，不經內戰而建立共產政權。事實上英法意諸國的共黨，已循此策略，獲致空前的成果。又美國但尼斯案，也是美共假借言論自由，散佈毒素思想之一證。周先生怎能說共黨在民主國家不能假借民主自由呢？

我對自由的看法和態度已講了很多，不用重複，現所要補充說明的，就是我之欲限制自由，在堵塞共黨滲透顛覆的漏洞，並無意推行奴役政策，猶如醫生要病人節食，並不是要病人餓死。

討論問題，多少要帶點學術氣味，好使得青年讀者不致感到失望。否則太乏味了，因而我也不再答辯了！

儒林九尾龜

吳敬鉾

第四回：人何寥落鬼何多

黃安民連忙問道：「賈虹是誰？」

李鴻飛笑道：「說起此人，到真是亂世妖孽，他本是廣東梅縣人，在北平住了很久時間，貪緣認識了東北方面的人，九一八事變之後，他竟然出關到偽滿作了一個小官，勝利後他又跑回香港，這時已經染上毒癖，成了道友，生活就相當困難，到處作揖打恭，託親煩友介紹到一間中學教書，一月只有兩百元，他既要顧到黑白二餐，又要養家糊口，生活還是不能解決，於是就兼着寫點稿子。」

小石笑道：「賈虹究竟還有點本領，也算是文教變棲。」

李鴻飛道：「他那裏眞會寫稿，只是過去在北平，上海一帶搜羅了一些舊書，拿來抄一抄自己起了一個名字叫做『問雷軒雜談』，每天抄一段送到報上去刊登，因爲他抄的書都是不經見的，也有人欣賞，他就自封爲掌故專家。」

黃安民同小石都笑起來。

李鴻飛說道：「他自封爲掌故專家還不打緊，最可惡的是他變成了托辣斯，只准他一人抄書，別人寫掌故就被他罵得狗血淋頭，說別人不懂，只有他懂，其實他常常張冠李戴，不過也沒有人理他。」

小石笑道：「這些事情都還不算大奸大惡，他爲什麼落水投了共產黨呢？」

李鴻飛道：「賈虹還有一個最大毛病是專賣熟人，越是幫過他的忙，提拔過他的人，越是他筆下的現成材料。隨便舉兩個例子，一位史先生辦了一份晚報，請他抄掌故，給以最高稿費，當時他眞是感激涕零，視同再生父母，替史先生畫了一幅畫，裱好送去，雙手奉上，肉麻萬分，可是到史先生的報紙不辦了，馬上就在他筆下變成了『史某』，並且聲明和史某也認識，不過已經幾年不見了，意思好似認識了『史某』就玷辱了他似的，好在史先生秉性寬厚，也就付之一笑。

另一位徐先生也辦過一份報紙，對他和史先生一樣，同時又因爲徐先生也愛談掌故，所以兩人更莫逆，那知報紙一停刊，徐先生在他筆下也變了『徐某』，且將徐先生的作品大肆攻擊，徐先生脾氣比較激烈，就在另一個報紙上回了他幾句，這些情況揭穿以後，整個自由文化界沒有人敢再同他作朋友了，他窮極無賴，只好向左滾了，漸漸地和左報人員拉上關係，他那個問雷軒隨筆就搬上了左報。」

小石奇怪道：「這種人那裏用得着收買，共產黨還不是牽着鼻子要他到那裏去就到那裏去。」

李鴻飛笑道：「你的說法很有道理，但是世間任何事都有意外，到了動身前夕，賈虹忽然不肯去了。」（四十八）

社會小說　香港地

六、人情味

這一天，梅大亮決定要做的事，是先和王鎮球會面，再和韋大悲的家人取得聯絡，然後找到榻先生當面一談。

他連早飯也不願吃，很早便出門去，找到了王鎮球，把兩方面募來的款子都湊合了，然後到一家殯儀館去，交與韋家的人收下，那時韋大悲的屍體已經移到殯儀館去，霍新開果然出面出力支持，所以來看的人也很多，場面倒不至太過清冷。梅大亮在這裏並未看到霍新開，交代過了，向韋氏家人勸慰了幾句，便自離去，找老榻去。

依照昨天的例子，他先播一個電話給榻先生，接電話的人卻不是老榻，才一聽便答道：「你要找榻敬之先生嗎？他已經搬到一家什麼新興的旅館去，今早他一搬走，你可直接到那裏找他。」

梅大亮覺得老榻這人很怪，昨天還說得好好的，今天便換了一個住處，而且住的是嘈雜的旅館，似乎有些不正常。他當即問明老榻所住房間的號碼，馬上跑到那間新興旅館去，幸而一找便着，榻先生剛正把房間收拾好，準備到外面吃中午飯去，他來得正是合時。

梅大亮看這房間，不大也不小，好在有一個頗大的窗，在窗子下面放着一張書桌，光線和空氣都不錯，很適合一個人靜靜的在這裏寫東西。他問老榻爲什麼要住旅館，並且替他計算租錢，認爲一個月要納百多元的租金，也不算太少了，住在這等地方，實在不妙。

榻先生正想向他解釋時，房外卻傳來一陣吵鬧的聲音，原來是一男一女因爲爭論什麼而吵將起來，幾乎要打架，後來是女的大哭嚷道：「你思發我什麼都可以，我不和你再說了！」梅大亮被他們這樣一吵，不禁皺着眉頭，更覺剛才自已所料不差。接着又是那個男的聲音罵道：「你不識好歹也不成呢！誰對誰不起，問問良心吧！你說！」

榻先生並不似梅大亮那樣不耐煩，只含着笑，打了一個眼色給梅大亮，意思是叫他暫時不要說話。（五十八）

木客著

工展特輯

工展會舉辦服裝表演　三次定期舉行　已開始報名十六日截止

工展會爲提倡本港工業製品及增加工展觀衆興趣起見，特舉辦新服裝表演，並聘請珍妮裁剪學校協助辦理，由即日起至十二月十六日止爲參加報名時間，凡參加報名者須先將衣料及樣本剪送工展會宣傳部，表演地點在工展會內表演台表演三次，（日期另行公佈）服裝所用布料或其他品質，不論棉質絲質或編織之毛線，必須屬於本港出品，表演員由參加廠商聘請或派出担任。所有服裝，經表演完畢之後，歸該廠號所有。參加廠任何業別，不限於本會會員，如非織造廠，可購買本港出品布綢衣料或毛線參加，不論其參展與否，均可參加。

參加之廠號，須免費送出衣料一套或多套爲表演之用。凡用該廠號送出之衣料爲服裝演出，則以該廠號名稱爲某某小姐，以資宣傳。

祥興機器廠　贈送獎品　酬謝顧客

祥興機器廠所出品的物品，特別精美耐用。今年該廠，將其出產品，在工展會第十五街設攤展出，該廠主持人爲表示酬答顧客起見，凡購買他們的鉛製物品，均贈送手袋及像生花、像生草等。（白）

鰽魚小姐　明艷照人

展覽館內，比賽鰽魚總是名列前茅的，今年的鰽魚館又是第二館，轉到鰽魚小姐大羣致來說，無論是服裝、容貌、招呼顧客的態度，都是一應付，都有水準以上的程度，說一句工展小姐羣中的第一，似乎也不是過份的，鰽魚客們行經第十形容，都要翹首停步，參觀他們的攤位裝修，與明艷照人的鰽魚小姐，附圖爲鰽魚小姐，芳名如下：由右至左：陳蓉、[illegible]珍、楊德珠、高紹怡、陳佩如、[illegible]屏。（坤）

攤位消息

第一街星光實業公司榮譽出品各種日用塑膠品，如水桶、面盆、衣夾等，均品質優美，堅固耐用，很受用家推讚。該公司主持人梁知行，日夜均在該攤位率領工作，和顧客親。（白）

釋耒集

本色

文章不難於藻繪華艷，而難於本色自然。因藻繪假諸人力，而本色出於性情。其間絲毫不容假借，昔東坡論詞，以爲詞之佳者，如大家閨秀見客，縱亂頭粗服，大踏步便出來。此即所謂本色也。唐荊川致鹿門先生書曰：「秦漢以前，儒家者有儒家本色，至於老莊家有老莊本色，縱橫家有縱橫本色，名家墨家陰陽家皆有本色，雖其爲術也駁，而莫不皆有一段不可磨滅之見，是以老家必不肯剿儒家之談，縱橫必不肯借墨家之談，各自其本色而鳴之爲言，其所言者，其本色也。是以精光注焉，而其言遂不泯於世。唐宋而下文人，莫不語性命，談治道，滿紙炫然，一切自託於儒家，然非其涵養蓄聚之素，非眞有一段千古不可磨滅之見，而影響剿說，蓋頭竊尾，如貧人借富人之衣，莊農作大賈之飾，極力裝做，醜態盡露，是以精光枵焉，而其言遂不久湮廢。」唐氏所論，特指義理之文言之，至於文辭之士，自屈宋首倡，則美人香草，飄風雲霓之辭，寄興託諷，其說紛紜，因騷者取浦於董澤，承考於長揚，而本色之文，愈不可得而見矣。兩都二京之賦，堆砌故實，比之類書，夫詞理儒潔，文采華茂，原爲文章之極軌，而其中必以性情爲主，大抵漢人之文，有學術而無性情，魏晉以下六朝之文，則有文采而無性情，能兼之者，則建安諸子耳。漢魏之際，流賊猖披，人民流離播遷，士大夫感於治亂爲哀樂，源於哀樂爲文辭，曹氏父子，以申商韓白之學，爲英雄割據之資，所爲散文，雄偉悲壯，如其本色，如魏武讓縣自明本志令云：「去官之後，年紀尚少，顧視同歲中，年有五十，未名爲老，內自圖之，從此却去二十年，待天下清，乃與同歲中始舉者等耳。故以四時歸鄉里，於譙東五十里，築精舍，欲秋夏讀書，冬春射獵，求底下之地，欲以泥水自蔽，絕賓客往來之望，然不能如意。」……「今孤言此，若爲自大，欲人言盡，故無諱耳，設使國家無有孤，不知當幾人稱帝，幾人稱王」。秉筆疾書，雖至今讀之，猶彷彿見其掀髯狂笑時也。丕植兄弟，所爲短札，雖修飾安閒，清麗綽約，終不以文掩其質，亦彌足珍貴。下至陶靖節，雅淡自然，尤令人意遠，與子儼等疏云：「少學琴書，偶愛閒靜，開卷有得，便欣然忘食，見樹木交蔭，時鳥變聲，亦復欣然有喜。常言五六月中，北窗下臥，遇涼風暫至，自謂是羲皇上人。」一種恬然自適之趣，苟以人力爲之，縱極嘔心瀝血，亦自無如之何，蓋後世文人，非矜才則使氣，不克超然於功名利祿之外，曳行作姿，以取悅於流俗，故去本色愈遠也。

曲齋

聖誕咭

徐學慧

縱令是非教徒，對於耶穌誕的來臨，大概也有幾分愛好。我常常想，耶穌誕如果不定在十二月的下旬，恐怕不會引得如許多的人熱烈慶祝吧？一個最大的原因，乃在這是歲尾年頭的時候，就算沒有這個節目，我們也得想些方法來慶祝。慶祝耶穌誕的意思，當然不是酗酒、狂歡、跳舞，而另有其深意在。我個人對於耶穌誕之擁護，第一、歡喜聽有關這一方面的音樂；第二、歡喜由於這個機會可以寄「聖誕咭」。

我非教徒，但對於「聖誕咭」之寄發，却有特殊印象。中國人之新春拜年，與西方人的聖誕寄咭，動機相同，亦同樣值得擁護，雖然也有些朋友認爲這是浪費。

我個人對於那些一年一度僅寄一張聖誕咭的朋友，是特別重視的。「君子之交淡如水」，這一個淡字，在這種地方，就格外體會得到了。

良辰佳節，你能爲另外一個人所記憶，因而寄一張咭寄你，一方面向你問候，另一方面報告自已平安，這是何等可貴的感情。人與人的關係，並不是一定要天天在一起跳舞飲酒打牌，只要你知道我，我了解你，在一年一度的佳節中，寄咭通消息，那就是最好的友誼。

惟平淡乃見深情。朋友之間，太濃了並不是什麼好事，我們要把濃情修鍊到平淡，作到淡而不忘。

可惜，這也不是容易的事呀！

彭玉麟與梅

散人

有清一代名人彭玉麟，初字少鶴，後改雪琴，別號甚多，有退省山人，梅仙外子等，湖南衡陽人。他一生畫梅，其中寓有愛情故事，這是多數人所常談所公認的。但他所戀愛的是何如人？有的說是丫頭，呼做梅香；有的說是鄰家女，後嫁一田夫，彭玉麟得志後，接至其家，特爲伊造一張梅花牀；有的說是親戚女弟，曾訂諧老之約，後爲家倡迫其改嫁，竟不從而死。有說在合肥遇見的；有說在安慶遇見的；有說在衡陽見的。還有種種不同的傳說，言之不一，莫衷一是。但彭玉麟的愛人，名字下有一「梅」字，總是千眞萬確的事。但以湘人的習慣，很少像廣東人叫阿梅的，梅字之外，當然還另有一字以相聯屬。於是有猜作梅姑，有猜作梅香，也有人說是姓梅。然我們拿他的原詩（指梅花詩，詩多不錄）。加以研究起來，大概叫做梅仙，是比較靠得住些。亦且可從彭玉麟所常用的兩顆書畫章，一是「梅仙外子」，一是「神仙本是多情種」。這些資料足以証明他所眷戀的女子，是叫做梅仙，而非梅姑，梅香了。

梵天廬叢錄：「美人愛梅，故剛直喜畫梅，自題其廬曰梅雪山房。」這就可以看出他以愛人所好而畫梅吧！

又梅花文學之研究：「彭三十五歲，練兵出征。初與梅仙約，期四年必還。甫離家二年，梅仙思念成疾，復遭外來壓迫，遽然死去。正値彭年三十七歲之時。」據此，雖謂梅仙之死因，除受環境壓迫外，爲彭公負約事仇，使其傷心不願復居人世，而斷腸以死。固然近乎想像，然證之以日後彭公一聞梅仙死耗，即連辭高官厚爵而遁，後復「退省」西湖之上，終身不納妾，可知其心中確有不可告人之隱痛，故非醉心畫梅不足以紀念愛人梅仙的。

彭公行狀：「素工畫法，蘭入妙品；而又喜畫梅，全樹滿花。所至輒奮筆潑墨，海內傳者過萬本。藏於篋者，一牛車不能載。」則更襯出他好梅之所在。

要是我們留心彭玉麟所畫的梅花，上面橫七豎八的印了許多圖章，都是「臣彭玉麟」，「少保彭印」一類的字樣，可知這些梅花，都是四十歲發跡以後畫的；換句話說，梅仙死後，彭玉麟才開始畫梅。如果不是專爲紀念梅仙，此外爲誰呢？而且傳謂他作畫之先，必狂飲濫醉，然後振筆疾書，橫斜淋漓，金枝鐵骨，有若四馬單刀之壯，畫成題詩，下筆即就，人稱雙絕。這種情形，活現出一個「傷心人別有懷抱」的狂態，同時彭所畫的梅，十有八九皆折枝，並沒有像王冕，金農所畫的整枝，這裏面，未嘗沒有痛惜梅仙夭折的意思。

剛直彭公墓志銘序：「爰起幼孤，有志功名，及其崇高，超然富貴。然其遭遇，世所難堪；始則升斗無資，終則帷房悼影。但恥於佗傺，一從豪宕，與昔楚[illegible]，判然冰炭。其用兵也，衆所[illegible]，[illegible]赴之；其辭官也，人所趨之，倏然去之。常患咯血，乃維縱酒，孤行畸意，寓之詩畫。客或過其扁舟，窺其虛榻，蕭寥獨旦，終身羈旅而已！不知者羨其厚福，其知者傷其薄命；由君子觀之，可謂獨立不懼者也。」

再看梅花文學之研究：「到了臨死的前一年，已經七十四歲，尚有夢亡友情詩的詩。……」這足以說明彭玉麟對於梅仙，既相愛於童年，祇以返湘讀書，錯過機會，未曾締結良緣，而後來又因投身戎馬，未遑安置妥貼，致受外界壓迫，匆匆死去，大丈夫不能庇護一個弱女子，竟得寶鬻覥然人世，引爲畢生之恥，到了七十四歲，梅仙尚入夢，依依情話，也可謂「天長地久有時盡，此恨綿綿無絕期」了！

然而墓志銘序所謂「帷房悼影」，與後文所謂「虛榻」和「獨旦」，隱然言其對於已亡人哀念之深，更非梅仙不足以當之。就是他後改號雪琴，尤爲明顯，詩有「雪裡宜橫膝上琴」之句，雪裡撫琴，梅爲知音，又何嘗不是這個意思呢！

海嶠舊談

唐生智野性難馴

諸葛文侯

湘省軍人唐生智，出身保定軍校，賦性粗獷，濃眉高顴，放蕩不羈，若論人相術，殆所謂面帶反骨之流也。我第一次晤見他，是民國十六年三月隨李協和（烈鈞）上將在漢口旅次中，唐氏斯時但任革命軍第八軍軍長兼前敵總指揮暨湖南省主席職務，顯赫冠於南天。某晨，他身着軍服，裸腿布履，晉謁李將軍，彼此暢談之際，唐乃脫去布鞋，雙足蹬在椅上，放言高論，表示旁若無人的狂忘姿態。事後我向李將軍指摘唐氏在前輩面前太無禮貌，李笑謂：「現在是他們的世界了，還講甚末禮貌不禮貌呢？」

民國十七年冬間，我由南京赴山東濟南公幹，在魯省主席陳調元處再遇見唐氏。這時中樞爲對付馮玉祥的異動，起用唐氏爲前敵總指揮，率領駐在鄂西一帶的唐氏舊部湘軍三師待命，陳與唐商談軍事計劃，唐發言「先打倒馮玉祥，再來反蔣」。陳笑道：「孟瀟兄，你說話要謹愼些，我固然不會多事，可是，以你現在的職位，這類話總不好隨便說的」。迨馮軍失敗之後，唐氏果然揭出了叛旗，結果是棄甲曳兵，單騎落荒而逃，從此一蹶不振。

民國廿年，唐氏受任軍事參議院院長之職，大量援用湘籍人士，且將其友好文人鬧鬆山，亦僭任爲中將參議，視法令規章如弁髦，輿論大譁。當時考試院副院長浙人邵元冲，曾在會議場合笑謂唐氏：「外間都說軍事參議院變成湖南會館了，孟瀟兄亦有所聞否？」唐答：「我還要再用些湖南人，因爲軍事參議院的浙江人那麼多啊！」邵爲之氣結而默然無語。

對日抗戰軍興，唐氏一度担任南京防守司令，旋敗績隨政府入川，卜居重慶市郊外化龍橋的山阪間，昕夕沉湎於牌賭生活中。繼而最高統帥手令嚴厲查禁公務人員牌賭行爲，唐仍犯禁如故，且於其住宅門口置衛兵數名，各持手提機關鎗，聲言「我並非公務人員，有來捉賭者，即以機鎗對付之」。踰年因賭運不佳，阮囊頓告羞澀，乃備簽呈持謁蔣委員長，自述閒居無俚，素性嗜好牌賭，難以戒除，常常違犯委座禁令，是不忠，而家有老母，未能侍奉，更爲不孝，罪孽重重，實無可逭。擬乞假暫歸家鄉，一面承歡菽水，同時料理先人所創辦的農場，庶幾公私兼顧。然經費支絀，敬懇准予向農民銀行貸款法幣一百萬元（時蔣公兼任四聯總處主席），實深感戴，蔣公即予核准。唐得款離渝之前，又面晤軍統局長戴笠，請他派一名幹員偕赴東安縣（唐之家鄉）常川住守，如發覺唐某有不軌行動，即可就地鎗決，先斬後奏。戴氏笑謝之。

毛共竊據大陸後，任唐氏爲掛名苟活的湖南省政府副主席，凡有訪客來，唐即先請來賓道：「說話小心點，我自己亦不知道將來如何下場，介紹工作的話更談不到」。這是五年前有朋友從湖南出來，親口對我敘述的實情。唐氏一生野性難馴，遇殺人不眨眼的共產暴徒，亦祇好馴伏如羔羊了，可憐亦復可哂也。

征史人物

韓愈論

·謝康·

可是，「盛名之下，其實難副，」這兩句話對純盜虛聲的處士們固然不錯。而對於鼎鼎大名的古文魁首韓昌黎，說不定也用得着呢。

遠在俞文豹以前，與歐陽修同時的契嵩和尙，著鐔津文集，（今收入四部叢刊內），有關韓論文三十二篇，約三萬餘言。予友馬國維兄爲余言博羅人張萱，有「疑曜」三卷，（舊刊誤題李卓吾撰，非是）。亦有若干段批評昌黎文字。方東樹漢學商兌談及清代漢學家多俯視韓歐，揚州汪中謂文章之衰，自韓愈始，又阮元與江藩都反對古人，江藩曾說：「吾文無他過人，只是不帶一毫八家氣息。」凌廷堪亦詆退之文非正宗。近代人王闓運（壬秋）嚴復（又陵）章炳麟，（太炎）也都有譏議韓文的話。太炎先生責他見道不明，（[illegible]多武斷語）又說：

「宋蘇軾稱韓文公文起八代之衰，人們很不佩服。他所說的八代，也甚[illegible]。若照昌黎上推合晉漢爲八代，這當然不合……因爲司馬遷[illegible]揚雄[illegible]所極尊崇的，東坡何至如此胡塗？」（國學概論）

章氏議論中批評韓柳文乃[illegible]個所謂「古文」的意見還有很多，[illegible]得離譜。（二）

徵稿小啟

有內容有意義之隨筆、散文、掌故、小說、雜感、詩歌等類文字，本刊均所歡迎。請用有格稿紙繕寫，如需退還，請附信封及郵票。

一千六百字之散文隨筆比較容易刊出，過長則以篇幅所限，刊出的機會較少。請特別留意爲感。

自由報
THE FREE NEWS
第八十八期
中華民國僑務委員會頒發
台執新字第三二三號登記證
中華郵政台字第一二八二號執照
登記爲第一類新聞紙類
（半週刊每星期三、六出版）
每份港幣壹角
台灣本外埠售價新台幣壹元
社長：雷嘯岑
督印人：黃行富
社址：香港銅鑼灣高士威道二十號四樓
20 CAUSEWAY RD 3RD FL.
HONG KONG
TEL. 771726　電報掛號：7191
承印者：田風印刷廠
地址：香港灣仔高士打道一二二號
台灣分社
台北市西寧南路壹叁壹號二樓
電話：三〇三四六
台郵撥儲金戶九二五二

東南半島遍地危機

——寮戰方酣，毛共亦進兵緬甸——

李宗谷

正在寮國內戰激化，俄帝公然以重武器和汽油供應親共的寮國叛軍之際，中共軍隊兩師人潛入緬甸境內，協同緬軍進攻滇緬邊境中國人民反共游擊隊的驚人消息，亦傳播出來了。毛共正規軍係於上月終開入緬甸的，它爲要避免引起自由世界的刺激與指摘——尤其是害怕招致印度尼赫魯的反感，對此事諱莫如深；緬甸政府方面則以此舉乃是該國總理宇努月前在北平訪問時，跟毛共簽訂秘密協定而然者，亦不便公開宣佈。彼此由於做賊心虛之故，竭力封鎖這項軍事行動的消息，到目前才被外間覺察的。東南亞半島已形成危機的態勢，領導自由世界的美國，如果依然漠視這種嚴重情形，而不改變其所謂「不單獨行動」的現行遠東政策，我們敢斷言不出二三年之間，東南亞整個地區必爲俄共集團蠶食殆盡，毫無疑義。

瞻望寮國前途

保障寮國安全獨立，不受外來攻擊，原係越戰協定暨東南亞公約的法定職責。過去美國給予寮國以軍經援助，即是履行這項義務，俄帝並無異言。近年該國由勤亂而激起內戰的真正原因，美國的領導方法固然不能辭其咎，然其他西方國家自私自利，不肯合作，更從中搗鬼作祟的責任尤其重大，且不僅是寮國爲然，越南的狀況亦復如是。假使沒有這種因素的話，則以東南亞公約的集體防衛關係，寮國的內戰根本就不致發生。然而，東南亞公約理事會眼見蘇俄帝公開介入寮國的內戰瀰滿，以及毛共發出「決不坐視」的釀亂聲明，漠然無動於衷，經過泰國再三呼籲之後，才對俄共集團發出一點警告性的訓令，指定它們「繼續干預的結果，將使綿綿數月的寮國衝突局面延展下去」，表現着毫無所謂的看熱鬧心情。

現在寮王指揮之下的政府軍與叛軍，互相憑藉美俄的軍援實力，從事激戰，越共和中共已發出謠言攻勢，宣稱美國、泰國、越南與中華民國皆支持諾薩旺的叛亂行動，預作它們實行參戰的口實。毛共已有兩師人潛入緬甸，隨時可以參加寮戰，越共胡志明軍之必然爲巴色寮與康利合組的叛軍撐腰，自不待言。將來縱使不構成第二個韓戰的現象，亦一定會出現第二個奠邊府之役的戰爭狀態。那時候，美國如其沒有實行非核子武器的局部小戰之決心和魄力，不用說，英法各國又將搬出當年對於越戰的故智，迫美國再來一次日內瓦式的停戰協定，把寮國劃分爲兩個政府，讓非法的共黨勢力享有合法的政權，以期苟安旦夕，甚至將來亦不妨搞出兩個寮國，兩個緬甸，兩個高棉，將所不惜呢！東南亞公約在實質上說不上是一種「無牙的老虎」，乃是一隻「無爪的小貓」，連捉耗子的能力亦缺如，希望憑它的力量來維持東南半島的和平秩序，簡直是癡人說夢話！

東南亞的可能趨勢

寮國如果一旦變了色，高棉當然非倒向共方不可，而泰國即爲之癱瘓難安，它既無自衛能力，爲着生存關係，祇好接受俄共集團「和平共存」的魔術誘惑，改取所謂中立政策，來一個不流血的政變就行了。越南呢，孤立在數面夾攻的斷潢絕港之中，內部很容易發生變亂，結果亦被共禍吞沒完事。緬甸現時已經引狼入室，請來毛共的兩師兵力替它保鏢，今後決無中立自主之可能。印尼蘇卡諾早已跟共方流瀣一氣。最後剩下印度和巴基斯坦，只要毛共利用西藏問題，以實力向尼赫魯威脅壓廹，他們除了屈服妥協而外，還有甚末力量來抗禦外侮嗎？所以，我們認爲美國如不改變現行的遠東政策及其作風，整個東南亞地區將在很短的期間內一律完蛋。這不是危言聳聽，各種因素歷歷可覩，誰也能夠辨識出來的。美國自然沒有放棄東南亞的意思，但其害怕戰爭的心情，形成了歇斯底里亞的症候，祇要俄帝說一句好戰的恫嚇之詞，即一心以爲核子大戰將至，再經英法從中游說勸阻，在所謂「痛苦的決定」之下，唯有妥協而已。四年前英法進兵蘇彝士運河時，俄帝對美國發出了一紙以越洲飛彈恫嚇的照會，艾森豪總統便不惜與英法破臉，勒令停戰。中東對西方國家的利害關係，遠勝於東南亞，誰敢相信西方國家爲着保持東南亞地區的安全，而能唯力是視，毅無返顧呢？因此之故，寮國這個小邦的未來命運如何，實爲整個東南半島的安危關鍵所在，美國如不欲放棄東南亞洲，但求保守大西洋兩岸，目前唯一的作法，就是將腐朽的東南亞公約化生神奇性能，實施平日所謂應付非核子武器的局部小戰計畫，發揮一些想像力，屏除西方友邦的扯腿作用，而利用東南亞地區的反共潛力，美國並不需要出兵參戰，即可遏制俄共集團的侵略行爲，使它不敢南下而牧馬。世界大戰發生與否，原不是片面的關係，俄帝目前所叫着「和平共存」口號，強調大戰非不可避免之說，即係畏戰的心理反應；同時亦是它看透了西方國家的惰性偷安心理，認爲藉「和平共存」魔術，即可摧毀西方自由國家，埋葬資本主義制度。按照目前情況看來，俄帝這種和平鬥爭策略，頗有效用，君不見中南美北非各地區近來到處掀起反西方列強的民族動亂乎？長此下去，美國且有自顧不暇之憂，英法更無力過問外事，而唯拘守是務，俄國利用反帝反封建的民族運動以困擾西方列強，很可能把自由世界陷於分崩離析的敗潰境地，克奏「不戰而屈人之兵」的潛力，又何必冒戰爭之危險呢？若就西方列強的生存來說，老實講，祇有採取先發制人的戰爭手段，纔有勝利的把握，要憑和平鬥爭方法以反抗共產極權侵略主義，失敗的成分居多，美國的嚇阻政策決無絲毫效用可言，徒然是嚇到自己罷了。古往今來，若干賢哲之士所闡揚的非戰主義，至矣盡矣，蔑以加矣，然人類的戰爭行爲却有增無減。如果說原核子武器發明後，戰爭即可永遠避免，那末，卅年前亦發明了毒氣，何以戰爭仍然不免耶？總之，在現階段中，西方列強只有實力比俄帝優勝，其他皆不是它的敵手，棄利刃而舞鈍刀，危乎殆哉！

推銷俄製香水

小論天下

△美國新政府國務卿人選已定，由魯斯克氏充任，鮑爾斯爲副，兩人都以熟悉遠東事務著稱。其他各部首長，有兩個共和黨的人，班底配得很雜。

這似是肯尼第精心泡製的「雞尾酒」，用他自己的口味來支配各種味道不同的酒類。赫魯曉夫要不要緊着眉頭去嘗試？

△寮國顯然內戰已在永珍展開，雙方會戰的結果，一個取消「中立」的新政府業已組成。英法美在巴黎會商對策。泰國、菲律賓與巴基斯坦均有不惜參戰的意向。中共警告美國不得干預。

共產黨具有足夠的決心擴大這個裂縫。西方國家又是舉棋不定。只剩下東南亞反共的國家在那裏着急。東南亞公約仍只是一張簽上廢字的白紙。

△最古老的非洲王國阿比西尼亞發生政變，老國王出國期中，皇太子在國內策動政變。一個具有三千年歷史的王朝出現了一次因宮變而蒙受着的革命。

△拉丁美洲又有新的騷亂。厄瓜多爾總統公開表示親蘇反美。示威[illegible]已不只是星星之火，也不只[illegible]。

△台灣省議員張富發表妙喻：議員提出質詢與建議，省政府官員聽了就算，因此好像是[illegible]火車，蚊子叮佛像，不發生絲毫作用。

議員自喻雖卑，却把政府官員罵作「死物」了。

△美駐華大使莊萊德在台演說，指出經濟獨立的重要，希望節省消費，不斷擴大投資額，增加生產。

我們希望能夠把帽子放在手上去和美國人講話，這個忠告是及時的。

△阿爾及尼亞仍有示威暴動。法國總統戴高樂，中止巡視，趕回巴黎，召開緊急閣議。

從莫斯科看巴黎，多麼寫意？

△聯合國安理會辯論剛果危機，議而不決，蘇俄使用第九十二次否決權。

聯合國壽命有時而盡，更能消幾番「否決？」

方南

自由談

大可．不必

馮五先生

當美國民主黨人肯尼第獲選爲下屆總統的消息傳出時，咱們這方面有人感到沮喪，因爲肯氏曾說過美國不必協防金門馬祖的話。近日聽說肯氏任命了魯斯克爲國務長官，又有人表示興奮，理由是魯斯克在十年前發表的演說，曾經主張美國必須以全力支持中華民國也。這種俯仰由人的表情，似乎不免失態，難看得很！

政治人物的競選言論，多半都是些空頭支票，不能兌現的。八年前艾森豪競選總統時，他在美國退伍軍人協會發表演說，聲言「美國一定要遏制蘇俄的侵略行爲，非將其極權擴張勢力攔回蘇俄本土，決不罷休；美國對於東歐被鐵幕統治着的人民，一定要使他們得到解放」。意態何等雄傑，言詞何等堅定，當時民主黨人聞之大譁，認爲這是使美國走向戰爭之途的政見，竟聲指爲「危險」。然而，在艾氏担任總統八年之中，自由世界祇見其「日蹙國萬里」的形勢，坐視蘇俄的極權侵略勢力，肆無忌憚，格外擴張，即他自己在巴黎被俄酋赫魯歇夫公然侮辱，亦覺啞面自乾，甘作「衰仔」了！即此可知政治人物在野時的言論，總是譁衆取寵的作用居多，不能相信他的票面價值的。肯納第的競選之言，亦作如是觀。至於魯斯克在十年前的說詞，更須看他今後的事實表現如何，切忌自我陶醉。

自助者人助，自侮而後人侮，祇要我們能夠自立自強，盡其在我，漫說友邦一定予以支持，即令日反對我們的國家，亦將刮目相看了。「貧居鬧市無人問，富在深山有遠親」，個人如此，國家亦然，光是隨着別人的顏色而或喜或憂，徒然教人瞧不起，大可不必也。

代郵

台灣彰化陳耀勳先生：

[illegible]

雷嘯岑

在寮國局勢緊張聲中 中共大軍入緬

劉安邦

曼谷航訊

滇緬邊界潛伏了一支中國反共游擊隊，這已不是秘密了，可是這支反共游擊隊的力量究竟有多末大？它是怎樣靜悄悄的在那個山區生存了十年？却可以說是我們現實生活中一個大秘密。中共對於這個秘密一定知道不少，因爲這是一把利刃插在它的鄰近心臟的臂彎上，它不會不了解。

最近幾天報紙和外國電訊傳來的消息，證實中共軍兩師人第卅九師和四十師已由雲南車里、佛海、瀾滄等地分幾股竄入緬境，與反共游擊隊展開了激烈的血戰。中共軍此次入緬，是獲得緬甸的同意，並且曾簽定了密約，爲什末緬甸要引狼入室？甘願不計後果同意中共軍入境呢？原來這次中共是利用邊界劃界爲餌，「中」緬邊界協定早已簽署，在這個協定中，中共把滇緬邊界北段的野人山和江心坡，以及滇緬邊界中段的猛卯三角區都送給了緬甸，但却換得有戰略價值的滇緬邊界南段的卡瓦山區，這個邊界協定，很明顯的理由是：中共以土地和經濟利益爲餌，給予緬甸，以換取軍事利益。卡瓦山地形險峻，民性強悍，其中一半的地區，在一九四一年中英在重慶換文時，中國同意劃歸緬甸，中共這次却換回這塊地區，這個卡瓦山面積究竟有多大，還無正式統計，以走路計算，在緬境的卡瓦山南北要走十天，東西要走四天，人口約十二萬五千人，有廿二個部落；在雲南境內的卡瓦山，南北要走六天，東西要走兩天，人口約六萬人，有十六個部落。卡瓦族分爲野卡瓦和純卡瓦，野卡瓦切人頭祭鬼，互相殺戮，相同於非洲的殺頭族，純卡瓦不殺人頭，他們均崇拜鬼，出產鴉片，年產約五萬公斤，每年生產的糧食不夠九個月吃，這些民族雖然落後，但其耐苦能力是無比的，他們打仗時可以嚼生米和野草，在人跡罕到原始森林中潛伏一兩個月，在荊棘尖石的山上，不穿鞋，赤腳的腳底比皮鞋底還堅硬。這個民族每個人武器是他第二生命，過去中共曾進入該區企圖搜繳他們的槍支和糧食，終致他們全部反共，並派酋長前往中國反共游擊隊總部請求支援抗共，於是游擊隊派軍進入卡瓦山區，把卡瓦民族組織成了一支勇敢的戰鬥部隊，卡瓦山在雲南境內是屬於瀾滄縣管轄，游擊隊乃派出了一名高級人員担任瀾滄縣長，這恐怕在紅色大陸中，第一個反共的縣長了。由於這些發展，卡瓦山變成了中國大陸上一個缺口，所以中共寧願用北段江心坡換回卡瓦山的一半，其目的在堵塞這個反共軍進入雲南的缺口。

同時，反共游擊隊這幾年發展得非常迅速，自李彌將軍一九五〇年創立這支部隊後，雖經過聯合國強迫撤軍等變動，可是這支武力自力更生還日益強大，其所控制的區域比台灣面積還大，而武裝人數已逾二萬五千人，所收容自雲南逃出的難民，爲數約七萬人，在紅色中國的西南各省青年們，時常耳語的相互邀約，他們說：「我們到滇緬邊區。」就好像基督徒說：「我們上天堂」！一樣的歡愉。

中共當然非常担心這種情勢，這次它和緬甸談判邊界問題時，曾要求緬甸保證在土地移交時的順利，緬甸方面明知這是不可能的，因爲卡瓦山民族反共，又有游擊隊，因此換界時一定發生麻煩，所以緬甸不敢保證，中共乃乘機說，既然有困難，中共只有派軍入緬，這便是中共與緬甸簽訂邊界協定時所附秘密條款的由來。

中共軍入緬是十一月廿二日，廿四日便與反共游擊隊發生激戰，截至十二月四日，已劇戰好幾次了，游擊隊因爲地形熟悉，士氣旺盛，又得當地土人的支持，所以每戰皆捷，開始三天，中共軍已死傷四百餘人，傷者全部運至車里醫治。

中共軍入緬，第一目標是想消滅中國反共游擊隊，第二目標是與寮共越共相呼應，策應寮共鯨吞北寮，第三目標是配合緬共羅相部隊，給予緬共大力援助，以待時機奪取緬甸政權，第四目標是掩護在車里早已成立之「紅色自由泰軍」及其領袖乃比里進入泰境，製造泰國叛亂以奪取泰國。總而言之，這次中共軍開入緬甸，是敲響了東南亞的喪鐘，也是中共吞吃東南亞的開始，反共游擊隊對抗中共的作戰，不止爲了中國人的自由，也是爲了保衛東南亞的自由而戰。

寶島拾遺

莊雪芳一場虛驚

香港女影星，莊雪芳小姐，來台後隨片登台，接着又籌拍新片，不久前特別選定風光明媚的新店溪畔的一幢房子，準備作較長期的居留。但是，十二月五日夜鄰居失火，却害得她飽受一場虛驚！

五日夜，莊雪芳小姐正在家裏寫寄聖誕卡的信封，突然間聽到外面一片呼喊聲，抬頭一看，只見對面火光衝天，這一下，她可急了，因爲這時候，偌大的一幢房子裏，除了她之外，再沒有別人，秘書楊天去聽平劇還沒有回來，女傭人也恰巧請假出去了，電話又因綫路燒斷打不通，不知怎樣搶救東西是好？

不過，一兩分鐘之後，莊小姐馬上恢復了鎮靜，首先，她將她和楊天的護照藏在身邊，接着就整理衣物，大大小小一共十幾隻箱子，一件一件的從臥室搬到大門口。

幸虧由於消防人員迅速趕到，火勢在十分鐘內就被撲滅。不過，這時候，莊小姐却已經累得一點力氣都沒有了，癱坐在沙發椅上，連連嬌喘。在事後回想起來，她也不知道當時從什麼地方來的那麼大力氣，竟能一口氣搬上那麼多箱子的。

莊小姐來台後，深感台灣人情的溫暖，她準備再住上一段時期！

（嘯谷十二月六日寄自台北）

台北週訊

葉楓、張揚、李南輝

張希明

「睡美人」葉楓小姐，與張揚訂婚了。這消息在台北傳出，關心她的人，非常驚異。爲的是葉楓的未婚夫屬於誰的問題上，但台北的傳出的消息中，葉的未婚夫是名小生屬電懋旗下的張揚，而非李南輝。

電懋公司宣傳部主任黃也白七日由長途電話，向台北代理人國際公司宣佈了上項消息。而國際公司負責人也證實了葉楓與張揚的訂婚喜訊。

葉楓與張揚之婚事，進行得如此之快，實在感到非常地意外，連接近她們圈子的人，也感到很奇怪。

最使人懷疑的是，兩個月前，葉楓自香港專程來台，與情郎——籃球國手李南輝卿卿我我地玩了幾天，延過日月潭，更奇怪地是他們曾半公開的承認她們的感情的濃密程度之深。

尤其使人不相信的事，葉楓回到香港後，似乎又忘了李南輝國手了，與一位印度阿三老相好，舊情復燃，過從甚密，情意甚深，且有訂婚之言。但在上週三的消息中，葉楓的情郎，爲大家所公認的李南輝却未中鵠。

據圈外人士說：葉楓在台時，與李南輝之親密甚篤。不過葉未回港之前，曾在朋友中聽到李與另一位女友出去跳舞，葉楓認李有變異思遷，喜新厭舊之感，似乎在愛情上靠不住，無法白首偕老，遂使她打消了與李繼續來往之念。回到香港，葉以對李的感情，一下子轉向了張揚，這就促成了這件事的加速發展。

聰明的葉楓，去了香港，還是與李有感情上的負担，並未立刻快刀斬情絲。這次葉張訂婚消息傳到台北時，李南輝本人還蒙在鼓裏，不知道其內情發展得如此之快？因爲李湄回台時葉曾以口信請李湄帶來，問李南輝的好呢。

李南輝對此事心裏甚爲焦急，一位快到手的明星小姐，突然一百八十度的轉變，這在男人心裡是十二萬分難受的。他曾用長途電話向香港方面探詢，結果是葉楓不在香港。李本人對人表示：「如果葉與他斷了關係，他的心該死了。」話說出了，心裏還寄有一分希望。也有人說是戲劇人生，有時爲了公司上映新片而權宜的宣傳攻勢，也未可知。宜傳攻勢不致於要出到這一套吧！看來，我們的大國手怕要另圖發展了！

訂婚

「李南輝，你算老幾？」

——台灣漫畫通訊——．伯風作．

大陸文壇萬花筒

「黑麵包乾」的意義

——岳騫——

中共的各種刊物，最近一年來很少翻譯蘇聯作品，除非被中共認爲有教育意義的，例如「黑麵包乾」這篇小說。

「黑麵包乾」小說是蘇聯女作家葉・德拉伯金娜所著，中共譯載於十月號「世界文學」，劉白羽又在二十一期文藝報上寫了八千字的書評，題目是「讀黑麵包乾」。

共黨的作品有一個特色，就是回憶錄與小說分不清楚，說它是回憶錄，其中人名都是假的，說它是小說，而它的章法則是一種報導文學，對於這種東西，共黨似乎也未定出新名詞，只好姑且稱之爲小說，「黑麵包乾」就是這樣的東西。

「黑麵包乾」是描寫蘇聯大革命時的情形，其中重要情節是當時蘇聯本身已經民窮財盡，人民沒有飯吃，許多人都餓得頭昏眼花，可是，德國方面也亂了，馬上列寧就下命令去援助德國的共產黨。

這時俄國工人生活的情形是「每人一天只能領到重量四分之一斤，甚至八分之一斤，樣子像在粘泥裏揉了一半發麥桔的麵包，四個人合吃一條鹹魚尾巴。」但是「黨」的命令要支援德國，老百姓只有照辦，於是各地把僅有的黑麵包集合在一起，裝了一列車運往柏林。

小說特別注重描寫各地的麵包質素與形象的不同，說明這次收集的麵包是來自俄國每一個角落，可是這列車麵包運到柏林之後，德國社會民主黨政府却拒絕接受，因爲他們已自美國威爾遜總統得到援助。

這篇小說所以被中共看重，大力推荐，原因有三：

一是反美，二是鼓吹戰爭，小說中公然指出「爲了消滅戰爭，必須消滅那些需要戰爭的人。」

第三點也是最重要的一點，就是藉此教育一般幹部，明瞭援外的意義。近幾年來中共雖然把整個大陸治理得一窮二白，老百姓雖然不敢言亦不敢怒，但是，幹部總不免發生疑問，明明自顧不暇，何必打腫臉充胖子。這種思想瀰漫於中共幹部之間，劉白羽才選出這篇小說來「教育」幹部，援外是蘇聯老大哥的先進經驗，也是列寧「祖師爺」創下的，看了小說之後，思想也許就搞通了。

寶島風光

梁明

△台南市議會於上月某日舉行預備會議，商討四屆第九次大會的議程，散會後，議長王朝榮「擺起龍門陣」來，他說：「大家何苦又要忙於競選？（按：台省第五屆縣市議員選舉定期於明年一月十五日舉行）照樣是費錢傷神，不如照『××副刊』上刊說的辦法，用抽籤方式以決定當選與否，抽中了籤的每人捐教育基金五萬元，這樣豈不是一舉兩得！」有人戲謂：如果候選人眞的以抽籤方式來決決當選與否的話，恐怕台南市十分之九以上的公民都會抱着試試運氣的心情，來做候選人了。然則，這是民主的極致？還是民主的玩笑？

△彰化縣政府所辦之職業介紹刊，自成立以來，義務爲各廠商及失業青年男女，代辦介紹人才或工作，成績斐然。前幾天，有一位單身漢跑到職業介紹所去，他要「求人」，又要「求職」，他要求的「人」是「新娘」，要求的「職」是「新郎」。介紹刊內登記小姐一看，滿臉通紅連忙解釋說：「這兒不是婚姻介紹刊。」

儒林九尾龜

吳敬鋅

第四回：人何寥落鬼何多

黃安民也感到十分稀奇，問道：「他是不是又想倒過來？」

李鴻飛說道：「倒呢！他到沒有倒，但是想留一條後路是眞的，他當時向共黨幹部報告，說自己打着無黨無派的幌子還可以迷惑一些人，假若去了一趟北京，回來再想拉一個朋友也難了，還怎樣去作統戰工作。」

小石說道：「這話到也未嘗無理，只是共產黨答應不答應呢？」

李鴻飛說道：「共產黨的幹部各人有各人的任務，拉人去觀光的幹部只要拉到人就算完成任務，你將來如何工作，根本就不干他的事，結果賈虹逃不掉，只好去了。」

黃安民問道：「除去夏作人和賈虹，還有那些？」

李鴻飛笑道：「一共湊了幾名豬仔，偷偷摸摸的過了羅湖，事先嚴守秘密，至親好友都不敢告知，過羅湖時，賈虹用手掩着眼，低着頭，好似犯人上法場一樣，你說好笑不好笑。」

黃安民同小石都笑起來。

李鴻飛又問道：「不過，夏作人那一批中間並沒有盧孟德，他是不是臨陣逃脫了。」

小石說道：「他是單獨去的，比較大隊早了兩天。」

黃安民點點頭，「他到底比較高明，這樣旣得實惠，又不担惡名，到是一舉兩得。」

李鴻飛笑道：「香港這個地方，高手多得很，一山還有一山高，你以爲盧孟德很高明吧！比起那個烏鴉曹蛀人又差一皮了。」

黃安民連說：「你不提起，我也就要問，他們拉不到觀光隊，爲什麼不拉烏鴉湊數呢？」

李鴻飛笑道：「這就是棋高一着了，烏鴉得到了觀光的消息之後，他就搶先向中共外交部申請入境，他自稱是南洋一間左傾僑報的記者，被派去北京採訪國慶新聞，中共政權成立這麼多年，尙未有過海外僑報派人回來採訪的消息，中共外交部馬上批准，周恩來還親自寫信歡迎。及至統戰部的人找到烏鴉，他把所有證件拿出來，統戰部的人就不敢再麻煩他了。」

小石搖搖頭：「這個傢伙，確實有本事。」

李鴻飛微笑道：「他的本領尙不止此，他臨去北平之先，居然給他的舊主寫封信，報告身在曹營心在漢，此去只是搜集有關材料，以備大反攻時的參考。」

小石連忙問道：「他這話是眞的還是假的。」

李鴻飛笑道：「你問他自己是眞是假也未必知道，眞正反攻了，他就咬定是眞的，若是不能反攻，自然就是假的了。」（四十九）

戒烟的滋味

程係烽

談起吸煙，我已有二十年的歷史了。在我小的時候，就會銜着父親的煙斗，一搖一擺，也學做大人的模樣，煞是神氣！有時，用力一吸，煙氣槍住喉嚨，就咳個不停。母親在旁邊笑得前仰後合，過後還稱我：「這孩子眞能幹，將來一定有出息！」我得到母親的鼓勵，所以，很快的就學吸煙了。

每逢無聊的時候，一枝香煙在手，雜慮盡消，四大皆空。如果想寫一篇滿意的文章，更非抽煙不可；青煙吐出，靈感源源而來，吸煙成了我唯一的嗜好，也可以說是特有的享受了。

來台之後，因爲收入有限，曾經數次立下決心戒掉它，但總是堅持不久。這次旣下定決心，必須貫澈始終，不能落人笑柄。何況不吸煙旣可省錢，又可少罹染怪病的危險，眞是一舉兩得，何樂而不爲？

第一天開始，頗先買好一包香菸在衣袋內，在寫作的時候，來一個口不離糖，糖不離口，這樣頗能收到一點效果。但是到了晚上，問題就嚴重啦！平時，總是「睡前一枝煙」，躺在床上，一縷一縷的青煙，嫋嫋上升，那種怡然自得的神情，眞是無法形容！缺少了烟，再多的糖菓，也失掉了效用了，翻來覆去，不能成眠；週圍都變成了烟圈、烟蒂、烟盒、烟缸、打火機，越想睡，越是不能夠。天哪！戒烟的滋味，這才眞的領受到了。

次日，無精打彩地心身難受。隔壁的張，素來有「烟缸」之稱，對門的陳胖子，除了吃飯，睡覺之外，其餘時間老是一枝香烟在手，有時，烟頭燒着嘴巴了，用指甲指住不忍掉去。他們二人對我成了很嚴重的威脅，不知道如何應付是好。

寫稿的時間如坐針氈，拿起代擬的文稿，腦子裏千頭萬緒，雜亂無章，以致錯誤百出，扯了幾張稿紙，一個字沒有寫成！老張笑嘻嘻的過來說道：「老程！來一枝…」他拿出一枝「雙喜」放在我的面前。

「謝謝！我……我戒烟了。」我很有決心地說。

「戒烟？我已經聽厭了，別自討苦吃。抽一枝吧！」他把香烟遞給我眨了眨眼。

「不，我已經下……下決心不抽了。」

下午，少氣無力的由街上回來，桌子上的一枝「雙喜」突然在我眼前出現了。我貪婪的向它凝視着，不禁嚥了一口唾沫。四顧無人，像做賊似的，偷偷地在嘴裏點燃着。

「好！我看你的決心！」只覺得有人在背後猛然抓住我的衣領。

「嘻！是你們！」回頭一看，正是老張在咧着嘴巴大笑。

社會小說 香港地

六、人情味

梅大亮不知道老搁搞什麼鬼，只管靜聽下去，好久才知道，那兩個相罵的男女，一個是這家旅館的侍者，一個是幹皮肉生涯的流娼，原本是一對相好的鴛盟鰈侶，只因男的怪女的對他不忠，愛情並不可靠，向女的責罵得太過激烈，才會鬧翻，弄成這樣的一個場面。

梅大亮越聽越覺此事糊塗，太過費解。他在心裏想道：「旣然是這種賤皮肉的女人，每天都要陪幾個男人睡覺，還有什麼忠不忠，愛情不愛情呢？那男的罵什麼都可以，只不能罵他不忠不貞，但他別的不罵，只罵這個，豈不是愚蠢荒唐得可憐？」

他越想越覺此人此事，實在好笑，但又不便笑出聲來；一直等到那女的哭哭啼啼止了，男的也悄不作聲，一場吵鬧已告完結，才對老搁哂道：「這到底是什麼一回事？料不到來這裏看你，席還未暖，便看到這樣的一齣活劇。」

老搁笑了一笑，答道：「這樣的活劇，偶然看看也不妨。不消動問知道他們鬧的是什麼了。」

梅大亮道：「這事說奇是不奇，說不奇是奇。聽他們互罵時的口風，男的聲聲指女的不忠實，試想，這是多麼無聊的啊！他明明知道女的要和別的男人發生關係，怎能怪她不忠實？」

老搁笑着大搖其頭，叫梅大亮附耳到他的口邊，才低聲說道：「你有所不知，原來個中道理，並非你我所能看透。剛才我聽的十分清楚。那男的是有他自己的一套理由呢。他說，往常那雌兒接客，只和流水行雲，應酬完了便算，只是剛剛接了一個客人，情形便顯得不對。他指出那雌兒在幹完了例行工作時，還拿着對方那話兒來研究，大有依依不捨之意。這就是生心向外，不忠不貞的確證，是可忍，孰不可忍，當然非厲行問罪不可了。這叫做一百歲不死也會聽到更新的新聞。那癡男子到底是唯心的抑或是唯物的信徒，連我也弄不清楚呢。」他低聲細訴完了，才放聲大笑起來，幾乎聲震屋瓦。（八十六）

木客著

工展特輯

中華民國參展團 昨歡宴港九各界

中華民國工商界參觀香港第十八屆華資工展代表團，昨十二日晚假豪華樓歡宴各界，到有朱石麟、謝伯昌、徐季良、黃之英、梁祖卿、許讓成、歐文亮、鄧祥、陳靜濤、張軍光、朱朝欽、雷少明、潘壯修、林康侯、沈育光、胡晉光、陳夢茵、鄭郁郎、潘仁呂、歐陽百川、張國興等數百人。

各界嘉賓，中華民國工商界，爲應本港中華廠商會之邀，組織代表團參觀香港第十八屆華資工展，自從本月五日到達香港，即蒙各界友好熱烈招待，多方協助，種種盛意，極可感奮，本團同人，今天特假此間略設薄酌，表示敬意，承蒙諸位先生在百忙中抽暇光臨，我們更是說不出的感激。

本團來港主要目的，在參觀第十八屆華資工展，我們知道香港工業發展實以華資爲中心，僑胞在香港的工業產品。就我們所看到的，眞可以說一日較一日的改良，一年比一年的進步，品質精良，定價低廉，在在均可媲美歐美，因此行銷全球，到處受到歡迎，本團來港參加工展，自然是要對工業產品之改進，詳加觀摩，以資借鏡同時中華民國工商界，明年擬在台灣舉辦一次，較大規模的工業產品展覽，會對於香港工展籌備的實況，我們更需要搜集資料，以便參考，其次，我們知道台港貿易的關係，一向是十分密切的，農工產品之相互交流，也是一件很急需而重要的事情，本團各團員，均爲工商界人士，對這個問題，自有很大的責任和期待，同人等願意在實地考察之後，盡力推動，使得今後港台的貿易更有百尺竿頭，更進一步的發展。

最後謹以杯酒祝諸位先生健康（坤）

香港筆廠 攤位優美

工展會每年舉行裝飾比賽，旨在提高遊客興趣，此次以纖條優美，象徵稱著的香港筆廠，該攤位爲一巡洋艦型，中間豎一大金筆，象徵該廠業務與出品，非常切合題，富有展覽意義，色調雅緻，琳瑯滿目，且整個攤位建築，全部以精密力學計算，所以上蓋不須木柱支撐，有如懸空一般，令遊客有一種新鮮而奇異的感覺。陳列濃淡相宜，多寡有度，旣華貴又實用，眞是有美皆備，無善不臻，故行經第九街尾的遊客無不翹首停足，欣賞一番，咸讚爲工展中不可多得之裝設云。（白）

李寶瑩 大送相片

名伶李寶瑩小姐，昨日下午七時，參觀工展會，並在十二街振興餅乾廠攤位，應迷哥迷姊們之請大派親筆簽名玉照，一般戲迷聞風而集者途爲之塞，振興攤位前頓見人山人海，煞是熱鬧，幸賴公安部派出糾察多人到場維持秩序，於是按次派送，井然有條，爭先恐後之情形稍煞，戲迷於喜獲李小姐玉照之餘，並欣賞振興攤位，對特價優待品大感興趣，紛紛選購，尤以鮮牛油克力架及火腿雞蓉麵買二送一，最爲搶手，若用「貨如輪轉」字眼，猶未能形容其萬一，暢銷情形於此可見。（白）

更換新裝 鱷姐增艷

鱷魚牌恤衫廠的鱷魚工姐，素來以美艷出名，而服務精神亦爲一般觀衆所稱道。該廠昨特爲鱷姐們更換淡灰色的長衫新裝，白領，領口一朵紅花，確實嫵媚倍增。鱷魚恤衫廠不但對鱷姐的服裝留意，設計精美，就是對廣大市民，也解決了一部份的穿衣問題。（安）

光明聖誕燈 顧客盛讚

光明燈泡廠出品光明牌燈泡，行銷海內外，聖誕燈，歷有年所，時屆聖誕新年，用來裝飾住戶送禮，均極合適，故連日來生意狂旺。本屆該光明廠展牌、歡喜牌之攤位設在十五街。（坤）

釋耒集

周濂溪先生通書，文辭第二十八曰：「文所以載道也，輪轅飾而人弗庸，徒飾也。況虛車乎。」又曰：「不知務道德而第以文辭爲能者，藝焉而已。」此論道之語，非所以論文也。後世承宋學餘緒之文家，又援之以論文，以爲文果載道，則自可進于道而非藝，平情論之，則藝亦未可輕議也，章實齋曰：「蓋文固所以載理，文不備則理不明也，且文亦自有其理，妍媸好醜，人見之者，不約而有同然之情，又不關于所載之理者，即文之理也。故文之至者文辭非其所重爾，非無文辭也。而陋儒不學，猥曰：「工文則害道」。墨翟，莊周，韓非；其書固所謂異端者也，而衛道之士，環而攻之者二千年，其道或不彰，而文未嘗廢也。道爲異端，文乃絕詣，離其道不廢其文，即文自有文理之明證也。中庸曰：「文理密察，所以有別也。」猶曰：「惟聖人能爲之」；故聖人未嘗輕文，而陋儒不知也。然則曰：「工文則害道」者，不過陋儒所以自掩其無文之飾辭耳。翁嘗思之：文之功用，記言記事而止，屬于古之左史右史，其體則存于尙書與春秋，後之作者，記事莫精于左氏，而記言莫精于論語，韓昌黎氏發其旨，曰：「記事必提其要，纂言必鉤其元」。故提要鉤元，實文人應有之能事，能之，則文理在其中矣。

文理

左傳首章敘隱公即位之文曰：「惠公元妃孟子，孟子卒，繼室以聲子。生隱公，宋武公生仲子，仲子生而有文在其手曰：「爲魯夫人」，故仲子歸於我。生桓公而惠公薨，是以隱公立而奉之」。凡五十八字，敘人凡七：曰惠公、曰孟子、曰聲子、曰隱公、曰宋武公、曰仲子、曰桓公；其名號凡三：曰元妃、曰繼室、曰魯夫人。其生卒凡五：曰孟子卒、曰生隱公、曰生仲子、曰桓公生、曰惠公薨，而魯宋兩國，數十年間之夫婦、妻妾、父子、兄弟、姊妹譜系，悉了然於此，中間絕不着一無謂之字，是眞所謂記事而必提其要者也。論語記言，其體殊于謨誥，而句核字省，不遺其大，尤爲精約而近雅，如：「樊遲問仁，子曰：愛人，問知，子曰：知人，樊遲未達，子曰：舉直錯諸枉，能使枉者直，樊遲退，見子夏曰：鄉也吾見夫子而問知，子曰：舉直錯諸枉，能使枉者直，何謂也？子夏曰：富哉言乎！舜有天下，選于衆，舉臯陶，不仁者遠矣。湯有天下，選于衆，舉伊尹，不仁者遠矣」。問仁與知，孔子但曰愛人知人，因樊遲之未達，旋折以出子夏之語，層次井然而未嘗費力。非老于文學者其孰能爲之。竊怪近人之爲文，不務文字本身所具之理，妄欲輕薄齊梁，高談漢宋，詆文辭爲末技，猥以道術自許，是猶操白梃以拒利兵，其不敗者，未之有也。曲齋

時代曲

徐學慧

倒並不是有意要和那些時代曲「歌星」過不去，在我看來，與其聽時下那些所謂歌星們唱時代曲，還不如聽二十年前流行的毛毛雨，燕雙飛，桃花江，葡萄仙子。毛毛雨等曲，雖然單調，畢竟還有些中國民間小調的味兒，至少我們可以聽得慣。時代曲演變到今天，幾乎已完全捨棄了中國風味，變成了非驢非馬的東西。這究竟是進步呢還是退步？大家心裏有數，倒也不必明說。

我曾在一家唱片行買新片，據一店員介紹，謂一時代曲新片上市，五位歌星包括白光江玲在內所唱的十二支「新歌」，即有九支乃來自西曲，時代曲演變到這種地步，就不免令人啼笑皆非了。我曾譏笑粵語時代曲取材自國語時代曲，而國語時代曲又全盤取材自歐西歌曲，這樣的「歌星」以及那些改譯中文的「作曲家」，居然有胆灌唱片，居然還要聽衆出錢買這樣的唱片，眞是怪事。

我不知道這些歌星們一定要唱來自西曲的歌曲是什麼意思？是準備和那些西洋明星較一日之短長嗎？如其有此心理，那也眞是蚍蜉撼大樹，可歎不自量。是窮而無告，一定要唱幾支名曲，借他人的名氣，來維持自已的柴米油鹽嗎？如果眞是這樣，何以不唱一些有中國風味的歌。

也有人說，她們唱這些歌，是與作曲家「江郎才盡」有關。爲了要讓她們的名字與歌聲不致爲大衆所遺忘，就不能不乞靈於中譯西曲。如果眞是這樣，我倒要向這些「歌星」們進一次忠告，那就是：妳們還是被人遺忘吧！與其唱出這些非驢非馬的歌聲來爲聽衆們詛咒，又何妨讓人遺忘得乾乾淨淨呢！

百歲堂

漁翁

詩有之：「百歲之後，歸於其室」，室者，壙也，謂死爲百歲，百歲爲世所難逢，即有之，能夫婦齊眉，子孫蕃衍，富而且貴如清代宰相劉墉家之「百歲堂」者，可謂空前絕後者矣。

劉墉，字崇如，號石庵，山東諸城人，乾隆進士，官至東閣大學士，善書，名滿天下，政治文章，皆爲書名所掩。乾隆以其賢而能，器重之，召入閣爲助手，事無鉅細，悉垂詢之。

乾隆爲清世宗雍正第四子，名弘曆，在位爲高宗，時四方敉平，乃從事於文教，凡一統志，四庫全書，及各省通志等，皆當時勅撰之書。尤風流倜儻，喜遊山水，以江南爲風景區域，常微服往來其間，而世人不知爲當代一帝王也。

江南，即長江以南之地，如浙江、江蘇、福建、安徽、江西、湖北、湖南等省屬之，宋置江南東西路，清初置江南省，轄江蘇，安徽二省，兼江北地，氣候溫和，山川秀麗，向稱文物之邦，乾隆屢遊而不厭。

一日，過諸城，其地茂林修竹，風景絕勝，瀏覽之餘，不禁心曠神怡。聞當地父老言：「劉相府距此不遠，樓閣連雲，雕樑畫棟，爲天下第一家」。乾隆頗感不悅，以宰相能駕乎天子之上，何妄稱之爲第一家？即改名高天賜，投刺入，以一明究竟。

臨其門，見高懸「天下第一家」五大字，入一廳，有少年二三人，文質彬彬，出而招待，備極慇懃，乾隆詢「天下第一家」原因，答曰不知，引入二廳，見一風致飄然者出，寒暄後，請釋「天下第一家」五字，其人答道：此區內容，尙恨不識，請進三廳詢之。

三廳爲墉父所居之處，陳設甚美，賓主暢敘，相得益彰，復申前請，答之如二廳然，乾隆以年近六十者，尙不知門懸區額事，乃百思而莫解！迨進四廳，接見者爲八十老人，始云家父母百歲時，邑人餽三額贈，門外署：「天下第一家」，後堂二額，一爲「百歲堂」，一爲「壽序」，請入五廳，詢家父知其詳，乾隆以八十餘歲，尙有父母在，爲人間所罕見，始由不悅之色，而生羨慕之心。

五廳爲墉曾祖父母所居，現年一百零八歲，精神矍鑠，言語行動，如壯年人，指壽序額以示乾隆，內云：「天祝其希，地祝其希，帝祝其希，家內老少，亦祝其希，父爲宰相，子爲宰相，孫爲宰相，如我富，不如我貴，如我貴，不如我父子公孫三及第，如我父子公孫三及第，又不如我結髮夫妻百歲齊。」

乾隆觀畢，乃歎曰：「天上神仙府，人間宰相家」，所謂「天下第一家者」，誠名與實符。返朝語劉墉：「朕雖爲天子，富有四海，還不及卿家之富貴壽考，洪範五福矣。」此軼事，經編爲劇本，傳爲佳話。曩者，余與友人於遊東嶽泰山之後，路過諸城，訪相國府，雖非昔日之繁榮，而「百歲堂」之額尙存，徘徊其間，不禁有今昔之感！

猶憶友人獲得劉墉所書陶潛之桃花源記，計十二幅，並跋其後，原補壁於「百歲堂」者，其書法之遒勁秀拔，爲不可多得之珍品，友人以余性好字畫，持以相贈，藏之篋中，如獲至寶，並擬歌以詠之。歌曰：「遺我古墨蹟，上書桃源記。桃源好避秦，嚮往不能至，此爲陶潛文，又係劉墉字，於斯二美兼，天下難得事，我素薄利名，君眞知我志，懸之堂中，悠然感君賜。」光陰易過，忽忽不覺爲三十年事。得石庵居士之墨蹟固不易，而獲一書十二幅之傳家寶者爲尤難，余戰歸後，每相對覽者，門爲之塞，今則滄桑幻變，又不知落於誰家？田園寥落不足惜，而此品不存，爲平生一大憾事矣。

海嶠舊談薈

談繆斌（一）

諸葛文侯

我國對日抗戰勝利結束後，國府還都南京不久，首先依照「懲治漢奸條例」明正典刑的叛國罪犯，既非逆迹昭著，曾任汪記政府主席的陳公博，也不是僭居僞府文武顯赫職位的次要漢奸如褚民誼，梁鴻等，而係素來不爲人們所重視的僞考試院副院長繆斌，且未見有公開審訊判決紀錄發佈，愚滋惑焉。迨前年旅行日本東京，購閱戰後日本外交部編纂的「終戰史錄」，中有所謂「繆斌工作及其他對華和平工作」的專篇紀述，纔知道繆氏之速死於法，非偶然也。

繆爲江蘇無錫人，號丕成。乃父以道士爲業，繆氏弱冠時亦常隨父于役，在當地有「小道士」之稱。民國十二三年間，他棄却巫覡職業，馳赴革命策源地之廣州，參加國民革命行列，因緣時會，得入新創立的黃埔軍校服務，迨十五年北伐之際，洊任至王柏齡所率革命軍第一軍的黨代表。洎在江西德安戰役中敗績，他跟王軍長二人化裝逃入民間一祠堂內，攀伏於祠宇頂層的橫樑上亘一晝夜，驚險萬分。蓋北洋軍隊不斷地進入祠宇搜索，若被發覺，立遭殺害無疑也。這段故事是他後來貴爲江蘇民政廳長時，在鎭江親口對我說出的。

他在北伐戰爭期間，解除黨代表職務後，曾任革命軍總司令部經理處長，年方廿八歲。

民國十八年江蘇省府改組時，他要做民政廳長，堅懇其同鄉長者吳稚暉先生予以推轂，稚老答以「未滿三十歲的人，怎能作廳長呢？」置之不理。但他仗着「革命幹部」的各種關係，終於達到了目的。他在民政廳長任內兩年多，公然賣官鬻爵，將縣長職位分成上中下三等代價，於南京，上海兩地實行場外交易，一時聲名狼藉，輿論譁然，省主席鈕惕生先生素號稱「好好先生」，無可如何也。繆爲掩飾其貪污行爲計，會將內政部參事孔憲鏗（力行）任爲無錫縣長，逢人便揚言「中央政府的簡任官亦在我手下做縣長」，意態殊矜張，後來孔縣長亦以貪污被劾去職。

繆氏卸去江蘇民政廳長後，因爲政聲惡劣之故，在政治上始終抬不起頭來，連一名國民黨中央候補委員亦喪失了。初時宦囊尙豐裕，在上海作寓公，頗爲舒適，久之生活乃拮据，常與日本在華浪人往還，從事非法勾當。「九一八」事變後，日本軍閥進行「華北特殊化」陰謀甚急。繆氏與殷汝耕之流同惡共濟，在華北替日本帝國主義者作鷹犬。值溝橋戰端既啓，繆即參加王揖唐，王克敏等人的華北僞政權，勾結日本駐軍，接受日方所謂「興亞院」的驅使，在北平組織「新民會」，自任會長，大倡其中日親善合作運動，曾於北平戲院中被愛國志士加以狙擊，跳而免。綜此，繆固不愧爲十足的「前漢」人物，然其率先伏法的原因在彼不在此。

歷史人物

韓愈論

謝康

嚴又陵氏似乎從民主政治立場而抨擊韓公，那又是另一方面的說法（見又陵雜著）。至於韓詩，盤空硬語，屬於險怪一派，宋人呼爲大家，明人如王世貞、胡應麟，清人如王夫之，沈德潛皆有貶辭。太炎先生也譏評他「學習杜甫的遺風，更愛用典故，並愛用難識的字，每況愈下了。」又說他的作品，不及柳宗元的自然平淡，也不及元白說幾句民情，有小雅的風趣。王壬秋說：「韓退之起八代之衰，文詩皆未成章」（論作詩門徑）。但尊重韓詩的人，却捧他和杜甫同列，稱爲「杜韓」，歷代稱讚韓詩韓文的人，仍可說譽多於毀。晚唐李商隱的韓碑詩，就說「公退齋戒坐小閣，濡染大筆何淋漓，點竄堯典舜典字，塗改清廟生民詩」。又說「公之斯文若元氣，先時已入人肝脾：……公之斯文不示後，曷與三五相攀追！」一直把他捧到和三代時湯盤孔鼎的作者同等地位，似乎比漢人還高一等呢？此外宋，明，清人稱譽他的詩的人還多。但無論如何，他的詩，總不能和古文方面的偉大成就相比擬的。（三）

徵稿小啟

有內容有意義之隨筆、散文、掌故、小說、雜感、詩歌等類文字，本刊均所歡迎。請用有格稿紙繕寫，如需退還，請附信封及郵票。

一千六百字之散文隨筆比較容易刊出，篇幅所限，刊出的機會較少。請特別留意爲感。

自由報
THE FREE NEWS
第九十八期
中華民國僑務委員會登記證　臺灣省政府新聞處登記證
每份港幣壹角
社長：雷嘯岑
督印人：黃行篤
社址：香港銅鑼灣高士威道二十號四樓
20 CAUSEWAY RD 3RD FL HONG KONG
TEL. 771726　電報掛號：7191
台灣分社

莫斯科會談後的世界新危機

·張六師·

一、蘇俄統一充實了進攻部署

從一九五七年莫斯科共黨會議，發表所謂「公報」，「聲明」和所謂「和平宣言」後，在當時他們即宣佈「社會主義已成為世界體系」的口號。三年來，配合着對自由世界實行征服工作的「社會主義革命」運動，他們是毫不掩飾地在實踐。在本年六月布加勒斯特決議公報中，已顯出他們的發展已有長足的進步。同時也看出在這次會議中，代表莫斯科的共黨已更鞏固了他對附庸國的控制力量。這是蘇俄帝國主義者在每次驅使運用他的爪牙——各附庸國作馬前卒，獲得發展後，為了不使尾大不掉，始終牢牢控制在手——鑒於南斯拉夫溜跑的教訓，莫斯科的這個世界奴隸總主子，是隨時在警覺中的。

在布加勒斯特會議調整了俄帝控制歐、非各領導附庸頭子的陣線後，赫酋在九月便率領大批高級幹部，親到美國藉出席聯大的哮咆姿態作掩護，把紐約當御駕親征的臨時基地，佈署、面授在西半球各國地下頭子們的一切機宜。然後回莫斯科，向俄國民衆報告他在美「並未閒着」「虛耗時間」，「一分，一刻也在工作着」，「走來走去，並不是在遊覽」。

二、中俄共間的主奴真相

兩年來，在莫斯科指揮下的世界紛擾，緊張，顛覆，內亂……和它對附庸國的加緊控制，搾取，剝削，奴役，愈來愈變本加厲，這類行為恰好是和他們所宣傳的「和平五原則」或「和平共存」相反的對照。西方那些自欺欺人的「專家」們，和所謂「權威觀察」人士，與其無聊地強調，中俄共間的矛盾和「分裂」，與中國「爭取俄共領導權」，倒不如腳踏實地，實事求是的睜開眼睛，看清楚這種由於不堪受俄國控制，吸血，剝削，俄化，奴役……才引起的附庸國內，「不安」，「鎮壓」，「右傾」，「反黨」，「修正主義」，「獨立王國」的事實。中共把數十萬到百萬的幹部「下放」，「改造」，所表現的，不是赫毛間的爭吵，而是人民和黨幹部不滿的內部不安。因而才生產對俄共的「沙文主義」……的矛盾，可是遭受到蘇俄加強對「修正主義」，和「國際主義」，「反美鬥爭」的新任務。這樣指使中共強調戰爭的觀點，來圖減少內部的壓力，和移轉「左傾」幹部「修正主義」群衆的注意力，主圖沖淡民間對莫斯科的怨恨的。如果西方真有聰明的「專家」和「觀察家」的話，早應了解「北平」與莫斯科間的「矛盾」和「分歧」，乃是兒皇帝傀儡頭子，為了保持政權和享受，希圖向主子請「纓」告戰，「如打韓戰」，勇立功，而主張用速戰速決消滅西方的意見「分歧」的。卻並不是雙方「平等」爭吵的「分裂」，亦不是想與莫斯科「問鼎」，大膽竟向莫斯科，中共居然敢爭「國際共黨的領導權」的分歧。

果然，這次莫斯科會議中表現出的事實，與發表的言論，證實了蘇俄對各附庸傀儡的控制權威，也證實了俄共為了減輕內部分歧，已統一鞏固了它的陣線。在不妨礙蘇俄提高俄羅斯人民生活水準，與集中力量備戰建設的大原則之下，莫斯科是把「國際主義」的反西方和對外放火的任務，更加重在各附庸國的身上；而這些爪牙們也都乖乖地接受了，其中任務最重的便是中共。

三、莫斯科公開的「陽謀」

我們試看莫斯科的「聲明」和「告世界人民書」——即「討美檄文」，毫不隱飾地對西方國家極盡輕蔑侮辱的能事；它既有意損傷西方國家的國際威望和內部士氣，同時更鼓舞和公開指導全世界凡不滿現狀的反帝國主義的民族主義人民，和反殖民地主義的人們與某些不滿的「醜陋的美國人」的人們。

在莫斯科洋洋三萬多字的文件中，充分說明以「和平」作手段「展開人民鬥爭」，還交互運用「議會鬥爭」——「作為實現社會主義革命準備必要的條件」；他們說：「暴力鬥爭」——「通過和平的道路取得社會主義的勝利……使議會從資產階級利益服務的工具，變為勞動人民服務的工具。同時展開工農群衆和城市中等階級反對大壟斷資本，反動派……在剝削階級對人民使用暴力條件下，就必須考慮非和平地過渡到社會主義。」又說：「統治階級不會自動讓出政權，階級鬥爭的劇烈程度，就決定於無產階級……反動集團對人民抵抗程度……這些集團是不是採取暴力」。他們已鮮明的說要用暴力，但還把責任推在他們的對手方。

此外，他們既要用「民族統一戰線」，展開……對英、法、荷、比……各國的內部進攻，又要展開「反殖民地主義」的鬥爭，以肢解英、法、荷、比四國的本身和四肢；在每一國內「城市和鄉村企業和機關中的力量，是不斷加強擴大」，更是不斷加強對美國和它的盟國內部建立顛覆與恐怖分化基地的自白與招供。

四、西方「專家」的弱點

我們要提醒西方國家的就是，蘇俄帝國主義者三十年來，便是用上述陰謀侵佔中華民國大陸領土，而今天還是在繼續用這一套方法。他在中共的各級首腦部門到城市鄉村企業機關中，建築有蘇俄的控制堡壘。在每一次西方「專家」和「權威觀察家」向赫魯曉夫建議「黃禍」與「中共要爭取莫斯科領導權」時，蘇俄對中共內部控制，便如今日在西方內部一樣，便「不斷的加強擴大」，而中共內部幹部與「右派」，「修正主義份子」，「獨立王國」者，以及主張「人性」，「平等，自由，博愛」，「民族主義」，「愛國主義」者，便被戴上「資產階級」的帽子而被「下放」，「勞動改造」，甚至大批的失踪了。而大陸農工人民的災難也就更加深重。西方的某種「專家」們分化工作，不在粉碎鐵幕的工作上下手，而是在這樣拙劣手法下，配合在共黨宣傳文件中尋章摘句找「分歧」字眼，和對共黨行賄安撫——抱薪救火，以為便會成功；筆者年來曾多次指出這是等於希望「鐵樹開花」，「太陽從西方出」的幻想。這樣「分化」宣傳，只有使俄共控制力更加強，鐵幕更難打開，自由世界民間更走向幻想與錯覺，對自己更有傷害。

事實證明，莫斯科會議後，國際共黨的理論與實踐已表現出他們並沒有「分裂」和「爭奪領導權」的跡象，——雖有共同消滅西方的技術分歧，但這項矛盾始終仍是統一的。

五、面臨考驗的問題

半月來除了中南美正在暴風雨前夕的安靜中，（太平洋東岸的厄瓜多爾，和亞洲中東的阿富汗一樣已是共黨成熟將到手的蘋菓）。近東，中東因為對中立主義還有所利用外，非洲阿比西尼亞的政變，剛果的流血，亞洲尼泊爾的動亂，寮國的戰爭，共黨便忍耐不住了。

可是目前不過是攻勢的開始，因為蘇俄本身還在積蓄對美一戰成功的實力中。它目前只是站在指導，驅使的地位，叫中共和其他附庸與各國內部的同路人去開闢新殖民地，這等於過去沙皇驅使充徙的罪犯和饑餓的少數民族向四方八面去尋找新耕種的土地一樣，最後仍是增加了莫斯科的土地和稅收。

因此，在莫斯科的聲明中，也並不放棄使西方迷戀的「和平共存」字句，和擺出一副「會議」的姿態來控制着西方民間進退維谷的六種「心理癌症」，那就是：

一、停止軍備競賽；
二、禁止原子武器生產；
三、取銷國外軍事基地；
四、從別國領土撤退外國軍隊；
五、解散軍事集團；
六、簽訂對德和約；

這些是十多年來不止會議過千次的問題，（其中單是叫美軍撤退第七艦隊的談判，就已百次以上）。雙方政府其實何嘗不知是談不出結果的問題。但蘇俄為了掩飾備戰，西方執政黨為了在選民面前表示愛好「和平」，（一方則是為了貪戀政權）便忍着痛苦坐下來談。

我們在側面看得很清楚，總有一天，在這一些人會議還未散席之際，他們屋頂上的旗子便會突然變了色，那時候連簽字投降的代表都不是他們了。祇要相信莫斯科奏出音樂的人，便乖乖地等待吧！時間會給你以答覆的。

小論天下

△寮國永珍之戰結束。右翼軍全勝。左翼軍進行包圍王都，企圖全面擴大戰事。新成立的親西方政府將獲美英法三國承認。美國反駁蘇俄的指謫，指蘇俄為寮戰禍首。盛傳中共及越共派兵入寮。假如被視為「親西方」的寮國反共新政府，得不到西方國家一致的承認，那又何只「親者痛，仇者快」而已。

△阿比西尼亞亂事已被掃平，「獅王」塞拉西返國重執政權。參預叛亂的太子因證明係受人脅持而獲寬恕。與此同時，尼泊爾國王亦以鐵腕改組政府成功。兩件事提供一個例證：治古國當還是「國王」有辦法。

△香港市場因聖誕節屆臨而突呈熱鬧，百業買賣空前旺盛。香港並不是有意給中共以諷刺。誰相信大陸的雞也懶得為中共而生蛋。

△大陸各地不斷發生「火災」，中共提出警告，指是敵人有意破壞。他總會看到紙包不了火的一天。

△以色列有製造原子彈之說，西方國家甚表憂慮。小小的一個以色列，在悄悄不動聲色中進行這一件事，比起中共大吹大擂，是一個很鮮明的對照。毛澤東對此，該作何感？

△觀察家指出：將來美國肯尼第政府的目標是：保衛自由與穩定美元。美元與自由關係如此密切，唯心唯物，兼有之矣。

△滇緬邊境反共游擊隊活躍，中共遭受嚴重威脅，準備派兵進攻國軍。在那方面的一枝國軍被人遺忘得太久了。應該有人寫一部「東線無戰事。」

△東德又向西柏林提出恐嚇，揚言限期變更柏林現狀。這大概要準備為肯尼第就職大典燃放禮砲吧！

△西方觀察家判斷：遠東局勢益形危險，韓戰可能再度爆發。要把寮戰變似韓戰，已是輕而易舉啊！

方南

自由談

談維護民營企業

馮五先生

台灣有一個規模宏偉的民營企業——唐榮鐵工廠，最近因為資金缺乏，周轉不靈，陷於倒閉狀態中，政府基於維護民間生產事業的既定政策，決予支持，原則上是對的。可是，其中有若干問題必須加以注意，庶免後患。

據說該廠平日經營管理方法極不合理，內部的人事組織是家族化，業務進行漫無計畫，資金的運用尤其糟糕，例如以四分利息吸收外面的存款，即不管是飲鴆止渴的自殺行為，稍有常識的人亦知道這是極其危險的事情。然而，若干官方機構（如經濟部），竟將數百萬元的員工福利金存放該廠，貪取優厚利息，而忽視着勢將本利俱無的必然後果，等到亂子闖出來了，政府又不得不以鉅額公帑援救它。假使一般民營企業都像這種搞法，國民生活和社會生計固然大受其影響，而政府的受害尤烈也！

在過去抗日戰爭時期以及戰後復員之際，許多工商企業者，即利用動盪不安的時局，物價與幣值極不穩定的關係，肆意吸取高利貸，揮霍浪費，期待着貨幣逐漸貶值，一落千丈，無形之中即可獲致暴發戶的成果，居心殊不堪問。我不敢說唐榮鐵工廠亦是這樣的用意，但其經營情形實在令人驚駭。政府要援救它，應該從大處着眼，對該廠的經營管理方法，切實監督改進，趨於科學化，以期一勞永逸。報載某院長乃以唐榮面貌很像他那去世的母親為理由，主張必須盡力支持，這是甚末話？謀國利民之道若斯，吾其披髮左衽矣？

各階層人士深表關切　台灣傳說考慮發行大鈔

・嘯谷・

台灣通訊

最近，政府為應工商界要求，將考慮發行五十元及一百元大鈔之說，又甚囂塵上，因為這是自由中國的一件大事，各方面都深表重視和關切，而且反應熱烈，有的說是贊成（大部份為工商界人士），有的說是反對，官方對此也有表示。茲特綜合報導如下：

（一）贊成發行大鈔者的看法：中央日報十一月卅日以「發行大額幣券」為題的短評中說：「一提起發行大面額的幣券，多數人就不免聯想到過去通貨膨脹，物價上漲，有『談虎色變』之感。其實，幣券面額的大小，不過是支付籌碼的不同，問題在於是否能夠有效控制通貨發行；政府能夠控制通貨發行，則發行大面額的貨幣，將是有利無害。

政府在最近兩年來竭力控制通貨膨脹，已有相當成功，通貨發行始終維持在二十五億左右的額度，政府且堅決表示反通貨膨脹的決心，因此我們認為在已有相當成就的反通貨膨脹政策下，發行大額貨幣，對於工商業只有便利。

發行大額幣券，是否會刺激物價上漲，我們認為並非絕對的。物價決定於物資的供需，如其物資的供求正常，物價絕不會動盪。尤其是政府有效控制發行，發行大券只是掉換小券，不是增加發行，自不必有敏感的心理。無疑地，工商界及民意機關的要求發行大額幣券，以代替小額幣券的使用，正是反映一般社會的需要。」

中央日報在十一月三十日並刊載了以下數位工商界人士的談話：

全國工業總會理事長束雲章，對政府將考慮發行面額五十元及一百元大鈔問題，認為政府在堅守財政收支平衡，與通貨不膨脹之原則下而發行大鈔，將是便利工商界使用，而不致使物價上漲。

全國工業總會秘書長汪竹一也認為只要發行大鈔不是增發通貨額，則在當前情況之下，不是壞事，而是一件便民的措施。

台灣省工業會理事長大同公司董事長林挺生，對政府將應工商界之要求而發行大鈔之舉，表示將獲得工商界的歡迎，因為，以近幾年的情況來說，現有一元、五元及十元鈔，對市場交易使用實在是不方便，所以，政府如能在不增加發行總額而發行大鈔，收回部份小鈔，則不會影響物價上漲，而是便利民間使用。

嘉新水泥公司總經理翁明昌認為目前台灣幣值穩定，政府發行面額較大的幣制很有需要，他表示只要政府不增加發行額，其結果一定是好的。

東南碱業公司副董事長張子良，認為政府發行五十元一百元面額的大鈔，對於辦工廠的人來說，實在是一項德政，他認為只要發行數字不膨脹，發行大鈔對物價不會有影響，因為，台省經濟安定，幣值穩定，物價的上升幅度決不能與利息競爭。

中央日報十一月三十日並作以下的報導說：（甲）金融界方面認為目前的十元小額幣券，使銀行在出納方面所增加人力財力的負担，為一筆極大的支出，和果以部份大額幣券代替，將使銀行在對顧客服務方面，更有良好印象。（乙）該報記者分訪幾位有資格的工商人士，綜合他們的意見，認為發行大鈔是事實的需要，……發行大鈔並非絕對會刺激物價，……不過，政府在發行大鈔之前，必須：1.嚴格控制發行額於現有限度內，切實使十元鈔票回籠；2.廣事宣傳，袪除人民恐懼心理；3.發行時間，應在年關之後，以防止奸商在年關中，以發行大鈔為詞而抬高物價。

（二）反對發行大鈔者的看法：聯合報十二月四日以「大鈔與小康」為題的短評中說：「金融的穩定，是經濟繁榮與社會安定的基石；而經濟的繁榮與社會的安定，又是支持政治建設和支援軍事發展的必要條件。目前，台灣的『小康』局面，與新台幣的幣值穩定，實有重大關係。新台幣固然也在緩慢的貶值中，但以其尚無劇烈的變動，不足危及國民經濟的安定。不意最近有人竟以國際觀光旅客不便携帶十元台幣為理由，倡議發行五十元、一百元面額的大鈔。本來，大鈔小鈔，在幣值上並無二致，但對社會心理的刺激，却能影響幣信，進而影響幣價。此時此地，發行大鈔，我們期期以為不可；最好還是『談也弗要談』！」

民聲日報十二月四日以「敬告財政當局切勿發行百元大鈔」的短評中說：「發行大鈔得到利的僅是銀行職員和囤積投機的人，對於政府和人民不會有什麼裨益，但若因發行大鈔而刺激物價，則受害的正好是政府和人民，因此，我們敬告財政當局：『大鈔絕對發行不得』，否則，很可能是『當百元大鈔發行之日，正物價堤防崩潰之時』也！」

中華日報十二月四日載：立法院預算、財政、經濟三委員會三日晨聯席會議，繼續審查國營事業綜合預算案，立委陸京士、郭登敖等曾就發行大鈔問題，向列席審查會議之財政部次長陳漢平提出詢問，多認為此時此地不宜發行大鈔，以免影響人民心理，重蹈以往大陸通貨惡性膨脹的覆轍。他們幾乎一致都反對發行大鈔。

民聲日報十二月七日載：監察委員王冠吾六日晨在監院總檢會議中，就政府意欲發行大鈔一事，發表意見說：政府和果發行大鈔，不論就政治經濟任何一方面說，都有莫大的威脅和影響。王委員指出：如果政府有一天眞的將發行大鈔，影響所及，勢將一發不可收拾。他堅決反對政府發行大鈔的論調。

民聲日報十二月二日載：屏東縣議會四屆九次大會，一日上午通過周樹棠議員緊急動議，請政府暫勿發行大鈔案。

（三）官方的表示：

財政部長嚴家淦，十二月二日下午答覆中央社記者詢問時，鄭重說明外傳政府將發行票面額五十元及一百元的新台幣鈔票，財政部並不知道。他說：「政府無意發行五十元及一百元大鈔。」

台灣銀行董事長尹仲容也說：台灣銀行根本就沒有考慮要發行大鈔。他說：台灣銀行依新台幣發行條例，在三十九年就已印好了一百元大鈔，但至今並沒有發行，雖然沒有考慮現在要發行大鈔，但他在理論上認為，如果發行大鈔，對於物價絕對沒有關係，物價不會上漲。他說：貨幣量如不管制，就要膨脹，就要刺激物價上漲，……只要把貨幣量管制得好，發行大鈔是絕對沒有關係的。

總之，政府將考慮發行大鈔之說雖是傳言，但却已引起各方面廣泛而又熱烈的反應。如果政府有一天眞將發行大鈔的話，還望在事前愼加考慮才好！（十二月八日寄自台北）

笑話連篇的外交僑務

（舊金山航信）今年由三藩市政府主辦的「太平洋工商業展覽會」已經閉幕有日矣。代表中華民國工商界參加這項展覽會的台灣單位，眞是笑話百出，丟盡了國家民族的臉面，而其責任完全是在政府官吏身上，與民間無涉。

展覽會籌備期間，台灣方面應邀參加，曾經刊報各種節目，除貨品展覽外，尚有游藝表演等項。因此，大會替中國單位劃定的場地亦相當寬敞而個要。不料開幕之日，台灣單位竟闃無人跡，所謂游藝表演更不用提了。臨時為着撐持場面，纔由一個原在三藩市經商的台灣商人丁某，提運了一些貨品擺在中國攤位上，聊資點綴。可是，有游人將那些陳列品中的磁器拿着省察之下，發現底面註有 Made in Japan 等字樣，旋經當地報紙將此事揭露出來，說中國的商展品竟是日本貨，好不笑煞人也！當地華胞們羞憤莫明，紛紛斥罵祖國政府主管機構腐敗低能太不像樣了。

日本、南韓、菲律賓各國單位派來參加的商展團體，從到達三藩市碼頭時起，一直到展覽會閉幕，皆有本國領事館人員竭力照料，開幕這一天，國內來的人都登台表演各種游藝節目，領事館人員就替他們看守攤位，恪盡「商務官」的職責，矢勤矢勇，必信必忠。然中華民國的領事館却始終沒人理睬這回事，它跟在國內的官僚衙門毫無二致，認為前來參加商展的乃是市儈賤業之輩，堂堂領事是羞與為伍的。三藩市中國領事館的組織殊不小，計有九名副領事，三名打字員，他們除了替華僑簽辦護照藉以收取「工本費」以外，似乎別無所事了！現任這位姓孫的總領事，經常對僑胞官氣十足，不可一世，如非豪富的僑民，你就休想見到他的面，他過去在泰國做外交代辦時，當地華僑們就說他並非中國的外交官，而是黃髮碧眼兒的駐外使節呢！

三藩市的中國領事館如此，其他的僑務工作者和海外黨務人員，亦係一邱之貉，他們的作風與領事館媲美爭輝，「烏龜不笑鱉，大家泥裡歇」。例如這次美國總統大選時，共和黨候選人尼克遜的助選委員會，曾經找中國的僑領接洽，希望華僑一致贊助尼氏。結果呢，三藩市的大部分華僑，竟集體揹着擁護肯尼第的旗幟，游行宣傳，大行宣傳，大呼「我們喜歡肯尼第」（We like Kenedy）的口號，使共和黨人大感沮喪失望。三藩市原係尼克遜的桑梓之邦所屬區域，共和黨對中華民國素具好感，然當地華僑乃有此反應，怎不教人難過呢？華僑何以表現這種跟祖國利益相反的言行？基本原因就是這些領事，僑領和黨務人員平日所行所為，皆招致僑胞們的憎恨，對華僑社會沒有絲毫信譽與號召力。

據說今年士耳其與辦的「亞洲商展會」，中國單位鬧出來的笑話，亦與這次三藩市的情形差不多。有人指出參加「商展」的費用頗不菲，政府主管機關拿不出這筆錢來，心餘力絀，無可如何。可是，若干年來，台灣每次派出去參加世運會的浩浩蕩蕩人馬，所費更大，那經費又是從那兒來的呢？台灣方面隨時宣稱加強經濟建設，如參加國際商品展覽這類工作，難道不是對經濟建設有裨益的事嗎？記者報導上述各種令人洩氣的事實，旨在引起祖國政府當局的注意，切實瞭解海外華僑社會的眞象，把一般腐敗惡劣，對國家幫倒忙的外交人員和所謂僑領黨棍子等，徹底掃除，採取新作風，物色新人才，以期挽回海外僑胞的向心力，否則前途將不堪設想的！（郭光熹）

大陸文壇萬花筒

沙汀的應景文章

——岳寒——

目前陷於共區的學人中，以寫小說而論，沙汀也算是一個成名作家，戰前他寫過一些長篇小說如「還鄉記」，都是很成功的作品。

大陸陷共後，沙汀也和許多名作家一樣，變成了啞吧，只會寫些按時按節的歌頌文字，本行反而丟下了。本年六月間開第三屆文代大會時，沙汀發言時會說：「最近一年以來，對於革命現實主義和革命浪漫主義相結合這一創作原則，我是作過考慮的，越來越感覺革命的浪漫主義應該是主導的一面。」

這一段話若是翻譯成普通語言，就是說「過去寫小說都重現實，今後應該多寄幻想，雖然明知道是虛構，但為了完成任務，還是要寫。」對於一個作家來說，沒人肯這樣作的，自然是共黨逼出來的。

就在「革命浪漫主義」指導下，沙汀寫了一篇應景小說「你追我趕」，描寫農村裏的工作競賽情況，內容是說「人民公社」許多生產隊每月舉行一次「評比工作」，工作最好的得到一塊「衛星」牌子，工作最差的則得到一塊「牛車」牌子，於是「牛車」隊就拚命追趕「衛星」隊，結果在一次大會中衛星牌子就被牛車隊奪去了，大家也就敲鑼打鼓散會，下次再來。故事的情節，是如此，時間發生在一天之內，這種小說就其內容而言，實在貧乏到了極點，但在大陸却是應景之作，尤其是小說中特別歌頌了黨委書記，更符合中共的創作公式。

這種小說本來只能由中共訓練出來的一批「新進作家」來寫，因為他們耳所聽，目所見就是這種故事，寫起來就比較純熟，沙汀究竟是「舊社會」成名的作家，勉強去粉墨登場和後生小子拋眉弄眼，猶如梅蘭芳去扭秧歌，一樣，總是不大自然，所以這篇小說仍被批評為「深度不夠」，「沉悶艱澀」，文藝報指出「讀者覺得它們和時代的節奏沒有達到完全合拍的地步，時代給予作家放聲歌唱新事物，嚴正鞭斥舊事物的完全自由。」

後面兩句話眞是可圈可點，原來共區也有創作自由，而自由的限度是要「歌頌新事物」，「鞭斥舊事物」，也就是說呼「毛澤東萬歲」有完全自由，要是說一句「黨天下」就變成了右派份子，在這種自由限度下，沙汀十一年來只寫了這樣一篇小說。矛盾却連一篇也寫不出。

儒林九尾龜　吳敬鋅

第四回：人何寥落鬼何多

談過曹蛙人，黃安民突然問道：「高不成作什麼去了。」

李鴻飛笑道：「說起這個小子，可就妙透了，他當和尚去了。」

一說高不成當了和尚，兩人都吃了一驚，小石搶着問道：「他怎麼會當和尚，那個廟裏要他。」

李鴻飛笑道：「你這話問得奇了，佛門廣大，何所不容，再說高不成也尚未到十惡不赦之境。」

黃安民擺擺手：「別抬槓了，你只說他怎麼當的和尚吧！」

李鴻飛嘆口氣：「這件事到也說來話長，高不成自從協助王占山競選總統失敗之後，不久，怒海也就收檔了，他變成了無業游民，再去賣報紙當然不屑於幹，可是作正經事又實在無事可作，最初還打洋鬼子的主意，到了一間外國新聞處去恐嚇說：『怒海沒有經費，支持不下去了，你們給不給錢，若不給錢我就賣給共產黨了。』洋鬼子在中國待久了，也學會中國人的一套嘴臉，當時笑嘻嘻地說道：『抱歉得很，敝處沒有這筆經費，閣下還是去賣給共產黨吧！』說過同他握握手就擺擺了。這一來高不成騎虎難下，他居然橫了心，眞去找左派斟盤，他找到一間共產黨報紙社，聲明他這份雜誌已無法支持，打算出頂，現在某國新聞處已經出到十萬元，假若這邊能出得高些，他還願意賣給『人民』。

不料，社長聽了他的話，反問一句：『高先生辦的什麼雜誌，我怎麼沒有見過。』

高不成聽說左報社長未見過他的刊物，自尊心受到重大打擊，比較競選總統時被王占山打了一拳還要難過，連忙從身邊掏出一份，雙手捧給社長。

社長接過來一看，輕蔑笑道：「你們這種不定期刊物，只能算是宣傳小冊子，在本地每月總要出現幾種，人民有錢，那裏買得了這麼多，還是賣給洋鬼子吧！只有他們才肯作寃大頭。」

局面當時僵住了，高不成厚着臉皮說道：「只要肯買，價錢還有商量。」

社長鼓掌笑道：「只要東西値錢，價錢到不在話下，人民每年在海外花的宣傳費用，簡直是天文數字，但也是有路數的，並非什麼人都可得到。」

高不成無精打采地，只好站起身告辭，出了鐵閘門，忽然社長派人喊他回來，笑着道：『高先生，你近來情況一定很苦，假若你肯替人民服務，我可以呈報上級替你想點辦法。』

小石問道：「是不是高不成到他那裏作事。」（五〇）

陽光與雨露　汶津

繼免試直升初中辦法無疾而終之後，台省教育廳又擬定「省辦高中，縣市辦初中」的政策，試圖解決某些教育上的困難。這也是「大胆的嘗試」之一，未可厚非。但目前最大的問題，恐怕不在此而在彼。「古之教者，教以人倫，後世記誦詞章之習起，而先王之教亡。」王陽明「訓蒙大意」中的箴語，猶在耳際。目前要找一些眞正夠格的「人師」，眞是像沙漠中的綠洲一樣。學校已跡近工廠，而且由於「原料」日增，更有粗製濫造之嫌。

十年樹木，百年樹人。似已成濫調。樹木須有陽光的照耀與雨露的滋潤。樹人更應兼及訓教。王陽明不愧爲一位大教育家：「誘之歌詩，以發其志意；導之習禮，以肅其威儀；諷之讀書，以開其知覺。」這才是人本教育的眞諦。而今，「行有餘力，則以學文」的理想似已成了歷史陳跡，大學畢業生可能是甲級扒竊手；甚至教師群中也有成爲社會新聞之主角者。我們將如何向祖先交待？

就教學而言，填鴨子是奸商的劣行，做教師的如何起而效尤？智慧之增長，須由啓發而不可能專賴灌輸。文化的進步絕不能寄望於一個善於「倒背如流」的學生；一個書呆子又何能發揚光大先人的成果？所謂「惡性補習」的流弊，也端在此。

然則如何始能在訓導，教學兩方面都獲得極理想的成效？這正是問題的關鍵所在。人的生命過程中，若不能善用其充沛的生命力，即無法發揮他最大的潛能。教育的最大目標，實即「人盡其才」。人盡其才，自積極方面看，是發掘學子潛在的秉賦；消極方面則是避免其生命力的虛擲。欲達成此種目標而捨訓，教合一之坦途，無異是南轅北轍。在求學期間的青年，往往有「剩餘精力」的現象，因此每一位教師考慮到如何將學生導入正途時，必先注意其對於生命力之運用。一個太保學生在改過自新後往往在各方面有出人意表的優異表現，這可能是那些視訓導與教學爲截然兩途的人所無法了解的。我們可以從兩方面觀察：

教學效果的大小，端視學習環境的優劣及學生心情之是否穩定。這本是訓導部門的工作，但捨此無以使教學順利推展。孟子說：「學問之道無他，求其放心而已矣。」如何輔導學生「求其放心」，正是每一從事教育工作者所應深思熟慮的。另一方面，訓導工作的圓滿完成，也絕非一頓訓斥，一陣威嚇所能奏效。「歌詩」、「習禮」、「讀書」，都是從根本上予以教化，使學子由內而外，自律自發。

綜而言之，訓導與教學的合一，應從訓導方式之改善及教材教法之切當配合做起。就目前的趨勢看，導師制度及部定課程標準似都有意致力於此，但就事論事，都還是不夠理想的。如導師仍須担任爲數不少的課程，無法全力以赴，而每班人數過多，尤不易一一接觸，指導；同時文史各科教科書中說教太多，其最大效果是催眠那些原來睡眠不足的學生。「標準本」涵容了數量驚人的教條，却只有於可憐的趣味性，甚至連「糖衣」都不願多施捨一些，成天讓十幾歲的學生吞苦丸，如何是好？老實說，目前一般的師生，都已不知不覺中陷入「知之匪艱，行之惟艱」的陷阱。讀學生的週記和學生的品行，兩相對照，就是可瞭然了。就事論事，教育界中，陽光是有的，但或失於酷厲，（某些訓導人員動輒指學生爲太保）；或又嫌其光熱不夠。雨露的滋潤呢，平時尚覺枯窘；而屆升學前夕，又如雷雨驟作。忽視這些問題而高談救中國，就未免是緣木求魚了。

社會小說　香港地

六、人情味

梅大亮起先是忍着笑在細聽，聽到末了，被老褟的笑聲引動，也跟着笑到喘氣彎腰，許久才得回復原狀。

梅大亮怎也想不到，世間竟有這種事件，笑完之後，對於老褟所說「唯物唯心」那一句話，不覺細加玩味，認爲這是值得咀嚼的妙語。想了許久，才歎了一口氣問道：「他們相好的經過，你是自始至終，親自撚得詳詳細細的麼？此事雖似可笑，想來也是可歎，那個男的希望一個夜夜接客的流娼對他忠貞不二，要的是她內心的眞誠，當然是一種滑稽的奢望，但你不能說他不是心地老實而天眞啊！」

老褟却是搖頭笑道：「你這樣說，不成不成。剛才我一面聽一面想，起初確是覺得他蠢得可憐，後來再想深一層，便覺得這事也有很多相同的例子。世間儘有許多要別人對他忠貞的風塵人物，是殺人不眨眼的盜賊也好，山寨的賊頭也好，所謂忠貞的終極意義，和剛才你聽到的又有什麼分別？你說那男的心地老實而天眞，當然是完全錯了。老實和天眞這類的字眼，怎能用在這等人身上？說這種人是頭腦簡單和愚蠢，倒是可以」。

梅大亮聽老褟提出另一個解釋，有些恍然，但又覺得這中間仍有些不會通透的地方，便又笑了一笑，答道：「原來你是故意住在這等地方，貪看這種活劇，藉此『悟道』，那麼，難道他們經常在這裏嘈嘈吵吵，你也可以泰然處之，不覺得有什麼不方便嗎？你在這等齷齪污穢之處，也能住得下來，眞是了不起？」

他正在這樣說時，房外又有兩三個雌兒急步走過，發出淫聲浪笑，污言穢語，五相嬉逐，鬧做一團。（八十七）　木客著

工展特輯

遊工展會顧客　敬希特別留意

白花油風行三十餘年，港九中外人士皆喜樂用，年來有無恥之徒，影射白花油商標嚩仔仿單有「×花油」，「白×油」混跡市上，誠存心不仁，欺騙大衆，只求私人利益，不顧大衆健康，本公司爲愼重計，敬請各位認清「白花油」商標，方免受愚。幸甚！

圖片說明

華民副司憲李孑農夫人暨西區婦女福利會全體執委昨日暢遊工展會，特到該會副主席白花油主人顏玉瑩夫人攤位參觀，由顏夫人殷勤招待。圖爲李司憲夫人暨全體執委在白花油攤位前合照

各項比賽紛捐獎品

本屆工展會舉辦「工展小姐競選」「攝影比賽」「服裝表演」「裝璜比賽」「徵文比賽」等節目，乃爲提倡本港工業，使各界人士，加深認識而樂用港貨。自揭幕以來，極得各廠號及中西商行鼎力支持，紛紛捐贈各種名貴獎品，共勵奬舉，以資勉勵。（譚）

張循然注重清潔

工展會衛生部長張循然，每日必親自巡場兩次，率領工作人員清理地方，故會場時常能保持清潔，據說：衛生救護部鑒於天氣亢旱，塵埃頗多，經飭所屬清潔公司每日洒水四次（白）

澳門總督參觀工展

中華廠商聯合會主辦之歷屆華資工業出品展覽會，規模宏大，內容豐富，中外遊客，觀衆每屆均數逾百萬，且獲世界各地重視，紛紛組團來港觀光，可稱本港一年一度之最大盛會。

澳門總督馬濟時中校，前（十六）日乘來港之便，亦蒞臨工展會參觀；澳督于上午十一時由葡國駐港領事利比羅及葡僑領沙利士，巴斯杜等陪同到達工展會參觀，大會特備茶點招待，澳督對大會陳設及各廠出品均讚不絕口，迄十二時許始興辭而別。（融）

釋耒集

論文偏見

姚姬傳先生古文辭類纂一書，桐城文家，以爲六經之後，惟此書可以上承儒統，下開來學，而八家論文之作，柳宗元與韋中立論師道書，獨擯而不取，余讀其書而疑之，因思方靈皋論文，獨不喜班固與柳宗元，姚纂不錄此文，豈以其論文意見，與桐城所標榜者相抵忤乎？吾人生千百年之後，固不易窺見古人之用心，然苟不膠於成見，則柳氏論文之作，實莫詳于是書，其言有曰：「……本之書以求其質，本之詩以求其恒，本之禮以求其宜，本之春秋以求其斷，本之易以求其動。此吾所以取於道之原也。」與韓愈氏答李翊書所云：「行之乎仁義之途，游之乎詩書之源，無迷其途，無絕其源。」之語，實相爲表裏。而其所以會通百家之說，則與韓異，如曰：「參之穀梁氏以厲其氣，參之孟荀以暢其文，參之莊老以肆其端，參之國語以博其趣，參之離騷以致其幽，參之太史公以著其結，此吾所以旁推交通而以爲之文也。」後世論者，就文論文，以爲柳氏之文，敘事出國語與漢書，論辨宗莊子與韓非，而山水遊記則出自水經注。以桐城義法繩之，實非文之正宗。方姚之學，號爲上繼程朱，頗嫉老莊韓非之異說，姚氏莊子章義序有曰：「韓退之謂莊周之學，出於子夏，殆其然歟？周承孔氏之末流，乃有所窺見於道，而聞中庸之義，不知所以裁之，遂恣其猖狂而無所極，豈非知者過之之害乎？其末天下一篇，爲其後序，所云其在詩書禮樂者，鄒魯之士，縉紳先生多能明之，意謂是道之末焉耳，若道之末，則有不離于宗，謂之天人者，周蓋以天人自處，故曰上與造物者遊，而序之居至人聖人之上。其辭若是之不遜也。」其所以不滿於莊周者，情見乎詞矣。故對王介甫、蘇東坡諸人原情之論，併一概斥之。而柳之論文乃曰「參之莊老以肆其端。」是雖欲不擯棄之，不可得矣。且方苞爲文，以爲非有關人倫日用者不苟作；莊老之道，棄而君臣，去而父子，與人倫日用，渺不相涉，故與所謂義法者尤相違，此亦姚氏微旨之所在乎？及曾國藩撰聖哲畫像記，亦云莊周、柳宗元，傷悼不遇，怨悱形於簡冊，違異於聖賢自得之樂，蓋亦所謂大德有虧缺者也。夫文章得失，本極難言，前聖垂文後世，但曰修辭立其誠，未嘗規規然以繩墨束縛性情也。太史公曰：「詩三百篇，大抵聖賢發憤之所爲作也，此人皆意有所鬱結，不得通其道也。」立一程式以繩千載以上一切之文，固不衷於理，抑亦何以見性情之正乎？宋人之學，其失在於持論過高，今觀桐城諸子論文，以之評騭其所自作，未必皆能如其所言也。

曲齋

夢境

徐學慧

幸而我們都生活在夢境中，也幸而我們對於未來了無所知。一切美麗的夢，都是由於我們對於未來的憧憬而產生；幾乎每一個人，只要他有思想，都會在自己的心靈中，編織許多美麗的夢。

要是每一個人都能預先知道未來，恐怕也不會有什麼人生樂趣了。樂趣的產生，乃在夢境成眞的時候。

人生，每一個人的人生，不論他用什麼方式向前奔赴，他的目的只有一個，那就是希望夢境成眞。

由於希望，乃產生追求；由於追求，乃產生力量；這力量推動我們向前，使我們能冒險犯難，使我們能披荆斬棘。

有些人的夢境，是平實的；而有些人的夢境，卻是荒唐的。不論平實也好，荒唐也好，在夢境尚未成眞以前，它總是非現實的。

一個年輕的亭長，想作皇帝，這也算得是一個荒唐的夢吧？

一個窮得要到廟裏棲身的窮小子，想幷吞四海，奄有天下，這也算得上是一個荒唐的夢吧？

可是，劉邦和朱元璋，不是到後來眞的作到了皇帝嗎？

在當初，如果他說他將來要作皇帝，我相信任何人都會說：「哼，小子，發夢！」

又有誰能想得到，他們的夢境會成眞呢？

人生，就是爲了享受成功後的快樂，才會鼓起勇氣去追求。我不否認，有些夢，一待夢醒以後，是會成空的，但既然想要享受美夢成眞後的快樂和幸福，自然也得有勇氣去承担夢境成空後的痛苦與悲哀！

艷謎紀趣

漁翁

製謎亦爲文人筆墨遊戲之一，又名燈謎，燈謎所出的題叫做謎面，其解釋則叫做謎底，謎底如具齊了西廂，水滸人物，聊齋誌目，四書五經，日用物品，方言古諺，花葉蟲魚，先賢時人，三百千（即三字經，百家姓，千字文），唐詩，市店牌號，里巷名稱等，便叫做全燈。倘無西廂，水滸聊目就叫做半燈，換言之，這便是出題者的恥辱會鬧笑話的。所以不掛燈則已，掛必全燈。現在有了新時代的產物，如科學新名詞，乃至電影片名，電影明星，均可作爲謎的新資料了。謎有雅俗之分，更有香艷之什，有謎底香艷而謎面純正的；亦有謎底純正則謎面則香艷絕倫的，細玩之餘，亦殊多趣。

相傳，清代風流皇帝乾隆遊江南，到了杭州，時適元宵，混在人叢猜燈謎，見有「打字一」謎云：「俏冤家，勿作小人行徑。倘若肯時，不止如今宵。誰說情無，腰肢瘦半邊。你若有意，待明朝日落時，可在門前等！」乾隆沉吟道：「俏字去了小人，肯字去了止，情字裏也有。腰肢去了半邊，有字也有這個。明字落了日字，傍晚在門前等什麼？這一切，好是一個月字啊！」果然給他猜中了。

在清宮中，慈禧太后閒來無事，亦喜猜謎，會親製一謎云：

「一位佳人生得好，才子見了抱住腰；脫去褲子一撮毛，弄弄弄弄出子來了。」

衆聽了大驚失色，誰也不敢說謎指的是什麼？誰也知道似乎是說什麼！久無人敢猜，還是太監李蓮英猜中了，謎底乃是「毛筆」。

但，民間所傳此謎，與上文稍有出入，更有不俗而艷之妙，謎云：

「奴本硯家女，碰見伍秀才。抱着奴的腰；有意兩和諧。脫了奴的褲；現出一撮毛。上下左右動，做起文章來。」

註：硯諧竹音，伍秀才暗示五個手指，較上謎面似乎略勝一籌。

又類似此種謎面的，尚有堅瓠集云：馮猶龍先生有一首猜「棉花槌」的詞：「一物身長數寸，雖圓頸細無毛。佳人一見手來捏，揭起羅裙戲耍。席上交歡無限，聲聲體態嬌佳；看來俱是眼前花，直弄到胎成便罷。」這些都是謎面看來極粗俗，淫冶，而所猜的確係日常用品，雖刻劃入微，容無不當之處。

至於謎底謎面俱極艷麗的，則有六年前某報秋節後徵集打謎，有一位七十多歲的老人，化名「菊叟」，獲得了冠軍。謎面是「呸！銀樣蠟槍頭」謎底是射「其偶於物也」。當時的評語是「風流蘊藉，允拔首選」。解：題語見西廂句，呸字一出諸口，滿腔怨憤，盡行流露，底句物字，會意男子之勢，也字本說文作女陰解，物也二字相聯，可謂巧合，此底末字「也」，本語助詞，他作均不扣，作者手眼不凡，一經搏製，神趣盎然，不僅化無用之字爲有用，而於也字尤見阿堵傳神。

其次爲「朝雲暮雨長相接」，射「巫山盟」。謎面爲李義山詩句。昔宋玉作高唐賦，述神女向襄王荐枕事，謂「妾住巫山之陽……朝爲神雲，暮爲神雨」。故朝雲暮雨，乃巫山特有的風景，雲雨互相接，自已達於海誓山盟之境。

又如「我將你鈕扣兒鬆，我將你縷帶兒解，怎不回過臉兒來？」謎底係「袒而示之背」。謎面見西廂記，按扣鬆帶解，自已呈半裸體狀態，無論前裸後裸，其爲袒則一。而竟不回面，是袒後僅示之以背了。

又如「形迹怕教同伴妬，囑郎相近莫相親」係射唐詩「多情却是總無情」。謎面見袁香亭無題詩，相見不相親，乃係僞裝。何以如此騙情人，因爲恐怕姊妹見妬，以致好事不能長久。內心多情，而表現似無情。

其他如：春寒賜浴華清池，打古人名一，謎底爲「溫太眞」。爭風男子何爲者，打千字文一，謎底是「寸陰是競」。美目盼兮，打古美人一，謎底是「顧橫波」。落花人獨立，微雨燕雙飛，打字一，謎底是「倆」。以上各謎，均極其典麗，頗具巧思，固不僅以艷麗見稱哩。

海嶠塵談

談繆斌（二）

諸葛文侯

汪記僞政府在南京成立後，急求將王揖唐等在華北，梁鴻志等在上海組織的僞政權統一起來，然繆斌反對此舉甚力。後來經過汪兆銘與日本政府直接談判，兩個地方政權雖然勉強撤消了，但繆以未能佔得顯要地位，仍對汪政府暗中搗蛋破壞，汪亦對他極其憎惡，曾經下令通緝他，嗣由日方駐華北的軍事首長從中調解，汪不得已，給他一個考試院副院長的閒散職位。繆當然不滿意，住在上海又跟重慶方面的地下工作人員聯絡，向重慶與日本雙方面販賣情報，而以「蔣委員長幹部」的姿態，對日方出賣風雲雷雨，這時候，他化名「周彬」，大事招搖。

民國卅四年（一九四五年）即日本昭和廿年春間，日軍潰敗的迹象日益顯露了。日首相小磯國昭急於要跟中國議和，以期扭轉戰局的頹勢，計劃是第一步設法溝通重慶方面，進行和談，次則派人赴延安跟毛共妥協，希望通過毛共的關係，取得蘇俄諒解，不對日本採取軍事進攻行動，而以前者爲當務之急。一面派遣國務大臣緒方竹虎到上海活動，找到繆斌商談，同時又派前任首相近衛文麿的弟弟水谷川男爵，到上海找持志大學校長何世楨接洽，因爲何氏此時是重慶「國際問題研究所」的地下工作者，另派陸軍大佐岡本元向毛共方面從事聯絡。即此可見當時日本軍閥對戰爭前途慄慄危懼，毫無信心，而表現着手忙脚亂，急不暇擇的慌張心情之一斑。

緒方竹虎是在任的國務大臣，他過去主持東京朝日新聞社務時，常到中國遊歷，結識了繆斌，而繆又自命係重慶軍統局長戴笠的地工人員，每每僞造若干文件給日本人看，證明他的身份很重要。「終戰史錄」中即紀述繆氏初到東京與日首相小磯國昭的代表人中村正吾晤面時，出示蔣主席給他的電文以及若干秘密證件——都是僞造的，而日方却信以爲眞。昭和二十年（民國卅四年）三月中旬，繆氏應邀到達東京後，日政府乃待以上賓之禮，他儼然代表重慶中央政府說話，小磯首相於三月廿一日在首相官邸舉行最高會議，陸，海軍，外交各部大臣，以及參謀總長和國務大臣都出席，小磯報告邀約繆氏來東京的理由，認爲繆跟重慶方面有相當關係的人，擬利用他居間進行和平工作，並提示繆氏所擬訂的「中日全面和平實施方案」，主要是取消南京汪記政府，日本無條件撤兵。根據這兩大原則，先與重慶接洽，等到獲致初步結果，即由重慶與我方（日本）各派代表在「粵門」（指香港）作進一步的談判。和平方案全文如別紙所錄，希望大家審查討論之。又說繆氏並未帶着無線電發報機和電務人員同來，不能跟重慶直接通消息，速得回音，可由日政府予以方便，從上海方面召還一些電訊技術家來替他服務云云。

歷史人物

韓愈論

謝康

原道篇以博愛釋仁，宋胡致堂以爲是一偏之論，因爲論語言仁六十餘處，孔子獨答樊遲以愛人，昌黎只捉住這一點，便提出博愛二字，不免以偏概全了。按孟子說：仁，人心也，人心何所不有，至少有惻隱、羞惡、辭讓、和是非等四端，豈止於「愛」而已？鄭康成以「仁」爲相人偶，尚不失仁者人也的本義。孔門以仁統攝諸德，孟子猶彷彿得其宗旨。昌黎以繼承孔孟道統自任，却率先將道統中最重要的仁字，縮小了範圍；難怪有人說孟軻以後，道統不得其傳了！張耒作韓愈論曰：「愈者擇焉而不精，語焉而不詳，而健於言者歟！」宋儒對於昌黎雖則相當尊重，但不一定承認他得道統之傳。以程明道先生爲例，明道常說：「渾然與萬物同體之仁」，又說：「義禮智信皆仁也」，「仁與天地，一物也」，絕不像昌黎釋仁，那麼狹隘的。明道又盛讚張子西銘說：「西銘，我得其意，只是須得他子厚有此筆力，他人無緣做得，孟子後未有人及此。」（二程遺書）言下之意，不滿意昌黎釋仁字，意在言外了。無錫錢基博先生作韓愈志，稱原道「理瘠文豪」，也是說他理由不够充足的意思。其實原道一篇，內容相當空洞，不但仁字解釋欠妥，即解釋「道德」也有問題，乃至於說一家耕田而六家食粟，一家做工而六家貨以爲用……這些數字，都和事實不一定相符的。（四）

自由報

THE FREE NEWS

第十九期

中華民國僑務委員會頒發
台教新字第三二三號登記證
中華郵政台字第一二八二號執照
登記為第一類新聞紙類
（半週刊每星期三、六出版）

每份港幣壹角
台灣零售價新台幣貳元

社長：雷嘯岑
督印人：黃行憲

社址：香港銅鑼灣高士威道二十號四樓
20, CAUSEWAY RD. 3RD FL.
HONG KONG
TEL. 771726 電報掛號：7191
承印者：田風印刷廠
地址：香港灣仔高士打道二二一號

台灣分社
台北市西寧南路壹壹柒號二樓
電話：三〇三四六
台郵掛號金戶九二五二

剛果問題之發展

淦克超

以戰略物資——鐳，鈾，鈷——及其他礦產和農產著稱的（前比屬）剛果，自一九六〇年六月三十日獨立以來，已成為東西兩方所必爭，而問題之發展，不僅關涉整個非洲，亦關涉整個世界。

剛果的歷史始自英籍冒險家史坦萊 H. M. Stanley 一八七七年之再度赴非洲探險，到達剛果河口。比王利奧波第二有志開拓，卻無定計；於一八七九年羅致了史坦萊，建立了國際剛果協會。那時中非洲地廣人稀，叢林中雖已散處着幾百萬土人，但可供開發的地區仍多。於是由利奧波自行出資（並非由比利時國庫出資），史坦萊分別與當地各酋長成立商業條約，獲得若干權利，而於剛果及其支流上建立二十個站。一八八四至一八八五年的柏林會議承認這地區組成剛果自由邦，由利奧波為該邦元首。一八八九年，利奧波的遺囑，將他的剛果自由邦主權轉贈與比利時。一九〇七年，比利時合併該邦，置總督以統治剛果，至一九六〇年六月三十日結束該項統治。

剛果面積約近比利時本國之八十倍（亦大於台灣六十餘倍），人口僅一千三百萬，較人口極密的比利時之九百萬僅多三分之一有奇。不過赤道下的地區不是歐洲人眼中的樂土，因此在比利時移轉主權與這新國家時，剛果境內的白人不過十二萬，其中比利時人約佔九萬，很顯然的，比利時人的剛果政策不是為着移民，而是為着經濟開拓。可是剛果獨立的那一個月——六月——這十二萬人中便有五萬人（就中十分之九是比利時人）忽忽離去剛果，紛紛逃命。有的已返回本國，有的另覓棲所，亦有許多人走過剛果河而逃到（前法屬）剛果之布拉維。比人八十年的慘淡經營，而收場如此，其內心之不甘，可想而知。但在魯蒙巴領導下的剛果群衆之威脅下，和聯合國的壓力下，比人有必須撤退之勢，至少亦須以退為進。

比利時人多數撤退後的剛果情形如何呢？剛果人是不免黯然神傷的：這舊主八十年來的統治沒有訓練成一位工程師，一位律師，或一位醫生。不錯，剛果僅有兩所大學，一所原名國立比屬剛果及烏隆堆大學 Uranda-Urundi 大學，校址在依利薩伯市，最早亦須本年纔能辦首屆畢業。另一所為天主教大學，校址在羅汶 Louvanium，創於一九五四；學科內容不詳；也許是偏重神學的。無怪乎剛果獨立後幾項要職，如中央銀行總裁和駐聯合國代表，都是在比國留學纔畢業返國的新人物。

獨立的剛果，大半年來，政治外交之發展情形如何呢？由急轉直下，而峯迴路轉，茲不妨綜紀其梗概：

（一）六月三十日——比利時統治結束，魯蒙巴為總理，凱沙弗布為總統。

（二）七月六日——各地陸軍叛變，襲擊比利時平民。

（三）七月十日——比利時出兵；魯蒙巴要求聯合國干涉。

（四）七月十一日——卡坦嘉省長卓姆貝宣佈脫離剛果而自主。

（五）八月九日——酋長嘉隆治 Kalonji 支持卓姆貝，宣佈加賽省南部自主。

（六）九月五日——凱沙弗布宣告罷黜魯蒙巴，但未收實效。

（七）九月十四日——莫布杜上校以陸軍推翻魯蒙巴，但未能控制全局。

（八）十月十日——聯合國的軍隊阻止莫布杜拘捕魯蒙巴；魯氏聲勢又起。

（九）十月二十七日——聯合國於莫布杜的軍隊騷事後，威迫莫布杜撤退其首都駐軍。

（十）十一月三日——聯合國責備比國支持莫布杜及宣佈自主份子。

（十一）二十月一日——魯蒙巴被捕；他係於十一月二十八日逃出首都，而於三日後在一小鎮被捕的。

綜上情形，從魯蒙巴上台至他被莫布杜拘捕，剛果局勢似乎又到達一階段，但始終欠穩定，事實上若干危機仍在進展中。十二月七日，蘇俄代表左林會在安理會要求聯合國以武力迫令莫布杜釋放魯蒙巴，並解散莫布杜的軍隊，美國代表反對，會議無結果。

經過大半年蝸爭蠻觸的剛果，其國內陣容與國際陣容之演變與劃分，是很值得注意的。當剛果初獨立時，凱沙弗布就任沒有實權的總統，魯蒙巴成為大權在握的總理，兩者間的距離愈來愈遠。卡沙弗布現年四十二歲，係教員出身，為人口衆多的下剛果各部落的首領，但在其他區域卻乏實力。他的政策是聯省自治。自出席聯合國會議後，他的聲望頗增，現為剛果政府的主持人，實力卻在參謀總長莫布杜上校之手，他們背後都有比籍顧問。莫布杜現年三十歲，係獨立後任上校的，原為支持魯蒙巴，又轉而推倒魯蒙巴的。所統的軍隊近萬人，紀律欠佳。

出產豐富的卡坦加省省長卓姆貝，現年四十歲，原係該省富有的酋長，以比利時人指揮的軍隊統治該省。比利時的鑛業公司極力支持他。他極力反對魯蒙巴，更極力拒絕聯合國的軍隊開入該省。他反對中央的統治，但與卡沙弗布尚能和平相處。

與卓姆貝聯合行動的，為加賽省的酋長加隆治，但加隆治僅在該省半部有力量，該省另一部份係擁護魯蒙巴的。

魯蒙巴的主要力量在東方省，該省首都為斯坦萊市，現由擁魯派首領薩魯木 Salumu 領導，他是同情共黨的，已於九日電哈瑪紹，要求聯合國設法釋放魯蒙巴；否則將屠殺在他控制範圍內的歐洲人，尤其是比利時人。聯合國正忙於應付。

以國際陣容論，當剛果獨立之初聯合國和比利時大體上是對立的，而比利時人對聯合國的干預最感頭痛。美國的政策可以說是和聯合國一致的，經聯合國之手以執行。但以魯蒙巴的種種手段和親俄傾向日顯，聯合國或西方國家都害怕剛果迅將墮入蘇俄掌握，於是就暗中協助反魯蒙巴的力量，以圖穩定剛果局勢。在這階段中，主權者的比利時人業已離去，但專家顧問之類的比利時人自十月間又陸續返剛果。若干比利時人的態度是：要處理剛果事情祇有我們比國人懂得。事實上，西方國家亦不得不借重其經驗。

現時剛果問題顯為非洲問題之重心，而剛果局勢之維持，有賴聯合國的兩萬國際軍。這兩萬人是三十幾個國家派出的，大部份是非洲各國的部隊：計摩洛哥三千餘人，突尼斯和艾阿比各二千餘，奈內亞和迦納各一千人，非洲外的國家印尼及愛爾蘭各一千餘人，其餘五千七百人係由二十一個國家派遣的。阿拉伯聯之五百二十人和錫蘭的九人已自剛果撤回，迦納的數百人亦將撤回。但這不生多大影響。不過聯合國亦在鬧窮，這筆軍費是蘇俄不肯分攤的；十一月間美國墊借二千萬美元予聯合國，哈瑪紹纔得渡過難關。

剛果事件顯已成為一個重要的國際問題，聯合國已勢成騎虎，須貫徹其維持剛果獨立之政策。但國際軍長期駐防，經費頗不易籌，而剛果若要真正能自行站立起來倘需時日，蘇俄和它的非洲支邦如迦納等國之不斷嫌煽，局部戰爭隨時有爆發之可能，如希望聯合國切實解決剛果問題，那是幻想，即欲暫時穩定剛果局面，從事和平建設工作，亦係不切實際之談。一個文化落後，生產貧乏，連受過高等教育的人士亦寥寥無幾的新興國家，而有國際間潛在或滲透於其中的幾種矛盾對立的勢力互相利用鬥爭，各懷心事，這那有不糟糕的？尤其是所謂聯合國軍，同床異夢，有相爲謀，有的袒護魯蒙巴，有的支持莫布杜，沒有一定的決策和措施，更覩形勢日益複雜而惡化，結果將成爲觸發國際戰爭的一種火頭，可慮之至！

小論天下

△寮國左翼軍由永珍敗退，獲蘇俄飛機空投接濟，準備反攻永珍。美泰菲已決定支援寮國反共政府。英法仍在觀望中。觀察家認為：寮戰與越戰可能同時爆發。一個合理的預測是：共黨可能同時搞出兩個或三個「小型韓戰」來。

△英首相麥美倫對未來高峯會議表示新的希望，蘇俄駐聯合國代表揚言改善美蘇關係。美國未來國務卿魯斯克說得好：高峯會議等如一種會吃得上癮的毒藥，必須慎用。我們沒理由相信麥美倫會變成「白粉道人」。

△周恩來將訪緬甸，劉少奇訪高棉。高棉元首施亞諾訪北平與中共締約，被中共邀遊大陸各地，利用為宣傳資料。向寮國燃戰火，向高棉與緬甸灌迷湯，雙箭齊下，軟硬兼施！大概周恩來與劉少奇要演出一回「假虞滅虢」。

△印度總理尼赫魯指中共是一個「龐大而危險的國家」。他分析中共目前的處境，不論對內對外均要製造緊張。假如他能夠把中共帶入聯合國，天大禍事都已化作雲煙了。是不是？假如不是，原來他一向只想替業已緊張的聯合國添上更大的緊張。

△菲律賓駐美國大使羅慕洛演講，對抗共產主義有一種潛在而看不見的力量，那就是美國與其他國家的友誼。他還說出如要交真正的朋友，最忌有滑頭氣，大老板氣，大少爺氣，官僚氣，和那種喜怒無常的性格。

△由英國倫敦發出的新聞電訊，指出中共農產計劃全盤失敗，因它已顯出要撤除海外糧包進口禁令的迹象。沒有其他地方的人會比香港人看得更加清楚，中共正在被這些進口糧包壓得頭痛欲裂，身軀搖搖欲傾。

△香港人以豐裕的物資慶祝耶穌聖誕。中共派出越劇紅坤伶袁雪芬到香港演紅樓夢，大陸饑民奪船逃抵香港又有一批。荒唐且演紅樓夢，冒死唯求白米餐，在此時演紅樓夢也好，林黛玉是不吃飯的，多的是眼淚。耶穌的聖靈鑑臨見證，阿門！

方南

自由談

大題小做

最近日本文化界發生了一項驚人的新聞，那就是著名的「文藝春秋」雜誌上刊出一篇小說，內容描寫日本人民將來實行革命時，天皇及其家屬皆遭殺戮，而皇太子明仁的遇害情形尤為慘烈。作者公然指述眞人眞名，肆無忌憚，因而引起皇室的驚駭憤慨，要內閣主管當局依法究辦，內閣即主張交由東京法院辦理。然「文藝春秋」方面卻當伊無介事，只是在原刊物上發表文字，輕描淡寫地聲明刊載這篇小說的原因並非有意煽動革命行為，而係欣賞其高度的文藝價值，希望世人不要誤會。這案件尚在法院偵訊之中，皇室和內閣皆保持着沉默態度，並未採取其他的法外措施，皇太子明仁更悶聲不響，夫是之謂民主法治精神。

若按照日本人素來尊敬天皇的傳統思想，天皇乃是神聖不可侵犯的無上權威者（戰前的日本憲法第一條，即規定「天皇萬世一系，神聖不可侵犯。」）對於這樣鼓吹叛亂的小說家，縱然夷其三族亦係罪有應得的。就是在號稱民主憲政之祖的英國，亦決不能容許人民對英王和王子作此瘋狂性的文字誹謗吧！然而，日皇及其政府當局卻視為尋常一般的法律事件，大題小做，社會人士亦沒有激動的心情表示，認定那小說中所構想的未來事情，毫無根據，只是一種天方夜談，殊不值得重視。

日皇裕仁在戰後所表現的民主作風，已屬難能可貴了，他對這次的文字誹謗案，又以法治為依歸。即此可見日本的民主生活，將來在亞洲方面首屈一指，而天皇制度亦必如英國然，綿延不絕。我不知今日一般自命為民主憲政國家的統治階級，對此作何感想？如果易地而處，是否亦有如日皇裕仁之涵容氣度呢？

馬五先生

無利可圖・公私束手
自由中國電視難產
・友萍・

電視是近代最時髦的大衆傳播工具，美國這一次總統選舉，兩黨候選人即初次利用此時髦工具作政見的辯論，而論者乃有謂民主黨肯尼第之獲勝，殆由於其在電視表現中之「聲色俱麗」之故。此假定不問是否確實，但電視傳播的影響，無論就其幅度與效果均遠超過報紙，印刷品和廣播的作用，並使今後民主與論政，進入另一個新階段，却是無可置疑的事實。

台灣年來的各項經濟進步，有可足述之處甚多，而大衆傳播工具的發達，在亞洲亦僅次於日、菲諸國而可稱為先進地區，但唯獨沒有電視，此不僅影響對外觀感，外國來台觀光旅客，或旅台外僑亦咸感不便，即本國人民亦有其不勝殆切翹望之情。過去兩三年來，台灣的各報紙，會不斷預示某年某月有電視出現的報導，而旅外僑胞亦有多人確曾返國與國內有關方面接洽投資電視的事實，甚至今年五月間總統、副總統連任時，台北市第一次出現示範電視之後，國民黨的首要還組織了一些機構，專門負責促成電視的實現。但這個「衆望所歸」的東西，過去並未如期出現，即今後何時出現，亦屬遙遙無期。

台灣電視何以如此難產？總歸一句話說，就是公營私營，都大大划不來。

因為開辦電視，不同於辦廣播。廣播電台不但所用的設備、器材簡單而易於籌措，即節目內容，電視所花的節目費，遠非廣播所能比擬。因為電視若就其性質來說，與其謂近于廣播，無寧謂近于電影，以政府財力，籌辦一電視台，雖輕易可舉，但成立之後，維持其節目的龐大支出，在目前政府財經交困的情形下，却寧願其繼續受「落後」的譏笑，而不敢當此長期的負累。

由政府舉辦的另一種方式，如目前泰國等國家，是由政府設立電視台，但電視機的出售，却給予一特定廠商以壟斷的特權，人民購買電視機，祇能向此一特定廠商購買，政府則從其與該特定廠商之協議價額中抽取若干成，以作為開辦及維持此一電視台的開支。這一辦法，倘不失為簡便有效，但自由中國所顧慮的，顯然有下列兩點，而不敢貿然效法：即為一、不能專為某一特定廠商創設特權，有違自由民主的原則。二、不能進口全架電視機。某些不能由本省製造生產者，可准許由國外進口，但本省能生產者，以及電視之裝配，必須國內為之，以保護扶植本國之工業。

其次由民營合資辦理，其困難亦不輕易克服。蓋投資多趨有利方向，而電視經營之無利可圖，殆不待證驗而知。目前台灣的廣播事業，雖物發達，其以營利為主旨支持者，約共廿五家，其中也確不少盈餘甚豐，足使人羨慕。但其基本因素，却完全在於節目簡單，唱片，錄音紙帶而外，人事、業務的開支，均精簡異常。如果改為電視節目，自不可同日而語。再就廣播電台所賴以收入的廣告客戶分析，說來更非常汗顏，其中百份之六十以上，都是賣藥廣告，祇有極少數來自重要的廠商。以這樣的廣告客戶，以維持廉價的廣播節目，不會成問題，但用來去維持一種電視節目，則不敢想像了，即使勉強可以維持，那節目的水準，也恐怕是「慘不忍睹」的了！

更何況台灣有投資能力的人，都在如何利用其資金于最有利的「炒地皮」活動，文化事業，值得多少錢一斤？而有志于此一事業的人，又苦于拿不出，賠不起那麼多的錢，於是自由中國的電視，多年以來，就只聞樓梯響，不見人下來，陷入難產的狀態中。

香港風情

香港東華三院為籌措新建醫院和中學校舍的經費，於日前（廿一日）舉行平劇義演，由名票友嚴夫人許頌輝女士演出「捉放曹」，飾陳宮。是夕觀衆滿座，甚聲稱贊她的劇藝非凡，華民政務司司長麥道軻登台親致獎品。這場戲票價收入共計港幣乙十七萬元之鉅，打破了義演的紀錄。

現在香港旅行中的貴攤詩人章士釗，是夕亦在娛樂戲院聽許女士的高歌雅藝，即席賦詩二絕相贈云：「一聲叫破海中天，百越山河萬象妍，留得餘音三日後，沈沈甌脫定勝籌。」「東京功罪說陳宮，入彀哀音起壯容，畢竟譚余誰鼎足，防人喚作許冬冬」。按許冬冬係清代一美女，清詩人朱竹垞曾有吟詩，章乃借以詠嚴夫人許女士也。

香港美領事館曾發覺有申請赴美國的華人所持中華民國護照不偽，而護照上的主管官簽字是假的等情事。這證明有人在海外私賣護照，貪污賣職，該死之至。

毛共派遣越劇班袁雪芬等來港「刮龍」，海隅的共特們藉此施展統戰魔術，邀約一些非共人士協同共幹們釀金設宴，為袁等洗塵，某電影公司的小開邵某亦參加作東，並當場定購戲票座位一百張，極盡捧場之能事。

由大選結果看日本各黨派前途
羅堅白

編者按：羅堅白先生為我國有數之日本問題專家，戰後十餘年來，寓居日本，對彼邦朝野人物，風土人情，知之最稔，故其論於日本政壇內幕分析，亦能入木三分，獨具卓見。承遠道惠寄本文，謹此致謝。

◎×××◎
×東京×
×通訊×
◎×××◎

（自民黨得有三百整數議席）

日本的大選，即國會衆議院議員的總選舉，於十一月二十日投票，二十一日開票完畢。其結果在定員四百六十六席中，自民黨得有二百九十六席，比較衆院解散時增加十三席。社會黨得有百四十五席，增加二十三席。民社黨得有十七席，減少二十三席。共產黨得有三席，增加兩席。其他小政派及無黨無派得有六席，增加四席。除民社黨所減少者外，因解散時有缺員十九席，成為各增加席數之共通來源。二十六日自民黨宣佈：無黨無派之五席中，已有四席新入黨。故該黨議席，達成戰後最高記錄之三百整數。

（原被告俱自誇勝訴的糊塗官司）

此次大選的動因，乃自民黨堅持舊金山講和以來的日美保安體制；而社會黨激烈反對之。經過一場瀕臨於內亂的鬥爭後，政府只有遵守鬥爭告一段落時的諾言，解散衆院以求審判於國民。由上述結果，自社兩黨俱自誇稱勝利；只有第三者的民社黨，不得不自認失敗。似乎當事的兩造俱獲勝訴，而敗訴乃對兩造都抱批判態度的第三者；驟然聽來，倒是戰後日本奇絕而妙透的一場糊塗官司。

（民社黨得票三百三十二萬）

但是這次投票總數，共三千八百二十二萬四千；以議員總席數四百六十六除之，平均有八萬二千票即可得一議席。民社黨得票三百三十一萬九千，應得四十四席半。事實上該黨除當選十七席外，尚擁有各地區達到當選邊緣之次多數，多至二十八人，合計正與四十四五席之平均計算得數相符。這些次多數，可惜百尺竿頭只差再進一寸；否則比衆院解散時的四十議席，還可增加幾席。然該黨得有如許票數卒未能成為現實的議席數；除了因為選舉區的劃分等等不合理之點以外，主因該黨成立日淺，未能獲致綽有餘裕的勝利足夠填補來自那些不合理點的虧空。可見當這次訴訟之衝的審判官們，尚不算能作已將是非黑白顛倒。

（棄權或偷懶的審判官都認原告為無聊）

這次國民審判，以社會黨為原告，自民黨為被告；我們認為官司，是原告社會黨打輸了。第一、如果真如社會黨所主張：日美保安條約是危害日本的軍事同盟，國民反對這種軍事同盟，所以該約之改訂案一經強行通過國會，便屢次出現震撼內外的人海大示威；然則大選時國民好容易輪到做審判官了，自應以一赴國難的悲憤心情，行使[illegible]票審判權。但是這次投票率，在戰後八次大選中，從最高數起是第六，從最低數起是第三；各地平均，僅達百分之七十三點五。其不踴躍，意味着國民有四分之一以上，認為這場官司無聊。素來同情原告[illegible]既不忍以自己一票加速其失敗[illegible]；亦不肯違背良心使反多[illegible]步接近勝訴；只好棄權。[illegible]同情原告的，因確信被告不至屈敗，樂得偷懶；且以不予理會答復原告的無端纏訟。（一）

大處着眼

路×××

台灣漫畫通訊　・伯強作・

閒話「楊門女將」
岳騫

※大陸文壇萬花筒※

本年中共拍了一部彩色片「楊門女將」，在海外會受到一些自由人士的推許，在大陸賣座也很好，比較專門宣傳人民公社，大躍進的片子，自然受歡迎的多。

但是，這部片子却引起了問題，有些「觀衆」看過之後表示不滿，投函中共報刊提出指責，總括起來說，指責約有三點：第一，這部片子的真實性；第二，拍這部片子是什麼意義；第三，文藝作品可不可以寫歷史故事。

關於第一點，其真實性在於太少，楊家將在歷史上鼎鼎大名的只有楊業（楊令公）以及和他同時戰死的兒子延玉，楊業戰死之後，宋太宗大為震悼，封其五子。大概宋歷史上只有發現了姓楊的名字，小說家就附會是楊老令公的後人，於是就出現了楊延昭、延輝、宗保、文廣一大堆人，又進一步編出一部「十二寡婦征西」，成為後世「楊門女將」故事的根源。但是這個故事與歷史固然不符，與情理也不合，世間那有百歲老婦還能出兵打仗的，這種寫法有點近似封神榜了，若不是中共文藝大躍進時，毛澤東提倡什麼「革命浪漫主義與革命現實主義相結合」的文藝路線，相信中共製片機構未必敢拍這部電影。

關於第二點，未見中共報刊怎樣解釋，據我們推測可能有意推動婦女勞動當兵，向楊門女將看齊。

至於第三點，問題就比較複雜了，當中共竊有大陸之初，對於文化藝術控制並不太嚴，上海電影廠拍出一部「武訓傳」，便受到了大批評，其實中共最初也相當推崇武訓，不知何以突然變卦，導演孫瑜被整得死去活來，武訓也被大大鞭屍，鞭屍的理由是武訓同時代的同鄉土的捻匪首領宋景詩來，一時宋景詩竟成了熱門人物，研究集及資料出了好幾冊，地位馬上可以上「大順皇帝」李自成和「大西國王」張獻忠。

「武訓傳」事件發生之後，再也沒人敢拍歷史片，拍白毛女、小二黑結婚、萬水千山、上甘嶺一類現實片，題材是絕對「正確」，可是拍出來沒有人看，幹部自也不看，沒辦法才改向「舊社會」去找題材。現在有人提出質問，試想中共怎樣答復。

出版發行協會募捐舉行電影歌舞大會

香港出版人發行人協會為籌募基金，承港紳周竣年爵士之贊助，定本月三十日下午九時半假座娛樂戲院優先獻映聯美公司輕鬆歌舞大喜劇「桃色公寓」。該片係由「十三點尤物」莎莉麥蓮及巨星積林蒙，佛烈麥茂利合演。屆時由亞洲兩屆影后林黛登台致詞，並由本港著名花腔女高音楊羅娜女士歌唱名曲：高爾地敎授鋼琴伴奏，復加插張文嫻小姐「舞雙劍」，沈芝華小姐「舞鑾球」，陳寶珠小姐「舞銅棍」加慶，節目多項極盡耳目之娛，連日訂票者已不少，屆時必有一番盛況。

儒林九尾龜

吳敬鋅

第四回：人何寥落鬼何多

李鴻飛笑道：「那會是這樣簡單，他們那裏面一個排字工人都經黨核准的。」黃安民問道：「其次只有要高不成替他寫稿了。」李鴻飛搖搖頭：「也不是，因為高不成的大作他們改起來大吃力，而且高不成也寫不出。最後社長提出一個辦法，要高不成推動學生回祖國升學，按人計算，每人一百元。」小石跳起來罵道：「這小子眞是缺德透了，這不簡直拿學生當豬仔賣嗎？」李鴻飛點點頭：「也差不多，不過高不成也還有一套，他怕學生不肯上當，就要求先回廣州去一趟。」黃安民吃了一驚，問道：「他敢回廣州嗎？」李鴻飛笑道：「當時連社長都覺得奇怪，懷疑高不成有意客氣，連說，『高先生不必多心，你回不回祖國沒有關係，黨和人民絕對相信你。』高不成笑道：『你們相信我沒有用，必須學生相信才成，試想我天天坐在海外，却說大陸是天堂，有誰肯信，如同你們報紙一樣，工作人員的生活比較資產階級還要資產階級，硬說自己是無產階級的報紙，當然就沒有讀者了，所以我要到廣州住一段時期，回來宣傳才有效。』社長接納了高不成的建議，保他到廣州參加一個暑期學習組，洗了兩個月的腦，就放他回來了。他回來之後，就在各學校大肆宣傳，把大陸說成了天堂，生活隨便，婚姻自由，讀書不讀書一樣升級。於是就有一些阿飛上了當，被他騙去五六十人，高不成又發了一筆小財。」

黃安民搖了頭：「為虎作倀，眞正該死。但是他既然很得意，為什麼又去當和尚呢？」

李鴻飛冷笑道：「他得意並不很久，過了幾個月有一批學生逃回來，就找他算賬，這批學生都是阿飛，他們在大陸吃盡了共黨的苦頭，回來之後，每人都買了一把彈簧刀，發誓要刺死高不成，這一來他慌了，他在市區不能住下去，逃到鄰埠又沒有錢，想來想去只有躲到廟裡安全，即使仇人知道了他的地方，別人也覺得他已經出了家，今後不再同他計較了。」

黃安民說道：「我還有些不懂，他賣豬仔賣了這麼多的錢，不見得馬上就會用得完，你怎麼說他想逃到鄰埠去沒有錢，他的錢那裏去了。」

李鴻飛笑道：「這件事說來可就妙了，高不成辛苦搵來的錢，若是安份守己的用，眞可以用幾年，偏偏他有了錢又想搞政治，四處招兵買馬，結果招來一個比他還壞的傢伙，連蹧蹋帶騙，就把他的錢搞光了。」（五十一）

論民主制度

丹士譯

當一八七〇年普法戰爭，拿破崙帝國崩潰之後，法國一位作家芮朗 Ernest Renan 說過幾句話。他說：「民主是摧毀軍事組織最有力的工具，因為民主否定了紀律。」這句話在去年當法國為了阿爾及尼亞事件，駐軍和政府意見不一的時候，九十三歲的老將魏剛，在法國陸軍大學演講的時候，又被引用過。魏剛一生戎馬，體念到民主制度的歷受威脅，看見列寧和希特勒的興亡，又經歷過第三共和國一九一八年的壯大，和一九四〇年的沒落。他親身於一九二〇年去到波蘭，抑制了紅軍的洪流。他又會被希特勒捕去下獄，法國第四共和國成立時，又會被提起控訴。到了第五共和國，他才被一度和他敵對的戴高樂重視，邀請他到陸軍大學去講演，強調「領袖和軍隊」的重要。他說：「在法國，我們既要民主，也要軍隊，過去二者相處得不好，今後一定要使二者相輔相成，融合為一，政府和軍隊都應該以祖國安全為第一，互相合作。芮朗的話是不對的，民主制度第一需要的才是紀律！」

西德在一九四五年以後，大家都以為「民主即是完全自由。權力是民主的敵人，民主不需要軍隊。」又以為一八四八年的話「祇有軍隊才能抗抵民主」，那是過時的讕言。另一方面，又有些人說：「我們何必要民主？」這些人都可以說是沒有懂得民主的眞義，以為任何紀律，更是不民主。西德前任總統霍以思教授，從來不會當過兵，出生南；素來反對普魯士精神。在他任滿時演講說：「民主制度者，等於一定限期的統治權。在這限期以內，執政者代表國家執法，諸如警察，罰則，強迫教育，納稅等等。同時也負起了訓練國民認識對於民主制度的服從的責任。」這位老教授，是一位自由主義者，可是他也在西德陸軍大學演講說過：「民主制度的大敵是「我不在內」。強迫處罰，雖然是法律，同時也是每一國民守法的基本責任，軍事教育的第一要義，便是喚醒責任感和維持紀律。」

有些人以為：「我們還有什麼責任？我們祇要能盡義務，享權利便行了。」殊不知時代不同了，有多數和少數不同的意見，少數祇能服從多數，對於任何一件事，我們不能單問效果，更必須考慮到意義！人人都求結果，譬如人人都想財富。非法的財富，應不應該，有沒有損害他人，這更是要事先考慮的。

民主制度必須反過來講究服從。民主制度一方面是最好施用權力的制度，也是最容易控制權力的制度。一方面固然人人可以有同樣的權，另一方面也盡人人都盡同等的責任。

選舉制度是經由多數人的同意，選出若干人出來當政，賦予了他全權。可是被選舉人，如果自己不能奉公守法，結果不是一無作為，便是像希特勒一樣的濫用職權。民主制度的功效，便是一方面授權予被選者，另一方面也能控制被選舉者，不得越權。要他執法，也要他守法。當選人如果無權，便等於沒有政府，國民如果不懂得服從，民主制度也祇算實行了一半，而這一半却比沒有還壞。服從不是對當政者個人，服從的是法律，是全民的代表者。

民主制度既然是某一限期內的統治制度，在這一限期內，便代表了統治權。所以民主制度是集自由、權力、服從三者合而為一的一種制度。缺少了任何一項，便不成其為民主制度。相反的結果，便是一團糟！

（西德世界報 Walter Görlitz著）

社會小說　香港地

六、人情味

梅大亮正在聽得皺眉，老禤已指着旁外說道：「你初聽這種聲音時，會覺得甚是不耐，然聽慣了便不當作一回事。你別以為這種有的只是笑料，其實，你如參透個中究竟，裏面多的是血淚。假如你仍然耐煩的話，讓我再說一個故事給你聽。」

梅大亮知道老禤這個人的性格，論事每要入木三分，詞鋒更是十分尖刻，便料他在這方面必有特殊見解，當即請他把故事說出來，一時倒忘記了此次來訪他，為的是什麼。

老禤歎了一口氣才道：「這也是曾經在隔旁發生的一宗故事。那天晚上，隔房來了一個嫖客，和那雌兒玩得不大夠勁，大概嫌那雌兒服侍得不夠週到，便大發雷霆，把那雌兒痛罵一頓。那雌兒心裏不服，當然反唇相稽。那嫖客實在罵得太惡毒了，敢情是一種最下流的優越感在作祟，居然這樣罵道『妳這臭貨，憑什麼身份來說話？妳們只不過是逃難的丐婦，借這個地方拿皮肉來討飯吃。大爺有鈔來嫖妳們，只是好心救濟妳們罷了。妳這臭貨，胆敢開罪了大爺，說話這般口硬？』唉！……」

老禤不再說下去，暫且停住，容色冷默，梅大亮却是毛骨俱悚，定一定神，又是怒背欲裂，氣憤得不得了。

梅大亮也知道，由大陸逃難到這裏來的女性，多半進入工廠去做工，最不幸是走向兩種出路，一種是在下級舞院當舞女，另一種便是在旅館出賣皮肉。這的確是血淚淋漓的事實，但像那個嫖客所說的幾句話，他不只聞所未聞，而且怎也想不到會有這種狼心狗肺的人，想得出和說得出。

他握拳怒目，似乎是想說什麼，却苦一時不知該說什麼才是。老禤對他搖一搖手，冷冷的說下去道：「這故事還沒有完結。那雌兒幹得也好。她一聲不響，用力捱着那傢伙的腎囊，怎也不肯放手，饒是他大呼救命，求饒不迭，那雌兒仍然不屑理會，只想就此取他性命！」（八十八）

木客著

工展特輯

聖誕節工展會　聖誕老人大派糖菓

（本報訊）第十八屆工展會以聖誕節及新年已告來臨，特於路口大牌樓加設二十尺之聖誕老人一尊，今後工展遊客，在門前可先睹聖誕老人慈祥之容貌，大門入口處，則有高達二十尺之聖誕樹一株，串以燈飾，其餘各辦公室及禮堂亦飾以雪景，正配合時令之裝設。

大會以聖誕及新年假日，遊客必多，為酬謝觀衆，及慶祝聖誕新年快樂，特決定大會派人扮演聖誕老人，每晚在會場各街道分派糖菓，由本晚起一連三晚派發。

（又訊）大會主辦服裝展覽，定於查部舉行，由宣傳部長朱朝欽，公用部長柏振光兩人主持，並召集參加服裝展覽小姐廿四人，作第一次會面，及抽籤決定展出出場次序，並定於今日下午三時，在陳列攤位露天場地預演。（東）

邵氏工姐　遊客讚賞

工展會裏的邵氏攤位，裝璜華麗，每位遊客進門，都被這攤位的陳列品所吸引。邵氏的工姐三位一體，制服整齊劃一，年輕而熟情，遇有遊客詢問，均娓娓而答，解釋至詳，務使遊客感到滿意。邵氏工姐，都是出自半日熱愛邵氏出品的邵氏影友羣中，她們此次能為邵氏服務，殊感快慰，而遊客莫不衆譽交加。邵氏出品，以「楊貴妃」、武則天，王昭君為本年度代表作品，這三部片子，每部投資都超過百萬元以上。（每）

余兆基有長者之風

工展會十一街余均益老板，余兆基，他為大會辦事非常落力，且為西區福利會理事長等職，他每天風雨不間都到總務辦事的，但上週不見駕到，據悉：其雁行折翼之痛，手足情深悼哀備致，休息數天，今經回攤位親為招呼顧客。（白）

振興公司攤位熱烈

遠近知名的振興糖菓餅乾公司每屆參加工展深獲中外人士好評，本屆攤位在十二街寬敞壯觀，佈置得體，側重出品之陳列在任何角度瞻望都恰到好處，實而不華，非徒以外觀是競者所可比擬，今屆展出各種出品菓餡餅餌中西格調包羅萬有，有攤位小姐皆溫婉可人儀態萬千，當遊客甫抵十二街時，笑臉相迎紛向參觀者介紹其優良出品，莫不深感興趣，樂予選購，因而造成全場最熱鬧攤位之一。

振興公司出品繁多，以鮮牛油克力架，火腿雞蓉麵最為傑出，工展期內買二送一，更有多種特價品式元三盒，極得顧客歡迎，連日來該攤位倍形暢旺，各分店門市部為饗應酬謝顧客起見，凡光顧克力架餅乾一磅或椒鹽什餅一磅，即送工展會入場券一張，及買一送一優待券一張云。（白）

泰觀展團　參觀唯一水壺廠

泰國中華總商會參觀香港工展團一行廿餘人，昨日下午參觀唯一水壺廠，由該廠總經理梁祖卿親自款接。該觀展團大讚該廠出品優良。（白）

安生堂　特價優待

香港安生堂所首創王隱雁商標溫灸器藥，自一九四九年由東北遷港設廠製造以來，歷年參加香港工業展覽，今年繼續展出，該廠此項發明十年來業經行銷全世界，經有百萬人採用治療神效，所以深為社會人士所歡迎。今工展期間仍特價優待。（何）

釋耒集

近見困居大陸文人郭紹虞，於改寫之文學批評史卷端，題兩詩以代自序云：

我昔治學重隅隙，鼠目寸光矜一得。坐井觀天天自小，迷方看朱朱成碧，矮子觀場隨人云，局促徒知循往跡。客觀依樣畫葫蘆，主觀信口無腔笛。×

自經批評認鵠的，能以階級作分析。如聾者聽聾者明，如剜腸胃加澈滌。又如覺路獲明燈，紅綫條條遂歷歷，心頭旗幟從此變，永得新紅易舊白。×

新紅與舊白

郭氏舊著，昔曾寓目，覺其徵引極繁，諸疏導解釋，往往使人迷惘，今所新作，亦殊無別解，而附此兩詩，以示其自我批評之嚴厲，及宣言其書以階級意識爲批評之依據，冀有合於共產黨人所信奉之唯物哲學，以期其書得以獲准發行而已。昔三國末期，蜀巳先亡，蜀人陳壽撰三國志，首成蜀相諸葛亮傳及其文集，表上晉武帝，其詞曰：「亮毗佐危國，負阻不賓，然猶存錄其言，恥善有遺，誠是大晉光明至德，澤被無疆，自古以來，未之有倫也。伏維陛下，遺蹤古聖，蕩然無忌，故雖敵國誹謗之言，咸肆其詞，而無所革諱，所以明大通之道也。」斥已所曾仕之國曰「危國」，謂亮之出師抗魏，爲「負阻不賓」。亮丁寧週至之敎令，爲「章表」，爲「誹謗之言」，夫壽之用心，實尊尙亮，所言乃如此，且晉之有天下，又非積德之由，[illegible]

[illegible]韓柳[illegible]柳氏送僧浩初序曰：「浮圖誠有不可斥者，往往與易、論語合，誠樂之，其於性情奭然，不與孔子異道。」[illegible]

[illegible]如其自序所云：「矮子觀場，隨人云者也。」[illegible]

曲齋

聖誕辨

徐學慧

孔子是東方的聖人，而孔子誕辰無人稱曰聖誕，僅曰「孔聖誕」。耶穌遲於孔子五百餘年，其教義所有者，均可見於我國之四書五經，而四書五經所有者，尙未必爲耶教所有呢！知耶穌誕之稱爲聖誕，不知爲何人所發明，站在宗教的宣傳立場，這倒是傑作，但中國人是多神教，因此，任何一種宗教傳到中國來，我們絕不排擠，亦絕不瘋狂。這是與民族性有關的。

儘管有許多人不知道中國的儒家精神是什麼，但儒家精神已成了中國人民的天性，就算你不淸楚這種精神的本質，你也深受這種精神的影響。中庸之道，是我們這個民族的最大特色，唯其如此，我們對任何人與事，總不致於過份。

在耶穌誕的時候，我們可以吃所謂大餐；在孔子誕的時候，我們亦同樣長袍馬褂，殺豬宰羊，奏古樂，行古禮；到天后娘娘誕辰，又照樣鼓樂喧天，虔誠祭祀。此種精神，是中國人的特質，我們這個國家之所以能綿延不絕者，大概是此種特質之功。

這不是笑話，這乃是證明中國人的同化力量之强。秦李斯諫逐客書曰：「是以泰山不讓土壤，故能成其大；河海不擇細流，故能成其深；王者不卻衆庶，故能明其德。是以地無四方，民無異國，四時充美，鬼神降福，此五帝三王之所以無敵也。」對於耶穌誕的看法，我們也是持這種觀點的。

任何一種宗教，在本質都是勸人爲善的，因此，對於那些宗教上的節目，我們實在沒有理由反對，相反的，還得加以提倡。這就是中國文化的眞正精神。

洪憲之因果

漁翁

在推翻滿淸，舉國人士，僉造民國之過程中，均期望民主制度之具體實現，再不容有君主專制之死灰復燃，而袁世凱違背民意，欲襲秦皇世襲之基改元稱帝，可謂不審時度勢者矣。

袁世凱，河南項城人，因顯貴而以地名，故字之曰項城。幼倜儻，未及冠，入邑庠而爲秀才，爲文有奇氣，[illegible]翻覺太[illegible]之句，味其言，則袁氏之帝王思想，在幼年時期已養成。[illegible]

袁爲總統後，進而欲家天下，於民四夏間，有楊度孫毓筠嚴復劉師培李燮和胡瑛等六人，仰承意旨，發起組織籌安會，鼓吹帝制，時稱之爲六君子。同時袁長子克定，想做繼承者，更晝夜奔忙，一面運動[illegible]，一面慫慂袁[illegible]最寵幸之第六位如夫人洪氏，在煙榻上獻訣，裏應外合而促成之。一日，洪氏以民國總統，幾年一任相問，袁曰：「約法定爲六年，還可連任。」洪又曰：「進退由人，不如趁此良機，改爲一勞永逸世襲之計」，此語已印入袁之心坎，而實改元稱帝之動機。

同年十一月間，各省將軍巡按使，紛紛電告國民代表已選定，一致贊成君主立憲，尅日來京決議國體，當由朱啓鈐代擬推戴書云：「謹以國民公意，恭戴今大總統袁世凱爲中華帝國皇帝，[illegible]傳之萬世。」[illegible]

[illegible]四年十二月二十五日[illegible]雲南都督蔡鍔[illegible]通電獨立[illegible]時六君子與十三太保均已遞呈辭文，[illegible]只得請老友段祺瑞徐世昌爲之緩頰，立下撤消帝制之令，長約千言，略云：「萬方有罪，在予一人，[illegible]上年十二月十一日承認帝制之案，即行撤消，由政事堂將各省區推戴書，一律發還銷毀，[illegible]

談繆斌（三）

諸葛文侯

繆斌向日本提出的「中日全面和平實施方案」，內容共計爲三大綱要：（一）南京政府立即自動聲明撤消。（二）南京政府撤消後，由平日與重慶方面通聲氣，暨爲重慶方面所認許的各界民意代表，組設「中華民國國民政府留守府」，維持日常政務，同時由淪陷區各地方政府，各軍隊，各項民衆團體一致通電，聲明擁護××爲留守，請其代表民意，達成全面和平目的（按××係日文「終戰史錄」原書所註符號，隱諱一個單名的中國人，此人如非繆斌自薦自封，即爲當時與汪政權暗中勾搭的失意政客無疑也。）另由留守府一面電告重慶中央政府，乞早還都，一面電日本從速停戰撤兵。（三）重慶與日本雙方執政當局，於南京留守府成立後，開始進行撤兵交涉，而以留守府居間斡旋一切，簽訂停戰撤兵的秘密協定。

日首相小磯國昭對於這個方案認爲可行，但他在會議中報告詳情後，又特別表示如此重大問題，必須偵知蔣主席的眞正意見，方可實行談判云。不料與會人員對此事群聲反對，外交大臣重光葵首先發言，指繆氏原係汪兆銘通緝過的人物；素來跟南京汪政府的關係不佳，由於日本駐華軍人爲繆氏說項撐腰，汪兆銘纔給他一種閒散職位藉示敷衍而已。按照日本政府的原有決策，對重慶工作應以通過南京政府爲主要方法，如今首相乃把繆氏邀約到東京來協商這種重大問題，本人（重光自稱）始終不敢贊同。最近本國駐華大使谷正之由南京送來的情報，說是據周佛海派赴重慶聯絡人員周隆密函報告，蔣主席現時跟美國關係很密切，決不可能與日本進行和談等語。因此，本人認爲繆氏決不可信賴，況且避開南京政府以進行和平工作，在道義上亦說不過去也。」繼爲陸軍大臣杉山元發言：「繆斌究竟以甚末資格來東京協商中日和平事宜的？這點應該先弄淸楚才好！」小磯首相答以旨在蒐集情報，俾供最高指導會議參考。海軍大臣米內光政即說道：「對手方的身份尙未弄淸楚，而以一國首相的地位，貿然舉行這種重要會議，縱使可以獲得一些有力的情報，但對我方實有莫大的危險吧！」這時，參謀總長梅津美治郎亦聲稱他跟陸海軍大臣的意見相同。幾個重要閣員皆表示反對繆氏的「和平運動」，小磯首相與國務大臣兼情報局總裁緒方竹虎，頗受譏評，情形相當狼狽，最高會議乃無結果而散了。

繆氏到達東京後，曾求見昭和的弟弟東久邇親王，親王詰問他道：「閣下係小磯首相邀請而來的貴賓，何以要來見我呢？」繆謂：「關於實行中日和平這項大問題，在日本除却天皇而外，誰也沒有可資信賴的權力，所以特向親王披瀝所見，希望俯加考慮爲幸。」

韓愈論

・謝康・

諫迎佛骨表慨激烈，不以生死禍福動其心，所謂「一封朝奏九重天，夕貶潮陽路八千」，韓公這種精神，的確令人欽佩。但是，未到潮陽，在經過藍關的時候，已經表現出長蒞不前的神氣。當他寫到「好收吾骨瘴江邊」這句話時，更充份顯出一副可憐相！到潮州後，即與釋大顛往來，認爲「聰明識道理」……「胸中無滯礙」……「實能外形骸以理自勝」……這無異於說他自己的修養，遠不及大顛和尙，不能外形骸以理自勝。否則他何以這麼怕死，把自己的形骸看得那麼重要，人還未死，就趕快叫侄兒韓湘到潮州去「收屍」呢？至於他調衛孺求鑑，（「手攜金琖孺我擲，云此最吉餘難同」）也有詩爲證。又上華山下不來，大哭一場，這都是怕死的表示。

所謂「昌黎作師說，大概也想以師道自任，他以爲師與天地君親並立爲五，其職務決不止於傳道、授業、解惑這三件事。他於是引證孟子「君子之所以教者五」和荀子「師術有四，而傳習不與焉」的話，以證明老師的工作，應該如同孔子說過：「吾無行而不與二三子者，是丘也」，生平行事，都可以與門徒共之，那麼，師生間的共同生活，決不止於傳道、授業、解惑，是可推想而知的了。因此，我們可以斷言，昌黎所談的師道，距離孔門的標準甚遠，或者說不合孔門的理想，大概也是可以的吧。（五）

歷史人物

[illegible]

自由報

THE FREE NEWS

第九十一期

中華民國僑務委員會登記證僑報字第二三號
中華郵政第一二八六號執照登記爲第一類新聞紙類
（每逢星期三、六出版）

每份港幣壹角
台灣每份售價台幣貳元

社長：雷嘯岑
督印人：黃行富

社址：香港銅鑼灣高士威道二十號四樓
20 CAUSEWAY RD 3RD FL HONG KONG
TEL. 771726　電報掛號．7191
承印者：田風印刷廠
地址：香港灣仔高士打道二二一號

台灣分社
台北市西寧南路壹壹本號二樓
電話：三〇三四六
台郵掛號金戶九二五二

工業江湖

徐復觀

編者按：台灣民營企業唐榮鐵工廠，最近發生周轉不靈的癱瘓病症，政府和立法院袞袞諸公，皆予以大力維護應援，迥異平時態度，然該廠主持人仍不願將經營實況對外公開，似有難言之隱。徐復觀教授根據報章披露的消息，寫出這篇評論，旨在提醒世人，不要以梁山泊「忠義堂」的精神來發展生產力，致陷國家無窮的憂患，悲憫爲懷，用心良苦。我們希望唐榮鐵工廠不致停頓，但其經營方法却非改善不可，政府應以此爲支持它的大前提，再不能顧念江湖式的人情關係了。

所謂「江湖」，是指我國下層社會中的一種半公開式的結社而言。他們結合的紐帶，自及時雨宋公明以來，全恃「義氣」二字。時代的進展，這種江湖義氣，不僅可以維持舊社會裏下級階層的團結，並且更可以搶救現代工業的危機，創造經濟的奇蹟，成爲太空時代我們中國人的偉大發現。所以我感到有綜合最近報紙的料材，略加表揚的價値。

一

前幾年，有一個從日本來的訪問團，來到台灣。經過盛情招待，照例參觀之後，在座談會中，那些日本的產業家，經濟家們，一個一個的，對於台灣工業建設進步的偉大，都傾吐出了東洋式的感佩之情；使我們主持這次招待的人，覺得這是最成功的招待之一。其中只有老經濟學人高田保馬，始終默默不出一語。有位朋友私下問他，他說：「你們這樣發展經濟，基礎是不健全的。譬如，形成你們工業巨擘的唐榮鐵工廠，便有不少的問題。第一、鍊鋼須要很高的技術，但它裏面沒有一個夠現代技術水準的工程師。第二、我們日本鍊鋼用煤，你們用電。官營的電力公司，須專爲它花百萬美元的設備，來供給它的需要，但收回的代價，却微不足道。這實際是政府賠本去培殖它。這樣賠下去，日子長久了，如何吃得消」。這幾個月來，擁有四千多工人的唐榮鐵工廠，果然搖搖欲墜，朝不保夕，好像這位老學人的見解是徵實了。但是，用常情常理來衡斷我們的問題，這就說明他的研究，還未眞正到家，依然相隔一間。我們的問題，不是這樣簡單的。

二

許多人講，唐榮鐵工廠的失敗，是因爲他們把工廠家庭化了。家庭經營的方式，是農業社會經營的方式；不能適用於計算精確，組織嚴密的工業時代。這種說法，總算觸到了問題的核心。因爲唐榮的財務，根本沒有成本會計的。但家庭經營，常表現爲兩個特色；一是勞資不分，全家的勞力，無限制的投入，而不計算報酬。二是省吃儉用，沒有人事費的開支；很少有交際應酬的浪費。外省人在台灣做生意，所以做不過台灣人的原因，即係抵擋不住這種家庭的經營方式。假使唐榮鐵工廠眞是用的家庭經營方式，這在技術上及組織管理上，固然不能與現代化的工業相適應。但其失敗也決不至如此之慘，而其搶救工作，也決不會是這樣的神奇。唐榮的經營方式，實際是江湖作法的經營方式。江湖作法的特點，是大斗分銀，大秤分金，大塊吃肉，大碗吃酒，以結交天下各路的英雄好漢，靠各路英雄好漢的大場面，大聲勢，以達到目的，滿足野心的作法。而作爲這一作法的精神力量的便是「義氣」二字。唐榮的這種作法，不僅是表現在兒子婚禮的兩千桌酒席上，而主要是靠他的三大法寶。第一是對政府高級官員，民意有力代表的豪華而曲盡的招待；這種招待費，大概不少於平日的人事管理費。第二是每年送三萬元到五萬元的顧問，大約有五十人左右；這些顧問，當然是從有力官員和民意代表中選擇出來的親軍。第三是在約五億元的借款中，大約六千萬元的利息支出，其利息高達四分或五分，不扣所得費，並且內中還有虛數的本錢。這當然也是結納達官貴人，及有力的民意代表的小小意思。最難得的是：借張院長道藩的話說：「立法院同人就有幾百萬貸借給唐榮；各院會公私放欵給唐榮的，大概有六千萬。唐榮很有『義氣』，始終不肯發表這些債權人的名單」。（見新聞天地六六七期）引用抗日時期的總動員法來搶救唐榮鐵工廠，正是由唐榮的義氣結納下來的這羣英雄好漢共同創造出來的奇蹟。

三

報上早已透露過唐榮鐵工廠利用襄陽大演習，各路英雄齊集南部的時候，大肆活動。其中最突出的是張院長在工廠裏打電話給行政院秘書長，催促趕快通過搶救辦法。現在新聞天地又登出他在立法院的院會中，曾經爲此而痛哭流涕，這似乎有點太難爲情了吧！其實，並不一定是如此。這位張院長，較之過去的院長，在公私經濟上，最爲分明。他之敢於痛哭流涕，恐怕眞的是出於「義氣」的感召爲多，出於直接利益的關連較少。他本是以慷慨打門而起家的人，他在政府中，大概是唯一的良心血性之士。大家只要想到三十二位立法委員，硬是抓破面皮，要政府代唐榮還他們的高利貸，張院長豈不相形之下，是在天上嗎？

唐榮鐵工廠，好像梁山泊。總經理唐傳宗先生即是大哥宋公明。那些顧問，經常受特殊招待，特殊高利貸者，則是取得一百〇七條英雄好漢的，而頒佈總動員法的，好像是其中的軍師吳用。四千左右的小債主，大概是捐旗打傘的小嘍囉。這一江湖的結構是嘍囉們墊衆英雄好漢的脚，從英雄好漢分唐大哥的金；唐大哥打政府的劫。打劫的數目，就現在可以知道的，台銀墊付了公司債二千萬元；信託局墊付原料，電廠不收電費，稅局不收稅金。此外則尙有三大謎底，不能揭開。一是資產到底多少。二是欠債到底多少。三是政府負担的到底多少？不過記載梁山英雄的水滸傳，有兩種本子。一百二十回本子的收場是「宋公明神聚蓼兒洼，徽宗帝夢遊梁山泊」。七十回本子的收場是「忠義堂石碣受天文，梁山泊英雄驚惡夢」。現在寫新水滸傳的人們，還是向那一種本子去發展呢？

本文主要取材：徵信新聞十一月廿九日的「一張債權人名單，支持唐榮不垮台」。十二月四日的「唐榮工廠的一筆糊塗賬」。聯合報十一月廿九日的黑白集「皮漏唯大」。自立晚報十二月三日的微言「唐榮的成功」。新聞天地六六七期「張道藩痛哭」。

小論天下

△英首相麥美倫有發動和平攻勢之說，今年將訪問遠東，暫不致力促成高峯會議，其訪問範圍包括北平與香港。

倘不有和平佳音，將何以迎春接福？

但就另一角度看，「和平攻勢」原是「離間陰謀」的別稱。當蘇俄未能把英美分裂成功之時，看英國怎樣把蘇俄與中共分裂也好。我們的看法是：中共對英國所植「恨根」之深，最好從歷史去考證一下。

△香港過了一個繁榮快樂的耶穌聖誕，寄付大陸的救飢糧包，亦隨着節屆臨而倍見擠擁。

如照香港會督何明華不久以前所說，毛澤東要大陸人民刻苦，符合耶穌基督的教導。我們該引爲遺憾的是：這幾天在香港普遍見到的耶穌像，都繪成那麼瘦，不像毛澤東長得那麼肥胖。除非毛澤東與大陸人民同瘦，恐怕我們也要把耶穌聖像改得稍肥一點，和聖誕老人看齊！

△光復大陸設計委員會由台灣佈露消息：六年內完成了三萬多設計方案。

只要有一天實行反攻，三萬個方案恐嫌其少。但如反攻遲不發動，方案的「積累」要破十萬大關也不難，其中「枯案」的剔除更將大費心血。

△蘇俄外長葛羅米柯在莫斯科發表演詞，希望美國未來總統肯尼第設法改善美蘇關係，「回復羅斯福時代。」

蘇俄欲重溫雅爾達協定的好夢，當然要想辦法使年青而虎虎有生氣的肯尼第，變成羅斯福暮年時期「病貓」似的形態。

△美國前總統杜魯門與麥克阿瑟近再激辯有關韓戰時期的歷史責任問題。杜指麥曾建議用原子彈，麥否認，並指杜使韓戰失敗，誤國至今。

十年了，中國大陸一直「塵頭」未定，韓戰禍胎一直凝結未消，如杜魯門艾契遜之流，尙復厚顏恣論，圖卸誤國誤天下之罪，詎可得乎？

△寮國永珍新政府獲寮王支持。蘇俄派飛機公然運投武器與敗逃的左翼軍並主張召開一次新的日內瓦會議，結束寮戰，但已遭美國拒絕。

緩兵之計，並不新奇，打打談談，原是老套。

△比利時全國罷工情形嚴重，部份城市發生衝突，叛亂堪虞。

料不到比利時也受到「流行感冒」的傳染。

△古巴連續發生多次神秘爆炸案。卡斯特羅政權頓增煩惱。傳亞洲共黨聯軍一百人已秘密抵達古巴。

人數只一百而號稱亞洲聯軍，正似一小撮共產黨徒控制中國大陸而號稱有六億人的力量，都是標準的共黨宣傳作風。

方南

自由談

遁詞知其所窮

美國前任總統杜魯門最近在電視廣播中，說他當年撤除麥克阿瑟元帥所任「遠東美軍總司令」職務的最大原因，就是麥帥對韓戰主張作戰到底，不惜使用原子彈攻擊中共區域暨蘇俄的西伯利亞一帶。他認爲這樣即將觸發世界大戰，乃把麥帥予以撤職處分，言下頗以維護世界和平的大好佬自居，矜伐自得。

我們翻按當年全球皆知悉的事實經過，杜魯門對麥帥憎惡的緣因，是麥帥於仁川登陸成功，大破共軍之後，曾以戰場統帥地位，對共軍發佈了一種招降的文告，敦勸敵人及早投降，否則聯軍必將追奔逐北，把戰火帶入中共軍事據點的東北地區去。杜氏聞之大爲光火，對新聞記者聲言「戰勝者的鋒頭被別人（指麥帥）搶先發出了！」不久即對麥帥宣佈那項限於二十四小時內卸職回國的電令，可與中國南宋王朝以十二道金牌，急召前線大將岳飛還朝聽候查究的情形，後先媲美，這能免於意氣用事之嫌嗎？

所謂防制麥帥觸發原子大戰云云，實係欲加之罪的遁詞。沒有美國總統的命令，麥帥雖欲從事大戰，亦絕對不可能的，而投擲原子彈與否的決定權力，更係總統所擁有的法定特權也。至於前敵統帥建議作戰到取得最後勝利爲止，乃是應有的職責和主張，豈能視爲犯罪？然則美國五角大廈的將軍們，亦隨時發表以原核子武器毀滅蘇俄全境的言論，那就更應該撤職查辦了！

美國的威望自韓戰停火後，即已一落千丈，而使韓戰搞成丟醜的結局，讓美國戴上「紙老虎」帽子的原始罪人就是杜魯門。他今天居然還好意思自詡爲「和平總統」，眞是顏之厚矣！

凡屬政治人物丑表功的回憶錄，都是未可信賴的，尤以杜魯門這類人的話更多疑問，因其學識與才幹跟他的政治地位太不相稱了。搞政治却不像推銷領帶那麼容易啊！

馬五先生

諸君已藉朝聖去，此地空餘朝聖園

上帝的兒女與天堂

仁谷

編者按：為本報寫台灣通訊的幾位記者先生們，近日寄來的文稿多是「花絮」「拾零」的小文章，對於一張報紙來說，這類文字也很重要，但全部是這些東西，在編排方面就不免困難了。本文中有幾位記者先生的文章，經編者加以綜合，請諸位作者首肯是幸。

台北通訊

一大群優秀的黃帝子孫，用朝聖的名義出國之後，到今天未見回來一個。消息傳來；大部份是在美國留學了，有的乾脆在外國教堂結了婚，因為祇要一生孩子，要不要中華民國護照都無所謂。所以最近信上帝的人又特別多起來，因為其中好處太大。故違章建築問題的根源雖然在於房子不夠住，但大興土木給上帝住的教堂却一天比一天多，一間比一間大。還有的為了跟上帝關係拉得更密切一點，生下孩子乾脆就起個上帝叫起來習慣一點的名字。有的就更乾脆了，孩子還在牙牙學語，就往外國學校一送。要不要老祖宗有什麼關係，反正老祖宗已死掉了。孩子大了能到外國去才是現實而重要的問題，因為只要能到外國，就可以光輝門第榮宗耀祖了。不過，我們究竟是中國人，管我們教育的仁兄們對此有何感想呢？（仁）

議長打耳光　欺人何太甚

△苗栗縣議會，十二月六日進行縣政總質詢之前，議員鄭應郎突舉手發言，報告議長打他耳光，並要求大會主持正義。鄭議員說：五日下午五時，全體議員應縣長歡宴後，他偕同其他幾位議員搭車回家時，議長魏綸洲突然表示要請客，邀他們上酒家喝酒。大家以有事必須提前回家，兼又天氣寒冷，當予婉拒。不料，魏議長態度至為堅決，乃將他拉下車來，並用力打了兩記耳光，實在欺人太甚。鄭議員要求議長在五天內公開答覆，並聲言要和魏議長當場決鬥，會場空氣至為緊張。旋即由魏議長表示：那天赴縣長歡宴，酒喝醉了，一時失却理智，並非有意侮辱鄭議員，希望鄭議員原諒。與會各議員見議長公開表示歉意，就紛紛加以婉勸，一場風波至此才告平靜。大會議程也才得繼續進行。（谷）

由大選結果看日本各黨派前途

羅堅白

東京通訊

（被告方面的完全勝訴）第二，假如自民黨果以改訂保安條約而為國民所憤恨，便應該在國民審判的判決下即大選的實績中受到制裁，而大選後却於議席上增加了十三席。並且改約實任者岸首相和岸派及支持改約最有力的後盾——岸弟佐藤前藏相，不僅都未落選，其派閥反較前昌隆。即岸派議席，由五十變成五十九；藤山派由二十七席變成二十八席；佐藤派由三十九席變成四十九席。這三派合計增加議席多至十六個，把自民黨增加的席數抵估去，尚多三席。這三位改約的「罪魁」，明明被國民認作功首。這又無人能否認是被告方面的完全勝訴。

（中途混入被告行列中的原告）第三，社會黨本身此次增加議席二十三，似乎原告也勝訴了。然其增加乃由於在選舉宣傳中，一向反美的社會黨，忽然變成親美，同時親蘇和親國民黨的姿態；一方面表示以緩和國民對其親共反美所抱厭惡情緒，一方面使親美却不滿意於自民黨的國民，不至把票都投給民社黨。並且藉力利用淺沼事件的血腥氣，恐嚇日本國民，一方面又做淚眼婆娑，哀號哭訴，穩住了自己的選舉地盤，未至被人瓦解。藉支持社會黨的勞工團體「總評」，近年因為左傾過度，到處怕內部發生反左傾的小組織，及公然與之互相對峙的第二組合。而這種小組織及第二組合逐漸棄暗投明，多已歸附於支持民社黨的「全勞」（全國勞働組合會議）。此次民社黨在宣傳上未能揭穿社會黨的同時親美口號的偽裝投降；也未能趁刺殺淺沼兇手山口二矢自殺的機會，進一步使國民認識淺沼實是自食鼓動左翼集團暴力的果報，以及社會黨借屍詐騙術；乃其宣傳戰最大的兩項失策。社會黨受此失策的恩惠，使總評屬下的國民，不至把票都投給民社黨，而社會黨未能實行原告，忽於中途混入被告行列，憑被告資格收回自己在原告立場上所提出的一部分控訴，然後佯裝達到目的，損失一部，但並未能變更其敗訴的事實。

（日共等於代表原告獻醜）第四，日本社會黨雖然與日本共產黨表面截然為二；但社會黨同樣信奉馬列主義，且無條件為共產陣營服務效忙，完全無異於共產黨。尤其反對日美保安體制，兩者立場共通而幾乎絕無半點不一致處。在此次大選的競選宣傳中，社會黨雖然偽裝同時親美；日共却依然以反美的本來面目與國民相見。所以日本國民倘若認為針對共黨陣營侵略而訂生的日美保安條約應予破棄，則正式代表共產陣營的日共，應該趁此次大選而大大地揚眉吐氣了。然而日共却只得到區區三個議席，並且得票只有百十五萬，相當於全部投票數百份之二點六，僅僅增加百分之零點二。比較上次大選所得百分之二點六，增加微不足道，而比較此次民社黨所得百分之八點八，尚在其三分之一以下。可見社會黨若不中途偽裝，而保持在保安騷動中所暴露的共產陣營第五縱隊的本色，則大選成績，應與日共不相上下。所以日共的低微，可以看作社會黨赤裸裸實績的寫照；這不過還原告社會黨的敗訴，留待日共代為獻醜而已。（二）

如此人民公僕　又見刑警逼供

（台灣特訊）據嘉義商工日報十二月八日刊載一則刑警刑逼口供的新聞：台東縣成功鎮日春公共茶室的挑水工人林潮淙，雲林縣人，現年三十歲，他曾於十一月二十八日晚飲酒醉後與一個名叫張萬成的互毆，但隨即雙方和解了事。詎料，二十九日晨，新港分局刑事組葉組長却又將林潮淙傳到刑事室，要他招供，說是日春公共茶室老板李德溥叫他打人，惟林潮淙不肯無故誣人，在旁的刑警楊永享就使出擒拿術，扣住他雙手，然後將他拳打腳踢成傷，他雖跪地求饒也不肯放鬆；楊刑警並指着自已的鼻子說：「我是新港土地公，你還不認識？」然後又將他拘留三天。林潮淙受此刑逼口供，心有不甘，除上訴地檢處外，並請記者主持公道。（嘯谷寄自台北）

將軍好狩獵　獵雄不獵雌

△台南市狩獵協會於十二月初舉行狩獵比賽，參加會員甚為踴躍，但成績却比通常為差，連山鷄、斑鳩都獵得不多。一般會員私下告訴新聞記者說：這次成績欠佳，是因為有何應欽將軍南下參加，何將軍是一個很講求狩獵道德的人，他勉示大家只打公的不要打母的。（嘯）

隨街亂吐痰　虎頭而蛇尾

△據聞：某高級治安單位在前不久一次會報中，指責台北市警察局對若干政策的執行，不能貫徹始終，並舉例三則：一為警局為了酒女穿着制服，曾嚴厲風行，以吊銷執照的決心來貫徹命令，惟時隔不久，一切均成過去，現在則根本已不作此說了。二為取締隨地吐痰，違者罰台幣六十元，惟現在街頭還有吐痰之人，警察則經常視若無睹。三為取締夜行不燃燈，惟現在一到夜晚，滿街均是「無燈騎士」，三輪車和腳踏車亦均置之不理。可見：此三事雖屬微小，惟給予他人之印象是：多少總有點虎頭蛇尾！（谷）

一次大拜拜　三百五十萬

△台南縣柳營鄉三年一次的「龍王公祭典」，於十二月四日在該鄉隆重舉行，家家戶戶，殺豬宰羊，大宴賓客，由各地通往柳營的道路上，食客不絕於途。據熟悉內情的人士估計，該次「大拜拜」計殺猪九百隻，鷄三千隻，鴨三千隻，羊四百頭，鵝五百隻，其他香燭、紙馬及烟酒、蔬菜等消耗，尚無法估計，惟總值至少達台幣三百五十萬元，其中有一隻龐大的紙船，內載錫箔等物，價值台幣二萬餘元，於五日晚付之一炬，以結束此一盛典。但據說鄉地方人士表示：此次「拜拜」非常節約云。（谷）

立委表重視　外交要加強

立法院外交委員會，在檢討我國外交工作後，提出四點結論作為今後政府在外交上應努力的目標：

第一，是應加強我駐聯合國代表團的陣容問題。這的確是當前迫切要改善的，因為聯大閉幕後，其他各種性質的會議仍不斷舉行，如果屆時請示，則很多有利事項因時間所誤，變成不利。

第二，是爭取非洲國家問題。這雖然外交當局已盡全力，但距理想還差得遠，今後如何加強，得好好週密計劃，不要臨時手忙腳亂一下，吃力不討好。

第三，是對美國新政府的認識與爭取問題。其實這一點不必大驚小怪，美國自已想孤立，除非等待共產主義赤化世界，否則任何人在考慮亞洲問題時，都得考慮中華民國有形與無形的實力。

第四，是慎重駐外使節的人選問題。這也可說是一個總結的目標。以上幾個問題，如何有好的辦法，如何完善好的政策，如果沒有好的人去執行，那還不是一切都是空的。有些駐外人員確令人大失所望，有些是一任多年並未調回來瞭解國內情勢，據說駐外十年八年的人還不少。真正優秀的人，因為有抱負肯做事，多替僑胞服務，反招致那些莫名其妙的主管嫉妒，一紙報告，外交部也就不分青紅皂白的在重視主官意見下，提早調他回來。這種作風與沈部長培植外交人才的政策正好是一百八十度。在此種情形下，好像是鼓勵外交官做奴才不要做人才，因為你祇要競競業業，拋開什麼制度、規定，祇要禀承主管意旨去辦事，那末三年五年甚至十年八年，你可以幹下去。反之，則多則二年少則一年，你一定會被調回部內。回來後也祇好坐坐冷板櫈。所以：要不談加強外交工作則已，要加強應該真正的做到培植人才，淘汰庸才，趕走奴才。至於對那些在國外營私舞弊欺詐僑胞的駐外人員，當也不能抱了家醜不外揚的作風，調回部內就算完事，應該清除出去。但願今後外交當局真能一清耳目。（柯）

大陸文壇萬花筒

無法註釋的「毛詞」

——岳騫——

毛澤東前後共作了二十一首詩詞，他的詩詞有一個特色就是難懂，所謂難懂並不是說他意境高深；而是因為結構太似燒餅歌，你怎麼解都可以，怎麼解也解不通。

以前為了送瘟神的詩，郭沫若曾撞了大板，為了蝶戀花詞的一句，郭沫若、張光年、臧克家，後來又加上一個謝思潔亂吵了一通，到底也未弄清楚毛澤東究竟是什麼意思。

最近為了一首毛澤東的浪淘沙詞，又鬧出一個同樣笑話；毛澤東這首詞提名「北戴河」，全篇是：「大雨落幽燕，白浪滔天，秦皇島外打魚船。一片汪洋都不見，知向誰邊？往事越千年，魏武揮鞭，東臨碣石有遺篇，蕭瑟秋風今又是，換了人間！」就這首詞來論，是膚淺，庸俗，衰颯加上前後矛盾。不過，勉強還可以承認它是一首詞，至於送瘟神的「綠水千山枉自多，華陀無奈小蟲何。」要說它是詩只有使人笑掉大牙了。

這首浪淘沙詞本來不算難解，可是一羣御用文人，專門負責替毛澤東「解經」的人，就挖空心思去附會，想把毛澤東美化成一個「超人」，往往就鬧出笑話來，例如唐弢注「毛瘟詩」，居然拉出來「神仙傳」，指為「毛典」的出處，其實毛澤東連書名也未必聽說過。再如這首浪淘沙的「往事越千年，魏武揮鞭，東臨碣石有遺篇。」據我們推測大概是毛澤東偶然翻到曹操的「觀滄海」詩，其中有「東臨碣石」一句，就拿來用上，但是經過周振甫一註釋，硬說毛澤東在秦皇島上想到沉到渤海裏的碣石山，這個問題若然專門研究地理的學者，一般人都未必知道，毛澤東更不會曉得，硬是向他臉上搽粉。

最近這首毛詞，在「人民大會堂河北廳」裏，被製成雕漆立軸，其中第三句「秦皇島外打魚船」本來是用一個「魚」的，現在忽然改成「漁」，於是又引起一批幫閒的爭論，有人說秦皇島外打漁船，重心在漁船，有人就說重心是在白浪滔天，好似誰說的都有理，可是，要叫我來解釋，也許毛澤東感到自已正如一隻打漁船，在狂風巨浪中掙扎，四圍都是敵人沒有一個朋友，所以是「一片汪洋都不見，知向誰邊。」祇有這樣解釋，才能瞭解下闋的「蕭瑟秋風今又是，換了人間，」但是這種意境就非專門搖旗吶喊的幫閒之流，所能理解了。

儒林九尾龜

吳敬鋅

第四回：人何寥落鬼何多

黃安民笑道：「眞是强中更有强中手了，這人叫做什麼名字。」

李鴻飛道：「這個人姓羊，他的名字一大堆，誰也弄不清楚那個是眞名，那個是筆名。又因為他生得唇紅齒白，舉動輕佻，所以習慣上稱作小羊。」

小石笑道：「小羊千萬可不要遇上巨狼。」

李鴻飛冷笑一聲：「他這個羊專門吃老虎，狼更不在眼下了。他仗着年輕會鑽，在最初一個時期，香港文化界巨頭他都認識，無論見到誰，執禮甚恭，雖然他寫的文章是不夠水準，可是，大家看到他是一個年輕人，也都勉强予以發表，後來他又出了兩本小冊子，這麼來就以名作家自居，漸漸地也就亂拉馬仔，自稱是獎掖後進。」

黃安民同小石都大笑起來，問道：「這樣說他是文壇先進了。」

李鴻飛也笑道：「他過到先進自稱後進，遇到後進就變成先進，他這套把戲，騙懵事的青年人自然不成，騙高不成就綽綽有餘了。高不成肚裏有多少草料，你們都很清楚，他遇見了小羊，簡直視如聖人，自以為是劉備遇上諸葛亮，登時如魚得水，兩人行走坐臥不離，小羊生性揮霍，狂嫖濫賭，沒有好久，兩人就把錢用光了，於是諸葛亮又另投新主了，這個現代劉備的高不成，只好去削髮為僧，變成了早期的明太祖了。」

小石急着問道：「小羊又投誰去了，誰還敢收留他。」

李鴻飛笑道：「世間怪事說不完，他東漂西蕩過了些日子，忽然鑽上一個舊軍閥的門路，提起此人，眞是大大有名，民國史上都要佔上一頁，自從在革命陣營中落了伍，幾十年來蟄處海外，無聲無息，世人早把他忘了，可是，因為近來世局大亂，各樣人馬都出了頭，他也見獵心喜，想藉機東山再起，就糾集一批嘍囉，也搞一個什麼團體，可是自己離開政治實在太久了，不用說怎樣活動，連圈子裏面有那些人也不知道，忽然遇見了小羊，說起任何人都認識，加上能說能跑，提筆又能寫，於是老軍閥如獲異寶，聘為秘書，月支薪水，小羊就替他設計，組織什麼樣的團體，發訂什麼名稱，擬定政綱，發表時局宣言，一切都是小羊代辦，而且辦好了之後，小羊又按照所有文化界名人地址寄上一份，果然一夜之間，老軍閥又成了新聞人物，老軍閥更加開心。可是，小羊的本領也就到此為止，宣言寄出去宛如石沉大海，一封回信也沒有，過了三個月老軍閥意興闌珊，把團體解散，小羊的秘書也解聘了。（五二）

我

沙漠

「我是誰？誰是我？如果沒有我？怎知我是我？」在那遙遠的億萬年以前，我來了，於是，一個輕微飄渺的聲音響了。從山谷、從河流、從那煩囂的城市、從那僻靜的鄉野、從那一切有我存在的角落，傳來了這聲響，輕微的、飄渺的，這問語，億萬年了，億萬年以來，這問語越來越響，而沒有解答，我不能解答屬於「我」的解答，沒有任何一個我敢於解答！

「我啊！我是誰？誰是我？」這聲音哀號着、渴求着，而每一個我沒有聽到，那些「我」都漠然的過去了，生命像一列旅行的客車，搭載着無數的「我」飛駛過去，雖然，車窗外面在嘶吼着：「我啊！我是誰？誰是我？」車內無數的「我」都疲倦了，「我」沒有觸到，「我」閉着眼睛在養息…………。

億萬年過去了，一列一列的「我」都過去了，於是，「歷史」老人跨着蹣跚的腳步來了，沙啞的聲音響了，從山谷、從河流、從煩囂的城市、從僻靜的鄉野，傳來了這沙啞的聲音；

「我」來自生命，在「我」存在的時日，「我」是英雄「我」是主角，「我」是一切存在的主宰。

「我」笑過，在別個「我」哭泣的時候。「我」哭過，在別個「我」歡笑的日子。「我」感謝母親，母親賜了一個「我」給我。

「我」有過無憂無慮的童年，為一顆糖菓我歡喜，也為一顆糖菓我哭鬧。我有過夢，升學的夢、愛的夢、錢的夢、做官的夢。

「我」愛過別人，也被別人愛過，「我」恨過別人，也被別人恨過。「我」受過痛苦、流過眼淚，「我」也看過別人受痛苦、流眼淚，「我」無動於衷。

「我」把幸福賜給別人，別人也把幸福賜給「我」。「我」是福音的傳播者，「我」也是魔鬼的化身。「我」做善事，也做惡事。

在流浪的歲月，「我」向別人乞求伸手。

在坐享其成的年日，「我」一腳踢走窮人。

「我」是吉卜賽人、乞丐、妓女、流浪漢、啊！「我」是富翁、大腹賈、政治家。

「我」有一隻筆、「我」有一把刀「我」……。

「我」老了，於是：「我」去了，無論「我」受過侮辱也吧？受過折磨也吧？無論「我」受盡恭維也罷？被別人拍過馬屁也罷？「我」來自泥和水被稱為人的人，終於：又回到泥和水裏去……。」

沙啞的聲音停息，四周輕輕的、輕輕的，一切靜止。

「老人！這是一個我嗎？」

「不！無數列車中的「我」，不要嘆息，不要悲哀！無論「我」活着扮演喜劇也罷！扮演悲劇也罷！「我」總是自己的主角！」

……沉寂……沉寂……沉寂……沉寂。

「我」的行列過去了，後面：一連串一連串「我」又來了。

「我是誰？誰是我？如果沒有我，怎知我是我？」

從沉寂的角落中飄渺、輕微的問語又從後面的行列中出來了……。

（四十九年十一月於台灣雨港）

社會小說　香港地

六、人情味

梅大亮聽得雙眉一軒，不覺叫了一聲「好」，急問道：「那傢伙眞的就此斷送了性命？」

老猲搖頭苦笑道：「還不至，他如眞的死了，料你也會在報上看到新聞了。後來是驚動了旅店裏的人，趕來援救和調解，才不至鬧出命案。但是，那男的已經痛得失了魂，在失聲喊叫之後，簡直再出不得聲，那雌兒不為已甚，趁機溜走，自始至終沒說過半句話，眞的有『好漢打脫牙和血吞』的氣色，後來還是鄰房住客一齊出來做證，說明起事的原因，大家才明白底細，齊口罵那下流傢伙，似乎公道猶在人心，也算那傢伙活該倒霉呢！」

這件事說過，老猲又是默默一笑，半晌才道：「梅老兄！你看什麼是眞，什麼是淫？什麼是清，什麼是濁？什麼是上流，什麼是下流？什麼地方才可以住得舒服，什麼地方卻住不得？達而觀之，我說這地方對我也有好處呀！待我把理由說給你聽，你便不會覺得詫異了！可是，我還沒知道你今天到這裏來找我的用意呢。是不是為了霍新和韋大悲的事？」

梅大亮見他像在發牢騷，也似說的是正經話，不便再提先前的事，便道：「是的，我就是為了今天讀報，看到有關韋大悲逝世那段新聞，覺得你昨天在電話裏所說的話，端的有先見之明，才想要找你一談。你對霍新的為人，看得最是清楚透澈，堪說『如見其肺肝焉』，料可為我消解疑團，大開茅塞。只因你遷址太過匆忙，卻累我轉折跟踪得好苦！」

老猲點頭笑道：「不瞞你說，替韋大悲吹牛也就是替霍新開吹牛的一段新聞，剛巧是我寫的。我怎會不知道個中微妙？」「那段新聞是你寫的？」梅大亮瞪着眼，吃驚地提出疑問。

「你不相信嗎？為什麼我不能替他寫那段新聞？」老猲立即提出反問。由他嘴角上掛着的一絲冷漠的笑容看來，他似要哂笑梅大亮看事過於呆板，近乎食古不化。

梅大亮被他問得有些惶困。（八十九）

木客著

工展特輯

十五名小姐角逐工姐寶座
——廿六起開始投票——

（本報訊）第十八屆工展會為提高婦女職業，增加遊客興趣舉辦之「工展小姐」選舉，已於前廿三晚十時截止報名，本屆參加競選人數共十五名，大會宣傳部為介紹各競選小姐與新聞界認識，特於前（廿四）日在會場內會議廳舉行記者招待會。由副會長梁祖卿，宣傳部長朱朝欽主持開會，並分別由參加競選小姐作自我介紹。

本屆參加競選「工姐」，都是名門閨秀，飽受教育的，所以比較以往各屆水準較高，希望各界支持，熱烈向各競選小姐投票，參加競選工姐計有：關玉蓮（金錢熱水瓶廠），閻士玲（樂士實業公司），李惠卿、朱卓英（權記食品公司），馮淑蘭（豪華實業公司），鄭安娜（白桂油藥廠），梅燕燕（白花油藥廠），于蓮珍（可樂雪糕公司），李露絲德（星洲化工廠）；舒玲玲、施蓮姬（國際容貌矯治所），林靜雯、唐美蓮（永豐搪瓷水瓶廠），梁婉兒（香港筆廠），林佩（尹人恤衫廠）等十五人，各工姐玉照，懸掛于大會入門口左側。于昨廿六日起開始投票，投票日期共十天，一月四日截止。（安）

白花油攤位　港電台錄音

白花油攤位於昨（廿三日）中午十二時，承香港電台之邀請，在該攤位作「工人樂園」錄音節目，首由歌星敏音小姐唱「頑童山歌」，白花油廠戴慶瑤小姐唱粵曲「傷心恨我未成名」，歌聲清脆，娓娓動聽，吸引遊客圍觀如睹，隨後舉行猜曲遊戲，先由敏音小姐唱出時代曲一首，工姐余慧霞搶先猜中「桃花運」獲得香港電台現金獎，繼由攤位工姐馬少珍唱時代曲「我有一段情」，喉聲圓滑，歌韻悠揚，獲得掌聲不絕，續由播音明星俞明講故事「鄉里走江湖」及林建華小姐唱英文歌，常識問答，京劇名旦胡鴻燕小姐唱「昭君怨」，敏音小姐唱「小兩口問答」及最佳歌曲頒獎等，節目豐富，情形熱鬧，在昨日之「工人樂園」錄音節目，以廠方白花油小姐主唱之粵曲「彩鵲喜迎春」為最精彩，獲得電台方面之最佳歌曲獎。（坤）

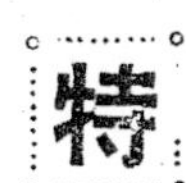

圖上：朱部長與工姐羣合影　圖下：顏玉瑩飛星

釋未集

才與氣

耶誕之前，學生某君，購一聖誕及新年賀咭寄余，封面之上，有五言聯語曰：「山川知故國，風露想遺民」。頗喜其琢句之工，而極傷其辭氣之餒。昔人謂：「風景依然，舉目有山河之痛者」，其情蓋彷彿近之矣。因思自古英雄豪傑之士，其才未必皆過人，苟能成大事，使功名著于竹帛，令聞顯於後世者，其意氣之盛，不為貧賤所移，不為威武所屈，不為富貴所淫，則有非常人之可及者矣。漢高祖為亭長時，赴縣令宴重客呂公之會。實不持一錢，而曰賀錢一萬，昂然據上座，狎侮諸賓客。主計吏蕭何曰：「劉季固多大言，少成事。」夫以蕭何之識量，能知淮陰侯於庸衆之中，推之使為大將，而不能料高祖之必能成大事，故以高祖視蕭何，而則亦闒茸之類耳。項羽終為所滅，固已決于此時矣。霍去病以椒房之親，而有氣敢任，將兵六次擊匈奴，斬折蘭、盧胡；降渾邪、屯頭，武帝嘗欲教以孫吳兵法，對曰：「顧方畧如何耳，不至學古兵法」。以其有大功，天子為之治府第，令去病視之，又對曰：「匈奴未滅，無以家為也。」霍嫖姚之名，遂使胡人聞而喪胆，今觀其辭第之語，則知匈奴不足滅也。以視絳、灌之屬，但欲攀龍附鳳，冒一死以圖富貴者；又不可同年而語矣。蘇子卿，以故家子為侍中，出使匈奴，因其副張勝與緱王及長水虞常等謀劫單于母閼氏歸漢，謀泄被據，事連子卿，遂為匈奴所困辱，放之北海之上，廩食不至，掘野鼠，去草實而食之，杖漢節牧羊，臥起操持，節旄盡落。當子卿出使之明年，李陵戰敗匈奴，久之匈奴使之說子卿曰：「（陵）來時，太夫人（子卿母）已不幸……子卿婦年少，聞已更嫁矣，獨有女弟二人、兩女一男，今復十餘年，存亡不可知，人生如朝露，何久自苦如此？……且陛下春秋高，法令無常，大臣無罪夷滅者數十家，安危不可知，子卿尚復為誰乎？」人情莫不懷其所親，願與之共富貴，今母死、妻嫁、弟妹存亡未卜，已身又功罪不可知，不降，將為誰乎？而子卿告陵曰：「武父子無功德，皆為陛下所成就，位列卿、爵通侯，兄弟親近常願肝腦塗地，今得殺身自效，雖蒙斧鉞湯鑊，誠甘樂之。」卒不為所動。夫以才論，項羽未必遜于高祖、李陵尤在去病與子卿之上，而成敗功罪異數者，氣不足以存其才也。孟子曰：「志至焉，氣次焉」。志之所之，而氣隨之，然後可以置死生榮辱于度外，以赴已之所志，不為一時之利害所動搖，今國未亡而先有江山之痛，日日言反攻復國，而一面先自貶為遺民，士氣如此，而修言弔民伐罪，是誠使人不能無疑者也。

曲齋

太空時代

徐學慧

人類的智慧可以上溯太空，而對於地面上的紛爭似乎永無解決的動機，細想起來，簡直是一個大大的諷刺。

如果太空船可以載客旅行星際，我主張第一批旅行星際者，應為那些所謂大政治家與政客。讓這一班狂人，讓他們在杳茫的星空中，領略一下人類是何等渺小的意義，倒也是大有用處的。經此最大限度，他們的眼界可以放大，他們的度量可以放寬，從而可以影響到他們在政治上的措施，也會以人類的立場作出發點。不至於像目前一樣，大家拳擦掌，劍拔弩張，而自稱曰：「我固一世之雄也。」其實，所謂一世之雄，不過是自己誇耀自己而已，這世界上，是沒有所謂一世之雄的。拿破崙，希特勒，史太林諸人，在當時不也自命為英雄嗎？由於人造衛星之出現，英雄們的狂妄思想，或可以因而減少，這倒是我們日夕所祈求的。我的意思是說，星際交通的時代即將來臨，不論任何一個獨裁者，都認識了戰爭武器之足以使勝敗雙方同歸於盡，因此，大戰的危機乃大大的減少了。而由於兩個集團對峙的關係，雙方反必傾全力以致力於科學之發展。我們固可以斷言，未來的五十年，科學進展的成績，將會超遠五千年人類歷史的總和。

舊小說中的飛仙劍俠，往往在距離很遠的地方，互放法寶，各顯神通，那些讀武俠小說的人，讀到這種場面，也就特別過癮，我們現在正是在讀太空探秘的這一章呢！西遊記，封神榜上面所描寫的武器，到今天，幾乎一一兌現了。科學文明是如此地進步，人類的精神文明，是不是趕得上這種飛躍的進展呢？也就難說了。

漫談聖誕節

漁翁

一年一度的聖誕節，又告來臨，關於聖誕日，聖誕咭，聖誕匣，聖誕樹，聖誕老人，一切一切的起源與流行。簡單地介紹於下面：

聖誕日

耶穌的生日，究竟是那一天？在聖經中不能找出證據來。現在，天主教和基督教，都定每年十二月二十五日為聖誕節。五日，原為希臘敬拜火神的一個日子。在基督未降生前，地中海人，都崇拜太陽神的，他們稱冬至節為太陽節，因為冬至節是夜長晝短的最黑暗時期，人們都在盼望光明的來臨。自從基督教普化以後，因人們認定耶穌是世界之光，所以就把原來的太陽節改做聖誕節，這便是慶祝光明戰勝黑暗的日子，名與實符，為舉世所公認的。

聖誕咭

聖誕之有咭，起源於羅馬，在聖誕日，人們互相贈送給有耶穌聖嬰的泥像或木雕金刻的聖像，表示彼此相互祝福。及至十八世紀中葉，為英國人所首創，第一張的聖誕咭，是在一八四三年，由英人亨利柯爾爵士，想出圖案，央皇家美術院的畫家約翰霍爾斯萊執筆畫了出來，到一八六〇年，開始在英國流行，其後才傳至新大陸，現在已普遍於全世界，且推陳出新，花樣百端，琳瑯滿目，為人們所先睹先得為快。

聖誕匣

相傳，古羅馬教堂的神父，每逢聖誕節後一日，就把一具聖誕匣，放在教堂裏，讓窮人們祈禱後，打開聖誕匣，分取裏面的禮物，謂之「分禮日」，約在一八四零年，才流行到英國，一變而為贈送聖誕匣的風俗。

贈送的對象，乃是貴族階級對其所屬而言，叫做「佈贈日」。據說在十二月二十六日，貴族的主人或其上級長輩，要將貯藏珍品的匣子，贈送服侍他的僕役們，表示施恩惠之意。就是僕役們，在這天得着一具聖誕匣，都很快活接受的。

聖誕樹

聖誕樹，是點綴聖誕節的風光，通常栽着的，為小松和冬青，據說起源於日耳曼民族的宗教傳統，當十六世紀時，德國斯特拉堡，就有聖誕樹出現，到了十八世紀，才由德國傳入英國，十九世紀，又傳到美國和法國去，以次普遍於全世界。

在世界上栽種聖誕樹最多的，要算美國，每年約五千萬株。至於樹枝上掛的飾物，據說在原始時代，把食物掛在樹上，以防野獸的原故，後由馬丁路得在聖誕樹上，掛着小蠟燭和棉花，就說蠟燭像真理之光，棉花像隆冬之雪，遂演成今日的裝飾品。

聖誕老人

在一千六百年前，荷蘭巴里地方，有個老人，名叫尼古拉斯，他於聖誕降臨時，把許多禮物，放在兒童的木屐裡，因此，便稱他為聖尼古拉斯，後來又尊之為聖達——卡羅士。到一八二二年，由荷蘭傳教士把這段故事傳到美國去，漸流行於各國，這便是「聖誕老人」之所由來。

今日天主教的聖堂，與基督教的教堂，每逢聖誕節日，都有聯歡聚會的運動，節目中少不了聖誕老人抽獎的一幕。大會裏陳列許多物品，憑各人的幸運，但百分之九十落空的。記得一九五五年的聖誕節，筆者曾參加一次聯歡會，最後由聖誕老人登台抽獎時，獲得最近出品的新式座鐘，東方始白，即針合鈴響，以代雞鳴，開之披衣起舞，如祖生然，爰成五言一首以志喜：「今宵逢聖誕，喜氣滿場中，惠我非凡品，鏗然一座鐘」。光陰易過，忽忽不覺為五年事，今又值令節，書此以作紀念。

海嘯樓雜談

根據東久邇親王的回，他與繆斌晤談時間是三十六日（民國卅四年），亦就是小磯首相召集最高指導會議而不得要領的第五天。繆氏的用意是想晉謁裕仁天皇，藉以增加他的條陳，他就可以大張旗鼓地向重慶說話了，最後目的是在解脫叛國的漢奸罪名而已。

另據重光葵所撰「戰時外交」，其中有關於繆氏在東京活動情形的一段紀述：「四月三日突奉天皇宣召入宮覲見，在御前，天皇謂：「小磯首相奏陳政務之際，曾將繆斌來朝，擬通過繆氏向重慶進行和平工作的情形順便提及。朕認為和平工作這種重大事情，不是使用權謀手段，經由繆某一流人所能完成的。但首相似不謂然，而陸海軍大臣的意見卻與首相迥異，不審卿意云何？」」當時重光即向裕仁詳細披瀝反對理由並希望天皇令飭小磯首相迅將繆氏的和平工作停止，及早送他回上海去。裕仁即首肯了。至於東久邇親王的意思，卻與小磯首相具有同感，亦相信繆氏是可以利用的人物，他與繆氏晤談後，會商同宮內大臣木戶孝允，將繆氏到東京來搞和平運動的經過情形，密奏天皇了。所以，裕仁胸有成竹，對小磯首相奏報此事時，乃表示懷疑的見解。

談繆斌（四）

諸葛文侯

小磯國昭的和平運動，既不獲內閣同寅贊成，十分尷尬，最後想乞得天皇俞允以箝制反對派的計劃亦告失敗，他的首相地位業已搖搖欲墜，繼因他要求免於退役（日本的法制，凡軍人從政後，即須退役，解除軍人身份。），又為陸軍大臣和軍部所拒，他處此環境，實已無法戀棧，祇有掛冠之一途了。小磯內閣之垮台，可說受着繆斌幫倒忙之賜。

繆氏此行不特毫無所獲，且把小磯國昭的首相地位亦搞垮了。（後繼首相為東久邇親王）當時小磯與緒方竹虎一派人，對於外務大臣重光葵甚為痛惡，迨美國原子彈擲落日本之後，他們更指重光誤國殃民，說是重光如不反對繆氏的和平工作，日本人即不致於吃到原子彈啊！實則重光的看法很正確，繆氏根本不為重慶的國府當道所齒，蔣主席尤深知其為人，豈能聽信繆氏的胡說八道！日本軍閥當時如果找到周作人一流人向重慶試探和談是否可能，或許可望得到一點真實的消息，而乃乞靈於老牌漢奸人物的小道士繆斌，這算是搭錯了路線，自尋煩惱。

繆氏既有上述這種膽大妄為的招搖闖騙行為，國府自然知道，認定他是十足的民族敗類，罪無可逭。所以，一經拿獲，即予明正典刑了。（完）

歷史人物

韓愈論

謝康

有人以為昌黎本來醉心利祿，崇尚功名，觀其三上宰相書及應科目時與人書，這幾篇文章，刻薄一點說，不免有巴結權貴搖尾乞憐的姿態。即使忠厚一點說，也不免於「躁進」或急於求官之誚，真正愛惜羽毛，耿介自守的人恐怕未必肯這樣卑躬屈節的吧？同情昌黎的錢基博先生於此亦有同感，他說：「三上宰相書，與陳給使書并不為自已留地步，徒為伈伈俔俔，低首乞憐。……益見辭卑氣餒，幾乎無適而可，此遺言措意之所以貴能預立地步也。」這個批評的確是很對的。

× × ×

還有，最可惜的是：韓愈因迷信道家服食養生之說，終以此喪其天年，且亦與原道篇闢佛老的主張正相背謬。有人讀進學解、爭言論、原毀、原道諸篇，覺得作者肝火旺盛，恐與丹藥有關。據說他在晚年時候，常用硫磺攪鷄飯餵公雞，不使與母雞近，養它一千日，纔烹來食，隔天喫一隻，以為這樣可以長氣益精，最初頗覺見效，終於因此得疾，臨死前兩個月，已因多病罷免吏部侍郎。將死時中宵驚悸，夢神人自稱大聖喚他助戰，他便跪在地下說：「願聽從大聖的命令，」驚醒時遍身大汗，對他的夫人說出這個怪夢後，不久就逝世了。白居易思舊詩說：「退之服硫磺，一病訖不痊」。如果我們就此事分析他底心理，可以說和道家的思想，總不能說沒有一些關係吧。（六）

徵稿小啟

有內容有意義之隨筆、散文、掌故、小說、雜感、詩歌等類文字，本刊均所歡迎。請用有格稿紙繕寫，如需退還，請附信封及郵票。

一千六百字之散文隨筆比較容易刊出，過長則以篇幅所限，刊出的機會較少。請特別留意為感。

自由報
THE FREE NEWS
第二十九期
每份港幣壹角
社長：雷嘯岑
20. CAUSEWAY RD 3RD FL HONG KONG
TEL. 771726
台灣分社

甘迺廸如何打冷戰第一回合

•關德辛•

甘迺廸雖獲當選，最後統計僅比尼克遜多十幾萬票。尼克遜以「一個馬鼻」落後，可見競選過程的激烈，複雜和微妙性。根據美國雜誌的報導來分析，甘迺廸獲勝的最大因素，主要是廣大農民的支持。美國農民幾乎一致認爲本身的命運正處在走「下坡」(down-hill)的境況中，寄望於民主黨執政獲得改善。其次是黑人，猶太人，大部份也傾向於民主黨，但所佔比重不如農民重要。至於宗教信仰問題，在競選前固然頗受人注意，實際每一投票人在投票時，並沒有宗教信仰的考慮或拘束，甚至有連本人所隸屬的黨籍也不加顧慮者，只對人不對黨。最有趣的，有覺得兩個候選人都不行，乾脆放棄投票的；有覺得兩個候選人都要得，直到投票前一分鐘還無法決定的；種種情形不一而足。

美國人民在本屆大選中所表現出來的矛盾，值得同情而且不難索解：他們對國內外政局存有求「變」的希望，但缺乏有基礎的信心。甘迺廸是「變」的象徵和信號，合於美國人民發自心聲的要求；而甘迺廸是否能往好處「變」？在一九六一年一月二十日以前，誰也無法肯定答復。

甘迺廸所揭櫫的「新境界」New Frontier自然包括內政，外交，一切施政在內。本文所要討論的是外交部門中最重要的一個項目——冷戰。甘迺廸所面臨的冷戰考驗，與自由世界命運息息相關。二次大戰結束，美國歷屆總統自羅斯福到現在即將接事的甘迺廸，都無法逃避此一考驗，而且一屆比一屆繁重。

美國人民承認直到今天，冷戰的主動仍握於蘇俄共產頭子手裏。這次美國人民以揀中了甘迺廸，雖然是基於各種的考慮——譬如美國農民希望改善生活——但如何由蘇俄共產頭子手中搶回冷戰主動，無疑的爲多數美國人的希望。揣測冷戰在不久將來的發展，覺得仍有危機潛在，特別是中華民國應加倍提高警覺。

我最近看到美國雜誌有關鐵幕後報導，設想甘迺廸及其顧問人員正在注意研究「俄共中共分裂問題」。同是，赫魯曉夫已提出：一九六一年春天在聯合國舉行高堦層會議的建議。赫魯曉夫的「建議」，在實質上並無與前不同之處，屬於冷戰範圍，是一種和平攻勢。「和平攻勢」在赫魯曉夫的紀錄中，已一再運用，並不新鮮。不過甘迺廸是一個「新手」，此番「和平攻勢」又是在俄共中共「分裂」氛圍下發動的，情形就不大簡單，甘迺廸在第一回合稍一不愼便會墜入赫魯曉夫的彀中，將來後果難以想像。

所謂「俄共中共分裂」的消息，是由捷共、波共頭子透露出來的。據說在莫斯科會議中，劉少奇曾譴責赫魯曉夫對西方的「怯懦」行爲，赫魯曉夫在私下也罵中共是「黃禍」；捷共、波共更異口同聲說中共是好戰的；共產黨陣營中已分成「白種共黨」及「有色人種共黨」兩大壁壘云云。我所懷疑的，不是消息的可靠性，也不是俄共與中共是否眞在會議中吵過；而是這樣一個表面與共產世界不利的消息，爲什麼不加保密反而藉東歐附庸國共黨頭子們之口而廣爲傳播？西方的情報機構固然有在鐵幕獵取情報的方法，西方新聞人員卻沒有「催眠術」使東歐附庸國共黨頭子們一定要說話，鐵幕的作用主要便是一切由蘇俄嚴密控制，在聯合國開會時，附庸國家代表們所表現的俯首帖耳十足是蘇俄的「應聲蟲」，從來沒有說過他們自已所要說的話。現在，莫斯科會議既稱爲「赤色高堦層會議」，會議中所發生的情形，捷共、波共頭子居然在回國後可以歷歷如繪公開講出來，除了是出自赫魯曉夫的有計劃行動，恐怕不容易再作他種解釋。即使俄共與中共眞有爭執，也不過是策略性的而非原則性的，共產黨對赤化世界的目標絕對一致。眞正值得注意的是爲什麼赫魯曉夫要把消息誇大其詞廣泛傳播？其實略一深思也不難找到答案，這應當由上次赫魯曉夫在巴黎以U—2飛機事件對艾森豪謾罵，鬧翻高堦層會議說起。

對於任何會議，包括高堦層，蘇俄的看法和作法與美國有根本的歧異，而美國與西方國家（英法）的觀點也不盡相同。蘇俄利用高堦層會議打擊美國聲望，分化西方陣營，困擾自由世界，爲一貫手法，絲毫沒有解決問題的誠意。但西方國家，特別是英國，囿於現實眼光，每逢蘇俄「奏樂」，便情不自禁「手舞足蹈」起來。如所週知，英國首相麥米倫在一九六一年春季將展開一連串的繁忙外交活動，主要有：召開英帝國自治領協約國會談；訪問遠東；與甘迺廸會談等項目。

甘迺廸當選以後，所謂「遠東問題專家」大爲活躍，他們的遠東政策着重於「殭冷局勢的「融解」(to thaw)，質言之，他們以「中共控制大陸」爲「事實前提」來摸索解決問題的「方案」。此一呼之欲出的「方案」，有絕大可能內得史蒂文生、鮑爾斯等支持，外由麥米倫及印、緬等中立國家呼應，雖不敢說「實施」，必然會「實試」。

赫魯曉夫豈肯放棄機會，如何使被他一拳打厥過的「高堦層會議」復蘇，自然成爲他把握機會的第一步驟了。赫魯曉夫着實得罪了艾森豪，所幸並沒有得罪甘迺廸，僅靠這點，在技術上仍不足使「高堦層會議」復蘇，於是，中共便以平劇上「東吳大將賈化」姿態出現，磨拳擦掌好像非蠻幹不可的樣子。這一着作用很大，赫魯曉夫不用親自出馬，自有英國首相氣急敗壞地代爲奔走接洽，甘迺廸似乎也無法拒絕，結果是，高堦層會議準能開成。「高堦層會議」成了赫魯曉夫的工具，要怎樣耍便怎樣耍，已是事實。現在再將其中陰謀剖視一下。

在飛彈殭持局面下，赫魯曉夫了解蘇俄絕沒有從事核子大戰的力量，當然連僥倖獲勝的可能也沒有。因此，赫魯曉夫在「飛彈殭持局面」存在一天，仍以「冷戰」爲對外政略運用最高綱領，如果世界各地發生「有限度戰爭」，蘇俄介入與否，純視該一戰爭有無觸發核子大戰危險而定，質言之，即「有限度戰爭」也非蘇俄所需，不合其政略綱領的。現在赤化的中國大陸和東歐，使蘇俄在地緣政治居於相當優勢地位。動盪的拉丁美洲，對於世局尙感模糊的新興非洲，問題重了的東南亞，形成了冷戰廣大空間，於蘇俄有利。赫魯曉夫以軍經及技術援助，配合赤色第五縱隊向上述各地區滲透，已經收到效果。他所念念不忘的是對聯合國的控制，因爲一旦達到控制聯合國目的，美蘇賓主異勢後，接受俄援的國家便自然成爲正面的解釋，而接受美援的國家反成爲「美帝國主義者之倀」。由本屆聯合國大會赫魯曉夫率領嘍囉們到會叫囂鼓噪及建議一九六一年春在聯合國召開高堦層會議兩事，可以看出赫魯曉夫的意圖了。

美國在聯合國的聲望日益低落，主要是由於美國的立場不夠堅定明朗，影響所及，中立主義大爲抬頭，而眞正反共國家反顯得很彆扭。赫魯曉夫抓住機會利用西方國家畏戰心理弱點，如果高堦層會議一旦開成，他必然以牽引中共入聯合國爲第一目的，其他都屬次要。其作用並非在討好中共，而是爲本身控制聯合國向前跨一大步。所謂裁軍問題，柏林問題，禁止核子試驗問題，對德和約問題……屬於高堦層會議議程範圍者都不是赫魯曉夫內心所要解決的，他在將來高堦層會議唯一的希望達到的目的便是牽引中共入聯合國，也就是和平攻勢的重點。

甘迺廸對於赫魯曉夫其他問題的糾纏，我相信他可以應付，但能不能擺脫赫魯曉夫牽引中共入聯合國的一「招」呢？甘迺廸左右的「智囊」，外面的盟友，是無法幫忙他的，一切要靠他自己的英明果斷。中共能否入聯合國，是甘迺廸能否贏得冷戰第一回合的決定因素，「新境界」究竟是往好處「變」，也由這一點開始。

小調天下

△寮政府軍進克寮北左翼軍據點。中共陳兵滇桂邊境，有揮軍進入緬北之說。美國官員觀察：中共決心擴大寮戰。

此時如看不出共產黨在東南亞大舉的「決心」，那便眞正該死！

△法國試爆第三枚原子彈成功。日本有人預料中共將可試爆原子彈。英國科學家預料：六年內將有十多個國家擁有原子彈及氫彈。

「原子俱樂部」自必有更多的會員。「原子大國」如不準備廉價傾銷原子彈，便該及早消滅毛澤東那一類瘋子。

△美國科學團體研究中國大陸地下資源的新發現，檢討中共在科學技術上的進展。中共宣佈半個大陸耕地受災失收，揚言遭受到百年來最嚴重的天災。

發掘中國大陸地下資源是蘇俄的國策，餓死一半中國人是毛澤東的政策。

△比利時罷工浪潮嚴重，比京萬人遊行，與警察大衝突，傳社會黨與共黨聯合行動，全國正進入緊張狀態。

這也是共黨迂迴進攻的一項傑作。他們在剛果要鬧，同時更要在比利時本國裏面鬧。這與經由阿爾及利亞鬧到法國，又是一個新花樣。

△中共新華社誇稱一九六〇年達到反美最高潮，指艾森豪是「戰神」，又是到處有人打它的「過街老鼠」。

對一個即將下台的「和平總統」仍然「窮追猛打」罵到大除夕也不肯鬆一口氣，可眞難爲了「艾森豪時代」。

△美國一記者提醒未來的美國駐聯合國大使史蒂文生，期望他面對一羣赤狼表現得勇敢而漂亮。

史第文生是漂亮的。漂亮而勇敢的英國電影明星倒眞有不少。

△南斯拉夫狄托總統又大罵中共。美國與歐洲國家貸南國二億七千萬餘元，助其改革貨幣商業。

他這一駡似乎很值錢。

方南

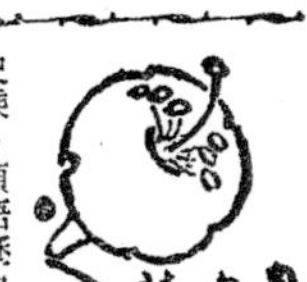

歷史教訓

馮[illegible]先生

歷史是人生的一面鏡子，無論是幹何種職業的人，如能洞悉史乘，領悟歷史人物成功失敗之所以然，對自己的事業前程，總有裨益。至於搞政治的人如其不熟讀歷史，而悉心體察其治亂興亡之道，那便如盲人騎着瞎馬，亂闖亂蹦，沒有不身敗名裂，爲天下笑的。

一個朝代之治亂興亡，必有其漸積而來的因素，也受着時代背景的影響，能夠覺察其前因後果的癥結所在，見幾而作，改絃易轍，俾得適應時代要求，引起社會大衆翕然景從者，即不難撥亂反正，救亡復興，史事昭彰，歷歷不爽。如明崇禎帝危難時期，乃發出「君非亡國之君，臣盡亡國之臣」的憤激語，徒見其昧於歷史教訓，不知政理與治道爲何事啊！

歷史事實最足以發人猛省的，就是因果律，眞所謂種瓜得瓜，種豆得豆，決無例外。趙匡胤保全功臣，以「不殺讀書人」爲家訓，垂誡子孫，等到宋朝傾覆之際，乃有文天祥，陸秀夫一流人爲宋室効忠成仁，幹出警天動地的事情，震爍古今。朱元璋濫殺從龍之士，且施行「廷杖」的暴虐方法，使整個民族的人格觀念，蕩然無存，迨明祚危亡時，叛國者踵相接，阮大鋮，馬士英這些人，何嘗沒有學問？祇因若干年來，統治者已把民族人格踐踏淨盡，他們並不以叛國降敵爲可恥了，這是不懂得歷史教訓的緣故，可哂可鄙！

歷史知識是人生必備的，搞政治的人而不研究歷史，敗亡可立而待也。

國代諸公火氣甚旺

最高民意代表的熱鬧場面

·黃 炎·

台北通訊

國大代表們於十二月廿五日舉行「憲政研討委員會」全體大會，廿六日舉行「年會」，中山堂大廳內又熱鬧了兩天。這次會議的時間和氣象，雖然沒有開正式大會那麼長久而多彩多姿，也有兩種鏡頭相當精采，值得讚歎的。

第一天的憲政研討會議，上午揭幕時由蔣總統以該會主任委員身份出席致詞，行禮奏樂如儀，皆大歡喜，不在話下。下午研討憲政改革方案，由陳副總統以該會副主委地位，主持會議，經過報告後，各委員發言盈庭，議論甚多，總不外對現行憲法及研討方案的缺點紛紛指摘，提出修正意見，但會場秩序殊不寧靜。最後擬定決議要點之際，有江蘇籍國大代表包明叔登台發言，主張至遲在來年（民國五十年）十二月廿五日以前，必須將本會議所擬訂通過的修憲方案，向社會各界人士完成徵詢意見的手續，俾便召集臨時國大會議，實行修憲工作，另有一位江蘇籍國大代表汪子奎表示反對，認為修憲方案既係國大代表們一致擬訂通過的，即係代表全民意見，毋需多此一舉了。雙方主張皆有贊否的人應聲而起，你也要求主席發言，他也舉手表示說話，大家都爭先恐後地要發表高見，秩序為之騷然，而包，汪二公乃越趨越勇，兩人皆爭着走上發言台，不知他二位是誰過於激動，擠在發言台上說話時，手舞足蹈，一不留神，手臂觸及了對方，如是對方指為有意打人，一面大聲呼喊，一面揎袖起覇，就要互相串演鐵公雞了。適時有人從旁拉勸，才幸未釀成打鬥場面，亦云險矣！

第二天是「年會」，年會的性質等於同寅「團年」的聯誼作用而已，應該一團和氣，大家嘻嘻哈哈的。可是，仍然爭辯吵鬧，險象環生。上午的大會主席，公推薛岳担任，一開始就因為谷正綱不肯到會執行秘書長職務而大吵大鬧。谷氏認為他是國民代表大會憲政研討委員會議的秘書長，「年會」於法無據，不過是國大代表們自行創立的聯誼團體罷了，他沒有必須到會服務的職責，所以臨時表示缺席，理由是「別有苦衷」。但代表諸公大不以為然，有的說他妄自尊大，逾異前任秘書長洪蘭友之謙撝隨和；有的指他漠視同仁福利，濫打官腔；有的却說他平日頗能替同仁幫忙說話，此刻不應該鬧情緒。綜合這三種人的意見，一致希望他照舊到會執行秘書長職務，而谷氏堅決不答應。旋有「國代聯誼會」幹事楊揚（山東籍代表）登台發言，指述谷氏平日對於秘書長職務諸多曠廢之處，表示不滿。此時乃有國代大會「黨團」書記蕭新民（湖南籍代表）坐在席位上，對楊揚大呼「下來！」聲音甚為亢厲。不料登時引起了大衆的反感，羣起指斥蕭氏不應妨害別人的發言權，且有人握拳奮臂，要給蕭氏下不去的情勢，會場秩序之亂，莫可名狀，主席薛岳只好坐着看熱鬧，悶聲不響，最後有人提議將此案交由主席團處理，一場風波才告平息，一般國大代表何以對谷正綱表示不滿呢？這其間亦有一項說不出的原因，也就是谷氏所謂「別有苦衷」也。

據說在憲政研討委員會全體大會未召集之前，曾由「綜合研討組」各委員與國代大會主席團，舉行了一次聯席會議，商討大會進行事宜。按照體制，這種聯席會議的主席，應由憲政研討會主任委員蔣總統担任，最少亦得由陳副總統出席主持的。萬一蔣、陳二公皆無暇出席，即須臨時公推主席才對。但谷氏當時並未經過這些程序，即昂然以秘書長地位，執行主席職權了。因此，以國大代表聯誼會幹事們為首倡，抨擊谷氏獨斷專擅，妄自尊大，彼此鬧得很不愉快，所以谷氏乃堅決拒絕出席年會為大衆服務，聊示反擊報復之意云爾。

記者綜觀國大代表諸公在每次大會中所表現的心情與作風，總是一派偏激憤鬱的不平之氣，即就將來如果召集臨時大會討論修憲問題時，大家不知道要鬧成何種景象？因而想起了幼年時代在中學校裏開會的情形，如出一轍，越覺得國大代表諸公越過越有青年精神了，懿歟盛哉！（十二月廿七日於台北）

財務法庭設立 司法風氣一新

一直困擾商人的稅務問題，也帶給法院無限的麻煩，每一法官分配到的欠稅案件總有尺許高。目前此一問題總算由成立財務法庭來解決了。

司法行政部已在台北、台中、高雄三處地方法院設置財務法庭，專門辦理財務案件。鄭部長特就該庭職責指示注意事項數則：『（一）此次修正財務案件處理辦法特規定財務法庭一章，旨在專其責成，今後凡在該法庭服務人員，除應保持司法人員應備之「清、慎、勤」三項要件外，對各種稅法均應細加研究，界稱厥職。（二）在行政方面，務須以身作則，自律律人，與財稅機關允宜合作協調，對於庭內員工應嚴加監督及勸勉，切實奉行本年度司法行政檢討會議通過之建立優良司法風紀案，使能奉公守法，樹立威信，並求人和。（三）裁判應在合法，適當原則下力求迅速。裁定雖以書面審理為原則，但為求合法，適當起見，必要時得傳當事人到庭調查，並予以中辯機會，以求發見眞實，臻於至當。（四）在執行方面，應力求迅速有效，並避免重複，如欠稅義務人已在財稅機關繳納者，應有迅速週密之聯繫辦法，勿使重複執行。』最後鄭部長並表示凡該庭之正當措施，該部當全力支持，如有困難問題時，該部亦願意與財政機關會商共同協助解決。希望所成立的財務法庭眞正能做到「清、慎、勤」，則對司法風氣方面可一新人之耳目。好的開始，成功的一半，今後對大戶與小民欠稅案件，能一視同仁，無枉無縱。（柯仁）

由大選結果看日本各黨派前途

羅堅白

東京通訊

（岸氏兄弟形成池田長久政權夢的威脅）

這回自民黨確確實實得到勝利了。但是池田內閣的前途，卻非可以簡單樂觀的。現在岸佐藤藤山三派擁有衆議員席百二十七；僅岸氏兄弟亦距離滿百僅差一席；而池田派卻只有五十二。這個數目，對於今後池田外交政策的壓力，比較從前不僅沒有減輕，並且還加重了。又佐藤準備做池田的繼承人，久已公言不諱。現在佐藤派在衆院中一舉增加議席十個，顯示其氣勢有如旭日沖天，從年富力強的池田看來，佐藤兄弟，實為其長久政權夢之絕大威脅。

（河野派忽然採取和平攻勢）在自民黨中曾經鬧過分裂的河野派，此次仍能保持其三十二個原議席，卻更新了七個，其中五個且為完全未知數之新人。他過去組黨失敗的癥結，便是其帳下嘍囉有七八名，臨到最後關頭不肯與之一致行動，因而不能獲取衆院內至少須有黨員二十五人之交涉團體資格，只好能休。此次得在派閥中輸入新血液，足見其實力能與勃勃野心相輔相濟，究與其他沒有國際背景的派閥不同。河野最近對池田表示願予以「善意協力」，而並不要求分享任何利益，頗似立意在池田新政權主流中，豫先佈下若干種子。池田對於他這種和平攻勢，目下雖尚未至逸出警戒敷衍範圍；惟今後如何演變，實難豫測。將來池田若與岸兄弟發生裂痕，便是河野搶入池田主流取岸兄弟地位而代之的機會。目下去佐藤要求接受池田政權的時期雖尚遙遠；然岸兄弟要求再分配閣席須要比例新增議席數，其磨擦業已露出端倪。吾人不難想到：岸佐藤兩派閣席的增加，當然意味着他派現有閣席的減少。池田拒絕之便是裂痕的開始；依從之則步入嘗的中間派，將被驅策以河野派為淵叢。尤其石井大野兩派，與池田競選總裁時的芥蒂，與河野派共同結成「黨人派」的老關係，都不難見其復活。到此時河野若再舉叛旗，則大勢應與從前完全改觀。故河野派實無異於埋藏在自民黨最循要處一顆待時炸彈。

（橫斷自民黨各派的新左派）除河野派外，自民黨中另有一顆待時炸彈，便是新近以三木松村健將們為中心，加上石井藤山各派少壯層，并中間無派的石田勞相一萬田元藏相等而成立的「政策同志會」。它以改善保守政黨體質相標榜，是一個橫斷各派的新左派。此次該會推出候選人六十九名，當選者達到四十六名之多。縱以作為普通派閥，已不失為一個數一數二的大派閥；而它所擁有會員們的能力及鬥志，據聞都高出其他派閥的嘍囉們一等。這一支突起的異軍，在池田內閣，不成為共同戰線內至少獨當一面的友軍，應是就逐逐於池田臥榻旁封豕長蛇般的勁敵。這一派人也是有國際背景的；不過由其最近動向觀，他們身上所濡染者，蘇俄的氣味較中共氣味為濃；這一點與河野派似乎正相反。池田內閣自發朝以來，得有他們助，業已渡過幾度難關。他們在傳聞池田打算把衆議院議長界與他們的老前輩松村謙三，顯示有意繼續借重這一派人。但是他們只單純供人利用而無固有的希圖嗎？假若有之，則與池田的路綫無法調和，而臨到圖窮匕首見時，較諸河野派，當倍感應付棘手，而無俟於贅言。（三）

TAX

還是安步當車吧！

台灣漫畫通訊 ·伯風作·

大陸文壇萬花筒

毛詩「英譯」

——寒岳——

毛澤東「詩詞十九首」出版之後，中共各級文化幹部為了爭寵，想盡辦法捧場，最初海外一間「假民主出版社」出版了一種有註解的本子，可是「註者」本身就不通，例如毛「吳剛捧出桂花酒」一句，毛澤東是信口開河，他根本不知桂酒是肉桂製的，而吳剛在月中伐的桂却是丹桂，是兩種不同的植物，毛澤東的文學造詣連個半吊子都談不上，自沒有人去責備他。但是這位註者為了貪功，却在桂花酒下面註道：「桂花釀成的酒，楚辭九歌有『奠桂酒兮椒漿』之句。」他不註別人也許不留意這一句，經他一註反而坐實了毛澤東的荒謬不通。這個本子經過自由人士指出錯誤之後就自動收檔了，所以流傳的很少。在大陸也有多種本子，最精緻是就是「仿宋木刻本」了、古色古香，仿古仿得十分像，當時正在中共文化幹部陳伯達，周揚等人大叫反對「厚古薄今」的時期，「毛集」到是眞正的復古玩意，不過，他當然不在限制之列了。

中文本的花樣耍盡了，就動腦筋去翻譯，中共「外文出版社」招來幾名赤色洋人，集體把毛詩翻譯成英文，這一來笑話就更多了。

本來毛澤東的詩詞用中文來講解都難，何況翻成英文，而翻譯的人對中文又不十分了解，所以篇篇都走了樣，其中最可笑的如菩薩蠻「黃鶴樓」一闋，其中「龜蛇鎖大江」一句，毛詩用了一個鎖字，就武漢三鎮的形勢來說，「鎖」字並不切合，可是英文竟然把「鎖」字譯成「站立」，變成了龜蛇站立在大江兩邊，這種句子外國人看到了也許會以為毛澤東發高熱說囈語哩！

又如「清平樂」——會昌一詩，其中「東方欲曉，莫道君行早。踏遍青山人未老，」英譯卻變成了「東方很快就要破曉了，但是不要說我們出發得大早；雖然我們走遍了青山，我們卻還沒有老……」又是驢頭不對馬嘴的話。

因為毛集第一個中譯本，而出版之後又出了這麼多的文病，二十二期文藝報已提出批評，也許不久又要停止發行了。

傷秋九尾龜

吳敬鋅

第四回：人何寥落鬼何多

「小羊失業後，又繼續鑽門路，又被他鑽進一個團體去當什麼部長，但是這個團體人只有幾名，錢是一文沒有，小羊鬼混一陣混不出什麼名堂，他這時生活水準已經提得很高，再捱苦也不肯了，只好另打主意。他知道高不成向左轉得過利，於是他也搖身一變，想靠攏人民了。」

黃安民嘆口氣：「始作俑者，其無後乎。」

小石嚷道：「別掉文了，小羊究竟靠上沒有呢？」

李鴻飛笑道：「沒有靠上，因爲在統戰部份子眼裏看來，小羊的價值還趕不上一個高不成。高不成學識雖然不成，但他究竟當過掛名學生，在各大專學校裏都有一個兩個熟人，他們可以利用他去勾引學生回大陸，至於這個小羊，雖然在文化界相當熟，可是他所認識的人，全是死硬份子，要靠小羊去勾引這批人，根本是幻想，此外小羊就沒有用場可派了。」

黃安民說道：「小羊應該死心了。」

李鴻飛嘆口氣：「他那裏會死心，還是找縫子鑽，恰好統戰部要拉人去北平觀光，小羊就自告奮勇去申請，不料他摸錯了門路，未找到統戰部的人，却撞着了特務，小羊把來意和烏鴉一說，烏鴉滿口答應，絕無問題，拍胸口保險把小羊送去北京。

小羊覺得這一次是眞靠上了，有三千元港幣可拿，開心極了。到處逢人吹謝，要到北京觀光。有一天在馬路上遇見我，遠遠就和我打招呼，我還不十分相信他眞會如此墮落，就用懷疑的口吻問道：『聽說你要到北平去？』

小羊馬上用手一指：『是北京，不是北平。』

我當時勸道：『你要考慮一下，你過去的文章及小冊子那一本不是反共的，你去了會不會出問題。』

小羊一瞪眼：『我是奉命寫的。』

我追問道：『你奉誰的命寫的？』

小羊大笑道：『當然是奉黨的命令寫的，你不知我是老黨員，已經有了二十年的黨齡。』

我也忍不住笑起來，問道：『你今年多大了？』

小羊臉紅紅說道：『我七八歲就當紅領巾出身的。』

我也不願再同他爭辯，臨別仍然勸他考慮，做人決不能實行三級跳，照這樣闊下去前途決不樂觀。就這樣過了半個月，看見北平的一羣猪仔中間竟然沒有他的名字，我心裏也頗爲高興，那知道打聽原來不是這樣。」

小石道：『一定是共產黨不要他。』

李鴻飛說道：「眞象還不能判明，初步看來是烏鴉誤了他的事。」（五十三）

台灣文壇的復古

斷橋

台灣文壇（如說文壇更恰當）如今已走向「復古」，這「復古」的勢態，非但倒退十年、二十年、三十年，竟一口氣倒退四十餘年，看情況必要跟民國紀元齊，才甘願止步。

十年來，台灣文壇（文壇）初則偵探，間諜小說及傳奇內幕風行，隨後，經過一番「清潔」，在文壇上高踞虎皮交椅的頭領們大聲疾呼之下，此等被目爲不「清潔」的貨色斂迹了。憑良心說這的確是良好現象，但是，精神食糧正如米飯饅頭一樣，是人類不可缺少的東西，我們這古老的文明之邦的同胞，豈能忍耐「文化沙漠」的寂寞？明智之士乃有鑒及此，於是，提倡「戰鬥文藝」，企求以堆砌地戰鬥姿態，繁殖「文化沙漠」，不料，倡了又「唱」，呼了又喊，「戰鬥文藝」云者，並未編列成軍，負起戰鬥任務！於是，持實劍，跨腰刀的奇俠義士出現了，他們確是以戰鬥姿態，活躍於文壇（武壇），武俠小說藉刀，矛，劍，戟復活，傲視原子大炮，電導飛彈矣！於乎「戰鬥文藝」的口號也壁不見了。確有些令人發思古之幽情哩！

武俠小說打進文壇，乃近三年的事，初則晚報，民營報長篇連載，繼而官報，黨報莫不爲武俠小說開闢以「地盤」，打開今日的台灣報紙，沒有一張不登武俠小說的，（東部南部有一二家日晚報沒有，是因出不起較高的稿費，官報付的稿費還高）。

除了武俠小說英姿勃發於文壇外，另一股勁軍是社會言情小說也還魂了，台北日晚報（包括黨營，官營）也競相連載，此種言情小說，筆法固較民初鴛鴦蝴蝶派清新流暢，惟其內容情節則屬一脈相傳，稱之爲新鴛鴦蝴蝶派可也！

回憶當年「文化清潔」運動之日，各報（包括黨報，官報）大張撻伐，誓澈底掃除誨淫誨盜之作品而後已，它是阻礙文化發展，戕害身心的毒菌呀！然而，曾幾何時，當年闢專欄張撻伐的地盤，而如今却爲給被撻伐的對象攻佔了。這種慘狀，說是「戰敗」？不對，因爲，誨淫誨盜的作者被「清潔」時，大氣不敢出一聲，豈敢奢望攻城掠地，登堂入室乎？那麼，他們的作品以英姿勃發之勢，雄據昔日仇敵之華堂廣厦，其原因安在哉？一句話仇敵妥協了！不但妥協了，而且想「利用被撻伐之對象，吸引讀者，藉以增加銷路！

現實是殘酷的，惟有能吸引讀者，才可增加報份，才能賺錢，所以爲了吸引讀者，也祗好向當年口誅筆伐的敵人妥協，笑臉相迎，刊登其大作了。

報紙固然是文化事業，但是，賺錢還是第一要義，文化不能當鈔票花呀！在賺錢的大前題下，也就顧不得啥子誨淫誨盜了，甚至自己打自己的嘴巴又何必介意乎?!

至於說上述兩種小說之崛起，繁茂，阻礙正當文藝作品成長，倒不必斤斤計較呀！「文化沙漠」不會植嘉禾！莠草自然茂盛，如欲見嘉禾茂盛，惟有待從事文藝工作的朋友們作更大的努力！祗要拿出好的作品，定會爭取有良心的讀者啊！

社會小說　香港地

六、人情味

老獨接着一笑，道：『你不要着急，且把你所見到的事情，先說一遍。好嗎？』

梅大亮把他怎樣看到韋大悲的兒子，怎樣聽到有關韋大悲和翟新開的事，和怎樣爲韋大悲抱不平等情，一一概說出。老獨用心在聽，邊聽邊點頭，一直聽到完了，才道：『你派翟新開的不是，很對，但你未明白他的作法。我替翟新開寫這篇吹牛新聞，也對。因爲我知道，飾終是一件好事。翟新開不出力去救生，只出力去利用一個死屍，大做其飾終的工作，打的無非是自私的算盤，但即使如此，有人去飾終也好，這是我的看法。如今一般人的風氣，替值得受利用的死人撐面子，也就等於替自己的風光，也等於替自己賣廣告，連堂堂一個政府和政黨都是如此，難道好怪翟新開一個嗎？像韋大悲一樣，未死前是一條蟲，死了一口氣便成了一條龍，這樣的事多得很呢。飾終這東西，說重也重，說輕也輕，這裏面有的是天大道理呀！』

梅大亮被他說得啞然，倒要怪自己頭腦太過呆板，不會在這方面想出道理來，一時不覺，口裏竟然喃喃唸着「飾終」兩個字。

老獨笑道：『飾終有什麼不好？你不是說過，韋大悲的屍體，似一條鹹魚嗎？把一條鹹魚般的屍體擡到路上去，誰還喜歡看它一眼？那便只有給它一點裝扮，披上衣衾棺槨之美，弄成炫目的藻飾，那便會使弔者大悅了。把一具屍體弄成使人可以親近，是裝飾，把一個醜女子弄成粉面油頭，是裝飾，把一面污墻披飾成五光十色，是裝飾，把一個穢迹昭彰的人說成道德文章卓絕古今，是裝飾，把一個桑君說成英雄，也是裝飾。裝飾的種類有千百種，有形或無形，或以色，或以謳歌，或以聲，或以文字，藝術多有專門，縱只能在表面造成浮美也好，也教人們眼睛有了舒服享受。這個社會是由裝飾藝術弄得好看起來，才使我們生活得有點趣味。這是眞理，你該參透才是。爲了這，我便有理由替死了的韋大悲和活生生的翟新開寫出一段裝飾得很好看的新聞了。這該列入「裝飾文學」一類。用處可眞不少。』（九〇）

木客著

工展特輯

工展服裝表演　昨首次演出

（本報訊）本屆工展舉辦的服裝展覽大會，於昨（廿八）晚七時在大會禮堂隆重首次展出。廿七位美人兒表演，以旗袍佔着相當多的數目。主持服裝表演，是由珍妮裁剪學校校長李珍妮女士作導師，香港美容專家傅式如小姐担任義務化裝。

大會由宣傳部長朱朝欽致詞，述及服裝表演的意義，會長朱石麟致開幕詞，以輕鬆風趣態度，讚美參加展出之二十七位美麗姐兒，爭妍鬥麗。服裝表演大會的嬰宛，燕瘦環肥，凌駕紅樓夢的大觀園，此間雖無瀟湘怡紅之勝，却使人有玉宇瓊樓的遐想。並強調要振興港貨，服裝表演目的，是把能做視世界的中國服裝作普及大衆演出，場面熱鬧，一直到下午九時半才告完場。成績十分美滿，第二次表演，則定於明年一月三日演出。（安）

振興攤位　紅星送照

美艷紅星南紅，前（二十九）日下午七時暢遊工展會，當參觀至十二街振興餅乾廠攤位時，適爲到場影迷所見，蜂擁上前，紛紛請惠玉照，一時途爲之塞，頓使振興攤位熱哄一片，後來她曾向遊客廣播，大讚香港工業之成就，希望大家樂用香港貨品。（白）

競選工姐　進入高潮

工展會選舉「工展小姐」，至昨廿八日只進入第三天，爭持相當劇烈。目前仍以白桂油藥廠鄭安娜票數暫時壓倒羣芳，伊人恤衫廠林佩珊票數居第二，金錢牌熱水瓶廠關玉蓮居第三，國際容貌矯治所舒玲玲居第四，其他各位亦票數相差不遠。

香港劉關張趙龍岡宗親總會宗親百餘人，由總會監事長，世界龍岡總會副監事長，關氏宗親會會長關錫熊夫婦領導，集體參觀工展，並至第十四街金錢牌攤位訪問競選工姐關玉蓮小姐，因該宗親會全體同人一致同意支持關玉蓮競選，並將各人之選票百餘張，全部投入關玉蓮之票箱。（坤）

安生堂溫灸器藥　根治胃病瘦弱病

工展會十一街安生堂主人，根據其先祖百年溫灸療病經驗，及中國三千年溫灸療病原理所首創發明之中國正宗王隱雁商標溫灸器藥，因係根治一切腸胃病，胃下垂，瘦弱病，喘病，婦科經痛，神經衰弱等病症，不但能治病，且能壯身，依法治療一月，壯胖廿磅，歷年參展，深爲港九用戶信賴，空前暢銷，今年亦然，每天均由有經驗人員親自指導，今年中藥漲，該堂仍不顧成本，特價八折優待。

查香港安生堂所創王隱雁商標溫灸器藥，自一九四九年遷港創製以來，歷年曾參加星，馬，菲及星馬獨立商展，因療效神奇，深爲南洋各地人士所信賴，甚爲暢銷，一九五七年被新加坡星洲南洋兩大報譽爲一九五八年港貨南銷最突出暢銷之出品，泰國總代理泰嘉盛爲推廣該堂此項出品，支出宣傳費百卅萬銖，合港幣四十餘萬元，如非神效暢銷，代理商當不致此投資，現該堂溫灸器藥經銷東南亞及歐美，法，德，義，南美，非洲等國，全世界百萬人採用治療神效，海內外大醫院處方採用或自動作臨床試驗，實爲中國醫藥之光，惟用戶須認明眞正百年老牌安生堂王隱雁商標溫灸器藥，方屬正貨云。

釋耒集

陶杜詩

舊讀陶淵明責子詩，覺其辭峻而意緩，不獨無疾言厲色之感，故雖曰責之，而父子間人倫之愛，反愈形眞切。深以爲陶詩之不可及處，卻在其天性之自然流露，讀之使人之爲子女者自生感愧，所謂：「經夫婦，成孝敬，厚人倫，美教化，移風俗」者，蓋存在此矣。其詞云：「白髮被兩鬢，肌膚不復實，雖有五男兒，總不好紙筆。阿舒已二八，懶惰固無匹，阿宣行志學，而不愛文術，雍端年十三，不識六與七，通子垂九齡，但念梨與栗，天運苟如此，且進杯中物。」及後讀杜詩漫興：竟曰：「陶潛避俗翁，未必能達道，觀其著詩篇，頗亦恨枯槁，達生豈是足，默識蓋不早，有子賢與愚，何其掛懷抱。」夫人之達不達，指浮囂之實，與不可知之蒼天而已，而不必併君臣父子之道亦廢而不講也，昔子路論荷蓧丈人曰：「欲潔其身而亂大倫」，則索隱行怪之類耳，未見其足取也。且余誇之杜詩，如月夜云：「遙憐小兒女，未解憶長安，」則杜公之於兒女，未嘗淡忘也，而憶幼子一首，又云：「別離驚節候，聰慧與誰論，」則對兒女之賢愚，亦未嘗不掛之懷抱也。及離成都居夔州，兒子宗武生日，公有詩曰：「詩是吾家事，人傳世上情，熟精文選理，休覓綵衣輕，」則期兒之能傳家學矣。又示宗武則曰：「應須飽經術，已似愛文章，十五男兒志，三十子弟行，曾參與游夏，達者得升堂。」並欲兒子飽經術，能文章，接迹於聖門高弟，其可寧周至，寄望深遠，豈竟不自知其爲不達邪？若淵明果不達，則孔子教伯魚學詩，與禮，爲周南召南，是孔子亦不達矣。昔人論杜公醉時歌：「儒道於我何有哉，孔丘盜跖俱塵埃」之句，謂其視宣聖與盜跖爲一類，未免失之不敬，以此爲達，則實近於莊周齊物之旨，然遂本以此論杜公，亦未得謂之公允也。人情莫願其子之聰明早達，獨願之而未必皆能得之，遂不免等爲偏激之論則有之矣，夫大道榛蕪，夫子且有欲居九夷與乘桴浮海之嘆，而功名蹭蹬，生計貧窶，杜則望兒子可以幹國棟家，陶則惟有付之天運，視所處不同而生還異，而均不背於性情之眞。若東坡洗兒詩曰：「人皆養子望聰明，我被聰明誤一生，但願生兒愚且魯，無災無難至公卿」。則純爲自慨之語，而稍露圭角，命意亦似鄰於淺近。然其詩實亦追撫陶杜而來，以之視陶，未及其含蓄，以之視杜，未若其溫厚，此附杜之，可及處，以陶詩之妙，尤在不着絲毫人力於其間，後人鮮不欲規撫其詩，無有得之者矣。

由齋

望海樓隨筆

辭歲

徐學慧

每個人都要在歲尾時分清理一些積欠，因此，一到這個時候，便叫年關。我們常聽到說，年關不易過，但年年難過年年過，卻也是事實。其實，金錢上的債務，是不難清理的，問題倒是在我們每一個人在心靈上積聚了一筆不易清還的債。

很少人對過去的日子不留戀，也很少人對現在的生活感到滿足，說起來，這倒是不可理解的矛盾。但仔細想來，卻是一點也不矛盾的。對現在的不滿足，正表示了他的壯志雄心；對過去的留戀，也正是表示他在人生戰場上受到了挫折，因而浮起了一點難得的自我沉思。假如他竟能從沉思中領悟出人生的眞義，倒也未嘗不是一件好事，可惜的是：也只是限於留戀而已。有些人甚至以留戀過去爲滿足，當他受挫於眼前的人生戰場，他不能振刷毛羽，奮翅高翔，卻將過去的回憶，織成了一個自我陶醉的網，而將自已置身在網裡。

年年是那麼過去，又年年是那麼過來，人生所依據的，只是這曠渺巨大的空間之一點，而所陪伴的，又只是這永無盡頭也不知起點的時間長流的一小段，空間那麼大，時間那麼長，人生的歷程充其量也不過是一百個寒暑，看寒來暑往，我們究竟作了一些什麼可以值得回味的事呢？

一九六〇年，就是這麼悄悄的過去了！一九六一年又如何呢？未來的歲月，究竟是怎樣的，任憑誰也不能知道，可是，我們卻也不能不來一些希望去裝點未來。生命的旅途，絕不是鮮花遍地，而是千重山，萬重水，水複山重，還夾雜着險阻艱難的羊腸道。多少人走到半路倒下去了；多少人走到三叉路口，迷失了途徑；多少人帶着創傷，疲乏地作蝸牛式的漫步。這些都不是我們所希望的。我們所希望的是：發揮自己的智慧，克盡自己的力量。

夫婦同祀

道南

沈文肅公名葆楨，字幼丹，爲咸同間名臣，其功名雖不及曾左李諸人之顯赫，但夫婦併祀，爲一時佳話，世人至今猶稱道不衰。近人輯清代女子詩文選，以沈夫人與秋瑾烈士同列，因爲她在江西廣信之援一事，實具有丈夫俠烈之氣，與秋瑾時代雖不同，所志雖不同，但其壯烈之舉，仍屬可歌可泣。

沈夫人名敬紉，侯官林文忠公則徐次女。光緒十年二月贛撫潘爵，據廣信府紳耆僉請將沈夫人附祀沈文肅祠，是年六月初三日，奉旨准行，原文云：

「潘爵奏：已故督臣沈葆楨之妻林民，乞援守城，保全圍郡，請附祀沈葆楨專祠，並抄錄該氏書稿呈覽一摺，據稱咸豐六年，賊匪竄擾江西時，沈葆楨爲廣信府知府，赴鄉籌餉，其妻林氏，因郡城危急，作書乞援於總兵饒廷選，沈葆楨旋卽回署，與饒廷選同守郡城，該氏躬親執爨，以待將士，用是連戰皆捷，郡城得全，實屬深明大義，沈林氏着准其附祀沈葆楨廣信府專祠，欽此。」

按之清史烈傳，紀「葆楨於咸豐六年署廣信府，太平軍楊輔清連陷貴溪弋陽，將逼廣信，葆楨方赴河口（偕廉兆倫侍郎）下鄉籌餉，聞警馳回，而太平軍已圍城，官吏軍民多避走，郡人請林避，林懷印信於身，手執劍立井旁曰：「賊來，有死而已！」於是刺指作書，乞援於浙江總兵饒廷選，會大雨，賊滯興安，廷選先入城，賊至，七戰皆捷，解圍去，曾國藩上其守城狀，詔嘉獎，以道員用。」

其時夫人已有孕，旋生一女，名曰懷印，卽所以紀念廣信圍城時懷印立井之事。林夫人由於家學淵源，精於翰墨，瞻識過人，每遇沈葆楨公出，官署文書，均由夫人一手批答，斯誠不愧爲賢內助。乃天不假年，夫人先文肅公卒，文肅公輓云：

「念此身何以酬君，幸死而有知，奉泉下翁姑，依然稱意；論全福自應先我，顧事猶未了，看床前兒女，怎不傷心。」

楊子恂觀察輓云：

「曠代雙忠，紫閣丹靑，生面重開鄧國；夔時一老，滄江風雨，深秋瘦盡沈東陽。」

楊子恂爲閩縣人，少負奇才，風流儒儺，與同邑林錫三太史，龍鼐仁廉訪諸公結詩社，跌宕文壇，稱爲健者。上聯卽係指其奉詔許入祀專祠。

黃緝臣輓云：

「大江東去，有夫人百尺巍城，記譬環餉士，劍佩登埤，彤管千秋，猶想見譙國旌旗，金山桴鼓；明月前身，證仙子三生慧業，溯紫符來因，紅塵謫限，曇花一現，試看丑曹劉家世，左謝才名。」

又慈谿張魯生輓云：

「爲名臣女，爲名臣妻，江右佐元戎，錦繖夫人分偉績；於中秋生，於中秋死，天邊圓皓魄，霓裳仙子證前身。」

夫人係生於道光元年八月十五日亥時，以同治十二年八月十五日亥時卒於福州里第，上兩聯均係指此而言，貼切不移，詞尤典麗。

林亨宰輓云：

「佐夫君羽檄忙中，羣盜披猖，戰壘從容濡盾墨；盼兒輩文場出後，華鬘恒化，夜臺含笑看泥金。」

又沈公介弟篤初輓云：

「師老母持家，烈女淵源中壘傳；佐伯兄報國，夫人功德信州城。」

饒鎮軍（廷選）由浙江赴援，解廣信之圍，文肅甚感之，乃不幸亦先文肅而歿，沈輓之云：

「爲千秋萬世立此綱常，君恩母命如新，敢以忠臣兼孝子；拼九死一生赴予急難，信水潛山依舊，那堪我在與公亡。」

以上各聯，均係佳構，衷痛之私，溢於言表，不可不讀，謹錄於上。

海嶠塵談

財聚則民散（一）

諸葛文侯

吾國古先哲賢垂訓「財聚則民散」與「藏富於民」的義理，深切透闢，允符爲政之道，雖現代的財政經濟學專家們，如果他不是共產主義者，亦沒法不承認這項義理的妥當性。所以孔子假言「與其有聚斂之臣，寧有盜臣」，蓋聚斂與劫掠的行爲和後果，並無多大區別，而前者比較後者貽害更烈也。

中華民國政府喪失大陸錦繡山河的因素固多，但在財政金融上不知藏富於民，而唯實施殺雞取卵的聚斂方法，實爲失敗的主因，試舉其犖犖大者言之，卽可恍然大悟了。

對日抗戰末期，美國決定以鉅額的黃金貸予我國，俾得穩定金融，維時幣值暴落，政府爲吸收法幣回籠計，渙汗大號，教人民自由向國家銀行預繳法幣，按官價訂購黃金，約期三個月兌現。初時民衆頗存觀望，訂購未見踴躍。然屆期如數照兌，信用昭彰，購買者獲利甚厚。迨第二期預約之際，人民翕然景從，諸凡販夫走卒，亦相率以其辛勤積蓄的微末之資，投入銀行，預購黃金。可是歷時八個月亦沒有兌現的消息，政府聲明是由於黃金運輸困難（要用飛機運經喜瑪拉亞山的最高峰，再到重慶），別無他意。這批黃金直至日本宣佈投降後一個月，才到達重慶，物價與法幣價格的比例又相差更多了，民衆皆寄望於預購黃金的利得，藉資挹注。不料財政部霹靂一聲，指說人民獲利太多，所有預購的黃金，一律扣發四成，輿論爲之大譁，詰問政府在抗戰勝利後，何以猶作此病民之事？但財政當局竟靦顏答以戰後需要建設費，不得不然。這一來，社會上許多勞苦羣衆和中小階層的公敎人員，大家都好像做了一場噩夢，化爲赤貧了。有些迷信於第一次預購黃金之得利者，曾以借貸或變賣產業和首飾的方法，醵集法幣，大量購金，忽被政府剝削四成，頓陷於傾家蕩產的悲慘境地，飲泣吞聲，無從申訴，民怨甚矣！

國府還都南京時，國庫所存美元外匯約有十二億，新改幣的「關金券」信用亦高，淪陷區物價較戰前只漲了十五至二十倍而已。人心相當安定，且認爲抗戰勝利以後的政府，一定是與民休息，多行仁政的。然而，財政部絕頂胡來，根據中央銀行副總裁陳某在漢口一隅耳聞的物價指數調查報告，竟頒佈僞幣兩百元折合法幣一元的規定率。如是乎，淪陷區的物價突飛猛漲，法幣不斷貶值，商人搶購物資，而一般官僚資本和經理資本（軍需人員）亦以從事市場投機，屯積居奇爲聚財的捷徑，受苦受難的就是升斗小民和軍隊裏的中下級官佐士兵。從此以後，物價便如脫韁之馬，跳盪不止，民怨沸騰之外，軍心亦告渙散了！

韓愈論

謝康

柳宗元龍城錄說，有一次韓愈與宗元等三人夜坐，談鬼神變化，果然有無數點火光，自聰外闖入室中，變爲圓鏡飛度往來，乍離乍合，最後發出大聲而去，韓愈雖剛直，亦爲之動顏。從這裏可以見得韓柳諸公，仍相信神怪。證諸後來韓愈寫柳宗元死後成神的故事爲「羅池神廟碑記」，據稱有人因不敬神而當堂倒斃云云，和他在潮州時，作鱷祭文向鱷魚說話，同屬是神權迷信。又張讀「宣室志」稱韓愈能讀泉州石壁上天書一十九言云：「詔赤黑視之！鯉魚天公卑殺牛人壬癸神，書急急！」以上帝賣蛟螭之詞，又頗像蝌蚪文，除韓愈外，大家都不認識，這件事如果屬實，也可證明韓愈和道家的關係。

太平廣記引「仙傳拾遺」記韓愈的外甥蹟洪崖學仙事，並謂此甥仙去以後，愈復見之，亦得其月華度世之道，而迹未顯爾。又昌黎遺文，有徐州贈族侄詩，有人說就是指此甥或族侄韓湘事。今世所傳韓湘子爲八仙之一，由呂洞賓度他得道，據韓仙傳稱湘曾護送叔父愈赴潮州任所並以術驅鱷魚云。「雲橫秦嶺，雪擁藍關」一詩，卽韓湘之作。神仙之說，本渺茫難尋，韓愈與韓湘的關係，很難斷其必有，但愈既因服丹藥（硫磺）致疾，則其與道家的往來，亦頗難斷其必無也。韓柳文章曾經齊名，而韓公嗜道教，宗元好佛家之言，也可說是無獨有偶，各有偏好罷了。（七）

歷史人物

徵稿小啟

隨筆、小說、雜感、有內容有意義之[illegible]文字[illegible]，均所歡迎[illegible]。稿件請寫明地址，[illegible]附郵[illegible]。文過長則比較不易刊出，[illegible]短文刊出的機會較多，請特別注意爲感。

史地傳記類　PC0274

自由人（九）

編　　者 / 陳正茂
責任編輯 / 邵亢虎
圖文排版 / 彭君浩
封面設計 / 陳佩蓉

法律顧問 / 毛國樑　律師
印製經銷 / 秀威資訊科技股份有限公司
114台北市內湖區瑞光路76巷65號1樓
電話：+886-2-2796-3638　傳真：+886-2-2796-1377
http://www.showwe.com.tw
劃撥帳號 / 19563868　戶名：秀威資訊科技股份有限公司
讀者服務信箱：service@showwe.com.tw
展售門市 / 國家書店（松江門市）
104台北市中山區松江路209號1樓
電話：+886-2-2518-0207　傳真：+886-2-2518-0778
網路訂購 / 秀威網路書店：http://www.bodbooks.com.tw
國家網路書店：http://www.govbooks.com.tw

2012年12月復刻版
定價：2500元

國家圖書館出版品預行編目

自由人 / 陳正茂編. -- 一版. -- 臺北市 : 秀威資訊科技,
2012. 12-
冊； 公分. -- (史地傳記類)
BOD版
ISBN 978-986-326-020-2(第1冊 : 精裝). --
ISBN 978-986-326-016-5(第2冊 : 精裝). --
ISBN 978-986-326-017-2(第3冊 : 精裝). --
ISBN 978-986-326-018-9(第4冊 : 精裝). --
ISBN 978-986-326-019-6(第5冊 : 精裝). --
ISBN 978-986-326-022-6(第6冊 : 精裝). --
ISBN 978-986-326-023-3(第7冊 : 精裝). --
ISBN 978-986-326-024-0(第8冊 : 精裝). --
ISBN 978-986-326-025-7(第9冊 : 精裝). --
ISBN 978-986-326-026-4(第10冊 : 精裝). --

1. 報紙 2. 香港特別行政區

059.92 101021409

讀者回函卡

感謝您購買本書，為提升服務品質，請填妥以下資料，將讀者回函卡直接寄回或傳真本公司，收到您的寶貴意見後，我們會收藏記錄及檢討，謝謝！如您需要了解本公司最新出版書目、購書優惠或企劃活動，歡迎您上網查詢或下載相關資料：http:// www.showwe.com.tw

您購買的書名：______________________________

出生日期：________年________月________日

學歷：□高中（含）以下　□大專　□研究所（含）以上

職業：□製造業　□金融業　□資訊業　□軍警　□傳播業　□自由業

□服務業　□公務員　□教職　□學生　□家管　□其它_____

購書地點：□網路書店　□實體書店　□書展　□郵購　□贈閱　□其他

您從何得知本書的消息？

□網路書店　□實體書店　□網路搜尋　□電子報　□書訊　□雜誌

□傳播媒體　□親友推薦　□網站推薦　□部落格　□其他__________

您對本書的評價：（請填代號　1.非常滿意　2.滿意　3.尚可　4.再改進）

封面設計____　版面編排____　內容____　文／譯筆____　價格____

讀完書後您覺得：

□很有收穫　□有收穫　□收穫不多　□沒收穫

對我們的建議：______________________________

____

____

____

請貼
郵票

11466
台北市內湖區瑞光路 76 巷 65 號 1 樓
秀威資訊科技股份有限公司 收
BOD 數位出版事業部

（請沿線對折寄回，謝謝！）

姓　　名：________________　　年齡：________　　性別：□女　□男

郵遞區號：□□□□□

地　　址：________________________________

聯絡電話：(日)________________　(夜)________________

E-mail：________________________________